LOWELL

D0391207

Diccionario básico
de la lengua española

Santillana

Diccionario básico
de la lengua española

Santillana

Dirección
Sergio Sánchez Cerezo

Edición
Alberto Martín Baró

Redacción
Carmen Carrasco,
Mercedes Rubio,
Ana María Sánchez,
Manuel Sequeiros
y Reyes Sequera

Revisión científica
Elvira González, Estrella Marinas
y Roberto Pérez

Coordinación
Manuel Sequeiros

Realización gráfica y editorial

Corrección
Francisco Viciana

Composición y ajuste
Ángeles Bárzano,
José García,
Aurora Martín
y Begoña Pascual

Diseño de cubierta
Pep Carrió y Sonia Sánchez

Coordinación
Miguel García

Dirección
Francisco Romero

© 1995 Grupo Santillana de Ediciones, S. A.
Torrelaguna, 60 - 28043 Madrid

PRINTED IN SPAIN
Impreso en España por
Gráfica Internacional, S. A.
San Dalmacio, 25. 28021 Madrid

ISBN: 84-294-4553-6
Depósito legal: M-4.035-2001

PRIMERA EDICIÓN: MAYO 1995
DECIMOPRIMERA REIMPRESIÓN: MARZO 2001

Un diccionario como base para el correcto uso del lenguaje

Un diccionario es, básicamente, un archivo de palabras ordenadas alfabéticamente con sus definiciones, que informan del significado o de los significados de dichas palabras.

Este diccionario es *básico* por tres principales razones: por la importancia que da a las definiciones, por la sencillez de las mismas y por la selección de los términos que incluye.

El *Diccionario básico de la lengua española* ofrece más de 24.000 palabras, seleccionadas de acuerdo con unos criterios de utilidad muy estudiados. Con este caudal de vocabulario se tiene una buena base para entender y hablar con corrección la lengua española.

En cada palabra se dan las abreviaturas de las categorías gramaticales, las definiciones con la mayor brevedad posible, ejemplos de uso en los casos en que más pueden ayudar a entender el significado propuesto, algunas expresiones de interés y un rico repertorio de sinónimos y antónimos, que vienen a ser como prolongaciones de las definiciones. Y aparecen en cuadros detrás de los verbos irregulares las variantes de su conjugación.

Se han incorporado palabras extranjeras usuales en nuestra lengua, indicándose entre paréntesis el idioma del que proceden. También se han tenido en cuenta los neologismos, vulgarismos, americanismos y términos de argot más corrientes.

Con ello se pretende satisfacer el deseo de todos aquellos que buscan un diccionario manejable y de rápida y fácil consulta.

Editorial SANTILLANA

Algunas indicaciones para el uso de este diccionario

◆ Los términos que se definen van ordenados alfabéticamente y destacados en letra negrita.

◆ En la parte superior izquierda de las páginas pares y en la derecha de las impares aparecen, respectivamente, la primera y la última palabra de cada dos páginas.

◆ Cuando una palabra tiene más de un significado, se numeran las distintas acepciones. También se numeran los sinónimos y antónimos, para indicar a qué acepción o acepciones corresponden.

◆ Detrás de los verbos irregulares que se toman como modelos se incluye un cuadro con las formas de su conjugación que se apartan de las regulares. En el resto de los verbos irregulares se señala cuál es el modelo que siguen.

◆ A continuación se detallan las abreviaturas utilizadas en este diccionario:

ABREVIATURAS

adj.	adjetivo	*interj.*	interjección
adv.	adverbio	*interr.*	interrogativo
al.	alemán	*irreg.*	irregular
Ant.	antónimo	ital.	italiano
art.	artículo	jap.	japonés
art. n.	artículo neutro	lat.	latín, latino
aum.	aumentativo	*m.*	masculino
cat.	catalán	*n.*	neutro
comp.	comparativo	*num.*	numeral
conj.	conjunción	*p.*	participio
defect.	defectivo	port.	portugués
dem.	demostrativo	*pos.*	posesivo
desp.	despectivo	*pron.*	pronombre
dim.	diminutivo	*pron. pers.*	pronombre personal
distrib.	distributivo	*reg.*	regular
excl.	exclamativo	*rel.*	relativo
expr.	expresión	*s.*	sustantivo
Expr.	expresiones	*s. amb.*	sustantivo ambiguo
f.	femenino	*s. f.*	sustantivo femenino
fam.	familiar	*s. m.*	sustantivo masculino
fr.	francés	**Sin.**	sinónimo
gall.	gallego	*sup.*	superlativo
hebr.	hebreo	*v.*	verbo
indef.	indefinido	vasc.	vascuence
ingl.	inglés	*vulg.*	vulgar

a¹ *s. f.* Primera letra del abecedario.

a² *prep.* Indica la persona que recibe un objeto o una acción: *Di el libro a tu amigo. Adora a sus hijos;* el lugar adonde alguien se dirige: *Voy a Cádiz;* distancia: *La casa está a 1 kilómetro;* tiempo en que ocurre o se hace algo: *Salimos a las doce;* modo: *lavar a mano;* precio: *Todo a cien pesetas;* finalidad: *Vengo a verte;* velocidad: *Iba a 70 kilómetros por hora.*

a. m. Siglas de ante meridiem.

abacería *s. f.* Tienda de comestibles.

abacial *adj.* Del abad o la abadesa, o de la abadía.

ábaco *s. m.* 1. Instrumento para contar y hacer operaciones matemáticas, con fichas o bolitas ensartadas en unas varillas. 2. Parte superior del capitel de la columna.

abad, abadesa *s. m. y f.* Monje o monja que gobierna en algunos monasterios.

abadejo *s. m.* Bacalao.

abadía *s. f.* Monasterio gobernado por un abad o una abadesa.

abajo *adv.* Señala un lugar o una parte más bajos. **Sin.** Debajo. **Ant.** Arriba.

abalanzarse *v.* Lanzarse con fuerza hacia alguien o algo. **Sin.** Arrojarse.

abalaustrado, da *adj.* Que tiene balaustradas.

abalizar *v.* Balizar.

abalorio *s. m.* 1. Bolita de los collares y otros adornos. 2. Adorno llamativo de poco valor. **Sin.** 1. Cuenta.

abancalar *v.* Hacer bancales en un terreno.

abanderado, da *s. m. y f.* El que lleva la bandera en desfiles y actos públicos. **Sin.** Portaestandarte.

abandonado, da *p.* de abandonar. También *adj.* **Sin.** Descuidado, desatendido. **Ant.** Cuidadoso, atendido.

abandonar *v.* 1. Dejar solo y sin atención o cuidado. 2. Dejar: *abandonar los estudios.* ‖ **abandonarse** 3. No arreglarse o no asearse. **Sin.** 1. Descuidar, desamparar. 2. Interrumpir, desistir. **Ant.** 1. Proteger. 2. Continuar.

abandono *s. m.* Acción de abandonar o abandonarse. **Sin.** Desamparo, descuido; interrupción.

abanicar *v.* Dar aire con un abanico u otra cosa.

abanico *s. m.* Utensilio plegable para darse aire.

abanto *adj. y s.* 1. Torpe, atontado. 2. Impaciente, impulsivo.

abaratar *v.* Bajar el precio de algo. **Sin.** Rebajar. **Ant.** Encarecer.

abarca *s. f.* Calzado rústico atado con correas o cuerdas.

abarcar *v.* 1. Rodear con los brazos o con la mano. 2. Incluir, comprender. **Sin.** 1. Abrazar, ceñir. 2. Englobar. **Ant.** 2. Excluir.

abarquillar *v.* Curvar, combar. **Sin.** Arquear, alabear. **Ant.** Enderezar.

abarrotado, da 1. *p.* de abarrotar. ‖ *adj.* 2. Muy lleno. **Sin.** 2. Atestado. **Ant.** 2. Vacío.

abarrotar *v.* Llenar por completo un lugar. **Sin.** Atestar. **Ant.** Vaciar.

abastecedor, ra *adj. y s.* Que abastece. **Sin.** Proveedor.

abastecer *v.* Proporcionar cosas necesarias. □ Es v. irreg. Se conjuga como *agradecer.* **Sin.** Suministrar, proveer.

abastecimiento *s. m.* Acción de abastecer. **Sin.** Suministro, aprovisionamiento

abasto Se usa en la expresión **dar abasto**, 'poder hacer algo' o 'tener bastante': *No da abasto con tantos deberes. Un litro de leche da abasto para todos.*

abate *s. m.* Clérigo extranjero.

abatible *adj.* Que se puede bajar o tumbar: *respaldo abatible.*

abatido, da 1. *p.* de abatir. También *adj.* ‖ *adj.* 2. Deprimido, desanimado. **Sin.** 1. Derribado; bajado. 2. Decaído. **Ant.** 1. Levantado. 2. Animado.

abatimiento *s. m.* Desánimo, debilidad. **Sin.** Desaliento, desgana. **Ant.** Ánimo.

abatir *v.* 1. Derribar. 2. Bajar, tumbar. 3. Hacer perder las fuerzas o el ánimo.

‖ **abatirse** 4. Lanzarse un avión o ave desde lo alto, casi siempre para atacar. Sin. 1. Tirar, derrumbar. 2. Inclinar. 3. Desanimar, deprimir. Ant. 1 y 2. Levantar. 3. Animar.

abdicación s. f. Acción de abdicar.

abdicar v. Ceder el rey u otra persona su poder a alguien. Sin. Renunciar.

abdomen s. m. 1. Parte del cuerpo de los vertebrados donde están las vísceras. 2. Parte posterior del cuerpo de los artrópodos. Sin. 1. Vientre, barriga.

abdominal adj. Del abdomen.

abecé s. m. Abecedario.

abecedario s. m. Conjunto ordenado de las letras de un idioma. Sin. Abecé, alfabeto.

abedul s. m. Árbol de hoja caduca, madera dura y corteza lisa y grisácea que se desprende en láminas.

abeja s. f. Insecto volador que vive en colmenas y produce miel y cera.

abejaruco s. m. Ave de brillantes colores, que se alimenta de insectos, sobre todo abejas.

abejorro s. m. Insecto parecido a la abeja, pero más grande.

aberración s. f. 1. Cosa anormal. 2. Acción inhumana o salvaje. Sin. 1. Anormalidad, desviación.

aberrante adj. 1. Que no es normal o natural. 2. Salvaje, inhumano.

abertura s. f. Agujero, grieta. Sin. Boquete.

abeto s. m. Árbol de alta montaña, de hoja perenne y copa cónica.

abiertamente adv. De manera clara y sincera.

abierto, ta 1. p. de abrir. También adj. ‖ adj. 2. Amplio y sin obstáculos: mar abierto. 3. Comunicativo. Sin. 3. Extrovertido. Ant. 3. Retraído.

abigarrado, da adj. Con muchas cosas distintas y mal combinadas.

abisal adj. Se dice de las grandes profundidades del mar y de lo que hay en ellas.

abisinio, nia adj. y s. Etíope.

abismal adj. Se dice de la diferencia muy grande. Sin. Enorme, inmenso.

abismo s. m. 1. Profundidad muy grande, impresionante y peligrosa, como la del mar o un precipicio. 2. Mucha diferencia. Sin. 1. Sima.

abjurar v. Abandonar ideas o creencias. Sin. Renegar, apostatar. Ant. Reafirmarse.

ablandar v. 1. Poner blanda una cosa. 2. Convencer o conmover. Sin. 1. Reblandecer. 2. Enternecer. Ant. 1 y 2. Endurecer.

ablución s. f. Acción de lavarse, sobre todo para purificarse en algunas religiones.

ablusado, da adj. Suelto como una blusa.

abnegación s. f. Capacidad para sacrificarse por los demás. Ant. Egoísmo.

abnegado, da adj. Que muestra abnegación. Ant. Egoísta.

abocado, da adj. Próximo o expuesto: abocado al fracaso.

abocetar v. Hacer un boceto.

abochornado, da 1. p. de abochornar. ‖ adj. 2. Avergonzado.

abochornar v. Avergonzar.

abofetear v. Dar bofetadas.

abogacía s. f. Profesión del abogado.

abogado, da s. m. y f. Persona que ha estudiado derecho y defiende a otras en los juicios y aconseja en asuntos de leyes. Sin. Letrado, jurista.

abogar v. Defender, apoyar: abogar por la paz. Sin. Interceder. Ant. Atacar.

abolengo s. m. Conjunto de antepasados, sobre todo si son nobles o importantes. Sin. Estirpe, linaje.

abolición s. f. Acción de abolir. Sin. Derogación.

abolicionismo s. m. Doctrina que defendía la abolición de la esclavitud.

abolicionista adj. y s. Partidario del abolicionismo o relacionado con él.

abolir v. Suprimir una ley o costumbre. □ Es v. defect. Sólo se conjugan las formas que tienen una i, como abolió. Sin. Derogar. Ant. Implantar.

abolladura s. f. Acción de abollar y parte que queda abollada. Sin. Abollón.

abollar v. Hundir una superficie al golpearla o apretarla. Sin. Aplastar.

abollón s. m. Parte abollada de algo. Sin. Abolladura.

abombar v. Curvar hacia afuera una superficie. Sin. Abultar, ahuecar. Ant. Aplanar.

abominable adj. Que merece ser odiado o rechazado. Sin. Detestable, horroroso. Ant. Admirable.

abominar v. Odiar, rechazar. Sin. Aborrecer, detestar. Ant. Amar.

abonado, da 1. p. de abonar². ‖ adj. y s. 2. Se dice de la persona que se abona a algo.

abonar[1] *v.* Echar abono en la tierra. **SIN.** Fertilizar.

abonar[2] *v.* **1.** Pagar. ‖ **abonarse 2.** Comprarse un abono o pagar para poder asistir a varias sesiones de un espectáculo, ir a un club o recibir revistas y periódicos.

abono[1] *s. m.* Sustancia que se echa en la tierra para hacerla más fértil. **SIN.** Fertilizante.

abono[2] *s. m.* Conjunto de entradas o tarjeta que permiten asistir a un espectáculo o utilizar un servicio.

abordaje *s. m.* Acción de abordar una embarcación a otra.

abordar *v.* **1.** Dirigirse a alguien para decirle algo. **2.** Tratar un asunto, comenzar una cosa difícil. **3.** Acercarse una embarcación a otra o chocar con ella, sobre todo para atacarla. **SIN.** **2.** Acometer, afrontar. **ANT.** **2.** Evitar.

aborigen *adj.* y *s.* Primitivo poblador de un lugar. **SIN.** Indígena, nativo.

aborrecer *v.* Odiar. ◻ Es v. irreg. Se conjuga como *agradecer*. **SIN.** Destestar, abominar. **ANT.** Amar.

aborrecible *adj.* Que merece ser aborrecido. **SIN.** Detestable.

aborrecimiento *s. m.* Odio, antipatía.

aborregado *adj.* Se dice del cielo cubierto de pequeñas nubes blancas.

abortar *v.* **1.** Expulsar la madre el feto antes de que esté en condiciones de poder VIVIR; puede ser natural o provocado. **2.** Hacer fracasar algo. **SIN.** **2.** Frustrar, malograr. **ANT.** **2.** Triunfar.

abortista *adj.* y *s.* Partidario de legalizar el aborto.

abortivo, va *adj.* y *s. m.* Que hace abortar.

aborto *s. m.* Acción de abortar una mujer.

abotargado, da *adj.* Atontado por el cansancio, el calor, etc.

abotinado *adj.* Se dice del zapato que cubre el pie hasta el tobillo.

abotonar *v.* Abrochar los botones de una prenda de vestir. **ANT.** Desabotonar, desabrochar.

abovedado, da *adj.* Que tiene forma de bóveda o está cubierto con ella.

abra *s. f.* Bahía pequeña.

abrasador, ra *adj.* Que abrasa.

abrasar *v.* **1.** Quemar con fuego, con ácidos, etc. **2.** Estar muy caliente. **SIN.** **1.** Carbonizar, calcinar. **2.** Arder. **ANT.** **1.** Apagar.

abrasión *s. f.* Desgaste por el roce.

abrasivo, va *adj.* **1.** Que produce abrasión. ‖ *s. m.* **2.** Producto para pulir o desgastar un material mediante roce.

abrazadera *s. f.* Pieza que sujeta algo rodeándolo como un anillo.

abrazar *v.* **1.** Rodear con los brazos, sobre todo en señal de cariño. **2.** Seguir unas ideas o una religión. **SIN.** **1.** Estrechar. **2.** Adoptar. **ANT.** **2.** Abjurar.

abrazo *s. m.* Acción de abrazar a alguien.

abrebotellas *s. m.* Instrumento para levantar las chapas o tapones de las botellas. **SIN.** Abridor.

abrecartas *s. m.* Utensilio en forma de cuchillo para abrir cartas.

abrecoches *s. m.* y *f.* Persona que abre la puerta del coche a sus ocupantes en la entrada de un hotel, restaurante, etc.

ábrego *s. m.* Viento húmedo del suroeste.

abrelatas *s. m.* Instrumento para abrir latas de conservas.

abrevadero *s. m.* Estanque o pilón donde beben los animales.

abrevar *v.* Beber el ganado o darle de beber.

abreviado, da **1.** *p.* de **abreviar**. ‖ *adj.* **2.** Reducido, breve. **ANT.** **1** y **2.** Alargado.

abreviar *v.* **1.** Hacer más breve algo. **2.** Darse prisa. **SIN.** **1.** Reducir, resumir. **2.** Apresurarse, acelerar. **ANT.** **1.** Alargar. **2.** Demorar.

abreviatura *s. f.* Forma más corta de una palabra, como *Sr.* de *señor*.

abridor *s. m.* Abrebotellas.

abrigar *v.* Proteger del frío. **SIN.** Arropar, resguardar. **ANT.** Destapar.

abrigo *s. m.* Prenda de vestir que se usa sobre el resto de la ropa para protegerse del frío. **EXPR.** **de abrigo** Tremendo: *Tiene un enfado de abrigo*. **SIN.** Gabán, sobretodo.

abril *s. m.* Cuarto mes del año, de treinta días.

abrillantador, ra *adj.* y *s. m.* Que abrillanta: *un producto abrillantador*.

abrillantar *v.* Dar brillo. **SIN.** Pulir, lustrar.

abrir *v.* **1.** Quitar lo que tapa una cosa o impide el paso a un lugar: *abrir una caja, una botella, una puerta*. **2.** Sacar un cajón del mueble en que está metido. **3.** Extender algo que estaba doblado o junto: *abrir el paraguas, un libro*. **4.** Hacer: *abrir un agujero.* **5.** Empezar: *abrir un baile.* **6.** Dar, provocar: *abrir el apetito.* □ Su p. es irreg.: *abierto.* **Sin. 1.** Destapar. **3.** Desplegar. **5.** Iniciar, inaugurar. **Ant. 1.** Tapar. **1** a **4.** Cerrar. **5.** Terminar.

abrochar *v.* Cerrar o sujetar las prendas de vestir u otras cosas con botones o broches. **Sin.** Abotonar. **Ant.** Desabrochar.

abrogar *v.* Suprimir una ley. **Sin.** Abolir, derogar. **Ant.** Aprobar.

abrojo *s. m.* Arbusto de tallos largos y espinosos que crecen a ras de suelo, muy perjudicial para los sembrados.

abroncar *v.* Abuchear.

abrumador, ra *adj.* **1.** Pesado, agobiante: *un trabajo abrumador.* **2.** Muy grande, total: *una victoria abrumadora.* **Sin. 1.** Angustioso. **2.** Aplastante. **Ant. 1** y **2.** Ligero, leve.

abrumar *v.* **1.** Cansar, agobiar. **2.** Hacer que alguien sienta vergüenza por ser demasiado amable con él o alabarle mucho. **Sin. 1.** Atosigar. **2.** Azorar. **Ant. 1.** Aliviar.

abrupto, ta *adj.* Accidentado, montañoso. **Sin.** Escarpado. **Ant.** Llano.

absceso *s. m.* Grano con pus muy doloroso. **Sin.** Forúnculo.

abscisa *s. f.* Coordenada primera o línea horizontal en un sistema de ejes cartesianos.

absenta *s. f.* Ajenjo, bebida alcohólica.

absentismo *s. m.* Hecho de faltar mucho al trabajo sin motivo justificado.

ábside *s. m.* Parte de una iglesia que sobresale en la fachada posterior, donde está el altar mayor.

absolución *s. f.* Acción de absolver de un pecado o culpa. **Sin.** Perdón. **Ant.** Condena.

absolutamente *adv.* Por completo, totalmente.

absolutismo *s. m.* Forma de gobierno en la que el rey tenía todos los poderes del Estado.

absolutista *adj.* y *s.* Partidario del absolutismo o relacionado con él.

absoluto, ta *adj.* **1.** Total, completo. **2.** En matemáticas, se aplica al valor de un número con signo positivo. **Expr. en absoluto** De ninguna manera: *–¿Molesto? –No, en absoluto.*

absolver *v.* **1.** Perdonar un pecado. **2.** Declarar inocente. □ Es v. irreg. Se conjuga como *volver.* **Sin. 1** y **2.** Exculpar. **Ant. 1** y **2.** Condenar.

absorbente *adj.* **1.** Que absorbe o empapa. **2.** Que necesita mucho tiempo o atención: *un trabajo absorbente.* **3.** Se dice de la persona que quiere la atención de alguien sólo para ella. **Sin. 3.** Posesivo, dominante.

absorber *v.* **1.** Atraer un cuerpo a un líquido o gas y conservarlo dentro de él. **2.** Ocupar totalmente la atención, el interés o el tiempo de alguien. **Sin. 1.** Chupar, embeber. **Ant. 1.** Expulsar. **2.** Distraer.

absorción *s. f.* Acción de absorber un líquido o gas.

absorto, ta *adj.* Muy concentrado en algo. **Sin.** Enfrascado, abstraído. **Ant.** Distraído.

abstemio, mia *adj.* y *s.* Que no bebe alcohol. **Ant.** Bebedor.

abstención *s. f.* Acción de abstenerse, sobre todo de participar en una votación. **Ant.** Participación.

abstenerse *v.* No hacer, decir o tomar algo. □ Es v. irreg. Se conjuga como *tener.* **Sin.** Contenerse. **Ant.** Participar.

abstinencia *s. f.* Hecho de abstenerse de algo, en especial por razones religiosas.

abstracción *s. f.* Acción de abstraer o idea abstracta.

abstracto, ta *adj.* **1.** Se dice de las cualidades consideradas separadamente de las personas o cosas que las poseen, por ejemplo la bondad y la belleza. **2.** Se dice de los sustantivos que expresan esas cualidades o ideas. **3.** Se dice del arte que no representa cosas que se ven en la realidad. **Ant. 3.** Figurativo.

abstraer *v.* **1.** Separar con el pensamiento alguna cualidad de una persona o cosa. ‖ **2. abstraerse** Desviar la atención de todo para fijarse sólo en una cosa. □ Es v. irreg. Se conjuga como *traer.* **Sin. 2.** Ensimismarse, embeberse. **Ant. 2.** Distraerse.

abstruso, sa *adj.* Que no se comprende.

absuelto, ta 1. *p.* de absolver. ‖ *adj.* **2.** Perdonado o declarado inocente.

absurdo, da *adj.* y *s. m.* Que no tiene lógica ni sentido.

abubilla *s. f.* Ave de largo pico curvado y una vistosa cresta. Se alimenta de insectos y despide mal olor.

abuchear *v.* Protestar contra alguien con gritos o silbidos. **Sin.** Silbar, abroncar. **Ant.** Aplaudir.

abucheo *s. m.* Acción de abuchear. **Sin.** Bronca. **Ant.** Ovación.

abuelo, la *s. m.* y *f.* Padre o madre de los padres de alguien.

abuhardillado, da *adj.* Con buhardilla o en forma de buhardilla.

abulense *adj.* y *s.* De Ávila, ciudad y provincia españolas.

abulia *s. f.* Desgana, desinterés. **Sin.** Apatía. **Ant.** Entusiasmo.

abúlico, ca *adj.* y *s.* Que tiene abulia. **Sin.** Apático. **Ant.** Entusiasta.

abultado, da 1. *p.* de **abultar**. También *adj.* ‖ *adj.* 2. Grande o exagerado: *una abultada victoria.*

abultamiento *s. m.* Bulto en una superficie.

abultar *v.* 1. Ocupar un espacio. ‖ **abultarse. Sin.** 2. Inflamarse. **Ant.** 2. Deshincharse.

abundancia *s. f.* Gran cantidad de alguna cosa. **Sin.** Riqueza, profusión. **Ant.** Escasez

abundante *adj.* Que abunda. **Sin.** Copioso. **Ant.** Escaso.

abundar *v.* Haber mucho de algo.

aburguesarse *v.* Acostumbrarse a la vida tranquila y acomodada de los burgueses.

aburrido, da *adj.* 1. Que aburre. ‖ *adj.* y *s.* 2. Que no es capaz de divertirse. **Sin.** 1. Pesado. 1 y 2. Soso. **Ant.** 1. Distraído. 2. Divertido.

aburrimiento *s. m.* Cansancio o fastidio que produce lo que aburre. **Sin.** Tedio, hastío. **Ant.** Distracción.

aburrir *v.* Resultar pesado algo, no encontrarlo divertido o entretenido. **Sin.** Hastiar, hartar. **Ant.** Distraer.

abusar *v.* 1. Tomar o usar demasiado una cosa. 2. Aprovecharse de alguien. **Sin.** 1. Pasarse, excederse. **Ant.** 1. Controlarse.

abusivo, va *adj.* Que es un abuso: *precios abusivos.* **Ant.** Justo.

abuso *s. m.* Acción de abusar, hacer uso excesivo o indebido de algo.

abusón, na *adj.* y *s.* Que abusa de otros. **Sin.** Aprovechado.

abyecto, ta *adj.* Despreciable, indigno. **Sin.** Vil, ruin. **Ant.** Digno.

acá *adv.* 1. Indica el sitio donde está la persona que habla: *Ven acá.* 2. Señala el momento presente: *No paró de llover del martes acá.* **Sin.** 1. Aquí. **Ant.** 1. Allá, allí.

acabado, da 1. *p.* de **acabar**. También *adj.* ‖ *adj.* 2. En un estado o situación muy malos. ‖ *s. m.* 3. Forma de estar terminada una cosa. **Sin.** 1. Terminado, finalizado. 3. Remate.

acabar *v.* 1. Poner fin a algo o llegar algo a su fin. 2. Haber consumido algo completamente. 3. Tener un objeto en su terminación la forma que se dice: *Los barrotes acaban en punta.* **Expr. acabar de** Con un infinitivo, indica que la acción se ha producido inmediatamente antes: *Acabo de llegar.* **Sin.** 1. Concluir, finalizar. 1 a 3. Terminar. **Ant.** 1. Iniciar. 1 a 3. Empezar.

acabose Se usa en la expresión **ser algo el acabose**, 'ser un total desastre, el colmo'.

acacia *s. f.* 1. Árbol o arbusto de madera dura y flores olorosas en racimos colgantes. 2. Falsa acacia, común en España, que da unas flores blancas llamadas *pan y quesillo.*

academia *s. f.* 1. Centro de enseñanza para algunas profesiones o actividades. 2. Sociedad o institución artística, literaria o científica.

académico, ca *adj.* y *s.* 1. De una academia o relacionado con ella. ‖ *adj.* 2. Se dice del artista, la obra o el estilo que sigue las normas clásicas. 3. De la enseñanza oficial: *curso académico.*

acaecer *v.* Ocurrir, suceder. ▢ Es v. irreg. Se conjuga como *agradecer.* **Sin.** Pasar, acontecer.

acallar *v.* 1. Hacer callar ruidos o voces. 2. Calmar, aplacar. **Sin.** 1. Silenciar, enmudecer. 2. Serenar, sosegar. **Ant.** 2. Excitar.

acaloramiento *s. m.* Excitación, enfado. **Ant.** Calma.

acalorar *v.* 1. Dar o causar calor. ‖ **acalorarse** 2. Excitarse o enfadarse. **Sin.** 1. Exaltarse, enardecerse. **Ant.** 1. Refrescar. 2. Calmarse.

acampada *s. f.* Acción de acampar.

acampanado, da *adj.* En forma de campana.

acampar *v.* Instalarse en el campo en tiendas de campaña o al aire libre.

acanalado, da *adj.* En forma de canal o con estrías.

acanaladura *s. f.* Canal o estría, como las de algunas columnas.

acantilado *s. m.* Parte de la costa cortada verticalmente sobre el mar.

acanto *s. m.* Planta de hojas rizadas y grandes, con espigas de flores blancas y rosadas, y brácteas espinosas.

acantonar *v.* Instalar a los soldados en un lugar.

acaparador, ra adj. y s. Que lo quiere todo para él.

acaparar v. **1.** Quedarse con algo o utilizarlo sin dejar a los demás hacerlo. **2.** Atraer por completo la atención o interés de otros. SIN. **2.** Absorber. ANT. **1.** Compartir.

acaramelado, da adj. **1.** Cubierto de caramelo. **2.** Muy dulce y cariñoso.

acariciar v. Hacer caricias.

ácaro adj. y s. m. Arácnido muy pequeño que vive en las plantas o parásito del hombre y los animales, como las garrapatas y el arador de la sarna.

acarrear v. **1.** Causar daños o perjuicios. **2.** Transportar algo en carro o por otro medio. SIN. **1.** Ocasionar, originar. **2.** Trasladar.

acarreo s. m. **1.** Acción de acarrear. **2.** Conjunto de materiales que se acumulan en un lugar, después de ser transportados por el agua o el viento. SIN. **1.** Transporte, porte.

acartonarse v. Ponerse rígido y seco.

acaso adv. Indica posibilidad: *Acaso llueva.* EXPR. **por si acaso** Por si ocurre algo. SIN. Quizá.

acatamiento s. m. Acción de acatar. SIN. Cumplimiento, obediencia.

acatar v. Aceptar y obedecer una orden, ley o mandato. SIN. Cumplir, someterse. ANT. Desobedecer.

acatarrarse v. Coger un catarro. SIN. Constiparse, resfriarse.

acaudalado, da adj. Rico, adinerado.

acaudillar v. Dirigir, capitanear. SIN. Liderar, encabezar.

acceder v. **1.** Estar alguien de acuerdo con lo que otro pide o quiere. **2.** Llegar, entrar. SIN. **1.** Consentir, transigir. **2.** Pasar. ANT. **1.** Rehusar. **2.** Salir.

accesible adj. **1.** Se dice de lo que se puede alcanzar o del lugar al que se puede llegar. **2.** Se dice de la persona amable, con la que se puede tratar. SIN. **2.** Asequible. ANT. **1.** Inaccesible. **2.** Intratable.

accésit s. m. Recompensa inferior al premio que se concede en algunos concursos.

acceso s. m. **1.** Acción de acercarse o llegar a un lugar. **2.** Lugar por donde se llega o entra a un sitio. **3.** Ataque repentino: *un acceso de tos.* SIN. **1.** Llegada, acercamiento. ANT. **1.** Alejamiento. **2.** Salida.

accesorio, ria adj. **1.** Que no es necesario o principal. ‖ s. m. **2.** Complemento o adorno. SIN. **1.** Secundario. ANT. **1.** Fundamental.

accidentado, da 1. p. de **accidentarse**. También adj. y s. ‖ adj. **2.** Con muchos problemas o contratiempos. **3.** Muy montañoso. SIN. **1.** Damnificado. **3.** Escarpado, abrupto. ANT. **1.** Ileso. **2.** Tranquilo. **3.** Llano.

accidental adj. Que ocurre por casualidad. SIN. Casual, fortuito. ANT. Premeditado.

accidentarse v. Sufrir un accidente.

accidente s. m. **1.** Suceso inesperado que normalmente causa daños. **2.** En geografía, elemento que da su forma y aspecto a un lugar, por ejemplo un río o una montaña. SIN. **1.** Percance.

acción s. f. **1.** Cualquier cosa que se hace. **2.** Influencia o efecto. **3.** Serie de acontecimientos que suceden en una película, novela, obra de teatro. **4.** En economía, cada una de las partes en que se divide el capital de una empresa, las cuales están repartidas entre los accionistas. SIN. **1.** Hecho, actuación, obra.

accionar v. **1.** Poner en funcionamiento un mecanismo. **2.** Hacer gestos o movimientos al hablar. SIN. **1.** Activar, manipular. **2.** Gesticular. ANT. **1.** Desactivar.

accionista s. m. y f. Persona que posee acciones de una empresa.

acebo s. m. Árbol o arbusto de hojas espinosas y frutos en forma de bolitas rojas; sus ramas se usan como adorno navideño.

acechanza s. f. Acción de acechar.

acechar v. **1.** Vigilar a una persona o animal sin que se entere. **2.** Amenazar. SIN. **1.** Espiar.

acecho s. m. Acción de acechar.

acedía s. f. Platija, pez.

aceitar v. Poner aceite, engrasar.

aceite s. m. Sustancia grasa y líquida que se obtiene de vegetales (aceituna, girasol), animales (ballena, bacalao) o minerales (carbón de hulla).

aceitera s. f. Frasco o recipiente que contiene un poco de aceite para consumo diario.

aceitero, ra adj. Relacionado con el aceite.

aceitoso, sa adj. Que tiene demasiado aceite, grasiento.

aceituna s. f. Fruto comestible del olivo, pequeño, ovalado y de color verde.

aceitunado, da adj. Moreno verdoso.

aceitunero, ra adj. 1. Relacionado con la aceituna. || s. m. y f. 2. Persona que recoge, transporta o vende aceitunas.

aceleración s. f. 1. Acción de acelerar. 2. Aumento o disminución de la velocidad de un móvil en la unidad de tiempo. **Sin.** 1. Apresuramiento.

acelerador s. m. Mecanismo que lleva un vehículo de motor para aumentar su velocidad.

acelerar v. Aumentar la velocidad de algo o hacerlo más deprisa. **Sin.** Apresurarse, aligerar. **Ant.** Frenar.

acelerón s. m. Acción de acelerar bruscamente un motor. **Ant.** Frenazo.

acelga s. f. Planta de huerta de hojas anchas, con tallo blanco, grueso y acanalado.

acémila s. f. 1. Mula de carga. 2. Persona bruta o ignorante. **Sin.** 2. Burro, bestia.

acento s. m. 1. Mayor o menor intensidad con que se pronuncia una sílaba. 2. Tilde que se pone sobre la vocal de esa sílaba, cuando las normas de acentuación lo exigen. 3. Entonación al hablar característica de una persona, región o país.

acentuación s. f. Acción de acentuar.

acentuado, da 1. p. de **acentuar**. || adj. 2. Que lleva acento. 3. Que se nota mucho. **Sin.** 2. Tónico. 3. Marcado. **Ant.** 2. Átono.

acentuar v. 1. Pronunciar una palabra marcando su acento o ponerle la tilde. 2. Aumentar o hacer que algo se note más. **Sin.** 2. Resaltar. **Ant.** 2. Disimular.

aceña s. f. Molino de agua.

acepción s. f. Cada uno de los significados de una palabra.

aceptable adj. Que se puede aceptar. **Sin.** Admisible. **Ant.** Inaceptable.

aceptación s. f. Buena acogida, aprobación.

aceptar v. 1. Recibir algo de buena gana. 2. Admitir: _Le aceptaron en el club._ 3. Aprobar. **Sin.** 2. Acoger. **Ant.** 1 a 3. Rechazar.

acequia s. f. Canal pequeño para regar.

acera s. f. Parte de la calle por la que caminan los peatones.

acerado, da adj. De acero o parecido al acero.

acerbo, ba adj. Cruel, duro: _una crítica acerba._ **Sin.** Severo, despiadado.

acerca de expr. Señala aquello de lo que se habla, discute o escribe.

acercamiento s. m. Acción de acercar o acercarse. **Sin.** Aproximación. **Ant.** Alejamiento.

acercar v. 1. Poner más cerca. 2. Llevar en un vehículo a alguien adonde quiere ir. || **acercarse** 3. Ir a un lugar. **Sin.** 1. Arrimar, aproximar. **Ant.** 1. Alejar.

acerería o **acería** s. f. Fábrica de acero.

acerico s. m. Almohadilla para clavar agujas y alfileres. **Sin.** Alfiletero.

acero s. m. 1. Hierro combinado con carbono, que lo hace más duro y flexible. 2. Arma blanca, sobre todo la espada.

acérrimo, ma adj. Muy constante y entusiasta: _un acérrimo defensor._ **Sin.** Enérgico, tenaz.

acertado, da 1. p. de **acertar**. También adj. || adj. 2. Hecho con acierto. **Ant.** 2. Desacertado.

acertante adj. y s. Que ha acertado en un juego de apuestas, lotería o concurso.

acertar v. 1. Hallar la solución, el resultado o la manera de hacer algo. 2. Dar en el lugar al que se dirige alguna cosa. 3. Encontrar por casualidad lo que se buscaba. 4. Hacer lo mejor. □ Es v. irreg. Se conjuga como _pensar_. **Sin.** 1. Descubrir, adivinar. 1 a 4. Atinar. **Ant.** 1, 2 y 4. Fallar. 1 y 4. Equivocarse.

acertijo s. m. Adivinanza.

acervo s. m. Conjunto de bienes o conocimientos de una persona, grupo o país. **Sin.** Patrimonio, caudal.

acetona s. f. 1. Líquido incoloro de olor fuerte, que arde con facilidad; se usa como disolvente de algunas sustancias. 2. Enfermedad típica de los niños, caracterizada por vómitos y presencia de ese líquido en la orina.

achacar v. Pensar o decir que una persona o cosa tiene la culpa de algo malo.

achacoso, sa adj. Que sufre achaques.

achaflanado, do adj. Que forma chaflán: _esquina achaflanada._

achampanado, da adj. Se dice de las bebidas que imitan al champán.

achantar v. Acobardar, atemorizar. **Sin.** Achicar, amilanar.

achaparrado, da adj. Bajo y gordo.

achaque s. m. Molestia o enfermedad poco importante, que se da sobre todo en la vejez.

achatar v. Poner chato un objeto.

achicar v. 1. Hacer más pequeño. 2. Sacar el agua que ha entrado en un lugar, sobre todo en una embarcación. 3. Acobardar, intimidar. SIN. 1. Disminuir. 3. Achantar.

achicharradero s. m. Lugar donde hace mucho calor.

achicharrar v. 1. Freír, asar o tostar demasiado un alimento. || **achicharrarse** 2. Pasar mucho calor o quemarse con el sol. SIN. 1. Quemar, chamuscar. 2. Cocerse, asfixiarse. ANT. 2. Helarse.

achicoria s. f. Hierba perenne, de flores azules; con sus raíces molidas y tostadas se hace una bebida que sustituye al café.

achinado, da adj. De rasgos parecidos a los de los chinos.

achique s. m. Acción de achicar, sacar agua.

achisparse v. Ponerse alegre bebiendo, sin llegar a estar borracho.

achuchado, da 1. p. de **achuchar**. También adj. || adj. 2. Con dificultades, sobre todo económicas.

achuchar v. 1. Incitar a una persona o animal contra otro. 2. Empujar, apretujar. 3. Abrazar cariñosamente. SIN. 1. Azuzar. 2. Estrujar.

achuchón s. m. Acción de achuchar.

achulado, da adj. Con aspecto o modales de chulo.

aciago, ga adj. Se dice de las situaciones y momentos en que todo sale mal. SIN. Desafortunado, nefasto. ANT. Afortunado.

acíbar s. m. Áloe, planta y jugo amargo que se extrae de ella.

acicalarse v. Arreglarse, ponerse guapo. SIN. Engalanarse.

acicate s. m. Estímulo para hacer algo. SIN. Aliciente. ANT. Freno.

acicular adj. En forma de aguja: una hoja acicular.

acidez s. f. 1. Característica de las cosas ácidas. 2. Sensación de malestar y ardor en el estómago por exceso de ácidos. ANT. 1. Dulzor.

ácido, da adj. 1. De sabor como el del limón o el vinagre. || s. m. 2. Sustancia química que ataca a los metales y reacciona con las bases dando sales y agua. SIN. 1. Agrio, acre. ANT. 1. Dulce.

acierto s. m. Hecho de acertar. SIN. Tino. ANT. Desacierto.

ácimo adj. Ázimo.

aclamación s. f. Acción de aclamar. SIN. Aplauso, ovación. ANT. Abucheo.

aclamar v. Dar voces o aplausos una multitud en honor de alguien. SIN. Aplaudir, ovacionar. ANT. Abuchear.

aclaración s. f. Explicación de algo para que se entienda mejor.

aclarado, da 1. p. de aclarar. También adj. || s. m. 2. Acción de aclarar lo que se está lavando. SIN. 2. Enjuague.

aclarar v. 1. Hacer menos espeso o apretado. 2. Poner de color más claro. 3. Explicar algo para que se entienda. 4. Echar agua para quitar el jabón. 5. Desaparecer las nubes o la niebla. || **aclararse** 6. Entender, comprender. SIN. 3. Esclarecer. 4. Enjuagar. 5. Despejarse. ANT. 1. Espesar. 2. Oscurecer. 5. Nublarse.

aclaratorio, ria adj. Que aclara o explica.

aclimatación s. f. Acción de aclimatar o aclimatarse. SIN. Adaptación.

aclimatar v. Acostumbrar a un ser vivo a un ambiente diferente del suyo normal. SIN. Adaptar, habituar.

acné s. m. Enfermedad de la piel que tienen sobre todo los adolescentes, en la que salen granos y espinillas.

acobardar v. Dar o sentir temor. SIN. Atemorizar, amilanar. ANT. Envalentonarse.

acodado, da 1. p. de acodarse. || adj. 2. Doblado en ángulo: tubo acodado.

acodarse v. Apoyarse en los codos.

acogedor, ra adj. Cómodo y agradable. SIN. Hospitalario.

acoger v. 1. Admitir una persona a otra en su casa para protegerla o ayudarla. 2. Recibir a alguien o algo de alguna manera: Le acogieron con un aplauso. SIN. 1. Amparar.

acogida s. f. Acción de acoger. SIN. Aceptación. ANT. Rechazo.

acogotar v. 1. Sujetar fuertemente por el cuello. 2. Dominar, intimidar. SIN. 2. Amilanar.

acojonar v. vulg. Atemorizar, asustar.

acolchado, da 1. p. de acolchar. También adj. || s. m. 2. Acción de acolchar.

acolchar v. Forrar o rellenar con algodón, lana, gomaespuma o materiales parecidos.

acólito s. m. Persona que ayuda al sacerdote durante la misa y otras ceremonias. SIN. Monaguillo.

acometer v. 1. Atacar o lanzarse contra alguien o algo. 2. Empezar algo difícil. SIN. 1. Embestir, arremeter. 2. Emprender. ANT. 1. Retroceder.

acometida s. f. **1.** Ataque, embestida. **2.** Unión de un canal, tubo o conducto principal con otro menos importante.

acomodación s. f. Acción de acomodar o acomodarse. **Sin.** Acomodo.

acomodado, da **1.** p. de **acomodar**. También adj. || adj. **2.** De buena posición económica. **Sin. 2.** Rico, pudiente. **Ant. 2.** Pobre.

acomodador, ra s. m. y f. Persona que en los cines, teatros y otros espectáculos públicos indica a los espectadores sus asientos.

acomodar v. **1.** Colocar en el lugar apropiado: *Acomodó al invitado en su habitación.* || **acomodarse 2.** Adaptarse, amoldarse. **Sin. 1.** Situar, acoplar. **2.** Aclimatarse.

acomodaticio, cia adj. Que se adapta o se conforma fácilmente.

acomodo s. m. **1.** Alojamiento, lugar donde instalarse. **2.** Empleo, trabajo. **Sin. 1.** Acomodación.

acompañamiento s. m. **1.** Personas o cosas que acompañan. **2.** Música con que se acompaña la melodía principal. **Sin. 1.** Compañía, comitiva.

acompañante adj. y s. Que acompaña a una persona.

acompañar v. **1.** Estar o ir una persona, animal o cosa con otros. **2.** Estar con alguien y hacer que no se sienta solo. **3.** Tocar un acompañamiento musical. **Ant. 1.** Abandonar.

acompasado, da adj. Que sigue un ritmo o compás. **Sin.** Rítmico.

acomplejado, da **1.** p. de **acomplejar**. || adj. y s. **2.** Que tiene algún complejo.

acomplejar v. Crear un complejo a una persona.

acondicionado, da **1.** p. de **acondicionar**. También adj. || **2. aire acondicionado** Instalación que produce aire a la temperatura y humedad deseadas.

acondicionador, ra adj. y s. **1.** Que sirve para acondicionar: *champú acondicionador.* || s. m. **2.** Aparato de aire acondicionado.

acondicionar v. Poner en las condiciones adecuadas. **Sin.** Preparar, disponer.

aconfesional adj. Que no reconoce una religión oficial.

acongojado, da **1.** p. de **acongojar**. || adj. **2.** Apenado, triste.

acongojar v. Causar mucha pena o preocupación. **Sin.** Afligir, apenar. **Ant.** Alegrar.

aconsejable adj. Bueno, beneficioso.

aconsejar v. Dar un consejo, recomendar. **Ant.** Desaconsejar.

acontecer v. Suceder, ocurrir. ◻ Es v. irreg. Se conjuga como *agradecer.* **Sin.** Acaecer, pasar.

acontecimiento s. m. Suceso o hecho, sobre todo cuando es importante. **Sin.** Evento.

acopio s. m. Acción de reunir gran cantidad de algo.

acoplamiento s. m. Acción de acoplar o acoplarse.

acoplar v. **1.** Unir o encajar dos cosas de manera que queden bien ajustadas. **2.** Colocar. || **acoplarse 3.** Llevarse bien una persona con otra o adaptarse a alguna situación. **Sin. 1.** Ensamblar. **2.** Situar. **3.** Armonizar; amoldarse. **Ant. 1.** Desencajar. **3.** Chocar.

acoquinar v. Asustar, acobardar. **Ant.** Envalentonarse.

acorazado, da **1.** p. de **acorazar**. También adj. || adj. **2.** Se dice de la sección del ejército que tiene tanques. || s. m. **3.** Barco de guerra de gran tamaño y con potentes cañones.

acorazar v. Revestir con planchas de hierro o acero.

acorazonado, da adj. Con forma de corazón: *hoja acorazonada.*

acorcharse v **1** Quedarse los alimentos secos, como el corcho. **2.** Quedarse sin sensibilidad una parte del cuerpo. **Sin. 2.** Dormirse.

acordar v. **1.** Tomar una decisión entre varios. || **acordarse 2.** Recordar. ◻ Es v. irreg. Se conjuga como *contar.* **Sin. 1.** Convenir. **2.** Rememorar, evocar. **Ant. 2.** Olvidarse.

acorde adj. **1.** De acuerdo. || s. m. **2.** En música, conjunto de sonidos que se producen a la vez. **Sin. 1.** Conforme. **Ant. 1.** Disconforme.

acordeón s. m. Instrumento musical de viento formado por un fuelle que se pliega y se extiende y un pequeño teclado a los dos lados.

acordonar v. Rodear un lugar el ejército, la policía, los bomberos.

acorralar v. Rodear a una persona o animal para que no pueda escapar. **Sin.** Arrinconar, cercar.

acortar v. Hacer más corto. **Sin.** Reducir, abreviar. **Ant.** Aumentar.

acosar v. **1.** Perseguir sin descanso. **2.** Molestar con continuas peticiones, quejas, etc. **Sin. 1.** Hostigar. **2.** Asediar.

acoso *s. m.* Acción de acosar.

acostar *v.* 1. Tumbar a alguien o tumbarse para dormir o descansar. ‖ **acostarse** 2. Hacer el acto sexual. ▫ Es v. irreg. Se conjuga como *contar*. **SIN.** 1. Tender. **ANT.** 1. Levantar.

acostumbrado, da 1. *p.* de **acostumbrar**. También *adj.* ‖ *adj.* 2. Habitual. **SIN.** 2. Usual, cotidiano. **ANT.** 1 y 2. Desacostumbrado.

acostumbrar *v.* 1. Hacer que alguien adquiera una costumbre o no le resulte difícil algo. 2. Tener costumbre de algo. **SIN.** 1. Habituar, aclimatar. 2. Soler. **ANT.** 1. Desacostumbrar.

acotación *s. f.* Nota o indicación en un escrito.

acotar[1] *v.* 1. Limitar, delimitar. 2. Reservar un terreno para un uso, por ejemplo para la caza.

acotar[2] *v.* 1. Poner cotas o números en un mapa. 2. Poner acotaciones o notas a un texto.

ácrata *adj.* y *s.* Que rechaza cualquier clase de autoridad.

acre[1] *adj.* 1. Amargo y picante. 2. Poco amable, brusco, **SIN.** 1 y 2. Acerbo. 2. Adusto. **ANT.** 1 y 2. Dulce. 2. Afable.

acre[2] *s. m.* Medida inglesa para extensiones de terreno, que equivale a 0,4047 hectáreas.

acrecentar *v.* Aumentar, agrandar. ▫ Es v. irreg. Se conjuga como *pensar*. **ANT.** Disminuir.

acreditado, da 1. *p.* de **acreditar**. También *adj.* ‖ *adj.* 2. Famoso, prestigioso. **SIN.** 2. Insigne.

acreditar *v.* 1. Demostrar, probar. 2. Dar fama o prestigio. 3. Dar poder o autorización a alguien mediante los documentos necesarios. **SIN.** 1. Atestiguar. 3. Autorizar, facultar. **ANT.** 1 y 2. Desacreditar. 2. Desprestigiar. 3. Desautorizar.

acreditativo, va *adj.* Que acredita.

acreedor, ra *s. m.* y *f.* 1. Persona o empresa a la que se debe dinero. ‖ *adj.* 2. Digno, merecedor. **ANT.** 1. Deudor.

acribillar *v.* 1. Hacer muchos agujeros, heridas o picaduras. 2. Molestar a alguien, sobre todo con muchas preguntas. **SIN.** 1. Agujerear. 2. Asediar.

acrílico, ca *adj.* y *s. m.* 1. Se dice de un tipo de tejidos sintéticos. ‖ *adj.* 2. Se dice de una pintura de secado rápido y colores muy vivos.

acrisolar *v.* 1. Purificar metales en el crisol. 2. Mejorar poniendo a prueba.

acristalado o **acristalamiento** *s. m.* Acción de acristalar.

acristalar *v.* Cerrar con cristales.

acritud *s. f.* 1. Dureza al tratar con los demás. 2. Sabor acre, amargo. **SIN.** 2. Amargor. **ANT.** 1 y 2. Dulzura.

acrobacia *s. f.* Ejercicio de habilidad que se realiza en el trapecio, sobre el alambre, pilotando un avión.

acróbata *s. m.* y *f.* Persona que realiza ejercicios de acrobacia. **SIN.** Equilibrista.

acrobático, ca *adj.* De acrobacia o relacionado con ella.

acrónimo *s. m.* Palabra formada por las iniciales o siglas de varias palabras.

acrópolis *s. f.* Lugar más alto y fortificado en las antiguas ciudades griegas.

acróstico, ca *adj.* y *s. m.* Se dice del poema en que las letras iniciales de los versos, leídas verticalmente, forman palabras.

acta *s. f.* Escrito donde se recoge lo tratado en una reunión o se declara que algo es cierto. **SIN.** Memoria.

actinia *s. f.* Animal marino en forma de tubo y con tentáculos que recuerdan a una flor.

actitud *s. f.* 1. Modo de comportarse. 2. Postura o gesto que muestra un estado de ánimo o intención. **SIN.** 1. Talante. 2. Ademán.

activar *v.* 1. Dar mayor energía o rapidez. 2. Hacer funcionar un mecanismo. **SIN.** 1. Estimular, avivar. 2. Accionar. **ANT.** 1. Paralizar. 2. Desactivar.

actividad *s. f.* 1. Acción, trabajo, movimiento. 2. Conjunto de las tareas de una persona o profesión. 3. Ejercicio o práctica. **SIN.** 1. Dinamismo, trajín.

activista *s. m.* y *f.* Persona que realiza acciones o propaganda al servicio de un movimiento o de una organización políticos.

activo, va *adj.* 1. Que actúa: *una participación activa*. 2. Que está en actividad o puede estarlo: *un volcán activo*. 3. Que se mueve y trabaja mucho o con rapidez. ‖ *adj.* y *s. f.* 4. Se dice de la voz del verbo que indica que el sujeto es el que realiza la acción; también se dice de las oraciones que tienen el verbo en esa voz. ‖ *s. m.* 5. Capital y propiedades de una empresa. **SIN.** 3. Dinámico. **ANT.** 1, 2 y 4. Pasivo.

acto *s. m.* 1. Hecho o acción. 2. Acontecimiento público o ceremonia solemne. 3. Cada una de las partes de una obra teatral. **Expr. acto seguido** A continuación. **en el acto** En el mismo momento, en seguida. **Sin. 1.** Obra, actuación.

actor, actriz *s. m.* y *f.* Persona que representa personajes en teatro, cine, radio o televisión. **Sin.** Artista, intérprete.

actuación *s. f.* **1.** Acción, lo que hace alguien cuando actúa. **2.** Representación, espectáculo. **Sin. 1.** Conducta, comportamiento.

actual *adj.* **1.** Del momento presente. **2.** Moderno, de moda. **Sin. 1.** Contemporáneo. **Ant. 1** y **2.** Anticuado.

actualidad *s. f.* **1.** El tiempo actual. **2.** Hecho de estar de moda. **Sin. 1.** Presente. **Ant. 1.** Pasado.

actualizar *v.* Poner al día, renovar.

actualmente *adv.* En el momento presente.

actuar *v.* **1.** Realizar acciones o comportarse de alguna manera. **2.** Representar los actores una obra o función. **3.** Producir un efecto sobre algo. **Sin. 1.** Obrar, proceder. **2.** Interpretar. **3.** Influir, afectar.

acuarela *s. f.* **1.** Pintura realizada con colores disueltos en agua. ‖ *pl.* **2.** Estos colores.

acuarelista *s. m.* y *f.* Pintor de acuarelas.

acuario *s. m.* **1.** Recipiente con peces vivos y otros animales acuáticos. **2.** Lugar donde se exhiben animales acuáticos. **3.** Signo número once del zodiaco (del 20 de enero al 18 de febrero). **Sin. 1.** Pecera.

acuartelamiento *s. m.* **1.** Acción de acuartelar. **2.** Cuartel militar.

acuartelar *v.* Reunir o retener a la tropa en un cuartel, sobre todo por algún peligro. **Sin.** Acantonar.

acuático, ca *adj.* **1.** Relacionado con el agua o que se hace en el agua: *deportes acuáticos.* **2.** Que vive en el agua.

acuatizar *v.* Posarse un hidroavión en el agua.

acuchillar *v.* **1.** Herir o matar con cuchillo o armas parecidas. **2.** Alisar una superficie de madera. **Sin. 1.** Apuñalar.

acuciante *adj.* Urgente, muy necesario. **Sin.** Apremiante.

acuciar *v.* **1.** Ser algo muy urgente y necesario. **2.** Meter prisa. **Sin. 1** y **2.** Apremiar, urgir.

acudir *v.* **1.** Ir alguien donde debe hacer algo o donde le esperan. **2.** Venir,

presentarse. **3.** Buscar ayuda en una persona o cosa. **Sin. 1.** Dirigirse. **1** y **2.** Comparecer. **3.** Recurrir. **Ant. 1.** Ausentarse.

acueducto *s. m.* Canal o construcción para conducir agua.

acuerdo *s. m.* **1.** Decisión tomada entre dos o más personas. **2.** Hecho de pensar o querer lo mismo dos o más personas, grupos, etc.: *estar de acuerdo.* **Sin. 1.** Convenio, pacto. **2.** Unanimidad. **Ant. 2.** Desacuerdo.

acumulación *s. f.* **1.** Hecho de acumular o acumularse. **2.** Cosas acumuladas. **Sin. 1.** Aglomeración, concentración. **Ant. 1.** Expansión.

acumulador, ra *adj.* **1.** Que acumula. ‖ *s. m.* **2.** Aparato para acumular energía, sobre todo eléctrica.

acumular *v.* Amontonar, reunir. **Sin.** Aglomerar, apilar. **Ant.** Esparcir.

acumulativo, va *adj.* Que acumula o se acumula.

acunar *v.* Mecer al niño en la cuna o en los brazos para que se duerma.

acuñar *v.* **1.** Grabar una pieza de metal con una herramienta o máquina especial. **2.** Fabricar moneda.

acuoso, sa *adj.* Que contiene agua o parece agua.

acupuntor, ra *s. m.* y *f.* Persona que practica la acupuntura.

acupuntura *s. f.* Técnica médica china que consiste en clavar agujas en el cuerpo para tratar enfermedades o aliviar dolores.

acurrucarse *v.* Encogerse para protegerse del frío o para estar a gusto. **Sin.** Ovillarse.

acusación *s. f.* **1.** Acción de acusar a alguien y aquello de lo que se acusa. **2.** En un juicio, las personas que acusan.

acusado, da *adj.* y *s.* **1.** Persona a la que se ha culpado de algo. ‖ *adj.* **2.** Muy destacado o muy pronunciado. **Sin. 2.** Marcado. **Ant. 2.** Disimulado.

acusar *v.* **1.** Culpar. **2.** Comunicar a alguien la falta o el delito de otra persona. **3.** Sentir, notar: *acusar el cansancio.* **Sin. 1.** Inculpar. **2.** Delatar. **3.** Reflejar. **Ant. 1.** Exculpar. **2.** Encubrir.

acusica o **acusón, na** *adj.* y *s.* Que tiene la costumbre de acusar a otros.

acústica *s. f.* Parte de la física que estudia los sonidos.

acústico, ca *adj.* Relacionado con la acústica o con los sonidos. **Sin.** Auditivo, sonoro.

acutángulo *adj.* Se dice del triángulo que tiene los tres ángulos agudos.

adagio *s. m.* Tiempo musical lento.

adalid *s. m.* **1.** Caudillo militar. **2.** Líder o jefe. **SIN. 2.** Cabecilla.

adán *s. m.* Persona que no cuida su aspecto. **SIN.** Desastrado. **ANT.** Figurín.

adaptable *adj.* Que se adapta.

adaptación *s. f.* **1.** Acción de adaptar o adaptarse. **2.** Obra literaria, teatral o musical que ha sido adaptada. **SIN. 1.** Acomodación, aclimatación.

adaptador *s. m.* Aparato o mecanismo que adapta cosas de distinto uso o tamaño.

adaptar *v.* **1.** Ajustar una cosa a otra o dentro de otra. **2.** Hacer que algo destinado a un fin sirva para otras cosas. **3.** Hacer cambios con algún fin en una obra literaria, teatral o musical. || **adaptarse 4.** Acostumbrarse a otras situaciones. **SIN. 1.** Acoplar. **4.** Acomodarse, amoldarse, aclimatarse. **ANT. 1.** Desajustar. **4.** Desacostumbrarse.

adarga *s. f.* Escudo de forma ovalada.

adecentar *v.* Poner decente, limpiar. **SIN.** Arreglar, asear. **ANT.** Ensuciar.

adecuación *s. f.* Acción de adecuar o adecuarse.

adecuado, da 1. *p.* de **adecuar.** También *adj.* || *adj.* **2.** Apropiado, conveniente. **SIN. 2.** Apto, idóneo. **ANT. 2.** Inadecuado.

adecuar *v.* Hacer que algo sirva o sea apropiado para alguna cosa. **SIN.** Adaptar, acomodar.

adefesio *s. m.* Persona muy fea o que viste de manera ridícula y muy rara. **SIN.** Mamarracho, espantajo.

adelantado, da 1. *p.* de **adelantar.** También *adj.* || *s. m.* **2.** Antiguamente, funcionario que tenía la máxima autoridad en los territorios que se iban conquistando. **EXPR. por adelantado** Antes de algo: *pagar por adelantado.* **SIN. 1.** Avanzado. **ANT. 1.** Atrasado.

adelantamiento *s. m.* Acción de adelantar, por ejemplo un vehículo a otro.

adelantar *v.* **1.** Mover hacia adelante. **2.** Pasar delante. **3.** Hacer, dar o suceder antes de lo previsto. **4.** Poner un reloj en una hora más avanzada que la que marca. **5.** Marchar el reloj más deprisa de lo normal. **6.** Progresar, mejorar. **SIN. 1.** Avanzar. **2.** Sobrepasar. **3.** Anticipar. **6.** Prosperar. **ANT. 1.** Retroceder. **3.** Retrasar. **4** y **5.** Atrasar. **6.** Empeorar.

adelante *adv.* **1.** Más allá, avanzando. **2.** Expresa tiempo futuro. || *interj.* **3.** Da permiso para entrar. **ANT. 1.** Atrás.

adelanto *s. m.* **1.** Acción de adelantar o adelantarse. **2.** Progreso: *los adelantos de la medicina.* **3.** Dinero que se da a alguien antes de la fecha en que debe recibir su paga. **SIN. 1** y **3.** Anticipo. **2.** Avance. **ANT. 1** y **2.** Atraso.

adelfa *s. f.* Arbusto de hojas alargadas y flores blancas, rojas, rosas o amarillas; es venenoso.

adelgazamiento *s. m.* Hecho de adelgazar.

adelgazante *adj.* Que hace adelgazar.

adelgazar *v.* **1.** Perder peso, quedarse más delgado. **2.** Hacer más delgado. **SIN. 1.** Afinar. **ANT. 1.** Engordar. **2.** Engrosar.

ademán *s. m.* Gesto o movimiento.

además *adv.* Indica que se añade algo a lo ya dicho: *Estudia y además trabaja.*

adentrarse *v.* Entrar, meterse más dentro. **SIN.** Internarse. **ANT.** Salir.

adentro *adv.* Hacia el interior de algo. **ANT.** Afuera.

adepto, ta *adj.* y *s.* Partidario de una persona, organización o ideas. **SIN.** Simpatizante. **ANT.** Contrario.

aderezar *v.* **1.** Condimentar los alimentos. **2.** Arreglar, adornar. **SIN. 1.** Aliñar, sazonar. **2.** Acicalarse.

aderezo *s. m.* Acción de aderezar y aquello con que se adereza.

adeudar *v.* Deber dinero.

adherencia *s. f.* **1.** Capacidad de adherirse, pegarse. **2.** Cosa que se adhiere a otra. **SIN. 1.** Adhesión, unión. **ANT. 1.** Separación, desunión.

adherente *adj.* Que se adhiere o pega.

adherir *v.* **1.** Pegar una cosa a otra. || **adherirse 2.** Unirse a una idea o acción: *Se adhirió a la protesta.* □ Es *v.* irreg. Se conjuga como *sentir.* **SIN. 2.** Sumarse. **ANT. 2.** Discrepar.

adhesión *s. f.* Hecho de adherirse a una idea o acción. **SIN.** Apoyo, solidaridad. **ANT.** Desacuerdo.

adhesivo, va *adj.* y *s. m.* **1.** Que sirve para adherir o pegar objetos entre sí. **2.** Se dice de la tira o recorte de papel o de otro material que se pega por uno de los lados.

adicción *s. f.* Dependencia que crea en una persona el consumo habitual de drogas o bebidas alcohólicas.

adición *s. f.* Operación de sumar. **SIN.** Suma. **ANT.** Sustracción.

adicional *adj.* Que se añade a otra cosa.

adicto, ta *adj.* y *s.* **1.** Que tiene adicción a las drogas o a las bebidas alcohólicas. **2.** Muy aficionado: *adicto al fútbol.* **3.** Partidario, simpatizante. **SIN. 2.** Hincha, entusiasta. **3.** Adepto. **ANT. 3.** Adversario.

adiestramiento *s. m.* Acción de adiestrar o adiestrarse.

adiestrar *v.* **1.** Amaestrar a un animal. **2.** Preparar a alguien para que adquiera una habilidad. **SIN. 2.** Entrenar.

adinerado, da *adj.* y *s.* Rico, acaudalado. **ANT.** Pobre.

adiós *interj.* **1.** Expresión para despedirse. || *s. m.* **2.** Despedida, retirada.

adiposo, sa *adj.* Se dice de un tejido situado bajo la piel, que tiene mucha grasa y sirve para mantener la temperatura corporal y como reserva de energía para el organismo.

aditamento *s. m.* Añadido, complemento.

aditivo *s. m.* Sustancia que se añade a otra para mejorar sus cualidades o para darle otras nuevas.

adivinación *s. f.* Conjunto de prácticas con que se pretende conocer el futuro o lo desconocido.

adivinanza *s. f.* Juego en el que hay que adivinar una cosa a través de algunas pistas.

adivinar *v.* **1.** Acertar algo con algunas pistas. **2.** Averiguar el futuro o lo desconocido. **SIN. 2.** Pronosticar, vaticinar.

adivinatorio, ria *adj.* Relacionado con la adivinación.

adivino, na *s. m.* y *f.* Persona que adivina el porvenir o lo desconocido.

adjetivo, va *adj.* **1.** Del adjetivo o que desempeña su función. || *s. m.* **2.** Palabra que se une al sustantivo para calificarlo (*buenas* notas). A veces se da este nombre a los demostrativos, posesivos, indefinidos, numerales y relativos cuando determinan al sustantivo.

adjudicación *s. f.* Acción de adjudicar. **SIN.** Concesión, atribución.

adjudicar *v.* **1.** Dar una cosa a alguien, sobre todo cuando otras personas también compiten por ella: *adjudicar un premio.* || **adjudicarse 2.** Apropiarse: *Se adjudicó todo el mérito.* **3.** Conseguir: *Se adjudicaron el campeonato.* **SIN. 1.** Conceder, entregar. **2.** Atribuirse. **3.** Obtener, lograr. **ANT. 2** y **3.** Perder.

adjuntar *v.* Poner algo junto con una carta o cualquier otro escrito. **SIN.** Acompañar.

adjunto, ta *adj.* **1.** Unido a otra cosa: *Le envío un paquete con una carta adjunta.* || *adj.* y *s.* **2.** Ayudante. **3.** Indica una categoría en algunas profesiones: *profesor adjunto.*

adminículo *s. m.* Objeto pequeño que sirve de ayuda para algo.

administración *s. f.* **1.** Acción de administrar. **2.** Las personas y los organismos que gobiernan un país, una región, una ciudad o un pueblo. **3.** Establecimiento donde se venden algunas cosas: *administración de lotería.* **SIN. 1.** Dirección, organización.

administrador, ra *s. m.* y *f.* Persona que administra los bienes de otros.

administrar *v.* **1.** Dirigir la economía de una casa, empresa o persona. **2.** Gobernar. **3.** Hacer tomar un medicamento o aplicarlo. **4.** Dar o repartir: *administrar justicia.* **SIN. 2.** Regir.

administrativo, va *adj.* **1.** De la administración. || *s. m.* y *f.* **2.** Persona que realiza trabajos auxiliares en una oficina, como escribir a máquina o llevar las cuentas.

admirable *adj.* Que merece ser admirado.

admiración *s. f.* **1.** Sentimiento que se tiene cuando se admira a alguien o algo. **2.** Asombro. **3.** Signo ortográfico que se coloca antes (¡) y después (!) de una palabra o frase y expresa asombro, sorpresa, queja. **ANT. 1.** Desprecio.

admirador, ra *s. m.* y *f.* Persona que admira a alguien o algo. **SIN.** Fan.

admirar *v.* **1.** Considerar muy bien o mejor de lo normal a una persona o cosa. **2.** Sorprender. **SIN. 2.** Asombrar, maravillar. **ANT. 1.** Despreciar.

admisible *adj.* Que puede admitirse o aceptarse.

admisión *s. f.* Acción de admitir, dejar entrar. **SIN.** Acogida. **ANT.** Expulsión.

admitir *v.* **1.** Recibir o dejar entrar: *admitir en un grupo.* **2.** Aceptar, reconocer: *admitir un error.* **3.** Permitir, tolerar. **SIN. 1.** Acoger. **ANT. 1.** Expulsar. **1** y **2.** Rechazar.

admonición *s. f.* Advertencia, reprensión.

adobar *v.* **1.** Poner en adobo la carne o el pescado. **2.** Curtir las pieles.

adobe *s. m.* Mezcla de paja y barro con que se hacen ladrillos para construir.

adobo *s. m.* Caldo con vinagre y otros ingredientes para dar sabor a carnes y pescados y para conservarlos.

adocenado, da 1. *p.* de **adocenarse**. || *adj.* 2. Vulgar, mediocre.

adocenarse *v.* Hacerse vulgar, de poco valor o mérito.

adoctrinar *v.* 1. Enseñar, instruir. 2. Dirigir las ideas o la conducta de una persona.

adolecer *v.* Tener algo malo: *Su redacción adolece de falta de claridad.* □ Es v. irreg. Se conjuga como *agradecer*.

adolescencia *s. f.* Periodo de la vida humana entre los 12 y los 18 años, aproximadamente. **SIN.** Juventud.

adolescente *s. m.* y *f.* Persona que está en la adolescencia. **SIN.** Joven, muchacho.

adonde *adv.* Al lugar al que se va.

adónde *interr.* A qué lugar: *¿Adónde vas?*

adondequiera *adv.* A cualquier parte.

adonis *s. m.* Joven muy bello.

adopción *s. f.* Acción de adoptar.

adoptar *v.* 1. Hacerse cargo legalmente de un niño como si fuera hijo propio. 2. Tomar una actitud, conducta o decisión. 3. Seguir otras costumbres o formas de pensar. **SIN.** 3. Asimilar. **ANT.** 2 y 3. Rechazar.

adoptivo, va *adj.* 1. Se dice del que adopta y del que ha sido adoptado: *padre adoptivo, hijo adoptivo.* 2. Que uno considera como suyo propio, aunque no lo sea: *patria adoptiva.*

adoquín *s. m.* 1. Piedra en forma de prisma rectangular utilizada para pavimentar calles y caminos. 2. Persona tonta o ignorante. **SIN.** 2. Bruto. **ANT.** 2. Lumbrera.

adoquinado *s. m.* Pavimento de adoquines.

adoquinar *v.* Cubrir el suelo con adoquines.

adorable *adj.* Encantador, maravilloso.

adoración *s. f.* Acción de adorar.

adorar *v.* 1. Demostrar la mayor reverencia a un dios, o a un ser u objeto al que se considera divino: *adorar a Dios, adorar al Sol.* 2. Querer mucho. 3. Gustar mucho. **ANT.** 2 y 3. Aborrecer.

adormecer *v.* Producir sueño o empezar a dormirse. □ Es v. irreg. Se conjuga como *agradecer*. **SIN.** Adormilarse.

adormidera *s. f.* Planta de hojas dentadas y flores grandes. Del fruto de una de sus variedades se extrae el opio.

adormilarse *v.* Quedarse medio dormido. **ANT.** Despabilarse.

adornar *v.* 1. Poner adornos. 2. Servir de adorno. **SIN.** 1. Engalanar. **ANT.** 2. Afear.

adorno *s. m.* Aquello que embellece o decora. **SIN.** Ornamento, ornato.

adosado, da *p.* de **adosar**. También *adj.: un chalé adosado.*

adosar *v.* Juntar, unir. **ANT.** Separar.

adquirir *v.* 1. Conseguir: *adquirir conocimientos.* 2. Comprar. □ Es v. irreg. **SIN.** 1. Ganar, obtener. **ANT.** 1. Perder. 2. Vender.

ADQUIRIR		
INDICATIVO	SUBJUNTIVO	IMPERATIVO
Presente	Presente	
adquiero	adquiera	
adquieres	adquieras	adquiere
adquiere	adquiera	
adquirimos	adquiramos	
adquirís	adquiráis	adquirid
adquieren	adquieran	

adquisición *s. f.* 1. Acción de adquirir. 2. Cosa adquirida. **SIN.** 1 y 2. Compra.

adquisitivo, va *adj.* 1. Que sirve para adquirir o comprar. || 2. **poder adquisitivo** Capacidad para comprar y pagar cosas.

adrede *adv.* Con intención, a propósito. **SIN.** Deliberadamente. **ANT.** Involuntariamente.

adrenalina *s. f.* Hormona que hace que el cuerpo reaccione ante situaciones de peligro o tensión.

adriático, ca *adj.* Del Adriático, mar al este de Italia.

adscribir *v.* 1. Destinar a una persona a un servicio o empleo. 2. Considerar que una persona pertenece a un grupo o tiene unas ideas. □ Su p. es irreg.: *adscrito.* **SIN.** 1. Vincular. 2. Asignar.

adscripción *s. f.* Acción de adscribir.

aduana *s. f.* En fronteras, puertos y aeropuertos, oficina donde se controla el comercio entre países y el paso de viajeros.

aduanero, ra *adj.* 1. Relativo a la aduana. || *s. m.* y *f.* 2. Empleado de aduanas.

aducir *v.* Presentar pruebas o razones para demostrar algo. □ Es v. irreg. Se conjuga como *conducir*. **SIN.** Alegar.

adueñarse *v.* 1. Apropiarse. 2. Dominar a alguien un sentimiento o estado de ánimo. **SIN.** 1 y 2. Apoderarse. 2. Invadir. **ANT.** 1. Desprenderse.

adulación *s. f.* Acción de adular. **Sin.** Halago, lisonja.

adulador, ra *adj.* y *s.* Que adula. **Sin.** Lisonjero, zalamero.

adular *v.* Alabar demasiado a alguien, sobre todo por interés. **Sin.** Halagar. **Ant.** Ofender.

adulterar *v.* Estropear o cambiar las propiedades de algo: *adulterar los alimentos.*

adulterio *s. m.* Hecho de mantener relaciones sexuales una persona casada con otra que no es su pareja.

adúltero, ra *adj.* y *s.* Del adulterio o que comete adulterio.

adulto, ta *adj.* y *s.* Se dice de la persona o animal que ha llegado a su total desarrollo; también se dice de lo relacionado con ellos. **Sin.** Maduro. **Ant.** Inmaduro.

adusto, ta *adj.* Serio, seco, poco amable. **Sin.** Áspero, hosco. **Ant.** Afable.

advenedizo, za *adj.* y *s.* Se dice del recién llegado al que se considera un extraño o un intruso.

advenimiento *s. m.* **1.** Llegada de un acontecimiento importante o de un período histórico. **2.** Subida al trono de un rey o de un papa. **Sin. 1.** Venida. **Ant. 1.** Final.

adventicio, cia *adj.* Se dice del órgano animal o vegetal que se desarrolla sólo en ocasiones y en sitio distinto del normal: *raíces adventicias.*

adverbial *adj.* Del adverbio o que desempeña su función.

adverbio *s. m.* Palabra invariable que complementa al verbo, al adjetivo, a otro adverbio o a la oración e indica circunstancias de lugar, tiempo, modo, cantidad, etc.

adversario, ria *adj.* y *s.* Enemigo, contrincante o contrario. **Sin.** Contendiente. **Ant.** Aliado.

adversativo, va *adj.* Se dice de las oraciones que expresan una cosa que se opone a otra: *Le gusta leer, pero no tiene tiempo.* Se dice también de las conjunciones que van delante de estas oraciones, como *pero* o *sino*.

adversidad *s. f.* Mala suerte o desgracia. **Sin.** Fatalidad.

adverso, sa *adj.* Desfavorable, contrario. **Ant.** Favorable.

advertencia *s. f.* Indicación con que se advierte o avisa de alguna cosa.

advertir *v.* **1.** Darse cuenta. **2.** Avisar. **3.** Decir algo como consejo o amenaza.

□ Es v. irreg. Se conjuga como *sentir.* **Sin. 1.** Percibir, percatarse. **2.** Alertar, prevenir.

adviento *s. m.* Tiempo anterior a la Navidad en que los cristianos se preparan para celebrar el nacimiento de Cristo.

adyacente *adj.* **1.** Situado junto a otra cosa. **2.** Se dice de los dos ángulos que tienen un mismo vértice y un lado común y suman 180 grados. ‖ *adj.* y *s. m.* **3.** Se dice de la palabra o sintagma que modifica a otro, como el adjetivo o el artículo respecto al sustantivo. **Sin. 1.** Contiguo, anejo, anexo. **3.** Modificador. **Ant. 1.** Distante.

aéreo, a *adj.* **1.** Del aire o que se desarrolla en él. **2.** De la aviación: *ataque aéreo.*

aerobic (ingl.) *s. m.* Tipo de gimnasia que suele hacerse acompañada de música.

aerobio, bia *adj.* y *s. m.* Se dice del organismo que necesita respirar el oxígeno del aire para vivir. **Ant.** Anaerobio.

aeroclub *s. m.* Club y aeródromo de aviación civil o deportiva.

aerodeslizador *s. m.* Vehículo que se mueve sobre un colchón de aire producido por un conjunto de hélices.

aerodinámica *s. f.* Parte de la física que estudia el movimiento de los gases y de los objetos que están en su interior.

aerodinámico, ca *adj.* **1.** De la aerodinámica. **2.** De forma adecuada para reducir la resistencia del aire.

aeródromo *s. m.* Instalaciones para el despegue y aterrizaje de aviones, sobre todo deportivos, particulares o militares.

aeroespacial *adj.* Relacionado con la aviación y la aeronáutica.

aerofagia *s. f.* Hecho de tragar aire, que se acumula en el intestino y produce molestias.

aerógrafo *s. m.* Instrumento de dibujo que lanza pintura mediante aire a presión.

aerolíneas *s. f. pl.* Compañía de transporte aéreo.

aeromodelismo *s. m.* Afición que consiste en construir y probar maquetas de aviones.

aeronáutica *s. f.* Ciencia que estudia el diseño, la construcción y el manejo de aviones y otro tipo de aeronaves.

aeronáutico, ca *adj.* Relacionado con la navegación aérea y la aeronáutica.

aeronave s. f. Vehículo que viaja por el aire o el espacio, como un avión o un cohete.

aeroplano s. m. Avión.

aeropuerto s. m. Conjunto de instalaciones para el despegue y aterrizaje de aviones comerciales.

aerosol s. m. 1. Líquido o sólido mezclado con gas y metido a presión en un envase, que sale en pequeñas gotitas. 2. Ese envase. SIN. 2. Spray.

aeróstato o **aerostato** s. m. Aeronave llena de un gas menos pesado que el aire, que le permite elevarse, como un globo o un dirigible.

aerotaxi s. m. Avión pequeño que se alquila para uso privado.

aerovía s. f. Ruta para el vuelo de los aviones comerciales.

afabilidad s. f. Amabilidad.

afable adj. Amable. SIN. Simpático. ANT. Antipático.

afamado, da adj. Famoso, prestigioso.

afán s. m. 1. Deseo muy grande. 2. Esfuerzo, interés. SIN. 1. Ansia, anhelo. 2. Empeño, ahínco.

afanar v. 1. Robar, hurtar. || afanarse 2. Esforzarse. SIN. 1. Quitar, birlar. 2. Desvivirse.

afanoso, sa adj. Que se afana. SIN. Esforzado.

afasia s. f. Trastorno cerebral que dificulta o impide hablar o comprender el lenguaje.

afear v. 1. Poner feo. 2. Reprochar o criticar. SIN. 2. Censurar, reprobar. ANT. 1. Embellecer. 2. Elogiar.

afección s. f. Enfermedad o trastorno en la salud. SIN. Dolencia, indisposición.

afectación s. f. Falta de naturalidad. SIN. Artificiosidad. ANT. Espontaneidad.

afectado, da 1. p. de afectar. También adj. y s. || adj. 2. Que muestra falta de naturalidad. SIN. 1. Interesado, perjudicado. 2. Artificioso. ANT. 2. Espontáneo.

afectar v. 1. Corresponder, tocar, aplicarse. 2. Producir un efecto, casi siempre malo. 3. Impresionar o emocionar. SIN. 1. Incumbir, atañer. 2. Perjudicar. 3. Conmover. ANT. 2. Favorecer.

afectividad s. f. 1. Sentimientos y emociones de las personas. 2. Tendencia a impresionarse o emocionarse con facilidad.

afectivo, va adj. 1. Relacionado con los sentimientos y emociones. 2. Muy sensible o impresionable. 3. Cariñoso. SIN. 1 y 2. Emotivo. 3. Afectuoso. ANT. 2. Insensible. 3. Seco.

afecto s. m. Cariño, simpatía. SIN. Estima. ANT. Antipatía.

afectuoso, sa adj. Que tiene afecto.

afeitado, da 1. p. de afeitar. También adj. y s. || adj. s. 2. Acción de afeitar.

afeitadora adj. y s. f. Maquinilla de afeitar.

afeitar v. 1. Cortar el pelo, sobre todo el de la barba, con cuchilla o maquinilla. 2. Limar los cuernos del toro para que sean menos peligrosos.

afeite s. m. Cosmético.

afelio s. m. Punto más alejado del Sol en la órbita de un planeta.

afeminado, da adj. y s. m. Se dice del hombre que tiene aspecto o gestos de mujer. SIN. Amanerado.

aferrar v. 1. Agarrar con fuerza. || aferrarse 2. Mantener con fuerza una idea o sentimiento. SIN. 1. Asir, sujetar. 2. Empeñarse, obstinarse. ANT. 1. Soltar. 2. Ceder.

afgano, na adj. y s. 1. De Afganistán, país de Asia. || adj. y s. m. 2. Se dice de un tipo de galgo de pelo largo originario de Afganistán.

afianzamiento s. m. Acción de afianzar o afianzarse.

afianzar v. Hacer más firme o seguro. SIN. Reforzar, asegurar. ANT. Aflojar.

afición s. f. 1. Interés que se siente por las cosas que gustan. 2. Seguidores de un equipo deportivo o público de un espectáculo. ANT. 1. Desinterés.

aficionado, da 1. p. de aficionar. También adj. y s. || adj. y s. 2. Que practica por afición un arte, deporte u otra actividad.

aficionar v. Hacer que alguien tenga una afición o un hábito, o adquirirlos uno. SIN. Acostumbrar. ANT. Cansar.

afijo s. m. Partícula que unida a la raíz de una palabra forma otra nueva. Existen tres tipos de afijos: prefijos, infijos o interfijos y sufijos.

afilado, da 1. p. de afilar. También adj. || adj. 2. Delgado, fino: nariz afilada. SIN. 2. Estilizado. ANT. 2. Gordo.

afilador, ra s. m. y f. Persona que tiene por oficio afilar objetos cortantes.

afilar v. Sacar punta o filo a un objeto. SIN. Aguzar. ANT. Desafilar.

afiliado, da 1. p. de afiliar. || adj. y s. 2. Que es miembro de un partido, asociación o sindicato.

afiliarse *v.* Entrar en un partido político, asociación o sindicato. **Sin.** Inscribirse.

afín *adj.* Semejante, parecido. **Sin.** Similar, análogo. **Ant.** Distinto.

afinador, ra *adj.* **1.** Que afina. || *s. m.* y *f.* **2.** Persona que afina pianos u otros instrumentos.

afinar *v.* **1.** Hacer fino o delgado. **2.** Mejorar, perfeccionar: *afinar la puntería.* **3.** Hacer que un instrumento musical suene bien. **Sin. 3.** Templar. **Ant. 1.** Engrosar. **3.** Desafinar.

afincarse *v.* Fijar el domicilio en un lugar. **Sin.** Establecerse. **Ant.** Emigrar.

afinidad *s. f.* **1.** Semejanza, parecido. **2.** Igualdad en los gustos o en las opiniones. **Sin. 1.** Similitud, analogía. **Ant. 1.** Diferencia.

afirmación *s. f.* **1.** Acción de afirmar o afirmarse. **2.** Palabra o frase con que se afirma. **Sin. 1** y **2.** Aseveración, asentimiento. **Ant. 1** y **2.** Negación.

afirmar *v.* **1.** Asegurar que algo es cierto. **2.** Responder que sí de palabra o con gestos. **3.** Poner firme, hacer que algo no se mueva. **Sin. 1.** Aseverar. **2.** Asentir. **3.** Reforzar, afianzar. **Ant. 1** y **2.** Negar.

afirmativo, va *adj.* Que afirma o sirve para afirmar: *oración afirmativa.*

aflicción *s. f.* Tristeza, pena. **Sin.** Dolor. **Ant.** Alegría.

afligir *v.* Causar o sentir aflicción. **Sin.** Apenar, entristecer. **Ant.** Alegrar.

aflojar *v.* **1.** Poner menos apretado. **2.** Debilitarse o disminuir: *aflojar el calor.* **3.** Dejar de esforzarse: *aflojar en los estudios.* **Sin. 1.** Soltar. **2.** Remitir. **Ant. 2.** Aumentar.

aflorar *v.* Aparecer o salir algo que estaba oculto o interno.

afluencia *s. f.* Hecho de ir gente a un lugar. **Sin.** Flujo.

afluente *s. m.* Río que desemboca en otro más importante.

afluir *v.* **1.** Ir a parar una corriente de agua a un lugar. **2.** Acudir mucha gente a un lugar. □ Es v. irreg. Se conjuga como *huir.* **Sin. 1.** Desembocar, desaguar. **2.** Confluir.

afonía *s. f.* Pérdida total o parcial de la voz. **Sin.** Ronquera.

afónico, ca *adj.* Que tiene afonía. **Sin.** Ronco.

aforar *v.* **1.** Calcular la capacidad de un depósito, de un local, etc. **2.** *fam.* Pagar.

aforismo *s. m.* Frase breve que resume un pensamiento.

aforo *s. m.* **1.** Acción de aforar. **2.** Capacidad de un lugar destinado a espectáculos públicos. **Sin. 2.** Cabida.

afortunadamente *adv.* Por fortuna, por suerte. **Ant.** Desgraciadamente.

afortunado, da *adj.* y *s.* **1.** Que tiene buena suerte. || *adj.* **2.** Que es resultado de la buena suerte. **3.** Acertado, oportuno. **Sin. 1.** Agraciado. **2.** Dichoso, feliz. **3.** Apropiado, conveniente. **Ant. 1** y **2.** Desdichado. **1** a **3.** Desafortunado. **3.** Desacertado.

afrancesado, da *adj.* y *s.* Español partidario de los franceses durante la invasión de España por Napoleón.

afrenta *s. f.* Ofensa grave. **Sin.** Agravio, ultraje.

afrentar *v.* Ofender gravemente. **Sin.** Agraviar, ultrajar.

africano, na *adj.* y *s.* De África.

afrontar *v.* Enfrentarse a un peligro o a una dificultad. **Sin.** Encarar. **Ant.** Eludir.

afuera *adv.* **1.** Hacia la parte exterior. || *s. f. pl.* **2.** Alrededores de una población. **Sin. 2.** Periferia, extrarradio. **Ant. 1.** Adentro. **2.** Centro.

agachar *v.* **1.** Inclinar una parte del cuerpo, especialmente la cabeza. || **agacharse 2.** Inclinarse, doblar las rodillas o la cintura. **Sin. 1.** Bajar. **Ant. 1** y **2.** Levantar.

agalla *s. f.* **1.** Branquia. **2.** Abultamiento que aparece en las plantas infectadas por algunos parásitos. || *pl.* **3.** Valor, valentía. **Sin. 3.** Coraje. **Ant. 3.** Cobardía.

ágape *s. m.* Banquete.

agarrada *s. f.* Riña o pelea.

agarradera *s. f.* **1.** Agarradero. || *pl.* **2.** Influencias, enchufe.

agarradero *s. m.* Pieza o parte de una cosa por donde se la puede agarrar. **Sin.** Asa, mango.

agarrado, da 1. *p.* de **agarrar.** También *adj.* || *adj.* **2.** Se dice del baile en que la pareja baila muy junta. || *adj.* y *s.* **3.** Roñoso, tacaño. **Sin. 3.** Avaro. **Ant. 3.** Generoso.

agarrar *v.* **1.** Coger firmemente con las manos o por otros medios. **2.** Atrapar. **3.** Empezar a tener una enfermedad, borrachera, enfado. **4.** Echar raíces una planta. **Sin. 1.** Asir. **2.** Capturar, apresar. **2** y **3.** Pillar, pescar. **4.** Prender. **Ant. 1** y **2.** Soltar. **2.** Liberar.

agarrón *s. m.* Acción de agarrar y tirar con fuerza.

agarrotamiento s. m. Hecho de agarrotarse.

agarrotar v. Poner o ponerse rígida e inmóvil una parte del cuerpo. **Sin.** Entumecerse. **Ant.** Desentumecer.

agasajar v. Mostrar aprecio hacia una persona con regalos o con otras atenciones. **Sin.** Regalar, homenajear. **Ant.** Ofender.

agasajo s. m. Regalo o muestra de afecto con que se agasaja a alguien. **Sin.** Homenaje, fiesta.

ágata s. f. Variedad de cuarzo traslúcido que se emplea en joyería y como objeto de adorno.

agazaparse v. Agacharse o encogerse detrás de un objeto para ocultarse.

agencia s. f. 1. Oficina o empresa que presta algunos servicios a los clientes: *agencia de viajes.* 2. Sucursal.

agenciarse v. Conseguir, comprar.

agenda s. f. Librito o cuaderno en que se anota lo que se debe hacer cada día, las direcciones y los teléfonos.

agente s. m. 1. Que actúa o produce algún efecto: *El sol y la lluvia son agentes atmosféricos.* || s. m. y f. 2. Persona que vende o hace algo en nombre de otra a la que representa, o al servicio de un país u organización. 3. Policía, guardia. || adj. y s. m. 4. Complemento del verbo en las oraciones pasivas, que indica la persona, animal o cosa que realiza la acción.

agigantado, da adj. Muy grande, enorme.

ágil adj. 1. Que se mueve con facilidad y soltura. 2. Rápido al pensar o al comprender. **Sin.** 1. Ligero. **Ant.** 1 y 2. Torpe.

agilidad s. f. Característica de ágil.

agilización s. f. Acción de agilizar.

agilizar v. Dar mayor rapidez a la realización de algo. **Sin.** Acelerar, aligerar. **Ant.** Retardar.

agitación s. f. 1. Acción de agitar. 2. Malestar o descontento.

agitador, ra s. m. y f. Persona que provoca desórdenes o conflictos políticos o sociales.

agitanado, da adj. Con aspecto de gitano.

agitar v. 1. Mover una cosa varias veces a un lado y a otro. 2. Excitar, alterar. **Sin.** 1. Batir, remover. 2. Alborotar, perturbar. **Ant.** 2. Calmar.

aglomeración s. f. 1. Acción de aglomerar. 2. Muchedumbre, multitud.

aglomerado s. m. Material formado por trozos de madera prensados y endurecidos, muy utilizado en carpintería.

aglomerar v. Reunir, amontonar, juntar. **Sin.** Aglutinar. **Ant.** Separar, dispersar.

aglutinante s. m. Sustancia en que se diluyen pinturas, barnices, etc., y les proporciona mayor consistencia.

aglutinar v. 1. Juntar, reunir. 2. Unir y pegar trozos de una o varias sustancias para formar un cuerpo macizo. **Sin.** 1. Agrupar, unificar. 2. Aglomerar. **Ant.** 1 y 2. Separar.

agnóstico, ca adj. y s. Se dice de los que piensan que el entendimiento humano no puede conocer lo sobrenatural o religioso.

agobiante adj. Que produce agobio. **Sin.** Asfixiante.

agobiar v. Causar o sentir agobio. **Sin.** Ahogar. **Ant.** Aliviar.

agobio s. m. 1. Sensación de ahogo. 2. Angustia, preocupación. **Ant.** 1 y 2. Alivio.

agolparse v. Juntarse muchas personas o cosas en un lugar. **Sin.** Amontonarse, apelotonarse. **Ant.** Dispersarse.

agonía s. f. 1. Estado de la persona o animal que está muriendo, sobre todo si sufre. || agonías adj. y s. 2. Persona pesimista, que se angustia en seguida. **Sin.** 2. Derrotista, pusilánime. **Ant.** 2. Optimista.

agonizante adj. Que está agonizando.

agonizar v. Estar muriéndose.

ágora s. f. En las antiguas ciudades griegas, plaza pública donde se celebraban asambleas, se administraba justicia y se trataban negocios.

agorero, ra adj. y s. 1. Que anuncia desgracias. 2. Pesimista, cenizo. **Ant.** 2. Optimista.

agostar v. Secar las plantas un calor excesivo. **Sin.** Abrasar.

agosto s. m. Octavo mes del año, de treinta y un días.

agotador, ra adj. Que cansa mucho.

agotamiento s. m. Cansancio muy grande.

agotar v. 1. Acabar por completo. 2. Cansar mucho. **Sin.** 1. Terminar, consumir. 2. Fatigar, rendir. **Ant.** 1. Empezar. 2. Descansar.

agracejo s. m. Arbusto de madera y flores amarillas, ramas espinosas y fruto de color rojo y sabor ácido.

agraciado, da *adj.* **1.** Guapo, atractivo. || *adj.* y *s.* **2.** Que ha ganado algo en un juego o concurso. **Sin. 1.** Favorecido. **Ant. 1.** Feo.

agradable *adj.* **1.** Que agrada. **2.** Amable, simpático. **Sin. 1.** Grato, placentero. **2.** Afable, encantador. **Ant. 1** y **2.** Desagradable.

agradar *v.* Producir agrado. **Sin.** Gustar, encantar. **Ant.** Desagradar.

agradecer *v.* Dar las gracias o mostrar aprecio por algo. □ Es v. irreg. **Sin.** Reconocer.

AGRADECER		
INDICATIVO	SUBJUNTIVO	IMPERATIVO
Presente	Presente	
agradezco	agradezca	
agradeces	agradezcas	agradece
agradece	agradezca	
agradecemos	agradezcamos	
agradecéis	agradezcáis	agradeced
agradecen	agradezcan	

agradecido, da **1.** *p.* de **agradecer**. También *adj.* || *adj.* **2.** Se dice de lo que en seguida refleja el esfuerzo o atención puestos en ello: *un trabajo agradecido*. **Ant. 1.** Desagradecido.

agradecimiento *s. m.* Hecho de estar agradecido. **Sin.** Gratitud. **Ant.** Desagradecimiento.

agrado *s. m.* Gusto, satisfacción. **Ant.** Desagrado.

agrandamiento *s. m.* Acción de agrandar o agrandarse.

agrandar *v.* Hacer más grande. **Sin.** Aumentar, ampliar, acrecentar. **Ant.** Empequeñecer.

agrario, ria *adj.* Del campo o de la agricultura. **Sin.** Agrícola.

agravamiento *s. m.* Empeoramiento.

agravante *adj.* y *s. f.* En derecho, se dice de la circunstancia que agrava un delito.

agravar *v.* Empeorar, hacer más grave. **Ant.** Mejorar.

agraviar *v.* Ofender.

agravio *s. m.* Ofensa. **Ant.** Desagravio.

agredir *v.* Pegar, atacar. □ Es v. defect. Sólo se conjugan las formas que tienen una *i* en la terminación.

agregado, da **1.** *p.* de **agregar**. También *adj.* || *adj.* y *s.* **2.** Se dice del profesor de instituto de categoría inmediatamente inferior a la de catedrático. || *s. m.* y *f.* **3.** Funcionario con una tarea especial en una embajada.

agregar *v.* Añadir, unir, sumar. **Ant.** Apartar, quitar.

agresión *s. f.* Acción de agredir.

agresividad *s. f.* Característica de las personas, animales o actos agresivos.

agresivo, va *adj.* **1.** Que tiene tendencia a atacar a otros. **2.** Duro, violento. **3.** Que demuestra iniciativa, seguridad y energía, sobre todo en el trabajo. **Sin. 3.** Decidido, emprendedor. **Ant. 1.** Manso. **3.** Apocado.

agresor, ra *adj.* y *s.* Que realiza una agresión. **Sin.** Asaltante.

agreste *adj.* Se dice del terreno abrupto o lleno de vegetación salvaje.

agriar *v.* Volver agrio. **Sin.** Avinagrar.

agrícola *adj.* De la agricultura o relacionado con ella. **Sin.** Agrario.

agricultor, ra *s. m.* y *f.* Persona que se dedica a la agricultura. **Sin.** Labrador, campesino.

agricultura *s. f.* Cultivo de la tierra.

agridulce *adj.* Que es mezcla de agrio y dulce.

agrietar *v.* Abrir grietas.

agrimensor, ra *s. m.* y *f.* Persona dedicada a medir terrenos.

agrimensura *s. f.* Técnica de medir terrenos.

agrio, gria *adj.* **1.** Ácido; se dice sobre todo de algunos alimentos cuando están estropeados. **2.** Brusco, malhumorado. || *s. m.* **3.** El limón y otras frutas de sabor ácido. **Sin. 2.** Huraño, irritable. **Ant. 1** y **2.** Dulce. **2.** Amable.

agronomía *s. f.* Ciencia que estudia las técnicas y métodos para el cultivo de la tierra.

agrónomo, ma *adj.* y *s.* Especialista en agronomía.

agropecuario, ria *adj.* Relacionado con la agricultura y la ganadería.

agrupación *s. f.* **1.** Acción de agrupar o agruparse. **2.** Grupo, conjunto o asociación. **Ant. 1.** Separación, división.

agrupar *v.* Reunir formando grupos. **Sin.** Juntar, congregar. **Ant.** Separar.

agua *s. f.* **1.** Líquido incoloro, sin olor ni sabor propios, que está formado por dos volúmenes de hidrógeno y uno de oxígeno y se encuentra en mares, ríos y lagos. **2.** Líquido con abundancia de agua, por ejemplo la mezcla de ésta con plantas o el jugo de algunos frutos: *agua de rosas, agua de coco*. || *pl.* **3.** Dibujos o reflejos en forma de ondulaciones en algunas telas o piedras preciosas. || **4. agua de colonia** Colonia, líquido para perfumar. **5. agua fuerte** Mezcla de agua y un ácido de nitrógeno. **6. agua mineral** La de manantial. **7. agua oxigenada** Líquido formado por dos volúmenes de hidrógeno y dos de oxígeno; se utiliza como desinfectante. **8. agua tónica** Tónica, bebida refrescante.

aguacate *s. m.* Fruto comestible de un árbol tropical americano del mismo nombre; tiene piel verde, carne suave y un hueso grande.

aguacero *s. m.* Lluvia fuerte que cae de repente y dura poco. **Sin.** Chaparrón.

aguachirle *s. f.* Bebida o caldo muy aguado o de poco sabor.

aguada *s. f.* Pintura hecha con colores disueltos en agua. **Sin.** Guache.

aguaderas *s. f. pl.* Armazón que se pone sobre una caballería para transportar cántaros, barriles y otras cosas.

aguadilla *s. f.* Ahogadilla.

aguador, ra *s. m. y f.* Persona que vende o transporta agua.

aguafiestas *s. m. y f.* Persona que estropea una diversión o la impide.

aguafuerte *s. m.* **1.** Técnica de grabar dibujos en planchas de metal sobre las que actúa el agua fuerte. **2.** Dibujo impreso con esta técnica.

aguamanil *s. m.* Jarra para el agua de lavarse las manos.

aguamarina *s. f.* Piedra preciosa transparente y de color azulado.

aguanieve *s. f.* Lluvia fina mezclada con nieve.

aguantar *v.* **1.** Sostener. **2.** Soportar cosas desagradables o pesadas, como esfuerzos o dificultades. || **aguantarse 3.** No hacer o no expresar alguien lo que le gustaría. **Sin. 1.** Sujetar. **1** y **2.** Resistir. **2.** Tolerar. **3.** Contenerse, reprimirse. **Ant. 1.** Soltar. **3.** Explotar.

aguante *s. m.* Capacidad para aguantar o aguantarse. **Sin.** Paciencia, dominio, resistencia.

aguar *v.* **1.** Mezclar con agua o con demasiada agua, sobre todo alimentos líquidos. **2.** Estropear: *La lluvia les aguó la excursión.* **Sin. 2.** Malograr.

aguardar *v.* Esperar.

aguardentoso, sa *adj.* **1.** Mezclado con aguardiente o que parece aguardiente. **2.** Se dice de la voz áspera, ronca.

aguardiente *s. m.* Bebida alcohólica muy fuerte hecha a partir del vino, zumo de frutas o de otras sustancias.

aguarrás *s. m.* Aceite de trementina, líquido de olor fuerte que se emplea como disolvente de pinturas y barnices.

agudeza *s. f.* **1.** Rapidez y acierto al percibir las cosas: *agudeza visual.* **2.** Inteligencia, ingenio.

agudizar *v.* Hacer más agudo, fuerte, intenso. **Sin.** Agravar, empeorar. **Ant.** Suavizar.

agudo, da *adj.* **1.** De punta muy afilada. **2.** Que demuestra agudeza: *vista muy aguda, una frase muy aguda.* **3.** Muy fuerte o intenso: *dolor agudo.* **4.** Se dice de la palabra acentuada en la última sílaba. **5.** Se aplica al ángulo de menos de 90 grados. || *adj. y s. m.* **6.** Se dice del sonido muy alto en la escala musical. **Sin. 1.** Puntiagudo, punzante. **2.** Ingenioso, ocurrente. **Ant. 1.** Chato. **2.** Torpe, soso. **3.** Leve. **6.** Grave.

agüero *s. m.* Señal que anuncia la buena o mala suerte. **Sin.** Presagio, augurio.

aguerrido, da *adj.* Valiente, luchador. **Sin.** Valeroso, bravo. **Ant.** Cobarde.

aguijón *s. m.* Órgano puntiagudo que tienen el escorpión y algunos insectos, como las avispas, con el que pican e inyectan veneno.

aguijonear *v.* Animar, estimular.

águila *s. f.* **1.** Ave rapaz de gran tamaño, color pardo con tonos amarillentos o blancos, pico curvo y fuerte y garras afiladas. **2.** Persona lista. **Sin. 2.** Lince.

aguileño, ña *adj.* Se dice del rostro o nariz afilados.

aguilucho *s. m.* **1.** Ave rapaz parecida al águila, pero de menor tamaño, que tiene el pico corto, la cola larga, grandes ojos y plumaje pardo o gris. **2.** Pollo del águila.

aguinaldo *s. m.* Regalo o dinero que se da en Navidad, por ejemplo cuando alguien felicita las fiestas.

aguja *s. f.* **1.** Barrita delgada terminada en punta, como la de coser o las de hacer punto. **2.** Barrita parecida para otros usos, como la de un tocadiscos o las del reloj. **3.** Tubito metálico puntiagudo y muy fino que se clava en el cuerpo y se acopla a la jeringuilla para poner inyecciones, sacar sangre, etc. **4.** Raíl que se puede mover para hacer que el tren cambie de vía. **5.** Terminación en punta de una torre o de un edificio. **6.** Ave zancuda, pequeña y esbelta, de pico largo y patas largas y delgadas, que habita en zonas encharcadas. || *pl.* **7.** Costillas de la parte de delante de una res y carne de esa parte.

agujerear v. Hacer o hacerse agujeros. SIN. Perforar, horadar.

agujero s. m. Hueco, abertura, generalmente redondeados.

agujetas s. f. pl. Dolor que se siente en alguna parte del cuerpo después de hacer un ejercicio físico al que no se está acostumbrado.

agusanarse v. Llenarse de gusanos.

agustino, na adj. y s. De las órdenes religiosas de San Agustín.

aguzanieves s. m. Ave de pico largo y recto, cola larga y plumaje grisáceo con el vientre blanco. Se llama también lavandera.

aguzar v. Esforzar los sentidos o la inteligencia para sacarles el mayor provecho: aguzar el oído. SIN. Agudizar, afinar.

¡ah! interj. 1. Expresa sorpresa o emoción. 2. Indica que se acaba de comprender algo.

ahí adv. 1. En ese lugar o a ese lugar: Está ahí. Irá ahí cuando pueda. 2. Con por, expresa un lugar cualquiera: Andará por ahí.

ahijado, da s. m. y f. Una persona con relación a su padrino o madrina.

ahínco s. m. Gran interés y esfuerzo. SIN. Empeño, afán. ANT. Dejadez.

ahíto, ta adj. Que ha comido hasta hartarse. SIN. Saciado, lleno ANT. Hambriento.

ahogadilla s. f. Acción de meterle a otro la cabeza bajo el agua un momento como juego o broma.

ahogado, da 1. p. de ahogar. También adj. y s. || adj. 2. Estrecho o mal ventilado.

ahogar v. 1. Matar a una persona o animal impidiéndole respirar, o morirse de este modo, sobre todo en el agua. 2. Producir o sentir dificultad para respirar. 3. Hacer que entre demasiado combustible en el motor de un automóvil, provocando que se pare o no arranque. SIN. 1 y 2. Asfixiar.

ahogo s. m. 1. Dificultad para respirar. 2. Angustia, dificultad. SIN. 1. Asfixia. 1 y 2. Agobio, sofoco. ANT. 2. Alivio.

ahondar v. 1. Hacer más hondo o cavar profundamente. 2. Estudiar o tratar algo a fondo. SIN. 1 y 2. Profundizar.

ahora adv. 1. Expresa el momento presente: de ahora en adelante. 2. Hace muy poco o dentro de un momento: Acaba de llegar ahora. Ahora salgo. EXPR. ahora bien Pero, sin embargo.

ahorcar v. Matar a alguien colgándole de una cuerda atada alrededor del cuello.

ahorrador, ra adj. Que ahorra mucho. SIN. Ahorrativo. ANT. Derrochador.

ahorrar v. 1. Guardar dinero en vez de gastarlo. 2. Gastar poco. 3. Ganar tiempo. 4. Evitar: No hagas eso y te ahorrarás un disgusto. SIN. 1. Reservar. 2 y 3. Economizar. ANT. 1 y 2. Derrochar.

ahorrativo, va adj. Ahorrador.

ahorro s. m. 1. Acción de ahorrar. 2. Cantidad ahorrada, especialmente de dinero.

ahuecar v. 1. Poner hueco. 2. Esponjar una cosa que estaba aplastada. 3. Marcharse; se usa mucho en la expresión **ahuecar el ala**. SIN. 2. Mullir. 3. Largarse, pirarse. ANT. 2. Apelmazar. 3. Llegar.

ahuevar v. Dar forma de huevo.

ahumado, da 1. p. de ahumar. También adj. || adj. y s. m. 2. Se dice de los alimentos que se ahúman para conservarlos o para darles sabor.

ahumar v. 1. Llenar una cosa de humo o hacer que coja olor o color de humo. 2. Someter a la acción del humo algunos alimentos para conservarlos o darles sabor.

ahuyentar v. Hacer huir. SIN. Espantar. ANT. Atraer.

aimara o aimará adj. y s. 1. De un pueblo indio establecido entre Perú y Bolivia. || s. m. 2. Lengua de este pueblo.

airado, da adj. Muy enfadado, con ira. SIN. Colérico, rabioso. ANT. Sereno.

airbag (ingl.) s. m. Bolsa de aire que se hincha automáticamente delante de los ocupantes de un vehículo en caso de un choque fuerte.

aire s. m. 1. Gas que envuelve la Tierra, formado básicamente por oxígeno y nitrógeno. 2. Viento. 3. Aspecto, apariencia. SIN. 2. Brisa.

airear v. 1. Poner al aire o hacer que le dé el aire a alguien o algo. 2. Contar algo: airear una noticia. SIN. 1. Orear, oxigenar. 1 y 2. Ventilar. 2. Divulgar, difundir. ANT. 1. Enrarecer. 2. Ocultar.

airoso, sa adj. 1. Que tiene garbo y elegancia. 2. Que ha hecho bien algo: Salió airoso del examen. SIN. 1. Garboso, elegante. 2. Victorioso. ANT. 1. Desgarbado.

aislado, da 1. p. de aislar. También adj. || adj. 2. Raro, poco frecuente. ANT. 2. Generalizado.

aislamiento *s. m.* Acción de aislar o hecho de estar aislado.

aislante *adj.* y *s. m.* Sustancia o material que aísla, por ejemplo de la electricidad o del calor.

aislar *v.* 1. Apartar de los demás. 2. No permitir el paso de la electricidad, el calor u otros agentes físicos. SIN. 1. Retirar, desconectar. ANT. 1. Unir. 2. Conducir.

ajado, da 1. *p.* de ajar. || *adj.* 2. Deteriorado, deslucido. ANT. 2. Lozano.

ajar *v.* Estropear, deslucir.

ajardinado, da *adj.* Con jardines o formando un jardín.

ajedrecista *s. m.* y *f.* Jugador de ajedrez.

ajedrez *s. m.* Juego entre dos personas que mueven piezas de diferentes formas sobre un tablero cuadriculado.

ajenjo *s. m.* 1. Planta aromática y de sabor amargo con la que se prepara una bebida alcohólica. 2. Esta bebida.

ajeno, na *adj.* 1. Que pertenece a otro. 2. Extraño o desconocido: *No dejan pasar a nadie ajeno a la obra.* 3. Que no conoce algo: *Era ajeno a vuestros planes.* SIN. 3. Ignorante. ANT. 1. Propio. 2. Conocido. 3. Conocedor.

ajete *s. m.* 1. Ajo tierno que aún no ha desarrollado el bulbo. 2. Puerro silvestre.

ajetreado, da *adj.* Con ajetreo.

ajetreo *s. m.* Mucho trabajo, movimiento o actividad. SIN. Trajín.

ají *s. m. Amér.* Especie de pimiento pequeño picante.

ajillo Se usa en la expresión **al ajillo,** modo de cocinar un alimento friéndolo con mucho ajo y otros condimentos.

ajo *s. m.* 1. Bulbo de una planta del mismo nombre, de sabor picante, usado para preparar o guisar alimentos. 2. Asunto, especialmente si es secreto: *Le preparaban una broma y sus padres estaban en el ajo.*

ajonjolí *s. m.* Sésamo.

ajorca *s. f.* Aro que se lleva como adorno en las muñecas, brazos o tobillos.

ajuar *s. m.* 1. Conjunto de ropas y otras cosas que aporta la mujer al casarse. 2. Ropas, muebles y otros objetos para uso de la casa. SIN. 2. Menaje.

ajustado, da 1. *p.* de ajustar. || *adj.* 2. Encajado o apretado. ANT. 2. Suelto.

ajustador *s. m.* Operario que trabaja las piezas para que se ajusten bien en su sitio.

ajustar *v.* 1. Poner una cosa dentro de otra, junto a ella o alrededor, de modo que no quede espacio entre ellas: *ajustar la tapa de un bote.* 2. Adaptar, acomodar. EXPR. **ajustar cuentas** Dar a alguien su merecido. SIN. 1. Encajar, acoplar. 1 y 2. Amoldar. 2. Adecuar. ANT. 1. Desajustar.

ajuste *s. m.* Acción de ajustar o ajustarse.

ajusticiar *v.* Aplicar la pena de muerte a un condenado. SIN. Ejecutar.

al Contracción de la preposición *a* y el artículo *el: Voy al campo.* A veces significa 'en el momento de': *Al verle, le saludé.*

ala *s. f.* 1. Parte del cuerpo de algunos animales, como las aves o los insectos, que les sirve para volar. 2. Parte de los aviones que hace que se mantengan en el aire. 3. Parte que se extiende hacia los lados: *ala del tejado, del sombrero.* || *s. m.* y *f.* 4. En baloncesto y otros deportes, jugador que ataca por los laterales. || 5. **ala delta** Aparato formado por un ala triangular que sirve para volar aprovechando las corrientes de aire.

¡ala! *interj.* ¡Hala!

alabanza *s. f.* Acción de alabar. SIN. Elogio. ANT. Crítica.

alabar *v.* Decir cosas buenas de alguien o algo. SIN. Elogiar, ensalzar. ANT. Criticar.

alabarda *s. f.* Arma antigua, parecida a una lanza con una cuchilla en forma de media luna junto a la punta.

alabardero *s. m.* Soldado armado con alabarda.

alabastro *s. m.* Piedra dura, de color blanquecino y algo transparente, que se emplea para hacer esculturas y objetos de adorno.

alabear *v.* Curvar, combar. SIN. Abarquillar. ANT. Enderezar.

alacena *s. f.* Especie de armario, hecho en un hueco de la pared, con puertas y estantes.

alacrán *s. m.* Escorpión, arácnido.

alado, da *adj.* Con alas.

alamar *s. m.* 1. Cairel. 2. Presilla y botón de pasamanería.

alambicado, da *adj.* Demasiado complicado o sutil.

alambique *s. m.* Aparato para destilar.

alambrada *s. f.* Cerca o valla hecha de alambre.

alambrar *v.* Cercar con alambradas.

alambre s. m. Hilo de metal.

alambrera s. f. Red de alambre.

alambrista s. m. y f. Equilibrista que trabaja sobre un alambre o cable colocado a cierta altura.

alameda s. f. 1. Lugar con muchos álamos. 2. Paseo con árboles.

álamo s. m. Árbol muy alto, de hojas ovaladas o en forma de corazón y madera blanca.

alano, na adj. y s. 1. De un pueblo bárbaro que invadió España en el siglo v. ‖ adj. y s. m. 2. Perro fuerte, de tamaño mediano y pelo corto y rojizo.

alarde s. m. Demostración llamativa que hace alguien de sus cualidades. Sin. Ostentación, gala.

alardear v. Hacer alarde. Sin. Presumir, vanagloriarse.

alargadera s. f. Pieza que sirve para alargar.

alargador s. m. Pieza o aparato para alargar algo, por ejemplo un cable.

alargar v. 1. Hacer más largo. 2. Extender el brazo o la mano. ‖ alargarse 3. Extenderse al hablar o escribir. Sin. 1. Prolongar. 3. Enrollarse. Ant. 1. Acortar. 1 y 2. Abreviar.

alarido s. m. Grito muy fuerte. Sin. Chillido, aullido.

alarma s. f. 1. Señal con que se avisa de un peligro. 2. Inquietud, sobresalto. 3. Mecanismo para avisar, por ejemplo en un despertador. Sin. 2. Intranquilidad, temor. Ant. 2. Calma.

alarmante adj. Que produce alarma, inquietud.

alarmar v. Inquietar, asustar. Sin. Sobresaltar. Ant. Calmar.

alarmismo s. m. Inquietud exagerada ante un posible peligro.

alarmista adj. y s. 1. Que provoca alarmismo. 2. Que se alarma con facilidad.

alavés, sa adj. y s. De Álava, provincia española.

alazán, na adj. y s. Se dice del caballo de color canela.

alba s. f. 1. Amanecer, primera luz del día. 2. Túnica blanca de los sacerdotes. Sin. 1. Alborada, aurora.

albacea s. m. y f. Persona encargada de que se cumpla un testamento.

albaceteño, ña o **albacetense** adj. y s. De Albacete, ciudad y provincia españolas.

albahaca s. f. Hierba aromática de hojas en forma de lanza y flores blancas.

albanés, sa adj. y s. 1. De Albania, país de Europa. ‖ s. m. 2. Lengua de este país.

albañal s. m. Alcantarilla, desagüe.

albañil s. m. y f. Obrero de la construcción.

albañilería s. f. Oficio y trabajos del albañil.

albarán s. m. Nota que indica que se ha entregado una mercancía. Sin. Recibo, comprobante.

albarca s. f. Abarca.

albarda s. f. Almohadón que se pone sobre el lomo de las caballerías.

albaricoque s. m. Fruto amarillento, carnoso y aromático, con un hueso en el centro.

albaricoquero s. m. Árbol que da el albaricoque.

albarrana adj. Se dice de la torre que se construía en las murallas como punto de vigilancia.

albatros s. m. Ave marina de gran tamaño, con el cuerpo blanco y las alas gris oscuro.

albedrío s. m. Libertad de los hombres para actuar.

alberca s. f. Depósito artificial de agua.

albérchigo s. m. 1. Tipo de melocotón de color amarillo muy intenso. 2. Albaricoque.

alberchiguero s. m. 1. Tipo de melocotonero. 2. Albaricoquero.

albergar v. 1. Alojar. 2. Tener un sentimiento: albergar un deseo. Sin. 1. Hospedar, cobijar. 2. Abrigar.

albergue s. m. 1. Acción de albergar. 2. Lugar en el que se alberga a viajeros y excursionistas. Sin. 1. Hospedaje.

albino, na adj. y s. De piel y pelo casi blancos por falta de pigmentación.

albóndiga s. f. Bola de carne picada que suele guisarse con salsa.

albor s. m. 1. Luz débil del amanecer. ‖ pl. 2. Principio, comienzo: los albores del siglo. Sin. 2. Inicio. Ant. 2. Ocaso.

alborada s. f. Momento en que amanece. Sin. Alba.

alborear v. Amanecer.

albornoz s. m. Bata para después del baño.

alborotador, ra adj. y s. Que alborota.

alborotar v. 1. Causar alboroto. 2. Alterar, revolucionar. 3. Desordenar: alborotar el pelo. Sin. 2 y 3. Revolver. Ant. 2. Tranquilizar.

alboroto s. m. Jaleo.

alborozar v. Alegrar.

alborozo s. m. Alegría.

¡albricias! interj. Expresa una gran alegría.

albufera s. f. Extensión de agua salada separada del mar por una zona arenosa.

álbum s. m. **1.** Libro para colocar fotografías, sellos, discos, etc. **2.** Disco de larga duración.

albumen s. m. Tejido que rodea el embrión de la semilla de algunas plantas y le proporciona alimento.

albúmina s. f. Proteína que hay en la clara del huevo, la sangre, la leche y en algunas semillas.

alcachofa s. f. **1.** Planta de huerta que da una flor de hojas verdes superpuestas, muy usada como alimento. **2.** Pieza con agujeros por donde sale el agua en duchas y regaderas.

alcahuete, ta s. m. y f. Persona que hace de intermediaria en una relación amorosa.

alcaide s. m. **1.** Director de una cárcel. **2.** Hombre que estaba al mando en una fortaleza.

alcalaíno, na adj. y s. De Alcalá, nombre de varias poblaciones españolas.

alcaldada s. f. Acción injusta de una autoridad. **Sin.** Abuso, atropello.

alcalde, alcaldesa s. m. y f. **1.** Persona que preside un ayuntamiento. ‖ s. f. **2.** Mujer del alcalde.

alcaldía s. f. Cargo del alcalde y edificio donde trabaja.

alcalino, na adj. Se dice de las sustancias capaces de neutralizar los ácidos y, especialmente, de cierto tipo de metales.

alcaloide s. m. Sustancia con efectos excitantes, tranquilizantes o tóxicos, como la cafeína, la cocaína o la nicotina.

alcance s. m. **1.** Distancia a la que llega la acción de una cosa: un cañón de largo alcance. **2.** Acción de alcanzar: al alcance de la mano; dar alcance.

alcancía s. f. Hucha.

alcanfor s. m. Sustancia blanca, de olor fuerte, usada en medicina y en la industria, y para combatir la polilla.

alcanforero s. m. Árbol del que se obtiene el alcanfor.

alcantarilla s. f. Conducto subterráneo de aguas residuales. **Sin.** Cloaca, desagüe, albañal.

alcantarillado s. m. Conjunto de alcantarillas de una población.

alcanzar v. **1.** Llegar hasta donde está el que va delante. **2.** Acercar: Alcánzame un bolígrafo. **3.** Llegar: El timbre está alto y no alcanzo. **4.** Acertar, dar: La bala le alcanzó en el hombro. **5.** Conseguir. **6.** Bastar, ser suficiente. **Sin. 1.** Pillar. **5.** Obtener, lograr.

alcaparra s. f. **1.** Arbusto de tallo espinoso y grandes flores blancas; su yema se emplea como condimento. **2.** Esta yema.

alcaraván s. m. Ave zancuda de plumaje pardo, vientre blanco y pico amarillo con la punta negra. Vive en zonas áridas.

alcatraz s. m. Ave marina algo mayor que una gaviota, de color blanco con el borde de las alas negro.

alcaudón s. m. Pájaro de diversos colores según la especie y pico fuerte y curvado; clava a sus presas en espinos.

alcayata s. f. Escarpia.

alcazaba s. f. Fortificación árabe.

alcázar s. m. **1.** Fortificación donde vivían reyes y personas importantes. **2.** Palacio árabe.

alce s. m. Rumiante de gran tamaño, hocico muy desarrollado y, en los machos, cuernos anchos y ramificados.

alcoba s. f. Dormitorio.

alcohol s. m. **1.** Líquido incoloro, que arde fácilmente y se obtiene a partir de frutos y otras sustancias fermentadas. **2.** Bebida alcohólica.

alcoholemia s. f. Presencia de alcohol en la sangre.

alcohólico, ca adj. **1.** Relacionado con el alcohol o que lo contiene. ‖ adj. y s. **2.** Que padece alcoholismo.

alcoholismo s. m. Hecho de tomar en exceso bebidas alcohólicas y daños que produce en el organismo.

alcoholizado, da adj. Se dice de la persona alcohólica.

alcor s. m. Monte pequeño.

alcornoque s. m. **1.** Árbol de copa muy ancha, hoja perenne y madera dura; su corteza es el corcho. **2.** Persona tonta o inculta. **Sin. 2.** Ignorante, bruto.

alcorque s. m. Hoyo para recoger el agua alrededor de un árbol o planta.

alcotán s. m. Ave rapaz parecida al halcón, aunque de menor tamaño, con el plumaje oscuro y el vientre claro.

alcurnia s. f. Linaje, familia noble o importante.

alcuza *s. f.* Vasija pequeña para aceite.

aldaba *s. f.* Pieza metálica colgada en las puertas para llamar golpeando con ella.

aldea *s. f.* Pueblo muy pequeño.

aldeano, na *adj. y s.* De una aldea.

¡ale! *interj.* ¡Hala!

aleación *s. f.* Mezcla de dos o más elementos químicos, en la que al menos uno es metal.

aleatorio, ria *adj.* Que depende de la suerte o el azar.

aleccionar *v.* Enseñar, aconsejar o dar un escarmiento. **SIN.** Instruir.

aledaño, ña *adj.* **1.** Situado al lado. || *s. m. pl.* **2.** Alrededores. **SIN. 1.** Colindante, contiguo. **2.** Cercanías, proximidades.

alegar *v.* Dar una explicación o justificación. **SIN.** Aducir.

alegato *s. m.* **1.** Escrito en que el abogado expone los derechos de su cliente. **2.** Escrito o exposición en que se defiende algo.

alegoría *s. f.* Representación de una idea por medio de un dibujo, escena o escrito.

alegórico, ca *adj.* Que es o contiene una alegoría.

alegrar *v.* Poner alegre. **SIN.** Contentar, animar. **ANT.** Entristecer.

alegre *adj.* **1.** Que siente alegría, la muestra o la produce. **2.** Con mucho colorido, luz, animación. **3.** Un poco borracho. **SIN. 1.** Contento, feliz. **2.** Luminoso, vivo. **3.** Achispado **ANT. 1.** Triste. **2.** Apagado.

alegremente *adv.* **1.** Con alegría. **2.** De manera insensata: *Se saltó el semáforo alegremente.*

alegreto *s. m.* Tiempo musical algo más lento que el alegro.

alegría *s. f.* Sentimiento de placer o satisfacción. **SIN.** Contento, gozo, felicidad. **ANT.** Tristeza.

alegro *s. m.* Tiempo musical moderadamente rápido.

alejamiento *s. m.* Acción de alejar o alejarse. **SIN.** Distanciamiento. **ANT.** Acercamiento.

alejandrino, na *adj. y s.* **1.** De Alejandría, ciudad de Egipto. || *adj. y s. m.* **2.** Se dice del verso de catorce sílabas.

alejar *v.* Poner lejos o más lejos. **SIN.** Distanciar, retirar. **ANT.** Acercar.

alelado, da *adj.* Atontado, embobado.

¡aleluya! *interj.* Expresa alegría.

alemán, na *adj. y s.* **1.** De Alemania, país de Europa. || *s. m.* **2.** Lengua hablada en Alemania, Austria, Suiza y otros lugares. **SIN. 1.** Germano.

alentador, ra *adj.* Que alienta.

alentar *v.* Dar ánimos. □ Es v. irreg. Se conjuga como *pensar.* **SIN.** Animar, estimular. **ANT.** Desalentar.

alerce *s. m.* Árbol muy alto, que tiene hojas caducas en forma de aguja, madera dura y aromática, y con pequeñas piñas.

alergia *s. f.* **1.** Reacción anormal de algunas personas a determinadas sustancias. **2.** Manía, antipatía. **2.** Asco. **ANT. 2.** Agrado.

alérgico, ca *adj. y s.* **1.** Que tiene alergia. || *adj.* **2.** Relacionado con la alergia.

alergista o **alergólogo, ga** *s. m. y f.* Médico especialista en alergias.

alero *s. m.* **1.** Borde del tejado que sobresale de los muros. **2.** Ala, jugador de baloncesto.

alerón *s. m.* **1.** Aleta giratoria en las alas de un avión, que permite hacer maniobras. **2.** Pieza de algunos vehículos en forma de aleta.

alerta *adv.* **1.** Vigilando: *estar alerta.* || *s. f.* **2.** Situación de especial atención y vigilancia.

alertar *v.* Avisar a alguien para que esté atento y vigilante: *alertar de un peligro.* **SIN.** Advertir, prevenir.

aleta *s. f.* **1.** Extremidad de los peces y otros animales acuáticos, que les sirve para avanzar y mantenerse en el agua. **2.** Calzado utilizado por los submarinistas para impulsarse. **3.** Parte exterior de los orificios de la nariz. **4.** Parte de la carrocería de los coches que está encima de las ruedas.

aletargar *v.* **1.** Producir sueño o sentirlo. || **aletargarse 2.** Entrar algunos animales en estado de sueño profundo en ciertas épocas del año. **SIN. 1.** Adormecer, adormilar.

aletear *v.* Mover las alas o las aletas.

alevín *s. m.* **1.** Cría de un pez. **2.** Joven principiante, especialmente en un deporte.

alevosía *s. f.* Hecho de asegurarse un delincuente de que no va a fallar en su delito y de que la víctima no podrá defenderse.

alfabético, ca *adj.* Relacionado con el alfabeto o que sigue su orden.

alfabetización *s. f.* Acción de alfabetizar.

alfabetizar v. 1. Enseñar a leer y a escribir. 2. Colocar siguiendo el orden del alfabeto.

alfabeto s. m. 1. Abecedario. 2. Conjunto de signos utilizados en un sistema de comunicación, como el *Braille* para los ciegos. SIN. 1. Abecé.

alfajor s. m. Dulce parecido al polvorón hecho con almendras y miel.

alfalfa s. f. Hierba que se cultiva como pasto para los animales.

alfanje s. m. Sable curvado típico de algunos pueblos musulmanes.

alfanumérico, ca adj. Formado por letras y números.

alfar s. m. Taller del alfarero.

alfarería s. f. 1. Arte de fabricar objetos de barro. 2. Taller donde se hacen y tienda donde se venden. SIN. 1. Cerámica.

alfarero, ra s. m. y f. Artesano que se dedica a la alfarería.

alféizar s. m. Parte de abajo del hueco de una ventana.

alfeñique s. m. Persona muy delgada y débil. SIN. Enclenque, raquítico. ANT. Robusto.

alférez s. m. Grado militar inmediatamente inferior al de teniente.

alfil s. m. Pieza del ajedrez que se mueve en diagonal y puede recorrer cualquier número de casillas.

alfiler s. m. 1. Barrita de metal pequeña y fina, terminada en punta. 2. Broche de adorno.

alfiletero s. m. 1. Tubito para guardar alfileres y agujas. 2. Acerico.

alfombra s. f. Pieza de tejido grueso para cubrir el suelo.

alfombrar v. 1. Poner alfombras. 2. Cubrir una superficie: *La hierba alfombraba la ladera.*

alfombrilla s. f. Alfombra pequeña.

alforja s. f. Saco doble que se lleva al hombro o sobre el lomo de las caballerías.

alga s. f. Ser vivo que es capaz de realizar la fotosíntesis y habita sobre todo en el agua.

algarabía s. f. Griterío, bullicio.

algarada s. f. 1. Alboroto, desorden. 2. Revuelta popular de poca importancia. SIN. 1. Bulla, jaleo, algarabía, follón. 2. Disturbio.

algarroba s. f. Fruto carnoso y dulce, en forma de vaina, con que se alimenta al ganado.

algarrobo s. m. Árbol grande, de hoja perenne y flores rojas en racimo, que da la algarroba.

algazara s. f. Jaleo de gente que se divierte. SIN. Algarabía, griterío.

álgebra s. f. Parte de las matemáticas que estudia las operaciones que se hacen con números y cantidades desconocidas representadas por letras.

algebraico, ca adj. Del álgebra.

álgido, da adj. 1. Culminante: *punto álgido.* 2. Muy frío.

algo indef. 1. Designa una cosa que no se especifica. 2. Un poco: *Tiene algo de fiebre.* También adv.: *Está algo distraído en clase.*

algodón s. m. 1. Planta cuyas flores, al madurar, se convierten en cápsulas con semillas envueltas en una fibra blanca. 2. Esta fibra. 3. Hilo o tejido hecho con ella.

algodonal o **algodonar** s. m. Terreno plantado de algodón.

algodonero, ra adj. 1. Relacionado con el algodón. || s. m. 2. Planta del algodón.

alguacil s. m. Funcionario que está a las órdenes del alcalde o del juez.

alguien indef. 1. Indica a una persona no determinada. 2. Persona importante: *Se cree alguien.* SIN. 1. Alguno. ANT. 1 y 2. Nadie.

algún indef. Forma abreviada de **alguno.**

alguno, na indef. 1. Designa un número no determinado: *algunos libros.* 2. Detrás del sustantivo y en frases negativas, equivale a *ninguno: No encontró dinero alguno.* 3. Indica cierta cantidad o intensidad: *Si se ríen tanto, alguna gracia tendrá.*

alhaja s. f. Joya.

alharaca s. f. Gesto exagerado. SIN. Aspaviento.

alhelí s. m. Planta con flores olorosas en racimos en el extremo del tallo y de diferentes colores según las variedades.

alhóndiga s. f. Local de compraventa y almacenamiento de granos y otras mercancías.

aliado, da 1. p. de **aliarse.** || adj. y s. 2. Que se alía con otros. ANT. 2. Enemigo.

alianza s. f. 1. Acuerdo, pacto, unión. 2. Anillo sencillo, como el de boda. SIN. 1. Coalición, convenio. ANT. 1. Rivalidad.

aliarse v. Unirse con un fin. SIN. Asociarse. ANT. Enfrentarse.

alias *adv.* **1.** También llamado: *el bandido José María Hinojosa, alias el Tempranillo.* || *s. m.* **2.** Apodo, mote: *Le conocen por su alias.*

alicaído, da *adj.* Desanimado, sin fuerzas. Sin. Abatido. Ant. Animado.

alicantino, na *adj.* y *s.* De Alicante, ciudad y provincia españolas.

alicatado, da **1.** *p.* de **alicatar.** || *s. m.* **2.** Acción de alicatar y azulejos con que se alicata.

alicatar *v.* Revestir de azulejos una pared.

alicates *s. m. pl.* Herramienta en forma de tenaza con las puntas planas o redondeadas.

aliciente *s. m.* Lo que anima a hacer algo. Sin. Estímulo, incentivo.

alícuota *adj.* Proporcional.

alienación *s. f.* **1.** Locura, trastorno mental. **2.** Frustración, insatisfacción.

alienado, da **1.** *p.* de **alienar.** También *adj.* || *adj.* y *s.* **2.** Loco, demente.

alienar *v.* Producir alienación, frustración o insatisfacción.

alienígena *adj.* y *s.* Extraterrestre. Ant. Terrícola.

aliento *s. m.* **1.** Respiración, aire que se respira. **2.** Aire expulsado al respirar. **3.** Ánimo. Sin. **2.** Vaho. **3.** Valor, brío. Ant. **3.** Desaliento.

aligátor *s. m.* Caimán.

aligerar *v.* **1.** Hacer más ligero. **2.** Acelerar, darse prisa. Sin. **1.** Aliviar. **2.** Abreviar. Ant. **1.** Cargar. **2.** Retrasar.

aligustre *s. m.* Arbusto de hojas apuntadas, flores pequeñas y blancas y fruto de color negro; se emplea mucho para hacer setos.

alijo *s. m.* Conjunto de mercancías de contrabando.

alimaña *s. f.* Animal salvaje y peligroso.

alimentación *s. f.* **1.** Acción de alimentar o alimentarse. **2.** Conjunto de alimentos. Sin. **2.** Comida, comestibles.

alimentar *v.* **1.** Dar o tomar alimento. **2.** Servir de alimento. **3.** Proporcionar a una máquina lo necesario para que funcione. Sin. **1.** y **2.** Nutrir.

alimentario, ria *adj.* De la alimentación.

alimenticio, cia *adj.* Que alimenta.

alimento *s. m.* Sustancias que toman los seres vivos para obtener la materia y energía necesarias para vivir. Sin. Comida.

alimoche *s. m.* Ave rapaz parecida al buitre, pero más pequeña, con el plumaje blanco y el borde de las alas negro.

alimón Se usa en la expresión **al alimón,** 'conjuntamente', 'en colaboración'.

alineación *s. f.* **1.** Acción de alinear o alinearse. **2.** Conjunto de jugadores de un equipo que van a disputar un partido.

alinear *v.* **1.** Poner en línea recta. **2.** Elegir el entrenador a los jugadores que van a participar en un partido. || **alinearse 3.** Unirse a un grupo o a una idea. Sin. **3.** Afiliarse.

aliñar *v.* Condimentar, sobre todo la ensalada. Sin. Sazonar, aderezar.

aliño *s. m.* **1.** Acción de aliñar. **2.** Condimento con que se hace.

alioli *s. m.* Salsa de ajo y aceite.

alisar *v.* Poner liso.

alisios *s. m. pl.* Vientos que soplan desde los trópicos a la zona ecuatorial, más intensos en invierno.

aliso *s. m.* Árbol de hoja caduca, fruto en forma de piña y corteza amarillenta, rojiza o parda. Crece en las riberas de los ríos.

alistarse *v.* Inscribirse en el ejército. Sin. Enrolarse.

aliteración *s. f.* Repetición de sonidos en una frase para producir un efecto poético o expresivo.

aliviadero *s. m.* Desagüe de un depósito, de un embalse, de un canal.

aliviar *v.* **1.** Hacer menos intenso: *aliviar el dolor.* **2.** Disminuir el peso. Sin. **1.** Calmar, aplacar. **2.** Aligerar, descargar. Ant. **1.** Agravar. **2.** Cargar.

alivio *s. m.* Disminución de un dolor, de una carga o preocupación. Sin. Desahogo, descanso. Ant. Agobio.

aljaba *s. f.* Carcaj.

aljama *s. f.* Barrio de moros o judíos.

aljibe *s. m.* Depósito, cisterna.

allá *adv.* **1.** Expresa lugar impreciso y alejado de la persona que habla. **2.** Expresa tiempo lejano: *allá por la época de mis abuelos.* Sin. **1.** Allí. **2.** Entonces. Ant. **1.** Acá, aquí.

allanamiento *s. m.* Acción de allanar.

allanar *v.* **1.** Poner llano. **2.** Entrar por la fuerza en la casa de una persona. Sin. **1.** Aplanar, igualar.

allegado, da *adj.* y *s.* Pariente, amigo. Sin. Familiar.

allegar v. Juntar, reunir.

allende prep. Más allá de, al otro lado de: allende los mares.

allí adv. En aquel lugar o hacia aquel lugar: Estoy allí. Voy allí. SIN. Allá. ANT. Aquí.

alma s. f. 1. Espíritu, parte espiritual del ser humano. 2. Sentimientos: un alma bondadosa. 3. Persona, individuo: No había un alma. 4. Lo que da vitalidad a algo: Es el alma del equipo. 5. Fuerza, entusiasmo: desear con toda el alma. SIN. 2. Corazón, ánimo. 3. Habitante. 5. Coraje, empeño.

almacén s. m. 1. Lugar donde se guardan mercancías. 2. Tienda donde se vende al por mayor. || 3. **grandes almacenes** Grandes establecimientos donde se venden artículos muy variados. SIN. 1. Depósito.

almacenaje o **almacenamiento** s. m. Acción de almacenar.

almacenar v. 1. Guardar mercancías en un almacén. 2. Reunir, acumular. SIN. 2. Amontonar.

almacenista s. m. y f. Persona que tiene o dirige un almacén.

almadraba s. f. 1. Pesca de atunes. 2. Red utilizada y lugar donde se realiza esa pesca.

almanaque s. m. Calendario en que aparecen todos los días del año, los santos, datos astronómicos y otras informaciones.

almazara s. f. Molino de aceite.

almeja s. f. Molusco marino con dos conchas, que vive enterrado en la arena y es muy apreciado en alimentación.

almena s. f. Cada uno de los bloques de piedra situados sobre los muros de un castillo, de una muralla, etc.

almendra s. f. 1. Fruto y semilla comestible del almendro. 2. Semilla parecida de algunos frutos.

almendrado, da adj. 1. En forma de almendra: ojos almendrados. || adj. y s. m. 2. Se dice del plato o dulce preparado con almendras.

almendro s. m. Árbol que tiene unas flores blancas o rosadas y que produce la almendra.

almendruco s. m. Fruto aún tierno del almendro, con su cubierta.

almeriense adj. y s. De Almería, ciudad y provincia españolas.

almiar s. m. Montón de paja o heno alrededor de un palo.

almíbar s. m. Azúcar disuelto en agua que se cuece hasta que queda espeso.

almibarado, da adj. 1. Cubierto de almíbar. 2. Excesivamente amable o dulce.

almidón s. m. Sustancia abundante en muchos vegetales, sobre todo en la patata y los cereales; se usa en industria y para poner rígidos los tejidos. SIN. Fécula.

almidonar v. Poner almidón en la ropa.

alminar s. m. Torre de las mezquitas desde la que se llama a los fieles a la oración. SIN. Minarete.

almirante s. m. Jefe de la marina de guerra.

almirez s. m. Recipiente con un mazo para machacar cosas en él. SIN. Mortero.

almizcle s. m. Sustancia grasa de olor fuerte que se saca del almizclero macho y se usa para hacer perfumes.

almizclero, ra adj. 1. Que produce almizcle o tiene un olor parecido. || s. m. 2. Rumiante asiático de la familia de los ciervos, sin cuernos y con patas largas y finas; los machos segregan el almizcle. || 3. **buey almizclero** Ver **buey**. 4. **rata almizclera** Ver **rata**.

almohada s. f. Especie de cojín alargado para apoyar la cabeza en la cama.

almohade adj. y s. De la dinastía musulmana que dominó la España árabe en los siglos XII y XIII.

almohadilla s. f. 1. Cojín pequeño. 2. Acerico.

almohadillado, da adj. Acolchado.

almohadón s. m. 1. Cojín grande. 2. Funda donde se mete la almohada.

almóndiga s. f. Albóndiga.

almoneda s. f. 1. Subasta. 2. Venta o tienda de artículos antiguos o usados, a bajo precio.

almorávide adj. y s. De la dinastía musulmana que dominó la España árabe del siglo XI al XII.

almorrana s. f. Hemorroide.

almorta s. f. Planta usada como alimento para el ganado; de sus semillas se obtiene una harina.

almorzar v. Tomar el almuerzo. □ Es v. irreg. Se conjuga como forzar.

almuecín o **almuédano** s. m. Persona que desde el alminar llama a los fieles musulmanes a la oración.

almuerzo s. m. 1. Comida del mediodía. 2. Comida que se toma a media mañana. SIN. 2. Tentempié.

alocado, da adj. y s. Algo loco, insensato. Sin. Atolondrado, irreflexivo. Ant. Sensato.

alocución s. f. Discurso breve.

áloe o **aloe** s. m. Planta de tallo alto con hojas alargadas y carnosas, que produce un jugo amargo usado en cosmética y en medicina.

alojamiento s. m. 1. Acción de alojar o alojarse. 2. Lugar donde alguien se aloja. Sin. 1. Hospedaje. 1 y 2. Albergue.

alojar v. Dar a alguien un lugar donde vivir durante un tiempo, o tenerlo uno. Sin. Albergar, hospedar, aposentar. Ant. Desalojar.

alondra s. f. Pájaro pequeño de color pardo, con una cresta y con una larga uña en el dedo posterior; tiene un canto muy melodioso.

alopecia s. f. Calvicie.

alpaca¹ s. f. 1. Rumiante parecido a la llama, pero más pequeño. 2. Pelo de este animal y tejido hecho con él. 3. Tejido brillante de algodón.

alpaca² s. f. Aleación plateada, hecha con níquel, cinc y cobre.

alpargata s. f. Zapatilla de lona con suela de cáñamo.

alpinismo s. m. Deporte que consiste en escalar altas montañas.

alpinista s. m. y f. Persona que practica el alpinismo. Sin. Montañero.

alpino, na adj. De los Alpes o de otras montañas parecidas.

alpiste s. m. 1. Hierba con espigas que contienen pequeñas semillas; se usan para alimentar al ganado, y sus semillas como alimento para los pájaros. 2. Esa semilla.

alquería s. f. Casa o conjunto de casas de campo.

alquilar v. Dar o tomar una cosa para usarla por un tiempo a cambio de dinero. Sin. Arrendar.

alquiler s. m. 1. Acción de alquilar. 2. Precio que se paga por alquilar una cosa. Sin. 1. Arrendamiento, arriendo. 2. Renta.

alquimia s. f. Antigua ciencia que buscaba la piedra filosofal, la cual, según se creía, convertía los metales en oro.

alquimista s. m. y f. Persona que se dedicaba a la alquimia.

alquitrán s. m. 1. Sustancia negra y pastosa obtenida del carbón, del petróleo, etc., muy empleada para pavimentar carreteras. 2. Sustancia producida al quemarse el papel del cigarrillo.

alrededor adv. 1. Rodeando: Se sentaron alrededor del fuego. 2. Aproximadamente, más o menos: Costó alrededor de mil pesetas. ‖ s. m. pl. 3. Lugares cercanos a un pueblo o ciudad. Sin. 3. Afueras, cercanías.

alsaciano, na adj. y s. De Alsacia, región de Francia.

alta s. f. 1. Acción de entrar a formar parte de un grupo o asociación. 2. Hecho de declarar el médico que un enfermo está ya curado y puede volver a trabajar: Le dieron el alta. Ant. 1 y 2. Baja.

altamente adv. Muy: altamente peligroso.

altanería s. f. Orgullo, soberbia.

altanero, ra adj. Orgulloso, soberbio. Sin. Engreído. Ant. Humilde.

altar s. m. 1. Mesa ante la que el sacerdote celebra la misa. 2. Piedra o construcción en forma de mesa donde se ofrecían sacrificios a los dioses. Sin. 1 y 2. Ara.

altavoz s. m. Aparato para aumentar la intensidad del sonido. Sin. Amplificador, bafle.

alterable adj. 1. Que se puede alterar. 2. Que se enfada con facilidad.

alteración s. f. 1. Cambio, modificación. 2. Intranquilidad, alarma. 3. Alboroto, desorden. Sin. 2. Inquietud. 3. Conmoción. Ant. 2. Tranquilidad. 3. Orden.

alterar v. 1. Cambiar, transformar. 2. Producir o sentir intranquilidad. 3. Enfadar. Sin. 1. Modificar, variar. 2. Inquietar, alarmar. 3. Irritar. Ant. 1. Mantener. 2 y 3. Tranquilizar.

altercado s. m. Discusión, riña violenta. Sin. Agarrada, pelea.

alternador s. m. Aparato eléctrico que produce corriente alterna.

alternancia s. f. Sucesión de dos o más cosas que se repiten.

alternar v. 1. Repetir o repetirse varias cosas, primero una y luego otra: Alterna el trabajo con los estudios. 2. Turnarse. 3. Tener trato: Alterna con gente importante. Sin. 1. Combinar. 3. Tratar, relacionarse. Ant. 1. Simultanear.

alternativamente adv. Alternándose dos o más personas o cosas.

alternativo, va adj. 1. Que tiene alternancia. 2. Que es otra posibilidad: La carretera estaba cortada y buscaron un camino alternativo. ‖ s. f. 3. Elección entre dos o más cosas. 4. Ceremonia en que un torero le da categoría de matador de toros a un novillero. **Sin. 1.** Alterno, rotatorio.

alterno, na *adj.* **1.** Que se alterna. **2.** Referido a periodos de tiempo, uno sí y otro no: *días alternos.* **3.** Se dice de la corriente eléctrica que cambia constantemente de valor y de sentido. **Sin. 1.** Alternativo. **Ant. 1 y 3.** Continuo.

alteza *s. f.* Forma de tratamiento que se da a los príncipes.

altibajos *s. m. pl.* **1.** Momentos buenos y malos. **2.** Desigualdades en el terreno. **Sin. 2.** Desnivel, irregularidad. **Ant. 1 y 2.** Uniformidad.

altillo *s. m.* **1.** Maletero sobre un armario o un falso techo. **2.** Desván.

altímetro *s. m.* **1.** Instrumento para medir la altura de vuelo de un vehículo. **2.** Aparato de topografía para medir alturas.

altiplano o **altiplanicie** *s. m.* o *s. f.* Meseta de gran altura y extensión.

altisonante *adj.* Demasiado solemne o afectado; se dice sobre todo del lenguaje o del estilo. **Sin.** Grandilocuente

altitud *s. f.* Altura de un punto con relación al nivel del mar.

altivez *s. f.* Orgullo, soberbia. **Sin.** Altanería. **Ant.** Humildad.

altivo, va *adj.* Orgulloso, soberbio. **Sin.** Altanero. **Ant.** Humilde.

alto *s. m.* **1.** Parada, detención: *Hicieron un alto en el camino.* **2.** Orden de que alguien pare o se detenga. ‖ *interj.* **3.** Expresa esa orden. **Sin. 2 y 3.** Stop.

alto, ta *adj.* **1.** Que tiene mucha altura o está a mucha altura. También *adv.*: *Subió muy alto.* **2.** Levantado, derecho: *Lleva la cabeza alta.* **3.** Muy grande, importante o abundante: *un alto riesgo, la clase alta, una cantidad muy alta.* **4.** Se dice del sonido fuerte, intenso. También *adv.*: *Habla alto.* **5.** Se dice de las notas musicales muy agudas. ‖ *s. m.* **6.** Altura. **Sin. 2.** Erguido. **3.** Notable, destacado. **Ant. 1 a 5.** Bajo. **2.** Agachado. **3.** Insignificante.

altorrelieve *s. m.* Escultura en relieve que sobresale bastante del fondo.

altozano *s. m.* Monte de poca altura en una zona llana.

altramuz *s. m.* **1.** Planta que tiene una semilla amarilla comestible. **2.** Esta semilla.

altruismo *s. m.* Amor desinteresado a los demás. **Sin.** Generosidad. **Ant.** Egoísmo.

altruista *adj.* y *s.* Que demuestra altruismo. **Sin.** Generoso, filántropo. **Ant.** Egoísta.

altura *s. f.* **1.** Medida de alguien o algo desde el suelo hasta su parte más elevada. **2.** Elevación sobre el nivel del mar. **3.** Punto, nivel: *Los dos están a la misma altura.* **4.** En una figura geométrica, perpendicular trazada desde la base hasta el vértice opuesto o hasta el punto más alejado del lado o cara opuesta. **Sin. 1.** Estatura.

alubia *s. f.* Judía, planta y semilla.

alucinación *s. f.* Imagen de algo que no es real, pero que alguien cree ver.

alucinante *adj.* Asombroso, impresionante. **Sin.** Pasmoso. **Ant.** Corriente.

alucinar *v.* **1.** Producir o tener alucinaciones. **2.** Dejar o quedarse pasmado. **Sin. 1.** Delirar.

alucine *s. m.* Asombro, pasmo.

alucinógeno, na *adj.* y *s. m.* Se dice de las sustancias que producen alucinaciones.

alud *s. m.* Avalancha.

aludir *v.* Hablar o escribir sobre alguien o algo sin nombrarlo o sólo de pasada. **Sin.** Mencionar.

alumbrado, da **1.** *p.* de **alumbrar.** También *adj.* ‖ *s. m.* **2.** Luces que alumbran un lugar.

alumbramiento *s. m.* Parto.

alumbrar *v.* **1.** Dar luz. **2.** Parir, tener un hijo. **Sin. 1.** Iluminar, lucir.

aluminio *s. m.* Metal plateado, ligero y resistente a la corrosión. Es un elemento químico.

alumnado *s. m.* Conjunto de alumnos.

alumno, na *s. m.* y *f.* Persona que recibe enseñanza. **Sin.** Estudiante, escolar, discípulo.

alunizaje *s. m.* Acción de alunizar.

alunizar *v.* Posarse sobre la Luna una nave espacial.

alusión *s. f.* Acción de aludir. **Sin.** Referencia.

alusivo, va *adj.* Que alude. **Sin.** Referente, relativo.

aluvial *adj.* Se dice del terreno formado por aluviones.

aluvión *s. m.* **1.** Crecida brusca de las aguas de un río. **2.** Depósito de materiales, como grava o arena, que deja una corriente de agua. **3.** Gran cantidad: *Recibieron un aluvión de llamadas.* **Sin. 1.** Tromba, avenida. **3.** Montón, multitud.

alveolo o **alvéolo** s. m. 1. Hueco donde están encajados los dientes. 2. Cada una de las cavidades de los pulmones donde terminan las últimas ramificaciones de los bronquiolos.

alza s. f. 1. Aumento de precio. 2. Pieza que se pone a un zapato para hacerlo más alto o para elevar el talón. SIN. 1. Subida. ANT. 1. Baja.

alzacuello s. m. Tirilla blanca y rígida que llevan en el cuello algunos eclesiásticos.

alzada s. f. Altura de los caballos y otros animales parecidos.

alzado, da 1. p. de alzar. También adj. || adj. y s. m. 2. Dibujo de una cosa vista de frente sin tener en cuenta la perspectiva.

alzamiento s. m. Rebelión del ejército.

alzapaño s. m. Cinta o cordón que recoge las cortinas hacia un lado.

alzar v. 1. Levantar. || alzarse 2. Conseguir: alzarse con el triunfo. 3. Rebelarse, sublevarse. 4. Apoderarse, robar. SIN. 1. Subir. ANT. 1. Bajar. 3. Someter.

ama s. f. 1. Dueña o propietaria. || 2. ama de casa Mujer que se ocupa de las tareas de su casa. 3. ama de cría Mujer que da de mamar al hijo de otra. 4. ama de llaves Criada principal de la casa.

amabilidad s. f. Característica de amable. SIN. Cortesía, gentileza. ANT. Descortesía.

amable adj. Agradable, educado. SIN. Correcto, atento. ANT. Grosero.

amado, da 1. p. de amar. || adj. y s. 2. Se dice de la persona o cosa a la que se ama. SIN. 1 y 2. Querido.

amaestrar v. Hacer que un animal obedezca y aprenda a hacer algunas cosas.

amagar v. Mostrar intención de algo sin que llegue a hacerse o producirse: No le dio, sólo amagó el golpe.

amago s. m. Acción de amagar.

amainar v. Calmarse el viento, la lluvia, la tormenta.

amalgama s. f. 1. Aleación de mercurio con otros metales. 2. Mezcla de cosas diferentes. SIN. 2. Mezcolanza.

amamantar v. Dar de mamar.

amancebarse v. Hacer vida matrimonial un hombre y una mujer sin estar casados.

amanecer[1] v. 1. Empezar a aparecer la luz del día. 2. Estar en un lugar o de alguna manera al comenzar el día: Ama-neció de mal humor. □ Es v. irreg. Se conjuga como agradecer. SIN. 1. Alborear, clarear. ANT. 1. Anochecer.

amanecer[2] s. m. Momento en que amanece. SIN. Alba, aurora. ANT. Anochecer.

amanerado, da adj. 1. Rebuscado, no natural: un lenguaje amanerado. || adj. y s. m. 2. Afeminado. SIN. 1. Afectado, artificioso. ANT. 1. Espontáneo.

amaneramiento s. m. Característica de amanerado.

amanita s. f. Seta de diferentes colores según la especie, con un anillo en el pie. Algunas son comestibles y otras venenosas.

amansar v. Hacer manso, dócil. SIN. Domar.

amante adj. y s. 1. Que ama: Es un amante de la naturaleza. || s. m. y f. 2. Persona que mantiene relaciones amorosas con otra fuera del matrimonio. SIN. 1. Enamorado; entusiasta. 2. Querido.

amanuense s. m. y f. Persona que copiaba a mano un texto. SIN. Copista.

amañar v. Hacer trampa para sacar un beneficio: amañar un partido, un examen. SIN. Apañar.

amaño s. m. Truco, chanchullo.

amapola s. f. Planta silvestre con flores de cuatro pétalos, rojas, blancas o amarillas.

amar v. Tener amor. SIN. Querer. ANT. Odiar.

amaraje s. m. Amerizaje.

amarar v. Amerizar.

amargar v. 1. Dar o tener sabor amargo. 2. Apenar, entristecer. 3. Estropear, fastidiar. SIN. 2. Disgustar. 3. Aguar. ANT. 1. Endulzar. 2. Alegrar.

amargo, ga adj. 1. De sabor desagradable, como el de la hiel o el de algunas almendras. 2. Triste, doloroso. SIN. 1. Acre. 2. Penoso. ANT. 1. Dulce. 2. Alegre.

amargor s. m. 1. Sabor amargo. 2. Amargura.

amargura s. f. Tristeza, dolor. SIN. Pena, disgusto. ANT. Alegría, placer.

amarillento, ta adj. De color parecido al amarillo.

amarillo, lla adj. y s. m. 1. Del color del limón. || adj. 2. Pálido, con mal color de piel. 3. Se dice de la raza asiática.

amarra s. f. Cuerda o cable para sujetar un barco al muelle de un puerto. SIN. Cabo, maroma.

amarradero s. m. Poste o anilla grande donde se amarra algo.

amarrar v. Atar, especialmente una embarcación al muelle.

amarre s. m. 1. Acción de amarrar. 2. Amarradero.

amartelado, da adj. Se dice de los enamorados que se muestran muy cariñosos.

amasar v. 1. Hacer o trabajar una masa. 2. Acumular riquezas: amasar una fortuna. SIN. 2. Atesorar.

amasijo s. m. Mezcla desordenada. SIN. Mezcolanza.

amateur (fr.) adj. y s. Que se dedica a una actividad o un deporte sólo por afición. SIN. Aficionado. ANT. Profesional.

amatista s. f. Piedra de cuarzo transparente, de color violeta, que se utiliza en joyería.

amatorio, ria adj. Del amor o relacionado con él.

amazacotado, da adj. Apelmazado, demasiado compacto. SIN. Apretado.

amazona s. f. 1. Mujer que monta a caballo. 2. Mujer guerrera de la mitología griega.

amazónico, ca adj. Del río Amazonas o de la región de la Amazonia, en América del Sur.

ambages Se utiliza en la expresión sin ambages, 'sin rodeos', 'hablando claro'.

ámbar s. m. 1. Resina fósil endurecida. 2. Color amarillo parecido al de esa resina.

ambición s. f. Deseo muy grande de conseguir cosas, sobre todo riqueza o poder. SIN. Ansia, aspiración.

ambicionar v. Tener ambición de algo.

ambicioso, sa adj. y s. Que tiene ambición.

ambidiestro o **ambidextro, tra** adj. y s. Que utiliza las dos manos con la misma habilidad.

ambientación s. f. Acción de ambientar.

ambientador s. m. Producto para perfumar un lugar.

ambiental adj. Del ambiente o relacionado con él: temperatura ambiental, música ambiental.

ambientar v. 1. Darle a algo las características propias de un lugar, época o situación: Ambientó el cuento en la selva. 2. Acostumbrar a cierto ambiente o situación. SIN. 1. Enmarcar, encuadrar. 2. Aclimatar, habituar.

ambiente s. m. 1. Aire que rodea un cuerpo. 2. Circunstancias que rodean a una persona, animal o cosa. 3. Gente, animación.

ambigüedad s. f. Característica de ambiguo o cosa ambigua.

ambiguo, gua adj. 1. Que se puede entender de varias maneras. 2. En gramática, se dice de los sustantivos que se usan en masculino o en femenino sin cambiar de forma ni significado, como el mar o la mar. SIN. 1. Equívoco. ANT. 1. Preciso.

ámbito s. m. 1. Espacio entre ciertos límites: Lloverá en todo el ámbito nacional. 2. Medio, campo: el ámbito infantil. SIN. 1. Extensión.

ambivalente adj. Que tiene dos sentidos o valores diferentes.

ambos, bas num. Los dos, uno y otro.

ambulancia s. f. Coche o furgoneta para transportar enfermos o heridos.

ambulante adj. Que no es fijo, que va de un lugar a otro: vendedor ambulante, circo ambulante. ANT. Estable.

ambulatorio s. m. Centro sanitario público, donde están las consultas de los médicos.

ameba s. f. Ser vivo microscópico de una sola célula, que vive en el agua y se mueve por medio de unas prolongaciones de su cuerpo.

amedrentar v. Producir miedo o sentirlo. SIN. Intimidar, acobardar. ANT. Envalentonarse.

amén s. m. Palabra hebrea que se dice al final de las oraciones y significa 'así sea'.

amén de expr. Además de.

amenaza s. f. Palabras, gestos o hechos con que se amenaza.

amenazante o **amenazador, ra** adj. Que amenaza.

amenazar v. 1. Decir a una persona que se le va a hacer algo malo. 2. Dar señales de algo malo: La casa amenaza ruina. SIN. 1. Advertir. 2. Presagiar.

amenidad s. f. Característica de ameno.

amenizar v. Hacer ameno.

ameno, na adj. Entretenido, divertido. ANT. Aburrido.

americana s. f. Chaqueta de tela con solapas y botones.

americanismo s. m. Palabra o expresión propia del español de Hispanoamérica.

americano, na adj. y s. 1. De América. 2. De los Estados Unidos de América.

amerindio, dia *adj.* De los indios americanos o relacionado con ellos.

amerizaje *s. m.* Acción de amerizar. **SIN.** Amaraje.

amerizar *v.* Posarse en el mar un hidroavión u otro vehículo aéreo. **SIN.** Amarar.

ametrallador, ra *adj.* **1.** Que ametralla: *fusil ametrallador.* ‖ *s. f.* **2.** Arma de fuego automático que dispara balas a gran velocidad.

ametrallar *v.* Disparar con ametralladora o con un arma parecida.

amianto *s. m.* Mineral muy resistente al fuego y al calor, utilizado para fabricar tejidos y revestimientos.

amigable *adj.* Amistoso, propio de amigos.

amígdala *s. f.* Cada uno de los órganos redondeados que están a los dos lados de la garganta y producen defensas para el organismo.

amigdalitis *s. f.* Inflamación de las amígdalas.

amigo, ga *adj.* y *s.* **1.** Persona con la que se tiene amistad. **2.** Aficionado: *Es muy amigo de hacer bromas.* **SIN.** **2.** Partidario, inclinado. **ANT.** **1** y **2.** Enemigo.

amiguismo *s. m.* Hecho de proporcionar cargos o premios a los amigos sin tener en cuenta sus méritos.

amilanar *v.* Acobardar. **SIN.** Amedrentar. **ANT.** Envalentonar.

aminoácido *s. m.* Nombre de ciertos ácidos orgánicos; algunos son componentes fundamentales de las proteínas.

aminorar *v.* Disminuir. **SIN.** Reducir, rebajar. **ANT.** Aumentar.

amistad *s. f.* **1.** Afecto y confianza entre las personas. **2.** Amigo o conocido. **ANT.** **1.** Enemistad. **2.** Enemigo.

amistoso, sa *adj.* **1.** Que demuestra amistad. **2.** En deporte, se dice de los partidos que se juegan fuera de la competición oficial. **SIN.** **1.** Afectuoso, cordial. **ANT.** **1.** Hostil.

amnesia *s. f.* Pérdida de la memoria.

amnésico, ca *adj.* y *s.* Que padece amnesia.

amnios *s. m.* Membrana que rodea al embrión.

amniótico, ca *adj.* Se dice del líquido que rodea el embrión de muchos animales.

amnistía *s. f.* Perdón de algunos delitos que concede el gobierno.

amnistiar *v.* Conceder amnistía.

amo *s. m.* **1.** Dueño, propietario. **2.** Persona para la que trabaja un criado. **3.** Persona que manda o influye sobre otras. **SIN.** **1** y **2.** Señor. **3.** Jefe, líder.

amodorrar *v.* Adormecer, adormilar. **SIN.** Aletargar. **ANT.** Espabilar.

amolar *v.* **1.** Afilar. **2.** Molestar, fastidiar. ◻ Es v. irreg. Se conjuga como *contar.*

amoldar *v.* **1.** Ajustar. ‖ **amoldarse** **2.** Adaptarse, acostumbrarse. **SIN.** **1** y **2.** Adecuar, acomodar. **2.** Habituarse. **ANT.** **2.** Deshabituarse.

amonestación *s. f.* **1.** Acción de amonestar. **2.** Lista que se anuncia en la iglesia con los nombres de los que se van a casar.

amonestar *v.* **1.** Regañar, reprender. **2.** Hacer una advertencia.

amoniaco o **amoníaco** *s. m.* Gas de olor muy fuerte, compuesto por un volumen de nitrógeno y tres de hidrógeno, que se usa disuelto en agua en productos de limpieza y en la industria.

amontonar *v.* **1.** Poner unas cosas sobre otras. **2.** Reunir o juntar en gran cantidad. **SIN.** **1.** Apilar. **2.** Acumular. **ANT.** **1.** Esparcir. **1** y **2.** Desperdigar.

amor *s. m.* **1.** Sentimiento que une a las personas y por el que se les desea el bien. **2.** Gran afición y respeto: *amor a la naturaleza.* **3.** Persona amada. ‖ **4. amor propio** Respeto que se tiene uno a sí mismo o deseo de quedar bien ante los demás. **EXPR.** **hacer el amor** Hacer el acto sexual. **SIN.** **1.** Cariño, querer. **2.** Aprecio. **ANT.** **1** y **2.** Odio.

amoral *adj.* y *s.* Que no tiene moral.

amoratarse *v.* Ponerse de color morado.

amordazar *v.* Poner una mordaza.

amorfo, fa *adj.* Que no tiene forma determinada.

amorío *s. m.* Relación amorosa corta y poco importante. **SIN.** Aventura, romance.

amoroso, sa *adj.* **1.** Relacionado con el amor de los enamorados. **2.** Que siente o manifiesta amor. **SIN.** **2.** Afectuoso, cariñoso.

amortajar *v.* Vestir o cubrir un cadáver con una mortaja.

amortiguación *s. f.* **1.** Acción de amortiguar. **2.** Mecanismo de suspensión de un vehículo.

amortiguador, ra *adj.* **1.** Que amortigua. ‖ *s. m.* **2.** Dispositivo para hacer menos brusco un movimiento, sobre todo en vehículos.

amortiguar v. Hacer menos fuerte o menos intenso. **Sin.** Atenuar, moderar. **Ant.** Acentuar.

amortización s. f. Acción de amortizar. **Sin.** Liquidación.

amortizar v. 1. Terminar de pagar un préstamo o una deuda. 2. Sacar beneficio del dinero que se ha invertido. **Sin.** 1. Liquidar, satisfacer.

amotinar v. Organizar un motín. **Sin.** Sublevar, alzar.

amparar v. 1. Proteger, ayudar. || **ampararse** 2. Valerse de algo: *Se ampara en su autoridad para hacer lo que quiere.* **Sin.** 1. Auxiliar, favorecer. **Ant.** 1. Desamparar.

amparo s. m. Protección, ayuda. **Sin.** Auxilio, refugio. **Ant.** Desamparo.

amperímetro s. m. Aparato para medir la intensidad de una corriente eléctrica.

amperio s. m. Unidad de intensidad de corriente eléctrica.

ampliación s. f. 1. Acción de ampliar. 2. Lo que se ha ampliado.

ampliador, ra adj. 1. Que amplía. || s. f. 2. Máquina para hacer ampliaciones fotográficas.

ampliar v. Hacer más grande. **Sin.** Aumentar, agrandar. **Ant.** Reducir.

amplificación s. f. Acción de amplificar.

amplificador, ra adj. 1. Que amplifica. || s. m. 2. Aparato para amplificar.

amplificar v. Aumentar, sobre todo el sonido. **Sin.** Ampliar. **Ant.** Reducir.

amplio, plia adj. Grande, ancho, que ocupa o abarca mucho. **Sin.** Espacioso, holgado, dilatado, extenso. **Ant.** Estrecho, reducido.

amplitud s. f. Característica de amplio.

ampolla s. f. 1. Bolsita llena de líquido que se forma en la piel. 2. Tubito de cristal cerrado que contiene un líquido.

ampuloso, sa adj. Muy exagerado y rebuscado: *un estilo literario ampuloso.*

amputación s. f. Acción de amputar.

amputar v. Cortar un miembro o parte del cuerpo. **Sin.** Mutilar, cercenar.

amueblar v. Poner muebles.

amuermar v. fam. Aburrir.

amuleto s. m. Objeto que, según algunas personas, les da suerte y las protege. **Sin.** Talismán.

amurallado, da adj. Rodeado con una muralla.

anacardo s. m. 1. Árbol americano con hojas perennes ovaladas y fruto comestible. 2. Fruto de este árbol.

anaconda s. f. Serpiente acuática americana de gran tamaño y color verde oscuro con manchas negras.

anacoreta s. m. y f. Ermitaño, eremita.

anacrónico, ca adj. Que no es propio de la época actual o de aquella de la que se trata.

anacronismo s. m. Lo que es anacrónico.

ánade s. m. Pato.

anaerobio, bia adj. Se dice de los seres vivos que no necesitan el oxígeno del aire para vivir, como por ejemplo algunas bacterias. **Ant.** Aerobio.

anáfora s. f. Figura retórica que consiste en repetir una o más palabras al comienzo de varios versos.

anagrama s. m. 1. Distinta ordenación de las letras de una o más palabras de manera que formen otra, como *ocas* y *caso.* 2. Popularmente, logotipo.

anal adj. Del ano.

anales s. m. pl. Relaciones de acontecimientos históricos, ordenados por años.

analfabetismo s. m. Hecho de ser analfabeto. **Sin.** Incultura. **Ant.** Cultura.

analfabeto, ta adj. y s. 1. Que no sabe leer ni escribir. 2. Que no tiene cultura. **Sin.** 1 y 2. Ignorante, inculto. **Ant.** 1 y 2. Culto. 2. Sabio.

analgésico, ca adj. y s. m. Se dice del medicamento que calma el dolor. **Sin.** Calmante.

análisis s. m. 1. Estudio cuidadoso de algo. 2. Examen de los componentes de una sustancia: *análisis de sangre.* 3. Estudio de las palabras de un texto y de las relaciones que hay entre ellas.

analista s. m. y f. Persona especializada en análisis, por ejemplo médicos o económicos.

analítico, ca adj. Que emplea el método del análisis.

analizar v. Realizar un análisis.

analogía s. f. Semejanza, parecido. **Sin.** Similitud. **Ant.** Diferencia.

analógico, ca adj. Se dice de un tipo de reloj con manecillas que marcan las horas.

análogo, ga adj. Semejante, parecido.

ananá o **ananás** s. m. 1. Planta tropical con fruto carnoso y comestible en forma de piña. 2. Este fruto.

anaquel *s. m.* Estante o repisa de un armario, de una librería, etc.

anaranjado, da *adj.* De color parecido al de la naranja.

anarco, ca *s. m.* y *f.* Anarquista.

anarquía *s. f.* **1.** Falta de gobierno en un Estado. **2.** Desorden, confusión. Sᴵɴ. **2.** Desconcierto, caos. Aɴᴛ. **2.** Orden.

anárquico, ca *adj.* Que tiene anarquía. Sᴵɴ. Caótico.

anarquista *adj.* y *s.* Partidario de la anarquía o relacionado con ella.

anatema *s. m.* Excomunión.

anatomía *s. f.* Ciencia que estudia las diferentes partes del cuerpo.

anatómico, ca *adj.* **1.** De la anatomía. **2.** Que se ajusta a la forma del cuerpo: *un asiento anatómico.*

anca *s. f.* **1.** Cada una de las dos mitades en que se divide la parte trasera de los cuadrúpedos. **2.** Pata de las ranas, que es comestible.

ancestral *adj.* **1.** Relacionado con los antepasados. **2.** Muy antiguo.

ancestro *s. m.* Antepasado.

ancho, cha *adj.* **1.** De bastante anchura. **2.** Amplio, holgado. ‖ *s. m.* **3.** Anchura. Exᴘʀ. **a mis (tus, sus,** etc.) anchas** Muy a gusto. **quedarse tan ancho** Quedarse tan tranquilo. Sᴵɴ. **2.** Dilatado. Aɴᴛ. **1** y **2.** Estrecho. **3.** Largo.

anchoa *s. f.* Boquerón en salazón.

anchura *s. f.* **1.** Dimensión más pequeña de las dos de una superficie. **2.** En objetos de tres dimensiones, el fondo o la profundidad. **3.** En lenguaje corriente, dimensión horizontal de un objeto. Sᴵɴ. **1** a **3.** Ancho. Aɴᴛ. **1** y **2.** Largo. **3.** Alto.

anchuroso, sa *adj.* Ancho, extenso.

ancianidad *s. f.* Vejez. Aɴᴛ. Juventud.

anciano, na *adj.* y *s.* Persona vieja. Aɴᴛ. Joven.

ancla *s. f.* Objeto pesado en forma de anzuelo doble para sujetar los barcos al fondo del mar. Sᴵɴ. Áncora.

anclar *v.* Quedar sujeto un barco al fondo del mar con el ancla. Aɴᴛ. Levar.

áncora *s. f.* Ancla.

¡anda! *interj.* Se usa para expresar sorpresa o llamar la atención sobre algo.

andadas Se usa en la expresión **volver a las andadas**, 'volver a caer en una mala costumbre'.

andaderas *s. f. pl.* Carrito o aparato para ayudar o enseñar a andar. Sᴵɴ. Andador.

andador *s. m.* **1.** Andaderas. ‖ *s. m. pl.* **2.** Tirantes para sujetar a los niños cuando aprenden a andar.

andadura *s. f.* **1.** Acción de andar. **2.** Recorrido, trayectoria.

andaluz, za *adj.* y *s.* De Andalucía, comunidad autónoma de España.

andamiaje *s. m.* Conjunto de andamios.

andamio *s. m.* Estructura de tubos y tablones para trabajar sobre ella y llegar a las partes altas de los edificios.

andanada *s. f.* Disparos realizados a la vez por una serie de cañones en línea, sobre todo los de un barco.

andante[1] *adj.* **1.** Que anda. **2.** Se dice del caballero medieval que iba de un lado a otro en busca de aventuras.

andante[2] (ital.) *s. m.* Tiempo musical moderadamente lento.

andanza *s. f.* Aventura, peripecia.

andar[1] *v.* **1.** Ir de un lugar a otro dando pasos. **2.** Moverse, marchar, funcionar. **3.** Estar, encontrarse. **4.** Curiosear, hurgar. **5.** Aproximarse a una cantidad: *El premio anda por el millón.* ‖ **andarse 6.** Actuar, comportarse: *Ándate con cuidado.* □ Es v. irreg. Exᴘʀ. **andarse por las ramas** No ir directamente a lo importante. Sᴵɴ. **1.** Caminar. **5.** Rondar. Aɴᴛ. **2.** Detenerse.

ANDAR	
INDICATIVO	
Pretérito perfecto simple	
anduve	anduvimos
anduviste	anduvisteis
anduvo	anduvieron
SUBJUNTIVO	
Pretérito imperfecto	**Futuro**
anduviera, -ese	anduviere
anduvieras, -eses	anduvieres
anduviera, -ese	anduviere
anduviéramos, -ésemos	anduviéremos
anduvierais, -eseis	anduviereis
anduvieran, -esen	anduvieren

andar[2] *s. m.* Modo de andar. Se usa mucho en plural.

andariego, ga *adj.* y *s.* Andarín.

andarín, na *adj.* y *s.* Aficionado a andar.

andas *s. f. pl.* Tablero sujeto por dos barras paralelas para transportar una carga.

andén *s. m.* **1.** En las estaciones de tren o metro, acera junto a las vías. **2.** Muelle de un puerto.

andino, na *adj. y s.* De la cordillera de los Andes, en América del Sur.

andorga *s. f.* Panza. Se usa en la expresión **llenar la andorga**, 'comer'.

andorrano, na *adj. y s.* De Andorra, país de Europa.

andrajo *s. m.* Trozo de ropa vieja y usada; también, esta ropa. **Sin.** Jirón, harapo.

andrajoso, sa *adj. y s.* Vestido de andrajos. **Sin.** Harapiento.

androceo *s. m.* Órgano reproductor masculino de las flores, formado por los estambres.

androide *s. m.* Robot que tiene forma humana.

andurrial *s. m.* Lugar apartado o por el que pasa poca gente.

anea *s. f.* Enea.

anécdota *s. f.* **1.** Relato corto de un suceso interesante, curioso o divertido. **2.** Detalle poco importante.

anecdótico, ca *adj.* **1.** Relacionado con la anécdota. **2.** Poco importante. **Sin. 2.** Secundario. **Ant. 2.** Principal.

anegar *v.* Llenar de agua o de otro líquido: *anegarse los ojos en lágrimas*.

anejo, ja *adj. y s. m.* Unido a otra cosa o dependiente de ella. **Sin.** Vinculado. **Ant.** Independiente.

anélido *adj. y s. m.* Se dice de algunos gusanos, como la lombriz o la sanguijuela, que tienen el cuerpo dividido en pequeños anillos.

anemia *s. f.* Disminución de los glóbulos rojos de la sangre o de la hemoglobina que contienen, lo que produce debilidad.

anémico, ca *adj. y s.* Que padece anemia.

anemómetro *s. m.* Aparato para medir la velocidad o la fuerza del viento.

anémona *s. f.* **1.** Planta con flores de vivos colores y bulbo en la raíz. **2.** Animal marino parecido a la actinia.

anestesia *s. f.* **1.** Estado en el que no se tiene ninguna sensación en todo el organismo o en parte de él. **2.** Sustancia que produce este estado.

anestesiar *v.* Administrar anestesia.

anestésico, ca *adj. y s. m.* Que produce anestesia.

anestesista *s. m. y f.* Médico especializado en administrar la anestesia.

anexión *s. f.* Acción de anexionar.

anexionar *v.* Unir una cosa a otra de forma que dependa de ella: *anexionar un país a otro*. **Sin.** Incorporar. **Ant.** Independizarse.

anexo, xa *adj. y s. m.* Unido a otra cosa de la que depende: *El hotel tenía un anexo*. **Sin.** Anejo.

anfetamina *s. f.* Sustancia que se usa como estimulante del sistema nervioso y circulatorio.

anfibio, bia *adj. y s. m.* **1.** Se dice de los animales que viven la primera parte de su vida en el agua, como la rana. **2.** Se dice del vehículo que puede desplazarse sobre tierra y agua.

anfiteatro *s. m.* **1.** En la antigua Roma, edificio circular donde se celebraban los espectáculos de gladiadores. **2.** Conjunto de asientos colocados en filas, como en algunas aulas, teatros o cines.

anfitrión, na *s. m. y f.* Persona que recibe y atiende a sus invitados.

ánfora *s. f.* Vasija alta y estrecha, normalmente con dos asas, de los antiguos griegos y romanos.

angarillas *s. f. pl.* Andas para transportar cosas. **Sin.** Camilla.

ángel *s. m.* **1.** Ser espiritual que sirve a Dios y es su mensajero. **2.** Persona muy buena. ‖ **3. ángel de la guarda** o **ángel custodio** El que cuida de cada persona.

angelical o **angélico, ca** *adj.* De los ángeles o propio de ellos: *una cara angelical*.

ángelus *s. m.* Oración cristiana en que se recuerda la visita del ángel a la Virgen para anunciarle que iba a ser la madre de Jesús.

angina *s. f.* **1.** Amígdala. ‖ *s. f. pl.* **2.** Inflamación de las amígdalas. ‖ **3. angina de pecho** Obstrucción muy grave de las arterias, que produce un dolor fuerte en el pecho.

angiosperma *adj. y s. f.* Se dice de las plantas con flores que producen semillas y frutos.

anglicanismo *s. m.* Doctrina de la Iglesia anglicana, oficial en Inglaterra.

anglicano, na *adj.* **1.** Se dice de la Iglesia oficial de Inglaterra. ‖ *adj. y s.* **2.** Relacionado con el anglicanismo o que lo practica.

anglicismo *s. m.* Palabra o expresión que procede del inglés, como *béisbol* o *parking*.

anglófono, na *adj. y s.* De habla inglesa.

anglosajón, na *adj. y s.* **1.** De un grupo de pueblos germánicos que se establecieron en Inglaterra en el siglo v. 2. De lengua y civilización inglesas o relacionado con ellas.

angolano, na o **angoleño, ña** adj. y s. De Angola, país de África.

angora s. f. Lana de pelo abundante y muy suave.

angorina s. f. Lana parecida a la angora, pero con menos pelo.

angosto, ta adj. Estrecho, reducido. Ant. Amplio.

anguila s. f. Pez de cuerpo parecido al de una serpiente, que vive en los ríos y desciende al mar para reproducirse. Es comestible.

angula s. f. Cría de la anguila, muy apreciada en alimentación.

angular adj. Relacionado con el ángulo o que tiene su forma.

ángulo s. m. **1.** Plano comprendido entre dos líneas rectas que salen de un mismo punto. **2.** Esquina o rincón. **3.** Punto de vista. Sin. **3.** Perspectiva.

anguloso, sa adj. Que tiene ángulos o aristas: un rostro anguloso.

angustia s. f. **1.** Sensación de intranquilidad, miedo o ahogo. **2.** Náuseas. Sin. **1.** Ansiedad, congoja. Ant. **1.** Paz.

angustiar v. Producir o sentir angustia. Sin. Agobiar. Ant. Relajar.

angustioso, sa adj. Que produce angustia. Sin. Agobiante. Ant. Tranquilizante.

anhelante adj. Que anhela.

anhelar v. Desear mucho. Sin. Ansiar, ambicionar.

anhelo s. m. Ansia, deseo muy grande. Sin. Ambición, afán.

anhídrido s. m. Antiguo nombre de los óxidos no metálicos.

anidar v. Hacer nido las aves o vivir en él.

anilla s. f. **1.** Pieza en forma de circunferencia. || pl. **2.** Aparato de gimnasia formado por dos aros colgados de cuerdas o cadenas. Sin. **1.** Argolla, arandela.

anillar v. Colocar anillas en las patas de las aves para estudiarlas y conocer sus movimientos.

anillo s. m. **1.** Aro pequeño. **2.** Cosa con esta forma: los anillos de Saturno. **3.** Sortija.

ánima s. f. **1.** Alma, espíritu. **2.** Hueco del cañón de un arma de fuego.

animación s. f. Alegría, bullicio.

animado, da 1. p. de animar. || adj. **2.** Con ánimos. **3.** Divertido. **4.** Que tiene vida o movimiento: seres animados, dibujos animados.

animador, ra s. m. y f. **1.** Persona que anima a otras, por ejemplo a un equipo. **2.** Persona que organiza diversiones y actividades de tiempo libre.

animadversión s. f. Odio, antipatía.

animal s. m. **1.** Ser vivo que siente, es capaz de moverse y se alimenta de plantas o de otros animales. || adj. y s. **2.** Ignorante, bruto. || adj. **3.** De los animales: reino animal. Sin. **2.** Bestia, burro.

animalada s. f. Acción o dicho propios de un animal, bruto o ignorante. Sin. Burrada.

animar v. **1.** Dar ánimo. **2.** Impulsar o estimular. **3.** Dar alegría. Sin. **1.** Alentar. **2.** Empujar, motivar. **3.** Alegrar, avivar. Ant. **1** y **2.** Desanimar.

anímico, ca adj. Del ánimo, de los sentimientos o emociones.

animismo s. m. Creencia religiosa según la cual todas las cosas de la naturaleza tienen alma.

animista adj. y s. Relacionado con el animismo o que sigue esta creencia.

ánimo s. m. **1.** Sentimientos o emociones de una persona en un momento o circunstancia. **2.** Valor, entusiasmo. Se usa también como interjección para animar. **3.** Intención o propósito.

animosidad s. f. Antipatía o aversión.

animoso, sa adj. Que tiene mucho ánimo, valor, entusiasmo. Sin. Valeroso, resuelto. Ant. Cobarde.

aniñado, da adj. De aspecto o características de niño.

aniquilación s. f. Acción de aniquilar. Sin. Matanza, exterminio.

aniquilar v. Matar o destruir por completo. Sin. Exterminar, asolar.

anís s. m. **1.** Planta de semillas muy aromáticas, con las que se hacen dulces y licores. **2.** Esta semilla. **3.** Licor hecho con ella.

anisado, da adj. **1.** Que tiene anís o sabe a anís. || s. m. **2.** Aguardiente de anís.

anisete s. m. Licor hecho con anís.

aniversario s. m. **1.** Día en que se cumplen años de algún acontecimiento. **2.** Cumpleaños.

ano s. m. Orificio en que acaba el tubo digestivo y por donde se expulsan los excrementos.

anoche _adv._ En la noche de ayer.

anochecer[1] _v._ Empezar a hacerse de noche. □ Es v. irreg. Se conjuga como _agradecer._ **SIN.** Oscurecer. **ANT.** Amanecer.

anochecer[2] _s. m._ Tiempo en el que anochece. **SIN.** Ocaso, crepúsculo. **ANT.** Amanecer.

anodino, na _adj._ Sin gracia ni interés. **SIN.** Insulso, vulgar.

ánodo _s. m._ Polo positivo de una pila o generador eléctrico.

anofeles _s. m._ Género de mosquitos que transmiten la malaria o el paludismo.

anomalía _s. f._ Cosa anormal, defecto.

anómalo, la _adj._ Que tiene anomalías. **SIN.** Anormal. **ANT.** Normal.

anonadar _v._ Impresionar mucho. **SIN.** Sorprender, maravillar.

anonimato _s. m._ Hecho de ser anónimo.

anónimo, ma _adj._ y _s. m._ **1.** De autor desconocido. ‖ _s. m._ **2.** Escrito no firmado que se envía a alguien y suele contener una amenaza.

anorak _s. m._ Chaquetón impermeable.

anorexia _s. f._ Pérdida del apetito producida por problemas nerviosos o por enfermedad.

anormal _adj._ **1.** Que no es normal. ‖ _adj._ y _s._ **2.** Retrasado mental. **SIN. 1.** Raro, extraño. **2.** Deficiente, subnormal. **ANT. 1.** Corriente.

anormalidad _s. f._ **1.** Característica de anormal. **2.** Cosa anormal.

anotación _s. f._ Nota, apunte.

anotar _v._ **1.** Escribir una nota, apuntar. **2.** Lograr: _El equipo se anotó la victoria._ **SIN. 1.** Inscribir, registrar. **2.** Conseguir, obtener.

anquilosarse _v._ **1.** No poder moverse con normalidad una articulación del cuerpo. **2.** Quedarse estancado, no avanzar. **SIN. 1.** Paralizarse. **ANT. 2.** Renovarse.

ánsar _s. m._ Ave silvestre de la que procede el ganso doméstico.

ansia _s. f._ Deseo muy grande. **SIN.** Afán, anhelo.

ansiar _v._ Desear mucho algo. **SIN.** Anhelar, ambicionar.

ansiedad _s. f._ Inquietud y nerviosismo producido, normalmente, por desear mucho algo. **SIN.** Angustia, desazón.

ansioso, sa _adj._ Que tiene ansia.

antagónico, ca _adj._ Opuesto, contrario. **SIN.** Incompatible. **ANT.** Igual.

antagonismo _s. m._ Oposición, rivalidad, enemistad.

antagonista _adj._ y _s._ Contrario, rival, enemigo. **SIN.** Antagónico.

antaño _adv._ Antiguamente. **ANT.** Actualmente.

antártico, ca _adj._ Del polo sur. **ANT.** Ártico.

ante[1] _s. m._ **1.** Alce. **2.** Piel curtida de algunos animales, suave como el terciopelo.

ante[2] _prep._ **1.** Delante de, en presencia de: _Habló ante sus compañeros._ **2.** Frente a, con relación a: _reaccionar ante un peligro._ **ANT. 1.** Detrás, tras.

ante meridiem _expr. lat._ Antes del mediodía.

anteanoche _adv._ En la noche de anteayer.

anteayer _adv._ En el día inmediatamente anterior al de ayer.

antebrazo _s. m._ Parte del brazo desde el codo hasta la muñeca.

antecedente _s. m._ **1.** Cosa o circunstancia anterior a otra con la que está relacionada: _El coche de caballos es el antecedente de los automóviles._ **2.** Palabra o palabras a las que se refiere un relativo. ‖ _s. m. pl._ **3.** Delitos que cometió una persona. **SIN. 1.** Precedente. **ANT. 1.** Consecuencia.

anteceder _v._ Preceder. **ANT.** Suceder.

antecesor, ra _s. m._ y _f._ **1.** Persona que estuvo antes en un cargo o trabajo. ‖ _s. m._ **2.** Antepasado. **SIN. 1.** Predecesor. **2.** Ascendiente. **ANT. 1.** Sucesor. **2.** Descendiente.

antediluviano, na _adj._ **1.** Anterior al diluvio universal. **2.** _fam._ Muy antiguo.

antelación _s. f._ Adelanto, anticipación. **ANT.** Retraso.

antemano Se usa en la expresión **de antemano**, 'por adelantado', 'antes de otra cosa'.

antena _s. f._ **1.** Órgano sensorial que tienen en la cabeza algunos artrópodos, como insectos y crustáceos. **2.** Aparato o cable para emitir o recibir señales de radio, televisión o radar.

anteojera _s. f._ Pieza que se les pone a las caballerías junto a los ojos, para que no vean por los lados.

anteojo _s. m._ **1.** Catalejo. ‖ _pl._ **2.** Prismáticos. **3.** Gafas.

antepasado, da _s. m._ y _f._ Familiar del que desciende una persona. **SIN.** Ascendiente, antecesor. **ANT.** Descendiente.

antepecho s. m. Barandilla colocada en un lugar alto para asomarse sin caerse.

antepenúltimo, ma adj. y s. Que está inmediatamente antes del penúltimo.

anteponer v. 1. Poner delante. 2. Dar más importancia a una cosa que a otra. □ Es v. irreg. Se conjuga como *poner*. Sin. 2. Preferir. Ant. 1 y 2. Posponer.

antera s. f. Parte superior del estambre de las flores, donde está el polen.

anterior adj. 1. Que existe o sucede antes que otra cosa. 2. Que está delante o en la parte de delante. Sin. 1. Previo. 1 y 2. Precedente. Ant. 1. Futuro. 1 y 2. Posterior.

anterioridad s. f. Hecho de ser anterior.

anteriormente adv. Antes.

antes adv. 1. En un tiempo pasado. 2. Delante: *Va antes que yo en la cola.* 3. Expresa preferencia: *Antes que vendérselo, lo regalo.* Ant. 1 y 2. Después.

antesala s. f. Habitación inmediatamente antes de otra principal.

antiaéreo, a adj. y s. m. Que se usa contra ataques aéreos: *artillería antiaérea.*

antibalas adj. Que protege contra las balas.

antibiótico s. m. Medicamento contra las infecciones, como la penicilina.

anticiclón s. m. Estado atmosférico con altas presiones, lo que produce tiempo estable y sin lluvias. Ant. Borrasca.

anticipación s. f. Acción de anticipar o anticiparse: *Llegó con mucha anticipación.* Sin. Adelanto, antelación. Ant. Retraso.

anticipado, da adj. Que se anticipa: *jubilación anticipada.* Expr. **por anticipado** Antes de algo: *Pagó por anticipado.* Sin. Adelantado. Ant. Retrasado.

anticipar v. 1. Hacer u ocurrir antes de lo previsto. 2. Dar o decir por anticipado. Sin. 1 y 2. Adelantar. 2. Predecir. Ant. 1 y 2. Retrasar, atrasar.

anticipo s. m. Dinero que se da antes de la fecha en que se debería recibir. Sin. Adelanto.

anticlerical adj. En contra de los curas y de la Iglesia.

anticlericalismo s. m. Característica de anticlerical.

anticlinal adj. y s. m. Se dice del pliegue de la corteza terrestre curvado en forma de bóveda.

anticoagulante adj. y s. m. Que impide que se coagule la sangre.

anticonceptivo, va adj. y s. m. Se dice del producto o medio que impide que queden embarazadas las mujeres o las hembras de los animales.

anticongelante adj. y s. m. Se dice de la sustancia que se añade al agua que refrigera los motores para que no se congele.

anticonstitucional adj. Contrario a la constitución de un país.

anticuado, da adj. Que no es propio de la época actual, sino de tiempos ya pasados. Sin. Antiguo, desfasado. Ant. Moderno.

anticuario, ria s. m. y f. 1. Coleccionista o comerciante de cosas antiguas. || s. m. 2. Tienda en que se venden estos objetos.

anticuerpo s. m. Proteína producida por el organismo para defenderse de elementos extraños.

antidemocrático, ca adj. Contrario a la democracia. Ant. Democrático.

antidisturbios adj. Que se emplea para impedir disturbios o disolver manifestaciones.

antidoping (ingl.) adj. Se dice del control que demuestra si un deportista ha tomado drogas estimulantes.

antídoto s. m. Sustancia que combate los efectos de un veneno.

antiestético, ca adj. Feo, que no es estético.

antifaz s. m. Máscara o pieza parecida para cubrir los ojos.

antigás adj. Que protege de los gases tóxicos: *careta antigás.*

antigualla s. f. Cosa muy antigua, pasada de moda. Sin. Novedad

antiguamente adv. Hace mucho tiempo, en la antigüedad.

antigüedad s. f. 1. Característica de antiguo. 2. Tiempo muy lejano al presente, sobre todo la Edad Antigua. 3. Obra de arte u objeto antiguos. Ant. 1. Novedad.

antiguo, gua adj. 1. Que existe o está desde hace mucho tiempo. 2. Del pasado: *la antigua Roma.* 3. Anticuado. Sin. 1. Viejo. 2. Arcaico. Ant. 1 y 2. Nuevo. 3. Moderno.

antihigiénico, ca adj. Contrario a la higiene. Ant. Higiénico.

antiinflamatorio, ria adj. y s. m. Que combate la inflamación.

antillano, na adj. y s. m. De las Antillas, islas del mar Caribe.

antílope s. m. Mamífero rumiante, africano o asiático, de cuernos largos y afilados.

antimilitarista adj. y s. En contra del ejército. **Ant.** Militarista.

antimonio s. m. Elemento químico, generalmente sólido, usado para fabricar granadas y hacer aleaciones.

antiniebla adj. Que sirve para ver o ser visto en la niebla: faros antiniebla.

antinuclear adj. 1. En contra del uso de la energía nuclear. 2. Que protege contra las explosiones nucleares.

antioxidante adj. y s. m. Que impide la oxidación.

antipapa s. m. Nombre que se da al que pretende ser papa sin haber sido elegido por los cardenales de la Iglesia.

antiparasitario, ria adj. Que protege contra los parásitos: collar antiparasitario.

antipatía s. f. Sentimiento de desagrado o rechazo hacia alguien o algo. **Sin.** Manía, tirria. **Ant.** Simpatía.

antipático, ca adj. y s. Que causa antipatía. **Ant.** Simpático.

antipatriótico, ca adj. Contrario al patriotismo. **Ant.** Patriótico.

antípoda adj. y s. m. pl. 1. Que habita en el punto opuesto de la Tierra. ‖ s. amb. pl. 2. Lugar diametralmente opuesto a otro.

antiquísimo, ma adj. sup. de antiguo.

antirreglamentario, ria adj. Contrario al reglamento. **Ant.** Reglamentario.

antirrobo adj. y s. m. Se dice del sistema de seguridad para impedir los robos.

antisemita adj. y s. Contrario a los judíos.

antisemitismo s. m. Actitud y comportamiento de los antisemitas.

antiséptico, ca adj. y s. m. Que destruye los microbios.

antitanque adj. Que sirve para destruir tanques.

antiterrorista adj. Que sirve para luchar contra el terrorismo.

antítesis s. f. 1. Oposición, contradicción. 2. Persona o cosa que es totalmente opuesta a otra. **Sin.** 1. Contraposición, contraste. **Ant.** 1. Semejanza.

antitetánica adj. y s. f. Se dice de la vacuna contra el tétanos.

antojadizo, za adj. y s. Caprichoso.

antojarse v. Desear algo por capricho: Se me antoja un helado de fresa. **Sin.** Encapricharse.

antojo s. m. 1. Capricho, deseo. 2. Lunar, mancha en la piel.

antología s. f. Colección de obras literarias o artísticas.

antológico, ca adj. 1. Que forma una antología. 2. Muy bueno.

antonimia s. f. Hecho de ser antónimas dos o más palabras o expresiones.

antónimo, ma adj. y s. m. Se dice de las palabras o expresiones que significan lo contrario. **Ant.** Sinónimo.

antonomasia s. f. Se usa en la expresión **por antonomasia**, 'por excelencia': El tango es la canción argentina por antonomasia.

antorcha s. f. Trozo de madera o de otro material al que se prende fuego por uno de los extremos para alumbrar. **Sin.** Tea.

antracita s. f. Carbón de color negro brillante que produce mucho calor.

ántrax s. m. 1. Inflamación dura y con pus que se forma debajo de la piel. 2. Enfermedad causada por una bacteria, que ataca a las personas y a algunos animales, y produce llagas con pus.

antro s. m. 1. Cueva, gruta. 2. Vivienda o local de mal aspecto o de mala fama. **Sin.** 2. Tugurio.

antropofagia s. f. Costumbre de comer carne humana. **Sin.** Canibalismo.

antropófago, ga adj. y s. Se dice del que come carne humana. **Sin.** Caníbal.

antropoide adj. y s. m. Se dice de una clasificación de primates, entre los que están el hombre y algunos monos.

antropología s. f. Ciencia que estudia los seres humanos relacionando sus características biológicas con su evolución histórica y cultural.

antropológico, ca adj. Relacionado con la antropología.

antropólogo, ga s. m. y f. Persona especializada en antropología.

antropomorfo, fa adj. Que tiene forma humana.

anual adj. 1. Que sucede o se repite cada año. 2. Que dura un año.

anualidad s. f. Dinero que se paga cada año por alguna cosa.

anualmente adv. Cada año.

anuario s. m. Libro o revista que se publica una vez al año.

anudar v. Hacer nudos o atar con nudos. Sin. Enlazar. Ant. Desatar.

anulación s. f. Acción de anular. Sin. Supresión. Ant. Confirmación.

anular[1] v. 1. Dejar sin valor: *anular un pedido*. 2. No dejar a alguien que actúe libremente o que se muestre como es. Sin. 1. Invalidar, cancelar. Ant. 1. Confirmar.

anular[2] adj. 1. En forma de anillo. ‖ adj. y s. m. 2. Se dice del dedo de la mano que está junto al meñique.

anunciación s. f. Visita que le hizo el arcángel Gabriel a la Virgen María para anunciarle que iba a ser la madre de Jesús.

anunciar v. 1. Comunicar algo en público. 2. Hacer publicidad. 3. Ser señal de algo: *Esas nubes anuncian lluvia*. Sin. 1. Notificar. 2. Promocionar. 3. Presagiar, pronosticar. Ant. 1. Silenciar.

anuncio s. m. 1. Acción de anunciar, comunicar. 2. Palabras o imágenes con que se anuncia algo. 3. Señal de algo. Sin. 1. Noticia, comunicación. 2. Publicidad, propaganda. 3. Presagio, augurio.

anuro adj. y s. m. Se dice de un grupo de anfibios sin cola y con las patas posteriores adaptadas para el salto, como la rana.

anverso s. m. Cara principal o delantera de una moneda, medalla u hoja de papel. Ant. Reverso.

anzuelo s. m. Gancho de metal en que se pone un cebo para pescar.

añadido, da 1. p. de añadir. También adj. ‖ s. m. 2. Cosa que se añade a otra.

añadidura s. f. Cosa añadida. Expr. por añadidura Además.

añadir v. 1. Juntar una cosa a otra. 2. Dar, proporcionar o decir algo más. Sin. 1. Sumar, agregar. 2. Aportar, contribuir. Ant. 1. Quitar, restar.

añagaza s. f. Trampa, engaño.

añejo, ja adj. 1. Muy viejo, muy antiguo. 2. Se dice de algunos alimentos o bebidas que con el tiempo toman sabor fuerte: *un vino añejo*. Ant. 1. Nuevo.

añicos s. m. pl. Pedazos pequeños en que se divide una cosa al romperse. Sin. Trizas, migas.

añil s. m. 1. Arbusto de cuyas hojas y tallos se saca un colorante azul oscuro. 2. Color como el de este colorante.

año s. m. Periodo de doce meses, que es lo que tarda la Tierra en dar una vuelta alrededor del Sol; especialmente, los doce meses entre el 1 de enero y el 31 de diciembre.

añoranza s. f. Tristeza, nostalgia.

añorar v. Echar de menos.

aorta s. f. Arteria principal que sale del ventrículo izquierdo del corazón.

apabullar v. Impresionar o dominar totalmente a alguien. Sin. Anonadar.

apacentar v. 1. Cuidar el ganado mientras come en los prados. 2. Dar pasto al ganado. ▢ Es v. irreg. Se conjuga como *pensar*.

apache adj. y s. De un pueblo indio de América del Norte.

apacible adj. Agradable y tranquilo. Sin. Sereno, sosegado. Ant. Desapacible.

apaciguamiento s. m. Acción de apaciguar.

apaciguar v. Tranquilizar, calmar. Sin. Amansar, aplacar. Ant. Excitar.

apadrinar v. 1. Ser padrino de una persona. 2. Apoyar a alguien o algo para que tenga éxito. Sin. 2. Patrocinar.

apagado, da 1. p. de apagar. También adj. ‖ adj. 2. Sin animación, fuerza o intensidad: *un carácter apagado, unos colores apagados*. Sin. 2. Desanimado, apocado. Ant. 2. Animado.

apagar v. 1. Quitar la luz o desconectar un aparato. 2. Acabar con el fuego. 3. Disminuir o hacer desaparecer. Sin. 2. Sofocar. 3. Enfriar, aplacar. Ant. 1 a 3. Encender. 2. Incendiar. 2 y 3. Avivar.

apagón s. m. Corte imprevisto en la corriente eléctrica.

apaisado, da adj. Más ancho que alto.

apalabrar v. Llegar a un acuerdo de palabra. Sin. Acordar, concertar.

apalancar v. 1. Levantar o mover algo utilizando una palanca. ‖ **apalancarse** 2. Instalarse en un sitio: *Se apalancó en el sofá*. Sin. 2. Apoltronarse.

apalear v. Dar golpes con un palo. Sin. Aporrear

apañado, da 1. p. de apañar. También adj. ‖ adj. 2. Equivocado. 3. En situación difícil. Sin. 3. Aviado.

apañar v. 1. Arreglar, reparar. 2. Preparar con trampas y chanchullos. ‖ **apañarse** 3. Darse maña. 4. Tener suficiente. Sin. 2. Amañar.

apaño s. m. 1. Acción de apañar. 2. Amorío, aventura.

aparador s. m. Mueble donde se guarda la vajilla y otras cosas para el servicio de la mesa.

aparato s. m. **1.** Máquina, mecanismo, instrumento. **2.** Conjunto de órganos con una misma función: *aparato digestivo*. **3.** Circunstancias o fenómenos que acompañan a algo: *una tormenta con aparato eléctrico*. SIN. **1.** Artefacto, utensilio.

aparatoso, sa adj. Muy grande, exagerado o llamativo. SIN. Espectacular. ANT. Corriente.

aparcamiento s. m. Lugar para aparcar los coches. SIN. Estacionamiento.

aparcar v. Dejar un vehículo en un sitio durante un tiempo. SIN. Estacionar.

apareamiento s. m. Acción de aparear o aparearse.

aparear v. Juntar un macho y una hembra para que se reproduzcan.

aparecer v. **1.** Comenzar a verse, existir o manifestarse. **2.** Ser encontrado o presentarse: *Apareció la pluma perdida. Por fin apareces.* □ Es v. irreg. Se conjuga como *agradecer*. SIN. **1.** Surgir, asomar. ANT. 1 y 2. Desaparecer. **2.** Extraviar.

aparecido s. m. Fantasma, aparición.

aparejador, ra s. m. y f. Ayudante del arquitecto.

aparejar v. Disponer, preparar.

aparejo s. m. **1.** Conjunto de utensilios: *aparejo de pesca*. **2.** Conjunto de palos, velas y cuerdas de un barco. SIN. **1.** Instrumentos.

aparentar v. **1.** Fingir, manifestar lo que no es. **2.** Tener el aspecto de cierta edad: *Aparenta más años*. **3.** Presumir. SIN. **1.** Simular. **2.** Representar.

aparente adj. **1.** Simulado o falso. **2.** Que se ve o se aprecia claramente. **3.** Vistoso, de buen aspecto. SIN. **1.** Supuesto. **2.** Manifiesto. ANT. **1.** Auténtico. **2.** Oculto.

aparentemente adv. De forma aparente, en apariencia.

aparición s. f. **1.** Acción de aparecer. **2.** Fantasma o ser sobrenatural. SIN. **1.** Manifestación. **2.** Espectro, espíritu. ANT. **1.** Desaparición.

apariencia s. f. **1.** Aspecto. **2.** Cosa que parece algo que no es: *Todo ese lujo es pura apariencia*. SIN. **1.** Presencia, pinta.

apartado, da 1. p. de **apartar.** También adj. || s. m. **2.** Cada parte en que se divide algo. || **3. apartado de correos** Sección de una oficina de correos reservada para la correspondencia de una persona o empresa. SIN. **1.** Distante. ANT. **1.** Cercano.

apartamento s. m. Piso, generalmente pequeño.

apartar v. **1.** Separar o retirar. **2.** Reservar. **3.** Disuadir, hacer que alguien deje algo. SIN. **1.** Aislar. ANT. **1.** Acercar.

aparte adv. **1.** En lugar distinto del resto, separadamente. **2.** A distancia, sin intervenir. **3.** A excepción de: *No vino nadie aparte de ti.* || adj. **4.** Separado, distinto: *Lo que me cuentas es caso aparte.* EXPR. **aparte de** Además de. SIN. **3.** Excepto, salvo. **4.** Diferente.

apasionadamente adv. De manera apasionada.

apasionado, da 1. p. de **apasionar.** || adj. **2.** Que muestra mucha pasión o entusiasmo. || adj. y s. **3.** Muy aficionado. SIN. **2.** Ardiente, exaltado. **3.** Entusiasta. ANT. **2.** Frío.

apasionamiento s. m. Pasión, entusiasmo.

apasionante adj. Que apasiona. SIN. Fascinante, emocionante.

apasionar v. Gustar, entusiasmar o interesar mucho. SIN. Encantar, fascinar. ANT. Disgustar.

apatía s. f. Desgana, desinterés. SIN. Abulia, dejadez, indolencia. ANT. Interés, entusiasmo.

apático, ca adj. y s. Que muestra apatía. SIN. Desganado, abúlico. ANT. Entusiasta.

apátrida adj. y s. Que no tiene nacionalidad.

apeadero s. m. Lugar donde se apean los viajeros del tren, cuando no hay estación.

apear v. **1.** Bajar de una caballería, carruaje o vehículo. || **apearse 2.** Dejar una idea o una intención. SIN. **1.** Desmontar. ANT. **1.** Montar.

apechar o **apechugar** v. Aceptar algo que resulta desagradable, enfrentarse con ello. SIN. Cargar, afrontar.

apedrear v. Lanzar piedras a alguien o algo.

apego s. m. Cariño, afecto. ANT. Desapego.

apelación s. f. Acción de apelar.

apelar v. **1.** Recurrir a un juez o tribunal superior para que cambie o anule una sentencia. **2.** Recurrir a alguien o algo.

apelativo adj. y s. m. **1.** Se dice del nombre común. || s. m. **2.** Apodo, sobrenombre.

apellidarse v. Tener cierto apellido.

apellido s. m. Nombre de familia que se transmite de padres a hijos.

apelmazado, da 1. *p.* de **apelmazar**. || *adj.* 2. Compacto. **Ant.** 1 y 2. Esponjoso.

apelmazar *v.* Hacer compacto, poco esponjoso. **Sin.** Apretujar. **Ant.** Esponjar, ahuecar.

apelotonarse *v.* Amontonarse, apretujarse. **Sin.** Apiñarse, hacinarse. **Ant.** Disgregarse.

apenar *v.* Causar pena o sentirla. **Sin.** Entristecer, afligir. **Ant.** Alegrar.

apenas *adv.* 1. Casi no, escasamente: *Apenas comió.* 2. Tan pronto como: *Se fue apenas anocheció.*

apencar *v.* Apechugar, afrontar. **Ant.** Eludir.

apéndice *s. m.* 1. Cosa que se añade a otra: *La enciclopedia tiene un apéndice geográfico.* 2. Parte del cuerpo unida a otra principal. 3. Prolongación delgada y hueca del intestino grueso localizada en el ciego. **Sin.** 1. Suplemento, anexo.

apendicitis *s. f.* Inflamación del apéndice del intestino grueso.

apercibir *v.* 1. Regañar o hacer una advertencia. || **apercibirse** 2. Darse cuenta. **Sin.** 1. Amonestar, reñir. 2. Percatarse.

apergaminado, da *adj.* Se dice de la piel seca y arrugada, como de pergamino.

aperitivo *s. m.* Bebida o alimento ligero que se toma antes de una comida. **Sin.** Tapa, piscolabis.

apero *s. m.* Utensilio empleado en un oficio, sobre todo en la agricultura.

aperreado, da *adj.* Trabajoso, molesto. **Sin.** Difícil, duro.

apertura *s. f.* 1. Acción de abrir. 2. Tolerancia y respeto hacia otras formas de pensar. **Ant.** 1. Cierre. 2. Intransigencia.

apesadumbrar *v.* Producir pesadumbre, pena. **Sin.** Entristecer, afligir. **Ant.** Alegrar.

apestado, da 1. *p.* de **apestar**. || *adj.* y *s.* 2. Enfermo de peste.

apestar *v.* 1. Despedir muy mal olor. 2. Contagiar la peste. **Sin.** 1. Atufar.

apestoso, sa *adj.* Que apesta o huele mal. **Sin.** Hediondo. **Ant.** Fragante.

apétala *adj.* Se dice de la corola o la flor sin pétalos.

apetecer *v.* Tener ganas, desear. □ Es *v.* irreg. Se conjuga como *agradecer*. **Sin.** Querer. **Ant.** Aborrecer.

apetecible *adj.* Que apetece. **Sin.** Apetitoso. **Ant.** Repulsivo.

apetencia *s. f.* Deseo, ganas de algo.

apetito *s. m.* 1. Ganas de comer. 2. Deseo. **Sin.** 1. Hambre. 2. Ansia.

apetitoso, sa *adj.* Que parece muy rico y apetece comerlo. **Sin.** Sabroso, apetecible. **Ant.** Asqueroso.

apiadarse *v.* Tener compasión. **Sin.** Compadecerse. **Ant.** Ensañarse.

ápice *s. m.* 1. Extremo superior, punta. 2. Nada: *No ha adelantado un ápice en sus estudios.*

apícola *adj.* De la apicultura.

apicultor, ra *s. m.* y *f.* Persona que se dedica a la apicultura.

apicultura *s. f.* Técnica de criar abejas para obtener miel y cera.

apilar *v.* Colocar cosas unas encima de otras. **Sin.** Amontonar.

apiñarse *v.* Juntarse, amontonarse. **Sin.** Apelotonarse. **Ant.** Disgregarse.

apio *s. m.* Hortaliza de tallos largos y carnosos, que se come en ensalada o se usa como condimento.

apiolar *v. fam.* Matar.

apisonadora *s. f.* Máquina con unos rodillos grandes y pesados para alisar el terreno.

apisonar *v.* Alisar el suelo con la apisonadora. **Sin.** Aplanar, allanar.

aplacar *v.* Calmar, tranquilizar. **Sin.** Apaciguar. **Ant.** Excitar.

aplanar *v.* 1. Poner llana una superficie. 2. Dejar sin ánimo, sin fuerzas. **Sin.** 1. Allanar, alisar. 2. Abatir. **Ant.** 2. Animar.

aplastamiento *s. m.* Acción de aplastar, vencer por completo.

aplastante *adj.* Que aplasta o vence por completo. **Sin.** Arrollador.

aplastar *v.* 1. Deformar una cosa al apretarla o poner peso sobre ella. 2. Vencer o dominar por completo. **Sin.** 1. Estrujar. 2. Machacar, arrollar.

aplatanar *v.* Dejar o quedarse sin fuerza o ánimos. **Sin.** Aplastar, aplanar. **Ant.** Animar.

aplaudir *v.* 1. Dar palmadas en señal de aprobación o entusiasmo. 2. Aprobar, alabar. **Sin.** 1. Ovacionar, vitorear. 2. Elogiar. **Ant.** 1. Abuchear. 2. Censurar.

aplauso *s. m.* Acción de aplaudir.

aplazamiento *s. m.* Acción de aplazar.

aplazar *v.* Retrasar, dejar para más tarde. **Sin.** Posponer. **Ant.** Adelantar.

aplicación *s. f.* 1. Acción de aplicar. 2. Uso, utilidad. 3. Interés y esfuerzo que se pone en una actividad. **4.** Adorno o pieza superpuesta. **5.** En matemáticas, operación entre dos conjuntos por la que todo elemento del primero se relaciona con uno solo del segundo. **SIN. 3.** Perseverancia, empeño. **4.** Aplique.

aplicado, da 1. *p.* de aplicar. ‖ *adj.* **2.** Que se aplica o esfuerza.

aplicar *v.* **1.** Poner una cosa sobre otra o en contacto con ella: *aplicar una capa de pintura.* **2.** Emplear, usar. **3.** Decir algo de una persona o cosa: *El adjetivo rubio se aplica a las personas de pelo claro.* ‖ **aplicarse 4.** Esforzarse, sobre todo en el estudio. **SIN. 2.** Utilizar. **3.** Referir.

aplique *s. m.* **1.** Lámpara fija en la pared. **2.** Pieza superpuesta en otra, normalmente como adorno. **SIN. 2.** Aplicación.

aplomo *s. m.* Tranquilidad, seguridad. **SIN.** Serenidad. **ANT.** Nerviosismo.

apocado, da *adj.* y *s.* Tímido, poco atrevido. **SIN.** Pusilánime, cohibido. **ANT.** Decidido.

apocalipsis *s. m.* **1.** El fin del mundo. **2.** Gran catástrofe o destrucción.

apocalíptico, ca *adj.* **1.** Del apocalipsis. **2.** Que anuncia una catástrofe o tiene sus características.

apócope *s. f.* Forma abreviada de una palabra al suprimirle el final, por ejemplo *gran* es apócope de *grande*.

apodar *v.* Poner un apodo o llamar por el apodo.

apoderado, da 1. *p.* de **apoderarse.** ‖ *s. m.* y *f.* **2.** Persona que representa a otra y hace cosas en su nombre: *el apoderado de un torero.* **SIN. 2.** Representante, agente.

apoderarse *v.* **1.** Quedarse alguien con lo que no es suyo. **2.** Dominar: *El miedo se apoderó de él.* **SIN. 1** y **2.** Adueñarse. **2.** Invadir.

apodo *s. m.* Nombre que se da a una persona y suele estar relacionado con alguna característica suya. **SIN.** Mote.

apófisis *s. f.* Parte redondeada y saliente de los huesos.

apogeo *s. m.* Momento mejor, más importante o más intenso de algo. **SIN.** Auge. **ANT.** Declive.

apolillarse *v.* **1.** Estropearse la tela u otros materiales a causa de la polilla. **2.** Quedarse viejo, sin actualidad.

apolítico, ca *adj.* Sin ideas políticas.

apología *s. f.* Defensa, alabanza. **ANT.** Crítica.

apoltronarse *v.* **1.** Ponerse cómodo en un asiento. **2.** Hacerse perezoso o demasiado cómodo. **SIN. 1.** Repantigarse.

apoplejía *s. f.* Pérdida de algunas de las funciones del cerebro, como la capacidad de movimiento, la sensibilidad o la conciencia, por hemorragia cerebral o embolia.

apoquinar *v. fam.* Pagar.

aporrear *v.* Golpear repetidas veces y con fuerza.

aportación *s. f.* Acción de aportar y lo que se aporta.

aportar *v.* Dar, contribuir.

aporte *s. m.* Aportación.

aposentar *v.* Alojar, hospedar.

aposento *s. m.* Cuarto, habitación.

aposición *s. f.* Unión de dos sustantivos en la que el segundo califica o explica al primero, por ejemplo en *hombre rana.*

apósito *s. m.* Gasa u otro material con que se cubre una herida.

aposta *adv.* Queriendo, a propósito. **SIN.** Adrede, intencionadamente. **ANT.** Involuntariamente.

apostante *s. m.* y *f.* Persona que hace una apuesta.

apostar *v.* **1.** Decidir varios que el que acierte algo o tenga razón ganará el dinero que todos han puesto. **2.** Poner dinero en un juego para ganar más si se acierta el resultado. **3.** Colocar a alguien en un lugar para vigilar o atacar. ◻ Con los significados 1 y 2, es *v.* irreg. y se conjuga como *contar.* **SIN. 1** y **2.** Jugar.

apóstata *s. m.* y *f.* Persona que apostata.

apostatar *v.* Abandonar alguien su religión o sus ideas. **SIN.** Abjurar, renegar. **ANT.** Convertirse.

apostilla *s. f.* Nota que comenta o aclara un texto.

apóstol *s. m.* Cada uno de los doce hombres elegidos por Jesucristo para que le acompañaran y predicaran su doctrina.

apostolado *s. m.* **1.** Misión de los apóstoles. **2.** Hecho de predicar una doctrina.

apostólico, ca *adj.* **1.** De los apóstoles. **2.** Del papa o de la Iglesia católica.

apóstrofe *s. m.* **1.** Palabras apasionadas con que uno se dirige a un ser real o imaginario. **2.** Insulto dirigido a alguien. **SIN. 2.** Ofensa.

apóstrofo s. m. Signo (') de algunas lenguas que indica que se ha quitado una vocal; por ejemplo, en francés, l'ami, en vez de le ami.

apostura s. f. Elegancia, buena presencia.

apotema s. f. En un polígono regular, perpendicular trazada desde el centro al lado.

apoteósico, ca adj. 1. Extraordinario, magnífico. 2. Culminante.

apoteosis s. f. Momento más importante de algo. SIN. Culminación, cumbre, culmen.

apoyar v. 1. Poner a una persona o cosa sobre otra, generalmente para que se sujete. 2. Ayudar, defender. 3. Basar, confirmar: Apoya su teoría en experimentos. SIN. 1. Recostar. 2. Respaldar. 3. Ratificar, corroborar. ANT. 3. Rectificar.

apoyo s. m. 1. Lo que sirve para sostener una cosa. 2. Ayuda. 3. Hecho de mostrarse de acuerdo con algo. SIN. 1. Sostén, soporte. 2. Amparo, protección. 3. Respaldo.

apreciable adj. 1. Digno de aprecio o estima. 2. Que se ve o se percibe. 3. Bastante, considerable. SIN. 1. Estimable. 2. Perceptible. 3. Notable, grande. ANT. 1. Despreciable. 2. Inapreciable.

apreciación s. f. 1. Acción de apreciar o percibir. 2. Comentario, indicación. SIN. 1. Observación, percepción. 2. Juicio, valoración.

apreciado, da 1. p. de apreciar. También adj. || adj. 2. Estimado.

apreciar v. 1. Valorar. 2. Sentir afecto o cariño por alguien. 3. Percibir, darse cuenta. SIN. 1 y 2. Estimar. 2. Querer. 3. Ver, captar. ANT. 1. Menospreciar. 1 y 2. Despreciar.

aprecio s. m. 1. Acción de apreciar o valorar. 2. Afecto, cariño. SIN. 1 y 2. Estima. ANT. 1 y 2. Desprecio.

aprehender v. Capturar, apropiarse.

aprehensión s. f. Acción de aprehender.

apremiante adj. Que apremia, que es necesario hacerlo pronto. SIN. Urgente, acuciante.

apremiar v. Meter prisa, obligar a hacer pronto algo. SIN. Urgir, acuciar.

apremio s. m. Acción de apremiar.

aprender v. Llegar a conocer mediante el estudio o la práctica. SIN. Instruirse.

aprendiz, za s. m. y f. Persona que aprende un oficio. SIN. Principiante. ANT. Maestro.

aprendizaje s. m. Acción de aprender.

aprensión s. f. Miedo exagerado a algo, sobre todo a las enfermedades.

aprensivo, va adj. Que tiene aprensión.

apresamiento s. m. Acción de apresar. SIN. Captura.

apresar v. Capturar, detener. SIN. Prender. ANT. Liberar, soltar.

aprestarse v. Prepararse para hacer algo.

apresto s. m. Consistencia o rigidez que tienen algunos tejidos.

apresuramiento s. m. Prisa, excesiva rapidez. SIN. Precipitación, aceleración. ANT. Lentitud.

apresurarse v. Darse prisa. SIN. Acelerar. ANT. Retardar.

apretado, da 1. p. de apretar. También adj. || adj. 2. Con mucho trabajo: Hoy tiene un día muy apretado. 3. En una competición deportiva, se dice del final muy igualado. SIN. 1. Ceñido. 2. Ocupado. ANT. 1. Flojo.

apretar v. 1. Hacer fuerza o presión, o aumentar la tirantez de algo: apretar un tornillo; apretar los cordones de los zapatos. 2. Exigir mucho. 3. Esforzarse. 4. Ser muy fuerte o intenso. □ Es v. irreg. Se conjuga como pensar. EXPR. apretarse el cinturón Reducir gastos. SIN. 1. Apretujar. ANT. 1. Aflojar.

apretón s. m. 1. Saludo en el que dos personas se cogen la mano con fuerza. 2. Empujón o apretujón. 3. Ganas repentinas de hacer de vientre.

apretujar v. Apretar o juntar mucho. SIN. Comprimir, estrujar.

apretujón s. m. Acción de apretujar.

apretura s. f. 1. Hecho de estar muchas personas apretujadas en un lugar. || pl. 2. Falta de dinero. SIN. 2. Estrechez, penuria. ANT. 1. Holgura. 2. Desahogo.

aprieto s. m. Situación difícil. SIN. Apuro, atolladero.

aprisa adv. Deprisa. ANT. Despacio.

aprisco s. m. Lugar cercado donde los pastores guardan el ganado. SIN. Redil.

aprisionar v. Sujetar con fuerza de manera que una persona o cosa no pueda soltarse de otra. SIN. Inmovilizar. ANT. Liberar.

aprobación s. f. Acción de aprobar o estar de acuerdo con algo.

aprobado, da 1. p. de aprobar. También adj. y s. || s. m. 2. Calificación mínima para aprobar. SIN. 1. Aceptado, admitido. 2. Suficiente.

aprobar *v.* **1.** Pasar un examen. **2.** Mostrar acuerdo o conformidad. □ Es v. irreg. Se conjuga como *contar*. Sin. **2.** Aceptar, admitir. Ant. **1.** Suspender. **2.** Desaprobar.

aprobatorio, ria *adj.* Que expresa acuerdo o conformidad.

apropiación *s. f.* Acción de apropiarse de algo.

apropiado, da **1.** *p.* de **apropiarse.** ‖ *adj.* **2.** Adecuado. Sin. **2.** Conveniente, oportuno. Ant. **2.** Inapropiado.

apropiarse *v.* Quedarse con algo que pertenece a otro. Sin. Apoderarse, adueñarse.

aprovechable *adj.* Que se puede aprovechar.

aprovechado, da *adj.* **1.** *p.* de **aprovechar.** ‖ *adj.* y *s.* **2.** Que se aprovecha de lo que hacen otros.

aprovechamiento *s. m.* Acción de aprovechar. Sin. Utilización, uso; rendimiento.

aprovechar *v.* **1.** Ser de provecho. **2.** Utilizar. ‖ **aprovecharse 3.** Servirse de alguien o algo de manera injusta o poco honrada. Sin. **1.** Beneficiar, ayudar. Ant. **1.** Perjudicar. **2.** Desaprovechar.

aprovisionamiento *s. m.* Acción de aprovisionar o aprovisionarse. Sin. Abastecimiento, suministro.

aprovisionar *v.* Proporcionar o conseguir lo necesario. Sin. Abastecer, suministrar.

aproximación *s. f.* Acción de aproximar o aproximarse. Sin. Acercamiento. Ant. Alejamiento.

aproximadamente *adv.* De manera aproximada. Ant. Exactamente.

aproximado, da **1.** *p.* de **aproximar.** ‖ *adj.* **2.** Que se acerca más o menos a lo exacto. Ant. **2.** Justo.

aproximar *v.* Acercar.

aproximativo, va *adj.* Aproximado, se dice de lo que se acerca más o menos a lo exacto.

aptitud *s. f.* Capacidad, habilidad para algo. Sin. Talento, don. Ant. Ineptitud.

apto, ta *adj.* **1.** Que tiene capacidad para algo. **2.** Adecuado, apropiado. ‖ *s. m.* **3.** Calificación de aprobado. Sin. **1.** Capacitado. **2.** Conveniente, idóneo. Ant. **1.** Inepto. **2.** Inadecuado.

apuesta *s. f.* Acción de apostar. Sin. Envite.

apuesto, ta *adj.* Elegante, que tiene buena presencia. Sin. Atractivo, gallardo. Ant. Feo.

apuntador, ra *s. m.* y *f.* Persona que en el teatro se sitúa cerca de los actores para recordarles el texto.

apuntalar *v.* Poner puntales en un edificio.

apuntar *v.* **1.** Dirigir un arma hacia un punto. **2.** Señalar con el dedo o con algún instrumento. **3.** Tomar nota. **4.** Indicar a alguien con disimulo lo que debe decir, por ejemplo en el teatro o en un examen. **5.** Dar el nombre y los datos necesarios para participar en algo. ‖ **apuntarse 6.** Lograr: *El equipo se ha apuntado un nuevo tanto.* Sin. **1.** Encañonar. **2.** Indicar. **3** y **6.** Anotar. **4.** Soplar. **5.** Inscribir; matricular. Ant. **5.** Borrar. **6.** Fallar.

apunte *s. m.* **1.** Dibujo en que sólo se señalan las líneas principales. ‖ *pl.* **2.** Notas por escrito, sobre todo las que los alumnos toman en clase. Sin. **1.** Esbozo, bosquejo.

apuntillar *v.* Clavar la puntilla a un toro.

apuñalamiento *s. m.* Acción de apuñalar.

apuñalar *v.* Clavar un puñal a alguien.

apurado, da **1.** *p.* de **apurar.** ‖ *adj.* **2.** Con mucha prisa o muchas cosas que hacer. **3.** Con poco dinero. **4.** Difícil, peligroso. **5.** Que siente apuro o vergüenza. Sin. **2.** Agobiado, abrumado. **4.** Arriesgado. **5.** Avergonzado. Ant. **3.** Desahogado.

apurar *v.* **1.** Acabar, agotar. **2.** Meter o darse prisa. **3.** Preocupar. **4.** Dar apuro o vergüenza. Sin. **1.** Consumir. **2.** Apresurar. **3.** Agobiar. **4.** Avergonzar. Ant. **2.** Entretener.

apuro *s. m.* **1.** Situación difícil. **2.** Vergüenza. Sin. **1.** Aprieto, brete.

aquejar *v.* Tener una enfermedad, dolor u otra cosa mala.

aquel, aquella, aquello *dem.* Se usa para referirse a alguien o algo que está lejos tanto de la persona que habla como de la que escucha: *aquel libro, aquella mesa.*

aquelarre *s. m.* Reunión de brujas y brujos con la supuesta intervención del diablo.

aquenio *s. m.* Fruto seco que no se abre espontáneamente y contiene una semilla, como la castaña o la bellota.

aquí *adv.* **1.** A este lugar o en este lugar. **2.** Ahora: *de aquí en adelante.* Sin. **1.** Acá. Ant. **1.** Allí, allá.

aquiescencia *s. f.* Consentimiento, conformidad.

aquietar *v.* Sosegar, tranquilizar. **SIN.** Calmar. **ANT.** Alterar.

ara *s. f.* **1.** Altar donde se ofrecen sacrificios a los dioses. **2.** Piedra consagrada situada en el centro del altar sobre la que el sacerdote celebra la misa. **EXPR. en aras de** Para conseguir algo: *en aras de la paz.*

árabe *adj. y s.* **1.** De Arabia, país de Asia, o de otros pueblos islámicos. || *s. m.* **2.** Lengua de estos pueblos. **SIN. 1.** Arábigo.

arabesco *s. m.* Decoración de dibujos geométricos, propia de la arquitectura árabe.

arábigo, ga *adj.* Árabe.

arabismo *s. m.* Palabra o expresión árabe usada en otra lengua.

arácnido *adj. y s. m.* Artrópodo sin antenas, con ocho patas y el cuerpo dividido en dos partes, como la araña o el escorpión.

arado *s. m.* Instrumento agrícola para abrir surcos en la tierra.

arador, ra *adj. y s.* **1.** Que ara. || **2. arador de la sarna** Arácnido parásito del hombre que causa esta enfermedad.

aragonés, sa *adj. y s.* De Aragón, comunidad autónoma de España.

arameo, a *adj. y s.* **1.** De un antiguo pueblo semita de Oriente Medio. || *s. m.* **2.** Lengua de este pueblo.

arancel *s. m.* Dinero que debe pagarse por pasar un producto por la aduana.

arándano *s. m.* **1.** Arbusto enano de hojas ovaladas, flores pequeñas y frutos dulces de color rojo, negro o azulado. **2.** Este fruto.

arandela *s. f.* Anilla.

araña *s. f.* **1.** Arácnido de patas largas y finas que fabrica una red para atrapar a sus presas. **2.** Lámpara de techo con varios brazos.

arañar *v.* Hacer una herida o marca superficial con las uñas u otra cosa afilada. **SIN.** Raspar, rayar.

arañazo *s. m.* Herida o marca que se hace al arañar. **SIN.** Rasguño.

arar *v.* Hacer surcos en la tierra para cultivar en ella. **SIN.** Labrar.

arbitraje *s. m.* Acción de arbitrar.

arbitral *adj.* Del árbitro.

arbitrar *v.* Actuar como árbitro.

arbitrariedad *s. f.* Acción arbitraria, injusta.

arbitrario, ria *adj.* **1.** Injusto, que se debe sólo a la voluntad o al capricho

de alguien. **2.** Que depende del acuerdo o la costumbre: *La forma de saludarse la gente es arbitraria.* **SIN. 1.** Convenido, convencional. **ANT. 1.** Justo.

arbitrio *s. m.* Capacidad de decidir.

árbitro, tra *s. m. y f.* **1.** Persona que aplica el reglamento en una competición deportiva. **2.** Persona que decide quién tiene razón en una disputa o conflicto. **SIN. 2.** Mediador, juez.

árbol *s. m.* Planta con un tronco de madera, que a cierta altura del suelo se divide en ramas con hojas, flores y, generalmente, frutos.

arbolado, da *adj.* **1.** Que tiene árboles. || *s. m.* **2.** Conjunto de árboles de un lugar. **SIN. 2.** Arboleda.

arboladura *s. f.* Conjunto de palos que sujetan las velas de los barcos.

arboleda *s. f.* Lugar con muchos árboles. **SIN.** Arbolado, bosque.

arbóreo, a *adj.* De los árboles o relacionado con ellos.

arborícola *adj.* Que vive en los árboles.

arboricultura *s. f.* Cultivo de árboles y arbustos.

arbotante *s. m.* En arquitectura, contrafuerte en forma de arco, típico del gótico.

arbustivo, va *adj.* De arbustos o con características de arbusto.

arbusto *s. m.* Planta más pequeña que un árbol y que se diferencia de éste en que sus ramas nacen desde la base del tronco.

arca *s. f.* Caja grande o cofre.

arcabucero *s. m.* Soldado que iba armado de arcabuz.

arcabuz *s. m.* Arma de fuego antigua, parecida al fusil.

arcada *s. f.* **1.** Sacudida en el estómago que suele producirse antes de vomitar. **2.** Serie de arcos de una construcción.

arcaico, ca *adj.* Muy antiguo. **SIN.** Primitivo, viejo. **ANT.** Actual.

arcaísmo *s. m.* Palabra o frase anticuada. **ANT.** Neologismo.

arcaizante *adj.* Que tiene carácter arcaico.

arcángel *s. m.* Ángel de categoría superior a la de otros ángeles.

arce *s. m.* Árbol de hoja cadua, palmeada y de madera dura, con frutos en forma de ángulo que giran al caer.

arcén *s. m.* Banda lateral de algunas carreteras por donde, normalmente, no deben circular los vehículos.

archidiócesis *s. f.* Diócesis de un arzobispo.

archiduque, quesa *s. m.* y *f.* **1.** Príncipe o princesa de la casa de Austria. || *s. f.* **2.** Esposa del archiduque.

archipiélago *s. m.* Conjunto de islas agrupadas.

archivador *s. m.* Mueble o carpeta para archivar documentos. **SIN.** Archivo.

archivar *v.* Guardar ordenadamente documentos, fichas, fotografías u otras cosas. **SIN.** Clasificar.

archivero, ra *s. m.* y *f.* Persona encargada de un archivo.

archivística *s. f.* Estudio de los archivos y su organización.

archivo *s. m.* **1.** Local o mueble donde se guardan ordenadamente documentos, fichas, fotografías y otras cosas. **2.** En informática, fichero.

arcilla *s. f.* Tipo de tierra que, mezclada con agua, forma una pasta muy moldeable.

arcilloso, sa *adj.* Que contiene arcilla o tiene sus características.

arcipreste *s. m.* Sacerdote con algunas atribuciones especiales en un territorio.

arco *s. m.* **1.** Parte de una curva. **2.** Elemento de construcción que tiene forma curva y sirve para cubrir un hueco entre dos puntos fijos. **3.** Vara o lámina estrecha con una cuerda tirante para lanzar flechas. **4.** Vara de madera con unas crines sujetas a sus extremos, con que se toca el violín e instrumentos parecidos. || **5. arco iris** Curva de colores que aparece en el cielo cuando los rayos del sol atraviesan las gotas de lluvia.

arcón *s. m.* Arca grande.

arder *v.* **1.** Estar una cosa quemándose. **2.** Sentir ardor en alguna parte del cuerpo. **3.** Tener de forma muy intensa un sentimiento: *Ardía en deseos de verte.* **EXPR. estar que arde** Estar alguien muy enfadado. También, estar a punto de que pase algo malo. **SIN. 2** y **3.** Abrasarse. **ANT.** Apagarse.

ardid *s. m.* Treta, artimaña.

ardiente *adj.* **1.** Que arde o produce mucho calor. **2.** Muy intenso o apasionado. **SIN. 2.** Fogoso, vehemente. **ANT. 2.** Frío.

ardilla *s. f.* Mamífero roedor de cuerpo delgado y cola larga y peluda, que vive en los bosques y se alimenta de frutos y semillas.

ardor *s. m.* **1.** Sensación de calor en una parte del cuerpo, como la que a veces se siente cuando duele el estómago. **2.** Pasión, entusiasmo. **SIN. 2.** Brío. **ANT. 2.** Indiferencia.

ardoroso, sa *adj.* Ardiente, apasionado. **ANT.** Frío.

arduo, dua *adj.* Muy duro o difícil.

área *s. f.* **1.** Lugar o territorio dentro de unos límites. **2.** Todo lo que corresponde o pertenece a alguien o algo: *el área de la física.* **3.** Unidad de superficie, que equivale a un decámetro cuadrado. **4.** En fútbol y otros deportes, zona del terreno de juego más próxima a la portería. **SIN. 1.** Zona, extensión. **1** y **2.** Ámbito, campo.

arena *s. f.* Conjunto de pequeñas partículas que se separan de las rocas.

arenal *s. m.* Extensión grande de terreno arenoso.

arenga *s. f.* Discurso para comunicar entusiasmo a un grupo o animarle a hacer algo.

arengar *v.* Dirigir una arenga.

arenisca *s. f.* Roca formada por arena compacta.

arenoso, sa *adj.* Que tiene arena o se parece a ella.

arenque *s. m.* Pez marino parecido a la sardina que se consume fresco o en salazón.

arete *s. m.* Pendiente en forma de aro.

argamasa *s. f.* Mezcla de cal, arena y agua que se usa en albañilería.

argelino, na *adj.* y *s.* De Argelia, país de África, o de Argel, su capital.

argentífero, ra *adj.* Se dice de lo que contiene plata.

argentino, na *adj.* y *s.* De Argentina, país de América del Sur.

argolla *s. f.* Aro grueso. **SIN.** Anilla.

argot *s. m.* Lenguaje especial de un grupo social o de una profesión. **SIN.** Jerga.

argucia *s. f.* Truco o acción astuta para lograr algo. **SIN.** Treta, artimaña.

argüir *v.* Argumentar. Es v. irreg. Se conjuga como *huir.*

argumentación *s. f.* Acción de argumentar. **SIN.** Razonamiento.

argumental *adj.* Del argumento o relacionado con él.

argumentar *v.* Dar argumentos a favor o en contra de algo.

argumento *s. m.* **1.** Aquello de lo que trata una película, obra de teatro o li-

bro. 2. Razonamiento para defender o atacar algo. **Sin. 1.** Trama. **2.** Razón.

aria *s. f.* Pieza musical cantada por una sola voz en una ópera.

aridez *s. f.* Característica de las cosas áridas.

árido, da *adj.* **1.** Seco, con poca vegetación. **2.** Pesado, aburrido. **Sin. 1.** Estéril, yermo. **Ant. 1.** Fértil. **2.** Ameno.

aries *s. m.* Primer signo del zodiaco (del 20 de marzo al 20 de abril).

ariete *s. m.* **1.** Tronco con un remate en su extremo que se usaba antiguamente en la guerra para derribar puertas y murallas. **2.** Delantero centro de un equipo de fútbol.

arisco, ca *adj.* Poco sociable, que rechaza el trato con los demás. **Sin.** Intratable, huraño. **Ant.** Cariñoso.

arista *s. f.* Línea formada por la unión de dos planos. **Sin.** Ángulo, esquina.

aristocracia *s. f.* Conjunto de las personas que tienen título de nobleza.

aristócrata *adj. y s.* Persona que pertenece a la aristocracia. **Sin.** Noble.

aristocrático, ca *adj.* De la aristocracia.

aristotélico, ca *adj.* Del filósofo griego Aristóteles o relacionado con él.

aritmética *s. f.* Parte de las matemáticas que estudia los números y las operaciones que se pueden realizar con ellos: suma, resta, multiplicación y división.

aritmético, ca *adj.* De la aritmética o relacionado con ella.

arlequín *s. m.* Personaje cómico del teatro que actúa con una máscara y un traje de rombos.

arma *s. f.* **1.** Objeto o instrumento para atacar o defenderse. **2.** Medio para atacar y defenderse o conseguir algo: *La simpatía es su arma para convencerle.* **3.** Cada una de las secciones del ejército: *arma de infantería, arma de artillería.* || **4. arma blanca** La que tiene filo o punta, como un puñal. **5. arma de fuego** La que se dispara con una materia explosiva, como una escopeta. **Expr. de armas tomar** Muy enérgico, decidido o violento.

armada *s. f.* Conjunto de los barcos de guerra de un país. **Sin.** Escuadra, flota.

armadillo *s. m.* Mamífero americano de fuertes uñas y cuerpo protegido por placas duras.

armador *s. m.* Persona que proporciona a un barco todo lo que necesita.

armadura *s. f.* **1.** Traje compuesto por piezas de metal que servía de protección a los antiguos guerreros. **2.** Pieza o conjunto de piezas que sostienen o forman una cosa: *la armadura de las gafas.* **Sin. 2.** Armazón, estructura.

armamentismo *s. m.* Doctrina o actitud de los armamentistas.

armamentista *adj.* **1.** De las armas de guerra. || *adj. y s.* **2.** Partidario de aumentar el poder militar de un país.

armamento *s. m.* Conjunto de armas.

armar *v.* **1.** Proporcionar armas o equiparse de ellas. **2.** Causar, producir: *armar ruido.* **3.** Montar y ajustar las piezas de algo. || **armarse 4.** Prepararse para soportar o conseguir algo: *armarse de paciencia.* **Sin. 3.** Ensamblar. **Ant. 1 y 3.** Desarmar. **3.** Desmontar.

armario *s. m.* Mueble para guardar ropa y otros objetos. **Sin.** Ropero.

armatoste *s. m.* Cosa muy grande y que suele estorbar. **Sin.** Trasto, mamotreto.

armazón *s. amb.* Conjunto de piezas unidas que se emplea para poner algo encima, sostenerlo o darle forma. **Sin.** Estructura, armadura.

armella *s. f.* Hembrilla.

armenio, nia *adj. y s.* De Armenia, país de Asia.

armería *s. f.* **1.** Lugar donde se guardan o se exponen armas. **2.** Tienda donde se venden armas.

armero *s. m.* **1.** Persona que fabrica, vende o arregla armas. **2.** En el ejército, persona encargada de vigilar y mantener a punto las armas.

armiño *s. m.* Mamífero carnívoro pequeño y alargado, de piel suave parda o blanca, con la punta de la cola negra; su piel se utiliza en peletería.

armisticio *s. m.* Acuerdo por el que se detiene temporalmente un enfrentamiento armado.

armonía *s. f.* **1.** Hecho de resultar agradable y adecuada la combinación de varias cosas. **2.** Paz y entendimiento entre personas. **3.** En música, arte de formar y combinar los acordes. **Sin. 1.** Proporción, concordancia. **1 y 2.** Equilibrio. **2.** Amistad. **Ant. 1.** Desproporción. **2.** Enemistad.

armónica *s. f.* Instrumento musical de forma rectangular que tiene una serie de agujeros con lengüetas y se toca soplando o aspirando por ellos.

armónico, ca *adj.* Que tiene armonía. **Sin.** Armonioso.

armonio o **armónium** s. m. Órgano pequeño con la forma de un piano.

armonioso, sa adj. 1. Muy agradable al oído. 2. Que tiene armonía o se desarrolla en armonía. **Sin.** 2. Armónico.

armonizar v. 1. Poner en armonía. 2. En música, escribir los acordes de una melodía.

arnés s. m. 1. Conjunto de correas, como por ejemplo las que usan los alpinistas. || pl. 2. Correas que se ponen a las caballerías. **Sin.** 2. Arreos.

árnica s. f. 1. Hierba de flores amarillas y fuerte olor, de la que se obtiene un aceite utilizado para tratar golpes y torceduras. 2. Este aceite.

aro s. m. Objeto en forma de circunferencia. **Expr. entrar** (o **pasar**) **por el aro** Tener que hacer o decir una persona algo, aunque no quiera. **Sin.** Anillo, argolla.

aroma s. m. Olor muy agradable. **Sin.** Perfume, fragancia. **Ant.** Peste.

aromático, ca adj. De olor muy agradable. **Sin.** Perfumado. **Ant.** Apestoso.

aromatizante adj. y s. m. Que sirve para aromatizar.

aromatizar v. Dar aroma a algo.

arpa s. f. Instrumento musical, de forma triangular, con cuerdas colocadas verticalmente, que se hacen sonar con los dedos.

arpegio s. m. En música, conjunto de los sonidos de un acorde tocados separadamente.

arpía s. f. Mujer mala y cruel. **Sin.** Bruja.

arpillera s. f. Tejido muy áspero que se usa sobre todo para fabricar sacos.

arpón s. m. Instrumento formado por un mango largo con una punta de hierro y uno o más ganchos, que se usa para cazar animales marinos.

arponero s. m. Hombre que caza con arpón.

arqueado, da 1. p. de **arquear.** || adj. 2. Curvo, combado. **Ant.** 2. Recto.

arquear v. Curvar, dar forma de arco. **Sin.** Combar, alabear. **Ant.** Enderezar.

arquegonio s. m. Órgano reproductor femenino de musgos, helechos y plantas gimnospermas.

arqueología s. f. Ciencia que estudia los restos de antiguos pueblos y civilizaciones.

arqueológico, ca adj. De la arqueología o relacionado con ella: restos arqueológicos.

arqueólogo, ga s. m. y f. Persona que se dedica a la arqueología.

arquería s. f. Serie de arcos.

arquero, ra s. m. y f. Persona que tira con arco.

arquetipo s. m. Modelo ideal.

arquitecto, ta s. m. y f. Persona que tiene como profesión la arquitectura.

arquitectónico, ca adj. De la arquitectura o relacionado con ella.

arquitectura s. f. Ciencia y conjunto de técnicas que se ocupan de la realización de los planos y la construcción de edificios.

arquitrabe s. m. En arquitectura, parte inferior del entablamento, que se apoya sobre el capitel de la columna.

arrabal s. m. Barrio de las afueras de una ciudad. **Sin.** Suburbio. **Ant.** Centro.

arracimado, da adj. En forma de racimo.

arraigado, da 1. p. de **arraigar.** También adj. || adj. 2. Muy unido a donde se ha nacido o vivido.

arraigar v. 1. Echar raíces una planta. 2. Hacerse firme en alguien una costumbre, virtud, vicio, etc. **Sin.** 1. Enraizar, agarrar. 1 y 2. Prender. 2. Afianzarse, consolidarse.

arraigo s. m. Hecho de estar muy arraigado. **Sin.** Raigambre.

arramblar o **arramplar** v. Llevarse alguien todo lo que encuentra en un sitio.

arrancada s. f. 1. Acción de arrancar una máquina o vehículo. 2. Salida violenta de una persona o animal.

arrancamoños s. m. Fruto de algunas plantas, pequeño, ovalado y lleno de púas.

arrancar v. 1. Separar algo de donde está unido, tirando con fuerza. 2. Poner en marcha una máquina o vehículo. 3. Tener algo su origen: El problema arranca de hace años. **Sin.** 1. Extraer, sacar. 3. Provenir, proceder.

arranque s. m. 1. Acción de arrancar. 2. Manifestación brusca de un sentimiento: un arranque de ira. 3. Principio de algo. **Sin.** 2. Arrebato, ataque.

arras s. f. pl. Las trece monedas que entrega el hombre a la mujer en la ceremonia del matrimonio.

arrasar v. 1. Destruir completamente. 2. Triunfar de forma aplastante. **Sin.** 1. Devastar, asolar. 2. Arrollar.

arrastrado, da 1. p. de **arrastrar.** También adj. || adj. 2. Con muchos trabajos y necesidades. **Sin. 2.** Miserable. **Ant. 2.** Fácil.

arrastrar v. **1.** Llevar a una persona, animal o cosa por el suelo, tirando de ellos. **2.** Rozar el suelo o avanzar de esta manera. **3.** Sufrir, soportar desde hace tiempo. **Sin. 1.** Remolcar. **3.** Padecer.

arrastre s. m. Acción de arrastrar por el suelo. **Expr. para el arrastre** En muy malas condiciones.

¡arre! interj. Se usa para arrear a las caballerías.

¡arrea! interj. Expresa sorpresa.

arrear v. **1.** Gritar o golpear a las caballerías para que vayan más deprisa. **2.** Dar, pegar. **Sin. 1.** Espolear, aguijonear. **2.** Propinar.

arrebatador, ra adj. Que arrebata, encantador.

arrebatar v. **1.** Quitar con violencia. **2.** Atraer muchísimo. || **arrebatarse 3.** Quemarse un alimento. **Sin. 1.** Desposeer, despojar. **2.** Cautivar. **Ant. 1.** Devolver. **2.** Repeler.

arrebato s. m. Impulso repentino. **Sin.** Arranque, ataque.

arrebol s. m. **1.** Color rojo que tienen a veces las nubes. **2.** Color rojo de las mejillas. **Sin. 2.** Rubor.

arrebujar v. **1.** Doblar algo arrugándolo. || **arrebujarse 2.** Cubrirse o envolverse con algo: Se arrebujó en las sábanas.

arrechucho s. m. Malestar repentino y breve.

arreciar v. Hacerse más fuerte o intenso: La tormenta ha arreciado. **Sin.** Aumentar, crecer. **Ant.** Amainar.

arrecife s. m. Formación de rocas, corales, etc., en el fondo del mar, que llega casi a la superficie.

arredrar v. Acobardar, atemorizar. **Ant.** Envalentonarse.

arreglado, da 1. p. de **arreglar.** También adj. || adj. **2.** Barato.

arreglar v. **1.** Hacer que algo roto o estropeado funcione o quede bien. **2.** Solucionar. **3.** Poner limpio y en orden. **4.** Lavar, peinar y vestir. || **arreglarse 5.** Tener suficiente: Se arregla con poco dinero. **Sin. 1.** Reparar. **2.** Resolver. **3.** Ordenar. **4.** Acicalarse. **Ant. 1.** Desarreglar. **3.** Desordenar.

arreglista s. m. y f. Persona que hace arreglos musicales.

arreglo s. m. **1.** Acción de arreglar. **2.** Trato, acuerdo. || s. m. pl. **3.** Pequeños cambios que se hacen en una composición musical. **Sin. 1.** Reparación. **2.** Convenio.

arrejuntarse v. fam. Vivir juntos como un matrimonio sin estar casados. **Sin.** Amancebarse.

arrellanarse v. Sentarse muy cómodamente en un asiento. **Sin.** Apoltronarse, repantigarse.

arremangar v. Remangar.

arremeter v. Acometer o embestir.

arremetida s. f. Acción de arremeter. **Sin.** Embestida.

arremolinarse v. Amontonarse en un lugar. **Sin.** Aglomerarse, apiñarse. **Ant.** Dispersarse.

arrendador, ra s. m. y f. Persona que arrienda algo. **Sin.** Casero.

arrendajo s. m. Pájaro de la familia de los cuervos, de plumaje pardo rosado y alas negras con manchas azules, negras y blancas.

arrendamiento s. m. Acción de arrendar. **Sin.** Arriendo, alquiler.

arrendar v. Alquilar. □ Es v. irreg. Se conjuga como pensar.

arrendatario, ria adj. y s. Persona a la que se arrienda algo. **Sin.** Inquilino

arreos s. m. pl. Correajes o adornos de las caballerías. **Sin.** Arnés.

arrepentimiento s. m. Hecho de arrepentirse. **Sin.** Pesar.

arrepentirse v. **1.** Sentir pena por haber actuado mal o por no haber hecho algo. **2.** Volverse atrás en una intención. □ Es v. irreg. Se conjuga como sentir. **Sin. 1.** Lamentar.

arrestar v. Detener, poner preso. **Sin.** Apresar. **Ant.** Liberar.

arresto s. m. **1.** Acción de arrestar. || pl. **2.** Valor, decisión. **Sin. 2.** Brío, ímpetu. **Ant. 2.** Indecisión.

arriar v. Bajar las velas o las banderas izadas. **Ant.** Izar.

arriate s. m. Cuadro o rectángulo con plantas en jardines y patios.

arriba adv. **1.** Señala un lugar o parte más altos. **2.** En un escrito, anteriormente: Como se dijo arriba...

arribada s. f. Acción de arribar.

arribar v. Llegar una nave al puerto. **Sin.** Atracar. **Ant.** Zarpar.

arribista adj. y s. Se dice de la persona sin escrúpulos a la que sólo le interesa progresar.

arriendo s. m. Arrendamiento.

arriero s. m. Persona que lleva mercancías en bestias de carga.

arriesgado, da 1. *p.* de **arriesgar**. También *adj.* || *adj.* 2. Que tiene riesgo, peligroso.

arriesgar *v.* Poner en peligro. SIN. Exponer, aventurar.

arrimar *v.* Poner cerca. SIN. Aproximar, acercar. ANT. Alejar.

arrinconar *v.* 1. Poner en un rincón o lugar retirado. 2. Dejar de lado. 3. Cortar la salida a alguien para que no escape. SIN. 1. Apartar, arrumbar. 2. Olvidar. 3. Acorralar.

arritmia *s. f.* Ritmo irregular, sobre todo en los latidos del corazón.

arroba *s. f.* 1. Unidad de peso que equivale a 11,5 kilogramos. 2. Medida de líquidos que puede tener varias equivalencias.

arrocero, ra *adj.* 1. Del arroz o relacionado con él. || *s. m.* y *f.* 2. Persona que cultiva arroz.

arrodillarse *v.* Ponerse de rodillas.

arrogancia *s. f.* Característica de arrogante.

arrogante *adj.* 1. Muy orgulloso de sí mismo, que se siente superior a los demás. 2. Guapo, apuesto. SIN. 1. Altivo, soberbio. ANT. 1. Humilde.

arrogarse *v.* Adjudicarse sin razón cosas como autoridad o derechos.

arrojadizo, za *adj.* Hecho para ser lanzado: *arma arrojadiza.*

arrojado, da 1. *p.* de **arrojar**. También *adj.* || *adj.* 2. Valiente, atrevido.

arrojar *v.* 1. Lanzar, tirar. 2. Expulsar, echar.

arrojo *s. m.* Valentía, valor. SIN. Audacia, coraje. ANT. Cobardía.

arrollador, ra *adj.* Que arrolla: *un éxito arrollador.*

arrollar *v.* 1. Atropellar. 2. Arrastrar o destruir una cosa lo que encuentra a su paso. 3. Enrollar. 4. Triunfar por completo. SIN. 2 y 4. Arrasar. 4. Aplastar.

arropar *v.* Cubrir o abrigar con ropa. SIN. Tapar. ANT. Desarropar.

arrostrar *v.* Enfrentarse con algo, sobre todo si es desagradable. SIN. Encarar, afrontar. ANT. Rehuir.

arroyo *s. m.* Río pequeño. SIN. Riachuelo.

arroz *s. m.* 1. Planta gramínea, que se cultiva en terrenos encharcados; sus granos son un importante alimento. 2. Granos de esta planta.

arrozal *s. m.* Terreno sembrado de arroz.

arruga *s. f.* 1. Línea o pliegue en la piel, sobre todo al envejecer. 2. Pliegue o doblez en la ropa o en otra superficie lisa.

arrugar *v.* 1. Hacer arrugas. || **arrugarse** 2. Acobardarse. ANT. 1. Planchar. 2. Envalentonarse.

arruinar *v.* 1. Hacer que alguien pierda el dinero o los bienes que tenía. 2. Estropear o destruir. SIN. 1. Empobrecer. 2. Devastar, arrasar. ANT. 1. Enriquecer.

arrullador, ra *adj.* Que arrulla o adormece.

arrullar *v.* 1. Atraerse con un sonido especial el palomo y la paloma. 2. Adormecer con canciones suaves o sonidos agradables.

arrullo *s. m.* 1. Acción de arrullar. 2. Toquilla para envolver a un bebé.

arrumaco *s. m.* Caricia o gesto de cariño. SIN. Mimo.

arrumbar *v.* Arrinconar, poner en un rincón.

arsenal *s. m.* 1. Astillero. 2. Almacén de armas y materiales de guerra.

arsénico *s. m.* Elemento químico de propiedades intermedias entre los metales y los no metales; algunos de sus compuestos son muy venenosos.

arte *s. amb.* 1. Actividad del hombre destinada a crear algo bello. 2. Técnica o conocimiento para hacer algo: *el arte de cocinar.* || *s. f. pl.* 3. Maña, astucia: *malas artes.* || **4. arte mayor** y **arte menor** Ver **verso**. **5. séptimo arte** El cine. SIN. 2. Práctica, destreza. 3. Ingenio, treta.

artefacto *s. m.* Máquina, aparato.

artemisa o **artemisia** *s. f.* Planta aromática que tiene propiedades medicinales.

arteria *s. f.* 1. Conducto por donde va la sangre desde el corazón al resto del cuerpo. 2. Calle o carretera principal. SIN. 2. Avenida, autopista.

arterial *adj.* De las arterias.

arteriosclerosis o **arterioesclerosis** *s. f.* Enfermedad en la que las arterias se vuelven más gruesas y duras, e impiden el paso normal de la sangre.

artero, ra *adj.* Astuto, tramposo y malintencionado.

artesa *s. f.* Recipiente rectangular de madera, usado para amasar el pan, mezclar agua y cemento, etc.

artesanal *adj.* De la artesanía.

artesanía *s. f.* Trabajo hecho a mano o con instrumentos sencillos.

artesano, na *s. m.* y *f.* **1.** Persona que se dedica a la artesanía. || *adj.* **2.** De artesanía. **Ant. 2.** Industrial.

artesiano *adj.* Se dice del pozo en el que el agua sube a la superficie por sí sola.

artesonado *s. m.* Techo de madera dividido en figuras geométricas.

ártico, ca *adj.* Del polo norte. **Ant.** Antártico.

articulación *s. f.* **1.** Acción de articular. **2.** Unión de dos cosas de manera que puedan moverse, sobre todo dos huesos. **Sin. 2.** Coyuntura.

articulado, da 1. *p.* de **articular.** || *adj.* **2.** Con articulaciones: *un muñeco articulado.*

articular *v.* **1.** Unir dos o más cosas de tal manera que puedan moverse. **2.** Pronunciar los sonidos. **Ant. 1.** Desarticular.

articulatorio, ria *adj.* De la articulación de los sonidos.

articulista *s. m.* y *f.* Persona que escribe artículos en periódicos o revistas.

artículo *s. m.* **1.** Palabra que va delante del sustantivo y lo modifica, indicando su género, número y si es conocido o no por el hablante. **2.** Escrito breve sobre un tema en periódicos y revistas. **3.** Mercancía, producto. **4.** Cada parte de una ley o reglamento.

artífice *s. m.* y *f.* Autor de una cosa. **Sin.** Creador.

artificial *adj.* **1.** Hecho por los hombres: *un lago artificial.* **2.** Falso, fingido. **Sin. 1.** Sintético. **2.** Ficticio, simulado. **Ant. 1** y **2.** Natural. **2.** Auténtico, sincero.

artificiero *s. m.* Militar o policía experto en proyectiles y explosivos.

artificio *s. m.* **1.** Falta de naturalidad y sencillez. **2.** Aparato, mecanismo. **Sin. 1.** Artificiosidad, afectación. **2.** Artefacto, artilugio. **Ant. 1.** Espontaneidad.

artificioso, sa *adj.* Que no tiene naturalidad. **Sin.** Afectado, rebuscado. **Ant.** Natural.

artillería *s. f.* **1.** Parte del ejército que utiliza cañones. **2.** Estas armas.

artillero, ra *adj.* y *s.* De la artillería.

artilugio *s. m.* Aparato, mecanismo.

artimaña *s. f.* Treta, truco.

artiodáctilo *adj.* y *s. m.* Animal mamífero con las patas terminadas en un número par de dedos, como el cerdo, el camello o el toro.

artista *s. m.* y *f.* **1.** Persona que hace obras de arte. **2.** Persona que actúa en el teatro, en el cine y en otros espectáculos. **Sin. 1.** Creador. **2.** Actor, intérprete.

artístico, ca *adj.* Del arte o con arte.

artrítico, ca *adj.* y *s.* Relacionado con la artritis o que la padece.

artritis *s. f.* Inflamación de las articulaciones de los huesos.

artrópodo *adj.* y *s. m.* Se dice del animal invertebrado con esqueleto exterior, patas articuladas y cuerpo dividido en segmentos.

artrosis *s. f.* Enfermedad por la que se desgastan las articulaciones y pueden llegar a deformarse.

arzobispado *s. m.* Territorio y edificio donde realiza sus funciones el arzobispo.

arzobispo *s. m.* Obispo de categoría superior a los demás obispos.

arzón *s. m.* Pieza de la silla de montar en forma de arco.

as *s. m.* **1.** Carta de la baraja o cara del dado con el número uno. **2.** Persona muy buena en algo: *un as del motociclismo.* **Sin. 2.** Campeón, figura.

asa *s. f.* Parte de algunos objetos por donde se los agarra.

asado, da 1. *p.* de **asar.** También *adj.* || *s. m.* **2.** Carne asada o que se está asando.

asador *s. m.* **1.** Pincho para clavar la carne y asarla. **2.** Restaurante especializado en carne asada.

asadura *s. f.* Órganos comestibles de los animales, como el hígado o el corazón.

asalariado, da *adj.* y *s.* Que trabaja por un salario.

asalmonado, da *adj.* De color y sabor parecidos a los de la carne del salmón.

asaltante *adj.* y *s.* Que asalta.

asaltar *v.* **1.** Atacar un lugar o fortaleza enemigos. **2.** Entrar en un lugar o atacar a alguien para robar. **Sin. 2.** Atracar.

asalto *s. m.* **1.** Acción de asaltar. **2.** En deportes como el boxeo, cada parte del combate. **Sin. 1.** Atraco.

asamblea *s. f.* Reunión de personas para tratar o decidir algo. **Sin.** Junta.

asambleísta *s. m.* y *f.* Miembro de una asamblea.

asar *v.* **1.** Cocinar un alimento poniéndolo directamente al fuego o a la brasa. || **asarse 2.** Tener mucho calor. **Sin. 2.** Cocerse, asfixiarse. **Ant. 2.** Helarse.

ascendencia

ascendencia *s. f.* Antepasados de alguien. **Sin.** Estirpe, linaje. **Ant.** Descendencia.

ascendente *adj.* Que asciende o sube. **Ant.** Descendente.

ascender *v.* **1.** Subir: *Ascendieron al monte. Ascendió en la empresa.* **2.** Llegar a una cantidad: *La factura asciende a mil pesetas.* □ Es v. irreg. Se conjuga como *tender.* **Sin. 2.** Alcanzar. **Ant. 1.** Descender.

ascendiente *s. m. y f.* **1.** Antepasado de una persona. || *s. m.* **2.** Influencia, autoridad. **Sin. 1.** Antecesor. **2.** Peso, influjo. **Ant. 1.** Descendiente.

ascensión *s. f.* Acción de ascender. **Sin.** Ascenso, subida. **Ant.** Descenso.

ascensional *adj.* De ascensión: *movimiento ascensional.*

ascenso *s. m.* Ascensión, subida.

ascensor *s. m.* Cabina para subir y bajar de una planta a otra en un edificio. **Sin.** Montacargas, elevador.

ascensorista *s. m. y f.* Persona que maneja un ascensor o lo arregla o instala.

asceta *s. m. y f.* Persona que lleva una vida de sacrificio y oración.

ascético, ca *adj.* De los ascetas.

ascetismo *s. m.* Forma de vida y doctrina de los ascetas.

asco *s. m.* **1.** Sensación de desagrado muy fuerte. **2.** Manía, antipatía. **Sin. 1.** Repugnancia. **Ant. 1.** Agrado.

ascua *s. f.* Trozo de un material ardiendo, pero sin llama. **Expr. en ascuas** Muy inquieto o con mucha curiosidad. **Sin.** Brasa.

asear *v.* Limpiar, arreglar. **Sin.** Adecentar. **Ant.** Ensuciar.

asechanza *s. f.* Engaño, trampa.

asediar *v.* Rodear al enemigo para que no salga de donde está ni reciba ayuda. **Sin.** Sitiar, cercar.

asedio *s. m.* Acción de asediar. **Sin.** Sitio, cerco.

asegurado, da **1.** *p.* de asegurar. También *adj.* || *adj. y s.* **2.** Que ha contratado un seguro.

asegurador, ra *adj. y s.* Que hace seguros de vida, para coches, etc.

asegurar *v.* **1.** Hacer o poner firme o seguro. **2.** Afirmar que algo es verdad. **3.** Hacer un contrato con una compañía de seguros. || **asegurarse 4.** Comprobar algo para estar seguro. **Sin. 1.** Afianzar, consolidar. **2.** Garantizar. **4.** Cerciorarse. **Ant. 1.** Aflojar. **2.** Negar.

asemejarse *v.* Parecerse. **Ant.** Diferenciarse.

asentaderas *s. f. pl. fam.* Nalgas, posaderas.

asentador, ra *s. m. y f.* Persona que compra productos al por mayor y los vende a los comerciantes.

asentamiento *s. m.* Acción de asentar o asentarse.

asentar *v.* **1.** Asegurar, consolidar. **2.** Calmar, hacer volver a la normalidad: *asentar el estómago.* || **asentarse 3.** Establecerse en un lugar. □ Es v. irreg. Se conjuga como *pensar.* **Sin. 1.** Afirmar. **3.** Instalarse. **Ant. 2.** Revolver.

asentimiento *s. m.* Acción de asentir. **Sin.** Aprobación. **Ant.** Desacuerdo.

asentir *v.* Mostrar acuerdo o contestar que sí. □ Es v. irreg. Se conjuga como *sentir.* **Sin.** Aprobar; afirmar. **Ant.** Disentir; negar.

aseo *s. m.* **1.** Acción de asear. **2.** Cuarto de baño pequeño.

asépalo, la *adj.* Se dice del cáliz o la flor sin sépalos.

aséptico, ca *adj.* Limpio de gérmenes o microbios. **Ant.** Infectado.

asequible *adj.* **1.** Barato o fácil de conseguir. **2.** Fácil de entender. **Sin. 1 y 2.** Accesible. **2.** Comprensible. **Ant. 1.** Prohibitivo. **2.** Inaccesible.

aserción *s. f.* Acción de afirmar que algo es cierto. **Sin.** Aseveración.

aserradero *s. m.* Lugar donde se sierra la madera. **Sin.** Serrería.

aserrado, da **1.** *p.* de aserrar. También *adj.* || *adj.* **2.** En forma de dientes de sierra.

aserrar *v.* Serrar.

aserto *s. m.* Aserción, afirmación.

asesinar *v.* Matar intencionadamente.

asesinato *s. m.* Acción de asesinar.

asesino, na *adj. y s.* Que asesina.

asesor, ra *adj. y s.* Que asesora.

asesoramiento *s. m.* Acción de asesorar. **Sin.** Consejo, orientación.

asesorar *v.* Informar o aconsejar sobre algo. **Sin.** Orientar.

asesoría *s. f.* **1.** Actividad del asesor. **2.** Oficina donde se asesora sobre algunos asuntos, por ejemplo de leyes o económicos.

asestar *v.* Dar golpes.

aseveración *s. f.* Afirmación.

aseverar *v.* Asegurar, decir afirmando. **Sin.** Confirmar. **Ant.** Negar.

aseverativo, va *adj.* **1.** Que asevera. ‖ *adj.* y *s. f.* **2.** En gramática, enunciativa.

asexual *adj.* Que no tiene sexo o no se reproduce sexualmente. **ANT.** Sexual.

asfaltado, da 1. *p.* de **asfaltar**. También *adj.* ‖ *s. m.* **2.** Acción de asfaltar.

asfaltadora *s. f.* Máquina para asfaltar.

asfaltar *v.* Cubrir de asfalto.

asfalto *s. m.* Conjunto de sustancias derivadas del petróleo; mezclado con agua se usa para recubrir calles y carreteras.

asfixia *s. f.* **1.** Dificultad o imposibilidad de respirar. **2.** Sensación de agobio. **SIN. 2.** Ahogo.

asfixiante *adj.* Que produce asfixia.

asfixiar *v.* **1.** Producir o sentir asfixia. **2.** Agobiar, angustiar. **SIN. 1** y **2.** Ahogar. **ANT. 2.** Aliviar.

así *adv.* **1.** De la forma que se expresa: *Iba vestido así, con ropa deportiva.* **2.** Ojalá: *Así le parta un rayo.* ‖ (col.) **3.** Por eso: *No come y así le pasa lo que le pasa.* **4.** Aunque: *No te lo dirá, así le mates.* **EXPR. así así** Regular. **así como así** De cualquier manera: *No pensarás irte así como así.*

asiático, ca *adj.* y *s.* De Asia.

asidero *s. m.* **1.** Agarradero. **2.** Apoyo para conseguir algo.

asiduo, dua *adj.* y *s.* Que hace algo o va a un sitio con frecuencia.

asiento *s. m.* Objeto o lugar para sentarse en él.

asignación *s. f.* **1.** Acción de asignar. **2.** Sueldo, paga.

asignar *v.* **1.** Señalar lo que le corresponde a alguien o a algo. **2.** Destinar. **SIN. 1.** Adjudicar, distribuir. **2.** Adscribir.

asignatura *s. f.* Cada parte en que se divide el saber, como las matemáticas o la historia. **SIN.** Materia, disciplina.

asilar *v.* Dar asilo, sobre todo por razones políticas.

asilo *s. m.* **1.** Centro que acoge a ancianos pobres. **2.** Acogida, refugio.

asilvestrado, da *adj.* Se dice del animal doméstico que se vuelve salvaje.

asimétrico, ca *adj.* Que no es simétrico.

asimilación *s. f.* Acción de asimilar.

asimilar *v.* **1.** Comprender y retener lo que se aprende. **2.** Saber aceptar algo. **3.** Transformar los alimentos o las medicinas en sustancias necesarias para el organismo. **SIN. 1.** Entender. **3.** Digerir. **ANT. 3.** Rechazar.

asimismo *adv.* También, además. **ANT.** Tampoco.

asíndeton *s. m.* Figura retórica que consiste en no poner conjunciones, como en *Llegué, vi, vencí.*

asir *v.* Coger, agarrar. □ Es v. irregular. **SIN.** Sostener, sujetar. **ANT.** Soltar.

ASIR	
INDICATIVO	**SUBJUNTIVO**
Presente	**Presente**
asgo	asga
ases	asgas
ase	asga
asimos	asgamos
asís	asgáis
asen	asgan

asirio, ria *adj.* y *s.* De Asiria, antiguo reino mesopotámico.

asistencia *s. f.* **1.** Acción de asistir: *asistencia médica.* **2.** Personas presentes en un acto. **SIN. 1.** Auxilio, ayuda; presencia. **ANT. 1.** Ausencia.

asistenta *s. f.* Mujer que va a una casa para trabajar haciendo las tareas del hogar.

asistente *adj.* y *s.* **1.** Que asiste. ‖ **2. asistente social** Profesional que ayuda a personas con problemas de salud, familiares, educativos, etc.

asistir *v.* **1.** Ir a un sitio, estar presente en él. **2.** Dar alguien los cuidados o atenciones que necesita: *asistir a un herido.* **3.** Trabajar de asistenta. **SIN. 1.** Acudir. **2.** Atender, auxiliar. **ANT. 1.** Ausentarse.

asma *s. f.* Enfermedad de los bronquios que produce fatiga y dificultades en la respiración.

asmático, ca *adj.* y *s.* Relacionado con el asma o que la padece.

asno, na *s. m.* y *f.* Animal mamífero más pequeño que el caballo, con largas orejas y que se emplea para llevar carga.

asociación *s. f.* **1.** Acción de asociar. **2.** Agrupación de personas que tienen intereses comunes. **SIN. 2.** Sociedad, institución.

asociar *v.* **1.** Relacionar cosas o ideas. ‖ **asociarse 2.** Unirse para hacer algo en común. **3.** Hacerse socio: *asociarse a un club.*

asociativa *adj.* y *s. f.* Se dice de la propiedad de la suma y la multiplicación según la cual el resultado no varía al cambiar la agrupación de los sumandos o de los factores.

asolar v. Destruir, arrasar. ▫ Es v. irreg. Se conjuga como *contar*, pero se tiende a conjugarlo como regular.

asomar v. Dejar o dejarse ver algo por una abertura o por detrás de una cosa. Sin. Aparecer. Ant. Ocultar.

asombrar v. Causar o sentir asombro. Sin. Sorprender, admirar.

asombro s. m. Gran admiración, sorpresa o extrañeza.

asombroso, sa adj. Que causa asombro. Sin. Admirable.

asomo s. m. Señal o manifestación de algo: *Había entre ellos un asomo de desconfianza.* Sin. Muestra, indicio.

asonancia s. f. Rima asonante.

asonante adj. Se dice de la rima en que sólo son iguales las vocales.

aspa s. f. 1. Brazos en forma de X, como los de los molinos de viento o los de los ventiladores. 2. Cada uno de estos brazos.

aspaviento s. m. Gesto exagerado.

aspecto s. m. 1. Conjunto de rasgos externos de alguien o algo. 2. Parte que se tiene en cuenta de algo. Sin. 1. Apariencia, pinta.

aspereza s. f. Característica de áspero. Ant. Suavidad.

áspero, ra adj. 1. Que no es de tacto suave. 2. Seco, antipático. 3. Desagradable al gusto o al oído: *sabor áspero, voz áspera.* Sin. 1. Rasposo. 2. Hosco, huraño. 3. Acre; ronco. Ant. 2. Cordial.

aspersión s. f. Acción de esparcir un líquido a presión en pequeñas gotas.

aspersor s. m. Aparato que esparce líquido a presión.

áspid s. m. Víbora muy venenosa de color variable y parecida a las culebras.

aspillera s. f. Abertura larga y estrecha en las fortificaciones a través de la cual se disparaba.

aspiración s. f. 1. Acción de aspirar el aire. 2. Deseo, ambición. Sin. 1. Inspiración. Ant. 1. Espiración.

aspirador, ra adj. 1. Que aspira. ‖ s. m. o f. 2. Aparato eléctrico para aspirar el polvo o la suciedad.

aspirante adj. y s. Que aspira a algo: *el aspirante al título mundial.*

aspirar v. 1. Hacer llegar el aire a los pulmones. 2. Absorber gases, líquidos u otras sustancias. 3. Tener como meta: *Enrique aspira a convertirse en un gran actor.* Sin. 1. Inspirar. 3. Pretender, ambicionar. Ant. 1. Espirar. 3. Renunciar.

aspirina s. f. Medicamento para disminuir la fiebre y el dolor.

asquear v. Producir asco o repugnancia. Sin. Repugnar.

asquerosidad s. f. Cosa que da asco. Sin. Porquería.

asqueroso, sa adj. 1. Que causa asco. ‖ adj. y s. 2. Se dice de la persona a la que todo le da asco. Sin. 1. Sucio; malo. 2. Melindroso, escrupuloso. Ant. 1. Limpio; bueno.

asta s. f. 1. Palo al que se sujeta la bandera. 2. Cuerno de un animal.

astado, da adj. 1. Que tiene asta. ‖ s. m. 2. Toro de lidia.

astenia s. f. Debilidad, falta de fuerzas o flojera grande.

asténico, ca adj. y s. De la astenia o que la padece.

asterisco s. m. Signo ortográfico (*) que se emplea para indicar al lector que hay una nota que debe consultar, o para otros usos.

asteroide s. m. Cada uno de los pequeños y numerosos astros que giran principalmente entre las órbitas de Marte y Júpiter.

astigmatismo s. m. Defecto de la vista que impide ver con claridad los contornos de las imágenes.

astil s. m. 1. Mango de madera de algunas herramientas, como azadas y picos. 2. Barra horizontal de la balanza.

astilla s. f. Trozo pequeño que salta al partir o cortar madera y otros materiales duros.

astillar v. Hacer o hacerse astillas la madera o cosas parecidas.

astillero s. m. Lugar donde se construyen y reparan barcos. Sin. Arsenal, atarazana.

astracán s. m. Piel fina y rizada de cordero no nacido o recién nacido, empleada en peletería.

astrágalo s. m. Hueso del tobillo que se une a la tibia. Sin. Taba.

astral adj. De los astros del cielo.

astringente adj. y s. m. Que produce estreñimiento.

astro s. m. 1. Cualquier cuerpo del firmamento, como las estrellas o los planetas. 2. Persona muy admirada en un trabajo o actividad: *un astro del cine.* Sin. 2. Estrella.

astrolabio s. m. Antiguo instrumento para observar la posición y el movimiento de los astros y averiguar la altura a la que están.

astrología *s. f.* Estudio de la influencia de los astros en la forma de ser y el futuro de las personas.

astrólogo, ga *s. m.* y *f.* Especialista en astrología.

astronauta *s. m.* y *f.* Tripulante de una nave espacial. SIN. Cosmonauta.

astronáutica *s. f.* Actividad y ciencia que se ocupa de todo lo relacionado con los viajes y exploraciones espaciales en astronaves.

astronave *s. f.* Vehículo para viajar por el espacio. SIN. Cosmonave.

astronomía *s. f.* Ciencia que estudia el universo y los astros.

astronómico, ca *adj.* 1. Relacionado con la astronomía. 2. Se dice de las cantidades muy grandes: *un precio astronómico.* SIN. 2. Desorbitado. ANT. 2. Ridículo.

astrónomo, ma *s. m.* y *f.* Científico que se dedica a la astronomía.

astroso, sa *adj.* Sucio, harapiento. SIN. Desastrado, andrajoso, desarrapado. ANT. Limpio, aseado.

astucia *s. f.* Inteligencia y habilidad para conseguir lo que se quiere, para engañar a otros o para evitar ser engañado. SIN. Picardía, sagacidad. ANT. Inocencia.

astur *adj.* y *s.* De un antiguo pueblo celta de los territorios que hoy son Asturias y León.

asturiano, na *adj.* y *s.* De Asturias, comunidad autónoma de España.

asturleonés, sa *adj.* y *s.* 1. De Asturias y León. ‖ *s. m.* 2. Dialecto que se formó en Asturias y León.

astuto, ta *adj.* Que emplea la astucia o se hace con astucia. SIN. Pícaro, sagaz. ANT. Ingenuo.

asueto *s. m.* Descanso o vacaciones breves.

asumir *v.* 1. Encargarse de algo con responsabilidad: *asumir una tarea.* 2. Reconocer, admitir: *asumir una equivocación.* SIN. 1. Responsabilizarse. 2. Aceptar. ANT. 1. Rechazar.

asunción *s. f.* 1. Acción de asumir. 2. Según la religión católica, elevación al cielo de la Virgen María. SIN. 1. Admisión, aceptación, reconocimiento. ANT. 1. Rechazo.

asunto *s. m.* 1. Aquello de lo que trata una conversación, un escrito, una película, etc. 2. Actividad, ocupación, negocio. SIN. 1. Tema; argumento. 1 y 2. Cuestión.

asustadizo, za *adj.* Que se asusta con facilidad. SIN. Miedoso, medroso. ANT. Valiente.

asustar *v.* Causar susto o sentirlo. SIN. Atemorizar. ANT. Tranquilizar.

atacante *adj.* y *s.* Que ataca.

atacar *v.* 1. Dirigirse o actuar contra alguien o algo. 2. Destruir o causar daño. SIN. 1. Acometer, arremeter. 2. Perjudicar, dañar. ANT. 1. Defender.

atado, da *p.* de *atar.* También *adj.* ‖ *s. m.* 2. Hato, fajo. ANT. 1. Desatado.

atadura *s. f.* 1. Cuerda u otra cosa con que se ata algo. 2. Lo que une mucho a alguien con otra persona o cosa o hace que dependa de ella: *las ataduras familiares.* SIN. 2. Dependencia, ligadura.

atajar *v.* 1. Tomar un atajo. 2. Parar, detener: *atajar el fuego.* SIN. 1. Acortar. 2. Cortar, contener. ANT. 2. Avivar.

atajo *s. m.* 1. Camino por el que se llega antes. 2. Hatajo.

atalaje *s. m.* 1. Tiro de un carruaje. 2. Arreos de los caballos. SIN. 1 y 2. Atelaje.

atalaya *s. f.* Torre o lugar elevado desde el que se puede ver una gran extensión.

atañer *v.* Corresponder, importar. □ Es *v.* irreg. Se conjuga como *tañer.*

ataque *s. m.* 1. Acción de atacar. 2. Manifestación brusca y repentina de una enfermedad, sentimiento o estado de ánimo: *ataque al corazón, ataque de ira.* SIN. 1. Acometida, embestida. 2. Crisis. ANT. 1. Defensa.

atar *v.* 1. Sujetar con cuerdas, nudos o algo parecido. 2. Quitar libertad, independencia, tiempo libre. SIN. 1. Amarrar, anudar. 2. Limitar, esclavizar. ANT. 1. Desatar. 2. Liberar.

atarazana *s. f.* Astillero.

atardecer[1] *v.* Acabar la tarde al irse ocultando el sol. □ Es *v.* irreg. Se conjuga como *agradecer.* SIN. Oscurecer. ANT. Amanecer.

atardecer[2] *s. m.* Final de la tarde cuando empieza a ocultarse el sol. SIN. Ocaso, crepúsculo. ANT. Amanecer.

atareado, da *adj.* Muy ocupado. SIN. Ajetreado. ANT. Ocioso.

atascar *v.* 1. Impedir el paso por una tubería o conducto algo que se ha quedado dentro. ‖ **atascarse** 2. Quedarse detenido, sin poderse mover o continuar: *atascarse un cajón, atascarse al hablar.* SIN. 1. Taponar, atrancar. 2. Encajarse. ANT. 1. Desatascar.

atasco s. m. 1. Hecho de atascarse un tubo o conducto. 2. Acumulación de coches en una calle o carretera, que impide circular normalmente. Sin. 1 y 2. Tapón. 2. Embotellamiento, congestión.

ataúd s. m. Caja donde se coloca a los muertos para enterrarlos. Sin. Féretro.

ataviar v. Vestir, adornar.

atavío s. m. Vestido o adorno.

ateísmo s. m. Modo de pensar de los que no creen en Dios.

atelaje s. m. Atalaje.

atemorizar v. Causar temor o sentirlo. Sin. Asustar, amedrentar. Ant. Envalentonarse.

atenazar v. Coger con fuerza. Sin. Agarrar, aferrar. Ant. Soltar.

atención s. f. 1. Acción de atender. 2. Demostración de educación o respeto. Expr. llamar la atención Resultar extraño o llamativo; también, regañar. Sin. 1. Interés; cuidado, asistencia. 2. Consideración, cumplido. Ant. 1. Distracción. 2. Desconsideración.

atender v. 1. Ocuparse de alguien o algo. 2. Escuchar, estar pendiente. □ Es v. irreg. Se conjuga como *tender*. Sin. 1. Asistir, cuidar. Ant. 1. Desatender. 2. Distraerse.

ateneo s. m. Asociación científica o literaria.

atenerse v. Ajustarse, someterse. □ Es v. irreg. Se conjuga como *tener*. Sin. Cumplir. Ant. Rebelarse.

ateniense adj. y s. De Atenas, capital de Grecia y antigua república.

atentado s. m. 1. Acción violenta contra la vida de una persona. 2. Daño grave que se hace a algo. Sin. 1 y 2. Ataque, agresión.

atentamente adv. 1. Con atención o interés. 2. Con respeto y cortesía.

atentar v. Cometer un atentado. Sin. Atacar, agredir.

atento, ta adj. 1. Que presta atención. 2. Amable, educado. Sin. 1. Pendiente. 2. Cortés, considerado. Ant. 1. Distraído. 2. Descortés.

atenuante adj. y s. Que hace que algo sea menos intenso o grave.

atenuar v. Disminuir la intensidad o gravedad de algo. Sin. Suavizar, moderar. Ant. Acentuar.

ateo, a adj. y s. Que no cree en Dios. Ant. Creyente.

aterciopelado, da adj. Suave como el terciopelo.

aterido, da adj. Helado, con mucho frío. Sin. Pasmado.

aterrador, ra adj. Que causa terror.

aterrar v. Aterrorizar.

aterrizaje s. m. Acción de aterrizar.

aterrizar v. Bajar hasta posarse en el suelo un avión u otra aeronave. Ant. Despegar.

aterrorizar v. Dar mucho miedo. Sin. Aterrar, espantar. Ant. Tranquilizar.

atesorar v. Reunir dinero o riquezas. Sin. Acumular, amontonar.

atestado s. m. Escrito oficial en que se cuenta cómo ha ocurrido un hecho. Sin. Testimonio, acta.

atestado, da 1. p. de atestar. || adj. 2. Lleno, abarrotado. Ant. 2. Vacío.

atestar v. Llenar por completo un lugar. Sin. Abarrotar. Ant. Vaciar.

atestiguar v. 1. Declarar como testigo. 2. Demostrar, probar. Sin. 1. Testificar.

atezado, da adj. De piel oscura, moreno.

atiborrado, da 1. p. de atiborrar. || adj. 2. Muy lleno, harto.

atiborrar v. 1. Llenar demasiado. 2. Hartar de comida. Sin. 1. Atestar. 2. Atracar. Ant. 1. Vaciar.

ático s. m. Último piso de un edificio, generalmente con el muro de la fachada metido hacia dentro.

atildado, da adj. Que va muy arreglado. Sin. Acicalado.

atinado, da 1. p. de atinar. También adj. || adj. 2. Acertado, adecuado.

atinar v. Acertar. Ant. Errar.

atípico, ca adj. Que no es típico o corriente. Sin. Inusual.

atiplado, da adj. Se dice de la voz o el sonido agudo.

atisbar v. Ver u observar sin mucha claridad. Sin. Acechar, espiar.

atisbo s. m. Primera señal de algo. Sin. Signo, indicio.

¡atiza! interj. Expresa sorpresa, asombro. Sin. ¡Arrea!

atizador s. m. Instrumento para atizar el fuego.

atizar v. 1. Remover el fuego o echarle combustible para que arda más. 2. Pegar, sacudir. Ant. 1. Apagar.

atlante s. m. Estatua que representa un hombre, que sujeta un techo, una cornisa, etc.

atlántico, ca adj. Del océano Atlántico y de los territorios a orillas de él.

atlas *s. m.* Libro de mapas.

atleta *s. m.* y *f.* Persona que practica el atletismo.

atlético, ca *adj.* **1.** De los atletas o del atletismo. **2.** Que tiene el aspecto de un atleta.

atletismo *s. m.* Conjunto de deportes que comprende diversas clases de carreras, saltos y lanzamientos.

atmósfera *s. f.* **1.** Capa gaseosa que rodea la Tierra. **2.** Ambiente: *En la pandilla hay una atmósfera de compañerismo.* **Sin. 2.** Clima.

atmosférico, ca *adj.* De la atmósfera o relacionado con ella.

atocinar *v.* Volver tonto, torpe.

atolladero *s. m.* Situación difícil. **Sin.** Aprieto, apuro.

atolón *s. m.* Isla o arrecife de coral en forma de anillo.

atolondrado, da **1.** *p.* de **atolondrar.** También *adj.* || *adj.* **2.** Alocado, que actúa sin pensar. **Sin. 2.** Imprudente, irreflexivo. **Ant. 2.** Prudente.

atolondrar *v.* Aturdir, atontar.

atómico, ca *adj.* Del átomo o de la energía producida con él. **Sin.** Nuclear.

atomizador *s. m.* Pulverizador, spray.

átomo *s. m.* Partícula más pequeña de un elemento químico, que conserva todas sus propiedades.

atónito, ta *adj.* Asombrado, pasmado.

átono, na *adj.* Que se pronuncia sin acento. **Ant.** Tónico.

atontado, da **1.** *p.* de **atontar.** || *adj.* y *s.* **2.** Tonto o aturdido. **Ant. 2.** Espabilado.

atontamiento *s. m.* Estado de la persona que se encuentra atontada.

atontar *v.* Dejar o quedarse tonto o como tonto. **Sin.** Aturdir. **Ant.** Espabilar.

atontolinado, da *adj.* Atontado.

atorar *v.* Atascar.

atormentar *v.* Hacer sufrir. **Sin.** Martirizar, mortificar. **Ant.** Reconfortar.

atornillar *v.* Poner un tornillo o sujetar con tornillos. **Ant.** Desatornillar.

atosigar *v.* Molestar a alguien metiéndole prisa o pidiéndole cosas costantemente. **Sin.** Acuciar; importunar.

atracadero *s. m.* Lugar donde atracan embarcaciones pequeñas.

atracador, ra *s. m.* y *f.* Persona que comete un atraco. **Sin.** Asaltante.

atracar *v.* **1.** Dejar o quedarse una embarcación en un puerto u otro lugar de la costa. **2.** Cometer un atraco.

atracarse *v.* Hartarse de comer. **Sin.** Atiborrarse.

atracción *s. f.* **1.** Acción de atraer. **2.** Espectáculo, aparato, etc., para divertirse: *parque de atracciones.* **Sin. 2.** Diversión.

atraco *s. m.* Acción de entrar en un lugar o atacar a alguien para robar. **Sin.** Asalto, robo.

atracón *s. m.* Acción de comer o hacer otra cosa en exceso. **Sin.** Panzada.

atractivo, va *adj.* **1.** Que atrae o gusta. || *s. m.* **2.** Lo que atrae o gusta de una persona o cosa. **Sin. 1.** Seductor. **2.** Encanto, gracia. **Ant. 1.** Repelente.

atraer *v.* **1.** Traer hacia sí: *El imán atrae al hierro.* **2.** Interesar, gustar. Es v. irreg. Se conjuga como *traer.* **Ant. 1** y **2.** Repeler.

atragantarse *v.* **1.** Sentir ahogo al quedarse algo en la garganta. **2.** Resultar muy difícil.

atrancar *v.* **1.** Atascar. **2.** Cerrar la puerta con una tranca. **Sin. 1.** Obstruir. **Ant. 1** y **2.** Desatrancar.

atrapar *v.* Agarrar, pillar. **Sin.** Apresar. **Ant.** Soltar.

atraque *s. m.* Acción de atracar una embarcación.

atrás *adv.* **1.** En la parte de detrás o hacia esa parte: *Atrás hay sitio. Vente atrás.* **2.** Expresa tiempo pasado: *Ocurrió años atrás.* **3.** En una posición retrasada. **Sin. 2.** Antes. **Ant. 1.** Delante, adelante. **2.** Después.

atrasado, da **1.** *p.* de **atrasar.** También *adj.* || *adj.* **2.** Antiguo, pasado. **Ant. 1.** Adelantado. **2.** Nuevo.

atrasar *v.* **1.** Retrasar. **2.** Marchar un reloj más despacio de lo normal. **Sin. 1.** Aplazar, posponer, demorar. **Ant. 1** y **2.** Adelantar.

atraso *s. m.* **1.** Retraso. || *pl.* **2.** Dinero de un pago que debería haberse hecho antes. **Sin. 1.** Demora. **Ant. 1.** Antelación. **1** y **2.** Adelanto. **2.** Anticipo.

atravesado, da **1.** *p.* de **atravesar.** También *adj.* || *adj.* y *s.* **2.** Desconfiado y de malas intenciones. **Sin. 2.** Retorcido.

atravesar *v.* **1.** Pasar o meter de una parte a otra. **2.** Poner en medio. **3.** Pasar: *Atraviesa un mal momento.* || **atravesarse 4.** Resultar muy difícil o molesto. □ Es v. irreg. Se conjuga como *pensar.* **Sin. 1.** Taladrar; cruzar. **2.** Bloquear. **4.** Atragantarse.

atrayente *adj.* Que atrae, atractivo. **Sin.** Sugestivo, tentador.

atreverse v. Tener valor para algo. **Sin.** Arriesgarse. **Ant.** Acobardarse.

atrevido, da 1. p. de **atreverse**. También adj. y s. || adj. y s. 2. Descarado, desvergonzado. **Sin.** 1 y 2. Osado. 2. Fresco, caradura. **Ant.** 1 y 2. Vergonzoso. 2. Comedido.

atrevimiento s. m. Osadía, descaro. **Ant.** Vergüenza.

atribución s. f. 1. Acción de atribuir. 2. Lo que puede o debe hacer alguien por su cargo.

atribuir v. Señalar que algo corresponde a una persona o cosa. □ Es v. irreg. Se conjuga como huir. **Sin.** Achacar.

atribular v. Apenar, entristecer. **Ant.** Alegrar.

atributivo, va adj. 1. Se dice del verbo copulativo y de las oraciones con este tipo de verbo. 2. Se dice del adjetivo cuando va unido directamente al sustantivo.

atributo s. m. 1. Cualidad. 2. Palabra o palabras que califican al sujeto de una oración y van unidas a éste con los verbos ser, estar o parecer.

atrición s. f. En la religión católica, arrepentimiento de haber pecado, por miedo al castigo.

atril s. m. Tablero inclinado o utensilio para apoyar libros y papeles y leerlos con comodidad.

atrincherarse v. Ponerse en trincheras o en otro lugar semejante para protegerse del enemigo.

atrio s. m. 1. Espacio cubierto y con columnas que sirve de entrada a algunas iglesias y palacios. 2. Claustro de algunos edificios.

atrocidad s. f. 1. Gran crueldad. 2. Disparate, barbaridad. **Sin.** 1. Bestialidad.

atrofia s. f. Falta de desarrollo en una parte del cuerpo.

atrofiar v. Producir atrofia.

atronador, ra adj. Se dice del sonido muy fuerte, que hace daño al oído. **Sin.** Ensordecedor.

atronar v. 1. Hacer un fuerte ruido, como los truenos. 2. Ensordecer, molestar con un fuerte ruido.

atropelladamente adv. De forma atropellada.

atropellado, da 1. p. de **atropellar**. También adj. || adj. 2. Con prisas, de forma confusa y desordenada. **Sin.** 2. Atolondrado, precipitado. **Ant.** 2. Pausado.

atropellar v. 1. Pasar un vehículo por encima de una persona o animal, o darles un golpe. 2. Empujar para abrirse paso. 3. Abusar, no respetar. || **atropellarse** 4. Hablar o actuar con prisas y desordenadamente.

atropello s. m. 1. Acción de atropellar o atropellarse. 2. Abuso, acción injusta.

atroz adj. 1. Muy cruel. 2. Muy grande, tremendo. 3. Muy malo. **Sin.** 1. Salvaje, brutal. 1 y 3. Horrible, espantoso. 2. Desmesurado, enorme.

attrezzo (ital.) s. m. Vestuario, muebles y otras cosas necesarias para representar una obra de teatro o televisión.

atuendo s. m. Ropa, vestimenta.

atufar v. Despedir humo o mal olor. **Sin.** Apestar.

atún s. m. Pez marino de gran tamaño y color negro azulado. Es apreciado como alimento.

atunero adj. 1. Relacionado con la pesca del atún. || adj. y s. m. 2. Se dice del barco preparado para la pesca de atún.

aturdido, da 1. p. de **aturdir**. || adj. 2. Atontado, desconcertado.

aturdimiento s. m. Estado de la persona aturdida.

aturdir v. Dejar o quedarse atontado, desconcertado.

aturullar v. Confundir, liar.

atusar v. Arreglar a alguien ligeramente, colocándole el pelo o la ropa.

audacia s. f. Característica de audaz. **Sin.** Valentía. **Ant.** Cobardía.

audaz adj. Atrevido, valiente. **Ant.** Cobarde.

audición s. f. 1. Capacidad para oír. 2. Concierto, recital o lectura en público.

audiencia s. f. 1. Hecho de recibir y escuchar al rey, un jefe de estado u otra persona importante a quienes acuden a él. 2. Conjunto de personas que escuchan o ven un programa de radio o televisión. 3. Tribunal de justicia de un territorio. **Sin.** 1. Recepción. 2. Auditorio, público.

audífono s. m. Aparato que llevan los sordos para poder oír.

audiovisual adj. Relacionado con el oído y la vista.

auditivo, va adj. Del oído o relacionado con el oído.

auditor, ra adj. y s. Que hace auditorías.

auditoría s. f. Revisión de la situación económica y administrativa de una empresa.

auditorio *s. m.* **1.** Conjunto de oyentes de un concierto, conferencia y otros actos públicos. **2.** Local para escuchar conciertos y conferencias. **SIN. 1.** Audiencia, público.

auditorium *s. m.* Auditorio, local.

auge *s. m.* Momento mejor, de más importancia o desarrollo de algo. **SIN.** Apogeo, plenitud. **ANT.** Ocaso.

augur *s. m.* En la antigua Roma, sacerdote que predecía el futuro.

augurar *v.* Anunciar el futuro, predecir. **SIN.** Presagiar, pronosticar.

augurio *s. m.* Señal de buena o mala suerte. **SIN.** Presagio, pronóstico.

augusto, ta *adj.* Muy importante o respetado. **SIN.** Honorable.

aula *s. f.* Sala donde se da clase.

aullar *v.* Dar aullidos.

aullido *s. m.* Sonido agudo y prolongado que emiten animales como los lobos o los perros.

aumentar *v.* Hacer algo más grande, intenso o numeroso. **SIN.** Crecer, agrandar. **ANT.** Disminuir.

aumentativo, va *adj. y s. m.* Se dice de los sufijos que expresan mayor tamaño o intensidad, como *-ón* (*chuletón*) o *-azo* (*buenazo*). **ANT.** Diminutivo.

aumento *s. m.* Acción de aumentar. **SIN.** Ampliación, incremento. **ANT.** Disminución.

aun *adv.* Incluso, hasta: *Aun los días de lluvia hace footing.*

aún *adv.* Todavía.

aunar *v.* Reunir personas o cosas para conseguir algo: *aunar esfuerzos.* **SIN.** Unir, unificar. **ANT.** Separar.

aunque *conj.* Indica una dificultad o un inconveniente, pero que no impide que se realice algo: *Iremos aunque haga mal tiempo.*

¡aúpa! *interj.* Sirve para animar a alguien, por ejemplo para que se levante. **EXPR. de aúpa** Muy grande, tremendo.

aupar *v.* Levantar a alguien o ayudarle a hacerlo. **SIN.** Alzar, encaramarse.

áureo, a *adj.* De oro o parecido a él.

aureola o **auréola** *s. f.* **1.** Corona circular que aparece alrededor de la cabeza de las imágenes de los santos. **2.** Fama o admiración que rodea a alguien. **SIN. 1.** Nimbo. **1 y 2.** Halo.

aurícula *s. f.* Cada una de las dos cavidades superiores del corazón, a las cuales llega la sangre procedente de las venas.

auricular *s. m.* **1.** Parte del teléfono y de otros aparatos que se acerca al oído para escuchar. || *adj.* **2.** Del oído.

aurífero, ra *adj.* Que contiene oro.

auriga *s. m.* Persona que conducía un carro en el antiguo circo griego y romano.

aurora *s. f.* **1.** Luz débil antes de la salida del sol. **2.** Claridad parecida a esa luz que se produce en las regiones del polo norte (**aurora boreal**) y del polo sur (**aurora austral**). **SIN. 1.** Alba, amanecer.

auscultación *s. f.* Acción de auscultar.

auscultar *v.* En medicina, escuchar con un instrumento especial los sonidos del pecho o del vientre.

ausencia *s. f.* **1.** Hecho de no estar alguien en un lugar o acto. **2.** Falta: *El silencio es la ausencia de ruido.* **SIN. 1.** Desaparición. **2.** Carencia. **ANT. 1 y 2.** Presencia. **2.** Existencia.

ausentarse *v.* Irse, no estar. **SIN.** Marcharse. **ANT.** Quedarse.

ausente *adj.* **1.** Que no está en un lugar. **2.** Distraído. **ANT. 1.** Presente. **2.** Atento.

auspiciar *v.* Proteger, apoyar.

auspicio *s. m.* **1.** Protección, apoyo. || *pl.* **2.** Señales buenas o malas que anuncian algo. **SIN. 1.** Tutela, amparo. **2.** Presagio.

austeridad *s. f.* Característica de austero.

austero, ra *adj.* Que no tiene o no quiere lujos, comodidades o adornos: *una vida austera, una decoración austera.* **SIN.** Sobrio, moderado, sencillo. **ANT.** Lujoso.

austral *adj.* Del polo sur o del hemisferio sur. **SIN.** Antártico. **ANT.** Boreal, ártico.

australiano, na *adj. y s.* De Australia, país de Oceanía.

austriaco, ca o **austríaco, ca** *adj. y s.* De Austria, país de Europa.

autenticar *v.* Autentificar.

autenticidad *s. f.* Característica de auténtico. **ANT.** Falsedad.

auténtico, ca *adj.* Que es lo que parece o lo que indica su nombre: *diamantes auténticos.* **SIN.** Verdadero, legítimo. **ANT.** Falso.

autentificar *v.* Probar la autenticidad de algo. **SIN.** Autenticar.

autillo *s. m.* Ave rapaz nocturna, pequeña, de color pardo y con dos cuernecillos a modo de orejas.

autismo s. m. Trastorno mental que provoca el aislamiento de la persona respecto al ambiente que la rodea.

autista adj. y s. Que padece autismo.

auto[1] s. m. **1.** Resolución de un juez sobre cuestiones para las que no es necesaria una sentencia. **2.** Obra de teatro breve y normalmente de tema religioso: *auto sacramental*.

auto[2] s. m. Forma abreviada de **automóvil**.

autoabastecerse v. Abastecerse uno mismo. □ Es v. irreg. Se conjuga como *agradecer*.

autobiografía s. f. Escrito en el que el autor cuenta su propia vida.

autobiográfico, ca adj. Que constituye una autobiografía: *relato autobiográfico*.

autobús s. m. Vehículo de motor para transportar muchas personas.

autocar s. m. Autobús que circula por carretera o de una población a otra.

autocine s. m. Cine al aire libre y en el que se ve la película desde el propio coche.

autoclave s. f. Recipiente cerrado herméticamente para calentar líquidos a temperaturas superiores a su punto de ebullición.

autocontrol s. m. Control de sí mismo.

autocrítica s. f. Crítica que hace uno de sí mismo.

autóctono, na adj. Que es del mismo lugar en que está o se produce. Sin. Aborigen, indígena. Ant. Extranjero.

autodeterminación s. f. Derecho que tienen los habitantes de un territorio para elegir su futuro régimen político.

autodidacta adj. y s. Que aprende por sí mismo, sin ayuda de maestro.

autoescuela s. f. Escuela en la que se enseña a conducir coches y otros vehículos.

autoestop s. m. Modo de viajar gratis en el vehículo de otra persona, a la que se hace parar mediante una señal.

autoestopista s. m. y f. Persona que viaja haciendo autoestop.

autoevaluación s. f. Evaluación que hace uno mismo de su propio trabajo o examen.

autógena adj. Se dice de la soldadura que se hace fundiendo dos piezas del mismo metal.

autogiro s. m. Aeronave sin alas con una hélice delante y otra en la parte de arriba.

autogobierno s. m. Acción de gobernarse a sí mismo un país, una empresa, etc.

autógrafo, fa adj. y s. m. **1.** Escrito a mano por el mismo autor. || s. m. **2.** Firma de una persona, sobre todo si es famosa.

autómata s. m. Máquina de forma humana. Sin. Robot.

automáticamente adv. De manera automática.

automático, ca adj. **1.** Que funciona por sí solo. **2.** Que se hace mecánicamente, sin pensar: *un gesto automático*. || s. m. **3.** Cierre formado por dos piezas que encajan a presión. **4.** Interruptor que corta la corriente en algunos casos, como medida de seguridad. Sin. 2. Mecánico. Ant. 2. Consciente.

automatizar v. Emplear medios automáticos en una actividad.

automoción s. f. Conocimientos y actividades relacionados con la construcción y conducción de automóviles.

automóvil s. m. Vehículo sobre ruedas, con motor, que no circula sobre carriles, sobre todo el de cuatro ruedas para pocos ocupantes. Sin. Coche.

automovilismo s. m. **1.** Deporte consistente en carreras de automóviles. **2.** Automoción.

automovilista s. m. y f. Persona que conduce un automóvil.

automovilístico, ca adj. De los automóviles o del automovilismo.

autonomía s. f. Libertad o independencia de una persona, de un territorio, etc.

autonómico, ca adj. De la autonomía o de las comunidades autónomas.

autónomo, ma adj. **1.** Que tiene autonomía. **2.** Que trabaja por su cuenta y no en una empresa. || **3. comunidad autónoma** Cada una de las comunidades españolas con gobierno propio. Sin. 1. Independiente.

autopista s. f. Carretera rápida con varios carriles separados para cada sentido, sin cruces y con entradas y salidas establecidas.

autopsia s. f. Examen médico de un cadáver para conocer la causa de su muerte.

autor, ra s. m. y f. Persona que hace una cosa: *el autor de una novela, de un crimen*.

autoría s. f. Identidad del autor de algo, hecho de ser autor.

autoridad *s. f.* **1.** Poder para mandar, influencia. **2.** Persona con poder debido al cargo público que ocupa. **3.** Persona con grandes conocimientos en una materia.

autoritario, ria *adj.* y *s.* Que impone su autoridad sin permitir que nadie le discuta. Sin. Déspota. Ant. Tolerante.

autoritarismo *s. m.* Actitud o conducta autoritaria.

autorización *s. f.* Acción de autorizar.

autorizado, da **1.** *p.* de **autorizar.** También *adj.* ‖ *adj.* **2.** Con autoridad en una materia. Sin. **2.** Acreditado. Ant. **1.** Desautorizado.

autorizar *v.* Dar permiso o poder para algo. Sin. Permitir, facultar. Ant. Prohibir.

autorradio *s. m.* Aparato de radio instalado en un automóvil.

autorretrato *s. m.* Retrato de una persona hecho por ella misma.

autoservicio *s. m.* Tienda o restaurante donde el cliente se sirve él mismo.

autosuficiencia *s. f.* Hecho de ser autosuficiente.

autosuficiente *adj.* **1.** Que se basta a sí mismo. **2.** Presumido, engreído.

autótrofo, fa *adj.* Se dice de los seres vivos que fabrican sus propios alimentos a partir de sustancias inorgánicas, como las plantas clorofílicas. Ant. Heterótrofo.

autovía *s. f.* Carretera parecida a la autopista.

auxiliar¹ *v.* Dar o prestar auxilio. Sin. Ayudar, asistir, socorrer, amparar. Ant. Abandonar.

auxiliar² *adj.* y *s. m.* **1.** Que auxilia o ayuda. **2.** Se dice de los verbos que se construyen con otros para formar tiempos compuestos (*haber*), la voz pasiva (*ser*) o perífrasis (*estar, ir, echar*, etc.) ‖ *s. m.* y *f.* **3.** Persona que ayuda a otra o colabora con ella: *auxiliar de clínica, auxiliar administrativo.* Sin. **3.** Ayudante.

auxilio *s. m.* **1.** Ayuda. ‖ **2.** primeros auxilios Primeros cuidados que se prestan a un enfermo o herido. Sin. **1.** Amparo, socorro. Ant. **1.** Abandono.

aval *s. m.* Compromiso de pagar un préstamo que ha pedido otra persona, si ésta no lo paga.

avalancha *s. f.* **1.** Masa de nieve que resbala de un monte y cae de golpe. **2.** Gran cantidad de personas o cosas que llegan de repente. Sin. **1** y **2.** Alud.

avalar *v.* **1.** Servir de aval. **2.** Demostrar las buenas cualidades de alguien: *Varios premios avalan a ese escritor.* Sin. **2.** Acreditar. Ant. **2.** Desacreditar.

avalista *s. m.* y *f.* Persona que avala.

avance *s. m.* **1.** Acción de avanzar. **2.** Muestra de algo que se desarrollará más tarde: *un avance informativo.* Sin. **1.** Adelanto. Ant. **1.** Retroceso.

avanzadilla *s. f.* Grupo de soldados que se separan de los demás para explorar.

avanzado, da **1.** *p.* de **avanzar.** También *adj.* ‖ *adj.* **2.** Se dice de la edad de una persona anciana. **3.** Progresista. Sin. **3.** Liberal. Ant. **3.** Retrógrado.

avanzar *v.* **1.** Ir o mover hacia adelante. **2.** Transcurrir el tiempo. **3.** Progresar, mejorar. Sin. **1** y **3.** Adelantar. **3.** Prosperar. Ant. **1.** Retroceder. **3.** Empeorar.

avaricia *s. f.* Ansia de acumular riquezas. Expr. **con avaricia** Muy: *Es feo con avaricia.* Sin. Codicia.

avaricioso, sa *adj.* y *s.* Que tiene avaricia. Sin. Avaro, codicioso.

avariento, ta *adj.* y *s.* Avaricioso.

avaro, ra *adj.* y *s.* **1.** Avaricioso. **2.** Tacaño. Sin. **1.** Codicioso. **2.** Agarrado. Ant. **1** y **2.** Generoso.

avasallador, ra *adj.* Que avasalla.

avasallar *v.* Actuar sin tener en cuenta los derechos de los demás. Sin. Atropellar.

avatares *s. m. pl.* Cambios y cosas diferentes que van ocurriendo. Sin. Vueltas, sucesos.

ave *s. f.* Animal vertebrado con el cuerpo cubierto de plumas, que tiene alas y pico y se reproduce por medio de huevos.

avecinarse *v.* Aproximarse, estar cerca. Sin. Acercarse.

avecindarse *v.* Establecerse en una población.

avefría *s. f.* Ave zancuda de dorso negro verdoso, vientre blanco y cresta.

avejentado, da *p.* de **avejentar.** También *adj.* Sin. Aviejado. Ant. Rejuvenecido.

avejentar *v.* Hacer que una persona parezca más vieja de lo que es. Sin. Aviejar. Ant. Rejuvenecer.

avellana *s. f.* Fruto del avellano, de cáscara marrón casi redonda y con una semilla comestible en su interior.

avellano *s. m.* Arbusto de madera dura y flexible cuyo fruto es la avellana.

avemaría *s. f.* Una de las oraciones a la Virgen María.

avena *s. f.* Planta parecida al trigo y la cebada; sus granos se emplean sobre todo para alimentar a las caballerías.

avenencia *s. f.* Acción de avenir o avenirse. **Sin.** Acuerdo, conformidad. **Ant.** Enfrentamiento.

avenida *s. f.* **1.** Calle ancha de una ciudad. **2.** Inundación, riada. **Sin. 1.** Alameda, paseo.

avenido, da **1.** *p.* de **avenir.** ‖ *adj.* **2.** Que se lleva bien o mal con otro: *unos hermanos bien avenidos.*

avenir *v.* **1.** Poner de acuerdo a los que están enfrentados. ‖ **avenirse 2.** Aceptar, mostrarse conforme.

aventajado, da *adj.* Que destaca o aventaja a los demás: *un alumno aventajado.* **Sin.** Adelantado. **Ant.** Atrasado.

aventajar *v.* Sacar ventaja a otros en algo. **Sin.** Sobrepasar, superar. **Ant.** Atrasarse.

aventar *v.* Echar al viento los granos de cereal para separarlos de la paja. ▫ Es v. irreg. Se conjuga como *pensar.*

aventura *s. f.* **1.** Suceso extraordinario y emocionante. **2.** Relación amorosa corta y poco importante. **Sin. 1.** Peripecia. **2.** Amorío, romance.

aventurado, da **1.** *p.* de **aventurarse.** ‖ *adj.* **2.** Arriesgado, peligroso.

aventurarse *v.* Arriesgarse, atreverse.

aventurero, ra *adj.* **1.** Relacionado con la aventura o que tiene aventuras. ‖ *adj.* y *s.* **2.** Se dice de la persona a la que le gustan las aventuras. **Sin. 1.** Arriesgado, atrevido.

avergonzar *v.* Producir vergüenza o sentirla. **Sin.** Abochornar.

avería *s. f.* Daño o rotura en una máquina que impide que siga funcionando con normalidad.

averiado, da **1.** *p.* de **averiar.** ‖ *adj.* **2.** Que tiene una avería.

averiar *v.* Producir una avería o tenerla. **Sin.** Romper, estropear. **Ant.** Arreglar.

averiguación *s. f.* Lo que se hace para averiguar algo. **Sin.** Investigación, pesquisa.

averiguar *v.* Descubrir, llegar a saber.

aversión *s. f.* Odio, antipatía o asco. **Ant.** Simpatía, afición.

avestruz *s. m.* Ave no voladora con el cuello muy largo y patas largas y fuertes que le permiten correr muy deprisa. Es la más grande de las aves.

avetoro *s. m.* Ave grande y de plumaje pardo amarillento; su canto recuerda el mugido de un toro. Vive en zonas pantanosas.

avezado, da *adj.* Con experiencia, acostumbrado al esfuerzo y las dificultades. **Sin.** Experimentado. **Ant.** Inexperto.

aviación *s. f.* **1.** Utilización de aviones para transportar personas y mercancías o para otros usos. **2.** Conjunto de aviones o ejército que los usa: *la aviación enemiga.*

aviado, da **1.** *p.* de **aviar.** También *adj.* ‖ *adj.* **2.** Equivocado. **3.** En situación difícil. **Sin. 2** y **3.** Apañado.

aviador, ra *s. m.* y *f.* Piloto o tripulante de aviones.

aviar *v.* Preparar, arreglar.

avícola *adj.* De la avicultura.

avicultor, ra *s. m.* y *f.* Persona que se dedica a la avicultura.

avicultura *s. f.* Cría de aves para aprovechar sus productos.

avidez *s. f.* Ansia, deseo muy grande.

ávido, da *adj.* Que desea algo muy intensamente. **Sin.** Deseoso, ansioso. **Ant.** Harto.

aviejar *v.* Hacer vieja a una persona o que parezca más vieja. **Sin.** Avejentar. **Ant.** Rejuvenecer.

avieso, sa *adj.* Malvado, perverso.

avilés, sa *adj.* y *s.* Abulense, de Ávila.

avinagrado, da *p.* de **avinagrarse.** También *adj.: vino avinagrado, carácter avinagrado.* **Sin.** Agriado.

avinagrarse *v.* **1.** Ponerse agrio como el vinagre. **2.** Volverse malhumorado y de mal carácter.

avío *s. m.* Utilidad o provecho.

avión[1] *s. m.* Vehículo con alas para volar. **Sin.** Aeroplano, aeronave.

avión[2] *s. m.* Pájaro parecido al vencejo y la golondrina.

avioneta *s. f.* Avión pequeño, con un motor de poca potencia.

avisar *v.* **1.** Comunicar, hacer saber. **2.** Advertir o dar consejos. **3.** Llamar a alguien para que venga. **Sin. 1.** Informar, anunciar. **2.** Prevenir.

aviso *s. m.* **1.** Acción de avisar. **2.** Escrito para hacer saber algo. **Expr. sobre aviso** Avisado o prevenido de algo. **Sin. 1.** Comunicación, advertencia.

avispa *s. f.* Insecto de cuerpo amarillo y bandas negras, que tiene un aguijón con el que causa una picadura muy dolorosa.

avispado, da adj. Listo, despabilado. Sɪɴ. Despierto. Aɴᴛ. Torpe.

avispero s. m. Nido de avispas.

avistar v. Lograr ver algo a lo lejos. Sɪɴ. Divisar, atisbar.

avituallamiento s. m. Acción de avituallar. Sɪɴ. Abastecimiento, aprovisionamiento, suministro.

avituallar v. Dar vituallas, provisiones. Sɪɴ. Abastecer, aprovisionar.

avivar v. Hacer más vivo o intenso. Sɪɴ. Estimular. Aɴᴛ. Apagar.

avizor Se usa en la expresión **ojo avizor**, 'atento', 'muy pendiente'.

avoceta s. f. Ave zancuda de plumaje blanco con manchas negras y pico largo y curvado hacia arriba. Vive en zonas encharcadas.

avutarda s. f. Ave zancuda de dorso rojizo con líneas negras, pecho castaño y el vientre y la cabeza blancos. Vive en llanuras abiertas.

axila s. f. Cavidad que forma el brazo al unirse con el hombro. Sɪɴ. Sobaco.

axioma s. m. Afirmación o principio que se admite como una verdad.

¡ay! interj. Expresa dolor o sorpresa.

ayatola s. m. Religioso de gran autoridad entre los musulmanes chiitas.

ayer adv. **1.** En el día inmediatamente anterior al de hoy. ‖ s. m. **2.** Tiempo pasado.

ayo, aya s. m. y f. Persona encargada del cuidado y educación de los niños de una casa. Sɪɴ. Preceptor; institutriz.

ayuda s. f. **1.** Acción de ayudar. **2.** Dinero u otra cosa que se da a alguien para ayudarle. ‖ **3. ayuda de cámara** Criado que se encarga del cuidado de la ropa de su señor. Sɪɴ. **1.** Auxilio, apoyo. Aɴᴛ. **1.** Estorbo; desamparo.

ayudante adj. y s. Se dice de la persona que ayuda a otra de quien depende. Sɪɴ. Auxiliar.

ayudar v. **1.** Hacer algo en favor de alguien o colaborar con él. ‖ **ayudarse 2.** Servirse, valerse de algo. Sɪɴ. **1.** Cooperar; auxiliar. Aɴᴛ. **1.** Estorbar; perjudicar.

ayunar v. Comer y beber muy poco o nada durante un tiempo.

ayunas Se usa en la expresión **en ayunas**, 'sin haber tomado ningún alimento'.

ayuno s. m. Hecho de ayunar.

ayuntamiento s. m. **1.** Grupo de personas que gobierna un pueblo o una ciudad, formado por el alcalde y los concejales. **2.** Edificio donde se reúnen y trabajan. Sɪɴ. **1.** Concejo.

azabache s. m. Mineral de color negro y brillante, que se usa para hacer collares y otros adornos.

azada s. f. Instrumento de agricultura con que se cava y remueve la tierra.

azadón s. m. Instrumento parecido a la azada, pero con la pala más larga.

azafata s. f. **1.** Mujer que atiende a los viajeros en aviones y aeropuertos. **2.** Mujer que atiende al público en conferencias, exposiciones o reuniones: azafata de congresos.

azafrán s. m. **1.** Planta de flores de color violeta cuyos estigmas se usan para dar color amarillo y sabor a los guisos. **2.** Color amarillo anaranjado.

azafranado, da adj. De color azafrán.

azahar s. m. Flor blanca del naranjo, el limonero y otros árboles frutales, utilizada en medicina, en perfumería y para dar aroma a algunos dulces.

azalea s. f. Arbusto de hojas en forma de punta de lanza y flores agrupadas de color blanco, rojo o rosa.

azar s. m. Casualidad, suerte.

azarar v. Azorar.

azaroso, sa adj. Peligroso, inseguro, incierto: un viaje azaroso, un futuro azaroso.

azerbaiyano, na o **azerí** adj. y s. De Azerbaiyán, país de Asia.

ázimo adj. Se dice del pan sin levadura. Sɪɴ. Ácimo.

azogue s. m. Mercurio.

azor s. m. Ave rapaz, de plumaje oscuro, con el vientre claro cruzado por líneas pardas.

azorar v. Avergonzar a alguien dejándolo sin saber qué hacer o decir.

azotaina s. f. Azotes en el culo.

azotar v. **1.** Dar azotes. **2.** Causar grandes daños: Un huracán azotó la región. Sɪɴ. **1.** Pegar. **2.** Asolar, arrasar.

azote s. m. **1.** Golpe dado en el culo con la mano abierta. **2.** Golpe dado con una vara, látigo u otro instrumento. **3.** Acción de azotar, causar grandes daños: el azote de la guerra. Sɪɴ. **2.** Latigazo. **3.** Desgracia, calamidad. Aɴᴛ. **3.** Bendición.

azotea s. f. **1.** Cubierta llana de un edificio. **2.** fam. Cabeza: estar mal de la azotea. Sɪɴ. **1.** Terraza, solana.

azteca adj. y s. De un pueblo indio que dominaba México a la llegada de los españoles.

azúcar *s. amb.* **1.** Sustancia blanca y muy dulce, en forma de granitos muy pequeños. **2.** Nombre de distintas sustancias que proporcionan energía a los seres vivos.

azucarado, da 1. *p.* de **azucarar**. También *adj.* ‖ *adj.* **2.** Dulce.

azucarar *v.* Endulzar o cubrir algo con azúcar.

azucarera *s. f.* Fábrica de azúcar.

azucarero, ra *adj.* **1.** Del azúcar o que lo tiene. ‖ *s. m.* **2.** Recipiente en que se sirve el azúcar.

azucarillo *s. m.* **1.** Terrón de azúcar. **2.** Dulce hecho con almíbar, clara de huevo batida y limón.

azucena *s. f.* Planta de hojas largas, tallo alto y grandes flores, muy olorosas, blancas, anaranjadas o rojas.

azufre *s. m.* Elemento químico de color amarillo que se utiliza, por ejemplo, para fabricar insecticidas o pólvora.

azul *adj.* y *s. m.* Del color del cielo sin nubes.

azulado, da *adj.* Azul o parecido al azul.

azulejo *s. m.* Baldosín brillante con el que se revisten las paredes.

azulón, na *adj.* y *s. m.* De color azul intenso.

azuzar *v.* Incitar a un animal para que ataque. **Sin.** Pinchar. **Ant.** Apaciguar.

b *s. f.* Segunda letra del abecedario.

baba *s. f.* Saliva que cae de la boca. **Expr. caérsele** a uno **la baba** Demostrar un gran cariño o agrado.

babear *v.* Echar baba.

babero *s. m.* Pieza de tela que se pone al cuello a los niños para que no se manchen de baba o mientras comen.

babi *s. m.* Bata que usan los niños para no mancharse.

Babia Se usa en la expresión **estar en Babia**, ‘estar muy distraído o despistado’.

babilla *s. f.* En las reses destinadas al consumo, parte que corresponde al muslo.

babilónico, ca *adj.* De Babilonia, antigua ciudad e imperio de Asia.

bable *s. m.* Dialecto hablado en Asturias.

babor *s. m.* Lado izquierdo de una embarcación mirando de atrás adelante.

babosa *s. f.* Molusco parecido al caracol, pero sin concha, que vive en lugares húmedos.

baboso, sa *adj.* y *s.* Que echa muchas babas.

babucha *s. f.* Zapatilla sin talón, típica de los moros. **Sin.** Chancleta.

baca *s. f.* Soporte que se coloca sobre el techo de los vehículos para transportar cosas. **Sin.** Portaequipaje.

bacaladilla o **bacaladito** *s. f.* o *s. m.* Pez marino de color gris azulado y con la aleta caudal en forma de horquilla. Es comestible.

bacalao *s. m.* Pez marino de cuerpo alargado que vive en los mares del norte. Su carne se consume fresca o conservada en sal.

bajorrelieve

bacanal s. f. Orgía, fiesta en la que se cometen excesos con la bebida, con el sexo, etc.

bache s. m. **1.** Hoyo en una carretera o camino. **2.** Dificultad pasajera o mal momento.

bachiller s. m. **1.** Bachillerato. || s. m. y f. **2.** Persona que ha hecho el bachillerato.

bachillerato s. m. Estudios intermedios entre las enseñanzas básicas y las superiores.

bacía s. f. Vasija que los barberos colocaban bajo la barbilla para remojar la barba durante el afeitado.

bacilo s. m. Bacteria en forma de bastoncillo.

bacín s. m. Orinal.

bacon (ingl.) s. m. Tocino con trozos de carne y ahumado.

bacteria s. f. Organismo microscópico formado por una sola célula sin núcleo.

bacteriológico, ca adj. De las bacterias.

báculo s. m. Bastón, por ejemplo el que llevan los obispos.

badajo s. m. Pieza que cuelga dentro de las campanas y las hace sonar.

badajocense o **badajoceño, ña** adj. y s. De Badajoz, ciudad y provincia españolas. **Sin.** Pacense.

badana s. f. Piel curtida de carnero u oveja. **Expr. zurrar la badana** Dar una paliza.

badén s. m. **1.** Hoyo o zanja que hace el agua en el terreno. **2.** Cauce en una carretera para dar paso a un curso de agua. **3.** Parte rebajada en la acera para que puedan pasar los coches.

bádminton (ingl.) s. m. Deporte parecido al tenis que se juega con raquetas pequeñas y una pelota provista de plumas.

bafle s. m. Altavoz de un equipo de sonido.

bagaje s. m. Equipaje, equipo.

bagatela s. f. Cosa de poco valor o importancia. **Sin.** Chuchería.

¡bah! interj. Se dice cuando se piensa que algo no es verdad o que es poco importante.

bahía s. f. Zona de mar que se mete en la costa. **Sin.** Ensenada.

bailador, ra s. m. y f. Persona que baila danzas regionales.

bailaor, ra s. m. y f. Bailador de flamenco.

bailar v. **1.** Mover el cuerpo al ritmo de una música. **2.** Moverse una cosa por estar floja. **3.** Girar o hacer girar la peonza, el yoyó, etc. **Sin. 1.** Danzar. **2.** Oscilar.

bailarín, na adj. y s. **1.** Que baila. || s. m. y f. **2.** Persona que se dedica al baile por profesión.

baile s. m. **1.** Acción de bailar. **2.** Forma de bailar: *los bailes regionales.* **3.** Fiesta en que se baila. **Sin. 1** y **2.** Danza.

bailotear v. fam. Bailar mucho.

baja s. f. **1.** Descenso, bajada. **2.** Acción de dejar una persona un grupo o una actividad: *Se dio de baja en el club.* **3.** Hecho de declarar el médico que alguien no puede ir al trabajo durante un tiempo por estar enfermo. **4.** Soldado muerto en combate. **Sin. 1.** Disminución. **2.** Cese. **Ant. 1.** Subida, aumento. **2** y **3.** Alta.

bajada s. f. **1.** Descenso, disminución. **2.** Lugar por donde se baja. **3.** Cañería por donde baja el agua. **Sin. 1.** Caída. **3.** Canalón. **Ant. 1.** Subida.

bajamar s. f. Momento en que la marea está más baja. **Ant.** Pleamar.

bajante s. f. Cañería que conduce a la alcantarilla las aguas sucias de las viviendas.

bajar v. **1.** Ir abajo. **2.** Salir de un vehículo o dejar de estar montado en él: *bajar del coche, de la bicicleta.* **3.** Disminuir, rebajar. **Sin. 1** y **2.** Descender. **Ant. 1** a **3.** Subir.

bajel s. m. En lenguaje literario, barco.

bajero, ra adj. Que se usa o se pone debajo: *sábana bajera.*

bajeza s. f. Acción mala y despreciable.

bajío s. m. Sitio con poco fondo en el mar.

bajo, ja adj. **1.** De poca altura o que está a poca altura. También adv.: *El avión volaba bajo.* **2.** Inclinado hacia abajo: *Salió con la cabeza baja.* **3.** Poco intenso, importante o abundante: *bajas temperaturas. Sacó unas notas muy bajas.* **4.** Se dice del sonido poco fuerte. También adv.: *Habla más bajo.* **5.** Se dice de las notas musicales graves. || s. m. **6.** Parte de abajo: *los bajos del coche.* **7.** Cantante que tiene la voz más grave. **8.** Contrabajo. || prep. **9.** Debajo de. **Sin. 1.** Pequeño. **2.** Agachado. **Ant. 1** a **5.** Alto. **5.** Agudo.

bajón s. m. Disminución grande y brusca de algo.

bajorrelieve s. m. Escultura en relieve que sobresale poco del fondo.

bala *s. f.* **1.** Proyectil de las armas de fuego. **2.** Paquete apretado y atado: *una bala de paja.*

balada *s. f.* **1.** Poema en que generalmente se cuentan leyendas y tradiciones. **2.** Canción romántica de ritmo suave.

baladí *adj.* De poca importancia o interés. **Sin.** Trivial, insignificante. **Ant.** Fundamental.

balalaica *s. f.* Instrumento popular ruso de caja triangular, mástil largo y tres cuerdas.

balance *s. m.* **1.** Cuenta que compara el capital y las deudas de una persona o negocio. **2.** Valoración general.

balancear *v.* Mover de un lado a otro continuamente. **Sin.** Mecer, oscilar.

balanceo *s. m.* Movimiento de balancear o balancearse. **Sin.** Oscilación.

balancín *s. m.* **1.** Columpio formado por una barra apoyada en el medio, con asientos en los extremos. **2.** Asiento colgado y con toldo en terrazas o jardines.

balandro *s. m.* Barco de vela pequeño con cubierta y un solo palo.

balanza *s. f.* Instrumento para pesar que consiste en una barra sujeta por el centro y unos platillos colgados de sus extremos. **Sin.** Báscula, romana.

balar *v.* Dar balidos.

balaustrada *s. f.* Barandilla con pequeñas columnas. **Sin.** Baranda.

balazo *s. m.* Herida de bala.

balboa *s. m.* Moneda de Panamá.

balbucear *v.* Hablar pronunciando mal o con dificultad. **Sin.** Farfullar.

balbuceo *s. m.* Acción de balbucear.

balcánico, ca *adj.* y *s.* De los montes Balcanes o la península de los Balcanes, en el sudeste de Europa.

balcón *s. m.* Hueco en el muro de un edificio, parecido al de una puerta, con barandilla.

balconada *s. f.* Conjunto de balcones.

balda *s. f.* Estante de un armario o repisa. **Sin.** Anaquel.

baldado, da **1.** *p.* de **baldar.** También *adj.* || *adj.* **2.** Muy cansado. **Sin.** **1** y **2.** Roto, molido.

baldaquín o **baldaquino** *s. m.* Techo de adorno colocado sobre un trono, altar, etc.

baldar *v.* Dejar a alguien dolorido, sin poder moverse.

balde¹ *s. m.* Barreño o cubo.

balde² Se usa en las expresiones **de balde,** 'gratis', y **en balde,** 'en vano', 'inútilmente'.

baldío, a *adj.* y *s. m.* **1.** Se dice del terreno abandonado, sin cultivar. || *adj.* **2.** Inútil. **Sin.** **1.** Yermo. **2.** Vano. **Ant.** **1** y **2.** Fértil. **2.** Útil.

baldón *s. m.* Deshonra, vergüenza.

baldosa *s. f.* Ladrillo delgado para recubrir suelos. **Sin.** Losa, loseta.

baldosín *s. m.* Baldosa pequeña para recubrir paredes. **Sin.** Azulejo.

balear *adj.* y *s.* **1.** De las islas Baleares, comunidad autónoma de España. || *s. m.* **2.** Mallorquín, variedad del catalán.

balido *s. m.* Sonido que emiten animales como la oveja, la cabra y el ciervo.

balín *s. m.* **1.** Bala pequeña de un arma de fuego. **2.** Proyectil de las armas de aire comprimido.

balística *s. f.* Parte de la física que estudia las trayectorias de los proyectiles.

baliza *s. f.* **1.** Objeto flotante o fijo que señala algo a los navegantes. **2.** Señal con que se marcan las pistas en los aeropuertos. **Sin.** **1.** Boya.

balizar *v.* Señalar con balizas.

ballena *s. f.* **1.** Mamífero marino, el más grande de los animales; tiene forma de pez y unas láminas duras y elásticas en lugar de dientes. **2.** Tira de esas láminas, o de plástico o metal, usada para reforzar corsés y corpiños.

ballenato *s. m.* Cría de la ballena.

ballenero, ra *adj.* **1.** Relacionado con la pesca de la ballena. || *s. m.* **2.** Barco para este tipo de pesca. **3.** Pescador de ballenas.

ballesta *s. f.* **1.** Arma que lanza flechas. **2.** Pieza de la suspensión de los vehículos, formada por láminas elásticas de acero superpuestas.

ballestero *s. m.* Persona que hacía ballestas o disparaba con ellas.

ballet (fr.) *s. m.* **1.** Representación en que se combina la danza, la mímica y la música. **2.** Grupo de bailarines que la realizan.

balneario *s. m.* Hotel en el que hay baños o fuentes de aguas medicinales.

balón *s. m.* **1.** Pelota grande que se usa en varios juegos o deportes. **2.** Recipiente flexible para contener gases: *balón de oxígeno.*

balonazo *s. m.* Golpe dado con un balón.

baloncestista *s. m.* y *f.* Jugador de baloncesto.

baloncesto *s. m.* Juego entre dos equipos que consiste en llevar botando con la mano un balón y meterlo en una red colgada de un aro.

balonmano *s. m.* Juego parecido al fútbol en el que la pelota se lleva y se lanza con la mano.

balonvolea *s. m.* Voleibol.

balsa[1] *s. f.* Depósito de agua que se forma en un hoyo o zona hundida del terreno. Sin. Estanque, charca.

balsa[2] *s. f.* Embarcación hecha de maderas unidos unos con otros.

balsámico, ca *adj.* y *s. m.* Que tiene bálsamo o sus efectos calmantes.

bálsamo *s. m.* 1. Sustancia líquida, de olor agradable, que sale de algunos árboles. 2. Medicamento compuesto de estas sustancias, que se usa para aliviar heridas e irritaciones.

báltico, ca *adj.* y *s.* Del mar Báltico, en el norte de Europa.

baluarte *s. m.* Construcción en forma de pentágono que sobresale del muro de una fortaleza. Sin. Bastión.

bamba *s. f.* 1. Bollo redondo relleno de crema o nata. 2. Música y baile latinoamericano. 3. Zapatilla de lona con suela de goma y puntera.

bambalina *s. f.* En el teatro, cada una de las tiras pintadas de la parte de arriba de la decoración.

bambolearse *v.* Balancearse.

bamboleo *s. m.* Balanceo.

bambú *s. m.* Planta tropical con cañas ligeras y muy resistentes, que se emplean para la fabricación de muebles y otros objetos.

banal *adj.* Sin interés ni importancia. Sin. Trivial, fútil. Ant. Interesante, importante.

banana o **banano** *s. f.* o *s. m.* Plátano.

bananero, ra *adj.* 1. Del banano o la banana. || *s. m.* 2. Plátano, planta.

banasta *s. f.* Cesto grande.

banasto *s. m.* Banasta profunda y de base redonda.

banca *s. f.* 1. Conjunto de bancos, cajas de ahorros y otros grupos financieros. 2. En algunos juegos, fichas o dinero que ponen los jugadores para pagar a los que ganan.

bancal *s. m.* En pendientes y montañas, terreno en escalón en el que se cultiva.

bancario, ria *adj.* De la banca o los bancos.

bancarrota *s. f.* 1. Situación de la empresa o negocio que no puede pagar sus deudas. 2. Ruina, miseria. Sin. 1. Quiebra.

banco *s. m.* 1. Asiento duro para varias personas. 2. Establecimiento que se dedica a recibir dinero para guardarlo, dar préstamos y otros servicios. 3. Lugar donde se guardan y conservan sangre y órganos humanos para tratamientos médicos y trasplantes. 4. Grupo grande de peces. 5. Elevación del fondo de un mar, río o lago al acumularse arena. 6. En carpintería y otros oficios, tablero sobre el que se trabaja.

banda[1] *s. f.* 1. Cinta ancha que se lleva desde el hombro al costado opuesto. 2. Lista o raya ancha. || 3. **banda sonora** Franja de la película donde está grabado el sonido; música del filme.

banda[2] *s. f.* 1. Grupo de bandidos o de criminales. 2. Orquesta de instrumentos de percusión y viento. 3. Grupo musical: *una banda de rock.* 4. Lado, lateral: *la banda de un campo de fútbol.* Sin. 1. Cuadrilla. 2. Charanga.

bandada *s. f.* Grupo de aves que vuelan juntas.

bandazo *s. m.* Movimiento brusco hacia un lado.

bandeja *s. f.* Utensilio plano que se emplea para servir o llevar cosas.

bandera *s. f.* 1. Pieza de tela u otro material que representa una nación o indica otras cosas. || 2. **bandera blanca** La que se levanta en señal de paz o rendición. Expr. **jurar bandera** Jurar o prometer los soldados que defenderán su país, representado en la bandera. Sin. 1. Enseña, estandarte.

banderilla *s. f.* 1. Palo con una punta de hierro y adornado con papeles de colores, que los toreros clavan al toro. 2. Aperitivo formado por trozos de alimentos pinchados en un palillo.

banderillero, ra *s. m.* y *f.* Torero que pone las banderillas.

banderín *s. m.* Bandera triangular pequeña.

banderola *s. f.* Bandera cuadrada pequeña.

bandido, da *s. m.* y *f.* 1. Bandolero. 2. Persona que engaña o tiene mala intención. Sin. 1. Salteador. 2. Pillo.

bando[1] *s. m.* Mandato o aviso publicado por orden de una autoridad. Sin. Edicto.

bando[2] *s. m.* Grupo de gente opuesto a otro. Sin. Partido, facción.

bandolera s. f. Correa cruzada por el pecho y la espalda, de la que se lleva algo colgado, como un bolso o un fusil.

bandolerismo s. m. Existencia de bandoleros en un lugar o época.

bandolero s. m. Ladrón que atracaba a sus víctimas en el campo. SIN. Salteador, bandido.

bandoneón s. m. Instrumento musical parecido al acordeón.

bandurria s. f. Instrumento musical de doce cuerdas que se toca con una púa.

banjo s. m. Instrumento de cuerda que tiene una caja de resonancia circular, cubierta por una piel.

banquero, ra s. m. y f. Propietario o director importante de un banco.

banqueta s. f. Asiento bajo y sin respaldo.

banquete s. m. 1. Comida a la que asisten numerosas personas para celebrar algo. 2. Comilona. SIN. 1. Convite. 2. Festín.

banquillo s. m. 1. En un juicio, asiento del acusado. 2. Asiento ocupado por los jugadores suplentes y los entrenadores en algunos deportes, como el fútbol.

bantú adj. y s. De un numeroso grupo de pueblos de raza negra de África central y del sur.

bañador s. m. Prenda para bañarse en playas, piscinas y lugares parecidos.

bañar v. 1. Meter el cuerpo en agua o en otro líquido para lavarse, refrescarse o con fines medicinales. 2. Cubrir una cosa con una capa de otra sustancia: bañar un anillo en oro. SIN. 1. Remojar.

bañera s. f. Pila para bañarse.

bañista s. m. y f. Persona que se baña en una piscina o en el mar.

baño s. m. 1. Acción de bañar o bañarse. 2. Bañera. 3. Cuarto de aseo. 4. Hecho de recibir un cuerpo la acción del sol, del calor o del vapor. 5. Capa fina que cubre una cosa: La sortija tiene un baño de plata. SIN. 1. Remojón.

baobab s. m. Árbol de las sabanas de África tropical, de tronco grueso y grandes ramas.

baptisterio s. m. Pila bautismal; también, lugar, capilla o edificio donde se encuentra.

baqueta s. f. 1. Varilla delgada para limpiar o apretar la pólvora en un arma de fuego. || pl. 2. Palillos con que se toca el tambor.

bar s. m. Establecimiento donde se toman bebidas y cosas de comer.

barahúnda s. f. Alboroto, jaleo.

baraja s. f. Conjunto de cartas que se usan para diversos juegos.

barajar v. 1. Mezclar las cartas de una baraja antes de repartirlas. 2. Pensar o discutir varias posibilidades. SIN. 2. Considerar.

baranda s. f. Barandilla.

barandilla s. f. Especie de valla que sirve de protección y apoyo en balcones, escaleras y terrazas.

baratija s. f. Cosa pequeña de poco valor. SIN. Chuchería.

baratillo s. m. 1. Conjunto de cosas que se venden a bajo precio en un lugar público. 2. Puesto o tienda en que se venden.

barato, ta adj. Que cuesta poco dinero. También adv.: Vendemos barato. SIN. Económico. ANT. Caro.

baraúnda s. f. Barahúnda.

barba s. f. 1. Barbilla. 2. Pelo que crece en esta parte de la cara y en las mejillas. EXPR. por barba Por cada uno: Tocamos a mil pesetas por barba. SIN. 1. Mentón.

barbacana s. f. 1. Boquete en un muro por donde se disparaba. 2. Fortificación a la entrada de algunas plazas, fuertes y puentes.

barbacoa s. f. Utensilio o construcción con una rejilla para asar alimentos al aire libre.

barbaridad s. f. 1. Acción bárbara. 2. Equivocación o error grande. 3. Mucho: Me costó una barbaridad. SIN. 1 y 2. Atrocidad. 2. Burrada. 2 y 3. Disparate.

barbarie s. f. Violencia, brutalidad, vandalismo.

barbarismo s. m. 1. Palabra o expresión incorrecta o mal empleada. 2. Extranjerismo no totalmente aceptado en la lengua propia.

bárbaro, ra adj. y s. 1. De los pueblos germánicos que invadieron el imperio romano. 2. Cruel, inhumano. 3. Bruto, atrevido. SIN. 2. Brutal, despiadado, salvaje. 3. Osado, temerario. ANT. 2. Bondadoso.

barbecho s. m. Campo que no se cultiva durante uno o más años para que pueda producir mejores cosechas.

barbería s. f. Establecimiento donde el barbero afeita y corta el pelo.

barbero s. m. Hombre que se dedica a afeitar y cortar la barba y el pelo.

barbilampiño adj. y s. m. Con poca barba o sin ella. SIN. Imberbe, lampiño. ANT. Barbudo.

barbilla s. f. 1. Parte de la cara situada debajo de la boca. 2. Parte carnosa en la zona inferior de la cabeza de algunos peces. SIN. 1. Mentón.

barbitúrico s. m. Medicamento que se usa como tranquilizante o para producir sueño.

barbo s. m. Pez de río, de vientre blanquecino y lomo oscuro, con cuatro barbillas en la mandíbula de arriba.

barboquejo s. m. Cinta o correa con que se sujeta por la barbilla el sombrero, el gorro o el casco.

barbotar o **barbotear** v. Hablar entre dientes o de forma entrecortada y confusa. SIN. Farfullar.

barbudo, da adj. y s. Que tiene mucha barba. ANT. Barbilampiño.

barca s. f. Embarcación pequeña para navegar cerca de la costa, atravesar un río, etc.

barcaza s. f. Barca grande para transportar mercancías o pasajeros.

barcelonés, sa adj. y s. De Barcelona, ciudad y provincia de España y capital de Cataluña.

barco s. m. Vehículo que flota en el agua y sirve para transportar personas o mercancías. SIN. Embarcación, nave, navío.

baremo s. m. Medida o criterio con que se valora algo.

bargueño s. m. Mueble de madera con muchos cajones y compartimentos.

baricentro s. m. Centro de gravedad de un cuerpo.

barisfera s. f. Núcleo de la Tierra, formado por hierro y níquel, y de elevada temperatura y densidad. SIN. Nife.

barítono s. m. Hombre que canta con voz entre la de tenor y la de bajo.

barlovento s. m. En el lenguaje marinero, parte de donde viene el viento. ANT. Sotavento.

barman (ingl.) s. m. Camarero que trabaja en un bar.

barniz s. m. Sustancia transparente para dar brillo y protección, por ejemplo a la madera.

barnizar v. Dar barniz.

barométrico, ca adj. Relacionado con el barómetro: presión barométrica.

barómetro s. m. Instrumento que mide la presión atmosférica.

barón, baronesa s. m. y f. 1. Noble que tiene el título inmediatamente inferior al de vizconde. || s. f. 2. Mujer del barón.

barquero, ra s. m. y f. Persona que maneja una barca.

barquilla s. f. En los globos, cesto grande en el que van los tripulantes.

barquillero, ra s. m. y f. 1. Persona que hace o vende barquillos. || s. f. 2. Recipiente metálico para llevar los barquillos que se venden.

barquillo s. m. Hoja de harina sin levadura y con azúcar o miel, enrollada o en forma de triángulo.

barra s. f. 1. Pieza larga y delgada de un material rígido. 2. Pieza alargada o en forma de prisma rectangular: una barra de pan, de turrón. 3. Signo gráfico (/) que se usa para separar. 4. Mostrador de bares y cafeterías.

barrabasada s. f. 1. Trastada, travesura. 2. Faena, acción realizada con mala intención. SIN. 1. Diablura. 2. Jugarreta.

barraca s. f. 1. Vivienda típica de las huertas de Valencia y Murcia. 2. Chabola, cabaña o choza. 3. Construcción desmontable, como las que se ponen en las ferias. SIN. 3. Caseta.

barracón s. m. Construcción de un solo piso y sin tabiques, como los alojamientos de los soldados.

barracuda s. f. Pez carnívoro que vive en mares cálidos, tiene el cuerpo muy alargado y la boca grande con fuertes dientes.

barranco o **barranca** s. m. o s. f. 1. Precipicio. 2. Cauce hondo hecho por un río. SIN. 1. Despeñadero.

barrena s. f. Herramienta para taladrar.

barrenar v. Abrir agujeros con barrena.

barrendero, ra s. m. y f. Persona que trabaja barriendo las calles.

barreno s. m. 1. Agujero relleno de explosivo en una roca u otra cosa que se quiere volar. 2. Cartucho explosivo para volar rocas.

barreño s. m. Recipiente redondo y grande que se emplea en tareas de la casa. SIN. Balde.

barrer v. 1. Quitar el polvo y la basura del suelo con una escoba o cepillo. 2. Rastrear, recorrer buscando: La policía barrió la zona. 3. Derrotar totalmente. 4. Quedarse con todo o la mayor parte. SIN. 3. Arrollar. 4. Acaparar.

barrera s. f. 1. Obstáculo o valla para cerrar el paso o cercar un lugar. 2. Impedimento, dificultad. **Sin. 2.** Inconveniente, traba.

barriada s. f. Barrio o parte de él.

barrica s. f. Barril o tonel mediano.

barricada s. f. Defensa construida con objetos como muebles, adoquines o cajas.

barrido, da 1. p. de **barrer**. También adj. || s. m. 2. Acción de barrer.

barriga s. f. 1. Parte del cuerpo donde están el estómago y los intestinos. 2. Panza, vientre abultado. **Sin. 1.** Abdomen.

barrigudo, da o **barrigón, na** adj. Que tiene mucha barriga.

barril s. m. Recipiente para conservar y transportar líquidos u otras cosas; algunos están hechos de listones de madera y otros son cilíndricos y metálicos. **Sin.** Tonel, barrica.

barrillo s. m. Granito de color rojo que aparece en el rostro.

barrio s. m. 1. Cada una de las partes en que se dividen las poblaciones. || 2. **barrio bajo** Barrio en el que vive gente pobre. 3. **el otro barrio** El otro mundo, la muerte. **Sin. 1.** Barriada.

barriobajero, ra adj. y s. 1. De los barrios bajos. 2. Basto, ordinario. **Ant.** 2. Refinado.

barritar v. Emitir el elefante o el rinoceronte su sonido característico.

barrizal s. m. Sitio lleno de barro. **Sin.** Lodazal.

barro s. m. 1. Tierra mezclada con agua. 2. Arcilla. **Sin. 1.** Lodo.

barroco, ca adj. y s. m. 1. Se dice del estilo artístico y literario del siglo XVII y comienzos del XVIII, caracterizado por el recargamiento y la abundancia de adornos y elementos. || adj. 2. Recargado o que utiliza muchos adornos.

barrote s. m. Barra gruesa como las que se ponen en las jaulas, en las ventanas, etc.

barruntar v. Sospechar, presentir.

bartola Se usa en la expresión **a la bartola**, 'cómodamente', 'sin hacer nada': tumbado a la bartola.

bartolillo s. m. Pastel de masa frita relleno de crema.

bártulos s. m. pl. Utensilios.

barullo s. m. Jaleo, desorden.

basa s. f. Base de una columna o estatua.

basalto s. m. Roca volcánica de color gris oscuro o negro.

basamento s. m. Parte de abajo de un elemento arquitectónico o construcción, que se apoya directamente en el suelo.

basar v. Establecer algo sobre una base o fundamento. **Sin.** Fundar, fundamentar.

basca s. f. 1. Náusea, arcada. 2. fam. Grupo de gente, pandilla de amigos.

báscula s. f. Aparato para medir pesos, que tiene una plataforma sobre la que se coloca lo que se va a pesar.

bascular v. Moverse un objeto a un lado y a otro oscilando sobre un punto.

base s. f. 1. Aquello sobre lo que se apoya una cosa. 2. Línea o cara de las figuras geométricas sobre la que se suponen que se apoyan. 3. Lo más importante y fundamental de algo. 4. Condición, norma: las bases de un concurso. 5. En una potencia, número que debe multiplicarse por sí mismo tantas veces como indica el exponente. 6. En química, cuerpo que neutraliza un ácido o se combina con él para formar una sal. 7. Instalación militar o científica. || s. m. y f. 8. Jugador de baloncesto que dirige el juego del equipo. **Sin. 1.** Asiento, soporte. 3. Fundamento.

básico, ca adj. 1. Fundamental o elemental. 2. En química, que tiene las propiedades de las bases. **Sin. 1.** Esencial. **Ant.** 1. Secundario.

basílica s. f. Iglesia importante.

basilisco s. m. 1. Animal imaginario que podía matar con la mirada. 2. Reptil americano que corre tan deprisa que es capaz de andar sobre el agua. **Expr. hecho un basilisco** o **como un basilisco** fam. Muy furioso.

basket-ball (ingl.) s. m. Baloncesto.

basset (fr.) s. m. Perro de caza de pequeña estatura y pelo y patas cortos.

basta s. f. Hilván.

bastante indef. 1. Suficiente. También adv.: No comes bastante. 2. No poco, algo menos que mucho: Dedica bastante tiempo al tenis. También adv.: Es bastante desordenado.

bastar v. 1. Ser suficiente. || **bastarse** 2. Ser capaz de hacer las cosas por uno mismo, sin ayuda. **Sin. 1.** Alcanzar, llegar. **Ant.** 1. Faltar.

bastardilla adj. y s. f. Cursiva.

bastardo, da adj. Se dice del hijo nacido fuera del matrimonio. **Sin.** Ilegítimo. **Ant.** Legítimo.

bastidor s. m. 1. Marco o aro al que se sujetan telas, por ejemplo para pintar o

bautizo

bordar. **2.** Armazón sobre el que se apoya algo.

bastión *s. m.* Baluarte.

basto *s. m.* **1.** Carta del palo de bastos. || *pl.* **2.** Palo de la baraja española en el que figuran dibujados garrotes.

basto, ta *adj.* **1.** Muy grosero, vulgar. **2.** Poco fino o suave, áspero. **SIN. 1.** Ordinario, soez. **2.** Tosco, burdo. **ANT. 1.** Delicado.

bastón *s. m.* **1.** Palo para apoyarse al andar. **2.** Vara usada como símbolo de mando. **SIN. 1.** Cayado.

bastoncillo *s. m.* **1.** Palito para diversos usos. **2.** Célula nerviosa de la retina, pequeña y alargada, que capta la luz.

basura *s. f.* Lo que se tira o se desprecia porque sobra o no vale. **SIN.** Desperdicio, desecho.

basurero, ra *s. m.* y *f.* **1.** Persona que recoge la basura. || *s. m.* **2.** Sitio en que se tira la basura.

bata *s. f.* **1.** Prenda parecida a un vestido abierto para estar cómodo en casa. **2.** Prenda usada en algunos trabajos para no mancharse la ropa. || **3. bata de cola** Traje de las bailaoras de flamenco.

batacazo *s. m.* **1.** Porrazo o golpe fuerte que se da uno al caer. **2.** Fracaso o decepción. **SIN. 1.** Trompazo.

batalla *s. f.* **1.** Hecho de encontrarse y combatir dos ejércitos enemigos. **2.** Lucha, rivalidad. **SIN. 1.** Contienda, lid. **1** y **2.** Combate, enfrentamiento.

batallar *v.* **1.** Combatir en una batalla. **2.** Trabajar o esforzarse para conseguir una cosa. **SIN. 1** y **2.** Luchar.

batallita *s. f. fam.* Relato pesado o exagerado de cosas que uno ha hecho en el pasado.

batallón *s. m.* Parte de un ejército formada por varias compañías y mandada por un teniente coronel o un comandante.

batán *s. m.* Máquina con gruesos mazos de madera que golpean los paños para quitarles la grasa y dar cuerpo al tejido.

batata *s. f.* **1.** Planta que produce unos tubérculos parecidos a la patata, de sabor dulce. **2.** Este tubérculo.

bate *s. m.* Palo con que se golpea la pelota en béisbol y otros deportes.

batea *s. f.* Bandeja que sirve de cajón en algunos muebles.

bateador, ra *s. m.* y *f.* En el béisbol, jugador al que le toca batear.

batear *v.* Golpear la pelota con el bate en el béisbol.

batería *s. f.* **1.** Conjunto de cañones. **2.** Instrumento musical formado por un conjunto de instrumentos de percusión. **3.** Aparato que almacena energía eléctrica. || *s. m.* **4.** Músico que toca la batería. || **5. batería de cocina** Conjunto de cazuelas, cazos, cacerolas y ollas para cocinar.

batiburrillo o **batiborrillo** *s. m.* Conjunto de cosas mezcladas sin ningún orden. **SIN.** Lío, revoltijo.

batida *s. f.* Acción de batir o rastrear un terreno en busca de alguien o algo.

batido *s. m.* Bebida que se hace batiendo helado, leche, huevos, frutas u otros ingredientes.

batidor *s. m.* Persona que explora o rastrea el terreno.

batidora *s. f.* Aparato para batir o triturar los alimentos.

batín *s. m.* Bata corta.

batir *v.* **1.** Mover con fuerza y rapidez. **2.** Golpear: *Las olas batían contra la costa.* **3.** Vencer, ganar. **4.** Recorrer un terreno buscando a alguien o algo. || **batirse 5.** Combatir, luchar. **SIN. 1.** Revolver, agitar. **3.** Derrotar, arrollar. **4.** Reconocer, registrar.

batiscafo *s. m.* Nave sumergible para explorar el fondo del mar.

batista *s. f.* Tela de hilo o de algodón muy fina.

batracio *s. m.* Antiguo nombre de los animales anfibios.

Batuecas Se usa en la expresión **estar en las Batuecas**, 'estar distraído'.

baturro, rra *adj.* y *s.* Se dice de los campesinos aragoneses.

batuta *s. f.* Varita con que marca el compás el director de una orquesta, de una banda o de un coro.

baúl *s. m.* Caja grande que suele estar forrada y sirve para guardar ropa y otras cosas.

bauprés *s. m.* Palo más o menos horizontal en la proa de los barcos.

bautismal *adj.* Del bautismo o relacionado con él.

bautismo *s. m.* Sacramento cristiano que limpia del pecado e incorpora a la Iglesia a quien lo recibe.

bautizar *v.* **1.** Administrar el sacramento del bautismo o recibirlo. **2.** Poner nombre a algo.

bautizo *s. m.* Acción de bautizar y fiesta con que se celebra esta ceremonia.

bauxita s. f. Roca de aspecto terroso y color rosa con manchas rojas, de la que se obtiene el aluminio.

bávaro, ra adj. y s. De Baviera, región de Alemania.

baya s. f. Fruto carnoso con muchas semillas, por ejemplo la uva o el tomate.

bayeta s. f. Trapo de tejido absorbente para limpiar.

bayo, ya adj. Se dice del caballo de color blanco amarillento.

bayoneta s. f. Especie de cuchillo que se pone en el cañón del fusil.

baza s. f. **1.** En los juegos de cartas, las que se lleva el jugador que ha ganado. **2.** Jugada de un juego de cartas. **3.** Provecho, beneficio: *sacar baza.* Expr. **meter baza** Intervenir en una conversación. Sin. **3.** Tajada.

bazar s. m. Tienda donde se venden cosas muy diversas, como regalos, juguetes o aparatos electrónicos.

bazo s. m. Órgano situado en el lado izquierdo del abdomen, en el cual se destruyen los glóbulos rojos envejecidos, se forman glóbulos blancos y se almacena sangre.

bazoca s. f. Arma portátil para lanzar proyectiles, sobre todo contra los tanques.

bazofia s. f. Cosa desagradable o de muy mala calidad. Sin. Porquería, basura.

beatificación s. f. Acción de beatificar.

beatificar v. Declarar el papa que una persona está en el cielo y se le puede dar culto.

beato, ta adj. y s. **1.** Persona de religiosidad exagerada o fingida. || s. m. y f. **2.** Persona que ha sido beatificada. Sin. **1.** Santurrón.

bebé s. m. Niño recién nacido o muy pequeño.

bebedero s. m. Recipiente o lugar donde beben los animales.

bebedizo s. m. Bebida con propiedades mágicas o medicinales. Sin. Pócima.

bebedor, ra adj. y s. Que bebe; se dice sobre todo del que bebe alcohol en exceso. Ant. Abstemio.

beber v. **1.** Tomar un líquido. **2.** Tomar bebidas alcohólicas.

bebida s. f. **1.** Líquido para beber. **2.** Acción de beber, sobre todo alcohol.

bebido, da **1.** p. de beber. También adj. || adj. **2.** Borracho o casi borracho. Sin. **2.** Beodo, achispado. Ant. **2.** Sobrio.

beca s. f. **1.** Ayuda económica o de otro tipo que recibe una persona para realizar una actividad, por ejemplo un estudiante. **2.** Banda de tela usada como distintivo por los estudiantes. Sin. **1.** Subvención.

becada s. f. Ave de cuello y patas cortas, pico largo y delgado, y plumaje dorado con franjas oscuras.

becar v. Conceder una beca.

becario, ria s. m. y f. Persona a la que se ha concedido una beca.

becerrada s. f. Corrida de becerros. Sin. Novillada.

becerro, rra s. m. y f. Ternero menor de dos años.

bechamel s. f. Besamel.

bedel s. m. Empleado de algunos centros oficiales que se encarga de diversas tareas auxiliares. Sin. Ordenanza.

beduino, na adj. y s. De los pueblos nómadas que viven en las estepas y desiertos de la península Arábiga, Siria y norte de África.

befa s. f. Burla insultante o grosera. Sin. Mofa.

begonia s. f. Planta de tallos carnosos, hojas grandes en forma de corazón y flores de vistosos colores.

beige (fr.) adj. y s. m. De color entre amarillo y marrón claro.

béisbol s. m. Juego entre dos equipos que se practica con una pelota y un palo especial para lanzarla, que se llama *bate.*

bejuco s. m. Planta tropical de tallos muy largos que se extienden por el suelo o trepan por los troncos de los árboles.

bel canto expr. ital. Canto de la ópera.

beldad s. f. Belleza.

belén s. m. **1.** Representación del nacimiento de Jesucristo con figuras. **2.** Lío, follón. Sin. **1.** Nacimiento.

belfo s. m. Labio del caballo y otros animales parecidos.

belga adj. y s. De Bélgica, país de Europa.

belicismo s. m. Tendencia a provocar conflictos armados o tomar parte en ellos. Ant. Pacifismo.

bélico, ca adj. De la guerra o relacionado con ella.

belicoso, sa adj. **1.** Dispuesto a entrar en guerra o en una lucha armada. **2.** Agresivo. Sin. **2.** Pendenciero. Ant. **1** y **2.** Pacífico.

berrido

beligerante adj. y s. **1.** Que está en guerra. || adj. **2.** Agresivo, dispuesto a la lucha o al enfrentamiento. SIN. 1. Combatiente. 2. Combativo, luchador. ANT. 2. Apocado.

bellaco, ca adj. y s. Malvado, canalla.

belleza s. f. **1.** Característica de las personas o cosas bellas. **2.** Persona muy guapa o cosa muy bonita. SIN. 1 y 2. Hermosura. ANT. 1. Fealdad.

bello, lla adj. **1.** De aspecto muy agradable por su gran perfección. **2.** Muy bueno o bondadoso: Es una bella persona. SIN. 1. Guapo. 1 y 2. Hermoso, bonito. 2. Noble. ANT. 1 y 2. Feo. 2. Despreciable.

bellota s. f. Fruto de las encinas y los robles, de forma ovalada y puntiaguda.

bemol adj. **1.** Se dice de la nota musical que es medio tono más baja que su sonido natural. || s. m. **2.** Signo que la representa.

bendecir v. **1.** Pedir la protección divina para personas o cosas, haciendo la señal de la cruz o rezando una oración. **2.** Dar carácter sagrado a algo. ◻ Es v. irreg. Se conjuga como decir, excepto el futuro, el condicional y el participio, que son regulares, y el imperativo: bendice. SIN. 2. Consagrar. ANT. 1. Maldecir.

bendición s. f. Acción de bendecir. SIN. Consagración. ANT. Maldición.

bendito, ta adj. **1.** Que se ha bendecido. **2.** Feliz, dichoso. || s. m. y f. **3.** Buenazo. SIN. 2. Afortunado. 3. Santo, infeliz. ANT. 3. Canalla.

benedictino, na adj. y s. De la orden religiosa de San Benito de Nursia.

benefactor, ra adj. y s. Se dice de la persona que protege o ayuda a otras. SIN. Bienhechor, mecenas.

beneficencia s. f. Actividad y medios dedicados a la ayuda de los pobres.

beneficiar v. Resultar bueno o provechoso. SIN. Favorecer.

beneficiario, ria adj. y s. Que recibe el beneficio de algo.

beneficio s. m. Bien, provecho. SIN. Ganancia. ANT. Perjuicio.

beneficioso, sa adj. Que produce un beneficio. SIN. Provechoso, favorable. ANT. Perjudicial.

benéfico, ca adj. **1.** Que sirve para ayudar a las personas pobres. **2.** Beneficioso.

beneplácito s. m. Permiso, aprobación. SIN. Conformidad. ANT. Prohibición.

benevolencia s. f. Actitud favorable hacia alguien. SIN. Tolerancia, indulgencia. ANT. Malevolencia; severidad.

benevolente o **benévolo, la** adj. Que muestra benevolencia. SIN. Bueno, tolerante. ANT. Malévolo.

bengala s. f. Fuego artificial que produce mucha luz.

benigno, na adj. **1.** Que no es malo o perjudicial: tumor benigno. **2.** Bueno, comprensivo. **3.** Templado, suave: clima benigno. SIN. 1. Leve. 2. Indulgente, tolerante. 3. Apacible. ANT. 1. Maligno. 2. Severo. 3. Riguroso.

benjamín, na s. m. y f. Hijo menor o persona más joven de un grupo. ANT. Primogénito.

beodo, da adj. y s. Borracho. SIN. Ebrio. ANT. Sobrio.

berberecho s. m. Molusco marino con dos conchas estriadas, que vive enterrado en la arena. Es comestible.

berberisco, ca adj. y s. De la antigua región de Berbería, que incluye hoy día Marruecos, Argelia y Túnez.

berbiquí s. m. Pequeño taladro con una manivela para hacerlo girar.

beréber o **bereber** adj. y s. **1.** De un pueblo que, desde la antigüedad, habita en zonas del norte de África. || s. m. **2.** Idioma de este pueblo.

berenjena s. f. **1.** Planta de hojas grandes y flores moradas, con un fruto ovalado y color morado por fuera y pulpa blanca dentro, que es comestible. **2.** Este fruto.

berenjenal s. m. **1.** Campo de berenjenas. **2.** Apuro, enredo. SIN. 2. Lío, embrollo.

bergantín s. m. Barco con dos palos y velas cuadradas.

beriberi s. m. Enfermedad causada por carencia de vitamina B_1.

berlina s. f. **1.** Coche de caballos con capota y, generalmente, dos asientos. **2.** Automóvil de cuatro puertas.

berlinés, sa adj. y s. De Berlín, capital de Alemania.

bermejo, ja adj. y s. Rubio o rojizo; se dice sobre todo del pelo o la piel.

bermellón s. m. Color rojo vivo algo anaranjado.

bermudas s. m. o f. pl. Pantalones cortos que llegan a la altura de la rodilla.

berrear v. **1.** Dar berridos un animal. **2.** Llorar con rabia, gritar.

berrido s. m. **1.** Sonido que emiten los becerros y otros animales. **2.** Grito.

berrinche *s. m.* **1.** Llanto fuerte y seguido, sobre todo el de los niños. **2.** Disgusto grande. **Sin. 1.** Pataleta, rabieta. **Ant. 2.** Alegría.

berro *s. m.* Planta propia de lugares húmedos, con tallos carnosos y gruesos y flores pequeñas. Sus hojas son comestibles.

berza *s. f.* **1.** Col o variedad basta de col. ‖ **berzas** *s. m.* y *f.* **2.** Berzotas.

berzotas *s. m.* y *f.* Persona tonta, necia o ignorante. **Sin.** Bruto, bestia. **Ant.** Lumbrera.

besamel *s. f.* Salsa blanca y cremosa, de sabor suave, que se hace con harina, leche y mantequilla. **Sin.** Bechamel.

besar *v.* Tocar con los labios a alguien o algo en señal de amor, respeto, etc.

beso *s. m.* Acción de besar.

bestia *s. f.* **1.** Animal de cuatro patas, sobre todo el de carga. ‖ *adj.* y *s.* **2.** Ignorante, bruto.

bestial *adj.* **1.** Irracional o característico de las bestias. **2.** Muy grande, excesivo. **Sin. 1.** Animal. **1** y **2.** Brutal. **2.** Tremendo, enorme.

bestialidad *s. f.* **1.** Comportamiento o acción propia de un bestia. **2.** Cantidad excesiva de algo. **Sin. 1.** Atrocidad. **1** y **2.** Barbaridad, burrada.

best-seller (ingl.) *s. m.* Libro que ha tenido un gran éxito de ventas.

besucón, na *adj.* y *s.* Persona a la que le gusta mucho besar.

besugo *s. m.* **1.** Pez marino de cuerpo ovalado de color rojizo y ojos grandes. Es muy apreciado en alimentación. **2.** Persona tonta, poco inteligente. **Sin. 2.** Merluzo. **Ant. 2.** Espabilado.

besuquear *v.* Besar muchas veces.

bético, ca *adj.* y *s.* De la antigua Bética, hoy Andalucía.

betún *s. m.* Producto para limpiar y dar brillo y color al calzado.

biberón *s. m.* Recipiente en forma de botella para dar leche y otros líquidos a niños muy pequeños.

Biblia Conjunto de los libros del Antiguo y Nuevo Testamento, fundamento de la fe cristiana.

bíblico, ca *adj.* De la Biblia o relacionado con ella.

bibliobús *s. m.* Autobús utilizado como pequeña biblioteca ambulante.

bibliófilo, la *s. m.* y *f.* Persona muy interesada en los libros, sobre todo en los raros.

bibliografía *s. f.* Lista de libros o publicaciones de un autor o sobre un tema.

biblioteca *s. f.* **1.** Edificio o sala donde se tienen libros para su consulta o lectura. **2.** Mueble para libros. **3.** Colección de libros.

bibliotecario, ria *s. m.* y *f.* Persona encargada de una biblioteca.

bicarbonato *s. m.* Sustancia empleada para favorecer la digestión o calmar la acidez de estómago.

bíceps *s. m.* Músculo doble situado en cada uno de los brazos y muslos, que permite doblar las extremidades.

bicha *s. f.* Culebra o serpiente.

bichero *s. m.* Palo largo con punta o ganchos en su extremo, que usan los marineros para mover embarcaciones pequeñas y otros fines.

bicho *s. m.* **1.** Animal, sobre todo insecto. **2.** Animal o cosa muy grande. **3.** Persona mala o muy traviesa. **Sin. 1** y **3.** Sabandija. **3.** Trasto.

bicicleta *s. f.* Vehículo sin motor de dos ruedas, que se mueve por medio de pedales.

bicoca *s. f.* Chollo, ganga.

bicolor *adj.* De dos colores.

bidé *s. m.* Especie de lavabo de forma ovalada sobre el que una persona se puede sentar para lavarse.

bidón *s. m.* Recipiente grande para guardar o transportar líquidos.

biela *s. f.* Pieza de una máquina que transforma un movimiento de vaivén en otro de rotación, o al revés.

bieldo *s. m.* Rastrillo grande usado en algunos trabajos del campo.

bielorruso, sa *adj.* y *s.* De Bielorrusia, país de Europa.

bien *s. m.* **1.** Lo que es bueno y se debe hacer según la moral. **2.** Lo que da a alguien bienestar, felicidad u otra cosa buena. **3.** Nota entre el suficiente y el notable. ‖ *s. m. pl.* **4.** Dinero, propiedades. ‖ *adv.* **5.** De manera adecuada o correcta. **6.** Muy, mucho: *Abrígate bien.* ‖ *conj.* **7.** Sirve para expresar dos posibilidades distintas: *Bien oral, bien por escrito, habrá examen.* **Sin. 1.** Virtud, bondad. **2.** Provecho, beneficio. **4.** Riqueza, hacienda. **5.** Correctamente. **Ant. 1.** Maldad. **1, 2** y **5.** Mal. **2.** Perjuicio.

bienal *adj.* **1.** Que sucede cada dos años o que dura dos años. ‖ *s. f.* **2.** Manifestación artística o cultural que se repite cada dos años.

bienaventurado, da adj. **1.** Dichoso, afortunado. ‖ adj. y s. **2.** Se dice de quienes están con Dios en el cielo. **Sin. 1.** Feliz. **Ant. 1.** Desgraciado.

bienaventuranza s. f. **1.** Para los cristianos, disfrute del cielo y la vida eterna. **2.** Cada una de las ocho frases que pronunció Jesucristo en el Sermón de la Montaña en las que expresaba los motivos por los que sus seguidores podían considerarse bienaventurados.

bienestar s. m. Situación del que se siente a gusto y tiene lo que necesita para vivir. **Sin.** Comodidad, confort. **Ant.** Malestar.

bienhechor, ra adj. y s. Benefactor.

bienio s. m. Periodo de dos años.

bienvenida s. f. Buen recibimiento.

bienvenido, da adj. Recibido con satisfacción.

bies s. m. Trozo de tela cortado en diagonal que se coloca en los bordes de las ropas. **Expr. al bies** En diagonal: *cortar al bies.*

bífido, da adj. Dividido en dos: *lengua bífida.*

bifocal adj. De doble foco; se dice sobre todo de las lentes con una parte para ver de cerca y otra para ver de lejos.

bifurcación s. f. Punto en que algo, como un camino o un río, se divide en dos.

bifurcarse v. Dividirse en dos una cosa, como un camino o un río.

bigamia s. f. Hecho de estar casado con dos personas al mismo tiempo. **Ant.** Monogamia.

bígamo, ma adj. y s. Casado con dos personas al mismo tiempo. **Ant.** Monógamo.

bígaro s. m. Pequeño caracol marino de concha oscura, que vive fijo en las rocas. Es comestible.

bigote s. m. Pelo que hay encima del labio de arriba. **Sin.** Mostacho.

bigotera s. f. Compás pequeño que se gradúa con un tornillo.

bigotudo, da adj. Que tiene mucho bigote.

bigudí s. m. Pequeño cilindro que se usa para rizar el pelo enrollando en él un mechón.

bilateral adj. Se dice del acuerdo o relación entre dos partes o elementos. **Ant.** Unilateral.

bilbaíno, na adj. y s. De Bilbao, capital de Vizcaya, en el País Vasco.

biliar adj. De la bilis: *vesícula biliar.*

bilingüe adj. Que habla o está escrito en dos lenguas. **Ant.** Monolingüe.

bilingüismo s. m. Uso de dos lenguas en una misma región o país, o por una misma persona. **Ant.** Monolingüismo.

bilis s. f. Líquido amargo de color amarillo verdoso producido por el hígado y que ayuda a la digestión de los alimentos. **Sin.** Hiel.

billar s. m. Juego que consiste en impulsar y hacer chocar unas bolas con un palo, llamado *taco,* sobre una mesa forrada de tela.

billete s. m. **1.** Dinero en papel. **2.** Tarjeta o pequeño papel impreso que permite participar en algo o disfrutar de algún servicio. **Sin. 2.** Entrada, tíquet.

billetero o **billetera** s. m. o s. f. Cartera de bolsillo para llevar billetes de banco.

billón s. m. Un millón de millones.

bimembre adj. Formado por dos miembros. **Ant.** Unimembre.

bimotor s. m. Avión con dos motores.

binario, ria adj. Formado por dos partes o elementos.

bingo s. m. **1.** Juego de azar en que cada jugador marca en su cartón los números que van saliendo en el sorteo. **2.** Premio que se consigue en ese juego al marcar todos los números de un cartón. **3.** Local donde se juega.

binocular adj. **1.** Se dice del instrumento óptico que tiene una lente para cada ojo. ‖ s. m. pl. **2.** Anteojos.

binóculo s. m. Gafas sin patillas que se sujetan a la nariz con un pinza o con un mango.

binomio s. m. Expresión matemática formada por dos monomios, como por ejemplo $2x + 3y$.

biodegradable adj. Se dice del producto que se descompone en partes poco o nada contaminantes.

biografía s. f. Historia de la vida de una persona.

biográfico, ca adj. Relacionado con la biografía.

biógrafo, fa s. m. y f. Persona que escribe la biografía de alguien.

biología s. f. Ciencia que estudia los seres vivos.

biológico, ca adj. Relacionado con la biología.

biólogo, ga s. m. y f. Especialista en biología.

bioma s. m. En biología, zona con una vegetación y fauna predominantes, por ejemplo el bosque mediterráneo o la selva virgen.

biombo s. m. Especie de tabique móvil y plegable para hacer una separación en un cuarto.

biopsia s. f. En medicina, examen con el microscopio de un trozo de tejido de un ser vivo.

bioquímica s. f. Parte de la química que estudia la composición de los seres vivos y las reacciones químicas que tienen lugar en ellos.

biosfera s. f. Parte de la Tierra en la que hay vida.

biotopo s. m. En biología, lugar con un clima, suelo y otros factores ambientales propios.

bipartidismo s. m. Sistema político en que sólo existen dos grandes partidos.

bípedo, da adj. y s. m. De dos pies.

biplano s. m. Avión de cuatro alas colocadas en dos planos paralelos. **ANT.** Monoplano.

biplaza adj. y s. m. Vehículo de dos plazas. **ANT.** Monoplaza.

biquini s. m. Prenda de baño femenina formada por un sujetador y una braga.

birlar v. Quitar, robar.

birlibirloque Se usa en la expresión **por arte de birlibirloque**, 'por arte de magia'.

birmano, na adj. y s. De Birmania, país de Asia.

birreta s. f. Gorro cuadrangular con una borla, usado por los clérigos.

birrete s. m. Gorro con una borla usado en ocasiones por profesores de universidad, jueces, magistrados y abogados. **SIN.** Bonete.

birria s. m. y f. **1.** Persona fea. ‖ s. f. **2.** Cosa mal hecha o de poco valor. **SIN. 1.** Adefesio. **2.** Porquería, bodrio.

birrioso, sa adj. Que es una birria.

biruji s. m. Frío, fresco.

bis adv. **1.** Indica que algo debe repetirse o está repetido; por ejemplo, una parte de una canción. ‖ s. m. **2.** Repetición o pieza fuera del programa pedida por el público en un concierto.

bisabuelo, la s. m. y f. El padre o la madre de los abuelos.

bisagra s. f. Objeto que consiste en dos piezas unidas por un eje y sirve para juntar dos cosas de manera que puedan girar. **SIN.** Gozne.

bisbisear v. Hablar muy bajo de manera que sólo se oye el sonido de las eses. **SIN.** Musitar, susurrar.

bisbiseo s. m. Acción de bisbisear.

bisectriz s. f. En geometría, recta que divide un ángulo en dos partes iguales.

bisel s. m. Corte oblicuo que se hace en el borde de una lámina o plancha de algo.

biselado, da adj. Con bisel: cristal biselado.

bisiesto adj. Se dice del año en que el mes de febrero tiene 29 días.

bisílabo, ba adj. De dos sílabas.

bismuto s. m. Elemento químico metálico de color blanco grisáceo; se usa en aleaciones y en la industria farmacéutica.

bisnieto, ta s. m. y f. Hijo o hija de los nietos de alguien. **SIN.** Biznieto.

bisonte s. m. Rumiante de gran tamaño, con cuernos pequeños y una joroba. Vive en Europa oriental y América del Norte.

bisoñé s. m. Peluquín.

bisoño, ña adj. y s. Novato, principiante. **ANT.** Veterano.

bisté o **bistec** s. m. Filete de carne de vaca.

bisturí s. m. Instrumento con una hoja muy fina, usado por los cirujanos para hacer cortes.

bisutería s. f. Imitaciones de joyas hechas de materiales no preciosos.

bit (ingl.) s. m. En informática, unidad básica de información. Se usa para medir la capacidad de memoria de un ordenador.

bitácora s. f. En los barcos, especie de armario donde se coloca la brújula.

bíter s. m. Bebida de sabor amargo que se suele tomar como aperitivo.

biunívoca adj. En matemáticas, se dice de la correspondencia entre dos conjuntos en que a cada elemento del primero le corresponde como máximo un elemento del segundo, y a cada elemento del segundo le corresponde a lo sumo uno del primero.

bivalvo, va adj. Se dice de los moluscos que tienen dos valvas o conchas.

bizantino, na adj. y s. De Bizancio, antigua ciudad e imperio medieval.

bizarro, rra adj. **1.** Valiente, intrépido. **2.** Apuesto, de buena presencia. **SIN. 1.** Valeroso, audaz. **2.** Gallardo. **ANT. 1.** Cobarde.

bizco, ca adj. y s. Se dice de la persona que con un ojo mira en distinta dirección que con el otro. Sin. Estrábico.

bizcocho s. m. Bollo de harina, huevos y azúcar.

biznieto, ta s. m. y f. Bisnieto.

bizquera s. f. Defecto de la visión en que los ojos miran en distintas direcciones. Sin. Estrabismo.

blanca s. f. 1. Figura musical cuyo valor es la mitad de una redonda. 2. Antigua moneda española; actualmente se usa en la expresión **sin blanca**, 'sin dinero'.

blanco, ca adj. y s. m. 1. Del color de la nieve o de la leche. ‖ adj. y s. 2. Se dice de la raza humana de origen europeo y de las personas que pertenecen a ella. ‖ s. m. 3. Objeto o punto hacia el que se dirige el disparo. Ant. 1. Negro.

blancura s. f. Propiedad de las cosas blancas. Ant. Negrura.

blancuzco, ca adj. De color blanco sucio.

blandengue adj. y s. Muy blando.

blandir v. Sostener de forma amenazadora un palo, arma o cosa parecida. □ Sólo se conjugan las formas que tienen una i, como blandió.

blando, da adj. 1. Que al tocarlo o apoyarse en ello se hunde fácilmente. ‖ adj. y s. 2. Con pocas fuerzas, poco resistente. 3. Demasiado benévolo, que consiente mucho. Sin. 2. Enclenque, flojo. 3. Indulgente. Ant. 1. Tieso. 1 y 3. Duro, rígido. 3. Severo.

blandura s. f. Característica de las cosas o personas blandas. Ant. Dureza.

blanquear v. 1. Poner o ponerse blanca una cosa. 2. Emplear en negocios legales el dinero que se ha obtenido de forma ilegal. Ant. 1. Ennegrecer.

blanquecino, na adj. De color más o menos blanco.

blasfemar v. Decir blasfemias.

blasfemia s. f. Insulto a Dios, la Virgen, los santos o las cosas sagradas.

blasfemo, ma adj. y s. Que blasfema o contiene blasfemia.

blasón s. m. Escudo de armas y cada una de las figuras o símbolos que aparecen en él.

blástula s. f. Fase del desarrollo del embrión que sigue a la de mórula y en la que se forma una esfera hueca constituida por una sola capa de células.

bledo Se utiliza en la expresión **importar** o **no importar un bledo**, 'no importar nada'.

blenda s. f. Mineral de color amarillento del que se obtiene el cinc.

blindado, da 1. p. de blindar. También adj. ‖ adj. 2. Se dice de la unidad militar que tiene carros de combate y vehículos acorazados.

blindaje s. m. Lo que se utiliza para blindar.

blindar v. Proteger con planchas metálicas, por ejemplo una puerta o un vehículo.

bloc s. m. Cuaderno con las hojas unidas de manera que se pueden pasar o arrancar fácilmente.

bloque s. m. 1. Trozo grande y duro de forma prismática. 2. Conjunto compacto de cosas: un bloque de folios. 3. Manzana de edificios o edificio grande de viviendas.

bloquear v. Impedir la comunicación, el movimiento o funcionamiento de algo. Sin. Sitiar; paralizar. Ant. Desbloquear.

bloqueo s. m. Acción de bloquear. Sin. Cerco, sitio; paralización.

blue-jeans (ingl.) s. m. pl. Pantalones vaqueros. Sin. Tejanos.

blusa s. f. Prenda femenina parecida a una camisa.

blusón s. m. Blusa larga y suelta.

boa s. f. Serpiente americana de gran tamaño; no es venenosa, pero tiene mucha fuerza.

boato s. m. Lujo, pompa. Ant. Austeridad.

bobada s. f. Tontería.

bobalicón, na adj. y s. Bobo.

bobina s. f. Carrete de hilo, alambre, película cinematográfica o cosas similares.

bobo, ba adj. y s. Tonto, ingenuo. Sin. Estúpido, memo. Ant. Listo.

boca s. f. 1. Abertura y cavidad del aparato digestivo por el que se introducen los alimentos; al hombre le sirve también para hablar. 2. Abertura, entrada o salida: boca de metro. ‖ 3. boca de riego Surtidor de agua al que se une una manguera para regar calles y jardines. Expr. hacérsele a uno **la boca agua** Imaginar o ver una comida u otra cosa que gusta o se desea mucho.

bocacalle s. f. Calle menos importante que sale de otra principal.

bocadillo s. m. 1. Trozo de pan abierto y relleno con algún alimento. 2. En cómics, palabras de un personaje rodeadas por una línea.

bocado *s. m.* **1.** Cantidad de alimento que se toma de una vez. **2.** Mordisco. **3.** Parte del freno que entra en la boca de la caballería. ‖ **4. bocado de Adán** Nuez de los hombres.

bocajarro Se usa en la expresión **a bocajarro**, 'desde muy cerca': *Le dispararon a bocajarro.* También, 'bruscamente': *Le dio a bocajarro la triste noticia.*

bocamanga *s. f.* Parte de la manga más cerca de la muñeca.

bocana *s. f.* Entrada de un puerto o de una bahía.

bocanada *s. f.* Aire o humo que sale o entra de una vez por la boca o por una abertura.

bocata *s. m. fam.* Bocadillo, pan relleno de algún alimento.

bocazas *s. m.* y *f. fam.* Persona que cuenta más cosas de las que debe. **SIN.** Boceras. **ANT.** Discreto.

bocera *s. f.* **1.** Resto de comida que queda pegado alrededor de los labios. **2.** Herida en las comisuras de los labios. ‖ **boceras** *s. m.* y *f.* **3.** Bocazas. **SIN. 2.** Boquera.

boceto *s. m.* Dibujo con los rasgos principales y ensayo de la obra que se quiere pintar, dibujar o esculpir. **SIN.** Esbozo, bosquejo, apunte.

bochinche *s. m.* Alboroto de gente que grita o riñe. **SIN.** Trifulca.

bochorno *s. m.* **1.** Calor agobiante. **2.** Vergüenza, apuro.

bochornoso, sa *adj.* **1.** Con bochorno o sus características: *un calor bochornoso.* **2.** Vergonzoso, humillante.

bocina *s. f.* **1.** Instrumento de los vehículos que produce un sonido de aviso. **2.** Instrumento con forma de cono para dar más fuerza a la voz. **SIN. 1.** Claxon. **2.** Megáfono.

bocinazo *s. m.* Sonido producido con una bocina.

bocio *s. m.* Aumento de la glándula tiroides, lo que produce un bulto en el cuello.

boda *s. f.* Acto de casarse dos personas y fiesta con que se celebra. **SIN.** Matrimonio, nupcias.

bodega *s. f.* **1.** Lugar donde se guarda y cría el vino. **2.** Establecimiento donde se venden vinos y licores. **3.** Sótano que sirve de almacén. **4.** Compartimiento de los barcos entre la cubierta inferior y la quilla. **SIN. 2.** Taberna.

bodegón *s. m.* **1.** Pintura en la que se representan objetos sin vida, como utensilios de la casa o alimentos. **2.** Mesón o taberna.

bodeguero, ra *s. m.* y *f.* Dueño o encargado de una bodega de vino.

bodoque *s. m.* Adorno redondeado y en relieve que se hace en un bordado.

bodrio *s. m.* Cosa mal hecha. **SIN.** Bazofia, porquería.

body (ingl.) *s. m.* **1.** Maillot de gimnasia. **2.** Prenda femenina de una sola pieza, parecida a un bañador, a veces con mangas.

bofe *s. m.* Pulmón, sobre todo el de las reses, utilizado como alimento.

bofetada *s. f.* Golpe que se da en la cara con la mano abierta. **SIN.** Bofetón, torta.

bofetón *s. m.* Bofetada.

boga[1] *s. f.* **1.** Pez marino de tonos claros, con tres o cuatro bandas a los lados. **2.** Pez de río pequeño, con hocico en punta y color pardo.

boga[2] *s. f.* Acción de bogar o remar. **EXPR. en boga** De moda.

bogar *v.* Remar.

bogavante *s. m.* Crustáceo marino parecido a la langosta, con dos grandes pinzas en el primer par de patas.

bogotano, na *adj.* y *s.* De Bogotá, capital de Colombia.

bohemio, mia *adj.* y *s.* **1.** De Bohemia, región checa. **2.** De vida poco corriente, diferente a la del resto de la sociedad.

boicot *s. m.* Conjunto de acciones contra una persona, nación o empresa con el fin de perjudicarla y obligarla a hacer alguna cosa.

boicotear *v.* Hacer el boicot contra alguien o algo.

boina *s. f.* Gorra redonda, plana y de una sola pieza, hecha de lana o fieltro.

boj *s. m.* Arbusto de hojas perennes y brillantes y madera amarillenta y muy dura, usada en ebanistería y xilografía.

bol *s. m.* Tazón sin asas. **SIN.** Cuenco.

bola *s. f.* **1.** Objeto en forma de esfera. **2.** Mentira, engaño. **SIN. 1.** Esfera, pelota. **2.** Trola.

bolera *s. f.* Local para jugar a los bolos.

bolero *s. m.* **1.** Canción lenta y triste originaria de las Antillas. **2.** Música y baile español de origen andaluz. **3.** Chaquetilla de mujer hasta la cintura.

boletín *s. m.* **1.** Libro o cuadernillo sobre alguna materia, que se publica cada cierto tiempo. **2.** Periódico en el que se publican asuntos oficiales como leyes, oposiciones, etc. **Sin. 1.** Revista, gaceta.

boleto s. m. Papeleta de una rifa o un sorteo.

boliche s. m. Adorno o remate redondeado.

bólido s. m. **1.** Vehículo muy veloz, como los coches de carreras. **2.** Meteorito.

bolígrafo s. m. Objeto para escribir con un tubo de tinta y una bolita en la punta.

bolillo s. m. Cada uno de los palitos cilíndricos donde se van enrollando los hilos para hacer encajes y otras labores.

bolívar s. m. Moneda de Venezuela.

boliviano, na adj. y s. **1.** De Bolivia, país de América del Sur. || s. m. **2.** Moneda de Bolivia.

bollería s. f. **1.** Establecimiento donde se hacen o venden bollos, pastas, etc. **2.** Estos alimentos. **Sin. 1.** Pastelería.

bollo s. m. **1.** Panecillo dulce de masa de harina cocida al horno. **2.** Abultamiento, abolladura. **3.** Jaleo, alboroto.

bolo s. m. **1.** Objeto en forma de botella empleado en varios juegos. || pl. **2.** Juego que consiste en lanzar una bola hacia un grupo de bolos y derribarlos. || **3. bolo alimenticio** Alimento masticado que se traga de una vez.

bolsa[1] s. f. **1.** Pieza cerrada de tela, plástico, etc., para llevar o guardar cosas. **2.** Maleta o estuche flexible. **3.** Arruga, pliegue. **4.** Cavidad que contiene algo, sobre todo líquidos o gases. **Sin. 1.** Saco, talego.

bolsa[2] s. f. Conjunto de operaciones financieras como la compra y venta de acciones.

bolsillo s. m. **1.** Especie de bolsa en algunas prendas de ropa, para llevar cosas o como adorno. **2.** Bolsita o estuche para el dinero. **Sin. 2.** Monedero.

bolso s. m. **1.** Bolsa que usan las mujeres para llevar sus cosas. **2.** Bolsillo de la ropa.

bomba[1] s. f. Máquina o mecanismo para sacar, subir o comprimir líquidos y gases.

bomba[2] s. f. **1.** Objeto preparado para hacer explosión. **2.** Noticia que causa sensación. **Expr. pasarlo bomba** Pasarlo muy bien. **Sin. 2.** Bombazo.

bombacho adj. y s. m. Pantalón ancho, con los bordes inferiores recogidos y ajustados por debajo de la rodilla.

bombardear v. **1.** Lanzar bombas. **2.** Molestar con continuas llamadas, preguntas, etc. **Sin. 2.** Brear, acribillar.

bombardeo s. m. Acción de bombardear.

bombardero s. m. Avión que lanza bombas.

bombardino s. m. Instrumento musical de viento que tiene forma cónica, boca ancha y un tubo con pistones enrollado sobre sí mismo.

bombazo s. m. **1.** Explosión de una bomba. **2.** Noticia que causa gran impresión. **Sin. 2.** Campanada.

bombear v. **1.** Impulsar con bomba o de forma parecida un líquido o un gas. **2.** Lanzar una pelota formando una curva muy elevada.

bombeo s. m. Acción de bombear.

bombero, ra s. m. y f. Persona que tiene como oficio apagar incendios y prestar ayuda en otras emergencias.

bombilla s. f. Objeto para iluminar, formado por un globo de cristal con un hilo metálico que se pone incandescente al pasar la electricidad.

bombín s. m. Sombrero de ala estrecha y copa redondeada. **Sin.** Hongo.

bombo s. m. **1.** Tambor grande que se toca con una maza. **2.** Jaula esférica de donde se sacan al azar las papeletas o bolas de un juego. **3.** Propaganda o alabanza excesiva. **Sin. 3.** Publicidad.

bombón s. m. **1.** Trocito de chocolate, a veces relleno de licor o crema. **2.** Persona muy guapa.

bombona s. f. Recipiente cilíndrico para líquidos y gases.

bombonera s. f. Caja o recipiente para bombones.

bombonería s. f. Tienda donde se hacen o venden bombones y otros dulces.

bonachón, na adj. y s. Bueno y amable. **Sin.** Buenazo.

bonaerense adj. y s. De Buenos Aires, capital de Argentina.

bonanza s. f. **1.** Tranquilidad en el mar. **2.** Bienestar, prosperidad: años de bonanza. **Sin. 1.** Calma. **2.** Florecimiento, riqueza. **Ant. 1.** Tempestad. **2.** Decadencia.

bondad s. f. **1.** Cualidad de bueno. **2.** Amabilidad, cortesía: Tenga la bondad de acompañarme. **Sin. 1.** Virtud, honradez. **2.** Atención, deferencia. **Ant. 1.** Maldad. **2.** Descortesía.

bondadoso, sa adj. Bueno y amable. **Sin.** Benévolo. **Ant.** Malvado.

bonete s. m. Gorro que usaban antes los sacerdotes y que llevan los catedráticos y graduados en algunos actos. Sin. Birrete.

boniato s. m. Batata, sobre todo la variedad de tubérculos muy dulces.

bonificación s. f. 1. Aumento en lo que se va a cobrar o rebaja en lo que se va a pagar. 2. En deporte, descuento en el tiempo empleado o aumento en los puntos conseguidos.

bonificar v. Dar una bonificación.

bonísimo, ma adj. sup. de bueno.

bonito s. m. Pez marino parecido al atún, aunque más pequeño.

bonito, ta adj. 1. Bello, agradable a la vista. 2. Correcto, adecuado: ¿Te parece bonito lo que has dicho? Sin. 1. Hermoso, lindo. Ant. 1 y 2. Feo.

bono s. m. 1. Vale para cambiar por algún producto o por dinero. 2. Tarjeta de abono.

bonobús s. m. Abono para el autobús.

bonometro s. m. Abono para el metro.

bonsai s. m. Árbol en miniatura, obtenido mediante una técnica japonesa de cultivo.

bonzo s. m. Sacerdote budista.

boñiga s. f. Excremento de vaca y otros animales.

boñigo s. m. Bola de excremento.

boomerang (ingl.) s. m. Arma de los primitivos australianos, formada por una lámina curva que, una vez lanzada, gira y vuelve al sitio desde donde se lanzó.

boqueada s. f. Acción de boquear.

boquear v. Abrir la boca repetidas veces: Los peces boquean.

boquera s. f. Herida en las comisuras de los labios. Sin. Bocera.

boquerón s. m. Pez marino parecido a la sardina, pero más pequeño, muy usado en alimentación.

boquete s. m. Agujero, abertura, rotura.

boquiabierto, ta adj. Muy sorprendido. Sin. Pasmado, atónito.

boquilla s. f. 1. En los instrumentos musicales de viento, pieza por donde se sopla. 2. Parte de la pipa o del cigarro que se introduce en la boca. 3. Tubito donde se mete el cigarro para fumarlo. Expr. de boquilla Sin intención de hacer lo que se dice.

borbotar o **borbotear** v. Formar burbujas y hacer ruido un líquido al hervir.

borbotón s. m. Burbuja en un líquido, por ejemplo cuando hierve. Expr. a borbotones Con fuerza y de forma no continua: El agua salía a borbotones de la tubería rota.

borda s. f. Borde del costado de un barco. Expr. echar (o tirar) algo por la borda Echar a perder una cosa, desperdiciarla.

bordado, da 1. p. de bordar. También adj. ‖ adj. 2. Perfecto, sin fallos. ‖ s. m. 3. Labor de costura con que se hacen dibujos en relieve.

bordador, ra s. m. y f. Persona que tiene como oficio bordar.

bordar v. 1. Hacer bordados. 2. Hacer algo muy bien: Aquel actor bordaba su papel.

borde¹ s. m. Orilla, extremo. Expr. al borde de Muy cerca: al borde de la muerte. Sin. Límite, margen.

borde² adj. y s. Grosero, antipático o que tiene mala idea.

bordear v. 1. Ir por el borde o cerca del borde. 2. Rodear.

bordillo s. m. Borde de una acera, andén o de algo parecido.

bordo Se usa en la expresión a bordo, 'dentro de un barco o avión': subir a bordo.

bordón s. m. 1. Bastón alto de los peregrinos. 2. Verso corto que sirve de estribillo. 3. Cuerda más gruesa de un instrumento musical, que emite los sonidos más graves.

boreal adj. Del polo norte o del hemisferio norte. Sin. Ártico. Ant. Austral, antártico.

bórico, ca adj. Se dice de un ácido usado como desinfectante y conservante.

borla s. f. 1. Adorno hecho con hilos o cordoncillos unidos sólo por un extremo. 2. Bola de material suave para extender un cosmético. Sin. 1 y 2. Pompón.

borne s. m. Pieza metálica en forma de botón o varilla para conectar una máquina o aparato eléctrico al hilo conductor de la corriente.

boro s. m. Elemento químico de color oscuro y muy duro, a veces empleado en lugar del diamante.

borra s. f. Desperdicio de la lana y del algodón usado para rellenar cojines y colchones.

borrachera s. f. Estado de la persona borracha. Sin. Cogorza, curda.

borracho, cha *adj.* y *s.* **1.** Que está bajo los efectos del alcohol. **2.** Que toma muchas bebidas alcohólicas. ‖ *adj.* y *s. m.* **3.** Se dice del bizcocho o pastel empapado en vino o licor. **Sin. 1.** Ebrio, bebido. **2.** Bebedor. **Ant. 1.** Sobrio. **2.** Abstemio.

borrador *s. m.* **1.** Goma de borrar. **2.** Paño u otra cosa para borrar la pizarra. **3.** Escrito que luego se corrige y se pasa a limpio.

borraja *s. f.* Hortaliza con pelos en hojas y tallos y con flores azules. Se usa en la expresión **agua de borrajas**, 'cosa sin importancia'.

borrar *v.* **1.** Hacer desaparecer lo que está escrito o dibujado. **2.** Hacer desaparecer algo, por ejemplo un recuerdo. **3.** Dejar un grupo o actividad: *Se ha borrado de inglés.* **Sin. 1** y **2.** Eliminar, suprimir. **Ant. 1.** Inscribirse.

borrasca *s. f.* **1.** Zona de bajas presiones en la atmósfera que provoca lluvias y mal tiempo. **2.** Tormenta en el mar. **Ant. 1.** Anticiclón.

borrascoso, sa *adj.* **1.** Que causa borrascas o las padece: *viento borrascoso, zonas borrascosas.* **2.** Poco claro, complicado o sospechoso. **Sin. 2.** Turbulento. **Ant. 1.** Anticiclónico.

borrego, ga *s. m.* y *f.* **1.** Oveja de uno o dos años. ‖ *adj.* y *s.* **2.** Persona sin ideas propias que se deja llevar por los demás. **Sin. 2.** Infeliz, apocado.

borrico, oa *s. m.* y *f.* **1.** Asno, burro. ‖ *adj.* y *s.* **2.** Persona ignorante o bruta. **3.** Cabezota, terco: *ponerse borrico.* **Sin. 2.** Torpe, necio. **3.** Tozudo.

borriquero *adj.* Se dice de una especie de cardo con flores rosadas.

borriqueta o **borriquete** *s. f.* o *s. m.* Soporte de carpintero formado por tres maderos cruzados.

borrón *s. m.* Mancha, tachadura.

borroso, sa *adj.* Que no se ve o no se distingue con claridad. **Sin.** Desdibujado, impreciso. **Ant.** Nítido.

borujo *s. m.* Burujo, grumo.

bosnio, nia *adj.* y *s.* De Bosnia-Herzegovina, república que perteneció a la antigua Yugoslavia.

bosque *s. m.* Terreno con muchos árboles y arbustos.

bosquejar *v.* Hacer un bosquejo. **Sin.** Esbozar, bocetar.

bosquejo *s. m.* Boceto, esbozo.

bosquimano, na *adj.* y *s.* De un pueblo del sudeste de África, de raza negra y baja estatura.

bostezar *v.* Abrir la boca involuntariamente y aspirando con fuerza por sueño, aburrimiento o debilidad.

bostezo *s. m.* Acción de bostezar.

bota[1] *s. f.* Recipiente de cuero para guardar vino y beberlo de él. **Sin.** Odre.

bota[2] *s. f.* **1.** Calzado que cubre el pie y una parte de la pierna. **2.** Calzado para jugar al fútbol. **Expr. ponerse las botas** Comer mucho; también, sacar gran beneficio de algo.

botadura *s. f.* Acción de botar un barco.

botalón *s. m.* Palo largo que se puede sacar fuera de la embarcación para diversos usos.

botánica *s. f.* Ciencia que estudia las plantas.

botánico, ca *adj.* **1.** Relacionado con la botánica. ‖ *s. m.* y *f.* **2.** Persona que se dedica a la botánica.

botar *v.* **1.** Salir despedido algo al chocar contra una superficie. **2.** Saltar. **3.** Echar al agua un barco nuevo o recién reparado. **4.** Expulsar, echar.

botarate *s. m.* y *f.* Persona alocada. **Sin.** Atolondrado, informal.

botavara *s. f.* Palo horizontal apoyado en el mástil, que sujeta la vela en forma de trapecio que va en la popa de algunos barcos.

bote[1] *s. m.* Salto que se da al botar.

bote[2] *s. m.* Recipiente, generalmente cilíndrico, para guardar o envasar cosas. **Expr. chupar del bote** Sacar beneficio de algo sin hacer esfuerzos. **tener en el bote** Conquistar, ganarse la voluntad de alguien. **Sin.** Tarro, frasco.

bote[3] *s. m.* Embarcación pequeña, con remos y sin cubierta. **Sin.** Barca.

bote[4] Se usa en la expresión **de bote en bote**, 'totalmente lleno'.

botella *s. f.* Recipiente alto y de cuello estrecho.

botellero *s. m.* Mueble, recipiente u otra cosa para colocar botellas.

botellín *s. m.* Botella pequeña, sobre todo la de cerveza.

botepronto Se usa en la expresión **a botepronto**, 'inmediatamente después de botar': *chutar a botepronto*; también, 'de repente', 'de improviso'.

botica *s. f.* Farmacia.

boticario, ria *s. m.* y *f.* Farmacéutico.

botija *s. f.* Vasija de barro redondeada, de cuello corto y estrecho.

botijo *s. m.* Vasija redondeada, de barro, con una boca a un lado y un pitorro al otro para beber.

botín¹ *s. m.* Bota hasta el tobillo.

botín² *s. m.* Dinero o ganancia obtenidas en un robo, del enemigo en la guerra, etc. **SIN.** Trofeo.

botiquín *s. m.* Habitación, armario o estuche para guardar medicinas, vendas y otras cosas.

boto *s. m.* Bota alta para montar a caballo.

botón *s. m.* **1.** Pieza usada para abrochar una prenda de vestir. **2.** Pieza, generalmente redonda, que se aprieta para hacer funcionar algunos instrumentos o aparatos. **3.** Yema de una planta.

botonadura *s. f.* Botones de una prenda de vestir.

botones *s. m.* Muchacho que en hoteles, bancos y otros establecimientos se encarga de hacer recados y otros servicios.

boutique (fr.) *s. f.* Tienda de ropa y complementos de moda.

bóveda *s. f.* Techo de forma curva y abombada.

bóvido *adj. y s. m.* Se dice de los rumiantes con cuernos sin ramificar, como los toros, bisontes, antílopes y cabras.

bovino, na *adj.* **1.** Del toro, la vaca o el buey, o relacionado con ellos: *ganado bovino.* **2.** Se dice de los rumiantes de gran tamaño, como el toro o el búfalo, con los cuernos lisos y curvados, el hocico ancho y sin pelo y la cola larga.

box (ingl.) *s. m.* **1.** Compartimiento individual donde se colocan los caballos a la salida de una carrera. **2.** Lugar donde están los servicios mecánicos en los circuitos de carreras de coches y motos.

boxeador *s. m.* Hombre que se dedica al boxeo. **SIN.** Púgil.

boxear *v.* Practicar el boxeo.

boxeo *s. m.* Deporte que consiste en la lucha entre dos contendientes que utilizan sólo los puños.

bóxer (ingl.) *adj. y s. m.* Perro de tamaño mediano, hocico chato, pelo corto y estructura fuerte.

boy scout *s. m.* Ver scout.

boya *s. f.* Objeto flotante sujeto al fondo del mar, de un río, etc., que avisa de un peligro.

boyante *adj.* Favorable, que marcha bien. **SIN.** Próspero, floreciente. **ANT.** Precario.

bozal *s. m.* Objeto que se pone en el hocico de un animal para que no muerda o no coma.

bozo *s. m.* Vello que sale encima del labio superior. **SIN.** Pelusa.

bracear *v.* Mover mucho los brazos, por ejemplo para librarse de algo o para nadar.

bracero *s. m.* Jornalero.

bráctea *s. f.* Hoja que nace del pedúnculo de algunas flores.

braga *s. f.* Prenda interior de mujer y bebé, que cubre la parte inferior del tronco y tiene dos aberturas para las piernas.

bragado, da *adj.* **1.** Se dice del animal con la entrepierna de distinto color que el resto del cuerpo: *toro negro bragado.* **2.** Valiente, decidido.

braguero *s. m.* Aparato o vendaje para contener las hernias.

bragueta *s. f.* Abertura de la parte de delante de los pantalones.

brahmán (sánscrito) *s. m.* Miembro de la casta sacerdotal de la India.

brahmanismo *s. m.* Sistema religioso y social de la India.

braille *s. m.* Sistema de escritura para ciegos en que el alfabeto se representa mediante puntos en relieve, que se leen con los dedos.

bramante *s. m.* Hilo grueso de cáñamo. **SIN.** Guita.

bramar *v.* Dar bramidos. **SIN.** Mugir, berrear.

bramido *s. m.* Sonido que emiten animales como el toro, el bisonte o el ciervo. **SIN.** Mugido.

brandy *s. m.* Coñac.

branquia *s. f.* Órgano respiratorio de los peces y otros animales acuáticos. **SIN.** Agalla.

branquial *adj.* De las branquias o relacionado con ellas.

brasa *s. f.* Trozo de madera, carbón u otra materia que arde sin fuego. **SIN.** Ascua, rescoldo.

brasear *v.* Asar a la brasa.

brasero *s. m.* **1.** Recipiente de metal donde se hace lumbre para calentarse. **2.** Aparato eléctrico parecido al anterior.

brasileño, ña *adj. y s.* De Brasil, país de América del Sur.

bravata *s. f.* Fanfarronada con que se amenaza a alguien.

bravío, a *adj.* Se dice del animal salvaje, difícil de domesticar. **SIN.** Bravo. **ANT.** Manso.

bravo, va adj. **1.** Valiente, luchador. **2.** Se dice del animal salvaje o fiero: *toro bravo*. **3.** De mal genio. ‖ *interj.* **4.** Se usa en una actuación para expresar que ha sido muy buena. Sin. **1.** Valeroso, intrépido. **2.** Indómito, bravío. Ant. **1.** Cobarde. **2.** Doméstico, manso.

bravucón, na adj. y s. Fanfarrón, que presume de valiente.

bravura s. f. **1.** Característica de los animales bravos, sobre todo de los toros de lidia. **2.** Valentía, coraje. Sin. **1.** Fiereza. **2.** Valor, arrojo. Ant. **1.** Mansedumbre. **2.** Cobardía.

braza s. f. **1.** Unidad de longitud usada en marina, que equivale a 1,67 metros. **2.** Estilo de natación en el que se avanza encogiendo y estirando los brazos y las piernas.

brazada s. f. Cada movimiento con el brazo que hace una persona al nadar o al remar.

brazalete s. m. **1.** Pulsera que rodea el brazo por encima de la muñeca. **2.** Tira de tela que se pone en el brazo como distintivo.

brazo s. m. **1.** Extremidad superior del cuerpo humano. **2.** Pata delantera de los cuadrúpedos. **3.** Tentáculo o extremidad de los pulpos, estrellas de mar y otros animales. **4.** Parte de un sillón, butaca, etc., para apoyar los brazos. **5.** Cada una de las partes o ramas en que se divide o ramifica algo: *los brazos de una lámpara, de la balanza*. ‖ **6. brazo de gitano** Pastel de bizcocho enrollado en forma de cilindro. **7. brazo derecho** Persona de confianza de alguien. Expr. **de brazos cruzados** Sin hacer nada. **no dar** alguien **su brazo a torcer** Mantenerse firme, no cambiar de opinión.

brazuelo s. m. Parte de la pata delantera de los cuadrúpedos entre el codillo y la rodilla.

brea s. f. Sustancia espesa y pegajosa que se obtiene de la madera de algunos árboles o del carbón mineral. Se usa, mezclada con otras sustancias, para tapar las junturas de la madera de los barcos.

brear v. Acribillar: *brear a picotazos, a preguntas*.

brebaje s. m. Bebida de aspecto o sabor desagradable. Sin. Pócima.

breca s. f. Pagel, pez marino de color rosado, parecido al besugo, pero más pequeño.

brecha s. f. **1.** Herida hecha en la cabeza. **2.** Agujero en un muro o pared. Sin. **2.** Boquete, fisura.

brécol s. m. Hortaliza parecida a la coliflor, de color verde oscuro.

brega s. f. **1.** Trabajo, ajetreo. **2.** Lucha, pelea.

bregar v. Trabajar salvando dificultades, con personas o cosas que dan problemas. Sin. Luchar, pelear.

brete s. m. Aprieto, situación difícil. Sin. Apuro, compromiso.

bretón, na adj. y s. De Bretaña, región de Francia.

breva s. f. Primer fruto de la higuera, oscuro y más grande que el higo.

breve adj. De poca extensión o duración. Sin. Corto, conciso. Ant. Largo.

brevedad s. f. Característica de breve. Sin. Concisión, prontitud. Ant. Amplitud, largura.

breviario s. m. Libro con los rezos de todo el año, usado por los sacerdotes y religiosos.

brezo s. m. Arbusto de madera muy dura y raíces gruesas, usadas para hacer carbón.

bribón, na adj. y s. Persona que engaña o estafa. Sin. Pícaro, pillo.

bricolaje s. m. Trabajos manuales y pequeños arreglos hechos en casa por alguien que no es profesional.

brida s. f. Freno del caballo con las riendas y el correaje para guiarlo.

bridge (ingl.) s. m. Cierto juego de cartas con baraja francesa.

brigada s. f. **1.** Unidad militar formada por dos o más regimientos. **2.** Grupo de personas que se reúnen para una misión: *una brigada de salvamento*. ‖ s. m. **3.** Grado militar entre sargento y subteniente. Sin. **2.** Equipo, cuadrilla.

brillante adj. **1.** Que brilla. **2.** Muy bueno, magnífico. ‖ s. m. **3.** Diamante tallado. Sin. **1.** Reluciente, luminoso. **2.** Sobresaliente. Ant. **1.** Mate. **2.** Gris.

brillantez s. f. Característica de brillante.

brillantina s. f. Producto para fijar el pelo y darle brillo.

brillar v. **1.** Despedir luz. **2.** Tener mucho brillo. **3.** Destacar, sobresalir. Expr. **brillar** algo **por su ausencia** No haber de algo. Sin. **1** y **2.** Resplandecer, relucir. Ant. **1.** Apagarse.

brillo s. m. Luz que procede de algún cuerpo que la tiene o la refleja. Sin. Resplandor, fulgor.

brincar v. Dar brincos. Sin. Saltar, botar.

brinco s. m. Pequeño salto. Sin. Bote.

brindar *v.* **1.** Expresar un deseo en el momento en que se va a beber, levantando las copas y chocándolas. **2.** Proporcionar, ofrecer. ‖ **brindarse 3.** Ofrecerse para algo. Sin. 3. Prestarse.

brindis *s. m.* Acción de brindar.

brío *s. m.* Fuerza, energía. Sin. Ímpetu, ánimo. Ant. Desgana.

brioche (fr.) *s. m.* Bollo muy esponjoso, parecido a una magdalena grande.

briofita *adj.* y *s. f.* Se dice de las plantas con clorofila, pero sin hojas, raíces y tallos verdaderos, por ejemplo los musgos.

brioso, sa *adj.* Que tiene brío. Sin. Enérgico, impetuoso.

brisa *s. f.* Viento suave.

brisca *s. f.* Cierto juego de cartas con baraja española.

británico, ca *adj.* y *s.* Del Reino Unido de Gran Bretaña, país de Europa.

brizna *s. f.* Parte muy pequeña o fina de algo, sobre todo de una planta: *una brizna de hierba.* Sin. Hebra.

broca *s. f.* Barrena de una taladradora.

brocado *s. m.* Tejido con los dibujos en relieve.

brocal *s. m.* Pared que rodea la boca de un pozo.

brocha *s. f.* Utensilio formado por un conjunto de cerdas unidas a un mango; se emplea para pintar y otros usos.

brochazo *s. m.* Cada pasada con la brocha.

broche *s. m.* **1.** Conjunto de dos piezas que se enganchan para cerrar algo. **2.** Adorno que se lleva prendido en la ropa. Expr. **broche de oro** Final brillante y feliz.

brocheta *s. f.* Varilla con trozos de alimentos ensartados que se hacen a la parrilla.

broma *s. f.* **1.** Chiste o gracia sin mala intención. **2.** Cosa fastidiosa: *Vaya broma, castigado sin salir.* ‖ **3. broma pesada** La que es desagradable y no resulta graciosa. Sin. 2. Guasa, pitorreo.

bromear *v.* Decir o hacer bromas.

bromista *adj.* y *s.* Persona a la que le gusta hacer bromas. Sin. Gracioso, guasón.

bromo *s. m.* Elemento químico no metálico; es un líquido de color rojo, venenoso y corrosivo, que se evapora fácilmente.

bronca *s. f.* Discusión o regañina fuerte. Sin. Pelea; reprimenda.

bronce *s. m.* Aleación de cobre y estaño, de color rojizo.

bronceado, da **1.** *p.* de **broncear**. También *adj.* ‖ *s. m.* **2.** Acción de broncear o broncearse.

bronceador, ra *adj.* y *s. m.* Producto para broncear.

broncear *v.* Poner moreno. Sin. Tostar.

bronco, ca *adj.* **1.** Se dice del sonido o la voz grave y desagradable. **2.** De mal carácter, malhumorado. Sin. **1.** Ronco. **2.** Brusco. Ant. **1.** Suave. **2.** Amable.

bronconeumonía *s. f.* Inflamación de los bronquiolos y de uno o varios lóbulos pulmonares.

bronquial *adj.* De los bronquios.

bronquio *s. m.* Cada uno de los conductos que unen la tráquea con los pulmones.

bronquiolo o **bronquíolo** *s. m.* Cada una de las ramificaciones en que se dividen los bronquios dentro de los pulmones.

bronquitis *s. f.* Inflamación de los bronquios.

brontosaurio *s. m.* Dinosaurio herbívoro de gran tamaño, con la cabeza pequeña y el cuello y la cola muy largos.

brotar *v.* Nacer, surgir, por ejemplo las plantas de la tierra y el agua de los manantiales. Sin. Germinar; manar.

brote *s. m.* Acción de brotar y cosa que brota. Sin. Yema.

broza *s. f.* Conjunto de hojas secas, ramas y cortezas de las plantas.

bruces Se usa en la expresión **de bruces**, 'con la cara hacia el suelo' o 'de frente': *Se cayó de bruces. Chocó de bruces con una señora.*

bruja *s. f.* **1.** Mujer que tiene poderes mágicos. **2.** Mujer malvada. Sin. **1.** Hechicera. **2.** Arpía.

brujería *s. f.* Hechicería.

brujo *s. m.* Hombre que tiene poderes mágicos. Sin. Hechicero.

brújula *s. f.* Instrumento para orientarse, con una aguja imantada que señala hacia el norte.

bruma *s. f.* Niebla poco densa. Sin. Neblina.

brumoso, sa *adj.* Con bruma: *un día brumoso.* Sin. Nebuloso.

bruñido, da **1.** *p.* de **bruñir**. También *adj.* ‖ *s. m.* **2.** Acción de bruñir. Sin. **1** y **2.** Pulido.

bruñir *v.* Sacar brillo. Es v. irreg. Se conjuga como *mullir*. Sin. Pulir, abrillantar.

bruscamente *adv.* Con brusquedad.

brusco, ca *adj.* **1.** Repentino y violento. **2.** Poco amable o delicado. **Sin. 1.** Imprevisto. **2.** Rudo, grosero. **Ant. 1.** Suave. **2.** Cortés.

bruselense *adj.* y *s.* De Bruselas, capital de Bélgica.

brusquedad *s. f.* Característica de brusco. **Sin.** Rudeza, grosería. **Ant.** Suavidad; delicadeza.

brutal *adj.* **1.** Violento, cruel. **2.** Muy grande o intenso. **Sin. 1.** Salvaje, despiadado. **1** y **2.** Bestial. **2.** Tremendo.

brutalidad *s. f.* Característica o acción propia de alguien cruel, violento o que abusa de su fuerza física. **Sin.** Crueldad, atrocidad.

bruto, ta *adj.* y *s.* **1.** Ignorante, poco inteligente. **2.** Violento, que abusa de la fuerza física. **3.** Maleducado. ‖ *adj.* **4.** Se dice de una cantidad de dinero completa, sin descuentos. **Sin. 1.** Necio. **1** y **2.** Bestia, burro. **3.** Grosero, ordinario. **Ant. 3.** Educado. **4.** Neto, líquido.

bubónico, ca *adj.* Se dice de un tipo de peste que produce inflamación de los ganglios linfáticos, sobre todo en la ingle.

bucal *adj.* De la boca o relacionado con ella.

bucanero *s. m.* Pirata que robaba en las posesiones españolas de América durante los siglos XVII y XVIII.

búcaro *s. m.* Florero, jarrón.

buceador, ra *s. m.* y *f.* Persona que bucea.

bucear *v.* Nadar por debajo del agua.

buche *s. m.* **1.** Bolsa que tienen las aves antes del estómago, donde se ablanda el alimento. **2.** *fam.* Panza, barriga.

bucle *s. m.* Rizo muy marcado.

bucólico, ca *adj.* Se dice de la poesía que trata de manera idealizada la vida del campo y el amor entre pastores y pastoras. **Sin.** Pastoril.

budismo *s. m.* Religión fundada por Buda y que se practica sobre todo en Asia.

budista *adj.* y *s.* Del budismo o que lo practica.

buen *adj.* Forma abreviada de **bueno.**

buenamente *adv.* Dentro de las posibilidades de alguien: *Lo haré cuando buenamente pueda.*

buenaventura *s. f.* **1.** Buena suerte. **2.** Adivinación del futuro.

buenazo, za *adj.* y *s.* Bueno, tranquilo y algo ingenuo. **Sin.** Bonachón. **Ant.** Malo.

bueno, na *adj.* y *s.* **1.** Que está bien según la moral, que piensa o actúa de acuerdo con ella. ‖ *adj.* **2.** De cualidades positivas. **3.** Sano: *ponerse bueno.* **4.** Conveniente, agradable. **5.** Gracioso o chocante: *Anda qué bueno, van vestidos iguales.* ‖ *adv.* **6.** Se emplea para aceptar algo o decir que sí: –¿Me lo prestas? –Bueno. **Expr. de buenas** Contento, de buen humor: *estar de buenas.* **por las buenas** Sin usar la fuerza. **Sin. 1.** Honrado, bondadoso. **3.** Curado, restablecido. **4.** Provechoso. **5.** Divertido. **6.** Vale. **Ant. 1** a **5.** Malo. **3.** Enfermo. **4.** Inadecuado.

buey *s. m.* **1.** Toro castrado. ‖ **2. buey almizclero** Mamífero rumiante de Europa y Asia. **3. buey de mar** Cangrejo marino de gran tamaño y comestible.

búfalo *s. m.* **1.** Mamífero rumiante, parecido al toro, con cuernos largos, algo caídos y muy curvados. **2.** Bisonte americano.

bufanda *s. f.* Prenda alargada y estrecha para abrigar o adornar el cuello.

bufar *v.* Resoplar con fuerza el toro, el caballo y otros animales.

bufé o **bufet** *s. m.* **1.** Mesa o lugar con diferentes platos y bebidas, para que la gente se sirva. **2.** Comida así servida.

bufete *s. m.* **1.** Despacho de un abogado. **2.** Escritorio con cajones. **Sin. 2.** Buró.

bufido *s. m.* **1.** Sonido que emiten los animales al bufar. **2.** Palabra brusca, mala contestación. **Sin. 2.** Gruñido.

bufo, fa *adj.* Cómico; se dice sobre todo de un tipo de ópera.

bufón *s. m.* Persona que vivía en palacio y se encargaba de divertir a los reyes y cortesanos.

bufonada *s. f.* Tontería, estupidez, cosa que pretende ser graciosa sin conseguirlo.

buganvilla *s. f.* Planta tropical, trepadora o en forma de arbusto, con flores pequeñas y muy vistosas.

buhardilla *s. f.* **1.** Piso que está inmediatamente debajo del tejado y suele tener el techo inclinado. **2.** Ventana que sobresale por encima del tejado de las casas.

búho *s. m.* Ave rapaz nocturna con plumaje suave y esponjoso, grandes ojos y dos mechones de plumas a modo de orejas.

buhonero, ra *s. m.* y *f.* Vendedor ambulante de cosas de poco valor.

buitre *s. m.* **1.** Ave rapaz de gran tamaño, con la cabeza y el cuello generalmente desnudos, que se alimenta de carroña. **2.** Persona que se aprovecha de los demás.

bujía *s. f.* Pieza del motor de algunos vehículos que produce la chispa que inflama el combustible.

bula *s. f.* Documento por el que el papa concede algún beneficio.

bulbo *s. m.* **1.** Tallo subterráneo de forma redondeada de vegetales como la cebolla o el tulipán. **2.** Parte abultada y blanda de algunos órganos. ‖ **3. bulbo raquídeo** Parte del encéfalo que regula la actividad de los órganos internos.

buldog o **bulldog** (ingl.) *s. m.* Perro de presa de mediano tamaño, muy robusto y con el morro chato.

bulerías *s. f. pl.* Cante y baile popular andaluz.

bulevar *s. m.* Calle ancha con un paseo central.

búlgaro, ra *adj.* y *s.* **1.** De Bulgaria, país de Europa. ‖ *s. m.* **2.** Lengua de este país.

bulla *s. f.* Alboroto, jaleo. **SIN.** Follón. **ANT.** Tranquilidad.

bullanguero, ra *adj.* y *s.* Se dice de la persona a la que le gusta la juerga.

bulldozer o **buldozer** (ingl.) *s. m.* Excavadora provista de una plancha curvada de acero que se maneja con un brazo móvil.

bullicio *s. m.* Jaleo, ruido, animación. **SIN.** Bulla, jolgorio. **ANT.** Silencio; calma.

bullicioso, sa *adj.* Que arma bullicio o tiene bullicio. **SIN.** Ruidoso. **ANT.** Silencioso.

bullir *v.* **1.** Hervir un líquido. **2.** Agitarse, tener gran actividad. ◻ Es v. irreg. Se conjuga como *mullir*. **SIN. 2.** Trajinar.

bulo *s. m.* Mentira, noticia falsa. **SIN.** Habladuría. **ANT.** Verdad.

bulto *s. m.* **1.** Saliente redondeado en una superficie. **2.** Volumen de una cosa, lo que ocupa. **3.** Maleta, paquete. **EXPR. a bulto** De manera aproximada. **escurrir** uno **el bulto** Evitar un trabajo, compromiso, etc. **SIN. 1.** Abultamiento, protuberancia.

bumerán o **bumerang** *s. m.* Boomerang.

bungalow (ingl.) *s. m.* Chalé pequeño de un solo piso.

búnker (al.) *s. m.* **1.** Fortificación militar de gruesos muros. **2.** Refugio subterráneo contra bombardeos.

buñuelo *s. m.* **1.** Pastelillo de masa frita en forma de bola o de rosca hueca. ‖ **2. buñuelo de viento** El que está relleno de nata, cabello de ángel u otras cremas.

buque *s. m.* Barco grande. **SIN.** Navío.

burbuja *s. f.* **1.** Pompa de gas que se forma en un líquido y sale a la superficie. **2.** Flotador que se ata a la espalda.

burdel *s. m.* Casa o local de prostitutas. **SIN.** Prostíbulo.

burdeos *s. m.* **1.** Vino tinto elaborado en Burdeos, ciudad de Francia. **2.** Color rojo oscuro algo morado, como el de este vino.

burdo, da *adj.* Ordinario, vulgar. **SIN.** Tosco. **ANT.** Fino.

bureo *s. m.* Juerga, diversión.

burgalés, sa *adj.* y *s.* De Burgos, ciudad y provincia españolas.

burgo *s. m.* Ciudad amurallada de la Edad Media.

burgués, sa *adj.* y *s.* **1.** De la clase social media acomodada. **2.** Se dice del habitante de los burgos de la Edad Media.

burguesía *s. f.* Clase social de los burgueses, personas de clase media acomodada.

buril *s. m.* Punzón de acero, que se usa sobre todo para grabar el metal.

burla *s. f.* Palabras o acciones con que se pretende poner en ridículo a una persona o cosa o reírse de ella. **SIN.** Mofa, befa.

burladero *s. m.* Trozo de valla que hay delante de la barrera para que los toreros se refugien detrás de él.

burlar *v.* **1.** Esquivar con engaño o astucia. ‖ **burlarse 2.** Tomarse a burla, reírse. **SIN. 1.** Evitar, eludir. **2.** Mofarse.

burlesco, ca *adj.* Que muestra burla. **SIN.** Burlón, sarcástico. **ANT.** Serio.

burlete *s. m.* Tira que se pone en las rendijas de puertas y ventanas para que no pase el aire.

burlón, na *adj.* y *s.* Que es aficionado a la burla o la muestra. **SIN.** Sarcástico, bromista. **ANT.** Serio.

buró *s. m.* Escritorio con cajones y departamentos encima del tablero y una tapa o persiana para cerrarlo. **SIN.** Bufete.

burocracia *s. f.* **1.** Conjunto de actividades de la administración de un Estado y funcionarios públicos que las realizan. **2.** Exceso de trámites y papeleo.

burócrata *s. m.* y *f.* Empleado de la administración del Estado.

burocrático, ca *adj.* De la burocracia.

burrada *s. f.* **1.** Error, equivocación o acción insensata. **2.** Acción brutal. **3.** Cantidad excesiva de algo. **Sin. 1.** Locura, imprudencia. **Sin. 1** a **3.** Barbaridad. **2** y **3.** Brutalidad, bestialidad. **3.** Montón.

burro, rra *s. m.* y *f.* **1.** Asno. || *adj.* y *s.* **2.** Persona que actúa sin delicadeza o usando más la fuerza que la habilidad. **3.** Persona ignorante, torpe. **Sin. 1.** Jumento. **1** a **3.** Borrico. **2** y **3.** Bruto, bestia. **Ant. 1.** Genio.

bursátil *adj.* Relacionado con la bolsa².

burujo *s. m.* Grumo.

bus *s. m.* Autobús.

busca *s. f.* **1.** Acción de buscar. || *s. m.* **2.** Aparato que lleva una persona y que suena para avisarla de que otras quieren ponerse en contacto con ella.

buscar *v.* **1.** Hacer lo necesario para encontrar a alguien o algo. **2.** Recoger a alguien: *Ven a buscarme a las ocho.*

búsqueda *s. f.* Acción de buscar. **Sin.** Busca.

busto *s. m.* **1.** Escultura o pintura que representa la cabeza y la parte superior del tórax de una persona. **2.** Parte del cuerpo humano entre el cuello y la cintura. **3.** Pechos de la mujer. **Sin. 2.** Torso, tronco. **3.** Senos.

butaca *s. f.* **1.** Silla con brazos. **2.** Asiento en un teatro o cine, sobre todo en la planta baja. **Sin. 1.** Sillón.

butacón *s. m.* Butaca grande y cómoda.

butano *s. m.* **1.** Gas derivado del petróleo que se usa como combustible. **2.** Color naranja como el de las bombonas de este gas.

butifarra *s. f.* Embutido típico de Cataluña, Valencia y Baleares.

butrón *s. m.* Agujero que los ladrones hacen en paredes y techos para entrar a robar.

buzo *s. m.* **1.** Persona que realiza trabajos en el fondo del mar con un traje y un equipo especiales. **2.** Traje de bebé con capucha y de una sola pieza.

buzón *s. m.* Caja o receptáculo con una abertura donde se echan las cartas para el correo.

byte (ingl.) *s. m.* En informática, conjunto de ocho bits.

c *s. f.* Tercera letra del abecedario.

cabal *adj.* **1.** Honrado, justo. **2.** Exacto, completo. **Expr. no estar** uno **en sus cabales** Estar loco. **Sin. 1.** Recto, íntegro. **2.** Ajustado.

cábala *s. f.* Suposición, conjetura.

cabalgadura *s. f.* Caballería, animal.

cabalgar *v.* Marchar alguien montado a caballo.

cabalgata *s. f.* Desfile de carrozas.

caballa *s. f.* Pez marino de lomo azulado y bandas oscuras, muy usado como alimento.

caballar *adj.* Del caballo o relacionado con él: *ganado caballar.* **Sin.** Equino.

caballeresco, ca *adj.* **1.** Relacionado con los caballeros medievales. **2.** Propio de un caballero: *un gesto caballeresco.*

caballería *s. f.* **1.** Animal utilizado para montar en él, como el caballo, la mula o el burro. **2.** Cuerpo del ejército formado por tropas a caballo o en vehículos de motor.

caballeriza *s. f.* Cuadra de caballos y animales de carga.

caballerizo *s. m.* Encargado de una caballeriza.

caballero *adj.* y *s. m.* **1.** Se dice del hombre educado y amable. || *s. m.* **2.** Hombre: *ropa de caballero.* **3.** En la antigüedad y Edad Media, hombre de la clase noble. **Sin. 1** y **2.** Señor. **Ant. 1.** Grosero.

caballerosidad *s. f.* Característica del hombre caballeroso. **Sin.** Cortesía.

caballeroso, sa *adj.* Amable, educado. **Sin.** Cortés. **Ant.** Grosero.

caballete *s. m.* **1.** Soporte donde se coloca el lienzo al pintar. **2.** Soporte en forma de V al revés. **3.** Saliente en la parte superior de la nariz.

caballito

caballito *s. m.* **1.** *dim.* de **caballo**. ‖ *pl.* **2.** Tiovivo. ‖ **3. caballito de mar** Pez marino de hocico muy alargado y cola larga y enrollada. **4. caballito del diablo** Insecto parecido a la libélula.

caballo *s. m.* **1.** Mamífero herbívoro de cabeza alargada, orejas pequeñas y patas terminadas en cascos. Se utiliza para montar en él y como animal de tiro. **2.** Naipe que representa a un caballo con su jinete. **3.** Pieza del ajedrez en forma de cabeza de caballo. **4.** Aparato de gimnasia parecido al potro, pero más alargado. **5.** Heroína, droga. ‖ **6. caballo de vapor** Unidad de potencia equivalente a 735 vatios.

cabaña *s. f.* **1.** Casa pequeña hecha con palos, cañas o ramas. **2.** Conjunto de cabezas de ganado de una misma clase o de un lugar. **Sin. 1.** Choza.

cabaret (fr.) *s. m.* Local donde el público puede beber, bailar y ver algunos espectáculos.

cabaretera *s. f.* Mujer que actúa en el espectáculo de un cabaret o de locales parecidos.

cabás *s. m.* Caja que usan los niños para llevar los libros y otras cosas al colegio.

cabe *prep.* Cerca de, junto a.

cabecear *v.* **1.** Mover la cabeza de delante atrás o de un lado a otro. **2.** En fútbol, dar al balón con la cabeza. **3.** Balancearse una embarcación levantando primero la proa y luego la popa.

cabecera *s. f.* **1.** Parte de la cama donde se coloca la almohada. **2.** Parte de arriba de la portada de un periódico donde aparecen su nombre y otros datos. **3.** Principio: *la cabecera de un río*. **4.** Parte o lugar principal: *la cabecera de la mesa*. **Sin. 3.** Inicio; nacimiento. **Ant. 1.** Pies.

cabecero *s. m.* Pieza de la cama que está en la cabecera.

cabecilla *s. m.* Jefe de un grupo, de una banda, de una sublevación. **Sin.** Líder, caudillo.

cabellera *s. f.* **1.** Conjunto de cabellos, sobre todo cuando son largos y abundantes. **2.** Cola luminosa de un cometa. **Sin. 1.** Pelo, melena.

cabello *s. m.* **1.** Pelo de la cabeza de una persona. ‖ **2. cabello de ángel** Dulce de calabaza y almíbar en forma de hebras. **Sin. 1.** Cabellera.

cabelludo Se usa en la expresión **cuero cabelludo**, 'zona de la cabeza en donde nace el pelo'.

caber *v.* **1.** Tener espacio suficiente. **2.** Tocar, corresponder: *Le cabe el honor de entregar la medalla al ganador.* **3.** Ser posible: *Todavía cabe hacer otro intento.* ▫ Es v. irreg.

CABER	
INDICATIVO	
Presente	**Pretérito perfecto simple**
quepo	cupe
cabes	cupiste
cabe	cupo
cabemos	cupimos
cabéis	cupisteis
caben	cupieron
Futuro	**Condicional**
cabré	cabría
cabrás	cabrías
cabrá	cabría
cabremos	cabríamos
cabréis	cabríais
cabrán	cabrían
SUBJUNTIVO	
Presente	**Pretérito imperfecto**
quepa	cupiera, -ese
quepas	cupieras, -eses
quepa	cupiera, -ese
quepamos	cupiéramos, -ésemos
quepáis	cupierais, -eseis
quepan	cupieran, -esen
Futuro	
cupiere	cupiéremos
cupieres	cupiereis
cupiere	cupieren

cabestrillo *s. m.* Vendaje o aparato que se cuelga del cuello para sostener una mano o brazo lesionados.

cabestro *s. m.* **1.** Cuerda o correa que se ata a la cabeza o cuello de una caballería para sujetarla o llevarla. **2.** Buey que guía a los toros bravos. **Sin. 1.** Ronzal.

cabeza *s. f.* **1.** Parte del cuerpo donde se encuentran el cerebro y algunos de los órganos de los sentidos. **2.** Pieza o parte diferenciada de algo situada en su extremo: *la cabeza del alfiler*. **3.** Res: *cabeza de ganado*. **4.** Persona: *Tocamos a mil pesetas por cabeza*. **5.** Inteligencia, prudencia. ‖ **6. cabeza de ajo** o **de ajos** Bulbo de ajos. **7. cabeza de familia** El jefe de una familia, normalmente el padre. **Expr. a la cabeza** o **en cabeza** Delante, en primera posición. **subirse a la cabeza** Marear una bebida alcohólica. También, volver vanidoso, soberbio. **Sin. 5.** Seso.

cabezada *s. f.* **1.** Movimiento brusco de la cabeza del que, sin estar acostado, se va durmiendo. **2.** Siesta breve:

echar una cabezada. **3.** Correaje que rodea y sujeta la cabeza del caballo.

cabezal *s. m.* **1.** Cabecero de la cama. **2.** Reposacabezas. **3.** Pieza colocada en el extremo de algunos aparatos. **4.** Pieza de los magnetófonos y aparatos parecidos que entra en contacto con la cinta para grabar, reproducir o borrar lo grabado.

cabezazo *s. m.* Golpe dado con la cabeza o en la cabeza.

cabezón, na *adj. y s.* **1.** Persona con la cabeza grande. **2.** Cabezota, terco. ‖ *s. m.* **3.** *aum.* de **cabeza**. SIN. **1.** Cabezudo. **2.** Testarudo.

cabezonería *s. f.* Terquedad, obstinación. SIN. Testarudez.

cabezota *s. f.* **1.** *aum* de **cabeza**. ‖ *adj. y s.* **2.** Terco. SIN. **1** y **2.** Cabezón. **2.** Testarudo, tozudo, obstinado.

cabezudo, da *adj. y s.* **1.** Que tiene la cabeza grande. ‖ *s. m.* **2.** Persona disfrazada con una cabeza muy grande de cartón. SIN. **1.** Cabezón.

cabezuela *s. f.* Grupo de flores que crecen juntas en la misma parte de la rama. SIN. Capítulo.

cabida *s. f.* Espacio, capacidad.

cabildo *s. m.* **1.** Conjunto de sacerdotes con algún cargo en una catedral. **2.** Alcalde y concejales de un municipio. **3.** En Canarias, organismo que representa a los municipios de cada isla. SIN. **2.** Ayuntamiento, concejo.

cabina *s. f.* Lugar cerrado y pequeño para diversos usos: *cabina de teléfonos, de un camión.*

cabizbajo, ja *adj.* Que va con la cabeza baja porque está triste o preocupado. SIN. Abatido, apesadumbrado.

cable *s. m.* **1.** Hilo o conjunto de hilos metálicos protegidos por una cubierta de material aislante, usados para conducir la electricidad. **2.** Cuerda gruesa y fuerte, sobre todo la fabricada con hilos metálicos. **3.** Cablegrama. SIN. **2.** Soga, maroma, cabo.

cablegrafiar *v.* Transmitir un cablegrama.

cablegrama *s. m.* Telegrama transmitido por cable submarino.

cabo *s. m.* **1.** Saliente de la costa que se mete en el mar. **2.** Extremo, punta. **3.** Cuerda usada en los barcos. ‖ *s. m. y f.* **4.** Categoría militar de tropa por encima de la de soldado. EXPR. **al cabo de** Después de: *al cabo de los años.* **de cabo a rabo** De principio a fin. **llevar a cabo** Realizar. SIN. **3.** Soga.

cabotaje *s. m.* Navegación que se realiza sin dejar de ver la costa.

cabra *s. f.* Mamífero rumiante con cuernos, de cuerpo ágil, pelo fuerte y cola corta. EXPR. **estar como una cabra** Estar chiflado.

cabracho *s. m.* Pez mediano, de color rojizo y cabeza grande con espinas; vive en el Atlántico y el Mediterráneo y es comestible.

cabrales *s. m.* Queso de sabor y olor fuertes, típico del pueblo de Cabrales (Asturias).

cabrear *v. fam.* Enfadar.

cabreo *s. m. fam.* Enfado.

cabrero, ra *s. m. y f.* Pastor de cabras.

cabrestante *s. m.* Torno vertical para mover grandes pesos.

cabria *s. f.* Máquina para levantar grandes pesos formada por una polea sujeta a un trípode o brazo giratorio.

cabrilla *s. f.* **1.** Pez marino de color marrón claro con varias bandas transversales oscuras. ‖ *pl.* **2.** Pequeñas olas espumosas.

cabrío, a *adj.* De las cabras o relacionado con ellas: *ganado cabrío.* SIN. Caprino.

cabriola *s. f.* Salto, pirueta.

cabritilla *s. f.* Piel curtida de una res pequeña, por ejemplo de cabrito o de cordero.

cabrito *s. m.* Cría de la cabra hasta que deja de mamar.

cabrón, na *adj. y s.* **1.** *vulg.* Persona de mala intención. ‖ *s. m.* **2.** Macho de la cabra.

caca *s. f. fam.* Excremento.

cacahual *s. m.* Terreno plantado de cacaos.

cacahuete *s. m.* **1.** Planta americana que crece a ras de suelo, con fruto de semilla comestible. **2.** Este fruto y su semilla. SIN. **1** y **2.** Maní.

cacao¹ *s. m.* **1.** Árbol tropical que produce un fruto carnoso ovalado y con muchas semillas en su interior, empleadas para hacer chocolate. **2.** Esta semilla. **3.** Polvo obtenido triturando esas semillas, que se toma disuelto en agua o en leche. **4.** Barrita de manteca de cacao para darse en los labios resecos.

cacao² *s. m.* Jaleo, follón.

cacarear *v.* Emitir las gallinas su sonido característico.

cacareo *s. m.* Acción de cacarear.

cacatúa *s. f.* Ave originaria de Oceanía, de pico fuerte y curvo, con el plumaje blanco y un penacho de plumas en la cabeza. Puede aprender a repetir palabras.

cacereño, ña *adj.* y *s.* De Cáceres, ciudad y provincia españolas.

cacería *s. f.* Excursión de caza.

cacerola *s. f.* Recipiente metálico para guisar, más ancho que alto y con dos asas.

cacha *s. f.* **1.** Cada una de las dos piezas del mango de una navaja o cuchillo y de algunas armas. || **cachas** *adj.* y *s.* **2.** *fam.* Persona fuerte, musculosa.

cachalote *s. m.* Mamífero cetáceo de gran tamaño y color gris, de cabeza muy voluminosa y boca con dientes.

cacharrazo *s. m.* Golpe fuerte.

cacharrería *s. f.* Tienda donde se venden cacharros de barro o loza y otros objetos.

cacharro *s. m.* **1.** Recipiente, sobre todo el de cocina. **2.** Aparato, máquina u objeto viejo o inútil. SIN. **2.** Trasto, cachivache.

cachaza *s. f.* Excesiva tranquilidad. SIN. Pachorra, flema.

cachazudo, da *adj.* Que tiene cachaza. SIN. Calmoso.

cachear *v.* Registrar a alguien palpándole la ropa.

cachemir o **cachemira** *s. m.* o *s. f.* Tejido fino y suave de lana.

cachete *s. m.* **1.** Golpe con la mano abierta en la cara o en el culo. **2.** Carrillo. SIN. **1.** Tortazo, bofetada, torta. **2.** Moflete.

cachetudo, da *adj.* Que tiene los carrillos abultados. SIN. Mofletudo.

cachimba *s. f.* Pipa de fumar.

cachiporra *s. f.* Palo con un extremo abultado para pegar con él. SIN. Porra.

cachirulo *s. m.* Pañuelo atado a la cabeza, típico del traje regional aragonés.

cachivache *s. m.* Trasto, chisme.

cacho *s. m.* Pedazo, trozo. SIN. Porción.

cachondearse *v. fam.* Reírse, burlarse. SIN. Pitorrearse.

cachondeo *s. m.* **1.** *fam.* Burla. **2.** *fam.* Juerga.

cachondo, da *adj.* y *s.* **1.** Divertido. **2.** Excitado sexualmente.

cachorro, rra *s. m.* y *f.* Cría del perro y otros mamíferos.

cacillo *s. m.* Especie de cuchara con mucho fondo para diversos usos.

cacique *s. m.* Persona que abusa de su poder en un pueblo o comarca.

caciquismo *s. m.* Conducta de los caciques.

caco *s. m.* Ladrón.

cacofonía *s. f.* Repetición o unión de sonidos al hablar que resulta desagradable al oído, como *la agua*, por lo que se debe decir *el agua*.

cacto o **cactus** *s. m.* Planta de las regiones muy secas, de tallos carnosos, normalmente con hojas transformadas en espinas. Puede almacenar agua.

cada *distrib.* **1.** Indica una por una o por grupos las personas o cosas de las que se habla: *Hay un ordenador para cada tres alumnos.* **2.** Destaca la palabra a la que acompaña: *¡Tienes cada ocurrencia!*

cadalso *s. m.* Tablado donde se ejecutaba a los condenados a muerte. SIN. Patíbulo.

cadáver *s. m.* Cuerpo sin vida. SIN. Muerto, difunto. ANT. Vivo.

cadavérico, ca *adj.* Con aspecto de cadáver.

caddie (ingl.) *s. m.* Persona que lleva las pelotas y palos a un jugador de golf.

cadena *s. f.* **1.** Conjunto de anillos metálicos o piezas parecidas unidas unas detrás de otras. **2.** Conjunto de instalaciones o máquinas por las que va pasando un producto para su fabricación o montaje. **3.** Grupo de establecimientos, empresas, emisoras, etc., de la misma clase. **4.** Canal de radio o televisión. || **5. cadena de música** o **cadena de sonido** Conjunto de aparatos para escuchar música. **6. cadena perpetua** La pena mayor de prisión.

cadencia *s. f.* Repetición regular de sonidos o movimientos. SIN. Ritmo.

cadencioso, sa *adj.* Con cadencia: *movimiento cadencioso.* SIN. Rítmico.

cadeneta *s. f.* **1.** Labor de costura en forma de cadena. **2.** Adorno formado por una cadena de tiras de papel de colores.

cadera *s. f.* Cada una de las dos partes del cuerpo humano, formada por los huesos de la pelvis, que sobresalen debajo de la cintura.

cadete *s. m.* Alumno de una academia militar.

caducar *v.* Dejar de valer o de poder usarse, tomarse, etc., alguna cosa. SIN. Vencer.

caducidad *s. f.* Hecho de caducar algo.

caducifolio, lia *adj.* Se dice de las plantas a las que se les caen las hojas. **Ant.** Perennifolio.

caduco, ca *adj.* **1.** Se dice de la hoja que cae en otoño. **2.** Anticuado. **Sin.** 2. Desfasado. **Ant.** 1. Perenne. 2. Moderno.

caer *v.* **1.** Moverse un cuerpo de arriba abajo por su peso, ir a parar al suelo. **2.** Recordar, entender, darse cuenta. **3.** Estar situado en un lugar u ocurrir en una fecha. **4.** Ponerse: *caer enfermo.* **5.** Quedar atrapado: *caer en la trampa.* **6.** Morir, ser vencido, dejar de existir. **7.** Sentar: *Le han caído mal los dulces.* **8.** Resultar, parecer: *caer simpático.* **9.** Tocar, corresponder: *Le cayó el primer premio de la lotería.* □ Es v. irreg. **Expr. estar al caer** Faltar muy poco tiempo. **Sin.** 1. Desplomarse. 2. Acordarse; comprender. 6. Sucumbir. **Ant.** 1. Levantarse. 2. Olvidar.

CAER	
GERUNDIO	
cayendo	
INDICATIVO	
Presente	**Pretérito perf. simple**
caigo	*caí*
caes	*caíste*
cae	*cayó*
caemos	*caímos*
caéis	*caísteis*
caen	*cayeron*
SUBJUNTIVO	
Presente	**Pretérito imperfecto**
caiga	*cayera, -ese*
caigas	*cayeras, -eses*
caiga	*cayera, -ese*
caigamos	*cayéramos, -ésemos*
caigáis	*cayerais, -eseis*
caigan	*cayeran, -esen*
Futuro	
cayere	*cayéremos*
cayeres	*cayereis*
cayere	*cayeren*

café *s. m.* **1.** Cafeto. **2.** Semillas de este arbusto que, tostadas y molidas, sirven para hacer la bebida del mismo nombre. **3.** Establecimiento donde se sirve esta bebida.

cafeína *s. f.* Sustancia estimulante contenida en bebidas como el café o el té.

cafetal *s. m.* Plantación de café.

cafetera *s. f.* **1.** Recipiente o máquina para hacer café. **2.** Recipiente en que se sirve café. **3.** *fam.* Vehículo o aparato viejo y en mal estado. **Sin.** 3. Trasto.

cafetería *s. f.* Establecimiento donde se sirve café y otras bebidas y algunos alimentos. **Sin.** Café.

cafetero, ra *adj.* **1.** Del café. ‖ *s. m.* y *f.* **2.** Persona que cultiva café.

cafeto *s. m.* Arbusto tropical cuyo fruto, pequeño y de color rojo, contiene unas semillas que, tostadas y molidas, se usan para preparar una bebida.

cafre *adj.* y *s.* **1.** De la zona oriental de África del Sur. **2.** Bruto, maleducado. **Sin.** 2. Animal, bestia.

cagada *s. f. fam.* Excremento.

cagado, da **1.** *p.* de **cagar.** ‖ *adj.* y *s.* **2.** *fam.* Muy asustado.

cagalera *s. f. fam.* Diarrea.

cagar *v.* **1.** *fam.* Expulsar los excrementos. ‖ **cagarse 2.** *fam.* Tener mucho miedo. **Sin.** 1. Evacuar, defecar.

cagarruta *s. f.* Cagada pequeña, especialmente la redondeada.

cagón, na *adj.* y *s.* **1.** *fam.* Que caga mucho. **2.** *fam.* Miedoso.

cagueta *adj.* y *s. fam.* Miedoso.

caída *s. f.* **1.** Acción de caer o caerse. **2.** Pendiente o inclinación. **3.** Forma de plegarse o caer una tela debido a su peso.

caído, da **1.** *p.* de **caer.** También *adj.* ‖ *adj.* **2.** Inclinado hacia abajo o más bajo de lo normal. ‖ *adj.* y *s. m.* **3.** Muerto en una lucha. **Sin.** 2. Agachado. **Ant.** 1 y 2. Levantado.

caimán *s. m.* Reptil americano parecido al cocodrilo, pero algo más pequeño.

cairel *s. m.* Adorno en forma de fleco.

cairota *adj.* y *s.* De El Cairo, capital de Egipto.

caja *s. f.* **1.** Objeto hueco, generalmente con tapa, para guardar cosas. **2.** Lugar donde se paga o cobra, por ejemplo en un banco. **3.** Parte hueca de algunos instrumentos musicales donde resuena el sonido. **4.** Ataúd. ‖ **5. caja de ahorros** Establecimiento parecido a un banco, que dedica sus beneficios sobre todo a obras sociales. **6. caja de caudales** o **caja fuerte** Caja o mueble con un mecanismo de seguridad para guardar dinero y objetos de valor. **7. caja registradora** Máquina para guardar, sumar y apuntar el dinero que se cobra. **Sin.** 4. Féretro.

cajero, ra *s. m.* y *f.* **1.** Encargado de la caja en un comercio, banco, etc. ‖ **2. cajero automático** Máquina que tienen los bancos para que los propios clientes saquen dinero y realicen otras operaciones .

cajetilla *s. f.* Paquete de cigarrillos.

cajetín *s. m.* Caja pequeña u objeto parecido.

cajón *s. m.* **1.** Compartimento de un mueble que se puede meter y sacar del hueco en que va encajado. **2.** Caja grande.

cajonera *s. f.* **1.** Compartimento que hay debajo de las mesas de los escolares para guardar los libros. **2.** Mueble o parte de él formado sólo por cajones. **Sin. 2** Chifonier, cómoda.

cal *s. f.* Sustancia blanca formada por oxígeno y calcio, que se usa para blanquear paredes, hacer cemento, etc. **Expr. cerrar a cal y canto** Cerrar completamente. **una de cal y otra de arena** Una cosa buena seguida de una mala.

cala[1] *s. f.* Acción de calar un melón u otras frutas parecidas.

cala[2] *s. f.* Bahía pequeña.

cala[3] *s. f. fam.* Peseta.

calabacín *s. m.* Variedad de calabaza de fruto alargado, con corteza verde y carne blanca.

calabaza *s. f.* **1.** Planta de huerta que da un fruto del mismo nombre, de color anaranjado o amarillento, a veces de gran tamaño, y con muchas semillas. **2.** *fam.* Suspenso. **Expr. dar calabazas** Rechazar la petición de relaciones amorosas de alguien.

calabobos *s. m.* Lluvia fina y constante. **Sin.** Sirimiri, orvallo.

calabozo *s. m.* Celda o lugar donde se encierra a presos o arrestados.

calada *s. f.* Chupada a un cigarro.

caladero *s. m.* Zona del mar apropiada para pescar.

calado, da 1. *p.* de **calar.** También *adj.* || *adj.* **2.** Con agujeros: *un jersey calado.* || *s. m.* **3.** Labor o adorno formado por agujeros en una tela o prenda de punto. **4.** Profundidad de las aguas. **5.** Profundidad que alcanza la parte sumergida de un buque.

calafatear *v.* Tapar con estopa y brea las uniones de las maderas de los barcos para que no entre el agua.

calamar *s. m.* Molusco de cuerpo alargado y tentáculos con ventosas. Para defenderse y ocultarse expulsa un líquido negro llamado *tinta.* Es comestible.

calambre *s. m.* **1.** Contracción muscular breve, involuntaria y dolorosa. **2.** Paso de una corriente eléctrica a través del cuerpo humano.

calamidad *s. f.* **1.** Desgracia, adversidad. **2.** Persona torpe, inútil o con mala suerte. **Sin. 1** y **2.** Desastre. **2.** Inepto. **Ant. 1.** Dicha.

calamina *s. f.* **1.** Mineral del que se extrae cinc. **2.** Cinc fundido.

calamitoso, sa *adj.* Que produce calamidades o va acompañado de ellas. **Sin.** Desastroso.

calandria *s. f.* Pájaro pequeño de alas anchas, pico grande y plumaje pardo, que tiene un canto fuerte y melodioso.

calaña *s. f.* Forma de ser de una persona mala. **Sin.** Condición, ralea.

cálao *s. m.* Ave trepadora tropical, con un gran pico curvado de vistosos colores y plumaje oscuro.

calar *v.* **1.** Mojar. **2.** Atravesar, agujerear. **3.** Cortar un trozo de algunas frutas para probarlas. **4.** Darse cuenta de la forma de ser o las intenciones de alguien. || **calarse 5.** Pararse de pronto un motor. **6.** Encajarse el gorro o el sombrero. **Sin. 1.** Empapar. **1** y **2.** Traspasar.

calavera *s. f.* **1.** Conjunto de los huesos de la cabeza. || *s. m.* **2.** Hombre juerguista y poco responsable. **Sin. 1.** Cráneo. **2.** Tarambana, sinvergüenza.

calcamonía *s. f.* Calcomanía.

calcañar *s. m.* Talón del pie.

calcar *v.* Copiar un dibujo o un escrito en un papel transparente o con papel carbón.

calcáreo, a *adj.* Que contiene cal: *rocas calcáreas.* **Sin.** Calizo.

calce *s. m.* Calzo.

calceta *s. f.* Tejido de punto.

calcetín *s. m.* Prenda que cubre el pie hasta más arriba del tobillo.

cálcico, ca *adj.* Del calcio.

calcificarse *v.* Formarse sales de calcio en algunos tejidos del cuerpo, como los huesos o las arterias. **Ant.** Descalcificarse.

calcinar *v.* Quemar por completo. **Sin.** Carbonizar.

calcio *s. m.* Elemento químico blanco plateado, que se encuentra en los huesos, espinas y conchas, y en alimentos como la leche y las verduras.

calcita *s. f.* Mineral formado por carbono, oxígeno y calcio, del que se obtiene la cal y el cemento.

calco *s. m.* **1.** Acción de calcar y copia que se obtiene. **2.** Papel para calcar.

calcomanía s. f. Pegatina que se coloca mojando o rascando el papel al que está pegada. SIN. Calcomonía.

calculador, ra adj. y s. Que piensa mucho las cosas antes de hacerlas.

calculadora s. f. Máquina para hacer operaciones matemáticas.

calcular v. 1. Hacer operaciones matemáticas para hallar un resultado. 2. Creer, suponer.

cálculo s. m. 1. Acción de calcular. 2. Piedrecita que se forma en órganos como los riñones y que puede producir dolor. SIN. 1. Cuenta; suposición.

caldear v. 1. Calentar. 2. Excitar: caldearse los ánimos. SIN. 1 y 2. Acalorar. ANT. 1 y 2. Enfriar.

caldera s. f. Recipiente o aparato donde se calienta agua, por ejemplo para la calefacción.

caldereta s. f. Guiso caldoso de carne, pescado o marisco.

calderilla s. f. Dinero suelto de poco valor.

caldero s. m. Olla grande.

caldo s. m. 1. Líquido que queda después de cocer en agua carne, pescado o verduras. 2. Salsa de algunos guisos. 3. Vino. EXPR. **poner a caldo** Criticar, insultar o reñir. SIN. 1. Consomé. 2. Moje.

caldoso, sa adj. Con mucho caldo.

calé adj. y s. Gitano. SIN. Cañí.

calefacción s. f. Instalación para calentar un lugar.

calefactor, ra s. m. y f. 1. Persona que instala y arregla calefacciones. || s. m. 2. Aparato de calefacción eléctrico o por aire.

caleidoscopio s. m. Tubo con espejos dentro del cual pueden verse combinaciones simétricas de formas y colores. SIN. Calidoscopio.

calendario s. m. 1. Lista de los días del año, ordenados por semanas y meses. 2. División del año, o parte de él, en función de una actividad: calendario escolar. SIN. 1. Almanaque.

caléndula s. f. Planta de jardín de flores amarillas o anaranjadas. Su variedad más conocida es la maravilla.

calentador s. m. 1. Aparato para calentar. 2. Media de lana, sin pie, usada en baile y gimnasia.

calentamiento s. m. Acción de calentar. ANT. Enfriamiento.

calentar v. 1. Dar calor. 2. Alterar, excitar. 3. Realizar ejercicios para preparar los músculos antes de hacer deporte.

4. fam. Pegar, golpear. □ Es v. irreg. Se conjuga como pensar. SIN. 1. Caldear. 2. Acalorar, enardecer. 4. Zurrar. ANT. 1. Enfriar. 2. Calmar.

calentura s. f. 1. Costra o ampolla que sale en los labios a causa de la fiebre. 2. Fiebre.

calenturiento, ta adj. 1. Que parece que tiene fiebre. 2. Se dice de la mente y las ideas raras o retorcidas. SIN. 1. Destemplado, febril.

calesa s. f. Coche de caballos con capota plegable.

caleta s. f. Cala o playa pequeña.

caletre s. m. fam. Mente, inteligencia.

calibrar v. 1. Medir el calibre de un objeto o darle el calibre adecuado. 2. Valorar, sopesar.

calibre s. m. 1. Diámetro interior o exterior de un objeto cilíndrico e instrumento para medirlo. 2. Importancia, tamaño. SIN. 2. Trascendencia, volumen.

calidad s. f. Características que hacen que algo sea bueno o malo.

cálido, da adj. 1. Que está caliente o da calor. 2. Amable, cariñoso: una cálida bienvenida. 3. Se dice de los colores de tonos dorados o rojizos. SIN. 1 y 2. Caluroso. 2. Afectuoso, cordial. ANT. 1 y 2. Helado. 1 a 3. Frío.

calidoscopio s. m. Caleidoscopio.

caliente adj. 1. Con mucho calor. 2. Que da calor. 3. Apasionado, fogoso. SIN. 1 y 2. Cálido. 1 y 3. Ardiente, acalorado. 2. Abrigado. ANT. 1 a 3. Frío. 2. Refrescante.

califa s. m. Título de algunos príncipes musulmanes.

califato s. m. Cargo de califa y territorio en que gobernaba.

calificación s. f. 1. Acción de calificar. 2. Puntuación, nota, valoración.

calificar v. 1. Valorar las cualidades de una persona o cosa. 2. Expresar el adjetivo la cualidad del sustantivo. SIN. 1. Juzgar, evaluar.

calificativo, va adj. y s. m. Que califica; se dice sobre todo del adjetivo.

californiano, na adj. y s. De California (México y Estados Unidos).

caligrafía s. f. Escritura a mano, sobre todo la que está bien hecha.

calígrafo, fa s. m. y f. Persona que escribe a mano, sobre todo la que lo hace con buena letra.

calima o **calina** s. f. Neblina de vapor de agua o de polvo, propia del tiempo caluroso. SIN. Bruma.

cáliz *s. m.* **1.** Copa en que se consagra el vino en la misa. **2.** Hojas transformadas que cubren por debajo las flores y se unen al tallo.

caliza *s. f.* Roca formada principalmente por carbono, oxígeno y calcio.

calizo, za *adj.* Se dice del terreno o roca que contiene cal. **Sin.** Calcáreo.

callado, da *adj.* **1.** *p.* de **callar**. ‖ *adj.* **2.** Poco hablador. **3.** En silencio. **Sin.** **2.** Reservado. **Ant.** Locuaz. **3.** Ruidoso.

callar *v.* **1.** No hablar. **2.** Dejar o quedar en silencio. **Sin.** **1.** Enmudecer.

calle *s. f.* **1.** Camino dentro de un pueblo o ciudad, casi siempre entre casas. **2.** Espacio entre dos líneas o filas de objetos. **Sin.** **1.** Avenida, paseo.

calleja *s. f.* Callejuela.

callejear *v.* Andar por las calles de una población. **Sin.** Vagar, deambular.

callejero, ra *adj.* **1.** Que vive, sucede o está en la calle: *perro callejero, puesto callejero*. ‖ *s. m.* **2.** Lista de los nombres de las calles de una ciudad, con un plano para buscarlas.

callejón *s. m.* **1.** Calle muy corta y estrecha, a veces sin salida. **2.** En las plazas de toros, espacio entre la barrera y el tendido.

callejuela *s. f.* Calle corta y estrecha.

callicida *s. m.* Sustancia para quitar los callos que salen en la piel.

callista *s. m.* y *f.* Pedicuro.

callo *s. m.* **1.** Dureza que se forma en la piel, sobre todo en los pies o manos, por el roce o la presión. ‖ *pl.* **2.** Trozos de estómago de vaca o cordero que se comen guisados. **Sin.** **1.** Callosidad.

callosidad *s. f.* Callo poco profundo.

calloso, sa *adj.* Con callos o durezas.

calma *s. f.* **1.** Situación del aire o del mar cuando no hay viento ni olas. **2.** Tranquilidad. ‖ **3. calma chicha** Calma total en el mar. **Sin.** **1.** Quietud, bonanza. **2.** Paz, sosiego. **Ant.** **1.** Marejada, tempestad. **2.** Desasosiego.

calmante *adj.* y *s. m.* Se dice de la medicina que calma el dolor o el nerviosismo. **Sin.** Analgésico; tranquilizante. **Ant.** Estimulante.

calmar *v.* **1.** Disminuir la fuerza, intensidad o movimiento de algo. **2.** Disminuir el nerviosismo o la ira. **Sin.** **1.** Moderar, aplacar. **1** y **2.** Serenar, sosegar. **Ant.** **2.** Estimular, alterar.

calmoso, sa *adj.* y *s.* Perezoso o demasiado tranquilo. **Sin.** Cachazudo. **Ant.** Activo, nervioso.

caló *s. m.* Lenguaje de los gitanos.

calor *s. m.* **1.** Energía que desprende un cuerpo que tiene más temperatura que los otros cuerpos o que el ambiente que lo rodea. **2.** Temperatura elevada y sensación que produce. **3.** Cariño, entusiasmo. **Sin.** **2.** Bochorno; ardor. **Ant.** **2.** Frío. **2** y **3.** Frialdad.

caloría *s. f.* Unidad en que se mide el calor y la cantidad de energía de un alimento.

calorífico, ca *adj.* Que produce calor o está relacionado con él.

calumnia *s. f.* Acusación falsa. **Sin.** Difamación.

calumniador, ra *adj.* y *s.* Que calumnia. **Sin.** Difamador.

calumniar *v.* Decir calumnias contra alguien. **Sin.** Difamar.

caluroso, sa *adj.* **1.** Se dice del tiempo en que hace calor. **2.** Que produce calor. **3.** Afectuoso, con entusiasmo: *un caluroso recibimiento*. **Sin.** **1.** Cálido, caliente. **3.** Entusiasta, ardiente. **Ant.** **1.** Frío. **3.** Indiferente.

calva *s. f.* Parte de la cabeza en que se ha caído el pelo.

calvario *s. m.* Sufrimiento, padecimiento. **Sin.** Martirio.

calvero *s. m.* Zona sin árboles de un bosque o sin plantas en un terreno cultivado.

calvicie *s. f.* Pérdida de pelo en la cabeza.

calvinismo *s. m.* Movimiento religioso protestante surgido de la doctrina de Juan Calvino en el siglo XVI.

calvinista *adj.* y *s.* Relacionado con el calvinismo o seguidor de este movimiento.

calvo, va *adj.* y *s.* Que ha perdido el pelo de la cabeza.

calza *s. f.* **1.** Calzo. ‖ *pl.* **2.** Antiguos calzones que cubrían el muslo o parte de él.

calzada *s. f.* **1.** Camino ancho y empedrado. **2.** Parte de la carretera por donde van los coches.

calzado, da **1.** *p.* de **calzar**. También *adj.* ‖ *s. m.* **2.** Parte de la vestimenta que cubre y protege los pies, como zapatos y botas.

calzador *s. m.* Utensilio para ayudar a meter el pie en el zapato.

calzar *v.* **1.** Poner calzado. **2.** Hacer que deje de moverse una cosa poniéndole debajo un trozo de madera, un papel doblado, etc. **Ant.** **1.** Descalzar.

calzo *s. m.* Trozo de madera u otra cosa con que se calza algo. **Sin.** Calce.

calzón *s. m.* Pantalón que va desde la cintura hasta los muslos.

calzonazos *s. m. fam.* Hombre que se deja dominar, sobre todo por su mujer.

calzoncillo o **calzoncillos** *s. m.* o *s. m. pl.* Prenda interior masculina que se lleva debajo de los pantalones.

cama[1] *s. f.* **1.** Mueble rectangular para descansar y dormir sobre él. **2.** Lugar donde se echan los animales para dormir. || **3. cama nido** Mueble formado por dos camas en el que una se guarda debajo de la otra. **Sin. 1.** Lecho, catre.

cama[2] *s. f.* Pieza curva del arado en que se encaja la reja.

camada *s. f.* Conjunto de crías de un mismo parto de algunos mamíferos.

camafeo *s. m.* Piedra preciosa con una figura tallada en relieve.

camaleón *s. m.* Reptil de cola prensil y lengua larga y pegajosa con la que atrapa insectos. Se camufla cambiando el color de su piel.

cámara *s. f.* **1.** Máquina para hacer fotografías. **2.** Aparato para tomar imágenes de cine, televisión o vídeo. **3.** Recinto o compartimiento: *cámara frigorífica.* **4.** Habitación o sala importante. **5.** Parte de los neumáticos y balones donde se introduce el aire. || *s. m. y f.* **6.** Persona que maneja la cámara de cine o televisión. **Sin. 4.** Salón, aposento. **6.** Operador.

camarada *s. m. y f.* Compañero. **Sin.** Colega, compadre.

camaradería *s. f.* Amistad o buena relación entre compañeros. **Sin.** Compañerismo. **Ant.** Enemistad.

camarero, ra *s. m. y f.* **1.** Persona que sirve a los clientes en un bar, cafetería o local similar. || *s. f.* **2.** Dama al servicio de una reina.

camarilla *s. f.* **1.** Grupo de personas que influye en las decisiones de un personaje importante. **2.** Grupo de personas que ocupan puestos importantes y dejan fuera a los que no pertenecen a él.

camarón *s. m.* Crustáceo marino, parecido a la gamba, pero más pequeño.

camarote *s. m.* Cada una de las habitaciones con cama de los barcos.

camastro *s. m.* Cama incómoda o mala.

cambalache *s. m.* Cambio de objetos de poco valor, que a veces se hace con engaño.

cambiante *adj.* Que cambia.

cambiar *v.* **1.** Dar, tomar o poner una cosa por otra. **2.** Dar una moneda o billete y recibir el mismo dinero en otros más pequeños o de otro país. **3.** Trasladar. **4.** Hacer distinto. || **cambiarse 5.** Quitarse una prenda de vestir y ponerse otra. **Sin. 1.** Permutar, trocar. **1** y **2.** Canjear. **3** y **5.** Mudar(se). **4.** Modificar, transformar. **Ant. 4.** Mantener.

cambiazo *s. m.* Cambio grande. **Expr. dar el cambiazo** Cambiar una cosa por otra con intención de engañar.

cambio *s. m.* **1.** Acción de cambiar o cambiarse. **2.** Dinero cambiado en billetes o monedas más pequeñas. **3.** Vuelta, dinero. **4.** Valor de la moneda de un país en comparación con las de otros. **5.** En un automóvil, mecanismo para pasar de una velocidad a otra. **Expr. en cambio** Por el contrario. **Sin. 1.** Intercambio, trueque; traslado; modificación. **Ant. 1.** Mantenimiento.

cambista *s. m. y f.* Persona que cambia dinero.

camboyano, na *adj. y s.* De Camboya, país de Asia.

camelar *v. fam.* Conquistar o convencer a una persona adulándola o con halagos. **Sin.** Engatusar.

camelia *s. f.* **1.** Arbusto de hoja perenne y bellas flores sin olor, de color blanco, rojo o rosado. **2.** Flor de este arbusto.

camellero, ra *s. m. y f.* Persona que conduce o cuida camellos.

camello, lla *s. m. y f.* **1.** Mamífero rumiante con el cuello muy largo y dos jorobas en el lomo; vive en terrenos desérticos. || *s. m.* **2.** *fam.* Persona que vende pequeñas cantidades de droga.

camelo *s. m.* Engaño, mentira.

camembert (fr.) *s. m.* Queso francés cremoso y de corteza blanca.

cameraman (ingl.) *s. m. y f.* Especialista en el manejo de una cámara de cine o televisión.

camerino *s. m.* En los teatros, habitación donde los actores se visten y se maquillan.

camilla *s. f.* Cama estrecha y portátil para trasladar a enfermos y heridos.

camillero, ra *s. m. y f.* Persona que lleva enfermos y heridos en la camilla.

caminante *adj y s.* Persona que va andando por un camino.

caminar *v.* Ir a pie de un lugar a otro. **Sin.** Andar, transitar. **Ant.** Detenerse.

caminata *s. f.* Paseo largo a pie.

caminero *adj.* Se dice del peón que repara los caminos y carreteras.

camino *s. m.* **1.** Terreno preparado para ir de un sitio a otro. **2.** Viaje o recorrido. **3.** Modo, procedimiento. **SIN.** 2. Itinerario, ruta. 3. Manera.

camión *s. m.* Vehículo de cuatro o más ruedas, grande y potente, para transportar cargas pesadas.

camionero, ra *s. m.* y *f.* Conductor de camión.

camioneta *s. f.* **1.** Vehículo parecido al camión, pero más pequeño. **2.** Autobús que comunica el centro de la ciudad con las afueras.

camisa *s. f.* **1.** Prenda de vestir que cubre desde el cuello hasta la cintura, generalmente con botones y cuello. ‖ **2. camisa de fuerza** Prenda cerrada por detrás que se pone a los locos para inmovilizarlos.

camisería *s. f.* Establecimiento donde se venden o se hacen camisas.

camisero, ra *adj.* **1.** Se dice de la blusa o vestido de mujer parecidos a una camisa de caballero y, también, del cuello típico de esta camisa. ‖ *s. m.* y *f.* **2.** Persona que hace o vende camisas.

camiseta *s. f.* Prenda de vestir sin cuello, que cubre desde el cuello hasta la cintura y queda en contacto con el cuerpo.

camisola *s. f.* Camiseta deportiva.

camisón *s. m.* Vestido amplio y suelto que usan las mujeres para dormir.

camomila *s. f.* **1.** Manzanilla, planta. **2.** Sustancia que se saca de esta planta.

camorra *s. f.* Pelea o discusión violenta y ruidosa. **SIN.** Bronca, trifulca, pelotera, pendencia.

camorrista *adj.* y *s.* Que arma camorra. **SIN.** Pendenciero.

campal Se usa en la expresión **batalla campal**, 'batalla decisiva entre dos ejércitos', y también 'pelea en la que participan muchos'.

campamento *s. m.* Conjunto de tiendas de campaña, barracones, etc., para instalarse temporalmente. **SIN.** Acuartelamiento; camping.

campana *s. f.* **1.** Instrumento en forma de copa puesta hacia abajo, que suena al ser golpeado por una pieza que cuelga dentro, llamada *badajo*. **2.** Cosa de forma parecida. ‖ **3. campana extractora** Aparato que saca el humo en cocinas y otros lugares.

campanada *s. f.* Sonido de campana. **EXPR.** **dar la campanada** Causar gran sorpresa.

campanario *s. m.* En las iglesias, torre con campanas.

campanazo Se usa en la expresión **dar el campanazo**, 'causar gran sorpresa'.

campaniforme *adj.* En forma de campana.

campanilla *s. f.* **1.** Campana pequeña. **2.** Úvula. **3.** Planta con flores de distintos colores que tienen forma de campana. **SIN.** 1. Esquila.

campanilleo *s. m.* Sonido de campanillas.

campante *adj.* Tranquilo, sin preocuparse. **SIN.** Pimpante.

campaña *s. f.* **1.** Expedición militar. **2.** Conjunto de actividades organizadas durante un tiempo con una misma finalidad: *campaña contra la droga.*

campar Se usa en la expresión **campar por sus respetos**, 'actuar con libertad, sin someterse a nada'.

campechanía *s. f.* Característica de la persona campechana.

campechano, na *adj. fam.* Sencillo y amable. **SIN.** Llano, natural. **ANT.** Estirado.

campeón, na *s. m.* y *f.* Persona que gana una competición deportiva. **SIN.** Vencedor, ganador. **ANT.** Perdedor.

campeonato *s. m.* Competición deportiva. **SIN.** Torneo, certamen.

campero, ra *adj.* **1.** Campestre. ‖ *s. f. pl.* **2.** Botas de campo que llegan hasta la mitad de la pantorrilla.

campesinado *s. m.* Conjunto de los campesinos.

campesino, na *adj.* **1.** Propio del campo. ‖ *adj.* y *s.* **2.** Persona que vive y trabaja en el campo. **SIN.** 1. Campestre, rural. 2. Agricultor, labrador. **ANT.** 1. Urbano.

campestre *adj.* Del campo o que sucede en él. **SIN.** Campesino, campero. **ANT.** Urbano.

camping (ingl.) *s. m.* **1.** Lugar al aire libre preparado para instalar tiendas de campaña o caravanas. **2.** Esa actividad: *ir de camping.* **SIN.** 1. Campamento. 2. Acampada.

campiña *s. f.* Campo, sobre todo el llano dedicado al cultivo. **SIN.** Labrantío.

campista *s. m.* y *f.* Persona que hace camping.

campo *s. m.* **1.** Terreno en estado natural o dedicado al cultivo. **2.** Conjunto de territorios y poblaciones dedicados a la agricultura y la ganadería. **3.** Lugar o espacio destinado a algún uso o en el que se desarrolla algo: *campo de fútbol, campo de batalla.* **4.** Todo lo que se refiere a una actividad: *el campo de la ciencia.* ‖ **5. campo de concentración** Lugar cercado donde se encierra a prisioneros de guerra o presos políticos. **Expr. a campo traviesa** o **campo a través** Cruzando el campo. **Sin. 1.** Campiña. **4.** Ámbito, esfera.

camposanto *s. m.* Cementerio cristiano.

campus *s. m.* Terreno ajardinado que hay alrededor de los edificios en las universidades.

camuflaje *s. m.* Hecho de camuflar.

camuflar *v.* Ocultar con ramas, hojas o procedimientos similares, especialmente a las tropas o el material de guerra. **Sin.** Encubrir, disimular.

can *s. m.* Perro.

cana *s. f.* Cabello blanco. **Expr. echar una cana al aire** Tener una aventura amorosa; también, irse de juerga.

canadiense *adj. y s.* De Canadá, país de América del Norte.

canal *s. m.* **1.** Paso natural o artificial entre dos mares. **2.** Conducto artificial de agua. **3.** Banda de frecuencia por la que emite una estación de radio o televisión. **4.** Surco, estría. **Expr. en canal** Referido a las reses, abiertas y sin tripas. **Sin. 1.** Estrecho. **2.** Acequia, zanja. **3.** Cadena.

canalé *s. m.* Tejido de punto que forma pequeños surcos.

canalizar *v.* **1.** Dirigir o reforzar el cauce de una corriente de agua. **2.** Conducir hacia un fin. **Sin. 2.** Encarrilar, encaminar. **Ant. 1** y **2.** Desviar.

canalla *s. m. y f.* Mala persona. **Sin.** Sinvergüenza, indeseable. **Ant.** Santo.

canallada *s. f.* Acción propia de un canalla. **Sin.** Vileza, bajeza.

canalón *s. m.* Cañería que recoge el agua de lluvia en los tejados.

canana *s. f.* Cinturón de los cazadores, con compartimientos para los cartuchos. **Sin.** Cartuchera.

canapé *s. m.* **1.** Rebanadita de pan o bollito con algún alimento que se toma como aperitivo. **2.** Especie de sofá o diván. **3.** Especie de somier forrado y con patas.

canario, ria *adj. y s.* **1.** De las islas Canarias, comunidad autónoma de España. ‖ *s. m. y f.* **2.** Pájaro pequeño de color amarillo, blanco o verdoso. Tiene un bello canto.

canasta *s. f.* **1.** Cesto con asas y boca ancha. **2.** Aro con una red sin fondo, por donde hay que meter la pelota en baloncesto. **3.** Juego de naipes de la baraja francesa. **Sin. 1.** Canasto, cesta, banasta.

canastilla *s. f.* **1.** Canasta pequeña. **2.** Ropa que se prepara para los niños recién nacidos.

canasto *s. m.* Canasta alta.

cancela *s. f.* Verja en la entrada de algunas casas.

cancelar *v.* **1.** Anular, suspender. **2.** Pagar por completo una deuda. **Sin. 1.** Rescindir, suprimir. **Ant. 1.** Confirmar.

cáncer *s. m.* **1.** Tumor maligno. **2.** Cuarto signo del zodiaco (del 21 de junio al 22 de julio).

cancerígeno, na *adj.* Que puede producir cáncer.

canceroso, sa *adj.* **1.** Con características de cáncer: *tumor canceroso.* **2.** Que tiene cáncer.

cancha *s. f.* Campo o pista de algunos deportes.

canciller *s. m.* **1.** Jefe de gobierno o ministro de asuntos exteriores de algunos países. **2.** Empleado auxiliar de embajadas y consulados.

cancillería *s. f.* **1.** Cargo del canciller. **2.** Oficina especial de las embajadas y consulados de algunos países.

canción *s. f.* **1.** Composición musical para ser cantada. **2.** Nombre de algunas composiciones poéticas. ‖ **3. canción de cuna** Nana. **Sin. 1.** Cantar, canto, tonada.

cancionero *s. m.* Libro de canciones y poemas de distintos autores.

candado *s. m.* Cerradura suelta que se pone a una cadena, verja y otras cosas.

candeal *adj.* Se dice del trigo que es muy blanco y del pan que se hace con este trigo.

candela *s. f.* **1.** Vela o cosa parecida para dar luz. **2.** Lumbre, fuego.

candelabro *s. m.* Soporte con uno o más brazos para colocar velas. **Sin.** Candelero.

candelero *s. m.* Objeto para sostener una vela y mantenerla derecha. **Expr. en candelero** De moda o de actualidad. **Sin.** Candelabro.

candente *adj.* **1.** Se dice de algunos cuerpos cuando se vuelven rojos o blancos por la acción del calor. **2.** Actual, de gran interés: *un tema candente*. **Sin. 1.** Incandescente. **Ant. 1.** Frío. **2.** Anticuado.

candidato, ta *s. m. y f.* Persona que aspira a ocupar un cargo, conseguir un premio, o que ha sido propuesta para ello. **Sin.** Aspirante, pretendiente.

candidatura *s. f.* **1.** Conjunto de candidatos. **2.** Hecho de presentarse como candidato.

candidez *s. f.* Bondad, inocencia. **Sin.** Candor. **Ant.** Malicia.

cándido, da *adj. y s.* Bueno, que no tiene malicia ni picardía. **Sin.** Candoroso. **Ant.** Malicioso.

candil *s. m.* Utensilio para alumbrar, con un recipiente lleno de aceite y un pico por donde asoma la mecha.

candilejas *s. f. pl.* En los teatros, fila de luces en la parte del escenario más cercana al público.

candor *s. m.* Inocencia, falta de malicia y picardía. **Sin.** Candidez, ingenuidad.

candoroso, sa *adj.* Inocente, ingenuo. **Sin.** Cándido. **Ant.** Malicioso.

canela *s. f.* Segunda corteza del árbol llamado *canelo*, que se emplea para dar sabor a algunos platos y dulces.

canelo, la *adj.* **1.** Del color de la canela. || *adj. y s. m.* **2.** *fam.* Tonto, bobo. || *s. m.* **3.** Árbol de la canela. **Sin. 2.** Pardillo.

canelón *s. m.* Trozo plano y cuadrado de pasta, enrollado y relleno de carne picada u otros alimentos.

canesú *s. m.* Pieza de arriba de un vestido o de una blusa a la que van cosidos el cuello, las mangas y el resto de la prenda.

cangilón *s. m.* Cada uno de los cajoncitos que sacan el agua en una noria.

cangrejo *s. m.* **1.** Crustáceo marino o de río con pinzas en el primer par de patas; el de mar tiene el cuerpo redondeado y el de río lo tiene alargado. || **2. cangrejo ermitaño** Cangrejo marino que tiene el cuerpo blando y para protegerse se mete en las conchas vacías de otros animales.

canguelo *s. m. fam.* Miedo, temor.

canguro *s. m.* **1.** Mamífero marsupial de Australia y Nueva Guinea. Tiene una cola muy fuerte y las patas de atrás muy desarrolladas, con las que da grandes saltos. || *s. m. y f.* **2.** Persona a la que se contrata por horas para que cuide a los niños.

caníbal *adj. y s.* **1.** Persona que come carne humana. **2.** Muy bruto o cruel.

Sin. 1. Antropófago. **2.** Bárbaro, inhumano.

canica *s. f.* Bolita de cristal o de otro material que se usa para jugar.

caniche *s. m. y f.* Perro pequeño de pelo lanoso y rizado y orejas caídas.

canícula *s. f.* Parte del año en que hace más calor.

canijo, ja *adj. y s.* Débil o bajito.

canilla *s. f.* **1.** Parte más delgada de la pierna. **2.** Carrete en el que se enrolla el hilo en las máquinas de coser y de tejer. **3.** Caño pequeño por donde sale el líquido de una cuba o barril. **Sin. 3.** Espita.

canino, na *adj.* **1.** De los perros. **2.** Se dice del hambre muy grande. || *s. m.* **3.** Colmillo de los mamíferos.

canje *s. m.* Cambio, acción de canjear. **Sin.** Intercambio.

canjear *v.* Cambiar una persona o cosa por otra.

cano, na *adj.* Cubierto de canas. **Sin.** Canoso.

canoa *s. f.* Bote estrecho y ligero, con remos y, a veces, con motor.

canódromo *s. m.* Lugar donde se celebran carreras de galgos.

canon *s. m.* **1.** Regla o norma. **2.** Lo que se toma como mejor modelo. **3.** Impuesto que se paga por usar alguna cosa. **Sin. 1.** Precepto. **2.** Prototipo. **3.** Cuota, tasa.

canónico, ca *adj.* Relacionado con los cánones o reglas de la Iglesia.

canónigo *s. m.* Sacerdote que ocupa un cargo en una catedral.

canonizar *v.* Declarar el papa santa a una persona.

canoso, sa *adj. y s.* Que tiene muchas canas. **Sin.** Cano.

cansado, da **1.** *p. de* **cansar.** También *adj.* || *adj.* **2.** Que produce cansancio. **Sin. 1.** Fatigado, agotado. **2.** Pesado, duro. **Ant. 1 y 2.** Descansado.

cansancio *s. m.* **1.** Debilidad a causa de una actividad o esfuerzo intensos. **2.** Aburrimiento, pesadez. **Sin. 1.** Fatiga, agotamiento. **2.** Tedio. **Ant. 1.** Vigor.

cansar *v.* Producir cansancio o sentirlo. **Sin.** Fatigar, agotar; aburrir. **Ant.** Descansar; distraer.

cansino, na *adj.* Lento, cansado. **Sin.** Perezoso. **Ant.** Vivo.

cantábrico, ca *adj.* De la cordillera Cantábrica, del mar Cantábrico o de las tierras junto a este mar.

cántabro, bra *adj.* y *s.* De Cantabria, comunidad autónoma de España.

cantante *s. m.* y *f.* Persona que canta como profesión.

cantaor, ra *s. m.* y *f.* Persona que canta flamenco.

cantar[1] *v.* **1.** Hacer con la voz sonidos musicales. **2.** Producir sus sonidos las aves y algunos insectos. **3.** Decir con entonación: *cantar los números de la lotería.* **4.** *fam.* Confesar, revelar. **EXPR. cantar las cuarenta** Ver **cuarenta.**

cantar[2] *s. m.* **1.** Poema para ser cantado. ‖ **2. cantar de gesta** Poema que relataba hechos históricos o leyendas. **EXPR. ser otro cantar** Ser distinto. **SIN. 1.** Canción, canto.

cántaro *s. m.* Recipiente grande de barro o metal, con la boca estrecha y ancho de panza. **EXPR. a cántaros** Se dice cuando llueve mucho.

cantata (Ital.) *s. f.* Composición musical para coro y orquesta.

cantautor, ra *s. m.* y *f.* Persona que canta y compone sus canciones.

cante *s. m.* **1.** Canción popular, sobre todo andaluza. **2.** *fam.* Lo que llama mucho la atención: *dar el cante.* ‖ **3. cante hondo** o **jondo** Cante flamenco.

cantera *s. f.* **1.** Lugar de donde se saca piedra, mármol o materiales parecidos. **2.** Lugar, asociación, etc., donde se preparan personas para alguna actividad.

cantero *s. m.* Persona que saca piedra de una cantera o la labra para utilizarla en la construcción. **SIN. 1.** Picapedrero.

cántico *s. m.* Poema religioso, generalmente en acción de gracias o alabanza a Dios. **SIN.** Himno, salmo.

cantidad *s. f.* **1.** Parte o número de algo. **2.** Abundancia. ‖ *adv.* **3.** *fam.* Mucho: *Con este calor se suda cantidad.* **SIN. 1.** Medida, dosis. **2.** Multitud. **ANT. 2.** Escasez.

cantiga *s. f.* Composición poética medieval destinada a ser cantada.

cantimplora *s. f.* Recipiente para llevar agua en viajes y excursiones.

cantina *s. f.* Bar, taberna.

cantinela *s. f.* Cosa que se repite de forma molesta e inoportuna. **SIN.** Rollo.

canto[1] *s. m.* **1.** Acción de cantar. **2.** Composición para cantar. **SIN. 2.** Canción, cantar[2].

canto[2] *s. m.* Borde, orilla.

canto[3] *s. m.* Trozo de piedra. **EXPR. darse con un canto en los dientes** Conformarse. **SIN.** Guijarro.

cantón *s. m.* División administrativa de algunos países.

cantonera *s. f.* Pieza que se pone en las esquinas de algunas cosas como protección o adorno.

cantor, ra *adj.* y *s.* Que canta.

cantoral *s. m.* Libro que contiene cantos religiosos.

cantueso *s. m.* Arbusto pequeño que tiene hojas estrechas y alargadas y flores moradas y olorosas dispuestas en espiga.

canturrear *v.* Cantar en voz baja.

canturreo *s. m.* Acción de canturrear.

cánula *s. f.* **1.** En medicina, tubo que se introduce en alguna abertura del cuerpo. **2.** Punta de las jeringuillas, donde se coloca la aguja.

canutas Se usa en la expresión **pasarlas canutas,** 'pasarlo muy mal'.

canuto *s. m.* **1.** Tubo no muy grueso. **2.** *fam.* Porro.

caña *s. f.* **1.** Tallo de las plantas gramíneas, hueco y con nudos. **2.** Nombre de varias especies de plantas gramíneas: *caña de azúcar.* **3.** Vaso de cerveza o vino. **4.** Parte de las botas que cubre la pierna. ‖ **5. caña de pescar** Vara en la que se coloca un hilo de nylon para pescar. **EXPR. dar caña** o **meter caña** Meter prisa, achuchar. También, emplear algo a fondo: *dar caña al coche.*

cañada *s. f.* **1.** Camino para el ganado. **2.** Pequeño valle entre montañas.

cañamazo *s. m.* Tela para bordar con los hilos muy separados.

cáñamo *s. m.* **1.** Planta de regiones cálidas, de tallo recto y hueco, y hojas largas y delgadas. Sus fibras se usan para fabricar tejidos y cuerdas. Del *cáñamo índico* se obtiene el hachís y la marihuana. **2.** Fibra o tejido obtenido de esta planta.

cañamón *s. m.* Semilla del cáñamo.

cañaveral *s. m.* Lugar donde hay muchas cañas.

cañería *s. f.* Tubo para conducir agua o gas. **SIN.** Tubería.

cañí *adj.* y *s.* Gitano. **SIN.** Calé.

cañizo *s. m.* Tejido hecho con cañas.

caño *s. m.* Tubo por donde cae el agua.

cañón *s. m.* **1.** Arma para disparar proyectiles formada por un tubo grande y un soporte. **2.** Pieza en forma de tubo: *el cañón del fusil.* **3.** Paso profundo entre montañas producido por la erosión de un río. **4.** Parte dura y hueca de la pluma de las aves.

cañonazo s. m. **1.** Disparo de cañón. **2.** Disparo muy fuerte con el balón. **Sin.** 2. Chupinazo.

cañonear v. Disparar cañonazos.

cañonero, ra adj. Se dice del barco o lancha que llevan cañones.

caoba s. f. **1.** Árbol americano muy alto, con el tronco recto y grueso, del que se obtiene una madera rojiza muy apreciada en ebanistería. **2.** Color parecido al de esta madera.

caolín s. m. Mineral de arcilla muy pura y blanca.

caos s. m. Gran desorden, confusión. **Sin.** Desorganización, desconcierto. **Ant.** Orden.

caótico, ca adj. Muy desordenado o confuso. **Sin.** Revuelto. **Ant.** Ordenado.

capa s. f. **1.** Prenda de abrigo muy amplia, abierta y sin mangas. **2.** Sustancia que cubre o baña a otra: *una capa de hielo, de chocolate.* **3.** Superficie o plano que se encuentra encima de otro: *las capas de la Tierra.* **4.** Cada grupo de una sociedad: *las capas sociales.* **5.** Tela con vuelo para torear. **Expr. de capa caída** Mal, empeorando. **defender a capa y espada** Defender con gran entusiasmo y esfuerzo. **Sin.** 2. Baño, revestimiento.

capacho s. m. Bolsa o cesta, sobre todo la que se usa para ir a la compra. **Sin.** Capazo.

capacidad s. f. **1.** Espacio que tiene una cosa para contener a otra. **2.** Condiciones que tiene una persona para algo. **Sin.** 1. Cabida. 2. Facultad, aptitud.

capacitación s. f. **1.** Acción de capacitar. **2.** Preparación para alguna cosa.

capacitado, da 1. p. de **capacitar.** || adj. **2.** Que tiene capacidad para hacer algo. **Sin.** 2. Apto.

capacitar v. Hacer a alguien capaz o apto para algo. **Sin.** Habilitar, facultar. **Ant.** Incapacitar.

capar v. Castrar.

caparazón s. m. Cubierta que protege el cuerpo de algunos animales, como las tortugas.

capataz s. m. Persona que está al mando de los obreros y se encarga de controlar su trabajo.

capaz adj. **1.** Que puede hacer algo. **2.** Eficiente, preparado. **Ant.** 1 y 2. Incapaz. 2. Incompetente.

capazo s. m. Capacho.

capcioso, sa adj. Se dice de las preguntas malintencionadas, comprometidas.

capea s. f. Toreo de becerros o novillos por aficionados.

capear v. **1.** Hacer maniobras una embarcación para mantenerse a flote cuando hay muchas olas o el viento es muy fuerte. **2.** Esquivar o evitar las dificultades. Se usa sobre todo en la expresión **capear el temporal. Sin.** 2. Eludir, sortear.

capelina o **capellina** s. f. Capa corta que cubre los hombros y, a veces, también la cabeza.

capellán s. m. Sacerdote que cumple sus funciones en el ejército, en un hospital, etc.

capelo s. m. Sombrero rojo de los cardenales.

caperuza s. f. Capucha.

capibara s. m. Mamífero roedor del tamaño de un cerdo, con patas cortas, cabeza grande y ojos y orejas pequeños. Vive en las orillas de algunos ríos de América del Sur.

capicúa adj. y s. m. Número que es igual leído de izquierda a derecha o al revés, por ejemplo 515.

capilar adj. **1.** Del cabello. || s. m. **2.** Vaso sanguíneo muy fino.

capilla s. f. **1.** Parte de una iglesia que tiene altar o que está dedicada a una imagen. **2.** Pequeña iglesia con un solo altar. **3.** Lugar para rezar u oír misa en colegios, hospitales, cuarteles, etc. || **4. capilla ardiente** Lugar donde se coloca a un difunto para velarlo. **Sin.** 3. Oratorio.

capirotazo s. m. Toba.

capirote s. m. Capucha en forma de cucurucho que llevan los penitentes en las procesiones.

capital adj. **1.** Principal, muy importante. || s. m. **2.** Dinero o bienes de alguien. || s. f. **3.** Población principal donde está el gobierno de un lugar. **Sin.** 1. Esencial, fundamental. 2. Fortuna, riqueza, patrimonio.

capitalidad s. f. Hecho de ser una población la capital de un lugar.

capitalino, na adj. De una capital.

capitalismo s. m. Sistema económico en que el principal medio para producir riqueza es el capital privado.

capitalista adj. **1.** Del capital o del capitalismo. || adj. y s. **2.** Que ha puesto dinero en un negocio. || s. m. y f. **3.** Persona con mucho dinero.

capitán s. m. y f. **1.** Oficial del ejército que manda una compañía, escuadrón o unidad equivalente. || s. m. **2.** Hombre que manda en un barco. ‖ **3. capitán general** El más alto grado militar. También, militar al mando de una capitanía general.

capitán, na *s. m.* y *f.* Persona que manda o dirige en un grupo, equipo deportivo, etc.

capitanear *v.* Mandar, guiar. **Sin.** Acaudillar.

capitanía *s. f.* **1.** Cargo de capitán. ‖ **2. capitanía general** Cada una de las zonas militares en que se divide un país.

capitel *s. m.* En arquitectura, parte superior de una columna o pilar, sobre la que se apoya un arco u otro elemento.

capitoné (fr.) *s. m.* Furgón de transporte, sobre todo de muebles.

capitoste *s. m.* Mandamás, jefazo.

capitulación *s. f.* Rendición.

capitular¹ *v.* Rendirse, darse por vencido. **Sin.** Claudicar. **Ant.** Resistir.

capitular² *adj.* **1.** Del cabildo de una orden religiosa. ‖ *adj* y *s. f.* **2.** Se dice de la letra mayúscula, o de la primera de cada capítulo.

capítulo *s. m.* **1.** Apartado dentro de un libro o escrito. **2.** Cabezuela, grupo de flores.

capo (ital.) *s. m.* Jefe de una mafia.

capó *s. m.* Tapa del motor de un automóvil.

capón *s. m.* **1.** Golpe dado en la cabeza con los nudillos. **2.** Pollo castrado y cebado.

caporal *s. m.* Encargado del ganado en una finca.

capota *s. f.* Cubierta plegable de algunos vehículos.

capotazo *s. m.* Pase que da el torero con el capote.

capote *s. m.* **1.** Capa de abrigo, con mangas y menos vuelo que la normal. **2.** Capa para torear.

capricho *s. m.* Deseo de algo innecesario. **Sin.** Antojo.

caprichoso, sa *adj.* y *s.* Que tiene muchos caprichos. **Sin.** Antojadizo.

capricornio *s. m.* Décimo signo del zodiaco (del 21 de diciembre al 20 de enero).

caprino, na *adj.* De la cabra.

cápsula *s. f.* **1.** Pequeño recipiente o envoltura de algunas cosas, como el que contiene medicina. **2.** Cabina para los tripulantes de una nave o satélite espacial. **3.** Fruto seco con muchas semillas, como el de la amapola.

captación *s. f.* Acción de captar.

captar *v.* **1.** Percibir, darse cuenta. **2.** Atraer: *captar la atención*. **Sin. 1.** Detectar; comprender. **2.** Conquistar, ganar.

captor, ra *adj.* y *s.* Que captura.

captura *s. f.* Acción de capturar. **Sin.** Apresamiento. **Ant.** Liberación.

capturar *v.* Coger a una persona o a un animal a los que se persigue. **Sin.** Apresar. **Ant.** Liberar.

capucha *s. f.* **1.** Pieza que llevan algunas prendas de vestir para cubrir la cabeza. **2.** Objeto que protege la punta o el extremo de algo. **Sin. 1.** Caperuza. **2.** Capuchón.

capuchino, na *adj.* y *s.* De una de las ramas de la orden franciscana.

capuchón *s. m.* **1.** Capucha muy grande. **2.** Capucha protectora. **Sin. 1.** Caperuza.

capullo *s. m.* **1.** Flor que aún no se ha abierto. **2.** Envoltura que fabrican algunos insectos, como el gusano de seda, dentro de la cual se transforman en adultos. **3.** *vulg.* Idiota o malintencionado. **Sin.** Botón.

caqui¹ *s. m.* Color entre el marrón y el verde.

caqui² *s. m.* **1.** Árbol originario de Japón con fruto de color rojo, muy dulce y jugoso. **2.** Fruto de este árbol.

cara *s. f.* **1.** Parte delantera de la cabeza desde la frente hasta la barbilla. **2.** Aspecto, pinta. **3.** Cada una de las superficies de un cuerpo. **4.** Lado principal de una moneda, donde suele estar representada la imagen de un personaje. **5.** Descaro, desvergüenza: *tener cara*. ‖ *s. m.* y *f.* **6.** Persona descarada. ‖ **7. cara dura** Descaro, desvergüenza. **Expr. cara a** o **de cara a** De frente a alguna cosa; también, como preparación para algo: *Estudia mucho de cara a los exámenes*. **cara a cara** Frente a otra persona o a las claras: *hablar cara a cara*. **dar la cara** Hacerse responsable. **echar en cara** Reprochar. **Sin. 1.** Rostro. **1** y **5.** Jeta. **2.** Apariencia. **5** y **6.** Caradura. **Ant. 4.** Cruz.

carabao *s. m.* Mamífero rumiante asiático parecido al búfalo; se utiliza como animal de tiro.

carabela *s. f.* Antiguo barco de vela, muy ligero.

carabina *s. f.* Arma de fuego más corta y ligera que un fusil.

carabinero *s. m.* **1.** Policía encargado de perseguir el contrabando. **2.** Crustáceo parecido al langostino, pero más grande y de color rojo intenso. Es muy apreciado como alimento.

cárabo *s. m.* Ave rapaz nocturna parecida al búho, aunque sin los penachos de plumas a modo de cuernecillos, y con el plumaje grisáceo o pardorojizo.

caracol *s. m.* **1.** Molusco marino o terrestre con una concha en forma de espiral. **2.** Rizo de pelo que cae sobre la frente. **3.** Conducto del oído interno, en forma de espiral. || **¡caracoles!** *interj.* **4.** Expresa sorpresa o disgusto.

caracola *s. f.* **1.** Caracol marino grande con la concha cónica. **2.** Esta concha vacía. **3.** Bollo en forma de espiral.

carácter *s. m.* **1.** Modo de ser y de comportarse una persona. **2.** Conjunto de características de una persona o cosa. **3.** Temperamento, genio. **4.** Letra, número o signo con que se representa algo. **SIN. 1.** Personalidad. **1** y **2.** Índole. **2.** Condición, naturaleza.

característica *s. f.* Cualidad o aspecto propios de alguien o algo. **SIN.** Peculiaridad, particularidad.

característico, ca *adj.* Propio de una persona o cosa, por lo que se la distingue de las demás. **SIN.** Peculiar, particular, distintivo, típico. **ANT.** General, común.

caracterizado, da **1.** *p.* de **caracterizar.** También *adj.* || *adj.* **2.** Que se caracteriza por alguna cualidad.

caracterizar *v.* **1.** Distinguir a alguien o algo alguna cualidad: *Le caracteriza su buen humor.* || **caracterizarse 2.** Vestirse y maquillarse como algún personaje. **SIN. 1.** Definir.

caradura *s. m.* y *f.* Sinvergüenza, descarado. **SIN.** Fresco, desvergonzado. **ANT.** Vergonzoso.

carajillo *s. m.* Café con un chorrito de licor, sobre todo coñac.

carajo *s. m.* **1.** *vulg.* Pene. **2.** *vulg.* Nada o muy poco. || *interj.* **3.** Expresa sorpresa o enfado. **EXPR.** *irse al carajo* Fracasar.

¡caramba! *interj.* Expresa sorpresa o enfado.

carámbano *s. m.* Trozo de hielo largo y puntiagudo que se forma al helarse el agua que va cayendo o goteando.

carambola *s. f.* **1.** Jugada de billar en que la bola impulsada toca a las otras dos. **2.** Suerte, casualidad. **SIN. 2.** Chiripa.

caramelo *s. m.* **1.** Pasta endurecida de azúcar y alguna esencia. **2.** Azúcar de-

rretido. **EXPR. a punto de caramelo** Dispuesto o preparado para algo.

caramillo *s. m.* Flauta pequeña hecha de caña, madera o hueso.

carantoña *s. f.* Caricia o gesto de cariño.

caraqueño, ña *adj.* y *s.* De Caracas, capital de Venezuela.

carátula *s. f.* **1.** Portada de un libro, disco, videocasete, etc. **2.** Máscara o careta.

caravana *s. f.* **1.** Grupo de personas que viajan juntas, como los nómadas del desierto. **2.** Fila de vehículos que circulan lentamente. **3.** Roulotte. **SIN. 1.** Expedición.

¡caray! *interj.* Expresa sorpresa, enfado.

carbón *s. m.* **1.** Combustible sólido de color negro, formado principalmente por carbono. **2.** Carboncillo.

carbonatado, da *adj.* Se dice de la sustancia a la que se añade ácido carbónico para formar carbonato.

carbonato *s. m.* Nombre de algunas sustancias que se forman a partir del ácido carbónico.

carboncillo *s. m.* Barrita de madera convertida en carbón para dibujar.

carbonera *s. f.* Lugar para guardar el carbón.

carbonería *s. f.* Tienda donde se vende carbón.

carbonero, ra *adj.* **1.** Relacionado con el carbón. || *s. m.* y *f.* **2.** Persona que vende o hace carbón. || *s. m.* **3.** Pájaro pequeño con la cabeza negra y el pico corto y afilado.

carbónico, ca *adj.* Se dice de las mezclas o combinaciones en las que entra el carbono y especialmente de un ácido del carbono.

carbonífero, ra *adj.* **1.** Que contiene carbón mineral. || *adj.* y *s. m.* **2.** Periodo geológico de hace cincuenta millones de años.

carbonilla *s. f.* **1.** Trocitos pequeños de carbón. **2.** Ceniza que queda cuando se quema el carbón.

carbonizar *v.* Quemar por completo. **SIN.** Abrasar, calcinar.

carbono *s. m.* Elemento químico que se presenta en estado puro con dos formas: el diamante y el grafito. También se encuentra en numerosos compuestos, especialmente los que forman parte de los seres vivos.

carbunco *s. m.* Ántrax, enfermedad infecciosa.

carburador *s. m.* Parte del motor de un vehículo donde se mezcla el combustible con el aire u otro gas para que se produzca la combustión.

carburante *s. m.* Combustible líquido con que funcionan algunos motores.

carburar *v.* 1. Mezclar aire u otro gas con un carburante para que se produzca la combustión. 2. Funcionar, marchar.

carca *adj.* y *s.* De ideas muy anticuadas. SIN. Retrógrado. ANT. Moderno.

carcaj *s. m.* Caja o funda para meter en ella las flechas que se llevaba colgada del hombro.

carcajada *s. f.* Risa ruidosa. SIN. Risotada.

carcajearse *v.* Reírse a carcajadas.

carcamal *adj.* y *s. m.* Viejo y achacoso. SIN. Vejestorio.

carcasa *s. f.* 1. Soporte sobre el que se montan otras piezas. 2. Cubierta de algunas cosas.

cárcava *s. f.* Zanja, hoyo.

cárcel *s. f.* Lugar donde se encierra a los presos. SIN. Prisión, presidio, penal.

carcelario, ria *adj.* De la cárcel. SIN. Penitenciario.

carcelero, ra *s. m.* y *f.* Persona que vigila a los presos en una cárcel. SIN. Celador, guardián.

carcoma *s. f.* Insecto coleóptero muy pequeño. Las larvas de algunas de sus especies hacen galerías en la madera, destruyéndola.

carcomer *v.* 1. Destruir la carcoma la madera. 2. Consumir, corroer.

carda *s. f.* 1. Acción de cardar las materias textiles. 2. Cepillo con púas de alambre para cardar. 3. Máquina para limpiar las fibras textiles.

cardado, da 1. *p.* de **cardar**. También *adj.* ‖ *s. m.* 2. Acción de cardar las materias textiles.

cardar *v.* 1. Ahuecar el pelo. 2. Peinar y limpiar la lana y otras materias textiles antes de hilarlas.

cardenal[1] *s. m.* Cada uno de los prelados que actúan como consejeros del papa y eligen a éste reunidos en cónclave.

cardenal[2] *s. m.* Mancha amoratada que aparece en la piel a causa de un golpe. SIN. Moratón.

cardenalato *s. m.* Dignidad de los cardenales.

cardenalicio, cia *adj.* De los cardenales de la Iglesia.

cardenillo *s. m.* Sustancia venenosa de color verdoso que se forma sobre los objetos de cobre.

cárdeno, na *adj.* De color morado. SIN. Amoratado, violáceo.

cardiaco, ca o **cardíaco, ca** *adj.* 1. Del corazón o relacionado con él. 2. *fam.* Nervioso, alterado. ‖ *adj.* y *s.* 3. Enfermo del corazón.

cardias *s. m.* Orificio por el que se comunican el estómago y el esófago.

cárdigan (ingl.) *s. m.* Chaqueta de punto con escote de pico.

cardillo *s. m.* Planta de flores amarillas y hojas rizadas y espinosas; es comestible.

cardinal *adj.* 1. Se dice de cada uno de los cuatro puntos del horizonte, que sirven para orientarse (*norte, sur, este* y *oeste*). 2. Se dice del numeral que indica cantidad y sirve para contar, como *dos, cinco* o *mil*.

cardiología *s. f.* Rama de la medicina que se ocupa del corazón y sus enfermedades.

cardiólogo, ga *s. m.* y *f.* Médico especializado en cardiología.

cardo *s. m.* 1. Nombre de diversas plantas espinosas, algunas de ellas con flores de colores vivos; suelen crecer en terrenos áridos. 2. *fam.* Persona muy antipática.

cardume o **cardumen** *s. m.* Banco de peces.

carear *v.* Poner frente a frente a varias personas e interrogarlas juntas para comparar lo que dicen.

carecer *v.* No tener. □ Es v. irreg. Se conjuga como *agradecer*. SIN. Faltar. ANT. Poseer.

carenado *s. m.* 1. Acción de carenar. 2. Pieza o revestimiento de un vehículo, que lo hace más aerodinámico.

carenar *v.* Arreglar el casco de un barco.

carencia *s. f.* Falta o escasez de algo. SIN. Carestía. ANT. Abundancia.

carente *adj.* Que carece de algo.

careo *s. m.* Acción de carear.

carero, ra *adj.* y *s.* Que vende caro.

carestía *s. f.* 1. Hecho de estar caro algo. 2. Escasez. SIN. 2. Carencia. ANT. 2. Abundancia.

careta *s. f.* Máscara.

careto, ta *adj.* 1. Se dice de la caballería o la res que tiene la cara blanca y el resto de la cabeza oscuro. ‖ *s. m.* 2. *fam.* Cara.

carey *s. m.* **1.** Tortuga de gran tamaño que vive en los mares tropicales. **2.** Material que se obtiene de la concha de estas tortugas.

carga *s. f.* **1.** Acción de cargar: *carga de mercancías, de la policía.* **2.** Mercancía que se transporta. **3.** Peso. **4.** Repuesto, recambio: *una carga para la pluma.* **5.** Proyectil de un arma o cantidad de explosivo. **6.** Sufrimiento, obligación, dificultad. **7.** Cantidad de energía eléctrica de un cuerpo. **Sin. 2.** Cargamento. **6.** Molestia, cruz. **Ant. 1.** Descarga. **6.** Desahogo.

cargado, da **1.** *p.* de **cargar**. También *adj.* ‖ *adj.* **2.** Pesado, aturdido: *tener la cabeza cargada.* **3.** Tormentoso, bochornoso. **Expr.** **cargado de espaldas** Con la espalda encorvada, algo jorobado. **Ant. 2** y **3.** Despejado.

cargador, ra *s. m.* y *f.* **1.** Persona que carga mercancías. ‖ *s. m.* **2.** Pieza de un arma que contiene las balas o los cartuchos. **3.** Pieza de algunos utensilios que sirve para cargarlos o en la que se pone la carga. **Sin. 1.** Estibador.

cargamento *s. m.* Carga que lleva un vehículo.

cargante *adj.* Fastidioso, molesto. **Sin.** Pesado. **Ant.** Agradable.

cargar *v.* **1.** Poner algo sobre una persona, animal o vehículo para que lo transporten. **2.** Llenar: *cargar la despensa; cargarse de trabajo.* **3.** Hacer espeso, denso: *cargar un café, cargarse el ambiente.* **4.** Acumular electricidad. **5.** Poner la carga a un arma, aparato o utensilio. **6.** Hacer responsable o culpable de algo: *cargársela.* **7.** Aburrir, fastidiar. **8.** Atacar en grupo, por ejemplo el ejército o la policía. ‖ **cargarse 9.** Suspender a alguien. **10.** Romper, estropear. **11.** Matar. **Sin. 2.** Abarrotar, saturar. **6.** Atribuir; apechugar. **7.** Hartar. **9** y **11.** Cepillarse. **10.** Cascar, destrozar. **Ant. 1** y **2.** Aligerar. **1** y **5.** Descargar. **2.** Vaciar. **6.** Eximir. **7.** Entretener.

cargazón *s. f.* Sensación de pesadez y molestia en una parte del cuerpo.

cargo *s. m.* **1.** Oficio, empleo. **2.** Cuidado, dirección: *Está a cargo de la tienda.* **3.** Aquello de que se acusa a alguien. **Expr.** **hacerse cargo** Cuidar de algo; también, comprender. **Sin. 1.** Puesto, categoría. **3.** Acusación.

carguero *s. m.* Barco o tren de mercancías.

cariacontecido, da *adj.* Con cara de pena o preocupación.

cariar *v.* Producir caries.

cariátide *s. f.* Estatua de mujer que sirve de columna.

caribe *adj.* y *s.* **1.** De un antiguo pueblo que habitó en las Antillas y se extendió por el norte de América del Sur. ‖ *s. m.* **2.** Lengua de este pueblo.

caribeño, ña *adj.* y *s.* Del mar Caribe.

caribú *s. m.* Animal parecido al reno, pero más grande. Vive en el norte de América, en regiones muy frías.

caricato *s. m.* Humorista, cómico.

caricatura *s. f.* **1.** Dibujo que ridiculiza o exagera los rasgos físicos de una persona. **2.** Descripción que ridiculiza a alguien o algo.

caricaturista *s. m.* y *f.* Dibujante de caricaturas.

caricaturizar *v.* Hacer una caricatura.

caricia *s. f.* Gesto de cariño que se hace pasando la mano sobre una persona o animal. **Sin.** Carantoña.

caridad *s. f.* **1.** Amor a Dios y a los demás. **2.** Sentimiento que lleva a ayudar a los necesitados. **Sin. 2.** Solidaridad. **Ant. 1** y **2.** Egoísmo.

caries *s. f.* Infección producida por bacterias, que estropea o destruye los dientes.

carilla *s. f.* Cada cara de una hoja de papel. **Sin.** Página, plana.

carillón *s. m.* **1.** Grupo de campanas afinadas en distintos tonos que, al ser tocadas, producen una melodía. **2.** Reloj con estas campanas.

cariño *s. m.* **1.** Amor, afecto. **2.** Cuidado, mimo. **Sin. 1.** Aprecio, apego. **2.** Esmero. **Ant. 1.** Odio. **2.** Descuido.

cariñoso, sa *adj.* Que muestra cariño. **Sin.** Afectuoso, amoroso. **Ant.** Despegado.

carioca *adj.* y *s.* **1.** De Río de Janeiro, ciudad de Brasil. **2.** Brasileño.

cariópside *s. f.* Fruto seco que no se abre espontáneamente y tiene el pericarpio pegado a la semilla, por ejemplo el del trigo.

carisma *s. m.* Cualidad de una persona que la hace destacar sobre las demás o atraerlas.

carismático, ca *adj.* Que tiene algún carisma.

caritativo, va *adj.* Que tiene caridad.

cariz *s. m.* Aspecto, carácter. **Sin.** Pinta, aire.

carlanca *s. f.* Collar de púas que se pone a los perros para defenderlos de otros animales.

carlinga *s. f.* Cabina de los aviones donde van el piloto y la tripulación.

carlismo *s. m.* Movimiento político conservador que defendía el derecho al trono de Carlos María Isidro, hermano de Fernando VII, y el de sus descendientes.

carlista *adj. y s.* Del carlismo o partidario de este movimiento político.

carmelita *adj. y s.* De la orden religiosa del Carmen.

carmesí *adj. y s. m.* Rojo muy intenso.

carmín *s. m.* **1.** Sustancia de color rojo intenso, que se obtiene principalmente de la cochinilla. **2.** Este color. **3.** Barra de labios.

carminativo, va *adj. y s. m.* Se dice de la sustancia o del medicamento que ayuda a expulsar los gases del intestino.

carnada *s. f.* Cebo para cazar o pescar. **Sin.** Carnaza.

carnal *adj.* **1.** Relacionado con el deseo sexual. **2.** Se dice de los parientes de primer grado: *primo carnal.* **Ant. 1.** Espiritual.

carnaval *s. m.* **1.** Los tres días anteriores al miércoles de ceniza. **2.** Fiesta popular que se celebra en estos días con disfraces y otras diversiones.

carnavalesco, ca *adj.* Del carnaval o relacionado con él.

carne *s. f.* **1.** Parte blanda y musculosa del cuerpo del hombre y los animales. **2.** Pulpa de las frutas. **Expr. carne de gallina** Aspecto que toma la piel, por el frío o el miedo, parecido a la de las gallinas desplumadas. **en carne viva** Sin piel. **entrado (o metido) en carnes** Algo gordo. **Sin. 1.** Molla, chicha.

carné *s. m.* Tarjeta que demuestra quién es una persona, a qué asociación pertenece, etc. **Sin.** Carnet.

carnero *s. m.* Macho de la oveja, con los cuernos enrollados en forma de espiral.

carnet (fr.) *s. m.* Carné.

carnicería *s. f.* **1.** Tienda donde se vende carne. **2.** Matanza, muerte de muchas personas. **3.** Destrozo en la piel o en la carne de una persona. **Sin. 2.** Masacre.

carnicero, ra *s. m. y f.* **1.** Persona que vende carne. || *adj. y s.* **2.** Se dice del animal que caza a otros para alimentarse.

cárnico, ca *adj.* Relacionado con la carne que se emplea como alimento.

carnívoro, ra *adj. y s.* **1.** Se dice del animal que se alimenta de carne. || *adj.* **2.** Se dice de las plantas que se alimentan de insectos.

carnosidad *s. f.* Parte carnosa de alguna zona del cuerpo.

carnoso, sa *adj.* De carne o que tiene mucha carne. **Sin.** Rollizo, gordo. **Ant.** Flaco.

caro, ra *adj. y adv.* Que cuesta mucho dinero. **Sin.** Costoso. **Ant.** Barato.

carolingio, gia *adj. y s.* Relacionado con Carlomagno, emperador de Occidente en el siglo IX.

carota *adj. y s.* Caradura.

carótida *s. f.* Cada una de las dos arterias principales del cuello, que llevan la sangre a la cabeza.

carpa[1] *s. f.* Pez de agua dulce con el lomo verdoso, el vientre blanquecino y una sola aleta dorsal.

carpa[2] *s. f.* Cubierta grande de lona que sirve de techo, por ejemplo en un circo.

carpelo *s. m.* Hoja transformada que constituye el órgano sexual femenino de las plantas fanerógamas.

carpeta *s. f.* Especie de cartera para guardar y clasificar papeles. **Sin.** Cartapacio, portafolios.

carpetazo Se usa en la expresión **dar carpetazo**, 'interrumpir' o 'dar algo por terminado'.

carpintería *s. f.* **1.** Taller y oficio del carpintero. **2.** Muebles y otras obras de madera de un lugar. **Sin. 1.** Ebanistería.

carpintero, ra *s. m. y f.* Persona que hace o arregla muebles y otras cosas de madera. **Sin.** Ebanista.

carpo *s. m.* Conjunto de huesos que forman la muñeca.

carraca[1] *s. f.* Aparato o vehículo viejo o estropeado. **Sin.** Cacharro, cafetera.

carraca[2] *s. f.* **1.** Instrumento formado por una rueda dentada que, al girar, hace golpear una lengüeta, produciendo un sonido seco y desagradable. **2.** Ave trepadora de pico fuerte y plumas de color azul y castaño brillantes.

carrasca *s. f.* Encina pequeña o mata de encina.

carrascal *s. m.* Lugar poblado de carrascas.

carrasco *adj.* Se dice de un tipo de pino.

carraspear *v.* Toser un poco para limpiarse la garganta.

carraspera *s. f.* Sequedad y picor en la garganta.

carrera *s. f.* **1.** Acción de correr. **2.** Competición de velocidad. **3.** Recorrido: *La carrera del taxi le costó mil pesetas.* **4.** Estudios que permiten ejercer una profesión. **5.** Actividad profesional. **6.** Puntos sueltos en una media. Sin. **3.** Trayecto, itinerario.

carrerilla *s. f.* Se usa en la expresión **tomar** o **coger carrerilla**, 'retroceder para tomar impulso'; también, en **de carrerilla**, 'de memoria' o 'sin enterarse de lo que se dice'.

carreta *s. f.* Carro, generalmente de dos ruedas, con un madero largo donde se sujeta el yugo al que van atados los animales de tiro.

carrete *s. m.* **1.** Cilindro hueco donde se enrollan hilos, alambres, películas, etc. **2.** Aparato colocado en la caña de pescar con una manivela para recoger o soltar el sedal.

carretera *s. f.* Camino asfaltado para vehículos.

carretero *s. m.* Persona que construye o conduce carros o carretas.

carretilla *s. f.* Carro de mano con una rueda delante y dos varas detrás para conducirlo.

carretón *s. m.* Carro pequeño, a veces con una sola rueda.

carricoche *s. m.* Vehículo pequeño y muy sencillo, por ejemplo el de los heladeros.

carril *s. m.* **1.** Cada una de las dos barras paralelas de metal por donde circulan los trenes o tranvías. **2.** Parte de una carretera por donde circula una sola fila de vehículos. Sin. **1.** Riel, raíl.

carrillo *s. m.* Parte más carnosa de la cara, desde los pómulos hasta la mandíbula. Sin. Mejilla, moflete.

carrizo *s. m.* Planta gramínea que crece cerca del agua de arroyos y charcas.

carro *s. m.* **1.** Vehículo formado por un armazón de madera sobre ruedas para transportar cargas. **2.** Bolsa, armazón o plataforma con ruedas: *el carro de la compra.* **3.** Parte móvil de algunos aparatos: *el carro de la máquina de escribir.* || **4. carro de combate** Tanque.

carrocería *s. f.* En los vehículos, chapa que cubre el motor y el espacio para los viajeros y la carga.

carromato *s. m.* **1.** Carro grande con toldo. **2.** Carruaje viejo y malo.

carroña *s. f.* Carne podrida de animales muertos.

carroñero, ra *adj.* y *s.* Se dice del animal que se alimenta de carroña.

carroza *s. f.* **1.** Coche de caballos grande y lujoso. **2.** Vehículo adornado que desfila por las calles en algunas fiestas. || *adj.* y *s.* **3.** *fam.* Persona vieja o anticuada.

carruaje *s. m.* Vehículo formado por un armazón sobre ruedas, en especial el tirado por animales y destinado a transportar personas.

carrusel *s. m.* Tiovivo.

carta *s. f.* **1.** Escrito que se envía dentro de un sobre. **2.** Naipe de la baraja. **3.** Lista de las comidas y bebidas de un bar o restaurante. **4.** Mapa: *carta de navegación.* || **5. carta de ajuste** Figura que aparece en el televisor para ajustar la imagen. **6. carta magna** Constitución escrita de un país. Expr. **dar carta blanca** Autorizar a alguien para que actúe libremente. **tomar cartas en el asunto** Intervenir en él. Sin. **1.** Epístola, misiva.

cartabón *s. m.* Regla de dibujo en forma de triángulo rectángulo de tres lados desiguales.

cartagenero, ra *adj.* y *s.* De Cartagena, ciudad de Murcia, o de Cartagena de Indias, ciudad de Colombia.

cartaginense o **cartaginés, sa** *adj.* y *s.* De Cartago, antigua ciudad del norte de África.

cartapacio *s. m.* Carpeta grande para guardar papeles, documentos o libros. Sin. Portafolios.

cartearse *v.* Escribirse cartas.

cartel *s. m.* **1.** Lámina de papel o de otro material en la que se anuncia o comunica algo. **2.** Fama, reputación. Sin. **1.** Letrero, póster. **2.** Prestigio. Ant. **2.** Desprestigio.

cartelera *s. f.* Parte de un periódico o revista donde se anuncian los espectáculos, por ejemplo el cine y el teatro.

cárter *s. m.* **1.** Depósito de aceite del motor de un automóvil. **2.** En un vehículo o máquina, cubierta rígida que protege alguna pieza.

cartera *s. f.* **1.** Objeto plegable de bolsillo para guardar el dinero, los carnés, etc. **2.** Maleta pequeña para libros o documentos. **3.** Bolso de mujer sin correa ni asa.

carterista *s. m.* y *f.* Ladrón de carteras y monederos.

cartero, ra *s. m.* y *f.* Persona que reparte las cartas y paquetes de correos.

cartesiano, na *adj.* **1.** De la filosofía de Descartes y sus discípulos. **2.** Muy lógico o racional. || **3. eje cartesiano** Eje de coordenadas. Ver **eje**.

cartilaginoso, sa *adj.* De la materia de los cartílagos.

cartílago *s. m.* Tejido del cuerpo menos resistente que el hueso, pero más elástico. **Sin.** Ternilla.

cartilla *s. f.* **1.** Libro para aprender a leer. **2.** Cuaderno o libreta en que se anotan algunos datos: *cartilla de ahorros.* **Expr. leerle** a alguien **la cartilla** Reñirle diciéndole lo que debe hacer.

cartografía *s. f.* Ciencia y técnica dedicadas a la realización de mapas.

cartógrafo, fa *s. m. y f.* Persona que hace mapas.

cartomancia o **cartomancía** *s. f.* Adivinación del futuro a través de las cartas de la baraja.

cartón *s. m.* **1.** Lámina gruesa hecha con pasta de papel. **2.** Envase o paquete de este material. **3.** Dibujo que sirve de modelo para un tapiz, un mosaico, etc. || **4. cartón piedra** Pasta de papel y yeso para hacer figuras y decorados.

cartoné *s. m.* Encuadernación de cartón forrado con papel.

cartonero, ra *adj.* **1.** Relacionado con el cartón. || *s. m. y f.* **2.** Persona que recoge o vende cartón.

cartuchera *s. f.* **1.** Cinturón ancho en el que se llevan los cartuchos **2.** Caja para llevar cartuchos o balas. **Sin.** 1. Canana.

cartucho *s. m.* **1.** Cilindro que contiene la carga explosiva para cada disparo de un arma. **2.** Cucurucho.

cartuja *s. f.* Convento o monasterio de la orden de la Cartuja, fundada por San Bruno.

cartujo *adj. y s. m.* De la orden religiosa de la Cartuja.

cartulina *s. f.* Cartón delgado, liso y flexible.

casa *s. f.* **1.** Construcción o parte de ella donde viven las personas. **2.** Conjunto de reyes o nobles con el mismo origen: *la casa de Austria.* **3.** Empresa o tienda. || **4. casa consistorial** o **casa de la villa** Ayuntamiento. **5. casa de socorro** Establecimiento médico donde se dan los primeros auxilios. **Expr. como Pedro por su casa** Con toda confianza y libertad. **echar** o **tirar la casa por la ventana** Gastar mucho. **Sin.** 1. Piso, domicilio. 2. Linaje. 3. Firma.

casaca *s. f.* Chaqueta larga, ajustada y con faldones.

casadero, ra *adj.* En edad de casarse.

casado, da *p.* de casar. También *adj. y s.* **Ant.** Soltero.

casamentero, ra *adj. y s.* Que relaciona a las personas para que se hagan novios y se casen.

casamiento *s. m.* Acción de casar o casarse. **Sin.** Matrimonio.

casar *v.* **1.** Unir en matrimonio. **2.** Ajustar, hacer coincidir. **3.** Hacer juego varias cosas, quedar bien.

cascabel *s. m.* Bola hueca de metal con un hierrecito dentro que, al ser movida, suena.

cascada *s. f.* Caída del agua de un río o de otra corriente desde cierta altura.

cascado, da **1.** *p.* de cascar. También *adj.* || *adj.* **2.** Viejo, estropeado, gastado. **3.** Se dice de la voz ronca y débil. **Sin.** 2. Decrépito, achacoso. 3. Quebrado. **Ant.** 2. Nuevo.

cascajo *s. m.* **1.** Trozos de piedras y otros materiales parecidos. **2.** Conjunto de frutos de cáscara seca, como avellanas, castañas, almendras, nueces. **3.** Cosa o persona vieja, estropeada. **Sin.** 3. Trasto.

cascanueces *s. m.* Instrumento para partir nueces.

cascar *v.* **1.** Romper. **2.** Pegar a una persona. **3.** Hablar en exceso o de manera inconveniente. **4.** Morir. **Sin.** 1. Partir. 2. Sacudir. 3. Rajar. 4. Diñar.

cáscara *s. f.* **1.** Corteza o cubierta exterior de huevos, frutas y otras cosas. || **¡cáscaras!** *interj.* **2.** Expresa sorpresa o enfado. **Sin.** 1. Piel, monda.

cascarón *s. m.* Cáscara de huevo de cualquier ave.

cascarrabias *s. m. y f.* Persona gruñona, de mal genio.

casco *s. m.* **1.** Especie de sombrero de material duro con que se cubre y protege la cabeza. **2.** Recipiente para líquidos. **3.** Cada pedazo de un vaso o vasija rotos. **4.** Uña de las caballerías. **5.** Cuerpo de un barco sin las máquinas, los palos y otros complementos. **6.** Parte principal de una población. || *pl.* **7.** Auriculares para escuchar música. **Expr. calentarse los cascos** Pensar mucho en algo. **Sin.** 2. Envase, botella. 3. Añicos, cacho. 4. Pezuña.

cascote *s. m.* Trozo de una construcción derribada.

caserío *s. m.* **1.** Grupo de casas que no llega a formar un pueblo. **2.** Casa de campo aislada.

casero, ra *adj.* **1.** Que se hace en casa o pertenece a ella: *comida casera.* **2.** Se dice de la persona a la que le gusta mucho estar en casa. || *s. m. y f.* **3.** Propietario de una vivienda alquilada. **Sin.** 1. Doméstico, familiar. 2. Hogareño. 3. Arrendador.

caseta *s. f.* 1. Casa pequeña, casi siempre de madera. 2. Cuarto pequeño que hay en balnearios, playas, piscinas e instalaciones deportivas para cambiarse de ropa. 3. Barraca de feria. **Sin.** 2. Cabina.

casete *s. amb.* 1. Estuche de plástico con una cinta magnética para grabar y reproducir el sonido. || *s. m.* 2. Aparato donde se introducen para hacerlos funcionar.

casi *adv.* Cerca de, por poco, aproximadamente: *Lleva casi una semana enfermo. Casi se marea.*

casilla *s. f.* 1. Cada una de las divisiones de los tableros de algunos juegos, como la damas o el ajedrez. 2. Espacio en blanco para rellenar en algunos impresos. 3. Cada una de las divisiones de algunos muebles y cajas. **Expr. sacar** a uno **de sus casillas** Hacerle perder la paciencia.

casillero *s. m.* Mueble con varias divisiones para tener clasificados papeles u otros objetos.

casino *s. m.* Local para juegos de azar.

caso *s. m.* 1. Suceso, asunto. 2. Situación o circunstancia. **Expr. hacer caso** Escuchar, prestar atención; también, obedecer. **ser** una persona **un caso** Ser especial o rara, tener algún defecto muy llamativo. **Sin.** 1. Acontecimiento; cuestión.

caspa *s. f.* Pequeñas escamas de color blanco que se forman en la piel de la cabeza.

casquería *s. f.* Tienda donde se venden tripas, callos u otras vísceras de las reses.

casquete *s. m.* 1. Gorro de tela o cuero que se ajusta a la cabeza. || 2. **casquete polar** En el globo de la Tierra, parte que está entre el círculo polar y cada uno de los polos.

casquillo *s. m.* 1. Pieza en la que se mete o enrosca una bombilla eléctrica. 2. Cápsula o pequeña pieza cilíndrica hueca que contiene, refuerza o protege algo.

casquivano, na *adj. y s.* 1. Alocado, poco juicioso. || *adj. y s. f.* 2. Mujer que no es formal con los hombres en asuntos amorosos. **Sin.** 2. Frívola.

casta *s. f.* 1. Variedad de una especie animal. 2. Linaje de una persona. 3. Grupo social cerrado.

castaña *s. f.* 1. Fruto del castaño. 2. Moño pequeño. 3. Torta, golpe. 4. Borrachera. 5. Cosa aburrida, de mala calidad o que no funciona bien. || 6. **castaña pilonga** La que se ha secado al humo y se guarda todo el año. **Sin.** 3. Castañazo, porrazo. 4. Curda. 5. Rollo.

castañazo *s. m.* Torta, golpe.

castañero, ra *s. m. y f.* Persona que vende castañas, especialmente asadas.

castañetear *v.* Sonar los dientes al chocar unos con otros.

castaño, ña *adj. y s. m.* 1. De color marrón, como el de la cáscara de la castaña. || *adj. y s.* 2. Que tiene el cabello de ese color. || *s. m.* 3. Árbol de tronco grueso y copa ancha, hojas caducas, lanceoladas y dentadas, flores blancas y fruto comestible. || 4. **castaño de Indias** Árbol de hojas caducas y palmeadas, flores blancas o rojizas y fruto parecido a la castaña, que no es comestible. **Expr. pasar de castaño oscuro** Ser algo intolerable o muy grave.

castañuela *s. f.* Instrumento musical formado por dos piezas que se hacen chocar con los dedos para que suenen. **Expr. como unas castañuelas** Muy contento.

castellano, na *adj. y s.* 1. De Castilla, región de España. || *s. m.* 2. Español, lengua que se habla en España e Hispanoamérica.

castellonense *adj. y s.* De Castellón de la Plana o de Castellón, ciudad o provincia española respectivamente.

castidad *s. f.* Renuncia a la actividad sexual o aceptación de normas morales o religiosas en lo relacionado con ella. **Sin.** Pureza. **Ant.** Lujuria.

castigar *v.* Poner un castigo.

castigo *s. m.* Pena que se impone al que ha cometido alguna falta o delito.

castillo *s. m.* Antigua edificación fortificada, rodeada de murallas.

castizo, za *adj.* Típico, auténtico de un país o región.

casto, ta *adj. y s.* Que practica la castidad o la muestra. **Sin.** Puro. **Ant.** Lujurioso.

castor *s. m.* Roedor de cuerpo grueso cubierto de pelo castaño, con patas cortas y cola aplastada, que construye su vivienda a orillas de ríos y lagos.

castración *s. f.* Acción de castrar.

castrar *v.* Quitar los órganos genitales o dejarlos inútiles. **Sin.** Capar.

castrense *adj.* Del ejército o propio del ejército.

castro *s. m.* Fortificación de los celtíberos.

casual *adj.* Que se produce por casualidad. **Sin.** Imprevisto, accidental. **Ant.** Previsto.

casualidad *s. f.* Hecho de que algo ocurra sin haberlo previsto. **Sin.** Coincidencia; suerte.

casulla *s. f.* Vestidura abierta por arriba y por los lados, usada por los sacerdotes para decir misa.

cata *s. f.* Acción de catar o probar una cosa.

cataclismo *s. m.* Gran catástrofe.

catacumbas *s. f. pl.* Galerías subterráneas que los primitivos cristianos utilizaban para enterrar a sus muertos y celebrar ceremonias religiosas.

catador, ra *s. m. y f.* Persona que cata, sobre todo vinos.

catafalco *s. m.* Armazón cubierto de negro que imita un sepulcro o ataúd y que se coloca en las iglesias en algunos funerales.

catalán, na *adj. y s.* **1.** De Cataluña, comunidad autónoma de España. ‖ *s. m.* **2.** Lengua hablada en Cataluña y en otras regiones.

catalejo *s. m.* Tubo con dos lentes en los extremos, que permite ver ampliados los objetos lejanos.

catalogar *v.* **1.** Registrar por orden o clasificar libros, discos y otras cosas. **2.** Considerar, juzgar.

catálogo *s. m.* Lista de personas o cosas clasificadas o puestas por orden. **Sin.** Inventario, registro.

cataplasma *s. f.* Medicamento externo y pastoso que se aplica en alguna parte del cuerpo.

catapulta *s. f.* **1.** Máquina militar antigua para lanzar piedras. **2.** Mecanismo que impulsa a los aviones para hacer que despeguen en espacios pequeños.

catapultar *v.* **1.** Impulsar a los aviones con la catapulta. **2.** Hacer triunfar rápidamente a alguien. **Sin. 2.** Elevar. **Ant. 2.** Hundir.

catar *v.* Probar, sobre todo el sabor de algo.

catarata *s. f.* **1.** Agua de un río que cae desde gran altura. **2.** Telilla que se forma en el cristalino del ojo y va produciendo ceguera.

catarro *s. m.* Enfermedad leve en las vías respiratorias, que causa tos y aumento de moco. **Sin.** Constipado, resfriado.

catastro *s. m.* Lista de las casas y terrenos de un lugar, sus propietarios y otras características. **Sin.** Censo.

catástrofe *s. f.* Suceso que produce grandes daños. **Sin.** Calamidad, desastre, cataclismo.

catastrófico, ca *adj.* Que es una catástrofe. **Sin.** Calamitoso, desastroso.

catchup *s. m.* Salsa de tomate con vinagre, azúcar y especias. **Sin.** Ketchup.

cate *s. m.* **1.** Golpe, puñetazo. **2.** Suspenso en un examen o asignatura. **Sin. 1.** Bofetón, tortazo. **Ant. 2.** Aprobado.

catear *v.* Suspender un examen o asignatura.

catecismo *s. m.* Libro en que se explica lo principal de la religión cristiana.

catecúmeno, na *s. m. y f.* Persona que recibe catequesis como preparación para el bautismo.

cátedra *s. f.* **1.** Puesto del catedrático. **2.** Departamento encargado de la enseñanza de una asignatura.

catedral *s. f.* Iglesia principal de una diócesis, que está a cargo de un obispo. **Sin.** Seo.

catedrático, ca *s. m. y f.* Profesor de categoría más alta en institutos de bachillerato y universidades.

categoría *s. f.* **1.** Cada uno de los grupos en que se divide un conjunto de personas o cosas por alguna característica común. **2.** Importancia, valor. **3.** En gramática, cada una de las clases de palabras de una lengua, por ejemplo *sustantivo*, *adjetivo* o *verbo*. **Sin. 1.** Clase, nivel, rango. **2.** Alcance.

categórico, ca *adj.* Que dice o manifiesta algo de manera clara y sin ninguna duda. **Sin.** Rotundo, tajante. **Ant.** Vacilante.

catequesis *s. f.* Enseñanza de la religión cristiana, sobre todo para recibir un sacramento.

catequista *s. m. y f.* Persona que da catequesis a otras.

catequizar *v.* Enseñar una doctrina, y sobre todo la religión cristiana.

caterva *s. f.* Grupo desordenado de personas o cosas. **Sin.** Multitud, muchedumbre.

cateto *s. m.* Cada uno de los dos lados que forman el ángulo recto de un triángulo rectángulo.

cateto, ta *adj. y s.* Tosco, de poca cultura. **Sin.** Paleto. **Ant.** Refinado.

cátodo *s. m.* Polo negativo de una pila o generador eléctrico. **Ant.** Ánodo.

catolicismo s. m. Religión cristiana de la Iglesia católica romana, que tiene como máxima autoridad al papa.

católico, ca adj. y s. Del catolicismo o seguidor de esta religión. **Expr. no estar muy católico** No encontrarse bien de salud.

catorce num. **1.** Diez más cuatro. **2.** Que sigue por orden al trece.

catorceavo, va num. y s. m. Se dice de cada una de las catorce partes iguales en que se divide una cosa.

catre s. m. Cama muy simple, para una sola persona.

cauce s. m. **1.** Camino por donde corre el agua de los ríos o la de riego. **2.** Medio, procedimiento. **Sin. 1.** Lecho, reguera. **2.** Trámite.

caucho s. m. Sustancia elástica, resistente e impermeable, hecha de la savia de algunas plantas tropicales o elaborada artificialmente; se usa, por ejemplo, para fabricar ruedas de coches o materiales aislantes.

caudal[1] s. m. **1.** Cantidad de agua que lleva un río o pasa por un conducto. **2.** Dinero, riquezas. **Sin. 2.** Capital, fortuna.

caudal[2] adj. De la cola o relacionado con ella: *aleta caudal.*

caudaloso, sa adj. Se dice de los ríos que llevan mucha agua.

caudillo s. m. Jefe de un grupo de personas, sobre todo en la guerra. **Sin.** Cabecilla, adalid.

causa s. f. **1.** Lo que hace que algo se produzca. **2.** Ideas o creencias por las que alguien lucha. **3.** Conjunto de acciones que realiza un juez o tribunal en algún asunto. **Sin. 1.** Origen, razón. **3.** Proceso.

causal adj. Se dice de la oración que expresa la causa de lo que se dice en otra. También se dice de las conjunciones con que suelen empezar esas oraciones, como *porque.*

causalidad s. f. Relación que existe entre algo y la causa que lo produce.

causante adj. y s. Que causa algo.

causar v. Hacer que algo suceda o aparezca. **Sin.** Producir, ocasionar. **Ant.** Evitar.

cáustico, ca adj. y s. m. Se dice de las sustancias que queman o destruyen los tejidos orgánicos, por ejemplo la lejía o la sosa. **Sin.** Corrosivo.

cautela s. f. Cuidado. **Sin.** Prudencia, precaución. **Ant.** Imprudencia.

cauteloso, sa adj. Que actúa con cautela o la muestra. **Sin.** Cauto, prudente, prevenido. **Ant.** Imprudente.

cauterizar v. Poner sobre una herida algo que queme para que no se infecte o siga saliendo sangre. **Sin.** Quemar.

cautivador, ra adj. Que cautiva o atrae de manera irresistible. **Sin.** Encantador.

cautivar v. **1.** Coger prisionero a alguien, sobre todo al enemigo en la guerra. **2.** Atraer a alguien de manera irresistible. **Sin. 1.** Apresar, capturar. **2.** Conquistar, seducir. **Ant. 1.** Liberar. **2.** Aburrir.

cautiverio s. m. Estado de la persona que se encuentra cautiva. **Sin.** Cautividad, prisión. **Ant.** Libertad.

cautividad s. f. Situación de la persona cautiva o del animal que no vive en libertad. **Sin.** Cautiverio.

cautivo, va adj. y s. **1.** Se dice de la persona o animal que no está en libertad. **2.** Que se siente muy atraído por alguien o algo. **Sin. 1.** Prisionero. **Ant. 1.** Libre.

cauto, ta adj. Que actúa con cuidado y astucia. **Sin.** Cauteloso, prudente. **Ant.** Incauto, imprudente.

cava s. f. **1.** Lugar bajo tierra donde se guardan los vinos para que tomen mejor sabor. **2.** Acción de cavar. **3.** Cada una de las dos grandes venas que conducen la sangre venosa al corazón. || s. m. **4.** Vino espumoso catalán elaborado al estilo del champán. **Sin. 1.** Bodega.

cavar v. **1.** Remover la tierra, sobre todo para plantar. **2.** Hacer un hoyo. **Sin. 2.** Excavar.

caverna s. f. Cueva profunda. **Sin.** Gruta, antro.

cavernícola adj. y s. Habitante de las cavernas. **Sin.** Trogodita.

caviar s. m. Huevas de esturión, muy apreciadas como alimento.

cavidad s. f. Espacio hueco en un cuerpo u objeto. **Sin.** Concavidad.

cavilación s. f. Acción de cavilar. **Sin.** Reflexión, meditación.

cavilar v. Pensar mucho en algo, reflexionar. **Sin.** Discurrir, meditar.

cayado s. m. Bastón curvado por la parte de arriba, que usan sobre todo los pastores.

caza s. f. **1.** Acción de cazar. **2.** Animales que se cazan. || s. m. **3.** Avión de combate, pequeño y muy rápido. || **4. caza**

mayor La de animales grandes. **5. caza menor** La de animales pequeños. **Expr. a la caza** de algo Tratando de conseguirlo. **dar caza** Alcanzar después de una persecución. **Sin. 1.** Cacería.

cazador, ra *adj.* y *s.* Que caza.

cazadora *s. f.* Especie de chaqueta que se ajusta a la cintura o a la cadera.

cazalla *s. f.* Aguardiente seco.

cazar *v.* **1.** Matar o capturar animales que estaban en libertad, con armas o mediante alguna trampa o engaño. **2.** Pillar a alguien en un error o en algo que quería ocultar. **Sin. 1.** Atrapar.

cazo *s. m.* **1.** Recipiente de cocina con mango que se emplea sobre todo para cocer. **2.** Utensilio de cocina en forma de media esfera y con un mango largo, que sirve para coger o servir líquidos. **Sin. 2.** Cucharón.

cazoleta *s. f.* **1.** Recipiente pequeño parecido a un cazo o a una cazuela. **2.** Pieza en forma de media esfera, por ejemplo la que tienen algunas espadas para proteger la mano.

cazuela *s. f.* Recipiente de cocina más ancho que alto, que se utiliza para guisar. **Sin.** Olla, cacerola.

cazurro, rra *adj.* y *s.* **1.** Astuto y reservado. **2.** Bruto, torpe.

cebada *s. f.* Cereal usado como alimento, sobre todo del ganado, y para fabricar cerveza.

cebar *v.* **1.** Engordar rápidamente a los animales. ‖ **cebarse 2.** Ser demasiado duro o cruel con alguien. **Sin. 1.** Hinchar. **2.** Encarnizarse, ensañarse. **Ant. 2.** Apiadarse.

cebo *s. m.* **1.** Comida o engaño para capturar a un animal. **2.** Sustancia que hace que se prenda la carga explosiva de las armas de fuego. **Sin. 1.** Carnada; señuelo.

cebolla *s. f.* **1.** Planta de tallo hueco, hojas largas, flores blancas y bulbo comestible de sabor picante y olor fuerte. **2.** Este bulbo.

cebolleta *s. f.* Especie de cebolla pequeña de la que se puede comer el bulbo y parte de las hojas.

cebollino *s. m.* **1.** Planta parecida a la cebolla, con hojas largas y estrechas y flores rosadas. **2.** Persona torpe o ignorante. **Sin. 2.** Zoquete.

cebón, na *adj.* y *s.* Animal cebado.

cebra *s. f.* **1.** Mamífero herbívoro africano, parecido a la mula, con el pelo a rayas blancas y negras. ‖ **2. paso de cebra** Paso para peatones marcado en el suelo con rayas paralelas blancas o amarillas.

cebú *s. m.* Mamífero rumiante que tiene una o dos jorobas según sea la especie india o africana. Se utiliza como animal doméstico.

Ceca Se utiliza en la expresión **de la Ceca a la Meca**, 'de aquí para allá'.

cecear *v.* Pronunciar la *s* como *z.*

ceceo *s. m.* Acción de cecear.

cecina *s. f.* Carne salada y seca.

cedazo *s. m.* Utensilio formado por un aro y una redecilla, que se utiliza para separar las partes gruesas de las finas de una cosa, por ejemplo la harina de la cascarilla. **Sin.** Criba, tamiz.

ceder *v.* **1.** Dejar a otro: *ceder el asiento.* **2.** Dejar de oponerse a algo. **3.** Disminuir la fuerza o intensidad de algo: *ceder la fiebre.* **4.** Aflojarse, romperse: *ceder una estantería.* **Sin. 1.** Dar, traspasar. **2.** Acceder, consentir. **3.** Calmarse, amainar. **4.** Fallar. **Ant. 1.** Quedarse. **2.** Resistirse. **3.** Arreciar.

cedro *s. m.* Nombre común de un grupo de árboles altos, de hoja perenne en forma de aguja, tronco grueso, copa cónica y madera blanda.

cédula *s. f.* Papel o ficha que contiene una información. **Sin.** Documento.

cefalópodo *adj.* y *s. m.* Molusco marino con el cuerpo en forma de saco con una abertura por la que sale la cabeza, que está rodeada de tentáculos, como por ejemplo el pulpo.

céfiro *s. m.* Viento suave. **Sin.** Brisa.

cegar *v.* **1.** Dejar sin poder ver, para siempre o por un tiempo. **2.** Impedir darse cuenta de algo. **3.** Tapar, cerrar: *cegar una cañería.* □ Es v. irreg. Se conjuga como *regar.* **Sin. 1.** Deslumbrar. **2.** Ofuscar. **3.** Taponar.

cegato, ta *adj.* y *s. fam.* Persona que ve poco.

ceguera *s. f.* Pérdida o falta del sentido de la vista.

ceilandés, sa *adj.* y *s.* De Ceilán, actual Sri Lanka, isla y país de Asia.

ceja *s. f.* Reborde situado encima del ojo, que está cubierto de pelo; también, este pelo.

cejar *v.* Ceder, desistir. **Sin.** Flaquear, rendirse. **Ant.** Insistir.

cejijunto, ta *adj.* Con mucho pelo en las cejas y éstas muy juntas.

cejilla *s. f.* Pieza que se pone pisando las cuerdas de la guitarra para elevar el tono de su sonido.

celada¹ *s. f.* Trampa, emboscada.

celada² *s. f.* Pieza de las antiguas armaduras que cubría la cabeza. **Sin.** Yelmo.

celador, ra *adj.* y *s.* Persona que vigila y mantiene el orden en cárceles, hospitales, etc. **Sin.** Vigilante.

celda *s. f.* Pequeña habitación en cárceles y conventos. **Sin.** Calabozo.

celdilla *s. f.* Cada casilla de un panal de abejas.

celebérrimo, ma *adj. sup.* de **célebre**.

celebración *s. f.* Acción de celebrar.

celebrar *v.* 1. Hacer una fiesta u otro acto en honor de alguien o algo. 2. Llevar a cabo un acto, una reunión, un campeonato. 3. Alegrarse: *Celebro que estés bien.* **Sin.** 1. Festejar. 2. Efectuar. 3. Congratularse. **Ant.** 2. Suspender. 3. Lamentar.

célebre *adj.* Famoso. **Sin.** Popular, renombrado. **Ant.** Desconocido.

celebridad *s. f.* 1. Fama, popularidad. 2. Persona famosa. **Sin.** 1. Reputación, renombre, prestigio.

celentéreo *adj.* y *s. m.* Animal acuático de cuerpo en forma de saco con una abertura que sirve de boca y de ano; algunos viven fijos a una superficie, como los corales, y otros libres, como las medusas.

celeridad *s. f.* Rapidez, velocidad. **Sin.** Prontitud, diligencia, presteza. **Ant.** Lentitud.

celeste *adj.* 1. Del cielo. || *adj.* y *s. m.* 2. Azul claro.

celestial *adj.* Del cielo de las religiones. **Ant.** Terrenal.

celestina *s. f.* Mujer que hace de intermediaria en los amores de dos personas.

celibato *s. m.* Estado de célibe.

célibe *adj.* y *s.* Soltero, sobre todo por motivos religiosos.

celo¹ *s. m.* 1. Cuidado, interés: *trabajar con celo.* 2. Periodo durante el cual las hembras de muchos animales están preparadas para la reproducción y admiten la unión con los machos. || *pl.* 3. Sospecha o temor de que la persona a quien se ama prefiera a otra. 4. Envidia. **Sin.** 1. Esmero, dedicación. **Ant.** 1. Descuido.

celo² *s. m.* Cinta transparente que pega por uno de sus lados.

celofán *s. m.* Papel transparente para envolver y hacer trabajos manuales.

celosía *s. f.* Reja en una ventana u otro sitio para mirar sin ser visto.

celoso, sa *adj.* y *s.* 1. Que siente celos. || *adj.* 2. Que hace las cosas con celo, cuidado e interés. **Sin.** 2. Cuidadoso, esmerado. **Ant.** 2. Descuidado.

celta *adj.* y *s.* 1. De un pueblo que habitaba en Europa central e invadió el oeste de Europa entre los siglos VII y VI antes de Cristo. || *s. m.* 2. Idioma de este pueblo.

celtíbero, ra o **celtibero, ra** *adj.* y *s.* 1. De un antiguo pueblo que vivió en la península Ibérica antes de la llegada de los romanos. || *s. m.* 2. Lengua de este pueblo.

célula *s. f.* Unidad básica que forma los seres vivos. Muchas células unidas forman los tejidos, órganos y sistemas, como la piel, el cerebro o el sistema nervioso.

celular *adj.* De las células o relacionado con ellas.

celulitis *s. f.* 1. Acumulación de grasa en algunas partes del cuerpo, que da a la piel aspecto de corteza de naranja. 2. En medicina, inflamación de los tejidos.

celuloide *s. m.* Material plástico con que se hace la película en cine y fotografía.

celulosa *s. f.* Sustancia sólida y blanquecina que hay en la membrana de muchas células de hongos y vegetales, y con la cual se fabrica papel, plásticos, etc.

cementerio *s. m.* 1. Terreno donde se entierra a los muertos. || 2. **cementerio de coches** Lugar donde se amontonan los coches que ya no sirven. **Sin.** 1. Camposanto, necrópolis.

cemento *s. m.* Material de construcción en polvo que, mezclado con agua, forma una masa que después se endurece.

cena *s. f.* Última comida del día, que se toma por la noche o al atardecer.

cenáculo *s. m.* Grupo de personas unidas por los mismos gustos o intereses y apartadas del resto.

cenador *s. m.* Construcción pequeña, generalmente redonda, en parques y jardines.

cenagal *s. m.* Lugar lleno de cieno o barro. **Sin.** Ciénaga, lodazal.

cenar *v.* Tomar la cena.

cencerro *s. m.* Campana que se les pone en el cuello a las vacas, las ovejas y otros animales para saber dónde están. **Expr. como un cencerro** Loco, chiflado. **Sin.** Esquila.

cenefa s. f. Banda con dibujos o adornos en el borde de algo. **Sin.** Ribete, festón.

cenicero s. m. Recipiente para echar la ceniza o dejar los cigarrillos.

ceniciento, ta adj. Del color de la ceniza.

cenit s. m. **1.** Punto del cielo que se encuentra verticalmente sobre el lugar donde está alguien. **2.** Mejor momento de alguien o algo. **Sin. 2.** Cúspide, cima. **Ant. 2.** Ocaso.

ceniza s. f. **1.** Polvo gris que queda como resto al quemar algo. || pl. **2.** Restos de un cadáver después de mucho tiempo.

cenizo adj. y s. m. Se dice de la persona que trae o tiene mala suerte, o es muy pesimista. **Sin.** Gafe.

cenobio s. m. Monasterio o convento.

censar v. Hacer un censo o incluir a alguien en un censo.

censo s. m. Lista de los habitantes o de la riqueza de una población, comunidad o país. **Sin.** Padrón, registro, catastro.

censor, ra s. m. y f. Persona con autoridad para censurar un libro, un espectáculo, etc.

censura s. f. **1.** Acción de censurar. **2.** Conjunto de censores. **Sin. 1.** Crítica. **Ant. 1.** Aprobación.

censurable adj. Que merece ser censurado o criticado.

censurar v. **1.** Criticar algo, dar una mala opinión sobre ello. **2.** Decidir si una obra, espectáculo, etc., puede mostrarse al público, sobre todo por motivos morales o políticos. **3.** Suprimir o prohibir algo la censura: Censuraron varias escenas de la película. **Sin. 1.** Reprobar. **Ant. 1.** Alabar.

centauro s. m. Ser mitológico, mitad hombre y mitad caballo.

centavo s. m. Centésima parte de la moneda de numerosos países.

centella s. f. Rayo poco intenso. **Expr. como una centella** Muy rápido.

centellear v. Despedir luces y destellos. **Sin.** Brillar, titilar.

centena s. f. Conjunto de cien unidades. **Sin.** Centenar.

centenar s. f. **1.** Centena. **2.** Gran cantidad de algo: Se lo he dicho centenares de veces.

centenario, ria adj. y s. **1.** Que tiene cien años o más. || s. m. **2.** Fecha en que se cumplen cien años, o varios centenares de años, de un acontecimiento.

centeno s. m. Cereal parecido al trigo, empleado en la alimentación del hombre y del ganado.

centesimal adj. Se dice de la escala o el sistema de medida dividido en centésimas.

centésimo, ma num. **1.** Que ocupa por orden el número cien. || num. y s. **2.** Se dice de cada una de las cien partes iguales en que se divide una cosa: una centésima de segundo.

centígrado, da adj. **1.** Se dice de la escala para medir la temperatura que está dividida en 100 grados; el valor 0 grados es la temperatura a la que se funde el hielo y el 100 grados la temperatura a la que hierve el agua. **2.** Se dice de cada uno de estos 100 grados.

centigramo s. m. Medida de masa que equivale a la centésima parte de un gramo.

centilitro s. m. Medida de capacidad que equivale a la centésima parte del litro.

centímetro s. m. Medida de longitud que equivale a la centésima parte del metro.

céntimo, ma num. **1.** Se dice de cada una de las cien partes iguales en que se divide una cosa. || s. m. **2.** Moneda que equivalía a la centésima parte de la peseta.

centinela s. m. y f. Soldado que está de vigilancia.

centollo o **centolla** s. m. o s. f. Cangrejo marino de cuerpo redondeado y patas largas, cubierto de pelillo. Es apreciado como alimento.

centrado, da **1.** p. de **centrar**. También adj. || adj. **2.** Situado en el centro: No salió centrado en la foto.

central adj. **1.** Que está en el centro. **2.** Que actúa sobre todo un conjunto o territorio: calefacción central; gobierno central. **3.** Principal: el personaje central de la película. || s. f. **4.** Instalaciones para producir energía: central nuclear. **5.** Oficina o establecimiento principal: la central de un banco. **Sin. 1.** Céntrico. **3.** Fundamental, esencial. **Ant. 1.** Periférico. **3.** Secundario.

centralismo s. m. Teoría y sistema político que concentra en manos de un poder central el gobierno y la administración de un país.

centralista adj. y s. Relacionado con el centralismo o partidario de él.

centralita *s. f.* Aparato que conecta los teléfonos de un edificio entre ellos y con las llamadas del exterior.

centralizar *v.* Reunir varias cosas en un centro común o bajo una misma dirección. **Sin.** Agrupar, concentrar. **Ant.** Descentralizar.

centrar *v.* **1.** Colocar una cosa en el centro o poner su centro donde debe estar: *Centró la librería en la pared.* **2.** Dirigir algo hacia un punto, lugar o finalidad: *centrar la atención.* **3.** En fútbol, pasar el balón un jugador a otro. ‖ **centrarse 4.** Concentrarse en algo. **5.** Adaptarse, estar a gusto. **Sin. 1.** Encuadrar. **2.** Orientar. **Ant. 1, 4** y **5.** Descentrar(se). **2.** Desviar.

céntrico, ca *adj.* Situado en el centro, sobre todo de una población. **Sin.** Central. **Ant.** Periférico.

centrífuga *adj.* Se dice de la fuerza que impulsa desde el centro hacia fuera. **Ant.** Centrípeta.

centrifugador, ra *adj.* y *s.* Se dice de las máquinas que aprovechan la fuerza centrífuga, por ejemplo para escurrir la ropa.

centrifugar *v.* Someter a la acción de la fuerza centrífuga.

centrípeta *adj.* Se dice de la fuerza que atrae o impulsa hacia el centro. **Ant.** Centrífuga.

centrista *adj.* y *s.* Del centro político.

centro *s. m.* **1.** Punto medio situado a la misma distancia de los que hay a su alrededor. **2.** Persona o cosa más importante: *Era el centro de la familia.* **3.** Lugar donde se concentra una actividad: *centro turístico.* **4.** Zona de una población donde hay más actividad, comercios, oficinas, etc. **5.** Establecimiento o lugar dedicado a una actividad: *centro de enseñanza, centro comercial.* **6.** Tendencia política intermedia entre la derecha y la izquierda. **Sin. 1.** Mitad. **2.** Núcleo, eje. **3.** Foco. **Ant. 1.** Extremo. **1** y **4.** Periferia.

centroafricano, na *adj.* y *s.* De África central o la República Centroafricana.

centroamericano, na *adj.* y *s.* De América Central.

centrocampista *s. m.* y *f.* En fútbol y otros deportes, jugador que ayuda a la defensa y a la delantera en el centro del campo.

centroeuropeo, a *adj.* y *s.* De Europa central.

céntuplo, pla *adj.* y *s. m.* Resultado de multiplicar por cien una cantidad.

centuria *s. f.* **1.** Cien años. **2.** Compañía de cien hombres del antiguo ejército romano. **Sin. 1.** Siglo.

centurión *s. m.* Jefe de una centuria romana.

cenutrio, tria *adj.* y *s.* Bruto, tonto.

ceñido, da **1.** *p.* de **ceñir**. También *adj.* ‖ *adj.* **2.** Apretado, ajustado. **Ant. 2.** Suelto.

ceñidor *s. m.* Faja, cinta o cinturón con que se rodea la cintura.

ceñir *v.* **1.** Ajustar, quedar apretado. **2.** Poner o estar alrededor: *Una diadema ceñía su frente.* ‖ **ceñirse 3.** Limitarse. □ Es v. irreg. **Sin. 1.** Comprimir. **2.** Rodear. **3.** Atenerse. **Ant. 1.** Soltar.

CEÑIR	
GERUNDIO	
ciñendo	
INDICATIVO	
Presente	**Pretérito perf. simple**
ciño	*ceñí*
ciñes	*ceñiste*
ciñe	*ciñó*
ceñimos	*ceñimos*
ceñís	*ceñisteis*
ciñen	*ciñeron*
SUBJUNTIVO		

Presente	**Pretérito imp.**	**Futuro**
ciña	*ciñera, -ese*	*ciñere*
ciñas	*ciñeras, -eses*	*ciñeres*
ciña	*ciñera, -ese*	*ciñere*
ciñamos	*ciñéramos, -ésemos*	*ciñéremos*
ciñáis	*ciñerais, -eseis*	*ciñereis*
ciñan	*ciñeran, -esen*	*ciñeren*

IMPERATIVO	
ciñe	*ceñid*

ceño *s. m.* Entrecejo; se usa en la expresión **fruncir el ceño**, 'arrugarlo enfadado'.

ceñudo, da *adj.* Enfadado, con el ceño fruncido.

cepa *s. f.* **1.** Conjunto de varias plantas que tienen una raíz común. **2.** Tronco de la vid; también, toda la planta.

cepellón *s. m.* Tierra que se deja pegada a las raíces de una planta para trasplantarla.

cepillar *v.* **1.** Pasar el cepillo. **2.** Alisar la madera con el cepillo de carpintero. ‖ **cepillarse 3.** Matar. **4.** Suspender. **Sin. 3.** Liquidar. **3** y **4.** Cargar(se).

cepillo *s. m.* **1.** Objeto con cerdas o púas usado para la limpieza o el aseo. **2.** Instrumento de carpintería para alisar la madera. **3.** En las iglesias, caja para las limosnas.

cepo *s. m.* Trampa para cazar animales.

ceporro, rra *adj.* y *s.* Torpe, bruto.

cera *s. f.* **1.** Sustancia fabricada por las abejas para formar las celdillas de los panales y usada para hacer velas y otras cosas. **2.** Sustancia parecida de origen vegetal o mineral. **3.** Barrita para dibujar hecha con esta sustancia. **4.** Cerumen.

cerámica *s. f.* Arte de hacer objetos de barro, loza o porcelana. **SIN.** Alfarería.

ceramista *s. m.* y *f.* Persona que hace objetos de cerámica. **SIN.** Alfarero.

cerbatana *s. f.* Tubo para lanzar dardos soplando por uno de sus extremos.

cerca[1] *s. f.* Valla o tapia. **SIN.** Cercado.

cerca[2] *adv.* **1.** A poca distancia. **2.** Indica que queda poco tiempo para algo: *¡Qué cerca están las vacaciones!* **EXPR. cerca de** Casi, alrededor: *Eso vale cerca de mil pesetas.* **ANT.** 1 y 2. Lejos.

cercado **1.** *p.* de **cercar.** También *adj.* || *s. m.* **2.** Lugar rodeado de una valla o tapia. **SIN. 1.** Cerca, vallado.

cercanía *s. f.* **1.** Hecho de estar cercano. || *pl.* **2.** Alrededores, proximidades. **SIN. 1.** Proximidad. **2.** Inmediaciones. **ANT. 1.** Lejanía.

cercano, na *adj.* **1.** Que está cerca. **2.** Muy unido por parentesco o amistad: *un pariente cercano.* **SIN. 1** y **2.** Próximo, inmediato. **2.** Allegado. **ANT. 1.** Distante. **1** y **2.** Lejano, remoto.

cercar *v.* **1.** Rodear con una cerca o tapia. **2.** Rodear un lugar o una fortaleza para apoderarse de ella. **3.** Ponerse mucha gente alrededor de alguien o algo. **SIN. 1.** Tapiar, vallar. **2.** Sitiar, asediar.

cercenar *v.* Cortar, amputar.

cerceta *s. f.* Ave palmípeda de la familia de los patos, con plumaje pardo y plumas verdes en la cabeza y el lateral del cuerpo en algunas especies.

cerciorarse *v.* Comprobar, asegurarse.

cerco *s. m.* **1.** Lo que rodea una cosa. **2.** Borde que deja una mancha. **3.** Marco de una puerta o ventana. **4.** Acción de cercar una fortaleza. **SIN. 4.** Asedio, sitio.

cerda *s. f.* **1.** Pelo duro y grueso de algunos animales. **2.** Pelo de cepillo. || **3. ganado de cerda** Ganado de cerdos.

cerdada *s. f.* **1.** Acción sucia. **2.** Faena, jugarreta. **SIN. 1.** Guarrería, porquería. **1** y **2.** Cochinada.

cerdo, da *s. m.* y *f.* **1.** Mamífero doméstico de cabeza grande, orejas caídas, hocico largo y achatado y cuerpo muy grueso; de él se aprovecha su carne, grasa y piel. || *adj.* y *s.* **2.** Persona sucia o grosera. **3.** Persona que hace faenas a otra. **SIN. 1** a **3.** Cochino, puerco. **ANT. 2.** Limpio; educado.

cereal *s. m.* Planta gramínea de semillas comestibles, con las que se puede hacer harina, como el trigo, el maíz, el arroz o el centeno.

cerealista *adj.* De cereales o relacionado con el cultivo de cereales: *producción cerealista.*

cerebelo *s. m.* Una de las partes del encéfalo, situada en la zona posterior del cráneo. Se encarga de coordinar los movimientos.

cerebral *adj.* **1.** Del cerebro. **2.** Poco apasionado o sentimental. **SIN. 2.** Racional.

cerebro *s. m.* **1.** Parte más grande del encéfalo de los vertebrados, que ordena los actos voluntarios y es el centro de la sensibilidad, la memoria y la inteligencia. **2.** Talento, inteligencia. **3.** Persona muy inteligente. **4.** Miembro de un grupo que hace los planes y lo organiza todo. **SIN. 2.** Cabeza, juicio. **3.** Sabio, eminencia.

ceremonia *s. f.* **1.** Acto solemne que se realiza según unas reglas especiales: *la ceremonia de la misa.* **2.** Formalidad, seriedad, solemnidad. **SIN. 1.** Celebración. **2.** Pompa; protocolo. **ANT. 2.** Sencillez.

ceremonial *adj.* **1.** De las ceremonias. || *s. m.* **2.** Reglas que siguen las ceremonias.

ceremonioso, sa *adj.* Que trata a los demás con mucha ceremonia o solemnidad. **SIN.** Solemne, protocolario. **ANT.** Campechano.

cerería *s. f.* Establecimiento en el que se trabaja o se vende cera u objetos de cera.

cereza *s. f.* **1.** Fruto del cerezo, redondo, rojo y dulce. || *s. m.* **2.** Color como el de este fruto.

cerezo *s. m.* Árbol frutal de tronco liso que da la cereza; su madera se usa en ebanistería.

cerilla *s. f.* Palillo con fósforo en un extremo, que se enciende al frotarlo contra algo áspero.

cerillero, ra *s. m.* y *f.* **1.** Persona que vende tabaco y cerillas. || *s. f.* **2.** Cajita para cerillas.

cerner v. 1. Separar lo grueso del polvo en alguna materia, sobre todo la harina del salvado, usando el cedazo. || **cernerse** 2. Amenazar: *Una tormenta se cernía sobre la isla.* □ Es v. irreg. Se conjuga como *tender.* **SIN.** 1. Cribar, tamizar. 1 y 2. Cernir.

cernícalo s. m. 1. Ave rapaz pequeña de pico y uñas fuertes y plumaje pardo rojizo con manchas más oscuras. 2. Persona bruta o ignorante. **SIN.** 2. Cenutrio, zoquete.

cernir v. Cerner. □ Es v. irreg. Se conjuga como *discernir.*

cero num. Número que expresa una cantidad nula: *cero puntos.* Escrito a la derecha de una cifra, la multiplica por diez. **EXPR. al cero** Cortado el pelo al rape. **ser** alguien **un cero a la izquierda** No valer nada.

cerrado, da 1. p. de **cerrar.** También adj. || adj. 2. Torpe, poco listo: *cerrado de mollera.* 3. Que no es comunicativo. 4. Se dice del acento muy marcado: *Hablaba un andaluz cerrado.* **SIN.** 2. Corto. 3. Reservado. **ANT.** 1 y 3. Abierto. 2. Espabilado.

cerradura s. f. Mecanismo para cerrar puertas, cajones y otras cosas, sobre todo con llave.

cerrajería s. f. Taller donde se hacen y se venden cerraduras, llaves y otros objetos de metal.

cerrajero, ra s. m. y f. Persona que hace y arregla cerraduras, llaves y otros utensilios de metal.

cerrar v. 1. Poner lo que tapa una cosa o impide el paso a un lugar: *cerrar una olla, los ojos, una ventana.* 2. Meter en su hueco un cajón. 3. Juntar, unir: *cerrar las piernas.* 4. Acabar, dar por terminado: *cerrar un negocio, cerrarse un plazo.* 5. Impedir, obstruir: *cerrar el paso, cerrarse un conducto.* □ Es v. irreg. Se conjuga como *pensar.* **SIN.** 1 y 5. Atrancar. 4. Concluir. 5. Obstaculizar. **ANT.** 1 a 5. Abrir.

cerrazón s. f. 1. Dificultad para comprender. 2. Cabezonería, terquedad, obstinación.

cerril adj. Terco, tozudo. **SIN.** Obcecado, testarudo.

cerro s. m. 1. Monte aislado y de poca altura. 2. Montón, pila: *un cerro de papeles.* **SIN.** 2. Montaña.

cerrojazo s. m. 1. Acción de echar el cerrojo. 2. Acción de terminar algo bruscamente: *Han dado cerrojazo al asunto.*

cerrojo s. m. Mecanismo para cerrar puertas y ventanas que suele consistir en una pieza de metal que entra en otra.

certamen s. m. Concurso, competición.

certero, ra adj. 1. Que da en el blanco: *un tiro certero.* 2. Atinado, acertado: *una respuesta certera.* **SIN.** 2. Adecuado. **ANT.** 1. Fallido. 2. Desacertado.

certeza s. f. 1. Seguridad, certidumbre: *Lo sé con certeza.* 2. Hecho de ser algo cierto. **SIN.** 2. Verdad, autenticidad. **ANT.** 1. Incertidumbre. 2. Falsedad.

certidumbre s. f. Seguridad que se tiene sobre algo. **SIN.** Certeza. **ANT.** Incertidumbre.

certificación s. f. 1. Acción de certificar. 2. Certificado, escrito.

certificado, da 1. p. de **certificar.** También adj. || s. m. 2. Escrito en el que se certifica algo: *certificado de estudios.*

certificar v. 1. Asegurar que algo es cierto. 2. Enviar algo por correo de modo que quede asegurada su llegada por medio de un resguardo.

cerumen s. m. Sustancia grasa y amarillenta que se forma en los oídos. **SIN.** Cera.

cerval adj. Se dice del miedo muy grande.

cervatillo o **cervato** s. m. Cría del ciervo.

cervecería s. f. Bar en que se toma sobre todo cerveza.

cerveza s. f. Bebida alcohólica y espumosa, hecha con cebada.

cervical adj. 1. De la cerviz o relacionado con ella. || s. f. 2. Cada una de las siete vértebras de la cerviz.

cérvido adj. y s. m. Se dice de una familia de mamíferos rumiantes a la que pertenecen el ciervo, el gamo, el alce, etc.

cerviz s. f. Parte posterior del cuello. **SIN.** Cogote, nuca.

cesante adj. y s. Se dice del empleado o funcionario al que se deja sin empleo.

cesar v. 1. Dejar, parar. 2. Dejar de desempeñar un cargo o empleo: *Cesó como director.* **SIN.** 1. Concluir, acabar. 2. Dimitir. **ANT.** 1. Continuar.

césar s. m. Emperador de los romanos.

cesárea s. f. Operación de cirugía en que se abre la matriz de la madre para sacar al niño que no puede nacer normalmente.

cese *s. m.* Hecho de cesar en un cargo o empleo.

cesión *s. f.* Renuncia de una cosa para cedérsela a otro.

césped *s. m.* Hierba corta y fina que cubre el suelo.

cesta *s. f.* **1.** Recipiente hecho con mimbres, juncos u otros materiales entretejidos. **2.** Canasta del baloncesto. **SIN. 1.** Cesto.

cestería *s. f.* **1.** Arte de hacer cestas o cestos. **2.** Establecimiento donde se hacen o venden.

cesto *s. m.* Cesta grande, más alta que ancha. **SIN.** Canasto.

cesura *s. f.* Pausa en el interior de un verso.

cetáceo *adj.* y *s. m.* Se dice de los mamíferos que viven en el mar y tienen forma de pez, como la ballena, el delfín o la orca.

cetrería *s. f.* Caza de aves realizada con ayuda de halcones u otras rapaces adiestradas para ello.

cetrino, na *adj.* Amarillo verdoso.

cetro *s. m.* Bastón que llevan los reyes y emperadores como señal de su poder y autoridad.

ceutí *adj.* y *s.* De Ceuta, ciudad española en el norte de África.

chabacanada o **chabacanería** *s. f.* **1.** Mal gusto, ordinariez. **2.** Cosa chabacana. **SIN. 1** y **2.** Grosería.

chabacano, na *adj.* De mal gusto, ordinario. **SIN.** Basto, grosero. **ANT.** Elegante.

chabola *s. f.* Vivienda pobre, de materiales de desecho.

chabolista *s. m.* y *f.* Persona que vive en una chabola.

chacal *s. m.* Mamífero carnívoro de tamaño intermedio entre el lobo y el zorro, que se alimenta sobre todo de carroña. Vive en Asia y África.

chacha *s. f.* Sirvienta, criada.

chachachá *s. m.* Baile y música de origen cubano, derivado de la rumba y el mambo.

cháchara *s. f.* Charla, conversación.

chachi *adj.* Muy bueno, estupendo. También *adv.*: *pasarlo chachi.*

chacinería *s. f.* Charcutería.

chacota *s. f.* Broma, burla.

chafar *v.* **1.** Arrugar, aplastar. **2.** Fastidiar, estropear: *Nos chafaron el plan.* **SIN. 1.** Estrujar, deteriorar. **2.** Aguar. **ANT. 1.** Estirar.

chaflán *s. m.* En un edificio, pared que corta otras dos de modo que no hagan esquina.

chal *s. m.* Pañuelo estrecho y largo que llevan las mujeres por los hombros y la espalda. **SIN.** Mantón.

chalado, da *adj.* y *s.* Loco, chiflado. **SIN.** Pirado. **ANT.** Cuerdo.

chaladura *s. f.* Locura, chifladura.

chalana *s. f.* Pequeña embarcación de fondo plano.

chalé *s. m.* Casa para una sola familia, de una o pocas plantas y con jardín.

chaleco *s. m.* Prenda de vestir sin mangas, que suele ponerse encima de la camisa.

chalet (fr.) *s. m.* Chalé.

chalina *s. f.* Especie de corbata ancha que se anuda con lazada.

chalupa *s. f.* Embarcación pequeña.

chamarilero, ra *s. m.* y *f.* Persona que compra y vende objetos viejos y usados. **SIN.** Trapero.

chambelán *s. m.* Noble que estaba al servicio del rey en la corte.

chambergo *s. m.* **1.** Sombrero de ala ancha levantada por un lado. **2.** Chaquetón.

chamizo *s. m.* Choza, casa hecha con materiales muy ligeros. **SIN.** Chabola.

champán o **champaña** *s. m.* Vino blanco y espumoso elaborado en la región francesa de Champagne; también se llama así a otros vinos parecidos.

champiñón *s. m.* Hongo pequeño comestible que se puede cultivar.

champú *s. m.* Jabón líquido para lavarse el pelo.

chamullar *v.* Hablar sin que se entienda lo que se dice. **SIN.** Farfullar.

chamuscar *v.* Quemar algo por fuera. **SIN.** Tostar.

chamusquina *s. f.* Acción de chamuscar o chamuscarse. **EXPR. oler a chamusquina** Sospechar de alguna cosa.

chanchullo *s. m.* Trampa, apaño.

chancla o **chancleta** *s. f.* Zapatilla sin talón para andar por casa.

chanclo *s. m.* Zapato de madera o suela gruesa para andar por el barro. **SIN.** Zueco.

chándal *s. m.* Prenda deportiva compuesta por sudadera o chaqueta y pantalones.

changurro *s. m.* Centollo cocido, desmenuzado y condimentado, que se sirve en su caparazón.

chanquete *s. m.* Pez marino muy pequeño, blanco amarillento o rosado. Es comestible.

chantaje *s. m.* Amenaza que se hace a una persona para conseguir algo de ella. **SIN.** Extorsión, coacción.

chantajear *v.* Hacer chantaje.

chantajista *s. m.* y *f.* Persona que hace chantaje.

chantillí o **chantilly** *s. m.* Crema de nata o claras de huevo batidas con azúcar.

chanza *s. f.* Broma, burla.

¡chao! *interj.* ¡Adiós!

chapa *s. f.* **1.** Lámina de metal, madera u otro material duro. **2.** Pieza de metal que cierra una botella. **3.** Color rojo de las mejillas. ‖ *pl.* **4.** Juego infantil en que se utilizan las chapas de las botellas. **SIN. 1.** Plancha. **3.** Chapeta.

chapado, da *p.* de **chapar.** También *adj.* **EXPR. chapado a la antigua** *adj.* De ideas o costumbres anticuadas.

chapar *v.* **1.** Recubrir con una chapa de metal precioso. **2.** *fam.* Trabajar o estudiar mucho. **SIN.** Currar, empollar.

chaparral *s. m.* Terreno donde hay muchos chaparros.

chaparro, rra *adj.* **1.** Achaparrado. ‖ *s. m.* **2.** Mata de encina o roble.

chaparrón *s. m.* Lluvia fuerte que dura poco. **SIN.** Aguacero.

chapela *s. f.* Boina vasca.

chapeta *s. f.* Color rojo de las mejillas. **SIN.** Chapa, rubor.

chapista *s. m.* y *f.* Persona que trabaja chapa metálica, sobre todo la de la carrocería de los vehículos.

chapitel *s. m.* Capitel.

chapotear *v.* Mover los brazos o los pies en el agua, salpicando y haciendo ruido.

chapoteo *s. m.* Acción de chapotear.

chapucería *s. f.* Cosa mal hecha. **SIN.** Chapuza.

chapucero, ra *adj.* y *s.* **1.** Persona que hace chapucerías. ‖ *adj.* **2.** Mal hecho.

chapurrear o **chapurrar** *v.* Hablar mal o con dificultad un idioma extranjero.

chapuza *s. f.* **1.** Cosa mal hecha. **2.** Trabajo poco importante o que se hace en ocasiones. **SIN. 1.** Chapucería.

chapuzón *s. m.* Acción de meterse de golpe en el agua. **SIN.** Zambullida.

chaqué *s. m.* Chaqueta masculina de etiqueta, con dos faldones.

chaqueta *s. f.* Prenda de vestir abierta y con mangas que se lleva encima de otras prendas y llega hasta la cadera. **EXPR. cambiar** alguien **de chaqueta** Cambiar de opinión o partido político según le conviene.

chaquetero, ra *adj.* y *s.* Persona que cambia de opinión o partido político según le conviene.

chaquetilla *s. f.* Chaqueta corta y ajustada que llega hasta la cintura.

chaquetón *s. m.* Prenda de abrigo que llega por debajo de la cadera.

charada *s. f.* Adivinanza.

charanga *s. f.* Banda de música poco importante.

charango *s. m.* Especie de guitarra pequeña de cinco cuerdas y sonido muy agudo, típica de la música andina.

charca *s. f.* Charco grande.

charco *s. m.* Agua acumulada en un hoyo del suelo.

charcutería *s. f.* Tienda de fiambres y embutidos. **SIN.** Chacinería.

charcutero, ra *s. m.* y *f.* Persona que vende fiambre y embutidos.

charla *s. f.* **1.** Conversación. **2.** Conferencia. **SIN. 1.** Plática. **2.** Disertación.

charlar *v.* **1.** Hablar amistosamente con alguien. **2.** Hablar mucho. **SIN. 1.** Conversar. **2.** Parlotear.

charlatán, na *adj.* y *s.* **1.** Que habla demasiado. **2.** Vendedor ambulante que habla para mostrar su mercancía. **SIN. 1.** Hablador, parlanchín. **ANT. 1.** Callado.

charlatanería *s. f.* Característica de charlatán.

charlestón *s. m.* Baile muy rápido originario de Estados Unidos, muy popular en los años veinte.

charlotada *s. f.* Espectáculo taurino de carácter cómico.

charnela *s. f.* Bisagra.

charol *s. m.* **1.** Barniz muy brillante. **2.** Cuero con este barniz: *unos zapatos de charol.*

charrán, na *adj.* y *s.* **1.** *fam.* Pillo, sinvergüenza. ‖ *s. m.* **2.** Ave marina de pico fino, alas acabadas en punta y cola en forma de uve, de color gris y blanco con la parte superior de la cabeza negra.

charranada *s. f.* *fam.* Faena, mala pasada.

charretera *s. f.* Insignia militar en forma de pala y con un fleco, que se sujeta al hombro del uniforme.

charro, rra *adj.* y *s.* **1.** De Salamanca. **2.** Se dice del jinete mexicano vestido con su traje y sombrero típicos. ‖ *adj.* **3.** Recargado y de mal gusto. **Sin. 1.** Salmantino. **3.** Chillón. **Ant. 3.** Discreto.

charter (ingl.) *adj.* y *s. m.* Viaje en avión contratado por una empresa de turismo y más barato que el vuelo regular.

chascar *v.* Dar chasquidos. **Sin.** Chasquear.

chascarrillo *s. m.* Anécdota o historia divertida.

chasco *s. m.* Desilusión, decepción. **Sin.** Desengaño. **Ant.** Ilusión.

chasis *s. m.* Parte que sostiene la carrocería de un vehículo.

chasquear *v.* **1.** Dar chasquidos. **2.** Dar o llevarse un chasco. **Sin. 1.** Crujir, restallar, chascar. **2.** Decepcionar.

chasquido *s. m.* Sonido seco y agudo que producen algunas cosas, como la madera al romperse o el látigo al golpear. **Sin.** Crujido.

chatarra *s. f.* **1.** Hierros u otros metales que ya no sirven. **2.** Cosa estropeada, vieja o de poco valor. **3.** Calderilla. **Sin. 2.** Cacharro.

chatarrería *s. f.* Tienda en la que se compra y se vende chatarra.

chatarrero, ra *s. m.* y *f.* Persona que recoge o compra chatarra para después venderla.

chato, ta *adj.* y *s.* **1.** Se dice de la nariz pequeña y aplastada y de la persona que la tiene así. ‖ *adj.* **2.** Más plano o menos alto de lo normal. ‖ *s. m.* **3.** Vaso pequeño de vino. **Sin. 1.** Romo. **2.** Bajo. **Ant. 1.** Respingona. **2.** Alto.

chauvinismo *s. m.* Patriotismo exagerado que hace pensar que el propio país es el mejor.

chauvinista *adj.* y *s.* Relacionado con el chauvinismo o que lo demuestra.

chaval, la *s. m.* y *f.* Chico. **Sin.** Muchacho. **Ant.** Adulto.

chaveta *s. f.* Clavo que atraviesa un hierro o madero para que no se salgan algunas cosas. **Expr.** estar chaveta o estar mal de la chaveta Estar loco.

chavo *s. m.* Moneda de poco valor.

checo, ca *adj.* y *s.* **1.** De la República Checa, país de Europa. ‖ *s. m.* **2.** Lengua de este país.

checoslovaco, ca o **checoeslovaco, ca** *adj.* y *s.* De Checoslovaquia, actualmente dividida en Eslovaquia y la República Checa.

chef *s. m.* Cocinero jefe de un restaurante.

chelín[1] *s. m.* Antigua moneda inglesa.

chelín[2] *s. m.* **1.** Moneda de Austria. **2.** Moneda de algunos países de África.

chelo *s. m.* Violonchelo.

chepa *s. f.* **1.** Joroba. ‖ *s. m.* **2.** Cheposo.

cheposo, sa *adj.* y *s.* Jorobado.

cheque *s. m.* Impreso que, firmado por una persona, permite sacar de su cuenta el dinero que pone en ese impreso. **Sin.** Talón.

chequear *v.* Hacer un chequeo.

chequeo *s. m.* Reconocimiento médico completo.

cheroque o **cheroqui** *adj.* y *s.* De una tribu india de América del Norte.

cheviot o **chevió** *s. m.* **1.** Tipo de lana de Escocia. **2.** Tela jaspeada hecha con esta lana u otra parecida.

cheyene *adj.* y *s.* De una tribu india de América del Norte.

chibcha *adj.* y *s.* **1.** De un pueblo indio que habitaba en el altiplano colombiano. ‖ *s. m.* **2.** Lengua de este pueblo.

chic (fr.) *adj.* Elegante y a la moda.

chicano, na *adj.* y *s.* Se dice de las personas de origen mexicano que viven en Estados Unidos.

chicarrón, na *s. m.* y *f.* Joven alto y fuerte. **Sin.** Fortachón.

chicha[1] *s. f.* Carne.

chicha[2] *adj.* Ver **calma**.

chicharra *s. f.* Cigarra.

chicharro *s. m.* Jurel.

chicharrón *s. m.* **1.** Restos que quedan de la manteca de cerdo frita con la piel. ‖ *pl.* **2.** Fiambre hecho con distintas partes del cerdo.

chicho *s. m.* Rulo para el cabello.

chichón *s. m.* Bulto que sale en la cabeza después de un golpe. **Sin.** Bollo.

chichonera *s. f.* Casco o gorro duro para proteger la cabeza, como el de los ciclistas.

chicle *s. m.* Goma de mascar de algún sabor.

chiclé *s. m.* Pieza que regula el paso de un líquido o un gas.

chico, ca *adj.* **1.** Pequeño. ‖ *adj.* y *s.* **2.** Niño, muchacho. ‖ *s. m.* **3.** Muchacho que hace recados y ayuda en algunas tareas, por ejemplo en una tienda. ‖ *s. f.* **4.** Criada, asistenta. **Sin. 1.** Menudo. **2.** Chaval, joven. **3.** Aprendiz, recadero. **Ant. 1.** Grande.

chiflado, da 1. *p.* de **chiflar**. || *adj.* y *s.* 2. Que le gusta mucho algo: *chiflado por la música*. 3. Loco. **Sin.** 2. Pirado. **Ant.** 2. Cuerdo.

chifladura *s. f.* Locura.

chiflar *v.* 1. Gustar mucho || **chiflarse** 2. Volverse loco. **Sin.** 1. Pirrar. 2. Enloquecer.

chifonier *s. m.* Mueble más alto que ancho y con muchos cajones.

chihuahua *adj.* y *s. m.* Se dice de unos perros muy pequeños, de cabeza redonda y orejas grandes.

chií o **chiita** *adj.* y *s.* Se dice de una de las dos grandes ramas de la religión islámica, así como de sus miembros.

chilaba *s. f.* Vestido largo y con capucha que usan los árabes.

chile *s. m.* Pimiento americano, pequeño y muy picante.

chileno, na *adj.* y *s.* De Chile, país de América del Sur.

chilindrón *s. m.* Salsa y condimento hechos con pimiento, tomate y otros ingredientes.

chillar *v.* 1. Hacer con la voz sonidos agudos y desagradables. 2. Hablar muy alto. **Sin.** 1. Berrear, vociferar. 1 y 2. Gritar. **Ant.** 1. Susurrar.

chillido *s. m.* Grito agudo y desagradable. **Sin.** Berrido, alarido.

chillón, na *adj.* y *s.* 1. Que chilla mucho. || *adj.* 2. Se dice del sonido agudo y desagradable: *voz chillona*. 3. De color muy fuerte y llamativo. **Sin.** 2. Estridente. **Ant.** 2 y 3. Suave.

chimenea *s. f.* 1. Hueco en una habitación para encender fuego, con una salida de humos. 2. Conducto por donde sale el humo de una caldera, cocina, etc. 3. En un volcán, lugar por donde salen la lava y otros materiales. **Sin.** 2. Tiro, campana.

chimpancé *s. m.* Mono africano de pelo negro, cara sin pelo, y boca y orejas grandes.

china[1] *s. f.* Piedra pequeña y redondeada. **Expr.** **tocarle** a alguien **la china** Tocarle la peor parte de algo. **Sin.** Chino, canto.

china[2] *s. f.* Porcelana fina y algo transparente.

chinarro *s. m.* Piedra algo mayor que una china.

chinazo *s. m.* Golpe dado con una china o piedra.

chinchar *v.* Fastidiar, molestar. **Sin.** Pinchar, jorobar. **Ant.** Agradar.

chinche *s. f.* 1. Insecto aplastado y ovalado; la mayoría de las especies pican las plantas para extraer su jugo y algunas se alimentan de sangre de animales, incluso del hombre. || *adj.* y *s.* 2. Chinchorrero.

chincheta *s. f.* Tachuela, clavito metálico corto, de cabeza grande y redondeada.

chinchilla *s. f.* Mamífero roedor de América del Sur, con la piel muy suave, de color gris claro, que vive en galerías bajo tierra.

chinchón[1] *s. m.* Aguardiente de anís que se hace en el pueblo madrileño de Chinchón.

chinchón[2] *s. m.* Juego de cartas que consiste en hacer combinaciones sin que ninguna quede libre.

chinchorrero, ra *adj.* y *s.* Se dice de la persona que protesta por todo. **Sin.** Chinche.

chinela *s. f.* Zapatilla sin talón que se usa para estar en casa. **Sin.** Pantufla, chancleta.

chinesco, ca *adj.* De China o parecido a las cosas de China: *dibujo chinesco*.

chingar *v.* Estropear.

chino *s. m.* China, piedra pequeña. **Expr.** **jugar a los chinos** Adivinar la cantidad de piedras o monedas que alguien se guarda en la mano.

chino, na *adj.* y *s.* 1. De China, país de Asia. || *s. m.* 2. Lengua hablada en China. **Expr.** **engañar como a un chino** Engañar por completo. **ser trabajo de chinos** Ser un trabajo de mucho detalle y que exige mucha paciencia.

chip (ingl.) *s. m.* Plaquita empleada en aparatos electrónicos, con circuitos integrados y numerosas patillas para poder conectarla.

chipirón *s. m.* Calamar pequeño.

chipriota *adj.* y *s.* De Chipre, isla y país de Asia en el Mediterráneo.

chiquero *s. m.* 1. Toril. 2. Pocilga, cochiquera.

chiquilicuatro o **chiquilicuatre** *s. m.* Chisgarabís.

chiquillada *s. f.* Acción propia de chiquillos.

chiquillería *s. f.* Conjunto de chiquillos.

chiquillo, lla *adj.* y *s.* Niño o muchacho. **Sin.** Chico.

chiquito, ta *adj.* y *s. dim.* de **chico**. **Expr.** **no andarse con chiquitas** Hacer o decir algo de forma directa y clara.

chiribita *s. f.* **1.** Chispa. ‖ *pl.* **2.** Lucecitas que se ven a veces por sueño o por anormalidades en la vista.

chirigota *s. f.* Broma, burla.

chirimbolo *s. m.* **1.** Objeto, chisme. **2.** Remate redondeado. SIN. **1.** Cachivache.

chirimoya *s. f.* Fruto del chirimoyo, de piel verde y carne blanquecina con pepitas negras.

chirimoyo *s. m.* Árbol tropical americano cuyo fruto es la chirimoya.

chiringuito *s. m.* Bar pequeño, casi siempre al aire libre.

chiripa *s. f.* Casualidad, suerte.

chirla *s. f.* Molusco parecido a la almeja, pero más pequeño.

chirle *adj. fam.* Con poco sabor o sustancia.

chirona *s. f. fam.* Cárcel, prisión. SIN. Presidio.

chirriar *v.* Hacer un ruido chillón y desagradable. SIN. Rechinar.

chirrido *s. m.* Ruido que hace algo al chirriar.

chiscón *s. m.* Habitación muy pequeña. SIN. Garita, cuchitril.

chisgarabís *s. m.* Persona insignificante y enredadora. SIN. Chiquilicuatro, mequetrefe.

chisme *s. m.* **1.** Cosa que se cuenta de alguien, sobre todo para criticar. **2.** Objeto, trasto. SIN. **1.** Murmuración, habladuría. **2.** Cachivache.

chismorrear *v.* Contar chismes. SIN. Cotillear, murmurar.

chismorreo *s. m.* Acción de chismorrear. SIN. Murmuración, cotilleo.

chismoso, sa *adj.* y *s.* Que cuenta chismes. SIN. Cotilla.

chispa *s. f.* **1.** Trocito encendido que salta de la lumbre. **2.** Lucecita que salta al producirse una descarga eléctrica. **3.** Cantidad muy pequeña: *una chispa de azúcar*. **4.** Gracia, ingenio: *una historia con chispa*. EXPR. **echar chispas** Estar muy enfadado. SIN. **1.** Chiribita. **3.** Pizca. **4.** Salero.

chispazo *s. m.* Chispa eléctrica.

chispeante *adj.* Gracioso, ingenioso.

chispear *v.* Lloviznar.

chisporrotear *v.* Echar chispas la lumbre. SIN. Crepitar.

chisporroteo *s. m.* Acción de chisporrotear.

chisquero *s. m.* Mechero antiguo con una mecha larga y gruesa.

¡chist! o **¡chis!** *interj.* Se usa para hacer callar a alguien o para llamarle.

chistar *v.* **1.** Hablar: *No chistó en toda la tarde*. **2.** Llamar a alguien con el sonido *chist* u otro parecido. SIN. **1.** Rechistar.

chiste *s. m.* Historieta contada o dibujada para hacer reír.

chistera *s. f.* Sombrero de copa alta.

chistorra *s. f.* Tipo de chorizo delgado.

chistoso, sa *adj.* y *s.* Gracioso, que hace reír.

chistu *s. m.* Flauta típica del País Vasco.

chita Se usa en la expresión **a la chita callando**, 'de forma silenciosa y con disimulo'.

¡chitón! *interj.* Se emplea para mandar callar a alguien.

chivarse *v.* Acusar. SIN. Delatar. ANT. Encubrir.

chivatazo *s. m.* Acción de chivarse.

chivato, ta *adj.* y *s.* El que se chiva. SIN. Acusica, soplón. ANT. Encubridor.

chivo, va *s. m.* **1.** Cría de la cabra. EXPR. **chivo expiatorio** Persona a la que se echa la culpa de algo. **como una chiva** Loco.

chocante *adj.* Que choca o extraña. SIN. Extraño, raro. ANT. Normal.

chocar *v.* **1.** Producirse un choque. **2.** Juntar dos cosas, como los vasos al brindar. **3.** Pelear, discutir. **4.** Extrañar, sorprender. SIN. **1.** Colisionar. **3.** Enfrentarse, discrepar. **4.** Asombrar. ANT. **1.** Esquivar. **3.** Entender.

chocarrería *s. f.* Broma o chiste groseros y de mal gusto.

chocarrero, ra *adj.* y *s.* Grosero y de mal gusto.

chochear *v.* **1.** Hacer o decir tonterías por causa de la edad. **2.** Estar embobado por un exceso de cariño.

chochera o **chochez** *s. f.* Característica de la persona que chochea.

chocho, cha *adj.* **1.** Que chochea. ‖ *s. m.* **2.** Altramuz. SIN. **1.** Senil.

choco *s. m.* Sepia pequeña.

chocolate *s. m.* **1.** Alimento hecho con cacao. **2.** Líquido que se hace disolviendo este alimento en agua o leche. **3.** En argot, hachís.

chocolatera *s. f.* Recipiente en que se hace o se sirve el chocolate líquido.

chocolatería *s. f.* **1.** Lugar donde se hace y vende chocolate. **2.** Establecimiento donde se sirve al público chocolate líquido.

chocolatina *s. f.* Tableta pequeña y delgada de chocolate.

chófer *s. m.* Conductor de un vehículo, sobre todo el que está contratado para este trabajo.

chola *s. f.* Cabeza.

chollo *s. m.* Cosa buena que se consigue con poco esfuerzo o poco dinero. **Sin.** Ganga.

choped *s. m.* Un tipo de fiambre.

chopera *s. f.* Lugar poblado de chopos.

chopito *s. m.* Molusco parecido al calamar, pero más pequeño.

chopo *s. m.* Nombre de varios tipos de álamos, y sobre todo del álamo negro.

choque *s. m.* **1.** Encuentro violento entre dos cuerpos. **2.** Pelea, discusión. **Sin. 1.** Colisión, golpe, encontronazo. **2.** Disputa, riña.

choricear o **chorizar** *v. fam.* Robar. **Sin.** Birlar.

chorizo *s. m.* Embutido que se hace con carne de cerdo picada y con pimentón.

chorizo, za *s. m.* y *f. fam.* Ladrón.

chorlito *s. m.* Ave zancuda de pequeño a mediano tamaño, pico corto y recto, plumaje pardo y vientre blanco en invierno y negro en verano.

chorra *adj.* y *s. m.* **1.** *fam.* Tonto, estúpido. ‖ *s. f.* **2.** *fam.* Suerte.

chorrada *s. f. fam.* Tontería, bobada.

chorrear *v.* Caer un líquido a chorros o goteando.

chorreo *s. m.* **1.** Acción de chorrear. **2.** Gasto continuo de algo.

chorrera *s. f.* **1.** Lugar por donde chorrea un líquido. **2.** Adorno hecho de encaje o con los pliegues de la tela en la pechera de una camisa o vestido.

chorro *s. m.* **1.** Cantidad de líquido o gas que sale por un grifo, tubo o por otra abertura. ‖ **2. chorro de voz** Voz muy potente. **Expr. como los chorros del oro** Muy limpio.

chotacabras *s. f.* Ave de plumaje pardo o rojizo, un pico corto y una gran boca que le permiten atrapar insectos al vuelo.

chotearse *v.* Burlarse. **Sin.** Cachondearse, pitorrearse.

choteo *s. m.* Burla. **Sin.** Cachondeo, pitorreo, guasa.

chotis o **chotís** *s. m.* Baile de parejas típico de Madrid.

choto, ta *s. m.* y *f.* **1.** Cabrito. **2.** Ternero. **Expr. como una chota** Loco.

chova *s. f.* **1.** Pájaro de la familia de los cuervos, parecido a la corneja, con plumaje negro y patas rojas. **2.** Corneja.

chow-chow *s. m.* Perro de origen chino, de cuerpo fuerte, pelo espeso, cabeza grande y lengua azulada.

choza *s. f.* Cabaña con cubierta de ramas y paja.

christmas (ingl.) *s. m.* Crisma².

chubasco *s. m.* Lluvia fuerte, corta, generalmente con viento. **Sin.** Chaparrón, aguacero.

chubasquero *s. m.* Prenda impermeable para protegerse de la lluvia.

chuchería *s. f.* **1.** Golosina. **2.** Cosa de poco valor.

chucho, cha *s. m.* y *f.* Perro, sobre todo el que no es de raza.

chuchurrío, a *adj.* **1.** Mustio, marchito. **2.** *fam.* Decaído, triste. **Ant. 1.** Lozano. **2.** Animado.

chucrut *s. m.* Plato típico alsaciano hecho con col fermentada y condimentada.

chufa *s. f.* **1.** Planta de cañas triangulares que produce tubérculos muy pequeños. **2.** Esos tubérculos, de sabor dulce, con los que se hace horchata.

chufla *s. f.* Broma, guasa.

chulada *s. f.* **1.** Dicho o acción de un chulo. **2.** *fam.* Cosa muy bonita o llamativa.

chulapo, pa o **chulapón, na** *s. m.* y *f.* Madrileño castizo.

chulear *v.* **1.** Reírse de alguien, no tomarle en serio. ‖ **chulearse 2.** Hacerse el chulo, presumir.

chulería *s. f.* **1.** Actitud de los chulos. **2.** Dicho o hecho propios de un chulo.

chuleta *s. f.* **1.** Costilla de una res, con la carne. **2.** Datos y temas que se llevan escritos en un examen para mirarlos disimuladamente. ‖ *adj.* y *s.* **3.** Persona chula.

chulo, la *adj.* y *s.* **1.** Persona muy descarada o que busca pelea. ‖ *adj.* **2.** Presumido. **3.** Bonito: *un reloj muy chulo.* ‖ *s. m.* **4.** Hombre que vive del dinero que ganan las prostitutas. **Sin. 1.** Bravucón. **4.** Proxeneta.

chumbera *s. f.* Cactus que produce los higos chumbos; se denomina también *nopal.*

chumbo *adj.* y *s. m.* Se dice del higo que da la chumbera o nopal.

chunga *s. f.* Burla, broma.

chungo, ga *adj.* **1.** *fam.* Algo enfermo o decaído. **2.** *fam.* Estropeado. **3.** *fam.*

Difícil. SIN. **1.** Indispuesto, deprimido. **3.** Enrevesado.

chupa *s. f. fam.* Cazadora.

chupa-chups *s. m.* Caramelo redondo con palito.

chupado, da **1.** *p.* de chupar. También *adj.* ǁ *adj.* **2.** Muy delgado. **3.** Fácil: *un examen chupado.*

chupar *v.* **1.** Lamer una cosa o meterla en la boca mojándola de saliva. **2.** Absorber o aspirar: *Los mosquitos chupan sangre.* **3.** Sacar dinero o beneficio de una persona, de un cargo, etc. **4.** Soportar algo desagradable: *chuparse un atasco.* SIN. **2.** Sorber, succionar, libar. **3.** Aprovecharse. **4.** Tragar, aguantar. ANT. **2.** Escupir.

chupatintas *s. m. desp.* Oficinista.

chupete *s. m.* Objeto de goma que se da a los niños pequeños para que lo chupen y se calmen.

chupetear *v.* Chupar algo continuamente.

chupetón *s. m.* Acción de chupar con fuerza.

chupi *adj.* y *adv. fam.* Estupendo.

chupinazo *s. m.* **1.** Disparo de fuegos artificiales. **2.** En fútbol, tiro muy fuerte. SIN. **2.** Cañonazo.

chupito *s. m.* Sorbo, trago.

chupón, na *adj.* **1.** Que chupa. ǁ *adj.* y *s.* **2.** Que consigue dinero o beneficio aprovechándose de los demás. ǁ *s. m.* **3.** Objeto largo y puntiagudo, como los colgantes de algunas lámparas. SIN. **2.** Aprovechado.

churrasco *s. m.* Trozo de carne a la brasa.

churre *s. m.* Churrete de grasa.

churrería *s. f.* Establecimiento donde se hacen y venden churros.

churrero, ra *s. m.* y *f.* Persona que hace y vende churros.

churrete *s. m.* Mancha que deja un líquido cuando chorrea.

churro *s. m.* **1.** Masa de harina y agua en forma de cordón, que se come frita. **2.** *fam.* Cosa mal hecha. SIN. **2.** Chapuza, birria.

churro, rra *adj.* y *s.* Se dice de una raza de carneros y ovejas de lana larga y algo basta.

churruscar *v.* Tostar mucho un alimento. SIN. Chamuscar.

churrusco *s. m.* Pedazo de pan muy tostado.

churumbel (caló) *s. m.* Niño.

chusco, ca *adj.* y *s.* **1.** Gracioso. ǁ *s. m.* **2.** Pedazo de pan. SIN. **1.** Chistoso. **2.** Mendrugo.

chusma *s. f.* Gente mala o despreciable. SIN. Gentuza.

chut *s. m.* En fútbol, acción de chutar.

chutar *v.* **1.** En fútbol, lanzar el balón con el pie. ǁ **chutarse 2.** En argot, inyectarse droga.

chute *s. m.* En argot, una inyección de droga.

chuzo *s. m.* Palo con un pincho de hierro. EXPR. **caer chuzos** o **chuzos de punta** Llover, nevar o granizar mucho.

cianuro *s. m.* Veneno muy rápido.

ciática *s. f.* Inflamación dolorosa de un nervio ciático.

ciático *adj.* y *s. m.* Se dice de los dos nervios que nacen en la parte alta de la cadera y recorren las piernas.

cibernética *s. f.* Ciencia que estudia y compara las formas de comunicación y control en los seres vivos y las máquinas; se aplica sobre todo a la informática, por ejemplo para hacer robots.

cicatería *s. f.* Tacañería.

cicatero, ra *adj.* y *s.* Tacaño, avaro. SIN. Ruin, miserable. ANT. Generoso.

cicatriz *s. f.* Señal que deja una herida después de curarse.

cicatrizar *v.* Curarse una herida hasta quedar bien cerrada.

cicerone *s. m.* y *f.* Persona que enseña a otra las cosas interesantes de un lugar. SIN. Guía.

ciclamen *s. m.* Planta de hojas acorazonadas y flores blancas y rosadas, cultivada como planta de adorno.

cíclico, ca *adj.* Que se repite cada cierto tiempo.

ciclismo *s. m.* Deporte que se practica montando en bicicleta.

ciclista *adj.* **1.** Relacionado con el ciclismo. ǁ *s. m.* y *f.* **2.** Persona que va en bicicleta. **3.** Deportista que practica carreras de ciclismo.

ciclo *s. m.* **1.** Conjunto de fenómenos o periodos que se repiten cada cierto tiempo. **2.** Serie de conferencias, libros o películas sobre el mismo tema o relacionados entre sí.

ciclocross *s. m.* Ciclismo que se practica en el campo o en circuitos con obstáculos y desigualdades en el terreno.

ciclomotor *s. m.* Moto pequeña de poca potencia, con cambio de marchas automático y, generalmente, pedales de bicicleta.

ciclón s. m. 1. Viento muy fuerte de origen tropical que gira como un torbellino en grandes círculos. 2. Zona de bajas presiones. Sin. 1. Huracán. 2. Borrasca. Ant. 2. Anticiclón.

cíclope o **ciclope** s. m. Gigante de la mitología que tenía un solo ojo.

ciclostil o **ciclostilo** s. m. Aparato para reproducir muchas veces un escrito o dibujo.

cicuta s. f. 1. Planta de tallo hueco y flores blancas; de sus hojas y frutos se extrae un poderoso veneno. 2. Este veneno.

cidra s. f. 1. Planta de la familia de la calabaza; con su fruto se hace el cabello de ángel. 2. Fruto del cidro, parecido al limón, pero de mayor tamaño.

cidro s. m. Árbol de tronco liso, hojas perennes y flores encarnadas y olorosas; su fruto es la cidra.

ciego, ga adj. y s. 1. Que tiene ceguera. || adj. 2. Dominado por un sentimiento: *ciego de ira*. 3. Total, firme: *fe ciega*. 4. Cerrado, tapado: *pozo ciego*. || adj. y s. 5. Se dice de una de las partes del intestino grueso, con la que se comunica el intestino delgado. Expr. **a ciegas** Sin ver. También, sin saber o sin informarse. **ponerse ciego** Hartarse de comida, bebida u otras cosas agradables. Sin. 1. Invidente. 2. Ofuscado, poseído. Ant. 1. Vidente.

cielo s. m. 1. Espacio en el que están todos los astros, especialmente la zona que rodea la Tierra. 2. Según algunas religiones, lugar adonde van las personas buenas cuando mueren. 3. Parte de arriba de algunas cosas: *el cielo del paladar*. Sin. 1. Firmamento. 2. Paraíso, gloria. Ant. 2. Infierno.

ciempiés s. m. Animal terrestre invertebrado que tiene el cuerpo dividido en anillos y muchos pares de patas.

cien num. 1. Diez veces diez. 2. Centésimo, que sigue por orden al noventa y nueve: *la página cien*. Expr. **poner** a alguien **a cien** Enfadarle, excitarle. Sin. 1 y 2. Ciento.

ciénaga s. f. Lugar pantanoso o lleno de cieno. Sin. Cenagal, barrizal.

ciencia s. f. 1. Conjunto de los conocimientos y cada una de las materias en las que se organiza: *ciencias naturales*. 2. Saber, instrucción. || pl. 3. Estudios de las matemáticas, la física, la química y las ciencias naturales. || 4. **ciencia ficción** Género literario y de cine que trata sobre el espacio y los extraterrestres, o sobre descubrimientos científicos ima-

ginarios o del futuro. Expr. **a ciencia cierta** Con toda seguridad. Sin. 2. Sabiduría, cultura. Ant. 2. Incultura.

cieno s. m. Barro blando y oscuro. Sin. Fango, lodo.

científico, ca adj. 1. Relacionado con la ciencia. || adj. y s. 2. Que se dedica a la ciencia.

ciento num. 1. Cien. || s. m. 2. Centenar. Expr. **por ciento** De cada cien. Suele representarse con el signo %.

ciernes Se usa en la expresión **en ciernes**, 'en sus comienzos', 'formándose'.

cierre s. m. 1. Acción de cerrar. 2. Lo que se utiliza para cerrar: *echar el cierre*. Sin. 1. Clausura. Ant. 1. Apertura.

ciertamente adv. 1. Con certeza o seguridad. 2. Se usa para afirmar: *Ciertamente, la película era estupenda*.

cierto, ta adj. 1. Verdadero, seguro. || indef. 2. Indica algo sin precisarlo: *Usaron cierto material parecido al plástico*. 3. Sí, con certeza: *Me dijeron que venías. Por cierto que cambié de idea*. Sin. 1. Exacto, auténtico. 2. Alguno, determinado. Ant. 1. Incierto. 3. No.

ciervo, va s. m. y f. Mamífero rumiante de pelo marrón rojizo en verano y gris en invierno. Los machos tienen cuernos grandes con muchas ramas.

cierzo s. m. Viento frío del norte.

cifra s. f. 1. Signo o conjunto de signos que representa un número. 2. Cantidad, suma. Sin. 1. Dígito. 2. Número, porción.

cifrado, da 1. p. de **cifrar**. || adj. 2. Escrito en clave.

cifrar v. 1. Escribir en clave, con un lenguaje especial. 2. Reducir, centrar: *Cifra sus esperanzas en tu ayuda*. Ant. 1. Descifrar.

cigala s. f. Crustáceo marino comestible que tiene el cuerpo alargado, el caparazón duro y dos pinzas grandes y fuertes.

cigarra s. f. Insecto de color casi negro, cabeza ancha, ojos salientes y dos pares de alas. Los machos tienen una membrana que hacen vibrar, produciendo un ruido característico.

cigarrero, ra s. m. y f. 1. Persona que hace o vende cigarros. || s. f. 2. Caja o estuche para cigarros.

cigarrillo s. m. Cilindro delgado hecho de tabaco picado envuelto en papel para fumarlo. Sin. Cigarro.

cigarro s. m. 1. Rollo hecho con hojas de tabaco que se fuma. 2. Cigarrillo. Sin. 1. Puro, habano.

cigoñino *s. m.* Cría de la cigüeña.

cigoto *s. m.* Célula fecundada que resulta al unirse las células reproductoras o gametos.

cigüeña *s. f.* Ave zancuda grande con el cuerpo blanco, el extremo de las alas negro y el pico largo y rojo como las patas.

cigüeñal *s. m.* Eje de algunas máquinas y motores que transforma en movimiento circular un movimiento rectilíneo, o al revés.

ciliado, da *adj. y s. m.* Que tiene cilios.

cilindrada *s. f.* Capacidad de los cilindros de un motor de explosión, que se expresa en centímetros cúbicos.

cilíndrico, ca *adj.* Que tiene forma de cilindro.

cilindro *s. m.* **1.** Cuerpo geométrico que resulta al enrollar una superficie cuadrada o rectangular y cerrar con dos círculos los extremos. **2.** Cosa que tiene esta forma. **3.** Tubo en que se mueve el émbolo de una máquina o motor. **Sin. 2.** Rodillo, tambor.

cilio *s. m.* Prolongación corta y delgada que tienen algunas células y microorganismos.

cima *s. f.* **1.** Parte más alta de algo, como una montaña o un árbol. **2.** Momento mejor o más importante: *Llegó a la cima de su carrera.* **Sin. 1.** Cresta, pico; copa. **1 y 2.** Cumbre, cúspide.

cimarrón, na *adj. y s.* Se dice del animal doméstico que huye al campo y se hace salvaje.

cimborrio *s. m.* **1.** Base de una cúpula, con forma de cilindro o de polígono. **2.** Cúpula.

cimbrear o **cimbrar** *v.* **1.** Hacer vibrar un objeto delgado y flexible. **2.** Mover el cuerpo o parte de él a un lado y a otro. **Sin. 2.** Contonearse.

cimentar *v.* **1.** Poner los cimientos de un edificio. **2.** Fortalecer, consolidar. **Sin.** Afianzar. **Ant. 2.** Debilitar.

cimiento *s. m.* **1.** Parte de un edificio que está bajo tierra y sostiene la construcción. **2.** Base, fundamento. **Sin. 2.** Raíz, principio.

cimitarra *s. f.* Sable muy curvo de los turcos, persas y otros pueblos orientales.

cinabrio *s. m.* Mineral rojo oscuro del que se extrae el mercurio.

cinc *s. m.* Elemento químico metálico de color blanco azulado, brillante, muy usado en la industria.

cincel *s. m.* Herramienta de acero para grabar la piedra y el metal, golpeándola con un martillo.

cincelar *v.* Grabar con el cincel.

cincha *s. f.* Correa que sujeta la silla o la albarda de las caballerías.

cincho *s. m.* Faja o cinturón.

cinco *num.* **1.** Cuatro y uno. **2.** Quinto: *el puesto cinco.*

cincuenta *num.* **1.** Cinco veces diez. **2.** Que sigue por orden al cuarenta y nueve: *el cincuenta aniversario.*

cincuentena *s. f.* Cincuenta unidades.

cincuentenario *s. m.* Fecha en la que se cumplen cincuenta años de algún hecho.

cincuentón, na *adj. y s.* Se dice de la persona que tiene entre cincuenta y sesenta años.

cine *s. m.* **1.** Técnica y arte que consiste en filmar imágenes en movimiento y proyectarlas sobre una pantalla. **2.** Local público para ver películas cinematográficas. **Sin. 1.** Cinematografía. **2.** Cinematógrafo.

cineasta *s. m. y f.* Persona que se dedica al cine, sobre todo como director.

cinéfilo, la *adj. y s.* Aficionado al cine.

cinegético, ca *adj.* **1.** Relacionado con la caza. || *s. f.* **2.** Arte de la caza.

cinemascope *s. m.* Técnica de cine en que se proyectan las imágenes sobre pantallas curvadas y dan sensación de profundidad.

cinematografía *s. f.* Técnica y arte del cine.

cinematográfico, ca *adj.* Del cine.

cinematógrafo *s. m.* **1.** Aparato para proyectar películas de cine. **2.** Local de cine.

cinético, ca *adj.* Relacionado con el movimiento de los cuerpos.

cingalés, sa *adj. y s.* **1.** Ceilandés. || *s. m.* **2.** Lengua de Ceilán, actual Sri Lanka.

cíngaro, ra *adj. y s.* Gitano de Europa central y del este.

cínico, ca *adj. y s.* Que dice o hace de forma descarada lo contrario de lo que piensa. **Sin.** Hipócrita, mentiroso. **Ant.** Sincero.

cinismo *s. m.* Característica de las personas cínicas. **Sin.** Hipocresía. **Ant.** Sinceridad.

cinta *s. f.* **1.** Tira larga y estrecha de material flexible para diversos usos. **2.** Cinta magnética. **3.** Pieza de carne larga y redondeada que se corta del lomo del cerdo. ‖ **4. cinta aislante** La adhesiva de plástico para recubrir y aislar los empalmes de los cables eléctricos. **5. cinta magnética** Tira de material plástico en la que se graban sonidos e imágenes. **SIN. 1.** Banda, faja. **2.** Casete.

cinto *s. m.* Cinturón.

cintura *s. f.* **1.** Parte del cuerpo más estrecha entre el tronco y la cadera. **2.** Parte de una prenda que rodea esa zona. **EXPR. meter** a alguien **en cintura** Regañarle o hacer que obedezca.

cinturilla *s. f.* En vestidos, faldas y pantalones, tira de tela que se ajusta a la cintura.

cinturón *s. m.* **1.** Correa o banda para ajustar una prenda a la cintura o colgar algo de ella. ‖ **2. cinturón de seguridad** El que sujeta a los ocupantes de los automóviles y aviones a sus asientos. **EXPR. apretarse el cinturón** Procurar gastar poco dinero. **SIN. 1.** Cinto.

ciprés *s. m.* Árbol alto y alargado, con hojas perennes pequeñas, en forma de escama, de color verde oscuro. Es el árbol típico de los cementerios.

circense *adj.* Del circo.

circo *s. m.* **1.** Espectáculo en que actúan payasos, trapecistas, domadores y otros artistas y lugar donde se desarrolla. **2.** Recinto donde los romanos celebraban carreras de carros y caballos y otros espectáculos.

circonita *s. f.* Mineral que se usa en joyería como imitación del brillante.

circuito *s. m.* **1.** Camino o recorrido que vuelve al punto de partida: *un circuito automovilístico, un circuito turístico.* **2.** Conjunto de cables o conductores unidos por los que pasa la corriente eléctrica.

circulación *s. f.* **1.** Hecho de circular: *la circulación de la sangre.* **2.** Movimiento de personas y vehículos por las vías públicas. **SIN. 2.** Tránsito, tráfico.

circular[1] *v.* **1.** Moverse, ir y venir. **2.** Distribuirse la sangre por el organismo. **3.** Pasar algo de unas personas a otras. **SIN. 1.** Transitar. **3.** Difundirse, propagarse.

circular[2] *adj.* **1.** En forma de círculo. ‖ *s. f.* **2.** Carta o aviso para comunicar algo a varias personas. **SIN. 1.** Redondo. **2.** Comunicado.

circulatorio, ria *adj.* Se dice del aparato o conjunto de órganos y vasos sanguíneos en que se realiza la circulación de la sangre.

círculo *s. m.* **1.** Superficie plana contenida dentro de una circunferencia. **2.** Circunferencia o lo que tiene su forma. **3.** Grupo, asociación. ‖ **4. círculo polar** Cada uno de los dos círculos menores del globo terrestre que rodean los polos. **SIN. 1** y **2.** Redondel.

circuncidar *v.* Hacer la circuncisión.

circuncisión *s. f.* Corte en círculo para quitar parte de la piel que rodea el extremo del pene.

circunciso, sa *adj.* Que ha sido circuncidado.

circundar *v.* Rodear, cercar.

circunferencia *s. f.* Curva cerrada en la que todos sus puntos están a la misma distancia de uno interior llamado *centro.*

circunflejo *adj.* Se dice de un acento (^) usado en algunos idiomas, como el francés.

circunloquio *s. m.* Utilización de muchas palabras o explicaciones para expresar algo que se podría decir más brevemente.

circunnavegar *v.* Navegar alrededor.

circunscribir *v.* **1.** Reducir, limitar. **2.** Trazar una figura geométrica rodeando a otra, pero tocándose las dos en algunos puntos. □ Su p. es irreg.: *circunscrito.* **SIN. 1.** Restringir, ceñir. **ANT. 1.** Ampliar.

circunscripción *s. f.* **1.** Acción de circunscribir. **2.** División administrativa, eclesiástica, electoral o militar de un territorio. **SIN. 2.** Distrito, demarcación.

circunscrito, ta **1.** *p.* de **circunscribir.** ‖ *adj.* **2.** Reducido, limitado. **3.** Se dice de la figura que circunscribe a otra.

circunspecto, ta *adj.* Serio y prudente. **SIN.** Discreto.

circunstancia *s. f.* Estado, situación. **SIN.** Ocasión, coyuntura.

circunstancial *adj.* **1.** Que obedece a una circunstancia o depende de ella. **2.** Se dice del complemento del verbo que indica modo, lugar, tiempo u otras cosas. **SIN. 1.** Accidental. **ANT. 1.** Premeditado, previsto.

circunvalación *s. f.* Acción de rodear un lugar, por ejemplo una ciudad.

cirílico, ca *adj.* Se dice del alfabeto usado en ruso y otras lenguas eslavas.

cirio *s. m.* **1.** Vela de cera, larga y gruesa. **2.** *fam.* Jaleo, follón.

cirro *s. m.* Nube blanca y ligera en forma de hilos o franjas delgadas, que está en las capas altas de la atmósfera.

cirrosis *s. f.* Enfermedad incurable del hígado producida por la destrucción de sus células.

ciruela *s. f.* Fruto carnoso del ciruelo, de forma, color y tamaño diferentes según las variedades: redondas o alargadas, amarillas, verdosas o negras.

ciruelo *s. m.* Árbol frutal de hojas caducas, alargadas y acabadas en punta y flores blancas; su fruto es la ciruela.

cirugía *s. f.* Parte de la medicina que cura mediante operaciones.

cirujano, na *s. m. y f.* Médico especialista en cirugía.

cisco *s. m.* **1.** Carbón vegetal en trozos pequeños. **2.** *fam.* Alboroto, jaleo. **EXPR. hacer cisco** Hacer daño, perjudicar; romper, estropear.

cisma *s. m.* Separación de un grupo de personas de una Iglesia o religión a la que pertenecían.

cisne *s. m.* Ave palmípeda acuática de cabeza pequeña, cuello muy largo y flexible, patas cortas y alas grandes. La especie más común tiene el plumaje blanco.

cisterna *s. f.* **1.** Depósito en donde se recoge el agua de lluvia o de un río o manantial. **2.** Depósito de agua de un retrete. **3.** Vehículo o barco para transportar líquidos: *camión cisterna.*

cistitis *s. f.* Inflamación de la vejiga de la orina que produce escozor y continuas ganas de hacer pis.

cita *s. f.* **1.** El hecho de fijar una hora y lugar para encontrarse dos o más personas, o para ser recibido. **2.** Ese encuentro. **3.** Palabras de una obra o de un autor que alguien repite diciendo a quién pertenecen. **SIN. 3.** Mención.

citación *s. f.* Aviso a una persona por orden del juez para que vaya al juzgado.

citar *v.* **1.** Dar una cita a alguien. **2.** Llamar el juez a una persona. **3.** Hacer citas de autores u obras, o mencionarlos.

cítara *s. f.* Nombre de varios instrumentos musicales con cuerdas, que se tocan con una púa.

citoplasma *s. m.* Parte líquida de las células, que rodea el núcleo y está limitada por una membrana.

cítrico, ca *adj.* **1.** Relacionado con el limón. || *s. m. pl.* **2.** Frutas agrias o agridulces, como el limón o la naranja, y árboles que las producen.

ciudad *s. f.* Población grande con calles, edificios y medios de transporte. **SIN.** Urbe.

ciudadanía *s. f.* **1.** Situación, derechos y deberes de los ciudadanos de un país. **2.** Conjunto de estos ciudadanos.

ciudadano, na *adj. y s.* **1.** Habitante y vecino de una ciudad. || *s. m. y f.* **2.** Persona que tiene unos derechos y obligaciones como habitante de un país: *ciudadano español.* **SIN. 2.** Súbdito.

ciudadela *s. f.* Lugar fortificado dentro de una ciudad.

ciudad-realeño, ña *adj. y s.* De Ciudad Real, ciudad y provincia españolas.

cívico, ca *adj.* Que muestra civismo. **SIN.** Civilizado.

civil *adj.* **1.** De los ciudadanos. **2.** No religioso: *cementerio civil.* || *adj. y s.* **3.** No militar. **SIN. 3.** Paisano.

civilización *s. f.* **1.** Conjunto de ideas, creencias, cultura, artes y modos de vida de un pueblo. **2.** Acción de civilizar.

civilizado, da *adj.* **1.** Se dice de la persona o pueblo que han adquirido unos conocimientos y cultura que antes no tenían. **2.** Con educación y buenos modales. **SIN. 2.** Cívico, educado.

civilizar *v.* **1.** Hacer civilizado. **2.** Educar. **SIN. 1 y 2.** Culturizar.

civismo *s. m.* Conducta de los ciudadanos que cumplen con sus obligaciones hacia la comunidad.

cizalla *s. f.* Especie de tijeras grandes para cortar metal o para otros usos.

cizaña *s. f.* **1.** Planta gramínea muy perjudicial para los sembrados; su semilla es venenosa. **2.** Lo que alguien hace para que otros se enemisten o discutan: *meter cizaña.*

clamar *v.* **1.** Quejarse, dar voces suplicando ayuda o socorro. **2.** Exigir: *clamar justicia.* **SIN. 1 y 2.** Implorar.

clamor *s. m.* **1.** Gritos, voces, ruidos confusos y fuertes. **2.** Grito de dolor, queja o protesta. **SIN. 1.** Vocerío, griterío. **2.** Lamento, quejido.

clamoroso, sa *adj.* Con clamor, sobre todo con gritos y aplausos: *un recibimiento clamoroso.*

clan *s. m.* **1.** Tribu o familia. **2.** Grupo organizado de personas con un interés común.

clandestinidad *s. f.* Situación de los que actúan de forma clandestina.

clandestino, na *adj.* Secreto, oculto, no legal: *una organización clandestina.*

claqué *s. m.* Tipo de baile en el que se lleva el ritmo haciendo sonar el talón y la puntera de los zapatos.

claqueta *s. f.* En cine, pizarra con que se indica el número del plano que se está rodando, para facilitar el montaje de la película.

clara *s. f.* **1.** Materia transparente y blanquecina que rodea la yema del huevo. **2.** Cerveza con gaseosa.

claraboya *s. f.* Ventana en el techo o en lo alto de una pared. **SIN.** Tragaluz.

claramente *adv.* De forma clara.

clarear *v.* **1.** Comenzar a amanecer. **2.** Empezar a despejarse el cielo. || **clarearse 3.** Transparentarse. **SIN. 1.** Alborear. **2.** Aclarar. **3.** Traslucir. **ANT. 1.** Anochecer. **2.** Nublarse.

clarete *adj. y s. m.* Vino rosado.

claridad *s. f.* **1.** Efecto que causa la luz al iluminar un espacio y permitir que se vea bien lo que hay en él. **2.** Característica de claro. **3.** Capacidad de la persona que entiende, razona y se explica bien. **SIN. 1.** Luminosidad. **3.** Lucidez. **ANT. 1 y 2.** Oscuridad.

clarificar *v.* Aclarar, explicar.

clarín *s. m.* Instrumento musical parecido a una trompeta pequeña, pero de sonido más agudo y sin llaves ni pistones.

clarinete *s. m.* Instrumento musical de viento con una boquilla de lengüeta simple y un tubo con agujeros.

clarividencia *s. f.* Capacidad de ver y comprender con claridad las cosas. **SIN.** Lucidez.

clarividente *adj. y s.* Que tiene clarividencia. **SIN.** Lúcido.

claro, ra *adj.* **1.** Que tiene luz o mucha luz. **2.** Se dice del color con mucho blanco en su mezcla. **3.** Poco espeso. **4.** Transparente, despejado. || *adj. y adv.* **5.** Que se ve, oye o comprende bien. **6.** Evidente. **7.** Franco, sincero. || *s. m.* **8.** Espacio del bosque sin árboles. **9.** Zona del cielo sin nubes. || *adv.* **10.** Naturalmente, por supuesto, sí. **SIN. 1.** Luminoso; iluminado. **5.** Nítido. **6.** Indudable. **ANT. 1, 2** y **5.** Oscuro. **4.** Turbio; nublado. **6.** Dudoso.

claroscuro *s. m.* Contraste de claridad y sombras en un cuadro, dibujo o fotografía.

clase *s. f.* **1.** Conjunto de personas, animales o cosas con las mismas características. **2.** Aula y estudiantes que la utilizan. **3.** Enseñanza de una materia: *dar clase.* **4.** Elegancia, distinción. **SIN. 1.** Tipo, especie. **4.** Estilo.

clásico, ca *adj.* **1.** De las antiguas Grecia y Roma o relacionado con ellas: *len-*

guas clásicas. **2.** Se dice de un tipo de música más culta y elaborada que la ligera o popular. **3.** Característico, típico. **4.** Tradicional, serio. || *adj. y s. m.* **5.** Se dice de las obras, artistas y autores más importantes, que pueden tomarse como modelo. **SIN. 1.** Grecorromano. **3.** Propio, peculiar.

clasificación *s. f.* **1.** Acción de clasificar o clasificarse. **2.** Conjunto o lista ordenada de personas o cosas.

clasificador, ra *adj. y s.* Que clasifica o sirve para clasificar. **SIN.** Archivo.

clasificar *v.* **1.** Ordenar por clases. || **clasificarse 2.** Lograr un puesto en un concurso o competición. **SIN. 1.** Catalogar, encasillar.

clasista *adj. y s.* Que valora a las personas según la clase social a la que pertenecen.

claudia *adj. y s. f.* Se dice de un tipo de ciruela de color verde claro, muy dulce.

claudicación *s. f.* Acción de claudicar.

claudicar *v.* Abandonar, rendirse. **SIN.** Ceder. **ANT.** Perseverar.

claustro *s. m.* **1.** Patio rodeado de arcos o columnas en el interior de algunos conventos, iglesias, etc. **2.** Junta de profesores de un colegio, instituto o universidad. **SIN. 1.** Corredor.

claustrofobia *s. f.* Miedo y angustia que sienten algunas personas en los lugares cerrados.

cláusula *s. f.* Cada una de las partes de un contrato o de otros escritos. **SIN.** Artículo, apartado.

clausura *s. f.* **1.** Acción de clausurar. **2.** Parte de un convento en la que viven los religiosos y donde no pueden entrar otras personas. **3.** Vida religiosa en el interior de un convento, sin salir de él: *monja de clausura.* **SIN. 1.** Cierre, final. **ANT. 1.** Inauguración, apertura.

clausurar *v.* **1.** Poner fin a una actividad o anunciar que se ha terminado. **2.** Cerrar algo de manera que no pueda abrirse. **SIN. 1.** Concluir, finalizar. **ANT. 1.** Inaugurar.

clavado, da 1. *p.* de **clavar.** También *adj.* || *adj.* **2.** Igual o muy parecido.

clavar *v.* **1.** Meter con fuerza o por medio de golpes un clavo u otra cosa parecida. **2.** Sujetar con clavos. **3.** *fam.* Cobrar muy caro. **ANT. 2.** Desclavar.

clave *s. f.* **1.** Lenguaje o alfabeto especial para escribir mensajes secretos. **2.** Cosa indispensable para hacer o entender algo. **3.** Signo musical que, colocado al principio del pentagrama, indica la nota correspondiente a cada línea o espacio. SIN. **1.** Código. **2.** Quid.

clavel *s. m.* **1.** Planta de flores olorosas de diversos colores con los pétalos terminados en piquitos por el borde. **2.** Flor de esa planta.

clavellina *s. f.* Tipo de clavel más pequeño.

clavero *s. m.* Árbol tropical; de los capullos secos de sus flores se obtiene la especia llamada *clavo*.

clavicémbalo *s. m.* Instrumento musical de cuerdas que se hacen sonar al tocar las teclas.

clavicordio *s. m.* Instrumento musical de cuerdas que se hacen sonar dentro de una caja rectangular mediante un teclado.

clavícula *s. f.* Cada uno de los dos huesos entre la parte baja del cuello y los hombros.

clavija *s. f.* **1.** Pieza en forma de barrita que se encaja en un agujero para sujetar o conectar algo. **2.** Cada una de las llaves de la guitarra y otros instrumentos para sujetar y tensar las cuerdas. SIN. Borne.

clavijero *s. m.* Parte de los instrumentos musicales donde están las clavijas.

clavo *s. m.* **1.** Barrita de metal con punta en un extremo y cabeza en el otro. **2.** Capullo seco de la flor del clavero que se emplea como especia. **3.** Abultamiento o dureza que se forma a veces en la piel, sobre todo en las manos o en los pies. EXPR. **como un clavo** Muy puntual. **dar en el clavo** Acertar.

claxon *s. m.* Bocina de un automóvil.

clemencia *s. f.* Compasión o perdón hacia el que merece un castigo. SIN. Indulgencia, benevolencia. ANT. Rigor.

clemente *adj.* Que tiene o demuestra clemencia. SIN. Indulgente, compasivo. ANT. Riguroso.

clementina *s. f.* Tipo de mandarina de piel más roja y carne muy dulce.

cleptómano, na *adj.* y *s.* Persona con una enfermedad que le hace robar cosas.

clerical *adj.* Del clero. SIN. Eclesiástico.

clérigo *s. m.* Persona que tiene alguna orden sagrada. SIN. Eclesiástico, cura, sacerdote. ANT. Laico, seglar.

clero *s. m.* Conjunto de los clérigos.

cliché *s. m.* **1.** Plancha que tiene algo grabado para poder imprimirlo en otro sitio. **2.** Negativo de una película fotográfica del que se pueden sacar copias.

cliente, ta *s. m.* y *f.* Persona que compra en una tienda o utiliza los servicios de otro establecimiento o de un profesional. SIN. Comprador.

clientela *s. f.* Conjunto de clientes.

clima *s. m.* **1.** Características generales de la atmósfera en un lugar o región. **2.** Ambiente, situación. SIN. **2.** Atmósfera.

climático, ca *adj.* Del clima atmosférico. SIN. Climatológico.

climatizar *v.* Mantener un lugar cerrado en condiciones agradables de temperatura y humedad.

climatología *s. f.* Ciencia que estudia el clima.

climatológico, ca *adj.* Del clima o de la climatología. SIN. Climático.

clímax *s. m.* Parte o momento más importante o más interesante. SIN. Culmen, apogeo.

clínica *s. f.* Establecimiento en que se atiende a los enfermos. SIN. Sanatorio, hospital.

clínico, ca *adj.* Relacionado con el cuidado directo de los enfermos.

clip (ingl.) *s. m.* **1.** Alambre o plástico doblado de forma que puede sujetar varios papeles. **2.** Cierre a presión. **3.** Parte breve de una película; también, vídeo corto.

cloaca *s. f.* **1.** Conducto bajo tierra por donde pasan las aguas sucias de una población. **2.** Parte final del intestino de las aves y otros animales. SIN. **1.** Alcantarilla.

cloro *s. m.* Elemento químico gaseoso, de color amarillo verdoso, olor fuerte, tóxico y que se disuelve fácilmente en agua.

clorofila *s. f.* Sustancia de color verde y buen olor que tienen la mayoría de las plantas; con ella realizan la fotosíntesis.

clorofílico, ca *adj.* Relacionado con la clorofila o que la tiene.

cloroformo *s. m.* Líquido incoloro de olor fuerte usado para anestesiar.

clown (ingl.) *s. m.* Payaso.

club *s. m.* **1.** Asociación de personas para realizar actividades comunes y lugar donde se hacen: *club de tenis*. **2.** Establecimiento donde se bebe y se baila y suele ofrecerse un espectáculo. SIN. **1.** Círculo, sociedad.

clueca *adj.* y *s. f.* Se dice de las gallinas cuando están empollando los huevos.

coacción *s. f.* Acción de coaccionar. SIN. Amenaza, presión.

coaccionar v. Emplear la fuerza o las amenazas para obligar a alguien a hacer o decir algo. **SIN.** Amenazar, intimidar.

coadjutor s. m. Sacerdote que ayuda al párroco en su trabajo.

coagulación s. f. Acción de coagular o coagularse.

coagular v. Volver sólidos algunos líquidos, sobre todo la sangre. **SIN.** Cuajar, solidificar. **ANT.** Licuar.

coágulo s. m. Parte de algunas sustancias, como la sangre, que se ha coagulado. **SIN.** Trombo.

coalición s. f. Unión de personas, grupos o países para conseguir algo juntos. **SIN.** Alianza.

coaligarse v. Formar una coalición. **SIN.** Aliarse.

coartada s. f. Prueba con que el acusado de un delito demuestra que él no pudo ser el autor.

coartar v. Impedir que alguien actúe como quiere. **SIN.** Cohibir, coaccionar. **ANT.** Incitar.

coatí s. m. Mamífero americano omnívoro de cabeza alargada con hocico estrecho, cola larga con bandas más oscuras y pelo tupido. Vive en los bosques.

coautor, ra s. m. y f. Persona que hace algo en colaboración con otra o con otras. **SIN.** Colaborador.

coba s. f. Alabanza exagerada o poco sincera, normalmente para conseguir algo. **SIN.** Adulación, lisonja.

cobalto s. m. Elemento químico metálico de color blanco rojizo, que se utiliza en la fabricación de pinturas y esmaltes.

cobarde adj. y s. 1. Que no se atreve a hacer nada ante un peligro o dificultad por miedo. 2. Que ataca sin dar la cara o hace daño a los que son más débiles. **SIN.** 1. Gallina, pusilánime. 2. Traidor. **ANT.** 1. Valiente.

cobardía s. f. Característica de los cobardes. **SIN.** Miedo. **ANT.** Valentía.

cobaya s. m. y f. Roedor parecido al conejo, pero más pequeño y con las orejas cortas; se utiliza en experimentos científicos.

cobertizo s. m. Tejadillo o lugar cubierto con un techo de cañas o materiales parecidos. **SIN.** Choza.

cobertor s. m. Colcha o manta de una cama.

cobertura s. f. Lo que sirve para cubrir o proteger algo. **SIN.** Cubierta, revestimiento.

cobijar v. Refugiar o proteger a alguien. **SIN.** Albergar; guarecer.

cobijo s. m. Lugar para cobijarse. **SIN.** Refugio, albergue.

cobista s. m. y f. El que da mucha coba. **SIN.** Adulador.

cobra s. f. Serpiente venenosa que ensancha el cuello cuando se levanta para atacar; vive en zonas cálidas de África, Asia y Oceanía.

cobrador, ra s. m. y f. Persona encargada de cobrar. **SIN.** Recaudador.

cobrar v. 1. Pedir y recoger una cantidad como pago de algo. 2. Empezar a tener o conseguir algo: *cobrar afecto, cobrar fama*. 3. *fam.* Recibir una paliza. **SIN.** 1. Percibir, recaudar. 2. Adquirir. **ANT.** 1. Pagar.

cobre s. m. Metal rojizo, buen conductor del calor y la electricidad, con el que es fácil hacer láminas o alambres finos. Es elemento químico.

cobrizo, za adj. 1. Del color del cobre. 2. Se dice del mineral que tiene cobre.

cobro s. m. Acción de cobrar dinero. **SIN.** Recaudación. **ANT.** Pago.

coca[1] s. f. 1. Arbusto que se cultiva principalmente en América del Sur; de sus hojas se saca la cocaína. 2. Cocaína.

coca[2] s. f. Moño que se hace retorciendo y enrollando parte del pelo.

cocaína s. f. Droga que se obtiene de las hojas de la coca.

cocainómano, na s. m. y f. Drogadicto que consume cocaína.

cocción s. f. Acción de cocer.

cóccix s. m. Coxis.

cocear v. Dar coces.

cocedero s. f. Tienda o restaurante donde se cuece marisco.

cocer v. 1. Hervir, sobre todo alimentos. 2. Calentar en el horno algunas cosas para cocinarlas o prepararlas: *cocer el pan, cocer ladrillos*. || **cocerse** 3. Pasar mucho calor. 4. Prepararse algo en secreto. □ Es v. irreg. **SIN.** 3. Asarse.

COCER		
INDICATIVO	SUBJUNTIVO	IMPERATIVO
Presente	**Presente**	
cuezo	cueza	
cueces	cuezas	cuece
cuece	cueza	
cocemos	cozamos	
cocéis	cozáis	coced
cuecen	cuezan	

cochambre *s. amb.* Suciedad, porquería o cosa sucia, vieja o estropeada.

cochambroso, sa *adj.* Viejo y estropeado o lleno de cochambre.

coche *s. m.* **1.** Automóvil. **2.** Vagón de tren para viajeros. **3.** Carruaje para viajeros: *coche de caballos.* || **4. coche cama** Vagón de tren con camas para viajar de noche durmiendo.

cochera *s. f.* Lugar donde se guardan coches, autobuses y otros vehículos. **SIN.** Garaje.

cochero *s. m.* Persona que conduce un coche de caballos.

cochinada *s. f.* **1.** Porquería, guarrería. **2.** Acción injusta o grosera. **SIN. 1** y **2.** Marranada. **2.** Jugarreta, faena.

cochinilla *s. f.* **1.** Insecto del grupo de las chinches pero mucho más pequeño; es parásito de las plantas y puede causar daños a la agricultura. **2.** Pequeño crustáceo terrestre de forma ovalada que se hace una bolita al tocarlo.

cochinillo *s. m.* Cerdito que aún mama. **SIN.** Lechón.

cochino, na *adj.* y *s.* Cerdo.

cochiquera *s. f.* Pocilga.

cocido *s. m.* Guiso hecho con garbanzos, carne, tocino y verduras.

cociente *s. m.* Resultado de una división.

cocina *s. f.* **1.** Habitación de la casa donde se prepara la comida. **2.** Aparato para cocinar, con quemadores o con placas eléctricas. **3.** Manera de preparar los alimentos: *clases de cocina, cocina italiana.*

cocinar *v.* Preparar los alimentos para poder comerlos. **SIN.** Guisar.

cocinero, ra *s. m.* y *f.* Persona que cocina, sobre todo si ése es su trabajo.

cocker (ingl.) *s. m.* Perro de tamaño pequeño y pelo largo y sedoso.

coco[1] *s. m.* **1.** Fruto del cocotero; tiene una cubierta lisa y una cáscara muy dura rodeada de fibras, que contiene una pulpa blanca y un líquido dulce. **2.** *fam.* Cabeza. **SIN. 2.** Melón, cocorota.

coco[2] *s. m.* **1.** Fantasma con que se asusta a los niños. **2.** Persona fea.

coco[3] *s. m.* **1.** Bacteria de forma redondeada. **2.** Gorgojo.

cocodrilo *s. m.* Reptil de gran tamaño que vive en los ríos y tiene la piel cubierta de placas muy duras, cola larga y fuerte y boca muy grande con dientes afilados.

cocorota *s. f. fam.* Cabeza.

cocotero *s. m.* Árbol alto parecido a una palmera; su fruto es el coco.

cóctel *s. m.* **1.** Bebida que se prepara mezclando licores con zumos y refrescos. **2.** Fiesta o reunión donde se sirven bebidas y aperitivos.

coctelera *s. f.* Recipiente para preparar los cócteles.

codazo *s. m.* Golpe dado con el codo.

codearse *v.* Tratarse de igual a igual con otra persona. **SIN.** Alternar.

codeína *s. f.* Calmante que se obtiene del opio; se utiliza, por ejemplo, para quitar la tos.

codera *s. f.* **1.** Desgaste que se produce por el uso en la parte de los codos de una prenda de vestir. **2.** Remiendo o refuerzo que se pone en esa parte.

códice *s. m.* Manuscrito antiguo.

codicia *s. f.* Deseo muy grande de tener riquezas u otras cosas, como fama o poder. **SIN.** Ambición, avaricia.

codiciar *v.* Desear mucho riquezas u otras cosas. **SIN.** Ambicionar, ansiar.

codicioso, sa *adj.* y *s.* Que tiene codicia. **SIN.** Ambicioso, avaricioso. **ANT.** Desprendido.

codificar *v.* **1.** Componer un mensaje mediante un código de signos y reglas. **2.** Ordenar un conjunto de leyes para formar un código. **SIN. 1.** Cifrar. **ANT. 1.** Descodificar.

código *s. m.* **1.** Conjunto de signos o señales y una serie de reglas para poder utilizarlos, que permite hacer e interpretar mensajes. **2.** Conjunto organizado de leyes o normas.

codillo *s. m.* **1.** En animales como el cerdo o la vaca, parte de la unión de la pata delantera con el pecho. **2.** Hueso de jamón.

codo *s. m.* **1.** Parte saliente de la articulación del brazo con el antebrazo. **2.** Trozo de un tubo doblado en ángulo. **EXPR. codo con codo** Uno junto a otro; en colaboración.

codorniz *s. f.* Ave pequeña, parecida a la perdiz, de plumaje pardo con rayitas blancas y rojo en el pecho. Su carne es comestible.

coeficiente *s. m.* **1.** Número que se coloca a la izquierda de una cantidad o de una variable y que los multiplica. **2.** Grado o intensidad en que aparece una propiedad o en que se da un fenómeno.

coercer *v.* Coartar, reprimir.

coerción *s. f.* Acción de coercer.

coetáneo, a *adj.* y *s.* De la misma edad o de la misma época que otra persona. **Sin.** Contemporáneo.

coexistencia *s. f.* Hecho de coexistir. **Sin.** Convivencia.

coexistir *v.* Existir al mismo tiempo. **Sin.** Convivir.

cofa *s. f.* Plataforma colocada en la parte alta de algunos de los palos de un barco.

cofia *s. f.* Especie de gorro para sujetar el pelo, como el que llevan las enfermeras.

cofrade *s. m.* y *f.* Miembro de una cofradía.

cofradía *s. f.* Asociación de personas, sobre todo de tipo religioso o profesional. **Sin.** Hermandad, congregación.

cofre *s. m.* Especie de caja o baúl. **Sin.** Arca, arcón.

cogedor *s. m.* Utensilio en forma de pala para recoger basura, carbón, ceniza.

coger *v.* **1.** Sujetar con las manos o utilizando otros medios. **2.** Empezar a tener, adquirir. **3.** Alcanzar, atrapar, pillar. **4.** Aceptar. **5.** Subir a un vehículo. **6.** Entender. **7.** Caber. **Sin. 1.** Asir, aferrar. **1** y **2.** Agarrar. **2** y **3.** Pescar. **6.** Comprender, percibir. **7.** Entrar. **Ant. 1** a **3.** Soltar. **4.** Rechazar. **5.** Bajar.

cogida *s. f.* Acción de coger el toro al torero.

cogido, da **1.** *p.* de **coger.** También *adj.* || *adj.* **2.** Obligado, atrapado.

cogollo *s. m.* Parte de dentro y más tierna de hortalizas como el repollo o la lechuga.

cogorza *s. f.* Borrachera.

cogote *s. m.* Parte de atrás y de arriba del cuello. **Sin.** Nuca.

cohabitar *v.* Convivir.

cohecho *s. m.* Soborno a un juez o a un funcionario público.

coherencia *s. f.* Relación entre unas cosas y otras cuando no hay contradicciones o diferencias entre ellas. **Sin.** Congruencia, conformidad. **Ant.** Incoherencia.

coherente *adj.* Que tiene coherencia. **Sin.** Congruente, consecuente. **Ant.** Incoherente.

cohesión *s. f.* Unión. **Ant.** Desunión.

cohete *s. m.* **1.** Cartucho cargado de pólvora que, al encenderlo, sale disparado y estalla en el aire. **2.** Aparato de forma alargada que vuela a gran velocidad impulsado por un potente chorro de gas.

cohibir *v.* No dejar que alguien actúe con libertad o naturalidad. **Sin.** Reprimir, coartar. **Ant.** Estimular.

cohombro *s. m.* **1.** Variedad del pepino, de fruto largo y torcido. || **2. cohombro de mar** Animal equinodermo marino, de cuerpo alargado y tentáculos alrededor de la boca.

coincidencia *s. f.* Hecho de coincidir. **Sin.** Concurrencia; casualidad.

coincidir *v.* **1.** Ser iguales o estar de acuerdo dos o más personas o cosas. **2.** Ajustar una cosa con otra. **3.** Ocurrir al mismo tiempo o encontrarse en un mismo lugar. **Sin. 1.** Concordar. **2.** Casar, encajar. **3.** Concurrir. **Ant. 1.** Discrepar.

coito *s. m.* Unión sexual del hombre y la mujer; también, de algunos animales. **Sin.** Cópula, apareamiento.

cojear *v.* **1.** Andar mal por un defecto, lesión o dolor en las piernas o los pies. **2.** Moverse un mueble por no estar bien apoyado en el suelo. **3.** Tener un defecto o fallar en algo. **Sin. 1.** Renquear.

cojera *s. f.* Defecto o lesión que impide andar bien.

cojín *s. m.* Bolsa cerrada y rellena de material blando y esponjoso usada para sentarse o apoyarse sobre ella. **Sin.** Almohadón.

cojinete *s. m.* Pieza en la que se apoya un eje y le permite girar con suavidad.

cojitranco, ca *adj.* y *s. fam.* Cojo.

cojo, ja *adj.* y *s.* **1.** Que cojea. **2.** Que ha perdido una pierna o una pata. **Sin. 1.** Renco.

cojón *s. m. vulg.* Testículo.

cojonudo, da *adj. vulg.* Magnífico, estupendo.

col *s. f.* Planta comestible de tallo grueso y hojas anchas, de la que existen muchas variedades: repollo, lombarda, coles de Bruselas, etc.

cola¹ *s. f.* **1.** Extremidad que tienen muchos animales en la parte de atrás del cuerpo. **2.** Extremo o prolongación: *la cola del avión.* **3.** Fila de personas o de vehículos que esperan para hacer algo. || **4. cola de caballo** Coleta en la parte posterior de la cabeza. **Expr. traer cola** Tener graves consecuencias. **Sin. 1.** Rabo. **2.** Final, fin. **Ant. 2.** Cabeza.

cola² *s. f.* Sustancia que sirve para pegar. **Sin.** Goma, pegamento.

colaboración *s. f.* Acción de colaborar. **Sin.** Cooperación, ayuda.

colaboracionista *adj.* y *s.* Que colabora con el enemigo.

colaborador, ra *adj.* y *s.* Que colabora en una tarea.

colaborar *v.* **1.** Trabajar junto con otras personas en una misma tarea. **2.** Ayudar, contribuir. **SIN.** 1 y 2. Cooperar.

colación *s. f.* Comida ligera. **EXPR. sacar a colación** o **traer a colación** Mencionar. **SIN.** Tentempié.

colada *s. f.* **1.** Lavado de la ropa de casa. **2.** Ropa lavada.

colado, da **1.** *p.* de **colar.** También *adj.* ‖ *adj.* **2.** Se dice del hierro fundido sin refinar. **3.** *fam.* Muy enamorado.

colador *s. m.* Utensilio para colar líquidos. **SIN.** Filtro, tamiz.

colapsar *v.* Producir o sufrir un colapso. **SIN.** Paralizar, interrumpir.

colapso *s. m.* **1.** Fallo repentino en el funcionamiento del corazón. **2.** Paralización o fuerte disminución en una actividad.

colar *v.* **1.** Pasar un líquido por una tela o filtro para separar las partes sólidas o las impurezas. **2.** Hacer pasar por verdaderas o buenas cosas que no lo son. **3.** Meter, introducir. ‖ **colarse 4.** Entrar a escondidas o con disimulo. **5.** Saltarse al que está delante en una cola. **6.** Equivocarse. ▫ Es v. irreg. Se conjuga como *contar.* **SIN.** 1. Filtrar, tamizar. **6.** Patinar.

colateral *adj.* **1.** Situado a los lados de otra cosa. **2.** Se dice del pariente que no lo es por línea directa.

colcha *s. f.* Tela que se pone sobre las sábanas y las mantas para cubrir la cama y adornarla. **SIN.** Cubrecama.

colchón *s. m.* Objeto para acostarse sobre él, formado por una funda rectangular rellena de un material blando y, a veces, con muelles. **SIN.** Colchoneta, jergón.

colchonería *s. f.* Tienda de colchones.

colchoneta *s. f.* Colchón delgado, a veces inflado con aire.

colear *v.* **1.** Mover la cola. **2.** Durar todavía las consecuencias de algo.

colección *s. f.* **1.** Conjunto de cosas de un mismo tipo, reunidas y ordenadas. **2.** Muchas personas o cosas. **SIN.** 1. Recopilación, repertorio, serie. **2.** Montón, cúmulo.

coleccionar *v.* Reunir en una colección. **SIN.** Recopilar, reunir.

coleccionista *s. m.* y *f.* Persona que colecciona cosas.

colecta *s. f.* Hecho de reunir dinero u otras cosas con fines benéficos.

colectividad *s. f.* Conjunto de personas con algo en común o que viven en el mismo lugar. **SIN.** Comunidad.

colectivismo *s. m.* Sistema económico en el que los medios de producción pertenecen a la comunidad.

colectivo, va *adj.* **1.** Relacionado con una colectividad: *transportes colectivos.* **2.** Se dice del sustantivo que en singular designa un conjunto, como *ejército* o *rebaño.* ‖ *s. m.* **3.** Grupo de personas con los mismos fines o intereses.

colector *s. m.* Canal que recoge las aguas que llegan de otros conductos.

colega *s. m.* y *f.* **1.** Persona de la misma profesión que otra. **2.** *fam.* Amigo, camarada.

colegiado, da *adj.* y *s.* **1.** Miembro de un colegio profesional. ‖ *s. m.* **2.** En deporte, árbitro.

colegial *s. m.* y *f.* Alumno que va a un colegio. **SIN.** Escolar.

colegiarse *v.* Inscribirse en un colegio profesional.

colegiata *s. f.* Tipo de iglesia.

colegio *s. m.* **1.** Centro de enseñanza primaria y en algunos casos también de secundaria. **2.** Asociación de personas de la misma profesión. ‖ **3. colegio mayor** Residencia de estudiantes universitarios. **SIN.** 1. Escuela. **2.** Corporación.

colegir *v.* Deducir una cosa de otra.

coleóptero *adj.* y *s. m.* Insecto con caparazón duro, boca capaz de masticar y dos alas duras llamadas *élitros*, que cubren otras dos alas más débiles y finas.

cólera *s. f.* **1.** Enfado violento. ‖ *s. m.* **2.** Enfermedad infecciosa grave que produce vómitos y diarreas y se transmite a través de las aguas contaminadas. **SIN.** 1. Ira, enojo.

colérico, ca *adj.* Que se deja llevar por la cólera. **SIN.** Iracundo.

colesterol *s. m.* Sustancia grasa que se forma principalmente en el hígado y que procede de los alimentos que tomamos. Un exceso de colesterol en los vasos sanguíneos puede impedir el paso normal de la sangre.

coleta *s. f.* Pelo recogido con una cinta o pasador.

coletazo *s. m.* **1.** Golpe dado con la cola. ‖ *pl.* **2.** Últimos momentos o manifestaciones de algo.

coletilla *s. f.* Palabra o expresión innecesaria que alguien repite constantemente al hablar. **Sin.** Latiguillo.

coleto Se usa en la expresión **echarse** algo **al coleto**, 'comerlo' o 'beberlo'.

colgado, da 1. *p.* de **colgar**. También *adj.* ‖ *adj.* **2.** *fam.* Sin dinero, sin amigos o sin algo que uno necesita. **3.** *fam.* Bajo los efectos de alguna droga. **Sin. 3.** Colocado.

colgador *s. m.* Percha para colgar la ropa.

colgadura *s. f.* Tela que cubre las paredes o balcones de un edificio en algunas celebraciones o festividades.

colgajo *s. m.* Cosa fea que cuelga, como un trozo de ropa rota.

colgante *adj.* **1.** Que cuelga. ‖ *s. m.* **2.** Collar, gargantilla o cadena que cuelga del cuello.

colgar *v.* **1.** Sujetar o estar sujeta por un lado una cosa quedando suelto el resto. **2.** Ahorcar. **3.** Abandonar una profesión o actividad. **4.** Cortar una conversación telefónica. □ Es v. irreg. **Sin. 3.** Dejar. **Ant. 1.** Descolgar.

COLGAR	
INDICATIVO	
Presente	**Pretérito perfecto simple**
cuelgo	colgué
cuelgas	colgaste
cuelga	colgó
colgamos	colgamos
colgáis	colgasteis
cuelgan	colgaron
SUBJUNTIVO	**IMPERATIVO**
Presente	
cuelgue	
cuelgues	cuelga
cuelgue	
colguemos	
colguéis	colgad
cuelguen	

colibrí *s. m.* Ave muy pequeña de pico largo, fino y curvo y plumas de colores muy alegres. Se alimenta chupando el néctar de las flores.

cólico *s. m.* Dolor muy fuerte producido por contracciones en el intestino, la vejiga o el riñón.

coliflor *s. f.* Variedad de col que al echar el tallo forma una masa blanca y redonda.

colilla *s. f.* Parte del cigarrillo que ya no se fuma y se tira.

colín *s. m.* Barrita de pan del grosor de un dedo.

colina *s. f.* Monte pequeño. **Sin.** Cerro.

colindante *adj.* Se dice de un pueblo, casa o terreno que está al lado de otro. **Sin.** Lindante, limítrofe, contiguo.

colirio *s. m.* Líquido que se echa en los ojos para curar irritaciones o infecciones.

colisión *s. f.* Choque.

colisionar *v.* Chocar contra algo.

colitis *s. f.* Inflamación del colon que produce diarreas.

collado *s. m.* **1.** Colina. **2.** Terreno entre dos montañas por donde se puede atravesar fácilmente una sierra. **Sin. 1.** Cerro. **2.** Paso, puerto.

collage (fr.) *s. m.* Cuadro hecho con distintos materiales pegados en una superficie.

collar *s. m.* **1.** Objeto de adorno que se lleva alrededor del cuello. **2.** Objeto que se pone alrededor del cuello de un animal doméstico para tenerlo sujeto. **3.** Plumas de distinto color que tienen algunas aves alrededor del cuello.

collarín *s. m.* Collar ancho que se pone alrededor del cuello para que no se muevan las vértebras cervicales cuando están lesionadas.

collera *s. f.* Pieza que se pone alrededor del cuello de las caballerías para sujetar a ella los correajes de tiro.

collie (ingl.) *s. m.* Perro pastor de hocico largo y delgado y pelo largo y abundante.

colmar *v.* **1.** Llenar hasta el borde. **2.** Dar con abundancia: *colmar de atenciones*. **3.** Satisfacer por completo: *colmar las ilusiones*. **Sin. 1.** Henchir. **Ant. 1.** Vaciar.

colmena *s. f.* Lugar donde viven las abejas y hacen los panales de miel.

colmillo *s. m.* **1.** En los mamíferos, diente puntiagudo situado delante de cada fila de muelas. **2.** Cada uno de los grandes dientes en forma de cuerno que tienen los elefantes.

colmo *s. m.* Cantidad de contenido que se desborda de su recipiente. **Expr. para colmo** Por si fuera poco, encima. **ser el colmo** Ser intolerable. También, ser extraordinario o lo máximo.

colocación *s. f.* **1.** Acción de colocar o manera de estar colocado. **2.** Trabajo, empleo. **Sin. 1.** Situación. **2.** Puesto.

colocado, da 1. *p.* de **colocar**. También *adj.* ‖ *adj.* **2.** *fam.* Bajo los efectos del alcohol o de alguna droga. **Sin. 2.** Colgado.

colocar *v.* **1.** Poner en un sitio. **2.** Dar o conseguir un empleo. **3.** Conseguir que otro acepte algo que no deseaba o aguante algo desagradable. || **colocarse 4.** *fam.* Emborracharse o drogarse. **Sin. 1.** Situar, instalar. **2.** Emplear. **Ant. 1.** Descolocar. **2.** Despedir.

colodrillo *s. m.* Parte posterior de la cabeza.

colofón *s. m.* Remate, final. **Sin.** Culminación. **Ant.** Inicio.

colombiano, na *adj.* y *s.* De Colombia, país de América del Sur.

colombino, na *adj.* De Cristóbal Colón o relacionado con él.

colon *s. m.* Parte del intestino grueso situada entre el ciego y el recto.

colón *s. m.* Moneda de Costa Rica y El Salvador.

colonia[1] *s. f.* **1.** Territorio ocupado y gobernado por un país y que está fuera de sus fronteras. **2.** Conjunto de personas que viven en un país extranjero y lugar donde residen. **3.** Grupo de viviendas. **4.** Grupo de animales o plantas del mismo tipo que viven reunidos. **Sin. 1.** Posesión, dominio.

colonia[2] *s. f.* Mezcla de agua, alcohol y sustancias aromáticas, usada para oler bien.

colonial *adj.* De las colonias de un país.

colonialismo *s. m.* Política de los países que tienen colonias bajo su dominio.

colonización *s. f.* Acción de colonizar.

colonizador, ra *adj.* y *s.* Que coloniza.

colonizar *v.* **1.** Convertir un territorio en colonia. **2.** Llevar la cultura y las costumbres propias a otro territorio.

colono *s. m.* **1.** Persona que va a un territorio para poblarlo, cultivarlo o vivir en él. **2.** Agricultor que trabaja las tierras de otro mediante un contrato.

coloquial *adj.* Se dice del lenguaje que empleamos corrientemente en la conversación. **Sin.** Familiar. **Ant.** Culto, literario.

coloquio *s. m.* **1.** Conversación. **2.** Reunión de varias personas para hablar sobre algún tema. **Sin. 1.** Charla. **2.** Debate. **Ant.** Monólogo.

color *s. m.* **1.** Propiedad que vemos en los objetos al reflejar éstos una parte de la luz y absorber otra. **2.** Sustancia para pintar o teñir. **Expr. de color** Ni blanco ni negro. De raza negra o mulato. **sacarle** o **salirle** a alguien **los colo-**

res Avergonzarle o avergonzarse. **Sin. 2.** Pintura, tinte.

coloración *s. f.* **1.** Color o tono de algo. **2.** Acción de colorar o colorear.

colorado, da *adj.* Rojo. **Expr. poner** o **ponerse colorado** Poner o ponerse rojo el rostro a causa de la vergüenza.

colorante *adj.* y *s. m.* Sustancia que da color.

colorear *v.* **1.** Dar color. || **colorearse 2.** Tomar una cosa algún color. **Sin. 1.** Pintar. **1.** y **2.** Teñir. **Ant. 1.** y **2.** Decolorar. **2.** Desteñirse.

colorete *s. m.* Polvo para dar color a las mejillas.

colorido *s. m.* Colores de una cosa y forma en que están dispuestos.

colorín *s. m.* **1.** Color intenso y chillón. **2.** Jilguero.

colorista *adj.* Que tiene mucho colorido.

colosal *adj.* **1.** Gigantesco, de gran tamaño. **2.** Extraordinario. **Sin. 1.** Enorme. **2.** Magnífico. **Ant. 2.** Pésimo.

coloso *s. m.* **1.** Estatua de tamaño mucho mayor que el natural. **2.** Persona o cosa muy importante en algo. **Sin. 2.** Gigante, genio.

columna *s. f.* **1.** Pieza cilíndrica que sostiene algunas partes de una construcción. **2.** Forma más o menos cilíndrica que toman el humo y otras cosas al ascender. **3.** Cada una de las secciones de una página impresa separadas de arriba abajo por un espacio en blanco. **4.** Soldados o vehículos en fila de dos o más. || **5. columna vertebral** En los vertebrados, conjunto de huesos unidos y articulados entre sí a lo largo del cuerpo.

columnata *s. f.* Serie de columnas que sostienen o adornan un edificio.

columnista *s. m.* y *f.* Persona que escribe artículos para un espacio fijo en un periódico.

columpiar *v.* **1.** Dar impulso a alguien en un columpio para que se balancee. || **columpiarse 2.** Balancearse en un columpio o algo parecido. **3.** Equivocarse, meter la pata. **Sin. 3.** Patinar.

columpio *s. m.* **1.** Asiento colgado de cuerdas o cadenas para balancearse. || *pl.* **2.** En los parques, aparatos en que se suben y juegan los niños.

colza *s. f.* Planta que tiene unas semillas de las que se obtiene un aceite utilizado en la alimentación y en la industria.

coma¹ *s. f.* **1.** Signo ortográfico (,) que indica una pequeña pausa y separa palabras o grupos de palabras. **2.** Signo que separa la parte entera de un número de la parte decimal, por ejemplo 4,50.

coma² *s. m.* Estado de algunos enfermos graves en el que permanecen como si estuvieran profundamente dormidos.

comadre *s. f.* **1.** Madrina de un niño para los padres o el padrino de ese niño. **2.** Vecina y amiga de más confianza de una mujer. **3.** Mujer chismosa.

comadreja *s. f.* Mamífero carnívoro de cuerpo largo y delgado, patas cortas y pelaje rojizo, menos en el vientre y el cuello, donde es blanco.

comadreo *s. m.* Acción de contar chismes sobre los demás.

comadrona *s. f.* Mujer que atiende a la madre en el parto. Sin. Matrona, partera.

comanche *adj. y s.* De un pueblo indio que vivía en América del Norte, al este de las Montañas Rocosas.

comandancia *s. f.* Territorio bajo la autoridad de un comandante y oficina donde éste ejerce sus funciones.

comandante *s. m. y f.* **1.** Grado del ejército inmediatamente superior al de capitán. **2.** Militar que tiene el mando, sea cual sea su graduación. **3.** Piloto que tiene el mando de un avión. ‖ **4. comandante en jefe** Oficial al mando de todas las fuerzas armadas o de una misión.

comando *s. m.* **1.** Grupo pequeño y escogido de militares que realizan misiones especiales. **2.** Instrucción que se da al ordenador.

comarca *s. f.* División de un territorio en la que hay varias poblaciones.

comarcal *adj.* De una comarca o relacionado con ella.

comba *s. f.* **1.** Juego o ejercicio físico en que se salta por encima de una cuerda. **2.** Esta cuerda.

combar *v.* Torcer, curvar. Sin. Alabear, abarquillar. Ant. Enderezar.

combate *s. m.* Lucha, pelea.

combatiente *adj. y s.* Que combate.

combatir *v.* **1.** Pelear, luchar. **2.** Oponerse: *combatir una opinión, un vicio.* Sin. **1.** Guerrear. Ant. **2.** Defender.

combativo, va *adj.* Luchador.

combinación *s. f.* **1.** Acción de combinar. **2.** Clave que permite abrir una caja fuerte u otro mecanismo de seguridad. **3.** Prenda femenina que se pone sobre la ropa interior y debajo del vestido.

combinado, da **1.** *p.* de **combinar**. También *adj.* ‖ *adj.* **2.** Se dice del plato que tiene varios alimentos. ‖ *s. m.* **3.** Bebida que se prepara mezclando licores con zumos y refrescos.

combinar *v.* **1.** Unir varias cosas para que formen un conjunto o un compuesto. **2.** Ir bien una cosa con otra. **3.** Pasarse el balón los jugadores de fútbol. Sin. **1.** Mezclar. **2.** Casar. Ant. **1.** Desunir. **2.** Matarse.

combustible *adj.* **1.** Que puede arder. ‖ *s. m.* **2.** Sustancia o producto que se quema para producir calor o energía. Sin. **1.** Inflamable.

combustión *s. f.* Hecho de arder una cosa.

comecocos *s. m. fam.* Algo que preocupa mucho a alguien o llena por completo su atención.

comedero *s. m.* Recipiente para la comida de los animales.

comedia *s. f.* **1.** Obra de teatro o película divertida y con final feliz. **2.** Engaño, acción fingida. Sin. **2.** Farsa.

comediante, ta *s. m. y f.* **1.** Actor o actriz de teatro. **2.** Persona que aparenta o finge algo.

comedido, da *adj.* Moderado.

comediógrafo, fa *s. m. y f.* Autor de comedias.

comedor *s. m.* Cuarto o salón donde se come.

comensal *s. m. y f.* Cada una de las personas que comen en una misma mesa.

comensalismo *s. m.* En biología, forma de asociación entre dos seres vivos en que uno de ellos se aprovecha del otro sin producirle perjuicio ni beneficio.

comentar *v.* Hablar o tratar sobre algo.

comentario *s. m.* **1.** Lo que se comenta sobre algo. **2.** Escrito en que se explica o analiza una obra. **3.** Opinión de un especialista sobre una materia. Sin. **2.** Crítica, glosa. **3.** Parecer, juicio.

comentarista *s. m. y f.* Especialista en una materia que hace comentarios sobre ella.

comenzar *v.* Empezar. ▪ Es v. irreg.

comer *v.* **1.** Tomar alimento. **2.** Tomar la comida principal, que suele ser a mediodía. **3.** Desgastar: *El sol se ha comido el color de la cortina.* **4.** Ganar una pieza al contrario en juegos como las damas, el ajedrez o el parchís. **5.** Estar dominado por un sentimiento: *Le come la envidia.* ‖ **comerse 6.** No escribir o pronunciar sin darse cuenta sílabas, letras, palabras o números. **EXPR. comer el coco** o **el tarro** Influir mucho en una persona. **sin comerlo ni beberlo** Sin que uno lo haya buscado. **SIN. 1.** Alimentarse, nutrirse. **2.** Almorzar. **3.** Gastar. **5.** Corroer. **ANT. 1.** Ayunar.

comercial *adj.* **1.** Del comercio. **2.** Que está hecho para que se venda bien. **3.** Para el transporte de viajeros y mercancías: *vuelos comerciales.* **SIN. 1.** Mercantil.

comercializar *v.* Hacer que llegue a los establecimientos un producto para que se venda.

comerciante *s. m. y f.* Persona que comercia o que tiene un comercio.

comerciar *v.* Comprar, vender o cambiar productos para obtener un beneficio.

comercio *s. m.* **1.** Acción o actividad de comerciar. **2.** Tienda, establecimiento en que se vende algo.

comestible *adj.* **1.** Que se puede comer. ‖ *s. m. pl.* **2.** Alimentos, cosas de comer. **SIN. 2.** Víveres, provisiones.

cometa *s. m.* **1.** Astro con una larga cola brillante. ‖ *s. f.* **2.** Juguete hecho con tela o papel que se eleva con el viento y se sujeta con un cordel.

cometer *v.* Caer en una falta o error o llevar a cabo un delito. **SIN.** Incurrir.

cometido, da 1. *p. de* **cometer.** ‖ *s. m.* **2.** Tarea, encargo. **SIN. 2.** Misión.

comezón *s. f.* **1.** Picor muy molesto. **2.** Inquietud, impaciencia.

COMENZAR	
INDICATIVO	
Presente	**Pretérito perf. simple**
comienzo	comencé
comienzas	comenzaste
comienza	comenzó
comenzamos	comenzamos
comenzáis	comenzasteis
comienzan	comenzaron
SUBJUNTIVO	**IMPERATIVO**
Presente	
comience	
comiences	comienza
comience	
comencemos	
comencéis	comenzad
comiencen	

cómic *s. m.* Publicación con escenas dibujadas en las que se cuenta una historia. **SIN.** Historieta.

comicios *s. m. pl.* Elecciones, votación.

cómico, ca *adj.* **1.** Que divierte o produce risa. ‖ *s. m. y f.* **2.** Humorista. **3.** Actor de teatro. **SIN. 1.** Gracioso, ridículo. **2.** Caricato. **2** y **3.** Comediante. **ANT. 1.** Serio. **1** y **2.** Trágico. **1** a **3.** Dramático.

comida *s. f.* **1.** Alimento, cosas que se comen. **2.** Acción de comer, sobre todo la que se hace a mediodía. **SIN. 1.** Vianda. **2.** Almuerzo.

comidilla *s. f.* Tema que es motivo para que la gente comente y chismorree.

comienzo *s. m.* Principio. **SIN.** Inicio. **ANT.** Final.

comillas *s. f. pl.* Signo ortográfico (" ", « ») que se pone al principio y al final de una palabra o frase que se quiere destacar o para indicar que es una cita.

comilón, na *adj. y s.* Que come mucho. **SIN.** Tragón.

comilona *s. f.* Comida muy abundante. **SIN.** Banquete, festín.

comino *s. m.* **1.** Hierba de semillas de color marrón y pequeño tamaño, que se usan como condimento. **2.** Esta semilla. **3.** Niño pequeño. **EXPR. importarle** a alguien **un comino** No importarle nada.

comisaría *s. f.* Oficina de la policía dirigida por un comisario.

comisario *s. m.* **1.** Jefe de policía que está al frente de una comisaría. **2.** Persona a quien se ha dado poder para hacer alguna tarea.

comisión *s. f.* **1.** Conjunto de personas que representan a otras y están encargadas de hacer algo. **2.** Tanto por ciento que se lleva un vendedor, empresa, banco por alguna venta o negocio en que participa. **SIN. 1.** Comité, delegación.

comistrajo *s. m.* Comida mala o mal hecha.

comisura *s. f.* Punto de unión de algunas partes del cuerpo, por ejemplo de los labios.

comité *s. m.* Grupo de personas que representan a otras para hacer algo. **SIN.** Delegación, comisión.

comitiva *s. f.* Conjunto de personas que acompañan a alguien en algún acto de importancia. **SIN.** Cortejo, séquito.

como *adv.* **1.** De la manera que: *Arregló la bicicleta como le indicó su padre.* **2.** Se emplea para hacer comparaciones: *Es fuerte como un roble.* **3.** Según: *Como dice en el libro...* **4.** Se usa para poner ejemplos: *En esa región abundan algunas frutas, como la naranja y el limón.* **5.** Más o menos, aproximadamente: *Ese chico pesará como sesenta kilos.* **6.** Por tener una función, cargo o condición: *Habló como capitán del equipo.* || *conj.* **7.** Si: *Como no llueva, se va a estropear la cosecha.* **8.** Porque: *Como no venía, le llamé por teléfono.*

cómo *interr. y excl.* **1.** De qué manera: *¿Cómo vas al colegio? ¡Cómo pica la guindilla!* || *interr.* **2.** Por qué: *¿Cómo no me pediste un bolígrafo si lo necesitabas?* **3.** Qué: *¿Cómo dices?* **4.** Cuánto: *¿A cómo está la pescadilla?* || *interj.* **5.** Expresa asombro o enfado: *¡Cómo! ¿No ha llegado todavía?*

cómoda *s. f.* Mueble con cajones que sirve normalmente para guardar ropa.

comodidad *s. f.* **1.** Cualidad de cómodo. || *pl.* **2.** Aparatos, muebles, etc., que hacen más cómoda la vida.

comodín *s. m.* Carta o cara de los dados que puede valer por cualquier otra.

cómodo, da *adj.* **1.** Que está a gusto o hace que alguien esté a gusto. || *adj. y s.* **2.** Persona comodona. **SIN.** 1. Confortable. **ANT.** 1. Incómodo.

comodón, na *adj. y s.* Que busca siempre su comodidad.

comodoro *s. m.* **1.** Oficial de la marina de algunos países. **2.** Oficial al mando de un grupo de barcos.

comoquiera que o **como quiera que** *expr.* **1.** De cualquier manera que: *Comoquiera que te pongas, no te lo voy a dar.* **2.** Ya que, porque.

compact disc *expr. ingl.* **1.** Disco metálico con sonidos o imágenes grabadas que se reproducen por medio de láser. **2.** Aparato para reproducir estos discos.

compacto, ta *adj.* **1.** Apretado, con pocos huecos o poros. || *s. m.* **2.** Compact disc. **SIN.** 1. Macizo, denso. **ANT.** 1. Esponjoso.

compadecer *v.* Sentir lástima por alguien. □ Es v. irreg. Se conjuga como *agradecer.* **SIN.** Apiadarse.

compadre *s. m.* **1.** Padrino de un niño para la madre, o la madrina para ese niño. **2.** Padre de un niño para los padrinos de éste. **3.** Amigo, compañero. **SIN.** 3. Camarada, colega.

compaginar *v.* Hacer que algo pueda realizarse o suceder juntamente con otra cosa. **SIN.** Conciliar.

compañerismo *s. m.* Buena relación entre compañeros. **SIN.** Camaradería.

compañero, ra *s. m. y f.* **1.** Persona que estudia, trabaja o realiza alguna actividad con otra. **2.** Cada una de las cosas iguales que van juntas: *Este calcetín es compañero de aquel otro.* **SIN.** 1. Camarada, colega. 2. Pareja.

compañía *s. f.* **1.** Acción de acompañar. **2.** Empresa. **3.** Unidad militar mandada por un capitán. **SIN.** 2. Sociedad. **ANT.** 1. Soledad.

comparable *adj.* Que se puede comparar. **ANT.** Incomparable.

comparación *s. f.* **1.** Acción de comparar. **2.** Recurso estilístico que consiste en establecer una semejanza entre dos seres, hechos o cualidades. **SIN.** 1. Contraste, cotejo.

comparar *v.* Examinar dos o más cosas para descubrir en qué se parecen o diferencian. **SIN.** Contrastar, cotejar, confrontar.

comparativo, va *adj.* **1.** Que compara o sirve para comparar. **2.** Se dice del grado del adjetivo y el adverbio que expresa una comparación: *más bajo, más cerca.*

comparecencia *s. f.* Acción de comparecer.

comparecer *v.* Presentarse: *El presidente compareció ante los periodistas.* □ Es v. irreg. Se conjuga como *agradecer.* **SIN.** Acudir, personarse.

comparsa *s. m. y f.* **1.** Actor que en el teatro hace papeles poco importantes. **2.** Persona poco importante o que depende de otra. || *s. f.* **3.** En el teatro, conjunto de actores que hacen papeles de poca importancia. **4.** Grupo de personas disfrazadas que participan en algunas fiestas.

compartimiento o **compartimento** *s. m.* Cada una de las partes en que se divide un espacio. **SIN.** Departamento, división.

compartir *v.* **1.** Repartir con los demás. **2.** Sentir o pensar lo mismo que otros.

compás *s. m.* **1.** Instrumento para dibujar circunferencias con dos varillas unidas por la parte de arriba. **2.** División del tiempo en una composición musical. **3.** Brújula usada en navegación.

compasión *s. f.* Sentimiento de lástima por los sufrimientos y desgracias de otros. **Sin.** Conmiseración, condolencia.

compasivo, va *adj.* Que siente o demuestra compasión.

compatible *adj.* Que puede hacerse o suceder juntamente con otra cosa. **Ant.** Incompatible.

compatriota *s. m.* y *f.* Persona de la misma patria que otra. **Sin.** Paisano, conciudadano.

compeler *v.* Obligar.

compendio *s. m.* Resumen. **Sin.** Síntesis. **Ant.** Ampliación.

compenetración *s. f.* Hecho de compenetrarse.

compenetrarse *v.* Entenderse o llevarse bien varias personas. **Sin.** Identificarse, congeniar, coincidir. **Ant.** Discrepar.

compensación *s. f.* Lo que se da o se hace para compensar por algo. **Sin.** Recompensa, reparación.

compensar *v.* **1.** Igualar una cosa con la contraria: *compensar las pérdidas con las ganancias.* **2.** Dar o hacer algo a alguien por una cosa buena que ha hecho o por un daño que ha sufrido. **3.** Merecer la pena. **Sin. 1.** Equilibrar, nivelar. **2.** Recompensar, resarcir.

competencia *s. f.* **1.** Lucha entre varios para lograr una misma cosa. **2.** Lo que alguien puede o debe hacer por su profesión o cargo. **3.** Capacidad de una persona. **Sin. 1.** Oposición, pugna. **2.** Facultad, atribución. **3.** Aptitud. **Ant. 3.** Ineptitud.

competente *adj.* **1.** Eficaz en su trabajo. **2.** Que puede hacer algo por su profesión o cargo. **Sin. 1.** Cualificado, eficiente. **2.** Autorizado. **Ant. 1.** Incompetente.

competer *v.* Corresponder a alguien hacer una cosa. **Sin.** Incumbir, atañer.

competición *s. f.* Prueba en la que varias personas compiten por algo.

competidor, ra *adj.* y *s.* Que compite. **Sin.** Rival, contendiente.

competir *v.* Enfrentarse a otros por conseguir una misma cosa. □ Es v. irreg. Se conjuga como *pedir.* **Sin.** Rivalizar, pugnar.

competitividad *s. f.* **1.** Competencia, lucha entre varios para conseguir algo. **2.** Característica de competitivo.

competitivo, va *adj.* **1.** Se dice de aquello en lo que hay competencia. **2.** Que es tan bueno como otros, que puede competir con ellos.

compilación *s. f.* Colección de escritos o partes de diferentes libros en uno solo. **Sin.** Recopilación.

compilar *v.* Reunir en un libro varios escritos o partes de distintos libros. **Sin.** Recopilar.

compinche *s. m.* y *f.* Compañero de travesuras o de malas acciones. **Sin.** Cómplice.

complacencia *s. f.* Agrado, satisfacción. **Sin.** Placer. **Ant.** Desagrado.

complacer *v.* **1.** Dar gusto a alguien, hacer lo que quiere. || **complacerse** **2.** Alegrarse o sentir agrado con algo. □ Es v. irreg. Se conjuga como *agradecer.*

complaciente *adj.* Que complace a los demás.

complejidad *s. f.* Complicación, dificultad. **Ant.** Sencillez.

complejo, ja *adj.* **1.** Complicado, difícil. || *s. m.* **2.** Conjunto de edificios e instalaciones para una actividad. **3.** Idea que una persona tiene de sí misma, generalmente negativa, y que influye en su conducta. **Ant. 1.** Sencillo.

complementar *v.* Añadir algo que faltaba. **Sin.** Completar.

complementario, ria *adj.* **1.** Que complementa. **2.** Se dice de los ángulos que suman 90 grados.

complemento *s. m.* **1.** Cualquier cosa que se añade a otra para completarla o mejorarla. **2.** Palabra o grupo de palabras que completan el significado de otra u otras. **Sin. 1.** Añadido.

completamente *adv.* Del todo, sin que falte nada. **Sin.** Totalmente.

completar *v.* Hacer que algo esté completo. **Sin.** Acabar, llenar.

completiva *adj.* y *s. f.* Se dice de la oración subordinada que funciona como complemento directo.

completo, ta *adj.* **1.** Sin que falte nada. **2.** Lleno. **3.** Muy: *Es un completo inútil.* **Sin. 1.** Entero, todo íntegro. **2.** Ocupado, repleto. **Ant. 1.** Incompleto. **2.** Vacío.

complicación *s. f.* Aquello que hace más difícil algo o lo empeora. **Sin.** Contratiempo, dificultad. **Ant.** Facilidad, sencillez.

complicado, da **1.** *p.* de **complicar.** También *adj.* || *adj.* **2.** Difícil. **Ant. 2.** Fácil, sencillo.

complicar *v.* **1.** Hacer difícil. **2.** Hacer que alguien participe en algo malo. **Sin. 1.** Dificultar, enredar. **2.** Implicar, envolver. **Ant. 1.** Simplificar.

cómplice s. m. y f. Persona que ayuda a otra en un delito. **SIN.** Compinche.

complicidad s. f. Hecho de ser cómplice una persona.

complot o **compló** (fr.) s. m. Acuerdo secreto entre varias personas para actuar contra alguien o algo. **SIN.** Confabulación, conspiración, conjura.

componenda s. f. Acuerdo poco legítimo. **SIN.** Chanchullo.

componente adj. y s. Cada una de las personas o cosas que forman parte de algo. **SIN.** Integrante.

componer v. 1. Formar algo juntando o juntándose varias personas o cosas. 2. Realizar una obra musical o poética. 3. Arreglar, reparar. || **componerse** 4. Estar formado algo de las cosas que se dicen. □ Es v. irreg. Se conjuga como *poner*. **SIN.** 1. Integrar. 2. Crear, escribir. **ANT.** 1. Desintegrar. 1 y 3. Descomponer. 3. Estropear.

comportamiento s. m. Manera de comportarse. **SIN.** Conducta, actuación.

comportar v. 1. Tener una cosa algo como consecuencia: *Esa operación en el dedo no comporta ningún peligro.* || **comportarse** 2. Actuar de una manera. 3. Portarse bien. **SIN.** 1. Suponer, implicar. 2 y 3. Obrar.

composición s. f. 1. Acción de componer algo. 2. Obra musical o poema. 3. Redacción sobre algún tema. 4. Manera de estar formada una sustancia. 5. Forma de crear nuevas palabras mediante la unión de otras que ya existen; por ejemplo, *sacacorchos.* **SIN.** 4. Disposición, organización. **ANT.** 1. Descomposición, desintegración.

compositor, ra s. m. y f. Persona que compone obras musicales.

compostelano, na adj. y s. De Santiago de Compostela, ciudad de Galicia. **SIN.** Santiagués.

compostura s. f. 1. Arreglo. 2. Buenos modales. **SIN.** 1. Composición. 2. Formas. **ANT.** 1. Desarreglo.

compota s. f. Postre que se hace cociendo trozos de fruta con azúcar.

compra s. f. 1. El hecho de comprar. 2. Lo que se compra. **SIN.** 1 y 2. Adquisición. **ANT.** 1. Venta.

comprador, ra adj. y s. Que compra algo. **ANT.** Vendedor.

comprar v. Conseguir una cosa pagando por ella. **SIN.** Adquirir, mercar. **ANT.** Vender.

compraventa s. f. Acción de comprar y vender.

comprender v. 1. Entender. 2. Encontrar justificados los sentimientos o actos de alguien. 3. Incluir, contener. **SIN.** 1. Captar, enterarse. 3 Alcanzar, englobar. **ANT.** 1. Ignorar.

comprensible adj. Que se puede comprender o entender. **SIN.** Inteligible. **ANT.** Incomprensible.

comprensión s. f. Capacidad para comprender. **SIN.** Entendimiento; tolerancia. **ANT.** Incomprensión.

comprensivo, va adj. Que muestra comprensión con los demás. **SIN.** Tolerante, benévolo. **ANT.** Intolerante.

compresa s. f. Tela doblada varias veces o algo parecido que se pone sobre una herida o para empapar un líquido.

compresor s. m. Aparato que sirve para comprimir un líquido o un gas.

comprimido, da 1. *p.* de **comprimir.** También adj. || s. m. 2. Medicamento en forma de pastilla. **SIN.** 2. Píldora, gragea.

comprimir v. Apretar o presionar sobre algo para que ocupe menos espacio. **SIN.** Oprimir, prensar.

comprobación s. f. Acción de comprobar. **SIN.** Revisión, prueba, verificación.

comprobante s. m. Recibo u otra cosa que sirve para demostrar algo, por ejemplo que se ha realizado un pago. **SIN.** Factura, resguardo.

comprobar v. Ver si algo está bien o es cierto. □ Es v. irreg. Se conjuga como *contar.* **SIN.** Revisar, probar, verificar.

comprometedor, ra adj. Que compromete, obliga a alguien a algo o le pone en una situación difícil.

comprometer v. 1. Hacer que alguien se sienta obligado a algo. 2. Poner en situación difícil. || **comprometerse** 3. Obligarse ante otros a hacer algo. **SIN.** 2. Complicar, perjudicar. **ANT.** 1. Dispensar. 2. Proteger.

comprometido, da 1. *p.* de **comprometer** o **comprometerse.** También adj. || adj. 2. Difícil. **SIN.** 2. Delicado, embarazoso. **ANT.** 2. Fácil.

compromiso s. m. 1. Acuerdo o promesa por los que alguien está obligado a algo. 2. Situación difícil. **SIN.** 1. Pacto, trato. 2. Aprieto, apuro.

compuerta s. f. Dispositivo que permite abrir y cerrar un canal o presa.

compuesto, ta 1. *p.* de **componer.** También adj. || adj. 2. Arreglado, reparado. || adj. y s. m. 3. Formado por dos o más partes o elementos. **Sin. 3.** Complejo, mixto. **Ant. 3.** Simple.

compulsar *v.* Comparar la copia de un documento con el original para ver si coinciden.

compulsivo, va *adj.* Que no puede evitar hacer algo: *fumador compulsivo.*

compungido, da *adj.* Triste, apenado. **Sin.** Afligido, abatido. **Ant.** Alegre.

computador o **computadora** *s. m.* o *s. f.* Ordenador.

computar *v.* Contar, calcular.

cómputo *s. m.* Cuenta, cálculo.

comulgar *v.* **1.** Tomar la comunión. **2.** Tener las mismas ideas o sentimientos que otro. **Sin. 2.** Compartir. **Ant. 2.** Discrepar.

común *adj.* **1.** Que pertenece a varios. **2.** Corriente, frecuente. **3.** Se dice del sustantivo que nombra algo sin indicar uno en concreto de su clase, por ejemplo *hombre, caballo* o *manzana*. **Expr. en común** Junto con otro o con otros. **por lo común** Normalmente. **Sin. 1.** Colectivo, general. **2.** Ordinario, usual. **Ant. 1.** Particular. **2.** Raro. **3.** Propio.

comuna *s. f.* Comunidad formada por un grupo de personas que habitan en la misma casa y llevan una vida en común, en todos los aspectos.

comunal *adj.* Que pertenece a todos los habitantes de un municipio: *tierras comunales.*

comunicación *s. f.* **1.** Acción de comunicarse las personas o las cosas. **2.** Aviso, nota. ‖ *pl.* **3.** Los transportes y los medios que sirven para comunicarse las personas, como el teléfono o el correo. **Sin. 1.** Difusión, conexión. **2.** Notificación.

comunicado, da 1. *p.* de **comunicar**. También *adj.* ‖ *s. m.* **2.** Aviso, escrito o informe. **Sin. 2.** Comunicación, notificación.

comunicante *adj.* **1.** Que comunica algo. **2.** Que se comunica con otra cosa.

comunicar *v.* **1.** Hacer saber una cosa. **2.** Hacer llegar a alguien un sentimiento o estado de ánimo. **3.** Poner en relación, unir. **4.** Dar el teléfono una señal que indica que la línea está ocupada. **Sin. 1.** Informar, decir. **2.** Transmitir, contagiar. **3.** Conectar, enlazar. **Ant. 1.** Ocultar. **3.** Aislar.

comunicativo, va *adj.* **1.** Relacionado con la comunicación. **2.** Se dice de la persona a la que le gusta expresar lo que piensa o siente. **Sin. 2.** Abierto, extrovertido. **Ant. 2.** Reservado.

comunidad *s. f.* **1.** Conjunto de personas que viven juntas y tienen una actividad o intereses comunes: *comunidad religiosa, de vecinos.* **2.** División territorial o administrativa: *comunidad autónoma.* **Sin. 1.** Colectividad, congregación.

comunión *s. f.* Sacramento de la eucaristía.

comunismo *s. m.* Sistema político y económico que considera que no debe existir la propiedad privada; es decir, que todas las cosas tienen que pertenecer a la comunidad.

comunista *adj.* y *s.* Del comunismo o partidario de este sistema político.

comunitario, ria *adj.* De una comunidad. **Sin.** Colectivo.

con *prep.* Indica instrumento: *Abrió el bote con un abrelatas;* modo: *Le trata con mucho respeto;* compañía o relación: *Sandra está con Manolo. Se escribe con un chico italiano;* contenido o pertenencia: *una botella con agua, una persona con dinero.*

conato *s. m.* Intento o suceso que no llega a realizarse por completo. **Sin.** Amago, tentativa. **Ant.** Logro.

concatenación *s. f.* Unión de cosas, unas detrás de otras. **Sin.** Encadenamiento.

concatenar *v.* Unir, encadenar.

concavidad *s. f.* Parte cóncava de alguna cosa.

cóncavo, va *adj.* Curvado hacia dentro. **Ant.** Convexo.

concebir *v.* **1.** Quedarse embarazada una mujer. **2.** Tener una idea. **3.** Entender: *No concibo cómo puede estar al sol con el calor que hace.* **4.** Empezar a tener algunos sentimientos: *concebir una esperanza.* □ Es v. irreg. Se conjuga como *pedir*. **Sin. 1.** Engendrar. **2.** Idear, planear. **3.** Comprender, imaginar. **4.** Albergar, abrigar.

conceder *v.* Dar: *conceder un premio; conceder importancia a una cosa.* **Sin.** Otorgar, adjudicar. **Ant.** Negar.

concejal, la *s. m.* y *f.* Persona que forma parte de un ayuntamiento.

concejo *s. m.* **1.** Ayuntamiento. **2.** Reunión del ayuntamiento. **Sin. 1.** Cabildo.

concelebrar *v.* Celebrar la misa varios sacerdotes.

concentración *s. f.* Acción de concentrar o concentrarse. **Sin.** Reunión, acumulación.

concentrado, da 1. *p.* de **concentrar**. También *adj.* ‖ *adj.* y *s. m.* **2.** Se dice de las mezclas que tienen menos líquido de lo normal. **SIN. 1.** Agrupado; abstraído. **2.** Condensado. **ANT. 1.** Disperso; distraído. **2.** Diluido.

concentrar *v.* **1.** Reunir. **2.** Aumentar la cantidad de sólido disuelto en una mezcla, disminuyendo el líquido. ‖ **concentrarse 3.** Fijar la atención en alguna cosa. **SIN. 1.** Agrupar, aglutinar. **2.** Condensar, espesar. **3.** Abstraerse. **ANT. 1.** Dispersar. **2.** Diluir. **3.** Distraerse.

concéntrico, ca *adj.* Se dice de las figuras geométricas que tienen un mismo centro.

concepción *s. f.* **1.** Hecho de quedarse embarazada una mujer. **2.** Forma de pensar sobre algo. **SIN. 1.** Fecundación. **2.** Concepto, visión.

conceptismo *s. m.* Tendencia y estilo literario del Barroco caracterizado por un lenguaje ingenioso que intentaba expresar muchas cosas con pocas palabras.

concepto *s. m.* **1.** Idea, pensamiento. **2.** Opinión. **SIN. 1.** Noción. **2.** Juicio, parecer.

conceptuar *v.* Considerar, juzgar.

concerniente *adj.* Que trata de algo o está relacionado con ello: *Trataron problemas concernientes a la educación.* **SIN.** Referente, relativo.

concernir *v.* Ser algo tarea u obligación de una persona. □ Es v. irreg. Se conjuga como *discernir*, pero sólo se emplean las terceras personas de cada tiempo. **SIN.** Atañer, tocar, incumbir.

concertar *v.* **1.** Ponerse de acuerdo. **2.** En gramática, concordar. □ Es v. irreg. Se conjuga como *pensar*. **SIN. 1.** Acordar, pactar.

concertista *s. m. y f.* Músico que da conciertos como solista.

concesión *s. f.* **1.** Acción de conceder. **2.** Hecho de ceder en algo o admitir alguna cosa. **SIN. 1.** Adjudicación, licencia. **2.** Renuncia.

concesionario, ria *adj. y s. m.* Persona o empresa a la que el Estado u otra empresa permite construir, explotar o vender algo.

concesivo, va *adj. y s. f.* Se dice de la oración subordinada que expresa una dificultad que no impide que se cumpla lo que indica la oración principal, como en la frase *Aunque tiene poco dinero, se va a comprar un ordenador.* También se dice de la conjunción que va delante de estas oraciones, por ejemplo *aunque.*

concha *s. f.* **1.** Cubierta dura que protege por fuera a algunos animales, como la de ciertos moluscos o las tortugas. **2.** Carey, material. **3.** Lugar donde se coloca el apuntador en el escenario.

conchabarse *v.* Ponerse de acuerdo varias personas para hacer algo malo. **SIN.** Confabularse.

conciencia *s. f.* **1.** Capacidad para distinguir el bien del mal. **2.** Conocimiento de una persona sobre sí misma y sobre lo que la rodea. ‖ **3. cargo de conciencia** Arrepentimiento, hecho de sentirse culpable. **EXPR. a conciencia** Con mucho cuidado, muy bien. **SIN. 1.** Moral.

concienciar *v.* Hacer que alguien se dé cuenta de algo, sobre todo de los problemas de los demás.

concienzudo, da *adj.* **1.** Que hace las cosas con mucho cuidado e interés. **2.** Hecho a conciencia. **SIN. 1 y 2.** Esmerado, meticuloso. **ANT. 1 y 2.** Descuidado.

concierto *s. m.* **1.** Función en la que actúa un cantante, grupo musical u orquesta. **2.** Trato, acuerdo. **EXPR. sin orden ni concierto** De manera desordenada. **SIN. 1.** Audición, recital. **2.** Pacto, convenio. **ANT. 2.** Discrepancia.

conciliábulo *s. m.* Reunión secreta, sobre todo si es ilegal o contra alguien.

conciliación *s. f.* Acción de conciliar. **SIN.** Acuerdo, concordancia. **ANT.** Enfrentamiento.

conciliador, ra *adj.* Que concilia o pone de acuerdo.

conciliar *v.* Hacer que algo pueda realizarse o suceder juntamente con otra cosa. **EXPR. conciliar el sueño** Lograr dormirse. **SIN.** Concordar, acordar. **ANT.** Enfrentar.

concilio *s. m.* Reunión de obispos y sacerdotes para tratar cuestiones importantes sobre la Iglesia y la religión. **SIN.** Sínodo, cónclave.

concisión *s. f.* Característica de las cosas concisas. **SIN.** Brevedad, precisión. **ANT.** Extensión.

conciso, sa *adj.* Breve y preciso. **SIN.** Sucinto, lacónico. **ANT.** Extenso.

conciudadano, na *s. m. y f.* Habitante de una ciudad o país con respecto a los demás habitantes. **SIN.** Compatriota.

cónclave *s. m.* Reunión de cardenales para elegir un nuevo papa.

concluir *v.* **1.** Acabar, terminar. **2.** Llegar a una conclusión. □ Es v. irreg. Se conjuga como *huir.* **SIN. 1.** Finalizar, completar. **2.** Decidir, determinar. **ANT. 1.** Empezar.

conclusión *s. f.* **1.** Decisión o idea a la que se llega después de pensar sobre algo. **2.** Final, terminación. **SIN. 1.** Determinación, deducción. **2.** Fin, término. **ANT. 2.** Comienzo.

concluyente *adj.* Claro, que no deja lugar a dudas. **SIN.** Rotundo, definitivo. **ANT.** Dudoso.

concomerse *v.* Estar enfadado o angustiado por la envidia, el odio u otro sentimiento. **SIN.** Reconcomerse.

concomitante *adj.* Que acompaña a otra cosa. **SIN.** Simultáneo. **ANT.** Incompatible.

concordancia *s. f.* En gramática, hecho de concordar dos o más palabras.

concordar *v.* **1.** Coincidir. **2.** Tener los mismos morfemas gramaticales dos o más palabras, por ejemplo el mismo género y número el sustantivo y el adjetivo. □ Es v. irreg. Se conjuga como *contar*. **SIN. 2.** Concertar.

concordato *s. m.* Acuerdo entre la Iglesia y un Estado.

concordia *s. f.* Armonía, buena relación entre las personas. **SIN.** Paz, acuerdo. **ANT.** Discordia.

concreción *s. f.* **1.** Característica de las cosas concretas. **2.** Acumulación de partículas. **SIN. 1.** Precisión.

concretamente *adv.* En concreto.

concretar *v.* **1.** Fijar con exactitud: *concretar una fecha.* **2.** Hacer concreto, ir a lo principal. **SIN. 1.** Detallar. **1** y **2.** Precisar. **ANT. 2.** Divagar.

concreto, ta *adj.* **1.** En particular, que es ese y no otro: *Quiere un diccionario concreto, no uno cualquiera.* **2.** Preciso, exacto. **3.** Se dice de las cosas que se perciben con los sentidos. **4.** Se dice del sustantivo que designa estas cosas. **SIN. 1.** Determinado. **ANT. 1.** Indeterminado. **2.** Impreciso. **3** y **4.** Abstracto.

concubina *s. f.* Mujer que es la amante de un hombre. **SIN.** Querida.

conculcar *v.* Actuar en contra de una ley, norma o derecho.

concupiscencia *s. f.* En religión, deseo excesivo de placeres sexuales o bienes materiales.

concurrencia *s. f.* Personas que acuden a un lugar. **SIN.** Público.

concurrido, da **1.** *p.* de concurrir. ‖ *adj.* Se dice del lugar al que va mucha gente. **SIN. 2.** Frecuentado.

concurrir *v.* **1.** Reunirse varias personas en un mismo lugar o coincidir varias cosas. **2.** Participar en un concurso

o en unas elecciones. **SIN. 1.** Concentrarse, converger.

concursante *s. m.* y *f.* Persona que participa en un concurso.

concursar *v.* Participar alguien en un concurso.

concurso *s. m.* **1.** Prueba entre varias personas que quieren conseguir un premio. **2.** Procedimiento para conseguir un trabajo en que los participantes tienen que presentar sus méritos. **SIN. 1.** Certamen.

condado *s. m.* **1.** Territorio bajo el dominio de un conde. **2.** Título de conde.

conde, condesa *s. m.* y *f.* **1.** Noble con un título inmediatamente inferior al de marqués. ‖ *s. f.* **2.** Mujer del conde.

condecoración *s. f.* Insignia o medalla que se da a alguien por sus méritos.

condecorar *v.* Poner una condecoración.

condena *s. f.* **1.** Castigo que se impone al que comete un delito o una falta. **2.** Rechazo hacia algo malo o injusto. **SIN. 1.** Pena, sanción. **ANT. 1.** Absolución.

condenación *s. f.* Acción de condenar.

condenado, da **1.** *p.* de condenar. También *adj.* y *s.* ‖ *adj.* **2.** Indica que alguien es muy malo o travieso o que una cosa es muy molesta: *¡Cómo pesa la condenada maleta!* **SIN. 2.** Endiablado, maldito. **ANT. 2.** Absuelto.

condenar *v.* **1.** Imponer el juez una pena a alguien. **2.** Considerar que algo está mal. **3.** Obligar a alguien a hacer algo que no desea. **4.** Cerrar para siempre una puerta, ventana o habitación. ‖ **condenarse 5.** Ir al infierno. **SIN. 1.** Castigar, sancionar. **2.** Reprobar, censurar. **4.** Clausurar. **ANT. 1.** Absolver. **2.** Aprobar.

condensación *s. f.* Acción de condensar o condensarse algo, por ejemplo el vapor de agua.

condensador *s. m.* **1.** Aparato para almacenar electricidad. **2.** Aparato para condensar gases.

condensar *v.* **1.** Hacer líquido o sólido un vapor. **2.** Hacer más espeso un líquido. **3.** Resumir. **SIN. 2.** Concentrar, espesar. **3.** Sintetizar. **ANT. 1.** Evaporar. **3.** Ampliar.

condescendencia *s. f.* Característica de las personas condescendientes.

condescender *v.* Ser condescendiente. □ Es v. irreg. Se conjuga como *tender*. **SIN.** Consentir, acceder. **ANT.** Negarse.

condescendiente adj. Que cede voluntariamente ante los demás.

condición s. f. 1. Lo que es necesario para que algo pueda realizarse. 2. Situación en que se encuentra alguien. 3. Modo de ser: *Es de condición amable.* ‖ pl. 4. Estado de una cosa. 5. Cualidades de una persona. **Sin.** 3. Naturaleza, índole. 5. Capacidad.

condicional adj. 1. Se dice de la oración subordinada que indica una condición. También se dice de las conjunciones que las introducen, por ejemplo *si*, *como*, etc. 2. Que depende de una condición. ‖ s. m. 3. Tiempo verbal del indicativo: *cantaría, viviría, habría salido.* **Sin.** 2. Provisional. **Ant.** 2. Incondicional.

condicionar v. Influir. **Sin.** Determinar.

condimentar v. Echar condimento a las comidas. **Sin.** Sazonar, aderezar.

condimento s. m. Sustancia que se echa a las comidas para mejorar su sabor, como la sal o las especias. **Sin.** Aderezo, aliño.

condiscípulo, la s. m. y f. Compañero de estudios.

condolencia s. f. Sentimiento de dolor ante la desgracia de otra persona. **Sin.** Pésame, pesar.

condolerse v. Sentir dolor ante la desgracia de otra persona. ▢ Es v. irreg. Se conjuga como *mover.* **Sin.** Compadecerse. **Ant.** Alegrarse.

condón s. m. Preservativo.

cóndor s. m. Ave rapaz del grupo de los buitres, de gran tamaño, que vive en la cordillera de los Andes, en América del Sur.

conducción s. f. 1. Acción de conducir. 2. Sistema de tuberías o cables por donde pasa la electricidad o un líquido o gas. **Sin.** 1. Transporte, traslado.

conducir v. 1. Llevar, dirigir, transportar. 2. Guiar un vehículo. 3. Ser causa de algo, llevar a un resultado. ‖ **conducirse** 4. Actuar de una manera. ▢ Es v. irreg. **Sin.** 4. Comportarse, proceder.

conducta s. f. Manera de actuar. **Sin.** Comportamiento, proceder.

conducto s. m. 1. Tubo, canal o algo parecido por donde circula un líquido o gas. 2. Camino que sigue una noticia, una orden, etc. **Sin.** 1. Cañería, tubería. 2. Vía, procedimiento.

conductor, ra adj. y s. 1. Persona que conduce un vehículo. ‖ adj. y s. m. 2. Que conduce el calor o la electricidad. **Sin.** 1. Chófer.

conectar v. Poner en contacto dos piezas para que un aparato funcione. **Sin.** Acoplar, empalmar. **Ant.** Desconectar.

conejera s. f. Madriguera del conejo.

conejillo de Indias expr. Cobaya.

conejo, ja s. m. y f. Mamífero herbívoro pequeño de orejas grandes, cola corta y pelo suave y espeso; sus patas traseras son más largas y le permiten correr deprisa.

conexión s. f. 1. Acción de conectar. 2. Unión o relación entre personas o cosas. **Sin.** 1. Enlace. **Ant.** 1. Desconexión.

confabulación s. f. Acuerdo o plan secreto para perjudicar a alguien. **Sin.** Conspiración, conjura.

confabularse v. Planear algo en secreto para perjudicar a alguien. **Sin.** Conspirar, conjurarse.

confección s. f. 1. Acción de confeccionar. 2. Fabricación de ropa en serie, no a medida: *un traje de confección.* **Sin.** 1. Elaboración, fabricación.

confeccionar v. Fabricar, elaborar.

confederación s. f. Alianza, agrupación. **Sin.** Liga, federación.

confederado, da adj. y s. Unido o asociado a otros en una confederación. **Sin.** Federado.

conferencia s. f. 1. Exposición de un tema ante un público. 2. Llamada telefónica a otra ciudad o país. 3. Reunión para tratar algún asunto importante. **Expr. conferencia de prensa** Reunión de una persona importante con los pe-

CONDUCIR	
INDICATIVO	
Presente	**Pretérito perf. simple**
conduzco	conduje
conduces	condujiste
conduce	condujo
conducimos	condujimos
conducís	condujisteis
conducen	condujeron
SUBJUNTIVO	
Presente	**Pretérito imperfecto**
conduzca	condujera, -ese
conduzcas	condujeras, -eses
conduzca	condujera, -ese
conduzcamos	condujéramos, -ésemos
conduzcáis	condujerais, -eseis
conduzcan	condujeran, -esen
Futuro	
condujere	condujéremos
condujeres	condujereis
condujere	condujeren

riodistas para informar sobre algo y contestar sus preguntas. Sin. 1. Disertación, charla.

conferenciante *s. m.* y *f.* Persona que da una conferencia.

conferir *v.* Dar, otorgar. ◻ Es v. irreg. Se conjuga como *sentir*. Sin. Conceder. Ant. Desposeer.

confesar *v.* 1. Reconocer algo que antes se había ocultado. 2. Decir los pecados a un sacerdote. También, escucharlos éste. 3. Decir sinceramente lo que uno piensa. ◻ Es v. irreg. Se conjuga como *pensar*. Ant. 1. Callar.

confesión *s. f.* 1. Acción de confesar o confesarse. 2. Religión. Sin. 2. Fe, creencia.

confesional *adj.* Que se declara seguidor de una religión: *un Estado confesional.*

confeso, sa *adj.* y *s.* Persona que ha confesado su delito o culpa.

confesonario o **confesionario** *s. m.* En las iglesias, cabina donde el sacerdote escucha al que se confiesa.

confesor *s. m.* Sacerdote que confiesa.

confeti (ital.) *s. m.* Trocitos de papel de colores que se arrojan las personas unas a otras en algunas fiestas.

confiado, da 1. *p.* de **confiar.** ‖ *adj.* 2. Que confía. Sin. 1. Esperanzado. 2. Crédulo. Ant. 2. Desconfiado.

confianza *s. f.* 1. Seguridad que uno tiene en las personas o en las cosas. 2. Naturalidad e intimidad en el trato entre amigos o familiares. Sin. 1. Llaneza, franqueza. Ant. 1. Desconfianza.

confiar *v.* 1. Tener confianza en alguien o algo. 2. Dejar o decir algo a alguien en quien se tiene confianza: *confiar un secreto.* ‖ **confiarse** 3. Descuidarse por exceso de confianza. Sin. 1. Fiarse, creer. 2. Encomendar, entregar. Ant. 1. Desconfiar.

confidencia *s. f.* Secreto que se cuenta a otro.

confidencial *adj.* Secreto. Sin. Reservado. Ant. Público.

confidente *s. m.* y *f.* 1. Persona a la que alguien cuenta sus secretos. 2. Persona que espía para la policía o para el enemigo en una guerra.

configuración *s. f.* Forma, estructura.

configurar *v.* Dar a algo forma o estructura. Sin. Formar; organizar.

confín *s. m.* Punto más lejano que alcanza la vista o donde se supone que termina algo. Sin. Horizonte; linde.

confinar *v.* Llevar a un lugar del que no se puede salir. Sin. Desterrar; encerrar. Ant. Liberar.

confirmación *s. f.* 1. Acción de confirmar. 2. Sacramento que confirma y refuerza la fe. Sin. 1. Ratificación, verificación. Ant. 1. Rectificación.

confirmar *v.* 1. Dar por cierta o segura una cosa. 2. Administrar o recibir el sacramento de la confirmación. Sin. 1. Ratificar, verificar. Ant. 1. Rectificar.

confiscación *s. m.* El hecho de confiscar.

confiscar *v.* Quedarse el Estado o las autoridades con algo, generalmente porque alguien lo tiene de forma ilegal. Sin. Requisar.

confitado, da *adj.* Se dice de las frutas que se conservan secas después de cocerlas en almíbar.

confite *s. m.* Golosina en forma de bolita.

confitería *s. f.* Establecimiento donde se hacen o venden dulces. Sin. Bombonería, pastelería.

confitura *s. f.* Dulce parecido a la mermelada.

conflagración *s. f.* Guerra entre países. Sin. Contienda, enfrentamiento.

conflictivo, va *adj.* Que causa conflictos o los tiene. Sin. Problemático, difícil. Ant. Pacífico.

conflicto *s. m.* 1. Lucha, enfrentamiento. 2. Problema, situación difícil. Sin. 1. Disputa, pugna. 2. Apuro, aprieto. Ant. 1. Paz.

confluencia *s. f.* Hecho de juntarse dos o más personas o cosas en un punto.

confluir *v.* Juntarse en un punto distintas personas o cosas. ◻ Es v. irreg. Se conjuga como *huir*. Sin. Afluir, concurrir. Ant. Dispersarse.

conformarse *v.* Aceptar, aguantarse con algo. Sin. Transigir, resignarse. Ant. Rebelarse.

conforme *adj.* 1. De acuerdo. 2. Satisfecho. ‖ *adv.* 3. Según: *Hicieron el trabajo de literatura conforme había dicho el profesor.* Sin. 1. Acorde. Ant. 1. Disconforme.

conformidad *s. f.* 1. Aprobación. 2. Acuerdo, coherencia. Sin. 1. Consentimiento, permiso. 2. Concordancia, armonía. Ant. 2. Discordancia.

conformismo *s. m.* Actitud y conducta del conformista. Sin. Resignación. Ant. Inconformismo.

conformista *adj.* y *s.* Que se conforma con cualquier cosa. **Ant.** Inconformista.

confort *s. m.* Comodidad, bienestar. **Sin.** Desahogo, holgura. **Ant.** Incomodidad.

confortable *adj.* Cómodo, agradable. **Sin.** Acogedor. **Ant.** Incómodo.

confortar *v.* Dar fuerzas o ánimos. **Sin.** Fortalecer; alentar. **Ant.** Debilitar; desalentar.

confraternizar *v.* Tener una relación amistosa. **Sin.** Simpatizar, congeniar. **Ant.** Odiarse.

confrontación *s. f.* **1.** Comparación. **2.** Enfrentamiento. **Sin. 1.** Cotejo.

confrontar *v.* Comparar, cotejar.

confundir *v.* **1.** Creer que una persona o cosa es otra distinta. **2.** Mezclar: *Se confundió entre la gente.* **3.** Dejar a alguien sin saber qué hacer o qué decir. || **confundirse 4.** Equivocarse. **Sin. 1** y **4.** Errar, 2. Revolver. **3.** Desconcertar. **Ant. 1** y **4.** Acertar. **2.** Ordenar.

confusión *s. f.* **1.** Equivocación. **2.** Mezcla, desorden. **Sin. 1.** Error, yerro. **2.** Barullo, lío. **Ant. 1.** Acierto. **2.** Orden.

confuso, sa *adj.* **1.** Difícil de entender, ver o distinguir. **2.** Que no sabe qué hacer o qué decir. **Ant. 1.** Claro; nítido.

conga *s. f.* Baile popular cubano.

congelación *s. f.* Acción de congelar.

congelador *s. m.* Parte del frigorífico o electrodoméstico independiente que congela los alimentos.

congelar *v.* **1.** Hacer sólido un líquido al enfriarlo mucho. **2.** Enfriar un sólido hasta que quede helada su parte líquida: *congelar la carne.* **3.** Tener mucho frío. **4.** Impedir o paralizar. **Sin. 1** y **3.** Helar. **Ant. 1.** Fundir. **1** y **2.** Descongelar.

congénere *adj.* y *s.* Del mismo género o clase. **Sin.** Semejante, igual.

congeniar *v.* Llevarse bien las personas por tener un carácter parecido. **Sin.** Simpatizar, entenderse. **Ant.** Chocar.

congénito, ta *adj.* Se dice de lo que tiene una persona desde que nace. **Sin.** Innato. **Ant.** Adquirido.

congestión *s. f.* **1.** Acumulación excesiva o anormal de sangre en alguna parte del cuerpo. **2.** Acumulación de personas o vehículos. **Sin. 2.** Embotellamiento. **2.** Fluidez.

congestionar *v.* Producir una congestión. **Ant.** Descongestionar.

conglomerado, da 1. *p.* de **conglomerar.** || *s. m.* **2.** Material que resulta al unirse trozos o partículas de otros materiales. **3.** Roca sedimentaria. Ver **sedimentario. Sin. 2.** Amalgama.

conglomerar *v.* Unir trozos o partículas de algo para hacer una materia compacta. **Sin.** Aglomerar, aglutinar. **Ant.** Disgregar.

congoja *s. f.* Pena o preocupación. **Sin.** Angustia, aflicción. **Ant.** Alegría.

congoleño, ña *adj.* y *s.* Del Congo, país de África.

congraciarse *v.* Ganarse la simpatía, el cariño o la ayuda de alguien. **Sin.** Avenirse. **Ant.** Enemistarse.

congratulación *s. m.* Manifestación de alegría por algo bueno que le ha ocurrido a alguien.

congratular *v.* Manifestar satisfacción por algo bueno que le ha ocurrido a alguien. **Sin.** Felicitar, celebrar, aplaudir. **Ant.** Compadecer.

congregación *s. f.* Comunidad de personas con fines religiosos.

congregar *v.* Reunir gente. **Sin.** Agrupar, juntar. **Ant.** Dispersar.

congresista *s. m.* y *f.* **1.** Miembro del Congreso. **2.** Persona que va a un congreso científico, profesional, etc. **Sin. 1.** Diputado.

congreso *s. m.* **1.** Reunión para tratar de temas científicos, profesionales, etc. **2.** Grupo de personas que se encargan de elaborar las leyes y controlar al gobierno. **Sin. 1.** Convención, simposio.

congrio *s. m.* Pez marino con el cuerpo muy alargado y sin escamas. Es apreciado como alimento.

congruencia *s. f.* Relación entre las cosas cuando no hay contradicciones o diferencias entre ellas. **Sin.** Acuerdo, coherencia. **Ant.** Incongruencia.

congruente *adj.* Que no tiene contradicciones ni diferencias con otra cosa. **Sin.** Coherente. **Ant.** Incongruente.

cónico, ca *adj.* En forma de cono.

conífera *adj.* y *s. f.* Planta de hoja perenne con piñas en forma de cono o esfera, por ejemplo el pino, el abeto o el ciprés.

conjetura *s. f.* Opinión o idea que se basa en algo poco seguro. **Sin.** Suposición, sospecha.

conjugación *s. f.* Conjunto de las formas de un verbo en todos sus tiempos, modos y personas. (Ver en **verbo** la conjugación de los verbos regulares.)

conjugar *v.* Poner un verbo en todas sus formas.

conjunción *s. f.* Palabra que sirve para unir palabras o grupos de palabras, por ejemplo *y, ni, porque, pero.*

conjuntar *v.* Ir bien una cosa con otra: *El bolso conjunta con los zapatos.* **SIN.** Combinar.

conjuntamente *adv.* Junto con otro u otros. **ANT.** Individualmente.

conjuntiva *s. f.* Mucosa que protege y mantiene húmedas la parte interior del párpado y la parte anterior del globo del ojo.

conjuntivitis *s. f.* Inflamación de la conjuntiva del ojo, que produce enrojecimiento y picor.

conjuntivo, va *adj.* **1.** Se dice del tejido que sirve para unir otros tejidos y órganos del cuerpo. **2.** En gramática, que tiene la función de una conjunción: *locución conjuntiva.*

conjunto, ta *adj.* **1.** Se dice de las cosas que están unidas y tienen el mismo fin. || *s. m.* **2.** Grupo. **3.** En matemáticas, grupo de elementos que cumplen una condición. **4.** Dos o más prendas de vestir combinadas. **EXPR. en conjunto** En general, sin entrar en detalles. **SIN.** **1.** Común. **2.** Agrupación. **ANT.** **1.** Individual.

conjura o **conjuración** *s. f.* Acuerdo para actuar contra alguien, sobre todo contra el que tiene el poder. **SIN.** Conspiración, confabulación.

conjurar *v.* **1.** Organizar una conjuración. **2.** Evitar males. **SIN.** **1.** Conspirar, tramar. **2.** Eludir. **ANT.** **2.** Atraer.

conjuro *s. m.* Palabras mágicas para hacer hechizos o alejar males. **SIN.** Sortilegio.

conllevar *v.* Llevar unido: *El cargo de presidente conlleva muchas responsabilidades.* **SIN.** Implicar, suponer. **ANT.** Excluir.

conmemoración *s. f.* Hecho de recordar a una persona o acontecimiento con alguna celebración.

conmemorar *v.* Recordar a una persona o acontecimiento con una celebración o un monumento. **SIN.** Rememorar.

conmemorativo, va *adj.* Que conmemora a una persona o acontecimiento.

conmigo *pron. pers.* Con la persona que habla, o sea yo.

conminar *v.* Pedir u obligar a alguien a hacer algo mediante un aviso o amenaza. **SIN.** Intimar.

conmiseración *s. f.* Lástima ante los males ajenos. **SIN.** Compasión, piedad.

conmoción *s. f.* Impresión o alteración muy fuertes. **SIN.** Agitación, trastorno. **ANT.** Serenidad.

conmocionar *v.* Producir una conmoción. **SIN.** Agitar, trastornar. **ANT.** Serenar.

conmovedor, ra *adj.* Que conmueve o emociona. **SIN.** Emocionante.

conmover *v.* Producir un sentimiento de emoción o pena. □ Es v. irreg. Se conjuga como *mover.* **SIN.** Emocionar, apenar.

conmutación *s. f.* Cambio, sustitución. **SIN.** Permuta.

conmutador *s. m.* Mecanismo para cambiar la dirección de la corriente o para cortarla.

conmutar *v.* Cambiar, sustituir. **SIN.** Permutar, trocar.

conmutativa *adj. y s. f.* Propiedad de algunas operaciones, como la suma y la multiplicación, que afirma que el orden de sus elementos no influye en el resultado.

cono *s. m.* Figura geométrica acabada en punta y que tiene como base un círculo.

conocedor, ra *adj. y s.* Que conoce o sabe algo. **SIN.** Informado; entendido.

conocer *v.* **1.** Saber, estar informado de algo. **2.** Saber quién o cómo es una persona, tener trato con ella. □ Es v. irreg. Se conjuga como *agradecer.* **SIN.** **1.** Enterarse. **2.** Tratar, frecuentar. **ANT.** **1.** Desconocer.

conocido, da *adj.* **1.** *p.* de **conocer.** También *adj.* || *adj.* **2.** Se dice de las personas o cosas a las que mucha gente conoce. || *s. m. y f.* **3.** Persona con la que se tiene trato, pero no amistad. **SIN.** **1.** Sabido. **2.** Popular, famoso. **ANT.** **2.** Desconocido.

conocimiento *s. m.* **1.** Capacidad para conocer y acción de conocer. **2.** Capacidad para darnos cuenta a través de los sentidos de lo que nos rodea: *perder el conocimiento.* || *pl.* **3.** Cosas que se conocen. **SIN.** **1.** Inteligencia, entendimiento. **2.** Consciencia. **3.** Saber, cultura, instrucción. **ANT.** **1.** Desconocimiento.

conque *conj.* Por lo tanto, en consecuencia: *Tengo prisa, conque acaba rápido.*

conquense *adj. y s.* De Cuenca, ciudad y provincia españolas.

conquista *s. f.* **1.** Acción de conquistar y la cosa conquistada. **2.** Persona a la que se consigue enamorar. **SIN.** **1.** Toma. **ANT.** **1.** Pérdida.

conquistador, ra *adj.* y *s.* **1.** Que conquista un territorio. **2.** Que hace muchas conquistas amorosas. **Sin. 2.** Don-juán.

conquistar *v.* **1.** En la guerra, apoderarse de un territorio por las armas. **2.** Lograr: *Conquistaron el primer puesto.* **3.** Lograr una persona que otra se enamore de ella. **4.** Atraer la simpatía o el cariño de la gente. **Sin. 1.** Tomar, ocupar. **2.** Alcanzar, obtener. **3** y **4.** Cautivar. **Ant. 1** y **2.** Perder.

consabido, da *adj.* **1.** Sabido por todos. **2.** Habitual. **Sin. 1.** Conocido. **Ant. 1.** Desconocido.

consagración *s. f.* Acción de consagrar o consagrarse. **Sin.** Ofrecimiento, dedicación.

consagrar *v.* **1.** Ofrecer a Dios. **2.** Dedicar: *Consagraba su tiempo a la lectura.* **3.** Dar importancia o fama. **4.** En la misa, pronunciar el sacerdote las palabras para que el pan y el vino se transformen en el cuerpo y sangre de Cristo. **Sin. 3.** Confirmar.

consanguíneo, a *adj.* y *s.* **1.** Que tiene los mismos antepasados que otro. **2.** Que son hermanos sólo de padre.

consanguinidad *s. f.* Parentesco entre varias personas que tienen los mismos antepasados.

consciencia *s. f.* Característica o estado de consciente, con pleno conocimiento.

consciente *adj.* **1.** Que se da cuenta de las cosas. **2.** Que no ha perdido el conocimiento. **Ant. 1** y **2.** Inconsciente.

consecución *s. f.* Acción de conseguir. **Sin.** Logro, obtención. **Ant.** Fracaso.

consecuencia *s. f.* Hecho que resulta de otro. **Sin.** Efecto, resultado. **Ant.** Causa.

consecuente *adj.* Se dice de la persona que actúa según su forma de pensar. **Sin.** Coherente, congruente. **Ant.** Inconsecuente.

consecutivo, va *adj.* **1.** Que sigue a otra cosa sin interrupción: *Veraneé allí cuatro años consecutivos.* **2.** Se dice de la oración gramatical que expresa la consecuencia de otra, y de las conjunciones que la introducen, como *conque, por lo tanto, así que.* **Sin. 1.** Seguido, sucesivo.

conseguido, da **1.** *p.* de **conseguir.** También *adj.* ‖ *adj.* **2.** Bien hecho: *muy conseguido.* **Sin. 1** y **2.** Logrado.

conseguir *v.* Obtener, lograr alguna cosa. ◻ Es v. irreg. Se conjuga como *se-*

guir. **Sin.** Alcanzar, adquirir. **Ant.** Fracasar, perder.

consejería *s. f.* **1.** Cargo de consejero. **2.** Cada departamento del gobierno de una comunidad autónoma.

consejero, ra *s. m.* y *f.* **1.** Persona que aconseja. **2.** Miembro de un Consejo. **3.** Responsable de una consejería en una comunidad autónoma. **Sin. 1.** Asesor.

consejo *s. m.* **1.** Opinión que da una persona a otra sobre lo que debe hacer o cómo hacerlo. **2.** Grupo de personas que dirigen o aconsejan a otras. **Sin. 1.** Recomendación, asesoramiento.

consenso *s. m.* Acuerdo entre todos. **Sin.** Unanimidad. **Ant.** Discrepancia.

consentido, da **1.** *p.* de **consentir.** También *adj.* ‖ *adj.* y *s.* **2.** Muy mimado. **Sin. 2.** Caprichoso, malcriado.

consentimiento *s. m.* Permiso, autorización. **Sin.** Aprobación, conformidad. **Ant.** Desautorización.

consentir *v.* **1.** Permitir, autorizar. **2.** Mimar. ◻ Es v. irreg. Se conjuga como *sentir.* **Sin. 1.** Aprobar, acceder. **1** y **2.** Tolerar. **2.** Malcriar. **Ant. 1.** Impedir.

conserje *s. m.* y *f.* Persona encargada de la vigilancia y del cuidado de un edificio, oficina, etc. **Sin.** Portero, ordenanza.

conserjería *s. f.* **1.** Lugar de un edificio, oficina, etc., donde está el conserje. **2.** Recepción de un hotel.

conserva *s. f.* Alimento preparado y envasado para que pueda durar mucho tiempo.

conservación *s. f.* Acción de conservar. **Sin.** Mantenimiento.

conservador, ra *adj.* y *s.* **1.** Que conserva. **2.** Que sigue la tradición y no quiere cambios, sobre todo en política. **Sin. 2.** Tradicional. **Ant. 2.** Progresista.

conservadurismo *s. m.* Actitud o tendencia conservadora en política o ideología. **Ant.** Progresismo.

conservante *s. m.* Sustancia añadida a los alimentos para conservarlos.

conservar *v.* **1.** Hacer que algo dure en buen estado. **2.** Seguir teniendo una cosa. **3.** Hacer conservas. ‖ **conservarse** **4.** Seguir con buen aspecto una persona a pesar de los años. **Sin. 2.** Guardar. **Ant. 1** y **4.** Estropear. **2.** Perder.

conservatorio *s. m.* Lugar en que se enseña música y danza.

conservero, ra *adj.* De las conservas.

considerable *adj.* Grande, importante. **Sin.** Notable. **Ant.** Insignificante.

consideración s. f. **1.** Observación, indicación. **2.** Respeto y educación con los demás. **3.** Aprecio, estima: *Le tienen en gran consideración.* **Sin. 1.** Reflexión. **2.** Miramiento. **Ant. 2.** Desconsideración.

considerado, da 1. p. de **considerar.** También *adj.* || *adj.* **2.** Respetuoso, educado. **Sin. 2.** Mirado, delicado.

considerar v. **1.** Pensar despacio y con tranquilidad. **2.** Opinar, creer. **Sin. 1.** Examinar, reflexionar, estudiar. **2.** Juzgar, estimar.

consigna s. f. **1.** Orden, instrucción. **2.** En estaciones, aeropuertos, grandes almacenes, etc., lugar donde se dejan los equipajes u otras cosas por un tiempo.

consignar v. **1.** Dejar alguna cosa en un sitio para que la guarden por un tiempo. **2.** Poner por escrito. **Sin. 1.** Depositar. **2.** Anotar.

consigo *pron. pers.* Equivale a 'con él mismo', 'con ella misma' o 'con usted mismo', y sus plurales: *Hablaba consigo mismo. Trajeron a su hijo consigo.*

consiguiente *adj.* Que es consecuencia de otra cosa o se deduce de ella. **Sin.** Correspondiente.

consistencia s. f. **1.** Resistencia, dureza. **2.** Hecho de ser más o menos espesa una masa o pasta. **3.** Coherencia, fundamento. **Sin. 1** y **3.** Solidez, firmeza. **Ant. 2** y **3.** Inconsistencia.

consistente *adj.* **1.** Que consiste en: *Recibió un premio consistente en un viaje.* **2.** Que tiene consistencia: *material consistente, argumentos consistentes.* **Sin. 2.** Sólido, firme. **Ant. 2.** Inconsistente.

consistir v. Ser algo lo que se dice o estar compuesto por lo que se indica: *Su trabajo consiste en cuidar niños. Un monopatín consiste en una tabla con ruedas.* **Sin.** Estribar, constar.

consistorial *adj.* Del consistorio.

consistorio s. m. **1.** Ayuntamiento. **2.** Asamblea de cardenales presidida por el papa.

consola s. f. **1.** Mesa de adorno que suele colocarse arrimada a la pared. **2.** Tablero de mandos de un avión o nave espacial. **3.** Teclado y pantalla de un ordenador. **4.** Aparato de videojuegos.

consolación s. f. Acción de consolar.

consolar v. Dar consuelo. ◇ Es v. irreg. Se conjuga como *contar.* **Sin.** Aliviar, confortar. **Ant.** Apenar.

consolidación s. f. Acción de consolidar o consolidarse.

consolidar v. Hacer sólido, fuerte y firme. **Sin.** Reforzar, fortalecer, afianzar. **Ant.** Debilitar.

consomé s. m. Caldo de carne.

consonancia s. f. **1.** Igualdad, coherencia. **2.** Rima consonante.

consonante s. f. **1.** Cada una de las letras que, con las vocales, forman el alfabeto. || *adj.* **2.** Se dice de la rima en que todas las letras son iguales.

consonántico, ca *adj.* De las consonantes.

consorcio s. m. Gran empresa formada por la unión de otras de menor tamaño.

consorte s. m. y f. Marido o esposa. **Sin.** Cónyuge.

conspiración s. f. Acción de conspirar. **Sin.** Intriga, confabulación, conjura.

conspirador, ra s. m. y f. Persona que conspira.

conspirar v. Unirse varias personas contra alguien. **Sin.** Intrigar, confabularse, conjurarse.

constancia s. f. Característica de la persona constante. **Sin.** Tenacidad, persistencia. **Ant.** Inconstancia.

constante *adj.* **1.** Continuo: *un dolor constante.* **2.** Muy frecuente. **3.** Se dice de la persona que siempre continúa lo que comienza. **4.** Valor que permanece fijo. **Sin. 1.** Persistente. **3.** Tenaz, perseverante. **Ant. 3.** Inconstante.

constantemente *adv.* De manera constante, continua, o muy a menudo. **Sin.** Continuamente.

constar v. **1.** Tener la certeza o la seguridad de algo. **2.** Aparecer por escrito. **3.** Estar formado por lo que se indica: *El examen consta de diez preguntas.* **Sin. 2.** Figurar. **3.** Componerse, consistir.

constatación s. f. Acción de constatar. **Sin.** Confirmación, verificación.

constatar v. Comprobar un hecho, asegurarse. **Sin.** Confirmar, verificar.

constelación s. f. Conjunto de estrellas agrupadas formando una figura.

consternado, da *adj.* Muy triste. **Sin.** Afligido, apesadumbrado. **Ant.** Alegre.

consternar v. Causar mucha tristeza o dolor. **Sin.** Afligir, apesadumbrar. **Ant.** Alegrar.

constipado s. m. Catarro, resfriado.

constiparse v. Acatarrarse, resfriarse.

constitución s. f. **1.** Acción de constituir. **2.** Ley principal y más importante de un país. **3.** Forma del cuerpo: *un* *hombre de constitución fuerte.* **4.** Composición y cualidades de algo. **SIN. 1.** Formación. **3.** Naturaleza.

constitucional *adj.* De la Constitución de un país o de la constitución física. **ANT.** Inconstitucional.

constituir *v.* **1.** Formar, componer. **2.** Ser algo lo que se indica: *El petróleo constituye la principal riqueza de ese país.* □ Es v. irreg. Se conjuga como *huir.* **SIN. 1.** Integrar.

constitutivo, va *adj.* Que compone algo. **SIN.** Integrante.

constituyente *adj. y s.* **1.** Que constituye una parte de algo. **2.** Se dice de las cortes o asambleas que se reúnen para hacer o reformar la Constitución de un país. **SIN. 1.** Componente.

constreñir *v.* Limitar, restringir.

construcción *s. f.* **1.** Acción de construir. **2.** Obra construida. **3.** Frase o expresión: *una construcción incorrecta.* || *pl.* **4.** Juguete formado por muchas piezas diferentes para hacer casas o figuras. **SIN. 1.** Edificación. **2.** Edificio. **ANT. 1.** Destrucción.

constructivo, va *adj.* Provechoso, beneficioso. **SIN.** Edificante.

constructor, ra *adj. y s.* **1.** Que construye, sobre todo edificios: *una empresa constructora.* || *s. f.* **2.** Empresa que se dedica a construir.

construir *v.* **1.** Hacer edificios y otras obras como puentes, carreteras, etc. **2.** Ordenar y unir las palabras y las frases de acuerdo con la gramática. □ Es v. irreg. Se conjuga como *huir.* **SIN. 1.** Edificar, erigir. **ANT. 1.** Destruir.

consuegro, gra *s. m. y f.* Padre o madre del marido o de la mujer.

consuelo *s. m.* Persona o cosa que disminuye el sufrimiento o pena de alguien. **SIN.** Alivio. **ANT.** Desconsuelo.

consuetudinario, ria *adj.* Habitual o relacionado con la costumbre.

cónsul *s. m.* Persona que se encarga de defender a las personas y los intereses de su nación en un país extranjero.

consulado *s. m.* Edificio u oficina del cónsul.

consulta *s. f.* **1.** Acción de consultar. **2.** Acción de examinar y atender el médico a los enfermos, y lugar donde lo hace.

consultar *v.* **1.** Pedir opinión o consejo. **2.** Buscar información: *Consulta en el plano.* **SIN. 1.** Asesorarse. **2.** Informarse.

consultivo, va *adj.* Se dice de los organismos creados para ser consultados.

consultorio *s. m.* **1.** Lugar donde pasan consulta varios médicos. **2.** Lugar, programa o apartado de un periódico donde se contestan preguntas que hace la gente sobre cierto tema.

consumación *s. f.* Acción de consumar. **SIN.** Cumplimiento.

consumado, da **1.** *p.* de consumar. También *adj.* || *adj.* **2.** Muy bueno en algo: *un consumado pintor.* **SIN. 1.** Extraordinario. **ANT. 2.** Mediocre.

consumar *v.* Hacer o cumplir algo completamente. **SIN.** Concluir. **ANT.** Incumplir.

consumición *s. f.* **1.** Acción de consumir o consumirse. **2.** Alimento o bebida que se toma en un establecimiento. **SIN. 1.** Agotamiento.

consumidor, ra *adj. y s.* Que consume, utiliza o gasta algo.

consumir *v.* **1.** Utilizar, gastar. **2.** Tomar algo en un bar, restaurante, etc. **3.** Destruir, hacer desaparecer: *El fuego consume la madera.* **4.** Producir mucha intranquilidad y malestar: *consumirse de celos.* **SIN. 2.** Comer; beber.

consumismo *s. m.* Tendencia a comprar continuamente cosas que en realidad no son necesarias.

consumista *adj. y s.* Del consumismo o dominado por el consumismo.

consumo *s. m.* Acción de consumir, utilizar o gastar. **SIN.** Gasto.

consustancial *adj.* Propio de una persona o cosa y siempre unido a ella. **SIN.** Inherente. **ANT.** Accidental.

contabilidad *s. f.* Cuentas que se hacen para calcular el dinero que se gana y el que se gasta.

contabilizar *v.* Contar, llevar la cuenta de algo.

contable *adj.* **1.** Se dice de los sustantivos que nombran personas o cosas que pueden ser contadas: *(cuatro) niños, (dos) manzanas.* || *s. m. y f.* **2.** Persona que se encarga de la contabilidad de otra persona o de una empresa. **ANT. 1.** Incontable.

contactar *v.* Ponerse en contacto con alguien. **SIN.** Comunicarse.

contacto *s. m.* **1.** Acción de tocar o tocarse. **2.** Relación o comunicación entre personas. **3.** Unión entre dos partes de un circuito eléctrico que hace que pase la corriente y funcione un aparato. **SIN. 1.** Toque. **2.** Trato. **3.** Conexión.

contado, da 1. *p.* de **contar**. También *adj.* ‖ *adj.* 2. Poco, escaso. **Expr.** **al contado** Pagando de una vez y en el momento. **Ant.** 2. Mucho.

contador *s. m.* Aparato para medir o contar algo, como el agua que se gasta en una casa.

contagiar *v.* Transmitir a alguien una enfermedad, costumbre, manía, etc. **Sin.** Pegar.

contagio *s. m.* Acción de contagiar.

contagioso, sa *adj.* Que se contagia.

contaminación *s. f.* 1. Hecho de existir en una cosa o en un lugar sustancias tóxicas o perjudiciales. 2. Contagio.

contaminante *adj.* y *s. m.* Que contamina.

contaminar *v.* Dañar o estropear algo con sustancias tóxicas o perjudiciales.

contante Se usa en la expresión **contante y sonante**, que se dice del dinero en metálico.

contar *v.* 1. Decir los números seguidos. 2. Numerar una serie de cosas para saber cuántas hay. 3. Decir o comunicar un suceso real o inventado. 4. Poseer, disponer: *La ciudad cuenta con un importante aeropuerto. Cuenta desde ahora con mi ayuda.* 5. Valer, importar: *Lo que cuenta son los amigos.* □ Es v. irreg. **Sin.** 2. Enumerar. 3. Narrar, relatar, referir. 4. Tener.

CONTAR		
INDICATIVO	SUBJUNTIVO	IMPERATIVO
Presente	**Presente**	
cuento	cuente	
cuentas	cuentes	cuenta
cuenta	cuente	
contamos	contemos	
contáis	contéis	contad
cuentan	cuenten	

contemplación *s. f.* 1. Acción de contemplar. 2. Meditación religiosa. ‖ *pl.* 3. Cuidado especial con alguien o algo. **Sin.** 3. Miramientos, remilgos.

contemplar *v.* 1. Mirar tranquilamente o con atención. 2. Tener en cuenta: *contemplar una posibilidad.* **Sin.** 1. Admirar. 2. Considerar.

contemplativo, va *adj.* Dedicado a la contemplación religiosa.

contemporáneo, a *adj.* y *s.* 1. De la misma época que otra persona o cosa. 2. Actual. **Sin.** 1. Coetáneo.

contemporizar *v.* Ponerse de acuerdo con alguien o ser tolerante con él. **Sin.** Consentir, transigir. **Ant.** Oponerse.

contención *s. f.* Acción de contener, impedir moverse o avanzar: *muro de contención.* **Sin.** Retención, sujeción.

contender *v.* Luchar, enfrentarse. □ Es v. irreg. Se conjuga como *tender.* **Sin.** Combatir, competir.

contendiente *adj.* y *s.* Que lucha o se enfrenta con otros. **Sin.** Combatiente, competidor.

contenedor *s. m.* 1. Caja de gran tamaño para transportar mercancías. 2. Recipiente grande para echar basuras o escombros.

contener *v.* 1. Tener dentro, comprender. 2. Impedir moverse o avanzar. 3. Aguantarse un deseo o sentimiento: *contener la risa.* □ Es v. irreg. Se conjuga como *tener.* **Sin.** 1. Incluir, encerrar. 2. Detener, retener. 3. Dominar. **Ant.** 2. Soltar.

contenido, da 1. *p.* de **contener**. También *adj.* ‖ *s. m.* 2. Cosa que otra contiene. 3. Significado de una palabra, frase, texto. **Sin.** 3. Sentido.

contentar *v.* 1. Alegrar, complacer. ‖ **contentarse** 2. Conformarse. **Sin.** 1. Satisfacer.

contento, ta *adj.* 1. Alegre, feliz. 2. Satisfecho, conforme. ‖ *s. m.* 3. Alegría, felicidad. **Sin.** 1. Jubiloso. 2. Complacido. 3. Gozo, dicha. **Ant.** 1. Triste. 2. Insatisfecho. 3. Tristeza.

contera *s. f.* Pieza o funda que remata o protege la punta de algo, como un bastón.

contertulio, lia *adj.* y *s.* Persona que va a la misma tertulia que otra.

contestación *s. f.* Acción de contestar. **Sin.** Respuesta.

contestador *s. m.* Aparato conectado a un teléfono con una grabadora para dar y recoger mensajes.

contestar *v.* 1. Decir algo cuando a uno le preguntan. 2. Decir algo de malos modos como respuesta a otra cosa. **Sin.** 1. Responder. 1 y 2. Replicar. **Ant.** 1. Callar.

contestatario, ria *adj.* y *s.* Que no acepta las normas establecidas o protesta por ellas. **Sin.** Rebelde, inconformista. **Ant.** Conformista.

contestón, na *adj.* y *s.* Respondón.

contexto *s. m.* 1. Lo que se dice antes o después de una frase o palabra y las sitúa y ayuda a comprenderlas. 2. Ambiente en que se desarrolla alguien o algo. **Sin.** 2. Entorno.

contextura *s. f.* Manera de estar formada alguna cosa. **Sin.** Textura.

contienda *s. f.* Lucha, enfrentamiento. **Sin.** Batalla, combate. **Ant.** Paz.

contigo *pron. pers.* Con la persona a la que alguien se dirige: *Espera, voy contigo.*

contigüidad *s. f.* Hecho de ser contiguas dos o más cosas.

contiguo, gua *adj.* Justo al lado. **Sin.** Vecino, seguido. **Ant.** Separado.

continental *adj.* 1. De un continente o de la parte de un continente que no es una isla: *la Europa continental.* 2. Se dice del clima de inviernos fríos, veranos cálidos y poca lluvia. **Ant.** 1. Insular.

continente *s. m.* 1. Cosa que contiene dentro otra. 2. Cada una de las seis grandes partes en que se divide la Tierra: Europa, Asia, África, América, Oceanía y la Antártida. **Ant.** 1. Contenido.

contingencia *s. f.* Suceso imprevisto. **Sin.** Eventualidad.

contingente *adj.* 1. Que puede suceder o no. || *s. m.* 2. Gran número de soldados o policías. **Sin.** 1. Incierto. **Ant.** 1. Seguro.

continuación *s. f.* Cosa con que se continúa otra. **Expr. a continuación** Inmediatamente después o detrás. **Sin.** Prolongación. **Ant.** Interrupción.

continuador, ra *adj. y s.* Que continúa lo que otro ha empezado.

continuamente *adv.* De manera continua. **Sin.** Constantemente.

continuar *v.* 1. Hacer algo que ya se había empezado. 2. Estar en el mismo lugar o situación en que se estaba: *Continúa muy enfermo.* 3. Extenderse: *El jardín continúa detrás de la verja.* **Sin.** 1. Prorrogar, reanudar. 1 a 3. Seguir. 2. Persistir, subsistir. **Ant.** 1. Interrumpir; parar.

continuidad *s. f.* 1. Característica de continuo, seguido. 2. Unión entre las partes de algo que van seguidas. **Sin.** 1. Constancia. 2. Encadenamiento. **Ant.** 1 y 2. Interrupción.

continuo, nua *adj.* 1. Que no tiene paradas o interrupciones. 2. Que sucede con frecuencia. **Sin.** 1. Seguido. 1 y 2. Constante, incesante. **Ant.** 1 y 2. Intermitente. 2. Discontinuo.

contonearse *v.* Andar moviendo mucho los hombros y las caderas.

contoneo *s. m.* Acción de contonearse.

contorno *s. m.* 1. Línea que forma el borde de algo. 2. Zona alrededor de un lugar. **Sin.** 1. Silueta, perímetro. 2. Proximidades, inmediaciones.

contorsión *s. f.* Movimiento en que se fuerza o retuerce el cuerpo. **Sin.** Contracción, convulsión.

contorsionarse *v.* Hacer contorsiones. **Sin.** Retorcerse.

contorsionista *s. m. y f.* Artista que hace contorsiones difíciles en el circo y otros espectáculos.

contra¹ *prep.* 1. Indica oposición, lucha o enfrentamiento: *estar en contra, jugar contra;* junto a, tocando: *Pon la silla contra la pared;* a cambio de: *contra rembolso.* || *s. m.* 2. Dificultad, inconveniente: *los pros y los contras.* || *interj.* 3. Expresa enfado o sorpresa.

contra² *s. f.* Forma abreviada de **contraventana, contratapa, contrarrevolución** y **contraataque.**

contraalisios *s. m. pl.* Vientos que soplan en sentido opuesto al de los alisios.

contraatacar *v.* Realizar un contraataque.

contraataque *s. m.* Ataque que se realiza en respuesta a otro del contrario. **Sin.** Contraofensiva.

contrabajo *s. m.* Instrumento musical parecido al violín, pero mucho más grande; se toca de pie apoyándolo en el suelo.

contrabandista *s. m. y f.* Persona que se dedica al contrabando.

contrabando *s. m.* Acción de introducir en un país o sacar de él mercancías prohibidas o sin pagar impuestos en la aduana.

contrabarrera *s. f.* Segunda fila de asientos en una plaza de toros.

contracción *s. f.* 1. Acción de contraer o contraerse. 2. Palabra formada por la unión de otras dos suprimiendo parte de una de ellas, como *al* (*a* y *el*) y *del* (*de* y *el*). **Ant.** 1. Dilatación.

contrachapado, da *adj. y s. m.* Tablero formado por finas láminas de madera, unidas.

contracorriente Se usa en la expresión **a contracorriente,** 'en contra de lo que hacen o piensan los demás'.

contráctil *adj.* Se dice de los músculos o de los órganos que se contraen con facilidad.

contracubierta *s. f.* Lado interior de la cubierta de un libro.

contradecir *v.* 1. Decir lo contrario. 2. Estar en contra: *Sus acciones y su manera de pensar se contradicen.* □ Es v. irreg. Se conjuga como *decir.* **Sin.**

1. Rebatir, replicar. **2.** Contraponerse, chocar. **ANT. 1.** Ratificar, confirmar. **2.** Concordar.

contradicción *s. f.* Acción de contradecir o contradecirse. **SIN.** Oposición. **ANT.** Coherencia.

contradictorio, ria *adj.* Que contradice o se contradice. **SIN.** Opuesto, contrario; incoherente. **ANT.** Coherente.

contraer *v.* **1.** Hacer o hacerse más pequeña una cosa: *La goma se estira y luego se contrae.* **2.** Encogerse un músculo o un nervio. **3.** Contagiársele a alguien una enfermedad. **4.** Adoptar una costumbre, obligación, etc. ◻ Es v. irreg. Se conjuga como *traer.* **EXPR. contraer matrimonio** Casarse. **SIN. 1.** Disminuir. **3.** Adquirir. **ANT. 1.** Estirar, dilatar.

contraespionaje *s. m.* Servicio de seguridad de un país contra el espionaje extranjero.

contrafuerte *s. m.* **1.** Pilar que refuerza un muro. **2.** Refuerzo en el talón del zapato.

contrahecho, cha *adj.* Con joroba o con otra deformidad del cuerpo. **SIN.** Deforme.

contraindicación *s. f.* Hecho de estar contraindicada una cosa. **ANT.** Indicación.

contraindicado, da *adj.* Se dice del medicamento, tratamiento, etc., perjudicial para algo.

contralmirante *s. m.* Alto grado de la marina de guerra, por debajo del de vicealmirante.

contralto *s. m.* y *f.* Persona, especialmente mujer, con voz entre la de soprano y la de tenor.

contraluz *s. amb.* Aspecto de una cosa al verla alguien de frente a la luz.

contramaestre *s. m.* **1.** Persona que manda directamente a los marineros de un barco. **2.** Capataz de una fábrica o taller.

contraofensiva *s. f.* Ataque de un ejército como respuesta a otro del enemigo. **SIN.** Contraataque.

contraorden *s. f.* Orden que anula otra anterior.

contrapartida *s. f.* Cosa buena que compensa a otra que no lo es tanto.

contrapear *v.* Ir colocando cosas primero de una manera y luego de otra.

contrapelo Se usa en la expresión **a contrapelo**, 'contra la dirección del pelo'.

contrapesar *v.* Igualar un peso con otro. **SIN.** Equilibrar, nivelar.

contrapeso *s. m.* Peso que iguala a otro.

contrapié Se usa en la expresión **a contrapié**, 'con el pie en mala postura para lo que se quiere hacer'.

contraponer *v.* **1.** Oponer. **2.** Comparar dos cosas para ver la diferencia. ◻ Es v. irreg. Se conjuga como *poner.* **SIN. 1.** Enfrentar. **2.** Cotejar.

contraportada *s. f.* **1.** Página anterior a la portada de un libro, donde aparecen algunos datos de éste. **2.** Parte posterior de la cubierta de un libro o de una revista.

contraposición *s. f.* Oposición entre cosas.

contraprestación *s. f.* Servicio o favor que responde a otro recibido.

contraproducente *adj.* De efecto contrario al que se busca. **SIN.** Perjudicial. **ANT.** Beneficioso.

contrapuesto, ta **1.** *p.* de **contraponer**. También *adj.* ‖ *adj.* **2.** Opuesto, contrario.

contrariado, da **1.** *p.* de **contrariar**. También *adj.* ‖ *adj.* **2.** Disgustado, de mal humor.

contrariar *v.* **1.** Llevarle la contraria a alguien. **2.** Disgustar. **SIN. 2.** Enojar, enfadar. **ANT. 2.** Satisfacer.

contrariedad *s. f.* **1.** Suceso imprevisto que retrasa o estropea algo. **2.** Disgusto, descontento. **SIN. 1.** Contratiempo, percance.

contrario, ria *adj.* **1.** Que se opone a algo o lo rechaza. ‖ *s. m.* y *f.* **2.** Adversario. **EXPR. al contrario** o **por el contrario** Al revés, de modo opuesto. **llevar la contraria** Hacer o decir lo contrario que otro. **SIN. 1.** Opuesto. **2.** Rival, enemigo. **ANT. 2.** Amigo, partidario.

contrarreloj *adj.* y *s. f.* Se dice de la prueba que consiste en medir el tiempo que tarda un deportista en recorrer una distancia.

contrarrestar *v.* Compensar o anular una cosa los efectos de otra. **SIN.** Neutralizar, paliar. **ANT.** Potenciar.

contrarrevolución *s. f.* Movimiento político dirigido contra una revolución.

contrasentido *s. m.* Cosa sin sentido. **SIN.** Disparate, sinsentido.

contraseña *s. f.* Señal o palabras acordadas entre varios para identificarse.

contrastar *v.* **1.** Comprobar si algo es cierto o correcto: *contrastar datos.* **2.**

Destacar mucho una cosa entre otras. **Sin. 1.** Constatar, verificar. **2.** Resaltar.

contraste s. m. Gran diferencia u oposición entre personas o cosas.

contrata s. f. Contrato para hacer una obra o prestar un servicio por un precio determinado.

contratación s. f. Acción de contratar.

contratar v. Hacer un contrato con alguien: *contratar trabajadores, contratar un apartamento.*

contratiempo s. m. Suceso inesperado que causa problemas. **Sin.** Imprevisto, complicación.

contratista s. m. y f. Empresa o persona que presta un servicio por medio de una contrata.

contrato s. m. Acuerdo entre dos o más personas por el que se obligan a hacer algo.

contravenir v. Ir en contra de lo ordenado. □ Es v. irreg. Se conjuga como *venir*. **Sin.** Desobedecer, infringir. **Ant.** Obedecer.

contraventana s. f. Puerta que cubre los cristales de una ventana para que no entre luz ni frío.

contrayente adj. y s. Persona que contrae matrimonio.

contribución s. f. **1.** Acción de contribuir. **2.** Dinero con que se contribuye a algo, sobre todo el que se paga como impuesto. **Sin. 2.** Aportación, ayuda.

contribuir v. **1.** Dar dinero para algún fin. **2.** Ayudar a que algo ocurra. □ Es v. irreg. Se conjuga como *huir*. **Sin. 1.** Aportar. **1** y **2.** Colaborar, cooperar.

contribuyente adj. y s. Ciudadano que paga impuestos.

contrición s. f. En la religión católica, arrepentimiento por haber ofendido a Dios.

contrincante s. m. y f. Rival, adversario. **Sin.** Contrario.

control s. m. **1.** Acción de controlar o controlarse. **2.** Lugar donde se controla algo. **3.** Mando para controlar algo. **Sin. 1.** Inspección, vigilancia. **Ant. 1.** Descontrol.

controlador, ra s. m. y f. **1.** Persona que controla. ‖ **2. controlador aéreo** En los aeropuertos, persona que lleva el control para que los aviones despeguen, vuelen y aterricen sin problemas.

controlar v. **1.** Vigilar para que algo esté bien. **2.** Dominar o dirigir: *controlar los nervios, controlar un vehículo.* **Sin. 1.** Inspeccionar.

controversia s. f. Discusión entre personas que opinan de manera diferente. **Sin.** Polémica, disputa.

controvertido, da adj. Que provoca discusión. **Sin.** Polémico.

contubernio s. m. **1.** Reunión de personas con intereses secretos o ilegales. **2.** Hecho de vivir juntos un hombre y una mujer sin estar casados.

contumacia s. f. Característica de contumaz. **Sin.** Cabezonería, terquedad.

contumaz adj. Que se mantiene en un error y no reconoce que se ha equivocado. **Sin.** Cabezota, terco.

contundencia s. f. Característica de contundente.

contundente adj. **1.** Que produce contusión: *un golpe contundente.* **2.** Evidente, que convence: *un argumento contundente.* **Sin. 2.** Categórico, terminante. **Ant. 2.** Dudoso.

conturbar v. Impresionar, inquietar. **Sin.** Conmover.

contusión s. f. Daño causado por un golpe que no produce herida ni fractura.

convalecencia s. f. Estado de la persona que convalece. **Sin.** Recuperación.

convalecer v. Recuperar las fuerzas una persona que ha estado enferma. □ Es v. irreg. Se conjuga como *agradecer*.

convaleciente adj. y s. Que convalece.

convalidación s. f. Acción de convalidar una asignatura, un curso u otra cosa.

convalidar v. Confirmar que una cosa vale, sobre todo los estudios realizados en otro centro de enseñanza, en otro país, etc.

convecino, na s. m. y f. Vecino de una persona.

convencer v. **1.** Conseguir con razones que una persona haga algo o piense de cierta manera. **2.** Gustar, parecer bien: *Ese cuadro me convence.* **Sin. 1.** Persuadir, demostrar. **2.** Complacer. **Ant. 1.** Disuadir. **2.** Disgustar.

convencimiento s. m. Hecho de estar convencido de algo. **Sin.** Convicción.

convención s. f. **1.** Cosa que se acuerda o se fija entre varios. **2.** Asamblea, reunión. **Sin. 1.** Convenio, pacto. **2.** Congreso, simposio.

convencional adj. Que se hace por convención o por costumbre. **Sin.** Arbitrario.

convencionalismo *s. m.* Idea, comportamiento, etc., que se acepta en una sociedad por uso o por costumbre.

conveniencia *s. f.* Provecho, utilidad.

conveniente *adj.* Que conviene, bueno, útil. **Sin.** Beneficioso, oportuno. **Ant.** Inconveniente.

convenio *s. m.* Acuerdo, trato. **Sin.** Alianza, pacto. **Ant.** Desacuerdo.

convenir *v.* 1. Ser algo bueno o útil para alguien. 2. Decidir algo varias personas. □ Es v. irreg. Se conjuga como *venir*. **Sin.** 2. Acordar. **Ant.** 1. Perjudicar.

convento *s. m.* Edificio en que viven religiosos o religiosas de una misma orden. **Sin.** Monasterio.

convergencia *s. f.* Hecho de converger o convergir. **Ant.** Divergencia.

convergente *adj.* Que converge. **Ant.** Divergente.

converger o **convergir** *v.* Dirigirse hacia un mismo punto: *Los tres caminos convergen en ese cruce.* **Sin.** Confluir, juntarse. **Ant.** Divergir.

conversación *s. f.* Acción de conversar. **Sin.** Charla.

conversar *v.* Hablar unas personas con otras. **Sin.** Charlar, departir. **Ant.** Callar.

conversión *s. f.* Acción de convertir o convertirse. **Sin.** Transformación.

converso, sa *adj. y s.* Convertido al cristianismo.

convertible *adj.* 1. Que puede convertirse en otra cosa. ‖ *s. m.* 2. Automóvil descapotable.

convertir *v.* 1. Transformar, cambiar una cosa en otra. 2. Convencer a alguien para que siga una religión. □ Es v. irreg. Se conjuga como *sentir*. **Sin.** 1. Mudar, trocar.

convexo, xa *adj.* Curvado hacia fuera. **Ant.** Cóncavo.

convicción *s. f.* 1. Convencimiento. ‖ *pl.* 2. Ideas en las que una persona cree firmemente. **Sin.** 1. Certeza, seguridad. 2. Creencias, principios. **Ant.** 1. Duda.

convicto, ta *adj.* Se dice del acusado de un delito cuando se demuestra que es culpable.

convidado, da 1. *p.* de convidar. También *adj.* ‖ *adj. y s.* 2. Persona invitada.

convidar *v.* Invitar.

convincente *adj.* Que convence: *una razón convincente.* **Sin.** Persuasivo.

convite *s. m.* Comida, banquete u otra cosa a la que se invita a alguien.

convivencia *s. f.* Hecho de convivir. **Sin.** Coexistencia.

convivir *v.* Vivir con otras personas. **Sin.** Coexistir.

convocar *v.* 1. Llamar a alguien para que vaya a algún sitio o a un acto. 2. Anunciar un examen, una reunión, unas elecciones, etc. **Sin.** 1. Citar. **Ant.** 1 y 2. Desconvocar.

convocatoria *s. f.* 1. Acción de convocar. 2. Anuncio con que se convoca. **Sin.** 1. Cita, llamamiento.

convoy *s. m.* 1. Escolta que protege a un grupo de barcos o vehículos mientras viajan. 2. Este grupo de barcos o vehículos protegidos.

convulsión *s. f.* 1. Movimiento brusco del cuerpo producido por una enfermedad o un ataque. 2. Impresión o alteración muy fuertes. **Sin.** 1. Espasmo. 2. Conmoción.

convulsionar *v.* Producir convulsiones o sufrirlas.

convulsivo, va *adj.* Acompañado de convulsión: *movimientos convulsivos.* **Sin.** Espasmódico.

conyugal *adj.* De los cónyuges.

cónyuge *s. m. y f.* Marido o esposa. **Sin.** Consorte.

coña *s. f. fam.* Broma, burla. **Sin.** Guasa, chunga.

coñac *s. m.* Licor fuerte que se elabora según el procedimiento de la región francesa de Cognac.

coñazo *s. m. vulg.* Persona o cosa muy pesada o molesta. **Sin.** Peñazo.

coño *s. m.* 1. *vulg.* Vulva. ‖ *interj.* 2. *vulg.* Expresa enfado o sorpresa.

cooperación *s. f.* Acción de cooperar. **Sin.** Colaboración.

cooperar *v.* Colaborar, contribuir.

cooperativa *s. f.* Sociedad que forman personas con unos mismos intereses, para conseguir cosas que benefician a todos.

cooperativista *adj. y s.* Relacionado con las cooperativas o que pertenece a una de ellas.

coordenada *adj. y s. f.* Se dice de las líneas que sirven de referencia para determinar la posición de un punto.

coordinación *s. f.* 1. Acción de coordinar. 2. En gramática, unión de dos palabras o grupos de palabras con la misma función sintáctica, mediante un elemento de enlace, como en *César y Montse, ¿Estudias o trabajas?* **Sin.** 1. Organización. **Ant.** 1. Desorganización.

coordinado, da 1. *p.* de **coordinar**. También *adj.* ‖ *adj.* y *s. f.* 2. Se dice de las palabras o proposiciones entre las que existe una relación de coordinación.

coordinador, ra *adj.* y *s.* Que coordina u organiza.

coordinante *adj.* y *s. m.* Se dice de las conjunciones que coordinan palabras o grupos de palabras, como *y, o, pero, ni.*

coordinar *v.* 1. Organizar y combinar distintas cosas o acciones. 2. En gramática, unir por coordinación. **Sin.** 1. Ordenar, compaginar. **Ant.** 1. Desorganizar.

copa *s. f.* 1. Vaso en forma de campana, con pie. 2. Líquido que contiene. 3. Premio de algunas competiciones deportivas. 4. Competición deportiva: *la copa de Europa.* 5. Parte más alta de un árbol, formada por las ramas y las hojas. 6. Parte hueca del sombrero. 7. En la baraja española, carta del palo de copas. ‖ *pl.* 8. Palo de la baraja española en el que figuran dibujadas copas. **Sin.** 1. Cáliz.

copar *v.* 1. Quedarse con todo o con la mayor parte. 2. Rodear, acorralar. **Sin.** 1. Acaparar. 2. Cercar.

copete *s. m.* 1. Mechón de pelo levantado. 2. Penacho de plumas que tienen algunas aves en la cabeza. **Expr. de alto copete** Importante, de categoría.

copia *s. f.* 1. Cosa que se hace igual que otra o la imita. 2. Gran cantidad. **Sin.** 1. Duplicado, imitación. 2. Abundancia, multitud.

copiador, ra *adj.* y *s. f.* Se dice de la máquina que hace copias.

copiar *v.* 1. Hacer una cosa igual que otra o imitarla. 2. Durante un examen mirar el ejercicio de un compañero o un libro para poner lo mismo. **Sin.** 1. Calcar, duplicar; remedar.

copiloto *s. m.* Persona que se sienta al lado del piloto para ayudarle.

copión, na *adj.* y *s.* 1. Que imita a otros. 2. Que copia en los exámenes.

copioso, sa *adj.* Abundante. **Sin.** Cuantioso, numeroso. **Ant.** Escaso.

copista *s. m.* y *f.* Persona que copia obras de arte o escritos. **Sin.** Amanuense.

copla *s. f.* 1. Poesía que suele ser letra de muchas canciones populares. ‖ 2. **copla de pie quebrado** Poesía en la que se alternan versos cortos de cuatro sílabas con otros más largos.

copo[1] *s. m.* 1. Cada trocito de nieve que cae. 2. Trocito parecido de algo: *copos de maíz.*

copo[2] *s. m.* Acción de copar, quedarse con todo.

copón *s. m.* Copa donde se guardan las hostias consagradas en la misa.

coproducción *s. f.* Cosa producida por varias personas, sobre todo, película hecha por productoras de varios países.

cópula *s. f.* 1. Unión sexual del macho y la hembra. 2. Palabra que une palabras u oraciones, como las conjunciones y los verbos copulativos. **Sin.** 1. Apareamiento, coito.

copular *v.* Realizar la cópula sexual. **Sin.** Aparearse.

copulativo, va *adj.* 1. Se dice del verbo que sirve de enlace entre el sujeto y su atributo, como *ser, estar* o *parecer,* y de las oraciones que tienen estos verbos. 2. Se dice de las conjunciones que unen palabras y oraciones añadiendo simplemente una a otra, como *y, e, ni.* También se dice de las oraciones unidas por estas conjunciones.

copyright (ingl.) *s. m.* Derecho que tiene sobre una obra o producto la persona que los ha creado, al registrarlos oficialmente.

coque *s. m.* Combustible sólido que se obtiene del carbón mineral o del petróleo.

coqueta *s. f.* Mueble que se usa como tocador.

coquetear *v.* Intentar gustar una persona a otra del sexo contrario.

coqueteo *s. m.* Acción de coquetear.

coquetería *s. f.* Característica de las personas coquetas.

coqueto, ta *adj.* y *s.* 1. Persona a la que le gusta coquetear. 2. Presumido. ‖ *adj.* 3. Agradable, mono. **Sin.** 1. Frívolo, casquivano. 3. Gracioso, atractivo. **Ant.** 3. Feo.

coquina *s. f.* Molusco marino con dos conchas ovaladas y muy aplastadas, que es comestible.

coracero *s. m.* Soldado de caballería que iba protegido con coraza.

coraje *s. m.* 1. Ánimo, valentía. 2. Rabia, enfado. **Sin.** 1. Valor. **Ant.** 1. Cobardía.

coral[1] *s. m.* 1. Animal marino muy pequeño con esqueleto exterior de colores muy variados según las especies; los corales forman grandes colonias en los mares tropicales. **2.** Esqueleto de estos animales usado en joyería.

coral² *adj.* **1.** Del coro. ‖ *s. f.* **2.** Agrupación de cantantes.

coralífero, ra *adj.* Que tiene corales.

Corán Libro sagrado que contiene las creencias de los musulmanes.

coraza *s. f.* **1.** Armadura que protegía el pecho y la espalda. **2.** Placa dura que cubre y protege una cosa.

corazón *s. m.* **1.** Órgano principal del sistema circulatorio; es un músculo que recoge la sangre procedente de las venas y la impulsa a través de las arterias hasta las demás partes del cuerpo. **2.** Sentimientos de una persona: *tener buen corazón.* **3.** Cosa central o más importante: *Vive en pleno corazón de la ciudad.* **4.** Dedo más largo de los cinco de la mano. **EXPR. de todo corazón** Con toda franqueza y sinceridad. **el corazón en un puño** Expresa gran temor o preocupación: *Le dieron tal susto que tiene el corazón en un puño.* **partir** o **romper el corazón** Producir mucha pena.

corazonada *s. f.* Presentimiento, sospecha. **SIN.** Pálpito, presagio.

corbata *s. f.* Tira de tela que se ata como adorno debajo del cuello de la camisa.

corbeta *s. f.* Barco ligero de guerra.

corcel *s. m.* Caballo veloz, grande y bonito.

corchea *s. f.* Figura musical que equivale a la mitad de una negra.

corchete *s. m.* **1.** Broche formado por dos piezas, una en forma de asa y otra en forma de gancho. **2.** Signo ortográfico con un uso parecido al del paréntesis.

corcho *s. m.* **1.** Material blando y muy ligero que se forma en la corteza de algunos árboles, sobre todo del alcornoque. **2.** Tapón de este material.

corcova *s. f.* Joroba, chepa.

corcovado, da *adj.* y *s.* Que tiene corcova. **SIN.** Jorobado, cheposo.

cordado *adj.* y *s. m.* Se dice de los animales que tienen una estructura de sostén que atraviesa su cuerpo verticalmente, como la columna vertebral en los vertebrados.

cordal¹ *s. m.* Pieza de los instrumentos musicales de cuerda donde se sujetan éstas, al otro extremo del clavijero.

cordal² *adj.* y *s. m.* Se dice de las muelas del juicio.

cordel *s. m.* Cuerda delgada.

cordero, ra *s. m.* y *f.* Cría de la oveja antes de cumplir un año.

cordial *adj.* Amable y cariñoso. **SIN.** Afable, simpático. **ANT.** Antipático.

cordialidad *s. f.* Característica de cordial. **SIN.** Amabilidad, cariño. **ANT.** Antipatía.

cordillera *s. f.* Conjunto de montañas en línea. **SIN.** Sierra.

córdoba *s. m.* Moneda de Nicaragua.

cordobán *s. m.* Piel curtida de cabra.

cordobés, sa *adj.* y *s.* De Córdoba, ciudad y provincia españolas.

cordón *s. m.* **1.** Cuerda de hilos, lana, cuero, plástico. **2.** Cable de aparatos como el teléfono. **3.** Grupo de personas en línea o rodeando algo. ‖ **4. cordón umbilical** Estructura larga y flexible que une al feto con la placenta de la madre durante el embarazo.

cordoncillo *s. m.* **1.** Línea de bordado. **2.** Reborde fino de algunas cosas.

cordura *s. f.* Estado de cuerdo. **SIN.** Sensatez. **ANT.** Locura.

coreano, na *adj.* y *s.* **1.** De Corea, nombre de dos países de Asia. ‖ *s. m.* **2.** Lengua de Corea.

corear *v.* Repetir algo varias personas al mismo tiempo.

coreografía *s. f.* Conjunto de movimientos y pasos que hace un grupo de baile.

coreógrafo, fa *s. m.* y *f.* Persona que prepara coreografías.

coriáceo, a *adj.* Parecido al cuero.

corindón *s. m.* Mineral de gran dureza; entre sus variantes están el zafiro y el rubí.

corintio *adj.* y *s. m.* Se dice de uno de los tres órdenes clásicos de la arquitectura, caracterizado por tener en el capitel adornos que imitan hojas de acanto.

corinto *s. m.* Color rojo muy oscuro, que tira a morado.

corista *s. f.* En la revista y otros espectáculos de teatro, artista del coro.

cormorán *s. m.* Ave marina de la familia de los pelícanos, de cuello y pico largos y color oscuro.

cornada *s. f.* Golpe que da un animal con los cuernos y herida que produce.

cornamenta *s. f.* Cuernos de animales como el toro o el ciervo.

cornamusa *s. f.* **1.** Trompeta larga con una vuelta en el centro del tubo. **2.** Gaita, instrumento musical.

córnea *s. f.* Membrana dura y transparente que forma la parte delantera del globo del ojo.

cornear *v.* Dar cornadas. Sin. Embestir.

corneja *s. f.* Pájaro parecido al cuervo, pero más pequeño, de color negro y gris.

córneo, a *adj.* De consistencia parecida a la del cuerno.

córner *s. m.* En fútbol y otros deportes, saque de esquina que se efectúa al haber enviado el contrario el balón fuera del campo por la línea de fondo de su portería.

corneta *s. f.* Instrumento de viento usado en las bandas militares y para dar órdenes en el ejército.

cornetín *s. m.* 1. Instrumento musical parecido a la trompeta, pero más pequeño. 2. Corneta pequeña para dar órdenes en el ejército.

cornezuelo *s. m.* Hongo parásito del centeno y otros cereales.

cornisa *s. f.* 1. Saliente en la parte superior de un edificio. 2. Remate parecido en otra cosa, por ejemplo en un mueble. 3. Parte saliente y rocosa que recorre el borde de una meseta, montaña, costa: *la cornisa cantábrica*.

cornucopia *s. f.* 1. Recipiente en forma de cuerno lleno de frutas y flores, símbolo de la abundancia. 2. Espejo con marco dorado y muy adornado.

cornudo, da *adj.* 1. Que tiene cuernos. || *adj.* y *s. m.* 2. Se dice del marido al que engaña su mujer.

coro *s. m.* 1. Grupo de cantores. 2. Grupo de artistas que acompañan en un espectáculo a los que tienen el papel principal. 3. Lugar de las iglesias donde se colocan los cantores o donde se reúnen los eclesiásticos para cantar o rezar. Sin. 1. Coral.

coroides *s. f.* Membrana del ojo situada entre la retina y la esclerótica.

corola *s. f.* Conjunto de los pétalos de la flor.

corona *s. f.* 1. Joya en forma de aro que rodea la cabeza. 2. Aro hecho con ramas y flores. 3. Cerco que rodea la cabeza de las imágenes de la Virgen y los santos. 4. Reino o monarquía: *la Corona española*. 5. Ruedecita para dar cuerda a los relojes. 6. Parte del diente que queda fuera de la encía. 7. Moneda de algunos países europeos. Sin. 3. Nimbo, halo.

coronación *s. f.* Acción de coronar. Sin. Terminación, remate.

coronar *v.* 1. Ponerle una corona a alguna persona al nombrarla rey o reina. 2. Terminar, rematar.

coronario, ria *adj.* y *s. f.* Se dice sobre todo de las arterias que llevan la sangre al corazón.

coronel *s. m.* y *f.* Jefe militar por debajo del general, que manda un regimiento o una base aérea.

coronilla *s. f.* Parte superior y posterior de la cabeza. Expr. **hasta la coronilla** Harto.

corpiño *s. m.* Prenda de vestir de mujer, muy ajustada y sin mangas.

corporación *s. f.* 1. Asociación de personas para defender los intereses de sus miembros. 2. Conjunto de personas que forman un ayuntamiento. Sin. 1. Colegio.

corporal *adj.* Del cuerpo.

corporativo, va *adj.* De una corporación.

corpóreo, a *adj.* Que tiene cuerpo, materia o consistencia. Sin. Material. Ant. Incorpóreo, inmaterial.

corpulencia *s. f.* Característica de corpulento. Sin. Robustez.

corpulento, ta *adj.* Alto, grande y fuerte. Sin. Robusto, fornido. Ant. Esmirriado, pequeño.

corpúsculo *s. m.* Cuerpo o materia muy pequeños.

corral *s. m.* 1. Lugar cercado y al aire libre para encerrar a los animales domésticos o al ganado. 2. En algunas casas antiguas, patio donde se hacían representaciones teatrales: *corral de comedias*.

correa *s. f.* 1. Tira de cuero o de otro material para atar o sujetar algo. 2. Paciencia, aguante. Sin. 1. Cinturón.

correaje *s. m.* Conjunto de correas que tiene una cosa.

corrección *s. f.* 1. Cambio que se hace para corregir algo. 2. Castigo leve. 3. Forma correcta de comportarse o hacer algo. Sin. 1. Rectificación, enmienda. 3. Cortesía. Ant. 3. Incorrección.

correccional *adj.* 1. Que sirve para corregir: *castigo correccional*. || *s. m.* 2. Centro donde se lleva a los jóvenes que han cometido un delito y que por su edad aún no pueden ir a la cárcel. Sin. 1. Correctivo. 2. Reformatorio.

correctamente *adv.* De manera correcta.

correctivo, va *adj.* y *s. m.* 1. Que corrige o trata de corregir. || *s. m.* 2.

Castigo que se le pone a alguien. **SIN. 1.** Correccional.

correcto, ta *adj.* **1.** Bien hecho o sin fallos. **2.** Educado, que sabe comportarse bien. **SIN. 1.** Perfecto, preciso, adecuado. **2.** Cortés, comedido. **ANT. 1.** Incorrecto. **2.** Descortés.

corrector, ra *adj. y s.* Que corrige.

corredero, ra *adj.* Se dice de las puertas o ventanas, etc., que se abren y cierran deslizándose por carriles; se llaman también **de corredera.**

corredizo, za *adj.* Se dice de los nudos que se dejan algo flojos para que puedan correr por la cuerda o tira donde se hacen.

corredor, ra *adj. y s.* **1.** Que corre mucho. || *adj. y s. f.* **2.** Se dice de las aves que no pueden volar, pero tienen unas patas muy desarrolladas para correr, como el avestruz. || *s. m. y f.* **3.** Participante de una carrera. || *s. m.* **4.** Pasillo o galería con ventanas. **5.** Persona que actúa como intermediario en algunos negocios, operaciones comerciales, etc. **SIN. 3.** Atleta. **4.** Claustro.

corregidor *s. m.* **1.** Antiguamente, magistrado que administraba justicia en algunas poblaciones. **2.** Antiguamente, cargo parecido al de alcalde.

corregir *v.* **1.** Señalar lo que está mal o cambiarlo para que esté bien. **2.** Reñir, reprender. **3.** Leer los exámenes los profesores para ponerles nota. □ Es v. irreg. Se conjuga como *regir.* **SIN. 1.** Rectificar, enmendar. **2.** Amonestar, advertir. **ANT. 1.** Confirmar, ratificar. **2.** Aprobar, alabar.

correlación *s. f.* Relación y correspondencia entre las cosas. **SIN.** Conexión. **ANT.** Desconexión.

correlativo, va *adj.* **1.** Se dice de personas o cosas que están en correlación. **2.** Que sigue inmediatamente a otro: *El tres y el cuatro son números correlativos.* **SIN. 1.** Correspondiente. **2.** Consecutivo, sucesivo.

correligionario, ria *adj. y s.* Se dice de las personas que pertenecen a un mismo grupo por tener la misma religión o ideología.

correo *s. m.* **1.** Medio por el que se mandan cartas o paquetes. **2.** Lo que se envía o se recibe por este medio. **3.** Antiguamente, persona que llevaba mensajes de un lugar a otro: *el correo del zar.* || *pl.* **4.** Edificio donde se organiza el transporte y reparto de cartas y paquetes. **SIN. 2.** Correspondencia. **3.** Emisario, mensajero.

correoso, sa *adj.* Que se estira y se dobla fácilmente sin romperse, como la goma o el pan cuando está húmedo.

correr *v.* **1.** Andar muy rápidamente dándose impulso. **2.** Ir o hacer algo muy deprisa. **3.** Moverse el aire un líquido o gas: *correr la brisa, el agua.* **4.** Pasar el tiempo. **5.** Mover, apartar, deslizar: *correr una silla, correr el pestillo.* **6.** Propagarse una noticia. **7.** Pasar por cierta situación: *correr peligro.* || **correrse 8.** Extenderse y mezclarse los colores. **SIN. 1.** Trotar. **2.** Apresurarse, aligerar. **3.** Fluir. **5.** Desplazar. **6.** Circular. **ANT. 1.** Pararse. **2.** Tardar.

correría *s. f.* **1.** Ataque en el territorio enemigo, destruyendo todo lo que se encuentra al paso. || *pl.* **2.** Aventuras, juergas, travesuras. **SIN. 1.** Incursión.

correspondencia *s. f.* **1.** Acción de corresponder. **2.** Relación por carta entre personas. **3.** Cartas que envía o recibe una persona. **SIN. 1.** Correlación, conexión. **3.** Correo.

corresponder *v.* **1.** Tener relación una cosa con otra: *La respuesta que dio no correspondía con lo que le habían preguntado.* **2.** Agradecer una cosa dando o haciendo algo a cambio. **3.** Ser para alguien una cosa, una tarea, etc. **SIN. 1.** Relacionarse, concordar. **2.** Recompensar. **3.** Incumbir. **ANT. 1.** Contrastar.

correspondiente *adj.* De alguien o algo, o propio de ellos: *En el reparto, cada uno recibió su parte correspondiente.*

corresponsal *s. m. y f.* **1.** Periodista enviado a otro país o población para que mande información de lo que allí ocurre. **2.** Persona a través de la cual una empresa o un comerciante mantiene relaciones con personas de otro lugar. **SIN. 2.** Agente, representante.

corretear *v.* Correr de un lado a otro.

correveidile o **correvedile** *s. m. y f.* Cotilla, chismoso.

corrida *s. f.* **1.** Acción de correr de un lugar a otro. **2.** Espectáculo en que se lidian toros. **SIN. 1.** Carrera.

corrido, da 1. *p.* de **correr.** También *adj.* || *adj.* **2.** Seguido, sin interrupción: *un balcón corrido.* **3.** Avergonzado. || *s. m.* **4.** Canción típica de México y otros países hispanoamericanos. **EXPR.** **de corrido** o **de corrida** De carrerilla: *Lo dijo de corrido.* **SIN. 2.** Continuo.

corriente *adj.* **1.** Que corre: *agua corriente.* **2.** Regular, ni bueno ni malo, ni feo ni bonito: *un coche corriente.*

3. Frecuente, habitual. **4.** Se dice del día, mes, año, etc., en que se está. ‖ *s. f.* **5.** Movimiento de un líquido o gas: *la corriente del río, una corriente de aire.* **6.** Electricidad. **7.** Movimiento artístico, literario, político, etc. **Expr. al corriente** Sin atraso. También, enterado: *Está al corriente de todo.* **llevar** o **seguir la corriente a** alguien Darle la razón, aunque no se piense así. **Sin. 2.** Normal, ordinario. **2** y **3.** Común. **Ant. 1.** Estancado. **2** y **3.** Extraordinario, raro.

corrientemente *adv.* La mayoría de las veces. **Sin.** Habitualmente.

corrillo *s. m.* Grupo de personas que se juntan aparte para hablar. **Sin.** Círculo, corro.

corrimiento *s. m.* Movimiento de una extensión de terreno.

corro *s. m.* **1.** Grupo de personas en círculo. **2.** Juego de niños que consiste en cantar y moverse en círculo, cogidos de la mano.

corroboración *s. f.* Acción de corroborar. **Sin.** Confirmación, ratificación. **Ant.** Negación.

corroborar *v.* Confirmar, probar. **Sin.** Ratificar, reafirmar. **Ant.** Negar, refutar.

corroer *v.* **1.** Desgastar poco a poco una cosa el agua, el viento o alguna sustancia. **2.** Producir mucha intranquilidad y malestar: *Le corroía la envidia.* ⬚ Es v. irreg. Se conjuga como *roer.* **Sin. 1.** Carcomer. **2.** Consumir.

corromper *v.* **1.** Estropear algunas cosas, como los alimentos o el agua. **2.** Hacer malo según la ética o moral. **Sin. 1.** Pudrir, descomponer. **2.** Viciar, enviciar. **Ant. 1.** Conservar. **2.** Ennoblecer.

corrosión *s. f.* Acción de corroer. **Sin.** Desgaste.

corrosivo, va *adj.* Que corroe: *sustancia corrosiva.*

corrupción *s. f.* Acción de corromper o corromperse. **Sin.** Descomposición; perversión.

corruptela *s. f.* Corrupción, soborno o asunto ilegal.

corrupto, ta **1.** *p.* de **corromper.** También *adj.* ‖ *adj.* y *s.* **2.** De vida o conducta corrompidas.

corruptor, ra *adj.* y *s.* Que corrompe en el sentido moral.

corrusco *s. m.* Trozo de pan duro. **Sin.** Mendrugo.

corsario *adj.* y *s. m.* Pirata autorizado por su gobierno para atacar barcos enemigos.

corsé *s. m.* **1.** Prenda interior femenina, muy ajustada al cuerpo. **2.** Prenda ajustada al cuerpo para corregir algunas lesiones de columna vertebral.

corsetería *s. f.* Tienda donde se hacen y se venden corsés, fajas y prendas parecidas.

corso, sa *adj.* y *s.* **1.** De Córcega, isla de Francia en el mar Mediterráneo. ‖ *s. m.* **2.** Dialecto italiano que se habla en esa isla.

corta *s. f.* Acción de cortar árboles y plantas. **Sin.** Tala.

cortacésped *s. amb.* Máquina para cortar el césped.

cortacircuitos *s. m.* Aparato que corta automáticamente la corriente eléctrica en caso de peligro.

cortadillo *s. m.* **1.** Pastel cuadrado con cabello de ángel. **2.** Terrón de azúcar.

cortado, da **1.** *p.* de **cortar.** También *adj.* ‖ *adj.* y *s.* **2.** Tímido, vergonzoso. ‖ *adj.* y *s. m.* **3.** Café con un chorrito de leche. **Ant. 2.** Atrevido, osado.

cortador, ra *adj.* **1.** Que corta. ‖ *s. m.* y *f.* **2.** Persona que corta telas para trajes.

cortadura *s. f.* Corte en la piel. **Sin.** Tajo.

cortafrío *s. m.* Herramienta de punta recta y afilada para cortar metales y otros materiales en frío, golpeando sobre ella con un martillo. **Sin.** Escoplo.

cortafuego *s. m.* Zanja que se hace en las montañas o entre los sembrados para que si hay fuego no se extienda.

cortante *adj.* **1.** Que corta: *instrumento cortante.* **2.** Que deja cortado, sin saber qué hacer o decir.

cortapisa *s. f.* Dificultad, pega o limitación. **Sin.** Obstáculo, traba.

cortaplumas *s. m.* Navaja pequeña.

cortapuros *s. m.* Utensilio para cortar la punta de los puros.

cortar *v.* **1.** Hacer una raja en algo o separar un trozo de una cosa, usando cuchillos, tijeras o instrumentos parecidos. **2.** Impedir algo: *cortar el paso, la comunicación.* **3.** Quitar, suprimir, acortar: *Cortaron una escena de la película. Tienes que cortarme las mangas.* **4.** Avergonzar, dejar sin saber qué hacer o decir. **5.** Separar en dos partes las cartas de una baraja para que queden desordenadas. ‖ **cortarse 6.** Estropearse la leche, una salsa o una crema al quedar mal mezcladas las sustancias que las forman. **Sin. 1.** Rajar, seccionar. **2.** Bloquear. **4.** Aturdir. **Ant. 1.** Unir.

cortaúñas *s. m.* Utensilio para cortar las uñas.

corte[1] *s. m.* **1.** Acción y resultado de cortar. **2.** Filo de un instrumento cortante. **3.** Técnica de saber cortar los vestidos. **4.** Cantidad de tela con que se hace una prenda de vestir. **5.** Trozo de un bloque de helado. **6.** Vergüenza, apuro. **SIN. 1.** Tajo.

corte[2] *s. f.* **1.** Población donde vive el rey. **2.** El rey, la familia real y las personas que les acompañan. || *pl.* **3.** En España, el Congreso y el Senado. **EXPR. hacer la corte** Cortejar.

cortedad *s. f.* **1.** Timidez, vergüenza. **2.** Poca inteligencia.

cortejar *v.* Intentar conquistar a una mujer. **SIN.** Galantear.

cortejo *s. m.* **1.** El hecho de cortejar. **2.** Personas que van de acompañamiento en una ceremonia. **SIN. 2.** Séquito, comitiva.

cortés *adj.* Atento, amable, educado. **SIN.** Correcto, considerado. **ANT.** Descortés.

cortesano, na *adj.* **1.** De la corte o relacionado con ella. || *s. m.* **2.** Persona que sirve al rey en la corte. **SIN. 1.** Palaciego.

cortesía *s. f.* **1.** Amabilidad, buena educación. **2.** Detalle o regalo como muestra de amabilidad: *cortesía de la casa.* **SIN. 1** y **2.** Gentileza. **2.** Obsequio. **ANT. 1.** Descortesía.

corteza *s. f.* **1.** Parte externa de la raíz y el tallo de los vegetales. **2.** Parte exterior y dura de algunas frutas y otras cosas. || **3. corteza terrestre** Capa más externa de la Tierra. **4. corteza cerebral** Capa superficial del cerebro, formada por sustancia gris. **SIN. 2.** Cáscara.

cortijo *s. m.* Finca típica de Andalucía.

cortina *s. f.* **1.** Pieza de tela que se cuelga delante de ventanas, puertas y otras cosas. **2.** Lo que tapa y oculta algo: *cortina de humo.*

cortinaje *s. m.* Conjunto de cortinas.

cortisona *s. f.* Sustancia producida por la corteza de unas glándulas situadas encima del riñón. Se utiliza para tratar el reumatismo, la artrosis y alergias.

corto, ta *adj.* **1.** De poca longitud, cantidad o duración. **2.** Poco inteligente o poco espabilado. **3.** Tímido, vergonzoso. || *s. m.* **4.** Cortometraje. || **5. corto de vista** Miope. **EXPR. quedarse corto** No llegar a hacer, decir o conseguir lo suficiente. **SIN. 1.** Breve. **2.** Torpe, necio. **3.** Apocado. **ANT. 1.** Largo. **2.** Listo.

cortocircuito *s. m.* Corriente muy intensa provocada por un contacto accidental entre dos conductores o cables eléctricos mal aislados.

cortometraje *s. m.* Película que no dura más de treinta minutos.

coruñés, sa *adj.* y *s.* De La Coruña, ciudad y provincia españolas.

corva *s. f.* Parte de la pierna opuesta a la rodilla, por donde se dobla.

corvejón *s. m.* Articulación que los cuadrúpedos tienen en las patas posteriores.

corveta *s. f.* Movimiento que se enseña al caballo y que consiste en caminar sobre las patas de atrás, teniendo las de delante en alto.

córvido, da *adj.* y *s. m.* Se dice de una familia de aves de cuerpo robusto y pico fuerte, como el cuervo o la urraca.

corvo, va *adj.* Curvo, encorvado.

corzo, za *s. m.* y *f.* Animal herbívoro con cuernos pequeños, parecido al ciervo, pero de menor tamaño.

cosa *s. f.* **1.** Todo lo que existe distinto de las personas, las plantas y los animales. **2.** Palabra que utilizamos en el lenguaje con muchos significados, a menudo en lugar de otras. **3.** En oraciones negativas, equivale a nada: *No hay cosa peor que la desconfianza.*

cosaco, ca *adj.* y *s.* De un pueblo de las estepas del sur de Rusia.

coscorrón *s. m.* Golpe en la cabeza.

coscurro *s. m.* Cuscurro.

cosecha *s. f.* **1.** Frutos que se recogen de la tierra, ocupación de recogerlos y época del año en que se recogen. **2.** Producto de esos frutos: *cosecha de vino.* **SIN. 1.** Recolección.

cosechadora *s. f.* Máquina para cortar y recoger la cosecha, sobre todo de cereales.

cosechar *v.* **1.** Recoger los productos del campo cuando están maduros. **2.** Ganarse: *cosechar triunfos.* **SIN. 1.** Recolectar. **2.** Obtener, granjearse.

coser *v.* **1.** Unir con hilo y aguja telas u otras cosas. **2.** Hacer pespuntes, bordados y otras labores en una tela. **EXPR. ser** algo **coser y cantar** Ser muy fácil. **ANT. 1.** Descoser.

cosido, da **1.** *p.* de **coser**. También *adj.* || *s. m.* **2.** Costura, serie de puntadas.

cosmético, ca *adj.* y *s. m.* **1.** Producto para cuidar o embellecer la piel o el pelo. || *s. f.* **2.** Arte de preparar y emplear estos productos.

cósmico, ca *adj.* Del cosmos.

cosmonauta *s. m.* y *f.* Astronauta.

cosmonave *s. f.* Astronave.

cosmopolita *adj.* y *s.* **1.** Persona que ha viajado mucho y conoce gente y costumbres de diversos países. || *adj.* **2.** Se dice de los lugares en que hay gente y costumbres de muchos países.

cosmos *s. m.* Universo.

coso *s. m.* Plaza de toros.

cosquillas *s. f. pl.* Sensación que se produce en algunas zonas de la piel al rozarla o tocarla y que da muchas ganas de reír.

cosquilleo *s. m.* Sensación semejante a las cosquillas o la que producen las cosquillas. **SIN.** Hormigueo.

costa[1] *s. f.* Zona de tierra junto al mar. **SIN.** Litoral.

costa[2] *s. f.* **1.** Cantidad que se paga por una cosa. || *pl.* **2.** Gastos de un juicio. **EXPR. a costa de** A fuerza de, mediante. También, sirviéndose o aprovechándose de alguien o algo. **a toda costa** Como sea. **SIN. 1.** Coste, importe.

costado *s. m.* **1.** Cada uno de los dos lados del cuerpo que están debajo de los brazos. **2.** Lado de muchas cosas.

costal *s. m.* Saco grande. **SIN.** Talego.

costalada o **costalazo** *s. f.* o *s. m.* Golpe que alguien se da al caer de costado o de espaldas. **SIN.** Batacazo, trastazo.

costar *v.* **1.** Tener un precio. **2.** Ocasionar a alguien esfuerzos, molestias, perjuicios. □ Es v. irreg. Se conjuga como *contar.* **SIN. 1.** Valer, importar.

costarricense o **costarriqueño, ña** *adj.* y *s.* De Costa Rica, país de América Central.

coste *s. m.* Lo que cuesta una cosa. **SIN.** Importe, precio.

costear[1] *v.* Pagar un gasto.

costear[2] *v.* Navegar sin dejar de ver de la costa.

costero, ra *adj.* De la costa o litoral.

costilla *s. f.* Cada uno de los huesos largos y encorvados que se hallan en el tórax.

costipado *s. m.* Constipado.

costiparse *v.* Constiparse.

costo *s. m.* Coste.

costoso, sa *adj.* Que cuesta mucho dinero o esfuerzo. **SIN.** Caro; dificultoso. **ANT.** Barato; fácil.

costra *s. f.* Capa dura que se forma sobre las heridas cuando se secan.

costumbre *s. f.* Lo que se convierte en habitual o tradicional por hacerse a menudo o desde hace mucho tiempo. **SIN.** Hábito, uso.

costumbrismo *s. m.* Descripción de las costumbres típicas de un país o región en literatura y arte.

costumbrista *adj.* Del costumbrismo.

costura *s. f.* **1.** Acción de coser. **2.** Labor que se está cosiendo. **3.** Puntadas que se hacen al coser.

costurera *s. f.* Mujer que tiene como oficio la costura.

costurero *s. m.* Caja o bolsa para guardar las cosas que se emplean en la costura.

cota[1] *s. f.* **1.** Número que en los mapas señala la altura de un punto sobre el nivel del mar. **2.** Esa misma altura.

cota[2] *s. f.* Antigua armadura para proteger el cuerpo.

cotarro *s. m.* **1.** Asunto o actividad: *manejar el cotarro.* **2.** Grupo o reunión de personas: *animar el cotarro.*

cotejar *v.* Comparar, confrontar.

cotejo *s. m.* Acción de cotejar. **SIN.** Confrontación.

cotidiano, na *adj.* Que se hace o sucede cada día. **SIN.** Diario, acostumbrado.

cotiledón *s. m.* Forma con que aparece la primera hoja en el embrión de las plantas que se reproducen mediante semillas.

cotilla *adj.* y *s.* Persona que cotillea. **SIN.** Chismoso.

cotillear *v.* **1.** Ir contando chismes de otros. **2.** Observar a alguien o a otras personas para enterarse de su vida. **SIN. 1.** Murmurar. **2.** Husmear.

cotilleo *s. m.* Acción de cotillear.

cotillón *s. m.* Baile y fiesta con que se celebra algún día importante, como la Nochevieja o la noche de Reyes.

cotización *s. m.* **1.** Cuota que se cotiza. **2.** Precio de las acciones y valores en la bolsa.

cotizar *v.* **1.** Pagar una cuota o un impuesto. **2.** Publicar en la bolsa el precio de las acciones y valores. || **cotizarse 3.** Estar muy bien considerado, tener prestigio.

coto *s. m.* Terreno acotado: *un coto de caza.*

cotorra *s. f.* **1.** Nombre de varias aves de cabeza grande y pico fuerte y ganchudo, con alas y cola largas y de diversos colores. **2.** Persona muy habladora. **SIN. 2.** Loro, parlanchín.

creído

cotorrear v. Hablar mucho.

covacha s. f. **1.** Cueva pequeña. **2.** Vivienda o cuarto pobre y muy sucio. **SIN. 1.** Antro, caverna. **2.** Cuchitril.

cowboy (ingl.) s. m. Vaquero del oeste americano.

coxal adj. De la cadera: hueso coxal.

coxis s. m. Hueso que forma la última parte de la columna vertebral; se compone de cuatro vértebras y está articulado con el sacro. **SIN.** Cóccis.

coyote s. m. Mamífero carnívoro americano, parecido al lobo, de color gris amarillento.

coyuntura s. f. Circunstancia, situación, ocasión.

coyuntural adj. Que depende de las circunstancias. **SIN.** Circunstancial.

coz s. f. Patada que dan los borricos, caballos y animales parecidos.

crac s. m. Quiebra o desastre económico.

craneal o **craneano, na** adj. Del cráneo o relacionado con él.

cráneo s. m. Conjunto de huesos de la cabeza que forman como una caja que contiene el encéfalo.

crápula s. m. **1.** Hombre golfo y juerguista. ‖ s. f. **2.** Vida que lleva este hombre. **SIN. 1.** Calavera. **2.** Libertinaje.

craso, sa adj. Se dice de un error muy grave. **SIN.** Garrafal. **ANT.** Insignificante.

cráter s. m. **1.** Abertura por la cual los volcanes echan la lava y los gases. **2.** Hoyo que deja un meteorito al chocar contra la superficie de la Luna o de la Tierra.

crawl (ingl.) s. m. Crol.

creación s. f. **1.** Acción de crear o producir. **2.** Todo lo creado por Dios. **3.** Conjunto de las obras de un artista. **SIN. 1** y **3.** Producción.

creador, ra adj. y s. **1.** Que crea. ‖ **2. el Creador** Dios.

crear v. **1.** Hacer algo que antes no existía. **2.** Causar, producir. **SIN. 1.** Engendrar; fundar. **2.** Forjar. **ANT. 1.** Destruir.

creatividad s. f. Capacidad e imaginación para crear e inventar.

creativo, va adj. Que tiene creatividad o ayuda a tenerla.

crecepelo s. m. Producto para hacer que salga pelo en la cabeza.

crecer v. **1.** Aumentar de tamaño, sobre todo en altura. **2.** Hacerse adulto. **3.** Hacerse más grande o importante.

4. Aparecer, salir: crecer la hierba. ‖ **crecerse 5.** Volverse más atrevido o decidido. □ Es v. irreg. Se conjuga como agradecer. **SIN. 1.** Desarrollarse. **2.** Madurar. **3.** Incrementarse. **4.** Darse. **ANT. 1** y **3.** Menguar. **3.** Disminuir.

creces Se usa en la expresión **con creces,** 'más de lo necesario o suficiente'.

crecida s. f. Aumento del agua que lleva un río, a causa de las lluvias o del deshielo. **SIN.** Riada, avenida.

creciente adj. **1.** Que crece o aumenta. ‖ **2. cuarto creciente** Fase de la Luna intermedia entre la Luna nueva y la Luna llena. **ANT. 1.** Decreciente.

crecimiento s. m. Hecho de crecer. **SIN.** Desarrollo; aumento. **ANT.** Disminución.

credencial adj. **1.** Que acredita o demuestra algo. ‖ s. f. **2.** Documento que acredita el cargo que se ha dado a una persona.

credibilidad s. f. Característica de las cosas creíbles o de las personas que las dicen.

crédito s. m. **1.** Dinero que se pide prestado a un banco o a una empresa. **2.** Posibilidad que alguien tiene de que le presten dinero o de poder pagar más tarde. **3.** Hecho de aceptar algo como cierto o verdadero. **4.** Fama, prestigio. **EXPR. a crédito** A plazos y pagándolo más tarde.

credo s. m. **1.** Oración que resume la fe católica. **2.** Religión o ideología. **SIN. 2.** Fe, creencia.

credulidad s. f. Característica de las personas crédulas. **SIN.** Ingenuidad. **ANT.** Incredulidad.

crédulo, la adj. y s. Que se lo cree todo. **SIN.** Ingenuo, inocente. **ANT.** Incrédulo.

creencia s. f. **1.** Hecho de creer firmemente una cosa. **2.** Idea o conjunto de ideas en las que alguien cree, sobre todo las religiosas. **SIN. 1.** Certeza, convicción. **2.** Ideología. **ANT. 1.** Duda.

creer v. **1.** Aceptar como cierto. **2.** Pensar que alguien o algo es de una determinada manera. **3.** Tener fe religiosa. **4.** Confiar en algo. □ Es v. irreg. Se conjuga como leer. **SIN. 1.** Admitir, tragarse. **2.** Suponer, estimar. **ANT. 1** y **2.** Dudar. **1** y **4.** Desconfiar.

creíble adj. Que se puede creer o aceptar como cierto. **SIN.** Verosímil, fidedigno, plausible.

creído, da adj. y s. Presumido, vanidoso. **SIN.** Engreído. **ANT.** Humilde.

crema *s. f.* **1.** Pasta hecha con leche, huevos y azúcar, o con otros ingredientes. **2.** Nata de la leche. **3.** Puré poco espeso que se hace con algunos alimentos: *crema de espárragos.* **4.** Nombre dado a algunas sustancias pastosas: *crema de belleza.* **5.** Color blanco amarillento. **SIN. 4.** Pomada.

cremación *s. f.* Acción de quemar, especialmente los cadáveres humanos. **SIN.** Incineración.

cremallera *s. f.* **1.** Cierre formado por dos filas de dientes por los que corre una pieza que los va encajando. **2.** Riel con dientes en los que encaja una pieza, que permite a algunos trenes subir y bajar pendientes.

crematorio, ria *adj. y s. m.* **1.** Se dice del lugar donde se queman los cadáveres: *horno crematorio.* || *s. m.* **2.** Lugar donde se queman basuras.

cremoso, sa *adj.* Parecido a la crema o con mucha crema.

crepé *s. m.* **1.** Tejido con relieves. **2.** Tipo de caucho.

crêpe (fr.) *s. f.* Tortita muy fina hecha con harina, huevos, azúcar y leche o agua; suele servirse enrollada y con un relleno.

crepitar *v.* Hacer un ruido como el de la leña al arder. **SIN.** Chisporrotear.

crepuscular *adj.* Del crepúsculo o relacionado con él: *luz crepuscular.*

crepúsculo *s. m.* Claridad que se ve en el cielo al salir y, sobre todo, al ponerse el Sol. **SIN.** Alba; ocaso.

crespo, pa *adj.* Se dice del cabello fuerte y muy rizado. **SIN.** Ensortijado. **ANT.** Lacio.

crespón *s. m.* **1.** Seda o gasa ondulada. **2.** Tira negra que se lleva en señal de luto.

cresta *s. f.* **1.** Saliente carnoso que tienen sobre la cabeza algunas aves y reptiles. **2.** Plumas que algunas aves tienen sobre la cabeza. **3.** Cumbre rocosa de una montaña. **4.** Parte más alta de una ola. **SIN. 2.** Penacho, copete.

creta *s. f.* Roca caliza, blanda y de color blanco, formada con restos fósiles de animales marinos.

cretense *adj. y s.* De Creta, isla de Grecia en el Mediterráneo.

cretino, na *adj. y s.* Tonto, estúpido.

cretona *s. f.* Tela fuerte que suele ser de algodón.

creyente *adj. y s.* Que cree en Dios o sigue alguna religión. **ANT.** Ateo.

cría *s. f.* **1.** Hecho de criar niños o animales. **2.** Animal mientras es alimentado por su madre. **SIN. 1.** Crianza.

criadero *s. m.* **1.** Lugar donde se crían animales. **2.** Lugar adonde se trasplantan árboles o plantas para que se desarrollen. **SIN. 1.** Granja. **2.** Vivero.

criadilla *s. f.* Testículo de algunas reses que se toma como alimento.

criado, da **1.** *p.* de **criar.** También *adj.* || *adj.* **2.** Con *bien* o *mal,* se dice de las personas bien o mal educadas. || *s. m. y f.* **3.** Empleado de una casa que realiza tareas domésticas. **SIN. 3.** Sirviente.

criador, ra *s. m. y f.* Persona que cría animales.

crianza *s. f.* **1.** Acción de criar. **2.** Educación que ha recibido una persona.

criar *v.* **1.** Alimentar las madres a sus hijos recién nacidos o las hembras de los animales a sus crías. **2.** Cuidar y educar a los niños. **3.** Cuidar animales o plantas y hacer que se reproduzcan. **4.** Producir, procrear. || **criarse 5.** Desarrollarse, crecer. **SIN. 2.** Enseñar, instruir. **4.** Parir. **ANT. 1.** Destetar.

criatura *s. f.* **1.** Cualquiera de los seres de la creación. **2.** Niño pequeño. **SIN. 2.** Crío, nene.

criba *s. f.* **1.** Cedazo. **2.** Selección, elección. **SIN. 1.** Tamiz.

cribar *v.* **1.** Pasar por la criba o cedazo. **2.** Hacer una selección. **SIN. 1.** Tamizar, cerner. **2.** Seleccionar.

crimen *s. m.* **1.** Delito muy grave, sobre todo el hecho de matar a otra persona. **2.** Cosa injusta o muy mal hecha. **SIN. 1.** Asesinato, homicidio. **2.** Atropello; disparate.

criminal *adj. y s.* **1.** Autor de un crimen. || *adj.* **2.** Relacionado con los crímenes o que constituye un crimen. **SIN. 1.** Delincuente, asesino. Penal.

criminalista *adj. y s.* Especialista en la parte del derecho que trata sobre los delitos y las penas.

criminología *s. f.* Ciencia que trata sobre los delitos.

crin *s. f.* Pelos que tienen los caballos y otros animales sobre el cuello y en la cola.

crío, a *s. m. y f.* Niño.

criollo, lla *adj. y s.* **1.** Descendiente de europeos nacido en Latinoamérica. **2.** De Latinoamérica: *cocina criolla.*

cripta *s. f.* **1.** Capilla debajo de una iglesia. **2.** Lugar bajo tierra para enterrar a los muertos.

críptico, ca *adj.* Muy difícil de entender. **SIN.** Oscuro, incomprensible. **ANT.** Claro, comprensible.

criptógama *adj.* y *s. f.* Se dice de las plantas que no tienen flores.

críquet *s. m.* Juego de pelota de origen inglés que se practica con bates planos entre dos equipos de once jugadores.

crisálida *s. f.* Etapa del desarrollo de las mariposas en que la larva se va transformando en adulto.

crisantemo *s. m.* Planta de tallos largos y flores grandes formadas por muchos pétalos pequeños.

crisis *s. f.* Momento grave, con cambios o problemas, como por ejemplo una mala situación económica. **SIN.** Trance, aprieto. **ANT.** Estabilidad.

crisma[1] *s. f.* 1. Cabeza: *romperse la crisma.* || *s. amb.* 2. Mezcla de aceite y bálsamo consagrados, que se usa en algunas ceremonias religiosas.

crisma[2] o **crismas** *s. m.* Tarjeta para felicitar las Navidades. **SIN.** Christmas.

crisol *s. m.* Recipiente para fundir metales.

crispación *s. f.* Hecho de crispar o crisparse. **SIN.** Convulsión; enojo. **ANT.** Relajación.

crispar *v.* 1. Contraer de repente los músculos de una parte del cuerpo. 2. Poner nervioso o enfadar. **SIN.** 1. Estremecer. 2. Alterar, irritar. **ANT.** 1. Relajar. 2. Calmar.

cristal *s. m.* 1. Cuerpo mineral con forma de poliedro, como la sal o el cuarzo. 2. Vidrio, material duro y transparente, y lámina de este material.

cristalera *s. f.* 1. Ventana, puerta o pared formada por cristales. 2. Vitrina.

cristalería *s. f.* 1. Establecimiento donde se fabrican o venden objetos de cristal. 2. Conjunto de objetos de cristal, sobre todo vasos y copas.

cristalero, ra *s. m.* y *f.* 1. Persona que fabrica o vende cristales. 2. Persona que los coloca en puertas y ventanas.

cristalino, na *adj.* 1. Parecido al cristal. || *s. m.* 2. Parte del ojo, transparente y situada detrás de la pupila, que permite enfocar las imágenes. **SIN.** 1. Claro, transparente. **ANT.** 1. Opaco, turbio.

cristalización *s. f.* Acción de cristalizar o cristalizarse.

cristalizar *v.* 1. Tomar forma y estructura de cristal. 2. Tener un resultado concreto: *La reunión cristalizó en un acuerdo.* **SIN.** 2. Concretarse.

cristalografía *s. f.* Ciencia que estudia los cristales minerales.

cristianar *v.* Bautizar.

cristiandad *s. f.* Conjunto de todas las personas y países cristianos. **SIN.** Cristianismo.

cristianismo *s. m.* 1. Religión surgida de la predicación y ejemplo de Jesucristo. 2. Cristiandad.

cristianizar *v.* Llevar el cristianismo a un lugar o grupo de personas. **SIN.** Evangelizar.

cristiano, na *adj.* y *s.* 1. Del cristianismo o seguidor de esta religión. || *s. m.* y *f.* 2. *fam.* Cualquier persona: *Esto no hay cristiano que lo resista.* **EXPR. en cristiano** De manera que se entienda: *hablar en cristiano.*

cristo *s. m.* Imagen de Jesús crucificado. **EXPR. hecho un cristo** Destrozado, hecho una pena. **todo cristo** Todo el mundo.

criterio *s. m.* 1. Regla o norma para hacer algo. 2. Opinión, juicio, parecer. **SIN.** 1. Principio. 2. Idea.

crítica *s. f.* 1. Opinión acerca de algo, sobre todo de una obra artística o de un espectáculo. 2. Personas que hacen críticas de literatura, cine u otra materia. 3. Mala opinión sobre algo. **SIN.** 1. Juicio, recensión. 3. Censura. **ANT.** 3. Aprobación.

criticar *v.* 1. Dar una mala opinión sobre algo. 2. Hacer críticas literarias o artísticas. **SIN.** 1. Censurar, desaprobar. **ANT.** 1. Aprobar.

crítico, ca *adj.* 1. Que critica. 2. Grave, peligroso, decisivo: *estado crítico, momento crítico.* || *s. m.* y *f.* 3. Persona que se dedica a la crítica de libros, espectáculos u otras cosas.

criticón, na *adj.* y *s.* Persona que critica o pone faltas a todo.

croar *v.* Cantar la rana.

croata *adj.* y *s.* De Croacia, país de Europa.

crocanti o **crocante** *adj.* 1. Se dice del chocolate o helado que contiene trocitos de almendra. || *s. m.* 2. Guirlache.

croissant (fr.) *s. m.* Cruasán.

crol *s. m.* Estilo de natación en que se avanza moviendo los pies y sacando alternativamente los brazos del agua por encima de la cabeza. **SIN.** Crawl.

cromado, da *adj.* Que tiene un baño de cromo.

cromático, ca *adj.* De los colores.

crómlech *s. m.* Monumento megalítico formado por grandes piedras colocadas en círculo.

cromo *s. m.* **1.** Metal duro, plateado, resistente a la humedad y al óxido, con que se hace acero inoxidable y pinturas. Es elemento químico. **2.** Papel con un dibujo o una foto que los niños coleccionan.

cromosoma *s. m.* En el núcleo de la célula, cada una de las partes que contienen los genes. Sólo se ven cuando la célula se va a dividir.

crónica *s. f.* **1.** Relato de hechos históricos en el orden en que éstos han ocurrido. **2.** Información periodística sobre temas de actualidad. **Sin.** 2. Reportaje.

crónico, ca *adj.* Se dice de enfermedades, problemas, males o vicios que se padecen desde hace mucho tiempo y no se solucionan. **Sin.** Arraigado. **Ant.** Nuevo.

cronista *s. m. y f.* Autor de una crónica histórica o periodística.

cronología *s. f.* **1.** Ciencia que fija el orden y las fechas en que han ocurrido los hechos históricos. **2.** Lista de personas o hechos históricos ordenados por sus fechas.

cronológico, ca *adj.* Que sigue el orden en que han ido ocurriendo los hechos.

cronometraje *s. m.* Acción de cronometrar.

cronometrar *v.* Medir el tiempo con un cronómetro.

cronómetro *s. m.* Reloj para medir el tiempo con mucha precisión.

cróquet *s. m.* Juego de origen inglés que consiste en hacer pasar unas bolas por unos aros golpeándolas con un mazo.

croqueta *s. f.* Trozo de masa de besamel con trocitos de jamón, de pescado u otro alimento, rebozado en huevo y frito.

croquis *s. m.* Dibujo esquemático que se hace a ojo y sin detalle. **Sin.** Apunte, bosquejo, esbozo.

cross (ingl.) *s. m.* Prueba deportiva que consiste en correr varios kilómetros por el campo.

crótalo *s. m.* **1.** Instrumento parecido a las castañuelas. **2.** Serpiente de cascabel.

cruasán *s. m.* Bollo en forma de media luna. **Sin.** Croissant.

cruce *s. m.* **1.** Acción de cruzar. **2.** Lugar donde se cruzan calles, carreteras o caminos. **3.** Mezcla de dos especies de plantas o de animales. **Sin.** 2. Encrucijada.

crucero *s. m.* **1.** Viaje turístico en barco, parando en distintos puertos. **2.** En las iglesias, espacio en el que se cruza la nave mayor con la nave transversal. **3.** Buque de guerra de gran tamaño. **4.** Cruz de piedra colocada en un cruce de caminos o en un atrio.

crucial *adj.* Decisivo, de gran importancia para lo que va a suceder después. **Sin.** Crítico, esencial. **Ant.** Intrascendente.

crucificar *v.* Clavar a una persona en una cruz.

crucifijo *s. m.* Cruz que representa a Jesucristo crucificado.

crucifixión *s. f.* Acción de crucificar.

crucigrama *s. m.* Pasatiempo que consiste en rellenar unas casillas con palabras que hay que adivinar a partir de unas definiciones.

crudeza *s. f.* Característica de lo que es crudo, duro, desagradable. **Sin.** Dureza, aspereza, rigor. **Ant.** Suavidad.

crudo, da *adj.* **1.** Que no está cocinado o no lo está lo suficiente. **2.** En estado natural, sin elaborar. **3.** Beige muy clarito. **4.** Duro, desagradable, difícil de soportar. **5.** Difícil de lograr: *Lo tienes crudo.* || *s. m.* **6.** Petróleo sin refinar. **Sin.** 4. Riguroso. **Ant.** 1. Frito, cocido.

cruel *adj.* **1.** Que disfruta haciendo daño o con el dolor de los demás. **2.** Que provoca mucho daño o sufrimiento. **Sin.** 1 y 2. Despiadado, inhumano.

crueldad *s. f.* **1.** Característica de cruel. **2.** Acción cruel. **Sin.** 1 y 2. Atrocidad, barbaridad.

cruento, ta *adj.* Con derramamiento de sangre. **Sin.** Sangriento, encarnizado. **Ant.** Incruento.

crujido *s. m.* Ruido que hace una cosa al crujir. **Sin.** Chasquido.

crujiente *adj.* Que cruje.

crujir *v.* Hacer ruido algunas cosas, como la madera, cuando se parten, se doblan o se rozan unas con otras.

crupier *s. m.* En casinos y casas de juegos, empleado que dirige las partidas.

crustáceo *adj. y s. m.* Animal generalmente acuático y que respira por branquias; tiene varios pares de patas y suele estar cubierto por un caparazón duro, como la langosta, la cigala, los cangrejos.

cruz s. f. **1.** Figura con forma de X. **2.** Madero vertical cruzado por otro horizontal, en que se clavaba a los condenados a muerte. Es símbolo del cristianismo. **3.** Objeto o insignia con esta forma. **4.** Gran sufrimiento o trabajo. **5.** Reverso de una moneda o medalla. **6.** Parte más alta del lomo de algunos cuadrúpedos. || **7. cruz gamada** La que tiene los brazos doblados en ángulo recto. Es un símbolo nazi. **8. cruz griega** La que tiene los cuatro brazos iguales. **9. cruz latina** La que tiene el palo horizontal más corto y más arriba. **SIN. 1.** Aspa. **3.** Crucifijo. **4.** Suplicio, calvario. **5.** Envés.

cruzada s. f. En la Edad Media, campaña militar de los cristianos contra los musulmanes para recuperar Jerusalén y los Santos Lugares.

cruzado, da **1.** p. de **cruzar**. También adj. || adj. **2.** Se dice de la prenda en la que un delantero monta sobre otro: *chaqueta cruzada.* || s. m. **3.** El que participaba en una cruzada.

cruzar v. **1.** Atravesar o poner una cosa sobre otra en forma de cruz. **2.** Ir de uno a otro lado: *cruzar la calle.* **3.** Dirigirse mutuamente: *cruzar palabras, saludos.* **4.** Juntar un macho y una hembra de distintas razas o plantas de diferentes variedades para que se reproduzcan. || **cruzarse 5.** Encontrarse por el mismo camino, pero en distintas direcciones. **EXPR. cruzarle a uno la cara** Darle una bofetada. **cruzarse de brazos** No hacer nada. **SIN. 2.** Pasar.

cruzeiro s. m. Moneda de Brasil.

cuaderna s. f. **1.** Cada una de las piezas curvas que parten de la quilla y forman la armadura del casco de un barco. || **2. cuaderna vía** Estrofa medieval formada por cuatro versos alejandrinos, de catorce sílabas, con rima consonante.

cuaderno s. m. **1.** Conjunto de hojas de papel en forma de libro. || **2. cuaderno de bitácora** En los barcos, libro en que se apuntan el rumbo, la velocidad y otros datos de la navegación.

cuadra s. f. **1.** Establo para caballos y otros animales de carga. **2.** Conjunto de caballos de un mismo dueño. **SIN. 1.** Caballeriza.

cuadrado, da adj. **1.** Con forma de cuadrado. **2.** Referido a una unidad de longitud, la convierte en unidad de superficie; un metro cuadrado equivale a lo que ocupa un cuadrado que mide de lado un metro. || s. m. **3.** Polígono de cuatro lados iguales y ángulos rectos.

4. Resultado de multiplicar un número por sí mismo.

cuadragésimo, ma num. **1.** Que ocupa por orden el número cuarenta. || num. y s. m. **2.** Se dice de cada una de las cuarenta partes en que se divide una cosa.

cuadrangular adj. Que tiene cuatro ángulos.

cuadrante s. m. **1.** Cuarta parte de un círculo o una circunferencia. **2.** Instrumento usado en astronomía para medir ángulos.

cuadrar v. **1.** Coincidir, estar de acuerdo, ir bien con algo. || **cuadrarse 2.** Ponerse muy derecho, como los soldados cuando van a saludar a sus superiores. **SIN. 1.** Adecuarse, armonizar. **ANT. 1.** Desentonar.

cuádriceps s. m. Músculo de la parte de delante del muslo, que permite estirar la pierna.

cuadrícula s. f. Conjunto de cuadrados formados por dos series de líneas paralelas que se cortan.

cuadriculado, da adj. Dividido en cuadrículas.

cuadriga s. f. Carro romano tirado por cuatro caballos enganchados uno al lado del otro.

cuadrilátero, ra adj. **1.** Que tiene cuatro lados. || s. m. **2.** Polígono de cuatro lados. **3.** Plataforma donde se disputan combates de boxeo y de otros deportes de lucha. **SIN. 3.** Ring.

cuadrilla s. f. **1.** Grupo de personas que actúan o trabajan juntas. **2.** En los toros, grupo de toreros que ayudan al matador. **SIN. 1.** Partida, brigada.

cuadro s. m. **1.** Lienzo o lámina con un dibujo o una pintura. **2.** Figura en forma de cuadrado. **3.** Escena o suceso. **4.** Equipo de personas que realizan una actividad. **5.** Esquema que consiste en un conjunto de datos o explicaciones dentro de un recuadro. || **6. cuadro clínico** Conjunto de síntomas en un enfermo o en una enfermedad. **SIN. 2.** Cuadrilátero. **3.** Visión.

cuadrumano, na o **cuadrúmano, na** adj. y s. m. Se dice de los animales con manos en las cuatro extremidades, como los monos.

cuadrúpedo, da adj. y s. m. Se dice del animal de cuatro patas.

cuadruplicar v. Multiplicar por cuatro.

cuádruple o **cuádruplo, pla** adj. y s. m. Que es cuatro veces mayor que otra cosa.

cuajada s. f. Parte sólida de la leche que se separa de la parte líquida.

cuajar[1] v. 1. Unir las partes de un líquido para convertirlo en sólido. 2. Cubrir, llenar. 3. Formar la nieve una capa sobre una superficie. 4. Tener éxito, funcionar, salir bien. **Sin.** 1. Coagular. 2. Colmar. **Ant.** 1. Fundir.

cuajar[2] s. m. Cuarta cavidad del estómago de los rumiantes, que segrega el jugo gástrico.

cuajarón s. m. Porción de sangre o de otro líquido que se ha vuelto sólida. **Sin.** Coágulo.

cuajo s. m. 1. Sustancia para cuajar un líquido, en especial la leche para convertirla en queso. 2. Demasiada calma. **Expr. de cuajo** De raíz. **Sin.** 2. Pachorra, cachaza.

cual rel. 1. Equivale a que y lleva delante el artículo: Las niñas con las cuales comí ayer son mis primas. ‖ adv. 2. Equivale a como: Ese chico se muestra tal cual es.

cuál interr. Sirve para preguntar sobre personas, animales o cosas: ¿Cuál de los dos libros prefieres?

cualidad s. f. 1. Cada una de las propiedades o características que distinguen a los seres vivos o a las cosas. 2. Cosa buena de una persona. **Sin.** 2. Virtud.

cualificado, da adj. Se dice del trabajador especialmente preparado para una tarea.

cualitativo, va adj. Que indica cualidad. **Ant.** Cuantitativo.

cualquier Forma abreviada de **cualquiera**.

cualquiera indef. 1. Indica personas, animales o cosas, pero sin señalar cuál: Dame un bolígrafo cualquiera. ‖ s. m. 2. Hombre poco importante. ‖ s. f. 3. Prostituta.

cuan adv. Indica igualdad o modo y equivale a tan... como o a todo lo... que: Resbaló y cayó cuan largo era.

cuán excl. Se usa delante de adjetivos o adverbios para destacar su significado: ¡Cuán desgraciada se siente!

cuando adv. 1. En el momento de, en el instante en que. ‖ conj. 2. Equivale a si: Cuando él lo dice, será verdad. 3. Con el adverbio aun significa aunque: Aun cuando te enfades, no haré lo que pides. **Expr. de cuando en cuando** o **de vez en cuando** A veces.

cuándo interr. En qué momento: ¿Cuándo te vas?

cuantía s. f. Cantidad de dinero que cuesta o supone algo. **Sin.** Importe.

cuantificar v. Expresar algo en números, decir su valor en cantidades. **Sin.** Valorar, tasar, calcular.

cuantioso, sa adj. Abundante, grande. **Sin.** Mucho, numeroso, copioso. **Ant.** Escaso.

cuantitativo, va adj. Relacionado con la cantidad o el número de algo.

cuanto, ta rel. Todo lo que: Te digo cuanto sé. También se usa en comparaciones: Cuanto más tiene, más quiere. **Expr. en cuanto** Tan pronto como: Dímelo en cuanto lo enteres. también a En relación a, por lo que se refiere a: En cuanto a ese problema, se solucionará.

cuánto, ta interr. 1. Se usa para preguntar la cantidad: ¿Cuántos años tienes? ¿Cuánto mides? ‖ excl. 2. Destaca la cantidad de algo: ¡Cuánta gente! ¡Cuánto sabe!

cuarenta num. 1. Cuatro veces diez. 2. Que sigue al orden del treinta y nueve. **Expr. cantar las cuarenta** En el juego del tute, decir que se tiene el rey y el caballo del palo que pinta, con lo que se consiguen cuarenta puntos. También, decirle claramente a alguien lo que se tiene contra él.

cuarentena s. f. 1. Conjunto de cuarenta unidades. 2. Tiempo que se tiene aislados a algunos enfermos para que no contagien a otros.

cuarentón, na adj. y s. Se dice de la persona que tiene entre cuarenta y cincuenta años.

cuaresma s. f. En la religión cristiana, periodo de cuarenta días dedicado a la penitencia y al ayuno, desde el miércoles de ceniza hasta la Pascua de Resurrección.

cuarta s. f. Palmo, medida de longitud.

cuartear v. 1. Partir en trozos, sobre todo los animales empleados como alimento. ‖ **cuartearse** 2. Hacerse rajas o grietas. **Sin.** 1. Descuartizar, despedazar. 2. Rajarse, agrietarse.

cuartel s. m. 1. Instalaciones donde viven y realizan sus actividades los soldados, y también los policías y bomberos. 2. Descanso o interrupción en un enfrentamiento: dar cuartel, lucha sin cuartel. **Sin.** 1. Acuartelamiento.

cuartelillo s. m. Puesto de policía, de la guardia civil o de bomberos.

cuarterón, na adj. y s. 1. En América, hijo de mestizo y española o de español y mestiza. ‖ *s. m.* **2.** Panel o cuadrado de una puerta.

cuarteta *s. f.* Estrofa de cuatro versos de ocho sílabas o menos.

cuarteto *s. m.* **1.** Conjunto musical de cuatro instrumentos o de cuatro cantantes. **2.** Estrofa de cuatro versos de más de ocho sílabas.

cuartilla *s. f.* Hoja de papel que es la cuarta parte de un pliego.

cuarto, ta *num.* **1.** Que ocupa por orden el número cuatro. ‖ *num.* y *s. m.* **2.** Se dice de cada una de las cuatro partes en las que se divide una cosa: *cuarto de litro.* ‖ *s. m.* **3.** Habitación. **4.** Cada una de las cuatro partes en que se divide horizontal y verticalmente el cuerpo de algunos animales, como las reses o las aves: *los cuartos traseros.* ‖ *s. m. pl.* **5.** Dinero. **Expr. de tres al cuarto** De poco valor o categoría. **Sin. 3.** Pieza, dependencia.

cuarzo *s. m.* Mineral de gran dureza formado por sílice y que es componente de muchas rocas.

cuaternario, ria *adj.* y *s. m.* Se dice del periodo geológico que comenzó hace unos dos millones de años, en el que apareció el hombre y hubo grandes glaciares.

cuatrero, ra *s. m.* y *f.* Ladrón de ganado.

cuatrillizo, za *adj.* y *s.* Se dice de cada uno de los cuatro hermanos nacidos en un mismo parto.

cuatrimestral *adj.* **1.** Que se repite cada cuatro meses. **2.** Que dura cuatro meses.

cuatrimotor *s. m.* Avión con cuatro motores.

cuatro *num.* **1.** Tres y uno. **2.** Poca cantidad de alguna cosa: *Tiene cuatro pelos.* **3.** Cuarto.

cuatrocientos, tas *num.* **1.** Cuatro veces cien. **2.** Que sigue por orden al trescientos noventa y nueve.

cuba *s. f.* Recipiente para líquidos formado por una serie de tablas curvadas y unidas, con dos bases circulares en sus extremos. **Expr. como una cuba** Muy borracho. **Sin.** Barril, tonel.

cubalibre o **cuba-libre** *s. m.* Refresco de cola con ginebra o ron.

cubano, na *adj.* y *s.* De Cuba, país de América Central.

cubata *s. m. fam.* Cubalibre.

cubertería *s. f.* Cubiertos y otras cosas para servir la comida.

cubeta *s. f.* Recipiente de poco fondo y casi siempre rectangular o cuadrado, como los que se emplean para revelar fotografías.

cúbico, ca *adj.* **1.** Con forma de cubo geométrico. **2.** Referido a una unidad de longitud, la convierte en unidad de capacidad, por ejemplo un metro cúbico equivale al contenido de un cubo que tiene como lado un metro.

cubículo *s. m.* Habitación o lugar muy pequeños. **Sin.** Cuchitril.

cubierta *s. f.* **1.** Lo que cubre o tapa una cosa. **2.** Tapa de un libro. **3.** Parte exterior del techo de un edificio. **4.** Parte exterior de las ruedas de algunos vehículos. **5.** Piso de un barco, sobre todo el superior.

cubierto, ta **1.** *p.* de **cubrir.** También *adj.* ‖ *s. m.* **2.** Utensilio para partir los alimentos, servírlos o llevárselos a la boca. **3.** Servicio de mesa para cada persona. **4.** Comida que se sirve en restaurantes con platos y precios fijos. **Sin. 4.** Menú.

cubil *s. m.* **1.** Guarida o madriguera de los animales. **2.** Escondrijo.

cubilete *s. m.* **1.** Vaso en el que se meten los dados para moverlos y tirarlos. **2.** Molde de cocina.

cubismo *s. m.* Estilo de pintura surgido a principios del siglo xx, que se caracteriza por representar las figuras mediante formas geométricas.

cubista *adj.* y *s.* Que está relacionado con el cubismo o lo practica.

cúbito *s. m.* Hueso más largo y grueso de los dos del antebrazo.

cubo[1] *s. m.* Recipiente más ancho por la boca que por el fondo y con un asa. **Sin.** Balde.

cubo[2] *s. m.* **1.** Figura geométrica formada por seis caras que son cuadrados iguales. **2.** En matemáticas, resultado de multiplicar un número dos veces por sí mismo.

cubrecama *s. m.* Colcha.

cubrir *v.* **1.** Poner algo encima de una cosa. **2.** Proteger, defender: *Se cubrió la cara con los brazos.* **3.** Llenar: *cubrirse el cielo de nubes.* **4.** Ocupar, completar o ser suficiente: *cubrir las plazas de un hotel, cubrir gastos.* **5.** Unirse el macho a la hembra para fecundarla. ‖ **cubrirse 6.** Ponerse el sombrero. □ Su p. es irreg.: *cubierto.* **Sin. 1.** Tapar, envolver. **2.** Resguardar. **3.** Colmar, abarrotar. **4.** Copar; bastar. **5.** Montar, aparearse. **Ant. 1.** Descubrir, destapar.

cucamonas *s. f. pl.* Mimos, carantoñas. **Sin.** Arrumacos.

cucaña *s. f.* En algunas fiestas, palo largo untado con algo resbaladizo, por el que hay que subir para coger un premio.

cucaracha *s. f.* Insecto de forma ovalada, color negro, rojizo o marrón, con antenas largas y finas.

cuchara *s. f.* **1.** Cubierto con una parte cóncava para tomar alimentos líquidos o poco consistentes. **2.** Parte de las grúas y las excavadoras en la que se recogen y transportan los materiales.

cucharada *s. f.* Lo que cabe en una cuchara.

cucharilla *s. f.* Cuchara pequeña.

cucharón *s. m.* Cuchara grande para servir la comida.

cuché *adj. y s. m.* Se dice de un tipo de papel brillante que se usa en libros y revistas con ilustración.

cuchichear *v.* Hablar muy bajito. **Sin.** Murmurar.

cuchicheo *s. m.* Acción de cuchichear. **Sin.** Murmuración.

cuchilla *s. f.* **1.** Hoja de acero con filo. **2.** Hoja de afeitar. **3.** Cuchillo grande y pesado.

cuchillada o **cuchillazo** *s. f. o s. m.* Herida de cuchillo o arma parecida.

cuchillería *s. f.* Taller o tienda de cuchillos, tijeras y utensilios parecidos.

cuchillo *s. m.* **1.** Instrumento para cortar, formado por un mango y una hoja afilada. **2.** Corriente de aire frío que entra por una rendija.

cuchipanda *s. f.* Fiesta con comida y diversión.

cuchitril *s. m.* Habitación o casa muy pequeñas.

cuchufleta *s. f.* Broma, chufla. **Sin.** Burla.

cuclillas Se usa en la expresión **en cuclillas**, 'agachado y con las piernas muy dobladas'.

cuclillo *s. m.* Cuco, ave.

cuco, ca *adj.* **1.** Bonito, mono. ‖ *adj. y s.* **2.** Pillo, listo. ‖ *s. m.* **3.** Ave de tamaño medio, cola larga y alas afiladas; las hembras ponen sus huevos en los nidos de otras aves para que éstas las críen. **4.** Reloj de cuco. ‖ **5. reloj de cuco** Reloj de pared con un cuclillo mecánico.

cucurucho *s. m.* **1.** Cono de papel, cartón, barquillo, etc. **2.** Capirote, gorro en forma de cono.

cuelgue *s. m. fam.* Efecto producido por una droga.

cuello *s. m.* **1.** Parte del cuerpo que une la cabeza al tronco. **2.** Parte de una prenda que cubre o rodea el cuello. **3.** Parte más estrecha de algunos objetos: *el cuello de la botella.* **Sin. 1.** Pescuezo, garganta.

cuenca *s. f.* **1.** Hueco donde está cada ojo. **2.** Territorio por donde corren las aguas de un río y de sus afluentes. **3.** Región donde abunda un mineral, que se saca de las minas. **Sin. 1.** Órbita.

cuenco *s. m.* **1.** Especie de tazón. **2.** Hueco de algunas cosas: *el cuenco de la mano.* **Sin. 1.** Escudilla, bol.

cuenta *s. f.* **1.** Acción de contar: *llevar la cuenta.* **2.** Operación matemática, como la suma o la resta. **3.** Nota donde pone lo que hay que pagar. **4.** Anotación que lleva un banco o una caja de ahorros de los ingresos o pagos de un cliente. **5.** Explicación o excusa: *No tengo por qué darte cuenta de lo que hago.* **6.** Bolita con un agujero para hacer collares y otras cosas. **7.** Cuidado, deber o responsabilidad de alguien: *Fui por mi cuenta. Los gastos corren de su cuenta.* **Expr. a cuenta** Como anticipo: *Dejó mil pesetas a cuenta.* **caer en la cuenta** o **darse cuenta** Ver o comprender algo. **tomar** o **tener** algo **en cuenta** Hacer caso de ello. **Sin. 1.** Recuento, cómputo. **3.** Recibo, minuta. **5.** Justificación. **7.** Obligación, incumbencia.

cuentagotas *s. m.* Utensilio con un tubito para echar un líquido gota a gota.

cuentakilómetros *s. m.* **1.** Aparato que indica los kilómetros que ha recorrido un vehículo. **2.** A veces, se llama así al aparato que marca la velocidad.

cuentarrevoluciones *s. m.* Aparato que indica las revoluciones de un motor, como el de algunos automóviles.

cuentista *adj. y s.* **1.** Quejica, protestón. **2.** Exagerado, algo mentiroso o presumido. ‖ *s. m. y f.* **3.** Persona que escribe cuentos.

cuento *s. m.* **1.** Narración corta, sobre todo la que no cuenta una historia real y va dirigida a los niños. **2.** Mentira o pretexto: *No me vengas con cuentos.* **3.** Hecho de fingir: *No está enfermo, tiene mucho cuento.* **Expr. venir a cuento** Tener relación con algo que se dice. **Sin. 1.** Historia. **2.** Embuste; excusa.

cuerda *s. f.* **1.** Conjunto de hilos de cáñamo, esparto u otro material, que juntos y retorcidos forman uno solo más grueso. **2.** Hilo fuerte y tirante de algunos instrumentos musicales, como el arpa o la guitarra. **3.** Muelle o resorte que hace funcionar algunos relojes y mecanismos. **4.** En geometría, línea recta que une dos puntos de una curva. || **5. cuerda floja** Cable sobre el que realizan ejercicios acróbatas y trapecistas. **6. cuerdas vocales** Membranas situadas en la laringe, a las que hace vibrar el aire procedente de los pulmones, produciendo así los sonidos de la voz. Expr. **bajo cuerda** A escondidas, sin que se sepa. Sin. **1.** Cordel, soga.

cuerdo, da adj. y s. En su sano juicio, que no está loco. Ant. Demente.

cuerna s. f. Cornamenta.

cuerno s. m. **1.** Parte saliente y dura que tienen en la cabeza algunos animales como el toro o el ciervo. **2.** Abultamiento duro y puntiagudo que tienen algunos animales, como el del rinoceronte sobre la mandíbula superior. **3.** Antena de algunos animales, por ejemplo el caracol. **4.** Cualquier cosa de forma parecida a los cuernos de un toro: *los cuernos de la luna*. **5.** Instrumento de viento de forma parecida a un cuerno de toro. Expr. **al cuerno** Indica rechazo o desprecio. **coger el toro por los cuernos** Hacer frente al peligro o dificultad con valentía. **poner los cuernos** Engañar alguien a su pareja con otra persona. Sin. **1.** Asta.

cuero s. m. **1.** Piel curtida de algunos animales. **2.** Recipiente hecho con la piel entera de algunos animales: *un cuero de vino*. **3.** Balón de fútbol. || **4. cuero cabelludo** Piel de donde nace el cabello. Expr. **en cueros** Desnudo. Sin. **2.** Odre.

cuerpo s. m. **1.** Conjunto de cabeza, tronco y extremidades; también, el organismo. **2.** Tronco, sin incluir la cabeza y las extremidades. **3.** Objeto de tres dimensiones. **4.** Cualquier materia sólida, líquida o gaseosa. **5.** Cada una de las partes que se pueden distinguir en un edificio o mueble: *armario de dos cuerpos*. **6.** La parte de arriba del vestido desde el cuello o los hombros hasta la cintura. Expr. **a cuerpo** o **a cuerpo gentil** Sin abrigo, chaqueta u otra prenda de abrigo. **de cuerpo presente** Estando presente el cadáver antes de ser enterrado. Sin. **2.** Torso.

cuervo s. m. Ave de color negro, con cuerpo robusto y pico y extremidades fuertes.

cuesta s. f. Terreno en pendiente. Expr. **a cuestas** Sobre los hombros y las espaldas. Sin. Rampa, repecho.

cuestación s. f. Recogida de limosnas o donativos.

cuestión s. f. **1.** Asunto, tema o cosa que hay que resolver. **2.** Pregunta. Sin. **1.** Materia, problema.

cuestionar v. **1.** Poner en duda. || **cuestionarse 2.** Preguntarse, ponerse a pensar algo. Sin. **2.** Plantearse.

cuestionario s. m. Lista de preguntas o temas. Sin. Temario.

cueva s. f. Cavidad natural o artificial en la superficie o en el interior de la tierra. Sin. Caverna, gruta.

cuezo Se usa en la expresión **meter el cuezo**, 'equivocarse', 'meter la pata'.

cuidado, da 1. p. de **cuidar**. || s. m. **2.** Acción de cuidar. **3.** Atención que se pone para hacer bien algo o evitar un daño. **4.** Preocupación: *No tengas cuidado, que te avisará*. || interj. **5.** Se emplea para avisar de un peligro o para amenazar. || **6. Unidad de Cuidados Intensivos** Lugar de un hospital con instalaciones adecuadas para dar una atención especial a los enfermos graves. Expr. **traer** o **tener sin cuidado** Darle igual o no importarle una cosa a una persona. Sin. **2.** Asistencia, vigilancia. **3.** Esmero. **4.** Intranquilidad, temor. **5.** ¡Ojo! Ant. **2** y **3.** Descuido. **4.** Tranquilidad.

cuidadoso, sa adj. **1.** Que cuida bien las cosas. **2.** Que pone cuidado en lo que hace. Sin. **1.** Esmerado. **2.** Meticuloso. Ant. **1** y **2.** Descuidado.

cuidar v. **1.** Ocuparse: *cuidar niños, cuidar un jardín, de un enfermo*. **2.** Vigilar. **3.** Poner atención para hacer bien las cosas. **4.** Tratar bien. || **cuidarse 5.** Hacer una persona lo necesario para tener buena salud o buen aspecto. **6.** Evitar: *Se cuida mucho de contar sus secretos a nadie*. Sin. **1, 3** y **4.** Atender. **3.** Fijarse. Ant. **1.** Desatender. **5.** Despreocuparse.

cuita s. f. Pena, sufrimiento. Sin. Tristeza, desventura. Ant. Alegría.

culata s. f. Parte posterior de las armas de fuego para agarrarlas o apoyarlas en el hombro al disparar.

culebra s. f. Reptil terrestre o acuático, sin extremidades, de cuerpo muy estrecho y alargado, que generalmente no es venenoso.

culebrón s. m. Serie de televisión con muchos capítulos.

culera s. f. **1.** Trozo de tela que se pone en la parte de los pantalones que cubre las nalgas. **2.** Desgaste, deformación o mancha de una prenda de vestir en esa parte.

culinario, ria *adj.* Relacionado con el arte de la cocina.

culmen *s. m.* Momento más importante o interesante de algo. SIN. Clímax.

culminación *s. f.* Hecho de culminar algo.

culminante *adj.* En el momento más importante o interesante.

culminar *v.* **1.** Llegar algo a su momento más importante o interesante. **2.** Terminar. SIN. **2.** Acabar, finalizar. ANT. **2.** Empezar.

culo *s. m.* **1.** Parte del cuerpo situada entre la espalda o el lomo y las extremidades inferiores. **2.** Ano. **3.** Parte sobre la que se apoyan algunos objetos, como los vasos y las botellas. || **4. culo de mal asiento** Persona muy inquieta. SIN. **1.** Trasero, posaderas.

culón, na *adj.* Con el culo grande.

culote *s. m.* Pantalón corto ajustado que llega casi hasta la rodilla, como el que usan los ciclistas.

culpa *s. f.* Responsabilidad en un error o mala acción. SIN. Defecto, culpabilidad. ANT. Inocencia.

culpabilidad *s. f.* Hecho de ser culpable. ANT. Inocencia.

culpabilizar *v.* Culpar.

culpable *adj.* y *s.* Que tiene la culpa de algo. SIN. Responsable. ANT. Inocente.

culpar *v.* Echar la culpa. SIN. Acusar, imputar. ANT. Exculpar.

culteranismo *s. m.* Estilo literario del Barroco caracterizado por un lenguaje muy culto y alejado de la lengua corriente.

cultivado, da **1.** *p.* de **cultivar.** || *adj.* **2.** Culto, bien educado. SIN. **2.** Refinado. ANT. **1.** Yermo. **2.** Bruto.

cultivador, ra *adj.* y *s.* Que cultiva.

cultivar *v.* **1.** Hacer en la tierra los trabajos necesarios para que las plantas nazcan, se desarrollen y den fruto. **2.** Criar: *cultivar mejillones.* **3.** Desarrollar, fomentar: *cultivar la amistad.* SIN. **1.** Labrar. **3.** Cuidar. ANT. **3.** Descuidar.

cultivo *s. m.* **1.** El hecho de cultivar. **2.** Plantas que se cultivan. SIN. **1.** Labranza; desarrollo.

culto, ta *adj.* **1.** Que tiene cultura o es propio de quien tiene cultura. || *s. m.* **2.** Actividad con que se muestra respeto y se alaba a la divinidad o a las cosas sagradas. SIN. **1.** Ilustrado, instruido. **2.** Adoración; rito. ANT. **1.** Ignorante.

cultura *s. f.* **1.** Conjunto de conocimientos de una persona. **2.** Conjunto de conocimientos, costumbres y actividades de un lugar o época. SIN. **1.** Formación, saber, sabiduría. **2.** Civilización. ANT. **1.** Incultura.

cultural *adj.* De la cultura.

culturismo *s. m.* Gimnasia para desarrollar los músculos.

culturista *s. m.* y *f.* Persona que practica el culturismo.

culturizar *v.* Dar cultura.

cumbia *s. f.* Baile y canción popular de Colombia.

cumbre *s. f.* **1.** Parte más alta de una montaña. **2.** Mejor momento de una persona o cosa. SIN. **1.** Pico. **1** y **2.** Cima, cúspide. **2.** Apogeo. ANT. **2.** Decadencia.

cumpleaños *s. m.* Día en que alguien cumple años.

cumplido, da **1.** *p.* de **cumplir.** También *adj.* || *adj.* **2.** Que pone mucho cuidado en quedar bien con los demás. || *s. m.* **3.** Palabras o acciones para agradar a alguien o quedar bien con él. SIN. **2.** Correcto. **3.** Gentileza, delicadeza. ANT. **2.** Descortés. **3.** Descortesía.

cumplidor, ra *adj.* y *s.* Que cumple sus obligaciones. SIN. Responsable. ANT. Irresponsable.

cumplimentar *v.* **1.** Visitar o saludar a una autoridad con las debidas muestras de respeto. **2.** Rellenar un impreso.

cumplimiento *s. m.* Acción de cumplir. SIN. Realización, ejecución. ANT. Incumplimiento.

cumplir *v.* **1.** Hacer una persona lo que debe o lo que otra le manda. **2.** Hacer realidad: *cumplir un deseo.* **3.** Llegar a una edad o antigüedad. **4.** Quedar bien: *Fue a la fiesta solamente por cumplir.* SIN. **1.** Obedecer. **1** y **2.** Realizar, ejecutar. ANT. **1.** Incumplir.

cúmulo *s. m.* **1.** Conjunto de muchas cosas amontonadas o que suceden a la vez. **2.** Nube grande y redondeada que no suele producir lluvias. SIN. **1.** Acumulación, montón.

cuna *s. f.* **1.** Cama pequeña para bebés o niños muy pequeños. **2.** Lugar donde ha nacido una persona o donde tiene su origen algo. **3.** Familia o antepasados de una persona. SIN. **3.** Linaje, estirpe.

cundir *v.* **1.** Avanzar en una tarea. **2.** Tener o haber para algo: *Esta pintura cunde mucho.* **3.** Extenderse algunos sentimientos: *cundir el pánico.* SIN. **1.** Rendir, progresar. **3.** Propagarse. **Ant. 1.** Retrasarse.

cuneiforme *adj.* En forma de cuña.

cuneta *s. f.* Desnivel que hay en el borde de caminos y carreteras.

cuña *s. f.* **1.** Pieza que se pone entre dos cosas para que ajusten o para poder separarlas y que suele tener una forma triangular. **2.** Especie de orinal plano que usan los enfermos que no pueden levantarse de la cama. **Sin. 1.** Calce.

cuñado, da *s. m.* y *f.* **1.** Hermano o hermana de la persona con la que alguien está casado. **2.** Esposo o esposa de la hermana o del hermano de una persona.

cuño *s. m.* **1.** Instrumento para grabar en monedas y medallas. **2.** Grabado hecho con este instrumento. **Expr. de nuevo cuño** Nuevo, recién aparecido: *palabra de nuevo cuño.*

cuota *s. f.* **1.** Dinero que corresponde pagar por algo a cada persona o cada cierto tiempo. **2.** Parte: *A cada uno le corresponde una cuota del piso.*

cupé (fr.) *s. m.* Coche con dos puertas y, generalmente, dos asientos.

cuplé *s. m.* Canción alegre y a veces atrevida, muy de moda a comienzos del siglo xx.

cupletista *s. f.* Cantante de cuplés.

cupo *s. m.* Cantidad de una cosa que corresponde o se destina a algo.

cupón *s. m.* Trozo de papel que se corta de algo o se separa de un conjunto para distintos usos, por ejemplo un billete de lotería.

cúpula *s. f.* Elemento de construcción en forma de media esfera con que se cubre un edificio. **Sin.** Cimborrio.

cura *s. f.* **1.** Acción de curar una enfermedad o herida. **2.** Tratamiento médico: *cura de adelgazamiento.* ‖ *s. m.* **3.** Sacerdote católico, sobre todo el encargado de una parroquia.

curación *s. f.* Acción de curar o curarse.

curado, da *p.* de **curar**. También *adj.* **Expr. curado de espanto** Que no se sorprende o impresiona fácilmente.

curandero, ra *s. m.* y *f.* Persona que se dedica a curar, pero no es médico.

curar *v.* **1.** Hacer que desaparezca una enfermedad. **2.** Limpiar una herida para desinfectarla y que sane. **3.** Preparar los alimentos para que se conserven, echándoles sal, dejándolos al aire o ahumándolos. **4.** Curtir las pieles. ‖ **cu-**

rarse **5.** Volver a estar sano. **Sin. 1** y **5.** Sanar. **Ant. 1** y **5.** Enfermar.

curativo, va *adj.* Que sirve para curar.

curda *s. f.* Borrachera.

curdo, da *adj.* y *s.* Kurdo.

curia *s. f.* Organismos y personas que colaboran con el papa en el gobierno de la Iglesia católica.

curiosamente *adv.* **1.** Extrañamente, de manera que llama la atención: *Había luz en la casa y, curiosamente, no contestaban al teléfono.* **2.** Con curiosidad.

curiosear *v.* Intentar enterarse de alguna cosa, generalmente a escondidas. **Sin.** Husmear.

curiosidad *s. f.* Deseo de averiguar algo. **Sin.** Interés. **Ant.** Indiferencia.

curioso, sa *adj.* y *s.* **1.** Que tiene curiosidad. ‖ *adj.* **2.** Que llama la atención o provoca interés. **3.** Limpio y ordenado. **Sin. 1.** Entrometido; interesado. **2.** Interesante, extraño. **3.** Pulcro, esmerado. **Ant. 1.** Discreto. **3.** Sucio, dejado.

currante *adj* y *s. fam.* Trabajador, obrero.

currar *v. fam.* Trabajar. **Sin.** Currelar.

curre *s. m. fam.* Trabajo. **Sin.** Tajo.

currelar *v. fam.* Currar.

currículo *s. m.* **1.** Currículum. **2.** Plan de estudios o actividades escolares.

currículum (lat.) *s. m.* Escrito en que aparecen los datos personales, estudios y experiencia profesional de alguien. Se dice también *currículum vitae.* **Sin.** Currículo.

curro *s. m.* Curre.

curry (ingl.) *s. m.* Condimento de jengibre, clavo y azafrán.

cursar *v.* **1.** Realizar un curso de alguna materia. **2.** Hacer que un documento, orden, etc., llegue a su destino. **Sin. 2.** Expedir.

cursi *adj.* y *s.* Que pretende ser fino y elegante, pero resulta ridículo.

cursilada *s. f.* Acción o cosa cursi.

cursilería *s. f.* **1.** Característica de cursi. **2.** Cursilada.

cursillo *s. m.* Curso de poca duración.

cursivo, va *adj.* y *s.* Se dice de la letra de imprenta inclinada hacia la derecha.

curso *s. m.* **1.** Recorrido de una corriente de agua o de un astro. **2.** Conjunto de etapas por las que pasa algo. **3.** Conjunto de lecciones sobre una materia. **4.** Periodo de tiempo: *Terminará* en el curso de una semana. **5.** Uso de algunas cosas: *Tiene monedas antiguas que ya no son de curso legal.* **SIN. 1.** Cauce, trayectoria. **2.** Desarrollo, evolución. **3.** Cursillo. **4.** Transcurso.

cursor *s. m.* Indicador que se mueve por la pantalla de algunos aparatos, como los ordenadores.

curtido, da **1.** *p.* de **curtir.** || *s. m.* **2.** Acción de curtir.

curtir *v.* **1.** Preparar las pieles para hacer prendas de vestir y otros objetos. **2.** Poner morena y hacer más fuerte el sol y el aire a la piel de las personas. **3.** Acostumbrar a trabajos duros y dificultades. **SIN. 1.** Adobar, curar. **3.** Fortalecer, endurecer.

curva *s. f.* Línea que no va derecha y no forma ángulos. **ANT.** Recta.

curvar *v.* Dar forma curva o coger algo esa forma. **SIN.** Arquear, combar.

curvatura *s. f.* Desviación de la línea recta.

curvilíneo, a *adj.* Que tiene forma curva o está formado por curvas.

curvo, va *adj.* Que tiene forma de curva.

cuscurro *s. m.* **1.** Extremo de una barra de pan. **2.** Trocito de pan frito que se echa en sopas y purés. **SIN. 2.** Coscurro.

cuscús *s. m.* Guiso árabe que se hace con sémola de trigo, carne y verduras.

cúspide *s. f.* **1.** Cumbre de una montaña. **2.** Extremo puntiagudo. **3.** Mejor momento de algo: *Llegó a la cúspide de su carrera como cantante.* **SIN. 1.** Cima. **2.** Vértice. **3.** Apogeo, apoteosis. **ANT. 3.** Decadencia.

cusqui o **cusca** Se usa en la expresión **hacer la cusqui** o **hacer la cusca,** 'fastidiar'.

custodia *s. f.* **1.** Cuidado o vigilancia. **2.** Pieza de oro, plata u otro metal donde se coloca la hostia consagrada para que la adoren los fieles.

custodiar *v.* Cuidar o vigilar.

custodio *adj.* Que custodia: *ángel custodio.*

cutáneo, a *adj.* De la piel o del cutis.

cutícula *s. f.* Piel fina y delgada que está pegada a la base de la uña.

cutis *s. m.* Piel que cubre el cuerpo humano, sobre todo la de la cara.

cutre *adj.* De poca calidad, pobre, descuidado.

cuyo, ya *rel.* Indica posesión o pertenencia: *La caoba es un árbol cuya madera se usa para hacer muebles.*

d *s. f.* Cuarta letra del abecedario.

dabuten o **dabuti** *adj. fam.* Muy bien.

dactilar *adj.* De los dedos o relacionado con ellos: *huellas dactilares.* **SIN.** Digital.

dádiva *s. f.* Regalo, obsequio.

dadivoso, sa *adj.* Generoso. **SIN.** Espléndido. **ANT.** Tacaño.

dado *s. m.* Objeto en forma de cubo que se usa en algunos juegos.

daga *s. f.* Puñal de hoja corta y fina.

daguerrotipo *s. m.* **1.** Aparato fotográfico que obtiene imágenes sobre placas de metal. **2.** Imagen así obtenida.

dalia *s. f.* Planta de jardín con flores de variados colores, que tienen el botón central amarillo y muchos pétalos.

dálmata *adj. y s.* **1.** De Dalmacia, región de los Balcanes. **2.** Se dice de un perro de pelo corto blanco con manchitas negras.

daltónico, ca *adj. y s.* Que tiene daltonismo.

daltonismo *s. m.* Defecto en la vista que impide distinguir algunos colores.

dama *s. f.* **1.** Señora de buena posición social. **2.** Mujer a la que un hombre quiere enamorar. **3.** Mujer que sirve a una reina o princesa. || *pl.* **4.** Juego sobre un tablero con 64 cuadros y 12 piezas para cada jugador. || **5. dama de honor** Joven que forma parte del acompañamiento de otra en algunos actos.

damajuana *s. f.* Recipiente de vidrio grande, redondeado y achatado, con una funda de mimbre o paja.

damasco *s. m.* Tejido de seda o lana que forma dibujos.

damasquinado *s. m.* Trabajo de artesanía que consiste en incrustar metales preciosos en un objeto.

damnificado, da *adj.* y *s.* Que ha sufrido daños. **SIN.** Perjudicado. **ANT.** Beneficiado.

dandi *s. m.* Hombre elegante y refinado. **ANT.** Adán.

danés, sa *adj.* y *s.* **1.** De Dinamarca, país de Europa. || *s. m.* **2.** Lengua de este país. || **3. gran danés** Dogo.

dantesco, ca *adj.* Terrible, espantoso.

danza *s. f.* Baile. **EXPR. en danza** En continua actividad, sin parar: *estar en danza.* **SIN.** Ballet.

danzar *v.* Bailar.

danzarín, na *s. m.* y *f.* Persona que danza. **SIN.** Bailarín.

dañar *v.* Causar daño. **SIN.** Estropear, perjudicar. **ANT.** Beneficiar.

dañino, na *adj.* Que causa daño. **SIN.** Nocivo, perjudicial. **ANT.** Inofensivo.

daño *s. m.* **1.** Mal o perjuicio causado a alguien o algo. **2.** Dolor o sufrimiento. **SIN. 1.** Deterioro, estropicio. **ANT. 1.** Bien, beneficio. **2.** Alivio.

dar *v.* **1.** Pasar, entregar, conceder. **2.** Realizar una acción: *dar saltos.* **3.** Producir, proporcionar: *dar fruto.* **4.** Comunicar, decir: *dar recados.* **5.** Explicar, pronunciar: *dar clases, dar discursos.* **6.** Aplicar: *dar una mano de barniz.* **7.** Abrir o conectar: *dar el gas, la luz.* **8.** Ofrecer: *dar una fiesta.* **9.** Sonar en el reloj las campanadas. **10.** Suceder una cosa a alguien, empezar a sentirla: *Le dio un mareo.* **11.** Tocar, chocar, golpear. **12.** Acertar: *dar en el blanco.* || **darse 13.** Ocurrir, existir: *darse un hecho.* **14.** Resultar fácil o difícil: *Se le da bien el dibujo.* □ Es v. irreg. **EXPR. dar de sí** Ensancharse una prenda de vestir; también, ser suficiente. **darle** a uno **por** una cosa Entrarle una manía o mucho interés por algo. **SIN. 3.** Causar; suministrar. **5.** Impartir. **10.** Sobrevenir. **12.** Atinar. **13.** Suceder, acontecer. **ANT. 1.** Arrebatar; negar. **1** y **3.** Quitar. **7.** Cortar; apagar. **12.** Fallar.

dardo *s. m.* Flechita o proyectil pequeño con punta.

dársena *s. f.* Parte resguardada de un puerto.

datar *v.* **1.** Poner fecha. **2.** Tener algo su comienzo en el momento que se indica. **SIN. 2.** Remontarse.

dátil *s. m.* Fruto comestible de algunas palmeras, alargado y castaño rojizo.

dato *s. m.* Cifra, nombre u otra información que sirve para conocer algo. **SIN.** Referencia, noticia.

de *prep.* Indica posesión: *el despacho de mi padre;* origen o procedencia: *Soy de Jaén;* materia o contenido: *mueble de madera, frasco de colonia;* tema: *novela de aventuras;* causa: *Lloró de rabia;* modo: *tocar de oído;* finalidad o función: *máquina de coser;* empleo o profesión: *Trabaja de electricista;* cualidades de una persona o cosa: *un hombre de gran inteligencia;* momento: *viajar de noche;* parte de algo: *cuarto de kilo.*

deambular *v.* Andar de una parte a otra, sin ir a un sitio fijo. **SIN.** Vagar.

deambulatorio *s. m.* Girola.

deán *s. m.* Cargo de mayor autoridad en una catedral después del de obispo.

debajo *adv.* En lugar inferior respecto de otro: *El sótano está debajo de la casa.* **SIN.** Abajo, bajo. **ANT.** Encima, sobre.

debate *s. m.* Discusión ordenada sobre un tema entre varias personas.

debatir *v.* Discutir de forma ordenada.

debe *s. m.* Parte de una cuenta bancaria o de un libro de cuentas donde se apuntan los pagos que se hacen o el dinero que se saca. **ANT.** Haber.

deber[1] *v.* **1.** Tener una obligación. **2.** Tener que devolver dinero a alguien o a un banco, etc. **3.** Indica suposición o posibilidad: *Debe de ser muy tarde.* || **deberse 4.** Tener por causa, ser consecuencia. **SIN. 2.** Adeudar.

deber[2] *s. m.* **1.** Lo que se tiene que hacer por obligación. || *pl.* **2.** Trabajo para hacer en casa que el profesor manda a los alumnos.

debido, da 1. *p.* de **deber.** || *adj.* **2.** Obligado, conveniente: *el debido respeto.*

DAR	
INDICATIVO	
Presente	**Pret. perf. simple**
doy	di
das	diste
da	dio
damos	dimos
dais	disteis
dan	dieron
SUBJUNTIVO	
Pretérito Imperfecto	**Futuro**
diera, -ese	diere
dieras, -eses	dieres
diera, -ese	diere
diéramos, -ésemos	diéremos
dierais, -eseis	diereis
dieran, -esen	dieren

EXPR. debido a A causa de. **SIN. 2.** Necesario, apropiado. **ANT. 2.** Indebido.

débil *adj.* y *s.* **1.** De poca fuerza, poder o resistencia. **2.** Que tiene poca voluntad. **SIN. 1.** Flojo. **ANT. 1.** Resistente. **1** y **2.** Fuerte.

debilidad *s. f.* **1.** Característica de débil. **2.** Afición o cariño exagerado. **SIN. 1.** Flojedad. **ANT. 1.** Fortaleza.

debilitación o **debilitamiento** *s. f.* o *s. m.* Acción de debilitar o debilitarse.

debilitar *v.* Disminuir la fuerza, resistencia o poder de una persona o cosa. **SIN.** Desgastar, agotar. **ANT.** Fortalecer.

débito *s. m.* **1.** Deuda. **2.** Debe de una cuenta. **ANT. 2.** Haber.

debut (fr.) *s. m.* **1.** Presentación o primera actuación en público de una compañía, de un artista. **2.** Estreno de una película, obra de teatro u otra cosa.

debutante *adj.* y *s.* Que debuta.

debutar *v.* Hacer su debut una compañía, un artista u otra persona.

década *s. f.* Periodo de diez años.

decadencia *s. f.* El hecho de decaer. **SIN.** Declive, ocaso. **ANT.** Auge.

decadente *adj.* En decadencia. **SIN.** Decrépito. **ANT.** Pujante.

decaedro *s. m.* Cuerpo geométrico de diez caras.

decaer *v.* Perder fuerza, energía, importancia. ◻ Es v. irreg. Se conjuga como *caer.* **SIN.** Debilitarse, disminuir. **ANT.** Fortalecerse.

decágono *s. m.* Polígono que tiene diez lados.

decagramo *s. m.* Medida de masa que equivale a diez gramos.

decaído, da **1.** *p.* de **decaer.** ‖ *adj.* **2.** Triste, desanimado o sin fuerzas. **SIN. 2.** Deprimido; agotado. **ANT. 2.** Animado; fuerte.

decaimiento *s. m.* Tristeza, desánimo, flojedad. **SIN.** Depresión, debilidad. **ANT.** Ánimo.

decalitro *s. m.* Medida de capacidad que equivale a diez litros.

decálogo *s. m.* Conjunto de diez reglas, leyes o normas.

decámetro *s. m.* Medida de longitud que equivale a diez metros.

decano, na *s. m.* y *f.* **1.** Persona más antigua de un grupo o actividad. **2.** Persona que dirige una facultad universitaria o un colegio profesional.

decantarse *v.* Decidirse por alguien o algo. **SIN.** Optar, inclinarse. **ANT.** Dudar.

decapitar *v.* Cortar la cabeza. **SIN.** Degollar.

decasílabo, ba *adj.* y *s. m.* Se dice del verso de diez sílabas.

decatlón *s. m.* Competición de atletismo compuesta por diez pruebas.

decena *s. f.* Conjunto de diez unidades.

decencia *s. f.* Característica de las personas decentes. **SIN.** Honestidad, decoro. **ANT.** Indecencia.

decenio *s. m.* Conjunto de diez años.

decente *adj.* **1.** De acuerdo con la moral o con la buena conducta. **2.** Limpio, arreglado. **3.** Suficiente, adecuado. **SIN. 1.** Honrado, recatado. **2.** Aseado. **ANT. 1.** Indecente. **2.** Desaseado. **3.** Miserable.

decepción *s. f.* Pena que sentimos cuando algo no es como esperábamos. **SIN.** Desilusión, desengaño. **ANT.** Ilusión.

decepcionar *v.* Causar una decepción. **SIN.** Desilusionar, desengañar. **ANT.** Ilusionar.

dechado *s. m.* Modelo, ejemplo: *un dechado de virtudes.*

decibelio *s. m.* Unidad en que se mide la intensidad de los sonidos.

decidido, da **1.** *p.* de **decidir.** También *adj.* ‖ *adj.* **2.** Que tiene decisión y valor. **3.** Firme, seguro. **SIN. 2.** Atrevido, valiente. **2** y **3.** Resuelto. **3.** Enérgico. **ANT. 2.** Indeciso. **3.** Dudoso.

decidir *v.* **1.** Elegir entre varias posibilidades o soluciones. **2.** Animar, convencer. **3.** Hacer que algo se resuelva de cierta forma: *El penalty decidió el partido.* **SIN. 1.** Acordar. **2.** Mover, impulsar. **ANT. 1.** Aplazar.

decigramo *s. m.* Medida de masa que equivale a la décima parte de un gramo.

decilitro *s. m.* Medida de capacidad que equivale a la décima parte de un litro.

decimal *adj.* **1.** Formado por múltiplos o divisores de diez con respecto a una unidad principal, como el sistema métrico decimal: 1 metro es igual a 10 decímetros, 100 centímetros y 1.000 milímetros. ‖ **2. fracción decimal** La que tiene por denominador la unidad seguida de ceros. **3. número decimal** El que tiene una parte entera y otra inferior, separadas por una coma, por ejemplo 1,5. Se llaman también decimales los números a la derecha de esa coma.

decímetro *s. m.* Medida de longitud que equivale a la décima parte de un metro.

décimo, ma *num.* **1.** Que ocupa por orden el número diez. ‖ *num.* y *s.* **2.** Cada una de las diez partes iguales en que se divide algo. ‖ *s. m.* **3.** Décima parte del billete de lotería.

decimonónico, ca *adj.* Del siglo XIX.

decir *v.* Expresar algo con palabras o de otra forma. **EXPR. el qué dirán** Lo que piensa la gente de los demás. ▢ Es *v.* irreg. **SIN.** Contar, hablar. **ANT.** Callar.

DECIR	
GERUNDIO	PARTICIPIO
diciendo	*dicho*

INDICATIVO	
Presente	**Pret. perf. simple**
digo	*dije*
dices	*dijiste*
dice	*dijo*
decimos	*dijimos*
decís	*dijisteis*
dicen	*dijeron*
Futuro	**Condicional**
diré	*diría*
dirás	*dirías*
dirá	*diría*
diremos	*diríamos*
diréis	*diríais*
dirán	*dirían*

SUBJUNTIVO	
Presente	**Pretérito imperfecto**
diga	*dijera, -ese*
digas	*dijeras, -eses*
diga	*dijera, -ese*
digamos	*dijéramos, -ésemos*
digáis	*dijerais, -eseis*
digan	*dijeran, -esen*
Futuro	
dijere	*dijéremos*
dijeres	*dijereis*
dijere	*dijeren*

IMPERATIVO	
di	*decid*

decisión *s. f.* **1.** Acción de decidir o decidirse. **2.** Seguridad que se demuestra al hacer una cosa sin dudar. **SIN. 1** y **2.** Determinación. **ANT. 2.** Indecisión.

decisivo, va *adj.* Que decide o que tiene efectos muy importantes. **SIN.** Determinante.

declamación *s. f.* El hecho y el arte de declamar.

declamar *v.* Decir un texto, sobre todo en verso, con entonación y gestos adecuados. **SIN.** Recitar.

declaración *s. f.* Acción de declarar. **SIN.** Revelación, confesión.

declarar *v.* **1.** Comunicar, dar a conocer; por ejemplo, decir un testigo al juez lo que sabe. **2.** Decidir un juez o tribunal si una persona es culpable o inocente u otra cosa. ‖ **declararse 3.** Aparecer: *declararse un incendio.* **4.** Decir una persona a otra que le gusta o que está enamorado de ella. **SIN. 1.** Revelar, confesar. **2.** Dictaminar, fallar. **ANT. 1.** Callar.

declinar *v.* **1.** Debilitarse. **2.** Acercarse a su fin: *declinar el día.* **3.** Renunciar, no aceptar: *declinar una invitación.* **SIN. 1.** Decaer. **2.** Acabarse. **3.** Rechazar, rehusar. **ANT. 1.** Progresar.

declive *s. m.* **1.** Pendiente, cuesta, inclinación. **2.** Decadencia. **SIN. 2.** Caída, ocaso. **ANT. 2.** Auge.

decolorar *v.* Quitar el color. **SIN.** Desteñir.

decomisar *v.* Apropiarse el Estado de mercancías de contrabando.

decomiso *s. m.* **1.** Acción de decomisar. **2.** Mercancías decomisadas.

decoración *s. f.* **1.** Acción de decorar y cosas con que se decora. **2.** Arte de decorar casas y otros lugares.

decorado, da 1. *p.* de **decorar**. También *adj.* ‖ *s. m.* **2.** Construcciones y cosas que se usan en teatro y cine para representar los lugares en que ocurre la acción.

decorador, ra *s. m.* y *f.* Profesional que se dedica a la decoración de casas.

decorar *v.* **1.** Poner en un lugar muebles, cuadros u otras cosas para crear un ambiente bonito. **2.** Adornar.

decorativo, va *adj.* Usado en decoración o relacionado con ella. **SIN.** Ornamental.

decoro *s. m.* Dignidad, decencia o respeto en la forma de comportarse, hablar o vestir. **SIN.** Pudor, recato.

decoroso, sa *adj.* **1.** Que guarda el decoro. **2.** Suficientemente bueno. **SIN. 1.** Respetuoso, recatado. **1** y **2.** Decente, digno. **ANT. 1** y **2.** Vergonzoso, indigno.

decrecer *v.* Disminuir. ▢ Es *v.* irreg. Se conjuga como *agradecer*. **SIN.** Menguar. **ANT.** Crecer.

decreciente *adj.* Que decrece. **SIN.** Menguante. **ANT.** Creciente.

decrépito, ta *adj.* **1.** Se dice del anciano que ha perdido gran parte de sus facultades físicas o mentales. **2.** Viejo, en decadencia. **SIN. 2.** Decadente. **ANT. 1** y **2.** Joven.

decrepitud *s. f.* Estado de decrépito.

decretar v. Decidir o mandar el que tiene autoridad para hacerlo. SIN. Resolver, ordenar.

decreto s. m. 1. Decisión o mandato del que tiene autoridad. 2. Ley dictada por el gobierno en algunos casos. SIN. 1. Resolución.

décuplo, pla adj. y s. m. Que es diez veces mayor que otra cosa.

dedal s. m. Utensilio de costura que se pone en el dedo para empujar la aguja y no pincharse.

dedicación s. f. Hecho de dedicar o dedicarse.

dedicar v. 1. Destinar, emplear. 2. Ofrecer o dirigir: *dedicar una canción*. || **dedicarse** 3. Ocuparse en una actividad o tener una profesión. SIN. 1. Asignar.

dedicatoria s. f. Palabras con que se dedica a una persona un libro, una foto u otra cosa.

dedil s. m. Funda con que se cubre o protege un dedo.

dedillo Se usa en la expresión **al dedillo**, 'muy bien', 'con todo detalle': *conocer al dedillo*.

dedo s. m. 1. Cada una de las partes en que terminan la mano o el pie. 2. El ancho de un dedo cuando se usa para medir. 3. Autoestop: *hacer dedo*. EXPR. **chuparse el dedo** Ser muy bobo. **chuparse los dedos** Sentir muy especial placer con algo, generalmente de comer.

deducción s. f. Acción de deducir. SIN. Conclusión, consecuencia.

deducir v. 1. Sacar consecuencias de algo. 2. Descontar una parte de una cantidad. □ Es v. irreg. Se conjuga como *conducir*. SIN. 1. Concluir, derivar. 2. Restar, rebajar.

defecar v. Expulsar los excrementos. SIN. Cagar, evacuar.

defección s. f. Acción de abandonar alguien una causa o un partido.

defectivo adj. Se dice del verbo que no se usa en todos los modos, tiempos o personas.

defecto s. m. Falta, fallo o imperfección. SIN. Deficiencia, desperfecto. ANT. Perfección; virtud.

defectuoso, sa adj. Que tiene algún defecto. SIN. Deficiente, imperfecto. ANT. Perfecto.

defender v. 1. Proteger, apoyar, actuar en favor de alguien o algo. 2. Responder a un ataque. □ Es v. irreg. Se conjuga como *tender*. SIN. 1. Amparar, abogar. ANT. 1. Atacar. 2. Rendir.

defensa s. f. 1. Acción de defender. 2. Lo que sirve para defender o defenderse. 3. Abogado defensor. 4. En el fútbol y otros deportes, jugadores situados cerca de su portería, encargados de parar los ataques de los contrarios. || s. m. y f. 5. Cada uno de esos jugadores. SIN. 1 y 2. Protección, ayuda, auxilio, amparo. ANT. 1. Ataque. 3. Acusación.

defensivo, va adj. Que sirve para defenderse. EXPR. **a la defensiva** Con intención de defenderse. SIN. Protector. ANT. Ofensivo.

defensor, ra adj. y s. 1. Que defiende. 2. Se dice del abogado que defiende al acusado en un juicio. SIN. 1. Protector.

deferencia s. f. Atención, respeto. SIN. Consideración. ANT. Desconsideración.

deficiencia s. f. 1. Defecto o imperfección. 2. Característica de las personas que son deficientes. SIN. 1. Fallo.

deficiente adj. y s. m. 1. Incompleto, imperfecto, que no es suficiente. || adj. y s. 2. Que tiene algún defecto físico o una inteligencia por debajo de lo normal. SIN. 1. Escaso; defectuoso. ANT. 1. Perfecto.

déficit s. m. 1. Situación en que se gasta más dinero del que se gana o recibe. 2. Falta, escasez. SIN. 1. Carencia. ANT. 1. Superávit. 2. Sobra.

deficitario, ra adj. Que tiene déficit.

definición s. f. 1. Explicación del significado de una palabra o expresión. 2. Acción de definir o definirse.

definir v. 1. Explicar el significado de una palabra, expresión, etc. 2. Hacer claro o preciso. || **definirse** 3. Decir una persona su opinión sobre algo. SIN. 2. Precisar. 3. Pronunciarse.

definitivo, va adj. Que es lo último y ya no puede cambiarse: *la fecha definitiva*. EXPR. **en definitiva** En resumen, por último. SIN. Decisivo, determinante. ANT. Provisional.

deforestación s. f. Destrucción o desaparición del bosque.

deformación s. f. Acción de deformar o deformarse. SIN. Alteración, desfiguración.

deformar v. 1. Cambiar la forma o aspecto de algo, estropeándolo o dándole otro que no es el suyo. 2. Cambiar o exagerar lo que se dice. SIN. 1 y 2. Desfigurar, alterar.

deforme adj. Que no tiene una forma normal. SIN. Contrahecho. ANT. Proporcionado.

deformidad s. f. Lo que es deforme.

defraudar v. 1. Resultar menos bueno de lo que se esperaba. 2. No pagar el dinero que se debe, haciendo trampas. Sin. 1. Desilusionar, decepcionar. 2. Estafar. Ant. 1. Satisfacer.

defunción s. f. Muerte de una persona. Sin. Fallecimiento.

degeneración s. f. Acción de degenerar. Sin. Degradación. Ant. Regeneración.

degenerado, da 1. p. de **degenerar**. También adj. || adj. y s. 2. Se dice de quien tiene muchos vicios o muy malos. Sin. 2. Vicioso, pervertido.

degenerar v. Estropearse, empeorar. Sin. Degradarse. Ant. Regenerarse.

deglución s. f. Acción de deglutir.

deglutir v. Tragar los alimentos.

degollar v. Cortar el cuello. □ Es v. irreg. Se conjuga como contar. Sin. Decapitar.

degradación s. f. Hecho de degradar o degradarse. Sin. Degeneración.

degradar v. 1. Bajar a alguien de categoría. 2. Desgastar o estropear. 3. Hacer que alguien pierda su dignidad. Sin. 2. Degenerar, deteriorar. 3. Envilecer. Ant. 1. Ascender. 2. Mejorar. 3. Honrar.

degüello s. m. Acción de degollar.

degustación s. f. Acción de degustar.

degustar v. Probar un alimento o una bebida para ver cómo sabe.

dehesa s. f. Terreno, generalmente acotado, con árboles dispersos y prados en los que pasta el ganado.

deidad s. f. Dios o diosa de algunas religiones y mitologías. Sin. Divinidad.

dejadez s. f. Característica de las personas dejadas, descuidadas. Sin. Abandono, desgana. Ant. Esmero.

dejado, da 1. p. de dejar. También adj. || adj. y s. 2. Se dice de la persona muy descuidada consigo misma y con sus cosas. Sin. 2. Abandonado. Ant. 2. Cuidadoso.

dejar v. 1. Soltar lo que se tiene agarrado o ponerlo en un lugar. 2. No continuar. 3. Marcharse. 4. Hacer que alguien o algo quede de alguna manera. 5. No molestar: Déjame, ya me tienes aburrido. 6. Dar, prestar, encargar. 7. Permitir. || **dejarse** 8. Olvidarse una cosa en un sitio. Sin. 1. Desprenderse; colocar. 2 y 3. Abandonar. 3. Retirarse. 6. Ceder, encomendar. 7. Consentir. Ant. 1. Tomar. 3. Quedarse. 7. Prohibir.

deje o **dejo** s. m. Modo de pronunciar o entonación característico de una región. Sin. Acento.

del Contracción de la preposición de y el artículo el: las tiendas del barrio.

delación s. f. Acción de delatar.

delantal s. m. Prenda que se ata a la cintura y cubre la parte de delante del cuerpo; se usa para no mancharse en algunas labores.

delante adv. 1. En la parte hacia donde se mira o que se considera la principal. 2. En un puesto o lugar anterior. 3. En presencia de alguien. Sin. 2. Antes. Ant. 1 y 2. Detrás. 2. Después.

delantera s. f. 1. Parte de delante. 2. Ventaja que se lleva a otro. 3. En algunos deportes, los jugadores más adelantados, los que lanzan los ataques. Sin. 1. Frente, cara. Ant. 1. Trasera.

delantero, ra adj. 1. Que está delante. || s. m. 2. Pieza que forma la parte de delante de una prenda de vestir. || s. m. y f. 3. Jugador de la delantera. Ant. 1. Trasero.

delatar v. 1. Denunciar al que ha cometido una falta o delito. 2. Dejar ver, mostrar. Sin. 2. Descubrir. Ant. 1. Encubrir. 2. Ocultar.

delator, ra adj. y s. Que delata.

delegación s. f. 1. Acción de delegar. 2. Conjunto de delegados. 3. Oficina o edificio de los delegados.

delegado, da 1. p. de delegar. || adj. y s. 2. Se dice de la persona en quien se delega. Sin. 2. Representante, apoderado.

delegar v. Dar permiso o poder una persona o entidad a otra para que actúe en su nombre.

deleitar v. Producir o sentir deleite. Sin. Gustar, agradar. Ant. Disgustar.

deleite s. m. Gusto, agrado, placer. Sin. Gozo, satisfacción. Ant. Disgusto.

deletrear v. Decir una a una las letras que forman una palabra.

delfín¹ s. m. Mamífero marino con forma de pez; mide de 2 a 3 metros, tiene la boca en forma de pico y es muy inteligente.

delfín² s. m. 1. Príncipe heredero del trono de Francia. 2. Persona que sucederá a alguien importante.

delgadez s. f. Característica de las personas o cosas delgadas. Sin. Flaqueza. Ant. Gordura.

delgado, da adj. Poco gordo o grueso. Sin. Flaco; fino. Ant. Obeso; ancho.

deliberación *s. f.* Acción de deliberar. SIN. Reflexión, discusión.

deliberado, da 1. *p.* de **deliberar**. También *adj.* || *adj.* 2. Hecho aposta, queriendo. SIN. 2. Intencionado. ANT. 2. Involuntario.

deliberar *v.* Pensar o discutir las cosas antes de tomar una decisión. SIN. Meditar, reflexionar.

delicadeza *s. f.* 1. Característica de delicado. 2. Atención o detalle que se tiene con alguien. SIN. 1. Finura, suavidad. 2. Cortesía, consideración. ANT. 1. Aspereza. 2. Descortesía.

delicado, da *adj.* 1. Débil, que enferma, se estropea o se rompe con facilidad. 2. Muy suave y agradable. 3. Fino y educado. 4. Difícil, comprometido, grave. SIN. 1. Frágil. 2. Sutil. 3. Refinado. 4. Peliagudo. ANT. 1. Fuerte. 2 y 3. Ordinario. 3. Grosero.

delicia *s. f.* Sensación de gusto o placer. SIN. Satisfacción, deleite, gozo. ANT. Asco.

delicioso, sa *adj.* Muy bueno o agradable. SIN. Exquisito, rico. ANT. Asqueroso.

delictivo, va *adj.* Relacionado con el delito o que se considera delito.

delimitar *v.* Marcar los límites de algo. SIN. Limitar, acotar.

delincuencia *s. f.* Actividad de los delincuentes, existencia de delitos.

delincuente *s. m.* y *f.* Persona que comete delitos. SIN. Malhechor, criminal.

delineante *s. m.* y *f.* Persona que trabaja trazando planos.

delinquir *v.* Cometer delitos.

delirar *v.* 1. Sufrir delirios. 2. Hacer o decir tonterías o disparates. SIN. 1. Alucinar. 1 y 2. Desvariar. 2. Desbarrar.

delirio *s. m.* 1. Trastorno mental en el que se sufren alucinaciones, como cuando se tiene mucha fiebre. || 2. **delirios de grandeza** El creerse alguien muy importante o mejor que los demás. SIN. 1. Desvarío, alucinación. ANT. 1. Lucidez.

delito *s. m.* Acción que está castigada por las leyes. SIN. Crimen, infracción.

delta *s. m.* Terreno en forma de triángulo en la desembocadura de algunos ríos.

deltoides *s. m.* Músculo triangular del hombro que permite elevar el brazo.

demacrado, da *adj.* Delgado y muy pálido, con aspecto de enfermo. SIN. Consumido. ANT. Lozano.

demagogia *s. f.* Intento de conseguir el apoyo de los demás por cualquier medio, sobre todo con falsas promesas.

demagogo, ga *adj.* y *s.* Que hace demagogia o la demuestra.

demanda *s. f.* 1. Petición. 2. Lo que la gente pide y desea comprar. 3. Escrito que se presenta a un juez pidiendo alguna cosa.

demandar *v.* 1. Pedir. 2. Presentar una demanda contra alguien ante el juez. SIN. 1. Solicitar, suplicar.

demarcación *s. f.* 1. Territorio al que se ha puesto unos límites. 2. División de un territorio que está bajo el mando de una autoridad. SIN. 2. Circunscripción, distrito.

demás *indef.* El resto, los otros: *Elige una carta y dame las demás.*

demasía Se usa en la expresión **en demasía**, 'demasiado', 'con exceso'.

demasiado, da *indef.* 1. En mayor número o cantidad de lo normal o conveniente. || *adv.* 2. Más de lo debido. SIN. 1. Excesivo, desmedido. ANT. 1 y 2. Poco.

demencia *s. f.* Locura. SIN. Enajenación, chifladura. ANT. Cordura.

demencial *adj.* 1. De la demencia o relacionado con ella. 2. Disparatado, desproporcionado. SIN. 1 y 2. Loco.

demente *adj.* y *s.* Loco, chiflado.

democracia *s. f.* 1. Forma de gobierno en que los ciudadanos eligen a sus gobernantes por votación. 2. País gobernado de esta forma.

demócrata *adj.* y *s.* Partidario de la democracia.

democrático, ca *adj.* Que sigue las normas de la democracia.

democratizar *v.* Hacer demócrata o democrático.

demografía *s. f.* Ciencia que estudia la población de un territorio.

demográfico, ca *adj.* Relacionado con la demografía.

demoler *v.* Destruir, derribar. □ Es v. irreg. Se conjuga como *mover*. SIN. Tirar, derruir. ANT. Levantar, construir.

demolición *s. f.* Acción de demoler. SIN. Destrucción, derribo. ANT. Construcción.

demoníaco, ca o **demoníaco, ca** *adj.* Del demonio o relacionado con él. SIN. Diabólico.

demonio *s. m.* Diablo.

demora *s. f.* Retraso. SIN. Atraso, tardanza, dilación. ANT. Adelanto.

depilación

demorar v. 1. Retrasar. ‖ **demorarse** 2. Pararse o entretenerse en un lugar. SIN. 1. Atrasar, retardar. 2. Detenerse. ANT. 1. Adelantar.

demostración s. f. Acción de demostrar algo y pruebas, razones y otras cosas con que se demuestra. SIN. Prueba.

demostrar v. 1. Probar una cosa para que no se dude de ella. 2. Mostrar claramente, revelar. 3. Enseñar cómo funciona o cómo se hace algo. □ Es v. irreg. Se conjuga como *contar*. SIN. 2. Indicar, manifestar. ANT. 1. Refutar.

demostrativo, va adj. y s. m. En gramática, se dice de algunas palabras que sirven para señalar, como *este*, *ese*, *aquel*.

denario s. m. Antigua moneda romana.

denegar v. No conceder lo que se pide. □ Es v. irreg. Se conjuga como *regar*. SIN. Negar. ANT. Acceder.

denigrante adj. Que ofende y humilla. SIN. Humillante. ANT. Honroso.

denigrar v. 1. Hablar mal de una persona o cosa. 2. Ofender o insultar. SIN. 1. Difamar, denostar. 2. Injuriar. ANT. 1 y 2. Alabar.

denodado, da adj. Esforzado, decidido, valeroso. SIN. Animoso, arrojado. ANT. Débil.

denominación s. f. Nombre que se da a una persona, animal o cosa.

denominador s. m. Número que indica las partes en que se divide otro, llamado *numerador*.

denominar v. Dar un nombre a una persona, animal o cosa. SIN. Llamar, nombrar.

denostar v. Insultar o hablar mal de alguien o algo. SIN. Denigrar. ANT. Alabar.

denotar v. Significar, indicar, mostrar.

densidad s. f. 1. Característica de denso. 2. En física, resultado de dividir la masa de un cuerpo por el volumen del mismo. ‖ 3. **densidad de población** Número de habitantes por unidad de superficie.

denso, sa adj. 1. Que tiene mucha masa en poco volumen. 2. Espeso, poco líquido. 3. Que tiene muy juntos o apretados los elementos que lo forman. SIN. 1. Compacto. 2. Condensado, pastoso. 3. Tupido. ANT. 1. Esponjoso. 2 y 3. Claro.

dentado, da adj. Con dientes o puntas parecidas a ellos.

dentadura s. f. Todos los dientes, colmillos y muelas de la boca.

dental adj. De los dientes o relacionado con ellos.

dentellada s. f. Acción de clavar los dientes y herida o señal que dejan. SIN. Mordisco, bocado.

dentera s. f. Sensación desagradable que se tiene en los dientes, por ejemplo al oír ruidos chirriantes o al comer alimentos ácidos.

dentición s. f. 1. Formación de los dientes. 2. Tipo de dientes de cada mamífero según su especie.

dentífrico, ca adj. y s. m. Sustancia para limpiar los dientes.

dentista s. m. y f. Especialista en el cuidado y las enfermedades de los dientes. SIN. Odontólogo.

dentro adv. 1. En el interior. 2. Después de un periodo de tiempo: *dentro de una semana*. ANT. 1. Fuera.

denuedo s. m. Valor, esfuerzo.

denuesto s. m. Insulto grave. SIN. Injuria.

denuncia s. f. Acción de denunciar y escrito en que se denuncia algo. SIN. Acusación, delación.

denunciar v. 1. Comunicar a la autoridad que se ha cometido un delito. 2. Decir públicamente que una cosa está mal o va contra la ley. SIN. 1. Acusar, delatar. ANT. 1. Encubrir.

deparar v. Causar, producir.

departamento s. m. 1. Cada una de las partes en que se divide una empresa, vehículo u otras cosas. 2. Cada uno de los territorios en que se dividen algunos países, como Francia. 3. En América, apartamento. SIN. 1. Compartimento, dependencia.

departir v. Conversar, charlar.

dependencia s. f. 1. Situación del que depende de una persona o cosa. 2. Oficina que depende de otra más importante. 3. Cada una de las habitaciones de un gran edificio. SIN. 1. Subordinación; adicción. 2. Sección, departamento, división. ANT. 1. Independencia.

depender v. 1. Estar bajo la autoridad de una persona. 2. Producirse una cosa si se da una condición. 3. Necesitar de una persona o cosa.

dependiente adj. Que depende de una persona o cosa. SIN. Subordinado. ANT. Independiente.

dependiente, ta s. m. y f. En una tienda, empleado que atiende al público.

depilación s. f. Acción de depilar.

depilar v. Quitar el vello de algunas partes del cuerpo.

depilatorio, ria adj. y s. m. Que sirve para depilar.

deplorable adj. Lamentable, penoso. Sin. Lastimoso. Ant. Admirable.

deplorar v. Lamentar algo que causa pena o disgusto. Ant. Celebrar.

deponer v. 1. Echar a una persona del puesto o cargo que ocupa. 2. Abandonar una actitud, un comportamiento. □ Es v. irreg. Se conjuga como *poner*. Sin. 1. Destituir, relevar. Ant. 1. Reponer. 2. Mantener.

deportación s. f. Acción de deportar.

deportar v. Desterrar a una persona y enviarla a otro país o lugar del que no puede salir. Sin. Confinar.

deporte s. m. Juego o ejercicio físico que realizan individuos o equipos siguiendo unas normas.

deportista adj. y s. Se dice de la persona que practica un deporte.

deportividad s. f. Comportamiento deportivo.

deportivo, va adj. 1. Relacionado con el deporte. 2. Se dice del comportamiento que debe tener un deportista, respetando las reglas del juego.

deposición s. f. 1. Acción de deponer a una persona de su cargo. 2. Excrementos y el hecho de expulsarlos. Sin. 1. Destitución. 2. Heces. Ant. 1. Nombramiento.

depositar v. 1. Colocar en un sitio. 2. Dar dinero o cosas de valor a una persona o banco para que los guarde. 3. Poner en una persona un sentimiento. || **depositarse** 4. Posarse en el fondo las partículas sólidas que hay en un líquido. Sin. 1. Poner, dejar. 3. Confiar. 4. Sedimentarse. Ant. 1 y 2. Retirar.

depositario, ria adj. y s. Que guarda o recibe lo que otros le confían, sobre todo dinero o cosas de valor.

depósito s. m. 1. Conjunto de cosas depositadas en un lugar. 2. Espacio o recipiente para guardar o almacenar alguna cosa.

depravado, da adj. y s. Vicioso, pervertido, malvado. Sin. Perverso, degenerado. Ant. Virtuoso.

depreciar v. Disminuir el precio o valor de alguna cosa. Sin. Devaluar. Ant. Revaluar.

depredador, ra adj. y s. m. Se dice del animal que se alimenta de otros a los que captura. Sin. Predador.

depresión s. f. 1. Estado de ánimo caracterizado por la tristeza y la pérdida de interés por las cosas. 2. Hundimiento o hueco en una superficie o terreno. Sin. 1. Desánimo, decaimiento. 2. Hoyo. Ant. 1. Alegría. 2. Elevación.

depresivo, va adj. Se dice de la persona que suele sufrir depresiones.

deprimente adj. Que deprime. Sin. Triste. Ant. Alegre.

deprimir v. Producir o sufrir depresión o tristeza. Sin. Abatir, desanimar. Ant. Animar.

deprisa adv. Con rapidez. Sin. Rápidamente. Ant. Despacio.

depurador, ra adj. y s. Que depura.

depurar v. Limpiar, quitar de una sustancia la suciedad u otras cosas que no deben estar en ella. Sin. Purificar.

dequeísmo s. m. Uso incorrecto de la preposición *de* delante de la conjunción *que*.

derby (ingl.) s. m. 1. Tipo de competición hípica. 2. En algunos deportes, partido entre rivales de una misma ciudad o región.

derechista adj. y s. De ideas políticas de derecha. Sin. Conservador. Ant. Izquierdista.

derecho, cha adj. 1. Recto, vertical o sin torcerse ni desviarse. También adv.: *Camina derecho.* || adj. y s. f. 2. Se dice de lo que está en el lado opuesto al del corazón o queda a ese lado. || s. m. 3. Leyes de una comunidad y estudio de estas leyes. 4. Lo que nos permite hacer o exigir alguna cosa: *Estás en tu derecho de protestar.* 5. Cara o lado principal. || pl. 6. Dinero que cobran por su trabajo algunos profesionales. || s. f. 7. Personas, grupos y partidos de ideas políticas conservadoras. Sin. 1. Erguido, enderezado. 5. Anverso. Ant. 1. Torcido. 2. Izquierdo. 5. Reverso.

deriva s. f. Desvío de una nave de su rumbo a causa del viento, de las olas o de la corriente. Expr. **a la deriva** Sin rumbo ni dirección.

derivación s. f. 1. Hecho de derivar o derivarse y cosa que se deriva de otra. 2. Procedimiento para formar palabras a partir de otras, por ejemplo a *ropa* le añadimos *-ero* y tenemos *ropero*.

derivado, da 1. p. de **derivar**. También adj. y s. m. 2. En gramática, palabra formada por derivación. 3. Producto o sustancia que se obtiene de otro.

derivar v. 1. Proceder una cosa de otra. 2. Formarse una palabra a partir de otra o tener su origen en otra. **3.** Tomar una nueva dirección. **Sin. 1.** Provenir, originarse. **3.** Desviarse.

dermatología *s. f.* Especialidad médica que se ocupa de las enfermedades de la piel.

dermatólogo, ga *s. m. y f.* Médico especialista en dermatología.

dermis *s. f.* Capa más gruesa de la piel, formada por tejido conjuntivo y cubierta por la *epidermis.*

derogación *s. f.* Acción de derogar. **Sin.** Abolición. **Ant.** Promulgación.

derogar *v.* Anular una ley o una norma. **Sin.** Abolir. **Ant.** Promulgar.

derramamiento *s. m.* Acción de derramar. **Sin.** Derrame.

derramar *v.* Hacer que un líquido o una cosa menuda, por ejemplo en polvo o en grano, salga de donde está y se extienda. **Sin.** Verter, esparcir.

derrame *s. m.* **1.** En medicina, salida de un líquido fuera de su lugar. **2.** Derramamiento.

derrapar *v.* Patinar un vehículo desviándose hacia un lado.

derrape *s. m.* Acción de derrapar.

derrengado, da 1. *p.* de **derrengar.** También *adj.* ‖ *adj.* **2.** Muy cansado. **Sin. 2.** Molido, baldado.

derrengar *v.* **1.** Lastimar la espalda o el lomo. **2.** Cansar muchísimo.

derretir *v.* Hacer que el calor que algunas cosas se ablanden se se vuelvan líquidas. □ Es v. irreg. Se conjuga como *pedir.* **Sin.** Fundir.

derribar *v.* **1.** Tirar al suelo, hacer caer. **2.** Destruir, derrumbar. **3.** Hacer perder a una persona, gobierno, etc., su poder. **Sin. 1.** Tumbar. **2.** Demoler, derruir. **3.** Derrocar. **Ant. 1** y **2.** Levantar. **3.** Reponer.

derribo *s. m.* Acción de derribar una construcción y materiales que se sacan al derribarla. **Sin.** Demolición, destrucción.

derrocamiento *s. m.* Acción de derrocar, por ejemplo un gobierno.

derrocar *v.* Quitar por la fuerza a alguien de un puesto elevado o de mando. **Sin.** Derribar.

derrochador, ra *adj. y s.* Que derrocha. **Sin.** Despilfarrador, manirroto. **Ant.** Ahorrador.

derrochar *v.* **1.** Gastar inútilmente. **2.** Tener mucho de una cosa buena: *derrochar simpatía.* **Sin. 1.** Despilfarrar, dilapidar. **2.** Rebosar. **Ant. 1.** Ahorrar.

derroche *s. m.* Acción de derrochar. **Sin.** Despilfarro. **Ant.** Ahorro.

derrota *s. f.* **1.** El ser vencido en una guerra, juego, competición. **2.** Rumbo de un barco. **Sin. 1.** Fracaso, pérdida. **2.** Derrotero. **Ant. 1.** Victoria.

derrotar *v.* Ganar al enemigo o al contrario en la guerra, en un juego, en una competición. **Sin.** Vencer. **Ant.** Perder.

derrotero *s. m.* **1.** Camino o dirección para lograr algo. **2.** Derrota o rumbo de un barco.

derrotista *adj. y s.* Se dice del que antes de conocer el final de algo ya piensa que va a salir mal.

derruir *v.* Derribar una construcción. □ Es v. irreg. Se conjuga como *huir.* **Sin.** Demoler, derrumbar. **Ant.** Construir.

derrumbamiento *s. m.* Acción de derrumbar o derrumbarse. **Sin.** Hundimiento. **Ant.** Levantamiento.

derrumbar *v.* **1.** Derribar, destruir. ‖ **derrumbarse 2.** Perder el valor, las fuerzas, los ánimos. **Sin. 1.** Demoler, derruir, hundir. **2.** Abatirse. **Ant. 1.** Construir. **2.** Animarse.

derrumbe *s. m.* Derrumbamiento.

desabastecido, da *adj.* Sin las cosas que necesita o debe tener.

desaborido, da *adj.* **1.** Sin sabor o sin sustancia. ‖ *adj. y s.* **2.** Se dice de la persona aburrida y sin gracia. **Sin. 1.** Insípido. **Ant. 1.** Sabroso. **2.** Saleroso.

desabotonar *v.* Sacar los botones de los ojales para abrir una prenda. **Sin.** Desabrochar. **Ant.** Abotonar.

desabrido, da *adj.* **1.** Que no tiene sabor o tiene muy poco. **2.** Se dice del mal tiempo. **3.** Huraño, de mal genio. **Sin. 1.** Soso, insípido. **Ant. 1.** Sabroso.

desabrigado, da *adj.* Que no está suficientemente abrigado.

desabrochar *v.* Abrir una cosa que está abrochada.

desacato *s. m.* Falta de obediencia o respeto a una persona con autoridad. **Sin.** Desobediencia. **Ant.** Acatamiento.

desacertado, da *adj.* Equivocado, sin acierto. **Sin.** Erróneo. **Ant.** Acertado.

desacierto *s. m.* Equivocación, error. **Sin.** Fallo. **Ant.** Acierto.

desacompasado, da *adj.* Que no sigue un ritmo o compás.

desaconsejar *v.* Aconsejar a una persona que no haga algo. **Sin.** Disuadir.

desacostumbrado, da 1. *p.* de **desacostumbrar.** También *adj.* ‖ *adj.* **2.** Que no es corriente o habitual.

desacostumbrar v. Hacer perder una costumbre o dejar de estar acostumbrado a algo. **SIN.** Deshabituar.

desacreditar v. Hacer que se pierda o disminuya la buena opinión que se tiene de una persona o cosa. **SIN.** Desprestigiar. **ANT.** Acreditar.

desactivar v. Quitar o detener el mecanismo que hace funcionar algunas cosas, como una bomba o una alarma. **SIN.** Conectar. **ANT.** Activar.

desacuerdo s. m. Falta de acuerdo. **SIN.** Discrepancia.

desafiante adj. Que desafía o reta. **SIN.** Provocador.

desafiar v. 1. Invitar o provocar a alguien a una lucha o competición. 2. Enfrentarse a un peligro o dificultad. **SIN.** 1. Retar. 2. Afrontar, arrostrar.

desafinar v. Dar mal las notas musicales.

desafío s. m. 1. El hecho de desafiar. 2. Tarea difícil. **SIN.** 1 y 2. Reto.

desaforado, da adj. Excesivo, desmesurado. **SIN.** Desmedido, enorme. **ANT.** Moderado.

desafortunado, da adj. y s. 1. Sin suerte. || adj. 2. No conveniente o acertado. **SIN.** 1. Desgraciado. 2. Inoportuno. **ANT.** 1. Afortunado. 2. Oportuno.

desagradable adj. 1. Que causa desagrado. 2. Antipático, poco amable. **SIN.** 1. Asqueroso; molesto. 2. Arisco. **ANT.** 1 y 2. Agradable.

desagradar v. No gustar. **SIN.** Disgustar, molestar, fastidiar. **ANT.** Agradar.

desagradecido, da adj. y s. 1. Se dice de la persona que no agradece las cosas que se hacen por ella. || adj. 2. Se dice de aquello que no refleja el trabajo que cuesta hacerlo. **SIN.** 1 y 2. Ingrato. **ANT.** 1 y 2. Agradecido.

desagrado s. m. Disgusto, molestia, asco. **SIN.** Fastidio. **ANT.** Satisfacción.

desagraviar v. Compensar por alguna ofensa o perjuicio. **SIN.** Satisfacer. **ANT.** Agraviar.

desagravio s. m. Compensación por una ofensa o perjuicio. **ANT.** Agravio.

desaguar v. 1. Sacar el agua de un lugar. 2. Desembocar un río en el mar, en otro río o en un lago. **SIN.** 1. Drenar, achicar. 2. Afluir. **ANT.** 1. Inundar.

desagüe s. m. Lugar o tubería por donde se va el agua, por ejemplo en el lavabo. **SIN.** Sumidero.

desaguisado s. m. Estropicio, destrozo, desorden.

desahogado, da 1. p. de **desahogar**. || adj. 2. Grande, amplio. 3. Sin problemas de dinero. **SIN.** 2. Ancho, despejado. 3. Acomodado. **ANT.** 2. Estrecho. 3. Apurado.

desahogar v. 1. Quitar cosas de un lugar para dejarlo más libre. || **desahogarse** 2. Contar a alguien lo que nos preocupa o nos tiene tristes para sentirnos mejor. **SIN.** 1. Despejar, descongestionar. 2. Explayarse.

desahogo s. m. 1. Situación en la que no hay apuros, sobre todo de dinero. 2. Hecho de desahogarse con alguien. **SIN.** 1. Bienestar. **ANT.** 1. Estrechez.

desahuciar v. 1. Decir el médico que ya no se puede hacer nada por un enfermo. 2. Obligar a una persona a abandonar la vivienda o local que tenía alquilado. **SIN.** 2. Echar, expulsar.

desahucio s. m. Acción de desahuciar a alguien de una vivienda o local.

desairar v. Hacer un desprecio a alguien. **SIN.** Menospreciar, desdeñar. **ANT.** Respetar.

desaire s. m. Desprecio que se hace a alguien. **SIN.** Menosprecio, desdén.

desajustar v. 1. Separar o aflojar lo que está ajustado. 2. Alterar el correcto funcionamiento de algo. **SIN.** 1. Desencajar. 2. Ajustar.

desajuste s. m. Hecho de estar algo desajustado. **ANT.** Ajuste.

desalar v. Quitar la sal a alguna cosa. **ANT.** Salar.

desalentador, ra adj. Que desalienta.

desalentar v. Desanimar. □ Es v. irreg. Se conjuga como pensar. **SIN.** Abatir. **ANT.** Animar.

desaliento s. m. Desánimo. **SIN.** Abatimiento. **ANT.** Ánimo.

desaliñado, da adj. Poco aseado o cuidado.

desaliño s. m. Falta de aseo o cuidado.

desalmado, da adj. y s. Muy malo, cruel. **SIN.** Malvado, perverso. **ANT.** Bondadoso.

desalojar v. Dejar vacío un lugar. **SIN.** Desocupar, evacuar. **ANT.** Ocupar.

desalojo s. m. Acción de desalojar.

desamor s. m. Falta de amor.

desamparar v. Abandonar a alguien o no darle la ayuda que necesita. **SIN.** Desatender, descuidar. **ANT.** Amparar.

desamparo s. m. Situación de la persona que se encuentra sola y sin ayuda. **SIN.** Abandono. **ANT.** Amparo.

desastrado

desamueblado, da adj. Sin muebles.

desandar v. Retroceder en lo andado o en lo que se ha hecho. □ Es v. irreg. Se conjuga como *andar*. SIN. Recular. ANT. Avanzar.

desangelado, da adj. Soso, sin gracia. SIN. Insulso. ANT. Gracioso, alegre.

desangrarse v. Perder mucha sangre.

desanimar v. 1. Hacer perder el ánimo. 2. Convencer a alguien de que no haga una cosa. SIN. 1. Desmoralizar, desalentar. 2. Disuadir. ANT. 1 y 2. Animar. 2. Persuadir.

desánimo s. m. Estado de la persona que ha perdido los ánimos. SIN. Desaliento, abatimiento. ANT. Entusiasmo.

desapacible adj. Que no es agradable o tranquilo. SIN. Desagradable, destemplado. ANT. Apacible.

desaparecer v. 1. Dejar de existir o percibirse algo. 2. No estar en un lugar o irse de él. □ Es v. irreg. Se conjuga como *agradecer*. SIN. 1. Extinguirse. 1 y 2. Esfumarse, desvanecerse. ANT. 1 y 2. Aparecer.

desaparición s. f. Acción de desaparecer. SIN. Extinción, ocultación. ANT. Aparición.

desapasionado, da adj. Imparcial, guiado por la razón y no por la pasión. SIN. Frío. ANT. Apasionado.

desapego s. m. Falta de apego o cariño. SIN. Desinterés. ANT. Amor.

desapercibido, da adj. 1. Sin que se vea o se note. 2. Desprevenido. SIN. 1. Inadvertido. 2. Despistado, distraído. ANT. 2. Prevenido.

desaprensivo, va adj. y s. 1. Irresponsable. 2. Se dice de la persona a la que no le importa hacer daño o malas acciones. SIN. 1. Inconsciente. 2. Malvado, sinvergüenza.

desaprobación s. f. Acción de desaprobar. SIN. Censura. ANT. Aprobación.

desaprobar v. Considerar que no está bien alguna cosa, no estar de acuerdo con ella. □ Es v. irreg. Se conjuga como *contar*. SIN. Censurar, condenar. ANT. Aprobar.

desaprobatorio, ria adj. Que desaprueba. SIN. Condenatorio.

desaprovechar v. No sacar el provecho que debería obtenerse de alguna cosa. SIN. Desperdiciar, malgastar. ANT. Aprovechar.

desarbolar v. 1. Debilitar, desbaratar. 2. Quitar los mástiles a una embarcación.

desarmar v. 1. Quitar las armas a alguien o reducir el poder militar de un país. 2. Desmontar las distintas piezas de algo. 3. Calmar el enfado o sentimiento parecido. ANT. 1 y 2. Armar. 2. Montar.

desarme s. m. Reducción del poder militar de los países.

desarraigado adj. 1. Que ha perdido firmeza o ha desaparecido una costumbre, vicio, etc. 2. Se dice de la persona que no se encuentra en el ambiente o lugar en que ha vivido. SIN. 1. Extinguido, desterrado. ANT. 1 y 2. Arraigado.

desarraigo s. m. Situación de la persona desarraigada. ANT. Arraigo.

desarrapado, da adj. y s. Mal vestido, con la ropa sucia y rota. SIN. Astroso.

desarreglo s. m. Desorden. SIN. Alteración. ANT. Orden.

desarrollado, da 1. p. de desarrollar. También adj. || adj. 2. Se dice del país con un alto grado de desarrollo. ANT. 2. Subdesarrollado.

desarrollar v. 1. Agrandar, fortalecer, mejorar. 2. Tratar extensamente un tema. 3. Realizar: *desarrollar una actividad.* || desarrollarse 4. Ir sucediendo: *Las fiestas se desarrollaron con toda normalidad.* SIN. 1. Crecer, madurar, enriquecer, progresar. 4. Evolucionar. ANT. 1. Disminuir, empobrecer.

desarrollo s. m. 1. Acción de desarrollar o desarrollarse. 2. Los medios, la producción y el nivel de vida de un país. 3. En una bicicleta, combinación entre el plato y los piñones. SIN. 1. Crecimiento, enriquecimiento, progreso. ANT. 1. Disminución.

desarropar v. Quitar o apartar la ropa de alguien o algo. SIN. Destapar. ANT. Arropar.

desarticular v. 1. Deshacer un plan o una organización. 2. Separar dos o más cosas que estaban unidas. SIN. 1. Desorganizar. 2. Desencajar, dislocar. ANT. 2. Articular.

desaseado, da adj. y s. Sucio, mal arreglado. SIN. Desastrado, astroso. ANT. Aseado.

desasistir v. No darle a alguien la ayuda que necesita. SIN. Desatender, abandonar. ANT. Asistir.

desasnar v. Hacer menos ordinaria o ignorante a una persona. SIN. Pulir.

desasosiego s. m. Intranquilidad. SIN. Inquietud. ANT. Tranquilidad.

desastrado, da adj. y s. Sucio y mal vestido. SIN. Desaseado. ANT. Aseado.

desastre s. m. **1.** Suceso que produce grandes daños. **2.** Cosa que ha salido muy mal. **3.** Persona que tiene mala suerte o lo hace todo mal. **Sin. 1.** Catástrofe, tragedia. **1** a **3.** Calamidad. **Ant. 2.** Éxito.

desastroso, sa adj. Que produce un desastre o es un desastre. **Sin.** Catastrófico.

desatar v. **1.** Soltar lo que estaba atado. **2.** Hacer que empiece a producirse algo violento: *Se desató una fuerte discusión.* **Sin. 2.** Desencadenar.

desatascar v. Hacer que deje de estar atascada una cosa. **Sin.** Desatrancar. **Ant.** Atascar.

desatender v. No ocuparse debidamente de alguien o algo. □ Es v. irreg. Se conjuga como *tender.* **Sin.** Descuidar. **Ant.** Atender.

desatento, ta adj. y s. Que no es atento con los demás. **Sin.** Desconsiderado, descortés. **Ant.** Cortés.

desatino s. m. Locura, disparate. **Sin.** Despropósito. **Ant.** Acierto.

desatornillar v. Sacar o aflojar un tornillo. **Ant.** Atornillar.

desatrancar v. **1.** Dejar libre el paso por un conducto. **2.** Quitar la tranca de una puerta. **Sin. 1.** Desatascar. **Ant. 1** y **2.** Atrancar.

desautorizar v. **1.** No dar o quitar la autorización a alguien. **2.** Quitar la autoridad o el crédito a alguien. **Sin. 1.** Prohibir. **Ant. 1.** Autorizar.

desavenencia s. f. Desacuerdo o enfrentamiento. **Sin.** Discrepancia. **Ant.** Armonía, acuerdo.

desayunar v. Tomar el desayuno.

desayuno s. m. Primera comida del día, que se toma por la mañana.

desazón s. f. **1.** Preocupación, inquietud. **2.** Picor. **Sin. 1.** Desasosiego. **1** y **2.** Comezón. **Ant. 1.** Sosiego.

desazonar v. Inquietar, disgustar. **Sin.** Desasosegar. **Ant.** Sosegar.

desbancar v. Quitar el puesto a una persona para ocuparlo uno mismo. **Sin.** Desplazar.

desbandada s. f. Huida o separación en distintas direcciones de un grupo de personas o animales. **Sin.** Dispersión. **Ant.** Concentración.

desbandarse v. Huir o irse a la desbandada. **Sin.** Dispersarse. **Ant.** Concentrarse.

desbarajuste s. m. Desorden. **Sin.** Lío, confusión. **Ant.** Orden.

desbaratar v. Deshacer, arruinar, estropear. **Sin.** Descomponer, frustrar. **Ant.** Arreglar.

desbarrar v. Decir o hacer tonterías. **Sin.** Desvariar.

desbastar v. Quitar las partes más bastas de algo, sobre todo un tronco o de un trozo de madera.

desbloquear v. Eliminar los obstáculos para que algo se mueva, funcione o pueda realizarse. **Ant.** Bloquear.

desbocarse v. **1.** Abrirse más de lo debido el cuello de una prenda de vestir. **2.** Galopar un caballo sin obedecer al jinete.

desbordante adj. Que es muy intenso y se manifiesta claramente: *una alegría desbordante.* **Sin.** Rebosante.

desbordar v. **1.** Salirse algo de los bordes. **2.** Ser excesivo, pasar de un límite. **Sin. 1.** Derramarse, inundar. **1** y **2.** Rebosar. **2.** Rebasar, superar.

desbravar v. Hacer manso o dócil. **Sin.** Domar.

desbrozar v. **1.** Limpiar un campo de hojas, ramas, cortezas, etc. **2.** Eliminar lo innecesario de algo.

descabalado, da **1.** p. de **descabalar.** ‖ adj. **2.** Se dice de aquello a lo que le falta alguna de sus piezas o elementos.

descabalar v. Dejar incompleto algo, sobre todo un conjunto de cosas.

descabalgar v. Bajarse de una caballería. **Sin.** Desmontar.

descabellado, da **1.** p. de **descabellar.** ‖ adj. **2.** Disparatado, que no tiene sentido. **Sin.** Absurdo. **Ant.** Sensato.

descabellar v. Matar instantáneamente al toro clavándole la punta de un estoque en la cerviz.

descabello s. m. El hecho de descabellar.

descacharrar v. Escacharrar.

descafeinado adj. y s. m. Se dice del café al que se ha quitado la cafeína.

descalabrar v. Herir a una persona, sobre todo en la cabeza. **Sin.** Escalabrar.

descalabro s. m. Fracaso, desastre.

descalcificarse v. Disminuir la cantidad de calcio en los huesos.

descalificar v. **1.** Echar a un participante de una competición o de un concurso por no haber respetado las normas. **2.** Hacer perder a alguien la buena opinión que los demás tienen de él. **Sin. 2.** Desprestigiar, desacreditar. **Ant. 2.** Acreditar.

descalzar v. Quitar el calzado. **Ant.** Calzar.

descalzo, za adj. Sin calzado.

descamar v. 1. Quitar las escamas a los peces. || **descamarse** 2. Caerse la piel en forma de escamas.

descambiar v. Devolver una cosa que se ha comprado recuperando el dinero o cambiándola por otra.

descaminado, da adj. No acertado, equivocado. **Sin.** Errado, desacertado. **Ant.** Encaminado.

descamisado, da adj. Sin camisa o con la camisa muy abierta.

descampado s. m. Terreno sin árboles ni casas.

descansado, da 1. p. de **descansar**. También adj. || adj. 2. Que se hace con poco esfuerzo. **Sin.** 2. Cómodo. **Ant.** 2. Arduo.

descansar v. 1. Dejar de hacer una actividad cuando se está cansado para recuperar fuerzas. 2. Dormir. 3. Estar enterrado un cadáver en un lugar. 4. Estar una cosa apoyada en otra. **Sin.** 3. Yacer. **Ant.** 1. Cansarse.

descansillo s. m. Espacio más amplio en que termina cada uno de los tramos de una escalera. **Sin.** Rellano.

descanso s. m. 1. Parada para descansar. 2. Interrupción en una película, obra de teatro, deporte, etc., para continuar después. **Sin.** 1. Alto. 2. Intermedio, entreacto.

descapotable adj. y s. m. Automóvil con un techo plegable que deja al descubierto el espacio de los ocupantes.

descarado, da adj. y s. Que actúa con descaro. **Sin.** Desvergonzado, fresco.

descarga s. f. 1. Acción de descargar. 2. Serie de disparos que se hacen de una vez. 3. Paso brusco de corriente eléctrica de un cuerpo a otro de diferente potencial. **Ant.** 1. Carga.

descargar v. 1. Quitar la carga de un vehículo o animal. 2. Librar de un trabajo u obligación. 3. Disparar un arma de fuego o sacar de ella la carga. 4. Dejar algo sin carga eléctrica. 5. Hacer caer sobre alguien el enfado, mal humor, etc. 6. Caer lluvia o granizo. **Sin.** 2. Dispensar, eximir. 3. Tirar. 5. Desfogar, desahogarse. **Ant.** 1. Cargar. 2. Responsabilizar.

descargo s. m. Justificación o pretexto por una mala acción.

descarnado, da adj. 1. Que no tiene carne. 2. Que ha perdido la capa exterior: pared descarnada. 3. Que refleja

algo con dureza, sin ocultar nada: un relato descarnado. **Sin.** 3. Crudo.

descaro s. m. Forma de actuar de la persona descarada. **Sin.** Atrevimiento, insolencia.

descarriado, da adj. 1. Se dice de la res que se ha separado del rebaño. 2. Que ha dejado de portarse como debe.

descarrilamiento s. m. Acción de descarrilar.

descarrilar v. Salirse un tren o tranvía de los carriles sobre los que marcha. **Ant.** Encarrilar.

descartar v. 1. Rechazar. || **descartarse** 2. En algunos juegos de cartas, dejar un jugador las que no le sirven para coger otras. **Sin.** 1. Desechar, excluir. **Ant.** 1. Aceptar.

descarte s. m. Acción de descartarse en un juego de cartas.

descascarillarse v. Quitarse el esmalte, pintura u otra cosa que cubre una superficie. **Sin.** Desportillarse.

descastado, da adj. y s. Que muestra poco cariño por sus familiares. **Sin.** Desapegado.

descendencia s. f. Hijos, nietos y otros descendientes de una persona. **Sin.** Prole, progenie. **Ant.** Ascendencia.

descendente adj. Que desciende. **Ant.** Ascendente.

descender v. 1. Bajar. 2. Tener por antepasados: Desciende de una familia gallega. □ Es v. Irreg. Se conjuga como tender. **Sin.** 1. Disminuir; apearse. 2. Proceder. **Ant.** 1. Subir.

descendiente s. m. y f. Persona que desciende de otra, por ejemplo un hijo de su padre. **Sin.** Vástago. **Ant.** Ascendiente.

descendimiento s. m. Bajada del cuerpo de Cristo de la cruz.

descenso s. m. Acción de descender. **Sin.** Bajada; disminución. **Ant.** Ascenso; aumento.

descentralizar v. Hacer que un gobierno u organización no dependan de un centro único. **Ant.** Centralizar.

descentrar v. 1. Poner algo fuera de su centro. 2. Hacer perder a alguien la concentración. 3. Hacer que alguien pierda su equilibrio y orientación en la vida. **Ant.** 1. Centrar. 2. Concentrar.

descerrajar v. Abrir algo arrancando o rompiendo la cerradura.

descifrar v. Entender un mensaje o explicar algo que no se entendía. **Sin.** Descodificar; desentrañar. **Ant.** Cifrar.

desclavar v. Quitar o separar una cosa de donde estaba clavada. **Ant**. Clavar.

descocado, da adj. y s. Atrevido en el modo de vestir. **Sin**. Descarado, desvergonzado. **Ant**. Recatado.

descodificar v. Entender un mensaje aplicando el código que se utilizó para enviarlo. **Sin**. Descifrar. **Ant**. Codificar.

descolgar v. **1**. Quitar algo de donde está colgado. **2**. Dejar caer poco a poco sujetando de alguna manera, por ejemplo con una cuerda. **3**. Separar del resto del teléfono la pieza por la que se habla y escucha. || **descolgarse 4**. En algunos deportes, quedarse un corredor atrás. ◌ Es v. irreg. Se conjuga como *colgar*. **Sin**. **1** y **2**. Bajar. **2**. Deslizarse. **4**. Atrasarse, rezagarse. **Ant**. **1** y **3**. Colgar. **2**. Izar.

descollar v. Destacar, sobresalir. ◌ Es v. irreg. Se conjuga como *contar*. **Sin**. Resaltar, despuntar.

descolocar v. Desordenar o cambiar de sitio. **Sin**. Revolver, embarullar. **Ant**. Colocar.

descolonizar v. Dar la independencia a una colonia. **Ant**. Colonizar.

descolorido, da adj. Que ha perdido color. **Sin**. Pálido, apagado. **Ant**. Vivo.

descompasado, da adj. Que no sigue un compás o ritmo. **Ant**. Acompasado.

descompensar v. Hacer perder el equilibrio. **Sin**. Desequilibrar.

descomponer v. **1**. Separar las partes de algo. **2**. Estropear. **3**. Pudrir, corromper. **4**. Hacer perder la calma. || **descomponerse 5**. Poner un gesto de estar enfermo o encontrarse mal. ◌ Es v. irreg. Se conjuga como *poner*. **Sin**. **1**. Dividir. **2**. Desbaratar. **4**. Irritar. **Ant**. **1** y **2**. Componer. **3**. Arreglar. **3**. Conservar. **4**. Calmar.

descomposición s. f. **1**. Acción de descomponer o descomponerse algo. **2**. Diarrea.

descompuesto, ta **1**. p. de **descomponer**. También adj. || adj. **2**. Que tiene diarrea.

descomunal adj. Enorme, extraordinario. **Sin**. Colosal. **Ant**. Insignificante.

desconcertante adj. Que desconcierta. **Sin**. Sorprendente.

desconcertar v. Dejar muy sorprendido y desorientado. ◌ Es v. irreg. Se conjuga como *pensar*. **Sin**. Confundir, desorientar. **Ant**. Orientar.

desconchar v. Romper o quitar un trocito de la capa que recubre algo: *desconchar la pared*. **Sin**. Descascarillarse.

desconchón s. m. Parte desconchada de algo.

desconcierto s. m. **1**. Lío, desorden. **2**. Situación en que no se sabe qué hacer o qué pensar. **Sin**. **1**. Desorganización. **1** y **2**. Confusión.

desconectar v. **1**. Hacer que un aparato deje de estar conectado. **2**. Separar o hacer perder la relación entre personas o cosas. **Sin**. **1**. Apagar, desenchufar. **2**. Desvincular. **Ant**. **1** y **2**. Conectar.

desconexión s. f. Falta de unión o relación. **Sin**. Desunión. **Ant**. Conexión.

desconfiado, da **1**. p. de **desconfiar**. || adj. y s. **2**. Que desconfía. **Sin**. **2**. Receloso, suspicaz. **Ant**. **2**. Confiado.

desconfianza s. f. Falta de confianza. **Sin**. Recelo, suspicacia. **Ant**. Confianza.

desconfiar v. No tener confianza en alguien o algo. **Sin**. Recelar, sospechar. **Ant**. Confiar.

descongelar v. Hacer que algo deje de estar congelado. **Sin**. Deshelar. **Ant**. Congelar.

descongestionar v. Hacer que algo deje de estar congestionado. **Sin**. Despejar, desatascar. **Ant**. Congestionar.

desconocer v. No saber. ◌ Es v. irreg. Se conjuga como *agradecer*. **Sin**. Ignorar. **Ant**. Conocer.

desconocido, da **1**. p. de **desconocer**. También adj. y s. || adj. **2**. Muy cambiado: *Está desconocido con barba*. **Sin**. **1**. Ignorado. **Ant**. **1**. Conocido.

desconocimiento s. m. Falta de conocimiento sobre algo. **Sin**. Ignorancia.

desconsideración s. f. Falta de consideración con alguien. **Sin**. Descortesía. **Ant**. Cortesía.

desconsiderado, da adj. y s. Poco considerado con alguien. **Sin**. Descortés. **Ant**. Cortés.

desconsolado, da adj. Muy triste, que no se consuela con nada. **Sin**. Afligido, acongojado. **Ant**. Alegre.

desconsuelo s. m. Tristeza muy grande que no encuentra consuelo. **Sin**. Aflicción, congoja. **Ant**. Alegría.

descontado, da p. de **descontar**. También adj. **Expr**. **por descontado** Con seguridad, por supuesto.

descontar v. Restar o quitar una cantidad o parte a algo. ◌ Es v. irreg. Se conjuga como *contar*. **Sin**. Rebajar, reducir. **Ant**. Añadir.

descontento, ta adj. **1**. Que no está contento o satisfecho. || s. m. **2**. Sentimiento del que no está contento o satisfecho. **Sin. 1.** Disgustado, contrariado. **2.** Enojo, decepción.

descontrol *s. m.* Desorden, desorganización. **Sin.** Lío, barullo. **Ant.** Orden.

descontrolado, da *adj.* Que ha perdido el control o va sin control.

desconvocar *v.* Anunciar que no se va a llevar a cabo una reunión, examen u otro acto que se había convocado. **Sin.** Anular. **Ant.** Convocar.

descorazonado, da *adj.* Desanimado. **Sin.** Abatido. **Ant.** Animado.

descorazonador, ra *adj.* Que desanima mucho.

descorchar *v.* Quitar el tapón de corcho de una botella.

descorrer *v.* **1.** Apartar una cortina u otra cosa parecida. **2.** Correr un cerrojo o pestillo de una puerta o ventana para abrirlas.

descortés *adj.* Poco educado, que no tiene cortesía. **Sin.** Desatento, maleducado. **Ant.** Cortés.

descortesía *s. f.* Falta de cortesía.

descoser *v.* Quitar el hilo con que está cosido algo. **Ant.** Coser.

descosido, da 1. *p.* de **descoser**. También *adj.* || *s. m.* **2.** Parte de una prenda que tiene quitado o roto el hilo que la cosía. **Expr. como un descosido** Mucho: *Habla como un descosido.*

descoyuntar *v.* Hacer que se salgan los huesos de su sitio o salirse ellos solos por alguna causa. **Sin.** Dislocar.

descrédito *s. m.* Pérdida de la buena fama. **Sin.** Desprestigio. **Ant.** Crédito.

descremado, da *adj.* Sin la crema o grasa: *leche descremada.*

describir *v.* **1.** Decir cómo es una persona o cosa. **2.** Seguir una línea un cuerpo al moverse: *El balón describió una curva.* □ Su p. es irreg.: *descrito.* **Sin. 1.** Detallar. **2.** Trazar, dibujar.

descripción *s. f.* Acción de describir.

descriptivo, va *adj.* Que describe.

descuajaringar o **descuajeringar** *v.* Desarmar. **Sin.** Romper. **Ant.** Armar.

descuartizar *v.* Dividir en trozos el cuerpo de una persona o animal. **Sin.** Despedazar, trocear.

descubierto, ta 1. *p.* de **descubrir**. También *adj.* || *adj.* **2.** Desprotegido. **3.** Despejado: *cielo descubierto.* **Expr. al descubierto** De manera clara; también, al aire libre. **Ant. 1** a **3.** Cubierto.

descubridor, ra *s. m.* y *f.* Persona que descubre, por ejemplo un territorio o un medicamento.

descubrimiento *s. m.* Acción de descubrir una cosa, encontrar algo o enterarse de ello.

descubrir *v.* **1.** Encontrar algo que no se conocía o estaba escondido. **2.** Enterarse de algo, conocer. **3.** Quitar a una cosa lo que la cubría. **4.** Hacer que se sepa algo. || **descubrirse 5.** Quitarse el sombrero o la gorra. □ Su p. es irreg.: *descubierto.* **Sin. 2.** Averiguar. **4.** Mostrar, manifestar. **Ant. 3.** Tapar. **3** y **5.** Cubrir. **4.** Ocultar.

descuento *s. m.* Rebaja. **Sin.** Reducción. **Ant.** Aumento.

descuidado, da 1. *p.* de **descuidar**. También *adj.* || *adj.* y *s.* **2.** Que pone poco cuidado en lo que hace o no cuida bien las cosas. **Sin. 1.** Desatendido, abandonado. **Ant. 1.** Cuidado. **2.** Cuidadoso.

descuidar *v.* **1.** No ocuparse adecuadamente, poner poco cuidado. **2.** No preocuparse: *Descuida, te llevaré lo que me has pedido.* **Sin. 1.** Desatender, abandonar. **Ant. 1.** Cuidar.

descuidero, ra *adj.* y *s.* Ladrón que se apropia de las cosas que la gente deja descuidadas.

descuido *s. m.* **1.** Distracción, falta de cuidado. **2.** Poco cuidado en el aseo o en el vestir. **Sin. 1.** Fallo. **2.** Abandono. **Ant. 1.** Esmero. **2.** Aseo.

desde *prep.* Indica lugar de origen: *Este avión viene desde París;* momento a partir del cual o sucede algo: *No le he visto desde su cumpleaños.*

desdecir *v.* **1.** Mostrar alguien o algo peores cualidades que las personas o cosas con las que se relaciona o a las que acompaña: *Esos zapatos desdicen con un traje tan elegante.* || **desdecirse 2.** Decir lo contrario o algo distinto a lo afirmado. □ Es v. irreg. Se conjuga como *decir.* **Sin. 1.** Chocar. **2.** Retractarse. **Ant. 1.** Combinar. **2.** Reafirmarse.

desdén *s. m.* Desprecio, rechazo.

desdentado, da *adj.* Sin dientes.

desdeñar *v.* Rechazar. **Sin.** Despreciar. **Ant.** Aceptar.

desdeñoso, sa *adj.* Que desdeña.

desdibujarse *v.* Percibirse sin claridad. **Sin.** Borrarse, desvanecerse. **Ant.** Perfilarse.

desdicha *s. f.* Desgracia, desventura. **Sin.** Infortunio. **Ant.** Dicha.

desdichado, da *adj.* y *s.* Desgraciado, desafortunado. **Sin.** Infeliz. **Ant.** Feliz.

desdoblar *v.* Extender algo que estaba doblado. **Sin.** Desplegar. **Ant.** Doblar.

desdoro s. m. Desprestigio, mancha en la buena fama de alguien o algo. **Sin.** Deshonra, baldón.

desdramatizar v. Quitar importancia: *desdramatizar una discusión.* **Ant.** Dramatizar.

deseable adj. Que merece que alguien lo desee. **Sin.** Apetecible.

desear v. Querer conseguir o hacer algo, o que algo ocurra. **Sin.** Anhelar, ansiar.

desecar v. Secar, quitar el agua: *desecar un embalse.* **Ant.** Humedecer.

desechable adj. Que sólo puede usarse una vez o un número limitado de veces: *una maquinilla de afeitar desechable.*

desechar v. Rechazar o dejar de usar algo. **Sin.** Descartar, excluir. **Ant.** Aprovechar.

desecho s. m. Algo que no sirve para nada. **Sin.** Residuo, basura.

desembalar v. Quitar el embalaje. **Sin.** Desempaquetar, desenvolver. **Ant.** Embalar.

desembarazarse v. Librarse de lo que molesta o estorba. **Sin.** Apartar, deshacerse.

desembarcar v. 1. Sacar de una embarcación las cosas que van en ella. 2. Salir alguien de una embarcación. **Ant.** 1 y 2. Embarcar.

desembarco s. m. Acción de desembarcar. **Ant.** Embarque.

desembocadura s. f. Lugar por donde desemboca un río o canal. **Ant.** Nacimiento.

desembocar v. 1. Entrar un río o canal en otro, en un lago o en el mar. 2. Ir a parar una calle o camino a un lugar. 3. Tener al final que se indica: *La discusión desembocó en pelea.* **Sin.** 1. Desaguar, afluir. 3. Terminar, culminar. **Ant.** 3. Comenzar.

desembolsar v. Pagar o entregar dinero. **Sin.** Abonar. **Ant.** Embolsarse.

desembolso s. m. Pago o entrega de una cantidad de dinero.

desembragar v. Pisar el pedal del embrague para cambiar de marcha.

desembuchar v. Contar lo que se tenía callado. **Sin.** Confesar, cantar. **Ant.** Callar.

desempaquetar v. Deshacer un paquete. **Sin.** Desembalar. **Ant.** Empaquetar.

desemparejado, da adj. Sin pareja. **Ant.** Emparejado.

desempatar v. Deshacer un empate. **Ant.** Empatar.

desempate s. m. Acción de desempatar. **Ant.** Empate.

desempeñar v. 1. Realizar una actividad. 2. Recuperar lo que se empeñó. **Sin.** 1. Ejercer; interpretar. **Ant.** 2. Empeñar.

desempeño s. m. Acción de desempeñar. **Sin.** Ejercicio. **Ant.** Empeño.

desempleado, da adj. y s. Persona que está sin empleo, en el paro. **Sin.** Parado. **Ant.** Empleado.

desempleo s. m. Situación de la persona desempleada. **Sin.** Empleo, trabajo.

desempolvar v. 1. Quitar el polvo. 2. Volver a utilizar algo que se había dejado hacía tiempo.

desencadenar v. 1. Causar, producir. 2. Quitar las cadenas. || **desencadenarse** 3. Producirse algo violento. **Sin.** 1. Originar. 1 a 3. Desatar(se). 3. Estallar. **Ant.** 2. Encadenar.

desencajar v. 1. Sacar una cosa de donde está encajada. || **desencajarse** 2. Tomar la cara un gesto de miedo o dolor. **Sin.** 2. Descomponerse.

desencanto s. m. Desilusión, decepción. **Sin.** Desengaño. **Ant.** Ilusión.

desenchufar v. Sacar el enchufe de algo. **Sin.** Desconectar. **Ant.** Enchufar.

desencuadernar v. Separar o despegar las hojas de un libro, revista, etc.

desenfadado, da adj. Espontáneo, con sentido del humor. **Sin.** Divertido. **Ant.** Serio.

desenfado s. m. Naturalidad, sentido del humor. **Sin.** Alegría. **Ant.** Seriedad.

desenfocar v. No enfocar bien al hacer una fotografía o al filmar.

desenfrenado, da adj. Sin freno o moderación, sobre todo en los placeres y diversiones.

desenfreno s. m. Falta de freno o moderación en los placeres y diversiones. **Sin.** Libertinaje.

desenfundar v. Sacar una cosa de su funda. **Ant.** Enfundar.

desenganchar v. 1. Soltar lo que está enganchado. || **desengancharse** 2. Dejar la droga. **Ant.** 1 y 2. Enganchar(se).

desengañado, da adj. Desilusionado porque algo no era como se esperaba o deseaba. **Sin.** Decepcionado. **Ant.** Ilusionado.

desengañar v. Hacer ver a uno que algo no es como espera o desea. **Sin.** Desilusionar, decepcionar. **Ant.** Ilusionar.

desengaño *s. m.* Desilusión. **Sin.** Decepción. **Ant.** Ilusión.

desengrasar *v.* Quitar la grasa. **Ant.** Engrasar.

desenlace *s. m.* Forma de acabar un suceso, novela, película, etc. **Sin.** Fin, final. **Ant.** Comienzo.

desenmarañar *v.* Hacer que algo quede suelto o más claro, que se comprenda mejor. **Sin.** Desenredar. **Ant.** Enmarañar.

desenmascarar *v.* **1.** Quitar la máscara. **2.** Descubrir lo que alguien es o hace en realidad. **Ant. 1 y 2.** Enmascarar. **2.** Encubrir.

desenredar *v.* Hacer que algo deje de estar enredado. **Sin.** Desenmarañar. **Ant.** Enredar.

desenrollar *v.* Extender lo que está enrollado. **Sin.** Desplegar. **Ant.** Enrollar.

desenroscar *v.* Sacar o extender lo que está enroscado. **Ant.** Enroscar.

desensillar *v.* Quitar la silla a una caballería. **Ant.** Ensillar.

desentenderse *v.* No ocuparse de algo o no atender a una cosa. □ Es v. irreg. Se conjuga como *tender*. **Sin.** Despreocuparse. **Ant.** Preocuparse.

desentendido, da *p.* de desentenderse. **Expr. hacerse el desentendido** Hacer una persona como que no se entera de algo.

desenterrar *v.* Sacar lo que está enterrado. □ Es v. irreg. Se conjuga como *pensar*. **Sin.** Exhumar. **Ant.** Enterrar.

desentonar *v.* **1.** No quedar bien con lo que está alrededor: *Las cortinas desentonan con el resto del salón.* **2.** Desafinar. **Sin. 1.** Contrastar, matarse. **2.** Disonar. **Ant. 2.** Entonar.

desentrañar *v.* Comprender o descubrir algo oculto o difícil. **Sin.** Descifrar.

desentrenado, da *adj.* Que no esta preparado para hacer algo por falta de entrenamiento. **Ant.** Entrenado.

desentumecer *v.* Hacer que un miembro deje de estar entumecido o rígido. □ Es v. irreg. Se conjuga como *agradecer*. **Ant.** Agarrotar.

desenvainar *v.* Sacar la espada u otra arma blanca de su vaina o funda. **Ant.** Envainar.

desenvoltura *s. f.* Habilidad o facilidad para hacer algo, especialmente para hablar en público o tratar con los demás. **Sin.** Soltura. **Ant.** Torpeza.

desenvolver *v.* **1.** Quitar la envoltura. ‖ **desenvolverse 2.** Saber cómo actuar.

3. Producirse. □ Es v. irreg. Se conjuga como *volver*. **Sin. 1.** Desempaquetar. **2.** Manejarse, arreglárselas. **3.** Desarrollarse, transcurrir. **Ant. 1.** Envolver.

desenvuelto, ta *adj.* **1.** p. de desenvolver. También *adj.* ‖ *adj.* **2.** Que tiene desenvoltura. **Sin. 2.** Resuelto, hábil. **Ant. 2.** Torpe; tímido.

deseo *s. m.* Lo que alguien desea. **Sin.** Anhelo, afán.

deseoso, sa *adj.* Que desea algo.

desequilibrado, da *adj.* **1.** p. de desequilibrar. También *adj.* ‖ *adj.* y *s.* **2.** Loco, chiflado. **Sin. 2.** Perturbado. **Ant. 1 y 2.** Equilibrado.

desequilibrar *v.* **1.** Hacer perder el equilibrio. ‖ **desequilibrarse 2.** Perder el equilibrio mental, hacer o pensar cosas propias de un chiflado. **Sin. 1.** Desnivelar, descompensar. **2.** Enloquecer. **Ant. 1.** Equilibrar.

desequilibrio *s. m.* Falta de equilibrio.

deserción *s. f.* Acción de desertar.

desertar *v.* Abandonar el ejército sin estar autorizado para ello.

desértico, ca *adj.* Del desierto o relacionado con él.

desertor, ra *s. m.* y *f.* Soldado que deserta.

desesperación *s. f.* **1.** Falta de esperanza. **2.** Gran nerviosismo o impaciencia. **Sin. 1.** Desolación. **Ant. 1.** Ánimo.

desesperado, da *adj.* y *s.* **1.** Que ya no tiene esperanza ‖ *adj.* **2.** Muy nervioso o impaciente. **Sin. 2.** Inquieto. **Ant. 1.** Esperanzado.

desesperante *adj.* Que causa gran nerviosismo o impaciencia.

desesperar *v.* **1.** Poner inquieto, intranquilo, impaciente. **2.** Perder la esperanza. **Sin. 1.** Irritar. **2.** Desalentarse, desanimarse. **Ant. 1.** Tranquilizar. **2.** Animarse.

desestabilizar *v.* Hacer que algo deje de tener estabilidad. **Sin.** Desequilibrar. **Ant.** Estabilizar.

desestimar *v.* No tomar en cuenta algo. **Sin.** Desechar. **Ant.** Considerar.

desfachatez *s. f.* Descaro, atrevimiento. **Sin.** Desvergüenza. **Ant.** Respeto.

desfalco *s. m.* Delito que comete el que se apropia indebidamente del dinero que se le ha confiado.

desfallecer *v.* **1.** Perder las fuerzas. **2.** Desanimarse. □ Es v. irreg. Se conjuga como *agradecer*. **Sin. 1.** Debilitarse, flaquear. **2.** Decaer. **Ant. 1.** Resistir. **2.** Animarse.

desfallecimiento *s. m.* Pérdida de las fuerzas o del ánimo. **Sin.** Desmayo; desánimo.

desfasado, da *adj.* Anticuado. **Sin.** Obsoleto. **Ant.** Actual.

desfase *s. m.* **1.** Hecho de quedarse anticuado algo. **2.** Diferencia entre dos hechos o procesos: *Hay un desfase de varias horas entre Europa y América.*

desfavorable *adj.* No favorable. **Sin.** Perjudicial, adverso. **Ant.** Beneficioso.

desfigurar *v.* Alterar la forma de alguna cosa. **Sin.** Deformar, desvirtuar. **Ant.** Mejorar.

desfiladero *s. m.* Paso estrecho y hondo entre montañas. **Sin.** Cañada.

desfilar *v.* Marchar o ir ordenadamente en fila varias personas.

desfile *s. m.* Acto en el que desfila un conjunto de personas, animales o vehículos. **Sin.** Parada.

desfogar *v.* Manifestar enérgicamente un sentimiento o estado de ánimo para liberarse de él. **Sin.** Descargar. **Ant.** Reprimir.

desfondar *v.* Romper o quitar el fondo.

desgajar *v.* Separar una parte de algo. **Sin.** Arrancar. **Ant.** Unir.

desgana *s. f.* Falta de ganas. **Sin.** Apatía, abulia. **Ant.** Gana.

desganado, da *adj.* Sin ganas. **Sin.** Apático, abúlico.

desgañitarse *v.* Gritar esforzándose mucho. **Sin.** Vociferar.

desgarbado, da *adj.* Sin gracia o elegancia. **Ant.** Garboso.

desgarrado, da **1.** *p.* de **desgarrar.** También *adj.* ‖ *adj.* **2.** Que muestra mucho sentimiento o pena: *voz desgarrada.* **Sin. 1.** Rasgado.

desgarrador, ra *adj.* Que produce mucha pena o impresión.

desgarrar *v.* **1.** Romper una cosa al tirar de ella. **2.** Causar mucha pena o impresión.

desgarro *s. m.* Roto que se hace en una cosa al tirar de ella. **Sin.** Desgarrón.

desgarrón *s. m.* Desgarro grande.

desgastar *v.* Gastar una cosa al usarla o rozarla mucho. **Sin.** Consumir. **Ant.** Conservar.

desgaste *s. m.* Acción de desgastar o desgastarse una cosa.

desglosar *v.* Dividir en partes. **Sin.** Desgajar. **Ant.** Englobar.

desglose *s. m.* Acción de desglosar.

desgracia *s. f.* **1.** Cosa que causa mucho daño o sufrimiento. **2.** Mala suerte. **Sin. 1.** Desdicha, desventura. **2.** Gafe. **Ant. 1.** Alegría.

desgraciado, da *adj.* y *s.* **1.** Que sufre desgracias o tiene mala suerte. **2.** Mala persona. **Sin. 1.** Desdichado. **2.** Canalla. **Ant. 1.** Afortunado.

desgraciar *v.* Romper, fastidiar.

desgranar *v.* Sacar los granos de algo, por ejemplo de una espiga.

desgravar *v.* Descontar una cantidad de un impuesto. **Ant.** Gravar.

desgreñado, da *adj.* Con el pelo descuidado. **Sin.** Despeinado.

desguace *s. m.* **1.** Acción de desguazar. **2.** Lugar donde se desguazan vehículos y otros aparatos viejos.

desguarnecer *v.* Dejar sin protección. □ Es v. irreg. Se conjuga como *agradecer.* **Sin.** Desproteger. **Ant.** Guarnecer.

desguazar *v.* Desmontar las piezas de un vehículo o de otro aparato que ya no sirve.

deshabitado, da *adj.* Que no está habitado. **Sin.** Despoblado, desierto. **Ant.** Habitado.

deshabituar *v.* Hacer perder un hábito o costumbre. **Sin.** Desacostumbrar. **Ant.** Habituar.

deshacer *v.* **1.** Dejar una cosa como estaba antes de hacerla. **2.** Separar las partes que componen una cosa. **3.** Destruir. **4.** Hacer líquido un sólido. **5.** Reducir a polvo un solido o disolverlo en un líquido. ‖ **deshacerse 6.** Hacer o decir en abundancia lo que se expresa: *deshacerse en elogios.* □ Es v. irreg. Se conjuga como *hacer.* **Expr. deshacerse de** Desprenderse o librarse de alguien o algo. **Sin. 1.** Desmontar, desarmar. **2.** Disgregar. **3.** Demoler, derribar. **4.** Derretir. **5.** Desmenuzar; desleír. **Ant. 4.** Solidificar.

desharrapado, da *adj.* Desarrapado.

deshecho, cha 1. *p.* de **deshacer** o **deshacerse.** ‖ *adj.* **2.** Muy mal, muy triste o muy cansado. **Sin. 2.** Destrozado; molido. **Ant. 1.** Hecho. **2.** Feliz; descansado.

deshelar *v.* Descongelar. □ Es v. irreg. Se conjuga como *pensar.* **Sin.** Derretir. **Ant.** Congelar.

desheredado, da 1. *p.* de **desheredar.** ‖ *adj.* y *s.* **2.** Pobre, marginado.

desheredar *v.* Dejar sin herencia a alguien.

deshidratar *v.* Quitarle a un cuerpo el agua que contiene. **Ant.** Hidratar.

deshielo *s. m.* Hecho de deshacerse la nieve o el hielo de las montañas.

deshilachar *v.* Sacar hilos de una tela.

deshinchar *v.* **1.** Desinflar. **2.** Bajar la hinchazón de una parte del cuerpo. **ANT. 1** y **2.** Hinchar, inflar. **2.** Inflamarse.

deshojar *v.* Quitar las hojas de una planta o los pétalos de una flor.

deshollinador, ra *s. m. y f.* Persona que se dedica a deshollinar chimeneas.

deshollinar *v.* Limpiar el hollín de las chimeneas.

deshonesto, ta *adj.* Que no es honesto. **SIN.** Deshonroso, indecente. **ANT.** Honrado.

deshonor *s. m.* Pérdida del honor. **SIN.** Deshonra, humillación. **ANT.** Honra.

deshonra *s. f.* Pérdida de la honra o dignidad de alguien. **SIN.** Deshonor, humillación. **ANT.** Honra, honor.

deshonrar *v.* Hacer perder la honra. **SIN.** Degradar. **ANT.** Honrar.

deshonroso, sa *adj.* Que hace perder la honra o la dignidad. **SIN.** Degradante. **ANT.** Honroso.

deshora o **deshoras** Se usa en la expresión **a deshora** o **a deshoras**, 'fuera del tiempo en que debe hacerse': *comer a deshoras.*

deshumanizar *v.* Hacer perder las cualidades humanas o el interés por lo humano. **ANT.** Humanizar.

desiderativo, va *adj. y s. f.* Se dice de las oraciones que expresan deseo, por ejemplo *¡Ojalá lluva!*

desiderátum (lat.) *s. m.* Lo deseable, lo mejor que se puede esperar.

desidia *s. f.* Falta de ganas o interés. **SIN.** Dejadez, pereza. **ANT.** Energía.

desierto, ta *adj.* **1.** Vacío, sin gente. || *s. m.* **2.** Terreno muy seco, generalmente lleno de arena y con muy poca o ninguna vegetación. **SIN. 1.** Deshabitado. **ANT. 1.** Habitado.

designación *s. f.* **1.** Acción de designar a alguien o algo para alguna cosa. **2.** Nombre que se da a algo. **SIN. 1.** Destino. **2.** Denominación.

designar *v.* **1.** Destinar a una persona o cosa para que ocupe un cargo o desempeñe una función. **2.** Nombrar, llamar. **SIN. 1.** Elegir, señalar. **2.** Denominar.

designio *s. m.* Intención, propósito. **SIN.** Plan, proyecto.

desigual *adj.* **1.** Distinto, diferente. **2.** Con cambios o altibajos: *un terreno*

desigual. **SIN. 1.** Diverso. **2.** Irregular. **ANT. 1.** Igual. **2.** Uniforme.

desigualdad *s. f.* **1.** Diferencia. **2.** Hoyos y elevaciones de un terreno o superficie. **SIN. 1.** Disparidad, variedad. **2.** Desnivel, altibajos. **ANT. 1.** Igualdad.

desilusión *s. f.* **1.** Sentimiento de una persona al comprobar que alguien o algo no es como esperaba. **2.** Pérdida de las ilusiones. **SIN. 1.** Desengaño, decepción.

desilusionar *v.* Hacer sentir desilusión o sentirla uno. **SIN.** Decepcionar, desengañar. **ANT.** Ilusionar.

desinencia *s. f.* Terminación de una palabra que indica cuál es su género, número, tiempo, persona, etc., por ejemplo las desinencias de *gatas* y *tomamos* son *-as* y *-amos.*

desinfección *s. f.* Acción de desinfectar. **SIN.** Esterilización. **ANT.** Infección.

desinfectante *adj. y s. m.* Que desinfecta.

desinfectar *v.* Limpiar algo de microbios. **SIN.** Esterilizar. **ANT.** Infectar.

desinflar *v.* **1.** Sacar o hacer salir el aire de una cosa inflada. **2.** Desanimar, desilusionar. **SIN. 1.** Deshinchar. **2.** Desmoralizar. **ANT. 1.** Inflar. **2.** Animar.

desinformado, da *adj.* Que no está bien informado o no está informado.

desinsectar *v.* Matar los insectos perjudiciales que hay en un lugar.

desintegración *s. f.* Acción de desintegrar o desintegrarse. **SIN.** Desunión, descomposición. **ANT.** Integración.

desintegrar *v.* Separar algo en los elementos que lo forman. **SIN.** Descomponer, desunir. **ANT.** Integrar.

desinterés *s. m.* Falta de interés. **SIN.** Desidia.

desinteresado, da *adj.* **1.** Generoso, que actúa sin pedir nada a cambio. **2.** Que no siente interés por algo. **SIN. 1.** Altruista. **ANT. 1** y **2.** Interesado.

desintoxicación *s. f.* Acción de desintoxicar. **ANT.** Intoxicación.

desintoxicar *v.* Curar a alguien de una intoxicación, como la producida por comida en mal estado o por drogas. **ANT.** Intoxicar.

desistir *v.* Renunciar a algo que se pensaba hacer. **SIN.** Abandonar, cejar. **ANT.** Insistir.

deslavazado, da *adj.* Disperso, sin unión. **ANT.** Ligado, trabado.

desleal *adj.* Que no es leal o fiel. **SIN.** Infiel, traidor.

deslealtad *s. f.* Falta de lealtad. **Sin.** Infidelidad, traición. **Ant.** Fidelidad.

desleír *v.* Disolver, diluir.

deslenguado, da *adj.* y *s.* Que habla sin respeto a los demás o dice palabrotas. **Sin.** Malhablado. **Ant.** Considerado.

desligar *v.* Separar, desunir. **Sin.** Deslindar. **Ant.** Ligar.

deslindar *v.* Separar o limitar terrenos, ideas, etc., para que no se confundan. **Sin.** Acotar; delimitar. **Ant.** Fundir.

desliz *s. m.* Equivocación o falta que se hace por no pensar bien las cosas. **Sin.** Desacierto, yerro. **Ant.** Acierto.

deslizante *adj.* Que desliza o deja deslizarse: *una superficie deslizante.*

deslizar *v.* 1. Pasar suavemente sobre algo: *deslizarse por el hielo.* 2. Poner una cosa en un sitio con suavidad o disimulo: *Deslizó las cartas por debajo de la puerta.* **Sin.** 1. Patinar, escurrirse.

deslomar *v.* 1. Romper o dañar los lomos. 2. Cansar mucho, agotar.

deslucido, da *adj.* 1. Que ha perdido su buen aspecto. 2. Que no ha resultado bien: *una función deslucida.* **Sin.** 1. Ajado. **Ant.** 1 y 2. Lucido.

deslucir *v.* Dejar deslucido. **Ant.** Lucir.

deslumbrante *adj.* Que deslumbra. **Sin.** Cegador; fascinante.

deslumbrar *v.* 1. Cegarle a alguien una luz. 2. Maravillar, fascinar.

desmadejado, da *adj.* Sin fuerzas, muy cansado. **Sin.** Flojo, debilitado. **Ant.** Vigoroso.

desmadrarse *v. fam.* Actuar de forma alocada, sin vergüenza.

desmadre *s. m. fam.* Desorden, follón.

desmán¹ *s. m.* Abuso, acción injusta. **Sin.** Injusticia, atropello.

desmán² *s. m.* Pequeño mamífero, de la familia de los topos, que tiene el hocico en forma de trompa y es un excelente nadador.

desmandarse *v.* Hacer uno lo que le da la gana, no obedecer. **Sin.** Rebelarse.

desmantelar *v.* Deshacer algo ya montado u organizado. **Sin.** Desmontar, desarmar. **Ant.** Montar.

desmañado, da *adj.* y *s.* Poco mañoso. **Sin.** Torpe. **Ant.** Hábil.

desmaquillar *v.* Quitar el maquillaje y otros cosméticos de la cara.

desmarcar *v.* 1. Quitar las marcas. ‖ **desmarcarse** 2. En algunos deportes, quedarse un jugador libre, sin que le

marque un contrario. 3. Apartarse de algo o evitar un trabajo u obligación.

desmayarse *v.* Perder el conocimiento. **Sin.** Desvanecerse.

desmayo *s. m.* Acción de desmayarse. **Sin.** Desvanecimiento, desfallecimiento.

desmedido, da *adj.* Muy grande, excesivo. **Sin.** Desmesurado, exagerado. **Ant.** Moderado.

desmejorado, da *adj.* Que tiene peor salud o aspecto que antes.

desmelenarse *v. fam.* Desmadrarse, desmandarse.

desmembrar *v.* Dividir un conjunto separando sus partes. **Sin.** Desunir. **Ant.** Unir.

desmemoriado, da *adj.* y *s.* Que no tiene memoria o tiene muy poca. **Sin.** Olvidadizo.

desmentido *s. m.* Acción de desmentir. **Sin.** Rectificación. **Ant.** Confirmación.

desmentir *v.* Decir o demostrar que algo que se ha dicho no es verdad. □ Es *v.* irreg. Se conjuga como *sentir.* **Sin.** Rectificar. **Ant.** Confirmar.

desmenuzar *v.* Dividir algo en trocitos pequeños.

desmerecer *v.* 1. Perder valor: *La casa desmerece con esa decoración tan fea.* 2. Resultar peor que otra persona o cosa con la que se compara. □ Es *v.* irreg. Se conjuga como *agradecer.* **Sin.** 1. Desentonar. **Ant.** 1 y 2. Ganar.

desmesurado, da *adj.* Enorme, exagerado. **Sin.** Desmedido, desproporcionado. **Ant.** Mesurado.

desmigajar o **desmigar** *v.* Hacer migajas. **Sin.** Desmenuzar.

desmilitarizar *v.* Hacer que algo deje de ser militar o de estar ocupado por los militares. **Ant.** Militarizar.

desmirriado, da *adj.* Esmirriado.

desmontable *adj.* y *s. m.* Que se puede desmontar en varias piezas.

desmontar *v.* 1. Separar las piezas o elementos que forman algo. 2. Bajar de una caballería, vehículo, etc. **Sin.** 1. Desarmar. 2. Apearse. **Ant.** 1. Armar. 1 y 2. Montar.

desmonte *s. m.* Lugar en el que se ha quitado o se ha amontonado tierra.

desmoralizar *v.* Desanimar mucho. **Sin.** Desalentar. **Ant.** Animar.

desmoronar *v.* 1. Deshacer, derrumbar. ‖ **desmoronarse** 2. Quedarse sin ánimos, entusiasmo o energía. **Sin.** 2. Desmoralizarse. **Ant.** 2. Sobreponerse.

desnatado, da *adj.* Se dice del producto al que se le ha quitado la nata: *leche desnatada.*

desnivel *s. m.* **1.** Diferencia de altura entre dos o más puntos. **2.** Diferencia entre personas o cosas. **SIN. 2.** Desequilibrio. **ANT. 2.** Equilibrio.

desnivelar *v.* Hacer que dos o más cosas dejen de estar niveladas. **SIN.** Desequilibrar. **ANT.** Equilibrar.

desnucar *v.* **1.** Romper la nuca. **2.** Matar de un golpe en la nuca.

desnudar *v.* Dejar desnudo, quitar la ropa. **SIN.** Desvestir. **ANT.** Vestir.

desnudez *s. f.* Hecho de estar alguien o algo desnudo.

desnudo, da *adj.* **1.** Sin ropa. **2.** Vacío, sin nada que lo cubra o adorne. ‖ *s. m.* **3.** En pintura y escultura, figura humana sin vestir. **SIN. 1.** Desvestido. **2.** Desprovisto, desguarnecido. **ANT. 1.** Vestido. **2.** Cubierto.

desnutrición *s. f.* Debilidad de la persona que no está bien alimentada.

desnutrido, da *adj.* Que tiene desnutrición.

desobedecer *v.* No hacer lo que nos mandan. □ Es v. irreg. Se conjuga como *agradecer.* **SIN.** Incumplir. **ANT.** Obedecer.

desobediencia *s. f.* Hecho de desobedecer. **SIN.** Rebeldía. **ANT.** Obediencia.

desobediente *adj. y s.* Que desobedece, sobre todo si lo hace con frecuencia. **SIN.** Rebelde, díscolo. **ANT.** Obediente.

desocupado, da *adj.* **1.** Sin ocupar. **2.** Sin nada que hacer. **SIN. 1.** Vacío. **ANT. 1.** y **2.** Ocupado. **2.** Atareado.

desocupar *v.* Dejar vacío un lugar. **SIN.** Desalojar, evacuar. **ANT.** Ocupar.

desodorante *s. m.* Producto para quitar los malos olores, sobre todo los del cuerpo.

desoír *v.* No hacer caso: *desoír un consejo.* □ Es v. irreg. Se conjuga como *oír.* **SIN.** Ignorar, pasar. **ANT.** Atender.

desojarse *v.* Forzar demasiado la vista.

desolación *s. f.* **1.** Acción de desolar. **2.** Pena muy grande. **SIN. 1.** Ruina. **2.** Tristeza, desconsuelo. **ANT. 2.** Alegría.

desolador, ra *adj.* **1.** Que destruye totalmente. **2.** Que causa mucha pena. **SIN. 1.** Destructor, devastador. **2.** Triste, desgarrador. **ANT. 2.** Alegre.

desolar *v.* **1.** Destruir algo totalmente. **2.** Causar mucha pena. **SIN. 2.** Desgarrar. **ANT. 2.** Alegrar.

desollar *v.* Quitar el pellejo o la piel. □ Es v. irreg. Se conjuga como *contar.* **SIN.** Despellejar.

desorbitado, da *adj.* Muy grande, exagerado: *precios desorbitados.* **SIN.** Desmesurado. **ANT.** Ajustado.

desorden *s. m.* **1.** Falta de orden. **2.** Alboroto, jaleo. **SIN. 1.** Desorganización, confusión. **2.** Alteración, disturbio. **ANT. 1.** Organización.

desordenado, da **1.** *p.* de **desordenar.** También *adj.* ‖ *adj.* **2.** Que hace las cosas sin ningún orden. **SIN. 1** y **2.** Desorganizado. **ANT. 1** y **2.** Ordenado.

desordenar *v.* Quitar a las cosas el orden que tenían. **SIN.** Desorganizar, confundir, liar. **ANT.** Ordenar.

desorganización *s. f.* Desorden, lío. **SIN.** Confusión, desconcierto. **ANT.** Organización.

desorganizar *v.* Dejar sin orden o sin organización. **SIN.** Desordenar, confundir, liar. **ANT.** Organizar.

desorientación *s. f.* Acción de desorientarse. **SIN.** Despiste, extravío. **ANT.** Orientación.

desorientar *v.* **1.** Hacer que alguien se pierda o no sepa dónde está. **2.** Dejar a alguien confuso, sin saber qué pensar. **SIN. 1.** Extraviar. **2.** Confundir, desconcertar. **ANT. 1** y **2.** Orientar.

desovar *v.* Soltar los huevos las hembras de animales como los insectos, los peces o los anfibios.

desove *s. m.* Acción de desovar.

desoxidar *v.* Quitar el óxido de un metal. **ANT.** Oxidar.

despabilado, da *adj.* Espabilado.

despabilar *v.* Espabilar.

despachar *v.* **1.** Atender a los clientes o al público. **2.** Reunirse con alguien para solucionar o decidir algo. **3.** Hacer o terminar una cosa. ‖ **despacharse** **4.** Decir algo sin rodeos: *Me despaché a gusto y le dije lo que pensaba de él.* **SIN. 3.** Acabar. **4.** Desahogarse, explayarse.

despacho *s. m.* **1.** Habitación o lugar donde se trabaja o se estudia: *un despacho de abogados.* **2.** Acción de despachar una cosa. **3.** Lugar donde se despacha o vende algo: *un despacho de pan.* **SIN. 1.** Oficina.

despachurrar *v.* Espachurrar.

despacio *adv.* Con lentitud, empleando mucho tiempo. **SIN.** Lentamente. **ANT.** Rápido, deprisa.

despacioso, sa *adj.* Lento, calmado.

despampanante *adj.* Muy llamativo. **Sin.** Impresionante, deslumbrante.

despanzurrar *v.* Reventar, espachurrar. **Sin.** Despachurrar.

desparejado, da *adj.* Sin pareja: *un guante desparejado.* **Ant.** Emparejado.

desparpajo *s. m.* Falta de timidez, soltura para hablar y actuar. **Sin.** Desenfado, desenvoltura.

desparramar *v.* Poner por muchos sitios lo que estaba junto. **Sin.** Esparcir, desperdigar. **Ant.** Reunir.

despatarrarse *v.* Separar mucho las piernas. **Sin.** Espatarrarse.

despavorido, da *adj.* Que tiene mucho miedo. **Sin.** Aterrado, aterrorizado.

despecho *s. m.* Rencor, resentimiento.

despechugado, da *adj.* Con el pecho muy destapado.

despectivo, va *adj.* Que muestra o indica desprecio; en gramática se llama así a algunos sufijos como *-ejo* (tipo/*tipejo*).

despedazar *v.* Hacer pedazos. **Sin.** Destrozar.

despedida *s. f.* Acción de despedir o despedirse. **Sin.** Adiós. **Ant.** Bienvenida, recibimiento.

despedir *v.* **1.** Decirle adiós a alguien. **2.** Echar, lanzar, expulsar: *despedir vapor, mal olor.* **3.** Echar a una persona de su trabajo o irse ella misma. ‖ **despedirse 4.** Renunciar a algo, olvidarse de ello: *Despídete de tu regalo.* □ Es v. irreg. Se conjuga como *pedir.* **Sin.** **2.** Arrojar, emitir. **4.** Olvidar. **Ant. 1.** Recibir. **2.** Aspirar. **3.** Contratar.

despegado, da 1. *p.* de **despegar.** También *adj.* ‖ *adj.* **2.** Poco cariñoso o sociable.

despegar *v.* **1.** Separar una cosa de otra a la que estaba pegada o unida. **2.** Levantarse del suelo y empezar a volar un avión u otra aeronave. **Sin. 1.** Desprender, arrancar. **2.** Elevarse. **Ant. 1.** Pegar, adherir. **2.** Aterrizar.

despego *s. m.* Falta de cariño o interés hacia alguien o algo.

despegue *s. m.* Acción de despegar una aeronave. **Ant.** Aterrizaje.

despeinar *v.* Estropear el peinado. **Ant.** Peinar.

despejado, da 1. *p.* de **despejar.** También *adj.* ‖ *adj.* **2.** Sin nubes. **Ant. 2.** Cubierto, nublado.

despejar *v.* **1.** Dejar libre. **2.** Aclarar, por ejemplo una duda. **3.** En deportes como el fútbol, lanzar la pelota lejos de la portería. ‖ **despejarse 4.** Quedarse el cielo sin nubes. **5.** Dejar de estar atontado, dormido, borracho, etc. **Sin. 2.** Esclarecer. **4.** Clarear. **Ant. 1.** Ocupar. **2.** Complicar. **4.** Nublarse.

despeje *s. m.* Acción de despejar.

despellejar *v.* **1.** Quitar la piel o el pellejo. **2.** Hablar muy mal de alguien. **Sin. 1.** Desollar. **2.** Criticar.

despelotarse *v.* **1.** *vulg.* Desnudarse. **2.** *vulg.* Partirse de risa.

despeluchar *v.* Caérsele el pelo a un animal o perder el pelillo una cosa.

despenalizar *v.* Hacer que algo que era delito deje de serlo. **Ant.** Penalizar.

despensa *s. f.* Habitación o armario para guardar alimentos.

despeñadero *s. m.* Barranco, precipicio. **Sin.** Tajo.

despeñar *v.* Tirar a una persona, animal o cosa por un precipicio, o caerse por él.

despepitarse *v.* Mostrar muchos deseos de algo. **Sin.** Morirse.

desperdiciar *v.* Gastar demasiado de algo o no sacar buen provecho de una cosa: *desperdiciar el agua, la comida.* **Sin.** Malgastar, desaprovechar. **Ant.** Aprovechar.

desperdicio *s. m.* **1.** Acción de desperdiciar. ‖ *pl.* **2.** Basuras, restos. **Expr. no tener desperdicio** Ser alguien o algo muy bueno, útil, o todo lo contrario, muy malo, no servir para nada. **Sin. 2.** Residuos, desechos. **Ant. 1.** Aprovechamiento.

desperdigar *v.* Separar personas o cosas de forma que queden muy separadas unas de otras. **Sin.** Desparramar, dispersar. **Ant.** Reunir.

desperezarse *v.* Estirarse por sueño o pereza.

desperfecto *s. m.* **1.** Daño poco importante. **2.** Defecto pequeño. **Sin. 1.** Deterioro. **2.** Falta, imperfección.

despertador *s. m.* Reloj que hace sonar una alarma a la hora que se marca.

despertar[1] *v.* **1.** Hacer que una persona deje de dormir. **2.** Causar, producir: *despertar el apetito.* **3.** Hacerse más listo y avispado. □ Es v. irreg. Se conjuga como *pensar.* **Sin. 1** y **3.** Despabilar. **2.** Provocar, avivar. **Ant. 1.** Adormecer.

despertar[2] *s. m.* Momento o forma en que alguien despierta.

despiadado, da *adj.* Muy malo o cruel, sin piedad. **Sin.** Brutal, inhumano. **Ant.** Compasivo.

despido *s. m.* Acción de despedir o echar. **Sin.** Expulsión. **Ant.** Admisión.

despiece *s. m.* Acción de despiezar.

despierto, ta 1. *p.* de **despertar.** También *adj.* ‖ *adj.* 2. Listo, avispado. **Sin.** 2. Espabilado, vivo. **Ant.** 2. Torpe.

despiezar *v.* Descuartizar las reses que se emplean como alimento.

despilfarrador, ra *adj. y s.* Que despilfarra. **Sin.** Derrochador, manirroto. **Ant.** Ahorrador.

despilfarrar *v.* Malgastar el dinero. **Sin.** Dilapidar, derrochar. **Ant.** Ahorrar.

despilfarro *s. m.* Gasto excesivo o innecesario. **Sin.** Derroche. **Ant.** Ahorro.

despintar *v.* Quitar la pintura. **Expr. no despintársele** una persona o cosa a alguien No olvidársele.

despiojar *v.* Quitar los piojos.

despiporren Se usa en la expresión **ser** algo **el despiporren**, 'ser muy divertido, escandaloso, desmadrado'.

despistado, da *adj. y s.* Distraído, que no presta atención. **Ant.** Atento.

despistar *v.* 1. Hacer que alguien pierda la pista o se equivoque. ‖ **despistarse** 2. Distraerse. **Sin.** 1. Desorientar, confundir. **Ant.** 1. Orientar.

despiste *s. m.* Hecho de despistarse o fallo que se comete por ello. **Sin.** Distracción.

desplante *s. m.* Palabras o acción insolentes. **Sin.** Chulería, arrogancia.

desplazado, da 1. *p.* de **desplazar.** También *adj.* ‖ *adj.* 2. Que no se encuentra a gusto en un lugar o ambiente. **Sin.** 2. Inadaptado.

desplazamiento *s. m.* Acción de desplazarse.

desplazar *v.* 1. Mover o ir de un lugar a otro. 2. Dejar a alguien en una situación peor o menos importante: *Ya no es el mejor del equipo, el nuevo jugador le ha desplazado.* **Sin.** 1. Trasladar, correr. 2. Relegar, postergar. **Ant.** 1. Inmovilizar.

desplegable *adj. y s. m.* Que se puede desplegar o extender: *un folleto desplegable.*

desplegar *v.* 1. Extender, desdoblar. 2. Extender por una zona un grupo de policías, soldados, etc. 3. Mostrar una cualidad o conocimiento. □ Es v. irreg. Se conjuga como *regar.* **Sin.** 1. Estirar. 2. Dispersar. 3. Exhibir. **Ant.** 1. Plegar. 2. Replegar.

despliegue *s. m.* 1. Acción de desplegar. 2. Demostración de riqueza, fuerza, conocimientos, etc. **Sin.** 1. Extensión. 2. Alarde, exhibición. **Ant.** 1. Pliegue; repliegue.

desplomarse *v.* Caerse, irse abajo. **Sin.** Derrumbarse. **Ant.** Levantarse.

desplome *s. m.* Acción de desplomarse.

desplumar *v.* 1. Quitar las plumas a un ave. 2. Dejar sin dinero. **Sin.** 1. Pelar. 2. Limpiar.

despoblado, da 1. *p.* de **despoblar.** ‖ *adj. y s. m.* 2. Deshabitado. **Sin.** 2. Desierto. **Ant.** 1 y 2. Poblado.

despoblar *v.* Dejar o quedarse sin habitantes un lugar. □ Es v. irreg. Se conjuga como *contar.* **Ant.** Poblar.

despojar *v.* 1. Quitar a una persona o cosa algo que tiene. ‖ **despojarse** 2. Desprenderse alguien de algo que tiene o que lleva encima. **Sin.** 1. Arrebatar, desposeer. **Ant.** 1. Restituir. 2. Ponerse.

despojo *s. m.* 1. Acción de despojar. ‖ *pl.* 2. Restos, sobras. 3. Vísceras y partes menos carnosas de las aves y otros animales que se consumen como alimento. **Sin.** 1. Expolio. 2. Desperdicios. 3. Menudos.

desportilladura *s. f.* Rotura pequeña en el borde de una cosa. **Sin.** Mella.

desportillar *v.* Descascarillar, desconchar. **Sin.** Mellar, cascar.

desposarse *v.* 1. Casarse. 2. Antiguamente, hacer en público la promesa de casarse. **Sin.** 2. Comprometerse. **Ant.** 1. Divorciarse.

desposeer *v.* Quitarle a una persona o cosa algo que tenía. □ Es v. irreg. Se conjuga como *leer.* **Sin.** Arrebatar, despojar. **Ant.** Restituir.

desposorio *s. m.* 1. Boda. 2. Antiguamente, promesa pública de casarse con alguien. **Sin.** 2. Esponsales.

déspota *s. m. y f.* Persona que abusa de su poder y trata con dureza a los que están a sus órdenes. **Sin.** Tirano.

despótico, ca *adj.* Propio de un déspota. **Sin.** Tiránico.

despotismo *s. m.* Autoridad total de una persona sin que esté limitada por ninguna ley.

despotricar *v.* Hablar mal de alguien o algo. **Sin.** Criticar. **Ant.** Elogiar.

despreciable *adj.* Que merece ser despreciado. **Sin.** Indigno. **Ant.** Estimable.

despreciar *v.* 1. Considerar a alguien o algo inferior o poco importante. 2. Rechazar: *Despreció mi ayuda.* **Sin.** 1. Menospreciar, subestimar. 2. Desdeñar. **Ant.** 1. Apreciar. 2. Aceptar.

desprecio *s. m.* Acción de despreciar. Sin. Menosprecio, desdén. Ant. Consideración.

desprender *v.* 1. Separar una cosa de otra a la que está unida. 2. Soltar, despedir: *desprender buen olor.* ‖ **desprenderse** 3. Deshacerse de algo, darlo: *Se desprendió de la ropa vieja.* 4. Deducirse una cosa de otra. Sin. 1. Despegar. 2. Emanar. 3. Despojarse. Ant. 1. Prender. 3. Retener.

desprendido, da 1. *p.* de **desprender**. También *adj.* ‖ *adj.* 2. Que da y comparte lo que tiene. Sin. 1. Suelto. 2. Generoso. Ant. 1. Prendido. 2. Tacaño.

desprendimiento *s. m.* 1. Acción de desprender o desprenderse. 2. Característica de las personas desprendidas. Sin. 2. Generosidad. Ant. 2. Tacañería.

despreocupación *s. f.* 1. Acción de despreocuparse. 2. Falta de cuidado o atención. Sin. 2. Descuido, desinterés. Ant. 1 y 2. Preocupación.

despreocuparse *v.* Dejar de preocuparse por alguien o algo. Sin. Descuidar, desentenderse. Ant. Ocuparse.

desprestigiar *v.* Quitar o perder prestigio. Sin. Desacreditar, deshonrar. Ant. Prestigiar.

desprestigio *s. m.* Falta o pérdida de prestigio. Sin. Descrédito, deshonra.

desprevenido, da *adj.* Que no está preparado: *pillar a alguien desprevenido.* Sin. Descuidado. Ant. Prevenido.

desproporción *s. f.* Diferencia grande, falta de proporción.

desproporcionado, da *adj.* 1. Que no tiene proporción con otra cosa. 2. Muy grande, enorme. Sin. 2. Desmedido. Ant. 1. Proporcionado.

despropósito *s. m.* Disparate, palabra o acción sin sentido. Sin. Desatino. Ant. Acierto.

desproteger *v.* Dejar o quedarse sin protección. Sin. Desguarnecer. Ant. Proteger.

desprovisto, ta *adj.* Que no tiene alguna cosa. Sin. Carente. Ant. Provisto.

después *adv.* 1. Más tarde que otra cosa: *Le llamé después de cenar.* 2. Detrás, más allá: *Mi casa está después del parque.* 3. Expresa que una persona o cosa sigue a otra en orden, preferencia: *Es el que más sabe después de Luis.* Sin. 1. Posteriormente. 1 y 2. Seguidamente. Ant. 1 y 2. Antes.

despuntar *v.* 1. Romper la punta. 2. Salirles brotes a las plantas: *Aún no han despuntado los rosales.* 3. Empezar a aparecer algo: *al despuntar el día.* 4. Sobresalir, destacar. Sin. 1. Embotar. 3. Asomar; clarear. 4. Distinguirse.

desquiciar *v.* Sacar de quicio, hacer perder los nervios o la paciencia. Sin. Enloquecer, irritar. Ant. Serenar.

desquitarse *v.* Hacer o conseguir algo que compense alguna pérdida, molestia o daño. Sin. Resarcir.

desquite *s. m.* Acción de desquitarse.

desratizar *v.* Acabar con las ratas y ratones de un lugar.

desriñonar *v.* 1. Dañar los riñones un peso, esfuerzo, etc. 2. Cansar muchísimo.

destacamento *s. m.* Grupo de soldados o policías enviados a un lugar con una misión.

destacar *v.* 1. Distinguirse alguien o algo sobre los demás o hacer que se distinga: *Destacaba del grupo por su simpatía. Destacó el título al subrayarlo.* 2. Enviar a un grupo de personas a un lugar para que cumplan una misión. Sin. 1. Sobresalir, descollar. Ant. 1. Igualar.

destajo *s. m.* Forma de trabajar en la que se cobra por trabajo hecho y no por sueldo fijo.

destapar *v.* Quitar la tapa u otra cosa que cubre a alguien o algo. Sin. Descubrir. Ant. Tapar.

destaponar *v.* 1. Quitar un tapón. 2. Desatascar. Sin. 1. Destapar. Ant. 1 y 2. Taponar.

destartalado, da *adj.* 1. Poco acogedor por ser muy grande, estar desordenado, etc.: *un caserón destartalado.* 2. Viejo, roto, medio desarmado: *un coche destartalado.* Sin. 1. Inhóspito. 2. Desvencijado.

destello *s. m.* Luz fuerte que dura poco tiempo. Sin. Resplandor.

destemplado, da *adj.* 1. Algo enfermo y con sensación de frío. 2. Se dice del tiempo algo frío y desagradable. 3. Desafinado: *voz destemplada.* Ant. 2 y 3. Templado.

destensar *v.* Aflojar algo tirante. Ant. Tensar.

desteñir *v.* 1. Manchar una cosa a otra con su color. 2. Borrar o hacer más suaves los colores de una tela u otra cosa: *La lejía destiñe los colores.* □ Es v. irreg. Se conjuga como *ceñir.* Sin. 2. Decolorar. Ant. 2. Teñir.

desternillarse *v.* Partirse de risa.

desterrar *v.* 1. Echar a alguien de su país o de un lugar y prohibirle que vuelva. **2.** Abandonar, dejar: *desterrar una idea.* □ Es v. irreg. Se conjuga como *pensar.* **Sin. 1.** Deportar. **Ant. 1.** Repatriar.

destetar v. Dejar de dar de mamar a los bebés o a las crías de los animales para que se acostumbren a tomar todo tipo de alimentos.

destete s. m. Acción de destetar, y periodo en el que se hace.

destiempo Se usa en la expresión **a destiempo**, 'fuera de tiempo', 'en momento no oportuno': *La felicitación llegó a destiempo.*

destierro s. m. Acción de desterrar y situación de la persona desterrada. **Sin.** Deportación, exilio.

destilación s. f. Acción de destilar.

destilar v. **1.** Separar de una mezcla de líquidos el que antes se evapora, calentándolo y volviéndolo a enfriar después. **2.** Soltar un líquido gota a gota: *Los pinos destilan resina.*

destilería s. f. Industria donde se destila, por ejemplo para fabricar licor.

destinar v. **1.** Dar cierto uso o destino. **2.** Enviar a una persona a un lugar para que haga algo allí. **Sin. 1.** Dedicar, designar. **2.** Mandar.

destinatario, ria s. m. y f. Persona a quien se envía una cosa o para la que se hace algo: *el destinatario de una carta, el destinatario de un libro.* **Ant.** Remitente.

destino s. m. **1.** Lugar al que va o es enviada una persona o cosa. **2.** Finalidad, objetivo. **3.** Lo que hace que las cosas ocurran de una manera sin que podamos cambiarlas. **Sin. 1.** Puesto, plaza. **3.** Sino, hado.

destitución s. f. Acción de destituir.

destituir v. Quitar a alguien de su cargo o empleo. □ Es v. irreg. Se conjuga como *huir.* **Sin.** Despedir, deponer. **Ant.** Restituir.

destornillador s. m. Herramienta para apretar y aflojar tornillos.

destornillar v. **1.** Desatornillar. ‖ **destornillarse 2.** Desternillarse, mondarse de risa.

destreza s. f. Habilidad, capacidad para hacer bien las cosas. **Sin.** Soltura. **Ant.** Torpeza.

destripar v. **1.** Quitar las tripas. **2.** Sacar lo que tiene dentro una cosa. **3.** Espachurrar, reventar. **4.** Estropear un chiste, película, etc., contando el final antes de tiempo.

destripaterrones s. m. **1.** Trabajador del campo no especializado. **2.** Persona ignorante o sin modales. **Sin. 2.** Patán.

destronar v. Echar al rey de su trono y quitarle su autoridad o poder. **Sin.** Derrocar. **Ant.** Restaurar.

destrozar v. **1.** Romper o estropear por completo. **2.** Causar mucho daño, dolor o pena. **Sin. 1.** Despedazar, destruir. **Ant. 1.** Arreglar. **2.** Animar.

destrozo s. m. Acción de destrozar y daño que se produce. **Sin.** Destrucción, estropicio. **Ant.** Arreglo.

destrozón, na adj. y s. Que todo lo destroza.

destrucción s. f. Acción de destruir o destruirse. **Sin.** Destrozo, derribo, devastación. **Ant.** Construcción.

destructivo, va adj. Que destruye o puede destruir.

destructor, ra adj. **1.** Que destruye. ‖ s. m. **2.** Barco de guerra rápido y con armamento muy potente.

destruir v. Destrozar o echar abajo algo. □ Es v. irreg. Se conjuga como *huir.* **Sin.** Asolar, devastar. **Ant.** Construir.

desunión s. f. Falta de unión, sobre todo entre personas. **Sin.** División; enemistad.

desunir v. Separar personas o cosas que estaban unidas. **Sin.** Dividir; enemistar. **Ant.** Unir.

desusado, da adj. **1.** Raro, poco frecuente. **2.** Que ya no se usa. **Sin. 1.** Desacostumbrado, anormal. **2.** Pasado. **Ant. 1.** Acostumbrado. **2.** Actual.

desuso s. m. Poco o ningún uso que tiene algo: *estar, caer en desuso.*

desvaído, da adj. Descolorido, apagado: *colores desvaídos.* **Sin.** Pálido. **Ant.** Vivo.

desvalido, da adj. y s. Que no tiene protección ni medios para defenderse. **Sin.** Desamparado, indefenso. **Ant.** Protegido.

desvalijar v. Quitarle a alguien todo lo que lleva encima o robar todas las cosas valiosas de un lugar. **Sin.** Saquear.

desván s. m. Cuarto en la parte más alta de una casa para guardar trastos y cosas viejas. **Sin.** Buhardilla, altillo.

desvanecerse v. **1.** Desaparecer poco a poco: *desvanecerse la niebla.* **2.** Marearse, desmayarse. □ Es v. irreg. Se conjuga como *agradecer.* **Sin. 1.** Esfumarse, disiparse.

desvanecimiento s. m. Mareo, desmayo.

desvariar v. Decir o hacer tonterías. **Sin.** Delirar.

desvarío s. m. Tontería, disparate.

desvelar[1] v. 1. Hacer perder el sueño. || **desvelarse** 2. Poner mucho cuidado y atención en alguien o algo. **Sin.** 1. Espabilar. 2. Desvivirse, esmerarse. **Ant.** 1. Adormecer. 2. Despreocuparse.

desvelar[2] v. Decir un secreto u otra cosa que no se sabía. **Sin.** Revelar. **Ant.** Ocultar.

desvelo s. m. Mucho esfuerzo, cuidado y preocupación que se pone en algo.

desvencijar v. Romper, desarmar. **Sin.** Descomponer. **Ant.** Arreglar.

desventaja s. f. 1. Situación menos favorable de una persona o cosa en comparación con otra. 2. Inconveniente, problema. **Sin.** 2. Pega. **Ant.** 1 y 2. Ventaja.

desventura s. f. Mala suerte. **Sin.** Adversidad, desdicha. **Ant.**

desvergonzado, da adj. y s. Que no tiene vergüenza. **Sin.** Sinvergüenza, descarado. **Ant.** Vergonzoso.

desvergüenza s. f. Atrevimiento, descaro. **Sin.** Frescura. **Ant.** Recato.

desvestir v. Quitar la ropa, desnudar. □ Es v. irreg. Se conjuga como *pedir*. **Ant.** Vestir.

desviación s. f. 1. Acción de desviar o desviarse. 2. Camino que sale de otro más importante. 3. Cosa anormal. **Sin.** 1 y 2. Desvío. 3. Anormalidad.

desviar v. Separar a alguien o algo de su camino o de lo que se considera normal. **Sin.** Apartar. **Ant.** Encaminar.

desvincular v. Hacer desaparecer una relación o vínculo. **Sin.** Desligar. **Ant.** Vincular.

desvío s. m. 1. Acción de desviar. 2. Camino que sale de otro más importante. **Sin.** 1 y 2. Desviación.

desvirgar v. Quitar la virginidad a una mujer.

desvirtuar v. Hacer que algo pierda su valor o características. **Sin.** Deformar, adulterar. **Ant.** Resaltar.

desvivirse v. Poner mucho interés y cariño en alguien o algo. **Sin.** Desvelarse. **Ant.** Despreocuparse.

detall (cat.) Se usa en la expresión **al detall**, 'al por menor'.

detallar v. Contar o tratar una cosa con todo detalle. **Sin.** Pormenorizar.

detalle s. m. 1. Cosa que no es totalmente necesaria, pero completa o adorna a otra. 2. Dato o información que aclara o completa. 3. Regalo u otra cosa para agradar a alguien. 4. Parte de un cuadro, escultura u otra cosa. **Sin.** 1. Adorno, complemento. 2. Pormenor, particularidad. 3. Atención, cortesía.

detallista adj. y s. 1. Que se preocupa mucho de los detalles. 2. Muy atento con los demás. **Sin.** 1. Meticuloso. 2. Cumplido. **Ant.** 1. Descuidado.

detectar v. Notar o descubrir alguna cosa, por ejemplo mediante un aparato. **Sin.** Captar, localizar.

detective s. m. y f. Persona que realiza trabajos de investigación parecidos a los de la policía por encargo de un cliente. **Sin.** Investigador.

detector, ra adj. y s. m. Se dice del aparato que sirve para detectar alguna cosa: *detector de metales.*

detención s. f. Acción de detener o detenerse. **Sin.** Captura, arresto; parada.

detener v. 1. Parar a alguien o algo, impedirle seguir o actuar. 2. Coger la policía a alguien por haber cometido un delito. || **detenerse** 3. Pararse: *No se detuvo a pensarlo.* □ Es v. irreg. Se conjuga como *tener*. **Sin.** 1. Imovilizar, retener. 2. Arrestar, prender. **Ant.** 1. Avanzar. 2. Soltar.

detenidamente adv. Con detenimiento o atención.

detenido, da 1. p. de **detener**. También adj. || adj. y s. 2. Que lo detuvo la policía. **Sin.** 2. Arrestado.

detenimiento s. m. Atención, cuidado y lentitud para hacer bien las cosas. **Sin.** Cuidado, paciencia. **Ant.** Prisa.

detentar v. Adjudicarse alguien sin derecho un cargo, título, etc.

detergente s. m. Jabón u otro producto para lavar o limpiar.

deteriorar v. Estropear. **Sin.** Dañar. **Ant.** Arreglar.

deterioro s. m. Daño, desperfecto. **Sin.** Estropicio.

determinación s. f. 1. Decisión que toma alguien. 2. Característica de las personas que no dudan al actuar. **Sin.** 1 y 2. Resolución. **Ant.** 2. Indecisión.

determinado, da 1. p. de **determinar**. También adj. || adj. 2. Nombre que dan algunas gramáticas a los artículos *el, la, los, las.* **Ant.** 1 y 2. Indeterminado.

determinante adj. 1. Que determina. || s. m. 2. En gramática, palabra que va delante del sustantivo y lo concreta o determina. Son determinantes el artículo, los demostrativos, los posesivos, los indefinidos y los numerales.

determinar v. 1. Señalar con exactitud: *Determinaron la fecha del examen.* 2. Hacer tomar una decisión o tomarla una persona: *Determinó comprar un coche.* 3. Hacer que alguien o algo sea de una manera: *El clima determina la vegetación de un lugar.* 4. En gramática, modificar el artículo u otro determinante al sustantivo, indicando que se trata de uno concreto, como en *el niño, mi casa, estos gatos.* SIN. 1. Fijar, precisar, concretar. 2. Decidir, resolver. 3. Condicionar, influir.

detestable adj. Muy malo, horrible, que merece ser detestado. SIN. Horrendo, aborrecible. ANT. Estupendo.

detestar v. Odiar, aborrecer. SIN. Abominar. ANT. Gustar.

detonación s. f. Explosión.

detonador, ra adj. 1. Que provoca una detonación. || s. m. 2. Dispositivo que hace estallar un explosivo.

detonante adj. 1. Que provoca una detonación. || s. m. 2. Cosa que provoca otra violenta o negativa.

detonar v. 1. Hacer estallar. 2. Producir un estallido o ruido muy fuerte.

detractor, ra adj. y s. Se dice de la persona que critica o se opone a alguien o algo. ANT. Defensor.

detrás adv. 1. En la parte que está a espaldas de una persona o cosa. 2. A continuación: *Entré detrás de ti.* 3. Sin que alguien esté presente o sin que se entere: *Critica a la gente por detrás.* SIN. 1. Tras, atrás. ANT. 1 a 3. Delante.

detrimento Se usa en la expresión **en detrimento**, 'en perjuicio'.

detrito o **detritus** s. m. Basura, desechos. SIN. Residuos.

deuda s. f. 1. Dinero u otra cosa que tiene que pagar o devolver una persona a otra. 2. Obligación que siente una persona de recompensar o agradar a otra que se ha portado muy bien con ella: *estar en deuda con alguien.*

deudo, da s. m. y f. Pariente, familiar.

deudor, ra adj. y s. Que debe algo, sobre todo dinero. ANT. Acreedor.

devaluación s. f. Acción de devaluar o devaluarse. ANT. Revalorización.

devaluar v. Bajar el valor de algo, sobre todo el de una moneda. SIN. Depreciar. ANT. Revalorizar.

devanar v. Enrollar un hilo, alambre, cuerda, etc., alrededor de una cosa. EXPR. **devanarse los sesos** Pensar mucho sobre algo.

devaneo s. m. Relación amorosa corta y poco importante. SIN. Aventura.

devastador, ra adj. Que devasta o destruye. SIN. Destructor, desolador.

devastar v. Destruir por completo. SIN. Asolar, arrasar. ANT. Reconstruir.

devoción s. f. 1. Amor a Dios, la Virgen o algún santo. 2. Cariño o afición muy grandes. SIN. 1 y 2. Veneración. 2. Simpatía, adoración. ANT. 2. Odio.

devocionario s. m. Libro que contiene oraciones religiosas.

devolución s. f. Acción de devolver una cosa. SIN. Restitución.

devolver v. 1. Dar o enviar una cosa a quien la tenía antes, o al lugar de donde se sacó. 2. Darle a alguien la vuelta cuando paga. 3. Vomitar. □ Es v. irreg. Se conjuga como *volver.* SIN. 1. Restituir. ANT. 1. Quedarse.

devorar v. 1. Comer muy deprisa y con ansia. 2. Comer un animal a otro. 3. Hacer algo rápidamente, con mucho interés: *devorar una novela.* SIN. 1. Engullir.

devoto, ta adj. y s. Que tiene mucha devoción religiosa. SIN. Piadoso, pío.

día s. m. 1. Espacio de tiempo, dividido en veinticuatro horas, que tarda la Tierra en dar una vuelta sobre su eje. 2. Tiempo durante el que luce el Sol. EXPR. **al día** Bien informado o sin retraso: *Lee el periódico para estar al día. Pagó todos los recibos para estar al día.* **el día de mañana** En el futuro. **hoy día** u **hoy en día** Actualmente. SIN. 1. Jornada. ANT. 2. Noche.

diabetes s. f. Enfermedad caracterizada por una cantidad excesiva de azúcar en la sangre, debida a que el páncreas no segrega suficiente insulina.

diabético, ca adj. 1. De la diabetes o relacionado con ella. || adj. y s. 2. Persona que tiene esta enfermedad.

diablesa s. f. Diablo femenino.

diablo s. m. 1. Cada uno de los ángeles que se rebelaron contra Dios y fueron castigados con el infierno. 2. Persona mala o traviesa. SIN. 1 y 2. Demonio.

diablura s. f. Travesura, trastada.

diabólico, ca adj. 1. Del diablo o relacionado con él. 2. Muy malo, malvado. SIN. 1. Demoniaco.

diábolo s. m. Juguete formado por dos conos unidos por el vértice, que se baila con una cuerda sujeta a dos varillas.

diácono s. m. Eclesiástico de grado inmediatamente inferior al de sacerdote,

diacrítico, ca adj. Se dice de los signos ortográficos que dan a una letra un valor especial, como la diéresis (ü), o del acento que distingue significados, por ejemplo te y té.

diadema s. f. **1.** Adorno en forma de media corona para sujetar el pelo. **2.** Corona.

diáfano, na adj. **1.** Casi transparente. **2.** Muy claro: aguas diáfanas. **Sin. 1.** Traslúcido. **2.** Límpido. **Ant. 1.** Opaco. **2.** Turbio.

diafragma s. m. **1.** Músculo de los mamíferos que separa el abdomen y el tórax. **2.** En las cámaras de fotos, disco pequeño que se abre o se cierra para regular el paso de la luz.

diagnosticar v. Decir el médico qué enfermedad tiene alguien a partir de los síntomas o signos que presenta.

diagnóstico s. m. Acción de diagnosticar.

diagonal adj. y s. f. **1.** En un polígono, recta que va de un vértice a otro no inmediato y lo divide en dos partes. **2.** En un poliedro, recta que une dos vértices que no están situados en la misma cara. **3.** Oblicuo.

diagrama s. m. Esquema o dibujo geométrico para representar y explicar algunas cosas. **Sin.** Gráfico.

dial s. m. **1.** Placa o superficie sobre la que se mueve una aguja u otro indicador para señalar algo, por ejemplo las emisoras en un aparato de radio. **2.** En los teléfonos, disco donde están los números.

dialectal adj. De un dialecto.

dialecto s. m. Variedad de una lengua en alguna de las zonas en que se habla.

diálisis s. f. En medicina, método para eliminar las sustancias de desecho de la sangre en las personas que tienen problemas de riñón y no pueden realizar esta función adecuadamente.

dialogar v. Conversar, tener diálogo. **Sin.** Charlar, hablar.

diálogo s. m. Conversación entre dos o más personas. **Sin.** Charla, plática.

diamante s. m. Mineral compuesto de carbono puro cristalizado; es el de mayor dureza y constituye una piedra preciosa de gran valor.

diamantino, na adj. Relacionado con el diamante o que tiene sus características.

diametralmente adj. Por completo, totalmente: diametralmente opuestos.

diámetro s. m. Recta que pasa por el centro de una circunferencia y la divide en dos partes iguales.

diana s. f. **1.** Especie de tablero con círculos concéntricos que se coloca lejos para ejercitar la puntería; también, centro de este objeto. **2.** Toque militar para despertar a los soldados.

diapasón s. m. Instrumento que da una nota conocida y se utiliza en música para afinar o entonar.

diapositiva s. f. Fotografía copiada sobre un material transparente para proyectarla en una pantalla.

diario, ria adj. **1.** Que se hace todos los días. ‖ s. m. **2.** Periódico que sale todos los días. **3.** Libro en el que una persona escribe lo que le ha pasado cada día, sus pensamientos, etc. **Sin. 1.** Cotidiano.

diarrea s. f. Trastorno del aparato digestivo que consiste en hacer de vientre muchas veces, expulsando excrementos casi líquidos. **Sin.** Descomposición. **Ant.** Estreñimiento.

diáspora s. f. Dispersión de un grupo de personas, sobre todo la de los judíos cuando fueron expulsados de Palestina.

diástole s. f. Movimiento por el que los ventrículos y las aurículas del corazón se dilatan al entrar la sangre en ellos. **Ant.** Sístole.

diatriba s. f. Ataque o crítica muy duros. **Sin.** Invectiva.

dibujante s. m. y f. Persona que se dedica a dibujar.

dibujar v. **1.** Hacer un dibujo. ‖ **dibujarse 2.** Aparecer o mostrarse: El sol se dibujaba detrás de las nubes. **Sin. 1.** Pintar. **2.** Perfilarse. **Ant. 1** y **2.** Borrar.

dibujo s. m. **1.** Figura que se traza sobre una superficie con lápiz, pinturas u otros utensilios. **2.** Arte de dibujar.

diccionario s. m. Libro con las palabras de un idioma y sus significados, o sus equivalencias en otras lenguas.

dicha s. f. Felicidad, suerte. **Sin.** Alegría, fortuna. **Ant.** Desdicha.

dicharachero, ra adj. Se dice de la persona alegre, graciosa, que hace bromas al hablar.

dicho, cha **1.** p. de **decir**. También adj. ‖ s. m. **2.** Frase popular, refrán.

dichoso, sa adj. **1.** Feliz, afortunado. **2.** Molesto, fastidioso: ¡Dichoso ruido! **Sin. 1.** Contento. **2.** Maldito. **Ant. 1.** Infeliz.

diferenciar

diciembre s. m. Último mes del año, de treinta y un días.

dicotiledónea adj. y s. f. Se dice de la planta angiosperma que tiene el embrión con dos cotiledones, como la judía.

dictado s. m. **1.** Ejercicio que consiste en escribir un texto que alguien dicta. || pl. **2.** Lo que nos impulsa a hacer la razón, la conciencia o los sentimientos.

dictador, ra s. m. y f. **1.** Gobernante que tiene todo el poder y manda sin tener en cuenta las opiniones o libertades de los ciudadanos. **2.** Persona muy autoritaria. SIN. 1 y 2. Tirano. 2. Déspota.

dictadura s. f. Forma de gobierno de un dictador. ANT. Democracia.

dictamen s. m. Opinión que da sobre algo una persona que está especializada en ello.

dictaminar v. Dar alguien su dictamen sobre algo.

dictar v. **1.** Leer o decir algo para que otro lo escriba. **2.** Dar o anunciar una ley, norma, sentencia. **3.** Impulsarnos a hacer algo la razón, la conciencia o los sentimientos. SIN. 2. Publicar, decretar. ANT. 2. Derogar.

dictatorial adj. Relacionado con un dictador o una dictadura o propio de ellos: gobierno dictatorial.

didáctico, ca adj. Que enseña: juegos didácticos. SIN. Educativo, pedagógico.

diecinueve num. **1.** Diez más nueve. **2.** Que ocupa por orden el número diecinueve.

dieciochesco, ca adj. Del siglo XVIII.

dieciocho num. **1.** Diez más ocho. **2.** Que ocupa por orden el número dieciocho.

dieciséis num. **1.** Diez más seis. **2.** Que ocupa por orden el número dieciséis.

diecisiete num. **1.** Diez más siete. **2.** Que ocupa por orden el número diecisiete.

diedro adj. Se dice del ángulo formado por dos planos que se cortan.

diente s. m. **1.** Cada uno de los huesos encajados en las mandíbulas para cortar y masticar los alimentos; sobre todo se llama así a los incisivos. **2.** Cada saliente o punta de algunos objetos, mecanismos, etc.: los dientes de un peine, de una sierra. || **3. diente de ajo** Cada una de las partes en que se divide una cabeza de ajo. **4. dientes de leche** Los primeros que les salen a los niños, y que luego pierden. EXPR. **poner** una cosa **los dientes largos** Provocar mucho deseo.

diéresis s. f. **1.** Hecho de pronunciar en sílabas distintas las dos vocales que forman un diptongo, ci-e-lo por cie-lo. **2.** Signo ortográfico (¨) que se coloca encima de la u de las sílabas gue y gui para indicar que esta letra debe pronunciarse: cigüeña.

diesel s. m. Motor que funciona con gasoil y en el que la explosión del combustible se consigue al comprimir aire a alta presión.

diestro, tra adj. y s. **1.** Persona que utiliza sobre todo la mano principal. || adj. **2.** Experto, habilidoso en algo. || adj. y s. f. **3.** Situado a la derecha. || s. f. **4.** Mano derecha. || s. m. **5.** Torero. EXPR. **a diestro y siniestro** A todos lados o a todo el mundo. SIN. 2. Hábil, ducho. ANT. 1. Zurdo. 2. Torpe. 3. Izquierdo.

dieta¹ s. f. Alimentación que sigue o debe seguir una persona.

dieta² s. f. Dinero extra que se paga a alguien por un trabajo especial o por realizarlo fuera de donde vive.

dietético, ca adj. **1.** Relacionado con la dieta de alimentación. || s. f. **2.** Ciencia que estudia la influencia de las dietas de alimentación en la salud.

diez num. **1.** Nueve más uno. **2.** Décimo.

diezmar v. Causar muchas muertes o gran destrucción de personas, animales o plantas.

diezmilésimo, ma num. y s. f. Se dice de cada una de las diez mil partes iguales en que se divide una cosa.

difamación s. f. Acción de difamar.

difamador, ra adj. y s. Persona que difama.

difamar v. Crearle mala fama a una persona hablando mal de ella. SIN. Desacreditar. ANT. Acreditar.

diferencia s. f. **1.** Lo que hace distinta a una persona, animal o cosa de otros. **2.** Falta de acuerdo o entendimiento entre las personas. **3.** Resultado de restar dos cantidades. SIN. 1. Distinción, disparidad. 2. Desacuerdo, discrepancia. ANT. 1. Igualdad. 2. Coincidencia.

diferencial adj. Que indica alguna diferencia. SIN. Distintivo. ANT. Común.

diferenciar v. **1.** Descubrir la diferencia entre dos o más personas, animales o cosas. **2.** Hacer diferente. || **diferenciarse 3.** Ser diferente en algo. SIN. 1 y 2. Distinguir. 3. Diferir. ANT. 1 y 2. Confundir. 2. Igualar. 3. Parecerse.

diferente adj. y adv. Que no es igual a otro. **Sin.** Distinto. **Ant.** Semejante.

diferido, da p. de **diferir**. También adj. **Expr. en diferido** Que se graba para luego transmitirlo por radio o televisión.

diferir v. 1. Ser diferente. 2. Dejar para más tarde. □ Es v. irreg. Se conjuga como sentir. **Sin.** 1 Diferenciarse. 2. Aplazar. **Ant.** 1. Parecerse. 2. Adelantar.

difícil adj. 1. Que cuesta mucho conseguirlo, hacerlo o comprenderlo. 2. Se dice de la persona con la que no resulta fácil tratar. **Sin.** 1. Complejo. 1 y 2. Complicado. 2. Problemático. **Ant.** 1. Fácil.

dificultad s. f. 1. Característica de las cosas difíciles. 2. Problema o situación difícil. **Sin.** 1. Complejidad, complicación. 2. Aprieto, apuro. **Ant.** 1 y 2. Facilidad.

dificultar v. Hacer difícil. **Sin.** Estorbar, obstaculizar. **Ant.** Facilitar.

dificultoso, sa adj. Que resulta difícil. **Sin.** Complicado, complejo. **Ant.** Fácil.

difteria s. f. Enfermedad infecciosa muy contagiosa, que provoca dificultad para respirar. Ataca sobre todo a los niños.

difuminar v. Hacer que algo quede menos marcado o claro, sobre todo las líneas y sombras de un dibujo.

difumino s. m. Rollito de papel terminado en punta que se utiliza en dibujo para difuminar.

difundir v. Extender, propagar.

difunto, ta s. m. y f. Persona que ha muerto. **Sin.** Fallecido. **Ant.** Vivo.

difusión s. f. 1. Acción de difundir o difundirse. ‖ 2. **medios de difusión** La radio, la televisión y la prensa. **Sin.** 1. Propagación, divulgación.

difuso, sa adj. Poco preciso o poco claro. **Sin.** Impreciso, borroso.

digerir v. 1. Realizar la digestión. 2. Aceptar alguna cosa mala: digerir una derrota. □ Es v. irreg. Se conjuga como sentir. **Sin.** 2. Asimilar.

digestión s. f. Proceso por el que los alimentos se convierten en sustancias más sencillas que pueden ser asimiladas por el organismo.

digestivo, va adj. 1. De la digestión. ‖ adj. y s. m. 2. Sustancia que ayuda a la digestión.

digital adj. 1. De los dedos o relacionado con ellos. 2. Que indica una medida mediante números: reloj digital. **Sin.** 1. Dactilar.

dígito s. m. Cada una de las cifras que se utilizan para escribir un número.

dignarse v. Hacer lo que otro pide o desea: Se dignó hablar con los periodistas. **Sin.** Consentir, acceder. **Ant.** Negarse.

dignatario, ria s. m. y f. Persona con un cargo importante.

dignidad s. f. 1. Aquello por lo que una persona merece ser respetada: la dignidad del ser humano. 2. Hecho de tener en la vida lo que las personas merecen o les corresponde. 3. Cargo importante, por ejemplo el de alcalde. **Sin.** 1. Respeto. 2. Decoro.

dignificar v. Hacer digno.

digno, na adj. 1. Que merece lo que se indica: Es digno de admiración. 2. Respetable, honrado. 3. Suficientemente bueno: un trabajo digno. **Sin.** 1. Merecedor. 2. Honesto, decente. 3. Satisfactorio. **Ant.** 1 a 3. Indigno.

digresión s. f. Parte de un escrito o de un discurso que se aparta del tema principal.

dije s. m. Joya o adorno que se lleva colgado de una cadena, pulsera, etc.

dilación s. f. Retraso. **Sin.** Demora. **Ant.** Adelanto.

dilapidar v. Malgastar. **Sin.** Derrochar. **Ant.** Ahorrar.

dilatación s. f. Acción de dilatar o dilatarse. **Ant.** Contracción.

dilatar v. 1. Aumentar el tamaño de algo, sobre todo por la acción del calor. 2. Durar mucho o demasiado. **Sin.** 1. Agrandar. 2. Prolongar. **Ant.** 1. Contraer.

dilema s. m. El hecho de tener que elegir entre dos cosas.

diletante adj. y s. Que no es profesional en una actividad. **Sin.** Aficionado.

diligencia s. f. 1. Rapidez y cuidado con que se hace algo. 2. Coche de caballos cerrado para viajeros. 3. Gestión, trámite. **Sin.** 1. Prontitud; esmero. **Ant.** 1. Lentitud; negligencia.

diligente adj. Que hace las cosas con rapidez y cuidado. **Sin.** Rápido; esmerado. **Ant.** Lento; negligente.

dilucidar v. Hacer que algo quede claro. **Sin.** Esclarecer.

diluir v. Disolver. □ Es v. irreg. Se conjuga como huir.

diluviar v. Llover mucho.

diluvio s. m. Lluvia abundante y fuerte; sobre todo, el que dice la Biblia que se produjo en tiempos de Noé.

dimanar *v.* Proceder. **Sin.** Provenir, originarse.

dimensión *s. f.* **1.** La longitud, la altura y el volumen de alguien o algo. **2.** Importancia de algo. **Sin.** 1 y 2. Magnitud.

dimes Se usa en la expresión **dimes y diretes**, 'habladurías'.

diminutivo, va *adj.* y *s. m.* **1.** Se dice del sufijo que expresa tamaño pequeño o da matices afectivos: *perrillo, abuelita*. ‖ *s. m.* **2.** Palabra formada con este sufijo. **Ant.** 1 y 2. Aumentativo.

diminuto, ta *adj.* De tamaño pequeñísimo. **Sin.** Minúsculo, insignificante. **Ant.** Enorme.

dimisión *s. f.* Acción de dimitir. **Sin.** Cese.

dimitir *v.* Dejar una persona el cargo que ocupa, informando de ello. **Sin.** Cesar.

dinámico, ca *adj.* **1.** Relacionado con el movimiento. **2.** Con mucha vitalidad y energía. ‖ *s. f.* **3.** Parte de la física que estudia las relaciones entre el movimiento y las causas que lo producen. **Sin.** 2. Activo. **Ant.** 2. Pasivo.

dinamismo *s. m.* Energía, vitalidad.

dinamita *s. f.* Mezcla explosiva que tiene nitroglicerina.

dinamitar *v.* Volar con dinamita algo.

dinamitero, ra *s. m.* y *f.* Persona que se dedica a realizar voladuras con dinamita.

dinamo o **dínamo** *s. f.* Aparato que produce electricidad a partir del movimiento de algo.

dinamómetro *s. m.* Instrumento que sirve para medir fuerzas.

dinar *s. m.* Moneda de varios países árabes y de las repúblicas de la antigua Yugoslavia.

dinastía *s. f.* Serie de reyes de una misma familia. **Sin.** Casa.

dinástico, ca *adj.* De una dinastía o relacionado con ella.

dineral *s. m.* Mucho dinero. **Sin.** Fortuna.

dinero *s. m.* Monedas y billetes que se utilizan para comprar.

dingo *s. m.* Mamífero carnívoro salvaje, muy parecido al perro, que habita en Australia.

dinosaurio *s. m.* Nombre dado a unos reptiles que vivieron en la era terciaria, hace millones de años.

dintel *s. m.* Parte horizontal que está situada encima de los huecos de puertas y ventanas.

diñar *v. fam.* Morir: *diñarla*. **Sin.** Palmar, cascar.

diocesano, na *adj.* De la diócesis o relacionado con ella.

diócesis *s. f.* Territorio bajo la autoridad de un obispo.

dioptría *s. f.* Unidad empleada por los oculistas y ópticos para medir la potencia de una lente.

Dios Nombre que se da al Ser Supremo en las religiones que creen en un solo dios.

dios, diosa *s. m.* y *f.* Cada uno de los seres sobrenaturales de las religiones que admiten muchos dioses. **Sin.** Divinidad, deidad.

dióxido *s. m.* **1.** Compuesto de dos átomos de oxígeno y uno de otro elemento. ‖ **2. dióxido de carbono** Gas formado por un átomo de carbono y dos de oxígeno. Es el gas que se expulsa en la respiración.

diplodocus o **diplodoco** *s. m.* Dinosaurio cuadrúpedo de gran tamaño, con la cabeza pequeña y el cuello y la cola muy largos.

diploma *s. m.* Documento que indica que una persona ha realizado unos estudios o que ha ganado un premio. **Sin.** Título.

diplomacia *s. f.* **1.** Actividad de un país para mantener buenas relaciones con el resto de los países. **2.** Habilidad para tratar con los demás. **Sin.** 2. Tacto.

diplomado, da *adj.* y *s.* Que tiene el título de algunos tipos de estudios. **Sin.** Titulado.

diplomático, ca *adj.* y *s.* **1.** De la diplomacia o que se dedica a ella. ‖ *adj.* **2.** Que actúa con diplomacia.

díptico *s. m.* Cuadro formado por dos tableros unidos y, generalmente, articulados.

diptongo *s. m.* Pronunciación de dos vocales en una sola sílaba, por ejemplo *ai* en la palabra *aire*.

diputación *s. f.* Nombre de algunos organismos, por ejemplo la **diputación provincial**, que se ocupa de los intereses de una provincia.

diputado, da *s. m.* y *f.* Miembro del Congreso. **Sin.** Congresista.

dique *s. m.* **1.** Muro que sirve para que no pase una corriente de agua o para contener las olas. ‖ **2. dique seco** En un puerto, parte cerrada con compuertas que se deja seca para poder arreglar allí los barcos.

dirección *s. f.* **1.** Línea que sigue alguien o algo que va hacia un lugar. **2.** Acción de dirigir. **3.** Persona o conjunto de personas que dirigen una empresa u otra cosa. **4.** Calle o plaza donde vive una persona o está alguna cosa. **5.** Mecanismo para dirigir un vehículo. **Sin.** 1. Sentido, rumbo. 2. Gobierno, mando. 2 y 3. Jefatura. 3. Directiva. 4. Señas.

directiva *s. f.* Conjunto de personas que dirigen una empresa u otra cosa similar. **Sin.** Dirección, mando.

directivo, va *adj. y s.* Que dirige una empresa o algo parecido.

directo, ta *adj.* **1.** Que sigue una línea o un camino recto, sin desviarse. **2.** Se dice de aquello en lo que no intervienen otras personas o cosas: *Son órdenes directas del jefe.* **3.** Se dice del complemento del verbo que nombra a la persona, animal o cosa sobre los que recae la acción del verbo, por ejemplo *un barco* en la frase *vieron un barco.* **4.** Sincero, que dice las cosas sin rodeos. **Expr. en directo** Se dice del programa o actuación que se está realizando en el mismo tiempo en que lo oímos o vemos. **Sin.** 1. Derecho. 4. Franco. **Ant.** 1. Torcido. 2. Indirecto.

director, ra *s. m. y f.* Persona que dirige alguna cosa.

directorio *s. m.* **1.** Lista que ofrece una información, por ejemplo la de los grandes almacenes, que indica los artículos que se venden en cada planta. **2.** En informática, lista de archivos que se identifica por medio de un nombre.

directriz *s. f.* Regla, norma.

dirham (ár.) *s. m.* Moneda de varios países árabes.

dirigente *adj. y s.* Persona o grupo que dirige o gobierna un país, un partido político, etc. **Sin.** Directivo, gobernante.

dirigible *s. m.* Vehículo parecido al globo, pero de forma alargada y con motores.

dirigir *v.* **1.** Llevar hacia un lugar. **2.** Decir a alguien alguna cosa. **3.** Mandar, gobernar, organizar. **Sin.** 1. Conducir, guiar. 3. Regir.

dirimir *v.* Resolver una discusión o un desacuerdo.

discernir *v.* Distinguir: *discernir entre el bien y el mal.* □ Es v. irreg. **Sin.** Diferenciar, separar. **Ant.** Confundir.

disciplina *s. f.* **1.** Cumplimiento de las normas: *la disciplina militar.* **2.** Ciencia o materia de estudio. **3.** Modalidad de un deporte. **Sin.** 2. Asignatura.

disciplinado, da *adj.* Que obedece unas normas.

disciplinario, ria *adj.* De la disciplina o relacionado con ella.

discípulo, la *s. m. y f.* Persona que recibe las enseñanzas de un maestro. **Sin.** Alumno, pupilo.

disc-jockey (ingl.) *s. m. y f.* Persona que pone los discos en la radio o en una discoteca. **Sin.** Pinchadiscos.

disco *s. m.* **1.** Objeto plano y circular, por ejemplo el que tiene un sonido grabado. **2.** En informática, placa en la que se graba la información. **3.** Semáforo.

discografía *s. f.* **1.** Técnica e industria de la grabación de discos. **2.** Conjunto de discos de un autor o intérprete.

díscolo, la *adj. y s.* Desobediente, rebelde. **Sin.** Indisciplinado. **Ant.** Obediente.

disconforme *adj.* Que no está de acuerdo. **Sin.** Opuesto. **Ant.** Conforme.

disconformidad *s. f.* Falta de acuerdo. **Sin.** Desacuerdo. **Ant.** Conformidad.

discontinuidad *s. f.* Falta de continuidad.

discontinuo, nua *adj.* Que tiene separaciones o interrupciones. **Sin.** Entrecortado, intermitente. **Ant.** Continuo.

disco-pub *s. m.* Local donde se escucha música y se toma algo al mismo tiempo.

discordancia *s. f.* Falta de acuerdo entre personas o cosas. **Sin.** Desacuerdo, desavenencia. **Ant.** Armonía.

discordia *s. f.* Falta de armonía entre las personas. **Sin.** Desacuerdo, desavenencia. **Ant.** Concordia.

discoteca *s. f.* **1.** Local para escuchar discos y bailar. **2.** Colección de discos.

discreción *s. f.* Característica de las personas discretas. **Expr. a discreción** Sin límite, según crea o quiera cada uno: *fuego a discreción.* **Sin.** Prudencia, tacto. **Ant.** Indiscreción.

discrecional *adj.* **1.** Que depende de lo que quiera o crea cada uno. ‖ **2. servi-**

DISCERNIR		
INDICATIVO	SUBJUNTIVO	IMPERATIVO
Presente	**Presente**	
discierno	discierna	
disciernes	disciernas	discierne
discierne	discierna	
discernimos	discernamos	
discernís	discernáis	discernid
disciernen	disciernan	

disipar

cio discrecional El servicio de transporte cuyo recorrido y horario depende de la persona que lo contrata.

discrepancia *s. f.* Diferencia entre las ideas u opiniones de dos o más personas. **Sin.** Desacuerdo. **Ant.** Acuerdo.

discrepar *v.* No estar de acuerdo. **Sin.** Disentir. **Ant.** Coincidir.

discreto, ta *adj.* **1.** Que es prudente cuando habla o actúa y sabe guardar un secreto. **2.** Regular, no muy bueno ni muy grande. **Sin. 1.** Reservado. Modesto. **Ant. 1.** Indiscreto. **2.** Extraordinario.

discriminación *s. f.* Acción de discriminar. **Sin.** Segregación, marginación.

discriminar *v.* Tratar peor a alguien por ser de otra raza, religión, sexo, etc. **Sin.** Segregar, marginar. **Ant.** Igualar, equiparar.

discriminatorio, ria *adj.* Que discrimina.

disculpa *s. f.* Acción de disculpar o disculparse. **Sin.** Perdón; excusa.

disculpar *v.* **1.** Perdonar un error o falta de otra persona. ‖ **disculparse 2.** Pedir perdón o dar explicaciones por algún error o mala acción. **Sin. 1.** Dispensar. **1** y **2.** Excusar. **Ant. 1.** Condenar.

discurrir *v.* **1.** Pensar. **2.** Ir una cosa por un sitio: *El río discurre por el valle.* **3.** Pasar o suceder: *El concierto discurrió según lo previsto.* **Sin. 1.** Razonar. **2.** Fluir. **3.** Transcurrir, desarrollarse.

discurso *s. m.* Palabras que alguien dice en público. **Sin.** Alocución, disertación.

discusión *s. f.* Acción de discutir. **Sin.** Debate; pelea. **Ant.** Reconciliación.

discutible *adj.* Que no está claro, que se puede discutir. **Sin.** Dudoso. **Ant.** Indiscutible.

discutir *v.* **1.** Tratar entre varios un asunto, diciendo cada uno lo que piensa. **2.** Enfrentarse, regañar. **3.** Mostrar desacuerdo. **Sin. 1.** Debatir. **2.** Reñir. **3.** Contradecir. **Ant. 2.** Reconciliarse. **3.** Aceptar.

disecar *v.* Preparar un animal muerto rellenando su piel para que parezca vivo.

disección *s. f.* Acción de diseccionar.

diseccionar *v.* Dividir en partes un cadáver o planta para estudiarlos.

diseminar *v.* Esparcir, dispersar. **Ant.** Agrupar.

disensión *s. f.* Desacuerdo. **Sin.** Discrepancia. **Ant.** Acuerdo.

disentería *s. f.* Enfermedad del intestino producida por alimentos y agua contaminados por amebas y que causa dolor, fiebre y diarrea.

disentir *v.* No estar de acuerdo. □ Es v. irreg. Se conjuga como *sentir*. **Sin.** Discrepar. **Ant.** Asentir.

diseñador, ra *s. m.* y *f.* Persona que se dedica a hacer diseños.

diseñar *v.* Hacer un diseño.

diseño *s. m.* Dibujo de cómo puede ser un edificio, vestido u otra cosa que se va a hacer. **Sin.** Boceto.

disertación *s. f.* **1.** Acción de disertar. **2.** Discurso.

disertar *v.* Tratar algo con profundidad, sobre todo si es en público.

disfraz *s. m.* Traje que se pone una persona en fiestas y carnavales para parecerse a algún personaje, a un animal, etc.

disfrazar *v.* Poner un disfraz.

disfrutar *v.* **1.** Pasarlo bien, sentir alegría o placer. **2.** Tener algo útil o bueno: *Disfruta de una magnífica salud.* **Sin. 1** y **2.** Gozar. **Ant. 1** y **2.** Sufrir.

disfrute *s. m.* Acción de disfrutar. **Sin.** Goce. **Ant.** Padecimiento.

disgregar *v.* Separar por varios sitios lo que estaba unido. **Sin.** Desunir, dispersar. **Ant.** Reunir.

disgustar *v.* **1.** No gustar. **2.** Apenar o enojar. **Sin. 1.** Desagradar, molestar. **2.** Entristecer. **Ant. 1.** Agradar. **2.** Alegrar.

disgusto *s. m.* **1.** Tristeza, pena. **2.** Enfado, discusión. **3.** Desgracia. **Expr. a disgusto** Incómodo, no a gusto. **Sin. 2.** Disputa. **3.** Desastre. **Ant. 1.** Alegría.

disidente *adj.* y *s.* Se dice de la persona que se aparta de un grupo por no estar de acuerdo con él. **Ant.** Adepto.

disimular *v.* **1.** Actuar alguien de forma que no se note lo que hace, sabe o siente. **2.** Esconder algo o tratar de que se note menos. **Sin. 1.** Simular, fingir. **2.** Ocultar, camuflar. **Ant. 1.** Mostrar. **2.** Descubrir; resaltar.

disimulo *s. m.* Forma de actuar disimulando. **Sin.** Fingimiento, simulación, ocultación.

disipación *s. f.* **1.** Acción de disipar. **2.** Forma de vida disipada. **Sin. 1.** Desvanecimiento. **2.** Desenfreno.

disipado, da *adj.* Dedicado a las diversiones o a los placeres: *vida disipada.* **Sin.** Desenfrenado, libertino.

disipar *v.* **1.** Hacer desaparecer: *disipar dudas, disiparse las nubes.* **2.** Malgastar el dinero. SIN. 1. Esfumarse, desvanecerse. 2. Derrochar. ANT. 1. Reforzar, conservar.

dislate s. m. Disparate.

dislexia s. f. Dificultad anormal de algunas personas para aprender a leer y escribir bien.

disléxico, ca adj. y s. Que tiene dislexia.

dislocación s. f. Acción de dislocar o dislocarse un hueso.

dislocar v. Sacar o salirse un hueso de su sitio. SIN. Descoyuntar, desarticular. ANT. Colocar.

disloque s. m. Jaleo o lío muy grande: ser algo el disloque.

disminución s. f. Acción de disminuir. SIN. Bajada, reducción. ANT. Aumento.

disminuido, da 1. p. de disminuir. También adj. ‖ adj. y s. 2. Que tiene algún defecto físico o mental. SIN. 2. Deficiente; minusválido.

disminuir v. Hacer o ser menor o más pequeño. □ Es v. irreg. Se conjuga como huir. SIN. Bajar, reducir. ANT. Aumentar.

disociar v. Separar, desunir. SIN. Desmembrar. ANT. Asociar.

disolución s. f. 1. Sustancia, generalmente líquida, que resulta de mezclar otras. 2. Acción de disolver o disolverse: la disolución del azúcar en la leche; la disolución de un grupo. SIN. 1. Solución, mezcla. 2. Dispersión. ANT. 2. Concentración.

disoluto, ta adj. Disipado, vicioso.

disolvente s. m. Sustancia líquida para disolver otras sustancias, como el aguarrás.

disolver v. 1. Mezclar una sustancia con un líquido deshaciéndola del todo en él. 2. Deshacer, dispersar: disolver un partido político, una reunión. □ Es v. irreg. Se conjuga como volver. SIN. 1. Diluir. 2. Disgregar. ANT. 2. Reunir.

disonancia s. f. Falta de armonía en los sonidos.

disonante adj. Que disuena.

disonar v. 1. Sonar mal. 2. No estar de acuerdo: Sus ideas disuenan con las del resto. □ Es v. irreg. Se conjuga como contar. SIN. 1 y 2. Desentonar. 2. Discrepar. ANT. 1 y 2. Armonizar.

dispar adj. Distinto, diferente. SIN. Desigual. ANT. Igual.

disparado, da 1. p. de disparar. También adj. ‖ adj. 2. Muy deprisa: salir disparado. SIN. 1 y 2. Lanzado.

disparar v. 1. Lanzar con un arma balas, flechas u otros proyectiles. 2. Lanzar con fuerza: El delantero disparó a puerta y metió gol. ‖ dispararse 3. Aumentar algo mucho y en poco tiempo: dispararse los precios. SIN. 1 y 2. Tirar.

disparatado, da adj. Absurdo, que es un disparate. SIN. Desacertado. ANT. Acertado.

disparate s. m. 1. Palabra o acción equivocada o sin sentido. 2. Cantidad excesiva: Eso te va a costar un disparate. SIN. 1. Absurdo, insensatez. 1 y 2. Burrada. ANT. 1. Acierto.

disparidad s. f. Característica de dispar. SIN. Desigualdad. ANT. Igualdad.

disparo s. m. 1. Acción de disparar. 2. Herida o marca producida al disparar un proyectil. SIN. 1 y 2. Tiro.

dispendio s. m. Gasto muy grande o innecesario. SIN. Despilfarro, derroche. ANT. Ahorro.

dispensa s. f. Permiso especial.

dispensar v. 1. Perdonar, disculpar. 2. Permitir que alguien no cumpla una obligación. 3. Dar o conceder: dispensar cuidados. SIN. 1. Excusar. 2. Eximir. 3. Otorgar, rendir. ANT. 1. Condenar. 2. Obligar. 3. Negar.

dispensario s. m. Clínica para enfermos que no están internados. SIN. Ambulatorio.

dispersar v. Separar en distintas direcciones lo que estaba unido. SIN. Desperdigar, diseminar. ANT. Reunir.

dispersión s. f. Acción de dispersar. SIN. Diseminación. ANT. Reunión.

disperso, sa adj. Separado, desperdigado. SIN. Diseminado. ANT. Reunido.

display (ingl.) s. m. Pantalla de un ordenador, de una calculadora u otro aparato electrónico.

displicente adj. Que muestra indiferencia o desprecio. SIN. Desdeñoso.

disponer v. 1. Preparar, colocar las cosas para algo. 2. Mandar, dar una orden. 3. Tener, utilizar: disponer de tiempo. ‖ disponerse 4. Estar a punto de: Se disponía a salir. □ Es v. irreg. Se conjuga como poner. SIN. 1. Arreglar, organizar. 2. Determinar, ordenar. ANT. 1. Desordenar. 3. Carecer.

disponible adj. Libre, desocupado. SIN. Vacante. ANT. Ocupado.

disposición s. f. 1. Modo en que se encuentra o está colocado alguien o algo: No está en disposición de viajar. Cambiaron la disposición de los muebles.

2. Orden, norma, mandato. **3.** Capacidad para hacer o aprender algo. **Expr. a disposición de** una persona Pudiendo contar con alguien o algo: *Si necesitas mis libros, están a tu disposición.* **Sin. 1.** Colocación; condición. **2.** Ley. **3.** Condiciones, talento.

dispositivo *s. m.* Mecanismo o sistema con un determinado fin: *dispositivo antirrobo.* **Sin.** Aparato; plan.

dispuesto, ta 1. *p.* de **disponer.** También *adj.* ‖ *adj.* **2.** Con intención de hacer algo. **3.** Trabajador o servicial. **Sin. 2.** Presto. **3.** Diligente.

disputa *s. f.* **1.** Discusión, pelea. **2.** Competición o lucha.

disputar *v.* **1.** Luchar o competir con otros por conseguir lo mismo: *disputar un torneo, disputarse un cargo.* **2.** Discutir, pelear. **Sin. 1.** Jugar.

disquete *s. m.* En informática, disco que se introduce en el ordenador para grabar información.

disquetera *s. f.* Dispositivo de un ordenador donde se introducen los disquetes.

disquisición *s. f.* **1.** Comentario o razonamiento que se aparta del tema que se está tratando. **2.** Examen profundo de algo. **Sin. 1.** Digresión.

distancia *s. f.* **1.** Espacio entre dos personas o cosas. **2.** Tiempo entre una cosa y otra. **3.** Diferencia. **4.** Disminución de la amistad o del afecto entre personas. **Sin. 1** y **2.** Separación. **3.** Desigualdad. **4.** Alejamiento, frialdad. **Ant. 3.** Semejanza, igualdad. **4.** Cordialidad.

distanciamiento *s. m.* Acción de distanciar o distanciarse. **Sin.** Alejamiento. **Ant.** Acercamiento.

distanciar *v.* **1.** Alejar. ‖ **distanciarse 2.** Disminuir la amistad o el afecto entre personas. **Sin. 1.** Apartar. **Ant. 1** y **2.** Acercar.

distante *adj.* **1.** Alejado, a bastante distancia. **2.** Frío, poco amable o sociable. **Sin. 1.** Lejano, retirado. **Ant. 1.** Próximo. **2.** Cordial.

distar *v.* **1.** Estar separada una cosa de otra por un espacio o tiempo. **2.** Haber diferencia: *Lo que dice dista mucho de la verdad.* **Sin. 2.** Diferenciarse. **Ant. 2.** Acercarse, parecerse.

distender *v.* **1.** Aflojar lo que estaba tirante. **2.** Disminuir las tensiones y los problemas entre personas, países, etc.

distensión *s. f.* **1.** Acción de distender o distenderse. **2.** Estiramiento brusco en un músculo o en los ligamentos.

distinción *s. f.* **1.** Acción de distinguir o distinguirse. **2.** Premio, honor. **3.** Elegancia, clase. **Sin. 1.** Diferencia. **2.** Privilegio, dignidad. **3.** Refinamiento. **Ant. 1.** Igualdad. **2.** Deshonor. **3.** Vulgaridad.

distingo *s. m.* Distinción entre personas o cosas: *No hace distingos entre sus alumnos.*

distinguido, da 1. *p.* de **distinguir.** También *adj.* ‖ *adj.* **2.** Elegante. **3.** Destacado, importante: *un distinguido artista.* **Sin. 2.** Refinado. **Ant. 2.** Ordinario. **3.** Vulgar.

distinguir *v.* **1.** Diferenciar. **2.** Ver: *Desde aquí no se distingue bien el cartel.* **3.** Dar un premio o honor. ‖ **distinguirse 4.** Tener una persona o cosa algo que la hace diferente o mejor. **Sin. 1.** Discernir. **2.** Divisar. **3.** Galardonar, condecorar. **4.** Sobresalir. **Ant. 1.** Confundir.

distintivo, va *adj.* y *s. m.* Que distingue a una persona o cosa de otras. **Sin.** Característico; señal.

distinto, ta *adj.* **1.** Que no es igual o no es el mismo. ‖ *pl.* **2.** Varios: *Hay distintas especies de patos.* **Sin. 1.** Diferente. **Ant. 1.** Parecido.

distorsionar *v.* Deformar, desfigurar.

distracción *s. f.* **1.** Falta de atención. **2.** Cosa que divierte o entretiene. **Sin. 2.** Entretenimiento, diversión. **Ant. 1.** Concentración. **2.** Aburrimiento.

distraer *v.* **1.** Apartar la atención de alguien de lo que estaba haciendo, escuchando, etc. **2.** Entretener, divertir. □ Es *v.* irreg. Se conjuga como *traer.* **Sin. 1.** Despistar. **Ant. 1.** Concentrar. **2.** Aburrir.

distraído, da 1. *p.* de **distraer.** También *adj.* ‖ *adj.* **2.** Entretenido, divertido. ‖ *adj.* y *s.* **3.** Que se distrae con facilidad. **Sin. 3.** Despistado.

distribución *s. f.* Acción de distribuir y forma en que se distribuye algo. **Sin.** Reparto.

distribuidor, ra *adj.* y *s.* **1.** Se dice de la persona o empresa que recibe un producto del fabricante y lo distribuye entre los comerciantes. ‖ *s. m.* **2.** Pasillo pequeño que comunica las habitaciones de una casa. **Sin. 1.** Repartidor.

distribuir *v.* Repartir de manera organizada. □ Es *v.* irreg. Se conjuga como *huir.* **Sin.** Disponer, ordenar. **Ant.** Desordenar.

distributivo, va *adj.* **1.** Se dice de las conjunciones que van delante de oraciones coordinadas disyuntivas y se repiten, como *o ... o, o bien ... bien*: *O va-*

mos al cine, o vamos al teatro. También se llama así a estas oraciones. **2.** Se dice de las palabras que expresan idea de distribución o reparto, como *cada* o *sendos*. **3.** Propiedad de la multiplicación respecto a la suma que cumple: $3 \times (2 + 1) = (3 \times 2) + (3 \times 1)$.

distrito *s. m.* Cada una de las partes en que se divide una ciudad o región.

disturbio *s. m.* Desorden, riña, pelea.

disuadir *v.* Convencer a alguien para que no haga algo. **SIN.** Desaconsejar, desanimar. **ANT.** Animar.

disuasivo, va o **disuasorio, ria** *adj.* Que disuade.

disyuntivo, va *adj.* Se dice de las oraciones coordinadas que indican una elección entre dos cosas: *¿Qué hacemos, salimos o nos quedamos?* También se dice de las conjunciones que van delante de estas oraciones (*o, u*).

diurético, ca *adj.* Que aumenta o facilita la producción de orina.

diurno, na *adj.* Que ocurre, vive o se hace durante el día: *horario diurno*. **ANT.** Nocturno.

divagación *s. f.* Acción de divagar.

divagar *v.* Hablar o hacer algo sin centrarse en lo más importante. **SIN.** Desviarse, dispersarse.

diván *s. m.* Sofá normalmente sin respaldo, para tumbarse en él.

divergencia *s. f.* Hecho de divergir. **SIN.** Desacuerdo, desvío. **ANT.** Convergencia.

divergente *adj.* Que diverge: *líneas divergentes, opiniones divergentes*. **ANT.** Convergente.

divergir *v.* **1.** Desviarse, apartarse. **2.** No estar de acuerdo. **SIN. 1.** Separarse. **2.** Disentir. **ANT. 1.** Converger. **1** y **2.** Coincidir.

diversidad *s. f.* Diferencia o variedad. **SIN.** Desigualdad. **ANT.** Uniformidad.

diversificar *v.* Hacer una cosa más variada o dividirla en varias diferentes. **SIN.** Diferenciar. **ANT.** Uniformizar.

diversión *s. f.* Acción de divertirse y cosa que divierte. **SIN.** Distracción, entretenimiento. **ANT.** Aburrimiento.

diverso, sa *adj.* Distinto o variado. **SIN.** Heterogéneo. **ANT.** Homogéneo.

divertido, da *adj.* Que divierte. **SIN.** Entretenido; gracioso. **ANT.** Aburrido.

divertir *v.* Producir alegría o gusto. □ Es v. irreg. Se conjuga como *sentir*. **SIN.** Entretener, distraer. **ANT.** Aburrir.

dividendo *s. m.* En una división, cantidad que hay que dividir por otra llamada *divisor*.

dividir *v.* **1.** Separar en partes. **2.** En matemáticas, hacer una división. **3.** Enemistar, enfrentar. **SIN. 1.** Partir; repartir. **ANT. 1.** Unir.

divieso *s. m.* Grano gordo con pus.

divinamente *adv.* De maravilla, muy bien.

divinidad *s. f.* Ser divino, dios o diosa. **SIN.** Deidad.

divinizar *v.* Adorar como a un dios.

divino, na *adj.* **1.** De Dios o de los dioses, o relacionado con ellos. **2.** Muy bueno o muy bonito. **SIN. 2.** Maravilloso, extraordinario. **ANT.** Horrible.

divisa *s. f.* **1.** Señal o signo para distinguir una cosa de otras: *la divisa de una ganadería*. **2.** Dinero de un país extranjero.

divisar *v.* Ver algo desde lejos o con poca claridad. **SIN.** Atisbar.

divisible *adj.* **1.** Que puede dividirse. **2.** Se dice del número que al dividirse por otro da como resultado un número entero. **ANT. 2.** Indivisible.

división *s. f.* **1.** Acción de dividir. **2.** Operación matemática que consiste en repartir un número (*dividendo*) en tantas partes iguales como unidades tiene otro (*divisor*). **3.** Falta de acuerdo: *división de opiniones*. **4.** Unidad del ejército formada por dos o más brigadas o regimientos. **5.** En algunos deportes, conjunto de equipos agrupados según su categoría: *primera división*. **6.** Sección, departamento. **SIN. 1.** Partición. **3.** Disparidad. **ANT. 1.** Unión. **3.** Unanimidad.

divisor *s. m.* En una división, cantidad por la que se divide otra llamada *dividendo*.

divisorio, ria *adj.* Que divide: *línea divisoria*.

divo, va *s. m.* y *f.* Artista de mucha categoría, sobre todo un cantante de ópera.

divorciarse *v.* Deshacerse un matrimonio después de haberlo permitido el juez.

divorcio *s. m.* Acción de divorciarse.

divulgación *s. f.* Acción de divulgar.

divulgar *v.* Dar a conocer algo a mucha gente o de modo que lo entienda.

do *s. m.* Primera nota de la escala musical.

dolencia

doberman *s. m.* y *f.* Perro fuerte, ágil y delgado, de pelo corto y negro, que suele adiestrarse como perro guardián.

dobladillo *s. m.* Borde de una tela doblado hacia dentro y cosido para que no se deshilache.

doblaje *s. m.* Acción de doblar una película a otro idioma.

doblar *v.* **1.** Hacer que una parte de un objeto quede pegada contra otra, repitiéndolo una o más veces. **2.** Torcer, curvar: *doblar un alambre.* **3.** Duplicar: *doblar una cantidad; doblarle a alguien la edad.* **4.** Dar la vuelta, cambiar de dirección: *doblar una esquina.* **5.** Traducir una película a otro idioma o cambiar la voz de un actor por la de otro. **6.** Sustituir un extra a un actor en algunas escenas, sobre todo en las peligrosas. **7.** Tocar las campanas. **Sin. 1.** Plegar. **2.** Combar, arquear. **4.** Girar, virar. **Ant. 1.** Desdoblar. **2.** Enderezar.

doble *adj.* y *s. m.* **1.** Dos veces más: *Le dieron el doble que a mí.* || *adj.* **2.** Formado por dos cosas iguales o doblado: *tela doble.* || *s. m.* **3.** Persona que se parece mucho a otra. **4.** Actor que sustituye a otro, por ejemplo en escenas peligrosas. **Sin. 1.** Duplo. **2.** Par, pareja. **Ant. 1.** Mitad. **2.** Sencillo.

doblegar *v.* Obligar a alguien a obedecer o a ceder. **Sin.** Someter.

doblete *s. m.* Hecho de hacer dos cosas o una cosa dos veces, como los actores cuando interpretan dos papeles en la misma obra.

doblez *s. m.* **1.** Cada una de las veces en que se dobla algo. **2.** Falsedad, hipocresía. **Ant. 2.** Sinceridad.

doblón *s. m.* Antigua moneda castellana de oro.

doce *num.* **1.** Diez y dos. **2.** Duodécimo.

doceavo, va *num.* y *s. m.* Se dice de cada una de las doce partes en que se divide una cosa.

docena *s. f.* Conjunto de doce unidades.

docencia *s. f.* Actividad de las personas que se dedican a la enseñanza. **Sin.** Educación.

docente *adj.* y *s.* Relacionado con la enseñanza o que se dedica a ella: *un centro docente, los docentes del instituto.* **Sin.** Educativo; profesor.

dócil *adj.* Obediente y fácil de manejar. **Sin.** Manso, sumiso. **Ant.** Rebelde.

docilidad *s. f.* Característica de dócil. **Sin.** Mansedumbre, sumisión. **Ant.** Rebeldía.

docto, ta *adj.* y *s.* Sabio. **Sin.** Erudito. **Ant.** Ignorante.

doctor, ra *s. m.* y *f.* **1.** Médico. **2.** Persona que tiene el grado universitario más alto.

doctorado, da **1.** *p.* de **doctorarse.** También *adj.* || *s. m.* **2.** Título de doctor universitario, y curso realizado para conseguir este título.

doctoral *adj.* Del doctorado o del doctor universitario: *tesis doctoral.*

doctorarse *v.* Obtener alguien el título de doctor universitario.

doctrina *s. f.* Conjunto organizado de las ideas y pensamientos de un autor, escuela, movimiento político, etc. **Sin.** Ideario, filosofía.

documentación *s. f.* **1.** Documento o documentos para identificar a alguien o algo. **2.** Información sobre un tema o un asunto: *Busca documentación sobre las ballenas.* **Sin. 1.** Credencial.

documental *s. m.* Película en la que las escenas y los personajes son reales y tiene como fin enseñar o informar.

documentalista *s. m.* y *f.* **1.** Persona que se dedica a buscar información y datos sobre algún tema. **2.** Persona que hace documentales.

documentar *v.* Dar información sobre alguna cosa o buscarla. **Sin.** Informar.

documento *s. m.* Escrito u otra cosa que informa sobre algo o lo demuestra. **Sin.** Diploma, carné.

dodecaedro *s. m.* Cuerpo geométrico de doce caras.

dodecasílabo *adj.* y *s. m.* Se dice del verso de doce sílabas.

dogal *s. m.* Soga que se pone al cuello de las caballerías.

dogma *s. m.* **1.** Lo que una religión afirma como verdadero. **2.** Cualquier cosa que se afirma sin que sea posible dudar de ella.

dogmático, ca *adj.* **1.** De los dogmas o relacionado con ellos. || *adj.* y *s.* **2.** Que piensa que sus ideas u opiniones son verdaderas y no admite que otros las discutan. **Sin. 2.** Intransigente. **Ant. 2.** Transigente.

dogo *s. m.* Perro de gran tamaño y fortaleza, cabeza chata y gruesa y el pelo corto.

dólar *s. m.* Moneda de varios países, como Estados Unidos, Canadá y Australia.

dolencia *s. f.* Enfermedad o malestar. **Sin.** Achaque, afección. **Ant.** Salud.

doler v. Sentir o causar dolor. □ Es v. irreg. Se conjuga como *mover*. SIN. Lastimar; apenar. ANT. Calmar; alegrar.

dolido, da 1. p. de **doler**. ‖ adj. 2. Triste por algo que le han hecho. SIN. 2. Apenado, afligido.

dolmen s. m. Monumento funerario del neolítico, que consiste en una losa horizontal sostenida por grandes piedras verticales.

dolor s. m. 1. Malestar que causa una herida, un golpe u otra cosa en alguna parte del cuerpo. 2. Pena, tristeza. SIN. 1 y 2. Sufrimiento. 2. Pesar, aflicción. ANT. 1. Bienestar. 2. Alegría.

dolorido, da adj. Que sufre dolor.

doloroso, sa adj. Que produce dolor.

doma s. m. Acción de domar animales.

domador, ra s. m. y f. Persona que se dedica a domar animales salvajes.

domar v. 1. Hacer manso a un animal para que obedezca al hombre. 2. Conseguir que una persona deje de ser rebelde. 3. Hacer que una cosa se vuelva flexible: *domar los zapatos*. SIN. 1 y 2. Amansar, amaestrar.

domeñar v. Someter, dominar.

domesticar v. Hacer manso a un animal salvaje para que pueda vivir con el hombre.

doméstico, ca adj. 1. De la casa o relacionado con ella. 2. Se dice del animal que vive con el hombre. SIN. 1. Casero. ANT. 2. Salvaje.

domiciliar v. 1. Hacer alguien que le paguen el sueldo y le cobren los recibos a través de una cuenta en un banco. ‖ **domiciliarse** 2. Fijar el domicilio en un lugar.

domiciliario, ria adj. Del domicilio o que se hace o sucede en él.

domicilio s. m. Edificio, piso o local donde vive una persona o donde está situada una tienda, una oficina, una empresa. SIN. Dirección.

dominación s. f. 1. Acción de dominar. 2. Dominio sobre un pueblo, territorio o nación. SIN. 1. Sometimiento.

dominanta adj. fam. Se dice de la mujer dominante o mandona.

dominante adj. 1. Que domina. 2. Se dice de la persona a la que le gusta dominar a las demás.

dominar v. 1. Tener poder sobre alguien o algo. 2. Conocer bien un idioma, ciencia u otra cosa que se ha aprendido. 3. Contener, controlar. 4. Ver desde lo alto una gran extensión de terreno. 5. Ser más usado o destacar sobre el resto. SIN. 1. Someter. 4. Abarcar. 5. Predominar. ANT. 1. Obedecer. 2. Desconocer. 3. Avivar.

domingo s. m. Séptimo día de la semana.

dominguero, ra adj. y s. Persona que suele salir al campo o a la playa los domingos y días de fiesta, cuando va todo el mundo.

dominical adj. 1. Del domingo. ‖ s. m. 2. Revista que algunos periódicos publican los domingos.

dominicano, na adj. y s. De la República Dominicana, país de América Central, o de Santo Domingo, su capital.

dominico, ca adj. y s. De la orden religiosa fundada por Santo Domingo de Guzmán.

dominio s. m. 1. Poder o superioridad sobre personas o cosas. 2. Conocimiento de una ciencia, técnica u otra cosa. 3. Territorio o cosa que se administró por otro. EXPR. ser una cosa **del dominio público** Ser conocida por todo el mundo. SIN. 1. Dominación, imperio. 2. Destreza, maestría. 3. Colonia, posesión.

dominó s. m. Juego que se hace con veintiocho fichas rectangulares, divididas en dos cuadrados marcados con puntos.

don[1] s. m. 1. Habilidad o cualidad que alguien tiene. 2. Regalo. ‖ 3. **don de gentes** Facilidad para relacionarse y tratar con otras personas. SIN. 1. Destreza. 2. Presente, obsequio. ANT. 1. Torpeza.

don[2] s. m. 1. Tratamiento de respeto que se pone delante de los nombres propios masculinos. ‖ 2. **don nadie** Persona sin ninguna importancia.

donación s. f. Acción de donar y aquello que se dona. SIN. Regalo.

donaire s. m. Gracia al hablar, escribir, moverse.

donante adj. y s. Persona que dona algo; sobre todo, la que dona sangre o algún órgano de su cuerpo.

donar v. Dar algo que uno posee, sin obtener dinero a cambio. SIN. Obsequiar, regalar. ANT. Quitar.

donativo s. m. Dinero u otra cosa que alguien da, sobre todo para ayudar a los que lo necesitan. SIN. Donación, limosna.

doncel s. m. En la Edad Media, joven noble que todavía no era caballero.

doncella *s. f.* **1.** Muchacha joven, en especial la que todavía no se ha casado. **2.** Criada que realiza algunas tareas de la casa o que atiende o sirve a una señora.

donde *adv.* En el lugar en que: *Ésta es la calle donde nací.* **EXPR. de donde** Indica una conclusión o deducción: *No quiso saludarnos, de donde pensamos que estaba enfadado.*

dónde *interr.* **1.** En qué lugar: *No sé dónde están.* || *excl.* **2.** Expresa enfado, protesta o extrañeza: *¡Dónde se ha visto tal cosa!*

dondequiera *adv.* En cualquier parte: *Dondequiera que lo pongas, estará bien.*

donjuán *s. m.* Hombre que conquista a muchas mujeres. **SIN.** Conquistador.

donostiarra *adj. y s.* De San Sebastián o Donosti, ciudad española.

doña *s. f.* Tratamiento de respeto que se pone delante de los nombres propios femeninos.

doping (ingl.) *s. m.* En deporte, uso de drogas estimulantes para tener más fuerza y resistencia.

doquier o **doquiera** *adv.* Se usan en las expresiones **por doquier** o **por doquiera**, 'en cualquier parte'.

dorada *s. f.* Pez marino de cuerpo muy plano y de color gris azulado con una mancha dorada en la cabeza. Es apreciado como alimento.

dorado, da 1. *p.* de **dorar.** También *adj.* || *adj.* **2.** De color de oro o parecido a él. **3.** Se dice de un período muy bueno, de gran esplendor. || *s. m.* **4.** Capa dorada de un objeto. **SIN. 3.** Glorioso, brillante.

dorar *v.* **1.** Cubrir con una capa de oro o de otra sustancia del mismo color. **2.** Freír o asar un alimento hasta que tome color dorado. || **dorarse 3.** Tomar color dorado. **SIN. 2.** Tostar.

dórico, ca *adj. y s. m.* Se dice del más sencillo de los tres órdenes clásicos de la arquitectura.

dormilón, na *adj. y s.* Que duerme mucho. **SIN.** Marmota.

dormir *v.* **1.** Cerrar los ojos y dejar de pensar y de actuar conscientemente para descansar; conseguir que alguien descanse de este modo. **2.** Anestesiar. || **dormirse 3.** Quedarse sin sensibilidad algún miembro del cuerpo. **4.** Descuidarse, no poner la debida atención. □ Es v. irreg. **EXPR. dormirse en los** laureles Confiarse demasiado por creer que ya casi se ha conseguido lo que se pretendía. **SIN. 3.** Entumecerse. **ANT. 1** y **2.** Despertar.

DORMIR	
INFINITIVO	GERUNDIO
dormir	durmiendo
INDICATIVO	
Presente	Pretérito perf. simple
duermo	dormí
duermes	dormiste
duerme	durmió
dormimos	dormimos
dormís	dormisteis
duermen	durmieron
SUBJUNTIVO	
Presente	Pretérito imperfecto
duerma	durmiera, -ese
duermas	durmieras, -eses
duerma	durmiera, -ese
durmamos	durmiéramos, -ésemos
durmáis	durmierais, -eseis
duerman	durmieran, -esen
Futuro	
durmiere	durmiéremos
durmieres	durmiereis
durmiere	durmieren
IMPERATIVO	
duerme	dormid

dormitar *v.* Dormir a medias. **SIN.** Amodorrarse. **ANT.** Despabilarse.

dormitorio *s. m.* Habitación que se utiliza para dormir. **SIN.** Alcoba.

dorsal *adj.* **1.** Del dorso o de la espalda. || *s. m.* **2.** Número que llevan en la espalda los participantes de las carreras y otros deportes. || *s. f.* **3.** Cordillera terrestre o submarina.

dorso *s. m.* **1.** Espalda de las personas y lomo de los animales. **2.** Revés de una cosa. **SIN. 2.** Envés, reverso. **ANT. 2.** Anverso.

dos *num.* **1.** Uno y uno. **2.** Segundo. **EXPR. cada dos por tres** Con mucha frecuencia.

doscientos, tas *num.* **1.** Dos veces cien. **2.** Que ocupa por orden el número doscientos.

dosel *s. m.* Especie de techo de adorno sobre un altar, un trono, una cama.

dosificador *s. m.* Cuentagotas o utensilio para dosificar medicamentos u otras cosas.

dosificar *v.* Fijar las dosis de un medicamento o de otras cosas. **SIN.** Graduar, regular.

dosis *s. f.* **1.** Cantidad de medicina que se da al enfermo cada vez. **2.** Cantidad de otras cosas.

dossier (fr.) *s. m.* Conjunto de documentos sobre una persona o asunto. **SIN.** Expediente.

dotación *s. f.* **1.** Acción de dotar y aquello con que se dota. **2.** Tripulación.

dotado, da **1.** *p.* de **dotar.** También *adj.* ‖ *adj.* **2.** Que tiene buenas cualidades para algo: *dotado para el deporte.* **SIN. 1.** Provisto. **2.** Apto, capacitado. **ANT. 1.** Carente. **2.** Inepto.

dotar *v.* **1.** Dar ciertas cualidades a las personas o animales. **2.** Dar a una persona o cosa algo que necesita o que la mejora. **SIN. 1.** Otorgar, conferir. **2.** Proveer, equipar.

dote *s. f.* **1.** Bienes que una mujer lleva cuando se casa o cuando ingresa en un convento. **2.** Capacidad o habilidad para algo. **SIN. 2.** Cualidad, don.

dovela *s. f.* Cada una de las piedras que forman un arco o una bóveda.

dracma *s. m.* **1.** Moneda de Grecia. **2.** Antigua moneda griega y romana de plata.

draga *s. f.* Máquina o aparato que sirve para dragar.

dragar *v.* **1.** Limpiar el fondo de puertos, ríos, canales. **2.** Retirar o destruir las minas de los mares.

drago *s. m.* Árbol originario de Canarias, con el tronco grueso y muchas ramas y la copa ancha y siempre verde.

dragón *s. m.* Animal fantástico de cuentos infantiles e historias antiguas, que echa fuego por la boca.

drama *s. m.* **1.** Obra de teatro. **2.** Obra de teatro o película de tema serio, triste o desgraciado. **3.** Suceso triste o lamentable. **SIN. 3.** Desdicha, desgracia. **ANT. 3.** Alegría.

dramático, ca *adj.* **1.** Del drama o relacionado con él. **2.** Que impresiona y produce angustia o tristeza. **SIN. 2.** Patético. **ANT. 1** y **2.** Cómico. **2.** Alegre.

dramatismo *s. m.* Característica de las cosas o situaciones dramáticas.

dramatizar *v.* **1.** Dar a una obra forma y características de drama. **2.** Exagerar lo malo de una cosa. **ANT. 2.** Desdramatizar.

dramaturgia *s. f.* **1.** Arte de escribir obras de teatro. **2.** Conjunto de obras teatrales.

dramaturgo, ga *s. m.* y *f.* Persona que escribe dramas, obras de teatro.

drástico, ca *adj.* Rápido y enérgico: *medidas drásticas.* **SIN.** Tajante, radical. **ANT.** Suave.

drenaje *s. m.* **1.** Acción de drenar. **2.** Tubos y otras cosas con que se drena una herida o una cavidad del cuerpo.

drenar *v.* **1.** Eliminar el agua de un terreno. **2.** Vaciar de líquido una herida o una cavidad del cuerpo.

driblar *v.* En fútbol y otros deportes, avanzar con el balón esquivando a los contrarios.

dribling (ingl.) *s. m.* Acción de driblar.

dril *s. m.* Tela fuerte de hilo o de algodón crudos.

driza *s. f.* En los barcos, cabo para izar y arriar velas, banderas y cosas parecidas.

droga *s. f.* **1.** Medicamento, fármaco. **2.** Nombre de distintas sustancias que producen sensaciones de excitación, tranquilidad, placer o provocan alucinaciones. Aunque algunas se utilizan para calmar el dolor, las drogas pueden dañar seriamente el organismo.

drogadicto, ta *adj.* y *s.* Persona que toma o se inyecta drogas y está tan acostumbrada a ellas que no puede dejarlas.

drogar *v.* Hacer tomar o inyectar drogas a alguien, o hacerlo él mismo.

drogata o **drogota** *s. m.* y *f. fam.* Drogadicto.

droguería *s. f.* Tienda de artículos de limpieza, pinturas y otros productos.

droguero, ra *s. m.* y *f.* Dueño o encargado de una droguería.

dromedario *s. m.* Mamífero rumiante muy parecido al camello, pero con una sola joroba.

drupa *s. f.* Fruto carnoso que tiene en su interior un solo hueso, como la ciruela y el melocotón.

dual *adj.* Formado por dos partes, dos aspectos, dos elementos. **SIN.** Doble.

dualidad *s. f.* Característica de lo que es dual.

dubitativo, va *adj.* **1.** Que duda o no sabe qué hacer. **2.** En gramática, se dice de las oraciones y conjunciones que expresan duda. **SIN. 1.** Dudoso, indeciso. **ANT. 1.** Seguro.

ducado *s. m.* **1.** Territorio bajo el dominio de un duque. **2.** Antigua moneda de oro.

ducha *s. f.* **1.** Chorritos muy finos de agua que se dejan caer sobre el cuerpo para lavarse o refrescarse. **2.** Instala-

duro

ción y aparato que nos permiten ducharnos; también, el cuarto donde está esta instalación.

duchar *v.* Dar o darse una ducha.

ducho, cha *adj.* Que conoce bien algo. **Sin.** Experto, versado. **Ant.** Inexperto.

dúctil *adj.* **1.** Que se puede moldear fácilmente. **2.** Se dice de los metales con los que se puede hacer hilos o alambres. **3.** Se dice de la persona fácil de manejar o que se acomoda a cualquier cosa. **Sin. 1.** Maleable, flexible. **3.** Manejable. **Ant. 1.** Duro. **3.** Inflexible.

duda *s. f.* **1.** Falta de seguridad que lleva a no saber qué hacer o qué escoger. **2.** Cosa que le llega a alguien no está seguro. **Sin. 1.** Vacilación, indecisión. **2.** Dificultad. **Ant. 1.** Decisión. **2.** Certeza.

dudar *v.* No estar seguro de alguien o algo o no saber qué hacer. **Sin.** Vacilar, titubear. **Ant.** Confiar, decidir.

dudoso, sa *adj.* **1.** Que tiene dudas. **2.** Se dice de aquello de lo que se duda, que no está claro. **Sin. 1.** Dubitativo, vacilante. **2.** Confuso, incierto. **Ant. 1** y **2.** Seguro. **2.** Cierto.

duelista *s. m.* Cada una de las personas que se enfrentan en un duelo.

duelo[1] *s. m.* **1.** Combate entre dos personas para solucionar entre ellas una cuestión de honor o una ofensa. **2.** Enfrentamiento o lucha entre dos rivales.

duelo[2] *s. m.* Demostración de dolor por la muerte de una persona.

duende *s. m.* **1.** Personaje fantástico de cuentos y leyendas, pequeño y revoltoso. **2.** Encanto o característica especial de una persona o cosa que la hace agradable. **Sin. 1.** Genio.

dueño, ña *s. m.* y *f.* Persona que tiene o posee algo. **Expr. ser** alguien **dueño** o **muy dueño** Poder hacer algo si quiere: *Eres muy dueño de marcharte.* **Sin.** Propietario, amo, poseedor.

duermevela *s. amb.* Sueño ligero e interrumpido.

dulce *adj.* **1.** De sabor parecido al del azúcar. **2.** Que no tiene sabor ácido, amargo o salado: *agua dulce, almendra dulce.* **3.** Delicado, agradable, cariñoso. || *s. m.* **4.** Pastel, golosina. **Sin. 3.** Suave, grato. **Ant. 1.** Amargo. **3.** Desagradable.

dulzaina *s. f.* Instrumento popular de viento de sonido agudo y parecido a una flauta.

dulzón, na *adj.* Demasiado dulce.

dulzor *s. m.* Característica de las cosas dulces. **Ant.** Amargor.

dulzura *s. f.* Característica de las personas o cosas dulces, delicadas, agradables.

duna *s. f.* Montañita de arena formada por el viento, como las del desierto o las de la playa.

dúo *s. m.* **1.** Pareja de músicos o de cantantes. **2.** Canción para dos cantantes o música para dos instrumentos. **Expr. a dúo** Entre dos personas o las dos a la vez.

duodécimo, ma *num.* **1.** Que ocupa por orden el número doce. || *num.* y *s. m.* **2.** Doceavo.

duodeno *s. m.* Primera parte del intestino delgado; está unida al estómago.

dúplex *s. m.* Vivienda con dos plantas comunicadas por una escalera interior.

duplicado, da *adj.* **1.** Que es el resultado de multiplicar algo por dos. || *s. m.* **2.** Copia.

duplicar *v.* Multiplicar algo por dos o tener el doble. **Sin.** Doblar.

duplo *s. m.* Cantidad que es igual a otra multiplicada por dos. **Sin.** Doble.

duque, duquesa *s. m.* y *f.* **1.** Noble menos importante que el príncipe y más importante que el marqués o conde. || *s. f.* **2.** Mujer del duque.

duración *s. f.* Tiempo que dura algo.

duradero, ra *adj.* Que dura o resiste bastante tiempo. **Sin.** Resistente.

durante *prep.* Expresa que una cosa sucede en el tiempo que dura algo: *He leído varios libros durante el verano.*

durar *v.* Pasar un tiempo desde el principio de algo hasta que termina, se estropea o deja de existir. **Sin.** Extenderse, prolongarse.

dureza *s. f.* **1.** Característica de lo que es duro. **2.** Capa de piel dura que se forma por el roce en algunas partes del cuerpo. **Sin. 1.** Resistencia, brusquedad. **2.** Callo, callosidad. **Ant. 1.** Flexibilidad, blandura.

duro, ra *adj.* **1.** Que no se puede doblar, rayar o cortar con facilidad. **2.** Resistente, fuerte, que aguanta bien. **3.** Que resulta difícil o cuesta soportarlo. **4.** Exigente, violento o cruel. || *s. m.* **5.** Moneda de cinco pesetas. *adv.* **6.** Con fuerza o con gran esfuerzo: *entrenar duro.* **Expr. estar a las duras y a las maduras** Estar en lo malo lo mismo que en lo bueno. **tener la cabeza dura** o **muy dura** Ser muy terco. **Sin. 2.** Duradero. **3.** Arduo; crudo. **4.** Riguroso. **Ant. 1** y **4.** Blando. **2.** Frágil. **3.** Suave.

E

e¹ *s. f.* Quinta letra del abecedario.

e² *conj.* Se emplea en lugar de la conjunción *y* delante de palabras que comienzan por *i* o *hi*, aunque no delante de *hie*: *herramientas e instrumentos; nieve* e *hielo.* Tampoco se usa al comienzo de una interrogación o exclamación: *¿Y Isabel?*

ebanista *s. m.* y *f.* Carpintero que trabaja maderas de calidad, como el ébano.

ebanistería *s. f.* **1.** Taller del ebanista. **2.** Actividad del ebanista.

ébano *s. m.* Árbol muy alto con la copa ancha y el tronco grueso; su madera, negra y maciza, es muy apreciada para la fabricación de muebles e instrumentos musicales.

ebrio, ebria *adj.* Borracho, bebido. SIN. Embriagado. ANT. Sobrio.

ebullición *s. f.* **1.** Acción de hervir un líquido, produciéndose burbujas en su interior. ‖ **2. punto de ebullición** Temperatura a la que empieza a hervir un líquido. SIN. Hervor.

eccema *s. m.* Aparición en la piel de escamas, granitos o manchas rojizas, que pican o escuecen.

echar *v.* **1.** Lanzar o lanzarse: *Échame la pelota. Se nos echó encima.* **2.** Expulsar, despedir: *Le echaron de clase. La chimenea echa humo.* **3.** Meter, colocar, poner: *Echa la carta en el buzón. Échate a un lado. ¿Me echas agua?* **4.** Salirle: *echar los dientes.* **5.** Poner una película o programa en televisión, representar una obra en un teatro, etc. **6.** Calcular: *Le echo unos treinta años.* **7.** Hacer lo que indica el sustantivo: *echar cuentas.* ‖ **echarse 8.** Empezar una relación: *echarse novio.* EXPR. **echar** o **echarse a** Comenzar a: *echarse a tem-*

blar. **echar a perder** Estropear. **echar de menos** Notar la falta de una persona o cosa. **echar un cable** o **una mano** a alguien Ayudarle. **echarse atrás** Abandonar algo que se pensaba hacer. SIN. **1.** Tirar. **1** y **2.** Arrojar. **3.** Enviar, introducir. **4.** Brotar. ANT. **1.** Agarrar. **2.** Admitir. **3.** Recoger.

echarpe *s. m.* Mantón largo y estrecho que se ponen las mujeres por los hombros.

ecléctico, ca *adj.* Mixto, que combina o reúne varios elementos.

eclesial *adj.* Eclesiástico.

eclesiástico, ca *adj.* **1.** Relacionado con la Iglesia y con los clérigos. ‖ *s. m.* **2.** Clérigo. SIN. **1.** Clerical. ANT. **1** y **2.** Laico.

eclipsar *v.* **1.** Tapar un astro a otro. **2.** Tener alguien o algo tan buenas cualidades que no se aprecian las de los demás. ‖ **eclipsarse 3.** Sufrir un astro un eclipse. SIN. **2.** Anular.

eclipse *s. m.* Fenómeno que se produce cuando un astro tapa totalmente o en parte a otro al ponerse entre él y un tercer astro; por ejemplo, existe un eclipse solar cuando la Luna se pone entre el Sol y la Tierra.

eclosión *s. f.* **1.** Acción de abrirse el huevo para dejar salir el nuevo ser. **2.** Apertura de un capullo de flor o de insecto. **3.** Salida del óvulo del ovario. **4.** Hecho de aparecer de repente algo que luego tiene mucha importancia. SIN. **4.** Aparición, comienzo.

eco *s. m.* **1.** Repetición de un sonido al chocar contra un objeto, rebotar y volver al lugar de origen. **2.** Hecho de extenderse o ser conocido algo. SIN. **2.** Alcance, resonancia.

ecografía *s. f.* Técnica empleada en medicina para ver los órganos del interior del cuerpo a través de ultrasonidos.

ecología *s. f.* Ciencia que estudia las relaciones entre los seres vivos y el medio en que viven.

ecológico, ca *adj.* **1.** Relacionado con la ecología. **2.** Que no daña el medio ambiente: *productos ecológicos.*

ecologismo *s. m.* Teorías, prácticas y organizaciones que tratan de cuidar el medio, informando a los demás de los peligros de la incorrecta utilización de la naturaleza.

ecologista *adj.* y *s.* **1.** Del ecologismo. **2.** Que respeta y cuida el medio ambiente. SIN. **2.** Ecológico.

economato *s. m.* Establecimiento donde algunos grupos de personas pueden comprar productos a un precio más bajo de lo habitual.

economía *s. f.* **1.** Ciencia que estudia la mejor manera de utilizar los bienes y el dinero, y obtener beneficios con ellos. **2.** Bienes o riqueza de un país, empresa, familia, etc. **3.** Ahorro de dinero, tiempo u otra cosa.

económico, ca *adj.* **1.** De la economía. **2.** Barato: *un restaurante económico.* **Sin. 2.** Asequible, módico. **Ant. 2.** Caro.

economista *s. m. y f.* Experto en economía.

economizar *v.* Gastar poco. **Sin.** Ahorrar. **Ant.** Despilfarrar.

ecónomo, ma *adj. y s.* **1.** Encargado de administrar la economía de una orden religiosa o de una persona que por sí misma no puede hacerlo. || *s. m.* **2.** Sacerdote que sustituye a otro en una parroquia.

ecosistema *s. m.* Conjunto formado por los seres vivos y otros factores (agua, clima, tipo de suelo, etc.) de un lugar.

ecu *s. m.* Unidad monetaria de la Unión Europea.

ecuación *s. f.* Igualdad entre dos expresiones matemáticas que contienen una o más incógnitas, valores que no se conocen; por ejemplo, $3x + 2 = 11$.

ecuador *s. m.* Círculo imaginario perpendicular al eje de la Tierra, que divide a ésta en dos mitades iguales llamadas *hemisferios*: el norte y el sur.

ecualizador *s. m.* Circuito electrónico utilizado en un amplificador para aumentar la calidad del sonido.

ecuánime *adj.* Justo, imparcial. **Ant.** Parcial.

ecuanimidad *s. f.* Justicia, imparcialidad. **Ant.** Parcialidad.

ecuatorial *adj.* Del ecuador, paralelo central de la Tierra.

ecuatoriano, na *adj. y s.* De Ecuador, país de América del Sur.

ecuestre *adj.* **1.** Relacionado con los caballos: *ejercicios ecuestres.* **2.** Se dice de la figura o escultura representada a caballo.

ecuménico, ca *adj.* De todo el mundo; se dice sobre todo de los concilios en los que está representada toda la Iglesia.

eczema *s. m.* Eccema.

edad *s. f.* **1.** Tiempo que una persona o animal lleva viviendo, desde su nacimiento. **2.** Periodo de la vida de una persona. **3.** Cada periodo de la historia. || **4. Edad Antigua** Periodo de la historia desde la aparición de las primeras civilizaciones hasta la caída del imperio romano (siglo v). **5. Edad Contemporánea** La actual, que comenzó con la Revolución Francesa. **6. edad de los metales** Parte de la prehistoria en la que el hombre comenzó a fabricar armas e instrumentos de metal; se divide en las edades del *cobre,* del *bronce* y del *hierro.* **7. edad de piedra** Primer periodo de la prehistoria, en que el hombre utilizaba instrumentos de piedra. **8. edad del pavo** Edad en que comienza la adolescencia. **9. Edad Media** La que va desde el siglo v hasta finales del siglo xv. **10. Edad Moderna** La que va desde el final de la Edad Media hasta la Revolución Francesa (1789). **11. mayor de edad** Persona que ha cumplido los dieciocho años. **12. tercera edad** Periodo de la vida que comienza alrededor de los sesenta y cinco años.

edema *s. m.* Inflamación de una parte del cuerpo por acumularse líquido, por ejemplo en los pulmones.

edén *s. m.* **1.** Según la *Biblia,* paraíso terrenal donde vivieron Adán y Eva. **2.** Lugar muy agradable.

edición *s. f.* **1.** Acción de editar. **2.** Conjunto de ejemplares de una misma obra realizados de una sola vez. **3.** Cada celebración de un concurso, festival, etc. **Sin. 2.** Tirada.

edicto *s. m.* **1.** Mandato o decreto de una autoridad. **2.** Aviso en la prensa o en un lugar público para que lo conozcan los ciudadanos. **Sin. 1.** Bando[1].

edificable *adj.* Se dice del terreno en el que se puede edificar.

edificación *s. f.* **1.** Acción de edificar. **2.** Edificio. **Sin. 1 y 2.** Construcción.

edificante *adj.* Que da buen ejemplo y anima a otros a actuar bien.

edificar *v.* Hacer edificios. **Sin.** Construir, levantar. **Ant.** Derrumbar.

edificio *s. m.* Construcción realizada con materiales resistentes y destinada a viviendas, oficinas, tiendas, etc. **Sin.** Edificación, inmueble.

edil, edila *s. m. y f.* Concejal.

editar *v.* **1.** Publicar por medio de la imprenta o por otras técnicas de reproducción un libro, revista, disco, etc. **2.** Preparar una de estas obras para su publicación. **Sin. 1.** Imprimir.

editor, ra adj. y s. **1.** Persona o empresa que edita obras. ‖ s. m. y f. **2.** Persona encargada de organizar las tareas de publicación de una obra.

editorial adj. **1.** Relacionado con la edición de una obra. ‖ s. f. **2.** Empresa que edita libros, revistas y otras obras. ‖ s. m. **3.** Artículo de un periódico que no lleva firma y expresa la opinión de éste sobre un asunto. **SIN. 2.** Editora.

editorialista s. m. y f. Persona que escribe editoriales en un periódico.

edredón s. m. Colcha rellena de plumas o guata.

educación s. f. **1.** Hecho de enseñar a una persona los conocimientos necesarios y las normas de cómo debe comportarse. **2.** Manera de comportarse correctamente con los demás. ‖ **3. educación física** Actividad que consiste en la gimnasia y el deporte. **SIN. 1.** Enseñanza, instrucción. **2.** Cortesía, corrección. **ANT. 1.** Analfabetismo. **2.** Descortesía.

educado, da adj. Que tiene buena educación. **SIN.** Cortés, correcto. **ANT.** Descortés.

educador, ra s. m. y f. Persona que educa a otras. **SIN.** Profesor, maestro.

educar v. **1.** Dar a alguien los conocimientos necesarios y enseñarle cómo debe comportarse. **2.** Perfeccionar y desarrollar una cosa: educar el oído, la voz. **SIN. 1.** Formar, instruir. **2.** Ejercitar, afinar. **ANT. 1.** Malcriar.

educativo, va adj. Que educa o sirve para educar: juegos educativos. **SIN.** Didáctico, pedagógico.

edulcorante adj. y s. m. Se dice de la sustancia empleada para endulzar un alimento, medicina, etc.

efectista adj. y s. Que da más importancia al efecto de algo que a la calidad que tiene: Era un discurso efectista, sin ideas importantes.

efectivamente adv. Confirma algo dicho o pensado antes.

efectividad s. f. Característica de efectivo. **SIN.** Eficacia.

efectivo, va adj. **1.** Eficaz. ‖ s. m. **2.** Dinero en monedas o billetes: pagar en efectivo. ‖ pl. **3.** Número de personas que tiene una empresa, ejército, etc., para algo. **EXPR. hacer efectivo** Realizar; referido a una cantidad de dinero, pagarla o cobrarla. **SIN. 1.** Eficiente. **2.** Metálico. **ANT. 1.** Ineficaz.

efecto s. m. **1.** Resultado de la acción de algo: El hielo se funde por efecto del calor. ‖ pl. **2.** Objetos de una persona, empresa, etc.: Cuando se trasladó, se llevó todos sus efectos. ‖ **3. efectos especiales** Trucos que se emplean en cine y teatro para representar algunas cosas o fenómenos como si fueran reales. **EXPR. en efecto** Efectivamente. **SIN. 1.** Consecuencia, producto. **2.** Pertenencias.

efectuar v. Hacer, realizar.

efemérides s. f. pl. Hechos importantes ocurridos en distintos años, pero en el mismo día y mes.

efervescencia s. f. **1.** Desprendimiento de burbujas a través de un líquido. **2.** Animación, excitación.

efervescente adj. Que está en efervescencia.

eficacia s. f. Característica de eficaz. **SIN.** Eficiencia. **ANT.** Ineficacia.

eficaz adj. **1.** Que produce el efecto que se desea: un remedio eficaz. **2.** Que hace muy bien su trabajo. **SIN. 1.** Efectivo. **1** y **2.** Eficiente. **ANT. 1.** Ineficaz. **2.** Incompetente.

eficiencia s. f. Característica de eficiente. **SIN.** Eficacia.

eficiente adj. Eficaz. **SIN.** Competente; efectivo. **ANT.** Incompetente; ineficaz.

efigie s. f. Imagen de una persona en un cuadro, escultura, etc. **SIN.** Retrato.

efímero, ra adj. Que dura poco tiempo. **SIN.** Breve, fugaz. **ANT.** Duradero.

efluvio s. m. Lo que despide una cosa de sí, como olor o vapores. **SIN.** Emanación.

efusión s. f. Forma muy afectuosa de demostrar que se aprecia a alguien. **SIN.** Calor. **ANT.** Frialdad.

efusivo, va adj. Que muestra mucho afecto o cariño: un efusivo abrazo. **SIN.** Caluroso. **ANT.** Frío.

egipcio, cia adj. y s. **1.** De Egipto, país de África. ‖ s. m. **2.** Lengua de este país.

egiptología s. f. Ciencia que estudia la antigua civilización egipcia.

egiptólogo, ga s. m. y f. Persona especializada en egiptología.

égloga s. f. Poema en que dos o más pastores hablan del amor o de la vida en el campo.

egocéntrico, ca adj. y s. Se dice de la persona que se cree el centro de todo.

egocentrismo s. m. Característica de la persona egocéntrica.

egoísmo s. m. Característica de la persona egoísta. **ANT.** Abnegación.

egoísta *adj.* y *s.* Que sólo piensa en sí mismo y no le importan los demás. **ANT.** Abnegado.

ególatra *adj.* y *s.* Se dice de la persona que se admira demasiado a sí misma.

egolatría *s. f.* Característica de la persona ególatra.

egregio, gia *adj.* Que destaca por su categoría o por sus méritos. **SIN.** Insigne, ilustre.

¡eh! *interj.* Sirve para llamar, preguntar o advertir algo a otra persona: *¡Eh, ven aquí!*

eje *s. m.* **1.** Barra, varilla o línea que pasa por el centro de un cuerpo y sirve para que éste gire alrededor de ella. **2.** Persona, cosa o asunto muy importante, que es el centro de algo. **EXPR. eje de coordenadas** o **cartesiano** Cada una de las dos rectas perpendiculares que sirven para determinar la situación de un punto del plano constituido por ellas. **SIN. 2.** Núcleo, base.

ejecución *s. f.* **1.** Acción de ejecutar. **2.** Manera en que se ejecuta algo, sobre todo una obra musical. **SIN. 1.** Realización; ajusticiamiento.

ejecutar *v.* **1.** Hacer, realizar. **2.** Tocar una pieza musical. **3.** Matar a una persona condenada a pena de muerte. **SIN. 1.** Efectuar, cumplir. **3.** Ajusticiar. **ANT. 1.** Incumplir.

ejecutivo, va *s. m.* y *f.* **1.** Persona que participa en la dirección de una empresa. ‖ *s. f.* **2.** Grupo de personas que dirigen algo, como una empresa o un partido político. ‖ **3. poder ejecutivo** o **el ejecutivo** El gobierno de una nación.

ejemplar *adj.* **1.** Que es bueno y por ello sirve de ejemplo. **2.** Se dice del castigo que se pone a alguien para que sirva de escarmiento a otros. ‖ *s. m.* **3.** Cada una de las copias de un libro, periódico u otra publicación. **4.** Cada uno de los miembros de una raza o especie.

ejemplificar *v.* Poner ejemplos para demostrar o aclarar algo.

ejemplo *s. m.* **1.** Persona, acción o conducta que debe imitarse si es buena y evitarse si es mala. **2.** Lo que se dice como muestra de algo o para que se entienda mejor. **SIN. 1.** Modelo, patrón.

ejercer *v.* **1.** Realizar las actividades de una profesión u oficio. **2.** Tener influencia, autoridad, poder sobre alguien o algo. **3.** Hacer uso de un derecho. **SIN. 1.** Desempeñar, profesar. **3.** Ejercitar.

ejercicio *s. m.* **1.** Tarea que se hace para practicar lo que se aprende. **2.** Exa-men, prueba. **3.** Movimientos del cuerpo que se hacen para entrenar o estar en forma. **4.** Acción de ejercer. **SIN. 3.** Gimnasia; deporte. **4.** Desempeño. **ANT. 3.** Reposo.

ejercitar *v.* **1.** Hacer ejercicios para practicar o para mejorar una cosa. **2.** Dedicarse a una profesión o actividad. **3.** Hacer uso de algo, como un derecho o una capacidad. **SIN. 1.** Entrenar. **2** y **3.** Ejercer.

ejército *s. m.* Conjunto de soldados de un país, con sus armas y vehículos. **SIN.** Milicia.

el *art. m.* Va delante de un sustantivo masculino singular o de un adjetivo convirtiéndolo en sustantivo: *el coche; el mejor.* A veces acompaña a sustantivos femeninos que comienzan por *a* o *ha* acentuadas: *el águila, el habla.*

él, ella, ello *pron. pers.* Indica la persona o la cosa de la que se habla, que es la tercera persona.

elaboración *s. f.* Acción de elaborar una cosa. **SIN.** Fabricación, confección.

elaborado, da *v.* p. de **elaborar.** También *adj.* ‖ *adj.* **2.** Hecho con mucho trabajo y cuidado. **SIN. 2.** Esmerado. **ANT. 2.** Descuidado.

elaborar *v.* Preparar una cosa utilizando lo necesario para ello y haciéndolo de la manera conveniente. **SIN.** Hacer, fabricar, confeccionar.

elasticidad *s. f.* **1.** Característica de elástico. **2.** Ejercicios que se hacen para tener los músculos flexibles. **SIN. 1.** Flexibilidad. **ANT. 1.** Rigidez.

elástico, ca *adj.* **1.** Que puede estirarse y volver luego a la forma que tenía antes. ‖ *s. m.* **2.** Cinta o cordón de goma. **SIN. 1.** Flexible. **ANT. 1.** Rígido.

elección *s. f.* **1.** Acción de elegir y aquello que se elige. **2.** Votación en la que se elige a una o varias personas para un puesto o cargo. **SIN. 2.** Comicios, sufragio.

electo, ta *adj.* Elegido en votación.

elector, ra *s. m.* y *f.* Persona que vota en unas elecciones o tiene derecho a hacerlo. **SIN.** Votante.

electorado *s. m.* Electores de un país, región o ciudad.

electoral *adj.* De las elecciones o relacionado con ellas.

electoralista *adj.* Que se dice o se hace únicamente para conseguir votos en unas elecciones.

electricidad *s. f.* **1.** Conjunto de fenómenos físicos que resultan de la existencia en la materia de cargas eléctricas positivas (protones) y negativas (electrones) y de las interacciones entre ellas. **2.** Corriente eléctrica, cargas eléctricas en movimiento. ‖ **3. electricidad estática** La que es producida por frotamiento.

electricista *s. m.* y *f.* Persona que pone y arregla instalaciones eléctricas.

eléctrico, ca *adj.* **1.** De la electricidad o relacionado con ella. **2.** Que tiene electricidad, la conduce o funciona con ella.

electrificar *v.* Poner electricidad o equipos eléctricos en una cosa o lugar.

electrizante *adj.* Que electriza o entusiasma. **Sin.** Apasionante.

electrizar *v.* **1.** Producir electricidad en un cuerpo. **2.** Provocar un gran entusiasmo. **Sin. 2.** Apasionar.

electrocardiograma *s. m.* Gráfico en el que un aparato especial registra, mediante unas líneas, el ritmo de los latidos del corazón de una persona.

electrochoque *s. m.* Electroshock.

electrocutar *v.* Matar o morir por medio de una descarga eléctrica.

electrodo *s. m.* Cada uno de los extremos de un conductor que recibe o comunica una corriente eléctrica.

electrodoméstico *adj.* y *s. m.* Se dice de los aparatos eléctricos que se utilizan en las casas.

electroencefalograma *s. m.* Gráfico en el que, mediante un aparato, se registra la actividad cerebral. Se usa para descubrir daños y enfermedades en el cerebro.

electroimán *s. m.* Pieza de hierro que toma las propiedades de un imán cuando circula una corriente elétrica alrededor de ella.

electrólisis o **electrolisis** *s. f.* Separación de los componentes de una disolución haciendo circular una corriente eléctrica a través de ella.

electrólito o **electrolito** *s. m.* Sustancia que, al disolverse en el agua, hace que ésta sea conductora de la electricidad, como por ejemplo las sales o los ácidos.

electromagnético, ca *adj.* Del electromagnetismo o relacionado con él.

electromagnetismo *s. m.* Conjunto de fenómenos en los que intervienen la electricidad y el magnetismo.

electrón *s. m.* Partícula de un átomo con carga eléctrica negativa.

electrónica *s. f.* **1.** Parte de la física que estudia las señales que se envían y se reciben por medio de la electricidad. **2.** Técnica que utiliza estas señales.

electrónico, ca *adj.* De la electrónica o relacionado con ella.

electroscopio *s. m.* Aparato para descubrir si hay electricidad en un cuerpo.

electroshock (ingl.) *s. m.* Tratamiento para algunas enfermedades mentales mediante descargas eléctricas en el cerebro. **Sin.** Electrochoque.

elefante, ta *s. m.* y *f.* **1.** Mamífero herbívoro de gran tamaño, orejas muy grandes y con la nariz y el labio superior en forma de larga trompa. Vive en África y en Asia. ‖ **2. elefante marino** Animal parecido a una foca muy grande. Los machos tiene una pequeña trompa en el hocico.

elegancia *s. f.* Característica de elegante. **Sin.** Distinción, finura. **Ant.** Ordinariez.

elegante *adj.* **1.** Que viste bien y con buen gusto. **2.** Muy fino, bonito o de categoría. **Sin. 1.** y **2.** Distinguido. **2.** Lujoso. **Ant. 1.** y **2.** Ordinario.

elegía *s. f.* Poesía muy triste, sobre todo la que se hace por la muerte de una persona.

elegir *v.* Tomar o indicar la persona o cosa que se prefiere entre varias. ◻ Es v. irreg. Se conjuga como *regir*. **Sin.** Escoger, seleccionar. **Ant.** Rechazar.

elemental *adj.* **1.** Fundamental, básico. **2.** Sencillo, poco complicado. **Sin. 1.** Esencial. **2.** Simple. **Ant. 1.** Accesorio. **2.** Complejo.

elemento *s. m.* **1.** Cada una de las personas o cosas de un grupo o de las partes o circunstancias de algo. **2.** Persona, individuo. **3.** En química, cuerpo que no puede descomponerse en otros más simples sin perder sus características. **4.** Medio en que vive una persona o un animal. ‖ *pl.* **5.** Algunos fenómenos atmosféricos como el viento o la tormenta. **Sin. 1.** Integrante. **4.** Ambiente, hábitat.

elenco *s. m.* Conjunto de actores o artistas que intervienen en un espectáculo.

elepé *s. m.* Disco de larga duración.

elevación *s. f.* **1.** Acción de elevar o elevarse. **2.** Parte del terreno o de otra cosa que está más alta que lo que la rodea. **Sin. 1.** Subida, aumento. **2.** Altura. **Ant. 1.** Bajada, disminución. **2.** Depresión.

elevado, da 1. *p.* de elevar. También *adj.* ‖ *adj.* 2. Alto. 3. Muy bueno o importante. 4. Difícil, complicado: *un lenguaje elevado.* Sin. 3. Noble, sublime. 4. Complejo. Ant. 2 y 3. Bajo. 3. Mezquino. 4. Sencillo.

elevador, ra *adj.* 1. Que eleva o sube. ‖ *s. m.* 2. Máquina para subir personas o mercancías.

elevalunas *s. m.* Mecanismo que permite subir y bajar los cristales de un automóvil.

elevar *v.* 1. Levantar, subir. 2. Aumentar el valor, la cantidad o la intensidad de algo. 3. Poner a una persona en una situación o cargo mejor. 4. En matemáticas, hacer una potencia: *elevar al cuadrado, al cubo.* Sin. 1 y 2. Alzar. 2. Incrementar, acrecentar. 3. Ascender. Ant. 1 y 2. Bajar. 2. Disminuir. 3. Degradar.

elidir *v.* Suprimir una letra o también una palabra dentro de una oración, porque se entiende sin ella.

eliminación *s. f.* Acción de eliminar. Sin. Supresión. Ant. Añadidura.

eliminar *v.* Rechazar, quitar, expulsar. Sin. Suprimir. Ant. Añadir.

eliminatoria *s. f.* Prueba para seleccionar a los que participan en una competición, en un concurso o en algo parecido.

eliminatorio, ria *adj.* Que elimina o sirve para eliminar.

elipse *s. f.* Curva cerrada que tiene forma ovalada.

elipsis *s. m.* Eliminación de una o más palabras en una oración o una frase sin que cambie su significado.

elíptico, ca *adj.* Se dice de la palabra o grupo de palabras que se han suprimido de una oración.

elisión *s. f.* Elipsis.

élite (fr.) o **elite** *s. f.* Grupo pequeño de personas importantes o destacadas.

elitista *adj.* Relacionado con la élite o dirigido a este tipo de personas.

élitro *s. m.* Cada una de las alas, duras y que no sirven para volar, que protegen las verdaderas alas en algunos insectos.

elixir *s. m.* Medicamento líquido.

elocuencia *s. f.* Capacidad de hablar muy bien, de modo que impresione y convenza. Sin. Labia.

elocuente *adj.* Que tiene elocuencia.

elogiar *v.* Decir elogios. Sin. Alabar, ensalzar. Ant. Insultar; criticar.

elogio *s. m.* Cosa buena que se dice de alguien o algo. Sin. Alabanza. Ant. Insulto; crítica.

elogioso, sa *adj.* Que elogia o merece ser elogiado. Sin. Laudatorio. Ant. Insultante; crítico.

elucidar *v.* Explicar, aclarar.

elucubración *s. f.* Acción de elucubrar. Sin. Reflexión.

elucubrar *v.* Pensar mucho sobre algo, a menudo sin fundamento. Sin. Reflexionar.

eludir *v.* Evitar algo molesto o desagradable. Sin. Rehuir. Ant. Afrontar.

emanación *s. f.* Acción de emanar y lo que emana de algo. Sin. Efluvio.

emanar *v.* 1. Salir de un cuerpo un olor, vapor o radiación. 2. Proceder una cosa de otra. Sin. 1. Despedir, desprender. 2. Derivar, provenir.

emancipación *s. f.* Independencia, liberación. Ant. Sometimiento.

emancipar *v.* Hacer o hacerse independiente o libre. Sin. Independizar, liberar. Ant. Someter.

embadurnar *v.* Untar o llenar de algo pegajoso, grasiento o que mancha.

embajada *s. f.* 1. Cargo de embajador. 2. Residencia y oficina del embajador y sus empleados. Sin. 2. Legación.

embajador, ra *s. m. y f.* Persona que representa a su país y a su jefe de Estado en otra nación.

embalaje *s. m.* 1. Acción de embalar. 2. Envoltorio o caja con que se embala.

embalar *v.* Envolver o colocar en cajas las cosas que se van a transportar. Sin. Empaquetar. Ant. Desembalar.

embalarse *v.* Aumentar mucho la velocidad. Sin. Lanzarse. Ant. Frenarse.

embalsamar *v.* Preparar un cadáver para evitar que se descomponga.

embalsar *v.* Hacer que el agua se detenga y quede retenida.

embalse *s. m.* Lago artificial en que queda retenida y almacenada el agua de un río. Sin. Pantano, estanque.

embarazada *adj. y s. f.* Se dice de la mujer que va a tener un niño. Sin. Encinta.

embarazo *s. m.* 1. Estado de la mujer embarazada, que suele durar nueve meses. 2. Vergüenza o apuro. Sin. 1. Gestación, preñez. 2. Azaro. Ant. 2. Desparpajo.

embarazoso, sa *adj.* Que produce embarazo o vergüenza.

embarcación *s. f.* Barco.

embarcadero *s. m.* Lugar del muelle destinado para embarcar y desembarcar. **Sin.** Atracadero.

embarcar *v.* **1.** Subir personas o mercancías a un barco, tren o avión. **2.** Meter a alguien en un asunto arriesgado. **Ant. 1.** Desembarcar.

embargar *v.* **1.** Hacer un embargo. **2.** Llenar a alguien una sensación o sentimiento: *Le embarga la emoción.* **Sin. 2.** Colmar, inundar.

embargo *s. m.* **1.** Hecho de retener los bienes de una persona por orden del juez u otra autoridad. **2.** Prohibición de un país a otro de comprar y transportar armas u otras cosas. **Expr. sin embargo** A pesar de ello, sin que impida lo que se dice a continuación: *Hacía frío; sin embargo, salimos a pasear.*

embarque *s. m.* Acción de embarcarse personas o embarcar mercancías. **Ant.** Desembarco.

embarrado, da *adj.* Lleno de barro.

embarrancar *v.* Encallar un barco.

embarullar *v.* Liar, embrollar. **Sin.** Enredar. **Ant.** Desenredar.

embate *s. m.* Golpe violento, por ejemplo el de las olas. **Sin.** Embestida, acometida.

embaucador, ra *adj. y s.* Que embauca. **Sin.** Timador.

embaucar *v.* Engañar. **Sin.** Timar.

embeber *v.* **1.** Absorber un cuerpo sólido un líquido. ‖ **embeberse 2.** Estar muy concentrado haciendo algo. **Sin. 1.** Absorber. **2.** Enfrascarse, ensimismarse. **Ant. 1.** Escupir. **2.** Distraerse.

embelesar *v.* Gustar algo a una persona de tal manera que atrae toda su atención. **Sin.** Cautivar, fascinar.

embeleso *s. m.* Acción de embelesar. **Sin.** Fascinación.

embellecedor, ra *adj.* **1.** Que embellece. ‖ *s. m.* **2.** Pieza de adorno.

embellecer *v.* Hacer más bello. ◻ Es *v.* irreg. Se conjuga como *agradecer*. **Ant.** Afear.

embestida *s. f.* Acción de embestir. **Sin.** Acometida.

embestir *v.* Lanzarse con fuerza contra alguien o algo. ◻ Es *v.* irreg. Se conjuga como *pedir*. **Sin.** Arremeter, acometer.

emblema *s. m.* **1.** Medalla, escudo, etc., que representa a una familia, ciudad o institución. **2.** Figura que se toma como representación de algo. **Sin. 1.** Enseña. **2.** Símbolo.

emblemático, ca *adj.* Representativo, destacado: *Es el jugador más emblemático del equipo.*

embobado, da *adj.* Se dice de la persona a la que le gusta tanto algo que no se entera de nada más.

embocadura *s. f.* **1.** Lugar por donde se entra a un puerto, canal, etc. **2.** Boquilla de un instrumento musical de viento.

embolado *s. m.* Asunto incómodo y difícil de resolver. **Sin.** Marrón, papeleta.

embolia *s. f.* Obstrucción de una arteria por grasa, aire o un coágulo, que impide que la sangre pueda circular.

émbolo *s. m.* Pieza que se mueve dentro de otra para empujar un líquido o gas, como la que tienen las jeringuillas.

embolsarse *v.* Ganar dinero.

emboquillado, da *adj.* Con boquilla: *cigarrillo emboquillado.*

emborrachar *v.* Poner o ponerse borracho. **Sin.** Embriagar. **Ant.** Despejar.

emborronar *v.* Manchar con borrones un dibujo o escrito.

emboscada *s. f.* Acción de esconderse para atacar a alguien por sorpresa. **Sin.** Trampa, encerrona.

emboscar *v.* **1.** Ocultar a alguien para que ataque por sorpresa. ‖ **emboscarse 2.** Esconderse entre los árboles y la vegetación. **Sin. 1.** Apostar.

embotar *v.* **1.** Hacer perder agudeza a la mente o a los sentidos. **2.** Quitar el filo o la punta a un arma o utensilio. **Sin. 1.** Atontar, ofuscar. **2.** Mellar. **Ant. 1.** Aguzar. **2.** Afilar.

embotellado, da 1. *p.* de **embotellar**. También *adj.* ‖ *s. m.* **2.** Acción de embotellar.

embotellamiento *s. m.* Atasco de vehículos.

embotellar *v.* Meter un líquido en botellas.

embozarse *v.* Cubrirse la parte de abajo del rostro con la bufanda, la capa o algo parecido.

embozo *s. m.* **1.** Parte de la sábana de arriba que se dobla hacia fuera. **2.** Parte de una prenda de vestir, sobre todo la capa, que cubre el rostro.

embragar *v.* Conectar el embrague.

embrague *s. m.* Dispositivo de los automóviles que deja suelto un mecanismo del motor para poder cambiar de marcha.

embravecerse *v.* Agitarse las fuerzas naturales, por ejemplo el mar.

embriagador, ra *adj.* Que embriaga o produce gran placer o satisfacción.

embriagar *v.* **1.** Emborrachar. **2.** Producir algo a una persona tal placer o satisfacción que se queda como fuera de sí. **Sin. 2.** Cautivar, extasiar. **Ant. 1.** Despejar. **2.** Disgustar.

embriaguez *s. f.* Estado de la persona que está borracha. **Sin.** Borrachera.

embrión *s. m.* **1.** Organismo en desarrollo desde que es un huevo hasta que se diferencian todos sus órganos. **2.** Comienzo de algo que va a desarrollarse después. **Sin. 2.** Germen.

embrionario, ria *adj.* Del embrión o relacionado con él.

embrollar *v.* Producir embrollo. **Sin.** Embarullar, enredar, liar. **Ant.** Aclarar.

embrollo *s. m.* Lío, follón.

embrujar *v.* **1.** Actuar sobre una persona por medio de la brujería o la magia. **2.** Atraer mucho la belleza o los encantos de alguien o algo. **Sin. 1.** Encantar. **1** y **2.** Hechizar. **2.** Cautivar, fascinar. **Ant. 2.** Repeler.

embrujo *s. m.* **1.** Acción de embrujar. **2.** Atractivo irresistible. **Sin. 1** y **2.** Hechizo. **2.** Encanto.

embrutecer *v.* Hacer bruta o más bruta a una persona. □ Es v. irreg. Se conjuga como *agradecer*. **Ant.** Refinar.

embuchar *v.* **1.** Meter carne picada y otros ingredientes en una tripa para hacer embutidos. **2.** Cebar a las aves introduciéndoles comida en el buche. **3.** Comer mucho y casi sin masticar. **Sin. 1.** Embutir. **3.** Engullir.

embudo *s. m.* Utensilio en forma de cono hueco con una boquilla, que sirve para pasar líquidos de un recipiente a otro.

embuste *s. m.* Mentira. **Sin.** Patraña. **Ant.** Verdad.

embustero, ra *adj.* y *s.* Mentiroso.

embutido, da **1.** *p.* de embutir. ‖ *s. m.* **2.** Tripa rellena de carne picada, sobre todo de cerdo, y otros ingredientes. **3.** Acción de embutir.

embutir *v.* Meter una cosa dentro de otra apretándola. **Sin. 1.** Embuchar.

emental *s. m.* Queso suizo con grandes agujeros.

emergencia *s. f.* Suceso o accidente que exige una rápida solución. **Sin.** Urgencia.

emerger *v.* Salir a la superficie una cosa que estaba bajo el agua. **Sin.** Flotar. **Ant.** Hundirse.

emigración *s. f.* Acción de emigrar y el conjunto de personas que han emigrado. **Sin.** Éxodo. **Ant.** Inmigración.

emigrante *adj.* y *s.* Persona que emigra. **Ant.** Inmigrante.

emigrar *v.* **1.** Ir a vivir a otro país o región por razones económicas, políticas, etc. **2.** Marcharse de un lugar a otro algunos animales, por ejemplo las golondrinas. **Ant. 1.** Inmigrar.

eminencia *s. f.* **1.** Persona que destaca mucho en una actividad, sobre todo en una ciencia. **2.** Forma de tratamiento para dirigirse a los cardenales. **Sin. 1.** Cerebro, genio.

eminente *adj.* Que es una eminencia en una actividad. **Sin.** Insigne, ilustre. **Ant.** Mediocre.

emir *s. m.* Príncipe o caudillo árabe.

emirato *s. m.* Cargo del emir y territorio en que gobernaba.

emisario, ria *s. m.* y *f.* Persona enviada a un lugar para llevar un mensaje o tratar un asunto. **Sin.** Mensajero, legado.

emisión *s. f.* Acción de emitir.

emisor, ra *s. m.* y *f.* **1.** El que emite o comunica un mensaje. ‖ *s. f.* **2.** Estación que emite programas de radio o televisión. **Sin. 1.** Hablante. **Ant. 1.** Receptor, oyente.

emitir *v.* **1.** Producir algo y enviarlo al exterior. **2.** Transmitir programas la radio y la televisión. **3.** Manifestar, expresar. **4.** Crear monedas, billetes de banco y otras cosas, y ponerlos en circulación. **Sin. 1.** Arrojar, emanar. **2.** Radiar, televisar. **3.** Exponer. **Ant. 1.** Recibir.

emoción *s. f.* Sentimiento intenso.

emocional *adj.* De los sentimientos o emociones o relacionado con ellos.

emocionante *adj.* Que causa emoción.

emocionar *v.* Causar emoción o sentirla.

emolumentos *s. m. pl.* Dinero que se recibe como pago por un trabajo. **Sin.** Honorarios.

emotivo, va *adj.* **1.** Se dice de aquello en lo que hay emoción. **2.** Sensible, que se emociona fácilmente. **Sin. 2.** Afectivo. **Ant. 1** y **2.** Frío **2.** Insensible.

empacar *v.* Colocar en pacas, paquetes o cajas. **Sin.** Empaquetar.

empachar *v.* Producir indigestión o tenerla. **Sin.** Hartar, indigestarse.

empacho *s. m.* Indigestión por haber comido demasiado.

empadronamiento *s. m.* Acción de empadronar.

empadronar *v.* Apuntar a una persona en el padrón, lista de los que viven en un lugar. **Sin.** Censar.

empalagar *v.* **1.** Hartar o desagradar un alimento por ser demasiado dulce o pesado. **2.** Producir fastidio una persona que es demasiado amable y cariñosa.

empalagoso, sa *adj.* Que empalaga.

empalizada *s. f.* Valla hecha con maderos enlazados y clavados en el suelo.

empalmar *v.* **1.** Unir, enlazar. **2.** Bajarse de un vehículo de transporte público y coger a continuación otro. **Sin.** **1.** Ensamblar, conectar, ligar. **Ant.** **1.** Desunir.

empalme *s. m.* **1.** Acción de empalmar. **2.** Cosa que empalma con otra. **3.** El lugar donde empalman dos vías de comunicación o medios de transporte. **Sin.** **1.** Unión, conexión. **1** y **3.** Enlace. **Ant.** **1.** Separación.

empanada *s. f.* Masa cocida al horno rellena de algún alimento.

empanadilla *s. f.* Pedazo de masa frita doblada en forma de media luna y rellena de algún alimento.

empanar *v.* Cubrir un alimento con pan rallado para freírlo después.

empantanado, da *adj.* Parado, abandonado, a medio hacer: *Los albañiles han dejado la obra empantanada.*

empañar *v.* **1.** Quitar el vapor de agua el brillo o la transparencia de algo. **2.** Hacer que disminuya la buena fama de alguien. ‖ **empañarse 3.** Humedecerse los ojos de lágrimas. **Sin. 2.** Desprestigiar, desacreditar.

empapar *v.* **1.** Mojar del todo. ‖ **empaparse 2.** Enterarse bien de una cosa. **Sin. 1.** Impregnar, calar. **Ant. 1.** Secar.

empapelar *v.* Cubrir las paredes con papel pintado.

empaque *s. m.* Aspecto distinguido de una persona. **Sin.** Señorío, distinción.

empaquetado, da 1. *p.* de **empaquetar.** También *adj.* ‖ *s. m.* **2.** Acción de empaquetar.

empaquetadora *s. f.* Máquina de empaquetar.

empaquetar *v.* Hacer paquetes o meter algo en paquetes. **Sin.** Embalar, empacar. **Ant.** Desempaquetar.

emparedado *s. m.* Sandwich.

emparejar *v.* Formar parejas.

emparentar *v.* Adquirir parentesco, al casarse, el marido con la familia de la mujer y la mujer con la del marido.

emparrado *s. m.* Parra o conjunto de parras sostenidas por un armazón, que forman una techumbre.

empastar *v.* Rellenar el dentista con una pasta especial el hueco de una caries.

empaste *s. m.* Acción de empastar y pasta con que se hace.

empatar *v.* Conseguir el mismo número de tantos o votos. **Sin.** Igualar. **Ant.** Desempatar.

empate *s. m.* Acción de empatar. **Ant.** Desempate.

empecinarse *v.* Ponerse cabezota, no querer ceder. **Sin.** Empeñarse, obstinarse. **Ant.** Ceder.

empedernido, da *adj.* Que tiene un vicio o costumbre que no puede dejar. **Sin.** Incorregible.

empedrado, da 1. *p.* de **empedrar.** También *adj.* y *s. m.* ‖ *adj.* **2.** Se dice del cielo cubierto de nubes pequeñas y muy juntas.

empedrar *v.* Cubrir el suelo con piedras ajustadas entre sí. □ Es v. irreg. Se conjuga como *pensar.*

empeine *s. m.* Parte de arriba del pie que llega hasta donde comienzan los dedos.

empellón *s. m.* Empujón fuerte.

empeñado, da 1. *p.* de **empeñar.** También *adj.* ‖ *adj.* **2.** Que tiene deudas. **3.** Que se empeña en algo. **Sin. 2.** Endeudado. **3.** Empecinado.

empeñar *v.* **1.** Entregar una cosa a cambio de un préstamo, pudiendo luego recuperarla. ‖ **empeñarse 2.** Adquirir muchas deudas. **3.** Querer conseguir algo como sea. **Sin. 2.** Endeudarse, entramparse. **3.** Empecinarse, obstinarse. **Ant. 2.** Desempeñar. **3.** Ceder.

empeño *s. m.* **1.** Acción de empeñar una cosa. **2.** Mucho interés en hacer o conseguir algo. **Sin. 2.** Afán; constancia. **Ant. 1.** Desempeño.

empeoramiento *s. m.* Hecho de empeorar. **Ant.** Mejora.

empeorar *v.* Poner o ponerse peor. **Ant.** Mejorar.

empequeñecer *v.* Hacer más pequeño. □ Es v. irreg. Se conjuga como *agradecer.* **Sin.** Disminuir, encoger, menguar. **Ant.** Agrandar.

emperador *s. m.* **1.** Rey de un imperio. **2.** Pez espada.

emperatriz *s. f.* Reina de un imperio.

emperejilarse *v.* Emperifollarse.

emperifollarse *v.* Arreglarse una persona en exceso. **Sin.** Emperejilarse.

emperrarse *v.* Empeñarse en algo, ponerse cabezota. **Sin.** Obstinarse, obcecarse. **Ant.** Ceder.

empezar *v.* **1.** Pasar de no hacer a hacer algo. **2.** Ponerse a usar o consumir algo: *empezar el bocadillo.* **3.** Tener algo su principio en un determinado momento: *La película empieza a las ocho.* □ Es v. irreg. Se conjuga como *comenzar.* **Sin. 1.** Emprender. **1** a **3.** Comenzar, iniciar. **Ant. 1** a **3.** Acabar.

empiece *s. m.* Momento o parte en que empieza algo. **Sin.** Comienzo, inicio. **Ant.** Final.

empinado, da 1. *p.* de **empinar.** ‖ *adj.* **2.** Con mucha pendiente.

empinar *v.* **1.** Levantar en alto. **2.** Levantar e inclinar un botijo, una bota o algo similar para beber. ‖ **empinarse 3.** Ponerse de puntillas. **Expr. empinar el codo** Tomar bebidas alcohólicas en exceso. **Ant. 3.** Agacharse.

empírico, ca *adj.* Que se basa en la experiencia y la observación de los hechos.

emplasto *s. m.* Preparado medicinal sólido y blando, que se aplica exteriormente en alguna parte del cuerpo.

emplazamiento *s. m.* Lugar donde está situado algo.

emplazar[1] *v.* Citar a alguien para que se presente en el día y hora fijados. **Sin.** Convocar.

emplazar[2] *v.* Colocar, situar. **Sin.** Establecer.

empleado, da 1. *p.* de **emplear.** También *adj.* ‖ *s. m.* y *f.* **2.** Persona que trabaja para otros a cambio de un salario. **Expr. estarle** a alguien una cosa **bien empleada** Tenerla merecida. **Sin. 1.** Usado; gastado. **2.** Asalariado.

emplear *v.* **1.** Utilizar, usar. **2.** Dar empleo a alguien. **Sin. 1.** Gastar. **2.** Colocar. **Ant. 1.** Desechar. **2.** Echar.

empleo *s. m.* **1.** Acción de emplear. **2.** Trabajo que se realiza a cambio de un salario. **Sin. 1.** Uso, utilización. **2.** Colocación. **Ant. 2.** Desempleo.

empobrecer *v.* Hacer pobre o más pobre. □ Es v. irreg. Se conjuga como *agradecer.* **Sin.** Arruinar. **Ant.** Enriquecer.

empobrecimiento *s. m.* Acción de empobrecer o empobrecerse. **Sin.** Ruina. **Ant.** Enriquecimiento.

empollar *v.* **1.** Calentar un ave sus huevos poniéndose encima de ellos para que los polluelos se desarrollen en su interior. **2.** Estudiar mucho. **Sin. 1.** Incubar.

empollón, na *adj.* y *s.* Persona que estudia mucho.

empolvar *v.* **1.** Cubrir de polvo. **2.** Poner polvos de tocador sobre el rostro.

emponzoñar *v.* Envenenar.

emporio *s. m.* Lugar famoso por su desarrollo comercial o cultural.

empotrar *v.* Meter una cosa en la pared o por debajo del suelo.

emprendedor, ra *adj.* Dispuesto a emprender cosas. **Sin.** Decidido. **Ant.** Indeciso.

emprender *v.* Empezar una actividad difícil o que necesita mucho esfuerzo. **Expr. emprenderla** o **emprenderla a** Tomarla contra una persona o cosa, o empezar a darle golpes, tiros o algo parecido. **Sin.** Comenzar, abordar. **Ant.** Acabar.

empresa *s. f.* **1.** Conjunto de personas y medios organizados para realizar alguna actividad con la que se gana dinero. **2.** Acción o trabajo difícil o que necesita gran esfuerzo. **Sin. 1.** Sociedad, compañía. **2.** Tarea, proyecto.

empresarial *adj.* De la empresa o del empresario.

empresario, ria *s. m.* y *f.* Dueño de una empresa o persona que la dirige.

empujar *v.* **1.** Hacer fuerza contra alguien o algo, o darle un golpe, para intentar moverlo. **2.** Forzar o animar a alguien para que haga algo. **Sin. 1** y **2.** Impulsar. **2.** Incitar. **Ant. 1.** Tirar. **2.** Disuadir.

empuje *s. m.* **1.** Fuerza que se hace al empujar. **2.** Energía, entusiasmo, decisión. **Sin. 2.** Ánimo, brío. **Ant. 2.** Desánimo.

empujón *s. m.* **1.** Golpe brusco con que se empuja a una persona o cosa. **2.** Esfuerzo que se hace para adelantar o terminar en una actividad. **Sin. 1.** Empellón, envite. **2.** Impulso, avance.

empuñadura *s. f.* Parte por donde se agarra una espada, un bastón y otros objetos. **Sin.** Puño, mango.

empuñar *v.* Agarrar algo como un arma o una herramienta con la mano para usarla. **Sin.** Asir, sujetar. **Ant.** Soltar.

emular *v.* Imitar a alguien intentando igualarlo o superarlo.

émulo, la *adj.* y *s.* Que emula a otro.

emulsión *s. f.* Líquido en el que flotan pequeñas partículas de otra sustancia que no pueden disolverse completamente.

en *prep.* Significa 'dentro de': *Entra en casa*; 'sobre': *Ponlo en la mesa*; indica tiempo: *En diez minutos estoy ahí. En verano iremos de vacaciones*; manera en que está o se hace algo: *televisión en color, viajar en coche*; precio: *Nos vendió la bici en muy poco dinero*; ocupación o situación: *Trabajaba en la construcción, pero ahora está en paro*.

enagua *s. f.* Prenda interior que llevan las mujeres debajo de la ropa, parecida a una falda o un vestido. **Sin.** Combinación.

enajenación *s. f.* **1.** Acción de enajenar. **2.** Locura. **Sin. 1.** Venta, traspaso. **Ant. 1.** Adquisición. **2.** Cordura.

enajenado, da 1. *p.* de **enajenar**. También *adj.* ‖ *adj.* y *s.* **2.** Loco, demente. **Ant. 2.** Cuerdo.

enajenar *v.* **1.** Vender una cosa o dársela a otra persona. **2.** Volver o volverse loco. **Sin. 1.** Transmitir, traspasar. **2.** Enloquecer. **Ant. 1.** Adquirir.

enaltecer *v.* **1.** Hacer mejor, más querido o más admirado. **2.** Alabar, elogiar. ▫ Es v. irreg. Se conjuga como *agradecer*. **Sin. 1.** y **2.** Ensalzar. **2.** Encomiar. **Ant. 1** y **2.** Humillar. **2.** Criticar.

enamoradizo, za *adj.* Que se enamora con facilidad.

enamorado, da 1. *p.* de **enamorar**. ‖ *adj.* y *s.* **2.** Que siente amor por alguien o entusiasmo por algo.

enamorar *v.* **1.** Hacer una persona que otra sienta amor por ella; también, empezar a sentir amor por alguien. **2.** Gustar mucho, encantar. **Sin. 1** y **2.** Cautivar. **2.** Entusiasmar.

enano, na *adj.* **1.** Muy pequeño o mucho más pequeño que la mayoría. ‖ *s. m.* y *f.* **2.** Persona que tiene una enfermedad que le ha impedido crecer. **Expr. como un enano** Mucho: *disfrutar como un enano*. **Sin. 1.** Diminuto. **Ant. 1** y **2.** Gigante.

enarbolar *v.* Levantar o colocar en alto una bandera o algo parecido. **Sin.** Izar.

enardecer *v.* **1.** Volver más violenta o intensa una lucha, pelea, una discusión. **2.** Entusiasmar, excitar. ▫ Es v. irreg. Se conjuga como *agradecer*. **Sin. 1.** Calentar. **2.** Emocionar, enfervorizar. **Ant. 1.** Apaciguar. **1** y **2.** Calmar.

encabalgamiento *s. m.* Separación en distintos versos de una palabra o una frase.

encabezamiento *s. m.* Lo que se pone en la parte de arriba al principio de un escrito.

encabezar *v.* **1.** Poner o ir al principio. **2.** Ser el primero en hacer algo, dirigirlo. **Sin. 2.** Acaudillar, capitanear.

encabritarse *v.* Levantar el caballo las patas delanteras, como cuando se asusta.

encadenamiento *s. m.* **1.** Acción de encadenar o encadenarse. **2.** Cosas unidas o relacionadas unas detrás de otras. **Sin. 1** y **2.** Enlace, unión.

encadenar *v.* **1.** Sujetar con cadenas. **2.** Unir o relacionar una cosa con otra que va detrás. **Sin. 1.** Atar, amarrar. **2.** Enlazar, concatenar. **Ant. 1.** Desencadenar.

encajar *v.* **1.** Meter, poner o quedar colocada una cosa dentro de otra de manera que esté bien ajustada. **2.** Aceptar: *encajar una mala noticia*. **3.** Adaptarse, estar de acuerdo, quedar bien. **4.** En deporte, sufrir tantos, golpes o una derrota. **Sin. 1.** Acoplar. **2.** Asimilar. **3.** Acomodarse, integrarse. **Ant. 1.** Desencajar. **3.** Discrepar.

encaje *s. m.* **1.** Acción de encajar una cosa en otra. **2.** Tejido fino que está calado haciendo dibujos. **Sin. 1.** Acoplamiento.

encajonar *v.* Meter o dejar en un sitio muy estrecho.

encalar *v.* Dar cal a las paredes o a otra cosa para ponerlas blancas. **Sin.** Blanquear, enlucir.

encallar *v.* Quedarse parada una embarcación al chocar su fondo con arena o rocas. **Sin.** Varar, embarrancar.

encallecer *v.* **1.** Salir callos o durezas en la piel. ‖ **encallecerse 2.** Hacerse fuerte o resistente ante las dificultades o sufrimientos. **Sin. 1.** Endurecerse, curtirse. **Ant. 1.** Suavizar. **2.** Ablandarse.

encaminar *v.* **1.** Indicar a alguien el camino o ponerle en él. **2.** Destinar, dirigir. ‖ **encaminarse 3.** Ir hacia algún sitio. **Sin. 1.** Guiar, orientar. **Ant. 1.** Desorientar.

encandilar *v.* **1.** Fascinar, impresionar. **2.** Engañar a alguien dejando que se haga ilusiones. **Sin. 1.** Deslumbrar. **2.** Embaucar.

encanecer *v.* Ponerse gris o blanco el cabello. ▫ Es v. irreg. Se conjuga como *agradecer*.

encanijarse *v.* Quedarse canijo.

encantado, da 1. *p.* de **encantar**. También *adj.* ‖ *adj.* **2.** Muy contento. **3.** Expresa que alguien se alegra de conocer a la persona que le presentan. **Sin. 1**. Hechizado, embrujado. **2**. Entusiasmado. **Ant. 2**. Descontento.

encantador, ra *adj.* **1**. Muy agradable y simpático. ‖ *s. m.* y *f.* **2**. Persona que hace encantamientos: *encantador de serpientes*. **Sin. 1**. Cautivador, adorable. **Ant. 1**. Desagradable.

encantamiento *s. m.* Acto o palabras con las que, por arte de magia, se transforma o se domina a las personas y las cosas. **Sin.** Hechizo.

encantar *v.* **1**. Gustar mucho. **2**. Hacer un encantamiento. **Sin. 1**. Fascinar, cautivar. **2**. Hechizar, embrujar. **Ant. 1**. Disgustar.

encanto *s. m.* Conjunto de cualidades de una persona o cosa que hacen que guste o resulte atrayente.

encañonar *v.* Apuntar a alguien o algo con un arma de fuego.

encapotarse *v.* Cubrirse el cielo de nubes como cuando va a llover. **Sin.** Nublarse. **Ant.** Despejarse.

encapricharse *v.* Tener capricho por algo. **Sin.** Emperrarse, empeñarse. **Ant.** Desistir.

encapuchado, da *adj.* y *s.* Que se cubre la cara y la cabeza con una capucha.

encarado, da **1**. *p.* de **encarar**. También *adj.* ‖ *adj.* **2**. Con el adverbio *mal*, malencarado.

encaramarse *v.* Subirse a un lugar alto. **Sin.** Trepar. **Ant.** Bajar.

encarar *v.* **1**. Hacer frente a algo, tratar de solucionarlo. **2**. Poner cara a cara a dos personas o cosas. ‖ **encararse 3**. Enfrentarse a una persona, discutir con ella. **Sin. 1**. Afrontar. **Ant. 1**. Evitar.

encarcelamiento *s. m.* Acción de encarcelar.

encarcelar *v.* Meter en la cárcel. **Sin.** Apresar. **Ant.** Excarcelar.

encarecer *v.* **1**. Aumentar el precio o valor de algo. **2**. Alabar mucho. **3**. Recomendar mucho. ◻ Es v. irreg. Se conjuga como *agradecer*. **Sin. 1**. Subir. **2**. Ensalzar. **3**. Insistir. **Ant. 1**. Abaratar.

encarecidamente *adv.* Con mucho interés o insistencia. **Sin.** Insistentemente.

encarecimiento *s. m.* Acción de encarecer.

encargado, da **1**. *p.* de **encargar**. También *adj.* ‖ *adj.* y *s.* **2**. Que se encarga de algo.

encargar *v.* **1**. Mandar o pedir a una persona que haga o envíe una cosa. ‖ **encargarse 2**. Ocuparse de algo. **Sin. 1**. Encomendar. **Ant. 2**. Despreocuparse.

encargo *s. m.* **1**. Acción de encargar. **2**. Lo que se encarga. **Sin. 2**. Recado, pedido.

encariñarse *v.* Cogerle cariño a una persona, animal o cosa.

encarnación *s. f.* **1**. Acción de encarnar o encarnarse. **2**. Representación o personificación. **Sin. 2**. Imagen.

encarnado, da **1**. *p.* encarnar. También *adj.* ‖ *adj.* y *s. m.* **2**. De color rojo. **Sin. 2**. Colorado.

encarnadura *s. f.* Capacidad de un tejido del cuerpo para curarse bien o cicatrizar.

encarnar *v.* **1**. Representar a un personaje o una cualidad. ‖ **encarnarse 2**. Según la religión cristiana, hacerse Dios hombre en la persona de Jesucristo. **Sin. 1**. Interpretar; personificar.

encarnizado, da *adj.* Se dice de la lucha o discusión muy cruel o violenta. **Sin.** Salvaje, feroz.

encarrilar *v.* **1**. Poner un vehículo en el carril del que se había salido. **2**. Dirigir por buen camino a una persona o un asunto. **Sin. 2**. Guiar, encauzar. **Ant. 1**. Descarrilar. **2**. Desviar; descarriar.

encarte *s. m.* Hoja o folleto que se coloca, suelto, pegado o cosido, entre las hojas de un libro o revista.

encasillar *v.* **1**. Poner en una casilla. **2**. Meter en un grupo a personas o cosas por alguna característica, a veces injustamente.

encasquetar *v.* **1**. Colocar bien metido en la cabeza un sombrero o gorro. **2**. Dar o encargar a una persona algo que no le gusta. **Sin. 1**. Calar. **2**. Endosar, endilgar.

encasquillarse *v.* **1**. Quedarse atascado un mecanismo o una pieza, sobre todo un arma de fuego. **2**. Atascarse al hablar o al pensar. **Sin. 1**. Engancharse. **2**. Tartamudear. **Ant. 1**. Desatascarse.

encausar *v.* En derecho, iniciar una causa o proceso judicial contra alguien.

encauzar *v.* **1**. Hacer que una corriente de agua vaya por un sitio. **2**. Encarrilar, llevar por buen camino. **Sin. 1**. Canalizar. **2**. Guiar, encarrilar. **Ant. 2**. Desviar; descarriar.

encebollado, da *adj.* Guisado con mucha cebolla.

encefálico, ca *adj.* Del encéfalo o relacionado con él.

encefalitis *s. f.* Inflamación del encéfalo.

encéfalo *s. m.* Conjunto de órganos del sistema nervioso (cerebro, cerebelo y bulbo raquídeo) situados dentro del cráneo.

encefalograma *s. m.* Electroencefalograma del cerebro.

encendedor *s. m.* Instrumento para encender por medio de una llama, de una chispa o de otra forma. **Sin.** Mechero.

encender *v.* **1.** Hacer que una cosa arda para que dé luz o calor. **2.** Hacer funcionar aparatos, luces o circuitos eléctricos. **3.** Provocar o hacer más intenso el odio, el amor, una discusión. ‖ **encenderse 4.** Sonrojarse. □ Es v. irreg. Se conjuga como *tender*. **Sin. 1.** Prender. **2.** Poner, conectar. **3.** Excitar. **4.** Ruborizarse. **Ant. 1** y **2.** Apagar. **2.** Quitar, desconectar. **4.** Palidecer.

encendido, da 1. *p.* de **encender**. También *adj.* ‖ *adj.* **2.** Rojo intenso. ‖ *s. m.* **3.** Acción de encender.

encerado, da 1. *p.* de **encerar**. También *adj.* ‖ *s. m.* **2.** Tablero para escribir en él con tizas. **Sin. 2.** Pizarra.

encerar *v.* Extender cera sobre alguna cosa, en especial sobre el suelo de un edificio.

encerrar *v.* **1.** Meter en un sitio cerrado. **2.** Contener, incluir. □ Es v. irreg. Se conjuga como *pensar*. **Sin. 2.** Comprender, englobar. **Ant. 1.** Soltar.

encerrona *s. f.* Trampa para obligar a una persona a hacer o decir algo.

encestar *v.* En baloncesto, meter un jugador el balón dentro de la canasta.

enceste *s. m.* En baloncesto, acción de encestar.

encharcar *v.* Formar o formarse charcos en el suelo.

enchufado, da 1. *p.* de **enchufar**. También *adj.* ‖ *adj. y s.* Que tiene enchufe o recomendación.

enchufar *v.* **1.** Encajar las dos piezas del enchufe para que llegue la corriente eléctrica a un aparato. **2.** Dar a alguien trabajo u otra cosa buena, no por sus méritos, sino por una recomendación. **Sin. 1.** Conectar. **Ant. 1.** Desenchufar.

enchufe *s. m.* **1.** Las dos piezas que hay que encajar para que un aparato eléctrico funcione. **2.** Forma de conseguir un trabajo u otra cosa gracias a una recomendación y no por méritos propios.

encía *s. f.* En la boca, parte carnosa en que están encajados los dientes y las muelas.

encíclica *s. f.* Escrito que dirige el papa a los obispos y creyentes de la Iglesia católica.

enciclopedia *s. f.* Libro o conjunto de libros que contienen los conocimientos fundamentales de una o varias materias.

enciclopédico, ca *adj.* De una enciclopedia o relacionado con ella.

encierro *s. m.* **1.** Acción de encerrar o encerrarse y lugar donde se encierra. **2.** Acción de llevar los toros al toril para encerrarlos antes de la corrida.

encima *adv.* **1.** En un lugar más alto que otro, sobre alguien o algo: *La colcha se pone encima de las sábanas.* **2.** Muy cerca: *Ya están encima los exámenes.* **3.** Además, por si fuera poco: *Perdí la cartera y encima llegué tarde.* **Expr. por encima** Superficialmente, sin profundizar: *Leí el periódico por encima.* **Ant. 1.** Abajo, debajo. **2.** Lejos.

encimera *s. f.* Tablero que cubre los muebles y electrodomésticos de la cocina.

encina *s. f.* Árbol de copa ancha, hojas perennes, pequeñas, redondeadas o lanceoladas, y madera muy dura. Su fruto es la bellota.

encinar *s. m.* Terreno con muchas encinas.

encinta *adj.* Se dice de la mujer embarazada. **Sin.** Preñada.

encizañar *v.* Meter cizaña, hacer que otros se enfaden. **Sin.** Enemistar. **Ant.** Reconciliar.

enclavado, da *adj.* Situado en un lugar, o como enclave.

enclave *s. m.* Territorio o comunidad con unas características propias que está dentro de otro mayor.

enclenque *adj. y s.* Muy flaco, con pocas fuerzas o poca salud. **Sin.** Endeble, esmirriado. **Ant.** Robusto.

encofrar *v.* Hacer un armazón que sostiene el hormigón mientras éste fragua.

encoger *v.* **1.** Disminuir de tamaño. **2.** Recoger nuestro cuerpo o una parte de él de modo que ocupe menos espacio. ‖ **encogerse 3.** Acobardarse. **Expr. encogerse de hombros** Levantarlos en señal de que no sabemos o no nos importa algo. **Sin. 1.** Reducir. **2.** Contraer. **3.** Achicarse. **Ant. 1.** Ensanchar. **2.** Estirar. **3.** Crecerse.

encolar *v.* Dar cola o pegar con cola.

encolerizar v. Enfadar mucho, poner furioso. Sin. Enojar, enfurecer, irritar. Ant. Calmar.

encomendar v. 1. Encargar a alguien que haga algo. ‖ **encomendarse** 2. Ponerse en manos de alguien buscando su ayuda. □ Es v. irreg. Se conjuga como *pensar*. Sin. 1. Delegar.

encomiar v. Elogiar mucho. Sin. Alabar, ensalzar. Ant. Criticar.

encomio s. m. Elogio grande. Sin. Alabanza. Ant. Crítica.

enconado, da 1. p. de enconar. ‖ adj. 2. Muy intenso o violento: *una enconada lucha*.

enconar v. 1. Hacer que aumente el odio o la enemistad entre dos o más personas. 2. Poner peor una herida. Sin. 1. Avivar, recrudecer. Ant. 1. Apaciguar. 2. Sanar.

encono s. m. Enemistad o rencor muy grande.

encontradizo, za adj. Se usa en la expresión **hacerse** uno **el encontradizo**, 'simular un encuentro casual con una persona'.

encontrado, da 1. p. de encontrar. También adj. ‖ adj. 2. Contrario, opuesto. Sin. 2. Enfrentado.

encontrar v. 1. Descubrir a una persona o cosa por casualidad o porque se la estaba buscando. 2. Ver de una manera: *Te encuentro cambiado*. ‖ **encontrarse** 3. Estar en un lugar. 4. Sentirse. 5. Unirse en un punto dos o más cosas. □ Es v. irreg. Se conjuga como *contar*. Sin. 1. Topar. 1 a 3. Hallar. 5. Coincidir, converger. Ant. 1. Perder. 5. Separarse.

encontronazo s. m. Choque fuerte.

encopetado, da adj. De alto copete, de buena posición social.

encorajinar v. Irritar, poner furioso. Sin. Encolerizar, enojar, enfurecer. Ant. Calmar.

encorvado, da 1. p. de encorvar. También adj. ‖ adj. 2. Curvo.

encorvar v. 1. Hacer que algo tome forma curva. ‖ **encorvarse** 2. Doblar una persona la espalda hacia delante. Sin. 1. Arquear, curvar, combar. Ant. 1 y 2. Enderezar.

encrespar v. 1. Enfadar mucho. 2. Alborotar y levantar las olas del mar. 3. Rizar el pelo o ponerlo de punta. Sin. 1. Irritar, exasperar. 2. Picarse. 3. Ensortijar. Ant. 1 y 2. Calmar. 2. Apaciguar. 3. Alisar.

encrucijada s. f. 1. Cruce de caminos o calles. 2. Situación difícil en la que hay que decidirse entre varias posibilidades. Sin. 1. Intersección.

encuadernación s. f. 1. Acción de encuadernar algo. 2. Tapas con que se ha encuadernado un libro.

encuadernar v. Coser o pegar las hojas que forman un libro y ponerles las tapas.

encuadrar v. 1. Poner en un marco o cuadro. 2. Incluir dentro de un grupo, época o circunstancias. 3. Captar la imagen de algo con el objetivo de una cámara. Sin. 1 y 2. Enmarcar. 2. Clasificar, localizar.

encuadre s. m. Lo que capta el objetivo de una cámara según se coloque ésta.

encubierto, ta 1. p. de encubrir. ‖ adj. 2. Oculto o disimulado para que no se descubra.

encubridor, ra adj. y s. Que oculta algo o ayuda a otro a ocultar algo malo que ha hecho.

encubrir v. Ocultar una cosa o impedir que llegue a saberse. □ Su p. es irreg.: *encubierto*. Sin. Esconder, enmascarar. Ant. Revelar.

encuentro s. m. 1. Hecho de encontrarse. 2. En deporte, partido.

encuesta s. f. Serie de preguntas que se hace a un grupo de personas para conocer su opinión sobre algo. Sin. Sondeo.

encuestado, da adj. y s. Persona a la que se hace una encuesta.

encuestador, ra s. m. y f. Persona que hace encuestas.

encumbrar v. Colocar a alguien en una buena posición. Sin. Elevar, ascender. Ant. Relegar.

encurtido, da adj. y s. m. Se dice de los pepinillos, aceitunas y otros alimentos conservados en vinagre.

ende Se usa en la expresión **por ende**, 'por tanto', 'por consiguiente'.

endeble adj. Débil, frágil. Sin. Flojo, enclenque. Ant. Fuerte.

endecasílabo adj. y s. m. Se dice del verso de once sílabas.

endémico, ca adj. 1. Se dice de la enfermedad habitual en un territorio o país durante épocas fijas. 2. Se dice del animal o vegetal típico de una zona determinada y que sólo vive en ella. 3. Se dice del mal o problema muy frecuente en un lugar.

endemoniado, da adj. y s. 1. Poseído por el demonio. ‖ adj. 2. Que molesta o da mucho trabajo. Sɪɴ. 1. Poseso. 2. Maldito, endiablado.

enderezar v. 1. Poner derecho algo que estaba torcido. 2. Hacer mejor a alguien o algo que no iban por buen camino. Sɪɴ. 1. Erguir. 2. Encauzar, encarrilar. Aɴᴛ. 1. Torcer. 2. Pervertir.

endeudarse v. Llenarse de deudas. Sɪɴ. Entramparse.

endiablado, da adj. 1. Muy malo o molesto. 2. Muy grande: velocidad endiablada. Sɪɴ. 1. Endemoniado, maldito. 2. Enorme.

endibia s. f. Planta de huerta con hojas de color verde claro agrupadas en un manojo. Se come sobre todo en ensaladas.

endilgar v. fam. Encargar a otro algo molesto o desagradable. Sɪɴ. Endosar, encasquetar, endiñar. Aɴᴛ. Librar.

endiñar v. 1. fam. Pegar, propinar. 2. fam. Endilgar.

endiosar v. Hacer creer a alguien que es muy superior a los demás.

endocardio s. m. Membrana que recubre las cavidades del corazón.

endocarpio o **endocarpo** s. m. En algunos frutos, parte en la que está encerrada la semilla.

endocrino, na adj. 1. Se dice de las hormonas que se forman dentro del cuerpo y de las glándulas que las producen. || s. m. y f. 2. Endocrinólogo.

endocrinología s. f. Parte de la medicina que estudia las glándulas endocrinas y sus enfermedades.

endocrinólogo, ga s. m. y f. Médico especializado en endocrinología.

endodoncia s. f. Intervención en la parte interna de los dientes y de las muelas.

endolinfa s. f. Líquido que ocupa el interior del laberinto del oído de los vertebrados.

endomingarse v. Arreglarse más que de costumbre.

endosar v. Dar o encargar a otra persona lo que no nos gusta. Sɪɴ. Endilgar, encasquetar.

endoscopio s. m. Instrumento usado por los médicos para ver las paredes del estómago y los intestinos.

endrina s. f. Fruto del endrino, de color negro azulado y sabor ácido, usado para hacer el licor llamado pacharán.

endrino s. m. Árbol espinoso de hojas caducas y lanceoladas y flores blancas; su fruto es la endrina.

endulzar v. 1. Poner dulce. 2. Hacer más agradable o feliz. Sɪɴ. 1. Azucarar. Aɴᴛ. 1 y 2. Amargar.

endurecer v. 1. Poner dura o más dura una cosa. 2. Hacer a una persona más dura, fuerte o insensible. □ Es v. irreg. Se conjuga como agradecer. Sɪɴ. 2. Curtir, fortalecer. Aɴᴛ. 1. Reblandecer. 1 y 2. Ablandar.

enea s. f. Planta acuática perenne, con el tallo en forma de caña y hojas estrechas y largas, usadas para hacer asientos de sillas y otros objetos. Sɪɴ. Espadaña, anea.

eneágono s. m. Polígono de nueve ángulos y nueve lados.

eneasílabo adj. y s. m. Se dice del verso de nueve sílabas.

enebro s. m. Arbusto perenne de hojas rígidas, que pinchan y están agrupadas de tres en tres; su madera es fuerte y rojiza y con su fruto se hace la ginebra.

enema s. m. Introducción de agua por el ano para provocar la defecación y dejar limpio el intestino. Sɪɴ. Lavativa.

enemigo, ga adj. y s. 1. Que está en contra de alguien o lucha contra él. 2. Contrario: Es enemigo de las peleas. Sɪɴ. 1. Adversario. 2. Opuesto. Aɴᴛ. 1. Partidario. 2. Amigo.

enemistad s. f. Relación entre enemigos. Sɪɴ. Hostilidad. Aɴᴛ. Amistad.

enemistar v. Hacer que alguien pierda la amistad que tenía con otro, o dejar de ser amigos. Sɪɴ. Indisponer. Aɴᴛ. Reconciliar.

energético, ca adj. De la energía o relacionado con ella.

energía s. f. 1. En física, capacidad de un cuerpo o sistema para realizar un trabajo. 2. Fuerzas, ánimo. 3. Intensidad. || 4. **fuentes de energía** El Sol, el viento, el petróleo y otras cosas de las que se obtiene energía. Aɴᴛ. 2. Debilidad.

enérgico, ca adj. Que tiene fuerza y decisión. Sɪɴ. Fuerte, decidido. Aɴᴛ. Débil.

energúmeno, na s. m. y f. Persona que se enfurece mucho y con facilidad: ponerse como un energúmeno.

enero s. m. Primer mes del año, de treinta y un días.

enervar v. 1. Quitar las fuerzas, debilitar. 2. En el lenguaje corriente se emplea con el significado de 'poner nervioso'. Aɴᴛ. 1. Fortalecer. 2. Calmar.

enésimo, ma adj. 1. Se dice de un número indeterminado. 2. Se dice de un número grande de veces: *Fueron de nuevo a su casa, pero por enésima vez no le encontraron allí.*

enfadar v. 1. Causar enfado. || **enfadarse** 2. Cogerse un enfado. 3. Enemistarse con alguien. Sin. 1 y 2. Enojar(se), irritar(se). Ant. 1 y 3. Reconciliar(se).

enfado s. m. Mal humor, reacción de alguien ante una persona o cosa que le molesta mucho.

énfasis s. m. Fuerza con que se dice algo para destacar su importancia.

enfático, ca adj. Con énfasis.

enfatizar v. Poner el énfasis en algo.

enfermar v. Ponerse enfermo. Ant. Sanar.

enfermedad s. f. Mal funcionamiento en el organismo de un ser vivo, trastorno de la salud. Sin. Dolencia, afección. Ant. Salud.

enfermería s. f. Lugar para atender a enfermos o heridos que hay en algunos sitios, como campos de fútbol, plazas de toros, colegios y empresas.

enfermero, ra s. m. y f. Ayudante de un médico, que atiende a enfermos o heridos.

enfermizo, za adj. 1. Que enferma con facilidad. 2. Propio de un enfermo. Sin. 1. Delicado. Ant. 1 y 2. Sano.

enfermo, ma adj. y s. Que sufre una enfermedad. Sin. Indispuesto; paciente. Ant. Sano.

enfervorizar v. 1. Hacer sentir fervor religioso. 2. Producir gran entusiasmo. Sin. 2. Entusiasmar, enardecer. Ant. 2. Decepcionar.

enfilar v. Tomar una dirección o dirigir algo hacia un lugar. Ant. Desviar.

enflaquecer v. Poner o ponerse flaco. □ Es v. irreg. Se conjuga como *agradecer*. Sin. Adelgazar. Ant. Engordar.

enfocar v. 1. Hacer que se vea con claridad una imagen que se mira a través de una lente o que se proyecta en una pantalla. 2. Dirigir hacia un punto un foco o una cámara fotográfica, de cine o de vídeo. 3. Tratar algo de una manera. Sin. 1. Encuadrar, ajustar. 3. Orientar. Ant. 1. Desenfocar.

enfoque s. m. Acción de enfocar. Sin. Encuadre; orientación.

enfrascarse v. Concentrarse mucho en algo. Sin. Embeberse, abstraerse. Ant. Distraerse.

enfrentamiento s. m. Acción de enfrentar o enfrentarse. Sin. Lucha; competición; discusión. Ant. Unión.

enfrentar v. 1. Hacer que alguien luche, compita o discuta con otro. || **enfrentarse** 2. Intentar resolver las dificultades. Sin. 1. Enemistar, contender. 2. Afrontar, arrostrar. Ant. 1. Unir. 2. Eludir.

enfrente adv. Delante o en la parte opuesta.

enfriamiento s. m. 1. Acción de enfriar o enfriarse. 2. Catarro, resfriado.

enfriar v. 1. Dar frío o poner fría una cosa. 2. Quitar fuerza a un sentimiento, a un proyecto, etc. || **enfriarse** 3. Coger frío una persona. Sin. 3. Acatarrarse, resfriarse. Ant. 1. Calentar. 2. Avivar.

enfundar v. Poner dentro de la funda. Sin. Envainar. Ant. Desenfundar.

enfurecer v. Poner furioso. □ Es v. irreg. Se conjuga como *agradecer*. Sin. Irritar, enojar. Ant. Calmar.

enfurecido, da 1. p. de enfurecer. || adj. 2. Furioso. Sin. 2. Irritado, enojado. Ant. 1 y 2. Tranquilo.

enfurruñarse v. Enfadarse.

engalanar v. Adornar, arreglar.

enganchar v. 1. Sujetar o unir con un gancho o de forma parecida. 2. Coger, atrapar, pillar. || **engancharse** 3. Consumir drogas y empezar a depender de ellas. Ant. 1 y 3. Desenganchar(se).

enganche s. m. 1. Acción de enganchar o engancharse. 2. Objeto o sistema usado para enganchar.

enganchón s. m. Roto que se hace en una cosa, sobre todo en un tejido, al engancharse con algo.

engañabobos s. m. Engañifa.

engañar v. 1. Hacer creer a alguien una mentira o que algo es como en realidad no es. 2. Hacer una trampa o estafa. 3. Calmar por poco tiempo una necesidad, sobre todo el hambre. Sin. 1. Mentir; confundir. 2. Timar. Ant. 1. Desengañar.

engañifa s. f. Cosa que parece buena o útil, pero no lo es. Sin. Timo, engañabobos.

engaño s. m. Acción de engañar. Sin. Mentira, embuste; timo. Ant. Desengaño; verdad.

engañoso, sa adj. Que engaña, que parece de una manera y es de otra. Sin. Falso, falaz. Ant. Verdadero.

engarce s. m. Acción de engarzar.

engarzar v. Enganchar, unir.

engastar v. Encajar una cosa en otra, sobre todo una piedra preciosa en un soporte de metal.

engatusar v. Ganarse a alguien con alabanzas o amabilidades. SIN. Camelar.

engendrar v. 1. Producir el hombre y los animales individuos de su misma especie. 2. Causar, generar. SIN. 1. Procrear. 2. Originar.

engendro s. m. 1. Criatura deforme o monstruosa. 2. Cosa muy mal hecha.

englobar v. Contener, incluir. SIN. Comprender, abarcar. ANT. Excluir.

engolado, da adj. Afectado, poco natural.

engolfarse v. Concentrarse mucho en algo sin darse cuenta de nada más. SIN. Enfrascarse. ANT. Distraerse.

engolosinar v. Hacer desear algo mostrándolo como muy atractivo.

engomado, da adj. Que tiene goma para que pueda pegarse: *papel engomado.*

engominar v. Poner gomina en el cabello.

engordar v. Poner o ponerse gordo. ANT. Adelgazar.

engorde s. m. Acción de engordar a los animales.

engorro s. m. Asunto molesto o fastidioso. SIN. Fastidio, incordio. ANT. Placer.

engorroso, sa adj. Molesto, fastidioso. SIN. Incómodo.

engranaje s. m. 1. Acción de engranar. 2. Conjunto de piezas con dientes que engranan unos con otros.

engranar v. Encajar los dientes de dos o más piezas para que se muevan conjuntamente.

engrandecer v. 1. Hacer más grande. 2. Hacer más noble o mejor. □ Es v. irreg. Se conjuga como *agradecer.* SIN. 1. Agrandar, acrecentar. 2. Enaltecer, ensalzar. ANT. 1. Empequeñecer.

engrandecimiento s. m. Acción de engrandecer.

engrasar v. Untar con grasa o aceite. SIN. Lubricar. ANT. Desengrasar.

engrase s. m. Acción de engrasar.

engreído, da adj. Soberbio y presumido. SIN. Vanidoso. ANT. Humilde.

engreimiento s. m. Soberbia, vanidad. ANT. Humildad.

engrosar v. 1. Hacer grueso o más grueso. 2. Aumentar. SIN. 1. Ensanchar, abultar. 2. Incrementar. ANT. 1. Estrechar. 2. Disminuir.

engrudo s. m. Pasta de harina y agua que se usa para pegar.

enguachinar v. Echar más agua de lo necesario. SIN. Aguar.

engullir v. Tragar la comida muy deprisa y casi sin masticar. □ Es v. irreg. Se conjuga como *mullir.* SIN. Devorar.

enharinar v. Cubrir con harina.

enhebrar v. Meter un hilo por el ojo de la aguja o por el agujerito de una cuenta o perla. SIN. Ensartar.

enhiesto, ta adj. Levantado, derecho. SIN. Erguido. ANT. Tumbado.

enhorabuena s. f. Felicitación.

enigma s. m. Cosa desconocida o muy difícil de comprender. SIN. Misterio, secreto.

enigmático, ca adj. Difícil de comprender.

enjabonar v. Dar jabón a alguien o algo para lavarlo. ANT. Aclarar.

enjaezar v. Poner jaeces o adornos a las caballerías.

enjalbegar v. Blanquear las paredes con cal o yeso disuelto en agua. SIN. Blanquear, encalar.

enjambre s. m. Conjunto de las abejas de una colmena.

enjaular v. Meter en una jaula o en algo parecido. SIN. Encerrar.

enjoyado, da adj. Que lleva muchas joyas.

enjuagar v. 1. Quitar el jabón o la espuma de alguna cosa echándole agua. || **enjuagarse** 2. Limpiarse la boca y los dientes con agua u otro líquido.

enjuague s. m. 1. Acción de enjuagar o enjuagarse. 2. Trampa, chanchullo.

enjugar v. Secar algo que está mojado o húmedo, sobre todo las lágrimas o el sudor.

enjuiciar v. 1. Dar un juicio o una opinión. 2. Hacer un juicio contra alguien. SIN. 1 y 2. Juzgar. 2. Procesar.

enjundia s. f. Lo más importante o interesante de algo. SIN. Sustancia.

enjundioso, sa adj. Interesante, con muchas ideas: *un discurso enjundioso.*

enjuto, ta adj. Flaco. ANT. Gordo.

enlace s. m. 1. Lo que sirve para unir o comunicar a personas o cosas. 2. Boda. 3. En química, fuerza que une los átomos para formar una molécula. SIN. 1. Nexo, vínculo. 2. Matrimonio, desposorio. ANT. 1. Separación.

enlatar v. Meter los alimentos en latas para conservarlos.

enlazar v. Unir o relacionar. SIN. Conectar, vincular. ANT. Separar.

enloquecer v. Volver o volverse loco. □ Es v. irreg. Se conjuga como *agradecer*. **Sin.** Enajenar, desequilibrar.

enlosar v. Cubrir un suelo con losas o baldosas.

enlucido, da 1. *p.* de **enlucir**. También *adj.* ‖ *s. m.* 2. Acción de enlucir. **Sin.** 2. Revoque.

enlucir v. Cubrir una superficie con una capa de yeso, cal, etc. □ Es v. irreg. Se conjuga como *lucir*. **Sin.** Revocar, encalar.

enlutado, da *adj.* Vestido de luto.

enmadrado, da *adj.* Se dice del niño que no se separa de su madre.

enmarañar v. Hacer una maraña o un lío: *enmarañar la lana de un ovillo; enmarañarse una historia.* **Sin.** Enredar; embarullar. **Ant.** Desenredar; aclarar.

enmarcar v. 1. Poner marco a un cuadro, una fotografía, etc. 2. Situar algo dentro de un tiempo, lugar, estilo. **Sin.** 2. Encuadrar.

enmascarar v. 1. Tapar la cara con una careta o un disfraz. 2. Esconder, disimular. **Sin.** 2. Ocultar, encubrir. **Ant.** 1. Desenmascarar. 2. Descubrir.

enmendar v. Corregir o corregirse: *Enmendaron el error. Era un bebedor, pero se enmendó.* □ Es v. irreg. Se conjuga como *pensar*. **Expr. enmendarle la plana** a alguien Corregirle. **Sin.** 1. Rectificar, reparar. **Ant.** Reincidir.

enmienda *s. f.* Acción de enmendar o enmendarse. **Sin.** Rectificación, reforma. **Ant.** Reincidencia.

enmohecer v. Cubrir o cubrirse de moho. □ Es v. irreg. Se conjuga como *agradecer*.

enmoquetar v. Cubrir con moqueta.

enmudecer v. 1. Perder el habla o callarse. 2. Dejar de sonar o hacer ruido. □ Es v. irreg. Se conjuga como *agradecer*.

ennegrecer v. Poner o ponerse negra una cosa. □ Es v. irreg. Se conjuga como *agradecer*. **Sin.** Ensuciar. **Ant.** Blanquear.

ennoblecer v. 1. Hacer noble, de buenos sentimientos. 2. Dar elegancia o distinción. □ Es v. irreg. Se conjuga como *agradecer*. **Sin.** 1. Honrar, enaltecer. 2. Refinar. **Ant.** 1. Humillar. 2. Vulgarizar.

enojar v. Enfadar o molestar mucho. **Sin.** Enfurecer, irritar. **Ant.** Calmar; agradar.

enojo *s. m.* Enfado. **Sin.** Irritación.

enojoso, sa *adj.* Que enoja.

enorgullecer v. Llenar de orgullo y satisfacción. □ Es v. irreg. Se conjuga como *agradecer*. **Sin.** Halagar; vanagloriarse. **Ant.** Avergonzar.

enorme *adj.* Muy grande. **Sin.** Inmenso, gigantesco. **Ant.** Minúsculo.

enormidad *s. f.* Cantidad o tamaño muy grandes: *costar algo una enormidad; la enormidad del mar.* **Sin.** Inmensidad. **Ant.** Pequeñez.

enquistarse v. Formarse un quiste.

enrabietar v. Hacer coger una rabieta.

enraizar v. 1. Echar raíces las plantas. 2. Establecerse en un lugar. 3. Tener éxito una moda, costumbre, etc. **Sin.** 1. Prender. 1 a 3. Arraigar. **Ant.** 1 a 3. Desarraigar. 2. Marcharse. 3. Olvidarse.

enrarecer v. 1. Hacer menos denso un gas. 2. Hacer menos puro el aire. 3. Empeorar una situación o relación. □ Es v. irreg. Se conjuga como *agradecer*. **Sin.** 2. Contaminar. **Ant.** 2. Purificar.

enredadera *adj.* y *s. f.* Se dice de las plantas que tienen tallos con pequeñas raíces que van trepando por los muros o por otras plantas, como por ejemplo la hiedra.

enredador, ra *adj.* y *s.* Que enreda, travieso.

enredar v. 1. Hacer un lío con hilos, pelos y cosas parecidas. 2. Hacer difícil o complicado. 3. Meter a alguien en algo malo o peligroso: *Intentaron enredarlo en el robo.* 4. Jugar o hacer travesuras. ‖ **enredarse** 5. Engancharse con algo. 6. Empezar una pelea o discusión. **Sin.** 1. Enmarañar. 2. Embrollar. 2 y 3. Complicar. **Ant.** 1. Desenredar. 2. Aclarar.

enredo *s. m.* 1. Conjunto de cosas enredadas. 2. Problema, complicación. **Sin.** 1. Revoltijo, maraña. 1 y 2. Lío. 2. Embrollo.

enrejado *s. m.* Reja en puertas y ventanas, hecha de barrotes, listones o cañas entrecruzados.

enrevesado, da *adj.* Muy difícil o complicado. **Sin.** Lioso, intrincado. **Ant.** Fácil, sencillo.

enriquecer v. 1. Hacer rico o más rico. 2. Aumentar, mejorar: *enriquecer la leche con vitaminas.* □ Es v. irreg. Se conjuga como *agradecer*. **Ant.** 1. Empobrecer. 2. Disminuir, empeorar.

enriquecimiento *s. m.* Acción de enriquecer o enriquecerse.

enrocar v. En el ajedrez, mover en una misma jugada el rey y la torre según ciertas condiciones.

enrojecer v. Poner o ponerse rojo. □ Es v. irreg. Se conjuga como *agradecer*. **Sin.** Ruborizarse, sonrojarse. **Ant.** Palidecer.

enrojecimiento s. m. Acción de enrojecer o enrojecerse. **Sin.** Rubor.

enrolarse v. Apuntarse para entrar en el ejército o en otro grupo o actividad.

enrollar v. 1. Poner algo en forma de rollo. ‖ **enrollarse** 2. Extenderse mucho al hablar o escribir. 3. Tener relaciones amorosas dos personas. **Sin.** 1. Arrollar. **Ant.** 1. Desenrollar. 2. Abreviar.

enronquecer v. Poner ronco. □ Es v. irreg. Se conjuga como *agradecer*.

enroque s. m. En ajedrez, acción de enrocar.

enroscar v. 1. Enrollar algo en espiral. 2. Meter o colocar una cosa en un sitio, dándole vueltas: *enroscar un tornillo, un tapón*. **Sin.** 2. Atornillar. **Ant.** 1 y 2. Desenroscar. 2. Desatornillar.

ensaimada s. f. Bollo esponjoso de forma espiral, originario de Baleares.

ensalada s. f. Plato de vegetales y hortalizas crudos, a los que se añade sal, aceite, vinagre y, a veces, salsas y otros ingredientes.

ensaladera s. f. Recipiente hondo para servir la ensalada.

ensaladilla s. f. Plato hecho con patatas cocidas, zanahorias, atún y otros alimentos, mezclados con mayonesa. También se llama *ensaladilla rusa*.

ensalivar v. Mojar o ablandar con saliva: *Los alimentos se mastican y ensalivan antes de tragarlos*.

ensalmo s. m. Palabras o remedios mágicos que emplean los curanderos.

ensalzar v. Alabar, elogiar mucho. **Sin.** Encomiar, enaltecer. **Ant.** Denostar.

ensamblaje s. m. Acción de ensamblar.

ensamblar v. Unir dos piezas encajando unas partes en otras. **Sin.** Acoplar.

ensanchar v. Hacer más ancho. **Sin.** Extender, agrandar. **Ant.** Estrechar.

ensanche s. m. 1. Acción de ensanchar y parte que se ensancha: *Utilizamos el ensanche de la carretera*. 2. Parte de una ciudad en que se van construyendo nuevos barrios.

ensangrentar v. Manchar o llenar de sangre. □ Es v. irreg. Se conjuga como *pensar*.

ensañarse v. Disfrutar haciendo mucho daño. **Sin.** Cebarse. **Ant.** Apiadarse.

ensartar v. 1. Meter por un hilo o alambre perlas, cuentas, anillas, etc. 2. Atravesar algo usando un objeto con punta. 3. Ir uniendo, al hablar, chistes, anécdotas u otras cosas: *Ensartaba una historia detrás de otra*. **Sin.** 2. Traspasar. 3. Encadenar, empalmar.

ensayar v. 1. Repetir varias veces una cosa para que luego salga bien. 2. Hacer pruebas con algo para ver si es bueno, resistente, eficaz, etc.: *Están ensayando una nueva vacuna contra esa enfermedad*. 3. En rugby, conseguir un ensayo. **Sin.** 2. Experimentar, probar. **Ant.** 1. Improvisar.

ensayista s. m. y f. Autor que escribe ensayos.

ensayo s. m. 1. Acción de ensayar. 2. Representación de una obra de teatro u otro espectáculo antes de que se estrene ante el público. 3. Escrito en el que un autor trata un tema literario, científico, filosófico, etc. 4. En rugby, acción de colocar el balón detrás de la línea de meta del equipo contrario. **Sin.** 1. Experimento, prueba. **Ant.** 1. Improvisación.

enseguida adv. En un momento, inmediatamente.

ensenada s. f. Entrada del mar en la tierra. **Sin.** Bahía, rada.

enseña s. f. Insignia, bandera u otra cosa que distingue y representa a un grupo de personas. **Sin.** Estandarte, emblema.

enseñanza s. f. 1. Actividad de enseñar a alguien. ‖ pl. 2. Conocimientos, técnicas y otras cosas que se enseñan.

enseñar v. 1. Dar a alguien los conocimientos necesarios para que aprenda algo. 2. Mostrar, poner a la vista. 3. Servir de escarmiento. **Sin.** 1. Instruir, educar. **Ant.** 2. Ocultar.

enseñorearse v. Apoderarse, adueñarse.

enseres s. m. pl. Muebles, utensilios y otras cosas necesarias que hay en una casa o local. **Sin.** Útiles, efectos.

ensillar v. Poner la silla de montar a un caballo.

ensimismamiento s. m. Acción de ensimismarse.

ensimismarse v. Quedarse alguien muy pensativo, concentrado en sus pensamientos. **Sin.** Abstraerse, enfrascarse. **Ant.** Distraerse.

ensoberbecer v. Hacer a alguien soberbio, hacer que se crea superior. □ Es v. irreg. Se conjuga como *agradecer*. **Sin.** Envanecer. **Ant.** Humillar.

ensombrecer *v.* **1.** Cubrir de sombra, oscurecer. **2.** Entristecer, quitar alegría. □ Es v. irreg. Se conjuga como *agradecer.* **SIN. 1.** Nublarse. **2.** Apenar. **ANT. 1.** Aclarar. **2.** Alegrar.

ensordecedor, ra *adj.* Se dice del sonido muy fuerte, que impide oír bien.

ensordecer *v.* **1.** Impedir un sonido muy fuerte que alguien pueda oír. **2.** Dejar sordo. □ Es v. irreg. Se conjuga como *agradecer.* **SIN. 1.** Atronar.

ensortijado, da *adj.* Muy rizado. **ANT.** Lacio.

ensuciar *v.* Manchar, poner sucio. **SIN.** Embadurnar. **ANT.** Limpiar.

ensueño *s. m.* Ilusión, fantasía. **EXPR. de ensueño** Estupendo, fantástico.

entablamento *s. m.* Parte superior de la fachada de algunos edificios, como los templos griegos, formada por *cornisa, friso* y *arquitrabe.*

entablar *v.* Comenzar algunas cosas, por ejemplo una conversación. **SIN.** Empezar, iniciar. **ANT.** Zanjar.

entablillar *v.* Sujetar con tablillas y vendas una pierna o un brazo roto o lesionado para que no se mueva.

entallado, da **1.** *p.* de entallar. || *adj.* **2.** Ajustado a la cintura.

entallar *v.* Ajustar una prenda al talle o a la cintura.

entarimado *s. m.* Suelo cubierto con tablas o parqué.

ente *s. m.* **1.** Cualquier cosa que existe. **2.** Nombre de algunos organismos públicos. **SIN. 1.** Ser.

enteco, ca *adj.* Flaco, delgado.

entelequia *s. f.* Utopía, cosa muy buena, pero imposible.

entendederas *s. f. pl.* Inteligencia, capacidad para entender las cosas. **SIN.** Entendimiento, luces.

entender[1] *v.* **1.** Conocer el significado o el motivo de algo: *¿Entiendes la pregunta? No entiendo por qué lo hizo.* **2.** Saber cuáles son los sentimientos, gustos, etc., de las personas, para poder tratarlas. **3.** Saber de algo, ser experto en ello: *Entiende mucho de ordenadores.* || **entenderse** **4.** Llevarse bien con alguien. □ Es v. irreg. Se conjuga como *tender.* **SIN. 1, 2** y **4.** Comprender(se). **4.** Congeniar, compenetrarse. **ANT. 4.** Chocar.

entender[2] *s. m.* Opinión, juicio.

entendido, da *adj.* y *s.* Especialista o experto en algo. **SIN.** Versado. **ANT.** Lego.

entendimiento *s. m.* **1.** Capacidad para entender las cosas, diferenciarlas y opinar sobre ellas. **2.** Acuerdo: *llegar a un entendimiento.* **SIN. 1.** Razón, inteligencia. **2.** Arreglo, convenio. **ANT. 2.** Desacuerdo.

enterado, da **1.** *p.* de enterarse. También *adj.* || *adj.* y *s.* **2.** *fam.* Persona que sabe mucho sobre algo. **SIN. 2.** Entendido, versado. **ANT. 2.** Inexperto.

enteramente *adv.* Totalmente.

enterarse *v.* **1.** Conocer una noticia o información. **2.** Darse cuenta o comprender. **SIN. 1.** Informarse, saber, averiguar. **2.** Percatarse, apercibirse.

entereza *s. f.* Característica de la persona que sabe mantenerse tranquila en situaciones duras, tristes o desagradables. **SIN.** Firmeza, temple. **ANT.** Debilidad.

enternecedor, ra *adj.* Que enternece. **SIN.** Conmovedor.

enternecer *v.* Hacer que alguien sienta ternura o se emocione. □ Es v. irreg. Se conjuga como *agradecer.* **SIN.** Conmover, emocionar. **ANT.** Endurecer.

entero, ra *adj.* **1.** Completo, sin que falte nada. **2.** Que tiene entereza. || *adj.* y *s. m.* **3.** En matemáticas, se dice de los números que no tienen decimales. **SIN. 1.** Todo, íntegro, cabal. **ANT. 1.** Incompleto.

enterrador, ra *s. m.* y *f.* Persona que trabaja enterrando cadáveres.

enterramiento *s. m.* **1.** Acción de enterrar. **2.** Lugar donde se ha enterrado a un cadáver. **SIN. 1.** Entierro. **2.** Sepultura, fosa, tumba.

enterrar *v.* **1.** Poner algo debajo de la tierra: *enterrar un tesoro.* **2.** Dar sepultura. □ Es v. irreg. Se conjuga como *pensar.* **SIN. 1** y **2.** Sepultar. **2.** Inhumar. **ANT. 1** y **2.** Desenterrar. **2.** Exhumar.

entibiar *v.* Poner tibio. **SIN.** Templar.

entidad *s. f.* **1.** Empresa, asociación: *una entidad bancaria.* **2.** Importancia. **SIN. 1.** Sociedad, organismo. **2.** Alcance, trascendencia.

entierro *s. m.* **1.** Acción de enterrar. **2.** Cadáver que se va a enterrar y personas que lo acompañan. **SIN. 1.** Enterramiento. **2.** Sepelio.

entoldado *s. m.* **1.** Lugar cubierto de toldos. **2.** Toldo o conjunto de toldos.

entomología *s. f.* Parte de la zoología que estudia los insectos.

entomólogo, ga *s. m.* y *f.* Especialista en entomología.

entonación *s. f.* Acción de entonar y manera de hacerlo.

entonar *v.* **1.** Cantar en el tono correcto. **2.** Cantar, recitar. **3.** Ir bien un color con otro. **4.** Hacer algo que una persona se encuentre mejor, con más fuerzas. **5.** Poner animado a alguien una bebida alcohólica. **SIN. 1.** Afinar. **3.** Pegar, combinar. **5.** Achisparse. **ANT. 1.** Desafinar. **1** y **3.** Desentonar.

entonces *adv.* **1.** Indica un tiempo o momento: *Entonces, cuando era niño, teníamos otros juegos.* **2.** En ese caso: *Si no quieres ir, entonces no vayas.*

entontecer *v.* Volver tonto. □ Es v. irreg. Se conjuga como *agradecer.* **SIN.** Atontar. **ANT.** Espabilar.

entorchado *s. m.* Bordado hecho con hilo de oro o plata, como los de algunos uniformes.

entornar *v.* Dejar una puerta, ventana o los ojos sin cerrar del todo. **SIN.** Entreabrir.

entorno *s. m.* Personas y cosas que rodean a alguien o algo. **SIN.** Ámbito, ambiente.

entorpecer *v.* **1.** Hacer que algo vaya mal o más lento. **2.** Poner torpe. **3.** No dejar pensar con claridad. □ Es v. irreg. Se conjuga como *agradecer.* **SIN. 1.** Dificultar, obstaculizar. **3.** Embotar. **ANT. 1.** Facilitar. **3.** Espabilar.

entorpecimiento *s. m.* Acción de entorpecer.

entrada *s. f.* **1.** Lugar por donde se entra. **2.** Hecho de entrar. **3.** Billete que permite entrar en un cine, teatro, museo y otros lugares. **4.** Parte del dinero que cuesta un piso, un coche, etc., que se entrega al principio al comprarlo. **5.** Zona que se queda sin pelo encima de las sienes. **6.** Plato que se sirve antes de los principales. **7.** En los diccionarios, cada palabra con su definición. **SIN. 1** y **2.** Acceso. **2.** Ingreso, introducción. **6.** Entrante. **ANT. 1** y **2.** Salida.

entrado, da **1.** *p.* de **entrar.** También *adj.* ‖ *adj.* **2.** Avanzado: *Se despertó ya entrado el día.* **EXPR. entrado en años** Se dice de la persona que va siendo mayor.

entramado *s. m.* Armazón que sirve para sostener una obra de albañilería.

entramparse *v.* Endeudarse.

entrante *adj.* **1.** Próximo: *el año entrante.* ‖ *adj.* y *s. m.* **2.** Que entra: *entrantes y salientes.* ‖ *s. m.* **3.** Plato que se sirve como entrada. **SIN. 1.** Venidero. **ANT. 1.** Saliente.

entraña *s. f.* **1.** Órgano interno del cuerpo. **2.** Sentimientos, corazón. **3.** Parte más oculta, el interior: *las entrañas de la Tierra.* **SIN. 1.** Víscera, tripa. **2.** Alma.

entrañable *adj.* Querido, afectuoso, íntimo: *una amistad entrañable.*

entrañar *v.* Suponer, implicar, llevar una cosa unida otra. **SIN.** Conllevar.

entrar *v.* **1.** Ir de fuera adentro. **2.** Caber, estar o introducirse una cosa dentro de otra. **3.** Ser admitido o tomar parte en algo. **4.** Comenzar a sentir: *entrarle a uno miedo.* **5.** Empezar, llegar: *Ha entrado el invierno.* **EXPR. no entrarle** a alguien una cosa No lograr comprenderla. **SIN. 1.** Pasar, penetrar, acceder. **2.** Incluirse. **3.** Ingresar **ANT. 1** y **2.** Salir. **2.** Excluir. **3.** Dejar. **5.** Terminar.

entre *prep.* Significa 'en medio de' o 'dentro de': *Siéntate entre nosotros dos. He puesto naftalina entre la ropa;* expresa estado intermedio: *Su pelo es entre moreno y castaño;* participación o relación de dos o más personas: *Entre todos le ayudamos. Entre nosotros hay una gran amistad;* cosas donde escoger: *Elige entre estos dos regalos.*

entreabrir *v.* Abrir un poco, no del todo. □ Su p. es irreg.: *entreabierto.* **SIN.** Entornar.

entreacto *s. m.* Intermedio en una representación teatral.

entrecano, na *adj.* Se dice del pelo con bastantes canas.

entrecejo *s. m.* Espacio entre las dos cejas.

entrechocar *v.* Chocar dos cosas una contra otra.

entrecomillar *v.* Poner entre comillas palabras, frases o párrafos.

entrecortado, da *adj.* No seguido, que tiene cortes o interrupciones: *la respiración entrecortada.* **SIN.** Discontinuo, intermitente. **ANT.** Continuo.

entrecot *s. m.* Filete grueso, sobre todo el que se saca de la parte de las costillas de la res.

entrecruzar *v.* Cruzar dos o más cosas entre sí. **SIN.** Entrelazar.

entredicho *s. m.* Hecho de ponerse en duda una cosa: *Está en entredicho su honradez.*

entrega *s. f.* **1.** Acción de entregar o entregarse. **2.** Acto en el que se entregan premios, títulos y otras cosas. **3.** Cada una de las partes de una obra que se publican y venden por separado: *novela por entregas.* **SIN. 3.** Fascículo.

entregar v. 1. Dar, poner en manos de alguien. || **entregarse** 2. Dedicarse a algo con mucho interés. SIN. 1. Conceder, depositar. ANT. 1. Quitar. 2. Desentenderse.

entrelazar v. Enlazar una cosa con otra cruzándolas entre sí. SIN. Entrecruzar.

entremedias adv. Entre dos o más cosas, tiempos, acciones, lugares.

entremés s. m. 1. Plato ligero que se toma generalmente antes de las comidas. 2. Pieza de teatro breve y divertida que solía representarse entre los actos de una obra más larga.

entremeter v. 1. Meter una cosa entre otras. || **entremeterse** 2. Entrometerse. SIN. 1. Intercalar. 2. Inmiscuirse.

entremetido, da adj. 1. p. de **entremeter**. También adj. || adj. y s. 2. Entrometido.

entremezclar v. Mezclar unas cosas con otras.

entrenador, ra s. m. y f. Persona que entrena a otras. SIN. Preparador.

entrenamiento s. m. Acción de entrenar o entrenarse y ejercicios que se hacen con ese fin.

entrenar v. 1. Hacer algo muchas veces para prepararse, sobre todo los ejercicios que hacen los deportistas. 2. Dirigir a otros en esos ejercicios. SIN. 1. Practicar, ejercitar. 2. Preparar.

entrepaño s. m. Balda, estante.

entrepierna s. f. Parte interior de los muslos.

entreplanta s. f. Planta situada entre los sótanos y el primer piso o el bajo.

entresacar v. Sacar unas cosas de entre otras para escoger. SIN. Extraer; seleccionar.

entresuelo s. m. 1. En teatros y cines, planta sobre el patio de butacas. 2. Piso situado sobre la planta baja y debajo de la primera.

entretanto adv. Entre tanto, mientras.

entretejer v. Meter distintos hilos en la tela que se está tejiendo para hacer una labor o dibujo.

entretela s. f. Tejido de refuerzo que se pone entre la tela y el forro en chaquetas y otras prendas.

entretener v. 1. Hacer que alguien lo pase bien y se divierta. 2. Distraer a alguien haciéndole perder el tiempo, o distraerse uno mismo. □ Es v. irreg. Se conjuga como tener. SIN. 1. Divertir. ANT. 1. Aburrir.

entretenido, da adj. 1. Que entretiene y divierte. 2. Que se divierte, que no se aburre. 3. Que ocupa mucho tiempo. SIN. 1. Divertido, ameno. 3. Minucioso. ANT. 1 y 2. Aburrido. 3. Rápido.

entretenimiento s. m. Hecho de entretenerse y cosa con que uno se entretiene. SIN. Distracción, diversión. ANT. Aburrimiento.

entretiempo s. m. Tiempo entre el invierno y el verano, es decir, la primavera y el otoño: un traje de entretiempo.

entrever v. 1. Ver algo sin claridad, de manera confusa. 2. Adivinar, sospechar. □ Es v. irreg. Se conjuga como ver. SIN. 1. Atisbar. 1 y 2. Vislumbrar. 2. Intuir.

entreverado, da adj. Que tiene intercaladas o mezcladas cosas diferentes: tocino entreverado con magro.

entrevista s. f. 1. Encuentro en el que una persona hace preguntas a otra, por ejemplo la entrevista que hace un periodista a alguien famoso. 2. Reunión de dos o más personas para tratar de un asunto importante. SIN. Interviú.

entrevistar v. 1. Hacer una entrevista. || **entrevistarse** 2. Reunirse dos o más personas para tratar de un asunto importante.

entristecer v. 1. Producir tristeza o ponerse triste. 2. Dar aspecto triste. □ Es v. irreg. Se conjuga como agradecer. SIN. 1. Apenar, afligir. ANT. 1 y 2. Alegrar.

entrometerse v. Meterse una persona en los asuntos de los demás. SIN. Inmiscuirse, entremeterse.

entrometido, da 1. p. de **entrometerse**. || adj. y s. 2. Persona que se entromete. SIN. 2. Entremetido.

entroncar v. 1. Tener una cosa relación con otra. 2. Emparentar. SIN. 1. Conectar, vincular.

entronización s. f. Acción de entronizar.

entronizar v. Colocar a una persona en el trono. ANT. Destronar.

entronque s. m. Hecho de entroncar. SIN. Vínculo, conexión.

entubar v. Poner tubos, por ejemplo a un paciente en una operación para que pueda respirar.

entuerto s. m. Injusticia, ofensa.

entumecerse v. Quedarse rígido y sin poder moverse un miembro del cuerpo. □ Es v. irreg. Se conjuga como agradecer. SIN. Agarrotarse. ANT. Desentumecerse.

entumecimiento s. m. Hecho de entumecerse un miembro.

enturbiar v. 1. Poner turbio. 2. Estropear: *Un malentendido enturbió su amistad.* SIN.1. Ensuciar.

entusiasmar v. 1. Producir entusiasmo, gustar mucho. || **entusiasmarse** 2. Sentir entusiasmo. SIN. 1. Encantar, apasionar. ANT. 1. Desagradar.

entusiasmo s. m. 1. Lo que sentimos cuando alguien o algo nos gusta o interesa muchísimo. 2. Interés y esfuerzo muy grandes. SIN. 1. Pasión. 2. Empeño, afán. ANT. 1 y 2. Desinterés.

entusiasta adj. y s. Que siente entusiasmo o fácilmente se entusiasma.

enumeración s. f. Acción de enumerar y serie de cosas que se enumeran.

enumerar v. Exponer por orden una serie de cosas, a veces poniéndoles números. SIN. Contar, detallar.

enunciación s. f. Acción de enunciar.

enunciado s. m. 1. Palabras con que se enuncia o expone algo. 2. En lengua, un conjunto de palabras entre pausas marcadas.

enunciar v. Exponer algo de forma breve y precisa. SIN. Formular.

enunciativa adj. y s. f. En gramática, se dice de las oraciones que afirman o niegan algo.

envainar v. Meter en la vaina la espada u otra arma blanca. SIN. Enfundar. ANT. Desenvainar.

envalentonarse v. Hacerse el valiente. ANT. Rajarse, achicarse.

envanecer v. Volver vanidoso o muy creído. □ Es v. irreg. Se conjuga como *agradecer.* SIN. Ensoberbecer. ANT. Humillar.

envarado, da adj. y s. Muy serio y orgulloso. SIN. Estirado. ANT. Campechano.

envasado, da 1. p. de **envasar.** También adj. || s. m. 2. Acción de envasar.

envasar v. Introducir en recipientes un producto para guardarlo, conservarlo o transportarlo. SIN. Embotellar, enlatar.

envase s. m. 1. Recipiente donde se envasa. 2. Envasado, acción de envasar.

envejecer v. Hacer viejo o ponerse viejo. □ Es v. irreg. Se conjuga como *agradecer.* SIN. Avejentar, aviejar. ANT. Rejuvenecer.

envejecimiento s. m. Hecho de envejecer. SIN. Avejentamiento. ANT. Rejuvenecimiento.

envenenamiento s. m. Acción de envenenar o envenenarse y daño que produce. SIN. Intoxicación.

envenenar v. 1. Dar veneno a una persona o animal, o tomarlo ellos. 2. Poner veneno. 3. Dañar algo, como la amistad o los sentimientos. SIN. 1. Intoxicar. 2. Emponzoñar. ANT. 1. Desintoxicar.

envergadura s. f. 1. Importancia. 2. Distancia entre las puntas de las alas abiertas de un ave o de las de un avión, o entre los extremos de los brazos de una persona extendidos hacia los lados. 3. Anchura de la vela de un barco por la parte de abajo. SIN. 1. Alcance, relevancia.

envés s. m. Revés de una hoja o de una tela. SIN. Reverso. ANT. Derecho, anverso.

enviado, da 1. p. de **enviar.** También adj. || s. m. y f. 2. Persona que va a un lugar por mandato de otra para hacer algo. SIN. 2. Emisario.

enviar v. 1. Mandar una cosa a algún sitio. 2. Hacer ir a alguien a un lugar con algún fin. SIN. 1. Remitir, expedir. 2. Destinar. ANT. 1 y 2. Recibir.

enviciar v. 1. Hacer que alguien tenga un vicio o coger un vicio una persona. || **enviciarse** 2. Aficionarse demasiado a una cosa y no poder dejarla. SIN. 1. Pervertir, corromper. 2. Engolosinarse. ANT. 1. Regenerar.

envidar v. Hacer un envite.

envidia s. f. 1. Tristeza se que siente al ver que a otro le pasan cosas buenas o le quieren los demás. 2. Deseo de tener o hacer lo mismo que otro. SIN. 1. Celos.

envidiable adj. Que es muy bueno y lo desea todo el mundo.

envidiar v. Tener envidia de alguien.

envidioso, sa adj. y s. Que tiene envidia. SIN. Celoso.

envilecer v. Hacer malo y despreciable. □ Es v. irreg. Se conjuga como *agradecer.* SIN. Pervertir, deshonrar. ANT. Enaltecer.

envío s. m. Acción de enviar y aquello que se envía.

envite s. m. Apuesta que se hace en algunos juegos de cartas.

enviudar v. Quedarse viuda una persona.

envoltorio s. m. Cosa o cosas envueltas sin mucho cuidado y aquello con que se envuelven.

envoltura s. f. Lo que envuelve o rodea una cosa. SIN. Envoltorio, revestimiento.

envolver v. 1. Cubrir a una persona o cosa rodeándola con algo. 2. Convencer con habilidad. 3. Hacer que alguien participe o se vea metido en un asunto. □ Es v. irreg. Se conjuga como *volver*. SIN. 1. Embalar; arropar, rebozar. 3. Comprometer, implicar, involucrar. ANT. 1. Desenvolver, desembalar.

envuelto, ta 1. *p.* de **envolver**. También *adj.* ‖ *adj.* 2. Cubierto o rodeado por algo.

enyesar v. 1. Tapar o cubrir con yeso. 2. Escayolar una parte del cuerpo.

enzarzar v. Meter o meterse en una discusión o pelea. SIN. Incitar, encizañar. ANT. Apaciguar.

eólico, ca *adj.* Producido por la acción del viento: *energía eólica*.

épica *s. f.* Género de poesía en la que se cuentan grandes hazañas.

epiceno *adj.* Se dice de algunos sustantivos que tienen una misma terminación y artículo para el macho o varón y la hembra o mujer, como *jilguero* o *persona*.

epicentro *s. m.* Punto de la superficie de la Tierra donde primero se notan los efectos de un terremoto.

épico, ca *adj.* De la épica o relacionado con ese tipo de poesía.

epidemia *s. f.* Enfermedad infecciosa que ataca a la vez a muchas personas de un lugar.

epidémico, ca *adj.* De la epidemia.

epidérmico, ca *adj.* De la epidermis.

epidermis *s. f.* Capa externa de las plantas y de la piel del hombre y los animales.

epifanía *s. f.* Fiesta en que la Iglesia católica celebra la adoración de los Reyes Magos al Niño Jesús.

epigastrio *s. m.* Parte del cuerpo que va desde debajo del pecho hasta el ombligo.

epiglotis *s. f.* Lámina cartilaginosa que cierra la glotis al tragar para evitar que los alimentos vayan hacia las vías respiratorias.

epígrafe *s. m.* Título o resumen con que empieza un capítulo o un apartado de un escrito. SIN. Encabezamiento.

epilepsia *s. f.* Enfermedad nerviosa que provoca en el que la padece ataques con movimientos violentos e involuntarios y pérdida del conocimiento.

epiléptico, ca *adj.* y *s.* De la epilepsia o que sufre esta enfermedad.

epílogo *s. m.* Parte final, sobre todo la de un libro. ANT. Prólogo.

episcopado *s. m.* 1. Conjunto de los obispos. 2. Cargo del obispo. SIN. 2. Obispado.

episcopal *adj.* Del obispo.

episodio *s. m.* Cada uno de los hechos que se van sucediendo en la historia, en la vida de alguien, en una novela, etc. SIN. Capítulo; pasaje.

epístola *s. f.* Carta, escrito dirigido a alguien. SIN. Misiva.

epistolario *s. m.* Conjunto de cartas escritas por una persona o libro en que se recogen.

epitafio *s. m.* Frase que se pone a veces sobre la tumba de una persona.

epitelial *adj.* Se dice del tejido que recubre las superficies externas e internas del cuerpo.

epíteto *s. m.* Adjetivo que expresa una característica propia o destacada del sustantivo al que acompaña, como *cielo azul*.

época *s. f.* Periodo de tiempo. EXPR. **de época** Antiguo, de un tiempo pasado: *traje de época*. **hacer época** Tener mucha importancia, destacar mucho en su tiempo. SIN. Temporada, era.

epopeya *s. f.* 1. Obra poética en que se cuentan leyendas o acciones heroicas. 2. Acción realizada con un gran esfuerzo. SIN. 1. Saga. 2. Odisea, proeza.

equidad *s. f.* Justicia, imparcialidad. ANT. Injusticia.

equidistante *adj.* A la misma distancia que otra cosa.

equidistar v. Estar a la misma distancia que otro punto, línea, etc.

équido *s. m.* Nombre que se da a un grupo de mamíferos que tienen patas largas y andan sobre una especie de uña llamada *casco*, como por ejemplo el caballo o el burro.

equilátero, ra *adj.* Se dice de la figura o cuerpo geométrico que tiene todos sus lados iguales.

equilibrado, da 1. *p.* de **equilibrar**. También *adj.* ‖ *adj.* 2. Sensato, que no actúa con exageración ni hace locuras. SIN. 2. Prudente, razonable. ANT. 1 y 2. Desequilibrado.

equilibrar v. Poner en equilibrio. SIN. Nivelar, igualar, compensar. ANT. Desequilibrar.

equilibrio *s. m.* 1. Estado de un cuerpo que no se mueve ni se cae en una posición en que es fácil que lo hiciera.

2. Relación de armonía entre personas o cosas. **Sin.** 1. Estabilidad. 2. Proporción, concordancia. **Ant.** 1 y 2. Desequilibrio.

equilibrista *s. m.* y *f.* Artista que realiza ejercicios de equilibrio. **Sin.** Acróbata, funámbulo.

equino, na *adj.* y *s. m.* Del caballo o relacionado con él. **Sin.** Caballar.

equinoccio *s. m.* Momento del año en que, por estar el Sol sobre el ecuador, los días y las noches duran lo mismo en toda la Tierra. Existe el equinoccio de primavera (21 de marzo) y el de otoño (23 de septiembre).

equinodermo *s. m.* Animal marino invertebrado con el cuerpo simétrico y esqueleto exterior recubierto por la epidermis, como por ejemplo el erizo y la estrella de mar.

equipaje *s. m.* Maletas y otras cosas que se llevan de viaje. **Sin.** Bagaje.

equipamiento *s. m.* 1. Acción de equipar. 2. Conjunto de instalaciones, instrumentos y objetos con que se equipa alguna cosa.

equipar *v.* Dar o poner lo necesario para una actividad o para el funcionamiento de algo. **Sin.** Proveer, surtir.

equiparable *adj.* Que se puede equiparar.

equiparar *v.* Considerar que dos cosas son iguales o parecidas, o hacer que lo sean. **Sin.** Igualar. **Ant.** Diferenciar.

equipo *s. m.* 1. Grupo de personas que actúan en colaboración en un trabajo, deporte, etc. 2. Conjunto de aparatos o cosas que sirven para un mismo fin. **Sin.** 1. Personal.

equitación *s. f.* Deporte de montar a caballo. **Sin.** Hípica.

equitativo, va *adj.* Justo, imparcial. **Sin.** Ecuánime. **Ant.** Injusto.

equivalencia *s. f.* Relación que hay entre las cosas equivalentes.

equivalente *adj.* y *s. m.* Que tiene el mismo valor. **Sin.** Semejante, igual. **Ant.** Desigual.

equivaler *v.* Tener el mismo valor, significado o intensidad. □ Es *v.* irreg. Se conjuga como *valer*.

equivocación *s. f.* Acción de equivocarse. **Sin.** Equívoco.

equivocar *v.* 1. Hacer o considerar algo de manera distinta a como se debe. 2. Hacer que alguien cometa un error o cometerlo uno mismo. **Sin.** 1. Errar. 1 y 2. Confundir. **Ant.** 1 y 2. Acertar.

equívoco, ca *adj.* y *s. m.* 1. Que puede entenderse de varias maneras. ‖ *s. m.* 2. Equivocación. **Sin.** 1. Ambiguo. 2. Confusión, error. **Ant.** 1. Inequívoco.

era[1] *s. f.* Periodo de tiempo con unas características propias, que se cuenta a partir de un hecho importante: *era cristiana*. **Sin.** Época.

era[2] *s. f.* Terreno limpio y liso donde se trilla y separa el grano de las espigas de los cereales.

erario *s. m.* Conjunto de bienes de una nación, región o provincia.

erección *s. f.* 1. Acción de erigir. 2. Acción de levantarse el pene.

eréctil *adj.* Que se puede levantar y ponerse rígido: *Algunas aves tiene un penacho de plumas eréctil en la cabeza.*

eremita *s. m.* Persona que vive en un lugar solitario y se dedica a la oración y a la penitencia. **Sin.** Ermitaño, anacoreta.

erguir *v.* Levantar, poner derecho. □ Es *v.* irreg. **Sin.** Alzar, elevar, enderezar, empinar. **Ant.** Bajar.

ERGUIR	
GERUNDIO	
irguiendo	
INDICATIVO	
Presente	**Pret. perf. simple**
irgo o *yergo*	*erguí*
irgues o *yergues*	*erguiste*
irgue o *yergue*	*irguió*
erguimos	*erguimos*
erguís	*erguisteis*
irguen o *yerguen*	*irguieron*
SUBJUNTIVO	
Presente	**Pretérito imperfecto**
irga o *yerga*	*irguiera, -ese*
irgas o *yergas*	*irguieras, -eses*
irga o *yerga*	*irguiera, -ese*
irgamos o *yergamos*	*irguiéramos, -ésemos*
irgáis o *yergáis*	*irguierais, -eseis*
irgan o *yergan*	*irguieran, -esen*
Futuro	
irguiere	*irguiéremos*
irguieres	*irguiereis*
irguiere	*irguieren*
IMPERATIVO	
irgue o *yergue*	*erguid*

erial *s. m.* Terreno que está sin cultivar o no puede producir. **Sin.** Baldío, yermo. **Ant.** Sembrado.

erigir *v.* Construir un edificio o un monumento, o crear algo, como una ciudad o una empresa. **SIN.** Edificar; establecer. **ANT.** Destruir.

erisipela s. f. Enfermedad de la piel que produce manchas rojas en la cara y en la cabeza.

eritrocito s. m. Glóbulo rojo.

erizar v. Poner tieso el pelo o el vello.

erizo s. m. **1.** Pequeño mamífero cubierto de púas, con el hocico puntiagudo y las patas y la cola muy cortas. || **2. erizo de mar** Animal equinodermo de forma redondeada, con un caparazón cubierto de pinchos.

ermita s. f. Iglesia pequeña o capilla que suele estar en las afueras de una población.

ermitaño s. m. **1.** Monje que vive solo y dedicado a la oración y a la penitencia. **2.** Cangrejo ermitaño. Ver **cangrejo**. **SIN. 1.** Eremita, anacoreta.

erosión s. f. Desgaste en la superficie de la Tierra que van produciendo el viento, el agua y los cambios de temperatura.

erosionar v. Producir erosión.

erosivo, va adj. Que produce erosión.

erótico, ca adj. Relacionado con el amor y el deseo sexual. **SIN.** Amoroso.

erotismo s. m. Característica de erótico.

erradicar v. Hacer desaparecer por completo una cosa mala. **SIN.** Eliminar, extirpar. **ANT.** Arraigar.

errante adj. Que va de un lado para otro sin tener lugar fijo. **SIN.** Ambulante. **ANT.** Sedentario.

errar v. **1.** Fallar, equivocarse. **2.** Ir de un lado para otro sin tener un lugar fijo donde estar o vivir. □ Es v. irreg. **SIN. 2.** Vagar, deambular. **ANT. 1.** Acertar.

ERRAR		
INDICATIVO	SUBJUNTIVO	IMPERATIVO
Presente	**Presente**	
yerro	yerre	
yerras	yerres	yerra
yerra	yerre	
erramos	erremos	
erráis	erréis	errad
yerran	yerren	

errata s. f. Error en una obra impresa.

erróneo, a adj. Que contiene error. **SIN.** Equivocado, incorrecto. **ANT.** Correcto.

error s. m. Equivocación, cosa mal hecha. **SIN.** Falta, fallo. **ANT.** Acierto.

eructar v. Echar por la boca los gases del estómago haciendo ruido. **SIN.** Regoldar.

eructo s. m. Acción de eructar. **SIN.** Regüeldo.

erudición s. f. Gran cantidad de conocimientos. **SIN.** Sabiduría, cultura. **ANT.** Ignorancia.

erudito, ta adj. y s. Que tiene mucha erudición. **SIN.** Sabio. **ANT.** Ignorante.

erupción s. f. **1.** Salida violenta de materias sólidas, líquidas o gaseosas desde el interior de la tierra: la erupción de un volcán. **2.** Aparición en la piel de granos o manchas.

esaborío, a adj. fam. Aburrido, antipático. **SIN.** Desaborido, soso. **ANT.** Saleroso.

esbeltez s. f. Cualidad de esbelto.

esbelto, ta adj. Alto, delgado y de figura elegante. **SIN.** Espigado. **ANT.** Rechoncho.

esbirro s. m. Persona a la que alguien paga para que realice actos violentos. **SIN.** Sicario.

esbozar v. Hacer un esbozo.

esbozo s. m. **1.** Dibujo o pintura que se hace trazando sólo los rasgos principales. **2.** Esquema o plan de una cosa. **SIN. 1.** Boceto, bosquejo.

escabechar v. Poner un alimento en escabeche.

escabeche s. m. **1.** Salsa preparada con aceite, vinagre, laurel y otros condimentos, para conservar y hacer más sabrosos los alimentos, sobre todo el pescado. **2.** Bonito o atún conservado en esta salsa.

escabechina s. f. Gran cantidad de muertes, destrozos u otros hechos perjudiciales. **SIN.** Carnicería, hecatombe.

escabel s. m. Banqueta para apoyar los pies.

escabroso, sa adj. **1.** Rocoso, montañoso o con muchos desniveles. **2.** Que se considera inadecuado por ser indecente, violento o desagradable. **SIN. 1.** Abrupto, quebrado. **2.** Atrevido. **ANT. 1.** Llano. **2.** Inocente.

escabullirse v. Escaparse con habilidad o disimulo. □ Es v. irreg. Se conjuga como mullir. **SIN.** Escurrirse, desaparecer.

escacharrar v. Romper, estropear. **SIN.** Destrozar. **ANT.** Arreglar.

escafandra s. f. Traje que usan buzos y astronautas, completamente cerrado, que permite ver y respirar dentro de él.

escala s. f. **1.** Escalera de una sola pieza hecha de cuerda u otros materiales. **2.** Serie ordenada de cosas, como las notas musicales o los colores. **3.** Línea o banda con divisiones que tienen algunos instrumentos de medida: *la escala de un termómetro.* **4.** Relación entre las dimensiones de un mapa, plano, maqueta, etc., y las del objeto real que representan. **5.** Parada que hace un barco o avión en su recorrido. **6.** Importancia o cantidad de algo. SIN. **6.** Proporción, magnitud.

escalabrar *v.* Descalabrar.

escalada *s. f.* **1.** Acción de escalar. **2.** Aumento rápido: *la escalada de la violencia.* SIN. **1.** Ascensión. ANT. **1.** Descenso. **2.** Caída.

escalador, ra *adj. y s.* Que escala. SIN. Alpinista.

escalafón *s. m.* Lista de personas ordenada por la categoría de su cargo. SIN. Jerarquía.

escalar *v.* Subir a un sitio alto utilizando una escala o trepando. SIN. Ascender. ANT. Bajar.

escaldar *v.* **1.** Bañar una cosa en agua hirviendo. **2.** Quemar a alguien algo que está hirviendo.

escaleno, na Se dice del triángulo que tiene los tres lados y los tres ángulos desiguales.

escalera *s. f.* **1.** Serie de peldaños construidos para subir o bajar de un lugar a otro. **2.** Utensilio portátil con unos escalones o travesaños para subir o bajar.

escalerilla *s. f.* Escalera con pocos escalones.

escalfar *v.* Cocer un huevo sin la cáscara.

escalinata *s. f.* Escalera ancha, como la que hay a la entrada de algunos grandes edificios. SIN. Gradas.

escalofriante *adj.* Que aterroriza o que impresiona mucho. SIN. Espeluznante.

escalofrío *s. m.* Temblor que nos recorre el cuerpo cuando tenemos frío, fiebre o miedo. SIN. Repelús.

escalón *s. m.* **1.** Cada una de las partes horizontales de una escalera. **2.** Puesto que se asciende en un cargo, empleo u otra cosa. SIN. **1.** Peldaño. **2.** Grado.

escalonado, da 1. *p. de* **escalonar.** También *adj.* || *adj.* **2.** En forma de escalón.

escalonar *v.* **1.** Distribuir varias personas o cosas de trecho en trecho **2.** Hacer varias cosas dejando que pase un tiempo entre una y otra. ANT. **1.** Juntar. **1** y **2.** Concentrar.

escalope *s. m.* Filete fino que se empana y se fríe.

escalpelo *s. m.* Instrumento de cirugía en forma de cuchillo pequeño de hoja estrecha.

escama *s. f.* **1.** Cada una de las placas pequeñas y transparentes que cubren la piel de peces y reptiles. **2.** Otras cosas que tienen algún parecido con estas placas.

escamado, da 1. *p. de* **escamar.** || *adj.* **2.** Que sospecha o desconfía. SIN. **2.** Receloso, mosqueado.

escamar *v.* **1.** Hacer sospechar o desconfiar. **2.** Quitar las escamas a los peces. SIN. **1.** Recelar. **2.** Descamar.

escamoso, sa *adj.* Que tiene escamas.

escamotear *v.* **1.** Hacer desaparecer una cosa con habilidad, sin que otro se dé cuenta. **2.** Eliminar u ocultar algo de forma intencionada.

escampar *v.* Dejar de llover.

escanciar *v.* Echar el vino u otra bebida en un vaso.

escandalera *s. f.* Escándalo, alboroto.

escandalizar *v.* **1.** Causar escándalo. || **escandalizarse 2.** Mostrarse una persona horrorizada por algo que le parece indecente, injusto o ilegal. SIN. **1.** Alborotar.

escándalo *s. m.* **1.** Alboroto, ruido grande. **2.** Acción o conducta que hace que la gente se indigne o hable mucho de ella; también, la indignación o el revuelo que provoca. SIN. **1.** Bulla, griterío.

escandaloso, sa *adj.* **1.** Muy ruidoso. **2.** Que causa escándalo e indignación.

escandinavo, va *adj. y s.* De Escandinavia, conjunto de países de Europa.

escáner *s. m.* **1.** Aparato de rayos X con el que se obtienen imágenes del interior del cuerpo humano en varios planos. **2.** Aparato conectado a un ordenador que permite reproducir textos e imágenes en color e imprimirlos. SIN. **1** y **2.** Scanner.

escaño *s. m.* Asiento y cargo de los miembros del parlamento.

escapada *s. f.* **1.** Acción de escapar o escaparse. **2.** Breve viaje para descansar del trabajo o de las ocupaciones. SIN. **1.** Huida.

escapar *v.* **1.** Huir. **2.** Librarse. **3.** Quedar fuera de las obligaciones, posibilidades o capacidad de comprensión de una persona. || **escaparse 4.** Salirse un líquido o gas por algún agujero o raja.

5. Perder o no conseguir algo. **6.** Decir sin querer algo que se debía callar. **7.** Hacer algo sin poderse contener. SIN. **1.** Fugarse. **2.** Salvarse; eludir. **4.** Irse. ANT. **1.** Atrapar. **2.** Sufrir. **3.** Entrar.

escaparate *s. m.* En los comercios, espacio en la fachada cubierto con cristales donde se exponen las cosas que se venden.

escaparatista *s. m.* y *f.* Profesional que trabaja colocando de forma atractiva los objetos de los escaparates.

escapatoria *s. f.* Forma de escapar o de salir de una situación difícil. SIN. Salida, escape.

escape *s. m.* **1.** Salida de un gas o líquido por un agujero, raja o tubo. **2.** Escapatoria, solución. SIN. **1.** Fuga.

escápula *s. f.* Omóplato.

escapulario *s. m.* Objeto formado por dos piezas pequeñas de tela con una imagen religiosa y unidas con dos cintas largas, que cuelgan sobre el pecho y la espalda.

escaque *s. m.* Cada una de las casillas del tablero de ajedrez y de damas.

escaquearse *v.* Escabullirse una persona para evitar algo que no le gusta. SIN. Zafarse. ANT. Cumplir.

escarabajo *s. m.* Nombre común que se da a los coleópteros.

escaramujo *s. m.* Arbusto llamado también *rosal silvestre*, de hojas caducas afiladas, flores encarnadas o sonrosadas y fruto carnoso de color rojo, utilizado en farmacia.

escaramuza *s. f.* En la guerra, combate de poca importancia. SIN. Refriega.

escarapela *s. f.* Adorno o distintivo hecho con cintas de colores plegadas en forma de círculo.

escarbar *v.* **1.** Remover la tierra u otra cosa con las manos, con algunas herramientas, con las patas. **2.** Hurgar. **3.** Investigar, indagar. SIN. **1.** Hozar. **2.** Rascar.

escarceos *s. m. pl.* Intentos que alguien hace en una actividad a la que no se dedica habitualmente.

escarcha *s. f.* Rocío que se congela por la noche y forma una capa blanca sobre las superficies.

escarchado, da *adj.* **1.** Que tiene escarcha. **2.** Se dice de las frutas con un baño de almíbar que forma una capa parecida a la escarcha.

escardar *v.* Arrancar los cardos y malas hierbas de un campo cultivado.

escarlata *adj.* y *s. f.* Rojo un poco menos intenso que el carmín.

escarlatina *s. f.* Enfermedad infantil contagiosa que produce fiebre, manchas rojas en la piel e inflamación de garganta y amígdalas.

escarmentar *v.* **1.** Dar un escarmiento o castigo a una persona. **2.** Aprender alguien de los daños que causan sus errores o los de otro. □ Es v. irreg. Se conjuga como *pensar*.

escarmiento *s. m.* **1.** Castigo que se da a una persona cuando hace algo malo para que no vuelva a hacerlo. **2.** Enseñanza que se obtiene después de sufrir algún daño. SIN. **2.** Lección.

escarnecer *v.* Burlarse. □ Es v. irreg. Se conjuga como *agradecer*. SIN. Humillar. ANT. Alabar.

escarnio *s. m.* Burla muy ofensiva. SIN. Humillación. ANT. Alabanza.

escarola *s. f.* Planta de huerta con hojas abundantes y rizadas que se comen en ensalada.

escarpado, da *adj.* Se dice del terreno con mucha pendiente. SIN. Empinado, inclinado. ANT. Llano.

escarpia *s. f.* Clavo doblado en ángulo recto para colgar cosas de él. SIN. Alcayata.

escasear *v.* Haber poca cantidad de algo. SIN. Faltar. ANT. Abundar.

escasez *s. f.* El hecho de escasear algo. SIN. Carencia. ANT. Abundancia.

escaso, sa *adj.* **1.** Poco o no suficiente. **2.** Se dice de aquello a lo que falta un poco para estar justo: *El viaje duró una hora escasa.* SIN. **1.** Limitado, exiguo. **2.** Corto. ANT. **1.** Abundante. **2.** Largo.

escatimar *v.* Dar lo menos posible de algo. SIN. Regatear. ANT. Prodigar.

escayola *s. f.* **1.** Yeso especial que se emplea, mezclado con agua, para hacer esculturas y en decoración. **2.** Vendaje endurecido con esta mezcla que mantiene inmóvil un miembro roto o dislocado.

escayolar *v.* Poner una escayola en un miembro roto o dislocado para tenerlo quieto. SIN. Enyesar.

escayolista *s. m.* y *f.* Persona que hace obras o trabajos con escayola.

escena *s. f.* **1.** Escenario. **2.** Parte de una obra de teatro o película en que intervienen los mismos personajes y la acción sucede en un mismo lugar. **3.** Suceso o situación reales. SIN. **2.** Secuencia.

escenario *s. m.* **1.** Parte de un teatro o local donde actúan los actores, bailarines u otros artistas. **2.** Lugar en que ocurre la acción de una película o un suceso real. **SIN.** 1 y 2. Escena.

escénico, ca *adj.* De la escena o del teatro: *artes escénicas.*

escenificación *s. f.* Acción de escenificar.

escenificar *v.* Representar una obra de teatro o una historia cualquiera como si fuera una obra de teatro. **SIN.** Montar.

escenografía *s. f.* **1.** Arte de realizar decorados para el teatro, el cine, la televisión y otros espectáculos. **2.** Conjunto de esos decorados.

escepticismo *s. m.* Duda o desconfianza que se tiene sobre alguien o algo. **SIN.** Incredulidad. **ANT.** Confianza, fe.

escéptico, ca *adj. y s.* Que duda o desconfía de alguien o algo. **SIN.** Incrédulo. **ANT.** Confiado.

escindir *v.* Separar o dividir. **SIN.** Cortar, partir. **ANT.** Unir.

escisión *s. f.* Separación o división. **SIN.** Corte, partición. **ANT.** Unión.

esclarecer *v.* Aclarar, hacer que algo se conozca o se entienda. □ Es v. irreg. Se conjuga como *agradecer*. **SIN.** Explicar, clarificar. **ANT.** Oscurecer, embrollar.

esclarecimiento *s. m.* Acción de esclarecer.

esclavina *s. f.* Capa corta que cubre los hombros.

esclavista *adj. y s.* De la esclavitud o partidario de ella. **ANT.** Abolicionista.

esclavitud *s. f.* **1.** Situación de los esclavos. **2.** Hecho de estar demasiado sometido a alguien o algo. **SIN.** 1 y 2. Servidumbre. **ANT.** 1 y 2. Libertad.

esclavizar *v.* **1.** Hacer esclavo a alguien o tratarle como esclavo. **2.** Obligar a alguien, tenerle dominado. **SIN.** 2. Someter, sojuzgar. **ANT.** 1. Libertar. 1 y 2. Liberar.

esclavo, va *adj. y s.* **1.** Persona sin libertad ni derechos, que pertenece a un amo. **2.** Que depende excesivamente de alguien o algo y no puede dejarlo. **SIN.** 1. Siervo. **ANT.** 1. Libre.

esclerosis *s. f.* Enfermedad en la que se endurecen órganos o tejidos del cuerpo.

esclerótica *s. f.* Membrana más externa de las que recubren el globo del ojo.

Es dura y blanca, menos la parte central de delante, que es transparente.

esclusa *s. f.* Parte de un canal con compuertas que se abren o cierran para aumentar o disminuir el nivel del agua y que los barcos puedan pasar de un lado a otro que está a diferente altura.

escoba *s. f.* **1.** Utensilio para barrer formado por varias ramas atadas o un cepillo en el extremo de un palo. **2.** Juego de cartas en el que hay que intentar sumar quince puntos.

escobero *s. m.* Armario o sitio donde se guardan las escobas.

escobilla *s. f.* **1.** Escoba pequeña. **2.** Pieza de algunas máquinas eléctricas que mantiene el contacto entre la parte fija y la que se mueve.

escobón *s. m.* Escoba grande.

escocedura *s. f.* Irritación en una parte del cuerpo.

escocer *v.* **1.** Causar o sentir como un picor doloroso, parecido a una quemadura. ‖ **escocerse 2.** Irritarse la piel por el roce, el sudor u otro motivo. □ Es v. irreg. Se conjuga como *cocer*. **SIN.** 1. Picar.

escocés, sa *adj. y s.* **1.** De Escocia, país de Gran Bretaña. ‖ *adj.* **2.** Se dice del dibujo con cuadros de distintos colores y de las telas y prendas que lo tienen. ‖ *s. m.* **3.** Lengua celta que, junto con el inglés, se habla en Escocia.

escoger *v.* Preferir a alguien o algo entre varias personas o cosas. **SIN.** Elegir, seleccionar.

escogido, da 1. *p.* de **escoger.** También *adj. y s.* ‖ *adj. y s.* **2.** Selecto, de los mejores entre los de su clase. **SIN.** 2. Notable, eminente.

escolanía *s. f.* Coro de niños de una iglesia, monasterio o colegio.

escolapio, pia *adj. y s.* De las Escuelas Pías, orden religiosa fundada por San José de Calasanz.

escolar *adj.* **1.** De la escuela o de los estudiantes. ‖ *adj. y s.* **2.** Niño que va a la escuela o al colegio. **SIN.** 2. Colegial, alumno.

escolaridad *s. f.* Tiempo durante el que se va a la escuela o a otro centro de enseñanza.

escolarizar *v.* Hacer que los niños u otras personas puedan ir a la escuela o al colegio.

escoliosis *s. f.* Desviación de la columna vertebral hacia un lado.

escollera *s. f.* Muro u obra de grandes piedras o bloques de cemento para proteger un puerto o una playa de las olas del mar. **Sin.** Dique, espigón.

escollo *s. m.* **1.** Roca en el agua cerca de la superficie, peligrosa para la navegación. **2.** Dificultad, obstáculo. **Sin.** **2.** Problema, barrera.

escolopendra *s. f.* Miriápodo terrestre, llamado también ciempiés, con dos apéndices en forma de uña alrededor de la boca, con los que inyecta veneno.

escolta *s. f.* **1.** Acción de escoltar y grupo de personas que escoltan a alguien o algo. || *s. m.* y *f.* **2.** Persona que escolta a alguien o algo. **Sin.** **1.** Protección, custodia. **2.** Guardaespaldas.

escoltar *v.* Acompañar a alguien o algo para protegerlo. **Sin.** Custodiar, proteger.

escombrera *s. f.* Sitio donde se amontonan los escombros.

escombro *s. m.* Ladrillos y otros materiales para tirar que quedan en una obra o derribo. **Sin.** Cascote.

esconder *v.* **1.** Poner a una persona o cosa en un lugar donde no se vea y cueste encontrarla. **2.** Tener dentro algo que no se ve a primera vista. **Sin.** **1.** Ocultar, encubrir. **2.** Encerrar, guardar. **Ant.** **1** y **2.** Mostrar.

escondidas Se usa en la expresión **a escondidas**, 'sin que nadie lo vea'.

escondido, da 1. *p. de* **esconder.** También *adj.* || *adj.* **2.** Que está fuera o lejos de los lugares frecuentados. **Sin.** **1.** Oculto. **2.** Retirado, apartado, recóndito.

escondite *s. m.* **1.** Escondrijo. **2.** Juego de niños que consiste en que un jugador debe encontrar a los demás que se han escondido. **Sin.** **1.** Refugio.

escondrijo *s. m.* Lugar donde se esconde o se puede esconder una persona, animal o cosa. **Sin.** Escondite.

escopeta *s. f.* Arma de fuego con uno o dos cañones largos, que se usa normalmente para cazar.

escopetado, da *adj.* Muy deprisa. **Sin.** Disparado.

escoplo *s. m.* Herramienta de acero para esculpir la piedra o tallar la madera, que se golpea con un mazo. **Sin.** Cincel.

escorar *v.* Inclinarse un barco por el viento, por las olas o por otras causas.

escorbuto *s. m.* Enfermedad causada por la falta de vitamina C, que produce debilidad, heridas en la piel y otros daños.

escoria *s. f.* **1.** Restos que quedan después de quemarse el carbón o fundirse los metales. **2.** Lava esponjosa de los volcanes. **3.** Lo peor o lo más despreciable de algo. **Sin.** **3.** Desecho, basura.

escoriación *s. f.* Irritación o pequeña herida en la primera capa de la piel.

escorpio *s. m.* Octavo signo del zodiaco (del 23 de octubre al 22 de noviembre).

escorpión *s. m.* **1.** Arácnido con las patas delanteras en forma de pinzas y una cola larga que se curva hacia delante, con un aguijón venenoso. **2.** Escorpio. **Sin.** **1.** Alacrán.

escorzo *s. m.* En pintura, posición de una figura cuando una parte de ella está vuelta o girada.

escotado, da *adj.* Con el escote bastante abierto. **Ant.** Cerrado.

escote¹ *s. m.* Abertura de una prenda de vestir que deja al descubierto el cuello y, a veces, parte del pecho y de la espalda.

escote² Se usa en la expresión **a escote**, 'pagando cada uno la parte que le toca de un gasto'.

escotilla *s. f.* Aberturas en la cubierta de un barco para pasar a los compartimientos interiores y para ventilarlos.

escozor *s. m.* Sensación que se tiene cuando escuece algo. **Sin.** Comezón, picor, picazón.

escriba *s. m.* **1.** Persona del pueblo de los hebreos que conocía la ley y la enseñaba. **2.** Escribano o secretario de los egipcios o de otros pueblos antiguos.

escribano *s. m.* **1.** Antiguamente, persona que hacía las funciones de notario. **2.** Pájaro parecido al gorrión, de pico corto y colores pardos, amarillentos o rojizos según la especie.

escribiente *s. m.* y *f.* Empleado de oficina que escribía o copiaba a mano lo que le mandaban.

escribir *v.* Poner palabras y frases en un papel o superficie con un instrumento adecuado. □ Su p. es irreg.: *escrito*.

escrito, ta 1. *p. de* **escribir.** || *s. m.* **2.** Lo que se escribe. **Sin.** **2.** Texto.

escritor, ra *s. m.* y *f.* Persona que se dedica a escribir libros, artículos y otras obras. **Sin.** Autor.

escritorio *s. m.* Mueble que sirve para escribir sobre él.

escritura *s. f.* **1.** Letras y otros signos con que se escribe. **2.** Documento en que se refleja un contrato o acuerdo. **3.** La *Biblia: las Sagradas Escrituras.*

escroto *s. m.* Porción de piel en forma de bolsa que contiene los testículos.

escrúpulo *s. m.* **1.** Duda o intranquilidad que tiene una persona sobre si una acción suya es buena o mala. **2.** Miedo o asco que da usar o tomar algo. **SIN. 1.** Conciencia. **2.** Recelo, melindre.

escrupuloso, sa *adj.* y *s.* **1.** Que hace las cosas con mucho cuidado e interés. **2.** Se dice de la persona a la que le da miedo o asco usar o tomar algo. **SIN. 1.** Cuidadoso, esmerado. **2.** Melindroso. **ANT. 1.** Descuidado.

escrutar *v.* **1.** Examinar cuidadosamente. **2.** Contar los votos en una votación o los boletos de unas apuestas. **SIN. 1.** Escudriñar.

escrutinio *s. m.* Acción de escrutar votos o boletos.

escuadra *s. f.* **1.** Regla de dibujo en forma de triángulo rectángulo que tiene iguales dos de sus lados. **2.** Pieza u objeto en forma de ángulo recto. **3.** Conjunto de barcos de guerra mandados por un almirante.

escuadrilla *s. f.* **1.** Conjunto de barcos de guerra de pequeño tamaño. **2.** Conjunto de aviones de guerra al mando de un mismo jefe.

escuadrón *s. m.* **1.** Unidad de caballería mandada por un capitán. **2.** Unidad del ejército del aire que equivale a un batallón.

escuálido, da *adj.* Débil y flaco. **SIN.** Delgado, enclenque. **ANT.** Gordo.

escualo *s. m.* Tiburón.

escucha *s. f.* Acción de escuchar. **EXPR. a la escucha** Atento para escuchar.

escuchar *v.* Oír algo con atención.

escuchimizado, da *adj.* Muy débil y flaco. **SIN.** Enclenque. **ANT.** Fornido.

escudarse *v.* Utilizar algo como pretexto o apoyarse en alguien para hacer o dejar de hacer alguna cosa. **SIN.** Excusarse, servirse.

escudería *s. f.* Equipo de coches o motos de carreras.

escudero *s. m.* Persona que acompañaba a un caballero para llevarle las armas y servirle.

escudilla *s. f.* Recipiente en forma de media esfera para tomar alimentos líquidos. **SIN.** Cuenco, bol.

escudo *s. m.* **1.** Arma defensiva en forma de lámina de material duro, que se sujeta con un brazo. **2.** Objeto o dibujo,

parecido generalmente a la mencionada arma, que representa a una familia, a un país, a un equipo de fútbol, etc. **3.** Moneda de Portugal. || **4. escudo de armas** El que representa a una familia noble o a una ciudad. **SIN. 2.** Blasón; insignia.

escudriñar *v.* Mirar o examinar algo con mucha atención. **SIN.** Escrutar.

escuela *s. f.* **1.** Lugar donde se dan clases de alguna enseñanza. **2.** Conjunto de seguidores de un estilo, de una doctrina o de un maestro. **SIN. 1.** Academia; colegio. **2.** Tendencia, corriente.

escuerzo *s. m.* Persona muy delgada.

escueto, ta *adj.* Breve, corto. **SIN.** Sucinto, conciso. **ANT.** Largo.

esculpir *v.* Trabajar un material duro como la piedra o el mármol para hacer una escultura. **SIN.** Labrar.

escultor, ra *s. m.* y *f.* Persona que hace esculturas.

escultura *s. f.* **1.** Arte de hacer figuras en materiales como barro, madera, piedra o bronce. **2.** Cada una de estas figuras. **SIN. 2.** Estatua, talla.

escultural *adj.* **1.** De la escultura. **2.** Se dice del cuerpo tan perfecto que parece una escultura.

escupidera *s. f.* Recipiente que se usa para escupir en él.

escupir *v.* **1.** Echar con fuerza saliva por la boca. **2.** Echar de la boca algo que se tiene dentro. **SIN. 1.** Expectorar.

escupitajo o **escupitinajo** *s. m.* Saliva que se echa al escupir. **SIN.** Gargajo, esputo.

escurreplatos *s. m.* Armazón donde se coloca la vajilla fregada para que escurra. **SIN.** Escurridor.

escurridizo, za *adj.* **1.** Que se escurre fácilmente. **2.** Que hace escurrirse. **SIN. 1** y **2.** Resbaladizo.

escurrido, da **1.** *p.* de **escurrir.** || *adj.* **2.** Delgado y de formas poco marcadas: *Es una chica escurrida de caderas.*

escurridor *s. m.* **1.** Escurreplatos. **2.** Colador grande para escurrir verduras y otros alimentos.

escurrir *v.* **1.** Quitar el agua que le queda a una cosa mojada. **2.** Resbalar. **SIN. 2.** Deslizar(se).

escusado *s. m.* Retrete, váter.

esdrújulo, la *adj.* Se dice de la palabra acentuada en la antepenúltima sílaba.

ese, esa, eso *dem.* Señala a la persona, animal o cosa que está más cerca del que escucha que del que habla.

EXPR. a eso de Expresa un tiempo aproximado: *El autocar llegará a eso de las tres.*

esencia *s. f.* **1.** Lo que hace que una persona o cosa sea como es. **2.** Lo más importante de una cosa. **3.** Perfume u otra sustancia concentrada: *esencia de naranja.* **SIN. 1.** Naturaleza. **2.** Fundamento, núcleo.

esencial *adj.* Muy importante, fundamental. **SIN.** Básico, primordial. **ANT.** Secundario.

esfera *s. f.* **1.** Figura geométrica formada por una superficie curva en la que todos sus puntos están situados a la misma distancia de otro interior, llamado *centro.* **2.** Círculo en que giran las manecillas del reloj o de algunos instrumentos parecidos. **3.** Clase o ambiente de una persona o grupo: *las altas esferas.* **SIN. 3.** Ámbito.

esférico, ca *adj.* **1.** En forma de esfera. || *s. m.* **2.** Balón de fútbol. **SIN. 1.** Redondo, circular.

esfinge *s. f.* Escultura con cabeza humana, sobre todo de mujer, y cuerpo de león.

esfínter *s. m.* Músculo que abre o cierra un orificio o conducto del cuerpo, por ejemplo el que hay en el ano.

esforzado, da **1.** *p.* de esforzar. || *adj.* **2.** Que pone mucho esfuerzo en lo que hace. **SIN. 2.** Animoso, luchador.

esforzar *v.* **1.** Hacer esfuerzos con algunas cosas: *esforzar la vista.* || **esforzarse 2.** Trabajar con mucho interés para conseguir algo. **SIN. 1.** Forzar. **2.** Afanarse, desvivirse.

esfuerzo *s. m.* Hecho de utilizar con intensidad la fuerza física, la inteligencia o la voluntad. **SIN.** Afán, empeño. **ANT.** Desgana.

esfumarse *v.* Desaparecer. **SIN.** Escabullirse, desvanecerse.

esgrima *s. f.* Técnica de manejar la espada y otras armas parecidas; es deporte olímpico.

esgrimir *v.* **1.** Usar un arma o algo parecido contra una persona. **2.** Utilizar razones para convencer a alguien. **SIN. 1.** Empuñar. **2.** Emplear, servirse.

esguince *s. m.* Rotura o daño producido en los ligamentos.

eslabón *s. m.* Cada una de las piezas enlazadas que forman una cadena.

eslalon *s. m.* Carrera de esquí en que los deportistas bajan muy rápido por una pendiente esquivando una serie de banderas.

eslavo, va *adj. y s.* **1.** De un grupo de antiguos pueblos que ocuparon el norte y el centro de Europa. || *s. m.* **2.** Idioma que hablaban estos pueblos, del que proceden el ruso o el polaco.

eslip *s. m.* Calzoncillo o braga pequeños y ajustados.

eslogan *s. m.* Frase corta con la que se hace publicidad de algo.

eslora *s. f.* Medida de un barco desde la proa a la popa.

eslovaco, ca *adj. y s.* **1.** De Eslovaquia, país de Europa. || *s. m.* **2.** Lengua que se habla en Eslovaquia.

esloveno, na *adj. y s.* **1.** De Eslovenia, país de Europa. || *s. m.* **2.** Lengua que se habla en Eslovenia.

esmaltar *v.* Cubrir algo con esmalte.

esmalte *s. m.* **1.** Barniz que se hace fundiendo vidrio de colores. **2.** Barniz para las uñas. **3.** Capa blanca y dura que recubre los dientes. **SIN. 2.** Laca.

esmerado, da **1.** *p.* de esmerarse. || *adj.* **2.** Que pone esmero en lo que hace. **SIN. 2.** Cuidadoso. **ANT. 2.** Chapucero.

esmeralda *s. f.* Piedra preciosa de color verde.

esmerarse *v.* Poner esmero en lo que se hace.

esmeril *s. m.* Mineral duro y rugoso usado para pulimentar.

esmerilado, da *adj.* Pulimentado con esmeril.

esmero *s. m.* Cuidado que alguien pone al hacer algo. **SIN.** Celo. **ANT.** Descuido.

esmirriado, da *adj.* Muy débil y flaco. **SIN.** Enclenque, raquítico. **ANT.** Fuerte.

esmoquin *s. m.* Chaqueta de hombre con un cuello largo de seda.

esnob *adj. y s.* Se dice de la persona que para darse importancia quiere ser muy moderna y elegante.

esnobismo *s. m.* Característica de la persona snob.

esófago *s. m.* Tubo del aparato digestivo por el que pasan los alimentos desde la faringe hasta el estómago.

esotérico, ca *adj.* Secreto, oculto, incomprensible para la mayoría.

espabilado, da **1.** *p.* de espabilar. También *adj.* || *adj.* **2.** Listo, hábil. **SIN. 1** y **2.** Despabilado, despierto. **2.** Avispado. **ANT. 2.** Tonto.

espabilar *v.* **1.** Quitar a alguien el sueño o el atontamiento. **2.** Hacer listo, hábil. **3.** Darse prisa. **SIN. 1.** Despabilar, despertar. **3.** Apresurarse, apurarse. **ANT. 1.** Adormecer; atontar. **3.** Tardar.

espachurrar v. Estrujar, aplastar. **SIN.** Despachurrar, reventar.

espaciador s. m. Tecla de las máquinas de escribir y los ordenadores para dejar espacios en blanco.

espacial adj. Del espacio o relacionado con él: nave espacial.

espaciar v. **1.** Dejar espacios o separaciones. **2.** Dejar que pase algún tiempo entre una cosa y otra. **SIN. 1.** Separar. **ANT. 1** y **2.** Juntar.

espacio s. m. **1.** Extensión en la que están contenidos todos los cuerpos. **2.** Parte de esa extensión más o menos determinada. **3.** Lugar donde están los astros. **4.** Periodo o porción de tiempo. **5.** Programa de radio o televisión. **SIN. 2.** Sitio. **4.** Plazo, intervalo.

espacioso, sa adj. Amplio, con mucho espacio. **SIN.** Vasto. **ANT.** Pequeño.

espada s. f. **1.** Arma blanca de hoja larga y cortante con un mango para agarrarla. **2.** Carta del palo de espadas. ‖ pl. **3.** Palo de la baraja española en que figuran una o varias espadas. ‖ s. m. **4.** Matador de toros. **EXPR. entre la espada y la pared** En la difícil situación de tener que elegir entre dos cosas igualmente malas. **SIN. 1.** Acero. **4.** Diestro.

espadachín s. m. Persona que maneja muy bien la espada.

espadaña s. f. **1.** Campanario de una sola pared con unos huecos abiertos para las campanas. **2.** Enea.

espadín s. m. Espada de hoja estrecha que se usa en algunos uniformes.

espagueti s. m. Pasta comestible hecha con harina de trigo en forma de fideos largos.

espalda s. f. **1.** Parte de atrás del cuerpo humano desde los hombros hasta la cintura. **2.** Lomo de los animales. **3.** Parte de atrás de algunas cosas, sobre todo de una prenda de vestir. **4.** Estilo de natación en que se avanza con el cuerpo boca arriba moviendo los brazos y los piernas. **EXPR. dar la espalda** o **volver la espalda** Quitar la ayuda, confianza o cariño a alguien.

espaldarazo s. m. **1.** Golpe en la espalda con la espada o la mano que se daba al que se iba a armar caballero. **2.** Reconocimiento de la valía de una persona en una actividad.

espalderas s. f. pl. Serie de barras horizontales sujetas a la pared para hacer ejercicios de gimnasia.

espantada s. f. **1.** Huida repentina de uno o más animales. **2.** Hecho de irse o dejar de hacer algo bruscamente: dar la espantada. **SIN. 1.** Estampida. **2.** Abandono.

espantajo s. m. **1.** Espantapájaros. **2.** Persona mal vestida y de aspecto ridículo. **SIN. 2.** Mamarracho.

espantapájaros s. m. Muñeco o cosa parecida que se pone en los sembrados y huertos para espantar a las aves.

espantar v. **1.** Producir espanto. **2.** Hacer huir. **SIN. 1.** Aterrar, aterrorizar. **2.** Ahuyentar.

espanto s. m. **1.** Miedo enorme, terror. **2.** Persona o cosa muy fea. **EXPR. de espanto** Enorme: un hambre de espanto. **SIN. 1.** Terror, pavor.

espantoso, sa adj. **1.** Que produce espanto. **2.** Enorme, tremendo. **3.** Muy feo, horroroso. **SIN. 1.** Terrorífico. **1** y **2.** Terrible. **1** a **3.** Horrible.

español, la adj. **1.** De España. ‖ s. m. **2.** Idioma que se habla principalmente en España y en muchos países de América. **SIN. 2.** Castellano.

esparadrapo s. m. Tira de tela o de plástico que se pega por uno de sus lados y se emplea para sujetar gasas, algodones y vendajes.

esparcimiento s. m. **1.** Diversión, entretenimiento. **2.** Acción de esparcir o esparcirse. **3.** Distracción, recreo. **ANT. 1.** Aburrimiento.

esparcir v. **1.** Separar y extender cosas que estaban juntas. **2.** Hacer que una noticia llegue a mucha gente o a muchos sitios. **SIN. 1.** Dispersar, desparramar. **2.** Propagar, difundir. **ANT. 1.** Acumular.

espárrago s. m. Brote tierno de la esparraguera, alargado y comestible.

esparraguera s. f. Planta que da los espárragos.

espartano, na adj. y s. **1.** De Esparta, ciudad de la antigua Grecia. ‖ adj. **2.** Duro, austero. **SIN. 2.** Sobrio.

esparto s. m. Planta de hojas muy largas y estrechas, que se usan para fabricar sogas, esteras y otras cosas.

espasmo s. m. Contracción de los músculos que se produce involuntariamente. **SIN.** Convulsión.

espasmódico, ca adj. Acompañado de espasmos. **SIN.** Convulsivo.

espatarrarse v. Despatarrarse.

espátula s. f. Paleta pequeña y con mango, como la de los albañiles o la de los pintores.

especia *s. f.* Sustancia vegetal muy aromática, usada para dar sabor a la comida, y algunas también para hacer perfumes.

especial *adj.* **1.** Distinto de lo normal. **2.** Raro, difícil: *No sé qué regalarle, es muy especial.* **3.** Apropiado o preparado para algo: *un pegamento especial para metales.* **EXPR. en especial** Sobre todo. **SIN. 1.** Singular, peculiar. **ANT. 1.** Común.

especialidad *s. f.* **1.** Cada parte en que se divide una ciencia o actividad: *La medicina tiene muchas especialidades.* **2.** Cosa que hace muy bien una persona, establecimiento, región, etc. **SIN. 1.** Especialización.

especialista *adj. y s.* **1.** Dedicado a una especialidad, sobre todo en medicina. ‖ *s. m. y f.* **2.** Persona que sustituye a un actor en las escenas peligrosas o para las que se necesita una habilidad especial. **SIN. 1.** Experto. **2.** Doble.

especialización *s. f.* Acción de especializarse.

especializarse *v.* Adquirir los conocimientos y habilidades de una ciencia, especialidad o profesión, y dedicarse a ella.

especialmente *adv.* En especial, sobre todo. **SIN.** Particularmente.

especie *s. f.* **1.** En biología, clasificación de seres vivos con características comunes. **2.** Cosa parecida a otra: *El diván es una especie de sofá.* **EXPR. en especie** En productos, no en dinero: *pagar en especie.* **SIN. 2.** Tipo.

especiero *s. m.* Armarito o estantería para guardar o tener las especias.

especificación *s. f.* Acción de especificar. **SIN.** Precisión.

especificar *v.* Señalar, determinar, precisar.

especificativo, va *adj.* Se dice del adjetivo que concreta o especifica al sustantivo al que acompaña: *industria automovilística* (la industria del automóvil; no otra). **ANT.** Explicativo.

específico, ca *adj.* **1.** Propio o característico de una persona o cosa, y no de otra. **2.** Que sirve para una cosa en concreto. ‖ *s. m.* **3.** Medicamento con un nombre comercial. **ANT. 1.** Común.

espécimen *s. m.* Modelo, ejemplar: *Ese animal es un espécimen tropical.*

espectacular *adj.* Impresionante, muy llamativo. **SIN.** Aparatoso.

espectáculo *s. m.* **1.** Actuación, función, etc., para divertir o entretener al público. **2.** Suceso que causa asombro o llama mucho la atención. **SIN. 1** y **2.** Show.

espectador, ra *s. m. y f.* Persona que asiste a un espectáculo o ve la televisión. **SIN.** Asistente, telespectador.

espectral *adj.* Fantasmal, misterioso.

espectro *s. m.* **1.** Fantasma, aparición. **2.** Arco iris, conjunto de colores en que se descompone la luz.

especulación *s. f.* Acción de especular. **SIN.** Elucubración.

especulador, ra *s. m. y f.* Persona que gana dinero comprando cosas y luego vendiéndolas mucho más caras.

especular *v.* **1.** Reflexionar, meditar. **2.** Imaginar, suponer. **3.** Comprar cosas a bajo precio para luego venderlas mucho más caras. **SIN. 1.** Elucubrar.

especulativo, va *adj.* **1.** Relacionado con la especulación. **2.** Teórico, en oposición a práctico.

espejismo *s. m.* Hecho de ver cercana y al revés la imagen de un objeto lejano; es frecuente en los desiertos y está producida por la refracción de la luz en capas de aire próximas al suelo.

espejo *s. m.* **1.** Cristal cubierto con mercurio u otro metal por la parte posterior, que sirve para reflejar los objetos. **2.** Cualquier superficie donde se reflejan los objetos.

espeleología *s. f.* Exploración de cuevas naturales por deporte o con fines científicos.

espeleólogo, ga *adj. y s.* Persona que hace espeleología.

espeluznante *adj.* Terrorífico.

espera *s. f.* Acción de esperar.

esperanto *s. m.* Idioma inventado a finales del siglo XIX para emplearlo como lenguaje universal.

esperanza *s. f.* Confianza que uno tiene de que se cumplan sus deseos, lo que le han prometido, etc. **SIN.** Ilusión. **ANT.** Desesperanza.

esperanzado, da *adj.* Que tiene esperanza. **SIN.** Ilusionado, confiado. **ANT.** Desesperado.

esperanzador, ra *adj.* Que da esperanza. **SIN.** Alentador. **ANT.** Desalentador.

esperar *v.* **1.** Tener confianza en que suceda algo. **2.** Estar una persona en un sitio hasta que venga alguien o suceda alguna cosa. **3.** Ir a ocurrir algo: *Nos esperan años de felicidad.* **EXPR. aquí te espero** Tremendo. **SIN. 1.** Confiar. **2** y **3**. Aguardar. **ANT. 1.** Desconfiar, desesperar.

esperma *s. amb.* **1.** Semen. **2.** Sustancia grasa que se saca de la cabeza del cachalote y se usa para hacer velas y pomadas. Se llama también *esperma de ballena.*

espermafita *adj.* y *s. f.* Fanerógama.

espermatozoide o **espermatozoo** *s. m.* Célula masculina que fecunda al óvulo en la reproducción.

esperpento *s. m.* Persona o cosa muy fea o ridícula. **SIN.** Mamarracho.

espesar *v.* Poner espeso. **SIN.** Concentrar, apelmazar. **ANT.** Aclarar.

espeso, sa *adj.* **1.** Poco líquido. **2.** Se dice de las cosas que tienen sus partes muy juntas y apretadas: *un bosque espeso.* **3.** Grueso, macizo: *muros espesos.* **SIN. 1.** Denso, pastoso. **2.** Tupido, cerrado. **3.** Ancho. **ANT. 1.** Fluido. **2.** Despejado. **3.** Delgado.

espesor *s. m.* **1.** Grosor. **2.** Característica de espeso. **SIN. 1.** Grueso. **2.** Espesura.

espesura *s. f.* **1.** Lugar con mucha vegetación. **2.** Característica de espeso. **SIN. 2.** Espesor.

espetar *v.* **1.** Decirle a alguien de repente algo que le molesta o sorprende. **2.** Atravesar algunas carnes, pescados u otros alimentos con el espetón. **SIN. 1.** Soltar.

espetón *s. m.* Pincho con que se atraviesan algunas carnes, pescados u otros alimentos para asarlos.

espía *s. m.* y *f.* Persona que espía a otras.

espiar *v.* Tratar de enterarse con disimulo de lo que ocurre en un lugar, de lo que hace alguien, etc. **SIN.** Vigilar, fisgar.

espichar *v. fam.* Morir. **SIN.** Palmar.

espiga *s. f.* **1.** Conjunto de flores o frutos pequeños unidos a un tallo común. **2.** Parte o pieza de un objeto que se puede encajar en otro. **3.** Pequeño cilindro de madera que se encaja en un agujero para unir dos tablas.

espigado, da *adj.* Alto y delgado. **SIN.** Esbelto. **ANT.** Rechoncho.

espigar *v.* **1.** Coger las espigas que no se han segado o han quedado en el suelo. || **espigarse 2.** Ponerse alto y delgado. **SIN. 2.** Crecer.

espigón *s. m.* Muro a la orilla del mar o de un río para evitar que el agua avance. **SIN.** Escollera, dique.

espiguilla *s. f.* Dibujo parecido a una espiga, como el de algunos tejidos.

espina *s. f.* **1.** Cada uno de los huesos largos y puntiagudos de los peces. **2.** Pincho duro de algunas plantas. || **3. espina dorsal** Columna vertebral. **EXPR. darle** a alguien **mala espina** una cosa Hacerle pensar que va a ocurrir algo malo.

espinaca *s. f.* Planta de huerta con hojas verde oscuro que nacen cerca de la raíz.

espinal *adj.* De la columna vertebral o relacionado con ella: *médula espinal.*

espinazo *s. m.* Columna vertebral.

espingarda *s. f.* **1.** Antiguo cañón de artillería. **2.** Antigua escopeta de cañón largo.

espinilla *s. f.* **1.** Parte de delante del hueso de la pierna por debajo de la rodilla. **2.** Granito de grasa que sale en la piel, sobre todo en la cara.

espinillera *s. f.* Pieza que se ponen algunos deportistas en la pierna para proteger la espinilla.

espino *s. m.* **1.** Planta que tiene espinas en las ramas. **2.** Alambre con pinchos con el que se hacen cercas.

espinoso, sa *adj.* **1.** Que tiene espinas. **2.** Difícil, que puede causar problemas. **SIN. 2.** Delicado, comprometido.

espionaje *s. m.* Actividad de los espías.

espira *s. f.* Cada una de las vueltas de una espiral.

espiración *s. f.* Acción de espirar. **ANT.** Inspiración.

espiral *s. f.* Línea curva que da vueltas alrededor de un punto, parecida a un rizo o a un muelle.

espirar *v.* Echar el aire que tomamos al respirar. **ANT.** Inspirar.

espiritismo *s. m.* Comunicación que algunas personas dicen tener con los muertos.

espiritista *adj.* y *s.* Relacionado con el espiritismo o persona que practica el espiritismo.

espiritoso, sa *adj.* Se dice de las bebidas que contienen mucho alcohol.

espíritu *s. m.* **1.** Parte no visible del hombre con la que puede pensar, sentir y querer. **2.** Ser invisible, sin cuerpo, como los ángeles o los dioses de algunas religiones. **3.** Modo de ser o de comportarse: *Luis tiene un espíritu inquieto.* || **4. Espíritu Santo** En la religión cristiana, tercera persona de la Santísima Trinidad. SIN. 1. Alma, conciencia. 2. Ánima. 3. Talante. ANT. 1. Cuerpo, materia.

espiritual adj. 1. Del espíritu o relacionado con él. 2. Que está más interesado en las cosas del pensamiento o de la religión que en las cosas materiales. || s. m. 3. Canto religioso típico de los negros del sur de Estados Unidos. SIN. 1. Inmaterial. ANT. 1. Material, físico. 2. Materialista.

espiritualidad s. f. Característica de lo que es espiritual.

espita s. f. Tubito o grifo por el que sale el líquido o gas de un recipiente.

espléndido, da adj. 1. Muy bueno o muy bonito. 2. Generoso. SIN. 1. Estupendo, magnífico. 2. Desprendido. ANT. 1. Pésimo, malo. 2. Tacaño.

esplendor s. m. 1. Grandeza, belleza, lujo. 2. Situación mejor a la que ha llegado una persona o cosa. 3. Brillo, resplandor. SIN. 1. Grandiosidad. 2. Apogeo, plenitud. ANT. 2. Decadencia.

esplendoroso, sa adj. 1. Resplandeciente, brillante. 2. De gran esplendor o belleza. SIN. 2. Espléndido.

espliego s. m. Arbusto de hojas estrechas y grisáceas y espigas de flores azules, que tiene muy buen olor. Se emplea en perfumería. SIN. Lavanda.

espolear v. 1. Picar al caballo con la espuela. 2. Animar, incitar. SIN. 1 y 2. Aguijonear.

espoleta s. f. Mecanismo para hacer estallar la carga explosiva de una bomba o de un proyectil.

espolio s. m. Expolio.

espolón s. m. 1. Huesecillo afilado que tienen las patas de los machos de algunas aves y les sirve para defenderse. 2. Saliente que tienen las caballerías en la parte de atrás de las patas. 3. Muro hecho como defensa al borde de un río, del mar o de un barranco. SIN. 3. Malecón.

espolvorear v. Repartir una sustancia en polvo sobre una cosa. SIN. Esparcir.

esponja s. f. 1. Animal marino de esqueleto flexible con muchos agujeritos, por los que absorbe gran cantidad de agua, y que vive en colonias. 2. Esqueleto de ese animal o material artificial, elástico y poroso, que se usa para lavarse y para otras cosas.

esponjar v. 1. Poner esponjoso. || **esponjarse** 2. Ponerse uno contento cuando hace bien una cosa o le alaban. SIN. 1. Mullir. 2. Enorgullecerse, envanecerse. ANT. 1. Endurecer.

esponjoso, sa adj. Blando y poco apretado como una esponja. SIN. Mullido. ANT. Duro.

esponsales s. m. pl. Promesa de casarse que se hacen públicamente un hombre y una mujer, y fiesta con que se celebra. SIN. Desposorio.

espontaneidad s. f. Característica de espontáneo. SIN. Naturalidad.

espontáneo, a adj. 1. Que se produce solo. 2. Que se hace voluntariamente y sin pensarlo mucho. 3. Natural, sincero, que actúa tal como es. || s. m. y f. 4. Espectador que en una corrida de toros salta al ruedo para torear. SIN. 1. Automático. 2. Voluntario, libre. ANT. 2. Obligado.

espora s. f. Célula reproductora que no necesita ser fecundada, como la de los musgos, helechos y hongos.

esporádico, ca adj. Poco frecuente, que se produce de vez en cuando. SIN. Ocasional, aislado. ANT. Regular.

esporangio s. m. Cápsula donde se forman y están las esporas.

esposar v. Ponerle a alguien las esposas.

esposas s. f. pl. Aros metálicos unidos por una cadena con los cuales se sujeta por las muñecas a una persona.

esposo, sa s. m. y f. Persona con la que está casado alguien. SIN. Cónyuge.

esprintar v. Hacer un sprint en una carrera.

espuela s. f. Objeto con una ruedecilla con pinchos que se sujeta al talón de la bota del jinete para picar al caballo y hacer que ande o corra.

espuerta s. f. Recipiente con dos asas que se utiliza sobre todo para transportar algo. EXPR. **a espuertas** En mucha cantidad.

espulgar v. Limpiar de pulgas o piojos.

espuma s. f. 1. Burbujas que se forman en la superficie de un líquido. 2. Tejido sintético muy fino y elástico: medias de espuma. 3. Gomaespuma.

espumadera s. f. Utensilio de cocina con un mango largo y una placa con agujeros, que sirve para sacar los fritos de la sartén.

espumarajo s. m. Saliva espumosa que se echa por la boca.

espumillón s. m. Tira con flecos, de colores vivos y brillantes, usada como adorno de Navidad.

espumoso, sa adj. Que hace o tiene espuma: vino espumoso.

espurio, ria adj. Ilegítimo o falso.

espurrear o **espurriar** v. Manchar o rociar algo con líquido o comida que se echa por la boca.

esputo s. m. Escupitajo con mucosidad. SIN. Gargajo.

esqueje s. m. Tallo de una planta que se mete en el tallo de otra o en la tierra para que nazca un nuevo vegetal.

esquela s. f. Tarjeta o recuadro en los periódicos con que se comunica la muerte de alguien.

esquelético, ca adj. Muy flaco. SIN. Escuálido, esmirriado. ANT. Robusto.

esqueleto s. m. 1. Conjunto de huesos y articulaciones que sostienen el cuerpo de los vertebrados. 2. Parte exterior dura de algunos animales como los saltamontes, las arañas o los cangrejos. 3. Pieza o piezas que sostienen una cosa. 4. Persona muy delgada. EXPR. **mover** o **menear el esqueleto** Bailar. SIN. 1. Osamenta. 2. Caparazón. 3. Armazón, estructura.

esquema s. m. 1. Representación de alguna cosa mediante líneas y dibujos. 2. Resumen de las ideas o partes principales de algo. SIN. 1. Boceto, esbozo, croquis.

esquemático, ca adj. En forma de esquema.

esquematizar v. Resumir, hacer un esquema de algo. SIN. Esbozar.

esquí s. m. 1. Tabla larga y estrecha para deslizarse sobre la nieve o el agua. 2. Deporte que se practica deslizándose con estas tablas colocadas en los pies. ‖ 3. **esquí acuático** El que consiste en deslizarse subido sobre el agua, arrastrado por una lancha con motor. SIN. 1 y 2. Ski.

esquiador, ra s. m. y f. Persona que practica el esquí.

esquiar v. Deslizarse sobre la nieve o el agua con esquís.

esquife s. m. Bote para llegar desde un barco hasta tierra.

esquijama s. m. Pijama ajustado de tejido de punto.

esquila s. f. Cencerro pequeño.

esquilar v. Cortar el pelo o la lana a los animales, sobre todo a las ovejas. SIN. Trasquilar.

esquilmar v. 1. Dejar algo totalmente agotado. 2. Dejar sin dinero. SIN. 2. Desplumar.

esquimal adj. y s. 1. De un pueblo que vive en las costas cercanas al polo norte. ‖ s. m. 2. Lengua de este pueblo.

esquina s. f. Ángulo que forman dos paredes o dos lados de algo.

esquinado, da adj. 1. Puesto en la esquina. 2. Se dice de la persona de trato difícil o mala intención. SIN. 2. Atravesado.

esquinazo s. m. Esquina. EXPR. **dar esquinazo** Evitar encontrarse con alguien o conseguir despistarle.

esquirla s. f. Trocito que se desprende al romperse algo duro.

esquirol s. m. y f. Persona que va a trabajar cuando sus compañeros hacen huelga.

esquivar v. 1. Hacer un movimiento para no chocar contra algo o no recibir un golpe. 2. Intentar no encontrarse con alguien o no hacer una cosa. SIN. 1 y 2. Sortear, eludir. ANT. 1. Chocar.

esquivo, va adj. Que no quiere encontrarse con otros, ni saludarlos o tratar con ellos. SIN. Arisco, huraño. ANT. Sociable.

esquizofrenia s. f. Enfermedad mental que produce en quien la sufre graves alteraciones de la razón.

esquizofrénico, ca adj. y s. Que tiene esquizofrenia.

estabilidad s. f. Característica de las cosas estables. SIN. Equilibrio, firmeza. ANT. Inestabilidad.

estabilizar v. Hacer estable. SIN. Equilibrar, afianzar. ANT. Desestabilizar.

estable adj. Que no va a caerse, cambiar o desaparecer. SIN. Firme, invariable, permanente. ANT. Inestable.

establecer v. 1. Poner o crear algo en un sitio. 2. Decir algo, sobre todo lo que debe hacerse o cómo es una cosa. ‖ **establecerse** 3. Quedarse a vivir en un lugar. 4. Abrir un negocio o dedicarse a una actividad. □ Es v. irreg. Se conjuga como _agradecer_. SIN. 1. Fundar, instaurar. 2. Ordenar, disponer. 3. Afincarse, instalarse. ANT. 3. Irse.

establecimiento s. m. 1. Acción de establecer o establecerse. 2. Local o instalaciones dedicadas al comercio y otras actividades.

establo s. m. Lugar cubierto donde se encierra al ganado. SIN. Cuadra, caballeriza.

estabular v. Meter al ganado en establos.

estaca s. f. 1. Palo con punta en uno de sus extremos para poder clavarlo. 2. Palo gordo y fuerte. SIN. 2. Garrote, tranca.

estacada Se usa en la expresión **dejar en la estacada**, 'no ayudar a alguien que lo necesita'.

estacazo *s. m.* Golpe que se da con una estaca o un palo, o cualquier otro golpe fuerte. Sin. Garrotazo, porrazo.

estación *s. f.* **1.** Cada uno de los cuatro periodos en que se divide el año: primavera, verano, otoño e invierno. **2.** Temporada: *la estación de las lluvias.* **3.** Lugar con determinados servicios donde paran algunos medios de transporte, como el tren y el metro. **4.** Lugar con las instalaciones necesarias para realizar una actividad: *estación de esquí.* **5.** Cada una de las catorce paradas que se hacen en la vía crucis. Expr. **estación de servicio** Gasolinera con otros servicios. Sin. **2.** Época.

estacional *adj.* **1.** De las estaciones del año. **2.** Que sólo dura algún tiempo durante el año.

estacionamiento *s. m.* **1.** Acción de estacionar. **2.** Lugar donde se puede aparcar un vehículo. Sin. **1** y **2.** Aparcamiento. **2.** Parking.

estacionar *v.* Aparcar un vehículo.

estacionario, ria *adj.* Que no cambia, ni mejora ni empeora. Sin. Estable, invariable. Ant. Variable.

estadio *s. m.* **1.** Lugar donde se llevan a cabo competiciones deportivas, con gradas para los espectadores. **2.** Fase, etapa. Sin. **1.** Campo. **2.** Ciclo.

estadista *s. m.* Jefe de un Estado.

estadística *s. f.* Ciencia que estudia los hechos a partir de datos numéricos.

estadístico, ca *adj.* De la estadística o relacionado con ella.

estado *s. m.* **1.** Situación en que se encuentra una persona o cosa. **2.** Cada una de las formas en que aparece la materia: *estado sólido, líquido y gaseoso.* **3.** País, nación. **4.** Conjunto de ministerios y otros organismos que dirigen y organizan un país. **5.** Cada una de las divisiones territoriales de algunos países, como Estados Unidos y México. ‖ **6. estado civil** Situación de soltero, casado, divorciado o viudo. Expr. **en estado** Embarazada. Sin. **1** y **2.** Condición.

estadounidense *adj. y s.* De los Estados Unidos de América. Sin. Norteamericano, yanqui.

estafa *s. f.* Lo que se hace al estafar a alguien. Sin. Timo.

estafador, ra *s. m. y f.* Persona que estafa. Sin. Timador.

estafar *v.* Engañar a una persona para sacarle dinero u otro beneficio. Sin. Timar.

estafeta *s. f.* Oficina de correos.

estalactita *s. f.* Columna alargada y puntiaguda que se forma en el techo de la cuevas, al acumularse la cal de las gotas de agua que se filtran por él.

estalagmita *s. f.* Columna parecida a la estalactita que se forma en el suelo de la cuevas con el agua que gotea del techo.

estallar *v.* **1.** Romperse una cosa de golpe y con ruido, por ejemplo un globo inflado o una bomba. **2.** Producirse un hecho violento: *estallar una tormenta, una guerra.* **3.** Manifestar bruscamente un sentimiento. Sin. **1** y **3.** Explotar, reventar. **3.** Desencadenarse.

estallido *s. m.* Acción de estallar. Sin. Explosión, estampido.

estambre *s. m.* **1.** Órgano reproductor masculino de las flores. **2.** Tejido de lana muy liso y algo brillante.

estamento *s. m.* Grupo que forman en la sociedad personas de una misma actividad o clase social.

estameña *s. f.* Tela basta que se utiliza para hacer algunos hábitos religiosos.

estampa *s. f.* **1.** Dibujo o fotografía. **2.** Imagen religiosa impresa en un trozo de cartulina. **3.** Aspecto, pinta. Sin. **1.** Lámina, cromo. **3.** Planta, porte.

estampación *s. m.* Acción de estampar sobre papel, tela, etc.

estampado, da **1.** *p.* de estampar. También *adj.* ‖ *adj.* **2.** Se dice de las telas con dibujos. ‖ *s. m.* **3.** Dibujo de las telas. Sin. **1.** Impreso.

estampar *v.* **1.** Dejar impreso algo sobre papel, tela, etc., haciendo presión con un molde. **2.** Dejar marcado: *estampar las huellas.* **3.** Estrellar con fuerza. **4.** Darle a alguien un beso o golpe fuerte. Sin. **1** y **2.** Imprimir. **4.** Plantar; atizar.

estampía *s. f.* Se usa en la expresión **de estampía**, 'de repente', 'con mucha prisa': *salir de estampía.*

estampida *s. f.* Acción de salir huyendo de repente el ganado.

estampido *s. m.* Ruido muy fuerte. Sin. Estallido.

estampilla *s. f.* Sello para marcar algo en un papel, por ejemplo una firma.

estancamiento *s. m.* Acción de estancar o estancarse. Sin. Detención, paralización.

estancar v. 1. Detener algo o quedarse sin movimiento. 2. Hacer que algo no avance. SIN. 1 y 2. Paralizar.

estancia s. f. 1. El permanecer alguien en un lugar durante un tiempo. 2. Habitación o sala. SIN. 2. Cuarto, aposento.

estanco s. m. Tienda donde se vende principalmente tabaco.

estándar adj. Normal, general. SIN. Standard.

estandarte s. m. Pieza de tela sujeta a una barra, con un escudo u otro distintivo que representa a un grupo de personas.

estanque s. m. Depósito artificial de agua, como el que hay en algunos parques.

estanquero, ra s. m. y f. Persona encargada de un estanco.

estante s. m. Tabla horizontal de un mueble o sujeta directamente a la pared, que sirve para poner cosas encima. SIN. Balda, anaquel, repisa.

estantería s. f. Mueble formado por estantes.

estaño s. m. Metal de color blanco plateado, más duro y brillante que el plomo, y resistente a la humedad. Es un elemento químico.

estar v. 1. Encontrarse en un lugar o de cierta manera. 2. Tener la utilidad o el fin que se indica: *Este ganchito está aquí para colgar los trapos de cocina.* 3. Tener el precio que se expresa. 4. Quedarle a una persona la ropa de cierta manera: *La camisa le está grande.* 5. Con un gerundio, indica que se realiza una acción: *está cantando.* □ Es v. irreg. SIN. 1. Hallarse. 3. Costar, valer. 4. Sentar, caer.

ESTAR	
INDICATIVO	
Presente	**Pret. perf. simple**
estoy	estuve
estás	estuviste
está	estuvo
estamos	estuvimos
estáis	estuvisteis
están	estuvieron
SUBJUNTIVO	
Pretérito imperfecto	**Futuro**
estuviera, -ese	estuviere
estuvieras, -eses	estuvieres
estuviera, -ese	estuviere
estuviéramos, -ésemos	estuviéremos
estuvierais, -eseis	estuviereis
estuvieran, -esen	estuvieren

estárter s. m. Starter.

estatal adj. Del Estado. SIN. Oficial, gubernamental. ANT. Privado.

estática s. f. Parte de la física que estudia las leyes del equilibrio de los cuerpos.

estático, ca adj. 1. Parado, sin cambios. 2. De la estática o relacionado con ella. SIN. 1. Quieto, invariable. ANT. 1. Cambiante. 1 y 2. Dinámico.

estatua s. f. Escultura, sobre todo la que tiene figura humana o animal.

estatuario, ria adj. De las estatuas.

estatura s. f. Altura de una persona. SIN. Talla.

estatus s. m. Posición social y económica de una persona.

estatuto s. m. Conjunto de normas por las que se rigen un grupo de personas: *estatuto de los trabajadores.* SIN. Reglamento.

este s. m. Punto cardinal por donde sale el Sol.

este, esta, esto dem. Sirve para señalar a alguien o algo que está cerca del que habla.

estela s. f. Señal que dejan algunas cosas al moverse, por ejemplo un barco en el agua.

estelar adj. 1. De las estrellas. 2. Más destacado o importante: *el momento estelar de un espectáculo.*

estenotipia s. f. 1. Taquigrafía a máquina. 2. Máquina con que se realiza este tipo de escritura.

estenotipista s. m. y f. Persona que escribe con la estenotipia.

estentóreo, a adj. Se dice de la voz, grito o sonido muy fuertes. SIN. Estridente. ANT. Débil.

estepa s. f. Llanura extensa sin árboles y con la vegetación adaptada a la sequedad.

estepario, ria adj. De la estepa.

estera s. f. Tejido grueso para cubrir el suelo, hecho de esparto, junco o material parecido.

estercolero s. m. 1. Lugar donde se amontona el estiércol. 2. Lugar muy sucio. SIN. 1 y 2. Muladar. 2. Pocilga.

estéreo adj. y s. m. Forma abreviada de **estereofónico**.

estereofónico, ca adj. y s. m. Se dice de un sistema de grabación y reproducción que separa los tonos graves y agudos para dar mayor calidad de sonido.

estereotipado, da *adj.* Se dice de los gestos, formas de actuar, etc., que se repiten siempre de la misma manera y no reflejan un verdadero sentimiento.

estereotipo *s. m.* Modelo o norma en la conducta, en las cualidades de alguna cosa, etc.

estéril *adj.* **1.** Se dice de la persona o del animal que no puede tener hijos. **2.** Que no da frutos. **3.** Inútil: *unos esfuerzos estériles.* **Sin. 2.** Árido, improductivo. **3.** Vano. **Ant. 1** y **2.** Fértil, fecundo. **3.** Eficaz.

esterilidad *s. f.* Característica de estéril. **Ant.** Fertilidad, fecundidad.

esterilización *s. f.* Acción de esterilizar.

esterilizar *v.* **1.** Hacer que una persona o animal no pueda tener hijos. **2.** Destruir los gérmenes que causan enfermedades. **Sin.** Desinfectar.

esterilla *s. f.* Estera para tumbarse a tomar el sol.

esternocleidomastoideo *s. m.* El músculo del cuello que permite girar la cabeza hacia los lados o hacia delante.

esternón *s. m.* Hueso plano, alargado y terminado en punta, situado en el centro de la parte delantera del tórax.

estertor *s. m.* Respiración dificultosa propia de los moribundos.

esteticista *s. f.* Mujer especializada en el cuidado de la belleza del cuerpo, especialmente el rostro.

estético, ca *adj.* **1.** Bello. **2.** De la estética o relacionado con ella. || *s. f.* **3.** Cualidad que hace que las cosas sean bellas o feas: *Le gusta cuidar la estética en su forma de vestir.* **4.** Ciencia que trata de la belleza. **Ant. 1.** Antiestético.

estetoscopio *s. m.* Aparato en forma de trompetilla que se usaba para auscultar.

esteva *s. f.* Pieza de la parte de atrás del arado, que se agarra para guiarlo.

esthéticienne (fr.) *s. f.* Esteticista.

estiaje *s. m.* Fuerte disminución del nivel de las aguas de un río, lago o laguna. **Ant.** Crecida.

estibador, ra *s. m.* y *f.* Persona que estiba.

estibar *v.* **1.** Repartir o colocar bien los pesos de un buque. **2.** Cargar y descargar mercancías de los barcos.

estiércol *s. m.* Excremento de los animales, especialmente el que se mezcla con restos vegetales para usarlo como abono.

estigma *s. m.* **1.** Marca en el cuerpo. **2.** Huella que deja algo muy perjudicial o deshonroso: *los estigmas de la guerra.* **3.** Abertura que termina el estilo de la flor, donde es recogido el polen. **4.** Cada una de las aberturas que tienen en el abdomen los insectos, arañas, ciempiés y otros animales, por donde entra el aire en la tráquea. **Sin. 1.** Signo. **2.** Mancha.

estilarse *v.* Estar de moda. **Sin.** Llevarse.

estilete *s. m.* Puñal de hoja muy estrecha.

estilismo *s. m.* Actividad del estilista de decoración, moda, etc.

estilista *s. m.* y *f.* **1.** Escritor que tiene un elegante estilo. **2.** Persona que se ocupa del estilo y de la imagen en revistas de moda, en decoración, en espectáculos.

estilizar *v.* Adelgazar o hacer parecer más delgado.

estilo *s. m.* **1.** Características propias de una época, artista, escritor, obra, etc. **2.** Cada una de las formas en que se practican algunos deportes: *estilo mariposa de natación.* **3.** Modo: *estilo de vida.* **4.** Elegancia. **5.** Parte de la flor, en forma de tubo, que comunica el ovario con el exterior. **Expr. por el estilo** Parecido, aproximado. **Sin. 2.** Modalidad. **3** y **4.** Clase. **4.** Distinción.

estilográfica *adj.* y *s. f.* Se dice de la pluma que escribe con la tinta de un depósito que lleva en el mango.

estima *s. f.* Afecto, aprecio. **Sin.** Cariño. **Ant.** Odio.

estimable *adj.* Apreciable, valioso.

estimación *s. f.* **1.** Estima, aprecio. **2.** Cálculo. **Sin. 1.** Afecto. **2.** Evaluación, valoración.

estimado, da 1. *p.* de **estimar.** También *adj.* || *adj.* **2.** Querido, apreciado.

estimar *v.* **1.** Sentir afecto o cariño. **2.** Reconocer el mérito de alguien o algo. **3.** Calcular. **4.** Creer, opinar. **Sin. 1.** Querer. **1** y **2.** Apreciar. **2** y **3.** Valorar. **3.** Evaluar, tasar. **4.** Considerar, juzgar. **Ant. 1.** Odiar. **1** y **2.** Despreciar.

estimativo, va *adj.* Calculado aproximadamente. **Ant.** Exacto.

estimulante *adj.* y *s. m.* Que estimula. **Sin.** Excitante.

estimular *v.* **1.** Animar. **2.** Hacer funcionar más activamente a una parte del cuerpo. **Sin. 1.** Mover, incitar. **2.** Activar. **Ant. 1.** Desanimar.

estímulo *s. m.* **1.** Lo que estimula o anima a hacer algo. **2.** Aquello que provoca una reacción en un ser vivo cuando actúa sobre él. SIN. **1.** Aliciente, acicate.

estío *s. m.* Verano.

estipendio *s. m.* Paga que recibe una persona por el trabajo o los servicios que ha realizado. SIN. Sueldo, remuneración, honorarios.

estipular *v.* Poner en una ley, contrato u otra cosa lo que hay que cumplir.

estirado, da 1. *p.* de estirar. También *adj.* || *adj. y s.* **2.** Muy orgulloso, que se da mucha importancia. SIN. **2.** Engreído, altivo, arrogante.

estiramiento *s. m.* **1.** Acción de estirar. **2.** Orgullo, arrogancia.

estirar *v.* **1.** Tirar de los extremos de una cosa, por ejemplo para alargarla, alisarla o dejarla extendida. **2.** Poner rectos los brazos, las piernas, el cuerpo. **3.** Hacer que algo dure más. || **estirarse 4.** Ser generoso. SIN. **1.** Tensar. **1** y **3** Prolongar. ANT. **1.** Aflojar; arrugar. **1** y **2.** Encoger. **3.** Acortar. **4.** Escatimar.

estirón *s. m.* **1.** Acción de estirar o tirar con fuerza. **2.** Crecimiento rápido en estatura. SIN. **1.** Tirón.

estirpe *s. f.* Todos los antepasados y descendientes de una persona, sobre todo si es noble o ilustre. SIN. Linaje.

estival *adj.* Propio del estío o verano. SIN. Veraniego. ANT. Invernal.

estocada *s. f.* Pinchazo que se da con la espada o el estoque.

estofa *s. f. desp.* Clase, calidad: *de baja estofa*. SIN. Ralea, calaña.

estofado, da *adj. y s. m.* Se dice del guiso de carne o pescado y otros ingredientes, cocidos a fuego lento.

estoicismo *s. m.* **1.** Escuela filosófica fundada en la antigua Grecia por Zenón de Citio. **2.** Fortaleza y resignación para soportar las dificultades y desgracias.

estoico, ca *adj. y s.* **1.** Del estoicismo o seguidor de esta escuela. **2.** Que soporta con estoicismo las desgracias.

estola *s. f.* **1.** Tira larga y estrecha que el sacerdote lleva colgada del cuello en algunas ceremonias. **2.** Pieza larga de piel o tela que se ponen las mujeres alrededor del cuello y sobre los hombros.

estoma *s. m.* Cada uno de los orificios que tienen las plantas en las hojas para respirar.

estomacal *adj.* **1.** Del estómago. || *adj. y s. m.* **2.** Medicamento, bebida, etc., que ayuda a hacer la digestión.

estomagante *adj.* Pesado, inaguantable. SIN. Cargante, empalagoso.

estómago *s. m.* Órgano en forma de bolsa en que empieza la digestión.

estomatología *s. f.* Parte de la medicina que trata las enfermedades de la boca.

estomatólogo, ga *s. m. y f.* Médico especializado en estomatología.

estoniano, na o **estonio, nia** *adj. y s.* **1.** De Estonia, país de Europa. || *s. m.* **2.** Lengua de este país.

estopa *s. f.* **1.** Parte basta y gruesa del lino o cáñamo. **2.** Tela de este material.

estoque *s. m.* Espada estrecha y sin filo, como la que usan los toreros para matar al toro.

estor *s. m.* Pieza de tela u otro material que se pone en ventanas, puertas y balcones como una cortina o persiana.

estorbar *v.* **1.** Hacer que a una persona le resulte difícil algo. **2.** Molestar. SIN. **1.** Obstaculizar, dificultar. **2.** Fastidiar.

estorbo *s. m.* Persona o cosa que estorba. SIN. Obstáculo, dificultad.

estornino *s. m.* Pájaro de cabeza pequeña, cola corta, pico amarillo y plumas negras con reflejos verdes y morados y pintas blancas.

estornudar *v.* Echar ruidosamente y de golpe por la boca y la nariz el aire de los pulmones.

estornudo *s. m.* Acción de estornudar.

estrábico, ca *adj. y s.* Que padece estrabismo. SIN. Bizco.

estrabismo *s. m.* Defecto de la vista en que un ojo mira en distinta dirección que el otro. SIN. Bizquera.

estrado *s. m.* Tarima donde se coloca el trono del rey o las personas más importantes en algunos actos.

estrafalario, ria *adj.* Muy raro, que llama mucho la atención. SIN. Extravagante. ANT. Normal.

estragado, da *adj.* Que tiene malestar en el estómago por haber comido mucho o por haber tomado alimentos muy fuertes. SIN. Lleno, harto.

estragón *s. m.* Planta de tallos delgados, hojas estrechas y alargadas y pequeñas flores amarillentas; se usa como condimento.

estragos *s. m. pl.* Daños o muertes provocados por una guerra o una catástrofe. SIN. Destrucción, ruina.

estrambótico, ca *adj*. Estrafalario. **Sin.** Extravagante. **Ant.** Normal.

estrangulador, ra *adj*. y *s*. Que estrangula.

estrangular *v*. Ahogar a una persona o animal apretándole el cuello.

estraperlo *s. m*. Comercio ilegal y a precios muy caros de productos que escasean.

estratagema *s. f*. Manera de conseguir algo con habilidad, generalmente con engaño. **Sin.** Treta, artimaña.

estratega *s. m*. y *f*. Experto en estrategia.

estrategia *s. f*. 1. Manera de dirigir y de organizar las operaciones militares. 2. Modo de organizarse para conseguir algo. **Sin.** 1 y 2. Táctica.

estratégico, ca *adj*. 1. Hecho con estrategia o relacionado con ella. 2. Bien situado para algo: *Vigilaba desde un lugar estratégico*.

estrato *s. m*. Cada una de las capas o niveles en que se divide algo, sobre todo de rocas sedimentarias en un terreno.

estratosfera *s. f*. Segunda capa de la atmósfera, dentro de la cual se encuentra la capa de ozono que protege a los seres vivos de los rayos perjudiciales del Sol.

estraza Se usa en la expresión **papel de estraza**, 'papel muy áspero, de color marrón o gris'.

estrechamente *adv*. 1. Con estrechez o pocos medios: *vivir estrechamente*. 2. De cerca y con dedicación: *Vigilan estrechamente al sospechoso*. 3. En estrecha relación: *colaborar estrechamente*. **Sin.** 1. Modestamente.

estrechamiento *s. m*. 1. Acción de estrechar. 2. Parte en que algo se estrecha.

estrechar *v*. 1. Hacer más estrecho. 2. Apretar con los brazos o las manos. 3. Aumentar la unión o las buenas relaciones entre personas o países. || **estrecharse** 4. Juntarse mucho varias personas en un lugar para que quepa más gente. **Sin.** 1. Comprimir, encoger. 4. Apiñarse, hacinarse. **Ant.** 1. Ensanchar. 3. Distanciar.

estrechez *s. f*. 1. Característica de estrecho. 2. Falta de dinero y otras cosas necesarias. **Sin.** 1 y 2. Apretura. 2. Privación. **Ant.** 1 y 2. Holgura.

estrecho, cha *adj*. 1. De poca anchura. 2. Que queda muy ajustado y aprieta. 3. Metido en un espacio demasiado pequeño. 4. Se dice de la relación muy fuerte o del parentesco muy cercano. || *s. m*. 5. Parte del mar que separa dos costas cercanas entre sí. **Sin.** 1. Delgado, angosto. 2. Ceñido, justo. 3. Apretado. 4. Íntimo. **Ant.** 1 a 3. Amplio. 2 y 3. Holgado. 4. Superficial; lejano.

estrella *s. f*. 1. Astro que tiene luz propia. 2. Figura con que se representa este astro y objeto de esta forma. 3. Persona muy famosa en algunas actividades. 4. Suerte, destino. || 5. **estrella de mar** Animal marino en forma de estrella de cinco puntas. **Expr. ver las estrellas** Sentir un dolor muy fuerte. **Sin.** 3. Figura. 4. Fortuna, sino.

estrellado, da *adj*. 1. *p*. de **estrellar**. También *adj*. || *adj*. 2. Con estrellas o en forma de estrella.

estrellar *v*. 1. Tirar con violencia una cosa contra otra, haciéndola pedazos. || **estrellarse** 2. Sufrir un choque violento. 3. Fracasar. **Sin.** 1. Estampar. 2. Chocar. 3. Fallar. **Ant.** 3. Triunfar.

estrellato *s. m*. Situación del artista famoso, que se ha convertido en una estrella.

estremecedor, ra *adj*. Que estremece. **Sin.** Escalofriante.

estremecer *v*. 1. Temblar o hacer temblar. 2. Asustar, sobresaltar. □ Es v. irreg. Se conjuga como *agradecer*. **Sin.** 1. Sacudir, tiritar. **Ant.** 2. Tranquilizar.

estremecimiento *s. m*. Acción de estremecer o estremecerse. **Sin.** Temblor, escalofrío.

estrenar *v*. 1. Usar por primera vez. 2. Presentar por primera vez ante el público una obra de teatro, una película u otro espectáculo. || **estrenarse** 3. Realizar por primera vez una actividad.

estreno *s. m*. Acción de estrenar o estrenarse, sobre todo un espectáculo.

estreñimiento *s. m*. Dificultad para expulsar los excrementos. **Ant.** Diarrea, descomposición.

estreñir *v*. Producir estreñimiento. □ Es v. irreg. Se conjuga como *ceñir*.

estrépito *s. m*. Ruido muy grande. **Sin.** Estruendo, fragor. **Ant.** Silencio.

estrepitoso, sa *adj*. 1. Con estrépito. 2. Se dice de los fracasos y derrotas muy grandes. **Sin.** 1. Estruendoso. 2. Espectacular.

estrés *s. m*. Estado de gran tensión o cansancio producido por el exceso de trabajo, por las preocupaciones, la ansiedad.

estresar *v*. Causar estrés.

estría s. f. **1.** Surco en línea recta en una superficie. **2.** Línea que se forma en la piel cuando ésta se ha estirado excesivamente. **SIN. 1.** Canal, ranura.

estriado, da adj. Con estrías.

estribación s. f. Serie de montañas más bajas en los extremos de una cordillera.

estribar v. **1.** Apoyarse una cosa en otra más firme y resistente. **2.** Tener una cosa su causa o explicación en otra. **SIN. 1.** Cargar, sustentarse. **2.** Basarse, radicar. **ANT. 1.** Sostener.

estribillo s. m. **1.** Versos o frases que se repiten detrás de una o varias estrofas en un poema o canción. **2.** Palabra o frase que una persona repite muchas veces. **SIN.** Muletilla.

estribo s. m. **1.** Pieza en la que el jinete apoya los pies cuando monta a caballo. **2.** Escalón para subir y bajar de un coche de caballos o de otros vehículos. **3.** Cada una de las dos piezas de la motocicleta donde se apoyan los pies. **4.** Uno de los cuatro huesecillos del oído medio. **EXPR. perder los estribos** Perder la paciencia, enfurecerse.

estribor s. m. Lado derecho de un barco, mirando de atrás adelante.

estricnina s. f. Sustancia muy venenosa que se saca de algunas plantas.

estricto, ta adj. **1.** Se dice de lo que hay que cumplir exactamente y sin excepción. **2.** Que cumple o hace cumplir fielmente lo que está mandado. **3.** Auténtico, exacto: *el sentido estricto de una palabra*. **SIN. 1** y **2.** Riguroso, rígido. **2.** Cumplidor. **ANT. 1.** Tolerante.

estridencia s. f. Característica de los sonidos y cosas estridentes.

estridente adj. **1.** Se dice de los sonidos chirriantes y desagradables. **2.** Chillón, llamativo, exagerado. **SIN. 1.** Destemplado. **ANT. 1** y **2.** Armonioso.

estrofa s. f. Cada parte de un poema formada por dos o más versos.

estropajo s. m. Pieza de esparto o de algún otro material áspero que se utiliza para fregar.

estropajoso, sa adj. **1.** Áspero, que parece estropajo. **2.** Se dice de la forma de hablar confusa, que no se entiende bien. **SIN. 1.** Basto. **ANT. 1.** Sedoso.

estropear v. **1.** Poner alguna cosa mal o de modo que no pueda utilizarse. **2.** Impedir que se haga algo o hacer que salga mal. **SIN. 1.** Dañar; deslucir. **2.** Frustrar, malograr. **ANT. 1.** Arreglar. **2.** Favorecer.

estropicio s. m. Rotura o destrozo grande. **SIN.** Desastre.

estructura s. f. **1.** Modo de estar colocadas las cosas que forman algo. **2.** Construcción u otra cosa que sirve de soporte o refuerzo. **SIN. 1.** Organización, configuración. **2.** Armazón.

estructural adj. De la estructura.

estructurar v. Organizar de algún modo las cosas que forman algo. **SIN.** Disponer, configurar. **ANT.** Desorganizar.

estruendo s. m. Ruido muy fuerte. **SIN.** Estrépito. **ANT.** Silencio.

estruendoso, sa adj. Que produce estruendo. **SIN.** Estrepitoso.

estrujar v. Apretar algo arrugándolo o aplastándolo. **EXPR. estrujarse la cabeza** o **los sesos** Pensar mucho. **SIN.** Exprimir; aplastar. **ANT.** Estirar.

estuario s. m. Entrada ancha del mar en la costa por el sitio por donde desemboca un río.

estuche s. m. Caja o funda para guardar una cosa.

estuco s. m. Masa de yeso con otros materiales que se utiliza para recubrir paredes o para hacer figuras y adornos.

estudiado, da 1. p. de **estudiar.** También adj. || adj. **2.** Poco natural, que se nota que se ha pensado mucho cómo hacerlo. **SIN. 2.** Afectado, artificioso.

estudiante s. m. y f. Persona que se dedica a estudiar. **SIN.** Alumno, escolar.

estudiantil adj. De los estudiantes.

estudiantina s. f. Tuna.

estudiar v. **1.** Leer, observar o escuchar algo intentando comprenderlo o aprenderlo. **2.** Ir a un centro de enseñanza para aprender. **3.** Pensar o mirar algo despacio y con detalle. **SIN. 1.** Memorizar. **2.** Cursar. **3.** Meditar; examinar.

estudio s. m. **1.** Acción de estudiar. **2.** Trabajo científico o de investigación. **3.** Piso pequeño con una sola habitación, cocina y un cuarto de baño. **4.** Lugar donde trabajan algunas personas, como los artistas. **5.** Lugar donde se hacen películas de cine o programas de radio o televisión. || pl. **6.** Actividad de estudiar y las cosas que se estudian. **SIN. 1.** Aprendizaje; reflexión, análisis. **2.** Tratado, ensayo. **4.** Taller.

estudioso, sa adj. y s. Que estudia mucho. **SIN.** Empollón.

estufa s. f. Aparato que sirve para calentar una habitación.

estupefacción s. f. Estupor.

estupefaciente adj. y s. m. Nombre que se da a algunas drogas. SIN. Narcótico.

estupefacto, ta adj. Asombrado, sin saber qué hacer o qué decir.

estupendo, da adj. **1.** Muy bueno o muy bonito. ‖ adv. **2.** Muy bien. SIN. **1.** Excelente, extraordinario. **2.** Fenomenal. ANT. **1.** Horrible. **2.** Fatal.

estupidez s. f. **1.** Característica de las personas o cosas estúpidas. **2.** Palabras o acción estúpidas. SIN. 1 y 2. Tontería.

estúpido, da adj. y s. Poco inteligente. SIN. Torpe, tonto. ANT. Listo.

estupor s. m. Asombro muy grande. SIN. Pasmo, estupefacción.

esturión s. m. Pez de mar cubierto de placas duras y con un afilado hocico. Sube por los ríos a poner sus huevos; de éstos se hace el caviar.

esvástica s. f. Cruz gamada. Ver **cruz**.

etapa s. f. Cada una de las partes en que se divide una acción o el desarrollo de algo: *las etapas de una carrera, de la vida.* SIN. Jornada; periodo.

etcétera s. m. Se utiliza después de una serie de cosas para indicar que hay otras que no se dicen. Casi siempre se usa su forma abreviada *etc.*

éter s. m. **1.** Conjunto de sustancias entre las que destaca el éter etílico, un líquido incoloro que arde y se evapora fácilmente y tiene un fuerte olor. Se emplea como anestesia y como disolvente. **2.** El cielo.

etéreo, a adj. **1.** Inmaterial, muy ligero o difuso. **2.** Del éter o cielo. SIN. 1. Sutil.

eternidad s. f. **1.** Lo que no tiene principio ni se acabará nunca. **2.** Duración muy larga. SIN. 1. Infinitud. ANT. 2. Fugacidad, instante.

eternizarse v. Tardar mucho en hacer algo o tener que esperar mucho.

eterno, na adj. **1.** Sin principio ni fin. **2.** Que dura mucho tiempo. **3.** Que se repite muchas veces. SIN. **1.** Infinito, imperecedero. **2.** Interminable. **3.** Constante. ANT. **1.** Efímero. **2.** Fugaz.

ética s. f. Conjunto de normas sobre lo que está bien o mal y cómo deben comportarse las personas. SIN. Moral.

ético, ca adj. **1.** De la ética. **2.** Que sigue la ética. SIN. 1 y 2. Moral. ANT. 2. Inmoral.

etílico, ca adj. Se dice del alcohol que tienen el vino y otras bebidas alcohólicas.

etimología s. f. Palabra o palabras de las que deriva otra.

etimológico, ca adj. Relacionado con la etimología.

etíope o **etiope** adj. y s. De Etiopía, país de África.

etiqueta s. f. Papel, tela, plástico u otra cosa que se pega o se sujeta a algo y donde aparecen su marca, precio, etc. EXPR. **de etiqueta** Se dice de las fiestas o reuniones en las que hay que ir muy bien vestido. SIN. Rótulo.

etiquetar v. Poner etiquetas.

etnia s. f. Conjunto de personas de una misma raza y cultura.

étnico, ca adj. Característico de una raza o de un pueblo.

etnografía s. f. Ciencia que se dedica a describir los pueblos, razas y culturas.

etnología s. f. Ciencia que estudia los distintos pueblos, razas y culturas.

etnológico, ca adj. De la etnología.

etrusco, ca adj. y s. De un antiguo pueblo que vivió en Italia.

eucalipto s. m. Árbol muy alto de hojas alargadas, puntiagudas y de buen olor, que se usan para despejar la nariz y la garganta cuando alguien está constipado.

eucaristía s. f. **1.** Sacramento en el que los cristianos toman el pan y el vino convertidos en el cuerpo y sangre de Cristo. **2.** Misa.

eufemismo s. m. Palabra o expresión que se dice en lugar de otra que se considera vulgar o desagradable.

euforia s. f. Alegría muy grande. SIN. Exaltación, júbilo. ANT. Depresión.

eufórico, ca adj. Muy alegre o contento. SIN. Exultante. ANT. Deprimido.

eunuco s. m. Hombre castrado que se dedicaba en algunos lugares a la custodia de las mujeres.

¡eureka! interj. Expresa alegría por conseguir o encontrar algo.

europeísmo s. m. Doctrina que defiende la unión de los países de Europa.

europeísta adj. y s. Partidario del europeísmo.

europeo, a adj. y s. De Europa.

euskera s. m. **1.** Lengua vasca. ‖ adj. **2.** De esta lengua.

eutanasia s. f. El dejar morir o ayudar a morir a un enfermo incurable que tiene muchos sufrimientos.

evacuación s. f. Acción de evacuar. SIN. Desalojo; deposición.

evacuar v. 1. Dejar vacío un lugar por haber en él un peligro. 2. Expulsar los excrementos. **Sin. 1.** Desalojar, desocupar. 2. Defecar. **Ant. 1.** Ocupar.

evadir v. 1. Evitar hábilmente algo. 2. Sacar ilegalmente dinero de un país o evitar pagar impuestos. || **evadirse** 3. Escaparse un preso. 4. Dejar de pensar una persona en sus problemas. **Sin. 1.** Eludir; sortear. 3. Fugarse, huir. **Ant. 1.** Afrontar. 4. Preocuparse.

evaluación s. f. 1. Acción de evaluar o calcular. 2. Cada una de las partes en que se divide un curso escolar, en las que el profesor valora lo que ha aprendido un alumno. **Sin. 1.** Valoración, cálculo.

evaluar v. Calcular, hallar el valor o la calidad de algo. **Sin.** Valorar, estimar.

evanescente adj. Que va desapareciendo poco a poco: *luz evanescente.*

evangélico, ca adj. 1. Del evangelio o relacionado con él. || adj. y s. 2. De la religión protestante.

evangelio s. m. Cada uno de los cuatro libros de la *Biblia* que tratan de la vida y doctrina de Jesucristo.

evangelista s. m. Cada uno de los cuatro discípulos de Jesucristo que escribieron los Evangelios: San Mateo, San Marcos, San Lucas y San Juan.

evangelizar v. Dar a conocer la doctrina de Jesucristo.

evaporación s. f. Acción de evaporarse un líquido. **Ant.** Licuación, licuefacción.

evaporar v. Convertir un líquido en vapor. **Ant.** Licuar.

evasión s. f. Acción de evadir o evadirse. **Sin.** Fuga, huida.

evasiva s. f. Lo que dice una persona a otra para no contestar claramente a lo que le pregunta. **Sin.** Rodeo, excusa, pretexto.

evento s. m. Suceso.

eventual adj. 1. Temporal: *un trabajo eventual.* 2. Que no es seguro, pero puede ocurrir. **Sin. 2.** Posible. **Ant. 1.** Estable, fijo.

eventualidad s. f. 1. Característica de eventual. 2. Cosa que puede ocurrir. **Sin. 2.** Posibilidad.

evidencia s. f. 1. Característica de lo que es evidente o cosa evidente. 2. Prueba que demuestra algo. **Expr. en evidencia** De manera que queda al descubierto la falta o defecto de alguien.

evidenciar v. Dejar claro, demostrar.

evidente adj. Muy claro, indudable. **Sin.** Indiscutible. **Ant.** Dudoso.

evitar v. Hacer lo necesario para no sufrir un peligro, molestia u otra cosa perjudicial. **Sin.** Eludir, rehuir. **Ant.** Afrontar.

evocación s. f. Recuerdo.

evocar v. Recordar. **Sin.** Rememorar.

evolución s. f. 1. Cambio que se produce poco a poco. || pl. 2. Vueltas, giros o ejercicios de alguien o alguna cosa. **Sin. 1.** Transformación, desarrollo, progreso.

evolucionar v. Sufrir una evolución. **Sin.** Transformarse, desarrollarse, progresar.

exabrupto s. m. Palabra muy brusca, que se dice con malos modales.

exacerbar v. 1. Hacer más fuerte un dolor, molestia o sentimiento. 2. Enfadar mucho. **Sin. 1.** Agudizar, avivar. 2. Exasperar, encolerizar. **Ant. 1.** Mitigar. 1 y 2. Calmar.

exactitud s. f. Característica de exacto. **Sin.** Precisión. **Ant.** Inexactitud.

exacto, ta adj. 1. Medido o calculado con toda precisión. 2. Completamente igual. 3. Cierto, verdadero. **Sin. 1.** Cabal. 2. Idéntico. **Ant. 1.** Inexacto. 2. Diferente. 3. Falso.

exageración s. f. Acción de exagerar y cosa exagerada.

exagerado, da 1. p. de **exagerar.** || adj. y s. 2. Que exagera. || adj. 3. Excesivo, mayor de lo normal o conveniente. **Sin. 3.** Desmedido, desmesurado.

exagerar v. 1. Hablar de las cosas presentándolas como más grandes e importantes de lo que son en realidad. 2. Hacer o tomar algo en exceso. **Sin. 1.** Agrandar, abultar. 2. Pasarse.

exaltación s. f. Hecho de exaltar o exaltarse. **Sin.** Excitación, pasión. **Ant.** Serenidad.

exaltado, da 1. p. de **exaltar.** También adj. || adj. y s. 2. Que se exalta con facilidad.

exaltar v. 1. Alabar mucho. || **exaltarse** 2. Ponerse alguien muy nervioso o excitado cuando hay algo que le enfada o entusiasma. **Sin. 1.** Ensalzar, enaltecer. 2. Excitarse, apasionarse. **Ant.** 2. Serenarse.

examen s. m. 1. Prueba con que se examina a alguien. 2. Acción de examinar, observar o estudiar detenidamente. **Sin. 1.** Ejercicio, control. 2. Reconocimiento, estudio, análisis, inspección.

examinar v. 1. Hacer un prueba a una persona para ver si sabe lo suficiente sobre algo o está preparada para una actividad. 2. Observar o estudiar detenidamente a una persona o cosa. SIN. 2. Reconocer, analizar, inspeccionar, explorar, investigar.

exánime adj. 1. Muerto. 2. Sin fuerzas, muy débil. SIN. 2. Exhausto. ANT. 1. Vivo. 2. Fuerte.

exasperación s. m. Enfado, nerviosismo. SIN. Irritación.

exasperante adj. Que exaspera. SIN. Irritante.

exasperar v. Poner a alguien muy enfadado y nervioso. SIN. Irritar, enfurecer. ANT. Tranquilizar.

excarcelar v. Sacar de la cárcel a un preso por orden del juez o de otra autoridad. SIN. Liberar. ANT. Encarcelar.

excavación s. f. Acción de excavar y sitio dode se excava.

excavadora s. f. Máquina que sirve para excavar.

excavar v. Hacer un hoyo o zanja. SIN. Cavar, socavar.

excedencia s. f. Situación de un empleado que deja por un tiempo el puesto que ocupa, pero puede volver a él.

excedente adj. y s. m. 1. Sobrante. || adj. y s. 2. Que está en excedencia.

exceder v. 1. Superar. || **excederse** 2. Pasarse: *excederse en la bebida.* SIN. 1. Adelantar, aventajar. 2. Propasarse, extralimitarse. ANT. 2. Contenerse.

excelencia s. f. 1. Característica de excelente. 2. Título que se da a algunas personas que tienen un cargo importante, por ejemplo a los alcaldes. EXPR. **por excelencia** Indica que una persona o cosa es el mejor ejemplo de lo que se dice: *El béisbol es el deporte norteamericano por excelencia.*

excelente adj. Que destaca por sus buenas cualidades. SIN. Estupendo, extraordinario. ANT. Pésimo.

excelentísimo, ma adj. Forma de tratamiento que se da a las personas con el título de excelencia.

excelso, sa adj. Extraordinario, de grandes cualidades. SIN. Sublime, insigne. ANT. Ínfimo.

excentricidad s. f. Acción u otra cosa propia de un excéntrico. SIN. Extravagancia.

excéntrico, ca adj. y s. Raro, fuera de lo normal. SIN. Extravagante, estrafalario. ANT. Corriente.

excepción s. f. Cosa que se aparta de lo que es habitual o normal. EXPR. **a excepción de** o **con excepción de** Excepto, excluyendo lo que se dice: *Toda esta semana ha hecho bueno, a excepción del lunes, que llovió.* SIN. Salvedad. ANT. Inclusión.

excepcional adj. 1. Que ocurre rara vez. 2. Muy bueno, extraordinario. SIN. 1. Inusual. 2. Excelente. ANT. 1. Normal.

excepto prep. Todo menos lo que se indica: *Ya tiene los libros nuevos, excepto el de lengua.* SIN. Salvo. ANT. Incluso.

exceptuar v. Dejar fuera de un grupo. SIN. Excluir, apartar. ANT. Incluir.

excesivo, va adj. Mayor de lo necesario o conveniente. SIN. Exagerado, desmedido. ANT. Moderado.

exceso s. m. Lo que supera lo necesario o conveniente: *exceso de comida, de trabajo.* SIN. Exageración. ANT. Moderación.

excitación s. f. Estado en que se encuentra una persona excitada. SIN. Agitación, alboroto, exaltación.

excitante adj. Que excita.

excitar v. 1. Producir nerviosismo, impaciencia o entusiasmo. 2. Hacer que algo sea más intenso o se ponga en actividad: *excitar la imaginación.* SIN. 1. Agitar, alborotar; exaltarse. 2. Activar. ANT. 1 y 2. Calmar.

exclamación s. f. 1. Palabra o frase que expresa alegría, enfado, sorpresa u otro sentimiento. 2. Signo ortográfico que se pone al principio (¡) y al final (!) de estas palabras o frases. SIN. 1. Interjección.

exclamar v. Decir una exclamación.

exclamativo, va adj. y s. f. Se dice de las oraciones que expresan exclamación. También se aplica a los pronombres y adverbios que suelen aparecer en este tipo de frases, por ejemplo ¡qué! o ¡cómo!

excluir v. Dejar fuera de un grupo. □ Es v. irreg. Se conjuga como *huir.* SIN. Exceptuar, separar. ANT. Incluir.

exclusión s. f. Acción de excluir. SIN. Separación. ANT. Inclusión.

exclusivamente adv. De manera exclusiva. SIN. Solamente.

exclusivo, va adj. 1. Único, sólo para alguien o para algo: *Este ordenador es para uso exclusivo de los profesores.* || s. f. 2. Privilegio por el que sólo una persona o empresa está autorizada para publicar, vender o hacer algo.

excomulgar v. Expulsar a una persona de la comunidad católica.

excomunión s. f. El hecho de excomulgar.

excremento s. m. Restos de la comida que, después de la digestión, se expulsan por el ano. Sin. Caca, heces.

excretar v. Expulsar el organismo sustancias sobrantes, por ejemplo la orina. Sin. Defecar, evacuar.

excretor, ra adj. **1.** Que excreta. ‖ **2. aparato excretor** El que sirve para eliminar sustancias sobrantes del cuerpo a través de la orina.

exculpar v. Librar de culpa. Sin. Absolver. Ant. Inculpar.

excursión s. f. Viaje corto que se hace por diversión o deporte.

excursionista s. m. y f. Persona que va de excursión.

excusa s. f. **1.** Lo que una persona dice, aunque no sea verdad, para librarse de hacer algo. **2.** Motivo que uno encuentra para hacer algo que le apetece. **3.** Disculpa. Sin. **1** y **2.** Pretexto. **2** y **3.** Justificación.

excusado s. m. Escusado.

excusar v. Disculpar. Sin. Justificar. Ant. Culpar.

exento, ta adj. Que está libre de tener que hacer algo. Sin. Dispensado. Ant. Obligado.

exequias s. f. pl. Ceremonias religiosas que se hacen por una persona que ha muerto. Sin. Funerales.

exhalación s. f. Rayo. Expr. **como una exhalación** Muy rápido. Sin. Centella.

exhalar v. **1.** Despedir gases, vapores u olores. **2.** Lanzar suspiros o quejas. Sin. **1.** Desprender, emanar.

exhaustivo, va adj. Muy completo. Sin. Intensivo, minucioso. Ant. Incompleto, parcial.

exhausto, ta adj. **1.** Muy cansado. **2.** Agotado, que ya no le queda nada. Sin. **1.** Rendido, deshecho. **2.** Vacío. Ant. **1.** Descansado. **2.** Repleto.

exhibición s. f. Acción de exhibir. Sin. Demostración.

exhibicionista s. m. y f. **1.** Persona a la que le gusta exhibirse desnuda o medio desnuda en lugares públicos. **2.** Persona a la que le gusta llamar la atención en público.

exhibir v. Mostrar o presentar algo a los demás. Sin. Enseñar, exponer. Ant. Ocultar.

exhortación s. f. Acción de exhortar.

exhortar v. Animar a alguien para que haga algo. Sin. Alentar.

exhortativa adj. y s. f. En gramática, se dice de las oraciones que expresan consejo, ruego, mandato o prohibición.

exhumación s. f. Acción de exhumar.

exhumar v. Desenterrar un cadáver o restos humanos. Ant. Inhumar.

exigencia s. f. Acción de exigir y lo que se exige. Sin. Reclamación, petición.

exigente adj. y s. Que exige mucho. Sin. Severo, riguroso. Ant. Tolerante.

exigir v. **1.** Obligar a alguien a que haga algo. **2.** Pedir alguien una cosa a la que tiene derecho. **3.** Hacer necesario: Cruzar el lago a nado exige estar en buena forma. **4.** Querer que las cosas estén muy bien hechas. Sin. **2.** Reclamar, reivindicar. **3.** Precisar.

exiguo, gua adj. Muy pequeño, escaso. Sin. Reducido, insignificante. Ant. Copioso.

exiliado, da o **exilado, da 1.** p. de **exiliarse** o **exilarse.** ‖ adj. y s. **2.** Persona que ha dejado su país, sobre todo por motivos políticos.

exiliarse o **exilarse** v. Marcharse alguien de su país, sobre todo por motivos políticos.

exilio s. m. Acción de exiliarse.

eximente adj. Que exime.

eximio, mia adj. Muy destacado o importante en una actividad: un eximio historiador. Sin. Insigne.

eximir v. Liberar a alguien de algo, sobre todo de una obligación o culpa. Sin. Librar, dispensar. Ant. Obligar.

existencia s. f. **1.** Hecho de existir. **2.** Vida de las personas. ‖ pl. **3.** Mercancías. Sin. **3.** Género. Ant. **1.** Inexistencia. **2.** Muerte.

existencial adj. De la existencia o relacionado con ella.

existente adj. Que existe. Sin. Real. Ant. Inexistente.

existir v. **1.** Tener ser real y verdadero. **2.** Haber: Existen muchas diferencias en la vegetación de esas dos regiones. Sin. **1.** Vivir.

éxito s. m. **1.** Algo que ha tenido un buen resultado. **2.** Hecho de que a los demás les guste alguien o algo: un cantante con éxito. Sin. **1.** Logro, triunfo. **2.** Fama, celebridad. Ant. **1** y **2.** Fracaso.

exitoso, sa adj. Que tiene éxito.

exocrina adj. Se dice de la glándula que vierte sus hormonas a una cavidad del cuerpo, como el tuvo digestivo.

éxodo *s. m.* Emigración de un pueblo o de un grupo de gente.

exonerar *v.* Liberar de una obligación.

exorbitante *adj.* Excesivo, desorbitado. **Sin.** Descomunal. **Ant.** Moderado.

exorcismo *s. m.* Ritos que se hacen para expulsar al demonio.

exorcista *s. m.* y *f.* Persona que hace exorcismos.

exótico, ca *adj.* **1.** De un país extranjero. **2.** Que llama la atención por ser diferente a lo que conocemos. **Sin. 1.** Forastero, foráneo. **2.** Original. **Ant. 1.** Autóctono. **2.** Corriente.

exotismo *s. m.* Característica de exótico.

expandirse *v.* Extenderse.

expansión *s. f.* **1.** Acción de ocupar más espacio o aumentar de volumen. **2.** Distracción, entretenimiento. **Sin. 1.** Extensión; dilatación. **2.** Esparcimiento. **Ant. 1.** Contracción. **2.** Aburrimiento.

expansionarse *v.* **1.** Distraerse, divertirse. **2.** Aumentar su volumen un gas o vapor. **Sin. 1.** Entretenerse. **2.** Expandirse. **Ant. 1.** Aburrirse.

expatriarse *v.* Abandonar alguien su patria. **Sin.** Exiliarse; emigrar.

expectación *s. f.* Curiosidad, interés con que alguien espera alguna cosa.

expectante *adj.* Que está esperando atentamente algo.

expectativa *s. f.* Posibilidad de lograr algo. **Expr. estar a la expectativa** Estar a la espera de algo.

expectoración *s. m.* Acción de expectorar.

expectorante *adj.* y *s. m.* Que hace expectorar.

expectorar *v.* Expulsar por la boca mucosidades y otras sustancias producidas en los órganos respiratorios.

expedición *s. f.* **1.** Viaje con un fin determinado, sobre todo si es científico o militar. **2.** Acción de expedir.

expedicionario, ria *adj.* y *s.* Que va en una expedición.

expedientar *v.* Formar expediente a alguien, abrirle una investigación.

expediente *s. m.* **1.** Lista de las calificaciones de un alumno o de los servicios de un empleado. **2.** Investigación sobre un empleado para ver si ha cometido una falta. **3.** Conjunto de escritos y otros documentos sobre un asunto. **Sin. 3.** Dossier.

expedir *v.* **1.** Redactar o rellenar un documento y hacer que tenga validez: *ex-*

pedir un cheque, un carnet. **2.** Enviar, mandar: *expedir un paquete, una carta.* ◻ Es v. irreg. Se conjuga como *pedir.* **Sin. 1.** Extender. **2.** Remitir, facturar. **Ant. 2.** Recibir.

expeditivo, va *adj.* Eficaz, rápido, con decisión. **Sin.** Decidido, resuelto. **Ant.** Vacilante.

expedito, ta *adj.* Sin obstáculos.

expeler *v.* Arrojar, despedir. **Sin.** Expulsar. **Ant.** Absorber.

expendeduría *s. f.* Establecimiento donde se venden algunos artículos, sobre todo tabaco.

expender *v.* **1.** Vender. **2.** Despachar: *expender billetes de tren.*

expensas Se usa en la expresión **a expensas de**, que significa 'a costa de', 'dependiendo de otro': *vivir a expensas de los demás.*

experiencia *s. f.* **1.** Aquello que una persona conoce porque lo ha practicado o lo ha vivido. **2.** Experimento. **Sin. 1.** Costumbre, hábito. **2.** Ensayo, prueba. **Ant. 1.** Inexperiencia.

experimentación *s. f.* Acción de experimentar.

experimentado, da **1.** *p.* de **experimentar.** ‖ *adj.* **2.** Con experiencia. **Sin. 2.** Ducho, experto. **Ant. 2.** Inexperto.

experimental *adj.* **1.** Que se basa en los experimentos. **2.** Que todavía está probándose, sin saber si es bueno o si dará resultado.

experimentar *v.* **1.** Hacer experimentos. **2.** Sentir o conocer algo por uno mismo. **3.** Pasar un cambio, transformación u otro proceso. **Sin. 1.** Ensayar, probar. **2.** Percibir. **3.** Sufrir.

experimento *s. m.* Prueba que se hace para estudiar, observar o averiguar algo. **Sin.** Ensayo, experiencia.

experto, ta *adj.* y *s.* Que tiene mucha práctica o sabe mucho de algo. **Sin.** Entendido, ducho. **Ant.** Inexperto.

expiar *v.* Sufrir el castigo por algo malo que se ha hecho. **Sin.** Pagar, purgar.

expirar *v.* **1.** Morir. **2.** Terminar el tiempo fijado para algo. **Sin. 1.** Fallecer, fenecer. **2.** Vencer. **Ant. 1.** Nacer.

explanada *s. f.* Terreno llano, sin edificios ni árboles. **Sin.** Descampado.

explayarse *v.* **1.** Alargarse mucho al decir o escribir algo. **2.** Contar una persona a otra sus sentimientos para desahogarse. **3.** Distraerse, expansionarse. **Sin. 1.** Extenderse. **2.** Confesarse. **Ant. 1.** Ceñirse.

explicación *s. f.* Acción de explicar. Sin. Aclaración; justificación.

explicar *v.* 1. Hablar con claridad sobre algo para que los demás lo entiendan. 2. Servir para que se entienda una cosa: *No ha dormido bien; eso explica su cansancio.* || **explicarse** 3. Entender: *No me explico cómo está tan delgado con lo que come.* Sin. 1. Enseñar, mostrar. 2. Aclarar, justificar. 3. Comprender.

explicativo, va *adj.* 1. Que sirve para explicar. 2. Se dice del adjetivo que expresa una cualidad propia o habitual del sustantivo al que acompaña, por ejemplo *blanca* con respecto a *nieve.* Sin. 2. Epíteto. Ant. 2. Especificativo.

explícito, ta *adj.* 1. Que se expresa o aparece claramente. 2. Que dice o explica algo con claridad. Sin. 1. Manifiesto, patente. 1 y 2. Claro. Ant. 1. Implícito. 2. Confuso.

exploración *s. f.* Acción de explorar. Sin. Examen, reconocimiento.

explorador, ra *adj. y s.* Persona que explora un lugar.

explorar *v.* 1. Recorrer un territorio para conocerlo o descubrir lo que hay en él. 2. Hacer pruebas el médico a una persona para saber si tiene alguna enfermedad. Sin. 1. Inspeccionar, rastrear. 2. Reconocer, examinar.

explosión *s. f.* 1. Acción de romperse algo violentamente y con mucho ruido. 2. Hecho de quemarse rápidamente un combustible, como ocurre en los cilindros del motor de los coches. 3. Manifestación brusca de un sentimiento. Sin. 1. Reventón. 1 y 3. Estallido.

explosionar *v.* Estallar o hacer estallar una bomba o cosa parecida.

explosivo, va *adj. y s. m.* 1. Que puede producir una explosión. || *adj.* 2. Que tiene un efecto muy fuerte.

explotación *s. f.* 1. Acción de explotar a una persona o cosa. 2. Lugar con las instalaciones necesarias para explotar algo: *una explotación minera.*

explotador, ra *adj. y s. Que* explota a los que trabajan para él. Sin. Negrero.

explotar[1] *v.* 1. Sacar un provecho de algo: *explotar una plantación.* 2. Hacer trabajar demasiado a los demás en beneficio de uno mismo. Sin. 1. Trabajar.

explotar[2] *v.* 1. Estallar una bomba, un cohete, un globo. 2. Mostrar de repente y con mucha fuerza un sentimiento. Sin. 1. Explosionar. 1 y 2. Reventar.

expoliar *v.* Quitar injustamente algo a alguien. Sin. Despojar. Ant. Devolver.

expolio *s. m.* 1. Acción de expoliar. 2. Bronca, follón. Sin. 1 y 2. Espolio. 2. Pelotera. Ant. 1. Devolución.

exponente *s. m.* 1. Número pequeño que se coloca a la derecha y en la parte de arriba de otro para indicar las veces que éste último debe multiplicarse por sí mismo. 2. Persona o cosa que representa muy bien a un grupo, clase, género. Sin. 2. Modelo, ejemplo.

exponer *v.* 1. Presentar una cosa para que la vean los demás, por ejemplo un pintor sus cuadros. 2. Decir o explicar algo: *exponer un tema.* 3. Poner a una persona o cosa de manera que reciba la acción de algo: *exponerse al sol.* 4. Poner en peligro. □ Es v. irreg. Se conjuga como *poner.* Sin. 1. Exhibir. 2. Expresar, declarar. 3. Someter. 4. Arriesgar. Ant. 1. Ocultar. 4. Proteger.

exportación *s. f.* Acción de exportar. Ant. Importación.

exportador, ra *adj. y s.* Que exporta. Ant. Importador.

exportar *v.* Vender mercancías a un país extranjero. Ant. Importar.

exposición *s. f.* Acción de exponer. Sin. Exhibición; explicación; sometimiento.

expositor *s. m.* Mueble o armazón en que se colocan cosas para que se vean bien, por ejemplo en una tienda.

exprés *adj.* 1. Se dice de algunos aparatos que son muy rápidos: *olla exprés, cafetera exprés.* || *adj. y s. m.* 2. Tren expreso. Ver **expreso.** 3. Se dice del café hecho con una cafetera exprés.

expresamente *adv.* 1. Claramente: *Dijo expresamente lo que quería.* 2. Con la intención de, con el fin de: *Vino expresamente para vernos.*

expresar *v.* Dar a entender con palabras, gestos o de otro modo lo que uno piensa, siente o quiere. Sin. Manifestar, declarar, indicar.

expresión *s. f.* 1. Acción de expresar. 2. Gesto de la cara con que se expresa un sentimiento. 3. Palabra o grupo de palabras que tiene un significado especial, como *hablar por los codos* (hablar mucho). Sin. 1. Manifestación, declaración, indicación. 3. Modismo, locución.

expresionismo *s. m.* Estilo artístico surgido a principios del siglo XX, en que el artista muestra con gran intensidad sus sentimientos y sensaciones.

expresionista *adj. y s.* Del expresionismo o que sigue este estilo.

extinguir

expresividad *s. f.* Característica de las personas expresivas o de sus gestos y rasgos.

expresivo, va *adj.* Que expresa de manera muy viva pensamientos o sentimientos. **ANT.** Inexpresivo.

expreso, sa *adj.* **1.** Que se dice claramente. || *adj.* y *s. m.* **2.** Tren rápido de pasajeros que para en pocas estaciones. || *adv.* **3.** Expresamente para alguien o algo: *Lo hizo expreso para agradarle.* **SIN. 1.** Claro, explícito. **2.** Exprés. **ANT. 1.** Implícito.

exprimidor *s. m.* Utensilio para sacar el zumo de frutas como naranjas y limones.

exprimir *v.* Apretar o retorcer una cosa para sacarle el jugo. **SIN.** Estrujar.

expropiación *s. f.* Acción de expropiar.

expropiar *v.* Quitarle a alguien el Estado u un organismo oficial una cosa que le pertenece, dándole dinero para compensarle.

expuesto, ta **1.** *p.* de **exponer.** También *adj.* || *adj.* **2.** En peligro de que pase alguna cosa. **3.** Peligroso. **SIN. 3.** Arriesgado. **ANT. 3.** Seguro.

expulsar *v.* Echar fuera o de un sitio. **SIN.** Arrojar, despedir. **ANT.** Admitir.

expulsión *s. f.* Acción de expulsar. **SIN.** Despido. **ANT.** Admisión.

expurgar *v.* Quitar lo malo o inútil de una cosa; sobre todo, suprimir partes de un escrito.

exquisitez *s. f.* **1.** Elegancia, refinamiento. **2.** Cosa exquisita. **SIN. 1.** Distinción. **ANT. 1.** Vulgaridad.

exquisito, ta *adj.* **1.** Muy fino y elegante. **2.** Que está muy rico. **SIN. 1.** Refinado, distinguido. **2.** Delicioso. **ANT. 1.** Vulgar. **2.** Asqueroso.

extasiar *v.* Causar o sentir éxtasis. **SIN.** Encantar, fascinar.

éxtasis *s. m.* Estado de la persona que siente una admiración, alegría o placer tan grande que no se entera de nada más. **SIN.** Fascinación.

extemporáneo, a *adj.* Que se hace o se dice cuando no conviene. **SIN.** Inoportuno, intempestivo.

extender *v.* **1.** Hacer que algo ocupe más espacio. **2.** Poner algo sobre toda una superficie. **3.** Hacer que algo lo conozca o lo tenga mucha gente. **4.** Escribir un cheque, un recibo o algo parecido. || **extenderse 5.** Ocupar un sitio o durar un tiempo. **6.** Hablar o escribir mucho sobre algo. □ Es v. irreg. Se conjuga como *tender*. **SIN. 1.** Ampliar, dispersar; desdoblar. **2.** Dar, untar. **3.** Difundir, divulgar. **5.** Expandirse; prolongarse. **6.** Enrollarse. **ANT. 1.** Agrupar; plegar.

extensible *adj.* Que se puede extender.

extensión *s. f.* **1.** Acción de extender o extenderse. Sitio que ocupa o tiempo que dura una cosa. **EXPR. por extensión** Se dice de las palabras y expresiones que, además de su significado principal, significan otras cosas con las que están relacionadas. **SIN. 1.** Ampliación, difusión, expansión. **2.** Superficie; transcurso.

extensivo, va *adj.* Que se extiende o se aplica a otras personas o cosas.

extenso, sa *adj.* Muy grande, que ocupa mucho. **EXPR. por extenso** Extendiéndose mucho, con todo detalle. **SIN.** Amplio, vasto. **ANT.** Reducido.

extensor *adj.* y *s. m.* **1.** Se dice de los músculos que hacen que se estiren pies y manos. || *s. m.* **2.** Aparato para fortalecer los músculos formado por dos asas unidas con cintas elásticas.

extenuado, da **1.** *p.* de **extenuar.** || *adj.* **2.** Muy débil o cansado. **SIN. 2.** Agotado. **ANT. 2.** Fresco.

extenuar *v.* Dejar muy débil o cansado. **SIN.** Agotar. **ANT.** Fortalecer.

exterior *adj.* **1.** Situado en la parte de fuera o que da a la parte de fuera. **2.** Relacionado con el extranjero. || *s. m.* **3.** Parte de fuera. **SIN. 1.** Externo. **ANT. 1.** Interno. **1 a 3.** Interior. **2.** Nacional.

exteriorizar *v.* Mostrar alguien lo que siente o piensa. **SIN.** Manifestar, expresar. **ANT.** Ocultar.

exteriormente *adv.* En el exterior, por fuera. **ANT.** Interiormente.

exterminar *v.* Matar o destruir a todas las personas, animales o plantas de un grupo o lugar. **SIN.** Aniquilar. **ANT.** Proteger.

exterminio *s. m.* Acción de exterminar. **SIN.** Aniquilación. **ANT.** Protección.

externo, na *adj.* **1.** De fuera o por fuera. || *adj.* y *s.* **2.** Se dice del empleado o del estudiante que no vive ni come en el lugar donde trabaja o estudia. **SIN. 1.** Exterior. **ANT. 1.** Interior. **2.** Interno.

extinción *s. f.* Acción de extinguir o extinguirse. **SIN.** Terminación; cese. **ANT.** Comienzo.

extinguir *v.* **1.** Apagar el fuego o la luz. **2.** Hacer desaparecer algo o acabarse poco a poco. **SIN. 1.** Sofocar. **2.** Agotar, cesar. **ANT. 1.** Encender. **1 y 2.** Originar.

extinto, ta *adj.* Que se ha extinguido o ha desaparecido.

extintor *s. m.* Especie de botella que tiene a presión una sustancia para apagar el fuego.

extirpar *v.* Sacar un tumor, un órgano enfermo, etc., del interior del cuerpo. **Sin.** Extraer. **Ant.** Implantar.

extorsión *s. f.* **1.** Molestia o perjuicio grande. **2.** Hecho de usar la violencia con alguien o asustarle para conseguir algo de él. **Sin. 1.** Trastorno, estropicio. **Ant. 1.** Ayuda.

extorsionar *v.* Hacer extorsión.

extra *adj.* **1.** De mejor calidad que la normal. ‖ *adj.* y *s. m.* **2.** Que se da o se hace además de lo normal. ‖ *s. m.* y *f.* **3.** Persona que sale en una película sin tener un papel destacado. **Sin. 1** y **2.** Extraordinario. **2.** Plus. **Ant. 1.** Inferior.

extracción *s. f.* Acción de extraer.

extractar *v.* Hacer un extracto o resumen. **Sin.** Resumir. **Ant.** Ampliar.

extracto *s. m.* **1.** Resumen con lo más importante de algo. **2.** Sustancia concentrada que se saca de alguna cosa. **Sin. 1.** Síntesis, compendio. **2.** Esencia. **Ant. 1.** Ampliación.

extractor, ra *adj.* y *s. m.* Que sirve para extraer: *extractor de humos.*

extradición *s. f.* Acción de extraditar.

extraditar o **extradir** *v.* Entregar a una persona refugiada en un país a las autoridades de otro en el que se la busca por algún delito. **Ant.** Acoger.

extraer *v.* **1.** Sacar algo de donde estaba. **2.** Sacar una sustancia de un fruto o de otra cosa. **3.** Llegar a una idea, a un resultado o a algo parecido: *extraer una conclusión.* □ Es v. irreg. Se conjuga como *traer.* **Sin. 1.** Extirpar. **2.** Obtener. **3.** Deducir. **Ant. 1.** Introducir.

extrafino, na *adj.* Más fino de lo que es normal.

extralimitarse *v.* Excederse, propasarse. **Sin.** Pasarse. **Ant.** Comedirse.

extranjería *s. f.* Situación de los extranjeros en un país y normas que la regulan: *ley de extranjería.*

extranjerismo *s. m.* Palabra o expresión que viene de otro idioma.

extranjero, ra *adj.* y *s.* **1.** De otro país. ‖ *s. m.* **2.** País o países distintos del nuestro. **Sin. 1.** Forastero, foráneo. **Ant. 1.** Nativo; nacional.

extranjis Se usa en la expresión **de extranjis**, 'en secreto' o 'sin que se note'.

extrañar *v.* **1.** Parecer algo extraño o mostrar extrañeza. **2.** Echar de menos, sentir que alguien no está. **Sin. 1.** Sorprender, admirar. **2.** Añorar.

extrañeza *s. f.* Impresión que nos causa algo que nos parece extraño. **Sin.** Sorpresa, asombro.

extraño, ña *adj.* **1.** Raro, que no es normal. ‖ *adj.* y *s.* **2.** Que es un desconocido o pertenece a un grupo, familia o país distinto. ‖ *s. m.* **3.** Movimiento brusco e inesperado. **Sin. 1.** Insólito, excepcional. **2.** Extranjero, forastero. **Ant. 1.** Corriente.

extraoficial *adj.* Que no es oficial.

extraordinariamente *adv.* Mucho, muy. **Sin.** Extremadamente.

extraordinario, ria *adj.* **1.** Muy bueno, mejor de lo normal. ‖ *adj.* y *s. m.* **2.** Aparte de lo que es normal o habitual. **Sin. 1.** Estupendo, notable. **2.** Excepcional, extra. **Ant. 1.** Vulgar.

extraplano, na *adj.* Más plano de lo normal.

extrapolar *v.* Aplicar una conclusión o un resultado a otros casos parecidos.

extrarradio *s. m.* Barrio o zona de las afueras de una ciudad. **Sin.** Periferia.

extraterrestre *adj.* y *s.* De otro planeta diferente a la Tierra. **Sin.** Alienígena. **Ant.** Terrícola, terrestre.

extravagancia *s. f.* **1.** Característica de la persona o cosa extravagante. **2.** Cosa extravagante. **Sin. 1** y **2.** Excentricidad.

extravagante *adj.* Raro y muy llamativo. **Sin.** Estrafalario, excéntrico.

extraviar *v.* Perder o perderse. **Sin.** Desorientarse. **Ant.** Encontrar; orientarse.

extravío *s. m.* Acción de extraviar o extraviarse. **Sin.** Pérdida; desorientación. **Ant.** Hallazgo; orientación.

extremadamente *adv.* Mucho, muy. **Sin.** Extraordinariamente.

extremado, da **1.** *p.* de **extremar**. ‖ *adj.* **2.** Mucho, muy grande. **3.** Exagerado, excesivo. **Sin. 2.** Enorme. **3.** Desmedido, desmesurado. **Ant. 2** y **3.** Moderado.

extremar *v.* Llevar al extremo, al grado máximo. **Sin.** Exagerar. **Ant.** Moderar.

extremaunción *s. f.* Sacramento de la Iglesia católica que recibe la persona que está en peligro de morir.

extremeño, ña *adj.* y *s.* De Extremadura, comunidad autónoma de España.

extremidad *s. f.* **1.** Parte final de una cosa. **2.** Brazo o pierna del hombre; pata o cola de los animales. **Sin. 1.** Extremo, punta. **2.** Miembro.

extremismo *s. m.* Ideas y forma de pensar y actuar de los extremistas.

extremista *adj. y s.* De ideas muy radicales o exageradas, sobre todo en política. **Ant.** Moderado.

extremo, ma *adj.* **1.** Se dice de lo que está más alejado del centro. **2.** Muy grande, máximo; también, excesivo, exagerado. || *s. m.* **3.** Principio o final de una cosa, o parte situada más lejos del centro. **4.** Límite, grado máximo. **5.** En el fútbol y otros deportes, cada uno de los dos delanteros que juegan por los lados del campo. **Expr. en extremo** Mucho, demasiado. **Sin. 1.** Periférico. **2.** Sumo. **3.** Extremidad, punta. **4.** Colmo. **Ant. 1.** Céntrico. **2.** Moderado.

extremoso, sa *adj.* Exagerado, excesivo. **Sin.** Extremado. **Ant.** Moderado.

extrínseco, ca *adj.* Que no forma parte de las características de alguien o algo. **Sin.** Externo, accesorio. **Ant.** Intrínseco.

extrovertido, da *adj. y s.* Que se relaciona bien con los demás y suele mostrar lo que piensa y siente. **Sin.** Abierto, comunicativo. **Ant.** Introvertido.

exuberancia *s. f.* Característica de las cosas exuberantes. **Sin.** Abundancia.

exuberante *adj.* Muy abundante o desarrollado: *vegetación exuberante.*

exudar *v.* Dejar salir un líquido poco a poco del conducto o lugar que lo contiene. **Sin.** Rezumar.

exultante *adj.* Muy contento. **Sin.** Alegre, eufórico. **Ant.** Triste.

exvoto *s. m.* Objeto que se ofrece a Dios, la Virgen, los santos, etc., como muestra de agradecimiento.

eyacular *v.* Expulsar con fuerza el contenido de un órgano o cavidad del cuerpo, sobre todo el semen.

f *s. f.* Sexta letra del abecedario.

fa *s. m.* Cuarta nota de la escala musical.

fabada *s. f.* Guiso de judías con tocino, chorizo y morcilla, típico de Asturias.

fábrica *s. f.* Lugar donde se fabrican cosas con máquinas. **Sin.** Factoría.

fabricación *s. f.* Acción de fabricar.

fabricante *s. m. y f.* Dueño de una fábrica.

fabricar *v.* **1.** Transformar materias en cosas útiles empleando máquinas o herramientas. **2.** Construir.

fabril *adj.* Relacionado con las fábricas.

fábula *s. f.* **1.** Cuento del que se saca alguna enseñanza, sobre todo los que muestran animales o cosas que hablan y actúan como personas. **2.** Mentira o historia inventada. **Sin. 2.** Patraña.

fabulista *s. m. y f.* Escritor de fábulas.

fabuloso, sa *adj.* **1.** Imaginario o inventado. **2.** Muy grande o muy bueno. **Sin. 1.** Legendario. **1 y 2.** Fantástico. **2.** Extraordinario. **Ant. 1.** Real. **2.** Pésimo.

facción *s. f.* **1.** Parte de un grupo de personas o de un país que se enfrenta a otra. || *pl.* **2.** Líneas o partes que forman la cara. **Sin. 1.** Bando. **2.** Rasgos.

faccioso, sa *adj. y s.* **1.** Miembro de una facción o bando. **2.** Que participa en una revuelta o rebelión.

faceta *s. f.* Cada una de las diferentes características o cualidades de alguien o algo. **Sin.** Aspecto, rasgo.

facha[1] *s. f.* Aspecto de una persona o cosa. **Sin.** Pinta, presencia.

facha[2] *adj. y s. desp.* De ideas muy conservadoras. **Sin.** Carca.

fachada *s. f.* Parte exterior de los muros de un edificio.

facial *adj.* De la cara.

fácil adj. **1.** Que se hace con poco esfuerzo o es poco complicado. **2.** Que es posible que ocurra. ‖ adv. **3.** Fácilmente: *Eso se dice fácil, pero hacerlo es otra cosa.* SIN. **1.** Sencillo. **2.** Probable. ANT. **1.** Difícil. **2.** Improbable.

facilidad s. f. **1.** Hecho de ser fácil una cosa. **2.** Habilidad para hacer bien algo. ‖ pl. **3.** Posibilidades que se dan para hacer más fácil o cómoda una cosa: *facilidades de pago.* SIN. **1.** Sencillez. **2.** Capacidad, aptitud. ANT. **1.** Dificultad. **2.** Incapacidad.

facilitar v. **1.** Hacer más fácil. **2.** Dar, proporcionar. SIN. **1.** Simplificar, favorecer. **2.** Suministrar. ANT. **1.** Dificultar. **2.** Retirar.

facineroso, sa adj. y s. Delincuente, criminal.

facsímil o **facsímile** s. m. Copia exacta de un libro, escrito, dibujo, etc.

factible adj. Que se puede hacer. SIN. Posible. ANT. Imposible.

factor s. m. **1.** Cosa o circunstancia que influye en otra o es parte de ella. **2.** Cada una de las cantidades con las que se hace una multiplicación. **3.** Empleado del ferrocarril o de una empresa de transportes que se ocupa de las mercancías y equipajes. SIN. **1.** Elemento, agente.

factoría s. f. Fábrica grande con muchas instalaciones. SIN. Industria.

factura s. f. Papel que se entrega a alguien y en el que pone lo que tiene que pagar por algo. SIN. Cuenta, recibo.

facturación s. f. Acción de facturar.

facturar v. **1.** Entregar equipajes y paquetes en una estación, puerto o aeropuerto para que los envíen a su destino. **2.** Hacer una factura.

facultad s. f. **1.** Capacidad, poder o derecho para hacer alguna cosa. **2.** Cada uno de los centros de una universidad donde se estudian las distintas carreras. SIN. **1.** Aptitud, autoridad. ANT. **1.** Incapacidad.

facultar v. Dar autorización o capacidad para hacer algo. SIN. Autorizar, capacitar. ANT. Incapacitar.

facultativo, va adj. **1.** Que se puede hacer o no. **2.** Se dice de los consejos o indicaciones que da el médico al paciente. ‖ s. m. **3.** Médico. SIN. **1.** Opcional. **3.** Doctor. ANT. **1.** Obligatorio.

fado s. m. Canción popular portuguesa de carácter triste.

faena s. f. **1.** Trabajo, labor. **2.** Cosa que perjudica o molesta. **3.** Acción de torear el torero al toro con la muleta. SIN. **1.** Tarea, quehacer. **2.** Trastada, jugarreta. ANT. **1.** Descanso, ocio.

faenar v. Trabajar, sobre todo pescando en el mar o haciendo las faenas del campo.

fagocito s. m. Célula que destruye a otras células, microbios o cuerpos perjudiciales para el organismo.

fagot s. m. Instrumento de viento hecho con madera, de sonido grave.

faisán s. m. Ave del tamaño de un gallo, con la cola larga; el macho posee un plumaje vistoso. Su carne es muy apreciada como alimento.

faja s. f. **1.** Tira de tela o de otro material que rodea una cosa. **2.** Prenda femenina elástica que se ajusta a las caderas y la cintura para hacerlas más delgadas. También, la que se pone a los niños pequeños para abrigarles la tripa.

fajar v. Rodear con una faja.

fajín s. m. Faja pequeña de tela que se pone como adorno o distintivo alrededor de la cintura en algunos trajes y uniformes.

fajo s. m. Conjunto de papeles puestos unos sobre otros y atados.

falacia s. f. Mentira, falsedad.

falange s. f. **1.** Cada uno de los huesos de los dedos. **2.** Primero de estos huesos, que se une al resto de la mano.

falangeta s. f. Hueso de la punta de los dedos.

falangina s. f. Hueso de los dedos situado entre la falange y la falangeta.

falaz adj. Mentiroso, falso.

falda s. f. **1.** Prenda de vestir o parte del vestido que cae de la cintura hacia abajo. **2.** Tela que se pone sobre algunas cosas y las cubre hasta el suelo: *faldas de camilla.* **3.** Parte de abajo de una montaña. **4.** Carne de vacuno que cuelga de las agujas.

faldero adj. Se dice del perro pequeño apreciado como animal de compañía.

faldón s. m. **1.** Parte de algunas prendas de vestir que cae suelta desde la cintura. **2.** Ropa larga que se pone a los bebés encima de las otras prendas.

falla[1] s. f. Escalón o corte que se forma en un terreno al romperse y moverse dos trozos de la corteza terrestre.

falla[2] s. f. **1.** Muñeco o grupo de muñecos que se queman en las calles de Valencia la noche de San José. ‖ pl. **2.** Fiestas celebradas esa noche.

fallar[1] v. Decir un juez, un jurado o un tribunal lo que ha decidido. **SIN.** Sentenciar, dictar.

fallar[2] v. 1. Hacer mal algo, no funcionar una cosa o no dar el resultado que se esperaba. 2. Perder la fuerza o la resistencia: *Le fallaron las piernas.* **SIN.** 1. Equivocarse, errar; estropearse. 2. Flaquear. **ANT.** 1. Acertar. 2. Resistir.

fallecer v. Morir una persona. □ Es v. irreg. Se conjuga como *agradecer.* **SIN.** Perecer, expirar. **ANT.** Nacer; vivir.

fallecimiento s. m. Muerte de una persona. **SIN.** Defunción. **ANT.** Nacimiento.

fallero, ra adj. 1. De las Fallas valencianas. ‖ s. m. y f. 2. Persona que participa en estas fiestas.

fallido, da adj. Que ha fallado y no ha salido bien. **SIN.** Fracasado, frustrado.

fallo[1] s. m. Acción de fallar[1]. **SIN.** Sentencia, decisión.

fallo[2] s. m. 1. Error, equivocación. 2. Mal resultado o mal funcionamiento. **SIN.** 1. Falta, descuido. 2. Fracaso. **ANT.** 1. Acierto. 2. Éxito.

falo s. m. Pene.

falsear v. Cambiar una cosa de modo que ya no sea la verdadera. **SIN.** Deformar, desfigurar.

falsedad s. f. Mentira. **SIN.** Engaño. **ANT.** Verdad.

falsete s. m. Voz más aguda que lo normal, como cuando se imita la de una mujer o un niño.

falsificación s. f. 1. Acción de falsificar. 2. Lo que se ha falsificado.

falsificar v. Hacer una cosa falsa imitando a una auténtica.

falsilla s. f. Hoja con rayas que se pone debajo del papel en que se va a escribir para no torcerse.

falso, sa adj. 1. Que es mentira o no es de verdad. 2. Que se estropea o se rompe con facilidad. ‖ adj. y s. 3. Mentiroso. **SIN.** 1. Simulado, ficticio, falsificado. 2. Frágil, flojo. 3. Hipócrita, embustero. **ANT.** 1. Auténtico. 2. Resistente. 3. Sincero.

falta s. f. 1. Hecho de faltar alguien o algo. 2. Error o fallo. 3. Acción que va en contra de una ley o una regla. **EXPR.** **echar en falta** Tener pena de que no esté alguien; también, notar que falta alguien o algo. **hacer falta** Necesitar o ser necesario. **SIN.** 1. Carencia, escasez. 2. Equivocación. 3. Infracción. **ANT.** 1. Abundancia. 2. Acierto.

faltar v. 1. No haber o no ser suficiente. 2. No estar o no acudir. 3. Quedar algún tiempo para que llegue u ocurra una cosa. 4. Ofender o no tener respeto. 5. No cumplir una promesa o una obligación. **EXPR.** **no faltar más** Forma educada de decir que haremos lo que nos piden. **SIN.** 1. Escasear. 4. Insultar. 5. Incumplir, quebrantar. **ANT.** 1. Abundar; sobrar. 2. Asistir. 4 y 5. Respetar.

falto, ta adj. Que no tiene algo. **SIN.** Escaso, necesitado. **ANT.** Sobrado.

faltón, na adj. y s. Que ofende o falta al respeto.

faltriquera s. f. Bolsa pequeña que antiguamente servía para guardar el dinero y otras cosas.

fama s. f. 1. Hecho de ser muy conocido y admirado. 2. Lo que los demás piensan de alguien o algo. **SIN.** 1. Celebridad, renombre. 2. Reputación.

famélico, ca adj. Muy flaco, sobre todo por no comer. **SIN.** Esmirriado, esquelético. **ANT.** Gordo.

familia s. f. 1. Grupo formado por los padres y sus hijos y, también, por todos sus parientes. 2. Hijos, descendencia: *tener familia.* 3. Conjunto de personas, animales o cosas con algo en común: *El gato pertenece a la familia de los felinos.* **SIN.** 1. Parentela. 2. Prole.

familiar adj. 1. De la familia o relacionado con ella. 2. Conocido, corriente o habitual. 3. Sencillo, natural: *un trato familiar.* 4. De mayor tamaño que el normal, para que lo use toda la familia. ‖ s. m. 5. Persona de la misma familia que otra. **SIN.** 2. Común, normal. 3. Llano. 5. Pariente. **ANT.** 2. Raro. 3. Solemne. 4. Individual.

familiaridad s. f. Confianza que se tiene con los amigos y las personas a las que se trata mucho. **SIN.** Intimidad. **ANT.** Desconfianza.

familiarizar v. Acostumbrar, habituar.

famoso, sa adj. y s. Que tiene fama. **SIN.** Célebre. **ANT.** Desconocido.

fan s. m. y f. Persona a la que le gusta mucho un artista, un conjunto musical, un deporte. **SIN.** Aficionado, fanático.

fanal s. m. 1. Farol grande que se usa como señal en los barcos y los puertos. 2. Campana transparente para proteger una luz o un objeto.

fanático, ca adj. y s. 1. Que no admite otras religiones, opiniones o ideas que las suyas. 2. Muy aficionado a alguien o algo. **SIN.** 1. Exaltado, intolerante. 2. Entusiasta, fan. **ANT.** 1. Tolerante.

fanatismo *s. m.* Ideas y forma de pensar y actuar de los fanáticos. **Sin.** Intolerancia. **Ant.** Tolerancia.

fandango *s. m.* Baile popular español de ritmo alegre, que se acompaña con castañuelas y guitarra, y copla y música de este baile.

fanega *s. f.* **1.** Medida para semillas, como el trigo o la cebada, y que varía según las regiones. **2.** Medida para calcular la extensión de los campos.

fanerógama *adj.* y *s. f.* Se dice de las plantas que tienen flores y se reproducen por semillas. **Sin.** Espermafita.

fanfarria *s. f.* **1.** Banda de música, sobre todo la militar. **2.** *fam.* Fanfarronada.

fanfarrón, na *adj.* y *s.* Que presume mucho. **Sin.** Presumido, bravucón. **Ant.** Modesto.

fanfarronada *s. f.* Acción o palabras propias de un fanfarrón. **Sin.** Bravata.

fanfarronear *v.* Presumir de guapo, de valiente, etc.

fanfarronería *s. f.* **1.** Característica de la persona fanfarrona. **2.** Fanfarronada.

fango *s. m.* Barro que hay en el fondo del agua que está quieta. **Sin.** Lodo, cieno.

fantasear *v.* Pensar en cosas fantásticas o imaginarias. **Sin.** Soñar.

fantasía *s. f.* **1.** Capacidad para imaginar o inventar cosas que no existen. **2.** Cosa que uno inventa con la imaginación. **Sin. 1.** Imaginación, inventiva. **2.** Invención, figuraciones. **Ant. 2.** Realidad.

fantasioso, sa *adj.* y *s.* Que tiene mucha imaginación y siempre está fantaseando.

fantasma *s. m.* **1.** Persona o cosa que parece de verdad, pero sólo existe en nuestra imaginación o en los sueños. **2.** Espíritu de una persona muerta que dicen que se aparece a los vivos y los asusta. **3.** Deshabitado: *pueblo fantasma.* || *adj.* y *s.* **4.** *fam.* Fanfarrón, presumido. **Sin. 2.** Aparición, espectro.

fantasmagórico, ca *adj.* Fantasmal.

fantasmal *adj.* Propio de los fantasmas y espíritus. **Sin.** Fantasmagórico.

fantástico, ca *adj.* **1.** Inventado por la imaginación. **2.** Estupendo, maravilloso. **Sin. 1.** Imaginario, irreal. **1** y **2.** Fabuloso. **2.** Sensacional. **Ant. 1.** Real. **2.** Horrible.

fantoche *s. m.* **1.** Muñeco o marioneta. **2.** Persona de aspecto ridículo. || *adj.* y *s.* **3.** Fanfarrón. **Sin. 2.** Mamarracho.

faquir *s. m.* **1.** En la India, persona que vive de limosnas y lleva una vida de sacrificios y oración. **2.** Artista de circo que se tumba sobre clavos, se traga espadas y hace otras cosas parecidas.

faralaes *s. m. pl.* Adornos de volantes que lleva por abajo el traje típico andaluz femenino.

farallón *s. m.* Roca grande, alta y picuda que sobresale del mar o del terreno.

farándula *s. f.* **1.** El mundo del teatro y de los artistas de espectáculos. **2.** Compañía de teatro o de circo que actúa de pueblo en pueblo.

faraón *s. m.* Rey del antiguo Egipto.

faraónico, ca *adj.* **1.** Del faraón. **2.** Grandioso, espectacular.

fardar *v.* Presumir, darse importancia. **Sin.** Fanfarronear.

fardo *s. m.* Paquete grande y apretado.

farero, ra *s. m.* y *f.* Persona encargada del faro por el que se guían los barcos.

farfullar *v.* Decir algo muy rápido y de manera que no se entiende. **Sin.** Balbucear, mascullar.

faringe *s. f.* Conducto de la garganta que va de la boca al esófago.

faringitis *s. f.* Inflamación de la faringe.

fariseo, a *s. m.* y *f.* **1.** Miembro de una secta de los antiguos judíos. **2.** Hipócrita, persona que quiere parecer buena sin serlo. **Sin. 2.** Falso. **Ant. 2.** Sincero.

farmacéutico, ca *s. m.* y *f.* **1.** Persona que prepara y vende medicinas en una farmacia. **2.** Persona que ha estudiado farmacia. **Sin. 1.** Boticario.

farmacia *s. f.* **1.** Tienda donde se preparan y venden las medicinas. **2.** Ciencia que trata de los medicamentos y de cómo se preparan. **Sin. 1.** Botica.

fármaco *s. m.* Medicina, medicamento.

farmacología *s. f.* Parte de la medicina que trata de la acción de los medicamentos en el organismo.

faro *s. m.* **1.** Torre situada en costas y puertos, con una luz en lo alto para guiar de noche a los barcos. **2.** Aparato que da una luz muy fuerte, como los que llevan los automóviles.

farol *s. m.* **1.** Caja transparente que contiene una luz y sirve para alumbrar. **2.** Lo que alguien dice o hace para presumir o para engañar a otro. **Sin. 1.** Fanal. **2.** Trola, mentira.

farola *s. f.* Farol grande, normalmente sobre un poste, que ilumina las calles por la noche.

farolero, ra s. m. y f. **1.** Persona que encendía y apagaba los faroles de la calle. || adj. y s. **2.** Mentiroso, que se tira faroles. **SIN. 2.** Fanfarrón, trolero.

farolillo s. m. Farol pequeño de adorno, hecho con papeles de colores.

farra s. f. Juerga, parranda.

farragoso, sa adj. Confuso, desordenado y con muchas cosas innecesarias: un escrito farragoso.

farruco, ca adj. fam. Chulo y contestón. **SIN.** Respondón.

farsa s. f. **1.** Obra de teatro, sobre todo la que hace reír al público. **2.** Cosa que se prepara para que parezca lo que no es. **SIN. 1.** Comedia. **2.** Engaño, trampa.

farsante adj. y s. Persona que engaña a los demás haciéndose pasar por lo que no es. **SIN.** Impostor, comediante.

fascículo s. m. Cada uno de los cuadernillos o partes de un libro que se publican y entregan a los lectores por separado y en distintas veces.

fascinación s. f. Atracción muy fuerte hacia una persona o cosa. **SIN.** Encanto, seducción. **ANT.** Rechazo.

fascinante adj. Que fascina. **SIN.** Encantador, seductor. **ANT.** Repelente.

fascinar v. **1.** Atraer mucho la atención de alguien una persona o cosa. **2.** Gustar muchísimo. **SIN. 1.** Cautivar. **1** y **2.** Encantar. **ANT. 1** y **2.** Repeler.

fascismo s. m. Movimiento político surgido en Italia a principios del siglo XX que estaba en contra de la libertad y la democracia.

fascista adj. y s. Del fascismo o partidario de este movimiento político.

fase s. f. **1.** Parte en que se divide una acción o algo que ocurre. **2.** Cada una de las formas en que puede verse la Luna.

fastidiar v. **1.** Molestar mucho. **2.** Estropear, dañar, romper. || **fastidiarse 3.** Aguantarse. **SIN. 1.** Jorobar.

fastidio s. m. Cosa que molesta. **SIN.** Rollo, lata.

fastidioso, sa adj. Que fastidia, que molesta. **SIN.** Molesto, incómodo.

fastuosidad s. f. Característica de fastuoso. **SIN.** Lujo. **ANT.** Sencillez.

fastuoso, sa adj. Con mucho lujo. **SIN.** Lujoso, majestuoso. **ANT.** Modesto.

fatal adj. y adv. Muy malo o muy mal. **SIN.** Horrible, pésimo, desastroso. **ANT.** Fenomenal.

fatalidad s. f. Mala suerte. **SIN.** Desgracia, desdicha. **ANT.** Fortuna.

fatídico, ca adj. Con muy malas consecuencias: un error fatídico. **SIN.** Fatal, nefasto. **ANT.** Afortunado.

fatiga s. f. Cansancio, agotamiento. **ANT.** Descanso.

fatigar v. Cansar, agotar. **ANT.** Descansar.

fatigoso, sa adj. Que fatiga. **SIN.** Agotador. **ANT.** Descansado.

fatuo, tua adj. **1.** Vanidoso, engreído. **2.** Frívolo, poco profundo. **SIN. 1.** Petulante, jactancioso. **2.** Superficial.

fauces s. f. pl. Boca y dientes de animales muy fieros, como los leones.

fauna s. f. Animales de un país, región o periodo de tiempo.

fausto, ta adj. Alegre, afortunado: un fausto acontecimiento. **SIN.** Feliz, venturoso. **ANT.** Infausto.

favela (port.) s. f. Chabola de las grandes ciudades de Brasil.

favor s. m. **1.** Algo que se hace para ayudar a alguien. **2.** Simpatía y apoyo que una persona recibe de otras. **EXPR. a favor** Que apoya o está de acuerdo: El público estaba a favor del tenista español. Están a favor de cambiar el horario. En la misma dirección: a favor de la corriente. **por favor** Se utiliza para pedir una cosa a alguien educadamente. **SIN. 1.** Servicio. **ANT. 1.** Perjuicio. **2.** Enemistad.

favorable adj. **1.** Que favorece o beneficia. **2.** Que está de acuerdo con algo. **SIN. 1.** Conveniente. **2.** Conforme, partidario. **ANT. 1.** Desfavorable. **2.** Contrario.

favorecedor, ra adj. Que favorece, que hace más guapo.

favorecer v. **1.** Ayudar, beneficiar. **2.** Hacer más guapo. ◻ Es v. irreg. Se conjuga como agradecer. **SIN. 1.** Apoyar. **2.** Embellecer. **ANT. 1.** Perjudicar. **2.** Afear.

favoritismo s. m. Hecho de favorecer sólo a algunos cuando otros lo merecen igual o más. **SIN.** Preferencia, parcialidad. **ANT.** Imparcialidad.

favorito, ta adj. y s. **1.** Preferido. **2.** Que seguramente ganará, que es mejor que los demás. || s. m. y f. **3.** Persona a la que un rey o alguien muy poderoso ayuda y protege. **SIN. 1.** Predilecto.

fax (ingl.) s. m. **1.** Aparato que sirve para mandar a larga distancia mensajes escritos, dibujos o fotografías. **2.** Lo que se manda por medio de este aparato. **SIN. 1** y **2.** Telefax.

faz *s. f.* **1.** Cara, rostro. ‖ **2. la faz de la Tierra** La superficie terrestre.

fe *s. f.* **1.** Hecho de creer en Dios. **2.** Religión. **3.** Confianza: *Tiene fe en la ciencia.* **SIN. 1.** Creencia, confesión. **3.** Esperanza. **ANT. 3.** Desconfianza.

fealdad *s. f.* Característica de feo. **ANT.** Hermosura.

febrero *s. m.* Segundo mes del año, de veintiocho días, o veintinueve en los años bisiestos.

febril *adj.* **1.** De la fiebre. **2.** Muy vivo, muy agitado: *una actividad febril.* **SIN. 2.** Frenético. **ANT. 2.** Relajado.

fecal *adj.* Relacionado con los excrementos: *heces fecales.*

fecha *s. f.* Día, mes y año en que pasa o se hace algo.

fechoría *s. f.* Mala acción. **SIN.** Desmán; trastada.

fécula *s. f.* Sustancia de color blanco que hay en la mayoría de los vegetales, sobre todo en la patata y en el arroz. Se emplea en alimentación.

fecundación *s. f.* **1.** Unión de una célula masculina y una femenina para crear un nuevo ser. ‖ **2. fecundación in vitro** Fecundación de un óvulo por medios artificiales en un laboratorio, fuera del cuerpo de la mujer.

fecundar *v.* **1.** Unirse una célula masculina a una femenina para crear un nuevo ser. **2.** Hacer que algo sea fecundo, que produzca: *Los abonos sirven para fecundar la tierra.* **SIN. 2.** Fertilizar. **ANT. 2.** Esterilizar.

fecundidad *s. f.* Característica de fecundo. **SIN.** Fertilidad. **ANT.** Esterilidad.

fecundo, da *adj.* **1.** Que puede criar o producir. **2.** Se dice del escritor o artista que tiene muchas obras. **SIN. 1.** Fértil, productivo. **ANT. 1.** Estéril.

federación *s. f.* Agrupación de varias organizaciones o Estados. **SIN.** Confederación.

federal *adj.* Formado por varias organizaciones o Estados.

federalismo *s. m.* Sistema político en el que el gobierno está repartido entre un poder central y unos Estados federados.

federalista *adj.* y *s.* Del federalismo o partidario de este sistema político.

federarse *v.* **1.** Agruparse varias organizaciones o Estados. **2.** Hacerse socio de una federación.

federativo, va *adj.* **1.** De la federación. ‖ *s. m.* **2.** Miembro dirigente de una federación, sobre todo deportiva.

fehaciente *adj.* Que demuestra o asegura de manera indudable alguna cosa. **SIN.** Fidedigno. **ANT.** Dudoso.

feldespato *s. m.* Mineral que abunda en la naturaleza y existe en muchas rocas, por ejemplo en el granito.

felicidad *s. f.* Estado de alegría y bienestar. **SIN.** Dicha. **ANT.** Tristeza.

felicitación *s. f.* **1.** Acción de felicitar. **2.** Tarjeta con la que se felicita a alguien. **SIN. 1.** Enhorabuena.

felicitar *v.* **1.** Decir a alguien que nos alegramos por algo bueno que ha hecho o le ha pasado. **2.** Desear a alguien que sea feliz: *felicitar las Navidades.* **SIN. 1.** Congratularse. **ANT. 1.** Compadecer.

feligrés, sa *s. m.* y *f.* Persona que pertenece a una parroquia.

feligresía *s. f.* Conjunto de feligreses.

felino, na *adj.* y *s. m.* Del grupo de animales al que pertenecen el gato, el león, el tigre.

feliz *adj.* **1.** Que siente felicidad. **2.** Bueno, afortunado: *un feliz acontecimiento.* **SIN. 1** y **2.** Alegre, dichoso. **ANT. 1** y **2.** Triste.

felón, na *adj.* y *s.* Canalla, traidor.

felonía *s. f.* Canallada, traición.

felpa *s. f.* Tela parecida al terciopelo, pero un poco más áspera.

felpudo *s. m.* Alfombrilla que se pone delante de las puertas de las casas para limpiarse las suelas de los zapatos.

femenino, na *adj.* **1.** Se dice de los seres vivos que tienen órganos para ser fecundados y, también, de lo relacionado con estos seres. **2.** Propio de la mujer. ‖ *adj.* y *s. m.* **3.** Se dice del género gramatical de las palabras que se refieren a mujeres o animales hembra, y de las cosas a las que se da este género. **ANT. 1** a **3.** Masculino.

fémina *s. f.* Mujer.

feminismo *s. m.* Movimiento que defiende que las mujeres deben tener los mismos derechos que los hombres.

feminista *adj.* y *s.* Del feminismo o partidario de él.

femoral *adj.* **1.** Del fémur. ‖ *adj.* y *s. f.* **2.** Arteria que recorre el muslo.

fémur *s. m.* Hueso del muslo.

fenecer *v.* Morir. □ Es v. irreg. Se conjuga como *agradecer.* **SIN.** Fallecer, perecer.

fenicio, cia *adj.* y *s.* De Fenicia, antiguo país a orillas del Mediterráneo oriental.

fenomenal *adj.* y *adv.* Muy bueno, estupendo. **Sin.** Fantástico, extraordinario. **Ant.** Fatal, pésimo.

fenómeno *s. m.* **1.** Cualquier cosa que ocurre. **2.** Persona muy buena en el deporte, en el trabajo o en otra actividad. ‖ *adj.* y *adv.* **3.** Estupendo o estupendamente. **Sin.** 1. Hecho, acontecimiento. 2. As, prodigio. 3. Fenomenal. **Ant.** 2. Desastre. 3. Mal.

feo, a *adj.* y *s.* **1.** Que no es bonito o guapo. ‖ *adj.* **2.** Malo, desfavorable: *El tiempo se está poniendo feo.* **3.** Desagradable: *Le dio una fea contestación.* **4.** Ilegal, deshonroso: *un feo negocio.* ‖ *s. m.* **5.** Desprecio: *hacer un feo.* **Sin.** 1. Antiestético. 2. Adverso. 4. Sucio. 5. Grosería, menosprecio. **Ant.** 1. Bello. 2. Favorable. 4. Legal, honroso. 5. Cortesía.

feracidad *s. f.* Característica de feraz. **Sin.** Fecundidad.

feraz *adj.* Se dice de la tierra muy fértil.

féretro *s. m.* Caja donde se coloca el cuerpo de una persona muerta para enterrarlo. **Sin.** Ataúd.

feria *s. f.* **1.** Reunión de muchos productos o animales para mostrarlos y venderlos: *la feria del libro, feria de ganado.* **2.** Lugar con casetas, carruseles y otras atracciones para que la gente se divierta.

ferial *adj.* De la feria: *recinto ferial.*

feriante *s. m.* y *f.* Persona que compra o vende en una feria.

fermentación *s. f.* Acción de fermentar algo.

fermentar *v.* Transformarse algunas sustancias por la acción de microorganismos.

fermento *s. m.* **1.** Sustancia que hace fermentar a otra. **2.** Causa u origen. **Sin.** 2. Germen.

ferocidad *s. f.* Característica de feroz. **Sin.** Fiereza. **Ant.** Mansedumbre.

feroz *adj.* Se dice de los animales carnívoros muy salvajes, que atacan y devoran a otros. **Sin.** Fiero. **Ant.** Manso.

férreo, a *adj.* **1.** De hierro o parecido al hierro. **2.** Duro, fuerte o muy constante. **3.** Se dice de las vías y de la línea o recorrido de un tren. **Sin.** 2. Firme, consistente. **Ant.** 2. Frágil.

ferretería *s. f.* Tienda donde se venden herramientas, objetos de metal y cacharros de cocina.

ferretero, ra *s. m.* y *f.* Dueño o encargado de una ferretería.

ferrocarril *s. m.* **1.** Tren. **2.** Camino hecho con dos carriles de hierro paralelos, sobre los que circula el tren. **3.** Empresa de transportes mediante trenes.

ferroviario, ria *adj.* **1.** Del ferrocarril. ‖ *s. m.* y *f.* **2.** Empleado de una empresa de ferrocarril.

ferruginoso, sa *adj.* Que contiene hierro: *aguas ferruginosas.*

ferry (ingl.) *s. m.* Barco para llevar pasajeros, vehículos y vagones de tren.

fértil *adj.* **1.** Se dice de la tierra que produce mucho. **2.** Se dice de los artistas que crean muchas obras. **3.** Se dice de la mujer o de la hembra que puede tener hijos o crías. **Sin.** 1 y 2. Fecundo, productivo. **Ant.** 1 a 3. Estéril.

fertilidad *s. f.* Característica de fértil. **Sin.** Fecundidad. **Ant.** Esterilidad.

fertilizante *adj.* y *s. m.* Que sirve para fertilizar. **Sin.** Abono.

fertilizar *v.* Hacer fértil, sobre todo la tierra, echándole abonos. **Sin.** Abonar.

ferviente *adj.* Que muestra mucho fervor, interés o entusiasmo. **Sin.** Entusiasta, apasionado. **Ant.** Indiferente.

fervor *s. m.* **1.** Sentimiento muy intenso de una persona al rezar o en otros actos religiosos. **2.** Interés o entusiasmo muy grande. **Sin.** 1. Devoción. 2. Pasión. **Ant.** 2. Desinterés.

fervoroso, sa *adj.* Que demuestra fervor, sobre todo religioso. **Sin.** Piadoso.

festejar *v.* Hacer fiestas en honor de alguien o algo. **Sin.** Celebrar.

festejo *s. m.* Fiesta o fiestas con que se celebra alguna cosa. **Sin.** Celebración.

festín *s. m.* Banquete, a veces con baile y otras diversiones. **Sin.** Comilona.

festival *s. m.* Serie de funciones o actuaciones que se dedican a un arte o espectáculo, a veces para ganar un premio. **Sin.** Certamen.

festividad *s. f.* Día en que se conmemora a alguien o algo, por ejemplo a un santo. **Sin.** Fiesta, celebración.

festivo, va *adj.* y *s. m.* **1.** Se dice del día en que no se trabaja o en que se celebra alguna cosa. **2.** Alegre, gracioso. **Sin.** 2. Desenfadado, chistoso. **Ant.** 1. Laboral. 2. Serio; triste.

festón *s. m.* Bordado o dibujo que adorna el borde de una cosa. **Sin.** Cenefa, ribete.

fetal *adj.* Del feto o relacionado con él.

fetén *adj.* **1.** Muy bueno, estupendo. ‖ *adv.* **2.** Muy bien. **Sin.** 1 y 2. Fenomenal, fabuloso. **Ant.** 1 y 2. Horrible.

fetiche *s. m.* **1**. Objeto o figurita a la que adora un pueblo primitivo. **2**. Amuleto, talismán. **Sin. 1**. Tótem.

fetidez *s. f.* Olor muy malo. **Sin.** Hedor.

fétido, da *adj.* Que huele muy mal. **Sin.** Maloliente, hediondo. **Ant.** Perfumado.

feto *s. m.* **1**. Embrión de las personas y de algunos animales, desde que empieza a tener una forma parecida a la que tendrá después, hasta que nace. **2**. *fam.* Persona muy fea. **Sin. 2**. Adefesio.

feudal *adj.* Del feudo o del feudalismo.

feudalismo *s. m.* Tipo de sociedad de la Edad Media en la que había señores y vasallos. El señor entregaba un feudo a su vasallo y, a cambio, éste le servía en la guerra y trabajaba las tierras que le había entregado.

feudo *s. m.* En la Edad Media, tierra que el señor feudal entregaba a un vasallo para que la trabajara.

fez *s. m.* Gorro de fieltro rojo usado por los moros y los turcos.

fiable *adj.* Se dice de las personas y cosas de las que nos podemos fiar. **Sin.** Fidedigno. **Ant.** Dudoso.

fiado, da *p.* de fiar. También *adj.* **Expr. de fiado** o **al fiado** Sin cobrar o pagar al momento lo que se vende o se compra.

fiador, ra *s. m.* y *f.* Persona que se compromete, en caso necesario, a hacerse cargo de las deudas o las obligaciones de otra.

fiambre *s. m.* **1**. Alimento preparado para comerlo frío, como el jamón, la mortadela o los embutidos. **2**. *fam.* Cadáver de una persona. **Sin. 2**. Muerto.

fiambrera *s. f.* Recipiente con tapa muy ajustada para llevar comida.

fianza *s. f.* Dinero o cosa que alguien deja para asegurar que va a cumplir o hacer algo. **Sin.** Garantía, aval.

fiar *v.* **1**. Vender algo a alguien permitiéndole pagar en otro momento. ‖ **fiarse 2**. Tener confianza en alguien o algo. **Sin. 2**. Confiar. **Ant. 2**. Desconfiar.

fiasco *s. m.* Fracaso, mal resultado.

fibra *s. f.* **1**. Hilo artificial con el que se hacen telas. **2**. Aquello de que están formados los músculos y otros tejidos de los animales o las plantas, parecido a un hilo. **Sin. 1**. Hebra.

fibroso, sa *adj.* Formado por fibras o que tiene muchas fibras.

fíbula *s. f.* Hebilla o broche antiguos.

ficción *s. f.* Cosa o historia inventada. **Sin.** Invención, fantasía.

ficha *s. f.* **1**. Pieza de muchas formas y tamaños y diversos usos, como las que se emplean en algunos juegos. **2**. Papel o cartulina donde se escriben datos y que se guarda ordenada entre otras. **3**. Cantidad que se paga a un deportista profesional aparte de su sueldo.

fichaje *s. m.* **1**. Acción de fichar o contratar a alguien. **2**. Persona a la que han fichado.

fichar *v.* **1**. Hacer una ficha con los datos de una persona o cosa. **2**. Contratar a una persona, sobre todo a un deportista profesional. **3**. Pasar los trabajadores una ficha por un reloj o un contador para que cuente el tiempo que están trabajando.

fichero *s. m.* **1**. Caja o mueble donde se guardan ordenadas fichas que contienen datos. **2**. En informática, conjunto de datos que se guardan con un mismo nombre. **Sin. 1**. Clasificador, archivador. **2**. Archivo.

ficticio, cia *adj.* Que parece real, pero no lo es. **Sin.** Aparente, falso. **Ant.** Auténtico.

ficus *s. m.* Árbol de hojas grandes, ovaladas y fuertes, que crece en las regiones cálidas. Cuando es de pequeño tamaño se utiliza como planta de adorno.

fidedigno, na *adj.* Se dice de las cosas de las que podemos fiarnos: *noticias fidedignas*. **Sin.** Fiable. **Ant.** Dudoso.

fidelidad *s. f.* **1**. Característica de fiel. ‖ **2**. **alta fidelidad** Característica de algunos aparatos, como tocadiscos o magnetófonos, con los que se consigue muy buen sonido. **Sin. 1**. Lealtad. **Ant. 1**. Infidelidad.

fideo *s. m.* **1**. Cada uno de los hilitos de pasta con que se hace sopa. **2**. *fam.* Persona muy delgada.

fiebre *s. f.* **1**. Aumento excesivo de la temperatura del cuerpo, producido por una enfermedad. **2**. Enfermedad que tiene como principal síntoma este aumento de la temperatura. **3**. Manía, moda. ‖ **4**. **fiebre de Malta** Enfermedad del ganado que puede transmitirse al hombre a través de la leche. Se llama también *brucelosis*. **Sin. 1**. Calentura.

fiel[1] *adj.* **1**. De confianza, que ni engaña ni traiciona. **2**. Que cumple sus compromisos o cree en algo sin cambiar de idea. **3**. Que representa otra cosa tal como es. ‖ *s. m.* y *f.* **4**. Persona que sigue una religión. **Sin. 1**. Noble. **1** y **2**. Leal. **3**. Exacto. **4**. Creyente. **Ant. 1**, **2** y **4**. Infiel. **1** y **2**. Desleal. **3**. Inexacto.

filete

fiel² *s. m.* Aguja de la balanza que, cuando está vertical, indica que los dos platillos tienen el mismo peso.

fieltro *s. m.* Tela gruesa y tiesa que no va tejida, sino prensada.

fiera *s. f.* **1.** Animal salvaje y peligroso. **2.** *fam.* Persona de muy mal genio. || *s. m. y f.* **3.** *fam.* Persona muy buena en una actividad. **SIN. 1.** Alimaña, bestia. **2.** Energúmeno, ogro. **3.** Fenómeno. **ANT. 3.** Desastre.

fiereza *s. f.* Característica de fiero. **SIN.** Ferocidad. **ANT.** Mansedumbre.

fiero, ra *adj.* **1.** Se dice del animal muy peligroso y salvaje. **2.** Cruel o muy violento. **SIN. 1.** Feroz. **ANT. 1.** Manso.

fiesta *s. f.* **1.** Reunión de varias personas para divertirse o celebrar alguna cosa. **2.** Día en que no se trabaja, sobre todo en el que se celebra algo especial. || *pl.* **3.** Actividades y diversiones para celebrar un día o una ocasión especial: *las fiestas del pueblo.* **4.** Lo que hace una persona o animal para demostrar que está contento o para agradar. || **5. fiesta de guardar** Fiesta religiosa. **SIN. 1.** Celebración. **2.** Festividad, vacación. **3.** Festejos.

figón *s. m.* Establecimiento popular en el que se sirven comidas. **SIN.** Mesón.

figura *s. f.* **1.** Forma exterior o aspecto. **2.** Dibujo, escultura u otra cosa que representa a alguien o algo. **3.** Signo que indica la duración de una nota musical. **4.** Persona importante o que destaca en una actividad. **5.** En geometria, espacio limitado por líneas o superficies. || **6. figura retórica** Modo de expresarse bello y original que utilizan escritores y poetas, como la metáfora o la comparación. **SIN. 1.** Silueta, tipo. **4.** Personalidad, as.

figuración *s. f.* Cosa que uno se figura o se imagina. **SIN.** Imaginación, suposición.

figurado, da *adj.* Se dice del significado de las palabras y expresiones que es distinto del suyo principal, pero con el que tienen alguna relación.

figurante *s. m. y f.* Persona que actúa en el cine, el teatro o la televisión haciendo un papel poco importante, sin hablar.

figurar *v.* **1.** Formar la figura de alguien o algo. **2.** Estar, aparecer. **3.** Presumir, tratar con gente importante para darse importancia. **4.** Aparentar o simular. || **figurarse 5.** Creer algo sin estar muy seguro de ello. **SIN. 1.** Representar. **2.** Hallarse. **5.** Imaginarse, suponer.

figurativo, va *adj.* Se dice del arte que representa figuras y cosas que pueden reconocerse en la realidad, al contrario que el arte abstracto.

figurín *s. m.* **1.** Dibujo de un vestido o traje que sirve de modelo para hacerlo luego. **2.** Conjunto de estos dibujos o revista de modas. **3.** *fam.* Persona muy bien vestida.

figurón *s. m. fam.* Persona a la que le gusta figurar, darse importancia.

fijación *s. f.* **1.** Acción de fijar. **2.** Manía muy fuerte. **SIN. 2.** Obsesión.

fijador, ra *adj. y s. m.* Que sirve para fijar, como el producto utilizado para mantener el peinado o el líquido que se usa al revelar las fotos para fijar la imagen en el papel.

fijar *v.* **1.** Poner una cosa de forma que no se mueva o se caiga. **2.** Dirigir la atención o la mirada sobre alguien o algo. **3.** Decidir de forma definitiva: *fijar una fecha.* || **fijarse 4.** Poner mucha atención en algo. **SIN. 1.** Asegurar, sujetar. **3.** Determinar, precisar. **4.** Atender. **ANT. 1.** Soltar. **2.** Desviar.

fijeza *s. f.* Característica de lo que está fijo.

fijo, ja *adj.* **1.** Sujeto a otra cosa o inmóvil. **2.** Que no cambia, permanente. || *adv.* **3.** Con seguridad: *Fijo que mañana nos llama.* **SIN. 1 y 2.** Firme, estable. **2.** Definitivo. **3.** Seguramente, seguro. **ANT. 1 y 2.** Inestable. **2.** Eventual.

fila *s. f.* **1.** Conjunto de personas o cosas colocadas en línea. **2.** *fam.* Antipatía. || *pl.* **3.** Grupo, bando o ejército. || **4. fila india** La formada por varias personas, animales o cosas una detrás de otra. **SIN. 1 y 4.** Hilera, cola. **2.** Manía.

filamento *s. m.* Cosa en forma de hilo. **SIN.** Hebra, fibra.

filantropía *s. f.* Amor a la humanidad, que lleva a hacer el bien a los demás.

filántropo *s. m. y f.* Persona que ayuda a los demás sin esperar nada a cambio. **SIN.** Altruista.

filarmónico, ca *adj.* Se dice de algunas orquestas y sociedades de música clásica.

filatelia *s. f.* Conocimientos sobre los sellos de correos y afición a coleccionarlos.

filatélico, ca *adj.* **1.** De la filatelia. || *s. m. y f.* **2.** Coleccionista de sellos.

filete *s. m.* **1.** Loncha de carne o pescado sin huesos ni espinas. **2.** Línea que adorna o separa un texto o un dibujo. **SIN. 1.** Bisté, entrecot.

filfa *s. f.* Cosa que parece buena o de verdad, pero no lo es. Sᴵɴ. Patraña, engañifa.

filiación *s. f.* **1.** Datos de una persona, como son su nombre y el de sus padres, el lugar y la fecha en que nació, etc. **2.** Origen de una persona o cosa. **3.** Hecho de pertenecer una persona a un grupo o tener unas ideas.

filial *adj.* **1.** De los hijos o relacionado con ellos: *el amor filial.* || *adj.* y *s. f.* **2.** Tienda o establecimiento que depende de otro principal. Sᴵɴ. **2.** Sucursal, delegación.

filibustero *s. m.* Pirata que navegaba por el mar Caribe durante el siglo xvii.

filigrana *s. f.* **1.** Objeto hecho con hilos de oro o plata que forman dibujos muy complicados. **2.** Cosa hecha con mucha habilidad o perfección. Sᴵɴ. **2.** Florituras. Aɴᴛ. **2.** Chapuza.

filípica *s. f.* Reprimenda, bronca. Sᴵɴ. Regañina.

filipino, na *adj.* y *s.* De las islas Filipinas, país de Asia.

filisteo, a *adj.* y *s.* De un antiguo pueblo enemigo de los israelitas, que aparece en la *Biblia.*

film o **filme** *s. m.* Película de cine.

filmación *s. f.* Acción de filmar. Sᴵɴ. Rodaje.

filmar *v.* Tomar imágenes y sonido con una cámara de cine o de vídeo. Sᴵɴ. Rodar.

filmina *s. f.* Diapositiva.

filmografía *s. f.* Conjunto de los filmes de un director, actor, tema, etc.

filmoteca *s. f.* Lugar donde se guardan los filmes.

filo *s. m.* Borde que corta y está afilado, como el de un cuchillo o una espada. Sᴵɴ. Corte.

filología *s. f.* Ciencia que estudia una lengua o grupo de lenguas y sus literaturas.

filólogo, ga *s. m.* y *f.* Persona que se dedica a la filología.

filón *s. m.* **1.** Mineral que aparece entre las grietas de la tierra. **2.** Persona, negocio u otra cosa que da mucho dinero. Sᴵɴ. **1.** Veta, vena. **2.** Mina. Aɴᴛ. **2.** Ruina.

filosofar *v.* Pensar sobre los temas y cuestiones que trata la filosofía.

filosofía *s. f.* **1.** Ciencia que trata sobre temas muy importantes relacionados con el hombre, como cuál es el origen del mundo y de la vida y qué acciones son buenas o malas. **2.** Resignación para aguantar cosas malas o pesadas.

filósofo, fa *s. m.* y *f.* Persona que se dedica a la filosofía.

filoxera *s. f.* **1.** Insecto parecido al pulgón, que daña las hojas y las raíces de la vid. **2.** Enfermedad que causa este insecto a la vid.

filtración *s. f.* Paso de un líquido u otra cosa a través de un filtro o de un sólido.

filtrar *v.* **1.** Hacer pasar algo por un filtro. **2.** Pasar un líquido u otra cosa a través de un cuerpo sólido. Sᴵɴ. **1.** Colar. **2.** Infiltrar.

filtro[1] *s. m.* Papel, tela u otra cosa por la que se hace pasar un líquido, la luz o sonido, para quitarles parte de lo que contienen.

filtro[2] *s. m.* Bebida con poderes mágicos. Sᴵɴ. Bebedizo.

fimosis *s. f.* Estrechez excesiva del prepucio del pene, que impide descubrir el glande.

fin *s. m.* **1.** Parte o momento en que termina una cosa. **2.** Lo que se quiere conseguir. || **3. fin de año** Nochevieja, última noche del año. **4. fin de semana** El sábado y el domingo. Eхᴘʀ. **al fin** o **por fin** Después de haber trabajado mucho o haber pasado dificultades. **al fin y al cabo** Sin embargo, después de todo. **en fin** Resumiendo. A veces tiene un significado parecido a '¿qué le vamos a hacer?'. Sᴵɴ. **1.** Final, terminación. **2.** Finalidad, objetivo. Aɴᴛ. **1.** Principio.

finado, da *s. m.* y *f.* Difunto, persona muerta.

final *adj.* **1.** Que es lo último o termina alguna cosa. **2.** Se dice de la oración que indica finalidad y de las conjunciones con que suelen empezar, como *para que* o *a fin de que.* || *s. m.* **3.** Fin, término. || *s. f.* **4.** Última parte de un campeonato o de un concurso, en la que se deciden los ganadores. Sᴵɴ. **3.** Remate, conclusión. Aɴᴛ. **1.** Inicial. **3.** Principio.

finalidad *s. f.* Lo que se quiere conseguir con algo. Sᴵɴ. Fin, objetivo, meta.

finalista *adj.* y *s.* Que ha llegado a la final de un campeonato o de un concurso.

finalizar *v.* Terminar, acabar. Sᴵɴ. Concluir. Aɴᴛ. Empezar.

finalmente *adv.* En último lugar, después de muchas cosas.

financiación *s. f.* Acción de financiar.

financiar *v.* Dar dinero para crear un negocio o una empresa o como ayuda

financiero, ra adj. 1. Relacionado con las finanzas. || s. m. y f. 2. Persona que se dedica a las finanzas.

finanzas s. f. pl. Actividades económicas relacionadas con la bolsa, los bancos, el mundo de los negocios.

finca s. f. Terreno o edificio que posee alguien en el campo o en una ciudad. Sin. Hacienda; casa.

finés, sa adj. y s. Finlandés.

fineza s. f. Atención o cortesía.

fingimiento s. m. Acción de fingir. Sin. Simulación.

fingir v. Intentar engañar con palabras, gestos o acciones. Sin. Simular, aparentar.

finiquito s. m. Dinero con el que se termina de pagar algo o que se da a un trabajador cuando finaliza su contrato.

finito, ta adj. Que tiene fin. Sin. Limitado. Ant. Infinito.

finlandés, sa adj. y s. 1. De Finlandia, país de Europa. || s. m. 2. Idioma que se habla en este país.

fino, na adj. 1. Delgado, de poco grosor. 2. Educado, elegante. 3. De buena calidad: plata fina. 4. Se dice del sentido que es muy agudo: un fino olfato. 5. Muy perfecto: un trabajo muy fino. Sin. 1. Flaco. 2. Cortés. 3. Refinado, selecto. Ant. 1. Grueso. 2 y 3. Basto. 5. Tosco.

finolis adj. y s. Demasiado fino o delicado. Sin. Cursi. Ant. Basto.

finta s. f. Movimiento rápido con el cuerpo para esquivar o engañar a alguien, sobre todo en algunos deportes. Sin. Quiebro, regate.

finura s. f. Característica de fino. Sin. Delicadeza, refinamiento.

fiordo s. m. Entrante del mar en la costa, estrecho y profundo, típico de Noruega.

firma s. f. 1. Nombre y apellidos de una persona escritos por ella misma, generalmente con una rúbrica. 2. Empresa comercial.

firmamento s. m. Cielo.

firmante adj. y s. Persona que firma algo.

firmar v. Poner uno su firma en un escrito. Sin. Rubricar, suscribir.

firme adj. 1. Que está bien sujeto y no se mueve ni se cae. || adj. y adv. 2. Fuerte, sólido: una firme amistad, trabajar firme. || s. m. 3. Suelo de las calles y carreteras. Expr. **firmes** Orden que se da a los soldados para que se pongan derechos y con los pies unidos por el talón y las puntas algo separadas. Sin. 1. Seguro, estable, fijo. 2. Inalterable; duro. Ant. 1. Frágil, inestable. 1 y 2. Débil. 2. Variable.

firmeza s. f. Característica de firme. Sin. Estabilidad, solidez. Ant. Debilidad.

fiscal s. m. y f. 1. Funcionario que se encarga especialmente de acusar en los juicios. || adj. 2. Relacionado con el fiscal o con el fisco.

fiscalía s. f. Oficina o despacho del fiscal.

fiscalizar v. Controlar, vigilar.

fisco s. m. Conjunto de organismos que se encargan de cobrar los impuestos. Sin. Hacienda.

fisgar o **fisgonear** v. Curiosear, hurgar. Sin. Cotillear, husmear.

fisgón, na adj. y s. Se dice de la persona a la que le gusta fisgar.

física s. f. Ciencia que estudia los cuerpos del universo, su forma, movimiento, peso, temperatura, etc.

físico, ca adj. 1. De la física o relacionado con esta ciencia. 2. Del cuerpo humano o relacionado con él: fuerza física. 3. De los elementos materiales que componen el mundo, como mares, lagos, cordilleras, etc.: geografía física, mapa físico. || s. m. y f. 4. Científico que se dedica a la física. || s. m. 5. Cuerpo o aspecto exterior de una persona. Sin. 2. Corporal. 5. Fisonomía, apariencia. Ant. 2. Espiritual.

fisiología s. f. Ciencia que estudia las funciones de los órganos de los seres vivos.

fisiológico, ca adj. De la fisiología o relacionado con ella.

fisión s. f. División del núcleo de un átomo, que produce una gran cantidad de energía.

fisioterapeuta s. m. y f. Persona que tiene como profesión aplicar la fisioterapia.

fisioterapia s. f. Tratamiento para los músculos y los huesos mediante masajes, ejercicios, corrientes eléctricas, etc.

fisonomía s. f. 1. Aspecto de la cara de una persona, que la hace distinta de las demás. 2. Aspecto de otras cosas, por ejemplo el paisaje o de una ciudad.

fisonomista adj. y s. 1. Que recuerda bien las caras de otras personas. || s. m. y f. 2. En casinos y otros locales, empleado que se encarga de observar la conducta de los clientes.

fístula *s. f.* Conducto que se forma debajo de la piel para dar salida al pus.

fisura *s. f.* Grieta, raja.

flacidez o **flaccidez** *s. f.* Característica de flácido. **Sin.** Flojedad. **Ant.** Dureza, firmeza.

flácido, da o **fláccido, da** *adj.* Blando y caído: *músculos flácidos.* **Sin.** Flojo, fofo. **Ant.** Firme, duro.

flaco, ca *adj.* **1.** Muy delgado. ‖ **2. punto flaco** Defecto, punto débil. **Sin. 1.** Enjuto, escuálido. **Ant. 1.** Gordo.

flagelar *v.* Dar con un látigo o algo parecido. **Sin.** Azotar.

flagelo *s. m.* Prolongación alargada que tienen algunas células y seres unicelulares para poder desplazarse.

flagrante *adj.* **1.** Que se está cometiendo en el mismo momento del que se habla: *La policía le descubrió en delito flagrante.* **2.** Claro, evidente.

flamante *adj.* **1.** De muy buen aspecto porque está recién hecho o es nuevo: *un coche flamante.* **2.** Que acaba de triunfar o tener un éxito en algo: *el flamante campeón.*

flambear *v.* Preparar algunos alimentos haciéndolos arder durante un cierto tiempo. **Sin.** Flamear.

flamear *v.* **1.** Echar llamas. **2.** Moverse formando ondas a causa del viento una bandera, una vela o algo parecido. **3.** Flambear. **Sin. 1.** Arder. **2.** Ondear.

flamenco, ca *adj.* y *s.* **1.** Se dice del cante y baile andaluz y gitano. **2.** De Flandes, región antigua que actualmente es una parte de Bélgica. ‖ *adj.* **3.** Chulo, insolente. ‖ *s. m.* **4.** Ave con patas y cuello muy largos, pico encorvado y plumas de color rosa o rojizo. Vive en zonas acuáticas poco profundas. **5.** Lengua que se habla en Flandes.

flan *s. m.* Dulce que se hace calentando leche con azúcar y huevo o algunas sustancias preparadas, y dejando enfriar la mezcla para que cuaje. **Expr. hecho un flan** o **como un flan** Muy nervioso.

flanco *s. m.* Parte del lado de algo, por ejemplo de un barco. **Sin.** Costado, ala.

flanero o **flanera** *s. m.* o *f.* Molde para hacer flanes.

flanquear *v.* Estar o ir a los lados de una persona o cosa. **Sin.** Bordear; escoltar.

flaquear *v.* **1.** Disminuir las fuerzas o el ánimo. **2.** Estar menos preparado en unas cosas que en otras: *Flaquea en matemáticas.* **1.** Ceder, decaer. **2.**

Flojear, cojear. **Ant. 1.** Fortalecerse. **2.** Destacar.

flaqueza *s. f.* Debilidad de una persona que no puede resistirse a algunas cosas. **Ant.** Voluntad, fortaleza.

flash (ingl.) *s. m.* Luz fuerte y breve usada en las cámaras fotográficas para hacer fotos en lugares oscuros.

flato *s. m.* Gases acumulados en el aparato digestivo que causan dolor.

flatulencia *s. f.* Acumulación de gases en el abdomen que produce molestias.

flatulento, ta *adj.* **1.** Se dice del alimento que produce gases. ‖ *adj.* y *s.* **2.** Se dice de la persona que tiene flato.

flauta *s. f.* Instrumento musical de viento con una boquilla y un tubo recto con varios agujeros.

flautín *s. m.* Flauta pequeña, de sonido más agudo que la normal.

flautista *s. m.* y *f.* Persona que toca la flauta.

flebitis *s. f.* Inflamación de una vena.

flecha *s. f.* **1.** Varilla con una punta triangular que se dispara con un arco. **2.** Cosa de forma parecida al objeto anterior. **Sin. 1.** Saeta.

flechazo *s. m.* **1.** Herida o marca que deja una flecha. **2.** El enamorarse de repente de una persona.

fleco *s. m.* **1.** Adorno en forma de hilos o cordoncillos que cuelgan del borde de una tela. **2.** Borde deshilachado de una tela.

fleje *s. m.* **1.** Tira de metal con que se hacen los aros de los barriles. **2.** Pieza curva y alargada de metal con que se hacen muelles y resortes.

flema *s. f.* **1.** Mocos que se tienen en la garganta y que se expulsan al toser o al escupir. **2.** Tranquilidad propia de la persona flemática. **Sin. 1.** Esputo, gargajo. **2.** Calma, serenidad. **Ant. 2.** Nerviosismo.

flemático, ca *adj.* Muy tranquilo, que no se pone nervioso por nada.

flemón *s. m.* Inflamación en las encías.

flequillo *s. m.* Pelo que cae sobre la frente.

fletar *v.* Alquilar un avión, barco u otro vehículo para transportar personas o mercancías.

flete *s. m.* **1.** Precio que se paga por fletar un barco u otro medio de transporte. **2.** Carga que transporta un barco, avión, camión u otro vehículo.

flexibilidad *s. f.* Característica de flexible. **Sin.** Elasticidad. **Ant.** Rigidez.

flexibilizar v. Hacer que algo sea flexible, pueda cambiar o adaptarse a las circunstancias. **Ant.** Endurecer.

flexible adj. 1. Que se dobla con facilidad sin romperse. 2. Que puede cambiar o adaptarse a las circunstancias. **Sin.** 1. Elástico, dúctil. 2. Adaptable. **Ant.** 1 y 2. Inflexible, rígido.

flexión s. f. Acción de doblar una parte del cuerpo.

flexionar v. Doblar alguna parte del cuerpo.

flexo s. m. Lámpara de mesa con un brazo móvil que permite iluminar sólo un trozo de espacio.

flexor adj. y s. m. Se dice del músculo que sirve para realizar movimientos de flexión.

flipar v. 1. fam. Alucinar a causa de una droga. 2. fam. Gustar o impresionar mucho. **Sin.** 2. Molar.

flirtear v. Coquetear con alguien.

flojear v. Debilitarse o disminuir: flojear en los estudios, flojear las ventas. **Sin.** Decaer. **Ant.** Aumentar.

flojedad s. f. Característica de flojo.

flojera s. f. Cansancio, debilidad. **Sin.** Flojedad.

flojo, ja adj. 1. Poco apretado o tirante. 2. De poca fuerza o intensidad. 3. Que no es bueno: un examen flojo. 4. Poco, escaso: una comida floja. **Sin.** 1. Suelto. 3. Débil, endeble. 3. Mediocre. **Ant.** 1. Tenso. 2. Fuerte. 3. Brillante.

flor s. f. 1. Parte de las plantas, a veces de vistosos colores, en que están los órganos para la reproducción. 2. Lo mejor de algo: la flor de la vida. 3. Elogio o piropo: echar flores. ‖ 4. flor de lis Figura en forma de lirio que aparece en el escudo de los Borbones franceses. 5. la flor y nata Lo mejor de algo: la flor y nata de la sociedad. **Expr.** a flor de piel Muy sensible o excitado, a punto de estallar: Tiene los nervios a flor de piel. **Sin.** 3. Galantería, requiebro. **Ant.** 2. Escoria. 3. Insulto.

flora s. f. 1. Conjunto de plantas que hay en un país o región. 2. Bacterias que crecen en algunos órganos y que son necesarias para su buen funcionamiento. **Sin.** 1. Vegetación.

floración s. f. Hecho de florecer las plantas. **Sin.** Florecimiento.

floral adj. De las flores o relacionado con ellas.

floreado, da adj. Que tiene dibujos de flores.

florecer v. 1. Dar flores las plantas. 2. Nacer y desarrollarse un movimiento artístico, una civilización o una actividad. □ Es v. irreg. Se conjuga como agradecer. **Sin.** 2. Progresar. **Ant.** 2. Decaer.

floreciente adj. Que marcha bien: un negocio floreciente. **Sin.** Próspero.

florecimiento s. m. Acción de florecer.

florentino, na adj. y s. De Florencia, ciudad de Italia.

florero s. m. Vasija para colocar flores.

floresta s. f. Bosque frondoso o lugar con mucha vegetación.

florete s. m. Espada fina que se usa en el deporte de la esgrima.

floricultor, ra s. m. y f. Persona que se dedica a la floricultura.

floricultura s. f. Cultivo de flores y plantas de adorno.

florido, da adj. Con flores.

florín s. m. Moneda de Holanda y de otros países.

floripondio s. m. Flor grande o adorno muy exagerado.

florista s. m. y f. Persona que vende flores y plantas.

floristería s. f. Tienda donde se venden flores y plantas.

florituras s. f. pl. Adornos o añadidos innecesarios.

flota s. f. 1. Todos los barcos que posee un país o una empresa. 2. Grupo de barcos que tienen una misma misión. 3. Conjunto de aviones, taxis, autobuses u otros vehículos que tiene una empresa o país. **Sin.** 1 y 2. Escuadra, armada.

flotación s. f. 1. Acción de flotar. ‖ 2. línea de flotación Línea hasta donde llega el agua en el casco de una embarcación.

flotador s. m. 1. Objeto que se sujeta al cuerpo de una persona para mantenerla a flote. 2. Objeto que flota en el agua, por ejemplo el que usan los pescadores para saber cuándo ha picado un pez. **Sin.** 1. Salvavidas.

flotante adj. Que flota.

flotar v. 1. Mantenerse sobre un líquido sin hundirse. 2. Estar un cuerpo en el aire u otro gas, sin tocar el suelo. 3. Notarse algo en el ambiente: flotar la duda, el nerviosismo. **Sin.** 1. Nadar. 3. Percibirse.

flote Se usa en la expresión a flote, 'flotando sobre el agua' o 'a salvo': La empresa consiguió salir a flote.

flotilla *s. f.* Conjunto de barcos o aviones pequeños.

fluctuación *s. f.* Acción de fluctuar. **Sin.** Variación, oscilación.

fluctuar *v.* Tener cambios algunas cosas, por ejemplo subir y bajar el precio de algo. **Sin.** Variar, oscilar. **Ant.** Mantenerse.

fluidez *s. f.* Característica de fluido.

fluido, da *adj.* y *s. m.* **1.** Líquido o gas. || *adj.* **2.** Se dice de la forma de hablar o escribir clara y fácil. **3.** Que se mueve o marcha bien: *una circulación de coches fluida.* || *s. m.* **4.** Corriente eléctrica. **Sin. 4.** Electricidad, luz. **Ant. 1.** Sólido. **3.** Dificultoso.

fluir *v.* **1.** Correr un líquido o gas por un lugar o salir de algún sitio. **2.** Salir con facilidad ideas o palabras de la mente o de la boca de alguien. □ Es v. irreg. Se conjuga como *huir.* **Sin. 1.** Discurrir. **1** y **2.** Manar. **Ant. 1** y **2.** Estancarse.

flujo *s. m.* **1.** Acción de fluir algo, por ejemplo un líquido o un gas. **2.** Subida de la marea. **3.** Salida de un líquido del cuerpo. **Sin. 1.** Corriente. **3.** Derrame. **Ant. 2.** Reflujo.

flúor *s. m.* Elemento químico; es un gas amarillento que puede destruir casi todos los metales. Se usa para fortalecer los dientes.

fluorescente *adj.* **1.** Se dice de las sustancias que reflejan la luz con mayor intensidad de la que reciben. || *adj.* y *s. m.* **2.** Tubo de cristal con un gas y una sustancia fluorescente dentro, que produce mucha luz al conectarlo a la corriente eléctrica.

fluorita *s. f.* Mineral compuesto de flúor y calcio.

fluvial *adj.* De los ríos.

fobia *s. f.* Miedo muy grande. **2.** Odio. **Sin. 1.** Manía, aversión. **2.** Antipatía.

foca *s. f.* Mamífero marino con aletas y cuerpo grueso y alargado, cubierto de pelo y con una abundante capa de grasa bajo la piel. Es un gran nadador y vive en las costas, generalmente en zonas muy frías.

foco *s. m.* **1.** Lámpara muy potente. **2.** Punto de donde sale luz o calor. **3.** Lugar donde se concentra algo y se extiende en distintas direcciones: *un foco cultural.* **Sin. 3.** Centro, núcleo.

fofo, fa *adj.* Gordo y con la carne blanda. **Sin.** Flácido. **Ant.** Duro.

fogata *s. f.* Hoguera pequeña.

fogón *s. m.* **1.** Lugar donde se hacía fuego y guisaba en las antiguas cocinas.

2. Lugar donde se quema el combustible en la caldera de un horno o de una máquina de vapor. **Sin. 1.** Hogar.

fogonazo *s. m.* Llama repentina y muy breve, como la de un disparo. **Sin.** Llamarada.

fogonero, ra *s. m.* y *f.* Encargado del fogón de un horno o de una máquina de vapor.

fogosidad *s. f.* Característica de fogoso. **Sin.** Entusiasmo, ímpetu.

fogoso, sa *adj.* Que tiene mucha energía o entusiasmo. **Sin.** Impetuoso, ardiente, apasionado. **Ant.** Calmado.

fogueo Se usa en la expresión **de fogueo**, y se dice de la munición o los disparos que sólo hacen ruido porque no tienen proyectil.

foie-gras (fr.) *s. m.* Alimento en forma de pasta que se hace con el hígado de algunos animales como el ganso o el cerdo.

folclor, folclore o **folklore** *s. m.* Música, artesanía, literatura y costumbres populares de una región o país.

folclórico, ca *adj.* **1.** Del folclore. || *s. m.* y *f.* **2.** Persona que canta o baila flamenco.

folía *s. f.* Canción y baile populares de las islas Canarias.

folio *s. m.* Hoja grande de papel.

follaje *s. m.* Ramas y hojas de los árboles o vegetación de un lugar.

folletín *s. m.* Película o libro de argumento amoroso o complicado.

folleto *s. m.* Impreso en el que se informa de algo.

follón *s. m.* Lío, barullo, jaleo.

fomentar *v.* Ayudar a que se desarrolle algo. **Sin.** Favorecer, promover. **Ant.** Obstaculizar.

fomento *s. m.* Acción de fomentar. **Sin.** Promoción.

fonda *s. f.* Lugar donde los viajeros pueden comer y dormir pagando poco dinero. **Sin.** Posada, pensión.

fondeadero *s. m.* Puerto o lugar profundo en la costa donde puede dejarse un barco.

fondear *v.* **1.** Dejar sujeto un barco al fondo del mar con el ancla. **2.** Quedarse un barco en un puerto. **Sin. 1.** Anclar. **2.** Atracar.

fondista *s. m.* y *f.* Corredor que está especializado en carreras de fondo o resistencia.

fondo *s. m.* **1.** Parte inferior de un recipiente, depósito, etc. **2.** Superficie sólida que está debajo del agua de un río, mar, etc. **3.** Profundidad: *Este cajón tiene poco fondo.* **4.** Final, lugar más alejado de algo: *al fondo del pasillo.* **5.** Superficie o color sobre los que hay figuras: *flores blancas sobre fondo azul.* **6.** Lo esencial o más importante. **7.** Verdadera forma de ser de una persona: *tener buen fondo.* **8.** Resistencia física para el deporte. **9.** Conjunto de libros y otros documentos de una editorial, archivo, etc. || *s. m. pl.* **10.** Dinero que se tiene. || **11. bajos fondos** Conjunto y forma de vida de maleantes y delincuentes. **EXPR. a fondo** *adv.* Con mucho interés, del todo. **SIN. 1.** Culo, base. **2.** Lecho. **3.** Hondura. **6.** Núcleo, meollo. **ANT. 4.** Principio.

fondón, na *adj.* y *s.* Se dice de la persona un poco gorda. **SIN.** Regordete, grueso. **ANT.** Delgado.

fondue (fr.) *s. f.* **1.** Recipiente con un hornillo para fundir, freír o cocer alimentos en la misma mesa. **2.** Comida así preparada.

fonema *s. m.* Sonido de una letra.

fonendoscopio *s. m.* Aparato médico para oír los latidos del corazón y otros sonidos del organismo.

fonética *s. f.* Ciencia que estudia los fonemas o sonidos de una lengua.

fonético *adj.* Relacionado con la fonética o los sonidos del lenguaje.

fónico, ca *adj.* Relacionado con la voz o el sonido.

fonógrafo *s. m.* Gramófono.

fonoteca *s. f.* Edificio o sala en los que se tienen ordenados discos y cintas, y donde se puede ir a escucharlos.

fontanela *s. f.* Espacio membranoso que hay en el cráneo de los niños y muchos animales jóvenes antes de formarse del todo el hueso.

fontanería *s. f.* **1.** Trabajo del fontanero. **2.** Cañerías, grifos y otros aparatos para llevar y usar el agua en las casas. **3.** Tienda o taller del fontanero.

fontanero, ra *s. m.* y *f.* Persona que se dedica a arreglar o poner las cañerías, grifos y otros aparatos para el uso del agua en las casas.

footing (ingl.) *s. m.* Ejercicio físico que consiste en correr no muy deprisa.

forajido, da *adj.* y *s.* Delincuente que huye de la ley.

foráneo, a *adj.* y *s.* Forastero.

forastero, ra *adj.* y *s.* De otro país o lugar. **SIN.** Extranjero; foráneo. **ANT.** Nacional; autóctono.

forcejear *v.* Hacer fuerza cuando se lucha contra alguien o para liberarse de algo.

forcejeo *s. m.* Acción de forcejear.

forense *adj.* y *s.* Se dice del médico que se ocupa de cuestiones relacionadas con la ley, como examinar los cadáveres para saber si una persona ha sido asesinada.

forestal *adj.* De los bosques y selvas.

forja *s. f.* **1.** Taller donde los herreros forjan los metales. **2.** Acción de forjar los metales. **SIN. 1.** Fragua.

forjar *v.* **1.** Dar forma a los objetos de metal calentándolos para que se ablanden. || **forjarse 2.** Inventarse, imaginar: *forjarse unas ilusiones.* **3.** Crear, realizar con esfuerzo: *forjarse un porvenir.* **SIN. 1.** Fraguar. **3.** Labrarse.

forma *s. f.* **1.** Figura exterior de las cosas. **2.** Modo, manera. **3.** Condición física: *estar en buena forma.* **4.** La hostia consagrada: *la sagrada forma.* **EXPR. de todas formas** Sin embargo. **guardar las formas** Comportarse como es debido en un lugar. **SIN. 1.** Aspecto, apariencia. **2.** Medio, método.

formación *s. f.* **1.** Acción de formar o formarse. **2.** Conocimientos de una persona. **3.** Conjunto de personas ordenadas en filas. **SIN. 1.** Creación, constitución. **2.** Estudios, cultura.

formal *adj.* **1.** De la forma. **2.** Que se porta como es debido. **3.** Estable: *novia formal.* **4.** Que sigue los requisitos o normas necesarios: *una petición formal.* **SIN. 2.** Responsable, serio.

formalidad *s. f.* **1.** Manera de portarse las personas formales. || *pl.* **2.** Requisitos, normas. **SIN. 1.** Corrección, seriedad.

formalizar *v.* **1.** Hacer más seria o fija alguna cosa. **2.** Hacer algo cumpliendo los requisitos necesarios: *formalizar un documento.*

formar *v.* **1.** Hacer una cosa con un material o con distintos elementos. **2.** Enseñar, educar. **3.** Colocarse ordenadamente en filas. **SIN. 1.** Constituir, configurar. **2.** Instruir. **3.** Alinearse. **ANT. 1.** Deshacer.

formatear *v.* En informática, dar a un disco la estructura necesaria para que pueda ser utilizado por el ordenador.

formativo, va *adj.* Que enseña y educa. **SIN.** Educativo, didáctico.

formato *s. m.* Tamaño y forma de un libro, un cuaderno, una fotografía y otras cosas.

formica *s. f.* Material muy resistente que se utiliza para recubrir muebles, sobre todo los de la cocina.

formidable *adj.* Muy bueno, estupendo. **SIN.** Extraordinario, magnífico. **ANT.** Horrible.

formol *s. m.* Líquido usado como desinfectante y para conservar cuerpos y organismos sin vida.

formón *s. m.* Herramienta de carpintero formada por un mango con una pieza de metal terminada en un filo recto.

fórmula *s. f.* **1.** Conjunto de las letras y números que expresan un cálculo, la composición de una sustancia, etc. **2.** Componentes de una comida, medicina, etc. **3.** Manera de conseguir o solucionar algo. **4** Cada una de las categorías de las competiciones de automovilismo: *piloto de fórmula 1.* **SIN.** **2.** Receta; composición. **3.** Solución, sistema.

formular *v.* Manifestar, exponer.

formulario *s. m.* Papel con espacios en blanco para rellenarlos con datos o respuestas. **SIN.** Impreso.

fornicar *v.* Tener relaciones sexuales con una persona con la que no se está casado.

fornido, da *adj.* Fuerte, musculoso. **SIN.** Robusto. **ANT.** Débil.

foro *s. m.* En la antigua Roma, plaza donde se celebraban las asambleas y juicos y se ponían los mercados.

forofo, fa *adj. y s.* Persona muy aficionada a algo, sobre todo a un equipo de fútbol. **SIN.** Hincha.

forrado, da 1. *p. de* **forrar.** También *adj.* ‖ *adj.* **2.** Que tiene mucho dinero.

forraje *s. m.* Hierba para alimentar al ganado.

forrajero, ra *adj.* Se dice de las plantas que se cultivan para forraje.

forrar *v.* **1.** Cubrir algo con papel, plástico u otro material. **2.** Pegar una paliza a alguien. ‖ **forrarse 3.** Hincharse a comer. **4.** Ganar muchísimo dinero. **SIN.** **1.** Recubrir, revestir. **2.** Zurrar, sacudir. **3.** Inflarse, hartarse. **4.** Enriquecerse. **ANT.** **4.** Empobrecerse.

forro *s. m.* Material con que se forra algo. **EXPR.** **ni por el forro** Nada en absoluto.

fortachón, na *adj. y s.* Persona muy fuerte. **SIN.** Forzudo. **ANT.** Enclenque.

fortalecer *v.* Hacer fuerte. ‖ Es v. irreg. Se conjuga como *agradecer.* **SIN.** Reforzar, robustecer. **ANT.** Debilitar.

fortalecimiento *s. m.* Acción de fortalecer. **SIN.** Robustecimiento.

fortaleza *s. f.* **1.** Fuerza. **2.** Construcción protegida de los ataques de los enemigos. **SIN.** **1.** Energía, vigor. **2.** Fortificación, fuerte. **ANT.** **1.** Debilidad.

fortificación *s. f.* **1.** Acción de fortificar. **2.** Fortaleza, lugar protegido contra el enemigo.

fortificar *v.* Proteger un lugar del enemigo con murallas y otras construcciones. **SIN.** Amurallar.

fortín *s. m.* Fortaleza o fuerte pequeño.

fortuito, ta *adj.* Casual. **SIN.** Imprevisto. **ANT.** Deliberado.

fortuna *s. f.* **1.** Suerte. **2.** Gran cantidad de dinero. **SIN.** **1.** Destino, azar. **2.** Dineral, millonada. **ANT.** **2.** Miseria.

forúnculo *s. m.* Bulto con pus, muy doloroso. **SIN.** Divieso.

forzado, da 1. *p. de* **forzar.** También *adj.* ‖ *adj.* **2.** Que no es sincero o espontáneo. **SIN.** **2.** Fingido, artificial. **ANT.** **2.** Auténtico.

forzar *v.* **1.** Hacer fuerza en una cosa, a veces casi rompiéndola. **2.** Obligar a una persona a hacer lo que no quiere. **3.** Hacer que algo funcione demasiado rápido o con demasiada fuerza. □ Es v. irreg. **SIN.** **2.** Presionar.

FORZAR	
INDICATIVO	

Presente	Pretérito perfecto simple
fuerzo	forcé
fuerzas	forzaste
fuerza	forzó
forzamos	forzamos
forzáis	forzasteis
fuerzan	forzaron

SUBJUNTIVO	IMPERATIVO
Presente	
fuerce	
fuerces	fuerza
fuerce	
forcemos	
forcéis	forzad
fuercen	

forzoso, sa *adj.* Obligatorio o inevitable. **SIN.** Indispensable, obligado. **ANT.** Voluntario.

forzudo, da *adj. y s.* Se dice de la persona que tiene mucha fuerza. **SIN.** Fortachón, fornido. **ANT.** Débil.

fosa *s. f.* **1.** Hoyo en el que se entierra a los muertos. **2.** Hueco muy profundo en la superficie de la tierra o en el fondo del mar. ‖ **3.** **fosas nasales** Cavidades de la nariz que se abren al exterior por los orificios nasales. **SIN. 1.** Tumba.

fosco, ca *adj.* Se dice del pelo muy revuelto o rizado. **ANT.** Lacio.

fosfato *s. m.* Sustancia que tiene fósforo y se usa sobre todo para abonar los campos.

fosforescente *adj.* Se dice de los materiales y sustancias que, después de haber recibido luz u otros rayos, resplandecen en la oscuridad durante un tiempo.

fósforo *s. m.* **1.** Cerilla. **2.** Elemento químico que da luz en la oscuridad y se usa como fertilizante y en fuegos artificiales. Se encuentra en la naturaleza y, también, en los huesos y otras partes de los seres vivos.

fósil *adj. y s. m.* Restos fosilizados de animales y plantas.

fosilizarse *v.* Convertirse en roca los restos de animales y plantas que vivieron hace miles de años.

foso *s. m.* **1.** Hoyo muy grande en el suelo. **2.** Hoyo profundo que rodeaba un castillo para que los enemigos no pudieran acercarse. **3.** Sitio con arena en el que cae el atleta después de hacer el salto de longitud. **4.** Espacio debajo del escenario de un teatro, donde se pone la orquesta.

foto *s. f.* Fotografía, imagen fotográfica.

fotocopia *s. f.* Copia que se hace de un escrito, dibujo u otra cosa con una máquina que saca una especie de fotografía.

fotocopiadora *s. f.* Máquina con la que se hacen las fotocopias.

fotocopiar *v.* Hacer fotocopias.

fotoeléctrico, ca *adj.* Se dice de los fenómenos eléctricos producidos por la luz y de los aparatos que aprovechan estos fenómenos.

fotogénico, ca *adj.* Que sale muy bien en las fotografías.

fotografía *s. f.* **1.** Procedimiento con que se obtienen imágenes permanentes sobre materiales sensibles a la luz. **2.** Imagen obtenida con este procedimiento.

fotografiar *v.* Sacar fotografías con una cámara fotográfica.

fotográfico, ca *adj.* De la fotografía.

fotógrafo, fa *s. m. y f.* Persona que hace fotografías.

fotograma *s. m.* Cada una de las imágenes que, una detrás de otra, componen una película cinematográfica.

fotomatón *s. m.* Cabina donde se hacen automáticamente y en muy poco tiempo fotografías pequeñas.

fotómetro *s. m.* Aparato para medir la intensidad de la luz.

fotomontaje *s. m.* Imagen que se hace combinando varias fotografías.

fotón *s. m.* Corpúsculo que transporta la energía de la luz.

fotonovela *s. f.* Historia con fotos y letreros donde pone lo que van diciendo los personajes.

fotosíntesis *s. f.* Proceso por el que las plantas verdes, utilizando la luz del Sol, convierten en alimento las sustancias que obtienen de la tierra.

fototropismo *s. m.* Movimiento de las plantas hacia la luz, por ejemplo el del girasol.

foxterrier (ingl.) *s. m. y f.* Perro de tamaño mediano, pelo corto, con las orejas un poco caídas y el morro con barbitas.

frac (fr.) *s. m.* Chaqueta masculina de etiqueta que por delante llega hasta la cintura y por detrás tiene como dos faldones largos.

fracasado, da 1. *p.* de **fracasar.** También *adj.* ‖ *adj. y s.* **2.** Persona que no ha conseguido lo que quería en la vida. **SIN. 2.** Perdedor. **ANT. 2.** Triunfador.

fracasar *v.* No tener éxito. **SIN.** Malograrse, frustrarse. **ANT.** Triunfar.

fracaso *s. m.* Hecho de fracasar. **SIN.** Fallo, desastre. **ANT.** Éxito.

fracción *s. f.* **1.** Número quebrado. **2.** Cada una de las partes en que se divide una cosa o que se separa de algo. **SIN. 2.** División, trozo.

fraccionado, da *adj.* Dividido en varias fracciones o partes: *pago fraccionado.*

fraccionario, ria *adj.* Se dice de las fracciones o números quebrados.

fractura *s. f.* **1.** Hecho de romperse una cosa dura, sobre todo un hueso. **2.** Lugar por donde se rompe algo.

fracturar *v.* Romper una cosa dura, sobre todo un hueso. **SIN.** Partir, quebrar.

fragancia *s. f.* Olor muy bueno. **SIN.** Aroma, perfume. **ANT.** Peste.

fragante *adj.* Que huele muy bien.

fragata *s. f.* Barco de guerra de tamaño mediano.

frágil *adj.* Que se rompe o se estropea con facilidad. **SIN.** Quebradizo; endeble. **ANT.** Fuerte.

fragilidad *s. f.* Característica de frágil.

fragmentar *v.* Partir en trozos o dividir en partes. Sin. Trocear, separar. Ant. Unir.

fragmentario, ria *adj.* Incompleto o parcial. Ant. Completo, total.

fragmento *s. m.* Trozo o parte de algo. Sin. Cacho, porción.

fragor *s. m.* Ruido grande y continuo. Sin. Estruendo, estrépito. Ant. Silencio.

fragua *s. f.* Fogón en el que se calientan las piezas de metal para ablandarlas y darles forma y taller donde se hace. Sin. Forja.

fraguar *v.* **1.** Planear o ir preparando algo. **2.** Ponerse duro el cemento, el yeso o cosas parecidas. Sin. **1.** Tramar, urdir. **2.** Endurecerse, solidificarse.

fraile *s. m.* Religioso de algunas órdenes, como los franciscanos, carmelitas o dominicos.

frailecillo *s. m.* Ave marina de lomo negro, vientre y cara blancos y pico fuerte con rayas de vivos colores. Vive en las costas y se alimenta de peces.

frambuesa *s. f.* Conjunto de pequeños frutos en forma de bolitas de color rojo, de sabor dulce y un poco ácido.

frambueso *s. m.* Arbusto espinoso, parecido a la zarza, que crece sobre todo en los bosques templados de Europa y Asia. Su fruto es la frambuesa.

francachela *s. f. fam.* Juerga, parranda.

francamente *adv.* **1.** Sinceramente, de verdad. **2.** Muy: *francamente bien.*

francés, sa *adj. y s.* **1.** De Francia, país de Europa. || *s. m.* **2.** Idioma que se habla en Francia y otros países.

franciscano, na *adj. y s.* De la orden religiosa que fundó San Francisco de Asís.

franco, ca *adj.* **1.** Sincero. **2.** Verdadero, evidente. **3.** Sin obstáculos: *dejar el paso franco.* **4.** Se dice del lugar en el que no se paga impuestos: *puerto franco.* || *adj. y s.* **5.** De un pueblo germánico que conquistó la Galia, actual Francia. || *s. m.* **6.** Moneda de Francia y de otros países, como Suiza, Bélgica y Luxemburgo. Sin. **2.** Auténtico; manifiesto. **4.** Exento. Ant. **1.** Hipócrita, falso. **3.** Obstruido.

francófono, na *adj. y s.* De habla francesa.

francotirador, ra *s. m. y f.* Tirador que se coloca él solo en un sitio para disparar.

franela *s. f.* Tejido fino de lana o algodón con pelillo en una de sus caras.

franja *s. f.* Tira, banda.

franquear *v.* **1.** Poner los sellos en algo que se va a mandar por correo. **2.** Dejar el paso libre. **3.** Atravesar un sitio venciendo alguna dificultad. Sin. **2.** Despejar. **3.** Cruzar, traspasar. Ant. **2.** Obstruir.

franqueo *s. m.* Acción de franquear lo que se va a mandar por correo.

franqueza *s. f.* Sinceridad. Sin. Verdad. Ant. Falsedad.

franquicia *s. f.* Privilegio por el que se permite a alguien no pagar unos derechos o impuestos.

franquismo *s. m.* Régimen político de España bajo la dictadura del general Franco (1939-1975).

franquista *adj. y s.* Del franquismo o partidario de este régimen político.

frasca *s. f.* Recipiente de vidrio, generalmente de base cuadrada, que se usa para el vino.

frasco *s. m.* Recipiente en forma de botella pequeña o bote, generalmente de cristal. Sin. Tarro.

frase *s. f.* **1.** Conjunto de palabras que tiene sentido. || **2. frase hecha** La que tiene una forma fija, por ejemplo *como anillo al dedo.* Sin. Oración.

fraternal *adj.* Propio de un hermano: *amor fraternal.* Sin. Fraterno.

fraternidad *s. f.* Unión y sentimiento de cariño entre las personas. Sin. Hermandad. Ant. Desunión.

fraterno, na *adj.* Fraternal.

fratricida *adj. y s.* **1.** Persona que mata a su hermano. || *adj.* **2.** Se dice de la lucha, odio, etc., entre compatriotas o personas muy unidas.

fratricidio *s. m.* Crimen de un fratricida.

fraude *s. m.* Delito que consiste en engañar a alguien para obtener un beneficio.

fraudulento, ta *adj.* Que es un fraude: *negocio fraudulento.*

fray *s. m.* Forma abreviada de **fraile**. Se usa delante del nombre de algunos religiosos.

frazada *s. f.* Manta gruesa y con pelo.

frecuencia *s. f.* **1.** Hecho de ser frecuente algo. **2.** Número de veces que ocurre alguna cosa en un espacio de tiempo.

frecuentar *v.* **1.** Ir mucho a un sitio. **2.** Tratar con frecuencia: *Todavía frecuenta a sus antiguos amigos.*

frecuente *adj.* **1.** Que se repite muchas veces. **2.** Normal, corriente. **SIN. 2.** Común, usual. **ANT. 2.** Raro, inusual.

frecuentemente *adv.* Con frecuencia, muchas veces.

fregadero *s. m.* Pila para fregar los cacharros de la cocina.

fregado *s. m.* **1.** Acción de fregar. **2.** Lío, jaleo. **SIN. 2.** Enredo, follón.

fregar *v.* Limpiar con agua y jabón u otro producto los suelos, los cacharros de cocina, etc., normalmente frotándolos con algo. □ Es v. irreg. Se conjuga como *regar*.

fregona *s. f.* **1.** *desp.* Mujer que friega, criada. **2.** Utensilio formado por un manojo de cordones o tiras y un mango largo, que se utiliza para fregar el suelo. **SIN. 1.** Chacha.

fregotear *v. desp.* Fregar.

freidora *s. f.* Recipiente hondo para freír; a veces es eléctrico.

freiduría *s. f.* Establecimiento donde se fríe pescado para venderlo o servirlo allí mismo.

freír *v.* **1.** Cocinar un alimento pasándolo por aceite, mantequilla o manteca de cerdo calientes. **2.** Acribillar: *freír a picotazos*. □ Es v. irreg. Se conjuga como *reir*. Tiene dos participios: uno reg., *freído*, y otro irreg., *frito*, mucho más frecuente.

fréjol *s. m.* Frijol, judía.

frenar *v.* **1.** Detener o disminuir la marcha, por ejemplo un coche. **2.** Parar, hacer que algo no aumente: *frenar los precios*. **SIN. 2.** Contener, moderar. **ANT. 1.** Acelerar. **2.** Disparar.

frenazo *s. m.* Acción de frenar bruscamente. **ANT.** Acelerón.

frenesí *s. m.* **1.** Pasión muy grande. **2.** Actividad y movimiento excesivos: *el frenesí de las grandes ciudades*. **SIN. 1.** Desenfreno, exaltación. **2.** Ajetreo. **ANT. 2.** Tranquilidad.

frenético, ca *adj.* Furioso, muy enfadado y excitado. **SIN.** Exaltado, desquiciado.

frenillo *s. m.* Membrana que sujeta algunos órganos, como la lengua.

freno *s. m.* **1.** Dispositivo que tienen los automóviles y máquinas para frenar. **2.** Pieza de hierro que se introduce en la boca de los caballos para sujetarlos y guiarlos. **3.** Impedimento, obstáculo.

frente *s. f.* **1.** Parte de arriba de la cara, desde donde empieza el pelo hasta las cejas. ‖ *s. m.* **2.** Parte de delante. **3.** Zona donde se lucha en una guerra. **4.** En meteorología, superficie que separa dos masas de aire de diferentes características, por ejemplo una fría y otra caliente. **EXPR. al frente** Hacia delante: *un paso al frente*. En cabeza o al mando. **de frente** Hacia delante: *ir de frente*. Enfrente de otro: *Cuando salí, me encontré a Jorge que venía de frente*. **frente a** Enfrente de; contra: *El tenista español juega hoy frente al alemán*. Ante: *Se encuentra frente a varios problemas*. **hacer frente** Enfrentarse. **SIN. 2.** Delantera.

fresa[1] *s. f.* **1.** Planta con tallos que crecen a ras de suelo y fruto de color rojo que se llama también *fresa*. ‖ *s. m.* **2.** Color de este fruto.

fresa[2] *s. f.* **1.** Herramienta con una serie de aristas cortantes, que se hace girar a gran velocidad para agujerear, alisar o dar forma a piezas de metal. **2.** Instrumento parecido usado por los dentistas para perforar o limar los dientes.

fresador, ra *s. m. y f.* **1.** Persona que trabaja con una fresadora. ‖ *s. f.* **2.** Máquina para fresar.

fresar *v.* Trabajar con fresas las piezas de metal.

frescachón, na *adj. y s.* Persona de aspecto sano y robusto, agradable pero algo tosca.

frescales *s. m. y f.* Fresco, caradura.

fresco, oa *adj.* **1.** Un poco frío. **2.** Se dice de los alimentos recientes o no cocinados ni preparados de alguna manera. **3.** Que no da calor o no lo conserva: *ropa fresca, habitación fresca*. **4.** Que acaba de producirse: *noticias frescas*. **5.** Sano, fuerte, lleno de vida: *hierba fresca, fresca juventud*. **6.** Descansado, no fatigado. **7.** Tranquilo, indiferente: *quedarse tan fresco*. ‖ *adj. y s.* **8.** Descarado, caradura. ‖ *s. m.* **9.** Un poco de frío. **10.** Pintura que se hace con colores disueltos en agua, sobre una superficie húmeda, pared o techo. ‖ *s. f.* **11.** Frescor agradable de algunos momentos del día, por ejemplo el de las mañanas de verano. **12.** Mala contestación que se da a alguien y puede sentarle mal o dejarle cortado. **EXPR. traer** a alguien algo **al fresco** No importarle nada. **SIN. 4.** Reciente. **5.** Lozano. **7.** Pancho. **8.** Desvergonzado. **9.** Frescor, frescura. **ANT. 1 y 3.** Caluroso. **1, 3 y 4.** Caliente. **2 y 4.** Pasado. **5.** Ajado. **6.** Cansado. **7.** Preocupado.

frescor *s. m.* Sensación o característica de fresco. **SIN.** Frescura. **ANT.** Calor.

frescura *s. f.* **1**. Característica de lo que está fresco. **2**. Descaro, cara dura. Sin. 1. Frescor. **2**. Desvergüenza.

fresno *s. m.* Árbol de hoja caduca y alargada, con muchas ramas, tronco grueso y madera blanca muy flexible.

fresón *s. m.* Fruto parecido a la fresa, pero más grande.

fresquilla *s. f.* Variedad de melocotón.

frialdad *s. f.* **1**. Característica de lo que está frío. **2**. Desinterés o falta de cariño entre personas. **3**. Característica de las personas que se dominan y conservan la calma. Sin. **2**. Indiferencia. Ant. 1 y 2. Calor. **3**. Nerviosismo.

fricción *s. f.* **1**. Acción de frotar una parte del cuerpo. **2**. Roce de una cosa con otra. Sin. 1. Friega.

friccionar *v.* Dar fricciones.

friega *s. f.* Acción de frotar una parte del cuerpo para curarla o quitar un dolor, sobre todo echando alguna sustancia: *friegas de alcohol.* Sin. Fricción.

friegaplatos *s. m.* Lavavajillas, electrodoméstico. Sin. Lavaplatos.

frígida *adj.* y *s. f.* Mujer que no puede excitarse sexualmente.

frigorífico, ca *adj.* **1**. Que produce frío artificialmente: *cámara frigorífica.* || *s. m.* **2**. Electrodoméstico en el que se conservan fríos los alimentos y las bebidas.

fríjol o **frijol** *s. m.* Judía.

frío, a *adj.* **1**. Con baja temperatura. **2**. Poco cariñoso o amistoso. **3**. Que no muestra sus sentimientos, que conserva la calma y se domina. **4**. Poco acogedor: *una decoración fría.* **5**. Se dice de algunos colores, como el azul o el verde, que producen una sensación de tranquilidad. || *s. m.* **6**. Baja temperatura. **7**. Sensación que tiene una persona o un animal cuando necesita calor. Expr. **coger frío** Coger un resfriado. **quedarse uno frío** Quedarse impresionado, sin saber cómo reaccionar. Sin. 2. Distante, seco. 3. Insensible. 6 y 7. Frialdad. Ant. 1. Caliente. 1, 2, y 5. Cálido. 2. Amable. 3. Apasionado. 6 y 7. Calor.

friolero, ra *adj.* y *s.* **1**. Persona que en seguida siente frío. || *s. f.* **2**. Gran cantidad de alguna cosa, sobre todo de dinero.

frisar *v.* Estar cerca de una edad: *Su abuela frisa los cien años.* Sin. Rondar.

friso *s. m.* **1**. Franja decorada que hay debajo de la cornisa en algunos edificios, por ejemplo en los templos grie-

gos. **2**. Franja que adorna la parte de arriba de una pared. **3**. Banda de madera o plástico que se pone en la parte de abajo de la pared para proteger o decorar. Sin. **3**. Zócalo.

fritada *s. f.* Conjunto de alimentos una vez fritos.

fritanga *s. f. desp.* Alimentos fritos.

frito, ta **1**. *p.* de **freir**. También *adj.* || *adj.* **2**. Que está profundamente dormido. **3**. Muerto. **4**. Harto, enfadado. || *s. m.* **5**. Alimento frito. Sin. 2. Sopa. 3. Seco. 4. Quemado.

fritura *s. f.* Conjunto de alimentos fritos, sobre todo para condimento.

frivolidad *s. f.* Característica de frívolo o cosa frívola. Sin. Superficialidad. Ant. Seriedad.

frívolo, la *adj.* y *s.* Poco serio o importante, que sólo busca diversión. Sin. Superficial.

fronda *s. f.* **1**. Conjunto apretado de ramas y hojas. **2**. Hoja de una planta, sobre todo de los helechos.

frondosidad *s. f.* Característica de lo que es frondoso.

frondoso, sa *adj.* Con muchas hojas y ramas. Sin. Exuberante.

frontal *adj.* **1**. De la frente o relacionado con ella. **2**. De frente: *choque frontal.* || *adj.* y *s. m.* **3**. Hueso de la frente.

frontenis *s. m.* Juego de frontón en el que se usan raquetas de tenis.

frontera *s. f.* **1**. Separación entre dos países. **2**. Lo que separa una cosa de otra. Sin. **2**. Límite.

fronterizo, za *adj.* **1**. Que está en la frontera o se relaciona con ella: *una ciudad fronteriza.* **2**. Se dice del país que tiene frontera con otro. Sin. 1 y 2. Limítrofe.

frontis *s. m.* Frontispicio, fachada.

frontispicio *s. m.* **1**. Fachada monumental de un edificio. **2**. Frontón de una fachada, puerta o ventana. Sin. **1**. Frontis.

frontón *s. m.* **1**. Juego que consiste en lanzar una pelota contra una pared y darla cuando vuelve; también se llama así a la pared contra la que se lanza la pelota. **2**. Lugar o edificio preparado para este juego. **3**. Parte superior, normalmente triangular, de una fachada, puerta o ventana. Sin. **3**. Frontispicio.

frotación o **frotamiento** *s. f.* o *s. m.* Acción de frotar. Sin. Fricción.

frotar *v.* Pasar muchas veces una cosa sobre otra con fuerza. Sin. Restregar.

frote *s. m.* Acción de frotar.

fructífero, ra adj. Que produce fruto o resultado, provechoso. **Sin.** Productivo; beneficioso. **Ant.** Estéril; inútil.

fructificar v. **1.** Dar fruto los árboles y otras plantas. **2.** Producir un buen resultado. **Sin. 2.** Rendir. **Ant. 2.** Fracasar.

frugal adj. Se dice de las comidas poco abundantes. **Sin.** Ligero, liviano. **Ant.** Opíparo.

fruición s. f. Placer, satisfacción.

frunce s. m. Parte fruncida de una tela, papel o cosa parecida. **Sin.** Fruncido, doblez.

fruncido, da **1.** p. de fruncir. También adj. ‖ s. m. **2.**

fruncir v. **1.** Arrugar la frente, las cejas o el entrecejo. **2.** Hacer pequeños pliegues o dobleces en una tela, papel o cosa parecida.

fruslería s. f. Cosa de poco valor o importancia. **Sin.** Pequeñez, bagatela.

frustración s. f. Sensación de malestar por algo que no ha salido como queríamos. **Sin.** Decepción, desengaño, desilusión.

frustrar v. **1.** Hacer sentir frustración. **2.** Hacer que algo fracase o no se realice. **Sin. 1.** Decepcionar. **2.** Estropear, malograr.

fruta s. f. Fruto comestible de algunas plantas que se cultivan.

frutal adj. y s. m. Se dice del árbol que produce fruta.

frutería s. f. Tienda que vende fruta.

frutero, ra adj. **1.** Relacionado con la fruta. ‖ s. m. y f. **2.** Vendedor de fruta. ‖ s. m. **3.** Recipiente para la fruta.

frutícola adj. De la fruticultura.

fruticultura s. f. Cultivo de las plantas que producen fruta.

fruto s. m. **1.** Parte de la planta que tiene dentro las semillas. **2.** Producto de la tierra. **3.** Hijo que se está formando en el vientre de su madre. **4.** Producto, resultado. **Sin. 2.** Producción, cosecha. **4.** Rendimiento; beneficio.

fucsia s. f. **1.** Arbusto con flores de color rosa fuerte. ‖ s. m. **2.** Color de estas flores.

fuego s. m. **1.** Luz y calor que desprende una materia que arde. **2.** Incendio. **3.** Disparo de un arma. **4.** En las cocinas, cada uno de los puntos que dan lumbre. **Expr. fuegos artificiales** Cohetes y otras cosas parecidas que se encienden y se hacen explotar para producir ruido y luces de colores.

fuel, fuel-oil o **fuelóleo** s. m. Combustible líquido obtenido del petróleo. Se usa, por ejemplo, para las calefacciones.

fuelle s. m. Utensilio que coge aire del exterior y luego lo expulsa en una dirección; se emplea para avivar el fuego, o en algunos instrumentos musicales, como el acordeón.

fuente s. f. **1.** Lugar por el cual sale el agua que hay debajo de la tierra. **2.** Construcción con uno o más tubos por los que sale agua. **3.** Recipiente grande en que se sirven alimentos. **4.** Obra, tema, etc., que sirven de información o de inspiración a alguien, por ejemplo a un escritor o a un artista. **5.** Lo que produce algo o de donde sale: *fuente de energía.* **Sin. 1.** Manantial. **5.** Origen, foco.

fuera adv. **1.** En la parte exterior. **2.** Que no está o se hace en el tiempo en que se debía: *fuera de plazo.* **3.** Expresa algo a lo que no es posible llegar: *Comprar ese piso está fuera de su alcance.* ‖ interj. **4.** Se emplea para echar a alguien o decir que no se quiere algo. **Expr. fuera de** Dejando a un lado: *fuera de bromas.* **fuera de combate** Vencido o sin poder luchar. **fuera de serie** Extraordinario, excepcional. **fuera de sí** Que ha perdido la razón o no puede controlarse. **Ant. 1** y **2.** Dentro.

fueraborda s. m. Motor con una hélice que está por fuera en la parte de atrás de algunas embarcaciones.

fuero s. m. Privilegio o ley especial que se da a regiones, ciudades y personas.

fuerte adj. **1.** Con mucha fuerza o resistencia. **2.** Abundante, intenso: *fuerte lluvia, color fuerte, ruido fuerte.* También adv.: *desayunar fuerte.* **3.** Que produce mucho efecto: *una bebida fuerte.* **4.** Bien sujeto o apretado: *un nudo fuerte.* **5.** Capaz de hacer frente a las cosas sin dejarse vencer: *Supo ser fuerte cuando murió su padre.* **6.** Se dice del carácter irritable o difícil de dominar. **7.** Que sabe mucho de algo o tiene especial habilidad para una cosa. ‖ s. m. **8.** Lo que se le da mejor a alguien. **9.** Lugar rodeado de un muro para defenderse del enemigo. **Sin. 1.** Forzudo, resistente. **2.** Copioso. **5.** Valiente; tenaz. **6.** Irascible. **7.** Ducho, experto. **8.** Especialidad. **9.** Fortificación. **Ant. 1.** Enclenque. **1** a **4** y **7.** Flojo. **1, 2** y **5.** Débil. **2.** Escaso.

fuerza s. f. **1.** Causa que puede hacer que un cuerpo se mueva, se detenga o cambie la forma de su movimiento. **2.** Capacidad para mover o sostener algo. **3.** Poder, influencia: *la fuerza de unas ideas.* **4.** Energía, vitalidad. **5.** Corriente eléctrica. ‖ *pl.* **6.** Ejército, tropas: *las fuerzas armadas.* ‖ **7. fuerza bruta** La fuerza física empleada sin inteligencia. **8. fuerza pública o fuerzas de orden público** La policía y la guardia civil. **9. fuerzas políticas** Partidos políticos. **Expr. a fuerza de** Haciendo mucho o repetidamente algo: *Se ha aprendido la canción a fuerza de oírla.* **a la fuerza** Utilizando la fuerza; necesariamente: *Con todo lo que ha comido, a la fuerza se tiene que poner malo.* **Sin. 2.** Fortaleza, vigor. **4.** Ímpetu. **5.** Fluido. **Ant. 2.** Debilidad.

fuet (cat.) *s. m.* Embutido largo y estrecho parecido al salchichón.

fuga *s. f.* **1.** Acción de fugarse. **2.** Salida de un líquido o gas por un agujero o raja que no debería existir. **Sin. 1.** Huida, escapada. **2.** Escape.

fugacidad *s. f.* Característica de fugaz.

fugarse *v.* Huir, escaparse.

fugaz *adj.* **1.** Que dura muy poco. **2.** Que pasa o sucede rápidamente: *una estrella fugaz.* **Sin. 1.** Breve, efímero. **2.** Rápido, veloz. **Ant. 1.** Eterno. **1** y **2.** Duradero.

fugitivo, va *adj.* y *s.* Persona que huye o se esconde. **Sin.** Prófugo.

fulano, na *s. m.* y *f.* **1.** Cualquier persona. **2.** Persona de mala pinta. **Sin. 1.** Zutano, mengano. **1** y **2.** Tipo, sujeto.

fular *s. m.* Pañuelo largo de tela muy fina que se pone en el cuello.

fulgor *s. m.* Brillo intenso, resplandor.

fulgurante *adj.* Muy rápido y con mucho éxito: *una carrera fulgurante.* **Sin.** Brillante.

fullería *s. f.* Trampa en el juego.

fullero, ra *adj.* y *s.* Tramposo en el juego.

fulminante *adj.* **1.** Muy rápido: *un efecto fulminante.* ‖ *s. m.* **2.** En un arma, sustancia que transmite el fuego a la carga explosiva. **Sin. 1.** Instantáneo. **Ant. 1.** Lento.

fulminar *v.* Matar o destruir al instante. **Sin.** Aniquilar.

fumador, ra *adj.* y *s.* Persona que fuma.

fumar *v.* **1.** Aspirar el humo del tabaco de un cigarrillo, un puro o una pipa. ‖ **fumarse 2.** No hacer una cosa que se debía hacer: *fumarse una clase.* **3.** Gastar rápidamente.

fumarola *s. f.* Gases y vapores que salen de las grietas en los terrenos volcánicos.

fumigación *s. f.* Acción de fumigar.

fumigar *v.* Echar insecticida en algún lugar.

fumista *s. m.* y *f.* Persona que limpia y arregla chimeneas. **Sin.** Deshollinador.

funámbulo, la *s. m.* y *f.* Artista de circo que hace ejercicios de equilibrio sobre un alambre o cable colocado a cierta altura. **Sin.** Equilibrista, volatinero.

función *s. f.* **1.** Actividad que realiza alguien o algo, aquello para lo que sirve. **2.** Cada vez que ponen la película en un cine o que representan una obra de teatro u otro espectáculo. **Expr. en función de** Dependiendo de. **Sin. 1.** Finalidad, utilidad. **2.** Sesión, pase.

funcional *adj.* **1.** Relacionado con una función o actividad. **2.** Útil, práctico.

funcionamiento *s. m.* Acción o manera de funcionar. **Sin.** Marcha.

funcionar *v.* **1.** Realizar alguien o algo su función. **2.** Ir bien una persona o cosa. **Sin. 1** y **2.** Marchar. **Ant. 1** y **2.** Fallar.

funcionario, ria *s. m.* y *f.* Empleado del Estado, de un ayuntamiento o de un gobierno regional.

funda *s. f.* Bolsa, estuche o algo parecido para meter una cosa dentro y que así quede protegida.

fundación *s. f.* **1.** Acción de fundar. **2.** Institución creada con diversos fines, por ejemplo culturales, religiosos o de caridad. **Sin. 1.** Creación, constitución.

fundador, ra *adj.* y *s.* Que funda una ciudad, institución, empresa.

fundamental *adj.* Muy importante. **Sin.** Básico, esencial. **Ant.** Secundario.

fundamentalismo *s. m.* Forma de pensar de algunos grupos políticos o religiosos que sólo siguen y admiten la doctrina tradicional.

fundamentalista *adj.* y *s.* Del fundamentalismo o partidario de él.

fundamentalmente *adv.* Principalmente. **Sin.** Básicamente.

fundamentar *v.* Establecer sobre una base o fundamento. **Sin.** Basar.

fundamento *s. m.* Lo principal o la base de algo. **Sin.** Esencia, pilar.

fundar *v.* **1.** Crear una ciudad, institución, empresa. ‖ **fundarse 2.** Tener su fundamento, apoyarse. **Sin. 1.** Constituir, instituir. **2.** Basarse.

fundición s. f. **1.** Acción de fundir los metales. **2.** Fábrica o taller donde se funde el metal. Sin. **1.** Fusión.

fundir v. **1.** Convertir en líquido un cuerpo sólido calentándolo. **2.** Unir, mezclar. **3.** Gastar rápidamente. ‖ **fundirse 4.** Quemarse el hilillo que tienen las bombillas o el motor de un aparato eléctrico. Sin. **1.** Derretir. **2.** Juntar, fusionar. **3.** Pulir. Ant. **1.** Solidificar. **2.** Desunir. **3.** Ahorrar.

fundo s. m. Finca rústica.

fúnebre adj. **1.** Relacionado con los muertos: *coche fúnebre*. **2.** Muy triste. Sin. **1.** Funerario, mortuorio. **2.** Lúgubre, tétrico. Ant. **2.** Alegre.

funeral s. m. Honras fúnebres, ceremonia que se hace por un muerto. Sin. Exequias.

funerala Se usa en la expresión **a la funerala**, que se dice del ojo que está morado por haber recibido un golpe.

funerario, ria adj. **1.** Relacionado con los entierros y funerales. ‖ s. f. **2.** Empresa que se ocupa de llevar a los muertos al cementerio y de enterrarlos o incinerarlos. Sin. **1.** Mortuorio.

funesto, ta adj. Desgraciado, muy malo. Sin. Aciago, nefasto. Ant. Feliz.

funicular adj. y s. m. Se dice de la cabina o del tren que sube por una pendiente arrastrado por cables o cadenas.

furcia s. f. Prostituta.

furgón s. m. **1.** Vehículo largo y cubierto para transportar equipajes y otras cosas. **2.** Vagón de tren cerrado para transportar mercancías y equipajes.

furgoneta s. f. Vehículo más pequeño que el camión para transportar y repartir mercancías. Sin. Camioneta.

furia s. f. **1.** Enfado muy violento. **2.** Fuerza, entusiasmo, pasión. **3.** Violencia con que se mueve o sucede algo. Sin. **1.** Ira, cólera. **1** a **3.** Furor. **2.** Coraje, ímpetu. Ant. **1** a **3.** Calma.

furibundo, da adj. **1.** Furioso. **2.** Que se enfada con facilidad. Sin. **1** y **2.** Colérico. **2.** Irascible. Ant. **1** y **2.** Manso.

furioso, sa adj. **1.** Lleno de furia, muy enfadado. **2.** Muy grande, terrible o violento. Sin. **1.** Furibundo, colérico. Ant. **1.** Manso.

furor s. m. Furia. Expr. **hacer furor** Estar muy de moda. Sin. Ira; pasión; violencia. Ant. Calma.

furtivo, va adj. **1.** Que se hace a escondidas o con disimulo. ‖ adj. y s. **2.** Se dice de quien hace algo a escondidas, sobre todo cazar o pescar sin permiso o donde está prohibido. Sin. **1.** Oculto, disimulado.

fusa s. f. Figura musical que equivale a la mitad de una semicorchea.

fuselaje s. m. Cuerpo de un avión, donde van las personas y la carga.

fusible s. m. Hilo o chapa de metal que se pone en un circuito eléctrico, de forma que se funda y corte la corriente cuando pasa por él demasiada electricidad. Sin. Plomos.

fusiforme adj. Alargado y más o menos cilíndrico, como un huso.

fusil s. m. Arma de fuego de cañón largo que dispara balas y es usada por los soldados.

fusilamiento s. m. Acción de fusilar.

fusilar v. **1.** Matar a una persona con disparos de fusil. **2.** Copiar, plagiar.

fusión s. f. **1.** El hecho de fundirse. **2.** Unión. Sin. **1.** Fundición. **2.** Reunión, agrupación. Ant. **2.** Separación.

fusionar v. Fundir. Sin. Unir. Ant. Separar.

fusta s. f. Vara flexible con que el jinete golpea al caballo para hacerlo correr.

fuste s. m. Parte larga de una columna.

fustigar v. Golpear con una fusta, correa o látigo a los caballos para que anden o corran. Sin. Arrear, azotar.

futbito s. m. Tipo de fútbol-sala.

fútbol s. m. Deporte que se juega entre dos equipos que tratan de meter un balón en la portería contraria, moviéndolo sólo con los pies y la cabeza.

futbolín s. m. Juego que imita un partido de fútbol y consiste en una mesa con figuritas que se mueven por medio de unas barras.

futbolista s. m. y f. Jugador de fútbol.

fútbol-sala s. m. Deporte parecido al fútbol, que se juega con menos jugadores y en un campo y con un balón más pequeños.

fútil adj. Poco importante o poco serio. Sin. Insignificante. Ant. Esencial.

futuro, ra adj. **1.** Que existirá o sucederá. ‖ adj. y s. m. **2.** En gramática, tiempo del verbo que expresa una acción que ocurrirá. ‖ s. m. **3.** Tiempo que aún no ha llegado. **4.** Buenas posibilidades que tendrá alguna cosa. Sin. **1.** Venidero. **3.** Porvenir, mañana. **4.** Perspectivas. Ant. **1** a **3.** Pasado.

futurólogo s. m. y f. Persona experta en predecir el futuro.

g *s. f.* Séptima letra del abecedario.

gabacho, cha *adj.* y *s. desp.* Francés.

gabán *s. m.* Abrigo, prenda de vestir. **SIN.** Sobretodo.

gabardina *s. f.* Prenda de vestir para protegerse de la lluvia.

gabarra *s. f.* **1.** Barquito para la carga y descarga de mercancías en los puertos. **2.** Embarcación de transporte, mayor que la lancha, que suele tener cubierta.

gabinete *s. m.* **1.** Habitación con los aparatos necesarios donde un médico, psicólogo o psiquiatra examina a los pacientes. **2.** Sala dedicada al estudio de una ciencia. **3.** Conjunto de los ministros de un país. **SIN. 3.** Gobierno.

gabonés, sa *adj.* y *s.* De Gabón, país de África.

gacela *s. f.* Mamífero rumiante de África y Asia, con los cuernos curvados hacia atrás, cabeza pequeña y patas largas y finas.

gaceta *s. f.* Periódico que trata de temas culturales, científicos o de otro tipo.

gachas *s. f. pl.* Comida hecha con harina, agua y sal, a la que se le pueden echar otras cosas.

gachí *s. f. fam.* Mujer, muchacha.

gacho, cha *adj.* Doblado hacia abajo. **SIN.** Agachado. **ANT.** Erguido.

gachó *s. m. fam.* Hombre, individuo.

gaditano, na *adj.* y *s.* De Cádiz, ciudad y provincia españolas.

gafar *v.* Traer la mala suerte y hacer que algo salga mal.

gafas *s. f. pl.* Par de lentes colocadas en una armadura que se apoya en la nariz y se sujeta detrás de las orejas con unas patillas. Se usan para ver bien o para protegerse los ojos. **SIN.** Anteojos.

gafe *adj.* y *s.* Persona que da mala suerte. **SIN.** Cenizo.

gagá *adj. fam.* Que chochea, que dice o hace tonterías a causa de la edad.

gaita *s. f.* **1.** Instrumento musical de viento formado por una bolsa de cuero que se llena de aire y de la que salen una boquilla por la que se sopla y dos flautas. **2.** Molestia, fastidio. **SIN. 1.** Cornamusa.

gaitero, ra *s. m.* y *f.* Persona que toca la gaita.

gajes Se usa en la expresión **gajes del oficio**, 'molestias propias de cada profesión'.

gajo *s. m.* **1.** Trozos en que se dividen algunos frutos como la naranja. **2.** Cada uno de los grupitos de uvas que tiene un racimo.

gala *s. f.* **1.** Vestido muy elegante y lujoso: *Lucía sus mejores galas.* **2.** Fiesta o reunión a la que hay que ir muy bien vestido. **3.** Actuación de un cantante o grupo. **EXPR. de gala** Muy elegante o solemne: *cena de gala, traje de gala.* **hacer gala de** algo o **tener a gala** una cosa Estar orgulloso de ello, presumir. **SIN. 3.** Recital, concierto.

galáctico, ca *adj.* De las galaxias.

galán *s. m.* **1.** Hombre guapo y atractivo. **2.** Actor de cine o teatro que hace papeles de hombre joven que gusta a las mujeres.

galante *adj.* Se dice del hombre muy educado y atento con las mujeres y de lo que hace o dice para agradarles. **SIN.** Cortés. **ANT.** Descortés.

galantear *v.* Decir galanterías a una mujer, intentar enamorarla. **SIN.** Cortejar.

galantería *s. f.* **1.** Característica del hombre galante. **2.** Palabras o acciones galantes. **SIN. 1.** Cortesía.

galápago *s. m.* Reptil perteneciente al grupo de las tortugas de agua dulce.

galardón *s. m.* Premio.

galardonar *v.* Dar un galardón. **SIN.** Premiar, recompensar.

galaxia *s. f.* Conjunto de millones de estrellas y otros astros que hay en zonas del espacio.

galbana *s. f.* Pereza. **SIN.** Flojera. **ANT.** Diligencia.

galena *s. f.* Mineral compuesto de azufre y plomo, de color gris y brillo metálico.

galeón *s. m.* Barco grande de vela muy usado para el comercio de España con América durante los siglos XV al XVII.

galeote *s. m.* Persona que estaba condenada a remar en las galeras.

galera *s. f.* **1.** Barco antiguo de vela y remo. ‖ *pl.* **2.** Antiguamente, castigo que consistía en remar en las galeras reales.

galería *s. f.* **1.** Sala larga y amplia, como la de los museos y otros locales en los que se exponen obras de arte. **2.** Pasillo que tienen algunas casas para dar luz a las habitaciones interiores. **3.** Túnel de las minas y otras construcciones. ‖ *pl.* **4.** Lugar cubierto y con muchas tiendas y establecimientos.

galerna *s. f.* Viento fuerte del noroeste que sopla en la costa cantábrica.

galés, sa *adj.* y *s.* **1.** De Gales, país de Gran Bretaña. ‖ *s. m.* **2.** Lengua celta que se habla en Gales junto con el inglés.

galgo, ga *adj.* y *s.* Perro de cuerpo delgado, patas largas, cabeza pequeña y hocico alargado. Es muy rápido y buen cazador.

galicismo *s. m.* Palabra o expresión del francés que se usa en otra lengua.

galileo, a *adj.* y *s.* De Galilea, antigua región de Palestina.

galimatías *s. m.* Cosa complicada y muy difícil de entender. **Sin.** Embrollo.

galladura *s. f.* Coágulo de sangre que tienen en la yema los huevos de gallina fecundados.

gallardete *s. m.* Bandera triangular. **Sin.** Banderín.

gallardía *s. f.* **1.** Buena presencia. **2.** Valentía. **Sin. 1.** Apostura. **2.** Bravura.

gallardo, da *adj.* **1.** Que tiene buena presencia y se mueve con elegancia. **2.** Valiente y noble. **Sin. 1.** Apuesto, garboso. **1** y **2.** Bizarro. **2.** Valeroso, bravo. **Ant. 1.** Desgarbado. **2.** Cobarde.

gallego, ga *adj.* y *s.* **1.** De Galicia, comunidad autónoma de España. ‖ *s. m.* **2.** Lengua que se habla en Galicia.

gallera *s. f.* Lugar donde se celebran peleas de gallos.

galleta *s. f.* **1.** Pasta crujiente hecha de harina, azúcar, huevos y otros ingredientes, que se cuece al horno. **2.** *fam.* Bofetada, golpe.

gallina *s. f.* **1.** Hembra del gallo, de menor tamaño, con la cresta más corta y sin espolones. Se cría para aprovechar sus huevos y su carne. ‖ *adj.* y *s.* **2.** *fam.* Cobarde. ‖ **3. carne** o **piel de gallina** Ver **carne. 4. la gallina** o **la gallinita ciega** Juego en que uno de los jugadores, con los ojos vendados, intenta coger a alguno de los otros y adivinar quién es. **Sin. 2.** Cagueta. **Ant. 2.** Valiente.

gallinejas *s. f. pl.* Tripas fritas de gallina y otros animales.

gallinero *s. m.* **1.** Lugar donde se crían y guardan las gallinas y otras aves de corral. **2.** *fam.* Sitio en que hay mucho jaleo. **3.** *fam.* Entresuelo de teatros y cines.

gallito *s. m. fam.* Persona que se pone chula.

gallo *s. m.* **1.** Ave doméstica que es el macho de la gallina. Tiene vistosas plumas, una cresta roja y alta, y espolones en las patas. **2.** Voz chillona y desagradable que a veces sale al cantar o hablar. **Expr. en menos que canta un gallo** Con mucha rapidez. **otro gallo (me, te...) cantara** Expresa que las cosas habrían ido mejor si se hubieran hecho o hubieran sucedido de otra manera.

galo, la *adj.* y *s.* De la Galia, nombre que dieron los romanos a Francia.

galón[1] *s. m.* Cinta estrecha, a veces con un hilo dorado o plateado, que sirve de adorno en vestidos y otros objetos. **Sin.** Trencilla.

galón[2] *s. m.* Medida para líquidos que en el Reino Unido equivale a 4,59 litros y en Estados Unidos a 3,78 litros.

galopada *s. f.* Carrera del caballo cuando galopa.

galopante *adj.* Se dice de la enfermedad o la situación muy grave y que sucede muy rápido.

galopar *v.* **1.** Correr un caballo a galope. **2.** Cabalgar sobre un caballo que va a galope.

galope *s. m.* Carrera del caballo en la que, durante un momento, tiene las cuatro patas en el aire.

galvanización *s. f.* Acción de galvanizar.

galvanizado, da 1. *p.* de **galvanizar.** También *adj.* ‖ *s. m.* **2.** Galvanización.

galvanizar *v.* Cubrir un metal con una capa de otro, sobre todo de cinc, para que no se oxide.

gama *s. f.* **1.** Serie de cosas con algo en común, sobre todo de colores. **2.** Escala musical. **Sin. 1.** Gradación.

gamba *s. f.* Crustáceo marino de cuerpo alargado, caparazón no muy duro, dos antenas largas y varios pares de patitas. Es muy apreciado como alimento.

gamberrada *s. f.* Acción propia de un gamberro.

gamberrismo *s. m.* Conducta o actividad de los gamberros. **Sin.** Vandalismo.

gamberro, rra *adj. y s.* Persona que para divertirse rompe cosas, arma jaleo o molesta a los demás. **Sin.** Alborotador, vándalo. **Ant.** Educado.

gameto *s. m.* Cada una de las dos células sexuales, masculina y femenina, que se unen para que nazca un nuevo ser vivo.

gamo *s. m.* Mamífero rumiante parecido al ciervo, de color pardo rojizo y con los cuernos aplastados en forma de pala ramificada.

gamuza *s. f.* **1.** Rebeco, mamífero rumiante. **2.** Piel curtida de este animal u otras parecidas; también, tejido que la imita. **3.** Paño suave para limpiar. **Sin.** **3.** Bayeta.

gana *s. f.* **1.** Deseo de algo. **2.** Hambre, apetito. **Expr.** **darle** a alguien **la gana** Hacer algo una persona porque quiere. **de buena** o **de mala gana** Con gusto o a disgusto. **Sin.** **1.** Anhelo, ansia. **Ant.** **1** y **2.** Desgana.

ganadería *s. f.* **1.** Cría de ganado. **2.** Conjunto de ganados de una región, de un país o de una misma persona.

ganadero, ra *adj.* **1.** Del ganado o la ganadería. || *adj. y s.* **2.** Dueño de una ganadería.

ganado *s. m.* Conjunto de animales cuadrúpedos de una misma especie, como ovejas, cabras, toros, vacas o caballos.

ganador, ra *adj. y s.* Que ha ganado. **Sin.** Vencedor. **Ant.** Perdedor.

ganancia *s. f.* Dinero u otra cosa que se gana. **Sin.** Beneficio, provecho, rendimiento. **Ant.** Pérdidas.

ganancial Se usa en la expresión **bienes gananciales**, las cosas que en un matrimonio pertenecen por igual al marido y a la mujer.

ganar *v.* **1.** Conseguir alguien dinero en un negocio o trato, o recibirlo por su trabajo. **2.** Conseguir un trofeo, una victoria, un título. **3.** Ser mejor que otro: *Nadie le gana en simpatía.* **4.** Alcanzar: *Ganaron la otra orilla a nado.* **5.** Mejorar: *Rosa gana mucho con su nuevo peinado.* **Sin.** **1.** Ingresar; cobrar. **2.** Vencer. **3.** Aventajar, superar. **Ant.** **1** y **2.** Perder.

ganchillo *s. m.* **1.** Aguja que termina en un pequeño gancho y se utiliza para hacer algunas labores de punto. **2.** Labor que se hace con esta aguja.

gancho *s. m.* **1.** Objeto con forma curva, que sirve para agarrar o colgar cosas. **2.** Encanto de una persona. **3.** Persona o cosa que sirve para atraer a otros. **4.** En boxeo, golpe dado de abajo arriba con el brazo doblado. **Sin.** **1.** Garfio. **2.** Atractivo.

ganchudo, da *adj.* Que tiene forma de gancho.

gandul, la *adj. y s.* Vago, holgazán. **Sin.** Perezoso. **Ant.** Trabajador.

gandulear *v.* Hacer el vago. **Sin.** Vaguear, holgazanear. **Ant.** Trabajar.

ganga[1] *s. f.* Parte que va unida a los minerales al extraerlos de la mina y que no sirve.

ganga[2] *s. f.* Cosa muy barata. **Sin.** Ocasión, chollo.

ganga[3] *s. f.* Ave estparia de color pardo, parecida a una paloma.

ganglio *s. m.* Órganos muy pequeños distribuidos por todo el cuerpo y que defienden nuestro organismo de las infecciones. También se llaman *ganglios linfáticos*.

gangoso, sa *adj. y s.* Que habla como por la nariz, casi siempre por tener un defecto en la garganta.

gangrena *s. f.* Muerte de una parte del cuerpo porque no circula por ella la suficiente sangre. A veces se produce por una infección.

gangrenarse *v.* Sufrir gangrena una parte del cuerpo.

gángster *s. m.* Miembro de una banda de criminales.

gansada *s. f.* Tontería con la que se quiere hacer gracia a alguien. **Sin.** Bobada.

ganso, sa *s. m. y f.* **1.** Ave del mismo grupo que el pato, pero más grande que éste, de color blanco, gris o pardo y con el pico grueso y las patas fuertes. || *adj. y s.* **2.** Persona que hace bobadas para ser gracioso. **Sin.** **1.** Ánsar, oca.

ganzúa *s. f.* Alambre fuerte doblado por la punta para abrir cerraduras. La utilizan, por ejemplo, los ladrones.

gañán *s. m.* **1.** Hombre que trabaja en una casa de campo y se dedica a las tareas agrícolas. **2.** Hombre bruto. **Sin.** **2.** Patán.

gañote *s. m. fam.* Garganta.

garabato *s. m.* Letras o rayas mal hechas. **Sin.** Pintarrajo.

garaje *s. m.* **1.** Lugar cerrado donde se guardan los coches. **2.** Taller en el que se arreglan coches. **Sin.** **1.** Cochera.

garante *adj.* y *s.* Que garantiza.

garantía *s. f.* **1.** Seguridad de que algo se va a cumplir o es bueno. **2.** Documento por el que una empresa se obliga durante un tiempo a arreglar gratis una cosa que alguien acaba de comprar.

garantizar *v.* **1.** Asegurar que algo se va a cumplir. **2.** Obligarse por un tiempo una empresa a arreglar gratis una cosa que alguien acaba de comprar.

garbanzo *s. m.* **1.** Planta de flores blancas y fruto en forma de vaina con semilla comestible, redonda y de color beige. **2.** Esta semilla. ‖ **3. garbanzo negro** Persona que destaca por algo malo en una familia o grupo.

garbeo *s. m.* Paseo. **SIN.** Vuelta.

garbo *s. m.* Gracia y elegancia en la forma de hablar, moverse o comportarse. **SIN.** Salero. **ANT.** Sosería.

garboso, sa *adj.* Que tiene garbo. **SIN.** Elegante, saleroso. **ANT.** Soso.

gardenia *s. f.* **1.** Arbusto de tallo espinoso y unas bonitas flores blancas de muy buen olor. **2.** Esta flor.

garduña *s. f.* Pequeño mamífero carnívoro de cuerpo alargado, cuello largo y patas cortas. Su pelo es entre marrón y gris, con una mancha blanca en el pecho.

garete Se usa en la expresión **ir** o **irse al garete**, 'estropearse algo', 'irse a pique', 'fracasar'.

garfio *s. m.* Gancho de hierro que sirve para sujetar o agarrar algo.

gargajo *s. m.* Esputo, escupitajo.

garganta *s. f.* **1.** Parte de delante o de dentro del cuello. **2.** Paso estrecho y hondo entre dos montañas. **SIN. 1.** Gaznate. **2.** Desfiladero, cañón.

gargantilla *s. f.* Collar muy ajustado al cuello.

gárgaras *s. f. pl.* Acción de tener un líquido en la garganta, con la boca abierta y hacia arriba, sin tragarlo y echando el aire para removerlo y hacer burbujas. **EXPR. mandar a hacer gárgaras** Echar a alguien o rechazar algo bruscamente. **SIN.** Gargarismo.

gargarismos *s. m.* Gárgaras.

gárgola *s. f.* Figura, generalmente en forma de animal imaginario, que hay en las cornisas de algunos edificios, como en las catedrales, para que salga el agua de lluvia.

garita *s. f.* Caseta o torrecita donde se meten los soldados para vigilar.

garito *s. m.* **1.** Casa de juego ilegal. **2.** Local de mala reputación. **SIN. 2.** Antro.

garlopa *s. f.* Cepillo de carpintero largo y con mango.

garra *s. f.* **1.** Uña fuerte y afilada que tienen algunos animales, como el león o el águila. **2.** Mano o pata de los animales que tienen estas uñas. **3.** Atractivo, interés. **SIN. 2.** Zarpa. **3.** Gancho.

garrafa *s. f.* Recipiente parecido a una botella grande.

garrafal *adj.* **1.** Se dice de los errores muy grandes. ‖ *adv.* **2.** Muy mal. **SIN. 1.** Enorme, tremendo. **2.** Fatal. **ANT. 2.** Genial.

garrapata *s. f.* Arácnido muy pequeño que vive en la piel o en el pelo de algunos animales para chuparles la sangre.

garrapiñado, da *adj.* Cubierto de una capa rojiza y gruesa de azúcar hecha caramelo.

garrocha *s. f.* Vara larga con una punta de acero que se usa para picar a los toros. **SIN.** Pica, puya.

garrota *s. f.* Bastón grueso.

garrotazo *s. m.* Golpe dado con un garrote o algo parecido.

garrote *s. m.* **1.** Palo grueso y fuerte. ‖ **2. garrote vil** Antiguo instrumento con el que se ejecutaba a los condenados a muerte, estrangulándoles o partiéndoles el cuello. **SIN. 1.** Tranca.

garrotillo *s. m.* Difteria.

garrucha *s. m.* Polea.

gárrulo, la *adj.* y *s.* Persona basta, de modales toscos. **SIN.** Paleto, patán.

garza *s. f.* Ave zancuda de pico largo y fuerte y plumaje blanco o gris claro, con un penacho de plumas en la cabeza. Vive en las orillas de lagos y pantanos y se alimenta de peces.

garzo, za *adj.* Azul; se dice sobre todo de los ojos.

gas *s. m.* **1.** Estado de la materia en las moléculas están muy separadas y con muy poca fuerza de unión entre ellas. **2.** Combustible en este estado. ‖ *pl.* **3.** Aire que se produce en la digestión y se queda en el intestino. **EXPR. a todo gas** A toda velocidad o con toda fuerza. **gas noble** El que existe en la atmósfera en muy pequeña cantidad y se caracteriza por su inactividad química, por ejemplo el neón. **SIN. 3.** Flato.

gasa *s. f.* **1.** Tela muy fina y transparente. **2.** Tejido con los hilos muy separados que se usa sobre todo para cubrir heridas.

gaseoducto o **gasoducto** s. m. Tubería muy ancha y larga por la que se conducen gases combustibles desde lugares muy lejanos.

gaseoso, sa adj. **1.** En estado de gas. **2.** Se dice del líquido que tiene gas. ‖ s. f. **3.** Agua dulce con burbujas.

gasoil o **gasóleo** s. m. Combustible derivado del petróleo, parecido a la gasolina, con el que funcionan algunos vehículos y calefacciones.

gasolina s. f. Combustible líquido que se saca del petróleo y se usa en los motores de los coches y como disolvente.

gasolinera s. f. Lugar donde se vende gasolina para los coches.

gastado, da **1.** p. de **gastar**. También adj. ‖ adj. **2.** Estropeado por el uso.

gastar v. **1.** Emplear dinero en algo. **2.** Utilizar una cosa que se va acabando. **3.** Desgastar. **4.** Llevar o usar una cosa corrientemente: *Gasta siempre camisas de algodón*. **EXPR. gastar una broma** Hacerla. **gastarlas** Comportarse alguien siempre de una manera; sobre todo se dice de una persona con mal genio: *Ten cuidado con él, ya sabes cómo las gasta*. **SIN. 2.** Consumir. **ANT. 1 y 2.** Ahorrar.

gasto s. m. Lo que se gasta de algo, sobre todo dinero. **SIN.** Consumo; desembolso. **ANT.** Ahorro.

gástrico, ca adj. Del estómago o relacionado con él.

gastritis s. f. Inflamación de la capa epitelial que recubre el estómago, que produce dolor.

gastrointestinal adj. Del estómago y el intestino.

gastronomía s. f. Conocimientos sobre las distintas formas de preparar la comida. **SIN.** Cocina.

gastronómico, ca adj. De la gastronomía. **SIN.** Culinario.

gástrula s. f. Fase del desarrollo del embrión que sigue a la de blástula. En ella aparecen tres capas celulares de las que se formarán los distintos órganos del feto.

gatear v. **1.** Andar a gatas. **2.** Subir por un muro o por un árbol como lo hacen los gatos. **SIN. 2.** Trepar.

gatera s. f. Agujero en una pared o en una puerta para que entren y salgan los gatos y otros animales pequeños.

gatillo s. m. Palanca de las pistolas y otras armas de fuego que se aprieta con el dedo para disparar.

gato, ta s. m. y f. **1.** Pequeño mamífero del grupo de los felinos, con las orejas de punta, la cola larga y el pelo muy suave. Tiene las patas cortas, con afiladas uñas retráctiles, y suele vivir en las casas como animal de compañía. ‖ s. m. **2.** Instrumento que se usa para levantar grandes pesos a poca altura. **EXPR. a gatas** Apoyado en las manos y los pies o las rodillas, como los gatos: *andar a gatas*. **dar gato por liebre** Dar una cosa mala por una buena. **haber gato encerrado** Haber algo raro o sospechoso. **llevarse el gato al agua** Ser alguien, entre varios, el que consigue alguna cosa. **SIN. 1.** Minino.

gatuno, na adj. Propio del gato.

gaucho, cha adj. y s. m. Vaquero de las grandes llanuras de Argentina y Uruguay.

gaveta s. f. **1.** Cajón, especialmente el de un escritorio. **2.** Mueble con uno o varios de estos cajones.

gavial s. m. Cocodrilo de hocico muy largo y estrecho que habita en los ríos de la India.

gavilán s. m. Ave rapaz pequeña, gris azulada por arriba con rayas rojizas por debajo en el macho y gris pardas en la hembra.

gavilla s. f. Conjunto de ramas, espigas o cosas parecidas, atadas o sujetas de algún modo. **SIN.** Manojo, haz.

gaviota s. f. Ave de plumas blancas y grises con el pico largo y terminado en gancho. Sus patas son apropiadas para nadar y vive cerca del agua, generalmente en las costas.

gay (ingl.) adj. y s. m. Homosexual masculino.

gazapo[1] s. m. Cría del conejo.

gazapo[2] s. m. Equivocación al hablar o escribir. **SIN.** Errata, error.

gazmoñería s. f. Característica de la persona gazmoña. **SIN.** Mojigatería, puritanismo.

gazmoño, ña adj. y s. Cursi, ñoño. **SIN.** Mojigato, puritano.

gaznate s. m. Parte de arriba de la garganta.

gazpacho s. m. Plato frío que se hace con tomates, pepinos, pimientos y otras hortalizas, crudas y muy picadas, ajo, aceite, vinagre y sal.

gazuza s. f. fam. Hambre.

géiser s. m. Chorro de agua caliente y vapor que sale de la tierra y suele aparecer en regiones donde hay volcanes.

geisha (jap.) *s. f.* En Japón, mujer que se dedica a entretener y dar agradable compañía a los hombres.

gel *s. m.* **1.** Jabón líquido de ducha y baño. **2.** Pasta transparente con la que se hacen medicinas y productos de belleza.

gelatina *s. f.* Sustancia espesa y transparente, como la que se hace cociendo huesos y ternillas o frutas.

gelatinoso, sa *adj.* Que tiene gelatina o parece gelatina.

gélido, da *adj.* Helado, muy frío. **Sin.** Congelado, glacial. **Ant.** Caliente.

gema *s. f.* Piedra preciosa.

gemación *s. f.* Forma de reproducción de algunos seres vivos inferiores, como los pólipos, en la que éstos producen un abultamiento que, al desarrollarse y desprenderse, da origen a un nuevo individuo.

gemelo, la *adj. y s.* **1.** Cada uno de los dos niños o crías de animal que se originan a partir de un único óvulo, nacen en el mismo parto y son prácticamente iguales. ‖ *adj.* **2.** Se dice de dos cosas iguales que están juntas: *columnas gemelas.* ‖ *s. m.* **3.** Músculo de la pantorrilla, formado por dos músculos finos que terminan en un solo tendón. ‖ *pl.* **4.** Dos piezas unidas por una barrita o cadenita con que se abrochan los puños de las camisas. **5.** Prismáticos. **Sin.** **1.** Mellizo. **5.** Anteojos.

gemido *s. m.* Sonido que expresa pena, dolor y otros sentimientos. **Sin.** Lamento, quejido.

géminis *s. m.* Tercer signo del zodiaco (del 20 de mayo al 21 de junio).

gemir *v.* Dar gemidos. ◻ Es v. irreg. Se conjuga como *pedir.* **Sin.** Sollozar.

gen *s. m.* Fragmento de los cromosomas de las células; a través de los genes pasan a los hijos las características de los padres, como la raza o el color del pelo.

gendarme *s. m.* En Francia y otros países, agente de policía.

gendarmería *s. f.* **1.** Cuerpo de policía formado por gendarmes. **2.** Puesto de gendarmes.

genealogía *s. f.* **1.** Antepasados de cada persona. **2.** Escrito o cuadro en que están los antepasados de una persona. **Sin.** **1.** Linaje, estirpe.

genealógico, ca *adj.* De la genealogía o relacionado con ella.

generación *s. f.* **1.** Acción de generar. **2.** Conjunto de personas que viven en una misma época y tienen edades parecidas.

generacional *adj.* De las generaciones o relacionado con ellas.

generador, ra *adj. y s. m.* **1.** Que genera o produce. ‖ *s. m.* **2.** Aparato que produce energía: *generador eléctrico.*

general *adj.* **1.** Que se puede decir de todo un conjunto de personas o cosas o de la mayor parte. **2.** Que no es exacto o preciso. ‖ *s. m. y f.* **3.** Grado militar superior al de coronel. **4.** Superior o superiora de una orden religiosa. **Expr.** **en general** o **por lo general** Generalmente; también, sin referirse a una persona o cosa en concreto. **Sin.** **1.** Genérico, colectivo, común. **Ant.** **1.** Particular.

generalidad *s. f.* **1.** La mayoría de las personas o cosas que forman un conjunto. ‖ *pl.* **2.** Cosas generales o poco exactas. **Sin.** **1.** Colectividad. **2.** Vaguedades. **Ant.** **1.** Minoría.

generalización *s. f.* Acción de generalizar. **Ant.** Particularización.

generalizar *v.* Hacer algo general, extenderlo a muchas personas. **Sin.** Difundir; pluralizar. **Ant.** Particularizar.

generalmente *adv.* Casi siempre.

generar *v.* **1.** Producir, causar. **2.** Dar vida a un nuevo ser. **Sin.** **1.** Originar. **2.** Engendrar.

generatriz *adj. y s. f.* En geometría, se dice de la línea o figura que al moverse produce otra figura o cuerpo geométrico.

genérico, ca *adj.* Común a todo lo que entra dentro de un género o conjunto. **Sin.** General, colectivo. **Ant.** Específico.

género *s. m.* **1.** Conjunto de personas, animales, plantas o cosas que tienen características comunes. **2.** Cosas que se venden en una tienda. **3.** Tela, tejido. **4.** Categoría gramatical según la cual las palabras pueden ser masculinas, femeninas o neutras. **5.** Cada uno de los tipos en que se agrupan las obras artísticas: *género policiaco.* **Sin.** **1.** Grupo, clase. **2.** Artículos.

generosidad *s. f.* Característica de las personas generosas. **Sin.** Esplendidez.

generoso, sa *adj.* **1.** Que da o reparte lo que tiene. **2.** Abundante: *una generosa ración.* **Sin.** **1.** Espléndido, desprendido. **2.** Copioso. **Ant.** **1.** Tacaño.

génesis *s. f.* Creación o formación de una cosa: *la génesis de las montañas.*

genética *s. f.* Ciencia que estudia las características que se heredan en los seres vivos.

genético, ca *adj.* Relacionado con los genes o la genética.

genial *adj.* **1.** Muy inteligente, con mucho talento. || *adj.* y *adv.* **2.** Muy bueno, extraordinariamente: *Lo pasamos genial.* **SIN. 1.** Brillante. **2.** Fenomenal. **ANT. 1.** Mediocre. **2.** Fatal.

genialidad *s. f.* **1.** Característica de la persona que es un genio. **2.** Cosa ingeniosa y original que se dice o se hace.

genio *s. m.* **1.** Persona muy inteligente o con mucho talento. **2.** Mal humor. **3.** Personaje fantástico de los cuentos, que tiene poderes mágicos. **SIN. 1.** Lumbrera. **3.** Duende. **ANT. 1.** Nulidad. **2.** Simpatía.

genital *adj.* **1.** De los órganos reproductores o relacionado con ellos. || *s. m. pl.* **2.** Órganos sexuales.

genocida *adj.* y *s.* Que comete genocidio.

genocidio *s. m.* Exterminio de un pueblo, una raza o un grupo de personas.

genovés, sa *adj.* y *s.* De Génova, ciudad de Italia.

gente *s. f.* **1.** Las personas en general. || **2. gente bien** La de clase social elevada.

gentil *adj.* Amable, educado. **SIN.** Atento. **ANT.** Grosero.

gentileza *s. f.* **1.** Amabilidad. **2.** Cosa que se hace o se regala por cortesía.

gentilhombre *s. m.* Noble que servía al rey en la corte.

gentilicio, cia *adj.* y *s. m.* Palabra que indica el país o lugar de donde es una persona o cosa, por ejemplo *español.*

gentío *s. m.* Gran cantidad de gente. **SIN.** Muchedumbre, multitud.

gentuza *s. f.* Mala gente. **SIN.** Chusma, plebe.

genuflexión *s. f.* El doblar la rodilla ante alguien o algo para mostrar respeto.

genuino, na *adj.* Auténtico, puro. **SIN.** Verdadero. **ANT.** Falso.

geografía *s. f.* Ciencia que estudia el aspecto exterior de la Tierra, sus montañas, ríos, regiones, países.

geográfico, ca *adj.* De la geografía.

geógrafo, fa *s. m.* y *f.* Persona que se dedica a la geografía.

geología *s. f.* Ciencia que estudia los materiales y la formación de la Tierra.

geológico, ca *adj.* De la geología.

geólogo, ga *s. m.* y *f.* Persona que se dedica a la geología.

geometría *s. f.* Parte de las matemáticas que estudia los puntos, las líneas y las figuras.

geométrico, ca *adj.* **1.** De la geometría o relacionado con ella. **2.** Se dice de los dibujos hechos con líneas rectas y curvas muy perfectas.

georgiano, na *adj.* y *s.* **1.** De Georgia, país europeo que perteneció a la Unión Soviética. **2.** De Georgia, estado de Estados Unidos. || *s. m.* **3.** Idioma hablado en la república de Georgia.

geotérmico, ca *adj.* Relacionado con el calor del interior de la Tierra: *energía geotérmica.*

geotropismo *s. m.* Movimiento de las plantas con respecto a la gravedad terrestre; los tallos crecen hacia arriba, mientras que las raíces lo hacen hacia abajo.

geranio *s. m.* Planta de tallo y hojas fuertes y flores de colores muy vivos.

gerencia *s. f.* **1.** Cargo y actividad del gerente. **2.** Gerente o conjunto de gerentes. **SIN. 1.** Dirección.

gerente *s. m.* y *f.* Persona que dirige una empresa.

geriatra *s. m.* y *f.* Médico especialista en geriatría.

geriatría *s. f.* Rama de la medicina que estudia y trata las enfermedades de los ancianos.

gerifalte *s. m. fam.* Persona muy importante o con mucho poder.

germánico, ca *adj.* De Germania, antigua región del centro de Europa.

germanismo *s. m.* Palabra o expresión del alemán que se usa en otra lengua.

germano, na *adj.* y *s.* **1.** De Germania, antigua región europea. **2.** Alemán. **SIN. 1.** Germánico.

germen *s. m.* **1.** Microorganismo que puede producir enfermedades. **2.** Tallito que empieza a salir de una semilla. **3.** Origen o causa. **SIN. 3.** Raíz.

germinación *s. f.* Acción de germinar. **SIN.** Brote.

germinar *v.* Empezar a desarrollarse una semilla para formar una planta.

gerundense *adj.* y *s.* De Girona, ciudad y provincia españolas.

gerundio *s. m.* Forma no personal del verbo, acabada en *-ando* o *-iendo,* que expresa una acción que se está produciendo.

gesta *s. f.* Acción valiente y muy importante, sobre todo de guerra. **SIN.** Hazaña, proeza.

giratorio

gestación s. f. **1.** Proceso de formación de los hijos dentro de la madre. **2.** Preparación, elaboración. SIN. **1.** Embarazo. **2.** Formación.

gestante adj. y s. f. Se dice de la mujer embarazada.

gestar v. **1.** Tener la madre a su hijo dentro de ella. || **gestarse 2.** Formarse, desarrollarse.

gesticulación s. f. Acción de gesticular. SIN. Gesto.

gesticular v. Hacer gestos.

gestión s. f. **1.** Lo que se hace para conseguir algo o resolver un asunto. **2.** Dirección y organización de una empresa o un asunto. SIN. **1.** Trámite, diligencia. **2.** Administración.

gestionar v. **1.** Hacer gestiones o trámites. **2.** Dirigir, organizar. SIN. **1.** Tramitar. **2.** Administrar.

gesto s. m. **1.** Movimiento de la cara o las manos que normalmente expresa algo. **2.** Acción que alguien realiza movido por un impulso o sentimiento: *Le perdonó en un gesto de generosidad.* SIN. **1.** Seña, visaje.

gestor, ra adj. y s. Que gestiona algo.

gestoría s. f. Oficina que resuelve asuntos a sus clientes.

giba s. f. Joroba, chepa.

gibar v. fam. Molestar, fastidiar.

gibón s. m. Mono de brazos muy largos, que puede caminar a dos patas y vive en los árboles. Habita en Asia.

gibraltareño, ña adj. y s. De Gibraltar, territorio británico situado en el sur de España.

gigante, ta s. m. y f. **1.** Personaje fantástico de gran estatura. **2.** Figura típica de algunas fiestas: dentro de ella va una persona, y representa a un hombre o una mujer muy altos. **3.** Persona muy alta. || s. m. **4.** Persona muy buena en una actividad. || **gigante** adj. **5.** Muy grande: *tamaño gigante.* SIN. **4.** Coloso, monstruo. **5.** Enorme. ANT. **1, 3** y **5.** Enano. **3.** Retaco. **5.** Pequeño.

gigantesco, ca adj. Muy grande, enorme. SIN. Colosal.

gigantismo s. m. Enfermedad que hace aumentar excesivamente el tamaño del cuerpo o de algunas partes de él.

gijonés, sa o **gijonense** adj. y s. De Gijón, ciudad española.

gilipollas adj. y s. vulg. Tonto, estúpido.

gilipollez s. f. vulg. Tontería.

gilipuertas adj. y s. vulg. Gilipollas.

gimnasia s. f. **1.** Ejercicios que se hacen para dar fuerza y agilidad al cuerpo. || **2. gimnasia sueca** La que consiste en flexiones y movimientos sin utilizar aparatos.

gimnasio s. m. Local con instalaciones y aparatos para hacer gimnasia o practicar algún deporte.

gimnasta s. m. y f. Persona que se dedica a hacer gimnasia.

gimnástico, ca adj. De gimnasia: *ejercicios gimnásticos.*

gimnosperma adj. y s. f. Se dice de las plantas que no tienen frutos.

gimotear v. Empezar como a llorar, pero sin llegar a hacerlo. SIN. Lloriquear, gemir.

gimoteo s. m. Acción de gimotear. SIN. Lloriqueo.

gincana s. f. Carrera en que los corredores, casi siempre utilizando un vehículo, deben vencer muchos obstáculos y dificultades.

ginebra s. f. Bebida alcohólica fuerte y de color transparente, elaborada con ciertas semillas y con bayas de enebro.

gineceo s. m. Pistilo.

ginecología s. f. Parte de la medicina que se dedica al tratamiento de las enfermedades de los órganos sexuales de la mujer.

ginecólogo, ga s. m. y f. Médico especializado en ginecología.

gineta s. f. Jineta, mamífero carnívoro.

ginseng o **ginsén** s. m. Planta medicinal procedente de Asia y América. El extracto de sus raíces se toma en infusión para tener más energía.

gira s. f. **1.** Viaje por varios lugares, volviendo luego al lugar de donde se ha salido. **2.** Serie de actuaciones musicales o artísticas por varios lugares. SIN. **1.** Recorrido. **2.** Tournée.

giradiscos s. m. Pieza del tocadiscos o del equipo de música sobre la que se pone el disco para que dé vueltas. SIN. Plato.

girar v. **1.** Dar vueltas. **2.** Cambiar de dirección. **3.** Tratar algo sobre un tema. **4.** Enviar dinero por correo o telégrafo. SIN. **1.** Rotar. **2.** Torcer, doblar. **3.** Hablar, ocuparse.

girasol s. m. Planta de tallo largo, hojas en forma de corazón y flor amarilla y grande que gira siguiendo la luz del Sol. Sus semillas (pipas) son comestibles y de ellas se obtiene aceite.

giratorio, ria adj. Que gira.

giro s. m. **1.** Acción de girar. **2.** Frase, expresión. **3.** Envío de dinero por correo o telégrafo. **Sin. 1.** Vuelta. **2.** Construcción.

girola s. f. Galería que rodea por detrás el altar mayor de algunas iglesias.

gitano, na adj. y s. De una raza humana que procedía de la India y se ha extendido por Europa y otras partes. **Expr. que no se la salta un gitano** Muy grande o muy bueno.

glaciación s. f. Cada uno de los periodos, hace miles de años, en que se produjo un gran descenso en la temperatura de la Tierra.

glacial adj. **1.** Helado, muy frío. **2.** Se dice de las zonas de la Tierra cercanas a los polos. **Sin. 1.** Gélido. **1** y **2.** Polar. **Ant. 1.** Caliente. **2.** Tropical.

glaciar s. m. Masa de hielo que se desliza lentamente por las montañas formando una especie de río.

gladiador s. m. Luchador del circo romano.

gladiolo o **gladíolo** s. m. Planta de jardín con hojas en forma de espada y flores agrupadas en espiga.

glamour (ingl.) s. m. Atractivo, encanto.

glande s. m. Parte final del pene.

glándula s. f. Órgano de los animales que produce determinadas sustancias, como la saliva, las lágrimas o el sudor.

glasé (fr.) adj. Se dice del azúcar molida utilizada en pastelería que, disuelta en agua, forma una capa compacta al hacerse sólida.

glaseado, da adj. Recubierto de azúcar derretida y clara de huevo: bizcocho glaseado.

glaucoma s. m. Enfermedad de los ojos en que las pupilas toman color verdoso y que se caracteriza por la pérdida de visión e intensos dolores.

glicerina s. f. Líquido espeso y sin color que se usa para hacer productos de belleza y farmacia, y para preparar nitroglicerina.

global adj. General, de todo: examen global. **Sin.** Total, entero. **Ant.** Parcial.

globalizar v. Hacer que algo sea global o total.

globo s. m. **1.** Especie de bolsa de goma o material flexible, llena de aire o gas, que se usa para jugar o como adorno. **2.** Vehículo volador formado por una bolsa redondeada, llena de aire caliente o de un gas más ligero que el aire, de la que cuelga una bar-

quilla para los viajeros. **3.** Objeto más o menos redondo: globo de luz. **Sin. 2.** Aeróstato.

glóbulo s. m. **1.** Célula de la sangre. **|| 2. glóbulo blanco** El que se encarga de destruir los microbios y partículas perjudiciales. **3. glóbulo rojo** El que lleva el oxígeno a través del organismo.

gloria s. f. **1.** Según algunas religiones, lugar donde se encuentra Dios y al que irán después de la muerte las personas que lo merezcan. **2.** Gran fama. **3.** Gran placer o satisfacción. **|| s. m. 4.** Oración o cántico de la misa que empieza por las palabras en latín Gloria in excelsis Deo (Gloria a Dios en el cielo). **Expr. en la gloria** Muy a gusto. **saber a gloria** Tener muy buen sabor. **Sin. 1.** Cielo, paraíso. **2.** Renombre, celebridad. **3.** Deleite. **Ant. 1.** Infierno. **2.** Fracaso.

glorieta s. f. **1.** Plaza donde van a parar varias calles. **2.** Plazoleta de un jardín o parque.

glorificar v. Alabar: glorificar a Dios. **Sin.** Ensalzar, enaltecer. **Ant.** Ofender.

glorioso, sa adj. Que tiene gloria o fama, o la proporciona: una hazaña gloriosa. **Sin.** Memorable, honroso. **Ant.** Deshonroso.

glosa s. f. Explicación o comentario que se hace sobre un texto.

glosar v. Explicar o comentar.

glosario s. m. Vocabulario que explica las palabras difíciles o dudosas de un texto.

glosopeda s. f. Enfermedad de los animales herbívoros que les produce ampollas en la boca y las pezuñas.

glotis s. f. Espacio de la laringe situado entre las cuerdas vocales.

glotón, na adj. y s. Que come mucho. **Sin.** Comilón, tragón.

glotonería s. f. Característica de las personas glotonas. **Sin.** Gula, ansia. **Ant.** Desgana.

glúcido s. m. Hidrato de carbono.

glucosa s. f. Glúcido que se encuentra en la miel, la fruta y en la sangre de las personas y animales, a los que proporciona energía.

gluten s. m. Sustancia muy nutritiva que se obtiene del trigo.

glúteo s. m. Cada uno de los tres músculos que forman las nalgas.

gnomo s. m. Pequeño hombrecillo de algunos cuentos y leyendas, que vive en los bosques y tiene poderes mágicos.

gobernación *s. f.* Acción de gobernar. Sɪɴ. Gobierno, administración, dirección, mando.

gobernador, ra *s. m. y f.* Persona que gobierna una provincia, ciudad o territorio.

gobernanta *s. f.* Mujer que en los grandes hoteles se encarga de mantenerlo todo limpio y cuidado.

gobernante *adj. y s.* Que gobierna, especialmente un país. Sɪɴ. Dirigente.

gobernar *v.* **1.** Dirigir o mandar, sobre todo en un país. **2.** Guiar un barco. ◻ Es v. irreg. Se conjuga como *pensar*. Sɪɴ. **1.** Regir, administrar. **2.** Pilotar.

gobierno *s. m.* **1.** Acción de gobernar. **2.** Conjunto de personas que gobiernan un país. Sɪɴ. **1.** Administración; pilotaje. **2.** Gabinete.

gobio *s. m.* Pequeño pez marino o de río, con unas barbillas en la boca y manchas oscuras en el lomo.

goce *s. m.* Acción de gozar, placer. Sɪɴ. Delicia, gozo. Aɴᴛ. Pena.

godo, da *adj. y s.* De un antiguo pueblo que procedía del norte de Europa y se estableció en España e Italia.

gofio *s. m.* Alimento típico de Canarias elaborado con harina tostada, generalmente de maíz.

gofre *s. m.* Pastel rectangular con un relieve en forma de rejilla, que se toma caliente.

gogó Se usa en la expresión **a gogó**, 'en mucha cantidad'.

gol *s. m.* En fútbol y otros deportes, hecho de meter la pelota en la portería y conseguir un tanto.

gola *s. f.* Adorno de tela plegada o rizada, que se ponía antiguamente alrededor del cuello.

goleada *s. f.* Muchos goles que marca un equipo durante un partido.

goleador, ra *s. m. y f.* Jugador que marca muchos goles.

golear *v.* Marcar muchos goles al equipo contrario.

goleta *s. f.* Barco de vela ligero con dos o tres palos.

golf (ingl.) *s. m.* Deporte que consiste en meter una pelotita, golpeándola con un bastón especial, en una serie de hoyos muy alejados unos de otros.

golfante *adj. y s.* Golfo, persona holgazana y juerguista.

golfear *v.* Portarse como un golfo.

golfista *s. m. y f.* Jugador de golf.

golfo *s. m.* Extensión grande de mar que entra en la costa.

golfo, fa *adj. y s.* Persona holgazana y juerguista. Sɪɴ. Vago, sinvergüenza.

gollería *s. f.* Adorno o complicación innecesaria. Sɪɴ. Floritura.

gollete *s. m.* Cuello de las botellas y recipientes parecidos.

golondrina *s. f.* Pájaro pequeño, oscuro o negro por arriba y blanco por abajo, con el pico corto, las alas largas y puntiagudas y la cola larga, terminada en dos puntas.

golondrino *s. m.* **1.** Cría de la golondrina. **2.** Bulto doloroso que sale en el sobaco.

golosina *s. f.* Cosa dulce de comer, como los caramelos.

goloso, sa *adj. y s.* **1.** Se dice de la persona a la que le gustan mucho los dulces. ‖ *adj.* **2.** Se dice de algo muy bueno y que muchos lo quieren. **3.** Sucio, manchado. Sɪɴ. **2.** Deseable, tentador.

golpe *s. m.* **1.** El hecho de juntar o juntarse bruscamente una cosa con otra. **2.** Desgracia, disgusto. **3.** Atraco, robo. **4.** Cosa graciosa o ingeniosa. ‖ **5. golpe bajo** En boxeo, el que se da por debajo de la cintura y no vale; también, faena, mala pasada. **6. golpe de Estado** Acción por la que el ejército o un grupo armado se apodera por la fuerza del gobierno de un país. **7. golpe de mano** Acción de guerra rápida y por sorpresa. Exᴘʀ. **a golpe de** Haciendo o usando algo: *Fuimos al pueblo a golpe de pedal.* **de golpe** De una vez o de repente. **no dar ni golpe** No trabajar. Sɪɴ. **1.** Impacto, colisión. **2.** Adversidad, revés. **3.** Asalto. **4.** Salida, ocurrencia.

golpear *v.* Dar uno o más golpes. Sɪɴ. Pegar, atizar.

golpetazo *s. m.* Golpe fuerte.

golpetear *v.* Dar muchos golpes seguidos. Sɪɴ. Repiquetear.

golpeteo *s. m.* Acción de golpetear. Sɪɴ. Repiqueteo.

golpista *adj. y s.* Del golpe de Estado o que participa en un golpe de Estado.

goma *s. f.* **1.** Material elástico que se obtiene de algunas plantas o se hace artificialmente. **2.** Tira o hilo de este material. **3.** Trozo del mismo material que se usa para borrar. **4.** Pegamento líquido. ‖ **5. goma de mascar** Chicle. Sɪɴ. **1.** Caucho. **3.** Borrador. **4.** Cola.

gomaespuma *s. f.* Material ligero y elástico con que se hacen almohadas y colchones.

gomero, ra *adj.* y *s.* De La Gomera, isla de las Canarias.

gomina *s. f.* Crema para fijar el pelo.

gominola *s. f.* Caramelo blando y elástico como la goma, que se mastica y se traga.

gónada *s. f.* Glándula sexual del ser humano y de numerosos animales. La masculina es el testículo, que produce los espermatozoides, y la femenina, el ovario, que produce los óvulos.

góndola *s. f.* Barca típica de Venecia, que tiene los extremos curvados hacia arriba y se mueve con un solo remo.

gondolero *s. m.* Hombre que conduce una góndola.

gong *s. m.* Disco de metal que se golpea con una maza para que produzca sonido.

gordinflón, na *adj.* y *s. fam.* Persona muy gorda.

gordo, da *adj.* **1.** Que tiene mucho grosor o abulta mucho. **2.** Se dice del dedo más grueso de la mano o del pie. **3.** Grave, importante. || *adj.* y *s.* **4.** Se dice de la persona o animal que tiene mucha carne o grasa. || *adj.* y *s. m.* **5.** Primer premio de la lotería. || *s. m.* **6.** Grasa de la carne. EXPR. **caer gordo** alguien Resultar antipático. SIN. 1 y 4. Grueso. 3. Serio, considerable. 4. Obeso. 6. Sebo. ANT. 1 y 4. Fino. 1 y 4. Delgado. 4. Flaco. 6. Magro.

gordura *s. f.* Hecho de estar gordo. SIN. Obesidad.

gorgojo *s. m.* Insecto coleóptero muy pequeño que vive en los granos de algunas plantas y que es perjudicial para ellas.

gorgorito *s. m.* Sonido que se hace con voz aguda y que está formado por otros sonidos cortos y muy seguidos, sobre todo al cantar.

gorguera *s. f.* Antiguo adorno hecho con una tira de tela plegada o rizada, que se ponía en el cuello.

gorila *s. m.* El mono más grande y fuerte de todos; es tan alto como un hombre y tiene el pelo muy oscuro. Vive en los bosques de África.

gorjear *v.* Hacer gorjeos los pájaros. SIN. Trinar.

gorjeo *s. m.* Especie de gorgorito que hacen algunos pájaros al cantar. SIN. Trino.

gorra *s. f.* Gorro sin copa ni alas y con visera. EXPR. **con la gorra** Fácilmente, sin esfuerzo. **de gorra** Gratis.

gorrino, na *s. m.* y *f.* **1.** Cerdo. || *adj.* y *s.* **2.** *fam.* Persona sucia. SIN. 1 y 2. Puerco, cochino. ANT. 2. Limpio.

gorrión, na *s. m.* y *f.* Pájaro pequeño de pico corto y plumaje pardo. Se alimenta de granos e insectos y es muy común en España.

gorro *s. m.* Prenda con que se tapa la cabeza, sobre todo la que no tiene alas ni visera. EXPR. **hasta el gorro** Harto. SIN. Sombrero.

gorrón, na *adj.* y *s.* Persona que gorronea. SIN. Aprovechado.

gorronear *v.* Vivir, comer o divertirse a costa de otros, sin pagar.

gota *s. f.* **1.** Parte pequeña y redonda de líquido que se desprende. **2.** Pequeña cantidad. **3.** Enfermedad muy dolorosa que hace que se hinchen algunas articulaciones, sobre todo el dedo gordo del pie. EXPR. **ni gota** Nada. **sudar la gota gorda** Trabajar o esforzarse mucho. SIN. 2. Chispa, pizca. ANT. 2. Montón.

gotear *v.* Caer o dejar caer un líquido gota a gota.

goteo *s. m.* Acción de gotear.

gotera *s. f.* Agujero o grieta en el techo o la pared por donde se cuela el agua.

gótico, ca *adj.* y *s. m.* **1.** Estilo artístico europeo que se desarrolló entre los siglos XII y XVI, caracterizado principalmente por sus edificios, muy altos y con arcos y otros elementos acabados en punta, y por la representación de las figuras humanas con gran realismo. || *adj.* **2.** Se dice de un tipo de letra de trazos rectos y puntiagudos. || *s. m.* **3.** Lengua de los godos.

gouache (fr.) *s. m.* Guache, aguada.

gourmet (fr.) *s. m.* y *f.* Persona de gustos refinados que sabe mucho de cocina y bebidas.

gozada *s. f.* Placer o satisfacción muy grandes. SIN. Gustazo, goce.

gozar *v.* **1.** Pasarlo bien, sentir alegría o placer. **2.** Tener algo bueno. SIN. 1 y 2. Disfrutar. ANT. 1 y 2. Sufrir. 2. Carecer.

gozne *s. m.* Bisagra de puertas y ventanas.

gozo *s. m.* Placer, alegría. SIN. Goce, gusto, contento. ANT. Pena.

gozoso, sa *adj.* **1.** Que siente gozo. **2.** Que da gozo o se hace con gozo. SIN. 1. Contento, radiante. 1 y 2. Dichoso, feliz. ANT. 1 y 2. Triste.

grabación *s. f.* **1.** Acción de grabar sonidos o imágenes. **2.** Lo que se ha grabado en un disco o en una cinta magnética.

grabado *s. m.* **1.** Arte de grabar y manera de hacerlo. **2.** Estampa, lámina o ilustración hecha por medio de este arte. **3.** Plancha grabada para reproducir o imprimir fotografías, dibujos o textos.

grabador, ra *s. m.* y *f.* **1.** Persona que hace grabados. || *s. f.* **2.** Magnetófono. **SIN. 2.** Casete.

grabar *v.* **1.** Marcar algo sobre una superficie dura con un objeto afilado o por otro medio. **2.** Marcar una imagen o dibujo en una plancha de madera o de metal de modo que, al ponerle tinta y apretarla sobre una hoja, se reproduzca el dibujo en el papel. **3.** Recoger sonidos o imágenes en un disco o cinta magnética para poder reproducirlos después. **SIN. 1.** Tallar, cincelar. **3.** Registrar. **ANT. 1** a **3.** Borrar.

gracejo *s. m.* Gracia al hablar o al escribir.

gracia *s. f.* **1.** Lo que hace reír. **2.** Cosa que enfada o molesta. **3.** Salero, desenvoltura o encanto. **4.** En la religión cristiana, don que Dios da a los hombres para que estén sin pecado. **5.** Beneficio, favor, algo bueno que se da a alguien. **6.** Perdón a un condenado. || **7. gracias** Palabra que decimos para mostrar agradecimiento. **EXPR. caer** alguien **en gracia** Caer bien, resultar simpático. **gracias a** Por medio de, a causa de. **SIN. 1.** Humor, chispa. **3.** Garbo. **5.** Merced. **6.** Indulto. **ANT. 6.** Condena.

grácil *adj.* Delgado, ligero, delicado. **SIN.** Esbelto. **ANT.** Gordo, tosco.

graciosamente *adv.* Como gracia o favor, sin recibir nada a cambio.

gracioso, sa *adj.* y *s.* **1.** Que divierte o que hace reír. **2.** Agradable, simpático. **SIN. 1.** Divertido. **2.** Mono, rico. **ANT. 1.** Serio. **2.** Desagradable.

grada *s. f.* **1.** Cada uno de los asientos en forma de escalón que hay en estadios, plazas de toros y otros lugares. || *pl.* **2.** Graderío.

gradación *s. f.* Conjunto de cosas ordenadas de más a menos o de menos a más. **SIN.** Escala, progresión.

graderío o **gradería** *s. m.* o *s. f.* Conjunto de gradas y también el público sentado en ellas.

grado¹ *s. m.* **1.** Lugar que ocupa alguien o algo en un orden, de más a menos o de menos a más. **2.** Unidad de medida, como la que se usa para medir la temperatura, los ángulos o el alcohol

de una bebida. **3.** Intensidad, cantidad. **4.** En lengua, cada una de las tres formas con que puede expresarse la intensidad del significado de un adjetivo: *positivo* (grado normal), *comparativo* y *superlativo*. **SIN. 1.** Escalón, nivel.

grado² *s. m.* Gusto con que se hace algo: *Aceptó de buen grado.*

graduable *adj.* Que puede graduarse.

graduación *s. f.* **1.** Acción de graduar. **2.** Número de grados que hay en algo, por ejemplo la cantidad de alcohol que contiene el vino. **3.** Categoría de un militar.

graduado, da **1.** *p.* de **graduar.** También *adj.* || *adj.* y *s.* **2.** Persona que ha conseguido graduarse en una universidad. || **3. graduado escolar** Título que se obtiene al terminar los estudios elementales. **SIN. 2.** Titulado.

gradual *adj.* Que va por grados, poco a poco, sin saltos bruscos. **SIN.** Progresivo. **ANT.** Repentino.

graduar *v.* **1.** Dar a una cosa el grado que se desea. **2.** Medir los grados. **3.** Aumentar o disminuir una cosa de forma gradual. || **graduarse 4.** En las universidades, conseguir un título al terminar unos estudios.

graffiti (ital.) *s. m.* Escrito, dibujo o pintura hechos en las paredes, las tapias, el metro.

grafía *s. f.* Letra o letras que representan un sonido.

gráfico, ca *adj.* **1.** Propio de la escritura o de la imprenta: *artes gráficas.* **2.** Hecho con ilustraciones, dibujos o signos. || *s. m.* y *f.* **3.** Dibujo o esquema para explicar algo. **SIN. 2.** Ilustrado.

grafito *s. m.* Carbono puro cristalizado, de color negro o gris oscuro, buen conductor del calor y de la electricidad. Se usa, por ejemplo, para fabricar minas de lápices.

grafología *s. f.* Estudio de la escritura de una persona para saber qué personalidad tiene.

grafólogo, ga *s. m.* y *f.* Experto en grafología.

gragea *s. f.* Pastilla que suele estar recubierta de una sustancia dulce. **SIN.** Píldora.

grajilla *s. f.* Pájaro parecido al cuervo y a la graja, pero de menor tamaño, de color gris y negro.

grajo, ja *s. m.* y *f.* Ave parecida al cuervo pero de menor tamaño, de plumaje negro azulado y con la zona que rodea el pico de color gris.

grama *s. f.* Hierba gramínea muy abundante en prados, bosques y sembrados, que sirve de alimento al ganado.

gramática *s. f.* Estudio del lenguaje y libro que trata de ello.

gramatical *adj.* De la gramática.

gramático, ca *s. m.* y *f.* Persona que estudia la gramática y sabe mucho de ella.

gramíneo, a *adj.* y *s. f.* Se dice de unas plantas monocotiledóneas que tienen tallos cilíndricos con nudos, hojas alargadas y flores en espiga; por ejemplo, los cereales.

gramo *s. m.* **1.** En física, unidad de masa. **2.** En lenguaje corriente, unidad de peso.

gramófono *s. m.* Aparato con un altavoz en forma de trompa que reproduce sonidos grabados en un disco. **Sin.** Fonógrafo.

gramola *s. f.* Tipo de gramófono que tiene dentro un altavoz.

gran *adj.* Forma abreviada de **grande**.

grana *s. f.* Color rojo oscuro. **Sin.** Granate.

granada *s. f.* **1.** Fruto de un árbol llamado *granado*. Es redondo y de color amarillento rojizo; por dentro tiene muchos granos encarnados y jugosos. **2.** Bomba pequeña que se lanza con la mano. **3.** Bala de cañón.

granadero *s. m.* **1.** Soldado que lanza granadas. **2.** Soldado de gran estatura que pertenecía a una compañía que formaba a la cabeza del regimiento.

granadino, na *adj.* y *s.* De Granada, ciudad y provincia españolas.

granado *s. m.* Arbusto espinoso de hojas brillantes, flores rojas grandes y fruto comestible, la granada.

granado, da *adj.* Notable, principal, escogido: *lo más granado de la sociedad.* **Sin.** Selecto. **Ant.** Despreciable.

granate *s. m.* **1.** Color rojo oscuro. **2.** Piedra que se usa en joyería, normalmente de color rojo brillante o violeta. **Sin. 1.** Grana.

grande *adj.* **1.** De tamaño, extensión o cantidad mayor de lo normal o adecuado. **2.** Muy fuerte, intenso o importante. ‖ *adj.* y *s.* **3.** Que vale mucho o destaca por sus méritos o cualidades. ‖ **4. grande de España** Título de los miembros de la clase superior de la nobleza española. **Expr. en grande** Muy bien: *pasarlo en grande.* **Sin. 1.** Extenso; ancho. **2.** Valioso. **Ant. 1.** Pequeño. **3.** Insignificante.

grandeza *s. f.* **1.** Característica de grande. **2.** Bondad, buenos sentimientos. **Sin. 1.** Grandiosidad. **2.** Nobleza. **Ant. 2.** Mezquindad.

grandilocuencia *s. f.* El hablar o escribir de manera muy poco natural, utilizando palabras y expresiones cultas y difíciles. **Ant.** Sencillez.

grandilocuente *adj.* Que habla o escribe con grandilocuencia. **Sin.** Pomposo. **Ant.** Sencillo.

grandiosidad *s. f.* Característica de grandioso. **Sin.** Grandeza. **Ant.** Insignificancia.

grandioso, sa *adj.* Que impresiona por lo grande o por sus características. **Sin.** Enorme, majestuoso. **Ant.** Insignificante.

granel Se usa en la expresión **a granel**, forma de vender sin envase o sin medida exacta.

granero *s. m.* **1.** Sitio donde se guarda el grano. **2.** Territorio donde abunda el cereal y que puede proporcionarlo a otros lugares. **Sin. 1.** Silo.

granítico, ca *adj.* **1.** De granito o que contiene granito: *roca granítica.* **2.** Muy duro.

granito *s. m.* Roca compacta y dura que está compuesta de cuarzo, feldespato y mica.

granívoro, ra *adj.* Se dice de los animales que se alimentan de granos.

granizada *s. f.* Lluvia de granizo.

granizado *s. m.* Refresco de zumo de frutas o café y hielo muy picado.

granizar *v.* Caer granizo.

granizo *s. m.* Bolitas de agua congelada que caen de las nubes con mucha fuerza.

granja *s. f.* **1.** Finca en el campo con casa, corrales y establos. **2.** Sitio en donde se crían pollos, gallinas y otros animales.

granjearse *v.* Conseguir una persona que tengan un sentimiento hacia ella, por ejemplo simpatía o antipatía. **Sin.** Ganarse, captarse.

granjero, ra *s. m.* y *f.* Persona que tiene una granja o se ocupa de ella.

grano *s. m.* **1.** Semilla o fruto de algunas plantas que aparecen agrupados con otros: *un grano de trigo, un grano de uva.* **2.** Trozo muy pequeño: *un grano de arena.* **3.** Bulto pequeño que sale en la piel. ‖ **4. grano de arena** Pequeña ayuda: *Aportó su grano de arena.* **Expr. ir al grano** Tratar de lo más importante, sin hablar de otras cosas. **Sin.** 3. Espinilla.

granuja *s. m.* y *f.* Pillo.

granulado, da *adj.* En forma de granos: *azúcar granulado.*

granuloso, sa *adj.* Formado por pequeños granos.

grapa *s. f.* Trozo pequeño y delgado de metal con los extremos doblados que se clavan para unir o sujetar papeles u otras cosas.

grapadora *s. f.* Utensilio para poner grapas.

grapar *v.* Unir o sujetar con grapas.

grasa *s. f.* Sustancia líquida o sólida de origen vegetal (aceite de oliva), animal (manteca) o mineral (la empleada para engrasar motores).

grasiento, ta *adj.* Con demasiada grasa o manchado de grasa. **Sin.** Seboso.

graso, sa *adj.* Que tiene grasa.

gratificación *s. f.* Dinero que se da para recompensar por algo.

gratificante *adj.* Que produce satisfacción. **Sin.** Satisfactorio.

gratificar *v.* Recompensar a alguien, casi siempre con dinero, por un trabajo, servicio o ayuda. **Sin.** Premiar, retribuir.

gratinador *s. m.* Parte de arriba de algunos hornos, que se utiliza para gratinar.

gratinar *v.* Meter en el horno un alimento para que se tueste por encima.

gratis *adv.* Sin tener que dar dinero a cambio o sin cobrar.

gratitud *s. f.* Hecho de agradecer a alguien lo que ha hecho por nosotros. **Sin.** Agradecimiento. **Ant.** Ingratitud.

grato, ta *adj.* Que agrada. **Sin.** Agradable. **Ant.** Ingrato.

gratuidad *s. f.* Hecho de ser gratuita una cosa.

gratuito, ta *adj.* 1. Que no cuesta dinero. 2. Sin fundamento o justificación: *una acusación gratuita.* **Sin.** 2. Infundado. **Ant.** 1. Oneroso.

grava *s. f.* Arena de grano muy grueso o piedra machacada que suele usarse para allanar el suelo o para hacer hormigón.

gravamen *s. m.* Lo que hay que pagar como impuesto.

gravar *v.* Poner un impuesto. **Ant.** Desgravar.

grave *adj.* 1. Que tiene mucha importancia, peligro o malas consecuencias.

2. Que está muy enfermo. 3. Serio: *un gesto grave.* 4. Se dice de la palabra que tiene el acento en la penúltima sílaba. || *adj.* y *s. m.* 5. Se dice del sonido de baja frecuencia. **Sin.** 1. Importante, peligroso, difícil. 3. Solemne, severo. **Ant.** 1. Insignificante, leve. 2. Sano. 3. Alegre. 5. Agudo.

gravedad *s. f.* 1. Gravitación. 2. Característica de lo que es o está grave. **Sin.** 2. Importancia. **Ant.** 2. Levedad.

grávida *adj.* Que va a tener un niño. **Sin.** Embarazada, encinta.

gravidez *s. f.* Estado de la mujer que va a tener un niño. **Sin.** Embarazo.

gravilla *s. f.* Grava fina.

gravitación *s. f.* Fuerza de atracción entre los cuerpos, por ejemplo la de la Tierra sobre el resto de las cosas. **Sin.** Gravedad.

gravitar *v.* 1. En física, moverse un cuerpo alrededor de otro por la fuerza de la gravedad. 2. Descansar un cuerpo pesado sobre otro. 3. Amenazar, haber peligro de que suceda algo malo. **Sin.** 2. Cargar, apoyar. 3. Pender.

gravitatorio, ria *adj.* De la gravitación.

gravoso, sa *adj.* Que causa mucho gasto o molestia. **Sin.** Costoso, caro; cargante. **Ant.** Barato.

graznar *v.* Dar graznidos.

graznido *s. m.* Sonido que hacen el cuervo, el grajo, el ganso y otras aves.

greca *s. f.* Banda o tira de adorno, sobre todo si tiene dibujos geométricos.

grecolatino, na *adj.* Grecorromano.

grecorromano, na *adj.* De los griegos y romanos o relacionado con ellos.

greda *s. f.* Arcilla arenosa de color blanco azulado.

gregario, ria *adj.* Que no tiene ideas propias y hace lo que dicen otros. **Sin.** Borrego.

gregoriano, na *adj.* y *s. m.* Tipo de canto o música religiosos.

grelo *s. m.* Hoja tierna del nabo que se come en algunos guisos.

gremio *s. m.* Agrupación de personas de un mismo oficio o profesión.

greñas *s. f. pl.* Pelo revuelto y descuidado. **Expr. andar a la greña** Estar siempre regañando. **Sin.** Pelambrera.

gres *s. m.* Cerámica muy dura con la que se hacen sobre todo azulejos y baldosas.

gresca *s. f.* 1. Riña, pelea. 2. Jaleo, follón. **Sin.** 1. Bronca.

grey *s. f.* **1.** Rebaño. **2.** Conjunto de personas con características comunes, por ejemplo los fieles que forman la Iglesia católica.

grial *s. m.* Vaso o copa que usó Jesucristo en la última cena. **SIN.** Cáliz.

griego, ga *adj.* y *s.* **1.** De Grecia, país de Europa. ‖ *s. m.* **2.** Lengua hablada en Grecia.

grosella *s. f.* Fruto del grosellero, pequeño, de color rojo y sabor dulce y un poco ácido.

grosellero *s. m.* Arbusto caduco de hojas grandes y flores amarillo-verdosas, cuyo fruto es la grosella.

grosería *s. f.* Característica de grosero y cosa grosera. **SIN.** Ordinariez. **ANT.** Finura.

grosero, ra *adj.* y *s.* Ordinario y maleducado. **SIN.** Basto. **ANT.** Educado.

grosor *s. m.* **1.** La más pequeña de las tres dimensiones de algo. **2.** Diámetro de un cuerpo con forma de cilindro. **SIN. 1.** Grueso. **1** y **2.** Espesor.

grosso modo *expr. lat.* Aproximadamente, más o menos.

grotesco, ca *adj.* Tan feo o raro que produce risa o rechazo. **SIN.** Ridículo, extravagante.

grúa *s. f.* **1.** Máquina para levantar y mover pesos muy grandes, con un brazo del que cuelgan unos cables a los que se engancha la carga. **2.** Camión con una máquina parecida a ésta que sirve para arrastrar otros vehículos.

grueso, sa *adj.* **1.** Gordo. ‖ *s. m.* **2.** Grosor. **3.** Parte más grande o numerosa de un conjunto: *El grueso de los corredores llegó tres minutos después del ganador.* **SIN. 1.** Corpulento, obeso. **2.** Espesor. **ANT. 1.** Delgado.

grulla *s. f.* Ave grande de patas largas, plumaje gris y pico y cuello largos.

grumete *s. m.* Muchacho que ayuda en los trabajos de un barco.

grumo *s. m.* Pegote que se forma en un líquido o pasta líquida.

gruñido *s. m.* **1.** Sonido que hacen algunos animales como el cerdo o el jabalí. **2.** Sonido que hacen otros animales, como los perros, para asustar o cuando van a atacar.

gruñir *v.* **1.** Dar gruñidos los animales. **2.** Quejarse, protestar. □ Es v. irreg. Se conjuga como *mullir.* **SIN. 2.** Refunfuñar, rezongar.

gruñón, na *adj.* y *s.* Que gruñe o protesta mucho. **SIN.** Protestón.

grupa *s. f.* Parte de atrás del lomo de algunos animales, como el caballo o la mula.

grupo *s. m.* Dos o más personas o cosas que están unidas, trabajan juntas o tienen algo en común. **SIN.** Conjunto, agrupación.

gruta *s. f.* Cueva entre rocas. **SIN.** Caverna.

gruyer o **gruyere** *s. m.* Queso suizo muy grande y con agujeros.

gua *s. m.* **1.** Hoyito para jugar a las canicas. **2.** Este juego.

guacamayo *s. m.* Ave americana parecida a un loro, pero más grande, con las plumas rojas, azules y amarillas y la cola muy larga y vistosa.

guache *s. m.* Aguada, tipo de pintura.

guadalajareño, ña *adj.* y *s.* De Guadalajara, ciudad y provincia españolas.

guadaña *s. f.* Instrumento para segar que tiene una cuchilla curva y puntiaguda y un mango largo.

guagua *s. f.* En Canarias e Hispanoamérica, autobús.

gualdo, da *adj.* Amarillo dorado.

guanche *adj.* y *s.* **1.** De un pueblo que vivía en las islas Canarias antes de que formaran parte de España. ‖ *s. m.* **2.** Lengua hablada por este pueblo.

guano *s. m* Excrementos de aves marinas que se utilizan como abono.

guantazo o **guantada** *s. m.* o *s. f.* Tortazo, puñetazo, golpe.

guante *s. m.* Prenda que cubre las manos para no tener frío en ellas o para protegerlas. **EXPR. de guante blanco** Se aplica al ladrón muy hábil y que no emplea la fuerza. **echar el guante** Pillar, coger a alguien.

guantera *s. f.* Especie de cajón que hay enfrente de los asientos de delante de un coche.

guaperas *adj.* y *s.* Guapo.

guapetón, na *adj.* Guapo, atractivo.

guapo, pa *adj.* y *s.* **1.** Persona de aspecto agradable o de cara hermosa. ‖ *adj.* **2.** Bueno, bonito. **SIN. 1.** Hermoso, agraciado. **2.** Estupendo, fabuloso. **ANT. 1** y **2.** Feo. **2.** Malo.

guaraní *adj.* y *s.* **1.** De un pueblo de indios sudamericanos que vive en Paraguay. ‖ *s. m.* **2.** Idioma que habla este pueblo. **3.** Moneda de Paraguay.

guarda *s. m.* y *f.* **1.** Persona que vigila algún lugar o alguna cosa. **2.** Hoja de papel o cartulina que une la tapa con el resto del libro. || **3. guarda jurado** El que ha jurado su cargo ante la autoridad y puede ser contratado por una empresa. Sɪɴ. **1.** Vigilante.

guardabarrera *s. m.* y *f.* Persona que en las vías de tren vigila un paso a nivel.

guardabarros *s. m.* Pieza que cubre las ruedas de un vehículo y las protege de las salpicaduras de barro.

guardabosque o **guardabosques** *s. m.* y *f.* Guarda de un bosque.

guardacantón *s. m.* Bloque de piedra que protege las esquinas de los edificios.

guardacoches *s. m.* y *f.* Persona que aparca y cuida los coches de los clientes de un pub, discoteca u otro local.

guardacostas *s. m.* Barco que vigila las costas.

guardaespaldas *s. m.* y *f.* Persona que acompaña a otra para protegerla.

guardagujas *s. m.* y *f.* Persona que se encarga de mover las agujas de los raíles para que el tren cambie de vía.

guardameta *s. m.* y *f.* Portero de fútbol, balonmano y otros deportes.

guardamuebles *s. m.* Lugar donde se dejan guardados los muebles, pagando un dinero por ello.

guardapolvo *s. m.* Bata o delantal que se pone encima de la ropa para no ensuciarla.

guardar *v.* **1.** Meter una cosa en un sitio seguro. **2.** Cuidar, vigilar. **3.** Callarse algo. **4.** Tener, mantener: *guardar un recuerdo, guardar silencio.* **5.** Reservar una cosa: *Le guardó algo de comida.* || **guardarse 6.** Evitar: *Se guarda mucho de hablar mal de sus compañeros.* Exᴘʀ. **guardársela** o **tenérsela guardada** a alguien Querer vengarse de él. Sɪɴ. **2.** Proteger, custodiar. **4.** Conservar. **6.** Cuidarse. Aɴᴛ. **1.** Sacar.

guardarropa *s. m.* Lugar en los teatros, hoteles y otros locales donde se puede dejar el abrigo y las cosas que no se quieren llevar encima.

guardería *s. f.* Establecimiento donde se cuida a los niños pequeños.

guardés, sa *s. m* y *f.* Persona encargada de cuidar y vigilar una finca o casa.

guardia *s. m.* y *f.* **1.** Persona que suele ir armada y se encarga de vigilar y mantener el orden. || *s. f.* **2.** Acción de vigilar alguna cosa. **3.** Grupo de personas armadas que vigilan o protegen a alguien o algo. **4.** Tiempo que están funcionando fuera del horario normal los hospitales, farmacias y otros establecimientos. **5.** Postura que se pone un boxeador o luchador para defenderse. || **6. guardia civil** Cuerpo armado español que mantiene el orden en los pueblos y vigila las costas, fronteras y carreteras; también, cada una de las personas de este cuerpo. Sɪɴ. **1.** Policía, agente. **2.** Vigilancia. **3.** Escolta.

guardiamarina *s. m.* Alumno que realiza los últimos cursos para ser marino militar.

guardián, na *s. m.* y *f.* Persona que vigila en algún lugar. Sɪɴ. Vigilante.

guarecer *v.* Proteger, defender. □ Es v. irreg. Se conjuga como *agradecer.* Sɪɴ. Cobijar, resguardar. Aɴᴛ. Desproteger.

guarida *s. f.* **1.** Lugar donde se meten los animales para dormir o refugiarse. **2.** Escondite, refugio. Sɪɴ. **1.** Cueva, madriguera, cubil.

guarismo *s. m.* Número, cifra.

guarnecer *v.* Proteger, defender un lugar. □ Es v. irreg. Se conjuga como *agradecer.*

guarnición *s. f.* **1.** Hortalizas o legumbres que se ponen acompañando a otro alimento. **2.** Adornos que se ponen en la ropa, las cortinas y otras cosas. **3.** Soldados que protegen un lugar. || *pl.* **4.** Correajes que se ponen a los caballos.

guarnicionero, ra *s. m.* y *f.* Persona que hace o vende correajes para las caballerías y otros objetos de cuero.

guarrada *s. f.* **1.** Cosa sucia. **2.** Jugarreta, faena. Sɪɴ. **2.** Guarrería.

guarrazo *s. m. fam.* Golpe, trastazo.

guarrear *v.* Ensuciar.

guarrería *s. f.* **1.** Suciedad. **2.** Mala acción. Sɪɴ. **2.** Guarrada.

guarro, rra *adj.* y *s.* **1.** Sucio. **2.** Malintencionado. || *s. m.* y *f.* **3.** Cerdo, animal. Sɪɴ. **1** a **3.** Puerco, cochino. Aɴᴛ. **1.** Limpio. **2.** Bueno, noble.

guasa *s. f.* Burla y tono de burla con que se dice algo. Exᴘʀ. **estar de guasa** Bromear. Sɪɴ. Broma, ironía, sorna. Aɴᴛ. Seriedad.

guasearse *v.* Burlarse.

guasón, na *adj.* y *s.* Persona a la que le gusta bromear. Sɪɴ. Bromista.

guata *s. f.* Lámina de algodón que se usa sobre todo para rellenar colchas y prendas de vestir.

guateado, da *adj.* Relleno con guata.

guatemalteco, ca *adj.* y *s.* De Guatemala, país de América Central.

guateque s. m. Fiesta que da una persona en su casa y en la que se come, se toman bebidas y se baila.

guay adj. y adv. fam. Estupendo.

guayaba s. f. Fruto del guayabo, de sabor dulce, que se consume al natural o en mermelada.

guayabera s. f. Chaquetilla o camisa suelta y de tela fina.

guayabo s. m. Arbusto originario de América Central cultivado por su fruto, la guayaba.

gubernamental o **gubernativo, va** adj. Del gobierno de un país. SIN. Oficial.

gubia s. f. Herramienta de carpintero y escultor con un filo de hierro en forma de medio cilindro y un mango de madera. SIN. Formón.

guedeja s. f. 1. Cabellera larga. 2. Mechón de pelo. SIN. 1. Pelambrera.

guepardo s. m. Mamífero carnívoro africano parecido al leopardo, capaz de correr a gran velocidad.

guerra s. f. 1. Lucha armada entre países o grupos de personas. 2. Enfrentamiento entre personas sin armas. 3. Lucha contra algo perjudicial: la guerra contra las enfermedades. ‖ 4. guerra civil Guerra entre los habitantes de un mismo país. EXPR. dar guerra Molestar, enredar. SIN. 1. Conflagración. 1 y 2. Contienda, disputa. ANT. 1. Paz.

guerrear v. Hacer la guerra.

guerrera s. f. Chaqueta de algunos uniformes militares. SIN. Casaca.

guerrero, ra adj. y s. 1. Persona que lucha en una guerra, sobre todo en las antiguas. ‖ adj. 2. De la guerra o relacionado con ella. 3. Travieso, que da mucha guerra. SIN. 1. Combatiente. 2. Bélico, marcial. ANT. 2. Pacífico.

guerrilla s. f. Pequeño grupo armado que, generalmente, no pertenece al ejército y ataca por sorpresa aprovechando su conocimiento del terreno.

guerrillero, ra s. m. y f. Persona que forma parte de una guerrilla.

gueto s. m. Lugar dentro de una ciudad o país donde viven apartadas personas de otra raza o cultura.

guía s. m. y f. 1. Persona que enseña algo a otra, le aconseja lo que debe hacer o le dice por dónde tiene que ir. ‖ s. f. 2. Lo que sirve de ayuda o modelo para hacer algo. 3. Libro o folleto que informa sobre un lugar, sobre cómo funciona o se usa algo, sobre direcciones y teléfonos, etc. 4. Ranura,

carril o barra por la que se deslizan algunos objetos al moverlos. ‖ s. amb. 5. Manillar. SIN. 1. Maestro, conductor. 2. Pauta. 3. Manual.

guiar v. 1. Servir de guía. 2. Conducir un vehículo. ‖ **guiarse** 3. Tomar como guía a alguien o algo: Nos guiamos por las señales del camino. SIN. 1. Orientar, encauzar. ANT. 1. Desorientar.

guijarro s. m. Piedra pequeña y redondeada, como las que hay en la orilla del mar o en los ríos. SIN. China.

guijo s. m. Guijarros que se emplean para hacer caminos y carreteras. SIN. Grava, gravilla.

guillado, da adj. y s. Loco, chiflado.

guillotina s. f. 1. Máquina que se utilizaba para cortar la cabeza a los condenados a muerte. 2. Máquina con una cuchilla para cortar papel y otras cosas.

guillotinar v. 1. Cortarle a alguien la cabeza en la guillotina. 2. Cortar una cosa con guillotina.

guinda s. f. 1. Fruto del guindo, parecido a la cereza, pero más redondo y de sabor más ácido. 2. Cosa que sirve de final a algo. SIN. 2. Remate.

guindar v. fam. Robar, quitar.

guindilla s. f. Tipo de pimiento alargado y estrecho, de sabor muy picante.

guindo s. m. Árbol cuyo fruto son las guindas. Es bastante alto y tiene hojas caducas de color oscuro y flores blancas.

guinea s. f. Antigua moneda inglesa de oro.

guineano, na adj. y s. De Guinea, nombre de varios países de África.

guiñapo s. m. 1. Tela sucia, rota o muy arrugada. 2. Persona que se encuentra enferma, débil o muy desanimada. SIN. 1. Andrajo, harapo. 2. Piltrafa.

guiñar v. 1. Cerrar un ojo un momento dejando el otro abierto, por ejemplo para hacer una seña. 2. Cerrar casi por completo los ojos, como se hace cuando no se ve bien o hay mucha luz.

guiño s. m. Gesto de guiñar un ojo.

guiñol s. m. Representación de teatro con muñecos movidos por personas. SIN. Títeres.

guión s. m. 1. Escrito donde se cuenta lo que tienen que decir y hacer los actores en una película o en un programa de radio o televisión. 2. Escrito en que se apunta lo más importante del tema del que se va a tratar, para no olvidarse de nada. 3. Rayita que se emplea al escribir para indicar varias cosas, por ejemplo que parte de la última palabra de un renglón continúa en el siguiente.

guionista *s. m.* y *f.* Persona que hace el guión de una película o de un programa de radio o televisión.

guipar *v. fam.* Ver.

guipuzcoano, na *adj.* y *s.* De Guipúzcoa, provincia española.

guirigay *s. m.* Griterío, alboroto.

guirlache *s. m.* Dulce hecho con almendras tostadas y caramelo.

guirnalda *s. f.* Tira de adorno hecha con flores, hojas y otras cosas unidas.

guisa *s. f.* Modo, manera.

guisado, da **1.** *p.* de guisar. También *adj.* ‖ *s. m.* **2.** Guiso.

guisante *s. m.* **1.** Planta del tipo de las legumbres, con fruto en forma de vaina que contiene unas semillas redondas comestibles, de color verde o amarillo. **2.** Semilla de esta planta.

guisar *v.* Preparar alimentos cociéndolos al fuego con otras sustancias que les dan más sabor. **Sin.** Cocinar.

guiso *s. m.* Alimento que se ha guisado para comerlo. **Sin.** Guisado.

guisote *s. m. desp.* Guiso mal hecho.

guita *s. f.* **1.** Cuerda fina de cáñamo. **2.** *fam.* Dinero. **Sin. 1.** Cordel, bramante. **2.** Pasta, tela.

guitarra *s. f.* **1.** Instrumento musical con seis o más cuerdas, una caja de madera que se estrecha por el centro y un mástil dividido en trastes. ‖ **2. guitarra eléctrica** Aquella en la que el sonido se transmite por medios electrónicos a un amplificador.

guitarrería *s. f.* Taller donde se hacen y arreglan guitarras o tienda donde se venden.

guitarrero, ra *adj.* Persona que hace, arregla o vende guitarras.

guitarrista *s. m.* Persona que toca la guitarra.

güito *s. m.* **1.** Hueso de fruta, como el del albaricoque o la ciruela. **2.** *fam.* Sombrero.

gula *s. f.* Muchas ganas de comer y beber, aunque no se tenga hambre. **Sin.** Glotonería, voracidad. **Ant.** Templanza.

gulusmear *v.* Andar buscando cosas ricas para comer.

gulusmero, ra *adj.* y *s.* Que gulusmea. **Sin.** Goloso.

gurriato *s. m.* Pollo del gorrión.

gurruño *s. m.* Cosa encogida o muy arrugada.

gusa *s. f. fam.* Hambre.

gusanillo *s. m.* **1.** *dim.* de gusano. **2.** Alambre enrollado en espiral, como el que se usa para colgar un visillo. **Expr. matar el gusanillo** Quitar el hambre comiendo algo ligero.

gusano *s. m.* **1.** Animal de cuerpo alargado, blando, sin esqueleto ni extremidades, como por ejemplo la lombriz. **2.** Persona muy mala y despreciable. **Expr. gusano de seda** Oruga que teje un capullo que se utiliza para fabricar telas de seda. **Sin. 2.** Rata, indeseable. **Ant. 2.** Bendito.

gusarapo, pa *s. m.* y *f.* Gusano o animal parecido que se cría en los líquidos.

gustar *v.* **1.** Resultarle a alguien bonita, agradable o atractiva una persona o cosa, o parecerle bien. **2.** Sentir el sabor de una comida o bebida. **3.** Se usa como fórmula de educación cuando uno va a comer delante de otras personas: *Estoy almorzando, si gustas...* **Sin. 1.** Agradar, complacer. **2.** Saborear, degustar. **Ant. 1.** Disgustar, desagradar.

gustativo, va *adj.* Relacionado con el sentido del gusto: *papilas gustativas.*

gustazo *s. m.* Mucho gusto que da hacer lo que a uno le apetece.

gustillo *s. m.* Sabor que queda en la boca después de tomar algo o que acompaña a otro más fuerte. **Sin.** Regusto.

gustirrinín *s. m. fam.* Sensación de placer muy agradable.

gusto *s. m.* **1.** Sentido corporal con el que se perciben y se distinguen los sabores. **2.** Sabor de las cosas. **3.** Placer, satisfacción. **4.** Lo que uno quiere hacer o hace de buena gana. **5.** Lo que a cada uno le gusta, sus preferencias. **6.** Capacidad para saber distinguir lo que es bonito o lo que resulta bien. **Expr. a gusto** Muy bien, muy cómodo o satisfecho. **mucho gusto, tanto gusto, el gusto es mío** Formas educadas que se utilizan cuando una persona es presentada a otra. **Sin. 3.** Goce, gozo, complacencia. **4.** Agrado. **Ant. 3** y **4.** Desagrado.

gustoso, sa *adj.* **1.** Sabroso. **2.** Que hace algo con gusto.

gutapercha *s. f.* Goma producida por algunos árboles, utilizada como aislante, para hacer impermeables las telas y otros usos.

gutural *adj.* De la garganta o relacionado con ella: *una voz gutural.*

h *s. f.* Octava letra del abecedario.

haba *s. f.* 1. Planta del tipo de las legumbres, con fruto en forma de vaina que contiene unas semillas un poco más grandes que las judías. 2. Fruto y semilla de esta planta.

habanero, ra *adj. y s.* 1. De La Habana, capital de Cuba. ‖ *s. f.* 2. Canción y música de origen cubano, de ritmo suave.

habano *s. m.* Cigarro puro hecho en Cuba.

haber¹ *v.* 1. Forma los tiempos compuestos de los verbos: *he escrito, había hablado.* 2. Tener una obligación: *He de irme.* 3. Ser necesario o conveniente: *Hay que descansar.* 4. Estar, existir, darse: *Había mucha gente en la fiesta. Hubo una vez un niño... Hay inviernos muy fríos.* 5. Ocurrir: *Hubo varios terremotos.* □ Es v. irreg. **EXPR. no hay de qué** Forma educada de contestar al que nos da las gracias. **SIN.** 2. Deber. 3. Necesitar, convenir. 4. Encontrarse, hallarse. 5. Suceder, acaecer. **ANT.** 4. Faltar.

haber² *s. m.* 1. Parte de una cuenta en un banco donde se indica el dinero que se ingresa. ‖ *s. m. pl.* 2. Sueldo, salario.

habichuela *s. f.* Judía.

hábil *adj.* 1. Se dice de la persona a la que se le da bien hacer algo. 2. Se dice del tiempo que realmente tenemos para alguna cosa. **SIN.** 1. Habilidoso, diestro, mañoso. **ANT.** 1. Torpe.

habilidad *s. f.* Capacidad para hacer bien las cosas. **SIN.** Destreza, maña. **ANT.** Torpeza.

habilidoso, sa *adj.* Que es hábil, sobre todo para cosas que se hacen con las manos. **SIN.** Diestro. **ANT.** Torpe.

habilitado, da 1. *p.* de **habilitar**. También *adj.* ‖ *s. m.* 2. Persona a la que se habilita para algunos asuntos, por ejemplo pagar los sueldos en una empresa o un organismo oficial.

habilitar *v.* 1. Preparar algo para un fin distinto del que tenía. 2. Dar poder o autoridad a una persona para hacer algo. **SIN.** 2. Capacitar, autorizar.

habitable *adj.* Que puede habitarse.

habitación *s. f.* Cada una de las partes en que se divide una casa, sobre todo la que se usa para dormir. **SIN.** Cuarto; dormitorio.

habitáculo *s. m.* Espacio cerrado en el que pueden estar una o varias personas: *el habitáculo de un coche.*

habitante *s. m.* Persona que habita en un lugar. **SIN.** Residente, vecino.

habitar *v.* Vivir en un lugar. **SIN.** Poblar; residir.

hábitat *s. m.* 1. Territorio con unas características especiales habitado por un conjunto de seres vivos. 2. Lugar donde habita un tipo de población: *hábitat rural, hábitat urbano.*

hábito *s. m.* 1. Costumbre. 2. Vestimenta usada por religiosos y religiosas.

habituado, da 1. *p.* de **habituar**. ‖ *adj.* 2. Que tiene hábito o está acostumbrado a algo.

HABER	
INDICATIVO	
Presente	**Pret. perf. simple**
he	hube
has	hubiste
ha, hay	hubo
hemos	hubimos
habéis	hubisteis
han	hubieron
Futuro	**Condicional**
habré	habría
habrás	habrías
habrá	habría
habremos	habríamos
habréis	habríais
habrán	habrían
SUBJUNTIVO	
Presente	**Pretérito imperfecto**
haya	hubiera, -ese
hayas	hubieras, -eses
haya	hubiera, -ese
hayamos	hubiéramos, -ésemos
hayáis	hubierais, -eseis
hayan	hubieran, -esen
Futuro	
hubiere	hubiéremos
hubieres	hubiereis
hubiere	hubieren

hachís

habitual *adj.* Que se repite, que se hace por hábito o costumbre. **SIN.** Acostumbrado, usual. **ANT.** Inusual.

habituar *v.* Hacer que alguien tenga un hábito o se acostumbre a algo. **SIN.** Adaptar. **ANT.** Deshabituar.

habla *s. f.* **1.** Capacidad de hablar. **2.** Acción de hablar o modo de hacerlo. **SIN.** **2.** Lengua, idioma, dialecto.

hablado, da **1.** *p.* de **hablar.** También *adj.* ‖ *adj.* **2.** Con *bien* o *mal*, se dice del que habla con educación o, por el contrario, de forma grosera, diciendo palabrotas.

hablador, ra *adj. y s.* Que habla mucho. **SIN.** Parlanchín. **ANT.** Callado.

habladurías *s. f. pl.* Cosas sin mucho fundamento que la gente cuenta de otros con el fin de criticar. **SIN.** Chisme, murmuración.

hablante *s. m.* La persona que habla. **SIN.** Emisor. **ANT.** Oyente; receptor.

hablar *v.* **1.** Pronunciar sonidos en forma de palabras. **2.** Comunicarse mediante palabras; también por otros medios, como señas. **3.** Decir cosas acerca de alguien o algo. **4.** Confesar, decir lo que se había ocultado. **EXPR. hablar por los codos** Hablar mucho. **SIN.** **1** y **2.** Expresarse. **2.** Conversar, charlar. **2** y **3.** Contar. **4.** Cantar. **ANT.** **1** a **4.** Callar.

habón *s. m.* Bultito enrojecido que pica mucho y aparece en la piel producido, por ejemplo, por la picadura de un insecto. **SIN.** Grano; roncha.

hacendado, da *adj. y s.* Persona que tiene muchas tierras y casas. **SIN.** Terrateniente.

hacendoso, sa *adj.* Que hace bien y con cuidado las tareas de la casa.

hacer *v.* **1.** Realizar o preparar. **2.** Fabricar, construir. **3.** Producir un resultado o un efecto: *hacer feliz, hacer daño.* **4.** Volver, convertir, dar aspecto: *hacerse mayor. Este peinado te hace más guapa.* **5.** Representar un papel: *Ese actor hace de malo en la película.* **6.** Unido a su complemento tiene el significado de éste: *hacer el tonto.* **7.** Obligar, mandar: *Le hicieron venir para nada.* **8.** Obrar, actuar: *Has hecho mal en regañarle.* **9.** Formar un número o cantidad; cumplir: *Dos más dos hacen cuatro. Hoy hago 18 años.* **10.** Ocupar un lugar: *Haces el número cinco de la lista.* **11.** Expresa el tiempo o la temperatura que hay: *hace frío.* **12.** Haber pasado un tiempo: *Hace un mes que no te veo.* ‖ **hacerse 13.** Conseguir: *El equipo se hizo con el triunfo.* **14.** Fingir: *hacer-*

se el dormido. **15.** Acostumbrarse: *Todavía no me hago a este clima.* **EXPR. hacer caso** Seguir los consejos de otro. **¿qué se le va a hacer?** o **¿qué (le) vamos a hacer?** Frases que decimos cuando no podemos evitar algo y tenemos que conformarnos. **SIN.** **1.** Efectuar, ejecutar. **2.** Elaborar, confeccionar. **3.** Causar, originar. **8.** Proceder. **13.** Alzarse. **14.** Aparentar, simular. **15.** Adaptarse, habituarse. **ANT.** **1** y **2.** Deshacer. **2.** Destruir. **13.** Perder.

HACER	
GERUNDIO	PARTICIPIO
haciendo	hecho
INDICATIVO	
Presente	Pret. perf. simple
hago	hice
haces	hiciste
hace	hizo
hacemos	hicimos
hacéis	hicisteis
hacen	hicieron
Futuro	Condicional
haré	haría
harás	harías
hará	haría
haremos	haríamos
haréis	haríais
harán	harían
SUBJUNTIVO	
Presente	Pretérito imperfecto
haga	hiciera, -ese
hagas	hicieras, -eses
haga	hiciera, -ese
hagamos	hiciéramos, -ésemos
hagáis	hicierais, -eseis
hagan	hicieran, -esen
Futuro	
hiciere	hiciéremos
hicieres	hiciereis
hiciere	hicieren
IMPERATIVO	
haz	haced

hacha¹ *s. f.* **1.** Antorcha que se utilizaba para iluminar. **2.** Vela de cera grande y gruesa.

hacha² *s. f.* Herramienta para cortar madera que consiste en un mango con una hoja ancha y corta. **EXPR. ser** alguien **un hacha** Destacar en algo, ser muy bueno.

hachazo *s. m.* Golpe de hacha y corte que deja.

hachís *s. m.* Droga que se obtiene del cáñamo índico y se fuma mezclada con tabaco.

hacia *prep.* **1.** Indica dirección: *Vamos hacia allá.* **2.** Más o menos, cerca de: *Volverá hacia el dos de agosto.*

hacienda *s. f.* **1.** Finca o campos que tiene alguien. **2.** Bienes y propiedades de una persona. **3.** Ministerio de Economía y Hacienda; organismo que administra el dinero y los bienes del Estado y cobra los impuestos. **Sin. 1** y **2.** Posesiones. **2.** Fortuna, heredad, patrimonio.

hacinamiento *s. m.* Hecho de estar hacinados. **Sin.** Aglomeración.

hacinar *v.* Juntar en muy poco espacio muchas personas o cosas.

hada *s. f.* Personaje fantástico de los cuentos que suele llevar una varita mágica dotada de grandes poderes.

hado *s. m.* El destino, lo que hace que las cosas ocurran de una manera sin que podamos cambiarlas. **Sin.** Fatalidad, sino.

hagiografía *s. f.* Historia de la vida de los santos.

haitiano, na *adj. y s.* De Haití, país de América Central en el mar Caribe.

¡hala! *interj.* Se usa para animar o expresar una impresión.

halagador, ra *adj.* Que halaga.

halagar *v.* **1.** Producir orgullo o satisfacción. **2.** Mostrar aprecio o admiración a alguien con palabras o acciones. **Sin. 1.** Enorgullecer. **2.** Alabar, adular. **Ant. 1** y **2.** Ofender.

halago *s. m.* Acción de halagar y cosa que halaga. **Sin.** Alabanza, adulación. **Ant.** Ofensa.

halagüeño, ña *adj.* **1.** Optimista, favorable: *un futuro halagüeño.* **2.** Que halaga. **Sin. 1.** Prometedor. **2.** Halagador. **Ant. 1.** Negro.

halcón *s. m.* Ave rapaz de alas largas y puntiagudas, pico curvo y garras muy fuertes, con el pecho de color claro y el dorso gris azulado en los machos y pardo en las hembras. Es una excelente voladora y cazadora, que se puede domesticar y usar en cetrería.

¡hale! *interj.* ¡Hala!

hálito *s. m.* Aliento.

halitosis *s. f.* Mal aliento.

hall (ingl.) *s. m.* Vestíbulo.

hallar *v.* **1.** Encontrar, descubrir o averiguar. ‖ **hallarse 2.** Estar en un lugar o situación.

hallazgo *s. m.* **1.** Acción de hallar. **2.** Lo que ha sido hallado. **Sin. 1.** Encuentro. **2.** Descubrimiento. **Ant. 1** y **2.** Pérdida.

halo *s. m.* **1.** Aro luminoso, como el que a veces se ve alrededor del Sol y de la Luna, o el que tienen alrededor de la cabeza las imágenes religiosas. **2.** Atmósfera que rodea a alguien o algo. **Sin. 1.** Nimbo, corona. **1** y **2.** Aureola.

halógeno, na *adj. y s. m.* **1.** Se dice de un grupo de elementos químicos entre los que se encuentran el cloro y el yodo. ‖ *adj.* **2.** Se dice de unas lámparas, faros y bombillas que producen una luz blanca y brillante, debido a la presencia de alguno de los elementos químicos anteriores.

haltera *s. f.* Aparato de gimnasia formado por una barra con discos de metal en los extremos, que sirve para hacer levantamiento de pesos.

halterofilia *s. f.* Deporte que consiste en levantar halteras.

halterófilo, la *s. m. y f.* Deportista que practica la halterofilia.

hamaca *s. f.* **1.** Red o lona que se cuelga de sus dos extremos y sirve de cama. **2.** Tumbona.

hambre *s. f.* **1.** Necesidad de alimentos. **2.** Ganas de comer. **3.** Deseo muy grande de algo. ‖ **4. hambre canina** La que es muy grande. **Expr. matar el hambre** Comer algo para saciarla. **Sin. 2.** Apetito, gazuza. **3.** Ansia, sed. **Ant. 2.** Hartazgo.

hambriento, ta *adj. y s.* **1.** Que tiene mucha hambre. ‖ *adj.* **2.** Que desea mucho una cosa. **Sin. 1.** Ansioso, sediento. **Ant. 1.** Saciado. **2.** Harto.

hambruna *s. f.* Situación de hambre muy grave provocada por la escasez de alimentos.

hamburguesa *s. f.* Filete de carne picada que suele comerse dentro de un pan redondo.

hamburguesería *s. f.* Establecimiento donde se sirven hamburguesas.

hampa *s. f.* **1.** Conjunto de maleantes y delincuentes. **2.** Forma de vida y actividades de estos individuos. **Sin. 1** y **2.** Delincuencia.

hampón *s. m.* Delincuente, maleante.

hámster (al.) *s. m.* Roedor parecido al ratón, casi sin cola; algunas personas los tienen en casa como animales domésticos.

handicap (ingl.) *s. m.* Obstáculo, desventaja. **Sin.** Dificultad, inconveniente. **Ant.** Ventaja.

hangar *s. m.* Lugar cubierto donde se guardan, revisan o reparan los aviones en un aeropuerto o aeródromo.

haragán, na *adj.* y *s.* Vago, holgazán. **SIN.** Perezoso. **ANT.** Trabajador.

harapiento, ta *adj.* y *s.* Vestido con harapos. **SIN.** Andrajoso.

harapo *s. m.* **1.** Trozo roto de ropa vieja. **2.** Ropa vieja y sucia. **SIN. 1** y **2.** Andrajo.

haraquiri (jap.) *s. m.* Forma de suicidio de los antiguos guerreros japoneses, que consistía en clavarse la espada en el vientre.

hardware (ingl.) *s. m.* Parte material de los ordenadores, por ejemplo la pantalla, el teclado, los disquetes. Lo demás es el *software*, que está formado por los programas.

harén *s. m.* **1.** Parte de la casa de los musulmanes donde viven sólo las mujeres. **2.** Conjunto de estas mujeres.

harina *s. f.* Polvo que resulta al moler algunas cosas, sobre todo las semillas de los cereales. **EXPR.** **estar metido en harina** Estar ocupado trabajando en algo. **ser harina de otro costal** Ser muy distinto.

harinoso, sa *adj.* Que tiene mucha harina o se parece a ella.

hartar *v.* **1.** Aburrir, cansar. ‖ **hartarse 2.** Hacer una cosa hasta que ya no se puede más, sobre todo comer y beber. **SIN. 2.** Saciarse.

hartazgo *s. m.* Hecho de comer, beber o hacer cualquier otra cosa en exceso.

harto, ta *adj.* **1.** Que se ha hartado de algo. ‖ *adv.* **2.** Muy, demasiado: *harto difícil, harto frecuente.* **SIN. 1.** Lleno, atiborrado, saciado. **ANT. 1.** Hambriento. **2.** Poco.

hartura *s. f.* Hecho de estar o quedarse harto. **SIN.** Saciedad.

hasta *prep.* y *conj.* **1.** Expresa el final de un lugar, de un tiempo, de una cantidad o de una acción: *Llegó hasta tu casa. Hasta que no encontró la pulsera, no paró de buscarla.* ‖ *adv.* **2.** Incluso.

hastiar *v.* Aburrir, hartar. **SIN.** Cansar. **ANT.** Divertir.

hastío *s. m.* Aburrimiento, cansancio. **SIN.** Tedio. **ANT.** Diversión.

hatajo *s. m.* Conjunto de personas o cosas malas o que no valen para nada. **SIN.** Pandilla.

hatillo *s. m.* Hato, envoltorio.

hato *s. m.* **1.** Envoltorio de ropa y otras cosas. **2.** Rebaño. **SIN. 1.** Hatillo.

hawaiano, na *adj.* y *s.* De Hawai, islas de los Estados Unidos en el océano Pacífico.

haya *s. f.* Árbol muy alto con la corteza lisa y gris o blanquecina, hojas ovaladas y fruto, el hayuco, parecido a una pequeña castaña. Su madera es muy usada en carpintería.

hayedo o **hayal** *s. m.* Lugar donde hay muchas hayas.

hayuco *s. m.* Fruto del haya.

haz[1] *s. m.* **1.** Conjunto de espigas, hierba, leña o cosas parecidas, unidas y atadas. **2.** Conjunto de rayos de luz que salen de un mismo punto. **SIN. 1.** Manojo, gavilla.

haz[2] *s. f.* Cara principal de cosas que tienen dos caras, por ejemplo las hojas de las plantas. **SIN.** Derecho, anverso. **ANT.** Revés, envés.

hazaña *s. f.* Acción muy valiente o importante. **SIN.** Proeza, gesta.

hazmerreír *s. m.* Persona de la que se ríen los demás.

he Se usa en las expresiones **he aquí**, **he allí** y **he ahí**, que se utilizan para señalar a una persona o cosa.

heavy (ingl.) *adj.* y *s.* **1.** Seguidor del heavy metal. ‖ **2. heavy metal** Estilo de música rock caracterizado por la sencillez en la melodía y el poderoso ritmo e instrumentación.

hebilla *s. f.* Objeto, generalmente de metal, que sirve para unir los dos extremos de un cinturón, correa o cosa parecida.

hebra *s. f.* **1.** Nombre que se da a algunas fibras vegetales y animales, como las del borde de las judías verdes o las de la carne. **2.** Trozo de hilo de coser que se pone en la aguja. **EXPR.** **pegar la hebra** Ponerse a hablar con alguien durante mucho tiempo.

hebraico, ca *adj.* De los hebreos.

hebraísta *adj.* y *s.* Estudioso de la cultura hebrea.

hebreo, a *adj.* y *s.* **1.** De un pueblo que antiguamente vivió en Palestina, región de Asia. ‖ *s. m.* **2.** Lengua de este pueblo; actualmente se habla en Israel y en las comunidades judías. **SIN. 1.** Israelita, judío.

hecatombe *s. f.* Catástrofe en la que mueren muchas personas.

hechicería *s. f.* Arte de hacer hechizos. **SIN.** Brujería, magia.

hechicero, ra *s. m.* y *f.* Persona que practica la hechicería. **SIN.** Brujo, mago.

hechizar *v.* **1.** Dominar a alguna persona con poderes mágicos. **2.** Gustar o atraer mucho. **SIN. 1.** Encantar, embrujar. **2.** Fascinar, enamorar. **ANT. 2.** Repugnar.

hechizo *s. m.* **1.** Acción con la que se pretende dominar a alguien o conseguir algo utilizando poderes mágicos. **2.** Encanto, atractivo. **SIN. 1.** Encantamiento. **1** y **2.** Embrujo. **ANT. 2.** Repugnancia.

hecho, cha **1.** *p.* de **hacer.** También *adj.* ‖ *adj.* **2.** Más o menos cocinado: *un filete poco hecho.* **3.** Acostumbrado. ‖ *s. m.* **4.** Lo que hace o hizo una persona. **5.** Lo que ocurre o ha ocurrido. **EXPR. de hecho** En realidad. **hecho y derecho** Adulto. **SIN. 3.** Habituado. **4.** Acción, acto. **5.** Acontecimiento, suceso. **ANT. 1.** Deshecho. **3.** Desacostumbrado.

hechura *s. f.* Forma de estar hecha una cosa, sobre todo la ropa.

hectárea *s. f.* Medida de superficie que equivale a 100 áreas.

hectogramo *s. m.* Medida de masa que equivale a 100 gramos.

hectolitro *s. m.* Medida de capacidad que equivale a 100 litros.

hectómetro *s. m.* Medida de longitud que equivale a 100 metros.

heder *v.* Oler muy mal. □ Es v. irreg. Se conjuga como *tender.* **SIN.** Apestar.

hediondo, da *adj.* Que huele muy mal. **SIN.** Apestoso. **ANT.** Fragante.

hedonista *adj.* y *s.* Que considera el placer como algo muy importante en la vida.

hedor *s. m.* Olor muy malo. **SIN.** Peste. **ANT.** Fragancia.

hegemonía *s. f.* Superioridad de un país sobre otro u otros. **SIN.** Predominio, supremacía. **ANT.** Inferioridad.

hegemónico, ca *adj.* Que tiene hegemonía.

hégira o **héjira** *s. f.* Huida de Mahoma de La Meca a Medina en el año 622 después de Cristo. A partir de esta fecha empiezan a contar los años los musulmanes.

helada *s. f.* Bajada de la temperatura del ambiente por debajo de los 0 grados.

heladería *s. f.* Lugar donde se hacen o venden helados.

heladero, ra *s. m.* y *f.* Vendedor de helados.

helado, da **1.** *p.* de **helar.** También *adj.* ‖ *adj.* **2.** Muy frío o con mucho frío. **3.** Muy sorprendido. ‖ *s. m.* **4.** Dulce muy frío hecho con leche, azúcar, zumo o sabores de frutas. **SIN. 1** y **2.** Con-

gelado. **3.** Pasmado, atónito. **ANT. 1.** Descongelado.

helador, ra *adj.* Muy frío, que hiela.

helar *v.* **1.** Congelar. **2.** Dañar el frío las plantas o los tejidos del cuerpo. **3.** Producirse una helada. ‖ **helarse 4.** Pasar alguien mucho frío o quedarse alguna cosa muy fría. □ Es v. irreg. Se conjuga como *pensar.* **SIN. 4.** Enfriarse. **ANT. 1.** Deshelar, descongelar.

helecho *s. m.* Planta criptógama de hojas grandes y muy verdes, formadas por pequeñas hojas triangulares y algo rizadas. Crece en bosques húmedos y con mucha sombra.

helénico, ca *adj.* De la antigua Grecia.

helenismo *s. m.* Época de la cultura griega del siglo IV al I antes de Cristo.

helenista *adj.* y *s.* Estudioso de la cultura griega.

helenístico, ca *adj.* Del helenismo.

heleno, na *adj.* y *s.* De la Hélade, nombre que dieron a Grecia en la antigüedad. **SIN.** Griego.

hélice *s. f.* **1.** Pieza formada por aletas o aspas que giran alrededor de un eje. **2.** Espiral.

helicóptero *s. m.* Vehículo que vuela movido por una o varias hélices muy grandes que tiene en la parte de arriba.

helio *s. m.* Elemento químico en estado de gas que se encuentra en pequeñas cantidades en la atmósfera.

heliotropo *s. m.* Arbusto de jardín de hojas rugosas de color verde oscuro y pequeñas flores blancas o violentas.

helipuerto *s. m.* Aeropuerto para helicópteros.

helvético, ca *adj.* y *s.* Suizo.

hematíe *s. m.* Glóbulo rojo.

hematoma *s. m.* Mancha morada o amarillenta que sale en la piel a causa de un golpe. **SIN.** Moratón, cardenal.

hembra *s. f.* **1.** Persona o animal del sexo femenino. **2.** Se dice de las plantas que sólo tienen flores femeninas. **3.** En algunos objetos formados por dos piezas, la que tiene el hueco u orificio en que encaja la otra, llamada *macho.*

hembrilla *s. f.* Anilla con un clavo o tornillo para fijarla en algún sitio. **SIN.** Armella.

hemeroteca *s. f.* Biblioteca donde se guardan periódicos y revistas.

hemiciclo *s. m.* Espacio en forma de medio círculo con filas de asientos, como el del salón del Congreso donde se reúnen los diputados.

hemiplejia o **hemiplejía** s. f. Parálisis de todo un lado del cuerpo.

hemipléjico, ca adj. y s. Que sufre hemiplejia.

hemisferio s. m. Cada una de las dos mitades de la esfera, sobre todo las de la esfera terrestre.

hemistiquio s. m. Cada una de las dos partes en que se dividen algunos versos de arte mayor.

hemodiálisis s. f. Diálisis.

hemofilia s. f. Enfermedad hereditaria que consiste en que la sangre tiene dificultad para coagularse.

hemofílico, ca adj. y s. De la hemofilia o que la padece.

hemoglobina s. f. Sustancia de color rojo contenida en los glóbulos rojos de la sangre, que sirve para transportar el oxígeno.

hemorragia s. f. Salida de la sangre de las venas o arterias por las que circula, sobre todo cuando se produce en grandes cantidades.

hemorroide s. f. Pequeño abultamiento en los vasos sanguíneos de la parte exterior del ano o final del intestino. Sin. Almorrana.

henchir v. Hinchar, llenar. □ Es v. irreg. Se conjuga como *pedir.*

hender v. Abrir o rajar una cosa. □ Es v. irreg. Se conjuga como *tender.* Sin. Agrietar, resquebrajar.

hendidura s. f. Raja, grieta. Sin. Fisura, ranura.

hendir v. Hender. □ Es v. irreg. Se conjuga como *discernir.*

heno s. m. **1.** Planta de la misma familia del trigo, con las hojas estrechas y flores en forma de espiga. **2.** Hierba cortada y seca con que se alimenta al ganado. ‖ **3. fiebre del heno** Alergia que produce el polen de algunas plantas gramíneas.

hepático, ca adj. y s. Del hígado o relacionado con él.

hepatitis s. f. Enfermedad que produce inflamación del hígado.

heptaedro s. m. Cuerpo geométrico de siete caras.

heptágono adj. y s. m. Polígono de siete lados y siete ángulos.

heptasílabo adj. y s. m. Se dice del verso de siete sílabas.

heráldica s. f. Conocimientos sobre los escudos de armas de una familia, ciudad o país.

heraldo s. m. Antiguamente, mensajero o persona que anunciaba los sucesos importantes.

herbáceo, a adj. Se dice de la planta que tiene aspecto de hierba, por ejemplo la alfalfa.

herbario s. m. Colección de hierbas y plantas secas.

herbazal s. m. Lugar donde hay mucha hierba.

herbicida adj. y s. m. Producto químico que se echa en los sembrados para que no crezcan en ellos hierbas perjudiciales.

herbívoro, ra adj. y s. m. Se dice del animal que se alimenta de hierba.

herbolario o **herboristería** s. m. o s. f. Tienda en la que se venden hierbas y plantas medicinales.

hercúleo, a adj. Propio de Hércules, héroe de la mitología romana que tenía una enorme fuerza.

heredad s. f. Terreno o fincas de un solo dueño. Sin. Hacienda, posesión.

heredar v. **1.** Recibir los bienes u otras cosas que deja una persona al morir. **2.** Recibir alguien al nacer características de sus padres u otros familiares. **3.** Recibir algo de una persona o de un momento anterior.

heredero, ra adj. y s. Que hereda algo.

hereditario, ria adj. Que se hereda de padres a hijos.

hereje s. m. y f. Seguidor de una herejía. Sin. Heterodoxo. Ant. Ortodoxo.

herejía s. f. Doctrina que se aparta de alguna de las creencias fundamentales de la Iglesia católica. Sin. Heterodoxia. Ant. Ortodoxia.

herencia s. f. Todas las cosas que se heredan. Sin. Legado.

herético, ca adj. Relacionado con las herejías o los herejes.

herida s. f. Rotura del tejido de la piel por un golpe o corte.

herido, da **1.** p. de *herir.* También adj. y s. ‖ adj. **2.** Ofendido. Sin. **1.** Lesionado. **2.** Dolido. Ant. **1.** Ileso.

herir v. **1.** Producir una herida en el cuerpo. **2.** Hacer que alguien se sienta ofendido. **3.** Producir una sensación molesta en la vista o el oído: *Esa luz tan fuerte hiere la vista.* □ Es v. irreg. Se conjuga como *sentir.* Sin. **1.** Lesionar, lastimar. **2.** Doler. **3.** Irritar.

hermafrodita adj. y s. Que tiene los dos sexos, como por ejemplo el caracol o algunas flores.

hermanar v. Unir, juntar. **Sin.** Armonizar, conciliar. **Ant.** Enfrentar.

hermanastro, tra s. m. y f. Para una persona, los hijos de su madrastra o de su padrastro.

hermandad s. f. **1.** Afecto y unión entre personas que no son hermanas, pero se tratan como si lo fueran. **2.** Nombre de algunas asociaciones: *hermandad de donantes de sangre.* **Sin. 1.** Fraternidad. **2.** Congregación, cofradía.

hermano, na s. m. y f. **1.** Persona que tiene los mismos padres, o el mismo padre o madre que otra. **2.** Fraile o monja. **3.** Según la religión, todos los hombres entre sí por ser hijos de Dios. ‖ *adj.* y s. **4.** Persona o cosa unida a otra por algo: *hermanos en la lucha, pueblos hermanos.* ‖ **5. hermano político** Cuñado. **Sin. 2.** Fray; sor.

herméticamente adv. De forma hermética: *herméticamente cerrado.*

hermético, ca adj. **1.** Que cierra perfectamente, no dejando pasar ni el aire de fuera. **2.** Muy difícil de comprender. **Sin. 2.** Oscuro, incomprensible. **Ant. 2.** Claro.

hermetismo s. m. Característica de las cosas herméticas.

hermoso, sa adj. **1.** De gran belleza. **2.** Grande o bien desarrollado. **3.** Muy noble o generoso: *una hermosa acción.* **Sin. 1.** Bello, bonito, lindo. **Ant. 1.** Feo. **3.** Indigno.

hermosura s. f. **1.** Belleza. **2.** Característica de la persona o cosa bien desarrollada y de buen aspecto. **Ant. 1.** Fealdad.

hernia s. f. Hecho de salirse un órgano o una parte de él del sitio en que debe estar.

herniarse v. **1.** Producirse una hernia. **2.** Hacer mucho esfuerzo; suele decirse en tono de burla cuando alguien trabaja poco.

héroe, heroína s. m. y f. **1.** Persona muy valiente que realiza grandes hazañas. **2.** Persona muy admirada. **Sin. 2.** Ídolo, figura. **Ant. 1.** Cobarde.

heroicidad s. f. **1.** Heroísmo. **2.** Acción propia de un héroe. **Sin. 1.** Valentía. **2.** Hazaña, proeza, gesta. **Ant. 1** y **2.** Cobardía.

heroico, ca adj. Propio de los héroes. **Sin.** Valiente. **Ant.** Cobarde.

heroína s. f. Droga que se obtiene de la morfina.

heroinómano, na adj. y s. Drogadicto que consume heroína.

heroísmo s. m. Característica propia de un héroe. **Sin.** Heroicidad, valentía.

herpes o **herpe** s. m. Nombre de algunas enfermedades causadas por virus; muchas de ellas producen en la piel granos dolorosos.

herradura s. f. Pieza de hierro en forma de U que se clava en las pezuñas de las caballerías para que no se desgasten o dañen contra el suelo.

herraje s. m. Conjunto de piezas de metal que refuerza o adorna algunas cosas, por ejemplo una maleta o una puerta.

herramienta s. f. Instrumento, generalmente de metal, que se coge con la mano para hacer algunos trabajos, por ejemplo el martillo o los alicates. **Sin.** Utensilio.

herrar v. Poner herraduras en las pezuñas de las caballerías. □ Es v. irreg. Se conjuga como *pensar.*

herrería s. f. Taller del herrero. **Sin.** Fragua.

herrero, ra s. m. y f. Persona que trabaja el hierro.

herrete s. m. Remate de metal que tienen algunos cordones.

herrumbre s. f. Capa oxidada que se forma sobre el hierro a causa de la humedad. **Sin.** Óxido, orín.

herrumbroso, sa adj. Que tiene herrumbre. **Sin.** Oxidado.

hertziano, na adj. Se dice de un tipo de ondas que sirven para transmitir sonidos o imágenes a larga distancia. Se utilizan en la radio y la televisión.

hervidero s. m. Lugar donde hay mucha gente y mucho jaleo. **Sin.** Hormiguero.

hervir v. **1.** Producir burbujas un líquido al calentarlo a cierta temperatura, como el agua al llegar a los cien grados. **2.** Poner en agua muy caliente, sobre todo un alimento para cocinarlo. **3.** Sentir un intenso deseo o pasión. □ Es v. irreg. Se conjuga como *sentir.* **Sin. 2.** Cocer. **3.** Arder. **Ant. 3.** Aplacarse.

hervor s. m. Acción de hervir un líquido. **Sin.** Ebullición.

heterodoxia s. f. Característica de las personas o ideas heterodoxas. **Sin.** Herejía. **Ant.** Ortodoxia.

heterodoxo, xa adj. y s. Que no está de acuerdo con algunas creencias o ideas de una religión, doctrina o teoría. **Sin.** Hereje. **Ant.** Ortodoxo.

heterogeneidad *s. f.* Característica de heterogéneo. **Sin.** Diversidad. **Ant.** Homogeneidad.

heterogéneo, a *adj.* Formado por cosas o partes distintas. **Sin.** Diverso, variado. **Ant.** Homogéneo.

heterosexual *adj. y s.* Se dice de la persona que se siente atraída por personas del otro sexo. **Ant.** Homosexual.

heterosexualidad *s. f.* Hecho de ser heterosexual. **Ant.** Homosexualidad.

heterótrofo, fa *adj.* Se dice de los seres vivos que se alimentan de otros seres vivos, por ejemplo los animales. **Ant.** Autótrofo.

hevea *s. f.* Árbol originario de América tropical del que se extrae una sustancia con la que se elabora el caucho.

hexaedro *s. m.* Cuerpo geométrico de seis caras.

hexagonal *adj.* En forma de hexágono.

hexágono *adj. y s. m.* Polígono de seis ángulos y seis lados.

hexasílabo *adj. y s. m.* Se dice del verso de seis sílabas.

hez *s. f.* **1.** Residuo que dejan algunos líquidos: *las heces del vino.* **2.** Lo más despreciable de algo: *la hez de las sociedad.* || *pl.* **3.** Excrementos. Se llaman también *heces fecales.* **Sin.** 2. Escoria. 3. Deposición.

hiato *s. m.* Pronunciación en dos sílabas distintas de dos vocales que van seguidas, por ejemplo la *i* y la *a* en la palabra *tenía.* **Ant.** Diptongo.

hibernación *s. f.* Estado de los animales que hibernan.

hibernar *v.* Pasar el invierno algunos animales, por ejemplo la marmota o el lirón, como si estuvieran dormidos, con las funciones corporales más bajas de lo normal. **Sin.** Invernar.

híbrido, da *adj. y s. m.* **1.** Animal o planta que nace al unirse individuos de distinta raza o especie; por ejemplo, el mulo es un híbrido de asno y yegua. **2.** Cosa que es el resultado de mezclar varios elementos diferentes. **Sin.** 2. Mixto. **Ant.** 1 y 2. Puro.

hidalgo, ga *s. m. y f.* **1.** Noble de categoría más baja dentro de la antigua nobleza castellana. || *adj.* **2.** Relacionado con estos nobles. **Ant.** 1 y 2. Plebeyo.

hidra *s. f.* **1.** Pequeño animal celentéreo de agua dulce. **2.** Monstruo fantástico de siete cabezas.

hidratación *s. f.* Acción de hidratar.

hidratante *adj.* Que hidrata.

hidratar *v.* Devolver a algo la humedad que había perdido. **Ant.** Deshidratar.

hidrato *s. m.* **1.** En química, sustancia en la que existen moléculas de agua. || **2. hidrato de carbono** Compuesto formado por carbono, oxígeno e hidrógeno, que proporciona energía a los seres vivos.

hidráulico, ca *adj.* **1.** Se dice de la energía que se produce por la fuerza del agua. **2.** Que funciona por el movimiento o la presión de un líquido: *frenos hidráulicos.*

hidroavión *s. m.* Avión que puede despegar desde el agua o posarse en ella.

hidrocarburo *s. m.* Sustancia compuesta de carbono e hidrógeno, por ejemplo el petróleo o el gas butano.

hidroeléctrico, ca *adj.* Relacionado con la electricidad que se obtiene de la fuerza del agua.

hidrófilo, la *adj.* Se dice del material o sustancia que absorbe el agua con facilidad, por ejemplo el algodón.

hidrofobia *s. f.* Rabia, enfermedad.

hidrógeno *s. m.* Gas menos pesado que el aire, sin color, olor o sabor, que arde con mucha facilidad. Se combina con el oxígeno para formar el agua. Es elemento químico.

hidrografía *s. f.* Parte de la geografía que estudia los mares, ríos y lagos.

hidrográfico, ca *adj.* De la hidrografía o relacionado con ella.

hidrosfera *s. f.* Parte líquida de la Tierra, es decir, los ríos, lagos y mares.

hidróxido *s. m.* Compuesto químico formado por un elemento metálico, oxígeno e hidrógeno.

hiedra *s. f.* Planta trepadora con hojas de color verde oscuro que se sujeta a los muros, los árboles y otras cosas mediante raicillas que brotan de sus ramas.

hiel *s. f.* Bilis.

hielo *s. m.* Agua que se ha vuelto sólida por efecto del frío. **Expr. romper el hielo** Ser el primero en decidirse a iniciar una conversación, una relación u otra cosa.

hiena *s. f.* Animal mamífero carnívoro que vive en África y parte de Asia. Tiene el pelaje gris con manchas o rayas oscuras y se alimenta de carroña y de los animales que caza.

hierba *s. f.* **1.** Cualquier planta pequeña de tallo tierno. **2.** Conjunto de muchas de estas plantas. || **3. mala hierba** Plantas perjudiciales que crecen en los sembrados. SIN. 2. Césped.

hierbabuena s. f. Planta de olor muy agradable que se usa como condimento y también se toma en infusión.

hierro s. m. 1. Metal de color gris plateado o negruzco, duro y fácil de convertir en hilos o láminas. Es elemento químico. 2. Objeto de hierro o de otro metal parecido. EXPR. **quitar hierro** Intentar que algo parezca menos grave de lo que es.

higadillos o **higaditos** s. m. pl. Hígados de animales pequeños, sobre todo de las aves, que se utilizan como alimento.

hígado s. m. Órgano del hombre y muchos animales que produce la bilis y realiza otras funciones importantes.

higiene s. f. Limpieza. SIN. Aseo. ANT. Suciedad.

higiénico, ca adj. De la higiene.

higo s. m. 1. Uno de los frutos de la higuera, blando y muy dulce, lleno de pequeñas semillas. Se come fresco o seco. ‖ 2. **higo chumbo** Fruto de la chumbera, ovalado, de color verde amarillento o rojizo y muy dulce. EXPR. **de higos a brevas** De tarde en tarde. **hecho un higo** Muy estropeado o arrugado.

higuera s. f. Árbol que da los higos, en otoño; algunas variedades producen, además, otro fruto en verano: la breva. EXPR. **estar en la higuera** Estar muy distraído o no enterarse de nada.

hijastro, tra s. m. y f. Para una persona, el hijo o hija que su esposo o esposa tiene de una unión anterior.

hijo, ja s. m. y f. 1. Una persona o animal con relación a sus padres. 2. Una persona respecto al lugar donde ha nacido. ‖ 3. **hijo de papá** El que tiene padres ricos o importantes y se aprovecha de eso. 4. **hijo natural** El que alguien tiene con una persona que no es su marido o su mujer. SIN. 1. Vástago. 2. Natural.

hilacha s. f. 1. Hilo que cuelga de una tela o una prenda. ‖ pl. 2. Restos pequeños de algo.

hilado, da 1. p. de **hilar**. También adj. ‖ s. m. 2. Acción de hilar.

hilandero, ra s. m. y f. Persona que tiene como oficio hilar.

hilar v. Convertir en hilo las materias que sirven para hacer tejidos.

hilarante adj. Que provoca risa.

hilaridad s. f. Risa que da algo.

hilera s. f. Línea de personas, animales o cosas, uno detrás de otro. SIN. Fila.

hilo s. m. 1. Hebra larga y delgada de algodón, lana o materias parecidas, usada para hacer tejidos o para coser. 2. Hebra de cualquier material flexible. 3. Tela hecha con fibra de lino. 4. Desarrollo de lo que se está diciendo o pensando. EXPR. **pender de un hilo** Estar en peligro o muy poco seguro. SIN. 2. Alambre.

hilván s. m. Costura de puntadas largas con que se señala o sujeta lo que se va a coser.

hilvanar v. Señalar o sujetar con hilvanes.

himen s. m. Membrana que reduce el orificio de la vagina en las mujeres vírgenes.

himno s. m. Poema o composición musical en alabanza de alguien o algo, como la que representa a un país.

hincapié Se usa en la expresión **hacer hincapié**, 'insistir en lo que se dice o manda'.

hincar v. Clavar una cosa con punta. SIN. Introducir, hundir. ANT. Desclavar.

hincha s. f. 1. Antipatía, manía. ‖ s. m. y f. 2. Persona que sigue con gran entusiasmo a un equipo deportivo. SIN. 2. Seguidor, fan.

hinchar v. 1. Hacer algo más grande llenándolo de aire, de gas o de otra cosa. ‖ **hincharse** 2. Abultarse una parte del cuerpo por un golpe, una herida, una inflamación. 3. Hacer mucho una cosa, sobre todo comer. SIN. 1 y 3. Inflar(se). 2. Inflamarse. 3. Hartarse. ANT. 1. Desinflar. 1 y 2. Deshinchar.

hinchazón s. m. Abultamiento, inflamación.

hindi s. m. Lengua oficial de la India.

hindú adj. y s. De la India, país de Asia; se dice sobre todo de los que practican el hinduismo. SIN. Indio.

hinduismo s. m. Principal religión de la India.

hinojo[1] s. m. Rodilla. EXPR. **de hinojos** De rodillas.

hinojo[2] s. m. Planta que se usa como condimento por el sabor de sus frutos, parecido al del anís, y también en medicina.

hipar v. Tener hipo.

hipérbaton s. m. Cambio del orden normal de las palabras en la frase.

hipérbola s. f. Curva plana y simétrica que es el resultado de cortar una superficie cónica por un plano paralelo a su eje.

hipérbole s. f. Figura retórica que consiste en una exageración muy grande.

hiperbólico, ca adj. **1.** De la hipérbole o relacionado con ella. **2.** Exagerado.

hipermercado s. m. Supermercado muy grande.

hipermétrope adj. y s. Que padece hipermetropía.

hipermetropía s. f. Defecto de la vista que consiste en ver bien de lejos y mal de cerca.

hipertensión s. f. Tensión arterial muy alta.

hipertenso, sa adj. y s. Que tiene hipertensión. **SIN.** Hipotenso.

hipertrofia s. f. Crecimiento excesivo y anormal de un órgano o de otra cosa.

hípica s. f. Deporte que se practica a caballo. **SIN.** Equitación.

hípico, ca adj. Relacionado con los caballos y los deportes que se practican con ellos.

hipnosis s. f. Estado del que está hipnotizado.

hipnótico, ca adj. Relacionado con la hipnosis o el hipnotismo.

hipnotismo s. m. Actividad del que se dedica a hipnotizar.

hipnotizar v. Dormir profundamente a alguien y hacer que obedezca las órdenes que se le dan durante ese sueño.

hipo s. m. Sacudidas bruscas del diafragma produciendo un ruido al expulsar el aire. **EXPR. quitar el hipo** Asombrar mucho algo por ser muy bueno.

hipocentro s. m. Punto del interior de la corteza terrestre donde se produce un terremoto.

hipocondriaco, ca o **hipocondríaco, ca** adj. y s. Se dice del que siempre está preocupado por su salud.

hipocresía s. f. Forma de ser o de actuar de los hipócritas. **SIN.** Doblez, falsedad, cinismo.

hipócrita adj. y s. Que finge lo que no es o lo que no siente. **SIN.** Falso, cínico.

hipodérmico, ca adj. Que está o se pone debajo de la piel: *región hipodérmica, inyección hipodérmica.*

hipódromo s. m. Lugar donde se hacen carreras de caballos y otras pruebas de equitación.

hipófisis s. f. Glándula que controla la actividad de las demás glándulas y el funcionamiento del organismo.

hipopótamo s. m. Animal mamífero de cuerpo muy gordo, patas cortas y cabeza grande con un hocico enorme. Vive en los ríos y lagos de África.

hipoteca s. f. **1.** Modo de asegurar el pago de una deuda poniendo una casa o finca como garantía. **2.** La casa o finca que sirve de garantía.

hipotecar v. Hacer una hipoteca sobre una casa o una finca.

hipotecario, ria adj. De la hipoteca o relacionado con ella.

hipotenso, sa adj. y s. Que tiene la tensión arterial muy baja.

hipotenusa s. f. En un triángulo rectángulo, el lado que está enfrente del ángulo recto.

hipótesis s. f. Explicación o idea que no está probada, pero que de momento se da por buena. **SIN.** Conjetura.

hipotético, ca adj. **1.** De la hipótesis. **2.** Poco probable, dudoso.

hippy o **hippie** (ingl.) adj. y s. De un movimiento juvenil que apareció en Estados Unidos; sus miembros vivían en grupos, en contacto con la naturaleza y rechazaban la violencia.

hiriente adj. Que hiere u ofende.

hirsuto, ta adj. Se dice del pelo duro y tieso. **SIN.** Erizado. **ANT.** Lacio.

hisopo s. m. Utensilio usado en las iglesias para esparcir el agua bendita.

hispalense adj. y s. Sevillano.

hispánico, ca adj. De España y del resto de los países de lengua española.

hispanidad s. f. Conjunto de los pueblos y países que hablan español.

hispanista s. m. y f. Persona que estudia la cultura española.

hispano, na adj. **1.** De España o de los países de lengua española. || adj. y s. **2.** Se dice de los habitantes de habla española de los Estados Unidos. **SIN. 1.** Hispánico.

hispanoamericano, na adj. y s. De los países americanos de lengua española.

hispanoárabe adj. y s. De la parte de España dominada por los árabes en la Edad Media.

hispanohablante adj. y s. Que habla español.

hispanomusulmán, na adj. y s. Hispanoárabe.

hispanorromano, na adj. y s. De la península Ibérica durante la dominación romana.

histeria o **histerismo** *s. f.* o *s. m.* **1.** Nerviosismo. **2.** Un tipo de enfermedad nerviosa grave. **ANT. 1.** Tranquilidad.

histérico, ca *adj.* y *s.* Que tiene histeria o está relacionado con ella. **SIN.** Nervioso. **ANT.** Tranquilo.

histología *s. f.* Parte de la anatomía que estudia los tejidos de los seres vivos.

historia *s. f.* **1.** Sucesión de hechos importantes que han ocurrido en el pasado. **2.** La ciencia que estudia esos hechos. **3.** Sucesos o cosas, inventados o verdaderos, que se cuentan. **SIN. 3.** Relato, narración, cuento.

historiador, ra *s. m.* y *f.* Persona que se dedica a estudiar la historia.

historial *s. m.* Escrito que contiene datos importantes sobre alguien, por ejemplo sus estudios, trabajos y méritos. **SIN.** Currículum, expediente.

histórico, ca *adj.* **1.** De la historia o relacionado con ella. **2.** Se dice de un acontecimiento muy importante. **3.** Que ha existido o sucedido de verdad: *El Cid Campeador fue un personaje histórico.* **SIN. 2.** Trascendente, crucial. **3.** Auténtico, real. **ANT. 2.** Intrascendente. **3.** Legendario.

historieta *s. f.* **1.** Relato que se va contando con dibujos. **2.** Relato breve y divertido. **SIN. 1.** Cómic.

histrión *s. m.* Actor de teatro, sobre todo el que actúa de manera exagerada.

hito *s. m.* **1.** Poste de piedra que señala los límites de las tierras, la dirección de los caminos o indica las distancias. **2.** Suceso o cosa muy importante. **SIN. 1.** Mojón, señal.

hobby (ingl.) *s. m.* Afición favorita de alguien.

hocico *s. m.* Parte de la cabeza de los animales en la que están la nariz y la boca.

hocicudo, da *adj.* Que tiene mucho hocico.

hockey *s. m.* Deporte entre dos equipos que consiste en meter en la portería contraria una bola o un disco, golpeándolo con un bastón. Se juega en un campo de hierba o sobre patines.

hogar *s. m.* **1.** Casa donde alguien vive con su familia. **2.** Lugar donde se enciende fuego. **SIN. 1.** Domicilio, vivienda. **2.** Fogón, chimenea.

hogareño, ña *adj.* Se dice de la persona a la que le gusta estar en casa. **SIN.** Familiar, casero.

hogaza *s. f.* Pan grande y redondo.

hoguera *s. f.* Fuego hecho en el suelo al aire libre. **SIN.** Fogata.

hoja *s. f.* **1.** Parte de las plantas que crece en las ramas o en los tallos, y suele ser ancha y fina. **2.** Lámina muy fina de papel. **3.** Lámina delgada de otro material. **4.** Parte cortante de un arma o una herramienta. **5.** Parte de las puertas y las ventanas que se cierra y se abre. **SIN. 2.** Folio, cuartilla. **3.** Plancha.

hojalata *s. f.* Lámina fina de metal.

hojaldre *s. m.* Masa de pastelería que forma capas muy finas, unas encima de otras.

hojarasca *s. f.* Hojas secas que han caído.

hojear *v.* Pasar las hojas de un libro, revista, etc., mirándolas o leyéndolas por encima.

¡hola! *interj.* Se usa para saludar. **ANT.** Adiós.

holandés, sa *adj.* y *s.* **1.** De Holanda, país de Europa. ‖ *s. m.* **2.** Idioma hablado en Holanda. ‖ *s. f.* **3.** Hoja más pequeña que un folio. **SIN. 1** y **2.** Neerlandés.

holgado, da *adj.* **1.** Amplio, ancho. **2.** Sin problemas de dinero. **SIN. 1.** Grande. **1** y **2.** Desahogado. **ANT. 1.** Estrecho. **2.** Necesitado.

holganza *s. f.* Descanso, ocio. **SIN.** Recreo. **ANT.** Actividad.

holgar *v.* **1.** No trabajar, descansar. **2.** Sobrar: *Huelga decir que quien desordene la mesa, la recogerá.* □ Es v. irreg. Se conjuga como *colgar.* **SIN. 1.** Vaguear.

holgazán, na *adj.* y *s.* Vago, que no quiere trabajar. **SIN.** Gandul, haragán. **ANT.** Trabajador.

holgazanear *v.* Hacer el vago. **SIN.** Vaguear. **ANT.** Trabajar.

holgazanería *s. f.* Característica de holgazán. **SIN.** Vaguería.

holgura *s. f.* **1.** Espacio entre dos cosas que deben estar juntas. **2.** Buena situación económica. **SIN. 2.** Desahogo. **ANT. 2.** Apuro.

hollejo *s. m.* Pellejo de algunas frutas y legumbres, como la uva o el garbanzo.

hollín *s. m.* Sustancia negra y grasienta que deja pegada el humo sobre algunas superficies. **SIN.** Tizne.

holocausto *s. m.* Gran matanza de personas. **SIN.** Masacre.

holograma *s. m.* Fotografía que da sensación de relieve, y va cambiando según el lugar desde donde se mira.

hombre *s. m.* **1.** Mamífero que se caracteriza por su mayor inteligencia, su capacidad de hablar y por caminar, erguido, sobre las extremidades inferiores. **2.** Persona del sexo masculino. ‖ **3. hombre rana** Persona con traje y equipo para bucear. **Sin. 2.** Varón. **Ant. 2.** Mujer.

hombrera *s. f.* **1.** Almohadilla que se pone en una prenda de vestir para levantar los hombros. **2.** Pieza para proteger los hombros en algunos deportes. **3.** Cinta o tela que sujeta, por los hombros, vestidos, camisetas, etc. **4.** Tira de tela que llevan en los hombros los uniformes militares y otras prendas parecidas.

hombría *s. f.* Fuerza y valentía de los hombres.

hombro *s. m.* **1.** Parte del tronco de donde salen los brazos. **2.** Parte de una prenda de vestir que queda en esa parte. **Expr. a hombros** Encima de los hombros. **arrimar el hombro** Ayudar, colaborar. **encogerse de hombros** Levantar los hombros, dando a entender que algo no se sabe o no importa.

hombruno, na *adj.* Se dice de las mujeres que parecen hombres. **Sin.** Masculino.

homenaje *s. m.* Fiesta o ceremonia en honor de alguien.

homenajear *v.* Hacer un homenaje a alguien.

homeópata *s. m. y f.* Médico que practica la homeopatía.

homeopatía *s. f.* Forma de curación utilizando las mismas sustancias que han provocado la enfermedad.

homeotermo, ma *adj. y s.* Se dice de los seres vivos que mantienen el cuerpo siempre a la misma temperatura, como los mamíferos.

homicida *adj. y s.* Que comete homicidio.

homicidio *s. m.* Hecho de matar a una persona intencionadamente.

homilía *s. f.* Explicación o discurso del sacerdote en la misa sobre alguna parte de la *Biblia* u otro tema religioso.

homínido *adj. y s. m.* Se dice de un grupo de mamíferos primates que actualmente está formado sólo por el hombre.

homófono, na *adj. y s. m.* Se dice de las palabras que se pronuncian igual, pero tienen diferente significado y origen, como *basto* (grosero) y *vasto* (extenso).

homogeneidad *s. f.* Característica de homogéneo. **Ant.** Heterogeneidad.

homogéneo, a *adj.* **1.** Se dice del conjunto formado por personas o cosas parecidas. **2.** Que es todo igual, sin partes diferentes. **Sin. 1.** Heterogéneo.

homologar *v.* **1.** Hacer que varias cosas sean iguales o equivalentes. **2.** Considerar una autoridad que una cosa vale para algo.

homólogo, ga *adj. y s.* Que tiene una función o cargo equivalente.

homonimia *s. f.* Hecho de ser homónimas dos o más palabras.

homónimo, ma *adj.* Se dice de las palabras que son iguales, pero tienen distinto significado, como *botín* (calzado) y *botín* (ganancia).

homosexual *adj. y s.* Persona que se siente atraída por otras de su mismo sexo. **Ant.** Heterosexual.

homosexualidad *s. f.* Hecho de ser homosexual. **Ant.** Heterosexualidad.

honda *s. f.* Tira de cuero que sirve para arrojar piedras con fuerza.

hondo, da *adj.* **1.** Que tiene bastante profundidad. **2.** Se dice de algunos sentimientos muy fuertes: *una pena muy honda.* **Sin. 1 y 2.** Profundo. **2.** Intenso.

hondonada *s. f.* Parte de un terreno que está más honda que el resto.

hondura *s. f.* Característica de las cosas hondas. **Expr. meterse o entrar en honduras** Meterse en lo más difícil o complicado de algo. **Sin.** Profundidad.

hondureño, ña *adj. y s.* De Honduras, país de América Central.

honestidad *s. f.* Característica de honesto. **Sin.** Honradez, integridad.

honesto, ta *adj.* Honrado, que no roba ni engaña y hace lo que debe hacer. **Sin.** Decente, íntegro. **Ant.** Deshonesto.

hongo *s. m.* Nombre de unos seres vivos que nacen en lugares húmedos. Los hay muy pequeños como el moho, que forma una capa verde o blanquecina. Otros más grandes se llaman *setas*, y algunos se pueden comer.

honor *s. m.* **1.** Orgullo y amor propio que lleva a alguien a actuar como cree que debe hacerlo. **2.** Fama, reputación. **3.** Lo que hace a alguien sentirse orgulloso: *Es un gran honor conocerle.* ‖ *pl.* **4.** Ceremonia o actos con que se muestra respeto y aprecio a una persona. **Sin. 2.** Honra. **Ant. 1 a 3.** Deshonra, deshonor.

honorable *adj.* Que merece un gran respeto. **Sin.** Respetable.

honorario, ria *adj.* **1.** Honorífico. ‖ *s. m. pl.* **2.** Dinero que alguien recibe por un trabajo. **Sin. 2.** Emolumentos, remuneración.

honorífico, ca *adj.* Se dice de los cargos o trabajos que dan prestigio, pero no dinero. **Sin.** Honorario.

honoris causa *expr. lat.* Se dice de algunos grados honoríficos que las universidades conceden a personas importantes: *doctor honoris causa.*

honra *s. f.* **1.** Respeto y consideración que los demás tienen a alguien. ‖ **2. honras fúnebres** Ceremonias dedicadas a una persona muerta. **Sin. 1.** Honor, fama, reputación. **Ant. 1.** Deshonra, deshonor.

honradez *s. f.* Característica de las personas honradas. **Sin.** Honestidad.

honrado, da *adj.* Se dice de la persona que actúa correctamente, que cumple su palabra y obligaciones; también se dice de sus acciones. **Sin.** Honesto, íntegro. **Ant.** Deshonesto.

honrar *v.* **1.** Dar honra, ser motivo de orgullo: *Su excelente comportamiento le honra.* **2.** Mostrar respeto hacia alguien. ‖ **honrarse 3.** Sentirse orgulloso por algo. **Sin. 1.** Enaltecer, ennoblecer. **2.** Respetar. **3.** Enorgullecerse. **Ant. 1.** Deshonrar. **3.** Avergonzarse.

honroso, sa *adj.* Que honra. **Sin.** Digno, decoroso. **Ant.** Deshonroso.

hora *s. f.* **1.** Cada una de las veinticuatro partes iguales en que se divide el día. **2.** Momento, ocasión: *Ya es hora de partir.* ‖ **3. hora punta** Momento en que mucha gente entra o sale del trabajo y se llenan los transportes y las calles. **Expr. a buenas horas** Expresa que algo ocurre demasiado tarde. **entre horas** Entre una comida y otra.

horadar *v.* Hacer un agujero en algo atravesándolo. **Sin.** Perforar, taladrar, agujerear.

horario, ria *adj.* **1.** Relacionado con la hora. ‖ *s. m.* **2.** Distribución de las horas de un trabajo o actividad.

horca *s. f.* **1.** Armazón del que cuelga una cuerda para ahorcar a alguien. **2.** Especie de tenedor muy grande para amontonar la paja y realizar otras faenas del campo. **Sin. 2.** Bieldo.

horcajadas Se usa en la expresión **a horcajadas**, manera de montar a caballo o de sentarse sobre algo poniendo una pierna a cada lado.

horchata *s. f.* Bebida hecha con chufas machacadas, agua y azúcar.

horchatería *s. f.* Establecimiento donde se hace y se sirve horchata.

horda *s. f.* Grupo de guerreros muy violentos.

horizontal *adj.* y *s. f.* Paralelo al horizonte o con todos sus puntos o partes a la misma altura. **Ant.** Vertical.

horizonte *s. m.* **1.** Línea más lejana a la que llega la vista, donde parece que se juntan la tierra o el mar con el cielo. **2.** Ideas o ambiciones de una persona.

horma *s. f.* Objeto o aparato que se mete dentro de los zapatos o los sombreros para ensancharlos y para darles forma.

hormiga *s. f.* Insecto que vive en grandes grupos en agujeros excavados en el suelo y es muy laborioso.

hormigón *s. m.* Mezcla de arena, piedrecillas y cemento que al secarse se endurece. Se utiliza en la construcción.

hormigonera *s. f.* Máquina que mezcla el hormigón en un recipiente que da vueltas.

hormiguear *v.* Producir hormigueo.

hormigueo *s. m.* Cosquilleo o picor.

hormiguero *s. m.* **1.** Agujero con muchos túneles en el que viven las hormigas. **2.** Lugar donde hay mucha gente en movimiento. **Sin. 2.** Hervidero.

hormiguillo *s. m.* Hormigueo.

hormiguita *s. f.* **1.** *dim.* de **hormiga. 2.** Persona muy trabajadora y ahorradora.

hormona *s. f.* Sustancias que hay en el organismo con funciones muy importantes y que son producidas por diversas glándulas.

hormonal *adj.* De las hormonas o relacionado con ellas.

hornacina *s. f.* Hueco en la pared para meter dentro una estatua u otro objeto de adorno.

hornada *s. f.* **1.** Barras de pan, objetos de cerámica y otras cosas que se cuecen al mismo tiempo en el horno. **2.** Personas que acaban unos estudios o consiguen un trabajo al mismo tiempo. **Sin. 2.** Promoción.

hornear *v.* Cocinar un alimento en el horno.

hornillo *s. m.* Pequeño aparato donde se hace o se calienta la comida. **Sin.** Infiernillo.

horno *s. m.* **1.** Construcción o aparato donde se mete la comida para asarla o donde se cuece el pan o las piezas de cerámica. **2.** Lugar donde se hacen el pan y los bollos. **3.** Sitio muy caluroso. || **4. alto horno** Horno industrial donde se funde el hierro. **SIN. 2.** Tahona. **3.** Sauna. **ANT. 3.** Nevera.

horóscopo *s. m.* Lo que se dice que va a ocurrir según el signo del zodiaco que tenga una persona.

horquilla *s. f.* **1.** Trozo de alambre u otro material doblado por el centro que se usa para sujetar el pelo. **2.** En bicicletas y motos, pieza unida al manillar donde se coloca la rueda delantera.

horrendo, da *adj.* Horrible, espantoso. **SIN.** Horroroso. **ANT.** Maravilloso.

hórreo *s. m.* Granero de madera o piedra, típico de Asturias y de Galicia.

horrible *adj.* **1.** Que causa horror. **2.** Muy feo o muy malo. **3.** Muy fuerte o intenso. **SIN. 1 y 2.** Horripilante, horrendo. **1 a 3.** Horroroso, espantoso. **3.** Enorme; tremendo. **ANT. 2.** Precioso, maravilloso.

horripilante *adj.* Horrible, espantoso. **SIN.** Horrendo. **ANT.** Maravilloso.

horror *s. m.* **1.** Miedo muy grande. **2.** Fuerte sentimiento de rechazo o desagrado. || *pl.* **3.** Desgracias, tragedias. **EXPR. horrores** o **un horror** Muchísimo. **SIN. 1 y 2.** Espanto, terror.

horrorizar *v.* Causar horror. **SIN.** Asustar, aterrar.

horroroso, sa *adj.* **1.** Que causa horror. **2.** Muy feo o muy malo. **3.** Muy grande. **SIN. 1.** Aterrador, terrorífico. **1 y 2.** Espantoso, horrible **1** y **3.** Terrible. **3.** Enorme. **ANT. 2.** Bonito, estupendo.

hortaliza *s. f.* Planta de huerta.

hortelano, na *s. m.* y *f.* Persona que tiene o cultiva una huerta.

hortensia *s. f.* Planta de hojas con el borde dentado y flores olorosas de distintos colores, que están agrupadas formando una especie de flor grande muy vistosa.

hortera *adj.* y *s.* Que no es elegante, de mal gusto. **SIN.** Ordinario, chabacano. **ANT.** Distinguido.

horterada *s. f.* Acción o cosa propia de un hortera.

hortícola *adj.* Del cultivo de hortalizas.

horticultor, ra *s. m.* y *f.* Persona que se dedica a la horticultura.

horticultura *s. f.* Cultivo de hortalizas.

hortofrutícola *adj.* Del cultivo de hortalizas y frutas.

hosco, ca *adj.* Antipático, poco sociable. **SIN.** Huraño. **ANT.** Afable.

hospedaje *s. m.* **1.** Acción de hospedar. **2.** Lugar donde alguien se hospeda. **SIN. 1 y 2.** Alojamiento, albergue.

hospedar *v.* **1.** Proporcionar a alguien un lugar donde pueda quedarse por un tiempo. || **hospedarse 2.** Estar en un hotel o en casa de alguien por un tiempo. **SIN. 1 y 2.** Alojar(se), albergar(se).

hospedería *s. f.* Lugar donde se pueden hospedar personas, sobre todo el que hay en algunos monasterios y conventos. **SIN.** Hostal, hostería.

hospiciano, na *adj.* y *s.* Que vive en un hospicio o se ha criado en él.

hospicio *s. m.* Lugar donde se recoge a niños huérfanos o abandonados, o a otras personas pobres que no tienen casa. **SIN.** Orfanato, orfelinato.

hospital *s. m.* Establecimiento grande y con muchos medios donde se atiende y cura a los enfermos. **SIN.** Clínica, sanatorio.

hospitalario, ria *adj.* **1.** Que acoge amablemente a las personas. **2.** Se dice de los lugares en los que es agradable estar. **3.** Del hospital. **SIN. 1 y 2.** Acogedor. **ANT. 2.** Inhóspito.

hospitalidad *s. f.* Hecho de acoger amablemente a las personas.

hospitalización *s. f.* Acción de hospitalizar.

hospitalizar *v.* Dejar en un hospital o clínica a alguien que necesita cuidados especiales. **SIN.** Internar.

hostal *s. m.* Establecimiento parecido a un hotel pero más pequeño y sin grandes lujos. **SIN.** Hostería, posada.

hostelería *s. f.* Conjunto de servicios dedicados a alojar y proporcionar comida a los clientes.

hostelero, ra *adj.* De la hostelería.

hostería *s. f.* Hostal.

hostia *s. f.* Lámina fina y redonda de pan sin levadura, que se consagra en la misa para dar la comunión.

hostigar *v.* Acosar, atacar.

hostil *adj.* Enemigo, contrario. **SIN.** Rival, adverso, desfavorable. **ANT.** Amigo, favorable.

hostilidad *s. f.* **1.** Enemistad u oposición hacia alguien. || *pl.* **2.** Guerra. **SIN. 1.** Rivalidad, aversión. **2.** Contienda. **ANT. 1.** Amistad, concordia. **2.** Paz.

hotel *s. m.* **1.** Establecimiento con numerosas habitaciones donde alguien puede quedarse un tiempo pagando por ello. **2.** Chalé.

hotelero, ra *adj.* De los hoteles.

hoy *adv.* **1.** En el día en que estamos. **2.** Actualmente. Expr. **hoy día** u **hoy en día** En estos tiempos. **hoy por hoy** De momento, aunque más adelante las cosas pueden cambiar.

hoya *s. f.* **1.** Hoyo grande en el terreno, por ejemplo en el fondo de un río. **2.** Llanura grande rodeada de montañas. Sin. **2.** Hondonada, depresión.

hoyo *s. m.* Agujero o hundimiento en el terreno o en otra superficie. Sin. Hoya, socavón.

hoyuelo *s. m.* Hoyo pequeño que tienen algunas personas en la cara o en la barbilla.

hoz[1] *s. f.* Herramienta de hoja curva y mango corto que se utiliza para segar.

hoz[2] *s. f.* Paso estrecho entre montañas. Sin. Desfiladero, garganta.

hozar *v.* Remover la tierra con el hocico algunos animales, como el cerdo o el jabalí. Sin. Escarbar.

hucha *s. f.* Caja o recipiente en que se echa dinero por una raja para tenerlo guardado. Sin. Alcancía.

hueco, ca *adj.* **1.** Que no tiene nada dentro. **2.** Esponjoso, mullido, que no está apretado. ‖ *s. m.* **3.** Espacio vacío. **4.** Tiempo libre que queda entre varias ocupaciones. Sin. **1** y **2.** Ahuecado. **2.** Suelto. **3.** Cavidad. Ant. **1.** Lleno. **1** y **2.** Macizo, compacto. **2.** Apelmazado.

huecograbado *s. m.* Procedimiento para imprimir en que las letras o dibujos se graban en hueco sobre planchas o cilindros y luego se llenan de tinta para reproducirlos.

huelga *s. f.* Hecho de dejar de trabajar para protestar por algo.

huelguista *adj.* y *s.* Que hace huelga.

huella *s. f.* **1.** Señal que queda en algún sitio después de pisarlo, tocarlo o pasar por encima de él. **2.** Recuerdo, impresión. ‖ **3. huellas dactilares** Las que dejan los dedos, y que son diferentes en cada persona. Sin. **1.** Pisada, marca. **1** y **2.** Rastro.

huérfano, na *adj.* y *s.* Que no tiene padres o ha perdido a alguno de ellos.

huero, ra *adj.* Vacío, hueco. Ant. Lleno.

huerta *s. f.* Terreno donde se cultivan verduras, legumbres y árboles frutales.

huertano, na *adj.* y *s.* De Valencia, Murcia y otras zonas de Levante, donde hay muchas huertas.

huerto *s. m.* Huerta pequeña.

hueso *s. m.* **1.** Cada una de las piezas duras y blanquecinas que forman el esqueleto de los vertebrados. **2.** Parte dura y redondeada que tienen dentro algunas frutas y en donde está la semilla. **3.** Color blanco amarillento. **4.** Muy duro o muy difícil: *Ese profesor es un hueso.*

huésped, da *s. m.* y *f.* **1.** Persona que vive en la casa de otra, o está en un hotel o establecimiento parecido. ‖ *s. m.* **2.** En biología, ser vivo del que se aprovecha otro que vive a su costa.

huestes *s. f. pl.* **1.** Grupo de gente armada. **2.** Conjunto de partidarios o seguidores de alguien o algo. Sin. **1.** Tropa. **2.** Adeptos. Ant. **2.** Oponentes.

huesudo, da *adj.* Que tiene mucho hueso o los tiene muy salientes.

hueva *s. f.* **1.** Masa formada por los huevecillos de algunos peces. **2.** Cada uno de los huevecillos de los peces.

huevera *s. f.* **1.** Bolsa o caja con huecos para guardar los huevos. **2.** Recipiente especial para servir los huevos pasados por agua.

huevería *s. f.* Tienda donde se venden huevos.

huevero, ra *s. m.* y *f.* Vendedor de huevos.

huevo *s. m.* **1.** Cuerpo más o menos esférico que ponen las hembras de las aves, peces, reptiles y otros animales, de donde salen sus crías cuando ya están formadas. **2.** Cigoto. Expr. **pisando huevos** Muy despacio.

huevón, na *adj.* y *s.* Persona demasiado lenta o tranquila. Sin. Cachazudo.

hugonote *s. m.* y *f.* Calvinista francés de los siglos XVI y XVII.

huida *s. f.* Acción de huir. Sin. Fuga, evasión.

huidizo, za *adj.* **1.** Que se asusta fácilmente y huye. **2.** Que se desvía o se aparta: *mirada huidiza.* Sin. **1.** Asustadizo. Ant. Atrevido.

huir *v.* **1.** Marcharse muy deprisa de un sitio o escaparse de él. **2.** Apartarse de una persona o cosa, evitarla. □ Es v. irreg. Sin. **1.** Fugarse, evadirse. **2.** Rehuir, esquivar. Ant. **1.** Quedarse.

hule *s. m.* Tela recubierta por un lado con una capa brillante e impermeable.

hulla *s. f.* Tipo de carbón que se usa como combustible.

humanamente *adv.* Con todos los medios que tienen las personas: *hacer lo humanamente posible.*

humanidad *s. f.* **1.** Bondad hacia los demás. **2.** Conjunto de todos los seres humanos. || *pl.* **3.** Los estudios de la lengua, de la literatura, de la filosofía, de la historia y de la cultura en general. **Sin. 1.** Solidaridad, caridad. **3.** Letras. **Ant. 1.** Maldad.

humanismo *s. m.* Movimiento cultural del Renacimiento que tomaba como modelo el pensamiento y el arte de los antiguos griegos y romanos.

humanista *adj.* y *s.* **1.** Del humanismo o relacionado con él. **2.** Persona que se dedica a estudios de humanidades.

humanitario, ria *adj.* Que se preocupa por los demás, que los ayuda. **Sin.** Solidario.

humanizar *v.* Hacer a alguien o algo menos duro o desagradable para las personas. **Ant.** Endurecer.

humano, na *adj.* **1.** De los hombres, las personas. **2.** Bueno y comprensivo con los demás. || *s. m.* **3.** Persona. **Sin. 2.** Bondadoso, compasivo. **Ant. 2.** Inhumano.

humareda *s. f.* Gran cantidad de humo.

humear *v.* Echar humo.

humedad *s. f.* Agua u otro líquido que hace que una cosa esté húmeda. **Ant.** Sequedad.

humedecer *v.* Mojar un poco una cosa. □ Es v. irreg. Se conjuga como *agradecer.* **Sin.** Humidificar. **Ant.** Resecar.

húmedo, da *adj.* **1.** Un poco mojado. **2.** Se dice del clima o lugar en el que llueve mucho. **Ant. 1** y **2.** Seco. **2.** Árido.

HUIR	
GERUNDIO	
huyendo	
INDICATIVO	
Presente	**Pretérito perf. simple**
huyo	huí
huyes	huiste
huye	huyó
huimos	huimos
huis	huisteis
huyen	huyeron
SUBJUNTIVO		

Presente	**Pretérito imperf.**	**Futuro**
huya	huyera, -ese	huyere
huyas	huyeras, -eses	huyeres
huya	huyera, -ese	huyere
huyamos	huyéramos, -ésemos	huyéremos
huyáis	huyerais, -eseis	huyereis
huyan	huyeran, -esen	huyeren

IMPERATIVO	
huye	huid

húmero *s. m.* Hueso del brazo que está entre el hombro y el codo.

humidificar *v.* Hacer que haya más humedad en un sitio o una cosa.

humildad *s. f.* Característica de humilde. **Sin.** Sencillez, modestia. **Ant.** Soberbia.

humilde *adj.* **1.** Que no presume. **2.** Pobre o de clase social baja. **Sin. 1.** Sencillo, llano. **1** y **2.** Modesto. **Ant. 1.** Soberbio. **2.** Acomodado.

humillación *s. f.* Acción de humillar.

humillante *adj.* Que humilla.

humillar *v.* Hacer que una persona se sienta inferior o muy avergonzada. **Sin.** Avergonzar. **Ant.** Ensalzar.

humo *s. m.* **1.** Gas que sale de una cosa que se está quemando. || *pl.* **2.** Arrogancia, orgullo. **Ant. 2.** Humildad.

humor *s. m.* **1.** Estado de ánimo por el que alguien está contento o enfadado. **2.** Ganas de hacer algo. **3.** Capacidad para descubrir y mostrar lo que algo tiene de cómico. **Sin. 1.** Genio, talante.

humorista *s. m.* y *f.* Artista que se dedica a contar chistes y a hacer reír al público. **Sin.** Cómico.

humorístico, ca *adj.* Que tiene humor, es divertido y hace reír. **Sin.** Cómico, gracioso. **Ant.** Serio.

humus *s. m.* Tierra que tiene muchos materiales orgánicos que la hacen muy buena para las plantas.

hundido, da 1. *p.* de **hundir.** También *adj.* || *adj.* **2.** Muy triste, deprimido. **Sin. 2.** Abatido. **Ant. 2.** Animado.

hundimiento *s. m.* **1.** Acción de hundir o de hundirse. **2.** Parte más hundida de algo. **Sin. 1.** Derrumbamiento, inmersión. **2.** Socavón, hondonada. **Ant. 1.** Levantamiento.

hundir *v.* **1.** Meter o irse hacia abajo alguna cosa en un sólido o en un líquido. **2.** Hacer caer o caerse una cosa. **3.** Dar un golpe en una cosa o aplastarla, metiendo una parte hacia dentro. **4.** Hacer fracasar, arruinar, echar a perder. **5.** Dejar muy triste, preocupado o en muy mala situación. **Sin. 1.** Sumergir. **2.** Derrumbar, desmoronar. **3.** Abollar. **4.** Malograr. **5.** Desmoralizar. **Ant. 1.** Sacar; emerger. **2.** Levantar. **5.** Animar.

húngaro, ra *adj.* y *s.* **1.** De Hungría, país de Europa. || *s. m.* **2.** Lengua de este país.

huno, na *adj.* y *s.* De un pueblo nómada de Asia que invadió Europa a fines del siglo IV.

huracán *s. m.* **1.** Ciclón característico de las zonas tropicales. **2.** Viento muy fuerte. Sin. 1. Tifón. 2. Vendaval.

huracanado, da *adj.* Con la fuerza de un huracán: *vientos huracanados.*

huraño, ña *adj.* Se dice de la persona a la que no le gusta hablar o tratar con los demás. Sin. Arisco. Ant. Sociable.

hurgar *v.* **1.** Remover algo, sobre todo en un hueco. **2.** Fisgar, curiosear. Sin. 1. Escarbar, revolver.

hurón *s. m.* Mamífero carnívoro de cuerpo pequeño, largo y delgado y patas cortas. Es muy feroz y se introduce en las madrigueras en busca de sus presas.

¡hurra! *interj.* Expresa alegría o satisfacción.

hurtadillas Se usa en la expresión **a hurtadillas**, 'a escondidas'.

hurtar *v.* Robar una cosa, sin utilizar la violencia. Sin. Quitar, birlar.

hurto *s. m.* Acción de hurtar y cosa que se hurta. Sin. Robo.

húsar *s. m.* Soldado de un antiguo cuerpo de caballería.

husmear *v.* **1.** Buscar con el olfato el rastro que deja alguna cosa, como hacen los perros. **2.** Fisgar, curiosear.

huso *s. m.* **1.** Instrumento para hilar, cilíndrico, alargado y más fino por los extremos; en él se enrolla el hilo que se va hilando. ‖ **2. huso horario** Cada una de las veinticuatro partes en que se divide el globo terrestre, que están limitadas por dos meridianos y en las que la hora es la misma.

¡huy! *interj.* Expresa asombro o dolor.

i *s. f.* Novena letra del abecedario.

ibérico, ca *adj.* De la península Ibérica.

ibero, ra o **íbero, ra** *adj.* y *s.* **1.** De los antiguos pobladores de la península Ibérica. ‖ *s. m.* **2.** Lengua que hablaban.

iberoamericano, na *adj.* y *s.* De Iberoamérica, los países americanos en los que se habla español o portugués. Sin. Latinoamericano.

ibicenco, ca *adj.* y *s.* De Ibiza, isla de las Baleares.

ibis *s. m.* Ave zancuda parecida a la cigüeña, pero más pequeña, que tiene el pico largo y curvo. Vive en zonas pantanosas.

iceberg (ingl.) *s. m.* Bloque muy grande de hielo que flota en el mar.

icono *s. m.* **1.** Imagen religiosa pintada sobre una tabla. **2.** Signo que por su forma recuerda la cosa que representa.

icosaedro *s. m.* Cuerpo geométrico de veinte caras planas.

ictericia *s. f.* Color amarillo que tiene la piel cuando se está enfermo del hígado.

ictiología *s. f.* Parte de la zoología que estudia los peces.

ida *s. f.* Acción de ir de un sitio a otro. Sin. Marcha, partida. Ant. Vuelta.

idea *s. f.* **1.** Lo que conocemos, pensamos, imaginamos o se nos ocurre de las cosas. **2.** Plan, intención. ‖ **3. mala idea** Mala intención. Expr. **hacerse a la idea** Acostumbrarse o resignarse. Sin. 1. Concepto, opinión, ocurrencia. 2. Proyecto.

ideal *adj.* **1.** Imaginario. **2.** Maravilloso, muy bueno. ‖ *s. m.* **3.** Modelo que se imita o se admira. **4.** Deseo o idea que a una persona le gustaría ver cumplido. Sin. 1. Irreal, inventado. 2. Estupendo. **3.** Canon. **4.** Aspiración, objetivo. **ANT. 1.** Real.

idealismo s. m. Forma de pensar y de actuar de los idealistas. **ANT.** Realismo.

idealista adj. y s. El que defiende sus ideales aunque sean difíciles de realizar. **ANT.** Realista.

idealizar v. Pensar que una persona o una cosa es mejor de lo que es en realidad.

idear v. Pensar una idea o un plan. **SIN.** Discurrir, concebir.

ideario s. m. Ideas o creencias.

ídem (lat.) pron. Significa 'lo mismo' y se utiliza para no tener que repetir lo que se ha dicho antes.

idéntico, ca adj. Igual o muy parecido. **SIN.** Exacto. **ANT.** Diferente.

identidad s. f. **1.** El ser idénticas dos o más cosas. **2.** El ser una persona o cosa la misma que se dice o se cree que es: *Comprobaron su identidad.* **SIN. 1.** Igualdad, semejanza, equivalencia. **ANT. 1.** Diferencia.

identificación s. f. **1.** Acción de identificar. **2.** Lo que sirve para identificar. **SIN.** Reconocimiento.

identificar v. **1.** Comprobar o reconocer que una persona o cosa es la que se busca o se cree. **2.** Relacionar, unir. || **identificarse 3.** Estar totalmente de acuerdo con alguien o algo. **4.** Sentirse o imaginarse igual que otra persona. **SIN. 2.** Asociar, vincular. **3** y **4.** Simpatizar, solidarizarse. **ANT. 2.** Oponer. **3.** Disentir.

ideología s. f. Las ideas de una persona, grupo, partido o doctrina. **SIN.** Credo, creencia.

ideológico, ca adj. De la ideología.

ideólogo, ga s. m. y f. Persona que se ocupa de cuestiones ideológicas.

idílico, ca adj. Muy agradable o hermoso. **SIN.** Placentero, encantador. **ANT.** Horrible.

idilio s. m. Aventura o relación amorosa. **SIN.** Amorío.

idioma s. m. Lengua de un grupo de personas, de un pueblo o de una nación. **SIN.** Lenguaje.

idiomático, ca adj. De un idioma.

idiosincrasia s. f. Manera de ser propia de una persona o de un pueblo. **SIN.** Carácter, personalidad.

idiota adj. y s. Tonto, imbécil. **SIN.** Bobo, estúpido. **ANT.** Inteligente.

idiotez adj. y s. Tontería, imbecilidad. **SIN.** Estupidez.

ido, da 1. p. de **ir.** || adj. **2.** Loco, chiflado. **3.** Muy distraído o despistado. **SIN. 3.** Lelo. **ANT. 2.** Cuerdo. **3.** Atento.

idólatra adj. y s. Que adora o idolatra a un ídolo.

idolatrar v. **1.** Adorar a un ídolo o una cosa como si fueran un dios. **2.** Amar o admirar mucho a una persona o cosa.

idolatría s. f. El hecho de idolatrar.

ídolo s. m. **1.** Imagen o cosa a la que se adora como a un dios. **2.** Persona muy admirada. **SIN. 1.** Fetiche, tótem. **2.** Héroe, figura.

idóneo, a adj. Muy apropiado para algo. **SIN.** Ideal, adecuado. **ANT.** Inadecuado.

iglesia s. f. **1.** Templo cristiano. **2.** Conjunto de los miembros de una religión cristiana.

iglú s. m. Casa redonda que hacen los esquimales con bloques de hielo.

ígneo, a adj. De fuego o parecido a él.

ignición s. f. Acción de arder o encenderse.

ignífugo, ga adj. Que protege contra el fuego: *un tejido ignífugo.*

ignominia s. f. Deshonra, infamia.

ignominioso, sa adj. Deshonroso.

ignorancia s. f. Falta de conocimientos. **SIN.** Desconocimiento, incultura. **ANT.** Cultura, sabiduría.

ignorante adj. y s. Que no sabe algo. **SIN.** Inculto, desconocedor. **ANT.** Culto, sabio.

ignorar v. **1.** No saber una cosa. **2.** No hacer caso de alguien o de algo. **SIN. 1.** Desconocer. **2.** Desatender, desoír. **ANT. 1.** Conocer. **2.** Atender.

ignoto, ta adj. Desconocido, que está sin descubrir o sin explorar: *una tierra ignota.*

igual adj. **1.** Que es como otro o muy parecido. **2.** Liso, llano. **3.** Signo matemático (=) que indica igualdad o equivalencia. || adv. **4.** Lo mismo: *Me da igual.* **SIN. 1.** Idéntico; similar. **2.** Uniforme. **ANT. 1.** Diferente. **1** y **2.** Desigual. **2.** Accidentado.

igualar v. **1.** Hacer o hacerse iguales. **2.** Empatar. **3.** Alisar, allanar.

igualdad s. f. Hecho de ser iguales. **SIN.** Coincidencia, identidad, uniformidad. **ANT.** Desigualdad.

igualitario, ria adj. Que procura una mayor igualdad: *una sociedad igualitaria.*

igualmente adv. Del mismo modo, también, asimismo.

iguana *s. f.* Reptil de patas y dedos largos con uñas puntiagudas y una cresta a lo largo del lomo. Vive en zonas de América y del Pacífico.

ijada o **ijar** *s. f.* o *s. m.* Espacio que hay entre las costillas y los huesos de las caderas.

ikastola (vasc.) *s. f.* Escuela en la que se enseña el euskera.

ikurriña (vasc.) *s. f.* Bandera del País Vasco.

ilegal *adj.* Que va en contra de la ley. **Sin.** Ilícito, prohibido. **Ant.** Legal.

ilegalidad *s. f.* Característica de ilegal. **Sin.** Legalidad.

ilegible *adj.* Se dice de algo que no se puede leer. **Sin.** Indescifrable, ininteligible. **Ant.** Legible.

ilegítimo, ma *adj.* 1. Ilegal. 2. Se dice del hijo que alguien tiene con una persona con la cual no está casado. **Sin.** 1. Ilícito. 2. Natural, bastardo. **Ant.** 1 y 2. Legítimo.

íleon *s. m.* Tercera parte del intestino delgado.

ileso, sa *adj.* Que no ha sufrido daño. **Sin.** Indemne. **Ant.** Herido.

iletrado, da *adj.* Inculto, ignorante.

ilíaco, ca o **ilíaco, ca** *adj.* Del ilion o relacionado con él.

ilicitano, na *adj.* y *s.* De Elche, ciudad de Alicante.

ilícito, ta *adj.* Que no es lícito. **Sin.** Ilegal, inmoral. **Ant.** Lícito.

ilimitado, da *adj.* Que no tiene límites.

ilion *s. m.* Un hueso de la pelvis.

ilógico, ca *adj.* Que no es lógico. **Sin.** Absurdo.

iluminación *s. f.* 1. Acción de iluminar. 2. Luces que alumbran un lugar. 3. Cantidad de luz que hay o entra en un sitio. **Sin.** 1 y 2. Alumbrado.

iluminado, da 1. *p.* de **iluminar**. También *adj.* ‖ *adj.* y *s.* 2. Persona inspirada por un poder sobrenatural.

iluminar *v.* 1. Dar luz sobre algo. 2. Adornar con luces. 3. Mostrar Dios a los hombres la verdad o su voluntad. **Sin.** 1. Alumbrar. **Ant.** 1. Oscurecer.

ilusión *s. f.* 1. Lo que uno se imagina o cree ver o sentir, pero que no es real. 2. Esperanza o deseo difícil de realizar. 3. Alegría, entusiasmo. **Sin.** 1. Visión, espejismo. 3. Satisfacción; empeño. **Ant.** 1 y 2. Realidad. 2 y 3. Desilusión.

ilusionar *v.* 1. Hacer que alguien tenga ilusiones o esperanzas. 2. Hacer ilusión, causar alegría. **Sin.** 2. Alegrar,

encantar. **Ant.** 1. Desilusionar. 2. Entristecer.

ilusionismo *s. m.* Arte de hacer trucos de magia.

ilusionista *s. m.* y *f.* Mago, persona que se dedica al ilusionismo. **Sin.** Prestidigitador.

iluso, sa *adj.* y *s.* 1. Inocente, incauto. 2. Que tiene ilusiones o deseos imposibles de realizar. **Sin.** 1. Ingenuo, cándido. 2. Soñador. **Ant.** 1. Despabilado. 2. Realista.

ilusorio, ria *adj.* Que es una ilusión, que no es real. **Sin.** Engañoso, irreal. **Ant.** Verdadero.

ilustración *s. f.* 1. Educación, instrucción. 2. Fotografía o dibujo de un libro o una revista. 3. Movimiento cultural, político y filosófico del siglo XVIII caracterizado por su confianza en la razón. **Sin.** 1. Cultura, formación. 2. Lámina, grabado. **Ant.** 1. Incultura.

ilustrado, da 1. *p.* de **ilustrar**. También *adj.* y *s.* ‖ *adj.* y *s.* 2. De la Ilustración, movimiento cultural.

ilustrar *v.* 1. Explicar algo mediante ejemplos, imágenes, comparaciones. 2. Poner ilustraciones en un libro o en otra publicación. 3. Educar, instruir. **Sin.** 1. Aclarar, esclarecer. 3. Formar.

ilustrativo, va *adj.* Que ilustra o ayuda a explicar una cosa.

ilustre *adj.* 1. Noble, distinguido. 2. Destacado, famoso: *un ilustre abogado.* **Sin.** 2. Eminente, insigne, prestigioso. **Ant.** 2. Mediocre.

ilustrísimo, ma *adj.* 1. Tratamiento que se da a algunas personas que tienen un cargo importante. ‖ *s. f.* 2. Título que se da a los obispos: *su ilustrísima.*

imagen *s. f.* 1. Figura que refleja un espejo. 2. Figura en una pantalla, fotografía, cuadro, etc. 3. Estatua religiosa. 4. Aspecto: *cambiar de imagen.* 5. Idea que uno se forma sobre alguien o algo. **Sin.** 4. Look.

imaginación *s. f.* 1. Capacidad para imaginar cosas. 2. Lo que uno se imagina, pero que no es cierto. **Sin.** 1 y 2. Fantasía. 2. Figuración, suposición.

imaginar *v.* 1. Formar alguien imágenes en el pensamiento. 2. Inventar. 3. Suponer. **Sin.** 1. Fantasear. 2. Idear, concebir. 3. Figurarse.

imaginaria *s. f.* 1. En el ejército, vigilancia nocturna realizada dentro del lugar donde duermen los soldados. ‖ *s. m.* 2. Soldado que realiza esta guardia.

imaginario, ria adj. Que sólo existe en la imaginación. SIN. Ficticio. ANT. Real.

imaginativo, va adj. Que tiene imaginación.

imaginería s. f. Arte de esculpir o pintar imágenes religiosas.

imán[1] s. m. Mineral u otra materia capaz de atraer al hierro y otros metales.

imán[2] s. m. Jefe religioso musulmán.

imantar v. Hacer magnético un material. SIN. Magnetizar.

imbatible adj. Invencible.

imbécil adj. y s. Tonto, estúpido.

imbecilidad s. f. **1.** Característica de imbécil. **2.** Dicho o hecho imbécil, tonto. SIN. **1** y **2.** Tontería, idiotez.

imberbe adj. y s. m. Se dice de aquel al que no le ha salido la barba. SIN. Lampiño, barbilampiño.

imbricar v. Conectar, relacionar, trabar.

imbuir v. Inculcar, infundir. □ Es v. irreg. Se conjuga como huir.

imitación s. f. **1.** El hecho de imitar. **2.** Cosa que imita a otra. SIN. **1** y **2.** Copia, plagio.

imitador, ra adj. y s. Que imita.

imitar v. **1.** Hacer o tratar de hacer algo de la misma forma que otro. **2.** Estar hecha una cosa de forma que parezca otra: Este bolso imita piel. SIN. **1.** Copiar, plagiar. **2.** Semejar.

impaciencia s. f. El estar impaciente. SIN. Inquietud. ANT. Paciencia.

impacientar v. Hacer perder a alguien la paciencia, ponerlo nervioso.

impaciente adj. Que no tiene paciencia. ANT. Paciente.

impactar v. Causar impacto, impresión. SIN. Conmocionar.

impacto s. m. **1.** Choque, golpe. **2.** Impresión, efecto: causar impacto. SIN. **1.** Colisión. **2.** Sensación, conmoción. ANT. Indiferencia.

impagado, da adj. **1.** No pagado. ‖ s. m. **2.** Recibo, factura, etc., sin pagar.

impago s. m. Hecho de no pagar una deuda en un plazo determinado.

impala s. m. Mamífero rumiante africano de color rojizo y vientre blanco. Los machos tienen cuernos largos y finos, doblados en forma de S.

impalpable adj. Que no es físico, por lo que no se puede tocar. SIN. Intangible.

impar adj. y s. m. Se dice del número que no es divisible por dos. SIN. Non. ANT. Par.

imparable adj. Que no se puede parar.

imparcial adj. Justo, que juzga o actúa sin tener preferencias. SIN. Objetivo, neutral. ANT. Parcial.

imparcialidad s. f. Característica de imparcial. SIN. Objetividad, neutralidad. ANT. Parcialidad.

impartir v. Dar algunas cosas, por ejemplo una clase.

impasibilidad s. f. Característica de impasible.

impasible adj. Que no muestra nerviosismo, enfado u otro sentimiento. SIN. Imperturbable, impávido.

impasse (fr.) s. m. Situación sin salida, sin solución.

impávido, da adj. Impasible.

impecable adj. Sin defectos o manchas. SIN. Intachable, irreprochable; impoluto. ANT. Defectuoso; sucio.

impedido, da **1.** p. de impedir. ‖ adj. y s. **2.** Inválido.

impedimenta s. f. Bagaje de la tropa.

impedimento s. m. Lo que impide algo. SIN. Dificultad, obstáculo, traba. ANT. Facilidad.

impedir v. Hacer algo imposible o difícil. □ Es v. irreg. Se conjuga como pedir. SIN. Dificultar, obstaculizar. ANT. Facilitar.

impeler v. Impulsar, animar.

impensable adj. Imposible o muy difícil.

imperar v. Dominar, prevalecer. SIN. Reinar, regir.

imperativo, va adj. **1.** Que sirve para mandar. ‖ adj. y s. m. **2.** Modo del verbo que expresa un mandato o ruego: lávate. ‖ s. m. **3.** Obligación, necesidad.

imperceptible adj. Que no se percibe o se percibe muy poco. ANT. Perceptible.

imperdible s. m. Alfiler doblado por uno de sus extremos que puede abrocharse por el otro.

imperdonable adj. Que no se puede perdonar. SIN. Intolerable, inaceptable.

imperecedero, ra adj. Eterno. SIN. Inmortal. ANT. Perecedero.

imperfección s. f. **1.** Característica de imperfecto. **2.** Defecto. SIN. **1** y **2.** Deficiencia. ANT. **1.** Perfección.

imperfecto, ta adj. **1.** Que no es perfecto. ‖ adj. y s. m. **2.** Se dice de los tiempos del verbo que expresan una acción no terminada. SIN. **1.** Deficiente, defectuoso, incompleto.

imperial adj. Del emperador o del imperio.

imperialismo s. m. Política basada en el dominio de un país sobre otros.

imperialista adj. Del imperialismo o partidario del imperialismo.

impericia s. f. Falta de pericia. Sın. Incapacidad, ineptitud. Ant. Pericia.

imperio s. m. Organización política en que un país extiende su dominio a otros territorios.

imperioso, sa adj. 1. Autoritario. 2. Urgente, necesario.

impermeabilizar v. Hacer impermeable una cosa.

impermeable adj. 1. Que no puede ser atravesado por el agua y otros líquidos. || s. m. 2. Prenda que no deja pasar el agua de la lluvia. Sın. 2. Chubasquero. Ant. 1. Permeable.

impersonal adj. 1. Poco expresivo o personal. 2. Que no se refiere a nadie en concreto. 3. Se dice de las oraciones que no pueden tener sujeto (*Nieva en Granada*) y de las que no lo llevan porque es desconocido o no interesa (*Dicen que va a subir la gasolina*). 4. Se dice del verbo que no puede llevar sujeto, como *llover*.

impertérrito, ta adj. Imperturbable.

impertinencia s. f. Característica de impertinente o comentario impertinente.

impertinente adj. y s. Que molesta por ser inoportuno, descarado o indiscreto. Sın. Inconveniente. Ant. Discreto.

imperturbable adj. Que no muestra nerviosismo, miedo u otra reacción. Sın. Impasible, inmutable, impertérrito.

ímpetu s. m. Fuerza, energía, violencia.

impetuoso, sa adj. Con ímpetu. Sın. Violento; impulsivo. Ant. Débil.

impío, a adj. y s. Que no tiene fe religiosa o no respeta las cosas sagradas. Sın. Ateo; irreverente. Ant. Pío, devoto.

implacable adj. Duro, inflexible. Sın. Riguroso, severo. Ant. Clemente.

implantar v. 1. Imponer o establecer. 2. Colocar un órgano o una pieza artificial en alguna parte del cuerpo.

implante s. m. Acción de implantar y aquello que se implanta.

implicación s. f. 1. Participación en un delito o un asunto. 2. Consecuencia.

implicar v. 1. Hacer participar a alguien en un asunto o un delito. 2. Suponer, tener como consecuencia. Sın. 1. Envolver, involucrar. 2. Entrañar.

implícito, ta adj. Que sin decirlo se da a entender. Sın. Sobrentendido. Ant. Explícito.

implorar v. Suplicar, rogar.

impoluto, ta adj. Sin ninguna mancha. Sın. Impecable.

imponderable s. m. Imprevisto.

imponente adj. Impresionante.

imponer v. 1. Obligar a algo. 2. Causar miedo o respeto. 3. **imponerse** Ser necesario. 4. Dominar o predominar. □ Es v. irreg. Se conjuga como *poner*. Sın. 2. Asustar, impresionar. 4. Superar, prevalecer.

impopular adj. Que no es popular.

importación s. f. El comprar cosas a un país extranjero. Ant. Exportación.

importancia s. f. Valor, interés, categoría. Expr. **darse importancia** Presumir. Sın. Trascendencia, alcance.

importante adj. Que tiene importancia. Sın. Fundamental, considerable. Ant. Secundario.

importar v. 1. Tener alguien o algo importancia. 2. Comprar cosas a un país extranjero. 3. Costar una cantidad de dinero. Sın. 1. Interesar; afectar. 3. Valer. Ant. 2. Exportar.

importe s. m. Lo que se paga por algo. Sın. Precio, cuantía.

importunar v. Molestar.

imposibilidad s. f. Hecho de ser imposible. Ant. Posibilidad.

imposibilitado, da adj. y s. Inválido. Sın. Impedido, minusválido.

imposibilitar v. Hacer imposible. Sın. Impedir. Ant. Posibilitar.

imposible adj. y s. m. 1. Que no es posible. || adj. 2. Inaguantable. Sın. 1. Inviable. 2. Insufrible. Ant. 1. Factible.

imposición s. f. 1. Acción de imponer. 2. Cantidad de dinero que se mete en una cuenta de ahorro.

impostar v. Hacer que la voz suene con potencia y claridad.

impostor, ra adj. y s. Persona que se hace pasar por quien no es. Sın. Farsante.

impostura s. f. Engaño, especialmente el hacerse uno pasar por quien no es. Sın. Farsa.

impotencia s. f. El ser impotente. Sın. Incapacidad.

impotente adj. 1. Que no tiene poder o capacidad para algo. || adj. y s. m. 2. Hombre que no puede hacer el acto sexual. Sın. 1. Incapaz, inútil.

impracticable *adj.* Se dice del lugar por el que es imposible o muy difícil pasar. **Sin.** Intransitable. **Ant.** Practicable, expedito.

imprecación *s. f.* Expresión con que se imprecan a alguien.

imprecar *v.* Manifestar un gran deseo de que le ocurra algo malo a alguien. **Sin.** Maldecir.

imprecisión *s. f.* Falta de precisión.

impreciso, sa *adj.* Poco preciso. **Sin.** Indefinido, vago. **Ant.** Concreto.

impregnar *v.* Empapar, mojar

imprenta *s. f.* **1.** Técnica de imprimir. **2.** Taller donde se imprime y máquina para imprimir.

imprescindible *adj.* Completamente necesario. **Sin.** Indispensable. **Ant.** Innecesario.

impresentable *adj. y s.* Que no se puede presentar por estar mal hecho, sucio, etc.

impresión *s. f.* **1.** Acción de imprimir. **2.** Efecto o sensación que algo nos produce. **3.** Idea, opinión. **Sin. 2.** Impacto, emoción.

impresionable *adj.* Que se impresiona con facilidad.

impresionante *adj.* Que impresiona.

impresionar *v.* Causar una gran impresión. **Sin.** Emocionar, conmover.

impresionismo *s. m.* Movimiento artístico de fines del siglo XIX que buscaba reflejar en la obra las impresiones que los objetos producen en el artista.

impresionista *adj. y s.* Del impresionismo.

impreso, sa *adj.* **1.** *p.* de **imprimir.** También *adj.* || *s. m.* **2.** Escrito con espacios en blanco para rellenar con los datos que se piden. **3.** Escrito imprimido. **Sin. 2.** Formulario.

impresor, ra *adj.* **1.** Que imprime. || *s. m.* **2.** Dueño o encargado de una imprenta. || *s. f.* **3.** Máquina de imprimir.

imprevisible *adj.* Difícil de prever. **Sin.** Inesperado, repentino. **Ant.** Previsible.

imprevisión *s. f.* Falta de previsión.

imprevisto, ta *adj. y s. m.* No previsto, que no sabemos que va a ocurrir. **Sin.** Inesperado, repentino.

imprimir *v.* **1.** Reproducir en papel u otro material textos o imágenes con una máquina especial. **2.** Dejar una huella o marca. **3.** Dar, producir: *imprimir velocidad.* □ Tiene dos participios: uno reg., *imprimido,* y otro irreg., *impreso.* **Sin. 2.** Marcar.

improbable *adj.* Que es difícil que suceda. **Sin.** Dudoso, incierto. **Ant.** Probable.

ímprobo, ba *adj.* Se dice del trabajo o esfuerzo muy grande.

improcedente *adj.* Que no es correcto o no se ajusta a la ley o a las normas. **Ant.** Procedente.

improductivo, va *adj.* Que no produce. **Sin.** Estéril, inútil. **Ant.** Productivo; útil.

impronta *s. f.* **1.** Imagen reproducida en hueco o en relieve sobre una materia blanda. **2.** Influencia. **3.** Estilo, carácter. **Sin. 1 y 2.** Huella.

improperio *s. m.* Insulto. **Sin.** Injuria. **Ant.** Elogio.

impropio, pia *adj.* Que no es propio de alguien o algo. **Sin.** Extraño; inadecuado.

improvisación *s. f.* Acción de improvisar. **Ant.** Preparación.

improvisar *v.* Hacer una cosa sin haberla preparado. **Ant.** Planear.

improviso Se usa en la expresión **de improviso,** 'de repente', 'sin avisar'.

imprudencia *s. f.* **1.** Falta de prudencia. **2.** Acción o dicho imprudente. **Sin. 1 y 2.** Insensatez, temeridad. **Ant. 1 y 2.** Precaución.

imprudente *adj. y s.* Que no es prudente. **Sin.** Insensato. **Ant.** Cauto.

impúdico, ca *adj. y s.* Que no tiene pudor. **Sin.** Obsceno. **Ant.** Pudoroso.

impuesto *s. m.* Dinero que se paga al Estado, comunidad autónoma o ayuntamiento para que realicen las obras o actividades necesarias. **Sin.** Tasa, gravamen.

impugnar *v.* Oponerse a algo por considerar que es injusto, falso o ilegal.

impulsar *v.* **1.** Aplicar una fuerza sobre algo para que se mueva. **2.** Ayudar al desarrollo de algo. **Sin. 1.** Propulsar. **2.** Favorecer, estimular. **Ant. 1 y 2.** Frenar.

impulsivo, va *adj. y s.* Que actúa dejándose llevar por sus impulsos. **Sin.** Irreflexivo. **Ant.** Reflexivo.

impulso *s. m.* **1.** Acción de impulsar. **2.** Deseo fuerte que lleva a hacer alguna cosa sin pensarla. **Sin. 1.** Impulsión, propulsión. **2.** Arrebato, arranque. **Ant. 1 y 2.** Freno.

impulsor, ra *adj. y s.* Que impulsa.

impune *adj.* Que queda sin castigo.

impunidad *s. f.* El quedar impune.

impureza *s. f.* **1.** Característica de impuro. **2.** Sustancia mezclada con otra que hace que ésta pierda su pureza. **Sin.** 1. Suciedad; obscenidad. **Ant.** 1. Pureza.

impuro, ra *adj.* 1. No puro. 2. Indecente, deshonesto. **Sin.** 1. Sucio, turbio, viciado. 2. Obsceno. **Ant.** 1. Limpio. 2. Honesto.

imputar *v.* Culpar, atribuir: *Le imputaron el crimen.* **Sin.** Achacar.

in fraganti *expr.* En el mismo momento en que se está cometiendo una falta o delito: *La policía atrapó al ladrón in fraganti.*

inacabado, da *adj.* No acabado.

inaccesible *adj.* Que no es accesible.

inaceptable *adj.* Que no se puede aceptar. **Sin.** Intolerable. **Ant.** Tolerable.

inactividad *s. f.* Falta de actividad.

inactivo, va *adj.* Que no está activo.

inadaptación *s. f.* Falta de adaptación.

inadaptado, da *adj. y s.* Que no se adapta a las circunstancias en que vive. **Sin.** Desarraigado, desplazado. **Ant.** Integrado.

inadecuado, da *adj.* No adecuado. **Sin.** Inapropiado. **Ant.** Apropiado.

inadmisible *adj.* Que no se puede admitir o tolerar. **Sin.** Intolerable.

inadvertido, da *adj.* Se dice de aquello de lo que no nos damos cuenta.

inagotable *adj.* Que no se agota.

inaguantable *adj.* Que no se puede aguantar o soportar. **Sin.** Insoportable, insufrible.

inalámbrico, ca *adj.* Se dice del teléfono, micrófono, etc., sin cable.

inalcanzable *adj.* Que no se puede alcanzar o conseguir. **Sin.** Inaccesible. **Ant.** Accesible.

inalienable *adj.* Que no puede ser quitado a alguien: *un derecho inalienable.*

inalterable *adj.* Que no se altera o no se puede alterar. **Sin.** Inmutable, impasible. **Ant.** Cambiante; inquieto.

inalterado, da *adj.* Sin cambios.

inamovible *adj.* Que no se puede mover o cambiar. **Sin.** Inalterable.

inane *adj.* Sin valor ni importancia.

inanición *s. f.* Debilidad muy grande producida por la falta de alimentos.

inanimado, da *adj.* Que no tiene vida porque no es un ser vivo. **Sin.** Inerte. **Ant.** Animado.

inapelable *adj.* 1. Se dice de la sentencia o decisión contra la que no se puede apelar. 2. Indudable, indiscutible. 3. Inevitable, irremediable.

inapetente *adj.* Que no tiene apetito.

inaplazable *adj.* Que no se puede aplazar.

inapreciable *adj.* 1. Pequeñísimo, que apenas se nota. 2. De muchísimo valor. **Sin.** 1. Imperceptible. 2. Incalculable. **Ant.** 1. Manifiesto.

inapropiado, da *adj.* No apropiado. **Sin.** Inadecuado, impropio. **Ant.** Adecuado.

inasequible *adj.* Que no se puede conseguir. **Sin.** Inalcanzable, inaccesible. **Ant.** Asequible.

inaudito, ta *adj.* 1. Sorprendente, increíble. 2. Que no se puede tolerar. **Sin.** 1. Insólito, asombroso. 2. Inaceptable.

inauguración *s. f.* Acción de inaugurar. **Sin.** Apertura. **Ant.** Clausura.

inaugural *adj.* De la inauguración.

inaugurar *v.* 1. Dar comienzo a algo con un acto solemne. 2. Abrir una tienda o negocio haciendo alguna celebración. **Sin.** 1. Estrenar, iniciar. **Ant.** 1 y 2. Clausurar.

inca *adj. y s.* De un pueblo indígena americano que habitaba un territorio que correspondía a los actuales Ecuador, Perú y norte de Chile.

incaico, ca *adj.* De los incas.

incalculable *adj.* Que no se puede calcular por ser demasiado grande. **Sin.** Enorme, inconmensurable.

incalificable *adj.* Que merece un gran rechazo: *una conducta incalificable.* **Sin.** Inaceptable, intolerable.

incandescente *adj.* Se dice del metal que está al rojo vivo por la acción del calor.

incansable *adj.* Que aguanta mucho sin cansarse. **Sin.** Infatigable. **Ant.** Cansino.

incapacidad *s. f.* Falta de capacidad para algo. **Sin.** Ineptitud. **Ant.** Aptitud.

incapacitar *v.* Inhabilitar.

incapaz *adj.* Que no es capaz de algo. **Sin.** Inútil, negado. **Ant.** Hábil.

incautación *s. f.* Acción de incautarse.

incautarse *v.* Apoderarse de algo una autoridad, por ejemplo la policía. **Sin.** Confiscar.

incauto, ta *adj. y s.* 1. Que no es cauto. 2. Ingenuo, fácil de engañar. **Sin.** 1. Imprudente. 2. Crédulo, cándido. **Ant.** 1. Prudente. 2. Despabilado.

incendiar *v.* Provocar un incendio.

incendiario, ria *adj. y s.* Que provoca incendios. **Sin.** Pirómano.

incendio *s. m.* Fuego grande que se extiende cada vez más.

incensario *s. m.* Recipiente en el que se quema el incienso.

incentivar *v.* Estimular, animar.

incentivo *s. m.* Lo que se hace o se da para incentivar. SIN. Estímulo, acicate.

incertidumbre *s. f.* Falta de seguridad sobre algo. ANT. Certidumbre.

incesante *adj.* Que no cesa o para. SIN. Constante, continuo.

incesto *s. m.* Relación sexual entre familiares muy cercanos.

incestuoso, sa *adj.* Se dice de la relación sexual en la que se comete incesto.

incidencia *s. f.* 1. Lo que ocurre en el transcurso de algo. 2. Efecto, repercusión. SIN. 1. Avatares, incidencia.

incidente *s. m.* Hecho desagradable o que causa problemas. SIN. Incidencia; contratiempo.

incidir *v.* 1. Caer en una falta o error. 2. Influir, tener efecto. SIN. 1. Incurrir. 2. Repercutir.

incienso *s. m.* Resina que al arder produce un olor fuerte y se usa, sobre todo, en ceremonias religiosas.

incierto, ta *adj.* Falso o poco seguro. SIN. Inseguro. ANT. Cierto.

incineración *s. f.* Acción de incinerar.

incinerar *v.* Quemar algo hasta convertirlo en cenizas SIN. Calcinar, carbonizar.

incipiente *adj.* Que empieza.

incisión *s. f.* Corte hecho con un instrumento, por ejemplo con un bisturí.

incisivo, va *adj.* y *s.* 1. Cada uno de los dientes delanteros planos y de borde cortante. || *adj.* 2. Inteligente y crítico a la vez: *un comentario incisivo*. SIN. 2. Punzante, mordaz.

inciso *s. m.* Frase que se intercala en una oración, escrito o exposición.

incitar *v.* Animar a hacer algo, sobre todo si es malo. SIN. Inducir, instigar. ANT. Disuadir.

incívico, ca o **incivil** *adj.* Que no es propio de un buen ciudadano. ANT. Cívico.

inclemencia *s. f.* Característica de la persona o del tiempo inclementes. SIN. Rigor. ANT. Clemencia.

inclemente *adj.* 1. Sin clemencia. 2. Se dice del tiempo atmosférico muy duro, en el que llueve mucho o hace frío. SIN. 1. Clemente. 2. Benigno.

inclinación *s. f.* 1. Posición de algo que está inclinado. 2. Afición, tendencia. SIN. 1. Pendiente. 2. Preferencia, predisposición.

inclinado, da 1. *p.* de **inclinar**. || *adj.* 2. Que se inclina.

inclinar *v.* 1. Apartar alguna cosa de su posición horizontal o vertical. 2. Influir, convencer. || **inclinarse** 3. Tender: *Me inclino a creerle*. 4. Preferir. SIN. 1. Torcer. 2. Mover. ANT. 1. Enderezar. 3. Resistirse.

ínclito, ta *adj.* Célebre, ilustre.

incluir *v.* 1. Poner dentro. 2. Contener. □ Es v. irreg. Se conjuga como *huir*. SIN. 1 y 2. Meter, introducir. 2. Comprender, englobar. ANT. 1 y 2. Excluir.

inclusa *s. f.* Establecimiento benéfico donde se recoge a niños abandonados.

inclusero, ra *adj.* y *s.* 1. Que se ha criado en una inclusa. || *adj.* 2. *fam.* Que no es de marca conocida.

inclusión *s. f.* Acción de incluir. ANT. Exclusión.

inclusive *adv.* Incluyendo lo que se indica: *La lección va de la página quince a la treinta, ambas inclusive.*

incluso *adv.* y *prep.* También la persona o cosa que se expresa: *Todos fueron a la fiesta, incluso mis padres.*

incógnita *s. f.* 1. Misterio, cosa que no se conoce. 2. En matemáticas, cantidad representada por una letra que hay que averiguar en una ecuación. SIN. 1. Enigma, interrogante.

incógnito Se usa en la expresión **de incógnito**, 'intentando alguien no ser reconocido'.

incoherencia *s. f.* Falta de coherencia. SIN. Incongruencia.

incoherente *adj.* Que no es coherente. SIN. Incongruente.

incoloro, ra *adj.* Sin color.

incólume *adj.* Que no ha sufrido daño. SIN. Indemne, ileso.

incomodar *v.* Molestar, importunar.

incomodidad *s. f.* 1. Falta de comodidad. 2. Molestia.

incómodo, da *adj.* 1. Que no es o no está cómodo. 2. Que no es agradable. SIN. 1 y 2. Fastidioso, molesto.

incomparable *adj.* Extraordinario, que no admite comparación.

incomparecencia *s. f.* Hecho de no ir a un sitio al que se debía ir. ANT. Comparecencia.

incompatible *adj.* 1. Que no puede hacerse o suceder junto con otra cosa.

2. Se dice de las personas que no congenian por ser muy diferentes. **SIN.** 1 y 2. Antagónico. **ANT.** 1. Compatible.

incompetencia *s. f.* Falta de capacidad para hacer bien un trabajo. **SIN.** Ineptitud. **ANT.** Competencia.

incompetente *adj.* y *s.* Que demuestra incompetencia. **SIN.** Inepto. **ANT.** Competente.

incompleto, ta *adj.* No completo. **ANT.** Entero.

incomprendido, da *adj.* y *s.* Que no es comprendido por los demás.

incomprensible *adj.* Que no se puede comprender. **SIN.** Ininteligible.

incomprensión *s. f.* Hecho de no ser alguien comprendido por los demás.

incomunicación *s. f.* Falta de comunicación. **SIN.** Aislamiento.

incomunicado, da *adj.* Que no puede comunicarse con otra persona o cosa. **SIN.** Aislado, separado. **ANT.** Unido.

inconcebible *adj.* Increíble, inaudito. **SIN.** Incomprensible.

incondicional *adj.* **1.** Sin condiciones. || *adj.* y *s.* **2.** Totalmente partidario de una persona o idea. **SIN.** 1. Absoluto. 2. Adepto. **ANT.** 1. Condicional. 2. Enemigo.

inconexo, xa *adj.* Sin conexión.

inconfesable *adj.* Que no se puede decir a los demás, generalmente por ser vergonzoso.

inconfeso, sa *adj.* Que no ha confesado aquello de lo que se le acusa.

inconformismo *s. m.* Actitud de la persona inconformista.

inconformista *adj.* y *s.* Que no se conforma o no está de acuerdo con muchas cosas. **SIN.** Rebelde. **ANT.** Conformista.

inconfundible *adj.* Que es imposible confundirlo con otro. **SIN.** Característico, peculiar.

incongruencia *s. f.* Incoherencia.

incongruente *adj.* Incoherente.

inconmensurable *adj.* Inmenso.

inconmovible *adj.* Que no se conmueve. **SIN.** Impasible, imperturbable.

inconsciencia *adj.* **1.** Estado de inconsciente. **2.** Falta de sensatez. **ANT.** 1 y 2. Consciencia.

inconsciente *adj.* **1.** Que ha perdido el conocimiento. **2.** Que se hace de forma mecánica, sin darse uno cuenta. || *adj.* y *s.* **3.** Que no es sensato ni responsable. **SIN.** 2. Involuntario, automático. 3. Im-

prudente. **ANT.** 1 y 2. Consciente. 2. Voluntario, deliberado. 3. Prudente.

inconsecuente *adj.* y *s.* Que no actúa según su forma de pensar. **SIN.** Incoherente. **ANT.** Consecuente.

inconsistencia *s. f.* Falta de consistencia.

inconsistente *adj.* Sin consistencia.

inconsolable *adj.* Se dice de la persona a la que no se puede consolar.

inconstancia *s. f.* Característica de la persona inconstante. **ANT.** Constancia.

inconstante *adj.* Que no tiene constancia en lo que hace. **ANT.** Constante.

inconstitucional *adj.* Que no cumple lo que dice la Constitución. **ANT.** Constitucional.

incontable *adj.* **1.** Tan numeroso que no se puede contar. **2.** Se dice de los sustantivos que nombran cosas que no se pueden contar, por ejemplo *grandeza*. **SIN.** Innumerable. **ANT.** 1 y 2. Contable.

incontenible *adj.* Que no se puede contener.

incontestable *adj.* Indiscutible.

incontinencia *s. f.* Característica de la persona incontinente.

incontinente *adj.* Que no se puede contener o controlar.

incontrolable *adj.* Que no se puede controlar.

inconveniencia *s. f.* **1.** Característica de inconveniente o inoportuno. **2.** Palabras o acción inconvenientes.

inconveniente *adj.* **1.** No conveniente. || *s. m.* **2.** Dificultad, obstáculo. **SIN.** 1. Inoportuno. 2. Desventaja, pega. **ANT.** 2. Ventaja.

incordiar *v.* Molestar, fastidiar.

incordio *s. m.* Lo que molesta o fastidia. **SIN.** Molestia, fastidio, lata. **ANT.** Encanto.

incorporación *s. f.* Acción de incorporar o incorporarse.

incorporar *v.* **1.** Poner una cosa en otra para formar un todo. **2.** Levantar la parte de arriba del cuerpo de alguien que está tumbado. || **incorporarse 3.** Entrar en un grupo, organización, empresa. **SIN.** 1. Añadir. 3. Integrarse. **ANT.** 1. Separar. 2. Recostar, tender.

incorpóreo, a *adj.* Inmaterial.

incorrección *s. f.* **1.** Error, falta. **2.** Falta de respeto o educación. **SIN.** 1. Equivocación. 2. Descortesía. **ANT.** 1. Acierto. 2. Cortesía.

incorrecto, ta *adj.* Que no es correcto. **SIN.** Equivocado. **ANT.** Acertado.

incorregible *adj.* Que no corrige sus faltas o errores.

incorrupto, ta *adj.* Que no se ha corrompido. **ANT.** Corrupto.

incredulidad *s. f.* Actitud incrédula. **SIN.** Escepticismo. **ANT.** Credulidad.

incrédulo, la *adj.* Que no cree que es verdad lo que le cuentan. **SIN.** Escéptico, desconfiado. **ANT.** Crédulo.

increíble *adj.* Difícil de creer. **SIN.** Inverosímil. **ANT.** Creíble.

incrementar *v.* Aumentar. **SIN.** Crecer, ampliar. **ANT.** Disminuir.

incremento *s. m.* Aumento. **SIN.** Crecimiento, ampliación, auge. **ANT.** Disminución.

increpar *v.* Reñir duramente.

incriminar *v.* Acusar a alguien de un delito grave.

incruento, ta *adj.* Se dice del enfrentamiento o la lucha sin víctimas. **ANT.** Cruento.

incrustación *s. f.* Acción de incrustar y cosa que se incrusta en otra.

incrustar *v.* Introducir algo en una superficie o en un cuerpo. **SIN.** Engastar, empotrar.

incubadora *s. f.* **1.** Aparato donde se mete a niños nacidos antes de tiempo o que tienen problemas de salud, para darles los cuidados necesarios. **2.** Aparato para empollar huevos artificialmente. **3.** Aparato para incubar microorganismos.

incubar *v.* **1.** Ponerse un ave sobre sus huevos para calentarlos y que nazcan los polluelos. **2.** Empezar a desarrollarse algo poco a poco. **SIN.** **2.** Gestarse.

inculcar *v.* Hacer que alguien tenga ciertas ideas o sentimientos. **SIN.** Infundir, imbuir.

inculpar *v.* Acusar de un delito.

inculto, ta *adj.* y *s.* **1.** Que tiene poca cultura. || *adj.* **2.** Se dice del terreno no cultivado. **SIN.** **1.** Ignorante. **2.** Yermo, baldío. **ANT.** **1.** Culto.

incultura *s. f.* Falta de cultura. **SIN.** Ignorancia. **ANT.** Saber.

incumbencia *s. f.* El hecho de incumbirle algo a una persona. **SIN.** Competencia.

incumbir *v.* Ser algo la obligación de uno o corresponderle por alguna razón. **SIN.** Atañer, concernir.

incumplimiento *s. m.* Acción de incumplir.

incumplir *v.* No cumplir. **SIN.** Infringir, quebrantar. **ANT.** Respetar.

incunable *adj.* y *s. m.* Libro impreso en el periodo que va desde la invención de la imprenta (1455) hasta el año 1500.

incurable *adj.* y *s.* Que no se puede curar.

incuria *s. f.* Descuido, abandono.

incurrir *v.* Cometer una falta, error, etc. **SIN.** Incidir.

incursión *s. f.* **1.** Entrada de un ejército en territorio enemigo. **2.** Acción de iniciar alguien una nueva actividad. **SIN.** **1.** Correría, razia.

indagación *s. f.* Acción de indagar.

indagar *v.* Investigar, averiguar.

indebido, da *adj.* Que no debe hacerse. **ANT.** Debido.

indecencia *s. f.* Característica de indecente o cosa indecente. **SIN.** Inmoralidad; obscenidad. **ANT.** Decencia.

indecente *adj.* Que no es decente. **SIN.** Inmoral, obsceno; sucio. **ANT.** Honesto; limpio.

indecible *adj.* **1.** Muy grande: *alegría indecible.* || **2.** lo indecible Muchísimo.

indecisión *s. f.* Falta de decisión. **SIN.** Duda, vacilación. **ANT.** Determinación.

indeciso, sa *adj.* y *s.* Que duda y no sabe qué hacer. **SIN.** Dubitativo, vacilante. **ANT.** Decidido.

indecoroso, sa *adj.* Que no guarda el debido decoro. **SIN.** Indecente. **ANT.** Decoroso.

indefensión *s. f.* El estar indefenso.

indefenso, sa *adj.* Que no puede o no sabe defenderse.

indefinido, da *adj.* **1.** Que no es definido o claro: *sabor indefinido.* **2.** Sin límite: *contrato indefinido.* || *adj.* y *s. m.* **3.** Se dice del adjetivo o pronombre que no se refiere a una persona o cosa concretos: *algunos, varios, cualquiera.* **4.** Se dice del pretérito perfecto simple: *canté.* **SIN.** **1.** Impreciso, confuso. **2.** Ilimitado. **ANT.** **1.** Preciso.

indeleble *adj.* Que no se puede borrar.

indemne *adj.* Que no ha sufrido daño. **SIN.** Incólume, ileso.

indemnización *s. f.* Dinero u otra cosa con que se indemniza.

indemnizar *v.* Dar dinero u otra cosa a uno por un perjuicio que ha sufrido. **SIN.** Resarcir, reparar.

independencia *s. f.* Situación de la persona o cosa independiente. **SIN.** Libertad, emancipación. ANT. Dependencia, sumisión.

independentismo s. m. Movimiento partidario de la independencia de un territorio que pertenece a un país.

independentista adj. y s. Del independentismo o partidario de él.

independiente adj. 1. Que no está unido a otro. 2. Que no depende de otra persona, país, etc. SIN. 2. Autónomo. ANT. 1 y 2. Sometido.

independientemente adv. Sin tener en cuenta: *Irán al campo independientemente del tiempo que haga.*

independizarse v. Hacerse independiente. SIN. Emanciparse.

indescifrable adj. Que no se puede descifrar o entender. SIN. Incomprensible, ininteligible. ANT. Comprensible.

indescriptible adj. Que es difícil de describir por lo impresionante que es.

indeseable adj. y s. Persona mala, despreciable. SIN. Indigno. ANT. Digno.

indestructible adj. Que no se puede destruir. SIN. Irrompible, inalterable.

indeterminado, da adj. 1. Que no se sabe exactamente cuál es: *una cantidad indeterminada.* 2. En algunas gramáticas, se dice del artículo (*un, una, unos, unas*) que va delante de un nombre no conocido por los que hablan. SIN. 1. Impreciso. ANT. 1 y 2. Determinado.

indiano, na adj. y s. Se dice del que había hecho fortuna en América.

indicación s. f. Palabra, rótulo o señal que indica algo.

indicado, da 1. p. de **indicar**. También adj. || adj. 2. Adecuado, conveniente. SIN. 2. Apropiado. ANT. 2. Inapropiado.

indicador, ra adj. y s. 1. Que indica algo. || s. m. 2. Instrumento para indicar alguna cosa: *indicador de velocidad.*

indicar v. 1. Decir algo con palabras o señales. 2. Decir, ordenar o aconsejar a alguien lo que tiene que hacer. SIN. 1. Comunicar, avisar.

indicativo, va adj. y s. m. 1. Que indica. 2. Modo verbal que expresa acciones reales: *tú comes* (presente de indicativo). SIN. 1. Indicador, indicación.

índice s. m. 1. En un libro, lista donde pone el título de cada parte y la página en la que está. 2. Dedo de la mano que usamos para señalar. 3. Hecho o dato que indica una cosa. 4. Número que expresa la cantidad o proporción de algo: *índice de natalidad.* SIN. 3. Indicio, señal. 4. Tasa.

indicio s. m. Lo que indica que hay o ha habido una cosa o que algo va a pasar. SIN. Señal, síntoma, índice.

indiferencia s. f. Desinterés, desprecio. SIN. Apatía. ANT. Interés.

indiferente adj. 1. Que da igual. 2. Se dice de la persona a la que no le interesa alguien o algo, que le da igual. SIN. 1. Indistinto. 2. Desinteresado, distante. ANT. 1. Preferible. 2. Interesado.

indígena adj. y s. De un país o región; se dice sobre todo de los primeros pobladores de un lugar y de sus descendientes sin mezcla de otra raza. SIN. Nativo, aborigen, autóctono. ANT. Extranjero.

indigencia s. f. Pobreza, miseria.

indigente adj. y s. Persona muy pobre. SIN. Menesteroso, mendigo. ANT. Rico.

indigestarse v. Sufrir una indigestión. SIN. Empacharse.

indigestión s. f. Malestar en el estómago causado por una mala digestión. SIN. Empacho.

indigesto, ta adj. Se dice de la comida que sienta mal porque es muy fuerte.

indignación s. f. Gran enfado que produce algo malo o injusto. SIN. Irritación, enojo. ANT. Agrado.

indignante adj. Que causa indignación. SIN. Irritante.

indignar v. Causar indignación. SIN. Irritar, enojar. ANT. Agradar.

indigno, na adj. Que no es digno. ANT. Merecedor.

índigo s. m. Añil.

indio, dia adj. y s. 1. De la India, país de Asia. 2. De los pueblos indígenas de América. EXPR. **hacer el indio** Hacer el tonto. SIN. 1. Hindú.

indirecta s. f. Cosa que se da a entender sin decirla claramente.

indirecto, ta adj. 1. Que no es directo. 2. Se dice del complemento que indica la persona o cosa que recibe el daño o provecho de la acción del verbo, como *a sus tíos* en *Escribió una carta a sus tíos.*

indisciplina s. f. Falta de disciplina.

indisciplinado, da adj. Que no tiene disciplina. SIN. Desobediente, rebelde. ANT. Disciplinado.

indiscreción s. f. 1. Característica de indiscreto. 2. Algo que resulta indiscreto. SIN. 1 y 2. Imprudencia. ANT. 1. Discreción.

indiscreto, ta adj. y s. 1. Que cuenta cosas que debería callarse. 2. Curioso,

entrometido. ‖ *adj.* **3.** Que se dice y debería callarse: *comentario indiscreto.* **Sin. 1** y **3.** Imprudente. **2.** Cotilla. **3.** Inconveniente. **Ant. 1** a **3.** Discreto.

indiscriminado, da *adj.* Igual para todos, sin distinguir entre unos y otros. **Sin.** Indistinto.

indiscutible *adj.* Que está tan claro que no se puede discutir. **Sin.** Incontestable, evidente. **Ant.** Discutible.

indisoluble *adj.* Que no se puede disolver. **Sin.** Insoluble. **Ant.** Soluble.

indispensable *adj.* Completamente necesario. **Sin.** Imprescindible, preciso. **Ant.** Innecesario.

indisponer *v.* **1.** Enfrentar, enemistar. ‖ **indisponerse 2.** Sufrir indisposición. ◻ Es *v.* irreg. Se conjuga como *poner.*

indisposición *s. f.* Enfermedad que no es grave y dura poco. **Sin.** Trastorno.

indispuesto, ta 1. *p.* de **indisponer.** También *adj.* ‖ *adj.* **2.** Un poco enfermo.

indistinto, ta *adj.* Indiferente, igual.

individual *adj.* De una sola persona o para una sola persona. **Sin.** Particular, personal. **Ant.** Colectivo.

individualismo *s. m.* Forma de pensar y de actuar de las personas individualistas.

individualista *adj.* y *s.* Se dice de aquel al que le gusta hacerlo todo él solo.

individuo, dua *s. m.* y *f.* **1.** Persona, sujeto. ‖ *s. m.* **2.** Miembro de un grupo. **Sin. 1.** Tipo.

indivisible *adj.* Que no se puede dividir. **Ant.** Divisible.

indochino, na *adj.* y *s.* De Indochina, península de Asia.

indoeuropeo, a *adj.* y *s.* **1.** De unos pueblos antiguos, procedentes de las estepas asiáticas, que se extendieron por Europa y el oeste de Asia. ‖ *s. m.* **2.** Idioma de estos pueblos, del que proceden las lenguas latinas, germánicas, eslavas y muchas otras.

índole *s. f.* **1.** Forma de ser, naturaleza: *persona de mala índole.* **2.** Tipo, clase. **Sin. 1** y **2.** Carácter.

indolencia *s. f.* Característica de indolente. **Sin.** Apatía. **Ant.** Diligencia.

indolente *adj.* y *s.* Perezoso, descuidado, apático. **Ant.** Diligente.

indoloro, ra *adj.* Que no duele.

indomable *adj.* Que no se deja domar o dominar. **Sin.** Indómito. **Ant.** Dócil.

indómito, ta *adj.* Rebelde, indomable. **Sin.** Salvaje. **Ant.** Dócil.

indonesio, sia *adj.* y *s.* **1.** De Indonesia, país de Asia. ‖ *s. m.* **2.** Grupo de lenguas del sudeste de Asia.

inducción *s. f.* Acción de inducir.

inducir *v.* Llevar a alguien a hacer o pensar algo. ◻ Es *v.* irreg. Se conjuga como *conducir.* **Sin.** Impulsar, incitar. **Ant.** Disuadir.

inductor, ra *adj.* y *s.* Que induce. **Sin.** Instigador.

indudable *adj.* Muy claro, evidente. **Sin.** Indiscutible. **Ant.** Dudoso.

indulgencia *s. f.* **1.** Característica de indulgente. **2.** Perdón que concede la Iglesia del castigo por los pecados. **Sin. 1.** Comprensión, tolerancia. **Ant. 1.** Intolerancia.

indulgente *adj.* Comprensivo, tolerante. **Sin.** Condescendiente, benévolo. **Ant.** Inflexible.

indultar *v.* Dar el indulto a alguien.

indulto *s. m.* Perdón de una pena o de una parte de ella. **Sin.** Amnistía.

indumentaria *s. f.* Ropa, vestimenta.

industria *s. f.* **1.** Actividad que consiste en transformar con máquinas las materias primas en objetos o productos útiles. **2.** Fábrica. **Sin. 1.** Manufactura. **Ant. 1.** Artesanía.

industrial *adj.* **1.** De la industria. ‖ *s. m.* y *f.* **2.** Fabricante o empresario.

industrializar *v.* Crear industrias en un lugar o desarrollar las que había.

industrioso, sa *adj.* **1.** Habilidoso, mañoso. **2.** Muy trabajador. **Sin. 2.** Laborioso.

inédito, ta *adj.* **1.** No publicado todavía: *una novela inédita.* **2.** Que todavía no ha publicado nada: *un autor inédito.*

inefable *adj.* Que no se puede expresar con palabras: *una emoción inefable.*

ineficacia *s. f.* Falta de eficacia.

ineficaz *adj.* Que no es eficaz, inútil. **Sin.** Nulo, inepto.

ineludible *adj.* Que no se puede eludir. **Sin.** Inevitable.

inenarrable *adj.* Indescriptible.

ineptitud *s. f.* Característica de inepto. **Sin.** Incompetencia.

inepto, ta *adj.* y *s.* Torpe, inútil. **Sin.** Incompetente. **Ant.** Competente.

inequívoco, ca *adj.* Indudable. **Sin.** Evidente. **Ant.** Dudoso.

inercia *s. f.* **1.** Tendencia de los cuerpos a mantenerse quietos o en movimiento si no lo impide una fuerza externa. **2.** Pereza, apatía.

inerme adj. Desarmado o indefenso.

inerte adj. Que no tiene vida.

inescrutable adj. Que no se puede saber: *El futuro es inescrutable.*

inesperado, da adj. Que no se espera. Sin. Imprevisto, insospechado. Ant. Previsto.

inestabilidad s. f. Situación o condición inestable. Sin. Inseguridad. Ant. Estabilidad.

inestable adj. **1.** Que puede caerse o cambiar con facilidad. **2.** Que cambia fácilmente de idea o estado de ánimo. Sin. **1.** Variable, inseguro. **2.** Voluble. Ant. **1.** Seguro. **1** y **2.** Estable.

inestimable adj. Muy valioso: *una ayuda inestimable.* Sin. Inapreciable.

inevitable adj. Que no se puede evitar. Sin. Irremediable, ineludible.

inexactitud s. f. **1.** Hecho de ser alguna cosa inexacta. **2.** Cosa inexacta. Sin. **1** y **2.** Incorrección, imprecisión. Ant. **1.** Exactitud.

inexacto, ta adj. Que no es exacto. Sin. Incorrecto, impreciso; falso. Ant. Correcto; cierto.

inexcusable adj. Imperdonable.

inexistencia s. f. El hecho de no existir. Ant. Existencia.

inexistente adj. Que no existe o no hay. Sin. Irreal; ausente. Ant. Existente.

inexorable adj. Inevitable, irremediable. Sin. Ineludible.

inexperiencia s. f. Falta de experiencia. Sin. Impericia. Ant. Pericia.

inexperto, ta adj. y s. Sin experiencia. Sin. Novato, principiante. Ant. Experto.

inexplicable adj. Que no se puede explicar.

inexpresivo, va adj. Poco expresivo, que no muestra lo que piensa o siente.

inexpugnable adj. Imposible o difícil de conquistar: *una fortaleza inexpugnable.*

infalible adj. Seguro, que no falla.

infame adj. y s. **1.** Malvado, ruin. **2.** Muy malo. Sin. **1.** Perverso. **2.** Pésimo. Ant. **1.** Bondadoso. **2.** Extraordinario.

infamia s. f. Deshonra, vileza.

infancia s. f. Primer periodo de la vida de las personas. Sin. Niñez.

infante, ta s. m. y f. **1.** Hermano o hermana de un príncipe o una princesa. **2.** Antiguo título castellano que se daba a los parientes del rey. **3.** Niño.

infantería s. f. Conjunto de soldados que luchan a pie.

infanticida adj. y s. Que comete infanticidio.

infanticidio s. m. El matar a un niño.

infantil adj. De los niños o destinado a ellos.

infarto s. m. Daño que se produce en un órgano, sobre todo en el corazón, por obstrucción de la circulación sanguínea.

infatigable adj. Incansable. Ant. Cansino.

infausto, ta adj. Desgraciado, aciago.

infección s. f. **1.** Hecho de infectarse una herida. **2.** Enfermedad causada por microbios.

infeccioso, sa adj. Que causa infección o se produce por ella.

infectar v. **1.** Llenar de microbios una herida, una parte del cuerpo o una cosa. **2.** Contagiar una enfermedad. Sin. **2.** Transmitir. Ant. **1.** Desinfectar.

infecto, ra adj. **1.** Que se ha infectado. **2.** Sucio, repugnante.

infelicidad s. f. Sentimiento de la persona que no es feliz.

infeliz adj. y s. **1.** Que no es feliz. **2.** De poco carácter o muy inocente: *un pobre infeliz.* Sin. **1.** Desgraciado, desdichado. **2.** Apocado; ingenuo. Ant. **1.** Dichoso. **2.** Decidido; pícaro.

inferior adj. **1.** Que está más abajo o por debajo de otra cosa. **2.** De menos cantidad, tamaño, calidad, categoría. || adj. y s. **3.** Que está a las órdenes de otro o es de clase social más baja. Sin. **2.** Peor. **3.** Subordinado, subalterno. Ant. **1** a **3.** Superior. **2.** Mejor.

inferioridad s. f. Hecho de ser inferior. Ant. Superioridad.

inferir v. **1.** Deducir, sacar consecuencias. **2.** Causar daños, heridas, etc. □ Es v. irreg. Se conjuga como *sentir.*

infernal adj. **1.** Del infierno. **2.** Muy malo o desagradable. Sin. **2.** Horrible, espantoso. Ant. **1.** Celestial. **2.** Estupendo.

infertilidad s. f. Característica de la tierra, hembra o mujer que no es fértil. Sin. Esterilidad.

infestar v. Llenar de algo malo. Ant. Vaciar, limpiar.

infidelidad s. f. Falta de fidelidad. Sin. Deslealtad. Ant. Lealtad.

infiel adj. **1.** Que no es fiel. || adj. y s. **2.** De distinta religión a la que uno tiene y que éste considera falsa. Sin. **1.** Desleal, traidor. **2.** Gentil. Ant. **1.** Leal.

infiernillo s. m. Hornillo.

infierno *s. m.* **1.** Según algunas religiones, lugar adonde van los que mueren en pecado. **2.** Lugar o situación en los que se sufre mucho. **Ant.** **1.** Cielo. **1** y **2.** Gloria.

infijo, ja *s. m.* Afijo que está dentro de una palabra, como -ec- en *panecillo*.

infiltración *s. f.* Acción de infiltrar.

infiltrar *v.* **1.** Hacer penetrar un líquido en un cuerpo sólido. ‖ **infiltrarse 2.** Meterse uno en un lugar o grupo sin que los demás se enteren o sepan quién es.

ínfimo, ma *adj.* Muy poco o muy malo. **Sin.** Mínimo; pésimo. **Ant.** Grande; estupendo.

infinidad *s. f.* Gran número. **Sin.** Multitud. **Ant.** Escasez.

infinitivo *s. m.* Forma del verbo que da nombre a éste (*cantar, temer, partir*).

infinito, ta *adj.* **1.** Sin fin. **2.** Que hay tantos que no se pueden contar. ‖ *s. m.* **3.** Lo que no tiene fin ni límites. **Sin.** **1.** Finito. **2.** Incontable, innumerable.

infinitud *s. f.* Característica de infinito.

inflación *s. f.* Subida grande y continua de los precios.

inflacionario, ria o **inflacionista** *adj.* De la inflación o relacionado con ella.

inflamable *adj.* Que arde fácilmente.

inflamación *s. f.* Hecho de inflamarse.

inflamarse *v.* **1.** Arder algo con llamas. **2.** Hincharse una parte del cuerpo. **Sin.** **1.** Incendiarse, encenderse. **Ant.** **1.** Apagarse. **2.** Deshincharse.

inflar *v.* Hinchar. **Ant.** Desinflar.

inflexible *adj.* Firme, que no cambia de opinión. **Sin.** Rígido, severo. **Ant.** Flexible.

infligir *v.* Hacer sufrir a alguien castigos o derrotas. **Sin.** Aplicar.

inflorescencia *s. f.* Grupo de flores agrupadas en una misma rama.

influencia *s. f.* Poder o efecto de una persona o cosa sobre otra. **Sin.** Influjo.

influenciar *v.* Influir en una persona.

influir *v.* Ejercer influencia. □ Es v. irreg. Se conjuga como *huir*.

influjo *s. m.* Influencia.

influyente *adj.* **1.** Que influye. **2.** Se dice de la persona importante, con poder. **Sin.** **2.** Poderoso.

información *s. f.* **1.** Acción de informar. **2.** Noticias y datos sobre una cosa. **3.** Lugar donde se informa sobre algo.

informal *adj.* y *s.* **1.** Que no cumple sus obligaciones o compromisos. **2.** Poco serio o solemne: *reunión informal*. **Sin.** **1.** Irresponsable. **Ant.** **1.** Cumplidor. **1** y **2.** Formal.

informalidad *s. f.* Característica de informal. **Ant.** Formalidad.

informante *s. m.* y *f.* Persona que da una información.

informar *v.* Dar datos o noticias de algo.

informática *s. f.* Técnicas y conocimientos relativos a los ordenadores.

informático, ca *adj.* **1.** De la informática o relacionado con ella. ‖ *s. m.* y *f.* **2.** Experto en informática.

informativo, va *adj.* **1.** Que informa. ‖ *s. m.* **2.** Programa de radio o televisión donde se dan las noticias.

informatizar *v.* Utilizar la informática en una actividad.

informe¹ *s. m.* Conjunto de datos o informaciones sobre una persona o cosa. **Sin.** Referencia, noticia, dossier.

informe² *adj.* Deforme o sin forma definida: *una masa informe*. **Sin.** Amorfo.

infortunado, da *adj.* Desafortunado.

infortunio *s. m.* Desgracia, mala suerte. **Sin.** Adversidad.

infracción *s. f.* El infringir o no cumplir una norma. **Sin.** Falta.

infractor, ra *adj.* y *s.* Que ha cometido una infracción.

infraestructura *s. f.* Instalaciones y servicios básicos necesarios para una actividad o para vivir en un lugar.

infrahumano, na *adj.* Tan malo que no es propio del ser humano. **Sin.** Indigno.

infranqueable *adj.* Que no se puede atravesar o superar. **Ant.** Accesible.

infrarrojo, ja *adj.* Se dice de unos rayos no visibles al ojo humano, que son emitidos por los cuerpos calientes.

infrecuente *adj.* Poco frecuente. **Sin.** Raro, insólito. **Ant.** Habitual.

infringir *v.* No cumplir una ley o una norma. **Sin.** Incumplir, violar. **Ant.** Obedecer.

infructuoso, sa *adj.* Inútil, estéril.

ínfula *s. f.* **1.** Cada una de las dos cintas anchas que cuelgan de la mitra de los obispos. ‖ *pl.* **2.** Soberbia, vanidad: *darse ínfulas*. **Sin.** **2.** Humos.

infundado, da *adj.* Que no tiene motivo o fundamento. **Sin.** Injustificado. **Ant.** Fundado.

infundio *s. m.* Calumnia, mentira.

infundir *v.* Causar en alguien un sentimiento o estadó de ánimo. **Sin.** Inspirar, inculcar.

infusión *s. f.* Bebida que se hace cociendo o metiendo en agua muy caliente hierbas, hojas, frutos o semillas.

infuso, sa *adj.* Se dice de los conocimientos que Dios comunica directamente al hombre: *ciencia infusa.*

ingeniar *v.* Inventar o idear algo con ingenio. **Expr. ingeniárselas** Hacer algo para lograr una cosa o salir de un apuro. **Sin.** Planear, imaginar.

ingeniería *s. f.* Estudios y técnicas que permiten construir o fabricar cosas aplicando los conocimientos científicos.

ingeniero, ra *s. m. y f.* Persona que tiene un título universitario en ingeniería.

ingenio *s. m.* Capacidad para pensar o inventar cosas o para hablar con gracia. **Sin.** Talento, inventiva.

ingenioso, sa *adj.* Que tiene ingenio.

ingente *adj.* Muy grande o numeroso. **Sin.** Inmenso, enorme. **Ant.** Insignificante.

ingenuidad *s. f.* Característica de ingenuo. **Sin.** Candidez. **Ant.** Malicia.

ingenuo, nua *adj. y s.* Inocente, sin picardía. **Sin.** Cándido. **Ant.** Malicioso.

ingerir *v.* Tomar comida, bebida o medicinas. □ Es v. irreg. Se conjuga como *sentir.*

ingestión *s. f.* Acción de ingerir.

ingle *s. f.* Parte del cuerpo donde se une el tronco con el muslo.

inglés, sa *adj. y s.* **1.** De Inglaterra, país del Reino Unido. **2.** Británico. ‖ *s. m.* **2.** Lengua que se habla en el Reino Unido, los Estados Unidos y muchos otros países.

inglete *s. m.* Unión en ángulo recto que forman dos piezas ensambladas.

ingratitud *s. f.* Falta de gratitud.

ingrato, ta *adj. y s.* **1.** Desagradecido. **2.** Desagradable, molesto. **Sin. 2.** Fastidioso. **Ant. 1 y 2.** Agradecido.

ingravidez *s. f.* Hecho de no estar sometidos los cuerpos a la fuerza de la gravedad.

ingrávido, da *adj.* **1.** En estado de ingravidez. **2.** Muy ligero. **Sin. 2.** Liviano.

ingrediente *s. m.* Cada uno de los alimentos o sustancias con que se hace un guiso, una bebida, un medicamento. **Sin.** Componente.

ingresar *v.* **1.** Entrar o meter en un organismo, en una asociación, en un hospital. **2.** Meter dinero en el banco. **3.** Ganar o recibir una cantidad de dinero. **Sin. 1.** Incorporarse; internar. **Ant. 1.** Salir, abandonar. **2.** Sacar.

ingreso *s. m.* **1.** Acción de ingresar. **2.** Lo que se ingresa, sobre todo dinero.

inguinal *adj.* Relacionado con la ingle.

inhabilitar *v.* **1.** Declarar oficialmente que una persona no puede ocupar un cargo o disfrutar de un derecho. **2.** Impedir, por ejemplo una lesión, que alguien pueda hacer algo. **Sin. 1 y 2.** Incapacitar.

inhabitable *adj.* Que no reúne las condiciones suficientes para ser habitado.

inhalación *s. f.* Acción de inhalar.

inhalar *v.* Aspirar un gas, un vapor o un líquido en gotas muy finas.

inherente *adj.* Que es propio de algo y siempre va unido a ello.

inhibición *s. f.* El inhibir o inhibirse.

inhibir *v.* **1.** Hacer que alguien no actúe como quiere. ‖ **inhibirse 2.** No actuar o no intervenir. **Sin. 1.** Cohibir, refrenar. **Ant. 1.** Animar.

inhóspito, ta *adj.* Se dice del lugar o el clima muy duros o desagradables. **Ant.** Acogedor.

inhumación *s. f.* Acción de inhumar. **Sin.** Sepultura. **Ant.** Exhumación.

inhumano, na *adj.* Muy malo y cruel. **Sin.** Despiadado, atroz. **Ant.** Piadoso.

inhumar *v.* Enterrar un cadáver. **Sin.** Sepultar. **Ant.** Exhumar.

iniciación *s. f.* Acción de iniciar o iniciarse. **Sin.** Comienzo, principio. **Ant.** Final.

iniciado, da 1. *p.* de **iniciar.** También *adj. y s.* **2.** Que tiene conocimientos sobre algo, en especial si es secreto o misterioso.

inicial *adj.* **1.** Que está al principio. ‖ *adj. y s. m.* **2.** Primera letra de una palabra. **Ant. 1.** Final.

iniciar *v.* **1.** Comenzar. **2.** Dar a alguien los primeros conocimientos de una actividad o revelarle los secretos de algo. **Sin. 1.** Empezar.

iniciativa *s. f.* **1.** Capacidad para llevar a cabo planes o ideas. **2.** Proposición, sugerencia. **3.** El hacer algo antes que los demás: *Miguel tomó la iniciativa.* **Sin. 1.** Decisión.

inicio *s. m.* Principio, comienzo.

inicuo, cua *adj.* **1.** Injusto. **2.** Malvado.

inigualable *adj.* Tan bueno que no se puede igualar. **Sin.** Incomparable.

inimaginable *adj.* Difícil de imaginar.

inimitable *adj.* Que no se puede imitar.

ininteligible *adj.* Que no se entiende. **Sin.** Incomprensible, enrevesado. **Ant.** Inteligible.

ininterrumpido, da *adj.* Seguido, sin interrupciones. **Sin.** Continuo, constante, incesante. **Ant.** Interrumpido, intermitente.

injerencia *s. f.* Acción de injerirse.

injerirse *v.* Entrometerse, inmiscuirse. □ Es v. irreg. Se conjuga como *sentir*.

injertar *v.* **1.** Unir una rama o tronco de una planta a otra para que crezca en ella. **2.** Poner un trozo de piel o tejido en una parte dañada del cuerpo para que se unan.

injerto *s. m.* **1.** Acción de injertar. **2.** Lo que se injerta.

injuria *s. f.* Ofensa o insulto muy grave. **Sin.** Afrenta, agravio. **Ant.** Alabanza.

injuriar *v.* Ofender o insultar. **Sin.** Agraviar. **Ant.** Alabar.

injurioso, sa *adj.* Ofensivo, que injuria. **Sin.** Insultante.

injusticia *s. f.* **1.** El ser una cosa injusta. **2.** Acción injusta.

injustificable *adj.* Que no se puede justificar o disculpar.

injustificado, da *adj.* Que no tiene ninguna razón o justificación.

injusto, ta *adj.* Que no es justo. **Sin.** Arbitrario, parcial. **Ant.** Imparcial.

Inmaculado, da *adj.* Sin ninguna mancha o defecto. **Sin.** Impecable.

inmadurez *s. f.* Característica de la persona inmadura, poco responsable. **Ant.** Madurez.

inmaduro, ra *adj. y s.* Que todavía no ha madurado. **Ant.** Maduro.

inmaterial *adj.* Que no es material, que no se puede ver ni tocar. **Sin.** Incorpóreo. **Ant.** Corpóreo.

inmediaciones *s. f. pl.* Alrededores. **Sin.** Aledaños, cercanías.

inmediato, ta *adj.* **1.** Que ocurre en seguida. **2.** Que está junto a otra cosa. **Sin.** **1.** Instantáneo. **2.** Contiguo.

inmejorable *adj.* Magnífico, excelente.

inmemorial *adj.* Muy antiguo.

inmensidad *s. f.* Característica de lo que es inmenso. **Sin.** Enormidad. **Ant.** Pequeñez.

inmenso, sa *adj.* Muy grande. **Sin.** Enorme, tremendo. **Ant.** Pequeño.

inmerecido, da *adj.* No merecido.

inmersión *s. f.* Acción de sumergir en un líquido.

inmerso, sa *adj.* **1.** Dentro de un líquido. **2.** Muy concentrado en alguna cosa. **3.** Metido en una situación mala. **Sin.** **1.** Sumergido. **2.** Abstraído, ensimismado.

inmigración *s. f.* Acción de inmigrar. **Ant.** Emigración.

inmigrante *s. m. y f.* El que inmigra. **Ant.** Emigrante.

inmigrar *v.* Llegar a un país o lugar para quedarse a vivir allí. **Ant.** Emigrar.

inminente *adj.* Que va a suceder en seguida. **Sin.** Inmediato. **Ant.** Remoto.

inmiscuirse *v.* Entrometerse. □ Es v. irreg. Se conjuga como *huir*.

inmisericorde *adj.* Sin misericordia.

inmobiliario, ria *adj.* **1.** De los bienes inmuebles. ‖ *s. f.* **2.** Empresa que construye, vende y alquila viviendas y locales.

inmodestia *s. f.* Falta de modestia.

inmodesto, ta *adj.* Que no es modesto. **Sin.** Presumido.

inmolación *s. f.* Acción de inmolar. **Sin.** Sacrificio.

inmolar *v.* Matar a una persona o a un animal como sacrificio a los dioses. **Sin.** Sacrificar.

inmoral *adj. y s.* Que va contra la moral. **Sin.** Deshonesto, indecente. **Ant.** Decente.

inmoralidad *s. f.* Característica de inmoral o acción inmoral. **Sin.** Indecencia. **Ant.** Moralidad.

inmortal *adj.* **1.** Que no puede morir. **2.** Que perdurará: *una obra inmortal.* **Sin.** **1.** Eterno, imperecedero. **Ant.** **1.** Mortal. **1 y 2.** Perecedero.

inmortalidad *s. f.* El ser inmortal.

inmóvil *adj.* Que no se mueve. **Sin.** Quieto, parado. **Ant.** Móvil.

inmovilidad *s. f.* El estar inmóvil.

inmovilizar *v.* Dejar inmóvil. **Sin.** Paralizar, detener. **Ant.** Mover.

inmueble *adj.* **1.** Se dice de los bienes que no pueden trasladarse, como casas, terrenos, etc. ‖ *s. m.* **2.** Edificio.

inmundicia *s. f.* Basura, suciedad. **Sin.** Porquería, cochambre.

inmundo, da *adj.* Muy sucio. **Sin.** Cochambroso. **Ant.** Limpio.

inmune *adj.* Que tiene inmunidad.

inmunidad *adj.* **1.** Protección contra una enfermedad u otras cosas perjudiciales. **2.** Privilegio que impide que algunas personas, como diplomáticos o parlamentarios, puedan ser detenidos y juzgados por procedimientos normales.

inmunizar v. Hacer inmune.

inmunología s. f. Parte de la medicina que estudia las defensas del organismo contra las infecciones.

inmunológico, ca adj. **1.** De la inmunología. || **2. sistema inmunológico** Conjunto de órganos que defienden el organismo contra las infecciones.

inmutable adj. Que no cambia. **Sin.** Inalterable. **Ant.** Variable.

inmutarse v. Ponerse nervioso o emocionarse: *Ni se inmutó con la noticia.* **Sin.** Alterar, conmover.

innato, ta adj. Que se tiene desde el nacimiento. **Sin.** Natural, congénito. **Ant.** Adquirido.

innecesario, ria adj. No necesario.

innegable adj. Evidente, indiscutible.

innoble adj. Despreciable, vil, indigno.

innovación s. f. Novedad, cosa nueva.

innovar v. Hacer innovaciones.

innumerable adj. Muy numeroso. **Sin.** Incontable. **Ant.** Escaso.

inocencia s. f. Característica de inocente. **Sin.** Ingenuidad. **Ant.** Malicia; culpabilidad.

inocentada s. f. Broma que suele gastarse el día 28 de diciembre, fiesta de los Santos Inocentes.

inocente adj. y s. **1.** Que no tiene culpa. **2.** Crédulo o sin mala intención. **Sin. 2.** Ingenuo. **Ant. 1.** Culpable. **2.** Malicioso.

inocuidad s. f. Característica de las cosas inocuas.

inocular v. Introducir en el cuerpo una sustancia. **Sin.** Inyectar.

inocuo, cua adj. Que no hace daño. **Sin.** Inofensivo. **Ant.** Dañino.

inodoro, ra adj. **1.** Que no tiene olor. || s. m. **2.** Retrete. **Ant. 1.** Oloroso.

inofensivo, va adj. Que no hace daño. **Sin.** Inocuo. **Ant.** Dañino.

inolvidable adj. Difícil de olvidar, sobre todo porque es muy bueno.

inopia Se usa en la expresión **estar en la inopia**, 'estar distraído', 'no enterarse'.

inopinado, da adj. Inesperado, repentino.

inoportuno, na adj. y s. Que se hace, se dice o sucede en el lugar o el mo-

mento en que no debe. **Sin.** Intempestivo. **Ant.** Oportuno.

inorgánico, ca adj. Que no tiene vida: *Los minerales son materia inorgánica.* **Ant.** Orgánico.

inoxidable adj. Que no se oxida.

inquebrantable adj. Que se mantiene firme: *fe inquebrantable.* **Sin.** Sólido. **Ant.** Frágil.

inquietar v. Poner inquieto o nervioso. **Sin.** Intranquilizar, alarmar. **Ant.** Tranquilizar.

inquieto, ta adj. **1.** Que no puede estarse quieto. **2.** Nervioso, preocupado. **Sin. 1 y 2.** Intranquilo. **Ant. 1 y 2.** Tranquilo.

inquietud s. f. **1.** Nerviosismo, preocupación. **2.** Ganas de aprender y de hacer cosas nuevas. **Sin. 1.** Intranquilidad, agitación. **Ant. 1.** Tranquilidad.

inquilino, na s. m. y f. Persona que vive en una casa alquilada.

inquina s. f. Antipatía o manía.

inquirir v. Preguntar o investigar.

inquisición s. f. **1.** Acción de inquirir. **2.** Tribunal de la Iglesia que perseguía y juzgaba los delitos contra la religión.

inquisidor, ra adj. **1.** Inquisitivo. || s. m. **2.** Juez de la Inquisición.

inquisitivo, va adj. Que inquiere.

insaciable adj. Que no se sacia nunca.

insalivación s. f. El mezclar los alimentos con saliva dentro de la boca.

insalubre adj. Perjudicial para la salud. **Sin.** Insano, nocivo. **Ant.** Saludable.

insalvable adj. Imposible de superar o resolver: *dificultades insalvables.* **Sin.** Invencible, insuperable.

insano, na adj. Insalubre. **Sin.** Perjudicial, nocivo. **Ant.** Sano.

insatisfacción s. f. Estado del que no está satisfecho. **Sin.** Descontento. **Ant.** Satisfacción.

insatisfecho, cha adj. No satisfecho. **Sin.** Descontento.

inscribir v. **1.** Apuntar en una lista o en un registro. **2.** Dibujar una figura geométrica dentro de otra, de manera que se toquen en varios puntos, pero sin cortarse. □ Su p. es irreg.: *inscrito.* **Sin. 1.** Registrar. **Ant. 2.** Circunscribir.

inscripción s. f. **1.** Acción de inscribir. **2.** Palabras grabadas en una piedra o en un objeto de metal o de madera. **Sin. 1.** Anotación, registro.

insecticida s. m. Producto para matar insectos.

insectívoro, ra *adj.* y *s. m.* Que se alimenta de insectos.

insecto *s. m.* Nombre de los animales de un grupo numerosísimo de artrópodos, que tienen antenas, tres pares de patas, el cuerpo dividido en tres partes y, muchos de ellos, uno o dos pares de alas.

inseguridad *s. f.* Falta de seguridad. **SIN.** Peligro; duda.

inseguro, ra *adj.* Que no es o no está seguro. **SIN.** Peligroso; dudoso. **ANT.** Firme.

inseminación *s. f.* Acción de inseminar: *inseminación artificial.*

inseminar *v.* Hacer llegar el semen del macho al óvulo de la hembra para fecundarlo.

insensatez *s. f.* **1.** Característica de insensato. **2.** Cosa insensata. **SIN. 1.** Necedad. **2.** Tontería. **ANT. 1.** Sensatez.

insensato, ta *adj.* y *s.* Imprudente, que no piensa bien lo que hace o dice. **SIN.** Irresponsable, necio. **ANT.** Sensato.

insensibilidad *s. f.* Característica de insensible. **ANT.** Sensibilidad.

insensibilizar *v.* Hacer insensible. **ANT.** Sensibilizar.

insensible *adj.* **1.** Que no siente el dolor, una sensación, un sentimiento. **2.** Que casi no se nota. **SIN. 2.** Inapreciable, imperceptible. **ANT. 1** y **2.** Sensible. **2.** Perceptible.

inseparable *adj.* Que no se puede separar o casi nunca se separa.

insepulto, ta *adj.* Se dice del cadáver que aún no está sepultado.

insertar *v.* Meter una cosa dentro de otra o entre otras. **SIN.** Introducir, intercalar. **ANT.** Sacar.

inserto, ta *adj.* Insertado en otra cosa.

inservible *adj.* Que no sirve. **SIN.** Inútil. **ANT.** Aprovechable.

insidia *s. f.* Lo que se hace o se dice con mala intención, para perjudicar.

insidioso, sa *adj.* y *s.* Que muestra insidia: *una pregunta insidiosa.* **SIN.** Malintencionado.

insigne *adj.* Famoso, ilustre.

insignia *s. f.* Símbolo o escudo de un equipo, una asociación, etc. **SIN.** Distintivo, enseña.

insignificancia *s. f.* Cosa insignificante o el ser insignificante.

insignificante *adj.* Muy pequeño o muy poco importante. **SIN.** Inapreciable, insustancial, ridículo.

insinuación *s. f.* Acción o palabras con que se insinúa algo.

insinuar *v.* **1.** Dar a entender algo sin decirlo claramente. || **insinuarse 2.** Verse o notarse algo ligeramente. **SIN. 1.** Sugerir, apuntar. **2.** Adivinarse.

insípido, da *adj.* Que no sabe a nada. **SIN.** Soso, insulso. **ANT.** Sabroso.

insistencia *s. f.* El hecho de insistir mucho. **SIN.** Persistencia, perseverancia.

insistente *adj.* Que insiste mucho. **SIN.** Persistente, perseverante.

insistir *v.* Repetir una acción o pedir algo varias veces para lograr lo que se pretende. **SIN.** Persistir, perseverar. **ANT.** Desistir.

insobornable *adj.* Que no se deja sobornar. **ANT.** Venal.

insolación *s. f.* Daño o malestar que produce el estar al sol mucho tiempo.

insolencia *s. f.* Falta de respeto.

insolentarse *v.* Ponerse insolente.

insolente *adj.* y *s.* Descarado, que no tiene respeto. **SIN.** Impertinente. **ANT.** Respetuoso.

insolidaridad *s. f.* Falta de solidaridad.

insolidario, ria *adj.* y *s.* No solidario.

insólito, ta *adj.* Raro, poco frecuente. **SIN.** Anormal, inaudito. **ANT.** Normal.

insoluble *adj.* **1.** Que no se puede disolver. **2.** Imposible de solucionar. **SIN. 1.** Indisoluble. **ANT. 1.** Soluble.

insolvente *adj.* Que no es solvente.

insomne *adj.* Que tiene insomnio.

insomnio *s. m.* Dificultad que tiene alguien para dormirse.

insondable *adj.* Muy difícil de conocer o comprender: *un misterio insondable.*

insonorizar *v.* Preparar un recinto u otra cosa para que se oigan menos ruidos de fuera.

insoportable *adj.* Que no hay quien lo soporte. **SIN.** Inaguantable.

insoslayable *adj.* Que no se puede soslayar o evitar. **SIN.** Ineludible.

insospechado, da *adj.* Que nadie se lo esperaba. **SIN.** Inesperado, imprevisto. **ANT.** Previsto.

insostenible *adj.* **1.** Que no se puede soportar más. **2.** Se dice de las razones que no se pueden defender porque no tienen sentido. **SIN. 1.** Insoportable.

inspección *s. f.* Acción de inspeccionar. **SIN.** Revisión, reconocimiento.

inspeccionar *v.* Mirar, examinar o revisar algo con detalle. **SIN.** Explorar, reconocer.

inspector, ra *s. m.* y *f.* **1.** Persona que inspecciona algo. **2.** Policía que se encarga de una investigación.

inspiración *s. f.* **1.** Acción de inspirar. **2.** Idea que inspira a alguien. **SIN. 1.** Aspiración. **ANT. 1.** Espiración.

inspirado, da 1. *p.* de **inspirar.** También *adj.* ‖ *adj.* **2.** Que tiene inspiraciones o ideas.

inspirar *v.* **1.** Tomar aire u otro gas al respirar. **2.** Producir un sentimiento: *inspirar temor.* **3.** Darle a alguien ideas, o tomar una persona ideas de algo, para hacer o crear una cosa. **SIN. 1.** Aspirar, inhalar. **3.** Infundir, provocar. **3.** Sugerir. **ANT. 1.** Espirar.

instalación *s. f.* **1.** Acción de instalar. **2.** Conjunto de aparatos, edificios u otras cosas dispuestos para ser usados. **SIN. 1.** Colocación; montaje.

instalar *v.* **1.** Colocar alguna cosa en un lugar para que funcione y pueda usarse. **2.** Acomodar a alguien en un lugar. **SIN. 1.** Montar. **2.** Alojar.

instancia *s. f.* Escrito en el que se pide algo a alguien con autoridad. **EXPR. a instancias de** alguien A petición suya. **en última instancia** Si no hay otra solución. **SIN.** Solicitud.

instantáneo, a *adj.* Que se produce en seguida o dura sólo un instante. **SIN.** Inmediato; momentáneo. **ANT.** Retardado; eterno.

instante *s. m.* Un tiempo muy corto. **SIN.** Momento, segundo, periquete. **ANT.** Eternidad.

instar *v.* Pedir con insistencia.

instauración *s. f.* Acción de instaurar. **SIN.** Implantación.

instaurar *v.* Establecer, implantar. **SIN.** Instituir. **ANT.** Suprimir.

instigación *s. f.* Acción de instigar. **SIN.** Inducción. **ANT.** Disuasión.

instigador, ra *adj.* y *s.* Que instiga.

instigar *v.* Provocar, incitar. **SIN.** Inducir. **ANT.** Disuadir.

instintivo, va *adj.* Que se hace por instinto o sin pensar. **SIN.** Inconsciente.

instinto *s. m.* Conducta natural de las personas y los animales que hace que actúen de una manera, sin pensarlo ni haberlo aprendido. **SIN.** Intuición.

institución *s. f.* **1.** Acción de instituir y lo que se instituye. **2.** Organización fundada para realizar una actividad o proporcionar un servicio. **SIN. 1.** Fundación. **2.** Organismo. **ANT. 1.** Supresión.

institucional *adj.* De las instituciones.

institucionalizar *v.* Convertir algo en institución o darle sus características.

instituir *v.* Crear, establecer. ▫ Es v. irreg. Se conjuga como *huir.* **SIN.** Fundar, instaurar. **ANT.** Suprimir.

instituto *s. m.* **1.** Centro público donde se estudia el bachillerato. **2.** Nombre de algunas instituciones u organizaciones: *Instituto Nacional de Industria.*

institutriz *s. f.* Mujer que se encarga de la educación de los niños de una familia.

instrucción *s. f.* **1.** Normas u órdenes que dicen cómo hacer algo. **2.** Acción de instruir. **3.** Formación, estudios. **SIN. 1.** Directrices. **2.** Educación, adiestramiento. **3.** Cultura.

instructivo, va *adj.* Que instruye.

instructor, ra *adj.* y *s.* Persona encargada de instruir en alguna actividad.

instruir *v.* Enseñar, proporcionar conocimientos. ▫ Es v. irreg. Se conjuga como *huir.* **SIN.** Formar, adiestrar.

instrumental *adj.* **1.** De los instrumentos. ‖ *s. m.* **2.** Conjunto de instrumentos: *instrumental quirúrgico.*

instrumentista *s. m.* y *f.* Músico que toca un instrumento.

instrumento *s. m.* **1.** Cosa que sirve para realizar algo. **2.** Objeto que se emplea para producir sonidos musicales. **SIN. 1.** Herramienta, utensilio.

insubordinación *s. f.* Acción de insubordinarse.

insubordinarse *v.* Desobedecer, rebelarse contra el que manda. **ANT.** Someterse.

insuficiencia *s. f.* El no ser suficiente.

insuficiente *adj.* **1.** Que no es suficiente. ‖ *s. m.* **2.** Suspenso, nota. **SIN. 1.** Escaso, corto. **ANT. 1.** Bastante. **2.** Aprobado.

insuflar *v.* **1.** Introducir soplando gas, vapor o una sustancia en polvo en un órgano o cavidad. **2.** Transmitir sentimientos o ideas: *insuflar ánimos.*

insufrible *adj.* Insoportable, intolerable. **SIN.** Inaguantable. **ANT.** Tolerable.

insular *adj.* y *s.* De una isla. **SIN.** Isleño.

insulina *s. f.* Hormona producida por el páncreas y que regula la cantidad de glucosa en la sangre. La falta de insulina puede provocar diabetes.

insulso, sa *adj.* **1.** Sin sabor o con poco sabor. **2.** Sin gracia o interés. **SIN. 1.** Insípido. **1** y **2.** Soso. **ANT. 1.** Sabroso. **2.** Interesante.

insultante *adj.* Que insulta.

insultar v. Ofender con palabras, gestos o acciones. SIN. Injuriar, agraviar. ANT. Alabar.

insulto s. m. Lo que se dice o se hace a alguien cuando se le insulta. SIN. Injuria. ANT. Alabanza.

insumisión s. f. Rebeldía, desobediencia, insubordinación.

insumiso, sa adj. y s. 1. Que no obedece o no se somete. 2. Se dice del joven que se niega a hacer el servicio militar obligatorio.

insuperable adj. Muy difícil de superar. SIN. Invencible, insalvable.

insurgente adj. y s. Insurrecto.

insurrección s. f. Levantamiento o sublevación. SIN. Rebelión.

insurrecto, ta adj. y s. Que participa en una insurrección. SIN. Rebelde, insurgente.

insustancial adj. De poca importancia. SIN. Insignificante. ANT. Sustancial.

insustituible adj. Que no se puede sustituir. SIN. Irreemplazable.

intachable adj. Irreprochable. SIN. Impecable. ANT. Censurable.

intacto, ta adj. Que no ha sido tocado o dañado, que permanece como estaba. SIN. Íntegro; ileso.

intangible adj. Inmaterial, que no se puede tocar. ANT. Tangible.

integración s. f. Acción de integrar.

integral adj. 1. Completo, total. 2. Se dice de la harina que se ha molido con el salvado y del pan hecho con ella. SIN. 1. Global. ANT. 1. Parcial.

integrante adj. y s. Cada una de las personas o cosas que forman un grupo. SIN. Miembro.

integrar v. 1. Formar un conjunto. 2. Hacer que una persona se sienta aceptada en un grupo o en la sociedad. SIN. 1. Componer, constituir. ANT. 1. Desintegrar.

integridad s. f. 1. Característica de íntegro. || 2. **integridad física** La salud o la vida de una persona. SIN. 1. Honestidad, honradez.

integrismo s. m. Fundamentalismo.

integrista adj. y s. Fundamentalista.

íntegro, gra adj. 1. Entero, completo. 2. Honrado, que actúa correctamente. SIN. 1. Total. 2. Honesto. ANT. 1. Incompleto. 2. Deshonesto.

intelecto s. m. Inteligencia.

intelectual adj. 1. De la inteligencia. || adj. y s. 2. Que se dedica a una actividad relacionada con las ideas y el pensamiento. SIN. 2. Pensador.

intelectualidad s. f. Conjunto de los intelectuales de un país o lugar.

inteligencia s. f. Capacidad para comprender y relacionar las cosas. SIN. Entendimiento, razón, raciocinio.

inteligente adj. Que tiene inteligencia o está hecho con inteligencia. SIN. Listo, perspicaz, sagaz. ANT. Tonto.

inteligible adj. Que se puede entender. SIN. Comprensible. ANT. Ininteligible.

intemperie Se usa en la expresión **a la intemperie**, 'al aire libre'.

intempestivo, va adj. Inoportuno.

intemporal adj. Que no cambia con el paso del tiempo.

intención s. f. 1. Pensamiento que tiene alguien de hacer algo. 2. Deseo de hacer algo bueno o malo para alguien: *buena intención, mala intención.* SIN. 1. Propósito, empeño. 1 y 2. Idea.

intencionado, da adj. Hecho con intención, queriendo, aposta. SIN. Voluntario, deliberado.

intendencia s. f. 1. Parte del ejército encargada de los víveres y suministros. 2. Dirección o administración de algo.

intendente, ta s. m. y f. Jefe de algunos servicios económicos del Estado.

intensidad s. f. Fuerza o energía que tiene o que necesita una cosa. SIN. Potencia.

intensificar v. Dar más intensidad. SIN. Potenciar, reforzar.

intensivo, va adj. Que se hace de forma muy intensa o en poco tiempo o espacio: *curso intensivo, cultivo intensivo.*

intenso, sa adj. De mucha intensidad. SIN. Potente, fuerte. ANT. Débil.

intentar v. Hacer lo posible para realizar una cosa, sin estar seguro de lograrlo. SIN. Procurar, tratar, probar. ANT. Desistir.

intento s. m. Acción de intentar. SIN. Tentativa. ANT. Renuncia.

intentona s. f. Intento desesperado que, normalmente, no da resultado.

interacción s. f. Acción o influencia mutua entre dos personas o cosas.

intercalar v. Meter una cosa entre otras. SIN. Insertar.

intercambiar v. Dar una cosa y recibir otra por ella.

intercambio s. m. Acción de intercambiar una cosa por otra. SIN. Trueque.

interceder v. Rogar en favor de alguien. SIN. Abogar, terciar.

interceptar v. Impedir que alguien o algo llegue adonde se dirigía. SIN. Detener, parar.

intercesión s. f. Acción de interceder.

intercesor, ra adj. y s. Que intercede.

interdigital adj. Se dice de la membrana que une los dedos de las patas de algunos animales, como el pato.

interdisciplinario, ria adj. Que abarca o se refiere a dos o más disciplinas.

interés s. m. 1. Importancia o valor que una cosa tiene para alguien. 2. Deseo de conocer, saber o hacer algo. 3. Cantidad de más que se obtiene por el dinero que se ha invertido o que se ha de pagar al devolver un préstamo. 4. Beneficio o provecho de alguien. SIN. 2. Ganas, afán. ANT. 2. Desinterés.

interesado, da 1. p. de interesar. || adj. y s. 2. Que tiene interés por algo. 3. Que actúa por interés, por el beneficio. SIN. 3. Egoísta. ANT. 2 y 3. Desinteresado.

interesante adj. Que interesa. SIN. Atrayente, sugestivo. ANT. Aburrido, tonto.

interesar v. Tener interés por una cosa o hacer que otro lo tenga. SIN. Atraer; motivar. ANT. Pasar.

interferencia s. f. 1. Acción de interferir. 2. Alteración en las imágenes o el sonido de una televisión, radio, etc., producida por las ondas de otros aparatos.

interferir v. 1. Ser un obstáculo. 2. Causar interferencias. □ Es v. irreg. Se conjuga como sentir. SIN. 1. Interponerse.

interfono s. m. Teléfono que comunica distintos sitios de un edificio, de una oficina, etc.

ínterin Se usa en la expresión **en el ínterin**, 'entre dos acciones o dos momentos'.

interino, na adj. y s. Empleado o funcionario que ocupa por un tiempo un puesto, por ejemplo sustituyendo a otro.

interior adj. y s. m. 1. En la parte de dentro o de la parte de dentro. || s. m. 2. Ideas o sentimientos de una persona. SIN. 1. Interno. ANT. 1 y 2. Exterior.

interioridad s. f. 1. Característica de interior. || pl. 2. Asuntos privados o íntimos de una persona, familia, grupo.

interjección s. f. Palabra o frase que expresa una impresión, un aviso, una orden, un saludo: ¡oh!, ¡bien!, ¡hola!

interlocutor, ra s. m. y f. Cada uno de los que hablan en una conversación.

interludio s. m. Composición musical breve que sirve de introducción o intermedio a otra.

intermediario, ria adj. y s. 1. Que interviene para poner de acuerdo a otros. 2. Persona que lleva los productos desde donde los hacen hasta la gente que los compra. SIN. 1. Mediador.

intermedio, dia adj. 1. Que está en medio. || s. m. 2. Tiempo de descanso en una película o espectáculo.

interminable adj. Que dura muchísimo. SIN. Eterno.

intermitente adj. 1. Que se para y luego continúa, y así muchas veces. || s. m. 2. Luz indicadora de los coches que se enciende y apaga rápidamente. SIN. 1. Discontinuo. ANT. 1. Continuo.

internacional adj. De varios o de todos los países del mundo. SIN. Universal, mundial. ANT. Nacional.

internacionalizar v. Hacer internacional alguna cosa.

internado s. m. Centro de enseñanza en el que también viven los alumnos.

internar v. 1. Meter a alguien en un hospital u otro establecimiento. || **internarse**. 2. Ir hacia el interior. SIN. 1. Ingresar. 2. Adentrarse, penetrar.

internista adj. y s. Médico especialista en las enfermedades de los órganos internos.

interno, na adj. 1. Que ocurre o está por dentro. || adj. y s. 2. Que vive en el mismo sitio en que trabaja o estudia. || s. m. y f. 3. Recluso, preso. ANT. 1. Exterior. 1 y 2. Externo.

interpelación s. f. El hecho de interpelar.

interpelar v. Pedir explicaciones.

interplanetario, ria adj. Entre planetas: viaje interplanetario.

interpolar v. Intercalar.

interponerse v. Ponerse una persona entre otras para impedir o dificultar que hagan algo. □ Es v. irreg. Se conjuga como poner.

interposición s. f. El hecho de interponerse entre otros.

interpretación s. f. Acción de interpretar. SIN. Actuación.

interpretar v. 1. Entender algo de una manera. 2. Representar los actores su papel. 3. Cantar o tocar para el público una pieza musical. SIN. 1. Descifrar. 2 y 3. Actuar.

interpretativo, va adj. Relacionado con la interpretación.

intérprete s. m. y f. **1.** Cantante, músico o actor. **2.** Persona que va traduciendo una conversación entre personas que hablan distintas lenguas.

interrelación s. f. Relación mutua entre dos o más cosas.

interrogación s. f. **1.** Signo que se coloca al principio (¿) y al final (?) de una palabra o frase con que se pregunta. **2.** Palabra o frase con que se pregunta. Sin. **2.** Pregunta.

interrogante s. amb. **1.** Cosa que no se sabe. || s. m. **2.** Signo de interrogación. Sin. **1.** Enigma, incógnita.

interrogar v. Preguntar a alguien.

interrogativo, va adj. y s. f. **1.** Se dice de las oraciones que sirven para preguntar. || adj. **2.** Se dice de los pronombres y adverbios que se usan con este tipo de oraciones: quién, cuándo, dónde, cómo.

interrogatorio s. m. Preguntas que se hacen para aclarar un hecho.

interrumpir v. Parar o impedir algo. Sin. Detener; entorpecer. Ant. Continuar; favorecer.

interrupción s. f. Acción de interrumpir. Sin. Parada. Ant. Continuación.

interruptor s. m. Llave o dispositivo que abre o cierra un circuito eléctrico.

intersección s. f. **1.** Encuentro de dos líneas, superficies o cuerpos que se cortan. **2.** En matemáticas, elementos comunes que tienen dos conjuntos. Sin. **1.** Cruce.

intersticio s. m. Grieta, ranura o pequeño espacio entre dos cosas.

interurbano, na adj. Que se realiza entre distintas ciudades o poblaciones.

intervalo s. m. **1.** Tiempo entre dos hechos. **2.** Distancia entre dos cosas.

intervención s. f. **1.** Acción de intervenir en algo. **2.** Operación de cirugía. Sin. **1.** Participación.

intervenir v. **1.** Tomar parte en un asunto o actividad. **2.** En cirugía, operar. ◻ Es v. irreg. Se conjuga como venir. Sin. **1.** Participar, colaborar. Ant. **1.** Abstenerse.

interventor, ra s. m. y f. Persona que revisa y autoriza algunas operaciones para que se hagan de forma legal.

interviú s. f. Entrevista periodística.

intestinal adj. Del intestino.

intestino s. m. Parte del aparato digestivo en forma de tubo largo que va

desde el final del estómago al ano, y donde se hace la última parte de la digestión.

intimar v. **1.** Llegar a tener mucha amistad con alguien. **2.** Exigir con autoridad o amenazas: Le intimó a salir. Sin. **2.** Conminar.

intimidación s. f. Acción de intimidar.

intimidad s. f. **1.** La vida de una persona en su casa y con su familia. **2.** Sentimientos y pensamientos íntimos de una persona. **3.** Amistad muy estrecha.

intimidar v. Asustar, atemorizar.

intimidatorio, ria adj. Que intimida.

íntimo, ma adj. **1.** Interior, profundo, se dice sobre todo de los sentimientos o de los pensamientos. **2.** Familiar, privado. **3.** Se dice de la relación o amistad muy fuerte. || adj. y s. **4.** Se dice de las personas con las que se tiene más amistad. Sin. **1.** Hondo. **2.** Reservado. **4.** Entrañable.

intolerable adj. Que no se puede tolerar o permitir. Sin. Inaceptable. Ant. Tolerable.

intolerancia s. f. Actitud intolerante. Sin. Intransigencia. Ant. Tolerancia.

intolerante adj. y s. Que no tolera otras ideas distintas de las suyas. Sin. Intransigente. Ant. Tolerante.

intoxicación s. f. Acción de intoxicarse. Sin. Envenenamiento.

intoxicarse v. Ponerse muy enfermo por tomar algo venenoso o en mal estado, o por abusar de algunas sustancias. Sin. Envenenarse. Ant. Desintoxicarse.

intramuscular adj. Que se encuentra, se produce o se aplica en el interior de los músculos.

intranquilidad s. f. Inquietud, desasosiego. Ant. Tranquilidad, calma.

intranquilizar v. Hacer perder a alguien la tranquilidad. Sin. Inquietar, preocupar.

intranquilo, la adj. Que no está tranquilo. Sin. Inquieto.

intransferible adj. Que no se puede transferir o traspasar.

intransigencia s. f. Intolerancia.

intransigente adj. **1.** Intolerante. **2.** Que no permite el menor fallo o error. Sin. **2.** Inflexible, exigente.

intransitable adj. Se dice del sitio por el que no se puede transitar o andar. Sin. Impracticable.

intransitivo, va adj. y s. Se dice de los verbos que no llevan complemento directo, como *crecer* o *morir*, y de la oración formada con sus verbos.

intrascendencia s. f. Característica de intrascendente. Sᴉɴ. Trivialidad.

intrascendente adj. Sin trascendencia. Sᴉɴ. Trivial. Aɴᴛ. Trascendente.

intratable adj. Antipático, maleducado. Sᴉɴ. Irritable, huraño. Aɴᴛ. Amable.

intravenoso, sa adj. Que está, se produce o se aplica dentro de las venas.

intrepidez s. f. Valor, audacia.

intrépido, da adj. Valiente, audaz. Sᴉɴ. Osado. Aɴᴛ. Cobarde.

intriga s. f. 1. Acción de intrigar. 2. Curiosidad muy grande provocada por algo. 3. Sucesos que en una novela, obra de teatro o película mantienen el interés del lector o espectador. Sᴉɴ. 1. Confabulación. 3. Trama.

intrigante adj. y s. Que intriga.

intrigar v. 1. Actuar en secreto y con astucia para lograr algo o para perjudicar a otro. 2. Provocar la curiosidad. Sᴉɴ. 1. Conspirar, maquinar, tramar. 2. Extrañar.

intrincado, da adj. Confuso, enredado. Sᴉɴ. Complicado.

intríngulis s. m. Dificultad, complicación: *Aquel problema tenía su intríngulis.*

intrínseco, ca adj. Se dice de la cualidad que algo tiene por sí mismo y no por otras causas: *valor intrínseco.* Sᴉɴ. Propio. Aɴᴛ. Extrínseco.

introducción s. f. 1. Acción de introducir o introducirse. 2. Lo que se pone o se dice al comienzo de algo y sirve de preparación o explicación. Sᴉɴ. 2. Prólogo, preámbulo. Aɴᴛ. 2. Epílogo.

introducir v. 1. Meter, hacer entrar. ‖ **introducirse** 2. Entrar en un sitio. □ Es v. irreg. Se conjuga como *conducir.* Sᴉɴ. 1. Encajar, insertar. 2. Penetrar, colarse. Aɴᴛ. 1. Sacar, expulsar. 2. Salir.

intromisión s. f. Acción de entrometerse en asuntos de otras personas.

introspección s. f. Examen que una persona hace de su propia conciencia, de sus pensamientos, de sus sentimientos, de sus actos.

introspectivo, va adj. De la introspección o relacionado con ella.

introversión s. f. Característica de introvertido.

introvertido, da adj. y s. Tímido, que se mete en sus pensamientos y habla poco con los demás. Sᴉɴ. Retraído. Aɴᴛ. Extrovertido.

intruso, sa s. m. y f. Persona que entra o está donde no debe. Sᴉɴ. Extraño.

intuición s. f. 1. El hecho de intuir algo. 2. Capacidad de alguien para intuir las cosas. Sᴉɴ. 1. Impresión, presentimiento. 2. Instinto.

intuir v. Tener la impresión de que ocurre o va a ocurrir una cosa o de que algo es de una manera. □ Es v. irreg. Se conjuga como *huir.* Sᴉɴ. Presentir.

intuitivo, va adj. Que tiene intuición o actúa por intuición.

inundación s. f. 1. Acción de inundar o inundarse. 2. Crecida de un río que hace que se desborde.

inundar v. 1. Cubrir de agua un lugar. 2. Llenar un lugar de personas o cosas. Sᴉɴ. 1. Encharcar, anegar. 2. Atestar. Aɴᴛ. 1. Achicar. 2. Vaciar.

inusitado, da adj. Que no es habitual. Sᴉɴ. Inusual, insólito. Aɴᴛ. Corriente.

inusual adj. No usual. Sᴉɴ. Inusitado, insólito. Aɴᴛ. Habitual.

inútil adj. y s. Que no sirve, que no es útil. Sᴉɴ. Inservible, inepto.

inutilidad s. f. Característica de inútil.

inutilizar v. Hacer que algo ya no sirva. Sᴉɴ. Estropear; invalidar. Aɴᴛ. Arreglar; habilitar.

invadir v. 1. Entrar en un lugar por la fuerza. 2. Llenar, abarrotar. 3. Dominar, hacerse sentir con fuerza: *Le invadió el miedo.* Sᴉɴ. 1. Asaltar, ocupar. 2 Inundar. 3. Apoderarse.

invalidación s. f. Acción de invalidar. Sᴉɴ. Anulación.

invalidar v. Hacer que algo no valga. Sᴉɴ. Anular, inutilizar.

invalidez s. f. El hecho de ser inválido.

inválido, da adj. y s. Persona que, por tener algún defecto o lesión o por faltarle algún miembro, no puede moverse normalmente. Sᴉɴ. Minusválido, impedido.

invariable adj. Que no varía. Sᴉɴ. Inalterable, inmutable. Aɴᴛ. Variable.

invasión s. f. Acción de invadir. Sᴉɴ. Asalto; plaga.

invasor, ra adj. y s. Que invade.

invectiva s. f. Discurso o escrito en que se ataca duramente a alguien o algo.

invencible adj. Imposible de vencer. Sᴉɴ. Insuperable.

invención s. f. 1. El hecho de inventar. 2. Lo que alguien se inventa. Sᴉɴ. 1. Descubrimiento, hallazgo. 2. Invento; fantasía.

inventar v. **1.** Encontrar o crear algo nuevo. **2.** Imaginar, idear. **SIN. 1.** Descubrir, hallar. **2.** Concebir, planear.

inventariar v. Hacer un inventario.

inventario s. m. Lista de todas las cosas que tiene una persona o entidad. **SIN.** Recuento.

inventiva s. f. Capacidad para inventar. **SIN.** Imaginación, creatividad.

invento s. m. Cosa que se ha inventado.

inventor, ra s. m. y f. El que inventa una cosa nueva.

invernadero s. m. **1.** Recinto cerrado y preparado para cultivar plantas en invierno o fuera de su ambiente natural. || **2. efecto invernadero** Aumento de temperatura en la atmósfera debida a la acumulación de dióxido de carbono, que permite el paso del calor del sol, pero impide la salida al exterior de los rayos infrarrojos que se desprenden del suelo.

invernal adj. Del invierno. **ANT.** Estival.

invernar adj. **1.** Hibernar los animales. **2.** Pasar el invierno en un lugar.

inverosímil adj. Difícil de creer. **SIN.** Increíble. **ANT.** Verosímil.

inversión s. f. **1.** El hecho de invertir. **2.** Dinero que se invierte en un negocio. **SIN. 1.** Alteración, cambio.

inverso, sa adj. Contrario, opuesto.

inversor, ra adj. y s. Que invierte dinero en negocios.

invertebrado, da adj. y s. Se dice de los animales sin columna vertebral, como los insectos o los gusanos. **ANT.** Vertebrado.

invertido, da 1. p. de **invertir.** También adj. || s. m. **2.** Homosexual.

invertir v. **1.** Colocar en dirección, posición u orden contrario. **2.** Emplear: invertir tiempo. **3.** Dar dinero para un negocio con el fin de obtener un beneficio. □ Es v. irreg. Se conjuga como sentir. **SIN. 1.** Alterar, cambiar. **2.** Destinar.

investidura s. f. **1.** Acción de investir. **2.** Acto en que se inviste a alguien.

investigación s. f. Acción de investigar. **SIN.** Indagación.

investigador, ra adj. y s. Se dice de la persona que investiga.

investigar v. Hacer todo lo necesario para descubrir o conocer algo. **SIN.** Averiguar, indagar.

investir v. Conceder privilegios, cargos, honores: Invistieron al rey doctor honoris causa en la Universidad. □ Es v. irreg. Se conjuga como pedir.

inveterado, da adj. Muy antiguo o firme: una costumbre inveterada.

inviable adj. Que no puede realizarse. **SIN.** Imposible, irrealizable. **ANT.** Viable.

invicto, ta adj. Que no ha sido vencido.

invidente adj. y s. Persona ciega. **ANT.** Vidente.

invierno s. m. La estación más fría del año.

invisible adj. Que no se puede ver. **ANT.** Visible.

invitación s. f. **1.** El hecho de invitar. **2.** Tarjeta con que se invita a alguien. **SIN. 1.** Convite.

invitado, da 1. p. de **invitar.** || adj. y s. **2.** Persona a la que se invita. **SIN. 2.** Convidado.

invitar v. **1.** Ofrecer o dar algo bueno a una persona sin que tenga que pagar por ello. **2.** Decir a alguien que haga algo o animarle a hacerlo. **SIN. 1 y 2.** Convidar. **2.** Incitar, mover.

invocación s. f. Acción de invocar.

invocar v. **1.** Pedir algo a Dios, a los santos, a un espíritu. **2.** Nombrar a una persona o cosa para que nos sirva de ayuda o para demostrar algo. **SIN. 1.** Rogar. **1 y 2.** Implorar. **2.** Apelar.

involución s. f. Retroceso en la evolución de algo: involución política.

involucrar v. Hacer que alguien participe en algo malo. **SIN.** Complicar, comprometer, implicar.

involuntario, ria adj. Que se hace o pasa sin querer, sin intención. **SIN.** Inconsciente. **ANT.** Voluntario.

invulnerable adj. Que no es vulnerable.

inyección s. f. **1.** Acción de inyectar y sustancia que se inyecta. **2.** Introducción a presión del combustible en el cilindro de algunos motores.

inyectar v. Introducir en el cuerpo una sustancia con una jeringuilla o por un procedimiento similar.

iodo s. m. Yodo.

ion s. m. Átomo o grupo de átomos con carga eléctrica.

ionosfera s. f. Penúltima capa de la atmósfera que contiene pocos gases, pero con carga eléctrica.

ipso facto expr. lat. Inmediatamente.

ir v. **1.** Trasladarse a un lugar. **2.** Tener una dirección: El camino va hasta el río. **3.** Tener cierta extensión: Su finca va de aquí a la linde. **4.** Estar situado: ir el último. **5.** Marchar, encontrarse: *Le va bien.* **6.** Tratar: *¿De qué va el libro?* **7.** Combinar: *La colcha no va con las cortinas.* **8.** Vestir: *Vas muy elegante.* **9.** Gustar: *Me va esta música.* **10.** Ser: *ir en serio.* **11.** Querer parecer: *ir de listo.* **12.** Expresa intención: *Voy a estudiar.* **13.** Empezar poco a poco: *Ya va hablando algo de inglés.* ‖ **irse 14.** Salirse un líquido o gas de donde está contenido. **15.** Quitarse: *Esa mancha no se va.* **16.** No poder controlar algo. □ Es v. irreg. **EXPR. el no va más** Lo mejor, lo máximo. **ni irle ni venirle** No importarle. **SIN. 1.** Desplazarse; acudir. **3.** Extenderse, ocupar. **4** y **5.** Hallarse. **7.** Entonar. **9.** Agradar. **14** y **15.** Salir(se). **ANT. 1.** Volver; quedarse. **7.** Desentonar. **9.** Disgustar.

IR		
GERUNDIO		
yendo		
INDICATIVO		
Presente	**Pret. imperf.**	**Pretérito perf.**
voy	*iba*	*fui*
vas	*ibas*	*fuiste*
va	*iba*	*fue*
vamos	*íbamos*	*fuimos*
vais	*ibais*	*fuisteis*
van	*iban*	*fueron*
SUBJUNTIVO		
Presente	**Pretérito imperfecto**	
vaya	*fuera, -ese*	
vayas	*fueras, -eses*	
vaya	*fuera, -ese*	
vayamos	*fuéramos, -ésemos*	
vayáis	*fuerais, -eseis*	
vayan	*fueran, -esen*	
Futuro		
fuere	*fuéremos*	
fueres	*fuereis*	
fuere	*fueren*	
IMPERATIVO		
ve		*id*

ira *s. f.* Enfado muy violento. **SIN.** Rabia, cólera, furor. **ANT.** Calma.

iracundo, da *adj.* Irascible.

iraní *adj.* y *s.* De Irán, país de Asia.

iraquí *adj.* y *s.* De Irak, país de Asia.

irascible *adj.* Que se enfada fácilmente. **SIN.** Iracundo, colérico.

iris *s. m.* Círculo de color que rodea la pupila del ojo.

irisación *s. f.* Brillo con los colores del arco iris, como el que tiene el nácar.

irisado, da *adj.* Con irisaciones.

irlandés, sa *adj.* y *s.* **1.** De Irlanda, isla y país de Europa. ‖ *s. m.* **2.** Lengua celta hablada en Irlanda. ‖ *adj.* y *s. m.* **3.** Se dice del café con whisky y nata.

ironía *s. f.* **1.** El decir una cosa dando a entender lo contrario. **2.** Tono burlón. **SIN. 2.** Sorna.

irónico, ca *adj.* Que tiene ironía.

iroqués, sa *adj.* y *s.* **1.** De un pueblo indio que vivía en América del Norte. ‖ *s. m.* **2.** Lengua de este pueblo.

irracional *adj.* **1.** Que no tiene capacidad de razonar. **2.** Que no es razonable. **SIN. 2.** Ilógico, insensato. **ANT. 1.** Racional. **2.** Sensato.

irradiación *s. f.* Acción de irradiar.

irradiar *v.* **1.** Salir de un cuerpo luz, calor u otra energía en todas direcciones. **2.** Transmitir: *irradiar alegría.* **SIN. 1.** Emitir, radiar. **2.** Difundir.

irreal *adj.* Que no es real. **SIN.** Ficticio, imaginario.

irrealizable *adj.* Imposible de realizar.

irrebatible *adj.* Imposible de rebatir. **SIN.** Irrefutable.

irreconciliable *adj.* Que no puede reconciliarse o llegar a un acuerdo.

irreemplazable *adj.* Que no se puede reemplazar. **SIN.** Insustituible.

irreflexivo, va *adj.* **1.** Hecho sin pensar. ‖ *adj.* y *s.* **2.** Que no piensa bien las cosas antes de hacerlas. **SIN. 1** y **2.** Irracional, inconsciente. **ANT. 1** y **2.** Reflexivo.

irrefutable *adj.* Que no se puede refutar. **SIN.** Irrebatible.

irregular *adj.* **1.** Que tiene cambios, fallos, altibajos, etc. **2.** Que no es regular: *verbo irregular, polígono irregular.* **SIN. 1.** Desigual, variable.

irregularidad *s. f.* **1.** Característica de irregular. **2.** Cosa irregular. **ANT. 1** y **2.** Regularidad.

irrelevante *adj.* Sin importancia. **SIN.** Intrascendente. **ANT.** Relevante.

irremediable *adj.* Sin remedio. **SIN.** Irreparable.

irremisible *adj.* Inevitable.

irremplazable *adj.* Irreemplazable.

irreparable *adj.* Que no se puede arreglar o compensar: *pérdida irreparable.* **SIN.** Irremediable.

irreprochable *adj.* Se dice de aquello a lo que no se puede reprochar nada. **SIN.** Intachable, impecable.. **ANT.** Censurable.

irresistible *adj.* 1. Que no se puede resistir. 2. Muy atractivo. **Sin.** 1. Inaguantable, insufrible. **Ant.** 2. Feo.

irresoluble *adj.* Imposible de resolver. **Sin.** Insoluble.

irresoluto, ta *adj.* Indeciso.

irrespetuoso, sa *adj.* Que no es respetuoso. **Sin.** Desconsiderado, irreverente.

irrespirable *adj.* 1. Que no se puede respirar. 2. Se dice del ambiente o situación agobiante, desagradable.

irresponsable *adj.* y *s.* Que no es responsable, que actúa sin sensatez.

irreverencia *s. f.* Acción irreverente.

irreverente *adj.* Que no tiene respeto, sobre todo a las cosas sagradas. **Sin.** Irrespetuoso. **Ant.** Reverente.

irreversible *adj.* Que ya no puede volver atrás, cambiar o solucionarse.

irrevocable *adj.* Que no se puede revocar: *una decisión irrevocable.*

irrigación *s. f.* Acción de irrigar.

irrigar *v.* 1. Regar. 2. Llevar la sangre a una parte del cuerpo. 3. Introducir un líquido en el cuerpo, especialmente en el intestino a través del ano.

irrisorio, ria *adj.* 1. Ridículo. 2. Muy pequeño: *una cantidad irrisoria.* **Sin.** 2. Mínimo, insignificante. **Ant.** 2. Grande.

irritable *adj.* Que se irrita fácilmente. **Sin.** Irascible, colérico. **Ant.** Tranquilo.

irritación *s. f.* 1. Zona del cuerpo irritada. 2. Enfado.

irritante *adj.* Que irrita.

irritar *v.* 1. Causar dolor o escozor y un rojecimiento: *irritar la piel.* 2. Enfadar. **Sin.** 2. Enfurecer. **Ant.** 2. Tranquilizar.

irrompible *adj.* Que no se rompe.

irrumpir *v.* Entrar o aparecer de pronto.

irrupción *s. f.* Acción de irrumpir.

isa *s. f.* Canto y baile popular canarios.

isabelino, na *adj.* y *s. m.* De los reinados de Isabel I o Isabel II de España, o de Isabel I de Inglaterra: *arte isabelino.*

isla *s. f.* Porción de tierra rodeada de agua por todos los lados.

islam *s. m.* Religión de los musulmanes, fundada por Mahoma.

islámico, ca *adj.* Del islam.

islamismo *s. m.* Islam.

islandés, sa *adj.* y *s.* 1. De Islandia, isla y país de Europa. || *s. m.* 2. Lengua que se habla en este país.

isleño, ña *adj.* y *s.* De una isla. **Sin.** Insular.

isleta *s. f.* 1. Isla pequeña. 2. Espacio delimitado de la carretera o calzada por donde no pueden pasar los coches.

islote *s. m.* Isla pequeña.

isobara o **isóbara** *adj.* y *s. f.* Línea que en un mapa meteorológico une los puntos con igual presión atmosférica.

isósceles *adj.* Se dice de la figura geométrica que tiene dos lados iguales no paralelos: *trapecio isósceles.*

isotermo, ma *adj.* y *s. f.* De igual temperatura o con temperatura constante.

isquion *s. m.* Un hueso de la pelvis.

israelí *adj.* y *s.* De Israel, país de Asia.

israelita *adj.* y *s.* De un pueblo que antiguamente vivió en Palestina.

istmo *s. m.* Brazo de tierra que une dos continentes o una península con un continente.

italianismo *s. m.* Palabra o expresión del italiano en otro idioma.

italiano, na *adj.* y *s.* 1. De Italia, país de Europa. || *s. m.* 2. Lengua de este país.

itálico, ca *adj.* De la Italia antigua.

itinerante *adj.* Que va de un lado a otro. **Sin.** Ambulante, errante. **Ant.** Permanente.

itinerario, ria *s. m.* Camino o recorrido. **Sin.** Trayecto, circuito.

izar *v.* Subir algo tirando del cable en que está sujeto: *izar la bandera, izar una vela.* **Ant.** Arriar.

izquierdista *adj.* y *s.* De ideas políticas de izquierda. **Ant.** Derechista.

izquierdo, da *adj.* y *s.* 1. Que está en el lado del corazón o queda hacia ese lado. || *s. f.* 2. Personas, grupos y partidos de ideas socialistas o comunistas. **Ant.** 1. Derecho.

j *s. f.* Décima letra del abecedario.

jabalí, jabalina *s. m.* y *f.* Animal mamífero omnívoro parecido al cerdo, con el cuerpo cubierto de pelo fuerte de color pardo; sus colmillos se curvan hacia arriba y sobresalen de la boca.

jabalina *s. f.* Lanza corta para arrojar, que actualmente se emplea en pruebas deportivas.

jabato, ta *s. m.* y *f.* **1.** Cría de jabalí. || *adj.* y *s.* **2.** Persona muy valiente. **Sin.** 2. Audaz, atrevido. **Ant.** 2. Cobarde.

jabón *s. m.* Producto para lavarse o lavar la ropa u otras cosas.

jaboncillo *s. m.* **1.** Jabón pequeño. **2.** Pastilla de talco que usan sastres y modistas para hacer señales en la tela que cosen o cortan.

jabonera *s. f.* Recipiente para dejar o guardar la pastilla de jabón.

jabonoso, sa *adj.* Lleno de jabón.

jaca *s. f.* **1.** Caballo que tiene poca altura. **2.** Yegua.

jacinto *s. m.* Planta con bulbo y flores pequeñas en forma de campana, agrupadas en espiga.

jaco *s. m.* Caballo pequeño y no muy bonito. **Sin.** Jamelgo, rocín.

jacobeo, a *adj.* Del apóstol Santiago o relacionado con él: *año jacobeo, ruta jacobea.*

jactancia *s. f.* Actitud de la persona que se jacta o presume mucho de algo. **Sin.** Presunción, arrogancia. **Ant.** Modestia.

jactancioso, sa *adj.* Que se jacta de algo. **Sin.** Presumido. **Ant.** Modesto.

jactarse *v.* Presumir mucho de algo. **Sin.** Alardear, vanagloriarse. **Ant.** Avergonzarse.

jaculatoria *s. f.* Oración o rezo breve.

jade *s. m.* Mineral muy duro, verde o blanquecino, que se emplea en joyería y para hacer cosas de adorno.

jadeante *adj.* Que jadea.

jadear *v.* Respirar con dificultad por el cansancio, el calor o por otra causa. **Sin.** Resollar.

jadeo *s. m.* Acción de jadear. **Sin.** Resuello.

jaez *s. m.* **1.** Tipo o clase de persona o cosa, generalmente mala. || *pl.* **2.** Adorno que se pone a las caballerías. **Sin.** 1. Calaña, ralea. 2. Arreos.

jaguar *s. m.* Animal carnívoro parecido al leopardo, de color amarillento con manchas negras redondas, o a veces totalmente negro. Caza de noche y vive en América.

jalar *v.* **1.** *fam.* Comer. **2.** *fam.* Correr o huir. **Sin.** 1. Jamar.

jalea *s. f.* **1.** Especie de mermelada de fruta, con aspecto de gelatina. || **2. jalea real** Sustancia que producen las abejas con la que se alimentan las reinas y las larvas.

jalear *v.* Animar con gritos o palmadas a los que bailan, cantan o participan en una competición. **Ant.** Abuchear.

jaleo *s. m.* Mucho ruido o movimiento desordenado. **Sin.** Alboroto, follón. **Ant.** Calma.

jalón *s. m.* **1.** Palo con punta metálica que se clava en un terreno para señalar un punto. **2.** Hecho importante en la vida de alguien o en el desarrollo de algo. **Sin.** 1. Mojón. 2. Hito, acontecimiento.

jalonar *v.* **1.** Señalar un terreno con jalones. **2.** Ser muy importante un suceso en la vida de alguien o en el desarrollo de algo.

jamaicano, na *adj.* y *s.* De Jamaica, isla y país de América Central en el mar Caribe.

jamar *v.* *fam.* Comer. **Sin.** Jalar.

jamás *adv.* En ningún momento, nunca.

jamba *s. f.* Cada una de las dos piezas verticales que están a cada lado del hueco de puertas y ventanas.

jamelgo *s. m.* Caballo flaco y de mal aspecto. **Sin.** Rocín, jaco.

jamón *s. m.* **1.** Pierna de cerdo. Si está curada se llama *jamón serrano.* **2.** *fam.* Pierna de una persona. || **3. jamón de York** Jamón cocido. **Expr. y un jamón** No, ni hablar.

jamona *s. f.* *fam.* Se dice de la mujer madura y un poco llenita.

japonés, sa adj. y s. **1.** De Japón, país de Asia. || s. m. **2.** Lengua hablada en Japón. Sin. **1.** Nipón.

japuta s. f. Palometa, pez marino.

jaque s. m. Jugada de ajedrez en la cual el rey o la reina están amenazados por una pieza contraria. Cuando el rey ya no puede salvarse, se llama *jaque mate*, con lo que se acaba la partida. Expr. **tener** o **traer en jaque** a alguien Molestarle todo el tiempo, no dejarle tranquilo.

jaqueca s. f. Dolor fuerte de cabeza.

jaquetón s. m. Tipo de tiburón muy grande, de color gris y blanco y dentadura muy poderosa. Se llama también *tiburón blanco*.

jara s. f. Arbusto de hojas pegajosas, flores blancas, rosas o amarillentas y olor fuerte.

jarabe s. m. **1.** Medicina en forma de líquido muy espeso y que suele tener sabor dulce. **2.** Líquido o bebida muy dulce.

jaramago s. m. Planta de flores amarillas y pequeñas y hojas grandes y ásperas. Es muy abundante en la península Ibérica.

jarana s. f. **1.** Juerga. **2.** Bronca, escándalo. Sin. **1.** Diversión, farra. **2.** Altercado, gresca.

jaranero, ra adj. Juerguista.

jarcha s. f. Cancioncilla breve escrita en castellano que los poetas árabes o hebreos españoles ponían al final de sus poemas.

jarcias s. f. pl. Aparejos y cabos de un barco.

jardín s. m. Lugar con árboles, plantas y flores para estar en él o pasear. Expr. **jardín de infancia** Sitio adonde los padres llevan a sus hijos muy pequeños para que estén atendidos, jueguen y empiecen a aprender algunas cosas. Sin. Parque.

jardinera s. f. Recipiente grande para sembrar plantas o flores en él.

jardinería s. f. El cultivo y el cuidado de las plantas y flores de jardín.

jardinero, ra s. m. y f. Persona que se dedica a cuidar un jardín. Expr. **a la jardinera** Modo de guisar algunos alimentos con verduras variadas.

jareta s. f. **1.** Pliegue cosido que se hace en la ropa como adorno. **2.** Doblez cosido en una tela para meter en él una cinta o goma.

jaretón s. m. Jareta ancha.

jarra s. f. Recipiente con asa y de boca ancha, con un pico en el borde para echar el líquido con facilidad. Expr. **en jarras** Con los brazos separados del cuerpo y las manos en la cintura.

jarrear v. Llover mucho y muy fuerte. Sin. Diluviar.

jarrete s. m. **1.** Corva o corvejón. **2.** Parte carnosa de la pantorrilla.

jarro s. m. Recipiente de boca ancha con asa. Expr. **un jarro de agua fría** Disgusto o decepción.

jarrón s. m. Recipiente más alto que ancho, que se usa como adorno. Sin. Florero.

jaspe s. m. Piedra con manchas de distintos colores, utilizada para hacer cosas de adorno.

jaspeado, da adj. Con pintas o manchitas de color de formas irregulares.

jauja s. f. Lugar imaginario donde hay mucha riqueza y en el que se puede conseguir lo que se desee.

jaula s. f. Caja hecha con barras o palos que se usa para encerrar animales.

jauría s. f. Grupo de perros que van juntos en una cacería.

jazmín s. m. Planta con flores pequeñas blancas o amarillas y muy olorosas, que se cultiva en jardinería y para hacer perfumes.

jazz s. m. Música que surgió en Estados Unidos, caracterizada por la improvisación y los cambios de ritmo.

jeans (ingl.) s. m. pl. Blue-jeans.

jeep (ingl.) s. m. Tipo de coche duro y resistente para ir por terrenos muy difíciles.

jefatura s. f. **1.** Puesto o cargo de jefe. **2.** Oficina donde está la policía.

jefe, jefa s. m. y f. **1.** Persona que manda o dirige a otras. **2.** Categoría militar superior a la de los oficiales, formada por comandantes, tenientes coroneles y coroneles. Sin. **1.** Dirigente, patrón, jerarca. Ant. **1.** Subordinado.

jengibre s. m. Hierba de hojas alargadas y flores amarillas y rojas, con tallo subterráneo del que se obtiene una sustancia aromática.

jeque s. m. Jefe musulmán de un territorio, lugar o comunidad.

jerarca s. m. y f. Persona con poder o autoridad dentro de una organización. Sin. Jefe. Ant. Subordinado.

jerarquía s. f. **1.** Organización de un grupo de personas o cosas por orden de importancia o de categoría. **2.** Cada una de las categorías de los grupos organizados de esta manera. **Sin.** 1 y 2. Graduación, escalafón.

jerárquico, ca *adj.* Organizado en jerarquías.

jerarquizar *v.* Organizar en jerarquías.

jerbo *s. m.* Mamífero parecido a un ratón, con las patas de atrás mucho más largas que las delanteras para poder saltar. Vive en zonas áridas del norte de África y este de Europa.

jerez *s. m.* Vino blanco y seco, que se hace en la provincia de Cádiz.

jerezano, na *adj.* De Jerez de la Frontera, ciudad de la provincia de Cádiz.

jerga *s. f.* Lenguaje especial que usan entre sí las personas de una misma profesión o grupo. **Sin.** Argot.

jergón *s. m.* Colchón relleno de hierba, paja u otras cosas parecidas.

jerigonza *s. f.* Jerga, argot.

jeringuilla *s. f.* Tubo de plástico o de cristal con una aguja, usado para poner inyecciones.

jeroglífico, ca *adj.* **1.** Se dice de las escrituras, como la de los antiguos egipcios, que emplean dibujos en lugar de letras y otros signos. ‖ *s. m.* **2.** Pasatiempo que consiste en adivinar una palabra, frase o respuesta a partir de dibujos y símbolos.

jersey *s. m.* Prenda de punto o lana con mangas y que llega hasta la cintura o la cadera. **Sin.** Suéter.

jesuita *adj.* y *s. m.* De la Compañía de Jesús, orden religiosa que fundó Ignacio de Loyola.

jesuítico, ca *adj.* **1.** De los jesuitas. **2.** Hipócrita, falso.

jeta *s. f.* **1.** *fam.* Cara de una persona. **2.** *fam.* Descaro, desvergüenza. ‖ *adj.* y *s.* **3.** *fam.* Persona descarada. **Sin.** 1 y 2. Rostro. 3. Caradura.

jíbaro, ra *adj.* y *s.* De un pueblo que vive en las selvas del Amazonas, que practicaba la reducción de las cabezas de sus enemigos.

jibia *s. f.* **1.** Sepia. **2.** Hueso de este molusco.

jícara *s. f.* Taza pequeña para tomar el chocolate.

jienense o **jiennense** *adj.* y *s.* De Jaén, ciudad y provincia españolas.

jijona *s. f.* Turrón blando que se hace con almendras machacadas y miel o azúcar.

jilguero *s. m.* Pájaro pequeño con el pico corto y fuerte, plumaje marrón, alas

negras y amarillas y cabeza blanca, negra y roja.

jineta¹ *s. f.* Mamífero carnívoro de pelo gris con manchas negras, cola larga y patas cortas.

jineta² Se usa en la expresión **a la jineta**, forma de montar a caballo en que se llevan los estribos cortos y las piernas muy dobladas y pegadas al vientre del animal.

jinete *s. m.* Persona que monta a caballo.

jipijapa *s. f.* Tira obtenida de las hojas de una palma, que se usa para hacer sombreros.

jirafa *s. f.* Mamífero rumiante africano de color amarillento con manchas marrones, cabeza pequeña con dos cuernecillos y un larguísimo cuello.

jirón *s. m.* **1.** Trozo roto de tela. **2.** Trozo separado o arrancado de otra cosa. **Sin.** 1. Desgarrón, harapo.

jockey *s. m.* Jinete que monta los caballos en las carreras.

jocoso, sa *adj.* Chistoso, divertido. **Sin.** Cómico. **Ant.** Serio, aburrido.

joder *v. vulg.* Fastidiar, perjudicar.

jofaina *s. f.* Palangana.

jolgorio *s. m.* Juerga.

jónico, ca *adj.* y *s. m.* Se dice de uno de los tres órdenes de la arquitectura clásica, caracterizado por las volutas del capitel.

jordano, na *adj.* y *s.* De Jordania, país de Asia.

jornada *s. f.* **1.** Tiempo que se trabaja al día o a la semana. **2.** Día.

jornal *s. m.* Dinero que gana un trabajador por cada día de trabajo. **Sin.** Salario, paga.

jornalero, ra *s. m.* y *f.* Trabajador del campo que por cada día de trabajo recibe una paga. **Sin.** Bracero, peón.

joroba *s. f.* **1.** Abultamiento en la espalda, en el pecho o en los dos sitios a la vez, producido por una desviación de la columna vertebral. **2.** Bulto que tienen algunos animales en el lomo, como el dromedario. **Sin.** 1. Chepa, corcova. 1 y 2. Giba.

jorobado, da **1.** *p.* de **jorobar**. También *adj.* ‖ *adj.* **2.** Difícil, complicado. ‖ *adj.* y *s.* **3.** Persona que tiene joroba.

jorobar *v. fam.* Fastidiar, estropear. **Sin.** Molestar, dañar. **Ant.** Agradar.

jota¹ *s. f.* Nombre de la letra *j*. Se usa en la expresión **ni jota**, 'nada' o 'muy poco': *no entender ni jota*.

jota² *s. f.* **1.** Baile de Aragón y de otras regiones españolas. **2.** Música y canción que acompañan a este baile.

joven *adj.* y *s.* **1.** De poca edad. **2.** Propio de la juventud. **Sin. 1.** Muchacho. **2.** Juvenil. **Ant. 1** y **2.** Viejo.

jovial *adj.* Alegre, con buen humor. **Sin.** Animado, bromista. **Ant.** Triste.

jovialidad *adj.* Característica de jovial.

joya *s. f.* **1.** Objeto de adorno hecho con metales o piedras preciosas o perlas. **2.** Persona o cosa que vale mucho. **Sin. 1** y **2.** Alhaja. **2.** Tesoro. **Ant. 1.** Baratija.

joyería *s. f.* **1.** Tienda donde se venden joyas y taller en que se hacen. **2.** Arte y técnica de hacer joyas.

joyero, ra *s. m.* y *f.* **1.** Persona que hace o vende joyas. ‖ *s. m.* **2.** Cajita u otra cosa para guardar las joyas.

juanete *s. m.* Deformación o abultamiento en el dedo gordo del pie.

jubilación *s. f.* **1.** Acción de jubilar o jubilarse. **2.** Pensión que cobra una persona jubilada.

jubilado, da *adj.* y *s.* Persona que ha llegado a la jubilación.

jubilar *v.* **1.** Retirar a una persona de su trabajo, por ser mayor o por otras causas, pagándole una cantidad de dinero. **2.** Dejar de usar alguna cosa porque es vieja o ya no sirve. **Sin. 2.** Desechar. **Ant. 2.** Aprovechar.

jubileo *s. m.* **1.** Perdón de todos los pecados que concede el papa en algunas ocasiones. **2.** Fiesta que celebraban los israelitas cada cincuenta años. **3.** *fam.* Entrada y salida de mucha gente en algún sitio.

júbilo *s. m.* Alegría muy grande. **Sin.** Alborozo, regocijo. **Ant.** Tristeza.

jubiloso, sa *adj.* Muy alegre, lleno de júbilo. **Sin.** Contento, gozoso.

jubón *s. m.* Prenda ajustada, con o sin mangas, que cubría la parte de arriba del cuerpo.

judaico, ca *adj.* De los judíos.

judaísmo *s. m.* Religión de los judíos, que sólo admite las enseñanzas del Antiguo Testamento.

judas *s. m.* Traidor.

judeoespañol, la *adj.* **1.** De los judíos españoles. ‖ *s. m.* **2.** Variedad del español hablado por estos judíos. **Sin. 1** y **2.** Sefardí.

judería *s. f.* En España, barrio judío.

judía *s. f.* **1.** Planta leguminosa con el fruto en vainas aplastadas con varias semillas. Se cultiva en huertas y tanto la vaina como el fruto son comestibles. **2.** Fruto y semilla de esta planta. **Sin. 1** y **2.** Alubia, habichuela.

judicatura *s. f.* Cargo del juez y conjunto de jueces de un país.

judicial *adj.* Del juez, de la justicia o relacionado con ellos.

judío, a *adj.* y *s.* **1.** Hebreo. **2.** Que practica el judaísmo. **3.** De Judea, antigua región de Palestina.

judo (jap.) *s. m.* Lucha de origen japonés en la que cada uno de los luchadores intenta derribar al contrario por medio de llaves.

judoka *s. m.* y *f.* Persona que practica el judo.

juego *s. m.* **1.** Acción de jugar. **2.** Actividad con unas reglas que se realiza como diversión o entretenimiento. **3.** Ejercicio de habilidad que alguien hace para entretener a otros. **4.** Conjunto de cosas de la misma clase: *un juego de sábanas.* **5.** Combinación de cosas que resulta bonita: *juego de colores.* **6.** Movimiento que tienen dos cosas unidas entre sí: *el juego de la rodilla.* ‖ **7. juego de azar** Aquel en el que, según la suerte, se puede ganar o perder, como la lotería o la ruleta. **8. juego de manos** El que se hace con las manos y necesita gran habilidad. **9. juegos malabares** Ver **malabar. 10. Juegos Olímpicos** Conjunto de competiciones deportivas que se celebran cada cuatro años en la ciudad que se elige para ello. **Expr. estar en juego** Estar decidiéndose lo que va a pasar con algo. **fuera de juego** Falta que comete el jugador de fútbol que no tiene el balón y está más adelantado que los defensas del equipo contrario. **hacer juego** Combinar bien. **Sin. 6.** Articulación, movilidad.

juerga *s. f.* Diversión animada y con jaleo. **Sin.** Parranda, jarana.

juerguista *adj.* y *s.* Persona a la que le gustan las juergas. **Sin.** Jaranero.

jueves *s. m.* Cuarto día de la semana. **Expr. no ser del otro jueves** No ser muy bueno, no ser nada extraordinario.

juez *s. m.* y *f.* **1.** Persona que decide si algo es justo o injusto de acuerdo con las leyes. **2.** En deporte, persona encargada de hacer cumplir el reglamento. **Sin. 2.** Árbitro.

jugada *s. f.* **1.** Cada una de las acciones que realiza un jugador. **2.** Jugarreta. **Sin. 2.** Trastada, faena.

jugador, ra *s. m.* y *f.* Persona que juega. **Sin.** Competidor, participante.

jugar *v.* **1.** Hacer algo por diversión o entretenimiento. **2.** Participar en un juego: *jugar al fútbol, a la lotería.* || **jugarse 3.** Arriesgarse. □ Es v. irreg. **EXPR. jugársela** a uno Perjudicarle, engañarle. **SIN. 1.** Divertirse, entretenerse. **2.** Competir.

JUGAR	
INDICATIVO	
Presente	**Pret. perf. simple**
juego	jugué
juegas	jugaste
juega	jugó
jugamos	jugamos
jugáis	jugasteis
juegan	jugaron
SUBJUNTIVO	**IMPERATIVO**
Presente	
juegue	
juegues	juega
juegue	
juguemos	
juguéis	jugad
jueguen	

jugarreta *s. f.* Engaño o acción mala contra alguien. **SIN.** Jugada, faena.

juglar, juglaresa *s. m. y f.* Artista de la Edad Media que iba de un lugar a otro recitando poesías, cantando y bailando o haciendo juegos y habilidades.

juglaresco, ca *adj.* De los juglares.

juglaría *s. f.* Ver **mester.**

jugo *s. m.* **1.** Zumo. **2.** Líquido de algunos alimentos: *ternera en su jugo.* **3.** Nombre de algunos líquidos que produce el cuerpo: *jugo gástrico.*

jugoso, sa *adj.* Que tiene mucho jugo.

juguete *s. m.* Objeto que sirve para que jueguen los niños.

juguetear *v.* Entretenerse jugando y enredando.

juguetería *s. f.* Tienda de juguetes.

juguetón, na *adj.* Se dice de la persona o animal a los que les gusta mucho jugar. **SIN.** Travieso. **ANT.** Tranquilo.

juicio *s. m.* **1.** Capacidad para pensar y opinar sobre las personas y las cosas. **2.** Idea u opinión que una persona tiene de alguien o algo. **3.** Acto en que un juez o un tribunal juzga a alguien. || **4. juicio final** o **juicio universal** En la religión cristiana, el que hará Jesucristo cuando se acabe el mundo para premiar o castigar a cada persona. **SIN. 1.** Razón, criterio. **2.** Parecer, dictamen. **3.** Proceso.

juicioso, sa *adj.* Formal, sensato.

julepe *s. m.* Juego de cartas en que se reparten cinco a cada jugador y gana el que hace dos bazas de las cinco posibles.

julio *s. m.* Séptimo mes del año, de 31 días.

jumbo (ingl.) *s. m.* Avión de grandes dimensiones para pasajeros.

jumento, ta *s. m. y f.* Asno, burro.

junco¹ *s. m.* Planta de tallo recto, liso y flexible que crece en las orillas de los ríos.

junco² *s. m.* Barco pequeño con velas rectangulares, muy usado en los mares de Oriente.

jungla *s. f.* Selva tropical, sobre todo la del sur de Asia.

junio *s. m.* Sexto mes del año, de 30 días.

júnior *adj.* **1.** Se añade al nombre del hijo cuando es el mismo que el del padre, para diferenciarlos. || *adj.* y *s.* **2.** Se dice de la categoría de los deportistas jóvenes. **SIN. 2.** Juvenil. **ANT. 2.** Sénior.

junípero *s. m.* Enebro.

junquillo *s. m.* **1.** Planta parecida al junco y con flores amarillas de fuerte olor. Se utiliza en perfumería. **2.** Adorno en forma de junco, como los que ponen en algunas puertas.

junta *s. f.* **1.** Reunión de personas para tratar sobre un asunto. **2.** Conjunto de personas nombradas para administrar o dirigir los asuntos de otras: *junta directiva de un club de fútbol.* **3.** Juntura, unión **SIN. 1.** Asamblea. **2.** Directiva.

juntar *v.* **1.** Poner juntos. **2.** Reunir una cantidad de algo. || **juntarse 3.** Andar en compañía de alguien, tener amistad. **SIN. 1.** Unir, arrimar, agrupar. **2.** Sumar. **ANT. 1.** Separar, dispersar. **3.** Rehuir.

junto, ta *adj.* **1.** Que está cerca o unido: *Se sentaron juntos en el cine.* También *adv.*: *Hay un río junto a la casa.* **2.** Reunido: *En el zoo hay muchos animales juntos.* **3.** En compañía de, a la vez: *Salieron juntos.* También *adv.*: *Llegó una nota junto con las flores.* **SIN. 1.** Próximo, contiguo. **2.** Agrupado, congregado. **ANT. 1.** Separado.

juntura *s. f.* **1.** Parte donde se unen dos o más cosas. **2.** Pieza que se coloca entre dos tubos o partes de un aparato para unirlos. **SIN. 1** y **2.** Junta. **2.** Empalme.

jura *s. f.* Acto en el que alguien jura ser fiel a un país, a la constitución, a una persona, a los deberes de un cargo.

jurado s. m. **1.** Conjunto de personas que examina y premia o puntúa a las personas, animales o cosas que se presentan a un concurso. **2.** Tribunal formado por un grupo de ciudadanos, que decide al final de un juicio si el acusado es culpable o inocente. **3.** Miembro que forma parte de alguno de estos tribunales.

juramentarse v. Comprometerse varias personas mediante juramento a hacer alguna cosa.

juramento s. m. **1.** El hecho de jurar. **2.** Blasfemia o palabrota. **Sin. 1.** Compromiso, promesa. **2.** Maldición.

jurar v. **1.** Afirmar o prometer algo firmemente, a menudo poniendo por testigo a Dios o a personas o cosas muy queridas o respetadas. **2.** Aceptar un cargo u otra cosa prometiendo respetarlos y cumplir las obligaciones y deberes que tienen. **Expr.** jurársela o jurárselas a alguien Prometer vengarse de él o hacerle daño.

jurel s. m. Pez gris verdeazulado que vive en casi todos los mares y se usa mucho como alimento.

jurídico, ca adj. Del derecho y las leyes. **Sin.** Judicial, legal.

jurisdicción s. f. **1.** Poder o autoridad para gobernar y hacer cumplir las leyes. **2.** Territorio sobre el que alguien manda o en el que tienen valor unas leyes. **Sin. 1.** Competencia, atribución. **2.** Demarcación, circunscripción.

jurisdiccional adj. De la jurisdicción o relacionado con ella.

jurisprudencia s. f. **1.** Ciencia del derecho. **2.** Decisiones de los tribunales que sirven de criterio para juzgar otros casos parecidos.

jurista s. m. y f. Persona que conoce muy bien el derecho y las leyes.

justa s. f. En la Edad Media, combate a caballo y con lanza.

justamente adv. **1.** Con justicia. **2.** Precisamente, exactamente.

justicia s. f. **1.** El dar a cada uno lo que le corresponde o se merece de acuerdo con la ley o la moral. **2.** Las leyes, organismos y personas encargados de castigar los delitos y resolver los conflictos entre los ciudadanos. **Sin. 1.** Rectitud. **Ant. 1.** Injusticia.

justiciero, ra adj. y s. Que hace justicia de una forma muy estricta. **Sin.** Severo, implacable. **Ant.** Tolerante.

justificación s. f. Lo que justifica algo. **Sin.** Excusa, disculpa, explicación.

justificado, da **1.** p. de **justificar.** También adj. ‖ adj. **2.** Que tiene razones que lo justifican.

justificante adj. y s. m. Papel u otra prueba que sirve para justificar algo. **Sin.** Comprobante.

justificar v. **1.** Ser algo el motivo que explica o disculpa una acción, una falta, un error. **2.** Dar razones para disculpar la conducta de una persona. **3.** Probar, demostrar. **Sin. 1.** Explicar. **3.** Excusar. **3.** Acreditar. **Ant. 2.** Acusar.

justo, ta adj. **1.** Que actúa o está de acuerdo con la ley o la moral. **2.** Merecido, que es como debe ser. **3.** Exacto en número, peso o medida. **4.** Ajustado, apretado. ‖ adv. **5.** Exactamente; en el mismo momento: *Eso es justo lo que necesito. Entró justo cuando tú salías.* **Sin. 1.** Equitativo, imparcial. **3.** Cabal. **5.** Precisamente. **Ant. 1** y **2.** Injusto. **3.** Inexacto. **4.** Amplio.

juvenil adj. **1.** Propio de los jóvenes. ‖ adj. y s. **2.** Categoría de los deportistas jóvenes (entre 15 y 18 años). **Sin. 2.** Júnior. **Ant. 1.** Viejo. **2.** Sénior.

juventud s. f. **1.** Etapa de la vida desde la niñez hasta la madurez. **2.** Característica de joven. **3.** Conjunto de jóvenes. **Ant. 1.** Vejez. **2.** Ancianidad.

juzgado s. m. Local o edificio donde se celebran los juicios.

juzgar v. **1.** Examinar y decidir un juez o tribunal. **2.** Tener una idea u opinión. **Sin. 1.** Fallar, sentenciar. **2.** Opinar.

k *s. f.* Letra número once del abecedario.

káiser (al.) *s. m.* Título de los emperadores de Alemania.

kamikaze (jap.) *s. m.* Piloto japonés que, en la Segunda Guerra Mundial, se lanzaba con su avión cargado de explosivos contra los barcos enemigos.

kan *s. m.* Emperador de algunos países de Asia.

kaputt (al.) *adj.* Estropeado, roto.

karaoke (jap.) *s. m.* **1.** Sistema de sonido o de vídeo para cantar acompañado con música grabada en una cinta. **2.** Local público donde los clientes pueden cantar con este sistema.

karate o **kárate** (jap.) *s. m.* Lucha de origen japonés que consiste sobre todo en el combate con manos y pies.

karateca *s. m.* y *f.* Luchador de karate.

kart (ingl.) *s. m.* Pequeño coche para una sola persona con un motor poco potente, que se usa en circuitos especiales.

katiusca (ruso) *s. f.* Bota alta de goma.

kayak (esquimal) *s. m.* Canoa que usan los esquimales.

kendo (jap.) *s. m.* Esgrima japonesa que se practica con espadas de bambú.

keniano, na o **keniata** *adj.* y *s.* De Kenia, país de África.

kermés o **kermes** *s. f.* Fiesta al aire libre, sobre todo la que se hace con fines benéficos.

ketchup (ingl.) *s. m.* Catchup.

kibutz o **kibbutz** (hebr.) *s. m.* Granja israelí explotada de forma colectiva por una comunidad.

kiko *s. m.* Grano de maíz tostado.

kilo *s. m.* **1.** Forma abreviada de **kilogramo. 2.** *fam.* Un millón de pesetas.

kilogramo *s. m.* Unidad de masa que equivale a mil gramos.

kilometraje *s. m.* Número de kilómetros recorridos o distancia medida en kilómetros.

kilométrico, ca *adj.* Muy largo.

kilómetro *s. m.* Medida de longitud que equivale a mil metros.

kilovatio *s. m.* Unidad de potencia eléctrica que equivale a mil vatios.

kimono (jap.) *s. m.* Quimono.

kindergarten (al.) *s. m.* Jardín de infancia.

kiosco *s. m.* Quiosco.

kiowa *adj.* y *s.* **1.** De un pueblo indio de América del Norte. ‖ *s. m.* **2.** Zapato mocasín con la suela blanda.

kit (ingl.) *s. m.* **1.** Aparato o mueble que se vende por piezas para montarlo luego. **2.** Conjunto de varias cosas relacionadas entre sí o que sirven para lo mismo: *un kit de limpieza.* **SIN. 2.** Set.

kiwi *s. m.* **1.** Fruta de piel marrón con pelitos, de color verde por dentro y sabor dulce y un poco ácido. También es el arbusto que da este fruto. **2.** Ave de plumaje marrón, patas fuertes y largo pico curvado. No puede volar y vive en las islas de Nueva Zelanda.

kleenex *s. m.* Pañuelo de papel.

K.O. Iniciales de la expresión inglesa *knock-out,* 'fuera de combate'.

koala *s. m.* Mamífero marsupial australiano parecido a un oso, pero más pequeño. Tiene el hocico corto, orejas grandes y pelo gris. Vive en los eucaliptos alimentándose de sus hojas y su corteza.

kung fu (chino) *s. m.* Lucha de origen chino que consiste en golpear con manos y pies.

kurdo, da *adj.* y *s.* De un pueblo de religión musulmana que vive en la región del Kurdistán, repartida entre Turquía, Irak, Irán y Armenia.

kuwaití *adj.* y *s.* De Kuwait, país de Asia.

l *s. f.* Letra número doce del abecedario.

la¹ *art. f.* **1.** Va delante de un sustantivo femenino singular o de un adjetivo, convirtiéndolo en sustantivo: *la gata; la peor.* || *pron. pers. f.* **2.** Se usa como complemento directo: *¿Has visto su moto?; la compró el mes pasado.*

la² *s. m.* Sexta nota de la escala musical.

laberinto *s. m.* **1.** Lugar con muchos caminos que se cruzan y del que es difícil salir. **2.** Órganos y conductos que forman el oído interno.

labia *s. f.* Facilidad para hablar.

labial *adj.* Relacionado con los labios.

lábil *adj.* Poco seguro, débil. **SIN.** Inseguro, frágil. **ANT.** Estable, firme.

labio *s. m.* **1.** Cada uno de los bordes carnosos que forman la abertura de la boca. **2.** Borde de la parte de fuera de algunas cosas: *los labios de una herida.* **SIN.** Morro, hocico.

labor *s. f.* **1.** Trabajo, actividad. **2.** Trabajo de costura, de bordado o de punto. **3.** Trabajos que se hacen para cultivar la tierra. **SIN. 1.** Tarea, faena. **3.** Labranza. **ANT. 1.** Ocio.

laborable *adj.* y *s. m.* Se dice del día de trabajo. **ANT.** Festivo.

laboral *adj.* Relacionado con el trabajo.

laboralista *adj.* y *s.* Especialista en las leyes relacionadas con el trabajo: *abogado laboralista.*

laboratorio *s. m.* Lugar con aparatos y material para hacer experimentos, análisis, etc.

laborioso, sa *adj.* **1.** Que trabaja mucho. **2.** Que necesita mucho trabajo y atención. **SIN. 1.** Trabajador. **2.** Trabajoso, difícil. **ANT. 1.** Vago. **2.** Fácil.

laborista *adj.* y *s.* De un partido político británico de ideología socialista moderada.

labrador, ra *adj.* y *s.* Persona que trabaja en labores agrícolas. **SIN.** Labriego, agricultor.

labrantío, a *adj.* y *s. m.* Tierra de cultivo.

labranza *s. f.* Trabajos que hay que hacer para cultivar la tierra.

labrar *v.* **1.** Trabajar un material, como la madera, la piedra o el cuero, o grabar cosas en él. **2.** Cultivar la tierra, sobre todo hacer surcos en ella para después sembrar. **3.** Esforzarse para conseguir un buen trabajo y poder vivir bien: *labrarse un porvenir.* **SIN. 1.** Tallar, esculpir. **2.** Arar.

labriego, ga *s. m.* y *f.* Labrador.

laca *s. f.* **1.** Resina que se saca de algunos árboles del sur de Asia. **2.** Barniz o pintura brillante y resistente que se hace con esta y otras sustancias. **3.** Sustancia que se pone en el pelo para mantener el peinado.

lacar *v.* Barnizar o pintar con laca.

lacayo *s. m.* Criado que acompañaba a su señor y solía ir sentado junto al cochero. **SIN.** Sirviente.

lacerar *v.* Lastimar, hacer daño.

lacha *s. f.* Vergüenza, apuro.

lacio, cia *adj.* **1.** Se dice del pelo muy liso. **2.** Mustio: *unas plantas lacias.* **SIN. 2.** Marchito. **ANT. 1.** Rizado. **2.** Lozano.

lacón *s. m.* Pata delantera del cerdo, sobre todo cuando está cocida.

lacónico, ca *adj.* Conciso, con pocas palabras. **SIN.** Breve, escueto. **ANT.** Locuaz.

laconismo *s. m.* Característica de lacónico. **ANT.** Locuacidad.

lacra *s. f.* **1.** Señal, lesión u otra cosa mala que deja en alguien una enfermedad o daño físico. **2.** Algo malo y perjudicial. **SIN. 1.** Secuela. **2.** Defecto.

lacrar *v.* Cerrar con lacre.

lacre *s. m.* Pasta sólida que se usa, derretida, para dejar cerrados sobres y paquetes.

lacrimógeno, na *adj.* **1.** Se dice de los gases y humos que hacen llorar. **2.** Demasiado triste o sentimental.

lactancia *s. f.* Tiempo durante el cual los mamíferos se alimentan de la leche de sus madres.

lactante *adj.* y *s.* **1.** Bebé que todavía se alimenta de leche. || *adj.* y *s. f.* **2.** Se dice de la madre en el periodo en que da de mamar a su hijo.

lácteo, a *adj.* y *s. m.* Elaborado a partir de la leche: *productos lácteos.*

lactosa *s. f.* Azúcar que hay en la leche, a la que da su sabor dulce.

lacustre *adj.* De los lagos.

ladear *v.* Inclinar hacia un lado.

ladera *s. f.* Lado de una montaña. **Sin.** Falda, vertiente.

ladino, na *adj.* y *s.* Astuto. **Sin.** Taimado. **Ant.** Inocente.

lado *s. m.* **1.** Parte de una cosa que está cerca de los extremos. **2.** Cada una de las caras de un objeto. **3.** Sitio, lugar. **4.** Aspecto: *el lado bueno de las cosas.* **5.** Parte, bando. **Expr. al lado** Muy cerca. **al lado de** En comparación con. **dar de lado** Rechazar. **dejar a un lado** o **dejar de lado** No contar con alguien, no tomarle en cuenta. **Sin. 1.** Costado, flanco. **2.** Anverso, reverso. **4.** Faceta.

ladrar *v.* Dar ladridos el perro.

ladrido *s. m.* Sonido que emite el perro.

ladrillo *s. m.* Pieza rectangular de barro cocido que se utiliza para construir.

ladrón, na *adj.* y *s.* **1.** Persona que roba. ‖ *s. m.* **2.** Enchufe con varios agujeros para poder conectar diversos aparatos a la vez. **Sin. 1.** Ratero, atracador.

lagar *s. m.* Lugar donde se prensa la uva, la manzana o la aceituna para elaborar el vino, la sidra o el aceite, respectivamente.

lagarta o **lagartona** *s. f.* Mujer astuta y algo malvada.

lagartija *s. f.* Reptil parecido al lagarto, pero más pequeño.

lagarto *s. m.* Reptil de color verdoso con el cuerpo cubierto de escamas, cola larga y cuatro patas cortas.

lago *s. m.* Extensión de agua en el interior de un continente rodeada de tierra por todas partes.

lágrima *s. f.* **1.** Gota de líquido salado producido por unas glándulas situadas debajo de los párpados; sirve para mantener limpios y húmedos los ojos. ‖ **2. lágrimas de cocodrilo** Llanto fingido.

lagrimal *adj.* **1.** Relacionado con las lágrimas. ‖ *s. m.* **2.** Parte del ojo que está más cerca de la nariz.

laguna *s. f.* **1.** Lago pequeño. **2.** Cosa que falta en un escrito o en una exposición, que no se sabe o no se recuerda. **Sin. 2.** Ausencia, omisión.

laico, ca *adj.* y *s.* **1.** Que no es sacerdote ni está en una orden religiosa. ‖ *adj.* **2.** Que no sigue una religión ni es de la Iglesia. **Ant. 2.** Confesional.

laísmo *s. m.* Empleo de los pronombres *la, las* como complemento indirecto en lugar de *le, les*; por ejemplo, *la dije que vendrías* en vez de *le dije que vendrías.*

laísta *adj.* y *s.* Que comete laísmo.

laja *s. f.* Piedra plana, lisa y estrecha.

lama *s. m.* Religioso budista del Tíbet y Asia central.

lambrucear o **lambucear** *v.* Andar alguien comiendo a todas horas. **Sin.** Lechucear.

lambrucero, ra *adj.* y *s.* Que lambrucea. **Sin.** Lechuzo.

lamé *s. m.* Tela brillante hecha con hilos de oro o plata.

lamentable *adj.* **1.** Que hace sentir pena. **2.** Que causa mala impresión por ser de poca calidad, por estar mal hecho o estropeado. **Sin. 1.** Triste, trágico. **2.** Impresentable, penoso. **Ant. 2.** Admirable.

lamentación *s. f.* Acción de lamentarse. **Sin.** Lamento, queja.

lamentar *v.* **1.** Sentir pena o disgusto por algo. ‖ **lamentarse 2.** Quejarse. **Ant. 1.** Celebrar. **2.** Alegrarse.

lamento *s. m.* Expresión de pena, dolor o disgusto. **Sin.** Lamentación, queja. **Ant.** Risa.

lamer *v.* Pasar la lengua por una cosa.

lametazo o **lametón** *s. m.* Acción de lamer, sobre todo si se hace con fuerza. **Sin.** Lengüetada, lengüetazo.

lámina *s. f.* **1.** Trozo delgado y plano de un material. **2.** Dibujo o fotografía. **Sin. 1.** Placa, chapa. **2.** Ilustración, grabado.

laminado, da 1. *p.* de **laminar**[1]. ‖ *adj.* **2.** Hecho láminas o con láminas.

laminar[1] *v.* Dar forma de lámina.

laminar[2] *adj.* Que tiene forma de lámina.

lámpara *s. f.* **1.** Aparato para dar luz artificial. **2.** Bombilla eléctrica. **3.** Lamparón, mancha.

lamparilla *s. f.* Velita o luz pequeña.

lamparón *s. m.* Mancha en la ropa. **Sin.** Lámpara.

lampiño, ña *adj.* Que no tiene barba. **Sin.** Barbilampiño, imberbe. **Ant.** Barbudo.

lamprea *s. f.* Pez de cuerpo delgado y largo, parecido al de una serpiente, con la boca en forma de ventosa. Su carne es muy apreciada.

lana *s. f.* **1.** Pelo de la oveja y otros animales. **2.** Hilo hecho con ese pelo y tejido que se fabrica con él.

lanar *adj.* Se dice del ganado que tiene lana, como las ovejas.

lance *s. m.* **1.** Situación o suceso. **2.** Jugada o acción en un juego o en otro enfrentamiento. **3.** Cada una de las acciones que el torero realiza con la capa. **4.** Riña, pelea. **Sin. 1.** Episodio, incidente. **4.** Trifulca.

lanceolado, da *adj.* Con forma de punta de lanza: *hojas lanceoladas.*

lancero *s. m.* Soldado que va armado con una lanza.

lancha *s. f.* **1.** Barca grande que suele tener motor. **2.** Barco pequeño y sin cubierta.

landa *s. f.* Llanura grande de terreno que no se puede cultivar y en la que crecen plantas silvestres.

landó *s. m.* Coche de caballos con cuatro ruedas que tiene capota delante y detrás.

langosta *s. f.* **1.** Crustáceo marino grande con dos largas antenas y cinco pares de patas sin pinzas. Su carne es muy apreciada. **2.** Insecto parecido al saltamontes que a veces, en grupos de miles de individuos, arrasa los campos.

langostino *s. m.* Crustáceo marino parecido a la gamba, pero más grande.

languidecer *v.* **1.** Hacerse algo más débil. **2.** Estar triste o desanimado. □ Es v. irreg. Se conjuga como *agradecer.* **Sin. 1.** Debilitarse, desfallecer.

languidez *s. f.* Característica de lánguido. **Sin.** Debilidad; tristeza. **Ant.** Fuerza; alegría.

lánguido, da *adj.* **1.** Débil, sin fuerza ni energía. **2.** Triste o desanimado. **Sin. 1.** Flojo. **2.** Decaído. **Ant. 1.** Fuerte. **2.** Alegre.

lanolina *s. f.* Grasa de la lana de la oveja y del carnero, que se usa para hacer pomadas y productos de belleza.

lanudo, da *adj.* Que tiene mucho pelo o mucha lana.

lanza *s. f.* Palo largo con una punta de metal que se usa como arma.

lanzacohetes *s. m.* Aparato o arma que lanza cohetes.

lanzada *s. f.* Golpe dado con una lanza y herida que produce.

lanzadera *s. f.* **1.** Pieza que sirve para entrecruzar los hilos al tejer. **2.** Vehículo espacial de transporte que es capaz de aterrizar como un avión, por lo que puede volver a utilizarse.

lanzado, da 1. *p. de* **lanzar.** También *adj.* || *adj.* **2.** Muy rápido. || *adj. y s.*

3. Decidido, atrevido. **Sin. 2.** Disparado. **3.** Valiente. **Ant. 3.** Cobarde.

lanzagranadas *s. m.* Arma que lanza granadas.

lanzallamas *s. m.* Arma que arroja un chorro de fuego.

lanzamiento *s. m.* **1.** Acción de lanzar. **2.** Prueba deportiva que consiste en lanzar objetos como el disco, el peso o la jabalina.

lanzamisiles *s. m.* Aparato o plataforma que lanza misiles.

lanzar *v.* **1.** Arrojar, tirar. **2.** Realizar acciones en las que parece que echamos algo hacia afuera: *lanzar un grito, lanzar una mirada.* **3.** Dar a conocer: *lanzar un producto.* || **lanzarse 1.** Ponerse a hacer algo con energía, decidirse: *Aunque le daba vergüenza, se lanzó a bailar.* **Sin. 1** y **2.** Echar. **2.** Mandar, soltar. **3.** Promocionar. **4.** Atreverse. **Ant. 1.** Retener. **4.** Vacilar.

lanzatorpedos *s. m.* Aparato o mecanismo que lanza torpedos.

laosiano, na *adj. y s.* **1.** De Laos, país de Asia. || *s. m.* **2.** Lengua de este país.

lapa *s. f.* **1.** Molusco marino con una concha en forma de cono que vive pegado a las rocas. **2.** Persona que siempre está con otra, que no la deja ni un momento.

lapicero *s. m.* Palito largo con una mina por dentro que se utiliza para escribir o dibujar. **Sin.** Lápiz.

lápida *s. f.* Piedra rectangular plana con algo grabado en recuerdo de alguien, como las que hay en los cementerios. **Sin.** Losa.

lapidar *v.* Matar a alguien arrojándole piedras.

lapidario, ria *adj.* Se dice de la frase breve y seria que expresa algo importante. **Sin.** Solemne.

lapislázuli *s. m.* Mineral muy duro de color azul que se usa como piedra de adorno.

lápiz *s. m.* Lapicero.

lapo *s. m. fam.* Escupitajo.

lapón, na *adj. y s.* **1.** De un pueblo de Laponia, región del norte de Europa, en el círculo polar ártico. || *s. m.* **2.** Lengua de este pueblo.

lapso *s. m.* Periodo de tiempo.

lapsus *s. m.* Equivocación que alguien tiene sin darse cuenta. **Sin.** Error, confusión. **Ant.** Acierto.

lar *s. m.* Hogar, lugar donde se enciende el fuego.

largamente adv. **1.** Durante mucho tiempo: *conversar largamente.* **2.** Con largueza o generosidad: *recompensar largamente.*

largar v. **1.** Contar algo muy largo o muy pesado: *largar un discurso.* **2.** Hablar mucho, sobre todo si se dice algo que no se debía decir. ‖ **largarse 3.** Irse, marcharse. Sɪɴ. **1.** Encasquetar. **2.** Cascar. **3.** Pirarse.

largo (ital.) s. m. Tiempo musical lento.

largo, ga adj. **1.** Que tiene mucha o demasiada longitud. **2.** Que dura mucho. ‖ s. m. **3.** La mayor de las tres dimensiones de un cuerpo. Exᴘʀ. **a la larga** Después de bastante tiempo. **a lo largo de** Durante. **dar largas** Retrasar con excusas lo que no se quiere hacer. **¡largo!** Se usa para echar a alguien bruscamente. **largo y tendido** Durante mucho tiempo. **para largo** Para mucho tiempo. Sɪɴ. **1** y **2.** Prolongado. Aɴᴛ. **1** y **2.** Corto. Breve.

largometraje s. m. Película de larga duración. Aɴᴛ. Cortometraje.

larguero s. m. Palo horizontal de la portería de fútbol y otros deportes. Sɪɴ. Travesaño.

largueza s. f. Generosidad, abundancia. Sɪɴ. Desprendimiento.

larguirucho, cha adj. y s. fam. Persona demasiado alta y delgada.

largura s. f. El largo, la longitud.

laringe s. f. Parte del aparato respiratorio situada en la garganta y en la cual están las cuerdas vocales.

laringitis s. f. Inflamación de la laringe.

larva s. f. Forma que tienen algunos animales antes de acabar de crecer; por ejemplo, el renacuajo es la larva de la rana.

larvario, ria adj. De las larvas o relacionado con ellas: *estado larvario.*

lasaña s. f. Plato italiano hecho con láminas de pasta, carne picada, queso, besamel y otros ingredientes, formando capas.

lasca s. f. Trozo de piedra plano y delgado.

lascivia s. f. Lujuria.

lascivo, va adj. Lujurioso.

láser s. m. Rayo de una luz especial muy intensa. Se emplea para soldar, para hacer pequeños cortes en cirugía o para grabar y reproducir los compact disc.

lástima s. f. Pena, tristeza por algo malo. Sɪɴ. Dolor, compasión. Aɴᴛ. Alegría.

lastimar v. Hacer daño. Sɪɴ. Dañar, lesionar.

lastimero, ra adj. Que da lástima. Sɪɴ. Quejumbroso.

lastimoso, sa adj. Muy malo, muy estropeado o dañado: *un estado lastimoso.* Sɪɴ. Penoso, lamentable. Aɴᴛ. Estupendo.

lastrar v. **1.** Poner lastre. **2.** Estorbar, dificultar.

lastre s. m. **1.** Peso que llevan los globos y que se suelta para poder elevarse. **2.** Peso que se pone en el fondo de un barco para que se hunda un poco y sea más estable. **3.** Estorbo, dificultad. Sɪɴ. **3.** Obstáculo, impedimento. Aɴᴛ. **3.** Ventaja.

lata s. f. **1.** Hojalata. **2.** Caja o bote hecho de este material, como por ejemplo los que contienen alimentos en conserva. **3.** fam. Cosa pesada o molesta. Exᴘʀ. **dar la lata** Molestar, fastidiar. Sɪɴ. **3.** Rollo, tostón.

latente adj. Oculto, que no se ve o no se nota claramente. Sɪɴ. Velado. Aɴᴛ. Expreso.

lateral adj. y s. m. Se dice de aquello que está en un lado. Sɪɴ. Marginal. Aɴᴛ. Central.

látex s. f. Líquido blanquecino de diversos árboles del que se obtienen algunas materias primas, como el caucho.

latido s. m. Cada uno de los movimientos del corazón. Sɪɴ. Palpitación.

latifundio s. m. Terreno de gran extensión de un solo dueño. Aɴᴛ. Minifundio.

latifundista adj. **1.** Del latifundio. ‖ s. m. y f. **2.** Propietario de un latifundio. Aɴᴛ. **1** y **2.** Minifundista.

latigazo s. m. **1.** Golpe de látigo. **2.** Dolor fuerte que dura sólo un momento. Sɪɴ. **1.** Azote. **2.** Pinchazo, punzada.

látigo s. m. Cuerda o correa larga con un mango para dar golpes con ella.

latiguillo s. m. Coletilla, palabra o frase que alguien repite constantemente.

latín s. m. Lengua de los antiguos romanos.

latinajo s. m. desp. Palabra o frase en latín, sobre todo si está mal dicha o mal utilizada.

latinismo s. m. Palabra o expresión del latín utilizada en otro idioma.

latino, na adj. y s. **1.** Del latín o de los antiguos romanos y su imperio. **2.** De los países, regiones, culturas cuya lengua viene del latín.

latinoamericano, na *adj.* y *s.* De Latinoamérica, los países de América que hablan una lengua latina, sobre todo español o portugués.

latir *v.* Dar latidos el corazón. **Sin.** Palpitar.

latitud *s. f.* **1.** Distancia desde un lugar cualquiera de la Tierra hasta el ecuador. **2.** Un lugar cualquiera de la Tierra.

latón *s. m.* Metal de color dorado que se consigue mezclando cobre y cinc.

latoso, sa *adj.* Molesto, fastidioso. **Sin.** Pesado. **Ant.** Agradable.

latrocinio *s. m.* Robo.

laúd *s. m.* Instrumento musical parecido a la guitarra, pero más pequeño y con la caja casi redonda.

laudable *adj.* Que merece ser alabado. **Sin.** Loable. **Ant.** Censurable.

láudano *s. m.* Mezcla de opio, azafrán, canela y vino que se tomaba como calmante.

laudatorio, ria *adj.* Que elogia. **Sin.** Elogioso.

laureado, da *adj.* Que ha sido recompensado con un premio, condecoración, honores.

laurel *s. m.* Árbol perenne de pequeño tamaño con las hojas alargadas y terminadas en punta, que se usan para dar sabor a la comida.

laurisilva *s. f.* Bosque propio de las zonas húmedas de Canarias, formado por árboles de hoja perenne de diferentes especies.

lava *s. f.* Líquido espeso, formado por rocas fundidas, que arrojan los volcanes.

lavabo *s. m.* **1.** Pila con grifos para lavarse. **2.** Cuarto de baño. **Sin. 2.** Baño.

lavacoches *s. m.* y *f.* Persona que limpia coches en garajes o gasolineras.

lavadero *s. m.* Lugar donde se lava, sobre todo la ropa.

lavado 1. *p.* de **lavar.** También *adj.* ‖ *s. m.* **2.** Acción de lavar o lavarse.

lavadora *s. f.* Máquina que sirve para lavar la ropa.

lavanda *s. f.* Espliego.

lavandería *s. f.* Lugar con muchas lavadoras donde se lleva a lavar la ropa.

lavaplatos *s. m.* **1.** Lavavajillas, máquina. ‖ *s. m.* y *f.* **2.** Persona que lava los platos en la cocina de un restaurante, bar u hotel.

lavar *v.* Quitar la suciedad de alguien o algo mojándolo con agua y dándole jabón u otra cosa parecida. **Sin.** Bañar, fregar. **Ant.** Ensuciar.

lavativa *s. f.* **1.** Introducción de agua por el ano para que el intestino expulse lo que tiene dentro y quede limpio. **2.** Instrumento con que se hace. **Sin. 1.** Enema.

lavatorio *s. m.* Acción de lavar o lavarse.

lavavajillas *s. m.* **1.** Máquina que sirve para lavar vajillas y cacharros de cocina. **2.** Jabón, normalmente líquido, que se utiliza para lavar la vajilla. **Sin. 1.** Lavaplatos.

laxante *adj.* y *s. m.* Se dice de la sustancia que ayuda a expulsar los excrementos. **Ant.** Astringente.

laxitud *s. f.* Característica de laxo.

laxo, xa *adj.* **1.** Que no está tenso o tirante. **2.** Que no sigue con firmeza unos principios o normas: *una moral laxa.* **Sin. 1.** Flojo, flácido. **1** y **2.** Relajado.

lazada *s. f.* **1.** Curva que forman algunos nudos. **2.** Nudo en el que hay varias de estas curvas, por ejemplo el que se hace para atarse los zapatos. **Sin. 2.** Lazo.

lazareto *s. m.* Hospital de leprosos.

lazarillo *adj.* y *s. m.* Persona o animal que va con un ciego para guiarle.

lazo *s. m.* **1.** Nudo en el que hay dos o más lazadas. **2.** Corbata con un nudo parecido. **3.** Cuerda con un nudo corredizo, como la que usan los vaqueros para atrapar a las vacas. **4.** Trampa, engaño. **5.** Unión, relación: *lazos de amistad.* **Expr.** *echar el lazo* Coger, pillar. **Sin. 4.** Encerrona. **5.** Vínculo.

le *pron. pers. m.* y *f.* Se usa como complemento indirecto o complemento directo masculino referido a una persona: *Le ha dicho que venga. Mírale.*

leal *adj.* Fiel. **Sin.** Noble. **Ant.** Desleal.

lealtad *s. f.* Fidelidad. **Sin.** Nobleza. **Ant.** Deslealtad.

lebeche *s. m.* Viento cálido del sudoeste, que sopla en Levante.

lebrel *adj.* y *s. m.* Perro de caza alto, delgado y con el labio de arriba y las orejas caídas.

lección *s. f.* **1.** Cada una de las divisiones de una asignatura o materia. **2.** Enseñanza o escarmiento. **Sin. 1.** Tema. **2.** Aviso.

lechal *adj.* y *s. m.* Cordero que todavía mama. **Sin.** Lechazo.

lechazo *s. m.* Cordero lechal.

leche *s. f.* **1.** Líquido blanco producido por las hembras de los mamíferos, con el que alimentan a sus crías. **2.** Sustancia de aspecto parecido a este líquido: *leche bronceadora.* ‖ **3. leche frita** Dulce hecho con una masa de leche y harina que se reboza y se fríe. **4. leche merengada** Bebida hecha con leche, azúcar, clara de huevo y canela. **5. mala leche** Mala intención o mal humor.

lechería *s. f.* Tienda donde se vende leche.

lechero, ra *adj.* **1.** De la leche. **2.** Se dice de los animales de los que se obtiene leche: *vaca lechera.* ‖ *s. m. y f.* **3.** Persona que vende leche. ‖ *s. f.* **4.** Jarra para servir o llevar la leche.

lecho *s. m.* **1.** Cama o lugar preparado para dormir. **2.** Fondo del mar, de un río o de un lago. **SIN. 1.** Catre.

lechón, na *s. m. y f.* Cría del cerdo que todavía mama. **SIN.** Cochinillo.

lechoso, sa *adj.* Blanquecino, parecido a la leche.

lechucear *v.* Estar a todas horas comiendo golosinas o alimentos en pequeñas cantidades. **SIN.** Lambrucear, gulusmear.

lechuga *s. f.* Planta de huerta de grandes hojas, que se come en ensalada.

lechuguino *s. m.* Joven demasiado arreglado y presumido.

lechuza *s. f.* Ave rapaz nocturna, de pico corto y curvo, ojos grandes y plumaje blanco y dorado claro con manchas pardas. Se alimenta principalmente de ratones.

lechuzo, za *adj. y s.* Se dice de la persona que lechucea. **SIN.** Lambrucero, gulusmero.

lectivo, va *adj.* Se dice de los días en que hay clase.

lector, ra *adj. y s.* Que lee.

lectura *s. f.* **1.** Acción de leer. **2.** Escrito o libro que se lee.

leer *v.* **1.** Pasar la vista por las letras de un escrito entendiendo lo que dice. **2.** Comprender el significado de otras clases de signos. **3.** Adivinar: *leer el pensamiento.* □ Es v. irreg. **SIN. 2.** Interpretar. **3.** Captar.

legación *s. f.* **1.** Conjunto de legados. **2.** Misión o mensaje que lleva un legado. **SIN. 1 y 2.** Comisión, embajada.

legado, da **1.** *p.* de **legar.** También *adj.* ‖ *s. m.* **2.** Lo que deja alguien en testamento. **3.** Lo que se recibe de los antepasados: *legado cultural.* **4.** Persona que representa a un gobierno o autori-

dad o es enviada por éstos a un lugar para que trate un asunto. **SIN. 2 y 3.** Herencia. **4.** Emisario, delegado.

legajo *s. m.* Conjunto de papeles escritos sobre un mismo asunto, que suelen estar atados.

legal *adj.* **1.** Que cumple lo que la ley ordena o permite. **2.** Relacionado con las leyes. **3.** Que merece confianza. **SIN. 1.** Legítimo, lícito. **2.** Judicial. **3.** Leal. **ANT. 1.** Ilegal.

legalidad *s. f.* Característica de legal. **ANT.** Ilegalidad.

legalista *adj. y s.* Que cumple o aplica la ley hasta en sus mínimos detalles, con excesivo rigor.

legalización *s. f.* Acción de legalizar.

legalizar *v.* Hacer que algo sea legal. **SIN.** Legitimar.

légamo *s. m.* Lodo, barro pegajoso. **SIN.** Cieno, limo.

legaña *s. f.* Líquido producido por las glándulas de los párpados que se queda seco en los ojos.

legar *v.* **1.** Dejar algo una persona a otra en su testamento. **2.** Dejar la cultura, las tradiciones u otras cosas a los que vienen después.

legendario, ria *adj.* **1.** Que sólo existe en las leyendas. **2.** Que ha conseguido mucha fama. **SIN. 1.** Mítico. **2.** Célebre.

legible *adj.* Que se puede leer con facilidad. **ANT.** Ilegible.

legión *s. f.* **1.** Cuerpo principal del ejército en la antigua Roma. **2.** Nombre de algunas unidades militares actuales. **3.** Gran número de personas o animales. **SIN. 3.** Multitud, muchedumbre.

legionario *s. m.* Soldado de una legión.

LEER		
GERUNDIO		
leyendo		
INDICATIVO		
Pretérito perfecto simple		
leí	*leímos*	
leíste	*leísteis*	
leyó	*leyeron*	
SUBJUNTIVO		
Pretérito imperfecto		**Futuro**
leyera, -ese		*leyere*
leyeras, -eses		*leyeres*
leyera, -ese		*leyere*
leyéramos, -ésemos		*leyéremos*
leyerais, -eseis		*leyereis*
leyeran, -esen		*leyeren*

legislación *s. f.* **1.** Acción de legislar. **2.** Conjunto de leyes. **SIN. 2.** Código.

legislador, ra *adj.* y *s.* Que legisla.

legislar *v.* Hacer las leyes.

legislativo, va *adj.* **1.** De la legislación. || *adj.* y *s. m.* **2.** Se dice del organismo que legisla y de su función.

legislatura *s. f.* Periodo de tiempo que va desde que se forma el Parlamento hasta que se disuelve.

legitimar *v.* **1.** Asegurar que un escrito o firma es auténtico. **2.** Hacer que alguien o algo sea legítimo. **SIN. 1.** Legalizar. **2.** Habilitar; reconocer.

legitimidad *s. f.* Característica de lo que es legítimo.

legítimo, ma *adj.* **1.** De acuerdo con lo que dice la ley. **2.** Justo, razonable. **3.** Auténtico, verdadero. **SIN. 1.** Legal. 1 y **2.** Lícito. **3.** Genuino. **ANT. 1.** Ilegítimo. **2.** Injusto. **3.** Falso.

lego, ga *adj.* y *s. m.* **1.** Religioso que no es sacerdote. || *adj.* y *s.* **2.** Persona que no sabe de una materia. **SIN. 2.** Profano. **ANT. 2.** Experto.

legua *s. f.* Medida de longitud que equivale a algo más de 5,5 kilómetros. **EXPR. a la legua** Claramente.

leguleyo, ya *s.* y *f. desp.* Mal abogado. **SIN.** Picapleitos.

legumbre *s. f.* **1.** Fruto en forma de vaina con semillas dentro. **2.** Semilla de este tipo de frutos, como los garbanzos o las lentejas.

leguminosa, sa *adj.* y *s. f.* Planta que tiene el fruto en legumbre, como el garbanzo, la lenteja o el guisante.

lehendakari (vasc.) *s. m.* Presidente del gobierno autónomo vasco.

leído, da **1.** *p.* de **leer.** || *adj.* **2.** Se dice de la persona que lee mucho y es muy culta. **SIN. 2.** Erudito. **ANT. 2.** Ignorante.

leísmo *s. m.* Empleo de *le, les* como complemento directo en lugar de *lo, la, los, las;* por ejemplo, *Este bolígrafo le compré ayer,* en vez de *Este bolígrafo lo compré ayer.* Se admite cuando se refiere a personas,: *A José ya le invité.*

leísta *adj.* y *s.* Que comete leísmo.

lejanía *s. f.* **1.** Lo que se ve a lo lejos. **2.** Situación de lo que está lejano. **SIN. 1.** Horizonte, lontananza. **ANT. 1** y **2.** Cercanía.

lejano, na *adj.* **1.** Que está lejos. **2.** Que ocurrió hace mucho tiempo. **3.** Que tiene una relación muy pequeña: *parientes lejanos.* **SIN. 1.** Apartado, alejado, distante. 1 a 3. Remoto. **ANT. 1** a **3.** Cercano.

lejía *s. f.* Líquido compuesto por agua y sustancias como la sosa o la potasa, que se emplea para limpiar.

lejos *adv.* **1.** A mucha distancia. **2.** Hace mucho tiempo. **ANT. 1** y **2.** Cerca.

lelo, la *adj.* y *s.* Tonto, bobo. **SIN.** Alelado. **ANT.** Espabilado.

lema *s. m.* Frase que expresa la forma en que debe actuar una persona: *El lema del buen vendedor es: el cliente siempre tiene razón.* **SIN.** Máxima, principio.

lempira *s. m.* Moneda de Honduras.

lémur *s. m.* Mono de hocico saliente y larga cola, que vive en los árboles. Habita en algunas islas de África.

lencería *s. f.* **1.** Ropa interior de mujer y otras prendas como camisones y pijamas. **2.** Tienda en que se vende este tipo de ropa.

lengua *s. f.* **1.** Órgano situado dentro de la boca, que está formado por un músculo. Sirve para saborear los alimentos, ayuda a tragarlos y es necesaria para hablar. **2.** Cosa de forma parecida: *lengua de fuego.* **3.** Sistema de comunicación que consiste en un conjunto de sonidos que sirven para expresar ideas. || **4. lengua de gato** Pequeño bizcocho o chocolatina finos y alargados. **5. lengua muerta** La que no se habla actualmente, como el latín. **6. malas lenguas** Personas que hablan mal de otra. **EXPR. irse de la lengua** Hablar de cosas que uno debería haber callado. **tener en la punta de la lengua** Estar a punto de decir algo que no se acaba de recordar. **tirar de la lengua** Provocar a una persona para que diga algo que no quiere o no debe decir. **SIN. 3.** Idioma, lenguaje.

lenguado *s. m.* Pez marino de cuerpo casi plano, con los dos ojos en el mismo lado del cuerpo, muy apreciado como alimento.

lenguaje *s. m.* **1.** Cualquier sistema que sirve para comunicarse unos individuos con otros. **2.** Capacidad del ser humano de comunicarse mediante palabras. **3.** Idioma, lengua. **4.** Manera de expresarse con palabras: *un lenguaje poético.*

lenguaraz *adj.* y *s.* Que habla con descaro. **SIN.** Deslenguado.

lengüeta *s. f.* **1.** Tira de cuero que tienen los zapatos por arriba, sobre la que se cierran los cordones. **2.** Lámina fina y redondeada por la punta, como la que llevan algunos instrumentos musicales en la boquilla.

lengüetada o **lengüetazo** s. f. o s. m. Lametazo o lametón.

lente s. f. **1.** Cuerpo transparente con una o dos superficies curvas. Puede aumentar, disminuir o cambiar la imagen de un objeto. || s. m. pl. **2.** Anteojos o gafas. || **3. lente de contacto** Lentilla.

lenteja s. f. **1.** Planta leguminosa con semillas comestibles redondas, aplastadas y de color marrón. **2.** Semilla de esta planta.

lentejuela s. f. Circulito del tamaño de una lenteja, hecho de un material brillante, que se pone en los vestidos como adorno.

lenticular adj. **1.** En forma de lenteja. **2.** En ciclismo, se dice de un tipo de rueda especial para la velocidad, formada por un disco en vez de radios. || adj. y s. m. **3.** El más pequeño de los cuatro huesecillos del oído medio.

lentilla s. f. Lente pequeñita que se pone directamente en el ojo para corregir defectos de la visión.

lentisco s. m. Arbusto mediterráneo de madera dura y rojiza, flores pequeñas y fruto de color rojo que luego se vuelve negro.

lentitud s. f. Característica de lento. Sin. Pesadez, tardanza, parsimonia. Ant. Rapidez.

lento (ital.) s. m. Tiempo musical lento.

lento, ta adj. Que se mueve o hace las cosas muy despacio. Sin. Pesado, tardo. Ant. Rápido.

leña s. f. **1.** Troncos y ramas secas que sirven para hacer fuego. **2.** fam. Golpes, tortas. Expr. **añadir** o **echar leña al fuego** Hacer que aumente un enfado o una discusión. Sin. **2.** Paliza.

leñador, ra s. m. y f. Persona que se dedica a cortar leña en el monte.

leñazo s. m. fam. Golpe fuerte. Sin. Tortazo, trompazo.

¡leñe! interj. fam. Expresa enfado o sorpresa.

leñera s. f. Lugar en el que se guarda la leña.

leño s. m. **1.** Trozo de árbol cortado y sin ramas. **2.** fam. Persona de poca inteligencia. Sin. **2.** Zoquete.

leñoso, sa adj. Se dice de los tallos o frutos de algunas plantas que tienen la dureza y la consistencia de la madera.

leo s. m. Quinto signo del zodiaco (del 22 de julio al 22 de agosto).

león, na s. m. y f. **1.** Mamífero carnívoro felino de gran tamaño y pelaje entre amarillo y rojo. El macho se distingue por su gran melena. **2.** Persona muy valiente o que tiene mucho genio. || **3. león marino** Mamífero carnívoro marino de gran tamaño, parecido a la foca, que vive en el océano Pacífico.

leonado, da adj. De color rubio rojizo.

leonera s. f. **1.** Sitio donde están encerrados los leones. **2.** Habitación o casa muy desordenada.

leonés, sa adj. **1.** De León, ciudad y provincia españolas, y ciudad de México. **2.** Del antiguo reino de León.

leonino, na adj. Se dice del contrato o acuerdo en el que una de las partes debe cumplir unas condiciones muy duras y, también, de estas condiciones.

leontina s. f. Cadena de reloj de bolsillo.

leopardo s. m. Mamífero carnívoro felino de color amarillento con manchas negras redondeadas. Vive en los bosques y sabanas de África y sur de Asia.

leotardos s. m. pl. Medias de lana o de punto que llegan hasta la cintura.

leporino, na adj. Se dice del labio superior de una persona que por un defecto de nacimiento está partido como el de la liebre.

lepra s. f. Enfermedad infecciosa que produce llagas por todo el cuerpo y también ataca el sistema nervioso.

leprosería s. f. Hospital de leprosos. Sin. Lazareto.

leproso, sa adj. y s. Que tiene la lepra.

lerdo, da adj. y s. **1.** Torpe para comprender o hacer las cosas. **2.** Lento y torpe al andar. Sin. **1.** Corto, obtuso. **2.** Pesado. Ant. **1.** Listo. **2.** Ligero.

leridano, na adj. y s. De Lleida o Lérida, ciudad y provincia españolas.

lesbiana adj. y s. f. Se dice de la mujer que se siente atraída sexualmente por otras mujeres.

lesbianismo s. m. Hecho de ser una mujer lesbiana.

lesión s. f. Daño que causa una herida, un golpe o una enfermedad.

lesionar v. Producir una lesión. Sin. Herir, lastimar.

letal adj. Que puede causar la muerte. Sin. Mortal, mortífero.

letanía s. f. Rezo que consiste en una serie de frases que se repiten.

letargo s. m. **1.** Sueño muy profundo o que dura mucho. **2.** Estado de inactividad y reposo en que permanecen algunos animales durante ciertas épocas.

letón, na *adj.* y *s.* De Letonia, país de Europa.

letra *s. f.* **1.** Cada uno de los signos con que escribimos y que representan los sonidos utilizados para hablar. **2.** Manera de escribir estos signos. **3.** Las palabras de una canción. **4.** Papel donde figura una cantidad que hay que pagar en una fecha. ‖ *pl.* **5.** Conjunto de ciencias formado por la filosofía, la lengua, la literatura, la historia. ‖ **6. letra de imprenta** o **letra de molde** La letra impresa; también, letra mayúscula. **Expr. al pie de la letra** Exactamente como está escrito o como se dice. **Sin. 2.** Escritura, caligrafía. **5.** Humanidades.

letrado, da *adj.* **1.** Culto, instruido. ‖ *s. m.* y *f.* **2.** Abogado o juez. **Sin. 1.** Ilustrado. **2.** Magistrado. **Ant. 1.** Inculto.

letraset *s. m.* Lámina con letras que se pegan en una superficie apretando sobre ellas.

letrero *s. m.* Palabra o palabras que se colocan en un sitio para indicar algo. **Sin.** Rótulo, cartel.

letrilla *s. f.* Poema breve amoroso o humorístico, con un estribillo que se repite detrás de cada estrofa.

letrina *s. f.* Agujero en el suelo que se utiliza como retrete.

leucemia *s. f.* Enfermedad muy grave de la sangre, producida por un aumento excesivo de los leucocitos.

leucocito *s. m.* Glóbulo blanco.

leva *s. f.* **1.** Reclutamiento de gente, sobre todo el que se hacía para la guerra. **2.** Pieza de forma especial que al girar va moviendo una varilla. ‖ **3. árbol de levas** En los motores, eje con levas que van accionando las válvulas.

levadizo, za *adj.* Que se puede levantar: *puente levadizo.*

levadura *s. f.* Sustancia formada por hongos que hacen fermentar a otras sustancias con las que se mezcla; se emplea en panadería, pastelería y para hacer cerveza.

levantamiento *s. m.* **1.** Acción de levantar: *levantamiento de pesos.* **2.** Rebelión, sublevación. **Sin. 1.** Elevación. **2.** Alzamiento, motín. **Ant. 1.** Bajada.

levantar *v.* **1.** Llevar algo de abajo arriba o ponerlo en un lugar más alto. **2.** Poner derecho o de pie. **3.** Dirigir hacia arriba: *levantar la mirada.* **4.** Edificar, construir. **5.** Hacer que suene más fuerte la voz. **6.** Rebelar, sublevar. ‖ **levantarse 7.** Dejar la cama después de haber dormido o de haber estado en-

fermo. **Sin. 1.** Subir. **1** a **3, 5** y **6.** Alzar. **1, 3** y **4.** Elevar. **2.** Enderezar. **Ant. 1, 2** y **4.** Tirar. **1, 3** y **5.** Bajar. **4.** Demoler. **6.** Reprimir. **7.** Acostarse.

levante *s. m.* **1.** Este, oriente, lugar por donde sale el Sol. **2.** Viento húmedo y cálido del este. **3.** Las comarcas de la costa mediterránea de España, sobre todo la Comunidad Valenciana y la región de Murcia. **Ant. 1.** Occidente, oeste. **1** y **2.** Poniente.

levantino, na *adj.* y *s.* Del Levante español.

levantisco, ca *adj.* Que tiende a rebelarse. **Sin.** Rebelde, indómito. **Ant.** Sumiso.

levar *v.* Recoger el ancla. **Expr. levar anclas** Zarpar, salir un barco del puerto.

leve *adj.* **1.** De poco peso. **2.** De poca importancia o poca gravedad. **3.** Suave, poco fuerte o poco intenso. **Sin. 1** y **2.** Liviano. **1** a **3.** Ligero. **Ant. 1.** Pesado. **2.** Grave.

levedad *s. f.* Característica de leve.

levita *s. f.* Prenda de hombre que consistía en una especie de chaqueta larga, ajustada a la cintura.

levitar *v.* Flotar en el aire una persona o cosa sin que, aparentemente, actúe ninguna fuerza ni haya nada que la sostenga.

lexema *s. m.* Parte de una palabra que indica el significado básico de ésta; por ejemplo, *perr-* es el lexema de *perro, perrito* y *perruno.*

léxico, ca *adj.* **1.** Relacionado con las palabras de una lengua. ‖ *s. m.* **2.** Conjunto de las palabras de una lengua, o las usadas normalmente por una persona, un grupo, en una profesión, etc. **Sin. 2.** Vocabulario.

lexicografía *s. f.* Disciplina y conocimientos relacionados con la elaboración de diccionarios.

lexicógrafo, fa *s. m.* y *f.* Persona que se dedica a la lexicografía.

ley *s. f.* **1.** Hecho que se repite siempre de la misma manera: *la ley de la gravedad.* **2.** Norma que ordena, prohíbe o regula alguna cosa. **3.** Cariño o lealtad: *tener ley a alguien.* **4.** Cantidad de oro o plata que deben tener legalmente las monedas y joyas. **Sin. 2.** Legislación, reglamento, código. **3.** Afecto.

leyenda *s. f.* **1.** Narración de hechos fantásticos que se va transmitiendo a lo largo del tiempo. **2.** Pequeño texto escrito sobre un cuadro, dibujo, escudo, moneda, etc.

lezna s. f. Instrumento puntiagudo para hacer agujeros, como el que usan los zapateros.

liana s. f. Bejuco.

liante, ta adj. y s. Persona que lía a otras, las confunde o las engaña.

liar v. 1. Envolver y atar paquetes con papeles, cuerdas, gomas. 2. Enrollar. 3. Complicar, enredar. 4. Confundir a alguien. 5. Convencer a alguien con engaños o insistiendo mucho. || **liarse** 6. Ponerse a hacer algo. Sin. 1. Embalar, empaquetar. 2. Arrollar. 3. Embrollar, embarullar. 4. Equivocar. 5. Engatusar. 6. Lanzarse. Ant. 1. Desenvolver. 2. Desenrollar.

libación s. f. Acción de libar.

libanés, sa adj. y s. Del Líbano, país de Asia.

libar v. Chupar el jugo de algo, como hacen los insectos con el néctar de las flores. Sin. Succionar, sorber.

libelo s. m. Escrito en que se dicen cosas malas o falsas de alguien o algo.

libélula s. f. Insecto de cuerpo alargado, ojos grandes y dos pares de alas iguales. Vive en charcas y sitios con agua. Se llama también caballito del diablo.

liberación s. f. Acción de liberar.

liberal adj. y s. 1. Que defiende la libertad y la tolerancia. 2. Partidario del liberalismo político y económico. || adj. 3. Generoso. 4. Se dice de algunas profesiones que se pueden ejercer por cuenta propia y de los profesionales que las ejercen, como abogados, médicos, ingenieros. Sin. 1. Tolerante. 3. Espléndido, desprendido. Ant. 1. Intolerante. 3. Tacaño.

liberalidad s. f. Generosidad. Sin. Desprendimiento. Ant. Tacañería.

liberalismo s. m. 1. Teoría política y económica que defiende la libertad individual de los ciudadanos. 2. Tolerancia. Ant. 1. Dictadura. 2. Intransigencia.

liberalización s. f. Acción de liberalizar.

liberalizar v. Hacer más libre o abierto: liberalizar un régimen político, el comercio.

liberar v. 1. Dar libertad o poner en libertad. 2. Desprender, echar: El fuego libera calor. 3. Quitar un compromiso, obligación o preocupación: liberar de una promesa. Sin. 1 y 3. Librar, libertar. 2. Despedir, emitir. Ant. 1. Apresar. 2. Captar. 3. Obligar.

liberiano adj. Se dice de los vasos o conductos de las plantas que llevan la savia elaborada a todas sus células.

liberiano, na adj. y s. De Liberia, país de África.

líbero s. m. Jugador de fútbol que no tiene una posición fija y no marca a un contrario.

libérrimo, ma adj. sup. de **libre**.

libertad s. f. 1. Capacidad que tienen las personas de hacer o no una cosa y de hacerla de una manera o de otra. 2. Estado de la persona, animal, pueblo, país que no está preso, encerrado o sometido a otro. 3. Confianza en el trato, para hablar o para hacer otra cosa. || pl. 4. Atrevimiento o excesiva confianza: tomarse demasiadas libertades. Sin. 1. Voluntad. 2. Independencia. 3. Franqueza. Ant. 2. Esclavitud.

libertador, ra adj. y s. Persona que liberta a otras.

libertar v. Dar la libertad. Sin. Liberar. Ant. Esclavizar, encerrar.

libertario, ria adj. y s. Anarquista.

libertinaje s. m. Libertad excesiva, en la que no se respeta la ley, la moral ni la libertad de los demás. Sin. Desenfreno.

libertino, na adj. y s. Se dice de la persona que tiene muchos vicios y es una de sus actos y costumbres. Sin. Vicioso, inmoral. Ant. Virtuoso.

liberto, ta s. m. y f. En la antigua Roma, esclavo al que se había dado la libertad.

libidinoso, sa adj. Lujurioso.

libio, bia adj. y s. De Libia, país de África.

libra s. f. 1. Moneda del Reino Unido y otros países. 2. Medida de peso que equivale a algo menos de medio kilogramo. 3. Séptimo signo del zodiaco (del 22 de septiembre al 23 de octubre).

librado, da p. de **librar**. También adj. Expr. **salir bien** (o **mal**) **librado** Salir beneficiado de algo o, por el contrario, perjudicado.

librar v. 1. Evitar a alguien algo molesto, pesado, malo o peligroso. 2. Con palabras que significan 'lucha', realizarla: librar una batalla. 3. Tener un empleado su día libre. Sin. 1. Liberar, salvar. 2. Entablar. Ant. 1. Cargar.

libre adj. 1. Que tiene libertad o está en libertad. 2. Suelto, no sujeto. 3. Que no tiene lo que se indica: libre de culpa. 4. No ocupado: asiento libre. 5. Sin obstáculos: *paso libre.* **6.** Se dice del tiempo durante el cual no estamos trabajando o realizando nuestra actividad habitual. **EXPR. al aire libre** En el campo, en contacto con la naturaleza. **SIN. 3.** Exento. **4.** Desocupado, vacante. **ANT. 1.** Cautivo. **5.** Cerrado, cortado.

librea *s. f.* Uniforme de gala que usan porteros y conserjes en ocasiones importantes.

librecambio *s. m.* Sistema económico que se basa en el libre comercio entre países, sin pagar derechos de aduanas.

librepensador, ra *adj. y s.* Persona que defiende la razón y la tolerancia y no sigue los dogmas ni las ideas impuestas.

librería *s. f.* **1.** Tienda de libros. **2.** Mueble con estantes para colocar libros. **SIN. 2.** Estantería.

librero, ra *s. m. y f.* Vendedor de libros.

libreta *s. f.* **1.** Cuadernillo para escribir cosas. || **2. libreta de ahorros** Cuenta de ahorro en la que el dinero que meten o sacan los clientes y los intereses que reciben se anotan en una libreta.

libreto *s. m.* Texto de una ópera o zarzuela.

libro *s. m.* **1.** Conjunto de hojas escritas o impresas sujetas por un lado y que tienen una cubierta. **2.** Conjunto de hojas unidas o encuadernadas para distintos usos, por ejemplo en el que se apuntan las cuentas de un negocio. **3.** Una parte del estómago de los rumiantes. || **4. libro de bolsillo** El de pequeño tamaño. **5. libro de familia** Libro en que aparecen los datos del matrimonio y de sus hijos.

licencia *s. f.* Permiso para algo: *licencia de pesca.* **SIN.** Autorización. **ANT.** Prohibición.

licenciado, da **1.** *p.* de **licenciarse.** || *adj. y s.* **2.** Persona que tiene una licenciatura en una carrera universitaria. || *adj. y s. m.* **3.** Soldado que ha acabado la mili. **SIN. 2.** Titulado.

licenciarse *v.* **1.** Terminar la mili un soldado. **2.** Conseguir una licenciatura.

licenciatura *s. f.* Grado o título que se consigue al acabar los estudios universitarios realizados en las facultades.

licencioso, sa *adj.* Indecente, inmoral. **SIN.** Libertino, vicioso.

liceo *s. m.* **1.** Nombre de algunos centros o asociaciones culturales o de entretenimiento. **2.** En algunos países, instituto de bachillerato.

lícito, ta *adj.* Que está permitido por la ley o es justo o correcto. **SIN.** Legal, legítimo. **ANT.** Ilícito.

licor *s. m.* Bebida que tiene alcohol, sustancias aromáticas, agua y azúcar.

licorera *s. f.* **1.** Botella decorada que se usa para servir licores. **2.** Conjunto formado por esa botella y copas para licor en un soporte.

licuadora *s. f.* Aparato eléctrico para licuar frutas u otros alimentos.

licuar *v.* Hacer líquida una cosa sólida o gaseosa. **ANT.** Solidificar.

lid *s. f.* **1.** Lucha, combate. **2.** Discusión. **SIN. 1.** Pelea, contienda. **2.** Debate.

líder *s. m.* **1.** Persona que dirige o manda en un grupo, partido, movimiento. **2.** Deportista o equipo que va el primero en la clasificación. **3.** Cualquiera que domina en algo, que sobresale entre otros. **SIN. 1.** Jefe, dirigente.

liderato o **liderazgo** *s. m.* El hecho de ser líder.

lidia *s. f.* Acción de lidiar, sobre todo toros.

lidiador, ra *s. m. y f.* Torero.

lidiar *v.* **1.** Luchar para conseguir una cosa. **2.** Tener alguien que tratar con personas molestas, con dan mucho trabajo. **3.** Torear. **SIN. 2.** Bregar.

liebre *s. f.* Mamífero herbívoro parecido al conejo con las patas traseras muy desarrolladas y orejas muy largas; se asusta fácilmente y corre mucho. Es frecuente en España.

liendre *s. f.* Huevecillo del piojo.

lienzo *s. m.* **1.** Tela hecha normalmente de lino, cáñamo o algodón. **2.** Tela preparada para pintar sobre ella, y cuadro ya pintado. **SIN. 2.** Pintura, óleo.

lifting (ingl.) *s. m.* Operación de cirugía estética para eliminar las arrugas de la piel.

liga *s. f.* **1.** Cinta elástica para sujetar las medias a la pierna. **2.** Competición deportiva en la que cada equipo tiene que jugar contra todos los demás de la misma categoría. **3.** Unión o alianza de ciudadanos, grupos o países con un interés común. **SIN. 3.** Asociación, coalición.

ligadura *s. f.* **1.** Acción de ligar, atar. **2.** Cuerda, correa o cualquier cosa para atar cosas. **3.** Unión de dos cables, cuerdas o cosas parecidas. **4.** Lo que a una persona la ata o la une fuertemente a algo o a otras personas. **SIN. 2** y **4.** Atadura, lazo.

ligamento *s. m.* Tendón o membrana que une los huesos y las articulaciones o sostiene un órgano del cuerpo.

ligar *v.* **1.** Atar o unir. **2.** *fam.* Conquistar o intentar conquistar a alguien. **Expr. ligarla** o **ligársela** En juegos como el escondite, tocarle a uno buscar o atraparle a los demás. **Sin. 1.** Amarrar. **Ant. 1.** Desligar.

ligazón *s. f.* Unión fuerte entre cosas. **Sin.** Conexión, trabazón. **Ant.** Desconexión.

ligereza *s. f.* **1.** Característica de ligero. **2.** Insensatez, imprudencia. **Sin. 1.** Levedad; rapidez. **2.** Descuido. **Ant. 1.** Pesadez; lentitud. **2.** Prudencia.

ligero, ra *adj.* **1.** Que pesa poco o es poco grueso. **2.** Ágil, rápido. **3.** Se dice del sueño no profundo, del que uno se despierta con facilidad. **4.** Se dice de los alimentos que se digieren pronto y fácilmente. **5.** De poca importancia, gravedad o fuerza. **Expr. a la ligera** Rápida y descuidadamente, sin pensar. **Sin. 1** y **5.** Leve. **2.** Veloz. **Ant. 1, 3** y **4.** Pesado. **5.** Grave.

lignito *s. m.* Carbón mineral; es un combustible que produce poco calor.

ligón, na *adj.* y *s. fam.* Persona que liga mucho con otras.

ligue *s. m. fam.* Acción de ligar y persona con la que alguien liga.

liguero, ra *adj.* **1.** De una liga deportiva. || *s. m.* **2.** Prenda interior femenina que se pone en la cintura y tiene cintas y enganches para sujetar las medias.

liguilla *s. f. dim.* de **liga**. Liga deportiva en la que participan pocos equipos.

lija *s. f.* **1.** Especie de tiburón de color gris, con los ojos verdes y la piel con unos granillos muy duros y que antes se utilizaba, una vez seca, para lijar. Vive en los fondos marinos. **2.** Papel fuerte con vidrio molido u otras partículas duras pegadas, que se usa para lijar. Se llama también *papel de lija*.

lijadora *s. f.* Máquina para lijar.

lijar *v.* Dejar lisa o más suave una superficie pasándole una lija. **Sin.** Pulir.

lila¹ *s. f.* **1.** Arbusto con florecitas de color morado o blanco, agrupadas en racimos y de muy buen olor. **2.** La flor de este arbusto. || *s. m.* **3.** Color morado de esta flor. **Sin.** Malva.

lila² *adj.* y *s.* Bobo, que se deja engañar. **Sin.** Pardillo, ingenuo.

liliputiense *adj.* y *s.* Enano. **Ant.** Gigante.

lilo *s. m.* Lila, arbusto.

lima¹ *s. f.* **1.** Herramienta que consiste en una barra con la superficie áspera y sirve para alisar o desgastar metales y otros materiales. **2.** Utensilio parecido, más pequeño, para limar las uñas. **3.** *fam.* Persona que come mucho.

lima² *s. f.* Fruto de un árbol llamado *limero* y también *lima*; es casi redondo y tiene la corteza de color amarillo o verdoso y la carne jugosa, algo más dulce que la del limón.

limaduras *s. f. pl.* Pequeños trozos que caen cuando se lima un metal. **Sin.** Virutas.

limar *v.* **1.** Pulir o desgastar una cosa con la lima. **2.** Disminuir: *limar diferencias.* **Sin. 1.** Alisar. **2.** Reducir.

limbo *s. m.* **1.** Lugar adonde, según algunos creen, van las almas de los niños que mueren sin haber sido bautizados. **2.** Lugar adonde se cree que iban las personas buenas después de morir, antes de la resurrección de Cristo. **3.** Parte ancha de las hojas de las plantas.

limeño, ña *adj.* y *s.* De Lima, capital del Perú.

limero *s. m.* Árbol que da la lima.

limitación *s. f.* **1.** Acción de limitar. **2.** Aquello que limita o impide. **Sin. 2.** Impedimento, traba. **Ant. 2.** Facilidad.

limitado, da **1.** *p.* de **limitar**. También *adj.* || *adj.* **2.** Se dice de la persona poco inteligente. **Sin. 2.** Corto. **Ant. 1.** Ilimitado. **2.** Listo.

limitar *v.* **1.** Poner límites, reducir. **2.** Tener un lugar, territorio o país límites o fronteras comunes con otro. **3.** Hacer que alguien o algo no pase de un límite. || **limitarse 4.** Hacer alguien sólo lo que se expresa: *Calla y limítate a escuchar.* **Sin. 1.** Recortar, restringir. **2.** Lindar. **4.** Ceñirse. **Ant. 1.** Aumentar.

límite *s. m.* **1.** Lo que señala la separación entre dos cosas. **2.** El final o el grado mayor de algo. **3.** Aquello que no se puede o no se debe pasar. || **4. situación límite** Situación o estado de mayor peligro o gravedad. **Sin. 1.** División, linde. **2.** Fin, término.

limítrofe *adj.* Se dice del territorio, país, lugar o terreno que tiene límites con otro. **Sin.** Colindante, aledaño.

limo *s. m.* Cieno, barro.

limón *s. m.* **1.** Fruto del limonero, de color amarillo y sabor ácido. **2.** Limonero. **3.** Color del fruto del limonero.

limonada *s. f.* Bebida hecha con zumo de limón, agua y azúcar.

limonar *s. m.* Campo de limoneros.

limonero *s. m.* Árbol que da el limón.

limosna *s. f.* Dinero u otra cosa que se da a los pobres para ayudarles.

limpia *s. f.* **1.** Acción de limpiar. ‖ *s. m.* y *f.* **2.** *fam.* Limpiabotas.

limpiabotas *s. m.* y *f.* Persona que trabaja limpiando botas y zapatos.

limpiamente *adv.* **1.** Con habilidad, sin tropiezos ni dificultades: *El atleta saltó el listón limpiamente.* **2.** Con honradez y respetando las normas: *El partido se desarrolló limpiamente.*

limpiaparabrisas *s. m.* Varillas que se mueven a un lado y a otro por el parabrisas de los vehículos para limpiarlos de lluvia o nieve.

limpiar *v.* **1.** Quitar la suciedad. **2.** Quitar lo que estorba, es malo o no sirve. **3.** *fam.* Robar. **4.** *fam.* En el juego, ganar a los otros jugadores el dinero que han apostado. **Sin. 1.** Asear, fregar. **2.** Despejar. **3.** Mangar, birlar. **Ant. 1.** Ensuciar.

límpido, da *adj.* Limpio, puro, transparente. **Ant.** Turbio.

limpieza *s. f.* **1.** Característica de limpio. **2.** Acción de limpiar. **3.** Habilidad o destreza al hacer algo. **4.** Comportamiento correcto y honrado, de acuerdo con unas normas. **Sin. 1.** Pulcritud. 1 y **2.** Aseo. **3.** Maña, esmero. **4.** Honestidad, corrección. **Ant. 1.** Suciedad. **3.** Torpeza.

limpio, pia *adj.* **1.** Que no tiene manchas ni suciedad, ni mezcla ni impurezas. **2.** Se dice de la persona que se lava y cuida su higiene y su aspecto. **3.** Se dice de aquello a lo que se le han quitado los desperdicios, sobras u otras cosas que no sirven. **4.** Que no tiene dinero o lo ha perdido todo. **5.** Se usa en algunas expresiones para indicar que se da mucho de lo que se dice: *a golpe limpio, a tiro limpio.* ‖ *adj.* y *adv.* **6.** Con honradez y respetando las normas: *jugar limpio.* **Expr. pasar a limpio** Copiar un escrito con limpieza, sin tachones. **sacar en limpio** Obtener una idea clara de algo; también, obtener provecho o ganancia. **Sin. 1.** Puro. 1 y **2.** Pulcro, aseado. **4.** Pelado. **6.** Correcto; limpiamente. **Ant. 1.** Impuro. 1 a 3 y 6. Sucio. **4.** Forrado.

limusina *s. f.* Automóvil grande y lujoso.

linaje *s. m.* Conjunto de antepasados y descendientes de una persona. **Sin.** Estirpe, abolengo.

linajudo, da *adj.* y *s.* Que pertenece a un linaje noble o importante.

linaza *s. f.* Semilla del lino, de la que se saca el *aceite de linaza,* usado para fabricar pinturas y barnices.

lince *s. m.* **1.** Mamífero carnívoro, parecido al gato, pero mucho mayor, con las orejas terminadas en un mechón de pelos negros. De él se dice que tiene una vista muy buena. **2.** *fam.* Persona astuta, muy lista. **Sin. 2.** Zorro.

linchamiento *s. m.* Acción de linchar.

linchar *v.* Matar una multitud a una persona sin haberla juzgado antes.

lindante *adj.* Lindero, que linda.

lindar *v.* Estar juntos dos territorios, terrenos, edificios. **Sin.** Limitar.

linde *s. amb.* Límite, separación entre campos, fincas, propiedades o territorios. **Sin.** División, lindero.

lindero, ra *adj.* **1.** Que linda con otra cosa. ‖ *s. m.* **2.** Linde. **Sin. 1.** Limítrofe, colindante. **2.** Límite.

lindezas *s. f. pl.* **1.** Palabras o detalles que agradan. **2.** Cuando se dice con ironía, insultos, groserías. **Sin. 1.** Piropos. **2.** Insolencias, frescas.

lindo, da *adj.* Bonito, agradable. **Expr. de lo lindo** Mucho: *divertirse de lo lindo.* **Sin.** Hermoso, mono.

línea *s. f.* **1.** En geometría, sucesión continua de puntos. **2.** Raya o trazo continuo que se extiende a lo largo. **3.** Figura esbelta, buen tipo: *guardar la línea.* **4.** Serie de personas, animales o cosas colocadas en la misma dirección. **5.** Vía de comunicación o de transporte: *línea aérea.* **6.** Sistema de cables, hilos y otras cosas que hacen posible la comunicación telefónica o telegráfica. **7.** Serie de personas unidas por parentesco: *línea paterna, línea materna.* **8.** Estilo, diseño, forma: *línea deportiva.* **9.** Conjunto de jugadores de un equipo que tienen la misma finalidad: *línea defensiva.* ‖ *pl.* **10.** Un ejército y el lugar en que está situado: *las líneas enemigas.* **Sin. 4.** Fila, hilera. **5.** Ruta.

lineal *adj.* Hecho con líneas o relacionado con ellas: *dibujo lineal.*

linfa *s. f.* Líquido compuesto sobre todo de proteínas y glóbulos blancos que circula en nuestro cuerpo por unos ganglios y vasos llamados *linfáticos.*

linfático, ca *adj.* De la linfa o relacionado con ella: *ganglio linfático.*

linfocito *s. m.* Leucocito o glóbulo blanco de pequeño tamaño producido por los ganglios linfáticos.

lingotazo *s. m. fam.* Trago de una bebida alcohólica.

lingote *s. m.* Trozo o barra de metal sin pulir, sobre todo de oro, plata, platino o hierro.

lingual *adj.* De la lengua, órgano.

lingüista *s. m.* y *f.* Persona que se dedica a la lingüística.

lingüística *s. f.* Ciencia que estudia el lenguaje y las lenguas.

lingüístico, ca *adj.* De la lengua o de la lingüística.

linimento *s. m.* Líquido con que se frota la piel, como el que se usa para aliviar dolores musculares.

lino *s. m.* **1.** Planta de cuyo tallo se saca una fibra textil. De su semilla se extrae el aceite de linaza. **2.** Esa fibra textil y el tejido hecho con ella.

linóleo o **linóleum** *s. m.* Material que se emplea sobre todo para cubrir suelos pegándolo encima.

linotipia *s. f.* **1.** Máquina que se usa en imprenta para componer textos. **2.** Técnica para componer textos con esta máquina.

linotipista *s. m.* y *f.* Persona que trabaja con una linotipia.

linterna *s. f.* **1.** Lamparita con pilas eléctricas que podemos llevar en la mano. **2.** Farol que se lleva fácilmente en la mano, con una sola cara de vidrio y un asa.

lío *s. m.* **1.** Algo que es complicado, difícil de entender o de resolver. **2.** Situación mala de la que cuesta salir. **3.** Lo que está desordenado. **4.** Conjunto de cosas envueltas o atadas, por ejemplo ropas. **5.** Aventura amorosa. **Sin.** 1 a 3. Embrollo. **4.** Hato.

lioso, sa *adj.* **1.** Que es un lío o embrollo. || *adj.* y *s.* **2.** Chismoso, cotilla. **Sin.** 1. Liado, embrollado, enredado. **Ant.** 1. Claro.

lípido *s. m.* Sustancia formada principalmente por carbono, oxígeno e hidrógeno, que proporciona energía a los seres vivos.

lipotimia *s. f.* Desmayo que se produce cuando no llega suficiente sangre al cerebro.

liquen *s. m.* Ser vivo formado por la unión de un alga y un hongo que viven en simbiosis. No tiene hojas, flores ni raíces y crece en superficies húmedas.

liquidación *s. f.* Acción de liquidar algo. **Sin.** Pago; saldo.

liquidar *v.* **1.** Pagar totalmente lo que se debía. **2.** Vender un comercio todas las cosas más baratas para que la gente las compre todas. **3.** Gastar completamente. **4.** Terminar con algo. **5.** *fam.* Matar. **Sin.** 1. Cancelar, saldar. 3. Fundir. 4. Acabar. **Ant.** 1. Contraer. 4. Comenzar.

liquidez *s. f.* Capacidad que tiene una persona o empresa para poder pagar sus deudas o disponer de dinero. **Sin.** Solvencia.

líquido, da *adj.* **1.** Se dice del estado de la materia que es como el del agua. || *adj.* y *s. m.* **2.** Se dice de la sustancia que está en ese estado. **Sin.** 2. Fluido.

lira[1] *s. f.* **1.** Antiguo instrumento musical de cuerda parecido a un arpa, pero más pequeño. **2.** Estrofa de cinco versos de siete y once sílabas, que riman el primero con el tercero y el segundo con el cuarto y el quinto.

lira[2] *s. f.* La moneda de Italia y de Turquía.

lírica *s. f.* Tipo de poesía en la que el autor expresa sobre todo sus sentimientos.

lírico, ca *adj.* **1.** De la lírica. **2.** Se dice de las obras teatrales cantadas o con partes cantadas, como la ópera o la zarzuela. **3.** Que conmueve por su belleza o por la emoción que provoca. || *adj.* y *s.* **4.** Que escribe obras de lírica: *poeta lírico.* **5.** Que canta óperas o zarzuelas: *cantante lírico.* **Sin.** 1. Poético. 3. Emotivo.

lirio *s. m.* Planta que tiene hojas alargadas y estrechas y flores de color violeta, azul y a veces blanco. Se utiliza para fabricar perfumes y como planta decorativa.

lirismo *s. m.* Característica de lo que es lírico y conmueve por su belleza o emoción.

lirón *s. m.* **1.** Mamífero roedor de pelo amarillento por la espalda y blanco por el vientre, con una larga cola. Vive en los bosques de Europa y el norte de África, y pasa todo el invierno dentro de su madriguera. **2.** *fam.* Persona muy dormilona. **Sin.** 2. Marmota.

lis *s. f.* Flor de lis. Ver **flor**.

lisboeta *adj.* y *s.* De Lisboa, capital de Portugal.

lisiado, da **1.** *p.* de lisiar. || *adj.* y *s.* **2.** Se dice de aquel al que le falta algún miembro o lo tiene dañado. **Sin.** 2. Mutilado, inválido.

lisiar *v.* Dejar lisiado.

liso, sa *adj.* **1.** Sin arrugas, desigualdades o salientes. **2.** No rizado. **3.** De un solo color. **Sin. 1.** Plano, llano. **2.** Lacio. **Ant. 1.** Arrugado. **2.** Crespo.

lisonja *s. f.* Alabanza que se hace a alguien para conseguir algo a cambio. **Sin.** Halago, adulación.

lisonjero, ra *adj. y s.* Que alaba o resulta agradable. **Sin.** Halagador. **Ant.** Ofensivo.

lista *s. f.* **1.** Tira de cualquier material. **2.** Raya o línea más o menos ancha. **3.** Papel que tiene escritos los nombres de personas o cosas. **Expr. pasar lista** Leer en voz alta los nombres de las personas escritos en un papel para saber si están. **Sin. 1** y **2.** Banda. **2.** Franja. **3.** Listado, relación.

listado, da *adj.* **1.** Que tiene listas o rayas. || *s. m.* **2.** Lista de personas o cosas. **Sin. 1.** Rayado. **Ant. 1.** Liso.

listeza *s. f.* Inteligencia, astucia.

listín *s. m.* Cuaderno para apuntar teléfonos y direcciones.

listo, ta *adj. y s.* **1.** Que tiene facilidad para pensar y entiende las cosas rápidamente. **2.** Hábil, astuto. || *adj.* **3.** Preparado. **Expr. estar listo** o **ir listo** Estar apañado, no tener ninguna posibilidad. **Sin. 1.** Inteligente, despierto. **1** y **2.** Espabilado. **2.** Avispado. **3.** Dispuesto. **Ant. 1.** Tonto.

listón *s. m.* Tabla larga, delgada y estrecha.

lisura *s. f.* Característica de lo que es liso. **Sin.** Tersura. **Ant.** Rugosidad.

litera *s. f.* **1.** Cada una de las camas que están unidas una encima de otra. **2.** Especie de carroza sin ruedas y con unos palos largos para ser transportada a hombros o por caballerías.

literal *adj.* Que dice exactamente lo mismo que está escrito o lo que ha dicho otro. **Sin.** Textual, fiel.

literario, ria *adj.* De la literatura o propio de ella.

literato, ta *s. m. y f.* Autor de obras de literatura.

literatura *s. f.* **1.** Arte que consiste en expresar sentimientos o ideas con palabras escritas o habladas. **2.** Estudio de ese arte y de sus autores y obras. **3.** Conjunto de obras literarias de una época, de un país, de un estilo.

litigar *v.* Comenzar o tener un litigio con alguien. **Sin.** Pleitear.

litigio *s. m.* Enfrentamiento, sobre todo el que tratan de solucionar dos personas en un juicio. **Sin.** Pleito.

litografía *s. f.* Dibujo o escrito grabado o impreso con planchas de piedra o metal.

litoral *s. m.* **1.** La orilla del mar. || *adj.* **2.** De la orilla del mar. **Sin. 1.** Costa. **2.** Costero.

litosfera *s. f.* Capa superficial y sólida de la Tierra, formada por la corteza y la capa externa del manto.

litro *s. m.* Medida para líquidos, que es igual a la cantidad que cabe en un cubo de 10 centímetros de lado.

lituano, na *adj. y s.* **1.** De Lituania, país de Europa. || *s. m.* **2.** Lengua de ese país.

liturgia *s. f.* Las ceremonias religiosas y las reglas que se siguen en ellas. **Sin.** Rito, culto.

litúrgico, ca *adj.* De la liturgia.

liviandad *s. f.* **1.** Característica de lo que es liviano. **2.** Acción liviana, frívola. **Sin. 1** y **2.** Frivolidad.

liviano, na *adj.* **1.** Delgado, que pesa poco o es poco resistente. **2.** Poco importante o poco serio. **3.** Indecente o frívolo. **Sin. 1** y **2.** Ligero. **Ant. 2.** Pesado. **2.** Grave; formal. **2.** Decente.

lívido, da *adj.* Que tiene la cara u otra parte del cuerpo pálida o de color un poco morado.

liza *s. f.* Lucha o combate.

llaga *s. f.* Herida abierta que escuece y duele. **Sin.** Úlcera.

llama¹ *s. f.* **1.** Masa de gas encendida que sale de algo cuando se está quemando. **2.** Sentimiento muy fuerte: *la llama del amor.* **Sin. 2.** Ardor, pasión.

llama² *s. f.* Mamífero rumiante, de pelo color marrón claro y cuello y patas bastante largos. Vive en los Andes y se cría por su carne, su leche y su lana y como animal de carga.

llamada *s. f.* **1.** Acción de llamar. **2.** Palabra o señal con que se llama o avisa a alguien. **3.** Signo o número que se pone en un escrito para indicar que se busque más información en otro lugar que se indica. **Sin. 1.** Llamamiento, convocatoria. **2.** Aviso, indicación.

llamador *s. m.* Botón del timbre u otra cosa para llamar a la puerta.

llamamiento *s. m.* **1.** Petición importante y urgente que se hace a muchas personas. **2.** Acción de llamar a alguien. **Sin. 1.** Llamada, exhortación. **2.** Convocatoria.

llamar *v.* **1.** Decir el nombre de una persona o animal, gritarle o hacerle algún gesto para avisarle de algo o para que venga. **2.** Ponerse en contacto con alguien por teléfono. **3.** Poner un nombre a alguien o algo, o tener una persona o cosa un nombre. **4.** Ponerle un mote o un calificativo a alguien o dirigirle un insulto. **5.** Golpear en la puerta o hacer sonar el timbre para que abran o digan si se puede pasar. **Expr. llamar la atención** Reñir; también, hacer que los demás se fijen en uno. **Sin. 3.** Nombrar, denominar. **4.** Apodar, tildar, calificar.

llamarada *s. f.* Llama grande que sale bruscamente y luego desaparece. **Sin.** Fogonazo.

llamativo, va *adj.* Que llama mucho la atención. **Sin.** Vistoso, chillón.

llamear *v.* Echar llamas.

llana *s. f.* Herramienta que tiene una plancha de metal con un asa y que se utiliza para extender el yeso o la argamasa.

llanero, ra *adj.* y *s.* Del llano.

llaneza *s. f.* Sencillez o naturalidad. **Sin.** Familiaridad. **Ant.** Solemnidad.

llano, na *adj.* **1.** Sin diferencias de altura ni desigualdades. **2.** Sencillo y natural en el trato con los demás. **3.** Se dice de las personas que no son importantes ni de clase social alta: *el pueblo llano.* **4.** Se dice de la palabra acentuada en la penúltima sílaba. ‖ *s. m.* **5.** Terreno sin diferencias de altura ni desigualdades. **Sin. 1.** Plano, liso. **2.** Familiar, espontáneo. **5.** Llanura. **Ant. 1.** Accidentado. **2.** Ceremonioso.

llanta *s. f.* Parte metálica de las ruedas de los coches y otros vehículos sobre la que se coloca el neumático.

llantera o **llantina** *s. f.* Llanto fuerte. **Sin.** Llorera.

llanto *s. m.* Acción de llorar. **Ant.** Risa.

llanura *s. f.* Terreno llano y extenso. **Sin.** Llano, planicie. **Ant.** Montaña.

llave *s. f.* **1.** Objeto metálico que se mete en una cerradura para cerrarla y abrirla. **2.** Pieza para abrir y cerrar un grifo o el conducto por el cual pasa un líquido o gas. **3.** Herramienta para apretar o aflojar tuercas. **4.** Botoncito, pequeña palanca u otra cosa para encender y apagar la luz eléctrica. **5.** Signo ortográfico que se representa con { }. **6.** En algunos deportes como el judo, movimiento que se hace para derribar o inmovilizar al contrario. **7.** Lo que sirve para lograr algo o lo pone más fácil. ‖ **8. llave de contacto** La que se emplea para arrancar el motor de un vehículo. **9. llave maestra** Aquella con

la que se pueden abrir todas las cerraduras de un lugar. **Sin. 2.** Válvula. **4.** Interruptor.

llavero *s. m.* Objeto que sirve para llevar las llaves.

llavín *s. m.* Llave pequeña y plana.

llegada *s. f.* **1.** Acción de llegar. **2.** Lugar o línea donde termina una carrera deportiva. **Sin. 1.** Advenimiento. **2.** Meta. **Ant. 1** y **2.** Salida.

llegar *v.* **1.** Terminar alguien o algo su viaje, su recorrido o lo que estaba haciendo. **2.** Venir o suceder: *Llegó la primavera.* **3.** Durar hasta un tiempo o situación: *No sé si esta planta llegará al verano.* **4.** Conseguir, lograr ser: *Este chico llegará a presidente.* **5.** Tener algo una medida o cantidad. **6.** Ser suficiente. **Expr. estar al llegar** Faltar muy poco para que venga una persona o suceda alguna cosa. **Sin. 1.** Arribar. **2.** Ocurrir, sobrevenir. **3.** Resistir. **6.** Bastar. **Ant. 1.** Salir. **6.** Faltar.

llenar *v.* **1.** Meter o poner personas o cosas en un lugar sin que quede más sitio. **2.** Dar mucho de alguna cosa: *Le llenó de besos.* **3.** Dejar contento o satisfecho: *La danza llena su vida.* ‖ **llenarse** **4.** Hartarse de comer o beber. **Sin. 1.** Abarrotar, atestar. **4.** Saciarse, atiborrarse. **Ant. 1.** Vaciar.

lleno, na *adj.* **1.** Que no caben más personas o cosas. **2.** Que tiene mucho de algo. **3.** Que ha comido o bebido mucho y no puede más. **4.** Un poco gordo. **Expr. de lleno** Directamente, completamente, exactamente: *dar de lleno, acertar de lleno.* **Sin. 1.** Repleto; abarrotado. **2.** Plagado. **3.** Harto. **4.** Regordete. **Ant. 1** y **2.** Vacío. **4.** Flaco.

llevadero, ra *adj.* Fácil de soportar. **Sin.** Tolerable. **Ant.** Insoportable.

llevar *v.* **1.** Mover o pasar de un lugar a otro a una persona, animal o cosa. **2.** Conducir. **3.** Tener: *llevar razón.* **4.** Vestir, tener ropa puesta. **5.** Haber pasado un tiempo en un lugar o haciendo algo: *Lleva años viviendo aquí.* **6.** Cobrar una cantidad de dinero: *Me llevan diez mil pesetas por la reparación.* **7.** Encargarse: *llevar un negocio.* **8.** Soportar bien o mal algo molesto o desagradable. **9.** Tener una diferencia una persona o cosa en comparación con otra: *Su hermano le lleva dos años.* ‖ **llevarse** **10.** Estar de moda. **11.** Mantener una relación buena o mala con otras personas. **12.** Coger, quedarse con algo. **13.** Conseguir. **14.** Sufrir, recibir: *llevarse un disgusto.* **15.** En algunas operaciones matemáticas, apartar una cifra que resulta de un cálculo para añadirla al siguiente: *Diez y cinco son quince y me llevo una*. **SIN. 1.** Transportar, trasladar. **2.** Guiar, encaminar. **7.** Ocuparse. **8.** Tolerar, aguantar. **13.** Lograr, obtener. **ANT. 1.** Dejar.

llorar *v.* **1.** Salir lágrimas de los ojos por tristeza, alegría o por otra causa. **2.** Quejarse mucho.

llorera *s. f.* Llantera o llantina.

llorica *adj.* y *s.* Llorón.

lloriquear *v.* Llorar de forma débil y continua. **SIN.** Gimotear.

lloro *s. m.* Llanto.

llorón, na *adj.* y *s.* **1.** Que llora mucho. **2.** Que siempre se está quejando. **SIN. 1.** Llorica. **2.** Quejoso. **ANT. 1.** Risueño.

lloroso, sa *adj.* Con señales de haber llorado: *ojos llorosos*.

llover *v.* **1.** Caer de las nubes agua en gotas. **2.** Producirse algo en abundancia. □ Es v. irreg. Se conjuga como *mover*. **EXPR. como quien oye llover** Sin hacer caso. **llover sobre mojado** Suceder una cosa desagradable o molesta después de otras parecidas. **SIN. 2.** Abundar. **ANT. 1.** Escampar. **2.** Faltar.

llovizna *s. f.* Lluvia muy fina.

lloviznar *v.* Caer una lluvia muy fina. **SIN.** Chispear.

lluvia *s. f.* **1.** Gotas de agua que caen de las nubes. **2.** Caída o llegada abundante de algo. **SIN. 1.** Precipitación. **2.** Avalancha. **ANT. 1.** Sequía. **2.** Escasez.

lluvioso, sa *adj.* Con lluvia.

lo *art. n.* **1.** Va delante de un adjetivo y lo convierte en sustantivo: *lo malo*. ‖ *pron. pers. m.* y *n.* **2.** Se usa como complemento directo: *A Jorge lo vi en el cine. Eso yo no lo sabía*.

loa *s. f.* **1.** Alabanza. **2.** Composición poética en que se alaba a una persona o se celebra un acontecimiento. **SIN. 1.** Elogio, apología. **ANT. 1.** Crítica.

loable *adj.* Que merece elogio. **SIN.** Laudable. **ANT.** Censurable.

loar *v.* Alabar, elogiar. **SIN.** Ensalzar. **ANT.** Criticar.

lobanillo *s. m.* Bulto, normalmente de grasa, que se forma debajo de la piel. **SIN.** Quiste.

lobato o **lobezno** *s. m.* Cría del lobo.

lobera *s. f.* Guarida del lobo.

lobo, ba *s. m.* Mamífero carnívoro de la misma familia que el perro o el chacal; tiene las orejas levantadas, el hocico acabado en punta, pelaje pardo o gris y suele vivir en pequeños grupos. ‖ **2. lobo de mar** Marino con muchos años de experiencia. **3. lobo marino** Foca.

lóbrego, ga *adj.* Oscuro y triste. **SIN.** Lúgubre, tenebroso. **ANT.** Alegre.

lobulado, da *adj.* Dividido en lóbulos o formado por ellos.

lóbulo *s. m.* **1.** La parte de abajo de la oreja, que es blanda y redonda. **2.** Parte redondeada de algunos órganos y de otras cosas.

local *adj.* **1.** De un lugar o en un lugar. **2.** De un pueblo o ciudad: *el equipo de fútbol local*. ‖ *s. m.* **3.** Sitio cubierto y cerrado en el que se pone una tienda o una empresa o donde se realiza una actividad: *locales comerciales*. **SIN. 1.** Localizado. **ANT. 1.** General.

localidad *s. f.* **1.** Cualquier lugar poblado, por ejemplo una ciudad o un pueblo. **2.** Asiento del cine, el teatro u otro espectáculo, y billete o entrada que se compra para entrar en ellos. **SIN. 1.** Población. **2.** Plaza, butaca.

localización *s. f.* **1.** Acción de localizar. **2.** Lugar donde está alguien o algo. **SIN. 1** y **2.** Ubicación. **2.** Situación.

localizar *v.* **1.** Saber dónde está alguien o algo. ‖ **localizarse 2.** Estar algo en un lugar. **SIN. 1.** Encontrar, hallar. **1** y **2.** Ubicar(se). **2.** Situarse. **ANT. 1.** Perder.

loción *s. f.* Líquido con el que se da un pequeño masaje en alguna parte del cuerpo.

loco, ca *adj.* y *s.* **1.** Que padece locura, enfermedad mental. **2.** Imprudente, insensato. ‖ *adj.* **3.** Con mucha actividad: *un día loco en el trabajo*. **4.** Que tiene mucha alegría, rabia u otro sentimiento fuerte: *loco de contento*. **5.** Se dice de la persona a la que le gusta mucho una cosa o tiene muchas ganas de hacer algo: *Está loco por las motos. Mari Carmen está loca por irse*. **6.** Muy grande: *una suerte loca*. **SIN. 1.** Ido, demente. **2.** Temerario. **3.** Ajetreado. **5.** Deseoso. **6.** Extraordinario, tremendo. **ANT. 1** y **2.** Cuerdo. **2.** Prudente.

locomoción *s. f.* Movimiento o traslado de un lugar a otro: *medios de locomoción*. **SIN.** Desplazamiento, transporte.

locomotor, ra *adj.* **1.** Que produce movimiento o está relacionado con él. ‖ *s. f.* **2.** Máquina de tren.

locomotriz *adj.* Que produce movimiento. Esta palabra es femenino de *locomotor*.

locuacidad *s. f.* Característica de locuaz. **Sin.** Charlatanería. **Ant.** Laconismo.

locuaz *adj.* Que habla mucho. **Sin.** Hablador, charlatán. **Ant.** Lacónico.

locución *s. f.* Frase o expresión formada siempre por las mismas palabras y que tiene un significado especial, como por ejemplo *estirar la pata*, 'morirse'.

locura *s. f.* **1.** Enfermedad mental que lleva a las personas a pensar o hacer cosas raras. **2.** Imprudencia, insensatez, temeridad. **3.** Afecto, entusiasmo o interés muy grandes: *querer con locura*. **4.** Cosa o situación exagerada: *Estos precios son una locura.* **Sin. 1.** Demencia, delirio. **2** y **4.** Disparate. **3.** Pasión. **Ant. 1.** Cordura. **2.** Prudencia.

locutor, ra *s. m.* y *f.* Persona que habla por radio o televisión para dar noticias, anuncios o para presentar un programa.

locutorio *s. m.* **1.** Lugar o cabina con un teléfono público. **2.** En cárceles o conventos y otros sitios, habitación dividida por rejas o por un cristal donde se reciben las visitas.

lodazal *s. m.* Lugar con mucho lodo. **Sin.** Barrizal.

loden (al.) *s. m.* Tejido de lana fuerte e impermeable y prenda de abrigo hecha con él.

lodo *s. m.* Barro que se forma en un terreno. **Sin.** Fango, cieno.

logaritmo *s. m.* En matemáticas, exponente al que hay que elevar un número para que dé como resultado una cantidad determinada.

lógica *s. f.* **1.** Ciencia que estudia las leyes del pensamiento. **2.** Forma de pensar razonando. **3.** El ser algo lógico o razonable. **Sin. 2.** Razonamiento. **3.** Coherencia. **Ant. 3.** Incoherencia.

lógico, ca *adj.* **1.** De la lógica o relacionado con ella. **2.** Natural, razonable. || *s. m.* y *f.* **3.** Que se dedica a la ciencia de la lógica. **Sin. 1.** Racional. **Ant. 1** y **2.** Ilógico. **2.** Absurdo.

logística *s. f.* Parte de la ciencia militar que trata del movimiento y aprovisionamiento de las tropas.

logístico, ca *adj.* De la logística.

logopeda *s. m.* y *f.* Especialista que ayuda a las personas con trastornos que les impiden hablar o comunicarse normalmente.

logotipo *s. m.* Símbolo de una marca o empresa, formado por letras, abreviaturas, dibujos.

logrado, da **1.** *p.* de **lograr.** También *adj.* || *adj.* **2.** Bien hecho.

lograr *v.* Conseguir, llegar a hacer o a tener algo que se desea o intenta. **Sin.** Alcanzar, obtener. **Ant.** Perder.

logro *s. m.* **1.** Hecho de lograr algo. **2.** Éxito o resultado. **Sin. 1.** Consecución, obtención. **Ant. 1.** Pérdida. **2.** Fracaso.

logroñés, sa *adj.* y *s.* De Logroño, ciudad española.

loísmo *s. m.* Uso de los pronombres *lo* o *los* como complemento indirecto en lugar de *le* o *les*; por ejemplo, *coge el filete y échalo un poco de sal* en vez de *échale un poco de sal.*

loísta *adj.* y *s.* Que comete loísmo.

loma *s. f.* Pequeño monte de forma alargada. **Sin.** Colina.

lombarda *s. f.* Especie de repollo de color morado.

lombriz *s. f.* Gusano con el cuerpo muy largo y formado por anillos, de color que varía del rosa al marrón; hace galerías en la tierra y se alimenta de sustancias que hay en ella.

lomo *s. m.* **1.** Parte del cuerpo de los animales cuadrúpedos que va desde el cuello a las ancas. **2.** Carne de esta parte del animal, sobre todo la del cerdo. **3.** Parte del libro por donde están unidas las hojas. || **4. cinta de lomo** Pieza de carne de cerdo larga y redondeada; suele comerse en rodajas.

lona *s. f.* Tela gruesa y fuerte con que se hacen, por ejemplo, toldos y tiendas de campaña.

loncha *s. f.* Trozo ancho y delgado de un alimento, por ejemplo de algún fiambre. **Sin.** Tajada.

londinense *adj.* y *s.* De Londres, capital del Reino Unido.

loneta *s. f.* Tejido menos grueso que la lona.

long play *expr. ingl.* Disco de larga duración.

longaniza *s. f.* Chorizo largo y muy delgado.

longevidad *s. f.* El vivir muchos años.

longevo, va *adj.* Que vive muchos años.

longitud *s. f.* **1.** La mayor de las tres dimensiones de una superficie. **2.** Distancia desde un lugar cualquiera de la Tierra hasta el meridiano 0. **Sin. 1.** Largo.

longitudinal *adj.* Hecho o puesto siguiendo la longitud de algo. **Ant.** Transversal.

longui o **longuis** Se usa en las expresiones **hacerse el longui** o **el longuis**, 'hacerse el tonto', 'disimular'.

lonja *s. f.* En los puertos, lugar donde se vende el pescado que han traído los barcos.

lontananza *s. f.* Lejanía.

look (ingl.) *s. m.* Aspecto que tiene una persona. **Sin.** Imagen.

looping (ingl.) *s. m. y f.* Acrobacia que consiste en dar una vuelta vertical completa con un avión.

loor *s. m.* Alabanza. **Sin.** Loa.

loquero, ra *s. m. y f.* Persona que cuida de los locos.

lord (ingl.) *s. m.* Título que se da en el Reino Unido a algunos nobles y a otras personas importantes.

loriga *s. f.* Armadura formada por pequeñas láminas de metal que parecen escamas.

loro *s. m.* **1.** Ave de pico curvo y plumaje de vivos colores que vive en África y en las selvas del Amazonas. Algunos son capaces de hablar, repitiendo lo que oyen. **2.** *fam.* Persona muy habladora. **3.** *fam.* Radio o radiocasete. **Expr. al loro** Atento a lo que ocurre.

lorza *s. f.* Trozo de tela que se dobla y cose en la ropa como adorno o para acortarla y luego poder alargarla si se quiere.

losa *s. f.* **1.** Piedra rectangular, lisa, plana y de poco grosor, como la que se usa para cubrir las tumbas. **2.** Cosa muy pesada y molesta. **Sin. 1.** Lápida. **2.** Peso, carga. **Ant. 2.** Alivio.

loseta *s. f.* Baldosa o losa pequeña como las que se usan para cubrir suelos o paredes.

lote *s. m.* **1.** Conjunto de cosas que se venden o se dan juntas. **2.** Parte en que se divide algo para repartirlo.

lotería *s. f.* **1.** Sorteo en que se saca un número y el que lo tiene gana dinero u otro premio. **2.** Lo que sólo depende de la suerte.

lotero, ra *s. m. y f.* Persona que vende los números de la lotería.

loto *s. m.* Planta acuática de hojas grandes y flores muy olorosas, generalmente de color blanco azulado. Suelen ponerse en lagos y estanques como adorno.

loza *s. f.* Barro cocido y barnizado con el que se hacen, sobre todo, platos, tazas y otros objetos parecidos.

lozanía *s. f.* Aspecto sano y hermoso.

lozano, na *adj.* De buen aspecto, sano, robusto. **Sin.** Saludable, lustroso. **Ant.** Mustio.

LP Siglas de **long play**.

lubina *s. f.* Pez marino grande, de cuerpo largo y delgado y de color plateado con una línea oscura a cada lado. Su carne es muy apreciada. **Sin.** Róbalo.

lubricante o **lubrificante** *adj. y s. m.* Se dice del aceite o sustancia para lubricar.

lubricar o **lubrificar** *v.* Poner aceite u otra sustancia entre dos superficies o piezas que rozan entre sí para que el roce sea más suave y se desgasten menos o funcionen mejor.

lucense *adj. y s.* De Lugo, ciudad y provincia españolas.

lucero *s. m.* **1.** Cualquier astro grande y muy brillante, sobre todo el planeta Venus. **2.** Lunar blanco que tienen algunos animales, como los caballos, en la frente. ‖ **3. lucero del alba** El planeta Venus.

lucha *s. f.* **1.** Acción de luchar. **2.** Pelea, batalla. **3.** Discusión, riña o enfrentamiento. **Sin. 2.** Conflicto, contienda. **3.** Polémica, controversia.

luchador, ra *s. m. y f.* **1.** Persona que practica o practicó la lucha. ‖ *adj. y s.* **2.** Se dice del que se esfuerza por conseguir algo. **Sin. 2.** Combativo.

luchar *v.* **1.** Pelear personas o animales. **2.** Competir una o más personas contra otras para intentar ganar. **3.** Esforzarse por algo. **Sin. 1.** Combatir, enfrentarse. **3.** Trabajar.

lucidez *s. f.* Característica de lúcido. **Sin.** Sagacidad, perspicacia.

lucido, da *adj.* **1.** Muy bonito, bueno o acertado. **2.** Que permite lucirse: *El papel de protagonista es el más lucido.*

lúcido, da *adj.* Que piensa con claridad y comprende las cosas rápidamente: *una mente lúcida.* **Sin.** Sagaz, perspicaz.

luciérnaga *s. f.* Insecto grande parecido a un gusano. Las hembras no tienen alas y producen una luz verde azulada más fuerte que la de los machos.

lucimiento *s. m.* Acción de lucirse.

lucio *s. m.* Pez de río de gran tamaño, color amarillo verdoso y boca grande con muchos dientes. Es carnívoro y ataca incluso a aves y a algunos mamíferos acuáticos. Es comestible.

lucir *v.* **1.** Dar luz o brillar. **2.** Dar resultado o provecho: *Aunque trabaja mucho, le luce poco.* **3.** Llevar puesta una cosa o enseñarla: *lucir un vestido.* **4.** Verse bien una cosa, destacar: *El jarrón luce más encima del mueble.* ‖ **lucirse 5.** Demostrar alguien sus cualidades o lo bien que hace algo. □ Es v. irreg. **SIN. 1.** Iluminar; relucir, resplandecer. **3.** Exhibir. **4.** Resaltar.

LUCIR	
INDICATIVO	**SUBJUNTIVO**
Presente	Presente
luzco	luzca
luces	luzcas
luce	luzca
lucimos	luzcamos
lucís	luzcáis
lucen	luzcan

lucrarse v. Obtener ganancias, sobre todo si son grandes. **SIN.** Beneficiarse.

lucrativo, va adj. Que produce lucro. **SIN.** Beneficioso, provechoso.

lucro s. m. Beneficio o ganancia que se saca de algo, sobre todo de un negocio. **SIN.** Provecho. **ANT.** Pérdida.

luctuoso, sa adj. Que causa dolor o tristeza. **SIN.** Triste. **ANT.** Dichoso.

lucubración s. f. Elucubración.

lucubrar v. Elucubrar.

lúdico, ca adj. Relacionado con el juego y las diversiones.

ludópata adj. y s. Persona que tiene una gran obsesión por el juego y que puede llegar a perder mucho dinero apostando.

luego adv. **1.** Después, más tarde: Luego nos vemos. **2.** Más allá, más adelante: Primero está el portal 3 y luego el 5. ‖ conj. **3.** Por lo tanto: Las luces están apagadas, luego no han llegado aún. **EXPR. desde luego** Sí, pues claro, sin ninguna duda.

lugar s. m. **1.** Espacio, situación o posición que ocupa o puede ocupar una persona o cosa. **2.** Sitio o población. **3.** Una parte de una superficie o de otra cosa. **4.** Momento u ocasión: Ya habrá lugar para que hablemos con más calma. **dar lugar** Producir. **en lugar** de otra persona Si se estuviera en la misma situación que ella: Yo en tu lugar no lo haría. **en lugar de** En vez de. **fuera de lugar** Inoportuno, inconveniente. **tener lugar** Ocurrir. **SIN. 2.** Paraje, pueblo. **4.** Oportunidad.

lugareño, ña adj. y s. Que ha nacido o vive en una población pequeña. **SIN.** Aldeano, pueblerino.

lugarteniente s. m. Persona que, en algunos casos, puede sustituir a otra en su cargo o puesto.

lúgubre adj. Muy triste y oscuro. **SIN.** Lóbrego, sombrío. **ANT.** Alegre.

lujo s. m. **1.** Gran riqueza y comodidad. **2.** Abundancia: Contó la historia con lujo de detalles. **3.** Lo que normalmente no se puede tener, conseguir o hacer: No puede permitirse el lujo de comer fuera todos los días. **SIN. 1.** Opulencia.

lujoso, sa adj. Con mucho lujo o riqueza. **SIN.** Rico, fastuoso. **ANT.** Pobre.

lujuria s. f. Deseo sexual exagerado.

lujurioso, sa adj. Que tiene lujuria. **SIN.** Libidinoso, lascivo.

lulú adj. y s. Perro más bien pequeño, con mucho pelo y con la cabeza, las orejas y el hocico parecidos a los de un zorro.

lumbago s. m. Dolor fuerte en la zona de los riñones.

lumbar adj. Se dice de la zona del cuerpo situada entre la última costilla y los glúteos y de lo relacionado con ella.

lumbre s. f. **1.** Fuego que se enciende quemando leña, carbón u otro material combustible. **2.** Fósforo u otra cosa con que se enciende algo.

lumbrera s. f. Persona muy inteligente o de gran talento. **SIN.** Genio, sabio.

luminaria s. f. Luz o conjunto de luces que se ponen en las calles durante las fiestas.

luminosidad s. f. Luz o claridad.

luminoso, sa adj. **1.** Que tiene o despide luz o claridad. **2.** Muy claro y acertado: una idea luminosa. **SIN. 1.** Iluminado, resplandeciente. **2.** Atinado, certero. **ANT. 1.** Oscuro. **2.** Desacertado.

luminotecnia s. f. Técnica para iluminar de manera artificial, con focos, bombillas, etc.

luna s. f. **1.** Satélite natural de un planeta, sobre todo el que gira alrededor de la Tierra. **2.** Cristal de vidrieras y escaparates. **3.** Espejo, sobre todo el de un armario. **4. luna de miel** Primeros meses del matrimonio; también, viaje que hacen los novios después de su boda. **5. Luna llena** La Luna cuando se ve iluminada la cara entera que mira a la Tierra. **6. Luna nueva** La Luna cuando no se puede ver desde la Tierra, al iluminar el Sol la cara que está escondida. **7. media luna** Luna creciente o menguante, y objeto o figura con esta forma. Es el símbolo de los musulmanes. **EXPR. estar en la luna** Estar distraído.

lunar adj. **1.** De la Luna o relacionado con ella. ‖ s. m. **2.** Manchita o dibujo redondo y pequeño, por ejemplo en la piel.

lunático, ca *adj.* y *s.* Loco, maniático. **SIN.** Venado. **ANT.** Cuerdo.

lunes *s. m.* Primer día de la semana.

luneta *s. f.* **1.** Cristal de la parte de atrás de los automóviles. **2.** Cristal de las gafas.

lupa *s. f.* Lente con la que se ven las cosas más grandes.

lupanar *s. m.* Prostíbulo.

lúpulo *s. m.* Planta trepadora que tiene unos frutos que se usan para dar aroma y sabor amargo a la cerveza.

lusitano, na *adj.* y *s.* **1.** De Lusitania, provincia romana de Hispania que comprendía aproximadamente Portugal y Extremadura. **2.** Portugués. **SIN.** 2. Luso.

luso, sa *adj.* y *s.* Portugués.

lustrar *v.* Dar brillo a una cosa frotándola. **SIN.** Abrillantar, pulir.

lustre *s. m.* **1.** Brillo, sobre todo el que se consigue lustrando. **2.** Aspecto lustroso, sano. **SIN.** 2. Lozanía.

lustro *s. m.* Periodo de tiempo de cinco años. **SIN.** Quinquenio.

lustroso, sa *adj.* **1.** Que tiene lustre o brillo. **2.** De aspecto sano y fuerte. **SIN.** 1. Brillante, reluciente. 2. Lozano. **ANT.** 1. Apagado. 2. Enfermizo.

luteranismo *s. m.* Movimiento religioso protestante surgido de la doctrina de Lutero en el siglo XVI.

luterano, na *adj.* y *s.* Relacionado con el luteranismo o seguidor de este movimiento.

luto *s. m.* **1.** Dolor por la muerte de una persona y tiempo en que se muestra este dolor. **2.** Ropa negra u otro signo externo que indica ese dolor.

luxación *s. f.* Hecho de salirse un hueso de su sitio.

luxemburgués, sa *adj.* y *s.* De Luxemburgo, pequeño país de Europa.

luz *s. f.* **1.** Forma de energía que ilumina las cosas y hace que podamos verlas y, también, punto u objeto de donde parte, como los faros de un coche. **2.** Corriente eléctrica. **3.** Lo que ayuda a comprender mejor una cosa: *La investigación arrojó luz sobre las causas del accidente.* || *pl.* **4.** Inteligencia. **EXPR. a todas luces** Muy claramente, sin duda. **dar a luz** Tener un niño una mujer. **SIN.** 1. Claridad, luminosidad. 2. Electricidad. **ANT.** 1. Oscuridad.

lycra *s. f.* Tejido elástico que se ajusta mucho al cuerpo; con él se hacen bañadores, mallas, medias y otras prendas.

m *s. f.* Letra número trece del alfabeto.

maca *s. f.* **1.** Señal que tiene una fruta y que ha sido producida por un golpe. **2.** Desperfecto.

macabro, bra *adj.* Relacionado con las cosas más feas o tristes de la muerte. **SIN.** Fúnebre, lúgubre.

macaco, ca *s. m.* y *f.* Mono de Asia y África, de hocico alargado, brazos cortos y cuerpo de tamaño medio.

macarra *adj.* y *s.* **1.** Se dice de la persona chula y agresiva. **2.** Hortera, de mal gusto. || *s. m.* **3.** Hombre que vive del dinero que ganan las prostitutas.

macarrón *s. m.* Pasta de harina de trigo en forma de canuto pequeño que se come cocida.

macarrónico, ca *adj.* Se dice de un idioma cuando una persona lo habla muy mal.

macedonia *s. f.* Postre preparado con el zumo y los trozos de varias frutas.

macedonio, nia *adj.* y *s.* De Macedonia, región y país de Europa.

maceración *s. f.* Acción de macerar.

macerar *v.* Ablandar algo apretándolo, golpeándolo o metiéndolo en un líquido.

macero *s. m.* Empleado de algunos ayuntamientos y otras corporaciones que lleva una maza en ciertos actos.

maceta *s. f.* Recipiente, normalmente de barro cocido, en el que se cultivan plantas.

macetero *s. m.* Soporte o vasija para colocar una maceta.

machacar *v.* **1.** Golpear una cosa para hacerla pedazos, aplastarla o cambiar su forma. **2.** Repetir algo muchas veces. **SIN.** 1. Majar, moler. 2. Insistir.

machacón, na *adj.* Muy repetitivo.

machaconería s. f. Característica de lo que es machacón.

machada s. f. Lo que hace o dice alguien para dárselas de macho, de valiente.

machamartillo Se usa en la expresión **a machamartillo**, 'firmemente', 'con fuerza': *defender algo a machamartillo*.

machete s. m. Cuchillo grande y ancho.

machismo s. f. Actitud machista.

machista adj. y s. Que piensa que el hombre es superior a la mujer. **Ant.** Feminista.

macho[1] adj. y s. m. **1.** Animal del sexo masculino. **2.** Se dice de la planta que sólo tiene flores masculinas. **3.** Se dice del hombre valiente, fuerte o varonil. || s. m. **4.** Pieza que se introduce en otra: *el macho de un enchufe.* **Sin. 3.** Viril. **Ant. 1** y **4.** Hembra. **3.** Afeminado.

macho[2] s. m. Mulo.

macilento, ta adj. Pálido, flaco.

macillo s. m. Palillo con una bola para tocar el xilófono y otros instrumentos.

macizo, za adj. **1.** Sólido, grueso, apretado. **2.** De carnes firmes. || s. m. **3.** Conjunto de montañas. **4.** Grupo de plantas o flores en un parque o jardín. **Sin. 1.** Compacto. **1** y **2.** Prieto. **4.** Parterre. **Ant. 1.** Esponjoso. **2.** Fofo.

macroscópico, ca adj. Que se puede ver a simple vista, sin microscopio. **Ant.** Microscópico.

macuto s. m. Mochila o saco que se lleva a la espalda. **Sin.** Morral.

madeja s. f. Ovillo de lana o de hilo.

madera s. f. **1.** Materia dura de los árboles y arbustos. **2.** Talento, capacidad: *Tiene madera de actor.*

maderamen s. m. Conjunto de maderas usadas en la construcción de una obra.

maderero, ra adj. **1.** De la madera. || s. m. y f. **2.** Comerciante de maderas.

madero s. m. **1.** Pieza o tabla larga de madera. **2.** Árbol cortado y sin ramas. **Sin. 1.** Tablón. **2.** Tronco.

madona s. f. En arte, nombre de algunas representaciones de la Virgen.

madrastra s. f. Nueva esposa del padre para los hijos que éste tiene de un matrimonio anterior.

madraza s. f. fam. Madre muy cariñosa.

madre s. f. **1.** Lo que es una mujer para sus hijos o la hembra de un animal para sus crías. **2.** Causa u origen: *La pereza es madre de todos los vicios.* **3.** Título que se da a algunas monjas.

4. Cauce de un río. || **5. madre política** Suegra. **Sin. 1.** Mamá. **2.** Fuente. **4.** Lecho.

madreperla s. f. Molusco parecido a la ostra que a veces contiene una perla.

madrépora s. f. Pequeño animal marino que tiene el esqueleto por fuera y vive en los mares tropicales formando colonias, las barreras de coral.

madreselva s. f. Arbusto de tallo trepador; hojas verdes, oscuras por encima y claras por debajo, y flores blancas, rosadas o rojas, de olor fuerte y agradable.

madrigal s. m. Breve poema amoroso en versos de once y siete sílabas.

madriguera s. f. **1.** Cueva pequeña y estrecha en la que viven algunos animales. **2.** Escondrijo, refugio. **Sin. 1** y **2.** Guarida, cubil.

madrileño, ña adj. y s. De Madrid, capital de España y también provincia y comunidad autónoma.

madrina s. f. **1.** Mujer que acompaña y ayuda a quien recibe algunos sacramentos, como el bautismo o el matrimonio. **2.** Mujer que preside algunos actos.

madroño s. m. **1.** Arbusto perenne, de flores blancas y frutos redondos con granitos en su superficie, de color rojo y sabor dulce. **2.** Fruto de este arbusto.

madrugada s. f. **1.** El amanecer. **2.** Horas que siguen a la medianoche. **Sin. 1.** Alba, aurora.

madrugar v. Levantarse alguien muy temprano.

madrugón s. m. El madrugar mucho.

maduración s. f. Acción de madurar.

madurar v. **1.** Ponerse maduros los frutos. **2.** Hacerse más serio y responsable con el tiempo. **3.** Pensar mucho un plan, idea, proyecto.

madurez s. f. Estado o característica de maduro. **Sin.** Sazón; prudencia. **Ant.** Inmadurez.

maduro, ra adj. **1.** Se dice del fruto que está en el buen momento para ser recogido o comido. **2.** Serio, responsable. **3.** Que ya no es joven, pero aún no ha llegado a la vejez. **Sin. 2.** Sensato, reflexivo. **Ant. 1.** Verde. **1** y **2.** Inmaduro. **3.** Muchacho.

maese s. m. Antiguo tratamiento de respeto que se ponía ante el nombre.

maestría s. f. **1.** Habilidad, destreza. **2.** Título o grado de maestro en un oficio. **Sin. 1.** Pericia. **Ant. 1.** Impericia.

maestro, tra adj. y s. **1.** Persona que enseña a otras, sobre todo a los niños. **2.** Persona con mucha autoridad y conocimientos en una materia. ‖ s. m. **3.** Persona que ha alcanzado el grado más alto en un oficio. **4.** Compositor de música o director de orquesta. **5.** Matador de toros. ‖ adj. **6.** Muy bien hecho. SIN. **1.** Profesor. **5.** Diestro, espada. **6.** Magistral.

mafia (ital.) s. f. **1.** Organización criminal muy poderosa. **2.** Grupo de personas que se organiza para hacer cosas ilegales o controlar un negocio o actividad.

mafioso, sa adj. y s. De la mafia.

magdalena s. f. Bollo hecho con harina, aceite, leche y huevo y que se cuece al horno en pequeños moldes.

magenta (ital.) adj. y s. m. Color mezcla de rojo y azul.

magia s. f. **1.** Arte con que se pretende hacer cosas prodigiosas por medio de brujería o fuerzas extrañas de la naturaleza. **2.** Arte y espectáculo en que se realizan mediante trucos cosas que parecen imposibles. **3.** Atractivo, encanto. ‖ **4. magia negra** Hechicería, brujería. SIN. **1.** Ocultismo. **2.** Prestidigitación. **3.** Seducción, fascinación.

magiar adj. y s. **1.** Húngaro. **2.** De un pueblo procedente de las llanuras situadas entre Europa y Asia, que llegó a Europa a fines del siglo IX.

mágico, oa adj. **1.** De la magia. **2.** Maravilloso, sorprendente. SIN. **2.** Fascinante, fabuloso.

magín s. m. Imaginación, inteligencia. SIN. Ingenio.

magisterio s. m. Profesión y actividad de un maestro o un profesor.

magistrado, da s. m. y f. **1.** Juez. **2.** Miembro de un tribunal superior de justicia.

magistral adj. **1.** Hecho con maestría. **2.** De un maestro o del magisterio. SIN. **1.** Perfecto, genial. ANT. **1.** Desastroso.

magistratura s. f. **1.** Los magistrados de un país. **2.** Cargo de magistrado.

magma s. m. Masa de rocas fundidas a causa de la presión y la temperatura, que se encuentra en las zonas más profundas de la corteza terrestre. Forma la lava de los volcanes.

magnanimidad s. f. Característica de magnánimo. SIN. Generosidad.

magnánimo, ma adj. Noble y generoso, sobre todo para perdonar. ANT. Ruin.

magnate s. m. y f. Financiero, industrial o empresario muy importante.

magnesia s. f. Sustancia blanca compuesta de magnesio; se emplea en la industria por su resistencia al calor y, también, en medicina como purgante.

magnesio s. m. Metal de color blanco que arde con una llama muy brillante, por lo que se usa, por ejemplo, para hacer bengalas. Se encuentra en algunos líquidos como la leche y la sangre. Es un elemento químico.

magnético, ca adj. Del magnetismo.

magnetismo s. m. Propiedad de atraer metales que tienen los imanes, y fenómenos relacionados con ella.

magnetita s. f. Piedra imán; mineral de hierro, de color negro, pesado y con propiedades magnéticas.

magnetizar v. Comunicar a un cuerpo la propiedad de atraer metales. SIN. Imantar.

magnetófono o **magnetofón** s. m. Aparato para grabar sonidos en una cinta magnética y reproducirlos. SIN. Grabadora.

magnetoscopio s. m. Aparato que graba y reproduce sonidos e imágenes de vídeo sobre una cinta magnética.

magnicida adj. y s. Que comete magnicidio.

magnicidio s. m. Asesinato de alguien muy importante por su cargo o poder.

magnificar v. Exagerar, agrandar.

magnificencia s. f. **1.** Grandiosidad, esplendor. **2.** Generosidad.

magnífico, ca adj. Muy bueno. SIN. Extraordinario, excelente. ANT. Pésimo.

magnitud s. f. **1.** Medida de las cosas, como la longitud o el peso. **2.** Tamaño, importancia o intensidad. SIN. **2.** Dimensión, proporción.

magno, na adj. Grande o importante. SIN. Soberbio. ANT. Insignificante.

magnolia s. f. **1.** Árbol perenne, de flores blancas grandes y frutos con semillas rojas. **2.** Flor de este árbol.

mago, ga s. m. y f. **1.** Persona que practica la magia. ‖ adj. y s. m. **2.** Cada uno de los tres reyes de Oriente que adoraron a Jesús en Belén. SIN. **1.** Brujo; prestidigitador, ilusionista.

magrebí adj. y s. Del Magreb, región de África que comprende Marruecos, Argelia y Túnez.

magro, gra adj. **1.** Se dice de la carne sin gordo. ‖ s. m. **2.** Carne de cerdo que está junto al lomo.

maguey *s. m.* Pita, planta.

magulladura *s. f.* Contusión, cardenal.

magullar *v.* Causar magulladuras.

mahometano, na *adj.* y *s.* Musulmán.

mahonés, sa *adj.* De Mahón, ciudad de la isla de Menorca (España).

mahonesa *s. f.* Mayonesa.

maicena *s. f.* Harina fina de maíz.

maillot (fr.) *s. m.* **1.** Camiseta de ciclista. **2.** Prenda elástica muy ajustada, usada en gimnasia o ballet.

maitines *s. m. pl.* Oraciones que los religiosos rezan al amanecer.

maître (fr.) *s. m.* Jefe de comedor de un restaurante o un hotel.

maíz *s. m.* **1.** Planta anual de tallo alto, recto y fuerte, hojas grandes y fruto en mazorca con muchas semillas amarillas comestibles, de las que también se saca aceite. **2.** Estas semillas.

maizal *s. m.* Campo de maíz.

majada *s. f.* Lugar en el campo adonde se lleva al ganado por la noche.

majadería *s. f.* Tontería, estupidez.

majadero, ra *adj.* y *s.* Tonto, estúpido. **Sin.** Imbécil. **Ant.** Inteligente.

majar *v.* Machacar.

majara o **majareta** *adj.* y *s.* Loco.

majestad *s. f.* Tratamiento que se da a Dios y a los reyes y emperadores.

majestuosidad *s. f.* Característica de majestuoso. **Sin.** Grandiosidad.

majestuoso, sa *adj.* Muy elegante, grandioso, solemne. **Sin.** Señorial, fastuoso.

majo, ja *adj.* **1.** Agradable, bueno, bonito. || *s. m.* y *f.* **2.** Personaje del siglo XVIII típico de Madrid. **Sin.** 1. Simpático. **Ant.** 1. Desagradable; feo.

majorette (fr.) *s. f.* Chica con uniforme que desfila en algunas celebraciones.

majuela *s. f.* Fruto del majuelo; es una bolita roja, dulce y con un hueso dentro.

majuelo *s. m.* Arbusto silvestre de hoja caduca, ramas espinosas y florecillas blancas. Su fruto se llama *majuela*.

mal *adj.* **1.** Forma abreviada de **malo.** || *s. m.* **2.** Lo contrario del bien, las cosas malas. **3.** Enfermedad. || *adv.* **4.** Al contrario de bien: *portarse mal.* **5.** Difícilmente: *Mal puedes aprobar si no estudias.* || **6. mal de ojo** Daño que se cree causado por la mirada de alguien. **Expr. ni un mal** Ni siquiera. **tomar a mal** una cosa Ofenderse por ella. **Sin.** 2. Maldad, perversidad. **4.** Erróneamen-

te, injustamente. **Ant.** 1. Buen. **2.** Bondad; beneficio. **4.** Perfectamente.

malabar Se usa en la expresión **juegos malabares,** ejercicios que consisten en lanzar objetos al aire y recogerlos o mantenerlos en equilibrio.

malabarismos *s. m. pl.* **1.** Juegos malabares. Ver **malabar. 2.** Acciones complicadas y difíciles.

malabarista *s. m.* y *f.* Persona que hace juegos malabares.

malacitano, na *adj.* y *s.* Malagueño.

málaga *s. m.* Vino dulce elaborado en la región de Málaga (España).

malagueño, ña *adj.* y *s.* **1.** De Málaga, ciudad y provincia españolas. || *s. f.* **2.** Tipo de cante y baile andaluz.

malaje *adj.* y *s.* **1.** Sin gracia. **2.** Que tiene mala intención. **Sin.** 2. Malo, perverso. **Ant.** 2. Ángel.

malandrín, na *adj.* y *s.* Malo, granuja. **Sin.** Bribón, malvado.

malaquita *s. f.* Mineral verde brillante con manchas de diversos tonos. Se usa para hacer joyas y objetos de adorno.

malaria *s. f.* Paludismo.

malayo, ya *adj.* y *s.* **1.** De la península de Malaca y de Malaisia, país de Asia. || *s. m.* **2.** Lengua de este país.

malbaratar *v.* Malvender o malgastar.

malcriado, da **1.** *p.* de **malcriar.** || *adj.* y *s.* **2.** Maleducado, consentido.

malcriar *v.* Educar mal a los hijos dándoles todos los caprichos. **Sin.** Consentir, mimar.

maldad *s. f.* **1.** Característica de las personas malas. **2.** Mala acción. **Sin.** 1. Perversidad. **Ant.** 1. Bondad.

maldecir *v.* Echar o decir maldiciones. □ Es v. irreg. Se conjuga como *decir,* excepto el futuro, el condicional y el participio, que son regulares, y el imperativo: *maldice.* **Ant.** Bendecir.

maldición *s. f.* **1.** Daño o castigo que se cree causado por una fuerza mágica. **2.** Palabras con que se muestra odio o enfado. || *interj.* **3.** Expresa enfado o sorpresa desagradable. **Sin.** 1. Hechizo; condena. **Ant.** 1 y 2. Bendición.

maldito, ta *adj.* **1.** Se emplea en algunas expresiones de enfado o desagrado: *¡Maldita sea!* || *adj.* y *s.* **2.** Malvado. **3.** Castigado por una maldición. **Ant.** 1 y 2. Bendito.

maleable *adj.* **1.** Se dice del metal del que pueden hacerse láminas fácilmente. **2.** Que se puede modelar con facilidad. **Sin.** 2. Dúctil. **Ant.** 2. Rígido.

maleante *s. m.* y *f.* Delicuente.

malecón *s. m.* Muro que protege la entrada de un puerto. **Sin.** Espigón.

maledicencia *s. f.* Murmuración.

maledicente *adj.* y *s.* Que murmura o habla mal de otros.

maleducado, da *adj.* y *s.* Grosero, que demuestra mala educación. **Sin.** Descortés. **Ant.** Educado.

maleficio *s. m.* Palabras o acciones de brujería para causar daño. **Sin.** Encantamiento.

maléfico, ca *adj.* Perjudicial, dañino. **Sin.** Malo, nocivo. **Ant.** Bueno.

malencarado, da *adj.* y *s.* Que tiene una cara desagradable o que asusta.

malentendido *s. m.* Confusión que se produce por entender mal una cosa. **Sin.** Equivocación.

malestar *s. m.* Sensación de encontrarse mal, enfermo o molesto.

maleta *s. f.* **1.** Especie de caja con asa para llevar la ropa y otras cosas en los viajes. || *adj.* y *s.* **2.** *fam.* Persona torpe.

maletero *s. m.* **1.** Espacio en los coches para meter el equipaje. **2.** Armario empotrado en la parte alta de la pared. **Sin. 2.** Altillo.

maletilla *s. m.* Joven que está empezando en la profesión de torero.

maletín *s. m.* Maleta pequeña, que se usa sobre todo para llevar papeles. **Sin.** Portafolios.

malevolencia *s. f.* Maldad.

malévolo, la *adj.* y *s.* Malvado. **Sin.** Perverso, maligno. **Ant.** Bondadoso.

maleza *s. f.* **1.** Malas hierbas de los sembrados. **2.** Vegetación abundante. **Sin. 2.** Espesura.

malformación *s. f.* Parte del cuerpo mal formada.

malgache *adj.* y *s.* **1.** De Madagascar, isla y país de África. || *s. m.* **2.** Lengua que se habla en Madagascar.

malgastar *v.* Gastar inútilmente. **Sin.** Dilapidar, despilfarrar. **Ant.** Ahorrar.

malhablado, da *adj.* y *s.* Que dice muchos tacos y expresiones groseras.

malhechor, ra *adj.* y *s.* Delincuente. **Sin.** Maleante, rufián. **Ant.** Bienhechor.

malherido, da *adj.* Que está gravemente herido.

malhumorado, da *adj.* De mal humor. **Sin.** Enfadado; gruñón. **Ant.** Contento.

malicia *s. f.* Picardía o maldad. **Sin.** Perversidad. **Ant.** Ingenuidad.

maliciarse *v.* Sospechar.

malicioso, sa *adj.* Que tiene malicia. **Sin.** Pícaro; malévolo. **Ant.** Ingenuo.

maligno, na *adj.* **1.** Malvado. **2.** Grave, que causa mucho daño o perjuicio. **Sin. 1.** Malo, perverso. **2.** Perjudicial, dañino. **Ant. 1.** Bueno. **2.** Benigno.

malintencionado, da *adj.* y *s.* Que tiene mala intención. **Sin.** Malicioso, maligno.

malinterpretar *v.* Entender de forma equivocada lo que otro hace o dice.

malla *s. f.* **1.** Tejido en forma de red. **2.** Traje, medias o pantalones deportivos elásticos y muy ajustados al cuerpo.

mallorquín, na *adj.* y *s.* **1.** De Mallorca, isla de España. || *s. m.* **2.** Variedad del catalán hablada en Baleares.

malmeter *v.* **1.** Hacer o decir cosas para enfrentar o enemistar a otras personas. **2.** Animar a alguien a hacer algo malo. **Sin. 2.** Inducir, instigar.

malnacido, da *adj.* y *s.* Canalla. **Sin.** Indeseable. **Ant.** Bueno.

malo, la *adj.* **1.** Que no es bueno o no está bueno. || *adj.* **2.** Enfermo. **Expr. de malas** De mal humor. **por las malas** Por la fuerza. **Sin. 1.** Imperfecto; deteriorado; adverso; dañino; malvado. **2.** Indispuesto. **Ant. 1.** Beneficioso; favorable; bondadoso. **2.** Sano.

malograr *v.* Echar a perder, estropear. **Sin.** Fastidiar; fracasar.

maloliente *adj.* Que huele mal. **Sin.** Apestoso, fétido, hediondo.

malparado, da *adj.* Muy perjudicado. **Sin.** Maltrecho.

malpensado, da *adj.* y *s.* Que siempre piensa mal de los demás. **Sin.** Desconfiado, malicioso. **Ant.** Confiado.

malqueda *s. m.* y *f. fam.* Persona informal que queda mal con los demás. **Ant.** Cumplidor.

malquistar *v.* Enemistar, enfrentar.

malsano, na *adj.* **1.** Malo para la salud. **2.** Propio de un enfermo o de un loco: *una afición malsana.* **Sin. 1.** Insano, insalubre. **2.** Enfermizo, morboso. **Ant. 1 y 2.** Sano, saludable.

malsonante *adj.* Que suena mal o feo; se dice sobre todo de las palabrotas.

malta *s. f.* Cereal tostado, generalmente cebada, que se usa para hacer cerveza y también para tomarlo en lugar del café.

maltés, sa *adj.* y *s.* **1.** De Malta, isla y país de Europa. || *s. m.* **2.** Idioma que se habla en Malta.

maltraer Se usa en la expresión **tener** o **traer a maltraer**, 'molestar', 'hacer sufrir'.

maltratar v. Tratar mal, causar daño. Sin. Estropear, perjudicar. Ant. Cuidar.

maltrecho, cha adj. En mal estado. Sin. Destrozado, malparado.

malva s. f. **1.** Planta con hojas de color verde intenso y flores violeta. ‖ s. m. **2.** Color violeta suave. Expr. **criando malvas** Muerto y enterrado.

malvado, da adj. y s. Muy malo, capaz de hacer daño a los demás. Sin. Perverso, desalmado. Ant. Bueno.

malvavisco s. m. Hierba de tallo y hojas aterciopelados y grandes flores rosáceas. Crece en la península Ibérica, junto a las acequias y en las costas.

malvender v. Vender una cosa por mucho menos de lo que vale.

malversación s. f. Acción de malversar el dinero de otros.

malversar v. Quedarse o gastar mal una persona el dinero que administra por cuenta ajena.

malvivir v. Vivir mal, pobremente.

mama s. f. **1.** Órgano de las hembras de los mamíferos por donde sale la leche con que alimentan a sus crías. **2.** Mamá. Sin. **1.** Teta, seno, pecho, ubre.

mamá s. f. Nombre cariñoso que se da a las madres.

mamar v. Chupar las crías de los mamíferos la leche de las mamas de la madre.

mamario, ria adj. Relacionado con las mamas de las hembras.

mamarrachada s. f. Acción o cosa fea, ridícula o mal hecha. Sin. Mamarracho.

mamarracho s. m. **1.** Persona ridícula. **2.** Cosa fea, ridícula o mal hecha. Sin. **1.** Espantajo, fantoche. **1** y **2.** Adefesio. Ant. **2.** Maravilla.

mambo s. m. Música y baile de origen cubano que tiene mucho ritmo.

mamella s. f. Cada uno de los dos apéndices alargados que cuelgan del cuello de la cabra y de otros animales.

mamífero, ra adj. y s. m. Se dice de los animales vertebrados, vivíparos, homeotermos, que tienen el cuerpo cubierto de pelo y dan de mamar a sus crías.

mamón, na adj. y s. **1.** En edad de mamar. **2.** fam. Persona despreciable.

mamotreto s. m. **1.** Libro muy gordo. **2.** Cosa muy grande o que estorba. Sin. **2.** Trasto, armatoste.

mampara s. f. Pared o plancha que hace una separación en un recinto.

mamparo s. m. Cada uno de los tabiques que dividen en compartimentos el interior de un barco.

mamporro s. m. fam. Golpe, tortazo.

mampostería s. f. Obra de piedras unidas con argamasa, sin formar hileras.

mamut s. m. Animal prehistórico parecido a un elefante, muy grande, peludo y con dos enormes colmillos.

maná s. m. Alimento que, según la Biblia, Dios envió desde el cielo a los hebreos para que no murieran de hambre camino de la tierra prometida.

manada s. f. Grupo de animales de la misma especie que van juntos.

manager (ingl.) s. m. y f. Persona que se ocupa de los contratos de un artista o de un deportista. Sin. Representante, apoderado.

manantial s. m. Corriente de agua que sale de forma natural de la tierra. Sin. Fuente.

manar v. Salir un líquido de algún sitio. Sin. Fluir, surgir.

manatí s. m. Animal mamífero parecido a una foca, pero más grueso, que vive en las desembocaduras de los grandes ríos en América del Sur y África.

manaza s. f. **1.** aum. de **mano.** ‖ **manazas** adj. y s. **2.** Torpe con las manos. Ant. **2.** Manitas.

mancebo s. m. Chico, muchacho.

mancha s. f. **1.** Señal que deja la suciedad u otra cosa. **2.** Parte de una superficie de distinto color que el resto. **3.** Vergüenza, deshonra. Sin. **1.** Marca, lámpara. **3.** Deshonor. Ant. **3.** Honor.

manchar v. Echar manchas, ensuciar. Sin. Pringar, tiznar. Ant. Limpiar.

manchego, ga adj. y s. **1.** De La Mancha, región de España. ‖ adj. y s. m. **2.** Queso típico de esta región.

mancillar v. Dañar el honor de alguien.

manco, ca adj. y s. **1.** Persona a la que le falta un brazo o una mano, o los dos, o los tiene inútiles. ‖ adj. **2.** Incompleto. Sin. **2.** Defectuoso. Ant. **2.** Completo.

mancomunidad s. f. Asociación de personas o grupos que tienen fines o intereses comunes. Sin. Agrupación, federación.

mancuerna s. f. Pesa de mano que se usa en gimnasia.

mandado, da **1.** p. de **mandar.** También adj. ‖ s. m. y f. **2.** Persona que sólo cumple órdenes. ‖ s. m. **3.** Recado.

mandamás *s. m.* y *f. fam.* Jefe.

mandamiento *s. m.* **1.** Orden o regla que hay que cumplir. **2.** Cada una de las diez normas de la ley de Dios y de las cinco de la Iglesia católica. SIN. **1.** Mandato, disposición.

mandar *v.* **1.** Decir a alguien lo que tiene que hacer. **2.** Hacer que llegue una cosa a alguien o que una persona vaya a otro lugar. SIN. **1.** Ordenar, decretar. **2.** Enviar, remitir, expedir.

mandarín *s. m.* **1.** Funcionario importante de la antigua China. **2.** Dialecto chino que se habla en el norte del país.

mandarina *s. f.* Fruto del mandarino, parecido a una naranja pequeña.

mandarino *s. m.* Árbol frutal que da la mandarina.

mandatario *s. m.* Gobernante.

mandato *s. m.* **1.** Lo que alguien manda hacer. **2.** Tiempo que dura un cargo. SIN. **1.** Orden, mandamiento, disposición.

mandíbula *s. f.* **1.** Cada uno de los dos huesos que forman la boca de los vertebrados. **2.** Parte de la cara donde están estos huesos. **3.** Cada una de las dos piezas duras que forman la boca de otros animales, como insectos. SIN. **1.** Maxilar, quijada.

mandil *s. m.* Delantal que se usa en algunos oficios para no mancharse.

mandioca *s. f.* Planta americana que tiene unos tubérculos parecidos a los de la patata, de los que se saca la tapioca. SIN. Yuca.

mando *s. m.* **1.** Autoridad para dar órdenes. **2.** Persona o grupo con esta autoridad. **3.** Dispositivo con que se maneja un aparato, vehículo, mecanismo. SIN. **1.** Gobierno. **2.** Jefe, superior. ANT. **2.** Inferior, subordinado.

mandoble *s. m.* Golpe dado con una espada, cogiéndola con las dos manos.

mandolina *s. f.* Instrumento musical parecido a una guitarra pequeña, pero con la caja ovalada y redondeada por detrás.

mandón, na *adj.* y *s.* Se dice de la persona a la que le gusta mucho mandar. SIN. Marimandón.

mandrágora *s. f.* Planta sin tallo, con muchas hojas grandes y arrugadas y raíz gruesa de formas muy distintas. La utilizaban las brujas y hechiceros.

mandril *s. m.* Mono africano de gran tamaño, pelo marrón y hocico alargado, con la nariz roja y rodeada de pliegues azul claro brillante. Es muy feroz.

manduca *s. f. fam.* Comida.

manecilla *s. f.* Aguja o flechita indicadora del reloj y de otros aparatos.

manejable *adj.* Fácil de manejar.

manejar *v.* **1.** Usar o mover alguna cosa con las manos o por otros medios. **2.** Dirigir, mandar. ‖ **manejarse 3.** Saber cómo actuar, desenvolverse. SIN. **1.** Manipular. **2.** Llevar. **3.** Arreglarse.

manejo *s. m.* **1.** Acción de manejar una cosa. **2.** Trampa, chanchullo. SIN. **1.** Utilización, uso, empleo. **2.** Tejemaneje.

manera *s. f.* **1.** Forma en que se hace o sucede una cosa. ‖ *pl.* **2.** Modales, educación. ‖ **3. manera de ser** Carácter o forma de comportarse. EXPR. **de ninguna manera** No, en absoluto. SIN. **1.** Método, procedimiento. **1** y **2.** Modo(s).

manga *s. f.* **1.** Parte de una prenda de vestir que cubre el brazo. **2.** Manguera. **3.** Cada una de las partes en que se dividen algunas competiciones deportivas. **4.** Embudo de tela con una boquilla que se rellena de crema, nata u otra cosa y sirve para hacer adornos en tartas y otros platos. **5.** Anchura de un barco. ‖ **6. manga ancha** Hecho de permitir demasiado. EXPR. **manga por hombro** Con mucho desorden. **sacarse algo de la manga** Decir o mostrar algo que no es cierto o que es inventado.

manganeso *s. m.* Metal gris claro, brillante, duro pero fácil de romper. Se usa mezclado con el hierro para fabricar acero. Es un elemento químico.

mangante *adj.* y *s.* Que manga. SIN. Ladrón, chorizo.

mangar *v.* Robar, quitar.

manglar *s. m.* Vegetación adaptada a la sal del mar, que crece en las zonas pantanosas de las costas tropicales.

mangle *s. m.* Árbol de los manglares, de ramas largas que llegan al suelo y muchas raíces que asoman al aire.

mango¹ *s. m.* Pieza larga por donde se agarran algunos utensilios.

mango² *s. m.* **1.** Árbol tropical de corteza oscura y lisa, que da un fruto de olor agradable y sabor muy dulce. **2.** Fruto de este árbol.

mangonear *v.* Meterse alguien en los asuntos de otras personas, intentando dirigirlos.

mangoneo *s. m.* El hecho de mangonear.

mangosta *s. f.* Animal mamífero de pequeño tamaño, pelo rojizo o gris, cola larga y patas cortas. Es muy ágil y caza serpientes, de las que se alimenta.

manguera *s. f.* Tubo largo de goma u otro material flexible que por un lado toma un líquido y por el otro lo expulsa. **Sin.** Manga.

manguito *s. m.* **1.** Prenda en forma de tubo que usaban las mujeres para abrigar las manos. **2.** Prenda que cubría el antebrazo y se usaba en las oficinas para no mancharse de tinta las mangas. **3.** Tubo que une dos piezas cilíndricas. **4.** Flotador que se pone en los brazos.

maní *s. m.* Cacahuete.

manía *s. f.* **1.** Obsesión muy fuerte que hace que alguien se comporte de forma rara. **2.** Costumbre o conducta extraña. **3.** Afición o deseo muy grandes. **4.** Antipatía, odio. **Sin.** 2. Vicio. 4. Rabia, ojeriza. **Ant.** 3. Desinterés. 4. Simpatía.

maniaco, ca o **maníaco, ca** *adj.* y *s.* Se dice de la persona que tiene una manía que le hace comportarse de forma extraña o incluso peligrosa. **Sin.** Obseso, psicópata.

maniatar *v.* Atar las manos.

maniático, ca *adj.* y *s.* Que tiene una manía muy fuerte o muchas manías.

manicomio *s. m.* Hospital o clínica para enfermos con trastornos mentales. **Sin.** Psiquiátrico.

manicura *s. f.* Cuidado y arreglo de las manos, sobre todo de las uñas.

manicuro, ra *s. m.* y *f.* Persona que trabaja haciendo la manicura a otras.

manido, da *adj.* **1.** Tópico, trillado. **2.** Estropeado por el uso. **Sin.** 2. Sobado, ajado. **Ant.** 1 y 2. Nuevo.

manifestación *s. f.* **1.** Acción de manifestar. **2.** Multitud que se reúne en un sitio o sale por las calles para protestar o pedir alguna cosa. **Sin.** 1. Expresión, demostración.

manifestante *s. m.* y *f.* Persona que va a una manifestación.

manifestar *v.* **1.** Expresar, mostrar, dar a conocer. **|| manifestarse 2.** Hacer una manifestación o participar en ella. □ Es v. irreg. Se conjuga como *pensar.* **Sin.** 1. Decir, declarar. **Ant.** 1. Callar.

manifiesto, ta *adj.* **1.** Claro, evidente. **|| *s. m.* 2.** Escrito en que una persona o un grupo manifiesta sus ideas sobre algo. **Sin.** 1. Patente. 2. Declaración, proclama. **Ant.** 1. Oculto.

manija *s. f.* Mango o manivela de algunas herramientas e instrumentos.

manilla *s. f.* **1.** Asa del picaporte. **2.** Manecilla de los relojes. **Sin.** 1. Tirador. 2. Aguja.

manillar *s. m.* Pieza de las bicicletas y las motocicletas que sirve para dirigirlas. **Sin.** Guía.

maniobra *s. f.* **1.** Lo que se hace para mover una cosa o manejar una máquina o vehículo. **2.** Trampa o chanchullo. **|| *pl.* 3.** Prácticas de operaciones militares. **Sin.** 1. Operación, manipulación. 2. Manejo, tejemaneje.

maniobrar *v.* Hacer maniobras para mover o manejar algo. **Sin.** Manipular, operar.

manipulación *s. f.* Acción de manipular. **Sin.** Maniobra.

manipular *v.* **1.** Manejar con las manos o usando herramientas o instrumentos. **2.** Influir en alguien o cambiar las cosas para conseguir un fin, generalmente con trampas y engaños. **Sin.** 1. Maniobrar, operar. 2. Falsear.

maniqueo, a *adj.* y *s.* Que considera o presenta a las personas y cosas como buenas o malas, sin término medio.

maniquí *s. m.* **1.** Muñeco como los que lucen la ropa en las tiendas o los que usan modistas y sastres para probar los trajes. **|| *s. m.* y *f.* 2.** Persona que trabaja como modelo de costura.

manirroto, ta *adj.* y *s.* Derrochador. **Sin.** Despilfarrador. **Ant.** Ahorrador.

manita *s. f.* **1.** *dim.* de mano. **|| manitas** *adj.* y *s.* **2.** *fam.* Hábil trabajando con las manos. **Expr. hacer manitas** Tocarse las manos cariñosamente los novios. **Ant.** 2. Manazas.

manivela *s. f.* Pieza doblada en ángulo recto que sirve para hacer girar otra o para hacer funcionar un mecanismo. **Sin.** Manubrio.

manjar *s. m.* Cosa de comer, sobre todo si es muy buena. **Sin.** Alimento, vianda.

mano *s. f.* **1.** Parte del cuerpo con la que agarramos y manejamos las cosas. **2.** Extremidad delantera de algunos animales. **3.** Capa de pintura u otra cosa parecida. **4.** Partida de cartas y jugador que la comienza. **5.** Intervención, influencia. **6.** Habilidad: *tener mano para los negocios.* **|| 7. mano de obra** Obreros que hacen una cosa. **8. mano derecha** Ayudante de confianza. **9. mano izquierda** Dureza, severidad. **10. mano izquierda** Habilidad para tratar con los demás o solucionar cosas. **Expr. a mano** Hecho con las manos, sin máquinas; también, cerca o en un lugar que viene bien; con *derecha* e *izquierda*, al lado derecho o izquierdo. **a manos llenas** Con abundancia. **con las manos en**

la masa En el momento en que se está haciendo algo malo: *atrapar con las manos en la masa*. **de segunda mano** Usado. **echar una mano** Ayudar. **írsele a alguien la mano** Pasarse. **lavarse las manos** Desentenderse. **Sin. 6.** Maña.

manojo *s. m.* **1.** Conjunto de cosas alargadas que pueden sujetarse con una mano. **2.** Conjunto de cosas agrupadas. **Sin. 1.** Haz, puñado.

manoletina *s. f.* Zapato plano de chica que recuerda al que llevan los toreros.

manómetro *s. m.* Instrumento para medir la presión de líquidos y gases.

manopla *s. f.* Guante sin separaciones para los dedos, excepto el pulgar.

manosear *v.* Tocar mucho con las manos a una persona o cosa. **Sin.** Sobar, toquetear.

manoseo *s. m.* Acción de manosear.

manotada o **manotazo** *s. f.* o *s. m.* Golpe que se da con la mano abierta. **Sin.** Bofetada, cachete.

mansalva Se usa en la expresión a **mansalva**, 'mucho', 'en gran cantidad'.

mansedumbre *s. f.* Característica de manso. **Sin.** Docilidad. **Ant.** Rebeldía.

mansión *s. f.* Casa grande y lujosa. **Sin.** Palacio.

manso, sa *adj.* **1.** Se dice del animal que no ataca a las personas o se puede domesticar fácilmente. **2.** Pacífico. **Sin. 1.** Dócil. **2.** Dulce, tranquilo. **Ant. 1.** Bravo. **2.** Guerrero.

manta *s. f.* **1.** Tela gruesa, grande y rectangular que sirve para abrigarse, sobre todo en la cama. **2.** Pez marino de gran tamaño, parecido a la raya, con el cuerpo aplastado, con dos ensanchamientos a los lados en forma de alas, y unas prolongaciones en la cabeza que parecen cuernos. || *s. m.* y *f.* **3.** Persona muy torpe. **Expr. a manta** Mucho. **Sin. 1.** Frazada.

mantear *v.* Poner a alguien sobre una manta y moverla con fuerza entre varios para lanzarlo hacia arriba.

manteca *s. f.* **1.** Grasa animal, sobre todo la del cerdo. **2.** Grasa de la leche. **3.** Grasa vegetal: *manteca de cacao*. **Sin. 1.** Unto. **2.** Mantequilla, nata.

mantecado, da *s. m.* y *f.* **1.** Bollo amasado con manteca de cerdo. || *s. m.* **2.** Especie de polvorón. **3.** Helado hecho con leche, azúcar y huevos.

mantecoso, sa *adj.* Que tiene manteca o que es blando y suave como la manteca.

mantel *s. m.* Pieza de tela que se pone sobre la mesa para comer.

mantelería *s. f.* Conjunto de mantel y servilletas a juego.

mantener *v.* **1.** Sujetar una cosa para que no se caiga o no se tuerza. **2.** Conservar, seguir: *mantener la calma*. **3.** Defender una opinión o idea. **4.** Pagar el dinero que necesita una persona o cosa: *mantener una familia*. **5.** Alimentar a un ser vivo. || **mantenerse 6.** Permanecer alguien o algo sin caerse o torcerse. □ Es v. irreg. Se conjuga como *tener*. **Sin. 1.** Soportar, aguantar. **1** y **3.** Sostener. **5.** Nutrir, comer. **Ant. 1.** Soltar. **3.** Renegar.

mantenimiento *s. m.* **1.** Acción de mantener. **2.** Cuidados que necesita algo para conservarse. **Sin. 1.** Sostenimiento; manutención.

mantequería *s. f.* Tienda donde se vende mantequilla, quesos, embutidos y otros productos.

mantequilla *s. f.* Grasa que se obtiene de la nata de la leche y se usa como alimento.

mantilla *s. f.* **1.** Prenda de mujer que se pone sobre la cabeza y cae sobre los hombros. **2.** Prenda con que se envuelve a los bebés para abrigarlos. **Expr. estar** algo **en mantillas** Estar empezando o muy poco adelantado.

mantillo *s. m.* Tierra muy buena para las plantas, que está formada por estiércol y otros materiales orgánicos. **Sin.** Humus.

mantis *s. f.* Insecto alargado y estrecho, de color amarillento o verdoso y muy ágil. La hembra es mayor que el macho y lo devora después de aparearse con él. Se llama también *mantis religiosa*.

manto *s. m.* **1.** Capa grande que tapa desde la cabeza o los hombros hasta los pies. **2.** Capa de la Tierra, situada entre la corteza terrestre y el núcleo.

mantón *s. m.* **1.** Prenda que se ponen las mujeres sobre los hombros. || **2. mantón de manila** El de seda con bordados de colores vistosos.

manual *adj.* **1.** Que se hace o se maneja con las manos. || *s. m.* **2.** Libro con lo más importante de alguna materia. **Ant. 1.** Mecánico.

manualidades *s. f. pl.* Trabajos que se hacen con las manos, sobre todo los que se aprenden a hacer en la escuela.

manubrio *s. m.* Mango o manivela de algunos utensilios y aparatos.

manufactura *s. f.* **1.** Objeto fabricado a mano o con máquinas. **2.** Fábrica, taller. **Sin. 2.** Industria.

manufacturar *v.* Fabricar objetos. **Sin.** Elaborar.

manumisión *s. f.* El hecho de manumitir.

manumiso, sa *adj.* Se dice del esclavo al que se ha dado la libertad.

manumitir *v.* Liberar a un esclavo.

manuscrito, ta *adj.* **1.** Escrito a mano. ‖ *s. m.* **2.** Documento o libro escrito a mano. **3.** El original de un libro.

manutención *s. f.* Acción de mantener a una persona o una cosa. **Sin.** Mantenimiento, sustento.

manzana *s. f.* **1.** Fruto del manzano, redondo, de piel muy fina amarilla, verde o roja y carne blanca. **2.** Grupo de casas seguidas, rodeado de calles. **Sin. 2.** Bloque.

manzanilla *s. f.* **1.** Planta de flores muy olorosas, parecidas a las margaritas. **2.** Flor de esta planta y bebida que se prepara con ella. **3.** Vino blanco seco y aromático elaborado en Andalucía.

manzano *s. m.* Árbol que da manzanas.

maña *s. f.* **1.** Habilidad o destreza. **2.** Astucia o engaño para conseguir algo. **Sin. 1.** Mano, pericia. **2.** Treta, truco. **Ant. 1.** Torpeza.

mañana *adv.* **1.** En el día siguiente al de hoy. ‖ *adv.* y *s. m.* **2.** El futuro. ‖ *s. f.* **3.** Tiempo que va desde medianoche o desde el amanecer hasta mediodía. **Sin. 2.** Porvenir. **Ant. 2.** Ayer. **3.** Tarde, noche.

mañanita *s. f.* Prenda femenina que se pone en los hombros, sobre el camisón.

maño, ña *adj.* y *s.* Aragonés.

mañoso, sa *adj.* Habilidoso. **Sin.** Diestro. **Ant.** Torpe.

maorí *adj.* y *s.* **1.** De un pueblo indígena de Nueva Zelanda, país de Oceanía. ‖ *s. m.* **2.** Idioma de este pueblo.

mapa *s. m.* Dibujo que representa la superficie de la Tierra o una zona de ella.

mapache *s. m.* Mamífero de color gris con una larga cola peluda a rayas blancas y oscuras y la cara blanca con una mancha alrededor de los ojos. Vive en América del Norte.

mapamundi *s. m.* Mapa que representa toda la superficie de la Tierra.

maqueta *s. f.* Modelo, generalmente en pequeño, de un edificio o de otra cosa.

maquiavélico, ca *adj.* Que actúa con astucia y engaños para conseguir algún fin.

maquillador, ra *s. m.* y *f.* Persona que trabaja maquillando a otras.

maquillaje *s. m.* **1.** Acción de maquillar. **2.** Producto para maquillar la cara.

maquillar *v.* Poner en la cara productos para embellecerla, disfrazarla o para actuar en teatro, cine o televisión. **Ant.** Desmaquillar.

máquina *s. f.* **1.** Conjunto de piezas que funcionan juntas y sirven para realizar un trabajo o transformar una forma de energía en otra. **2.** Locomotora de tren. **Expr. a toda máquina** Con la máxima velocidad o potencia. **Sin. 1.** Aparato, artilugio.

maquinal *adj.* Que se hace sin pensar. **Sin.** Inconsciente, mecánico.

maquinar *v.* Planear algo malo. **Sin.** Idear, tramar.

maquinaria *s. f.* **1.** Conjunto de máquinas. **2.** Mecanismo de un aparato.

maquinilla *s. f.* Instrumento o aparato para afeitarse.

maquinista *s. m.* y *f.* Persona que maneja algunas máquinas, sobre todo la que conduce una locomotora.

mar *s. amb.* **1.** Gran cantidad de agua salada que cubre la mayor parte de la superficie terrestre y cada una de las zonas en que se divide: *el mar Egeo.* **2.** Gran cantidad. ‖ **3. alta mar** Parte del mar lejos de la costa. **Expr. a mares** Mucho: *llover a mares.* **hacerse a la mar** Zarpar. **la mar de** Mucho o muchos.

marabú *s. m.* Ave africana muy alta, de patas largas y fuertes, alas grandes, pico largo y plumaje gris y blanco.

marabunta *s. f.* **1.** Cantidad enorme de hormigas que devoran todo a su paso. **2.** *fam.* Mucho desorden o destrucción. **Sin. 2.** Tumulto.

maraca *s. f.* Instrumento musical que está formado por un mango con una bola llena de granitos o semillas. Suena al agitarlo.

marajá *s. m.* Antiguo rey o príncipe de algunos países de la India.

maraña *s. f.* **1.** Conjunto revuelto de pelos, hilos o cosas parecidas. **2.** Cosa muy complicada y difícil de solucionar. **Sin. 1.** Revoltijo. **1.** y **2.** Lío, enredo. **2.** Confusión.

marasmo *s. m.* **1.** Paralización de la actividad. **2.** Gran confusión.

maratón s. amb. Carrera en la que se corre una gran distancia, generalmente unos 42 kilómetros.

maratoniano, na adj. Se dice de la actividad muy intensa, en la que no se para un momento. **Sin.** Agotador.

maravedí s. m. Antigua moneda española.

maravilla s. f. 1. Cosa extraordinaria, que causa admiración. 2. Planta de jardín con flores anaranjadas. Es una variedad de la caléndula. **Expr. a las mil maravillas** o **de maravilla** Muy bien. **Sin.** 1. Fenómeno, prodigio.

maravillar v. Causar asombro. **Sin.** Admirar, asombrar.

maravilloso, sa adj. Muy bueno. **Sin.** Estupendo, fantástico. **Ant.** Pésimo.

marbellí adj. y s. De Marbella, ciudad de España.

marbete s. m. Etiqueta que se pega en mercancías o equipajes, en la que se indica algunos datos o características.

marca s. f. 1. Señal, símbolo o palabras que sirven para distinguir una cosa, saber a quién pertenece o quién la fabrica. 2. Señal que deja algo. 3. Resultado que obtiene un deportista en una prueba. **Expr. dejar marca** Influir mucho una cosa o un suceso en alguien. **Sin.** 1. Signo, indicador. 2. Huella.

marcado, da 1. p. de marcar. También adj. || 2. Que se nota mucho. **Sin.** 2. Evidente, acusado. **Ant.** 2. Inapreciable.

marcador, ra adj. y s. 1. Que marca. || s. m. 2. Tablero donde se anotan los tantos que se marcan en un partido.

marcaje s. m. Acción de marcar un jugador a un contrario para dificultar su juego.

marcapasos s. m. Pequeño aparato electrónico que llevan algunos enfermos del corazón para ayudar a éste a latir de forma adecuada.

marcar v. 1. Poner o dejar una marca. 2. Indicar o señalar. 3. Formar un número con el disco o las teclas del teléfono. 4. Meter un gol o lograr un tanto. 5. En algunos deportes, mantenerse cerca de un jugador contrario para estorbar su juego. 6. Hacer que se noten los pasos o el compás de un baile o de una marcha militar. 7. Peinar y dar forma al pelo. || **marcarse** 8. Hacer o decir: *Se marcó unas sevillanas. Se marca cada rollo...* **Sin.** 1. Señalizar.

marcha s. f. 1. Acción de marchar o marcharse. 2. Manera de marchar o velocidad con que se hace. 3. Funciona-

miento o desarrollo. 4. fam. Animación. 5. Cada una de las posiciones del cambio de velocidades de un vehículo. 6. Composición musical de ritmo muy marcado: *marcha militar.* 7. Prueba deportiva que consiste en andar muy rápido. || 8. **marcha atrás** Acción de retroceder un vehículo y mecanismo que lleva para poder hacerlo. **Expr. a marchas forzadas** Con mucha prisa. **sobre la marcha** Según se va haciendo. **Sin.** 1. Partida; caminata. 3. Evolución. **Ant.** 1. Parada.

marchamo s. m. 1. Chapa o marca que se pone a un producto que ha pasado un control de calidad. 2. Señal o etiqueta que se pone en la aduana a los bultos y maletas que han sido revisados.

marchante, ta s. m. y f. Persona que compra y vende, sobre todo la que comercia con obras de arte.

marchar v. 1. Ir de un lugar a otro. 2. Abandonar algún lugar. 3. Funcionar, desarrollarse, desenvolverse. **Sin.** 1. Desplazarse, circular. 1 y 3. Andar. 2. Partir. **Ant.** 1. Detenerse. 2. Volver; permanecer.

marchitar v. 1. Secar o secarse las plantas o flores. 2. Hacer perder la belleza o el buen aspecto. **Sin.** 1. Agostar. 1 y 2. Ajar. **Ant.** 1. Florecer. 2. Rejuvenecer.

marchito, ta adj. Que se marchitó. **Sin.** Ajado. **Ant.** Lozano.

marchoso, sa adj. y s. Muy animado. **Sin.** Alegre. **Ant.** Muerto.

marcial adj. 1. Relacionado con lo militar o la guerra. || 2. **artes marciales** Deportes de lucha de origen oriental como el judo, karate o el taekwondo. **Sin.** 1. Guerrero, bélico. **Ant.** 1. Civil.

marcialidad s. f. Característica de lo que es marcial.

marciano, na adj. y s. 1. Del planeta Marte. || s. m. y f. 2. Extraterrestre. **Sin.** 1 y 2. Alienígena.

marco s. m. 1. Cerco que rodea una cosa o en el que queda encajada: *marco de una puerta.* 2. Ambiente o escenario. 3. Moneda de Alemania y de Finlandia. **Sin.** 1. Moldura. 2. Entorno, ámbito.

marea s. f. 1. Movimiento de las aguas del mar, que primero ascienden y después descienden debido a la atracción de la Luna. || **2. marea negra** Capa de petróleo que ha caído en el mar.

marear v. 1. Producir mareo o sufrirlo. 2. Agobiar o molestar a una persona. **Sin.** 2. Fastidiar, importunar.

marejada *s. f.* Agitación del mar que no llega a ser tan fuerte como el temporal.

maremágnum o **maremagno** *s. m.* Conjunto desordenado. **SIN.** Barullo.

maremoto *s. m.* Terremoto marino.

marengo *adj.* y *s. m.* Gris muy oscuro.

mareo *s. m.* **1.** Malestar que produce náuseas, vómitos, pérdida del equilibrio. **2.** Cansancio, fastidio. **SIN. 1.** Vahído.

marfil *s. m.* **1.** Material blanco y duro del que están formados los dientes de los vertebrados y, sobre todo, los colmillos del elefante. **2.** Color blanco amarillento como el de este material.

margarina *s. f.* Alimento parecido a la mantequilla, pero hecho con grasas vegetales.

margarita *s. f.* **1.** Planta con flores que tienen el centro amarillo y los pétalos blancos. **2.** Flor de esta planta.

margen *s. amb.* **1.** Borde, orilla. ‖ *s. m.* **2.** Espacio en blanco alrededor del texto de una página. **3.** Límite o diferencia de tiempo, espacio u otra cosa de que dispone una persona. **EXPR. al margen** Apartado, sin participar. **SIN. 1.** Lado, lateral, ribera.

marginación *s. f.* **1.** Acción de marginar. **2.** Situación de marginado. **SIN. 1** y **2.** Exclusión, discriminación.

marginado, da 1. *p.* de **marginar.** También *adj.* ‖ *adj.* y *s.* **2.** Que vive al margen de la sociedad o se siente rechazado por ella.

marginal *adj.* **1.** Poco importante. **2.** En el margen del márgen: *nota marginal.* **3.** De los marginados: *conducta marginal.* **SIN. 1.** Secundario, accesorio. **ANT. 1.** Principal.

marginar *v.* Apartar a una persona o grupo, no hacerles caso o rechazarlos. **SIN.** Excluir, discriminar. **ANT.** Integrar.

maría *s. f.* Asignatura fácil de aprobar.

mariachi *s. m.* **1.** Música popular mexicana muy alegre. **2.** Orquesta que toca esta música y cada uno de sus músicos.

marianista *adj.* y *s. m.* Religioso de la Compañía de María, congregación dedicada a la enseñanza.

mariano, na *adj.* De la Virgen María.

marica o **maricón** *s. m. desp.* Hombre homosexual.

mariconera *s. f.* Bolso de mano masculino.

marido *s. m.* Esposo de una mujer.

marihuana o **mariguana** *s. f.* Droga que se obtiene de las hojas de una planta y se fuma mezclada con tabaco.

marimacho *s. m. fam.* Mujer que por su aspecto o su conducta parece un hombre.

marimandón, na *adj.* y *s. fam.* Se dice de la persona muy mandona.

marimba *s. f.* **1.** Instrumento musical de origen africano, parecido al xilófono. **2.** Especie de tambor africano.

marimorena *s. f. fam.* Riña, alboroto.

marina *s. f.* **1.** Conjunto de barcos de un país; pueden ser de guerra o estar dedicados al comercio. **2.** Arte de navegar. **3.** Pintura que representa el mar. **SIN. 1.** Flota, armada.

marine (ingl.) *s. m.* Soldado de infantería de marina de los Estados Unidos o del Reino Unido.

marinería *s. f.* Conjunto de marineros.

marinero, ra *adj.* **1.** De la marina. ‖ *s. m.* y *f.* **2.** Tripulante sin graduación de un barco. **EXPR. a la marinera** Forma de cocinar alimentos con una salsa que lleva aceite, ajo, cebolla y perejil.

marino, na *adj.* **1.** Del mar. ‖ *adj.* y *s. m.* **2.** Azul muy oscuro. ‖ *s. m.* **3.** Persona experta en navegar. **SIN. 1.** Marítimo. **3.** Navegante.

marioneta *s. f.* **1.** Muñeco movido por hilos. **2.** Persona que se deja manejar. **SIN. 1** y **2.** Títere.

mariposa *s. f.* **1.** Insecto con cuatro alas de colores muy vistosos. **2.** Forma de nadar en que se impulsan los dos brazos a la vez hacia delante.

mariquita *s. f.* **1.** Insecto ovalado con cuatro alas, dos de ellas duras y de color rojo o amarillo con puntitos negros. ‖ *s. m.* y *f.* **2.** Marica.

marisabidilla *s. f. fam.* Mujer o chica que presume de lista y enterada.

mariscada *s. f.* Comida compuesta de mariscos variados.

mariscador, ra *s. m.* y *f.* Persona que se dedica a mariscar.

mariscal *s. m.* Grado superior del ejército en algunos países.

marisco *s. m.* Crustáceos y moluscos marinos comestibles, como langostinos, percebes, ostras, vieiras.

marisma *s. f.* Terreno costero pantanoso que se inunda con el agua del mar.

marista *adj.* y *s. m.* Religioso de las congregaciones de los Hermanos Maristas o de la Sociedad de María.

marital *adj.* Propio del matrimonio.

marítimo, ma adj. Relacionado con el mar o junto a él: *paseo marítimo*. **Sin.** Marino, náutico.

marketing (ingl.) s. m. Estudio de las condiciones del mercado que se hace para vender mejor un producto.

marmita s. f. Olla de metal.

marmitako (vasc.) s. m. Guiso vasco hecho con bonito y patatas.

mármol s. m. Roca caliza, muy dura, de varios colores, con vetas, que se emplea en construcción y escultura.

marmolista s. m. y f. Persona que trabaja el mármol.

marmóreo, a adj. Hecho de mármol o parecido al mármol.

marmota s. f. **1.** Mamífero roedor que pasa el invierno durmiendo en su madriguera. **2.** *fam.* Persona dormilona. **Sin. 2.** Lirón.

maroma s. f. Cuerda muy gruesa.

marqués, sa s. m. y f. **1.** Noble más importante que el conde y menos que el duque. || s. f. **2.** Mujer del marqués.

marquesado s. m. **1.** Territorio de un marqués. **2.** Título de marqués.

marquesina s. f. Cubierta sobre una entrada, parada o andén que protege a las personas del sol o la lluvia.

marquetería s. f. **1.** Trabajo de decorar la madera metiendo en ella piezas de marfil, nácar, metales u otras maderas. **2.** Técnica que consiste en hacer dibujos en una madera muy fina cortándola con una sierra especial.

marrajo s. m. Tiburón del Mediterráneo y del Atlántico, algunas de cuyas especies son muy peligrosas.

marranada s. f. Cerdada.

marrano, na adj. y s. Cerdo.

marrar v. Fallar, errar. **Sin.** Equivocarse. **Ant.** Acertar.

marras Se usa en la expresión **de marras**, 'ya conocido', 'el de otras veces'.

marrón adj. y s. m. **1.** De color como el de la cáscara de castaña. **2.** Cosa molesta o pesada. || **3. marrón glacé** Castaña cocida y cubierta de una capa de azúcar.

marroquí adj. y s. De Marruecos, país de África.

marroquinería s. f. **1.** Fabricación de artículos de piel o cuero. **2.** Conjunto de estos artículos.

marrullería s. f. Trampa, truco sucio.

marrullero, ra adj. y s. Que hace marrullerías. **Sin.** Tramposo.

marsellés, sa adj. y s. De Marsella, ciudad de Francia.

marsopa o **marsopla** s. f. Mamífero cetáceo parecido al delfín, con el dorso negro y el vientre blanco.

marsupial adj. y s. m. Se dice de los mamíferos, como el canguro, cuyas hembras tienen una bolsa en el vientre para llevar a sus crías.

marsupio s. m. Bolsa de un marsupial.

marta s. f. Mamífero carnívoro de cabeza pequeña, cola larga y pelo espeso y suave de color castaño. Su piel es muy apreciada.

martes s. m. Segundo día de la semana.

martillazo s. m. Golpe de martillo.

martillear o **martillar** v. Dar golpes con el martillo.

martillo s. m. **1.** Herramienta formada por un mango de madera y una cabeza de hierro, que sirve para golpear. **2.** Uno de los cuatro huesecillos del oído medio.

martín pescador s. m. Ave de color azul, amarillo y naranja brillantes y pico largo y puntiagudo, que vive a orillas de ríos y lagunas y se alimenta de peces.

martingala s. f. Artimaña, engaño. **Sin.** Treta, argucia.

martini s. m. Bebida preparada con ginebra, vermut seco y cáscara de limón.

mártir s. m. y f. Persona que sufre o ha sufrido martirio.

martirio s. m. **1.** Muerte o torturas que padece una persona por defender su religión o sus ideas. **2.** Sufrimiento. **Sin. 1** y **2.** Tormento, suplicio.

martirizar v. **1.** Dar muerte o torturar a un mártir. **2.** Molestar o hacer sufrir. **Sin. 2.** Atormentar.

martirologio s. m. Libro que contiene la lista de los mártires cristianos y, en general, de todos los santos.

maruja s. f. *desp.* Ama de casa.

marxismo s. m. Ideas económicas, políticas y filosóficas de Karl Marx, pensador alemán del siglo xix, y movimiento basado en esas ideas.

marxista adj. y s. Del marxismo o partidario de este movimiento.

marzo s. m. Tercer mes del año, de treinta y un días.

mas conj. Pero.

más adv. **1.** Expresa mayor cantidad o intensidad: *Échame más azúcar. Ahora hace más frío.* **2.** Tan: *¡Qué libro más aburrido!* || s. m. **3.** Signo aritmético (+)

de la suma. EXPR. **de lo más** Muy. **más o menos** Aproximadamente. **sus más y sus menos** Peleas, problemas.

masa s. f. **1.** Mezcla que resulta al añadir un líquido a una sustancia sólida o en polvo. **2.** Multitud. **3.** Cantidad, conjunto. **4.** Cantidad de materia que tiene un cuerpo; se mide en kilogramos. EXPR. **en masa** Todo o todos a la vez. SIN. **1.** Pasta. **2.** Muchedumbre.

masacrar v. Matar a muchas personas.

masacre s. f. Matanza de mucha gente. SIN. Exterminio, holocausto.

masaje s. m. Acción de apretar, frotar o dar ligeros golpes en una parte del cuerpo para relajarla, curar una lesión, etc. SIN. Friega, fricción.

masajear v. Dar un masaje.

masajista s. m. y f. Profesional que se dedica a dar masajes.

mascar v. Masticar.

máscara s. f. **1.** Pieza con que alguien se tapa la cara para ocultarla, protegerse el rostro, no respirar gases perjudiciales. **2.** Disfraz: *baile de máscaras.* SIN. **1.** Careta, antifaz.

mascarada s. f. **1.** Fiesta de disfraces. **2.** Farsa, engaño.

mascarilla s. f. **1.** Máscara que sólo tapa la boca y nariz. **2.** Crema que se pone durante un rato sobre la piel o el cabello para cuidarlos. **3.** Molde que se hace del rostro de una persona.

mascarón s. m. Cara que adorna algunas fuentes y otras obras de arquitectura. ‖ **2. mascarón de proa** Figura que adorna la proa de un barco.

mascota s. f. **1.** Persona, animal o cosa que se considera que trae buena suerte o que simboliza algo: *la mascota del equipo.* **2.** Animal que se tiene en casa. SIN. **1.** Amuleto, talismán.

masculino, na adj. **1.** Se dice del ser vivo que tiene órganos para fecundar y de lo relacionado con él. **2.** Propio del hombre. ‖ adj. y s. m. **3.** Se dice del género gramatical de las palabras que se refieren a personas y animales del sexo masculino, y de las cosas a las que se da este género. SIN. **1.** Macho. **2.** Viril, varonil. ANT. **1** a **3.** Femenino.

mascullar v. Hablar entre dientes o en voz baja, pronunciando mal. SIN. Murmurar.

masía s. f. Casa rural típica de Cataluña.

masificado, da adj. Se dice del lugar en el que hay mucha gente.

masilla s. f. Pasta como la que se usa para sujetar los cristales a los marcos.

masivo, va adj. En gran cantidad. SIN. Intensivo. ANT. Moderado.

masón, na s. m. y f. Miembro de la masonería.

masonería s. f. Asociación secreta internacional; sus miembros se consideran hermanos y se ayudan unos a otros. Se dividen en grupos llamados *logias.*

masónico, ca adj. De la masonería.

masoquismo s. m. El disfrutar alguien cuando le hacen sufrir.

masoquista s. m. y f. Persona que disfruta cuando le hacen sufrir.

mastelero s. m. Palo más pequeño que en los barcos prolonga los mástiles.

master (ingl.) s. m. Curso especializado para personas con título universitario.

masticar v. Deshacer los alimentos en la boca con los dientes y muelas. SIN. Mascar.

mástil s. m. **1.** Palo vertical como los que sostienen las velas de un barco o las banderas. **2.** Pieza estrecha y larga de los instrumentos de cuerda. SIN. **1.** Asta.

mastín s. m. Perro muy fuerte y robusto, con la cabeza grande y el pelo corto. Es un buen perro guardián.

mastodonte s. m. **1.** Animal prehistórico parecido al elefante. **2.** Persona o cosa muy grande. SIN. **2.** Mamotreto, armatoste. ANT. **2.** Miniatura.

mastodóntico, ca adj. Enorme.

mastuerzo s. m. **1.** Berro, planta. ‖ adj. y s. m. **2.** fam. Torpe, tonto. SIN. **2.** Burro, zopenco. ANT. **2.** Listo, despierto.

masturbación s. f. Acción de masturbarse.

masturbarse v. Obtener placer una persona tocando sus órganos sexuales.

mata s. f. **1.** Hierba o arbusto de poca altura o rama de esa planta. ‖ **2. mata de pelo** Cabello largo y abundante. SIN. **1.** Matojo.

matacaballo Se usa en la expresión **a matacaballo**, 'muy deprisa'.

matadero s. m. Sitio donde se mata a los animales cuya carne comemos.

matador, ra adj. y s. **1.** Que mata. ‖ adj. **2.** Muy cansado. **3.** Ridículo, feo, que sienta muy mal. ‖ s. m. y f. **4.** Torero. SIN. **2.** Agotador. **4.** Diestro.

matadura s. f. **1.** Llaga o herida que se hacen las caballerías con los arreos.

2. Golpe o herida de poca importancia. Sin. **2.** Magulladura.

matamoscas s. m. Especie de paleta para matar moscas.

matanza s. f. **1.** El hecho de matar. **2.** Muchas muertes de personas en una batalla, atentado, etc. **3.** Tarea de matar los cerdos, época en que se hace y productos que se obtienen en ella. Sin. **2.** Masacre, carnicería.

matar v. **1.** Quitar la vida. **2.** Quitar el hambre o la sed. **3.** Pasar el tiempo: *matar las horas*. **4.** Hacer sufrir o quitar la salud: *matar a disgustos*. ‖ **matarse 5.** Suicidarse. **6.** Perder la vida. **7.** Esforzarse mucho: *matarse a trabajar*. **8.** No quedar bien una cosa con otra. Expr. **matarlas callando** Hacer algo malo, pero dando la impresión de que uno es muy bueno. Sin. **1.** Asesinar, liquidar. **2.** Calmar.

matarife s. m. Persona que mata y descuartiza animales en el matadero.

matarratas adj. y s. m. Raticida.

matasanos s. m. y f. desp. Médico.

matasellos s. m. **1.** Marca o dibujo que estampan sobre los sellos de las cartas y paquetes en las oficinas de correos. **2.** Instrumento con que ponen estas marcas.

matasuegras s. m. Objeto de broma que consiste en un tubo de papel enroscado y una boquilla, por donde se sopla para que se desenrolle bruscamente.

match (ingl.) s. m. Encuentro deportivo.

mate[1] s. m. **1.** Jaque mate. Ver **jaque**. **2.** Tiro fuerte de la pelota de arriba abajo.

mate[2] adj. Sin brillo: *pintura mate*. Ant. Brillante.

mate[3] s. m. **1.** Planta de América del Sur. **2.** Hojas secas de esta planta y bebida que se prepara con ellas.

matemáticas s. f. pl. Ciencia que estudia los números, el cálculo, las figuras geométricas.

matemático, ca adj. **1.** De las matemáticas. **2.** Que no falla, que suele cumplirse. ‖ s. m. y f. **3.** Persona que se dedica a las matemáticas.

materia s. f. **1.** Todo lo que existe en el universo, formado por partículas elementales agrupadas en átomos y moléculas. **2.** Sustancia o material de que está hecha una cosa. **3.** Asunto, tema. **4.** Asignatura. ‖ **5. materia prima** Sustancia natural utilizada en una industria para elaborar los productos.

material adj. **1.** De materia o relacionado con ella. **2.** Que no es espiritual. **3.** Que hace algo directa y personalmente: *el autor material del crimen*. ‖ s. m. **4.** Materia con que se hace algo. **5.** Instrumentos, máquinas y otras cosas necesarias para un trabajo o una actividad. **6.** Cuero curtido. Sin. **1** y **2.** Corpóreo. Ant. **1** y **2.** Inmaterial.

materialismo s. m. Forma de pensar y actuar de los materialistas.

materialista adj. y s. Que aprecia demasiado el dinero y los bienes materiales.

materializar v. Llevar a la práctica un plan, proyecto, idea. Sin. Ejecutar.

materialmente adv. De hecho, realmente: *La casa incendiada quedó materialmente destruida*.

maternal adj. Propio de la madre. Sin. Materno.

maternidad s. f. **1.** Hecho de ser madre. **2.** Centro clínico donde se atiende a las mujeres que van a tener un hijo.

materno, na adj. **1.** De la madre. **2.** Se dice de la lengua que uno aprende de sus padres. Sin. **1.** Maternal.

matinal adj. De la mañana o que ocurre o se hace por la mañana. Sin. Matutino.

matiz s. m. **1.** Cada una de las intensidades o tonos que puede tener un color. **2.** Rasgo o diferencia pequeña. Sin. **1.** Tonalidad, gama. **2.** Detalle.

matización s. f. Acción de matizar.

matizar v. **1.** Dar cierto matiz. **2.** Señalar los matices o diferencias de algo. Sin. **2.** Concretar, puntualizar.

matojo s. m. desp. Planta o arbusto de poca altura. Sin. Mata.

matón s. m. Hombre que presume de valiente y busca pelea. Sin. Bravucón.

matorral s. m. Arbusto o grupo de arbustos y matas.

matraca s. f. **1.** Rueda de tablas en forma de cruz, con mazos que al girar la rueda producen un ruido fuerte y desagradable; se usa en Semana Santa en lugar de campanas. **2.** Carraca, instrumento. **3.** fam. Rollo, tabarra.

matraz s. m. Recipiente de laboratorio; es de vidrio, redondo y con el cuello recto y estrecho.

matriarcado s. m. Organización social en la que mandan las mujeres. Ant. Patriarcado.

matriarcal adj. Del matriarcado. Ant. Patriarcal.

matrícula *s. f.* **1.** Trámite con el que uno se apunta a un curso o asignatura. **2.** Registro en el que se inscriben personas o cosas. **3.** Anotación de un vehículo en un registro oficial y placa que lleva con el número que tiene en ese registro. || **4. matrícula de honor** La mejor calificación, superior al sobresaliente.

matricular *v.* Apuntar en una matrícula. Sɪɴ. Inscribir, registrar.

matrimonial *adj.* Del matrimonio.

matrimonio *s. m.* **1.** Unión de un hombre y una mujer, según la ley o los ritos de una religión, para vivir juntos y formar una familia. **2.** La pareja que forman.

matrioska (ruso) *s. f.* Conjunto de muñecas iguales, pero de distinto tamaño, que se meten unas dentro de otras.

matritense *adj.* Madrileño.

matriz *s. f.* **1.** Útero. **2.** Molde en que se funden objetos de metal. **3.** Parte que queda unida al talonario al arrancar los talones, los cheques, las papeletas. Sɪɴ. **1.** Seno.

matrona *s. f.* **1.** Mujer madura. **2.** Comadrona. **3.** Funcionaria de aduanas o prisiones que registra a las mujeres.

matute *s. m.* Contrabando. Exᴘʀ. **de matute** De contrabando o a escondidas.

matutino, na *adj.* De la mañana o que ocurre o se hace por la mañana. Sɪɴ. Matinal.

maullar *v.* Dar maullidos el gato.

maullido *s. m.* El sonido típico del gato.

mauritano, na *adj.* y *s.* De Mauritania, país de África.

mausoleo *s. m.* Sepulcro monumental.

maxilar *adj.* y *s. m.* De las mandíbulas; se dice sobre todo de los huesos que las forman.

máxima *s. f.* **1.** Frase breve que expresa un principio moral o una enseñanza. **2.** Norma de comportamiento. Sɪɴ. **1.** Sentencia. **2.** Lema.

máximamente o **máxime** *adv.* Sobre todo, con mayor motivo.

máximo, ma *adj.* **1.** *sup.* de **grande**. Que no hay nada superior o mayor. || *s. m.* **2.** Lo más a lo que se puede llegar. Sɪɴ. **1.** Sumo. Aɴᴛ. **1** y **2.** Mínimo.

maya *adj.* y *s.* De un pueblo indio americano que habitaba en la península de Yucatán y zonas vecinas de México, Honduras y Guatemala.

mayestático, ca *adj.* Se dice del plural que se usa en vez del singular, como hacen, por ejemplo, los reyes.

mayo *s. m.* Quinto mes del año, de treinta y un días.

mayólica *s. f.* Tipo de cerámica con un barniz metálico.

mayonesa *s. f.* Salsa que se hace batiendo aceite crudo y huevo. Sɪɴ. Mahonesa.

mayor *adj.* y *s.* **1.** *comp.* de **grande**. De más tamaño, intensidad, cantidad, edad que otro. Con el artículo se convierte en superlativo: *el mayor de todos*. **2.** Adulto. **3.** Anciano. || *adj.* **4.** Principal: *plaza mayor*. || *s. m.* y *f.* **5.** En algunos ejércitos, grado equivalente a comandante. || **6. mayor de edad** Persona que ha cumplido los 18 años y puede votar y ejercer otros derechos. Exᴘʀ. **al por mayor** Se dice de la venta en grandes cantidades. Aɴᴛ. **1** y **2.** Menor. **2** y **3.** Niño; joven.

mayoral *s. m.* **1.** Pastor principal. **2.** Jefe de un grupo de trabajadores del campo.

mayorazgo *s. m.* **1.** Herencia en la que todos los bienes pasan al hijo mayor. **2.** Estos bienes.

mayordomo *s. m.* Sirviente principal de una casa.

mayoría *s. f.* **1.** La mayor parte. || **2. mayoría de edad** Situación de quien es mayor de edad. Ver **mayor**. Aɴᴛ. **1.** Minoría.

mayorista *s. m.* y *f.* Persona que compra algo en gran cantidad para luego venderlo a los comerciantes. Aɴᴛ. Minorista.

mayoritario, ria *adj.* De la mayoría. Sɪɴ. General. Aɴᴛ. Minoritario.

mayúscula *adj.* y *s. f.* Se dice de la letra más grande y de forma especial que se utiliza, por ejemplo, después de punto o en los nombres propios. Aɴᴛ. Minúscula.

mayúsculo, la *adj.* Muy grande. Aɴᴛ. Minúsculo.

maza *s. f.* **1.** Utensilio parecido a un martillo, pero más grande y pesado. **2.** Palo con una bola en la punta utilizado para tocar el bombo. Sɪɴ. **1.** Mazo.

mazacote *s. m.* **1.** Cosa demasiado apretada o apelmazada. **2.** Cosa demasiado pesada, grande o sin gracia.

mazapán *s. m.* Dulce navideño hecho con almendras molidas y azúcar.

mazazo *s. m.* **1.** Golpe de maza o algo parecido. **2.** Impresión muy fuerte.

mazmorra s. f. Cárcel subterránea. **SIN.** Calabozo.

mazo s. m. **1.** Maza pequeña. **2.** Montón o fajo: *mazo de naipes.* **SIN. 2.** Manojo.

mazorca s. f. Panocha o espiga del maíz, formada por granos muy juntos.

mazurca s. f. Música y baile polacos.

me pron. pers. Indica la primera persona del singular y funciona como complemento directo e indirecto: *Me trajo en coche. Me regaló un pañuelo;* forma los verbos pronominales: *Me arrepentí;* sirve para dar más expresividad: *Me comí un bocadillo.*

meada s. f. Pis que se echa de una vez.

meado, da 1. p. de **mear.** ‖ adj. **2.** Manchado o mojado de pis.

meandro s. m. Curva de un río.

meapilas s. m. y f. Santurrón.

mear v. Echar el pis. **SIN.** Orinar.

meca s. f. Lugar muy importante en una actividad: *Hollywood, la meca del cine.*

¡mecachis! interj. Expresa sorpresa, enfado, disgusto.

mecánica s. f. **1.** Parte de la física que estudia el movimiento de los cuerpos y las fuerzas que lo producen. **2.** Estudio de las máquinas. **3.** Mecanismos que hacen funcionar una máquina. **4.** Funcionamiento: *la mecánica del oficio.*

mecánicamente adv. **1.** Por medios mecánicos. **2.** De forma mecánica, sin pensar. **SIN. 2.** Automáticamente.

mecánico, ca adj. **1.** De las máquinas. **2.** Que se hace sin pensar. ‖ s. m. y f. **3.** Persona que se dedica al manejo, reparación o conservación de máquinas, sobre todo vehículos. **SIN. 2.** Maquinal, automático. **ANT. 2.** Intencionado.

mecanismo s. m. **1.** Conjunto de piezas conectadas entre sí que hace que algo funcione. **2.** Modo de desarrollarse una actividad, una función u otra cosa. **SIN. 1.** Dispositivo. **2.** Funcionamiento.

mecanizar v. Empezar a usar máquinas en una actividad. **SIN.** Automatizar.

mecano s. m. Juguete formado por distintas piezas con las que se construyen cosas.

mecanografía s. f. Técnica de escribir a máquina.

mecanografiar v. Escribir a máquina.

mecanógrafo, fa s. m. y f. Persona que trabaja escribiendo a máquina.

mecedora s. f. Silla sobre dos arcos que permiten mecerse sentado en ella.

mecenas s. m. Persona o institución que protege y favorece las artes.

mecenazgo s. m. Apoyo que el mecenas da a los artistas y escritores.

mecer v. Balancear suavemente. **SIN.** Acunar.

mecha s. f. **1.** Cuerda retorcida que tienen dentro las velas, candiles o mecheros para hacerla arder. **2.** Cuerda o tubo con pólvora que se prende para hacer estallar un explosivo o para disparar armas de fuego antiguas. ‖ pl. **3.** Algunos mechones de pelo teñidos de color diferente al del resto del cabello. **EXPR. a toda mecha** Rápidamente.

mechar v. Rellenar con tocino, jamón u otro ingrediente una carne o un ave.

mechero s. m. **1.** Encendedor de bolsillo. **2.** Instrumento para dar fuego, con una mecha y una rueda que al girar roza una piedrecilla y produce chispas.

mechón s. m. Porción de pelo, lana u otra cosa parecida, separada del resto.

medalla s. f. **1.** Placa pequeña, generalmente de metal, con una imagen u otra cosa grabada. **2.** Condecoración.

medallón s. m. **1.** Medalla grande. **2.** Elemento decorativo de muros y fachadas, redondo u ovalado. **3.** Rodaja de un alimento, sobre todo de pescado.

médano s. m. Duna de las costas.

media[1] s. f. **1.** Resultado de sumar varias cantidades y dividirlo por el número de cantidades que hay. **2.** Treinta minutos además de la hora que se indica: *las cinco y media.*

media[2] s. f. **1.** Prenda de lana, seda, nailon o espuma que cubre la pierna. **2.** Calcetín alto.

mediación s. f. Acción de mediar en un conflicto o en favor de otro. **SIN.** Intercesión.

mediado, da adj. Hacia la mitad o que tiene más o menos la mitad. **EXPR. a mediados de** Hacia la mitad de un espacio de tiempo: *Sucedió a mediados de siglo.*

mediador, ra adj. y s. Que media en un conflicto o en favor de alguien.

mediana s. f. **1.** Línea recta que une cada vértice de un triángulo con el punto medio del lado opuesto. **2.** Valla u otra cosa que separa las dos direcciones de una autopista o carretera.

medianamente adv. No muy bien.

medianero, ra adj. Que está en medio de dos cosas, por ejemplo una pared que separa dos casas.

medianía *s. f.* Mediocridad. **Ant.** Eminencia.

mediano, na *adj.* Que no es ni mucho ni poco, ni muy bueno ni muy malo.

medianoche *s. f.* **1.** Momento en que el Sol está en el punto opuesto al del mediodía. **2.** Horas centrales de la noche. **3.** Bollito partido en dos mitades entre las que se pone un alimento.

mediante *adv.* Por medio de. **Expr. Dios mediante** Si Dios quiere, si nada lo impide.

mediar *v.* **1.** Llegar algo aproximadamente a la mitad. **2.** Intervenir en favor de alguien o para resolver un conflicto. **3.** Haber o suceder algo entre dos personas, dos cosas, dos hechos. **Sin. 2.** Interceder, terciar.

mediatizar *v.* Influir mucho en los actos o decisiones de otro, dirigiéndolos o limitándolos.

mediatriz *s. f.* Recta perpendicular al punto medio de un segmento.

medicación *s. f.* **1.** Los medicamentos utilizados para curar una enfermedad. **2.** Acción de medicar.

medicamento *s. m.* Sustancia para evitar, curar o aliviar una enfermedad. **Sin.** Medicina, fármaco.

medicamentoso, sa *adj.* Que se utiliza como medicamento.

medicar *v.* Recetar o administrar medicinas a un enfermo.

medicina *s. f.* **1.** Ciencia que trata de las enfermedades y de cómo curarlas. **2.** Profesión de médico. **3.** Medicamento. **Sin. 3.** Fármaco.

medicinal *adj.* Que se usa para curar: *aguas medicinales.*

medición *s. f.* Acción de medir.

médico, ca *adj.* **1.** De la medicina. ‖ *s. m.* y *f.* **2.** Persona que tiene como profesión la medicina. ‖ **3. médico de cabecera** El que atiende a un enfermo para cosas generales, para las que no se necesita un médico especialista. **Sin. 2.** Doctor.

medida *s. f.* **1.** Acción de medir y lo que mide alguien o algo. **2.** Unidad que sirve para medir, como el metro o el gramo. **3.** Acción o medio con que se trata de conseguir o evitar algo: *medidas de seguridad.* **4.** Grado, intensidad: *en gran medida.* **5.** Moderación: *beber con medida.* **Expr. a medida** o **a la medida** Hecho con las medidas de la persona o cosa a la que se destina. **a medida que** Según, conforme. **Sin. 3.** Disposición, prevención, precaución. **5.** Mesura.

medieval *adj.* De la Edad Media.

medievalista *s. m.* y *f.* Especialista en la Edad Media.

medievo *s. m.* Edad Media.

medio, dia *adj.* **1.** Que está por la mitad o le falta una parte. **2.** Gran parte: *Recorrió medio mundo.* **3.** Se dice del tercer dedo de la mano, el más largo. ‖ *adj.* y *s. m.* **4.** Que está entre dos extremos o en el centro. ‖ *s. m.* **5.** Quebrado que tiene por denominador el 2. **6.** Modo de conseguir algo o lo que sirve para un fin. **7.** Ambiente o circunstancias en que vive una persona o se desarrolla un ser vivo. ‖ *s. m. pl.* **8.** Dinero u otras cosas que alguien posee o con las que cuenta. ‖ *adv.* **9.** No del todo: *medio dormido.* **Expr. a medias** La mitad cada uno. Sin terminar. No del todo. **en medio** o **en medio de** En mitad de. Entre otros. A pesar de: *En medio de su tristeza, se reía.* **por medio** o **por el medio** o **por en medio** Por la mitad o por dentro. En desorden. **por medio de** Utilizando lo que se indica. A través de. **Sin. 3.** Corazón. **4.** Intermedio, central. **6.** Forma, procedimiento. **7.** Hábitat, entorno. **8.** Fortuna. **Ant. 1.** Entero.

mediocre *adj.* y *s.* No muy bueno, de poca calidad, inteligencia, talento. **Sin.** Vulgar, gris.

mediocridad *s. f.* Característica de mediocre. **Sin.** Vulgaridad.

mediodía *s. m.* **1.** Momento del día en que el Sol está en su punto más alto. **2.** Las horas centrales del día. **3.** El sur. **Ant. 1** y **2.** Medianoche. **3.** Norte.

medioevo *s. m.* Medievo, Edad Media.

medir *v.* **1.** Hallar la altura, longitud, volumen, peso, temperatura, tiempo u otra magnitud utilizando unas unidades. **2.** Tener una altura, longitud, volumen. **3.** Comparar cualidades, habilidades u otras cosas. **4.** Hacer o decir algo con prudencia: *medir uno sus palabras.* □ Es v. irreg. Se conjuga como *pedir.* **Sin. 1.** Calcular. **4.** Moderar.

meditabundo, da *adj.* Muy pensativo. **Sin.** Ensimismado, absorto.

meditación *s. f.* Acción de meditar. **Sin.** Reflexión, cavilación.

meditar *v.* Pensar con mucha atención. **Sin.** Reflexionar, cavilar.

mediterráneo, a *adj.* Del mar Mediterráneo y de los territorios situados a orillas de él.

médium *s. m.* y *f.* Persona de la que se cree que puede comunicarse con los espíritus de los muertos.

medrar *v.* Mejorar una persona de posición social o económica. **Sin.** Prosperar, progresar, ascender.

medroso, sa *adj.* Miedoso, asustadizo.

médula o **medula** *s. f.* **1.** Sustancia blanda que está dentro de los huesos. Se llama también *médula ósea.* **2.** Parte del sistema nervioso protegida por la columna vertebral, de la que nacen los nervios. Se llama también *médula espinal.* **3.** Lo principal y más importante. **Sin. 3.** Meollo, fondo.

medular *adj.* De la médula.

medusa *s. f.* Animal invertebrado acuático parecido a una sombrilla. Es una de las formas de los celentéreos.

megafonía *s. f.* **1.** Técnica que se ocupa de los aparatos y medios para aumentar el volumen del sonido. **2.** Conjunto de esos aparatos.

megáfono *s. m.* Aparato para aumentar el volumen de la voz.

megalítico, ca *adj.* Relacionado con los megalitos.

megalito *s. m.* Monumento prehistórico hecho con grandes piedras.

megalomanía *s. f.* El creerse una persona muy importante o excepcional.

megalómano, na *adj.* y *s.* Que muestra megalomanía.

meiga (gall.) *s. f.* En Galicia, bruja.

meiosis *s. f.* División celular a partir de la cual algunas células de las gónadas dan lugar a células sexuales o gametos.

mejicanismo *s. m.* Mexicanismo.

mejicano, na *adj.* y *s.* Mexicano.

mejilla *s. f.* Parte de la cara situada bajo los ojos y a cada lado de la nariz. **Sin.** Carrillo, cachete.

mejillón *s. m.* Molusco marino de concha negra azulada formada por dos valvas. Vive sujeto a las rocas y es apreciado como alimento.

mejillonera *s. f.* Instalación para la cría del mejillón.

mejor *adj.* y *s.* **1.** *comp.* de **bueno.** Más bueno o que se prefiere. Con el artículo se convierte en superlativo: *el mejor de todos.* ‖ *adv.* **2.** *comp.* de **bien.** Más bien o menos mal. **Expr. a lo mejor** Es posible, quizás. **Sin. 1.** Superior; preferible. **Ant. 1** y **2.** Peor.

mejora *s. f.* Acción de mejorar. **Sin.** Mejoría. **Ant.** Empeoramiento.

mejorana *s. f.* Planta medicinal de hojas redondeadas y flores rosadas en espiga. Se usa como estomacal y sedante.

mejorar *v.* **1.** Poner mejor o ponerse mejor. **2.** Ser mejor, superar. **Sin. 1.** Progresar; sanar. **2.** Aventajar. **Ant. 1.** Empeorar; estropear. **2.** Desmerecer.

mejoría *s. f.* Hecho de mejorar. **Sin.** Mejora, recuperación. **Ant.** Empeoramiento.

mejunje *s. m.* Mezcla de varios líquidos o sustancias de aspecto desagradable. **Sin.** Potingue.

melancolía *s. f.* Tristeza, nostalgia. **Sin.** Añoranza. **Ant.** Alegría.

melancólico, ca *adj.* y *s.* Triste, nostálgico. **Ant.** Alegre.

melanésico, ca o **melanesio, sia** *adj.* y *s.* **1.** De Melanesia, archipiélago de Oceanía. ‖ *adj.* y *s. m.* **2.** Grupo de lenguas de Melanesia.

melanina *s. f.* Sustancia que hace que tengan color la piel, el pelo y los ojos.

melaza *s. f.* Jarabe líquido y dulce que queda como residuo al fabricar azúcar.

melé *s. f.* Jugada de rugby en la que los delanteros de los dos equipos forman un grupo y se empujan, para apoderarse del balón puesto en medio de ellos.

melena *s. f.* **1.** Pelo largo y suelto de una persona. **2.** Cabellera del león.

melenudo, da *adj.* y *s.* Con melena.

melifluo, flua *adj.* Tan excesivamente amable que resulta cursi o falso. **Sin.** Afectado, meloso. **Ant.** Natural.

melillense *adj.* y *s.* De Melilla, ciudad española en el norte de África.

melindre *s. m.* Remilgo o ascos que hace una persona demasiado delicada.

melindroso, sa *adj.* y *s.* Que hace muchos melindres. **Sin.** Remilgado.

melisa *s. f.* Planta aromática y medicinal de hojas ovaladas y arrugadas y flores blancas.

mella *s. f.* **1.** Pequeño roto en el borde o filo de una cosa. **2.** Hueco que queda cuando se cae un diente. **Expr. hacer mella** Causar efecto una cosa a una persona.

mellado, da **1.** *p.* de **mellar.** ‖ *adj.* **2.** Que tiene mellas.

mellar *v.* Hacer mellas en algo.

mellizo, za *adj.* y *s.* Cada uno de los hermanos nacidos en un mismo parto. **Sin.** Gemelo.

melocotón *s. m.* Fruto del melocotonero, de color naranja, muy dulce y con la piel muy suave, cubierta de pelitos.

melocotonero s. m. Árbol frutal que da los melocotones.

melodía s. f. Conjunto de notas que forman una música o una canción. Sin. Motivo, tema.

melódico, ca adj. De la melodía.

melodioso, sa adj. Se dice del sonido que resulta agradable o musical.

melodrama s. m. Obra de teatro que intenta emocionar al público con situaciones demasiado tristes o dramáticas.

melomanía s. f. Afición muy grande a la música.

melómano, na s. m. y f. Persona a la que le gusta muchísimo la música.

melón s. m. 1. Fruta de la planta del mismo nombre; es grande y ovalada, de corteza gruesa, verde o amarillenta, y carne blanca, dulce y muy jugosa. 2. fam. Persona torpe, tonta. Sin. 2. Bobo.

melonar s. m. Campo de melones.

melonero, ra s. m. y f. Persona que vende melones.

melopea s. f. fam. Borrachera.

meloso, sa adj. 1. Demasiado amable, delicado o dulce. 2. Parecido a la miel. Sin. 1. Empalagoso, melifluo.

membrana s. f. 1. Tejido delgado y elástico que envuelve o separa algunos órganos. 2. Lámina tensa y fina que se hace vibrar o que separa dos cosas.

membrete s. m. Nombre y dirección de una persona o empresa impresos en los sobres o papeles de cartas que utiliza.

membrillo s. m. 1. Árbol frutal de hojas de forma ovalada y flores blancas o rosadas. 2. Fruta de ese árbol, de color amarillo y forma de pera grande, con que se hace un dulce llamado *dulce* o *carne de membrillo*.

memez s. f. Tontería, simpleza.

memo, ma adj. y s. Tonto, bobo. Sin. Estúpido, idiota, imbécil. Ant. Inteligente, listo.

memorable adj. Que merece ser recordado porque era muy bueno.

memorándum o **memorando** s. m. 1. Resumen escrito de los puntos más importantes de un asunto. 2. Agenda.

memoria s. f. 1. Capacidad de recordar. 2. Recuerdo. 3. Parte de un ordenador donde se almacena la información. || pl. 4. Autobiografía. Sin. 1. Retentiva. Ant. 1 y 2. Olvido.

memorial s. m. 1. Escrito en favor de alguien o algo. 2. Homenaje en memoria de una persona.

memorístico, ca adj. De la memoria o que se hace con ella.

memorizar v. Aprender algo de memoria. Sin. Retener. Ant. Olvidar.

mena s. f. Roca que contiene abundante mineral aprovechable.

menaje s. m. Conjunto de muebles, utensilios y ropas de la casa.

mención s. f. Hecho de mencionar. Sin. Alusión, cita. Ant. Omisión.

mencionar v. Hablar de pasada de una persona o cosa o decir su nombre. Sin. Citar, aludir. Ant. Omitir.

menda s. m. y f. 1. fam. Persona, individuo. 2. fam. Uno mismo: *mi menda*. Sin. 1. Tipo, fulano.

mendaz adj. y s. Mentiroso, falso.

mendicante adj. y s. Se dice de las órdenes religiosas que viven de la limosna y de su trabajo.

mendicidad s. f. Actividad de mendigar.

mendigar v. Pedir limosna los pobres.

mendigo, ga s. m. y f. Persona pobre que vive pidiendo limosna. Sin. Pordiosero.

mendrugo s. m. 1. Trozo de pan duro. || adj. y s. m. 2. Tonto, torpe. Sin. 1. Corrusco. 2. Zoquete. Ant. 2. Inteligente.

menear v. Mover de un lado a otro. Sin. Sacudir, balancear.

meneo s. m. Acción de menear. Sin. Sacudida.

menester s. m. Ocupación, trabajo. Expr. ser menester Ser necesario.

menesteroso, sa adj. y s. Indigente.

menestra s. f. Guiso de verduras con trocitos de jamón o carne.

menestral, la s. m. y f. Persona que tiene un oficio manual, como un artesano o un obrero.

mengano, na s. m. y f. fam. Una persona cualquiera. Sin. Fulano, zutano.

mengua s. f. Disminución, pérdida. Sin. Descenso, merma. Ant. Aumento.

menguante adj. 1. Que mengua. || 2. cuarto menguante Fase lunar intermedia entre la Luna llena y la Luna nueva. Sin. 1. Decreciente. Ant. 1. Creciente.

menguar v. Disminuir, reducirse. Sin. Decrecer, mermar. Ant. Aumentar.

menhir s. m. Monumento prehistórico; es una piedra grande clavada verticalmente en el suelo.

meninge s. f. Cada una de las membranas que envuelven y protegen el encéfalo y la médula espinal.

meningitis *s. f.* Inflamación de las meninges; es una enfermedad muy grave.

menino, na (port.) *s. m.* y *f.* En la corte española, niño, niña o joven que estaba al servicio de la familia real.

menisco *s. m.* Cartílago de algunas articulaciones, como la rodilla.

menopausia *s. f.* El dejar de tener la menstruación la mujer y época de su vida en que esto ocurre.

menor *adj.* y *s.* **1.** *comp.* de *pequeño*. De menos tamaño, intensidad, cantidad, edad. Con el artículo se convierte en superlativo: *Ella es la menor de su casa.* **2.** Menor de edad. ‖ **3. aguas menores** El pis. **4. menor de edad** Persona que no ha cumplido los 18 años y no puede votar ni ejercer otros derechos. **EXPR. al por menor** Se dice de la venta en pequeñas cantidades. **ANT. 1** y **2.** Mayor. **2.** Adulto.

menorquín, na *adj.* y *s.* De Menorca, isla de las Baleares, España.

menos *adv.* **1.** Expresa menor cantidad o intensidad: *Tiene menos dinero que yo. Luis es menos nervioso que tú.* ‖ *prep.* **2.** Excepto: *Se comió todo menos la fruta.* ‖ *s. m.* **3.** Signo aritmético (−) de la resta. **EXPR. a menos que** A no ser que. **al menos** o **por lo menos** Aunque sólo sea eso. **echar de menos** Notar que falta alguien o algo, acordarse de él. **menos mal** Indica alivio. **SIN. 2.** Salvo. **ANT. 1** y **3.** Más. **2.** Incluso.

menoscabar *v.* Dañar, quitar valor, importancia o fama a alguien o algo. **SIN.** Perjudicar, deteriorar. **ANT.** Beneficiar.

menoscabo *s. m.* Perjuicio, daño, disminución. **SIN.** Deterioro. **ANT.** Beneficio.

menospreciar *v.* Dar a alguien o algo menos importancia o valor del que tiene. **SIN.** Rebajar, despreciar, subestimar. **ANT.** Apreciar.

menosprecio *s. m.* Hecho de menospreciar a alguien o algo. **SIN.** Desprecio. **ANT.** Interés.

mensaje *s. m.* **1.** Lo que se dice o se comunica a alguien. **2.** Enseñanza o moraleja de un libro, una película, etc. **SIN. 1.** Recado, comunicación.

mensajero, ra *adj.* y *s.* Que lleva mensajes, recados u otras cosas. **SIN.** Recadero, emisario.

menstruación o **menstruo** *s. f.* o *s. m.* Pérdida de sangre que tienen las mujeres por la vagina una vez al mes, al no instalarse en el útero un óvulo fecundado. **SIN.** Regla, periodo.

mensual *adj.* **1.** Que ocurre, se hace o aparece cada mes. **2.** Que dura un mes.

mensualidad *s. f.* Lo que se paga o se cobra cada mes.

menta *s. f.* Planta de hojas verdes o rojizas y flores lila. Se utiliza para hacer licores e infusiones y de ella se saca una sustancia de buen olor y sabor con que se elaboran dulces y perfumes.

mental *adj.* Relacionado con la mente.

mentalidad *s. f.* Modo de pensar. **SIN.** Pensamiento, ideología, mente.

mentalizar *v.* Preparar a alguien para que actúe o piense de una manera.

mentalmente *adv.* Con el pensamiento o respecto a la mente.

mentar *v.* Mencionar, nombrar. ◻ Es *v. irreg.* Se conjuga como *pensar*. **SIN.** Citar.

mente *s. f.* **1.** Capacidad del hombre para pensar y entender cosas. **2.** Pensamiento: *tener una cosa en mente.* **3.** Mentalidad: *una mente abierta.* **SIN. 1.** Inteligencia, cerebro.

mentecato, ta *adj.* y *s.* Tonto, necio. **SIN.** Idiota. **ANT.** Inteligente.

mentidero *s. m.* Lugar donde se reúne la gente para conversar y comentar lo que pasa.

mentir *v.* Decir mentiras. ◻ Es *v. irreg.* Se conjuga como *sentir*. **SIN.** Engañar.

mentira *s. f.* Lo que no es verdad, engaño. **EXPR. parece mentira** Indica que algo causa asombro o sorpresa. **SIN.** Cuento, embuste.

mentiroso, sa *adj.* y *s.* Que miente. **SIN.** Embustero, farsante.

mentís *s. m.* Palabras o hechos con que alguien desmiente lo que otros afirman. **SIN.** Desmentido. **ANT.** Confirmación.

mentol *s. m.* Alcohol que se saca de la menta y se utiliza en medicina para suavizar la garganta y ayudar a respirar; también se usa en perfumes y licores.

mentolado, da *adj.* De sabor a menta.

mentón *s. m.* Barbilla.

mentor *s. m.* **1.** Persona que aconseja, guía u orienta a otra. **2.** Preceptor.

menú *s. m.* **1.** Conjunto de platos que se toman en una comida. **2.** Lista de las comidas y bebidas que se pueden pedir en un restaurante. **3.** Lista que aparece en la pantalla del ordenador con las cosas que puede hacer un programa, para elegir aquella que se quiere. **SIN. 2.** Carta.

menudear v. Suceder a menudo.

menudencia s. f. Insignificancia. **Sin.** Minucia, bagatela.

menudillos s. m. pl. El corazón, el hígado y otras vísceras de las aves. **Sin.** Menudos.

menudo, da adj. **1.** Muy pequeño. **2.** Sin importancia. **3.** Se usa para destacar algo: ¡*Menuda suerte!* || s. m. pl. **4.** Tripas, manos y sangre de cordero, cerdo, vaca, etc. **5.** Menudillos. **Expr. a menudo** Muchas veces. **Sin. 1.** Chico. **2.** Insignificante, secundario. **4** y **5.** Despojos. **Ant. 1.** Grande. **2.** Importante.

meñique adj. y s. m. El dedo más pequeño de la mano.

meollo s. m. Lo más importante. **Sin.** Fundamento, esencia.

meón, na adj. y s. Que hace mucho pis o mea muchas veces.

mequetrefe s. m. y f. Persona informal, inútil, en la que no se puede confiar. **Sin.** Botarate, tarambana.

meramente adv. Solamente, simplemente: *Baila meramente por diversión.*

mercachifle s. m. desp. Vendedor ambulante o de poca importancia. **Sin.** Quincallero, buhonero.

mercader, ra s. m. y f. Comerciante.

mercadería s. f. Mercancía.

mercado s. m. **1.** Edificio o lugar con puestos en los que se venden alimentos y otras cosas. **2.** Conjunto de actividades relacionadas con la compra y la venta. || **3. mercado negro** Comercio ilegal de productos. **Sin.** Plaza.

mercancía s. f. **1.** Cosa que se puede comprar y vender. || **mercancías** s. m. **2.** Tren que transporta solamente cosas. **Sin. 1.** Género, artículo.

mercante adj. **1.** Del comercio por mar: *la marina mercante.* || adj. y s. m. **2.** Barco que transporta mercancías.

mercantil adj. Relacionado con la compra y venta de cosas. **Sin.** Comercial.

mercar v. Comprar.

merced s. f. **1.** Favor o recompensa. || **2. su merced** o **vuestra merced** Se usaba antiguamente como hoy *usted.* **Expr. a merced de** Sometido a la acción o al poder de una persona o cosa. **Sin. 1.** Don, gracia.

mercedario, ria adj. y s. De la orden religiosa de la Merced.

mercenario, ria adj. y s. Soldado que lucha sólo porque le pagan.

mercería s. f. Tienda donde se venden cosas para coser o hacer labores.

mercromina s. f. Líquido rojo que se usa para desinfectar las heridas.

mercurio s. m. Metal líquido plateado; se usa en los termómetros para indicar la temperatura al dilatarse con el calor. Es un elemento químico.

merecedor, ra adj. Que merece algo. **Sin.** Digno, acreedor. **Ant.** Indigno.

merecer v. Ser justo que alguien o algo tenga o reciba una cosa. □ Es v. irreg. Se conjuga como *agradecer.* **Expr. merecer una cosa la pena** No importar lo que cueste, si se obtiene algo bueno.

merecido, da 1. p. de **merecer.** || adj. **2.** Que alguien se lo merece. || s. m. **3.** Castigo que alguien se merece.

merecimiento s. m. El hecho de merecer.

merendar v. **1.** Comer algo a media tarde. || **merendarse 2.** fam. Terminar algo rápidamente. **3.** fam. Ganar a otro por mucha diferencia. □ Es v. irreg. Se conjuga como *pensar.* **Sin. 3.** Arrollar.

merendero s. m. Lugar en el campo o en la playa donde se puede comer.

merendola s. f. Merienda celebrada como una fiesta entre muchas personas.

merengada adj. Ver **leche.**

merengue s. m. Crema hecha con claras de huevo y azúcar.

meretriz s. f. Prostituta.

meridiano, na adj. **1.** Claro, evidente. || s. m. **2.** Cada línea imaginaria de la esfera terrestre que va de un polo a otro.

meridional adj. y s. Del sur. **Sin.** Sureño. **Ant.** Septentrional, norteño.

merienda s. f. **1.** Comida ligera que se hace por la tarde. || **2. merienda de negros** Jaleo, lío, tumulto.

merino, na adj. y s. Se dice de una raza de ovejas de lana fina, rizada y suave.

mérito s. m. **1.** Acción o trabajo por los que una persona merece alguna cosa, sobre todo un premio. **2.** Valor que tiene algo por el cuidado o trabajo que se ha puesto en ello. **Expr. hacer méritos** Esforzarse haciendo bien las cosas para merecer o para conseguir algo. **Sin. 2.** Calidad. **Ant. 1.** Defecto.

meritorio, ria adj. Que tiene mucho mérito y merece que lo premien.

merluza s. f. **1.** Pez marino grande, con el cuerpo alargado y plateado. Su carne, blanca y suave, es muy apreciada como alimento. **2.** fam. Borrachera.

metalizar

merluzo, za *adj.* y *s. fam.* Tonto, bobo.

merma *s. f.* Disminución. **Sin.** Mengua. **Ant.** Aumento.

mermar *v.* Disminuir, reducir. **Sin.** Menguar, menoscabar. **Ant.** Aumentar.

mermelada *s. f.* Líquido espeso y muy dulce hecho con fruta cocida y azúcar. **Sin.** Confitura.

mero *s. m.* Pez marino de gran tamaño con la cabeza y la boca también muy grandes. Vive en el Mediterráneo y el Atlántico y su carne es muy apreciada.

mero, ra *adj.* Sólo lo que se dice: *Viaja por mero placer, no por negocios.* **Sin.** Puro, simple.

merodear *v.* Ir por algún lugar para mirar, curiosear o con malas intenciones. **Sin.** Rondar, acechar.

merodeo *s. m.* Acción de merodear.

mes *s. m.* **1.** Cada una de las doce partes en que se divide el año. **2.** Tiempo que va desde un día hasta la misma fecha del mes siguiente. **3.** Menstruación.

mesa *s. f.* **1.** Mueble formado por una tabla o plancha, sostenida por un pie o varias patas. **2.** Este mueble con lo necesario para comer en él. **3.** Comida: *la buena mesa.* **4.** En algunas reuniones, personas que la dirigen o la presiden. ‖ **5. mesa camilla** La redonda con faldas, generalmente con una plataforma para colocar el brasero. **6. mesa de noche** Mesilla. **7. mesa redonda** Reunión en la que se trata un tema.

mesana *s. f.* **1.** En un barco de tres palos, el mástil más cercano a la popa. **2.** Vela que se pone en ese mástil.

mesarse *v.* Tirarse del pelo o de la barba en señal de pena o de enfado.

meseta *s. f.* **1.** Terreno llano de gran extensión, situado a más de 500 metros sobre el nivel del mar. **2.** Descansillo. **Sin. 1.** Altiplanicie.

mesiánico, ca *adj.* Del mesías.

mesías *s. m.* El enviado de Dios, anunciado por los profetas al pueblo de Israel y que para los cristianos es Jesucristo.

mesilla *s. f.* Mueble pequeño, con uno o más cajones, que se coloca junto a la cama. Se dice también *mesilla de noche.*

mesnada *s. f.* En la Edad Media, tropa a las órdenes de un rey o de un noble.

mesón *s. m.* **1.** Taberna donde se sirven comidas y bebidas. **2.** Posada. **Sin. 1.** Tasca. **2.** Hostal, hostería.

mesonero, ra *s. m.* y *f.* Persona que trabaja en un mesón.

mesopotámico, ca *adj.* y *s.* De Mesopotamia, región de Asia en la que surgieron importantes culturas.

mester *s. m.* **1.** En la Edad Media, arte, oficio. ‖ **2. mester de clerecía** Poesía medieval compuesta por clérigos o personas cultas. **3. mester de juglaría** Poesía medieval de los juglares.

mestizaje *s. m.* Mezcla de razas.

mestizo, za *adj.* y *s.* Nacido de padres de diferente raza.

mesura *s. f.* Calma, moderación. **Sin.** Compostura, medida. **Ant.** Exceso.

mesurado, da *adj.* Moderado.

meta *s. f.* **1.** Objetivo que se quiere alcanzar. **2.** Línea donde termina una carrera. **3.** En algunos deportes, portería. **Sin. 1.** Aspiración, fin. **3.** Puerta.

metabólico, ca *adj.* y *s.* Del metabolismo o relacionado con él.

metabolismo *s. m.* Procesos químicos producidos en el organismo a través de los cuales éste obtiene la energía y las sustancias necesarias para vivir.

metacarpo *s. m.* Conjunto de huesos que forman la parte central de la mano.

metacrilato *s. m.* Plástico muy duro que parece cristal.

metadona *s. f.* Medicamento parecido a la heroína, utilizado para desintoxicar a los drogadictos.

metafísica *s. f.* Parte de la filosofía que estudia qué son las cosas en general, a diferencia de las ciencias, que estudian cada cosa concreta.

metafísico, ca *adj.* De la metafísica.

metafita *adj.* y *s. f.* Vegetal formado por muchas células, que posee órganos diferenciados, vive fijo al suelo y realiza la fotosíntesis.

metáfora *s. f.* En literatura, el dar a una cosa el nombre de otra distinta, con la que el autor la identifica.

metafórico, ca *adj.* De la metáfora o que tiene o usa metáforas.

metal *s. m.* **1.** Cuerpo de brillo característico y buen conductor del calor y la electricidad. A temperatura normal es sólido, excepto el mercurio. ‖ **2. metal noble** o **precioso** Oro, plata o platino.

metálico, ca *adj.* **1.** De metal. ‖ *s. m.* **2.** Dinero en monedas o billetes. **Sin. 2.** Efectivo.

metalizar *v.* **1.** Cubrir con una capa de metal. **2.** Dar a alguna cosa las propiedades del metal.

metalurgia *s. f.* Obtención y transformación de metales para su utilización.

metalúrgico, ca *adj.* **1.** De la metalurgia. || *adj.* y *s.* **2.** Persona que trabaja en la metalurgia.

metamórfica *adj.* Se dice de las rocas que proceden de otras clases de rocas que han sufrido transformaciones físicas y químicas debido al calor y la presión.

metamorfosis *s. f.* Transformación, cambio importante, como cuando una oruga se convierte en mariposa.

metano *s. m.* Gas incoloro, usado como combustible, que arde con facilidad cuando está en contacto con el aire.

metatarso *s. m.* Conjunto de huesos que forman la parte central del pie.

metazoo *adj.* y *s. m.* Animal formado por muchas células organizadas en tejidos.

meteórico, ca *adj.* Muy rápido.

meteorito *s. m.* Cuerpo sólido que va a gran velocidad por el espacio.

meteoro *s. m.* Fenómeno natural atmosférico, como la lluvia, la nieve, el viento.

meteorología *s. f.* Ciencia que estudia los meteoros, de los que depende el tiempo atmosférico.

meteorológico, ca *adj.* De la meteorología o relacionado con ella.

meteorólogo, ga *s. m.* y *f.* Especialista en meteorología.

metepatas *s. m.* y *f. fam.* Persona que siempre está metiendo la pata. **Sin.** Patoso. **Ant.** Discreto.

meter *v.* **1.** Poner o ponerse dentro. **2.** Decir o contar: *meter un rollo.* **3.** Poner a una persona en situación difícil o desagradable: *meter en un lío.* **4.** Producir, hacer, dar: *meter miedo, meter ruido, meter un puñetazo.* **5.** Hacer más corta o estrecha una prenda de vestir. **6.** Utilizar o hacer funcionar algunos instrumentos o mecanismos: *meter la tijera; meter las marchas de un coche.* || **meterse 7.** Participar, intervenir. **8.** Ponerse a realizar un trabajo o una actividad: *Se metió a guardia.* **9.** Molestar, insultar, atacar: *meterse con alguien.* **Expr. a todo meter** Con mucha fuerza o rapidez. **Sin. 1.** Introducir. **2.** Largar. **3.** Comprometer. **7.** Inmiscuirse. **Ant. 1** y **3.** Salir. **1, 3** y **5.** Sacar. **8.** Dejar.

meticón, na *adj.* y *s. fam.* Entrometido.

meticulosidad *s. f.* Característica de la persona meticulosa. **Sin.** Minuciosidad.

meticuloso, sa *adj.* Que hace todo muy despacio y con mucho cuidado. **Sin.** Minucioso, puntilloso. **Ant.** Descuidado.

metido, da *p.* de meter. También *adj.* **Expr. metido en carnes** Gordo.

metijón, na *adj. fam.* Meticón.

metódico, ca *adj.* Que sigue un orden o un método. **Sin.** Ordenado, sistemático. **Ant.** Desordenado.

metodismo *s. m.* Movimiento religioso que surgió en Inglaterra en el s. XVIII para renovar la Iglesia anglicana, de la que se separó.

metodista *adj.* y *s.* Seguidor del metodismo o relacionado con él.

método *s. m.* Serie de cosas que hay que hacer para conseguir algo. **Sin.** Metodología, técnica.

metodología *s. f.* Método, sistema.

metomentodo *adj.* y *s.* Entrometido, meticón.

metonimia *s. f.* El llamar a una cosa con el nombre de otra con la que está muy relacionada, como por ejemplo llamar *canas* a la vejez.

metralla *s. f.* Fragmentos de metal que lanza con fuerza una bomba cuando explota.

metralleta *s. f.* Arma de fuego que hace muchos disparos en pocos segundos.

métrica *s. f.* Estudio de los versos, el número de sílabas que tienen y cómo se combinan en una estrofa o en un poema.

métrico, ca *adj.* **1.** Relacionado con el metro, unidad de longitud: *el sistema métrico decimal.* **2.** De la métrica.

metro[1] *s. m.* **1.** Unidad internacional de medida de longitud. **2.** Utensilio para medir, en forma de tira larga con unas rayitas que indican las medidas.

metro[2] *s. m.* Tren que circula por una gran ciudad, casi siempre subterráneo. **Sin.** Metropolitano.

metrónomo *s. m.* Aparato que sirve para medir el tiempo y marcar el compás en música.

metrópoli o **metrópolis** *s. f.* **1.** Ciudad grande e importante. **2.** Ciudad o país que tiene colonias. **Sin. 1.** Urbe.

metropolitano, na *adj.* **1.** De la ciudad o metrópoli. || *s. m.* **2.** Metro[2].

mexica *adj.* y *s.* Azteca.

mexicanismo *s. m.* Palabra o expresión propia del español de México.

mexicano, na adj. y s. De México, país de América del Norte.

mezcla s. f. **1.** Acción de mezclar. **2.** Resultado de mezclar distintas cosas. **Sin.** 1 y 2. Mixtura, mezcolanza, combinación.

mezclador, ra adj. y s. Que mezcla o sirve para mezclar.

mezclar v. **1.** Juntar varias cosas para que queden más o menos unidas. **2.** Juntar o confundir personas o cosas muy diferentes. **3.** Meter a alguien en un asunto complicado o peligroso. || **mezclarse 4.** Relacionarse. **Sin. 1.** Combinar. **1** y **2.** Entremezclar. **3.** Involucrar. **Ant.** 1 y 2. Separar. **3.** Apartar.

mezcolanza s. f. Mezcla de personas o cosas que no quedan bien juntas. **Sin.** Revoltijo.

mezquindad s. f. Característica de mezquino. **Sin.** Vileza, ruindad. **Ant.** Nobleza.

mezquino, na adj. **1.** Despreciable, malo. **2.** Pequeñísimo. **3.** Tacaño. **Sin. 1.** Miserable, vil. **2.** Mínimo. **Ant.** 1. Noble. **3.** Generoso.

mezquita s. f. Templo musulmán.

mi[1] s. m. Tercera nota de la escala musical.

mi[2] pos. Forma abreviada de **mío, mía.**

mí pron. pers. Indica la primera persona del singular y se usa detrás de una preposición: para mí, a mí.

miaja s. f. fam. Un poquito.

miasmas s. m. pl. Gases malolientes o perjudiciales que despiden las sustancias podridas o los cuerpos enfermos.

mica s. f. Mineral de silicio y otros elementos que aparece en muchas rocas. Es brillante, tiene diversos colores y se divide en capas con facilidad.

micción s. f. Acción de orinar.

michelín s. m. Carne blanda que tienen los gordos en la cintura y otras partes.

mico, ca s. m. y f. **1.** Mono pequeño de cola larga. **2.** fam. Niño.

micra s. f. Medida de longitud que equivale a la millonésima parte del metro.

micro s. m. Micrófono.

microbiano, na adj. De los microbios o relacionado con ellos.

microbio s. m. Microorganismo.

microbús s. m. Autobús pequeño.

microclima s. m. Clima especial de un lugar, diferente al del resto de la zona.

microfilm o **microfilme** s. m. Película de tamaño muy pequeño que se usa para fotografiar libros y documentos.

micrófono s. m. Aparato que recoge el sonido para ampliarlo o grabarlo.

micronesio, sia adj. y s. De Micronesia, archipiélago de Oceanía.

microonda s. f. **1.** Tipo de radiación electromagnética. || **microondas** s. m. **2.** Horno que calienta y cocina los alimentos muy rápidamente por medio de esas radiaciones.

microordenador s. m. Ordenador de tamaño y características adecuados para usarlo en casa o en una oficina.

microorganismo s. m. Organismo vivo que sólo se puede ver con microscopio.

microprocesador s. m. Pequeño circuito electrónico que es la parte principal de un ordenador.

microscópico, ca adj. Pequeñísimo, que sólo se ve a través del microscopio. **Ant.** Macroscópico.

microscopio s. m. Aparato que sirve para ver cosas muy pequeñas que a simple vista no se perciben.

miedica adj. y s. fam. Miedoso.

miedo s. m. Sentimiento desagradable ante algo que nos asusta o nos puede hacer daño. **Expr.** de miedo Muy bueno, muy bien o muy grande. **Sin.** Temor, terror. **Ant.** Valor.

miedoso, sa adj. Que siempre tiene miedo. **Sin.** Temeroso, cobarde, asustadizo. **Ant.** Valiente.

miel s. f. Líquido muy espeso y dulce que hacen las abejas con el néctar de las flores.

mielina s. f. Sustancia que rodea los nervios y que ayuda a transmitir los impulsos nerviosos.

miembro s. m. **1.** Cualquiera de las extremidades del cuerpo del hombre y los animales. **2.** Persona o cosa que pertenece a un grupo. **3.** Elemento, parte. **Sin. 2.** Socio, afiliado. **3.** Componente.

mientras adv. y conj. Al mismo tiempo que se hace o sucede otra cosa: Voy a entrar; tú, mientras, espera fuera. **Expr.** mientras que A la vez que: Mientras que Luisa barría, Pedro cocinaba. Expresa oposición o diferencia: Mientras que en el norte llueve, en el sur hace calor. **mientras tanto** En el tiempo que ocurre algo.

miércoles s. m. **1.** Tercer día de la semana. || **2.** miércoles de ceniza Primer día de la Cuaresma, en el que el sacerdote pone ceniza en la frente de los fieles.

mierda *s. f.* **1.** Excremento. **2.** Suciedad, basura. **3.** Cosa mal hecha o sin valor. **4.** Borrachera. ‖ *s. m.* y *f.* **5.** Persona inútil o despreciable. **SIN. 1.** Caca, cagada. **2** y **3.** Porquería. **3.** Bodrio, chapuza.

mies *s. f.* **1.** Cereal, como el trigo o la cebada. ‖ *pl.* **2.** Los campos sembrados.

miga *s. f.* **1.** Parte blanda del pan. **2.** Trocito muy pequeño de pan o de otras cosas. **3.** Parte más importante o interesante de algo. ‖ *pl.* **4.** Plato preparado con trocitos de pan humedecidos con agua y luego fritos con otros ingredientes. **EXPR. hacer buenas migas** Llevarse bien. **hacer migas** Destrozar. **SIN. 2.** Migaja. **3.** Meollo.

migaja *s. f.* **1.** Miga, trocito de pan o de otra cosa. ‖ *pl.* **2.** Los restos, lo que dejan los demás. **SIN. 1.** Pizca. **2.** Desecho.

migar *v.* **1.** Deshacer el pan en migas. **2.** Echar migas de pan en un líquido. **SIN.** Desmigar.

migración *s. f.* **1.** Movimiento de gente que se va a vivir a otro lugar. **2.** Viaje que realizan algunos animales de unas zonas a otras según la estación.

migraña *s. f.* Jaqueca.

migrar *v.* Hacer migraciones.

migratorio, ria *adj.* De la migración o que hace migraciones.

mihrab (ár.) *s. m.* En las mezquitas, hueco en una pared orientado hacia La Meca, la ciudad santa de los musulmanes, adonde miran los fieles que están orando.

mijo *s. m.* **1.** Planta gramínea originaria de Asia. **2.** Las semillas de esta planta, que sirven de alimento.

mil *num.* **1.** Diez veces cien. **2.** Que sigue por orden al novecientos noventa y nueve.

milady (ingl.) *s. f.* Tratamiento que se da a las mujeres de la nobleza británica.

milagrero, ra *adj.* Que hace muchos milagros. **SIN.** Milagroso.

milagro *s. m.* **1.** Hecho que se piensa que ocurre por la intervención de Dios o de un ser divino. **2.** Cosa muy sorprendente o increíble. **EXPR. de milagro** Por casualidad, por suerte. **SIN. 1** y **2.** Prodigio.

milagroso, sa *adj.* **1.** Que parece un milagro, que no sucede de acuerdo con las leyes de la naturaleza. **2.** Que hace

milagros. **3.** Extraordinario, asombroso. **SIN. 1.** Prodigioso, sobrenatural. **2.** Milagrero. **3.** Increíble.

milanés, sa *adj.* y *s.* De Milán, ciudad italiana.

milano *s. m.* Ave rapaz de plumaje castaño con tonos rojizos y cola en forma de horquilla.

milenario, ria *adj.* Que lleva existiendo más de mil años o varios miles de años.

milenio *s. m.* Periodo de mil años.

milésimo, ma *num.* **1.** Que ocupa por orden el número mil. ‖ *num.* y *s.* **2.** Se dice de cada una de las mil partes en que se divide algo.

milhojas *s. m.* Pastel de hojaldre relleno de merengue.

mili *s. f. fam.* Servicio militar.

milibar *s. m.* Unidad en que se mide la presión atmosférica.

milicia *s. f.* **1.** Profesión de los militares. **2.** Servicio militar. **3.** Tropa formada por voluntarios o ciudadanos armados.

miliciano, na *adj.* y *s.* De una milicia.

miligramo *s. m.* Milésima parte de un gramo.

mililitro *s. m.* Milésima parte de un litro.

milimetrado, da *adj.* Que está dividido en milímetros: *papel milimetrado.*

milimétrico, ca *adj.* **1.** Del milímetro. **2.** Milimetrado. **3.** Muy preciso, exacto.

milímetro *s. m.* Milésima parte de un metro.

militante *adj.* y *s.* Que milita en un partido político, asociación o grupo.

militar¹ *v.* Pertenecer a un ejército, partido político, asociación, grupo.

militar² *adj.* **1.** Del ejército. ‖ *s. m.* y *f.* **2.** Miembro del ejército. **SIN. 1.** Castrense. **ANT. 1** y **2.** Civil.

militarismo *s. m.* Excesiva importancia del ejército en la vida de un país.

militarista *adj.* y *s.* Partidario del militarismo o relacionado con él.

militarizar *v.* Dar carácter militar a alguien o algo; sobre todo, poner un país o algunos servicios civiles bajo el control del ejército.

milla *s. f.* **1.** Medida de longitud que se utiliza en algunos países; equivale a 1.609 metros. **2.** Unidad para medir las distancias marinas que equivale a 1.852 metros.

millar *s. m.* Conjunto de mil unidades.

ministro

millón *s. m.* Mil veces mil.

millonada *s. f.* Cantidad muy grande de dinero.

millonario, ria *adj.* y *s.* **1.** Que es rico y tiene muchos millones. ‖ *adj.* **2.** De muchos millones: *cifra millonaria.* SIN. **1.** Acaudalado, potentado.

millonésimo, ma *num.* **1.** Que ocupa por orden el número un millón. ‖ *num.* y *s.* **2.** Se dice de cada una del millón de partes iguales en que se divide algo.

milonga *s. f.* Canción y baile de la zona del Río de la Plata, en América del Sur, que es de ritmo lento y se acompaña con guitarra.

milord (ingl.) *s. m.* Tratamiento que se da a los nobles británicos varones.

milrayas *s. m.* Tela de color claro con rayas finas y muy juntas.

mimado, da **1.** *p.* de mimar. ‖ *adj.* y *s.* **2.** Se dice de la persona a la que se mima demasiado. SIN. **2.** Consentido.

mimar *v.* **1.** Tratar a alguien con excesivo mimo, consintiéndole demasiado. **2.** Tratar con mucho cariño o cuidado.

mimbre *s. m.* Rama fina, larga y flexible de un arbusto llamado *mimbrera*, con la que se hacen cestas y otros objetos.

mimetismo *s. m.* **1.** Propiedad de algunos seres vivos de confundirse con el medio que les rodea o de tomar el aspecto de especies peligrosas para defenderse de sus enemigos. **2.** Imitación de lo que hacen otras personas.

mímica *s. f.* Expresión por medio de gestos y movimientos del cuerpo.

mímico, ca *adj.* De la mímica.

mimo *s. m.* **1.** Trato cariñoso o demostración de afecto. **2.** Cuidado, esmero. **3.** Tipo de teatro en que se utiliza sólo la mímica y actor que se dedica a él. SIN. **1** y **2.** Delicadeza. ANT. **1.** Desdén. **2.** Descuido.

mimosa *s. f.* **1.** Planta de flores pequeñas y amarillas que parecen borlas o copos. En algunas especies, las hojas se contraen al ser tocadas o movidas. **2.** Flor de esta planta.

mimoso, sa *adj.* Que le gusta hacer mimos o que se los hagan.

mina *s. f.* **1.** Yacimiento de mineral y galerías subterráneas que se hacen para sacarlo. **2.** Explosivo que se coloca bajo tierra o bajo la superficie del agua para que explote cuando pase el enemigo. **3.** Barrita del interior de los lápices y portaminas. **4.** Persona o cosa de la que se saca mucho provecho. SIN. **4.** Filón.

minar *v.* **1.** Colocar minas explosivas en una zona. **2.** Debilitar o destruir poco a poco. **3.** Excavar caminos y galerías por debajo de la tierra. SIN. **2** y **3.** Socavar. ANT. **2.** Fortalecer.

minarete *s. m.* Torre de una mezquita.

mineral *s. m.* **1.** Materia natural inorgánica que se encuentra en el interior o en la superficie de la tierra. ‖ *adj.* **2.** Relacionado con esta materia natural.

mineralogía *s. f.* Parte de la geología que estudia los minerales.

minería *s. f.* **1.** Explotación de las minas de minerales. **2.** Conjunto de minas de un país o región.

minero, ra *adj.* **1.** De la minería. ‖ *s. m.* y *f.* **2.** Trabajador de una mina.

minestrone (ital.) *s. f.* Sopa de pasta y verduras.

miniatura *s. f.* **1.** Reproducción de una cosa en un tamaño muy reducido. **2.** Cosa muy pequeña. **3.** Pintura muy pequeña y con mucho detalle, como las que antiguamente ilustraban los libros.

miniaturista *s. m.* y *f.* **1.** Pintor de miniaturas. **2.** Persona que hace pequeños objetos artísticos.

minibasket *s. m.* Baloncesto infantil.

minifalda *s. f.* Falda muy corta.

minifundio *s. m.* Finca o terreno agrícola muy pequeños. ANT. Latifundio.

minifundista *adj.* **1.** Del minifundio. ‖ *s. m.* y *f.* **2.** Propietario de un minifundio. ANT. **1** y **2.** Latifundista.

minigolf *s. m.* Golf que se practica en un campo o en una pista pequeños.

minimizar *v.* Quitar importancia a alguna cosa.

mínimo, ma *adj.* **1.** *sup.* de **pequeño**. Muy pequeño o lo más pequeño posible. ‖ *s. m.* **2.** Lo menos o lo que se puede llegar. EXPR. **lo más mínimo** Nada: *No me importa lo más mínimo.* ANT. **1** y **2.** Máximo.

minino, na *s. m.* y *f. fam.* Gato, animal.

minio *s. m.* Óxido de plomo, con el que se hace una pintura roja que se da a los metales para evitar que se oxiden.

ministerial *adj.* De un ministerio.

ministerio *s. m.* **1.** Cada uno de los departamentos en que se divide el gobierno de un país. **2.** Tarea, cargo.

ministro, tra *s. m.* y *f.* Persona que está al frente de un ministerio.

minoría s. f. La menor parte de un grupo de personas. Expr. **minoría de edad** Situación de la persona que aún es menor de edad. Ver **menor**. Ant. Mayoría.

minorista s. m. y f. Comerciante que vende mercancía al público en pequeñas cantidades. Ant. Mayorista.

minoritario, ria adj. De la minoría. Ant. Mayoritario.

minucia s. f. Insignificancia, pequeñez. Sin. Menudencia; tontería. Ant. Enormidad.

minuciosidad s. f. Característica de minucioso. Sin. Meticulosidad.

minucioso, sa adj. Que hace las cosas con mucho cuidado y detalle o que está hecho así. Sin. Meticuloso.

minué o **minueto** s. m. Baile francés del siglo XVIII, de ritmo lento y movimientos elegantes, y música para este baile.

minuendo s. m. En matemáticas, cantidad a la que se resta otra que se llama *sustraendo*.

minúscula adj. y s. f. Se dice de las letras que se distinguen de las mayúsculas por su forma y por su menor tamaño. Ant. Mayúscula.

minúsculo, la adj. Muy pequeño. Sin. Mínimo, diminuto. Ant. Mayúsculo.

minusvalía s. f. **1.** Pérdida de valor. **2.** Disminución de la capacidad física o mental de una persona a causa de un defecto o una lesión.

minusválido, da adj. y s. Que tiene una minusvalía física o mental. Sin. Inválido; deficiente.

minuta s. f. Cuenta que algunos profesionales presentan por su trabajo. Sin. Factura, honorarios.

minutero s. m. Aguja o manecilla del reloj que señala los minutos.

minuto s. m. **1.** Cada una de las sesenta partes de una hora. **2.** Cada una de las sesenta partes iguales en las que se divide un grado de circunferencia o círculo.

mío, a pos. Que me pertenece, tiene relación conmigo o es propio de mí.

miocardio s. m. Capa musculosa del corazón.

miope adj. y s. Que tiene miopía.

miopía s. f. Defecto de la vista que hace que no se vean bien los objetos lejanos.

mira s. f. **1.** Pieza de algunos instrumentos y armas de fuego que sirve para dirigir la vista o para apuntar bien. **2.** Propósito: *Estudia con miras a aprobar.* Sin. **2.** Fin, objetivo.

mirada s. f. **1.** Acción o forma de mirar. **2.** Vistazo, ojeada. Sin. **1.** Vista.

mirado, da 1. p. de **mirar**. || adj. **2.** Que tiene muy en cuenta una cosa. Expr. **estar bien** (o **mal**) **mirado** Estar bien o mal considerado por algunas personas. Sin. **2.** Considerado. Ant. **2.** Desconsiderado.

mirador s. m. **1.** Sitio desde el que se contempla una vista o paisaje. **2.** Balcón cubierto y cerrado con cristales.

miraguano s. m. **1.** Palmera de América y Oceanía de cuyo fruto se saca una materia parecida al algodón, que se usa como relleno. **2.** Esta materia.

miramiento s. m. **1.** Consideración, respeto. **2.** Cuidado, prudencia. Sin. **1.** Cortesía. **2.** Cautela, reparo. Ant. **1.** Desconsideración. **2.** Imprudencia.

mirar v. **1.** Fijar la vista en alguien o algo para verlo. **2.** Pensar bien lo que se va a hacer o decir. **3.** Considerar, tener en cuenta. **4.** Estar una cosa frente a algo u orientada en una dirección Expr. **mirar por** Proteger, cuidar. Sin. **1.** Observar, contemplar. **2.** Meditar. **3.** Valorar, atender. **4.** Dar, caer.

miriápodo o **miriópodo** adj. y s. m. Se dice de unos animales invertebrados terrestres que tienen muchas patas, como el ciempiés.

mirilla s. f. **1.** Agujero o pequeña abertura hecha en una pared o puerta para ver el otro lado. **2.** Pequeña ventanilla de algunos instrumentos para dirigir la vista.

miriñaque s. m. Prenda rígida o almidonada, a veces con aros, que antiguamente llevaban las mujeres bajo la falda para darle vuelo.

mirlo s. m. Pájaro de plumaje oscuro, pico amarillo y canto melodioso, que puede imitar sonidos e incluso la voz humana.

mirón, na adj. y s. Que mira con curiosidad y durante mucho rato. Sin. Curioso.

mirra s. f. Resina olorosa con la que se hace incienso y perfumes.

mirto s. m. Arbusto de hojas perennes de color verde intenso, flores blancas olorosas y frutos de color negro azulado.

misa s. f. **1.** Celebración principal de la Iglesia católica, en la que el sacerdote ofrece a Dios el cuerpo y la sangre de Cristo en forma de pan y vino. || **2.** misa

del gallo La celebrada en Nochebuena. **Expr. cantar misa** Celebrar su primera misa un nuevo sacerdote.

misal *s. m.* Libro que contiene las oraciones de la misa.

misantropía *s. f.* Forma de ser y de comportarse de los misántropos.

misántropo, pa *s. m.* y *f.* Persona que evita la compañía de las demás.

miscelánea *s. f.* **1.** Mezcla. **2.** Colección de escritos variados.

misceláneo, a *adj.* Compuesto por cosas diferentes.

miscible *adj.* Que se puede mezclar.

miserable *adj.* **1** Muy escaso. ‖ *adj.* y *s.* **2.** Muy pobre. **3.** Tacaño. **4.** Canalla. **Sin. 1.** Exiguo. **2.** Indigente. **3.** Mezquino, avaro. **3** y **4.** Ruin. **Ant. 1** y **3.** Generoso. **2.** Rico.

miserere *s. m.* Salmo en el que se pide a Dios perdón por los pecados.

miseria *s. f.* **1.** Pobreza grande. **2.** Sufrimiento, desgracia. **3.** Cantidad pequeña. **Sin. 1.** Necesidad, penuria. **2.** Desventura, calamidad. **Ant. 1.** Riqueza. **2.** Dicha. **3.** Montón.

misericordia *s. f.* Compasión, lástima. **Sin.** Piedad, clemencia.

misericordioso, sa *adj.* Que siente o muestra misericordia. **Sin.** Compasivo, clemente. **Ant.** Inmisericorde.

mísero, ra *adj.* **1.** Pobre, escaso. **2.** Desdichado. **Sin. 1** y **2.** Miserable.

misérrimo *adj. sup.* de **mísero.**

misil *s. m.* Cohete utilizado en la guerra que lleva una carga explosiva.

misión *s. f.* **1.** Encargo que se da a una persona para que lo lleve a cabo. **2.** Tarea o trabajo que alguien debe hacer. **3.** Labor de los misioneros y lugar, iglesia o casa donde viven y trabajan. **Sin. 1.** Comisión, delegación. **2.** Cometido.

misionero, ra *s. m.* y *f.* Persona que predica la religión cristiana en tierra de no creyentes o en países atrasados.

misiva *s. f.* Carta o nota que se envía a una persona.

mismo, ma *indef.* **1.** Se dice de la persona, animal o cosa que es una sola en distintas ocasiones o lugares. **2.** Igual, semejante. ‖ *adj.* y *adv.* **3.** Acompaña a un nombre, pronombre o adverbio para dar más fuerza a lo que se dice: *Lo hice yo mismo, sin ayuda.* **Expr. dar lo mismo** o **ser lo mismo** No importar. **Sin. 1** y **2.** Idéntico. **2.** Parecido, similar. **Ant. 1** y **2.** Distinto.

misoginia *s. f.* Odio hacia las mujeres.

misógino, na *adj.* y *s. m.* Que odia o rechaza a las mujeres.

miss (ingl.) *s. f.* Ganadora de un concurso femenino de belleza: *miss España.*

míster (ingl.) *s. m.* **1.** Ganador de un concurso masculino de belleza: *míster Universo.* **2.** Entrenador de un equipo deportivo, sobre todo de fútbol.

misterio *s. m.* **1.** Algo que no sabemos explicar o que no se conoce. **2.** Secreto, discreción. **3.** En la religión cristiana, verdad que no se puede comprender, pero debe creerse porque ha sido revelada por Dios. **4.** Cada uno de los hechos de la vida de Jesucristo o de la Virgen, que se recuerdan en el rosario. **Sin. 1.** Enigma, incógnita. **2.** Reserva.

misterioso, sa *adj.* Que es un misterio o está relacionado con los misterios.

mística *s. f.* Experiencia de unión del alma con Dios, y doctrina y escritos que tratan sobre esta experiencia.

misticismo *s. m.* Característica de místico o estado místico.

místico, ca *adj.* y *s.* De la mística o que ha experimentado esa unión.

mistificar *v.* Falsear, falsificar.

mistral *s. m.* Viento que sopla del noroeste en el Mediterráneo.

mitad *s. f.* **1.** Cada una de las dos partes iguales en que se divide algo. **2.** Punto o lugar que está a la misma distancia de los dos extremos. **Expr. en mitad de** Mientras está ocurriendo una cosa. **Sin. 2.** Medio.

mítico, ca *adj.* Que es un mito o está relacionado con los mitos. **Sin.** Legendario.

mitificar *v.* **1.** Convertir en mito. **2.** Idealizar, dar un valor excesivo.

mitigar *v.* Calmar, suavizar. **Sin.** Aplacar. **Ant.** Avivar.

mitin *s. m.* Reunión en la que uno o varios oradores pronuncian discursos políticos.

mito[1] *s. m.* **1.** Historia fantástica sobre dioses y héroes antiguos. **2.** Persona muy admirada. **3.** Cosa inventada que se repite o se cree como si fuera verdad. **Sin. 1.** Leyenda, fábula. **2.** Ídolo. **3.** Invención, montaje. **Ant. 1** y **3.** Realidad.

mito[2] *s. m.* Pájaro pequeño negro, blanco y rojizo, de cola muy larga. Vive en bosques y parques frondosos.

mitología *s. f.* Leyendas sobre los dioses y héroes de las antiguas Grecia y Roma y de otros pueblos.

mitológico, ca adj. De la mitología.

mitomanía s. f. Tendencia a mentir e inventar historias imaginarias.

mitómano, na adj. y s. Que padece mitomanía.

mitón s. m. Guante que deja los dedos al descubierto.

mitosis s. f. División celular por la cual una célula origina otras dos idénticas.

mitra s. f. Gorro que llevan en las ceremonias los obispos, formado por dos caras planas y terminado en punta.

mixomatosis s. f. Enfermedad infecciosa que ataca a los conejos.

mixtificar v. Mistificar.

mixto, ta adj. 1. Formado por personas o cosas de diferentes clases. || adj. y s. m. 2. Sandwich de jamón y queso. 3. Tren de viajeros y de mercancías. Sin. 1. Mezclado. Ant. 1. Homogéneo.

mixtura s. f. Mezcla de varias cosas. Sin. Mezcolanza.

mnemotecnia o **mnemotécnica** s. f. Nemotecnia.

mnemotécnico, ca s. f. Nemotécnico.

moaré s. m. Tela fuerte que forma aguas o reflejos ondulados.

mobiliario s. m. Conjunto de muebles de una casa o una habitación.

moca s. m. 1. Crema de café, mantequilla, vainilla y azúcar. 2. Tipo de café.

mocasín s. m. 1. Zapato de piel de los indios norteamericanos. 2. Zapato plano, ligero, flexible y sin cordones.

mocedad s. f. Juventud. Sin. Adolescencia. Ant. Ancianidad.

mochales adj. fam. Loco, chiflado.

mochila s. f. Saco o bolsa con correas para llevarlo colgado a la espalda.

mocho, cha adj. 1. Se dice de algo a lo que le falta la punta o la ha perdido. 2. Se dice del animal que, debiendo tener cuernos, no los tiene. Sin. 1. Romo, chato. Ant. 1. Puntiagudo.

mochuelo s. m. 1. Ave rapaz nocturna de cabeza redondeada, ojos grandes de color amarillo y pico curvo. Se alimenta de insectos y pequeños animales. 2. fam. Tarea o encargo molesto o difícil.

moción s. f. Algo que se dice o pide en una asamblea o reunión importante.

moco s. m. 1. Líquido espeso que sale por la nariz. 2. Sustancia parecida a este líquido. || 3. **moco de pavo** Cresta que tiene este animal sobre el pico.

Expr. llorar a moco tendido Llorar mucho. **no ser** alguna cosa **moco de pavo** No ser despreciable, valer mucho. Sin. 1. Mucosidad.

mocoso, sa adj. 1. Que tiene mocos. || s. m. y f. 2. fam. Niño, chico.

moda s. f. Prendas de vestir, adornos, costumbres y otras cosas que se usan en una época o en una temporada.

modal adj. Del modo de los verbos.

modales s. m. pl. Manera de comportarse delante de los demás, sobre todo cuando debe ser correcta y educada. Sin. Modos, maneras.

modalidad s. f. Forma distinta que presenta una misma cosa. Sin. Manera, especialidad, variante.

modelado, da 1. p. de **modelar**. También adj. || s. m. 2. Acción o arte de modelar.

modelar v. Dar forma a una materia blanda, como barro, cera, plastilina. Sin. Moldear.

modelismo s. m. Técnica de construir reproducciones en pequeño de edificios, barcos, aviones y otras cosas.

modelo s. m. 1. Cosa en que alguien se fija para imitarla o reproducirla. 2. Persona o cosa que, por sus cualidades, sirve de ejemplo. 3. Reproducción en pequeño de una cosa. 4. Tipo, clase. 5. Prenda, vestido. || s. m. y f. 6. Persona que posa para ser copiada por pintores o escultores, o para hacer anuncios de publicidad. 7. Persona que trabaja mostrando prendas de vestir y otras cosas que lleva puestas. Sin. 1. Muestra. 2. Ideal, prototipo. 3. Maqueta, miniatura. 4. Variedad. 7. Maniquí.

modem (ingl.) s. m. Aparato para mandar información de un ordenador a otro a través del teléfono.

moderación s. f. 1. Acción de moderar. 2. El hacer las cosas con orden y tranquilidad, sin excesos. Sin. 2. Sobriedad, templanza. Ant. 1 y 2. Desenfreno.

moderado, da 1. p. de **moderar**. || adj. 2. Que no es excesivo, que está en medio de los extremos. Sin. 2. Comedido, discreto.

moderador, ra adj. 1. Que modera. || s. m. y f. 2. Persona que dirige un debate, asamblea, reunión y se encarga de dar la palabra por turno.

moderar v. Disminuir, suavizar, calmar. Sin. Reprimir, mitigar. Ant. Exagerar.

modernidad s. f. Característica de moderno.

modernismo *s. m.* **1.** Movimiento literario hispanoaméricano y español de fines del siglo XIX y principios del XX. Renovó el lenguaje y mostró gran interés por tiempos y países lejanos. **2.** Estilo artístico de la misma época, caracterizado por su libertad e imaginación y el uso de líneas curvas.

modernista *adj. y s.* Del modernismo o que lo sigue.

modernización *s. f.* Acción de modernizar. **SIN.** Actualización, renovación.

modernizar *v.* Hacer más moderno. **SIN.** Actualizar, renovar.

moderno, na *adj.* **1.** De la época actual. **2.** De la Edad Moderna. Ver **edad.** **SIN. 1.** Contemporáneo, coetáneo. **ANT. 1.** Antiguo.

modestia *s. f.* Característica de la persona o cosa modesta. **SIN.** Humildad, sencillez. **ANT.** Vanidad.

modesto, ta *adj.* **1.** Que no presume de lo que tiene o de sus cualidades. **2.** Humilde, sin lujos. **SIN. 1** y **2.** Sencillo. **ANT. 1.** Vanidoso. **2.** Lujoso.

módico, ca *adj.* Moderado o escaso. **SIN.** Reducido. **ANT.** Exorbitante.

modificación *s. f.* Cambio, transformación. **SIN.** Variación, reforma.

modificador, ra *adj.* **1.** Que modifica. || *s. m.* **2.** Palabra que modifica a otra.

modificar *v.* **1.** Cambiar, transformar. **2.** Completar una palabra el significado de otra, como por ejemplo el adjetivo modifica al sustantivo. **SIN. 1.** Reformar, variar.

modismo *s. m.* Expresión propia de una lengua con un sentido especial, como *no dar pie con bola*, 'fallar mucho'. **SIN.** Locución, giro.

modisto, ta *s. m.* y *f.* **1.** Diseñador de prendas de vestir. || *s. f.* **2.** Mujer que se dedica a hacer prendas de vestir. **SIN. 2.** Sastra, costurera.

modo *s. m.* **1.** Forma, manera. **2.** Cada uno de los grupos en que se dividen las formas del verbo y que expresan el punto de vista de la persona que habla; indicativo: *Vienen*; subjuntivo: *Espero que vengan*; imperativo: *Venid.* || *pl.* **3.** Modales, forma de comportarse. **EXPR. de modo que** Por tanto. **de todos modos** A pesar de todo. **SIN. 1.** Procedimiento, método.

modorra *s. f.* Sueño, pesadez. **SIN.** Somnolencia, sopor.

modoso, sa *adj.* Formal, educado. **SIN.** Comedido, recatado, respetuoso. **ANT.** Descarado.

modulación *s. f.* Acción de modular[1].

modular[1] *v.* **1.** Ir cambiando de tono al hablar o cantar. **2.** Variar las características de una onda de radio para mejorar la transmisión.

modular[2] *adj.* Formado por módulos.

módulo *s. m.* **1.** Cada una de las partes o piezas similares que forman un conjunto. **2.** Parte de una nave espacial que puede separarse y funcionar independientemente.

mofa *s. f.* Burla.

mofarse *v.* Burlarse.

mofeta *s. f.* Mamífero carnívoro americano de color blanco y negro y larga cola; expulsa para defenderse un líquido que huele muy mal.

moflete *s. m.* Carrillo abultado y gordo. **SIN.** Cachete.

mofletudo, da *adj.* Se dice de la persona que tiene mofletes.

mogol, la *adj. y s.* Mongol.

mogollón *s. m.* **1.** Gran cantidad. **2.** Alboroto, tumulto. **SIN. 1.** Montón, muchedumbre. **2.** Barullo, lío.

mogrebí *adj. y s.* Magrebí.

mohair (ingl.) *s. m.* Tipo de lana muy suave.

mohicano, na *adj. y s.* De una tribu india de Norteamérica, ya extinguida.

mohín *s. m.* Gesto de enfado o de disgusto.

mohíno, na *adj.* Enfadado o triste. **SIN.** Disgustado, enfurruñado. **ANT.** Alegre.

moho *s. m.* Hongo que forma una capa blanquecina o verdosa sobre los alimentos y otras materias orgánicas.

mohoso, sa *adj.* Que tiene moho.

moisés *s. m.* Cesto con asas que sirve de cuna para niños muy pequeños.

mojadura *s. f.* Acción de mojar.

mojama *s. f.* Tira de atún salada y seca.

mojar *v.* **1.** Hacer que el agua u otro líquido toque un cuerpo o entre en él. **2.** Meter un bollo u otro comestible en una salsa, en leche, en chocolate. || **mojarse 3.** Comprometerse en un asunto aceptando las posibles consecuencias. **SIN. 1.** Humedecer, calar, empapar. **ANT. 1.** Secar. **3.** Desentenderse.

mojarra *s. f.* Pez marino de cuerpo plano, grandes escamas y fuertes dientes, apreciado como alimento.

moje *s. m.* Salsa o caldo de un guiso.

mojicón *s. m.* Pequeño bizcocho que se suele tomar mojado en café o chocolate.

mojiganga s. f. 1. Fiesta pública que se hacía con disfraces extravagantes. 2. Burla o cualquier cosa ridícula.

mojigatería s. f. Característica del que es mojigato. SIN. Puritanismo.

mojigato, ta adj. y s. Que se escandaliza por cualquier cosa. SIN. Puritano, beato.

mojón s. m. Piedra o poste que señala unos límites, una distancia u otra cosa. SIN. Hito, jalón.

moka s. m. Moca.

molar¹ v. 1. fam. Gustar, agradar. 2. fam. Lucir, presumir. SIN. 1. Flipar. 2. Fardar, chulearse.

molar² adj. y s. m. Se dice de las muelas de la dentadura.

molde s. m. Objeto con un hueco que se rellena con materia fundida o blanda que, una vez dura, se saca con la forma de ese hueco. SIN. Matriz.

moldeado, da 1. p. de moldear. También adj. || s. m. 2. Peinado con el cabello ondulado o rizado.

moldear v. 1. Hacer una figura u objeto con un molde. 2. Dar una forma a algo. 3. Formar el carácter de una persona. SIN. 1. Fundir, vaciar. 2. Modelar. 3. Educar.

moldura s. f. 1. Banda saliente que adorna fachadas, paredes, techos. 2. Listón de madera tallado que se utiliza como adorno o para tapar juntas. 3. Marco de un cuadro. SIN. 2. Junquillo.

mole s. f. Persona, animal o cosa muy grande y pesada.

molécula s. f. Parte más pequeña que puede separarse de una sustancia sin que ésta pierda sus propiedades.

molecular adj. De las moléculas.

moler v. 1. Golpear o frotar una cosa hasta hacerla trocitos o polvo. 2. Cansar mucho. □ Es v. irreg. Se conjuga como *mover*. EXPR. **moler a palos** o **a golpes** Dar una paliza. SIN. 1. Triturar, pulverizar, machacar. 2. Derrengar, baldar.

molestar v. 1. Causar molestia. 2. Ofender, disgustar. || **molestarse** 3. Realizar el trabajo o el esfuerzo de hacer una cosa. SIN. 1. Incordiar, jorobar. 1 y 2. Fastidiar, incomodar. 3. Doler. ANT. 1 y 2. Agradar.

molestia s. f. 1. Cosa desagradable, pesada o incómoda que se sufre o hace. 2. Dolor poco intenso o malestar. SIN. 1. Fastidio, incordio. 2. Trastorno. ANT. 1. Agrado.

molesto, ta adj. 1. Que causa o siente molestia. 2. Ofendido, disgustado. SIN. 1. Fastidioso, enojoso, incómodo. 2. Dolido. ANT. 1. Agradable.

molicie s. f. Excesiva comodidad con que vive alguien. SIN. Pereza, regalo. ANT. Sacrificio.

molido, da 1. p. de moler. También adj. || adj. 2. Cansado, agotado. SIN. 2. Baldado, derrengado.

molienda s. f. 1. El hecho de moler. 2. Cantidad que se muele de una vez.

molinero, ra s. m. y f. Persona que trabaja en un molino.

molinete s. m. 1. Ventilador que se pone en un cristal, puerta o ventana para renovar el aire del interior. 2. Aparato con brazos o aspas que giran y que, colocado en una puerta o entrada, sólo deja pasar a las personas de una en una. 3. Molinillo, juguete.

molinillo s. m. 1. Aparato pequeño para moler. 2. Juguete formado por un palo con unas aspas que el aire hace girar. SIN. 2. Molinete.

molino s. m. Máquina e instalación para moler, como las que funcionan con aspas a las que hace girar el viento o con una rueda movida por el agua.

molla s. f. Parte del cuerpo abultada por tener mucha carne o grasa.

mollar adj. Blando, fácil de partir o de pelar.

molleja s. f. 1. Estómago de las aves y otros animales en el que se tritura el alimento. 2. Trozo de carne que se forma en algunas glándulas de las reses jóvenes y es apreciado como alimento.

mollera s. f. 1. Parte más alta del cráneo. 2. Inteligencia. EXPR. **duro de mollera** Tonto; terco. SIN. Sesera.

molón, na adj. fam. Bonito, bueno.

molturar v. Moler granos o frutos.

molusco adj. y s. m. Animal invertebrado de cuerpo blando; algunos, como el pulpo, tienen tentáculos y otros se protegen con una concha, como el mejillón.

momentáneo, a adj. 1. Que dura un momento. 2. Provisional, temporal. SIN. 1. Pasajero, fugaz. ANT. 1 y 2. Duradero.

momento s. m. 1. Espacio muy corto de tiempo. 2. Un tiempo o situación concretos. 3. El presente: *vivir el momento.* 4. Ocasión buena para algo. EXPR. **al momento** En seguida, inmediatamente. **de momento** o **por el mo-**

mento Por ahora o de forma provisional. **SIN. 1.** Periquete. **1** y **2.** Instante. **3.** Actualidad, hoy. **4.** Oportunidad, coyuntura.

momia s. f. Cadáver conservado sin pudrirse, de forma natural o por medios artificiales, como las momias de Egipto.

momificar v. Convertir en momia un cadáver.

momio s. m. Trabajo o cosa muy buena que requiere poco esfuerzo. **SIN.** Chollo.

mona[1] s. f. fam. Borrachera.

mona[2] s. f. Rosca o bollo típico de pascua, adornado con huevos cocidos.

monacal adj. De los monjes y monjas.

monacato s. m. Estado y forma de vida de los monjes.

monada s. f. **1.** Persona, animal o cosa muy bonita. **2.** Gesto o acción graciosa. **SIN. 1.** Preciosidad, ricura. **1** y **2.** Monería. **ANT. 1.** Asco.

monago o **monaguillo** s. m. Niño que ayuda al sacerdote durante la celebración de la misa.

monarca s. m. y f. Rey. **SIN.** Soberano.

monarquía s. f. **1.** Forma de gobierno en la que el jefe del Estado es un rey. **2.** País con esta forma de gobierno.

monárquico, ca adj. y s. De la monarquía o partidario de ella.

monasterio s. m. Edificio donde viven los monjes o las monjas. **SIN.** Abadía; convento.

monástico, ca adj. De los monjes o de los monasterios.

monda s. f. Piel o cáscara que se quita de frutas y hortalizas. **EXPR. ser la monda** Ser muy divertido; ser el colmo.

mondadientes s. m. Palillo para sacar la comida que queda entre los dientes.

mondadura s. f. **1.** Acción de mondar. **2.** Monda.

mondar v. **1.** Pelar las frutas y hortalizas. ‖ **mondarse 2.** fam. Reírse mucho. **SIN. 2.** Partirse, desternillarse.

mondo, da adj. **1.** Sin pelo. **2.** Sólo, sin añadir nada; se usa sobre todo en la expresión **mondo y lirondo. SIN. 1.** Pelón. **1** y **2.** Pelado. **ANT. 1.** Melenudo.

mondongo s. m. Intestinos de un animal, sobre todo del cerdo.

moneda s. f. **1.** Pieza redonda de metal que sirve para pagar. También, los billetes de banco. **2.** La que sirve como unidad de pago en cada país, como la peseta en España. **3.** Dinero. ‖ **4. papel moneda** Billetes de banco. **EXPR. pagar**

con la misma moneda Portarnos con una persona de la misma forma que ella con nosotros.

monedero s. m. Cartera o bolsita donde se lleva y guarda el dinero.

monegasco, ca adj. y s. De Mónaco, pequeño país de Europa.

monera s. f. Ser vivo formado por una sola célula sin núcleo diferenciado, como las bacterias.

monería s. f. Monada.

monetario, ria adj. Relacionado con las monedas y el dinero.

mongol adj. y s. **1.** De unos pueblos asiáticos que formaron un gran imperio en el siglo XIII. **2.** De Mongolia, país de Asia.

mongólico, ca adj. y s. **1.** Mongol, de Mongolia. **2.** Que padece mongolismo.

mongolismo s. m. Enfermedad de nacimiento que produce retraso en la inteligencia y en el crecimiento.

monicaco, ca s. m. y f. **1.** desp. Persona poco importante. **2.** fam. Niño. **SIN. 1.** Pelanas, monigote.

monigote s. m. **1.** Dibujo mal hecho. **2.** Muñeco o figurita ridícula. **3.** Persona sin importancia. **SIN. 1.** Mono. **3.** Pelagatos; pelanas. **ANT. 3.** Gerifalte.

monitor, ra s. m. y f. **1.** Persona que enseña o guía a otras en un deporte, en un campamento juvenil o en otras actividades. ‖ s. m. **2.** Pantalla de un televisor, ordenador u otro aparato parecido. **SIN. 1.** Entrenador.

monja s. f. Mujer que pertenece a una orden religiosa. **SIN.** Hermana, sor.

monje s. m. Hombre que consagra su vida a Dios y vive en soledad, como los antiguos ermitaños, o en comunidades. **SIN.** Fraile, hermano.

monjil adj. Propio de las monjas.

mono, na adj. **1.** Guapo, bonito. ‖ s. m. y f. **2.** Animal primate, como el gorila o el chimpancé. ‖ s. m. **3.** Traje de trabajo de una sola pieza o prenda de vestir parecida. **4.** Dibujo mal hecho. **5.** Malestar que tiene una persona cuando le falta la droga u otra cosa a la que es adicta. ‖ **6. el último mono** La persona menos importante. **SIN. 1.** Lindo, rico. **4.** Monigote. **ANT. 1.** Feo.

monocarril adj. y s. m. Monorraíl.

monociclo s. m. Vehículo de una rueda movido por pedales. Se usa en el circo.

monocotiledónea adj. y s. f. Se dice de la planta que tiene un solo cotiledón en el embrión.

monocromo, ma adj. De un único color.

monóculo s. m. Lente para un solo ojo.

monocultivo s. m. Cultivo de un solo producto en un lugar.

monogamia s. f. El estar casado con una sola persona. **ANT.** Poligamia.

monógamo, ma adj. y s. Casado sólo con una persona. **ANT.** Polígamo.

monografía s. f. Estudio monográfico.

monográfico, ca adj. Que trata de un solo tema.

monolingüe adj. Que habla o está escrito en una sola lengua.

monolítico, ca adj. **1.** Relacionado con los monolitos. **2.** Que está muy unido o compacto.

monolito s. m. Monumento de piedra de una sola pieza.

monólogo s. m. **1.** El hablar una persona consigo misma, como si pensara en voz alta. **2.** Obra literaria o parte de ella en que sólo habla un personaje. **SIN. 1.** Soliloquio. **ANT. 1.** Diálogo, coloquio.

monomio s. m. Expresión matemática formada por números y letras relacionados por la operación producto, por ejemplo $3x$.

monopatín s. m. Tabla con ruedas sobre la que los chicos se desplazan.

monoplano s. m. Avión con dos alas. **ANT.** Biplano.

monoplaza adj. y s. m. Se dice del vehículo de una sola plaza.

monopolio s. m. Situación en la que sólo una empresa puede fabricar y vender una cosa o prestar un servicio.

monopolizar v. **1.** Tener el monopolio de una cosa. **2.** Acaparar, no dejar a los demás participar o compartir algo.

monorraíl adj. y s. m. Se dice del ferrocarril que circula sobre un solo raíl. **SIN.** Monocarril.

monosabio s. m. En la plaza de toros, mozo que ayuda al picador y realiza otras tareas.

monosílabo, ba adj. y s. m. De una sola sílaba. **ANT.** Polisílabo.

monoteísmo s. m. Doctrina monoteísta. **ANT.** Politeísmo.

monoteísta adj. y s. Que cree en un solo Dios. **ANT.** Politeísta.

monotonía s. f. Característica de lo que es monótono. **ANT.** Variedad.

monótono, na adj. Que es siempre igual o varía poco y llega a aburrir. **ANT.** Variado.

monotrema adj. y s. m. Se dice de varios mamíferos de Oceanía, como el ornitorrinco, que tienen algunas características de aves y reptiles, por ejemplo el poner huevos.

monóxido s. m. Nombre de varios compuestos químicos con un solo átomo de oxígeno en su molécula, como el **monóxido de carbono**, un gas venenoso que se produce al quemarse algunas sustancias como el carbón.

monseñor s. m. Tratamiento que se da a obispos, cardenales y otras autoridades de la Iglesia.

monserga s. f. Palabrería, cuento.

monstruo s. m. **1.** Ser fantástico y terrorífico. **2.** Ser vivo o cosa anormales, feos o mal hechos. **3.** Persona malvada. **4.** Persona que tiene mucho talento para algo. **SIN. 1** y **2.** Engendro. **2.** Adefesio. **4.** Fenómeno, genio. **ANT. 2.** Belleza.

monstruosidad s. f. **1.** Característica de monstruoso. **2.** Acción monstruosa.

monstruoso, sa adj. **1.** Propio de un monstruo. **2.** Muy malo, terrible.

monta s. f. **1.** Acción de montar un caballo. **2.** Importancia: de poca monta.

montacargas s. m. Ascensor para subir y bajar cosas pesadas.

montado, da **1.** p. de montar. También adj. || adj. **2.** Que va a caballo. || s. m. **3.** Bocadillo pequeño. **EXPR. estar montado** o **estar montado en el dólar** Estar en buena situación económica.

montador, ra s. m. y f. Persona que hace montajes, por ejemplo de máquinas o de películas.

montaje s. m. **1.** Acción de montar las piezas o partes de algo, por ejemplo de las escenas que componen una película. **2.** Truco, farsa. **SIN. 1.** Instalación. **ANT. 1.** Desarme.

montante s. m. **1.** Importe, valor. **2.** Pieza vertical que sirve de soporte.

montaña s. f. **1.** Gran elevación del terreno. **2.** Conjunto de estas elevaciones. **3.** Gran cantidad de algo. || **4. montaña rusa** Diversión que consiste en unas vagonetas que se deslizan por una vía con curvas y pendientes muy pronunciadas. **SIN. 1.** Monte, pico. **2.** Sierra. **3.** Montón.

montañero, ra adj. **1.** De la montaña. || s. m. y f. **2.** Persona que practica el montañismo. **SIN. 2.** Alpinista.

montañés, sa adj. y s. **1.** De una región montañosa. **2.** De la región cántabra o de La Montaña o de Cantabria.

montañismo *s. m.* **1.** Alpinismo. **2.** Deporte que consiste en caminar por la montaña.

montañoso, sa *adj.* Con montañas.

montar *v.* **1.** Subir a un vehículo o a otra cosa. **2.** Ir sobre un caballo o animal parecido. **3.** Colocar las piezas o partes que componen algo. **4.** Instalar, abrir: *montar un negocio.* **5.** Hacer, formar: *montar un escándalo.* **6.** Batir la clara de huevo o la nata hasta que quedan espesas. **7.** Dejar el mecanismo de un arma de fuego listo para disparar. **EXPR. montárselo** Organizarse. **SIN. 2.** Cabalgar. **3.** Ajustar, encajar. **3** y **5.** Armar. **ANT. 1.** Bajar. **2** a **4.** Desmontar. **4.** Quitar; cerrar.

montaraz *adj.* Silvestre, del monte. **ANT.** Doméstico.

monte *s. m.* **1.** Montaña, terreno elevado. **2.** Terreno no cultivado, con árboles, arbustos, hierbas. ‖ **3. monte bajo** El que tiene matorrales, arbustos y árboles aislados. **4. monte de piedad** Establecimiento público al que se llevan cosas a empeñar. **SIN. 2.** Bosque, soto.

montepío *s. m.* Establecimiento que tiene como fin dar dinero cuando lo necesiten a las personas de una misma profesión.

montera *s. f.* Gorro de los toreros.

montería *s. f.* Caza de animales de gran tamaño.

montero, ra *s. m.* y *f.* En una montería, persona encargada de hacer salir a los animales escondidos.

montés *adj.* Del monte: *cabra montés.*

montevideano, na *adj.* y *s.* De Montevideo, capital de Uruguay.

montículo *s. m.* Monte pequeño que puede ser natural o hecho por el hombre o los animales.

monto *s. m.* Suma final de una cuenta.

montón *s. m.* **1.** Muchas cosas puestas unas sobre otras. **2.** Gran cantidad. **EXPR. del montón** Vulgar y corriente. **SIN. 1** y **2.** Pila.

montura *s. f.* **1.** Animal utilizado para montar en él. **2.** Silla de montar y otras cosas que se ponen a un animal para cabalgar en él. **3.** Soporte, armazón: *la montura de las gafas.* **SIN. 1.** Caballería.

monumental *adj.* **1.** De los monumentos o que tiene muchos monumentos. **2.** Muy grande, impresionante. **SIN. 2.** Gigantesco. **ANT. 2.** Diminuto.

monumento *s. m.* **1.** Construcción de gran valor artístico o levantada para re-

cordar a una persona, un suceso. **2.** Altar adornado donde se ponen las hostias consagradas el Jueves Santo. **3.** *fam.* Persona muy guapa. **SIN. 3.** Bombón. **ANT. 3.** Adefesio.

monzón *s. m.* Viento que sopla en el sudeste de Asia; en verano es húmedo y cálido y trae fuertes lluvias, y en invierno es seco y frío.

moña *s. f. fam.* Borrachera.

moño *s. m.* Peinado que se hace recogiendo y enrollando el pelo.

moquear *v.* Echar mocos.

moqueta *s. f.* Tela gruesa y fuerte con que se cubre el suelo o las paredes.

moquillo *s. m.* Enfermedad grave de los perros y otros animales, que afecta sobre todo al aparato respiratorio.

mora *s. f.* **1.** Fruto de dos árboles, el moral y la morera. Las moras del moral son de color violeta oscuro y las de la morera blancas. **2.** Fruto de la zarzamora, de color negro cuando está maduro.

morada *s. f.* Lugar donde vive alguien. **SIN.** Vivienda, hogar.

morado, da *adj.* y *s. m.* De color mezcla de azul y rojo. **EXPR. pasarlas moradas** Pasarlo muy mal. **ponerse** uno **morado** Hartarse de comer. **SIN.** Cárdeno.

morador, ra *adj.* y *s.* Habitante.

moral[1] *s. f.* **1.** Normas que guían el buen comportamiento de las personas. **2.** Estado de ánimo. ‖ *adj.* **3.** Relacionado con la moral o bueno según la moral. **SIN. 1.** Ética, moralidad. **3.** Ético; honrado.

moral[2] *s. m.* Árbol de hoja caduca que tiene como fruto unas moras de color violeta oscuro.

moraleja *s. f.* La enseñanza que se saca de algo, por ejemplo de un cuento. **SIN.** Lección.

moralidad *s. f.* El hecho de comportarse de acuerdo con la moral.

moralina *s. f. desp.* Moraleja simplista.

moralista *adj.* y *s.* Que moraliza.

moralizar *v.* **1.** Hacer moral la conducta, costumbres, etc., de las personas. **2.** Hacer reflexiones morales.

moralmente *adv.* Según las normas de la moral.

morapio *s. m. fam.* Vino tinto corriente.

morar *v.* Vivir en un lugar. **SIN.** Habitar.

moratón *s. m.* Mancha morada o amarillenta en la piel producida por un golpe. **SIN.** Cardenal.

moratoria *s. f.* Ampliación de un plazo.

mórbido, da *adj.* Blando o delicado; se dice sobre todo de las formas del cuerpo femenino.

morbo *s. m.* Gusto por lo desagradable, lo extraño, lo cruel, lo prohibido.

morboso, sa *adj.* Que produce morbo o que siente morbo.

morcilla *s. f.* Embutido preparado con sangre de cerdo cocida. **EXPR. que te den** o **le den morcilla** Indica desprecio o falta de interés por alguien.

morcillo *s. m.* Parte alta carnosa de las patas de vacas o terneras.

morcón *s. m.* Tripa gruesa de algunos animales y embutido hecho con ella.

mordacidad *s. f.* Característica de mordaz. **SIN.** Sarcasmo.

mordaz *adj.* Que critica con mala intención y como burlándose. **SIN.** Satírico, sarcástico, burlón.

mordaza *s. f.* **1.** Lo que se pone a alguien en la boca para impedirle hablar o gritar. **2.** Aparato formado por dos piezas entre las que se sujeta un objeto.

mordedura *s. f.* Acción de morder y marca o herida que deja. **SIN.** Mordisco.

morder *v.* **1.** Apretar una cosa entre los dientes, clavándolos. **2.** Realizar una acción parecida un utensilio o una máquina. **3.** Estar furioso, de muy mal humor: *Está que muerde.* □ Es v. irreg. Se conjuga como *mover*. **EXPR. morder el anzuelo** Caer en una trampa.

mordisco *s. m.* **1.** Acción de morder. **2.** Trozo que se arranca al morder. **SIN. 1.** Mordedura, dentellada. **1** y **2.** Bocado.

mordisquear *v.* Morder algo repetidamente y con poca fuerza.

morena *s. f.* Pez marino de cuerpo muy alargado, sin aletas, y con fuertes dientes. Su carne es apreciada.

moreno, na *adj. y s.* **1.** Con la piel o el pelo oscuro. **2.** Más oscuro de lo normal: *azúcar moreno.* ‖ *s. m.* **3.** Color oscuro que toma la piel por la acción del sol. **SIN. 3.** Bronceado.

morera *s. f.* Árbol caduco que produce unas moras blancas; sus hojas sirven de alimento a los gusanos de seda.

morería *s. f.* En España, barrio árabe.

morfema *s. m.* En gramática, la parte de las palabras que indica, por ejemplo, el género y el número, como *-o* en *niño* y *-os* en *bolsos*, o el tiempo y la persona de los verbos, como *-aba* en *amaba*.

morfina *s. f.* Droga elaborada a partir del opio y usada para calmar el dolor.

morfología *s. f.* Parte de la lingüística que estudia la forma y estructura de las palabras.

morfológico, ca *adj.* De la morfología o relacionado con ella.

morganático *adj.* Se dice del matrimonio entre un rey, una reina, un príncipe o una princesa y alguien que no tiene sangre real.

moribundo, da *adj. y s.* Que se está muriendo. **SIN.** Agonizante.

morigerado, da *adj.* Moderado.

morir *v.* **1.** Dejar de vivir. **2.** Terminar, acabar. ‖ **morirse 3.** Sentir intensamente un deseo, sentimiento, necesidad: *morirse de sed, de ganas.* □ Es v. irreg. Se conjuga como *dormir*, excepto en el participio, que es *muerto*. **SIN. 1.** Fallecer, fenecer. **2.** Concluir, finalizar. **ANT. 1.** Nacer. **2.** Comenzar.

morisco, ca *adj. y s.* Se dice de los musulmanes que quedaron en España tras la Reconquista y se bautizaron.

morlaco *s. m.* Toro bravo muy grande.

mormón, na *adj. y s.* De un movimiento religioso fundado en Estados Unidos en el siglo XIX.

moro, ra *adj. y s.* **1.** Musulmán, árabe, sobre todo del norte de África. **2.** Se dice de los musulmanes que vivieron en España y de lo relacionado con ellos.

moroso, sa *adj. y s.* **1.** Que tarda en pagar lo que debe. **2.** Lento, pausado.

morral *s. m.* **1.** Bolsa o saco que se lleva colgado. **2.** Bolsa con pienso que se cuelga de la cabeza de las caballerías para que coman. **SIN. 1.** Zurrón, macuto.

morralla *s. f.* **1.** Cosas inútiles, sin valor. **2.** Gente despreciable. **SIN. 2.** Chusma, gentuza.

morrena *s. f.* Piedras y tierra acumuladas al ser arrastradas por un glaciar.

morrillo *s. m.* Parte carnosa y abultada del cuello de las reses.

morriña *s. f.* Nostalgia, añoranza.

morrión *s. m.* **1.** Casco antiguo con los bordes levantados. **2.** Antiguo gorro militar, alto y con visera.

morro *s. m.* **1.** Hocico. **2.** *fam.* Labios. **3.** Parte delantera y saliente de algo. **4.** *fam.* Cara dura. **EXPR. de morros** Enfadado, poniendo mala cara. **SIN. 4.** Jeta.

morrocotudo, da *adj. fam.* Muy grande o muy bueno. **SIN.** Tremendo; estupendo, fenomenal.

mostrar

morrón *adj.* **1.** Se dice de una variedad de pimiento rojo, muy grueso y carnoso. ‖ *s. m.* **2.** Golpe, porrazo.

morsa *s. f.* Mamífero marino parecido a la foca, pero más grande. El macho tiene dos colmillos largos y rectos.

morse *s. m.* Alfabeto formado por puntos y rayas que indican las letras y que se emplea en el telégrafo.

mortadela *s. f.* Embutido muy grueso de carne muy picada, con trozos de tocino.

mortaja *s. f.* Vestidura en que se envuelve un cadáver para enterrarlo. SIN. Sudario.

mortal *adj.* **1.** Que ha de morir. **2.** Que puede causar la muerte, mortífero. **3.** Propio de un muerto. **4.** Muy fatigoso o pesado: *La subida a pie fue mortal.* **5.** Se dice del odio muy fuerte. ‖ *s. m. y f.* **6.** Cualquier persona. SIN. **1.** Perecedero. **2.** Letal. **3.** Cadavérico. **4.** Agotador. ANT. **1.** Inmortal. **4.** Grato.

mortalidad *s. f.* Número de personas que mueren en un periodo de tiempo o en una población. ANT. Natalidad.

mortandad *s. f.* Gran cantidad de muertes causadas por una catástrofe, una epidemia, una guerra.

mortecino, na *adj.* Apagado, débil. SIN. Tenue.

mortero *s. m.* **1.** Recipiente con un mazo para machacar cosas en él. **2.** Mezcla de cemento, arena y agua usada como material de construcción. **3.** Arma de artillería formada por un tubo que se apoya en el suelo. SIN. **1.** Almirez. **2.** Argamasa.

mortífero, ra *adj.* Que causa o puede causar la muerte. SIN. Mortal, letal.

mortificación *s. f.* Acción de mortificar y lo que mortifica. SIN. Tormento.

mortificar *v.* **1.** Hacer sufrir al cuerpo por motivos religiosos, como penitencia o como sacrificio. **2.** Atormentar. SIN. **2.** Afligir, angustiar. ANT. **2.** Tranquilizar.

mortuorio, ria *adj.* Relacionado con la muerte de una persona.

mórula *s. f.* Fase del desarrollo del embrión en que el cigoto se transforma en una masa esférica de células.

moruno, na *adj.* De los moros.

mosaico *s. m.* Obra artística que se hace combinando pequeñas piezas.

mosca *s. f.* **1.** Insecto de dos alas del que existen numerosas especies; las más corrientes son negras y tienen una boca chupadora en forma de trompa.

‖ *adj.* **2.** Mosqueado. ‖ **3.** **mosca tse-tse** Insecto parecido a una mosca que produce con su picadura una gran debilidad y sueño. EXPR. **estar con la mosca detrás de la oreja** Sospechar. **por si las moscas** Por si acaso. **¿qué mosca te, le, os, etc., ha picado?** Se usa para preguntar a alguien por qué se ha enfadado de repente. SIN. **2.** Enfadado.

moscarda *s. f.* Especie de mosca grande, de color azul o verde.

moscardón *s. m.* **1.** Especie de mosca grande. **2.** *fam.* Persona pesada. SIN. **2.** Moscón.

moscatel *adj. y s. f.* **1.** Variedad de uva muy dulce y olorosa. ‖ *adj. y s. m.* **2.** Vino hecho con esa uva.

moscón *s. m.* **1.** Insecto parecido a la mosca, pero de mayor tamaño. **2.** *fam.* Persona pesada. SIN. **2.** Moscardón.

moscovita *adj. y s.* De Moscú, capital de Rusia.

mosqueado, da **1.** *p.* de **mosquear.** ‖ *adj.* **2.** Que sospecha. **3.** Enfadado.

mosquear *v.* **1.** Hacer que una persona sospeche. **2.** Enfadar, molestar.

mosqueo *s. m.* **1.** Sospecha. **2.** Enfado.

mosquete *s. m.* Antigua arma de fuego más larga que el fusil.

mosquetero *s. m.* Soldado que iba armado de mosquete.

mosquetón *s. m.* **1.** Carabina corta. **2.** Anilla que se puede abrir y cerrar, como las que usan los alpinistas.

mosquita *s. f.* **1.** *dim.* de **mosca.** ‖ **2.** **mosquita muerta** Persona que parece muy inocente, pero que no lo es.

mosquitera o **mosquitero** *s. f.* o *s. m.* Cortina, malla o tela metálica que impide que entren los insectos.

mosquito *s. m.* **1.** Insecto pequeño, de patas largas y dos alas transparentes. La hembra chupa la sangre de las personas y los animales produciendo una molesta picadura. **2.** Se llama así también a otros insectos parecidos.

mostacho *s. m.* Bigote grande.

mostaza *s. f.* **1.** Salsa hecha con la semilla de la planta también llamada *mostaza.* **2.** Esta planta y su semilla.

mosto *s. m.* Zumo de uva sin fermentar.

mostrador *s. m.* Mesa o tablero que hay en tiendas, bares y otros establecimientos para servir a los clientes. SIN. Barra.

mostrar *v.* **1.** Poner alguna cosa a la vista. **2.** Manifestar. **3.** Explicar, indicar. ‖ **mostrarse** **4.** Comportarse de una manera. □ Es v. irreg. Se conjuga como *contar*. **SIN. 1.** Presentar, exhibir. **1** y **3.** Enseñar. **2.** Demostrar. **ANT. 1.** Ocultar. **2.** Disimular.

mota *s. f.* Mancha o trocito muy pequeño de algo: *motas de polvo.*

mote *s. m.* Apodo.

motejar *v.* Llamar algo malo a alguien. **SIN.** Tachar, tildar.

motel *s. m.* Hotel de carretera.

motín *s. m.* Rebelión contra los que mandan. **SIN.** Sublevación.

motivación *s. f.* Algo que motiva.

motivar *v.* **1.** Dar motivo o razón para algo. **2.** Animar, estimular. **SIN. 1.** Causar, originar. **2.** Impulsar, incitar. **ANT. 2.** Desanimar.

motivo *s. m.* **1.** Lo que hace que alguien actúe de una forma o que algo ocurra o sea de una manera. **2.** Elemento que se repite en una decoración. **SIN. 1.** Razón, causa.

moto *s. m.* Forma abreviada de **motocicleta. EXPR. como una moto** Chiflado o muy nervioso o inquieto.

motocarro *s. m.* Vehículo de carga con tres ruedas y motor.

motocicleta *s. f.* Vehículo de dos ruedas con motor.

motociclismo *s. m.* Deporte que se practica con motocicletas. **SIN.** Motorismo.

motociclista *s. m.* Persona que monta en una motocicleta. **SIN.** Motorista.

motocross *s. m.* Motociclismo que se practica en un terreno difícil.

motonáutica *s. f.* Deporte náutico que consiste en hacer carreras con embarcaciones de motor.

motor, ra *adj.* **1.** Que produce movimiento. ‖ *s. m.* **2.** Máquina que mueve o hace funcionar una cosa, utilizando algún tipo de energía.

motora *s. f.* Barca con motor.

motorismo *s. m.* Motociclismo.

motorista *s. m.* y *f.* Motociclista.

motorizado, da *adj.* Que tiene vehículos movidos por motor.

motriz *adj.* Femenino de **motor.** Que produce movimiento: *fuerza motriz.*

movedizo, za *adj.* Que se mueve, que está poco seguro: *arenas movedizas.* **SIN.** Inestable, inseguro. **ANT.** Inmóvil.

mover *v.* **1.** Cambiar de posición o lugar. **2.** Remover, agitar. **3.** Provocar: *mover a risa.* ‖ **moverse 4.** Hacer muchas cosas para conseguir algo. □ Es

v. irreg. **SIN. 1.** Desplazar, trasladar. **2.** Menear. **3.** Causar, inducir. **ANT. 1.** Inmovilizar.

MOVER		
INDICATIVO	SUBJUNTIVO	IMPERATIVO
Presente	Presente	
muevo	mueva	
mueves	muevas	mueve
mueve	mueva	
movemos	movamos	
movéis	mováis	moved
mueven	muevan	

movida *s. f. fam.* Jaleo, follón, lío.

movido, da **1.** *p.* de **mover.** También *adj.* ‖ *adj.* **2.** Que tiene mucho ajetreo. **3.** Borroso: *salir movida una foto.* **SIN. 2.** Agitado, ajetreado. **ANT. 2.** Tranquilo. **3.** Nítido.

móvil *adj.* **1.** Que se puede mover. ‖ *s. m.* **2.** Motivo, razón. **3.** Objeto formado por distintas piezas que se mueven con el aire o al tirar de una cuerdecita. **SIN. 2.** Causa. **ANT. 1.** Inmóvil.

movilidad *s. f.* Capacidad de moverse.

movilización *s. f.* Acción de movilizar.

movilizar *v.* Poner en movimiento o en actividad tropas, personas, medios.

movimiento *s. m.* **1.** Acción de mover. **2.** Actividad. **3.** Conjunto de manifestaciones culturales, sociales o políticas con ideas y características comunes: *movimiento literario, movimiento obrero.* **SIN. 1.** Meneo, desplazamiento, traslado. **2.** Animación, tráfico. **3.** Corriente, tendencia. **ANT. 1** y **2.** Reposo.

moviola *s. f.* Máquina de proyección con la que se puede parar la imagen, hacer que vuelva atrás o que vaya más rápido o más lento.

mozalbete *s. m.* Mozo, joven.

mozárabe *adj.* y *s.* **1.** Se dice de los cristianos que vivían en los territorios musulmanes de la península Ibérica. ‖ *s. m.* **2.** Lengua romance que hablaban estos cristianos.

mozo, za *adj.* y *s.* **1.** Persona joven, sobre todo si es soltera. ‖ *s. m.* **2.** Hombre que hace trabajos poco importantes. **SIN. 1.** Muchacho. **2.** Aprendiz, botones. **mozzarella** (ital.) *s. f.* Queso italiano blando que se funde fácilmente.

muchacho, cha *s. m.* y *f.* **1.** Joven, chico. ‖ *s. f.* **2.** Asistenta o criada. **SIN. 1.** Chaval, mozo. **2.** Chica, doncella. **ANT. 1.** Adulto, viejo.

muchedumbre *s. f.* Multitud de gente. **SIN.** Gentío.

mucho, cha *indef.* **1.** Que es abundante, numeroso o intenso. || *adv.* **2.** En gran cantidad o con gran intensidad: *Si corro mucho, me canso.* **3.** Largo tiempo: *Hace mucho que se fueron.* EXPR. **como mucho** Como máximo. **ni mucho menos** Se usa para negar. SIN. **1.** Cuantioso, demasiado. **1 a 3.** Bastante. ANT. **1 a 3.** Poco.

mucosa *s. f.* Capa que cubre por dentro algunas partes del cuerpo que comunican con el exterior, y que produce líquido para que estén siempre húmedas.

mucosidad *s. f.* **1.** Líquido espeso que producen algunas mucosas. **2.** Mocos.

muda *s. f.* **1.** Acción de mudar, cambiar. **2.** Ropa interior para una vez.

mudanza *s. f.* Acción de mudar o mudarse, sobre todo de cambiarse de casa. SIN. Traslado.

mudar *v.* **1.** Cambiar, transformar. **2.** Cambiar los animales la piel, el pelo, la pluma, la cubierta quitinosa. **3.** Cambiar de sitio. || **mudarse 4.** Cambiarse de ropa. **5.** Cambiarse de casa. SIN. **3** y **5.** Trasladar(se).

mudéjar *adj. y s.* Se dice de los musulmanes que vivían en los reinos cristianos de la península Ibérica.

mudez *s. f.* Incapacidad para hablar.

mudo, da *adj. y s.* **1.** Que no habla o no puede hablar. || *adj.* **2.** Sin sonido: *cine mudo.* **3.** Se dice de la letra que no se pronuncia, como la *h* en español. **4.** Que no tiene nada escrito: *un mapa mudo.* ANT. **2.** Sonoro.

mueble *s. m.* Objeto que adorna o equipa una casa como una silla, una mesa, un armario.

mueca *s. f.* Gesto de la cara que expresa dolor, desagrado, burla.

muecín *s. m.* Almuecín.

muela *s. f.* **1.** Cada uno de los dientes más anchos que el resto, situados en la parte de atrás de la boca, que sirven para masticar. **2.** En los molinos, rueda de piedra que gira sobre otra para triturar el grano. **3.** Disco de piedra para afilar. || **4. muela del juicio** La que sale en edad adulta al final de la dentadura.

muelle[1] *s. m.* Lugar donde se cargan y descargan los barcos en un puerto o los trenes en una estación de ferrocarril. SIN. Embarcadero.

muelle[2] *s. m.* **1.** Alambre en espiral que tiene la propiedad de estirarse y encogerse sin deformarse. || *adj.* **2.** Blando, cómodo, agradable: *una vida muelle.*

SIN. **1.** Resorte. **2.** Confortable, placentero. ANT. **2.** Sacrificado.

muérdago *s. m.* Planta parásita de los árboles, de tallo verdoso, flores en grupos de tres y frutos de color blanco.

muermo *s. m.* **1.** Aburrimiento, rollo. **2.** Sensación de sueño. SIN. **2.** Sopor. ANT. **1.** Animación.

muerte *s. f.* **1.** Final de la vida. **2.** Acción de matar: *dar muerte.* **3.** Final, desaparición. EXPR. **a muerte** Se dice del enfrentamiento que sólo acaba cuando muere uno de los que luchan; se dice del odio muy intenso. **de mala muerte** Pobre, sucio, de mal aspecto. **de muerte** Muy grande: *un susto de muerte.* SIN. **1.** Fallecimiento, defunción. **2.** Homicidio, asesinato. **3.** Ruina, caída. ANT. **1** y **3.** Nacimiento. **3.** Aparición.

muerto, ta **1.** *p. de* **morir.** || *adj. y s.* **2.** Que se murió o lo mataron. || *adj.* **3.** Sin seres vivos. **4.** Sin actividad o animación. **5.** Muy cansado. **6.** Que tiene o siente mucho de lo que se dice: *muerto de risa.* || *s. m.* **7.** *fam.* Cosa molesta o ingrata. || **8. muerto de hambre** Persona muy pobre. EXPR. **echarle** a uno el **muerto** Echarle la culpa. **no tener dónde caerse muerto** Ser muy pobre. SIN. **2.** Difunto, cadáver. **4.** Triste. **5.** Derrengado, reventado. **7.** Engorro, lata. ANT. **2 a 4.** Vivo. **5.** Descansado.

muesca *s. f.* **1.** Hueco o ranura que se hace en una cosa para encajar otra. **2.** Corte hecho como señal. SIN. **2.** Incisión.

muestra *s. f.* **1.** Parte de algo que sirve para enseñarlo, probarlo o analizarlo. **2.** Cosa que sirve de modelo o ejemplo. **3.** Exposición, feria. **4.** Prueba, señal. SIN. **1** y **2.** Ejemplar. **4.** Indicio.

muestrario *s. m.* Colección de productos para enseñarlos al cliente.

muestreo *s. m.* Operación de seleccionar muestras de un conjunto para observar las características de éste.

muflón *s. m.* Animal mamífero parecido al carnero, pero con el pelo más largo. El macho tiene grandes cuernos curvados hacia atrás. Vive en las montañas de países mediterráneos.

mugido *s. m.* Sonido que hacen los toros, las vacas y animales parecidos.

mugir *v.* Dar mugidos. SIN. Bramar.

mugre *s. f.* Suciedad pegada a algo. SIN. Porquería, cochambre, roña.

mugriento, ta *adj.* Lleno de mugre. SIN. Roñoso, cochambroso.

mujer _s. f._ **1.** Persona adulta de sexo femenino. **2.** Esposa. || **3. mujer pública** Prostituta. **Sin. 2.** Señora.

mujeriego _adj._ y _s. m._ Se dice del hombre al que le gustan mucho las mujeres.

mujeril _adj._ De las mujeres. **Sin.** Femenino. **Ant.** Masculino, varonil.

mujerío _s. m._ Muchas mujeres.

mujeruca _s. f. desp._ Mujer vulgar o de mal aspecto.

mula _s. f._ **1.** Mulo. **2.** Hembra del mulo. **3.** _fam._ Persona muy fuerte o muy bruta.

muladar _s. m._ **1.** Estercolero, basurero. **2.** Lugar muy sucio. **Sin. 1.** Vertedero. **2.** Pocilga.

mular _adj._ Del mulo: _ganado mular._

mulato, ta _adj._ y _s._ Hijo de negro y blanca o al revés. **Sin.** Mestizo.

mulero _s. m._ Hombre que se ocupa de las mulas.

muleta _s. f._ **1.** Bastón que se usa para andar, apoyándolo en el sobaco o en el brazo. **2.** Tela roja sujeta a un palo, utilizada para torear.

muletilla _s. f._ Palabra o frase que alguien dice continuamente sin motivo, como _¿no?, ¿verdad?, bueno._

muletón _s. m._ Tela gruesa de lana o algodón que tiene como pelusa.

mulillas _s. f. pl._ Mulas que en las corridas se llevan arrastrando al toro muerto.

mullido, da 1. _p._ de mullir. || _adj._ **2.** Esponjoso y blandito. **Ant. 2.** Duro.

mullir _v._ Ahuecar algo para que quede más blando y esponjoso. □ Es v. irreg. **Sin.** Esponjar. **Ant.** Apelmazar.

MULLIR	
GERUNDIO	
mullendo	
INDICATIVO	
Pretérito perfecto simple	
mullí	_mullimos_
mulliste	_mullisteis_
mulló	_mulleron_
SUBJUNTIVO	
Pretérito imperfecto	**Futuro**
mullera, -ese	_mullere_
mulleras, -eses	_mulleres_
mullera, -ese	_mullere_
mulléramos, -ésemos	_mulléremos_
mullerais, -eseis	_mullereis_
mulleran, -esen	_mulleren_

mulo _s. m._ Animal mamífero que resulta del cruce de caballo y asno. Es más grande que el asno y tiene las orejas y el cuello largos. Es muy fuerte y se utiliza como animal de trabajo. **Sin.** Mula.

multa _s. f._ Dinero que se debe pagar como castigo por haber hecho cosa prohibida y papel donde consta. **Sin.** Sanción.

multar _v._ Poner una multa.

multicolor _adj._ Con muchos colores.

multicopista _adj._ y _s. f._ Máquina que hace copias textos y dibujos.

multilateral _adj._ Se dice del acuerdo o de la relación entre varias partes o elementos.

multimillonario, ria _adj._ y _s._ Que es muy rico y tiene muchos millones.

multinacional _adj._ **1.** De varias naciones. || _adj._ y _s. f._ **2.** Se dice de la empresa que trabaja en varios países.

múltiple _adj._ **1.** Con distintas partes o acciones. || _pl._ **2.** Varios, muchos. **Sin. 1.** Compuesto. **2.** Innumerables. **Ant. 1.** Simple. **2.** Pocos.

multiplicación _s. f._ **1.** Acción de multiplicar o multiplicarse. **2.** Operación matemática que consiste en sumar un número (_multiplicando_) tantas veces como indica otro número (_multiplicador_). Su resultado se llama _producto_. **Sin. 1.** Aumento, incremento. **Ant. 1.** Disminución. **2.** División.

multiplicador _s. m._ Cantidad por la que se multiplica otra llamada _multiplicando._

multiplicando _s. m._ Cantidad que se multiplica por otra llamada _multiplicador._

multiplicar _v._ **1.** Hacer varias veces mayor. **2.** Hacer una multiplicación matemática. || **multiplicarse 3.** Reproducirse, tener hijos. **Sin. 1.** Aumentar. **3.** Procrear. **Ant. 1** y **2.** Dividir.

multiplicativo, va _adj._ Se dice del numeral que indica multiplicación, como _doble, triple, cuádruple._

múltiplo _adj._ Se dice del número que contiene a otro varias veces exactamente: _6 es múltiplo de 2 (2+2+2= 6)._

multitud _s. f._ Mucha cantidad de personas o cosas. **Sin.** Muchedumbre; abundancia.

multitudinario, ria _adj._ Se dice de algo en lo que participa mucha gente.

mundanal o **mundano, na** _adj._ Relacionado con la gente, la sociedad, las fiestas, el lujo y las diversiones. Sɪɴ. Frívolo. Aɴᴛ. Espiritual.

mundial *adj.* **1.** Del mundo entero. ‖ *s. m.* **2.** Competición deportiva en la que participan países de todo el mundo. Sɪɴ. **1.** Universal.

mundillo *s. m.* Grupo de pocas personas de una misma clase social, profesión, actividad: *el mundillo del teatro.*

mundo *s. m.* **1.** Todo lo que existe. **2.** La Tierra o, también, otros planetas y galaxias. **3.** Cada una de las partes en que puede dividirse todo lo que existe: *el mundo submarino.* **4.** Todos los hombres o parte de ellos: *el mundo civilizado.* **5.** Conjunto de personas con características comunes o con la misma actividad: *el mundo del cine.* **6.** Experiencia que tiene quien ha vivido en muchos sitios y conoce y sabe tratar a la gente. ‖ **7. el Nuevo Mundo** América. **8. el Tercer Mundo** Conjunto de los países más pobres. Exᴘʀ. **no ser** algo **nada del otro mundo** Ser normal y corriente. Sɪɴ. **1.** Universo. **6.** Círculo, ambiente.

munición *s. f.* Proyectiles que se disparan con las armas de fuego.

municipal *adj.* **1.** Del municipio. ‖ *adj. y s. f.* **2.** Policía de un municipio.

municipio *s. m.* Territorio que depende de un ayuntamiento.

muñeca *s. f.* **1.** Juguete con forma de niña o de chica. **2.** Parte del cuerpo donde se une la mano al brazo.

muñeco *s. m.* Juguete con forma humana o de animal.

muñeira *s. f.* Baile popular gallego.

muñequera *s. f.* Tira ancha que se pone en la muñeca para hacer algunos deportes, cuando duele o como adorno.

muñón *s. m.* Trozo que queda de un miembro del cuerpo cortado.

mural *adj.* **1.** Que se pone cubriendo un muro. ‖ *s. m.* **2.** Pintura, decoración, etc. que se hace sobre una pared.

muralista *s. m. y f.* Pintor de murales.

muralla *s. f.* Muro defensivo alrededor de una ciudad, castillo, fortaleza.

murciano, na *adj. y s.* De Murcia, ciudad, provincia y comunidad autónoma de España.

murciélago *s. m.* Mamífero parecido a un ratón con alas. Vuela al atardecer y se guía mediante ondas con las que localiza los objetos.

murga *s. f.* **1.** Banda callejera de músicos. **2.** Cosa molesta o muy ruidosa. Sɪɴ. **1.** Charanga. **2.** Lata, pesadez.

murmullo *s. m.* Ruido continuo y suave, como el de gente hablando bajo. Sɪɴ. Rumor, susurro.

murmuración *s. f.* Comentario con que se murmura de alguien. Sɪɴ. Chismorreo.

murmurar *v.* **1.** Hablar mal de alguien sin que esté presente. **2.** Hablar en voz baja y sin pronunciar claramente. Sɪɴ. **1.** Chismorrear. **2.** Susurrar, musitar. Aɴᴛ. **1.** Elogiar. **2.** Vocear.

muro *s. m.* Pared gruesa.

murria *s. f.* Tristeza, melancolía.

mus *s. m.* Un juego de cartas.

musa *s. f.* **1.** Mujer que inspira a un artista. **2.** Cada una de las diosas de las antiguas Grecia y Roma que protegían las ciencias y las artes.

musaraña *s. f.* Mamífero parecido a un ratón, con el hocico afilado y pelaje rojizo. Se alimenta de insectos y animales pequeños. Exᴘʀ. **pensar en las musarañas** Estar distraído.

muscular *adj.* De los músculos.

musculatura *s. f.* **1.** Conjunto de los músculos del cuerpo. **2.** Desarrollo de los músculos.

músculo *s. m.* Órgano formado por un tejido elástico; junto con los huesos y los cartílagos, permiten moverse al hombre y los animales.

musculoso, sa *adj.* **1.** De músculos muy desarrollados. **2.** Formado por músculos.

muselina *s. f.* Tela fina y transparente.

museo *s. m.* Lugar donde se exponen al público obras de arte, objetos antiguos u otras cosas de interés.

muserola *s. f.* Correa que rodea el morro del caballo y sujeta el bocado.

musgo *s. m.* Planta que crece en lugares húmedos y que forma una especie de alfombra sobre los árboles y las rocas.

música *s. f.* Combinación de sonidos capaz de producir un efecto bello o expresar emociones. Exᴘʀ. **con la música a otra parte** A otro sitio, fuera.

musical *adj.* **1.** De música: *instrumento musical.* **2.** Que suena agradablemente. ‖ *adj. y s. m.* **3.** Obra de teatro o película con música y canciones. Sɪɴ. **2.** Melodioso.

musicalidad *s. f.* Característica de lo que es musical o agradable al oído.

music-hall (ingl.) *s. m.* Espectáculo que mezcla números musicales y de otra clase: cómicos, de magia, etc.

músico *s. m.* Persona que toca un instrumento o compone música. **SIN.** Intérprete; compositor.

musicólogo, ga *s. m.* y *f.* Persona que estudia la música y su historia.

musitar *v.* Hablar muy bajo. **SIN.** Susurrar, murmurar. **ANT.** Vocear.

muslamen *s. m. fam.* Los muslos de una mujer.

muslo *s. m.* **1.** Parte de la pierna entre la cadera y la rodilla. **2.** Parte superior de las patas de los animales.

mustélido *adj.* y *s. m.* Animal de un grupo de mamíferos carnívoros de pequeño o mediano tamaño, patas cortas y piel con bastante pelo; son mustélidos la nutria, la mofeta, la comadreja.

mustio, tia *adj.* **1.** Marchito, estropeado: *una planta mustia.* **2.** Triste, deprimido. **SIN. 1.** Ajado. **2.** Melancólico, lánguido. **ANT. 1.** Lozano. **2.** Animado.

musulmán, na *adj.* **1.** Del Islam, religión fundada por Mahoma. ‖ *adj.* y *s.* **2.** Seguidor de esta religión. **SIN. 1.** Islámico. **1.** y **2.** Mahometano.

mutación *s. f.* Cambio o alteración importante, sobre todo en un ser vivo.

mutante *adj.* y *s.* Que ha sufrido una mutación.

mutilación *s. f.* Acción de mutilar.

mutilar *v.* Cortar, arrancar o quitar una parte del cuerpo. **SIN.** Amputar.

mutis *s. m.* En teatro, salida de escena de un actor. **EXPR. hacer mutis** Irse discretamente, sin llamar la atención.

mutismo *s. m.* Hecho de estar o quedarse callado. **SIN.** Silencio.

mutualidad *s. f.* Agrupación de personas que pagan unas cantidades de dinero que se usan para ayudar a cualquiera de ellas cuando lo necesita.

mutualismo *s. m.* Asociación de dos seres vivos de distintas especies, en la que ambos salen beneficiados.

mutuamente *adv.* De manera mutua. **SIN.** Recíprocamente.

mutuo, tua *adj.* Que alguien lo da a otro y, a la vez, lo recibe de éste. **SIN.** Recíproco.

muy *adv.* Forma abreviada de **mucho**. Se usa delante de adjetivos y adverbios para darles más fuerza: *un dibujo muy bonito. Hizo el examen muy mal.*

n *s. f.* Letra número catorce del abecedario.

nabo *s. m.* Planta de hojas grandes y flores amarillas y con una raíz muy gruesa, que es comestible.

nácar *s. m.* Material duro y blanco con brillos de diferentes colores, que se encuentra en la parte de dentro de la concha de los moluscos. Se utiliza para fabricar objetos de adorno.

nacarado, da *adj.* Parecido al nácar.

nacer *v.* **1.** Salir un ser del vientre de la madre, de un huevo o de una semilla. **2.** Empezar a existir. **3.** Salir, aparecer, brotar. □ Es v. irreg. Se conjuga como *agradecer.* **SIN. 2.** Surgir, originarse. **ANT. 1.** Morir. **2** y **3.** Desaparecer.

naciente *adj.* Que nace o empieza a aparecer: *Sol naciente.*

nacimiento *s. m.* **1.** El hecho de nacer. **2.** Lugar o punto del que sale una cosa. **3.** Representación con figuritas de Jesús recién nacido, la Virgen, San José y otros personajes. **SIN. 1.** Origen, comienzo. **3.** Belén. **ANT. 1.** Muerte. **1** y **2.** Fin, final.

nación *s. f.* País, Estado, pueblo.

nacional *adj.* **1.** De una nación. **2.** Del Estado. ‖ *adj.* y *s.* **3.** Partidario de Franco en la guerra civil española. **SIN. 1.** Interior. **2.** Estatal. **ANT. 1.** Internacional; exterior. **2.** Privado.

nacionalidad *s. f.* Hecho de pertenecer a un país.

nacionalismo *s. m.* **1.** Sentimiento y forma de pensar de los que dan mucha importancia a todo lo de su país. **2.** Movimiento político que defiende la autonomía o la independencia de un pueblo o de parte de un país.

nacionalista *adj.* y *s.* Del nacionalismo o partidario de él.

nacionalizar v. 1. Hacer que algo pase a pertenecer al Estado o a ser dirigido por él. || **nacionalizarse** 2. Adquirir alguien la nacionalidad de un país que no es el suyo. **Ant.** 1. Privatizar.

nacionalsocialismo s. m. Movimiento político creado por Adolf Hitler en Alemania, que concedía todo el poder al Estado y sostenía que los alemanes eran superiores a los demás pueblos. **Sin.** Nazismo.

nacionalsocialista adj. y s. Relacionado con el nacionalsocialismo o partidario de él. **Sin.** Nazi.

nada indef. 1. Ninguna cosa. || adv. 2. Ninguna o muy poca cantidad o intensidad de algo: *No está nada contento*. 3. Expresa decisión o negación firme: *¡Nada, que no voy!* || s. f. 4. La ausencia total de cualquier cosa. **Expr.** **como si nada** Sin costar ningún trabajo. También, sin conseguir ningún resultado. **de nada** Sin importancia. También se usa para contestar a quien da las gracias. **nada menos** o **nada más y nada menos** Sirve para destacar algo importante. **Ant.** 1. Todo.

nadador, ra adj. y s. Que nada.

nadar v. 1. Mover el cuerpo y los brazos y piernas para mantenerse y avanzar en el agua. 2. Estar una cosa en mucho líquido o flotar en él. 3. Tener en abundancia: *nadar en dinero*.

nadería s. f. Cosa sin importancia.

nadie indef. 1. Ninguna persona. 2. Persona sin importancia. **Ant.** 1 y 2. Alguien.

nado Se usa en la expresión **a nado**, 'nadando'.

naftalina s. f. Sustancia sólida de olor fuerte utilizada para evitar que la polilla se coma la ropa.

náhuatl o **nahua** adj. y s. 1. De un grupo de pueblos indígenas de México. || s. m. 2. Lengua de estos pueblos.

naif adj. Se dice de un estilo de pintura caracterizado por su ingenuidad, sencillez y vivos colores.

nailon s. m. Material obtenido artificialmente con que se fabrican tejidos.

naipe s. m. Carta de la baraja.

nalga s. f. Cada una de las dos partes redondas y carnosas que forman el culo.

nana s. f. 1. Canción con la que se duerme a los niños. 2. Saco para abrigar a los bebés.

nanay fam. Se usa para negar con fuerza una cosa.

nao s. f. Barco de gran tamaño, sobre todo el utilizado entre los siglos XIII y XVII para el comercio marítimo.

napa s. f. Piel curtida con la que se hacen prendas de vestir.

napalm (ingl.) s. m. Mezcla que contiene gasolina y es muy inflamable que se emplea sobre todo en las bombas incendiarias.

napia o **napias** s. f. o s. f. pl. fam. Nariz, sobre todo si es grande.

napoleónico, ca adj. De Napoleón Bonaparte, emperador de Francia, o relacionado con él.

napolitana s. f. Bollo relleno de crema o chocolate.

napolitano, na adj. y s. De Nápoles, ciudad italiana.

naranja s. f. 1. Fruto redondo dividido en gajos y de sabor dulce y algo ácido. || adj. y s. m. 2. Color que es mezcla de rojo y amarillo, como el de este fruto. || 3. **media naranja** Persona con la que alguien está casado o con la que forma pareja. **Expr.** **naranjas de la China** Se usa para negar algo.

naranjada s. f. Bebida hecha con zumo de naranja o con sabor a naranja.

naranjo s. m. Árbol que da la naranja.

narcisismo s. m. Admiración exagerada que alguien siente por sí mismo.

narcisista adj. y s. Que muestra narcisismo. **Sin.** Narciso².

narciso¹ s. m. Planta de hojas muy largas y finas, que nacen de la base del tallo, y una sola flor, blanca o amarilla.

narciso² s. m. Persona muy presumida, sobre todo la que cuida mucho su aspecto físico. **Sin.** Narcisista.

narcótico, ca adj. y s. m. Sustancia que produce sueño, relajación muscular y disminución en la actividad de los sentidos. Se emplea en medicina y, en algunos casos, como droga. **Sin.** Sedante, somnífero. **Ant.** Excitante, estimulante.

narcotizar v. Dar narcóticos.

narcotraficante s. m. y f. Persona que trafica con drogas.

narcotráfico s. m. Tráfico de drogas.

nardo s. m. Planta con pequeñas flores blancas de muy buen olor, que forman como una espiga.

narigudo, da adj. y s. Que tiene la nariz grande y larga. **Sin.** Narizotas. **Ant.** Chato.

nariz o **narices** s. f. o s. f. pl. 1. Parte saliente de la cara situada entre los ojos y la boca, por la que respiramos y olemos. ‖ *pl.* **2.** Valor, ganas. **Expr. de narices** Muy grande o considerable. **meter las narices en** algo Meterse uno donde no le llaman. **por narices** Obligatoriamente, a la fuerza. **salirle** a alguien una cosa **de las narices** Darle la gana. **Sin. 1.** Napia. **2.** Agallas, coraje.

narizotas *s. m. y f.* Persona que tiene la nariz muy grande. **Sin.** Narigudo. **Ant.** Chato.

narración *s. f.* **1.** El hecho de narrar. **2.** Escrito o palabras con que se narra algo. **Sin. 2.** Relato.

narrador, ra *s. m. y f.* Persona que narra.

narrar *v.* Contar alguna cosa de palabra o por escrito. **Sin.** Relatar, referir.

narrativa *s. f.* Género literario formado por las novelas y los cuentos.

narrativo, va *adj.* De la narración o de la narrativa.

narval *s. m.* Mamífero marino de unos cinco metros de longitud; los machos tienen un enorme diente que sobresale como un cuerno.

nasa *s. f.* Instrumento de pesca en forma de cesta, en la que quedan atrapados peces y crustáceos.

nasal *adj.* **1.** De la nariz. **2.** Se dice de la voz del que habla como por la nariz.

nata *s. f.* **1.** Capa cremosa que se forma en la superficie de la leche. **2.** Crema de pastelería que se hace batiendo esta capa con azúcar. ‖ **3. la flor y nata** Las personas más importantes o destacadas en algo.

natación *s. f.* Actividad de nadar y deporte que se practica nadando.

natal *adj.* Se dice del lugar en el que se nace.

natalicio, cia *adj.* **1.** Relacionado con el día de nacimiento. ‖ *s. m.* **2.** Día en el que nace alguien y fiestas con que se celebra.

natalidad *s. f.* Número de nacimientos que se producen en un lugar y en un tiempo. **Ant.** Mortalidad.

natatorio, ria *adj.* **1.** De la natación. ‖ **2. vejiga natatoria** Ver **vejiga.**

natillas *s. f. pl.* Crema que se hace con leche, huevos y azúcar.

natividad *s. f.* **1.** Nacimiento de Jesucristo, de la Virgen o San Juan. **2.** Navidad.

nativo, va *adj. y s.* Que ha nacido en el lugar de que se trata. **Sin.** Oriundo, indígena. **Ant.** Extranjero.

nato, ta *adj.* Que por nacimiento tiene muy buenas cualidades para algo: *un deportista nato.*

natural *adj.* **1.** De la naturaleza o producido por ella. **2.** Característico de una persona o cosa. **3.** Sencillo o sincero. **4.** Normal, como tiene que ser. ‖ *adj. y s.* **5.** Que ha nacido en el lugar que se dice. **Expr. al natural** Tal como es. **del natural** Forma de pintar o hacer una escultura copiando directamente la persona o la cosa que se tiene delante. **Sin. 2.** Propio. **3.** Espontáneo. **4.** Lógico. **5.** Nativo, originario, oriundo. **Ant. 1** y **3.** Artificial. **3.** Artificioso. **4.** Raro. **5.** Extranjero.

naturaleza *s. f.* **1.** Todos los seres y cosas que existen y que no han sido hechas por el hombre. **2.** El campo, lejos de ciudades y poblaciones. **3.** Propiedades o condiciones de un ser vivo o de una cosa. **Sin. 3.** Característica, constitución.

naturalidad *s. f.* Característica de natural, sencillo, espontáneo. **Sin.** Sencillez, espontaneidad.

naturalismo *s. m.* Tendencia a mostrar la realidad tal como es, sin esconder ni evitar las cosas desagradables.

naturalista *adj. y s.* **1.** Del naturalismo. ‖ *s. m. y f.* **2.** Especialista en ciencias naturales.

naturalizar *v.* Hacer a una persona, o hacerse ella, ciudadana de un país.

naturalmente *adv.* **1.** De forma natural. **2.** Sí, claro, por supuesto.

naturismo *s. m.* Teoría que defiende la utilización solamente de medios naturales para llevar una vida sana o curar las enfermedades.

naturista *adj. y s.* Relacionado con el naturismo o que lo practica.

naufragar *v.* Hundirse un barco y quedar en el mar los que viajan en él.

naufragio *s. m.* Acción de naufragar.

náufrago, ga *s. m. y f.* Persona que iba en un barco que ha naufragado.

náusea *s. f.* Sensación desagradable en el estómago cuando se tienen ganas de vomitar.

nauseabundo, da *adj.* Que produce náuseas o mucho asco. **Sin.** Repugnante, repulsivo. **Ant.** Agradable.

náutica *s. f.* Técnica y arte de navegar.

náutico, ca *adj.* De la náutica o relacionado con ella.

nava *s. f.* Terreno bajo y llano entre montañas, a veces pantanoso.

navaja *s. f.* **1.** Especie de cuchillo cuya hoja puede guardarse dentro del mango. **2.** Molusco alargado con dos valvas que cerradas parecen una caña; vive enterrado en la arena del mar.

navajazo o **navajada** *s. m.* o *s. f.* Herida o corte de navaja.

navajero, ra *s. m. y f.* Delincuente que roba amenazando con una navaja.

navajo *adj. y s.* De una tribu india apache de América del Norte.

naval *adj.* De los barcos y de la navegación. **SIN.** Náutico.

navarro, rra *adj. y s.* De Navarra, comunidad autónoma de España.

nave *s. f.* **1.** Barco. **2.** Cohete u otro vehículo que viaja por el espacio. **3.** En las iglesias y otros edificios, cada una de las partes separadas por muros, filas de arcos o columnas. **4.** Construcción grande sin divisiones y de un solo piso que suele usarse como almacén o taller.

navegable *adj.* Se dice del río, canal o lago por el que pueden navegar barcos.

navegación *s. f.* **1.** Técnica de navegar. **2.** Acción de navegar.

navegante *s. m. y f.* Persona que se dedica a navegar. **SIN.** Marinero.

navegar *v.* **1.** Ir en un barco por el agua, o una nave o un avión por el aire. **2.** Viajar en esos vehículos.

naveta *s. f.* Monumento prehistórico de las islas Baleares, hecho con piedras y de carácter funerario.

navidad *s. f.* **1.** Nacimiento de Jesucristo. **2.** Día en que nació Jesucristo y época del año en que se celebra. **SIN. 1.** Natividad.

navideño, ña *adj.* De la Navidad.

naviero, ra *adj.* **1.** Se dice de la empresa de barcos de mercancías y pasajeros. ‖ *s. m. y f.* **2.** Propietario de una de estas empresas.

navío *s. m.* Barco muy grande. **SIN.** Nave, buque.

náyade *s. f.* En la mitología griega y romana, ninfa de las fuentes y los ríos.

nazareno, na *adj. y s.* **1.** De Nazaret, ciudad de Israel. ‖ *s. m.* **2.** Persona que va en las procesiones de Semana Santa, vestida con una túnica y un capirote.

nazi (al.) *adj. y s.* Nacionalsocialista.

nazismo *s. m.* Nacionalsocialismo.

neblí *s. m.* Ave rapaz parecida al halcón común y que se utilizaba en cetrería.

neblina *s. f.* Niebla no muy espesa. **SIN.** Bruma.

nebulosa *s. f.* Nube enorme formada por pequeños materiales que flotan en el espacio.

nebuloso, sa *adj.* **1.** Con niebla. **2.** Confuso, borroso o poco claro.

necedad *s. f.* **1.** Característica de necio, tonto. **2.** Tontería, bobada.

necesario, ria *adj.* **1.** Se dice de las cosas sin las que no se puede estar o sin las que algo no puede existir o hacerse. **2.** Muy conveniente. **SIN. 1.** Imprescindible, indispensable. **2.** Beneficioso, recomendable. **ANT. 1.** Innecesario. **2.** Perjudicial.

neceser *s. m.* Estuche, caja o maletín donde se guardan cosas para el aseo personal.

necesidad *s. f.* **1.** Lo que es necesario para alguien o algo. **2.** Falta o pobreza. **EXPR. hacer** alguien **sus necesidades** Hacer pis o caca. **SIN. 2.** Carencia, escasez. **ANT. 2.** Abundancia.

necesitado, da 1. *p.* de **necesitar.** ‖ *adj.* **2.** Que no tiene alguna cosa y la necesita: *necesitado de cariño.* ‖ *adj. y s.* **3.** Pobre, que no tiene para vivir. **SIN. 2.** Falto, carente. **3.** Menesteroso.

necesitar *v.* Tener necesidad de algo. **SIN.** Precisar, requerir. **ANT.** Prescindir.

necio, cia *adj. y s.* Tonto o ignorante. **SIN.** Imbécil, idiota. **ANT.** Inteligente.

nócora *s. f.* Cangrejo marino de color pardo, con el caparazón liso y dos fuertes pinzas, muy apreciado como alimento.

necrófago, ga *adj.* Se dice de los animales que se alimentan de cadáveres o carroña.

necrología *s. f.* **1.** Biografía de una persona fallecida recientemente. **2.** Lista de personas fallecidas.

necrológica *s. f.* Noticia que aparece en la prensa sobre la muerte de alguien.

necrópolis *s. f.* Cementerio, sobre todo el que es muy antiguo.

necrosis *s. f.* Muerte de células o tejidos del organismo.

néctar *s. m.* **1.** Jugo muy dulce que se encuentra en las flores y que chupan algunos insectos. **2.** Bebida muy dulce, sobre todo la que se saca de las frutas.

nectarina *s. f.* Fruta que es un cruce entre melocotón y ciruela.

neerlandés, sa *adj. y s.* **1.** Holandés. ‖ *s. m.* **2.** Idioma de Holanda o de los Países Bajos.

nefando, da *adj.* Que merece desprecio o rechazo. **Sin.** Abominable.

nefasto, ta *adj.* Desgraciado, muy malo. **Sin.** Desastroso, funesto. **Ant.** Dichoso.

nefrítico, ca *adj.* Del riñón.

nefritis *s. f.* Inflamación de los riñones.

nefrología *s. f.* Parte de la medicina que se ocupa del riñón y sus enfermedades.

negación *s. f.* **1.** Acción de negar o negarse. **2.** Palabra o expresión que se usa para negar, como *no, jamás, nunca.* **Sin. 1.** Negativa. **Ant. 1.** Afirmación.

negado, da 1. *p.* de **negar.** También *adj.* ∥ *adj.* y *s.* **2.** Torpe o inútil para alguna cosa. **Sin. 2.** Incapaz. **Ant. 2.** Hábil.

negar *v.* **1.** Decir que algo no existe o no es verdad. **2.** Decir o manifestar que no. **3.** No dar o no dejar hacer alguna cosa: *negar auxilio.* ∥ **negarse 4.** No querer hacer alguna cosa. ◻ Es v. irreg. Se conjuga como *regar.* **Sin. 1.** Desmentir. **3.** Rechazar, rehusar. **Ant. 1** y **2.** Afirmar. **3.** Conceder.

negativa *s. f.* **1.** Acción de negar o de negarse. **2.** Respuesta con que se niega. **Sin. 1** y **2.** Negación. **Ant. 1** y **2.** Afirmación.

negativo, va *adj.* **1.** Que niega o sirve para negar: *oración negativa.* **2.** Malo, perjudicial. **3.** Pesimista. **4.** En matemáticas, se dice de los números menores de cero, que llevan el signo menos. **5.** En física, se dice de la carga eléctrica del electrón. ∥ *s. m.* **6.** Primera película que se saca de las fotografías, en la que los colores aparecen al revés. **Sin. 2.** Dañino, nocivo. **6.** Cliché. **Ant. 1.** Afirmativo. **2** a **6.** Positivo.

negligencia *s. f.* Falta de cuidado, de atención o de interés. **Sin.** Descuido, desinterés.

negligente *adj.* y *s.* Que hace las cosas con negligencia. **Sin.** Descuidado, dejado. **Ant.** Cuidadoso.

negociación *s. f.* Acción de negociar. **Sin.** Trato, discusión.

negociado *s. m.* Cada una de las secciones o departamentos de un ministerio, oficina, organismo.

negociante *adj.* y *s.* **1.** Que negocia o se dedica a los negocios. **2.** Se dice de la persona a la que sólo le interesa el dinero o el beneficio que va a sacar en algo. **Sin. 1.** Comerciante.

negociar *v.* **1.** Comprar, vender o cambiar cosas para ganar dinero. **2.** Discutir para llegar a un acuerdo. **3.** Comerciar, traficar. **1** y **2.** Tratar. **2.** Acordar, pactar.

negocio *s. m.* **1.** Compra, venta, cambio, etc., con que se espera ganar dinero o conseguir beneficio. **2.** Tienda o comercio. **3.** Establecimiento, local.

negra *s. f.* Figura musical que equivale a un tiempo dentro de un compás.

negrero, ra *adj.* **1.** Relacionado con el comercio de esclavos negros. ∥ *adj.* y *s.* **2.** Persona que vendía y compraba esclavos negros. **3.** Persona que trata muy mal a sus trabajadores o les hace trabajar demasiado.

negrita *adj.* y *s. f.* Se dice de un tipo de letra de imprenta de trazo más grueso.

negro, gra *adj.* y *s. m.* **1.** De color totalmente oscuro, como el del carbón. ∥ *adj.* **2.** Oscuro o más oscuro que el resto. **3.** Muy sucio. **4.** Malo o poco favorable: *un negro futuro.* **5.** Enfadado, harto o molesto: *tener a alguien negro; estar negro.* ∥ *adj.* y *s.* **6.** De la raza humana caracterizada por el color oscuro de la piel. **Expr. pasarlas negras** Pasarlo muy mal. **tener la negra** Tener muy mala suerte. **verse** alguien **negro** o **vérselas negras** Resultarle muy difícil hacer una cosa. **Sin. 3.** Mugriento. **4.** Desfavorable, adverso. **Ant. 1** y **6.** Blanco. **3.** Limpio. **4.** Prometedor.

negrura *s. f.* Cualidad del color negro. **Ant.** Blancura.

negruzco, ca *adj.* Casi negro. **Ant.** Blanquecino.

nemotecnia o **nemotécnica** *s. f.* Método que ayuda a memorizar las cosas mediante reglas, frases y juegos de palabras.

nemotécnico, ca *adj.* De la nemotecnia o relacionado con ella.

nene, na *s. m.* y *f.* Nino pequeño.

nenúfar *s. m.* Planta que flota sobre el agua, con unos rizomas o tallos largos que llegan hasta el fondo. Sus hojas son redondas y muy verdes y sus flores grandes y blancas. Se cultiva en los estanques como adorno.

neoclasicismo *s. m.* Estilo artístico que se desarrolló a mediados del siglo XVIII y que imitaba al antiguo arte griego y romano.

neoclásico, ca *adj.* y *s.* **1.** Del neoclasicismo y de los autores que cultivaron este estilo. ∥ *s. m.* **2.** Neoclasicismo.

neófito, ta *s. m.* y *f.* **1.** Persona que acaba de convertirse a una religión. **2.** Persona que es nueva en un grupo o asociación.

neolítico, ca *adj.* y *s. m.* Se dice del segundo periodo de la prehistoria y de lo relacionado con él. En el neolítico, el hombre empezó a pulimentar la piedra para hacer utensilios.

neologismo *s. m.* Palabra o expresión nueva en una lengua, como la que da nombre a un invento o descubrimiento reciente.

neón *s. m.* Elemento químico; es un gas noble y, por tanto, no reacciona químicamente. Se encuentra en la atmósfera en pequeñas cantidades y se emplea en tubos luminosos.

neoyorquino, na *adj.* y *s.* De Nueva York, ciudad de Estados Unidos.

neozelandés, sa *adj.* y *s.* De Nueva Zelanda, país de Oceanía.

nepalés, sa *adj.* y *s.* De Nepal, país de Asia.

nepotismo *s. m.* El hecho de favorecer los gobernantes a sus familiares y amigos dándoles cargos u otros privilegios.

nervadura *s. f.* **1.** Conjunto de los nervios de una hoja. **2.** Nervio de una bóveda.

nervio *s. m.* **1.** Cada una de las fibras largas y finas que nacen en el cerebro y la médula espinal y recorren todo el cuerpo; transmiten las órdenes del cerebro y las sensaciones. **2.** Tendón de la carne que está duro al cortarlo o comerlo. **3.** Cada una de las fibras largas y delgadas de las hojas de las plantas. **4.** Moldura alargada que hay en algunos techos y bóvedas. **5.** Energía, fuerza. ‖ *pl.* **6.** Nerviosismo. **Sin. 5.** Brío, empuje. **Ant. 5.** Debilidad. **6.** Tranquilidad.

nerviosismo *s. m.* Estado del que está muy nervioso. **Sin.** Nervios, desasosiego. **Ant.** Tranquilidad.

nervioso, sa *adj.* **1.** De los nervios del cuerpo o relacionado con ellos. **2.** Muy alterado, intranquilo o impaciente. **Sin. 2.** Inquieto. **Ant. 2.** Tranquilo.

nervudo, da *adj.* De nervios y tendones muy marcados: *manos nervudas.*

neto, ta *adj.* **1.** Se dice del dinero que se recibe después de descontar los impuestos u otros gastos. **2.** Se dice del peso real de un producto una vez descontado el peso del envase. **3.** Claro, preciso, bien definido. **Sin. 1.** Líquido. **1** y **2.** Limpio. **Ant. 1** y **2.** Bruto. **3.** Confuso, indefinido.

neumático, ca *adj.* **1.** Que funciona o se hincha con aire u otro gas. *salahén*

neumático. ‖ *s. m.* **2.** Parte de la rueda de algunos vehículos que rodea a la llanta; es de caucho y contiene una cámara de aire.

neumonía *s. f.* Pulmonía.

neura *s. f. fam.* Nerviosismo, manía u obsesión. **Sin.** Neurastenia.

neuralgia *s. f.* Dolor intenso que recorre un nervio del cuerpo.

neurálgico, ca *adj.* **1.** Relacionado con la neuralgia. **2.** Muy importante, vital: *centro neurálgico.* **Sin. 2.** Decisivo, esencial. **Ant. 2.** Intrascendente.

neurastenia *s. f.* Estado de la persona que está muy nerviosa, deprimida y cansada.

neurasténico, ca *adj.* **1.** De la neurastenia o relacionado con ella. ‖ *adj.* y *s.* **2.** Que sufre neurastenia.

neurocirujano, na *s. m.* y *f.* Cirujano del cerebro y el sistema nervioso.

neurología *s. f.* Parte de la medicina que se ocupa del sistema nervioso y sus enfermedades.

neurólogo, ga *s. m.* y *f.* Especialista en neurología.

neurona *s. f.* Cada una de las células que forman el sistema nervioso.

neuropatía *s. f.* Enfermedad nerviosa.

neurosis *s. f.* Trastorno nervioso grave en el que no parece existir ninguna lesión física.

neurótico, ca *adj.* **1.** De la neurosis o relacionado con ella. ‖ *adj.* y *s.* **2.** Que padece neurosis. **3.** Muy nervioso. **Sin. 3.** Histérico. **Ant. 3.** Tranquilo.

neutral *adj.* y *s.* Que en un conflicto o enfrentamiento no apoya a ninguno de los que están enfrentados. **Sin.** Neutro, imparcial. **Ant.** Partidario.

neutralidad *s. f.* Característica de neutral. **Sin.** Imparcialidad.

neutralizar *v.* Anular o disminuir una cosa o acción los efectos de otra. **Sin.** Contrarrestar. **Ant.** Potenciar.

neutro, tra *adj.* **1.** Indefinido, que no es ni una cosa ni la contraria. **2.** Neutral. **3.** En química, que no es ácido ni básico. ‖ *adj.* y *s. m.* **4.** Se dice del género gramatical que no es masculino ni femenino y de las cosas que lo tienen, como el artículo *lo* o los demostrativos *esto, eso* y *aquello.* **Sin. 1.** Indeterminado, impreciso.

neutrón *s. m.* Partícula sin carga eléctrica que se encuentra en el núcleo de los átomos.

nevada *s. f.* Acción de nevar.

nevar v. Caer nieve de las nubes. □ Es v. irreg. Se conjuga como *pensar*.

nevera s. f. 1. Frigorífico. 2. Caja portátil en la que se conservan fríos alimentos y bebidas. 3. Lugar muy frío. **Sin.** 1. Refrigerador. **Ant.** 3. Horno.

nevero s. m. Lugar de la alta montaña que durante todo el año está cubierto de nieve.

nevisca s. f. Nevada breve en la que caen copos muy pequeños.

nexo s. m. Lo que une una cosa con otra; por ejemplo, una conjunción es el nexo que une dos palabras o frases. **Sin.** Unión, enlace, vínculo.

ni conj. **1.** Une palabras o frases indicando negación: *Ni Elena ni Maite vinieron.* || adv. **2.** Sirve para dar más fuerza a una negación: *No quiero ni pensarlo.*

nicaragüense adj. y s. De Nicaragua, país de América Central.

nicho s. m. Hueco en un muro para colocar algo en él, como los que hay en los cementerios para los muertos o sus cenizas. **Sin.** Hornacina.

nicotina s. f. Sustancia tóxica que tiene el tabaco.

nidación s. f. Hecho de anidar o nidificar las aves.

nidada s. f. Conjunto de huevos o crías que se encuentran en un nido.

nidificar v. Hacer sus nidos las aves. **Sin.** Anidar.

nido s. m. **1.** Lecho o refugio que construyen las aves para poner sus huevos y criar a sus pollos. **2.** Lugar donde viven y se reproducen otros animales: *nido de ratones.* **3.** Lugar donde se reúnen o acumulan algunas personas o cosas malas: *nido de ladrones, un nido de suciedad.* **Sin.** 2 y 3. Guarida, madriguera.

niebla s. f. Nube que está tocando el suelo y que hace que se vea poco. **Sin.** Neblina, bruma.

nieto, ta s. m. y f. Lo que es una persona con relación a sus abuelos.

nieve s. f. Agua de las nubes que se hiela y cae en copos blancos. **Expr. a punto de nieve** Modo en que quedan las claras de huevo al batirlas mucho, como si fueran espuma.

nife s. m. Barisfera.

nigeriano, na adj. y s. De Nigeria o de Níger, países de África.

night-club (ingl.) s. m. Sala de fiestas nocturna.

nigromancia o **nigromancía** s. f. **1.** Prácticas que pretenden conocer el futuro invocando a los espíritus. **2.** Magia negra, brujería.

nigromante s. m. y f. Persona que practica la nigromancia.

nilón s. m. Nailon.

nimbo s. m. **1.** Círculo luminoso que rodea la cabeza de los santos. **2.** Círculo luminoso que rodea algunos astros, como el Sol y la Luna. **3.** Nimboestrato. **Sin.** 1. Aureola. 1 y 2. Halo.

nimboestrato s. m. Capa de nubes bajas, de color gris, que produce lluvia, nieve o granizo. **Sin.** Nimbo.

nimiedad s. f. Insignificancia, pequeñez, nadería.

nimio, mia adj. Insignificante, mínimo.

ninfa s. f. **1.** En las leyendas mitológicas, diosa con forma de muchacha que vivía en bosques, fuentes o ríos. **2.** Larva acuática de algunos insectos.

ningún indef. Forma abreviada de **ninguno.**

ninguno, na indef. Ni uno solo. **Sin.** Nadie. **Ant.** Alguno; todos.

ninot s. m. Figura o muñeco de una falla valenciana.

niña s. f. Pupila del ojo.

niñato, ta s. m. y f. desp. Chico tonto y presumido.

niñera s. f. Mujer que cuida niños.

niñería s. f. Acción o palabras propias de un niño. **Sin.** Chiquillada.

niñez s. f. Infancia.

niño, ña adj y s. **1.** Persona que está en la infancia o es muy joven. || s. m. y f. **2.** Hijo, sobre todo de pocos años. **Expr. como un niño con zapatos nuevos** Muy contento. **Sin.** 1. Chico. **Ant.** 1. Adulto.

nipón, na adj. y s. Japonés.

níquel s. m. Metal plateado duro y resistente a la corrosión, que se convierte con facilidad en láminas finas. Es elemento químico.

niquelar v. Cubrir con una capa de níquel otro metal.

niqui s. m. Prenda de tejido ligero, con cuello y, normalmente, manga corta.

níscalo s. m. Seta comestible con un sombrerillo anaranjado o rojo.

níspero s. m. **1.** Árbol perenne de tronco delgado que da un pequeño fruto comestible en forma de pera. **2.** Fruto de este árbol.

nitidez s. f. Característica de nítido.

nítido, da adj. 1. Transparente, limpio. 2. Preciso, claro, que se ve o se percibe bien. SIN. 1. Cristalino. ANT. 1. Opaco, turbio. 2. Confuso.

nitrato s. m. Sal del ácido nítrico con la que se fabrican muchos abonos.

nítrico, ca adj. Se dice de algunos compuestos del nitrógeno, especialmente del ácido nítrico, formado por un átomo de nitrógeno, tres de oxígeno y uno de hidrógeno.

nitrógeno s. m. Elemento químico gaseoso que reacciona muy poco y se encuentra en muchos compuestos como los nitratos y el amoniaco; forma parte del aire que respiramos.

nitroglicerina s. f. Compuesto de nitrógeno y glicerina que es muy explosivo; con él se hace la dinamita.

nivel s. m. 1. Altura o grado en que está o al que llega una persona o cosa. 2. Instrumento que sirve para comprobar si una superficie está bien horizontal o vertical. 3. Piso o planta.

nivelar v. 1. Hacer que una superficie quede horizontal o llana. 2. Poner dos o más cosas a la misma altura, grado o categoría. SIN. 1. Allanar. 1 y 2. Igualar. 2. Equilibrar. ANT. 1 y 2. Desnivelar.

níveo, a adj. Muy blanco, parecido a la nieve.

no adv. 1. Se usa para negar o rechazar. ‖ s. m. 2. Negación: *Le dieron un no por respuesta.* SIN. 1. Ca. 2. Negativa. ANT. 1 y 2. Sí

nobiliario, ria adj. De la nobleza y los nobles. SIN. Aristocrático. ANT. Plebeyo.

noble adj. y s. 1. De la nobleza. ‖ adj. 2. Generoso, leal, sincero. 3. De gran calidad, valor o categoría: *madera noble.* ‖ 4. **gas noble** Ver gas. SIN. 1. Aristócrata. 2. Franco, honesto. 3. Refinado. ANT. 1. Plebeyo. 2. Desleal.

nobleza s. f. 1. Clase social que antiguamente era la más importante; está formada por personas que tienen títulos y privilegios que las diferencian de las demás. 2. Característica de lo que es noble. SIN. 1. Aristocracia. 2. Honestidad, lealtad; distinción.

noceda o **nocedal** s. f. o s. m. Nogueral.

noche s. f. 1. Tiempo que va de la puesta a la salida del Sol, en que está todo oscuro. ‖ 2. **media noche** Las doce de la noche. 3. **noche toledana** La que se pasa sin dormir por una preocupación o por otro motivo. EXPR. **como de la no-**che al día Completamente distinto. **de la noche a la mañana** De repente. ANT. 1. Mañana; día.

nochebuena s. f. Noche del 24 de diciembre, en que se celebra el nacimiento de Cristo.

nochevieja s. f. Última noche del año.

noción s. f. 1. Idea o conocimiento sobre alguna cosa. 2. Conocimiento básico, elemental. SIN. 2. Fundamento, rudimento.

nocivo, va adj. Que causa daño o perjuicio. SIN. Perjudicial, dañino. ANT. Beneficioso.

noctámbulo, la adj. y s. 1. Persona a la que le gusta salir y divertirse de noche. ‖ adj. 2. Se dice de los animales nocturnos y de sus costumbres.

nocturnidad s. f. Hecho de ser de noche; cuando se aprovecha esta circunstancia para cometer un delito, éste se considera más grave.

nocturno, na adj. 1. De la noche o que ocurre durante la noche. 2. Se dice de los animales que desarrollan su actividad durante la noche y de las plantas que abren sus flores sólo de noche. SIN. 2. Noctámbulo. ANT. 1 y 2. Diurno.

nodriza s. f. 1. Ama de cría. 2. Vehículo que suministra combustible a otros: *avión nodriza.*

nódulo s. m. Abultamiento o masa redondeada que se forma en una materia.

nogal s. m. Árbol grande con la corteza lisa y de color gris y hojas caducas de color verde brillante. Su fruto es la nuez y su madera se usa para hacer muebles.

nogueral s. m. Lugar poblado de nogales. SIN. Noceda, nocedal.

nómada adj. y s. Que va de un lugar a otro, sin vivir en un lugar fijo.

nomadismo s. m. Forma de vida de los pueblos nómadas.

nombradía s. f. Fama, renombre.

nombramiento s. m. Hecho de nombrar a alguien para un cargo, un empleo, un título. SIN. Designación.

nombrar v. 1. Decir el nombre de una persona o cosa o hablar de ella. 2. Elegir o señalar a alguien para un cargo, empleo, título. SIN. 1. Denominar, citar, mencionar. 2. Designar, proclamar.

nombre s. m. 1. Palabra o palabras que se dan a personas, animales o cosas para conocerlos, distinguirlos y llamarlos. 2. El nombre de pila y apellidos de una persona. **3.** Sustantivo. ‖ **4. nombre de pila** El nombre que va delante de los apellidos y se le da a una persona cuando es bautizada. **EXPR. en nombre de** alguien En representación de esa persona. **SIN. 1.** Denominación.

nomenclatura *s. f.* Conjunto de las palabras empleadas en una ciencia o en una materia.

nomeolvides *s. m.* Planta con flores de color azul que es utilizada en jardinería y como adorno.

nómina *s. f.* **1.** Lista de nombres, sobre todo de las personas que trabajan de forma fija en una empresa o en otro lugar. **2.** Sueldo que recibe cada una de ellas.

nominación *s. f.* Acción de nominar. **SIN.** Designación.

nominal *adj.* **1.** Del nombre o sustantivo, o relacionado con él: *sintagma nominal.* **2.** Que es o existe solamente de nombre, pero no de forma real: *un cargo nominal.*

nominar *v.* Proponer a alguien para algo, sobre todo para un premio.

nominativo, va *adj.* Que lleva el nombre de la persona a la que pertenece o a la que se le paga: *un cheque nominativo.*

non *adj.* y *s. m.* **1.** Se dice del número impar. ‖ **2. nones** *fam.* Se usa para decir que no. **ANT. 1.** Par.

nonagenario, ria *adj.* y *s.* Persona que tiene entre noventa y cien años.

nonagésimo, ma *num.* **1.** Que ocupa por orden el número noventa. ‖ *num.* y *s. m.* **2.** Se dice de cada una de las noventa partes en que se divide algo.

nono, na *num.* Noveno.

nopal *s. m.* Chumbera.

noquear *v.* En boxeo, dejar fuera de combate al contrario.

nordeste o **noreste** *s. m.* Punto del horizonte situado entre el norte y el este, a igual distancia de los dos. **ANT.** Sudeste.

nórdico, ca *adj.* y *s.* De los países del norte de Europa, sobre todo los escandinavos. **SIN.** Septentrional.

noria *s. f.* **1.** Máquina para sacar agua de un pozo o un río, en forma de rueda y con unos cubos, llamados *cangilones,* que recogen el agua y la llevan hacia arriba. **2.** Gran rueda que hay en ferias y parques de atracciones; gira verticalmente y tiene compartimentos con asientos para la gente.

norma *s. f.* Lo que hay que cumplir por estar ordenado o porque es lo correcto. **SIN.** Precepto, ley, orden.

normal *adj.* **1.** Parecido a la mayoría, como los demás. **2.** Frecuente, habitual. **3.** Natural, que no resulta extraño. **SIN. 1** y **2.** Ordinario, corriente. **ANT. 1** a **3.** Anormal.

normalidad *s. f.* Característica de normal o situación normal.

normalizar *v.* Hacer que una cosa sea normal.

normalmente *adv.* **1.** De manera normal. **2.** Frecuentemente.

normando, da *adj.* y *s.* **1.** De Normandía, región del noroeste de Francia. **2.** Vikingo.

normativa *s. f.* Conjunto de normas. **SIN.** Reglamento.

normativo, va *adj.* Relacionado con las normas o que sirve de norma.

noroeste *s. m.* Punto del horizonte entre el norte y el oeste, a igual distancia de los dos. **ANT.** Suroeste.

norte *s. m.* **1.** Uno de los cuatro puntos cardinales, que está en la dirección del polo ártico. ‖ **2. norte magnético** Dirección a la que apunta la aguja de una brújula y que es la misma del polo ártico. **SIN. 1.** Septentrión. **ANT. 1.** Sur.

norteafricano, na *adj.* y *s.* Del norte de África.

norteamericano, na *adj.* y *s.* **1.** De América del Norte. **2.** Estadounidense.

norteño, ña *adj.* y *s.* Del norte. **ANT.** Sureño.

noruego, ga *adj.* y *s.* **1.** De Noruega, país de Europa. ‖ *s. m.* **2.** Idioma de este país.

nos *pron. pers.* Indica la primera persona del plural y funciona como complemento directo: *Felipe nos conoció en Santander;* complemento indirecto: *Tu madre nos dio un recado;* se usa también para formar los verbos pronominales: *Nos arrepentimos;* sirve para dar expresividad: *Nos tomamos un refresco.*

nosotros, tras *pron. pers. m.* y *f.* Indica la primera persona del plural. Funciona como sujeto: *Nosotros lo haremos;* o como complemento, detrás de una preposición: *a nosotros, con nosotros, para nosotros.*

nostalgia *s. f.* Tristeza que uno siente cuando está lejos de su hogar, de sus familiares o amigos, o cuando recuerda algo querido que ya no existe. **SIN.** Añoranza, melancolía. **ANT.** Alegría.

nostálgico, ca *adj.* y *s.* Que tiene nostalgia o la produce. **Sin.** Melancólico. **Ant.** Alegre.

nota *s. f.* **1.** Escrito breve para recordar o avisar algo, dar una información o explicación, o con otro fin. **2.** Cuenta o factura en que se dice lo que hay que pagar. **3.** Calificación obtenida en un examen, trabajo, curso. **4.** Cada uno de los siete sonidos de la escala musical. **5.** Detalle o aspecto. **Sin. 1.** Aviso, aclaración.

notable *adj.* **1.** Que destaca entre los demás. **2.** Grande, importante. || *s. m.* **3.** Nota que equivale a un siete o un ocho en una puntuación del cero al diez. **Sin. 1.** Destacado, señalado. **1** y **2.** Relevante. **2.** Considerable. **Ant. 1.** Mediocre. **2.** Insignificante.

notación *s. f.* Conjunto de signos, como los usados en música o en una ciencia.

notar *v.* **1.** Sentir o darse cuenta de algo. || **notarse 2.** Verse algo o ser evidente. **Expr. hacerse notar** Llamar la atención. **Sin. 1.** Experimentar; advertir. **1** y **2.** Percibir(se), apreciar(se).

notaría *s. f.* **1.** Despacho del notario. **2.** Profesión de notario.

notarial *adj.* Relacionado con el notario, hecho o autorizado por él.

notario *s. m.* Funcionario que con su firma asegura que es cierto o auténtico lo que se indica en un documento o escrito. **Sin.** Escribano.

noticia *s. f.* **1.** Cosa que se hace saber a alguien. **2.** Información que dan los periódicos, la radio o la televisión. **Sin. 1.** Novedad, notificación. **2.** Informativo.

noticiario o **noticiero** *s. m.* Conjunto de noticias de actualidad que se transmiten por los medios de comunicación, sobre todo radio y televisión. **Sin.** Informativo.

notición *s. m. fam.* Noticia de gran interés o muy buena para alguien.

notificación *s. f.* Acción de notificar y escrito en que se notifica algo.

notificar *v.* Hacer saber algo a alguien, sobre todo lo que ha decidido una autoridad. **Sin.** Comunicar, informar.

notoriedad *s. f.* Fama, renombre.

notorio, ria *adj.* **1.** Evidente, claro. **2.** Famoso, célebre. **Sin. 1.** Manifiesto, patente. **Ant. 2.** Desconocido.

nova *s. f.* Etapa de la evolución de una estrella, en la que desprende gran cantidad de energía y aumenta mucho su brillo.

novatada *s. f.* Broma que gastan los más antiguos a los nuevos en un lugar o actividad. **Expr. pagar la novatada** Tener un error o contratiempo por falta de experiencia.

novato, ta *adj.* y *s.* **1.** Nuevo en un grupo o en un sitio. **2.** Que no tiene experiencia. **Sin. 2.** Principiante, novel. **Ant. 1** y **2.** Veterano. **2.** Experto.

novecientos, tas *num.* **1.** Nueve veces cien. **2.** Que ocupa por orden este número.

novedad *s. f.* **1.** Característica de nuevo. **2.** Cosa nueva, que acaba de producirse o aparecer. **3.** Cambio, variación. **Sin. 1** y **2.** Innovación. **3.** Modificación, transformación. **Ant. 1.** Antigüedad.

novedoso, sa *adj.* Nuevo, que acaba de producirse o aparecer.

novel *adj.* Que acaba de comenzar en una actividad o profesión: *un autor novel.* **Sin.** Principiante. **Ant.** Veterano.

novela *s. f.* **1.** Obra literaria escrita en prosa en la que se cuenta una historia, generalmente larga. || **2. novela rosa** La que cuenta una historia amorosa, que suele tener un final feliz.

novelar *v.* **1.** Escribir novelas. **2.** Dar forma de novela a una historia.

novelesco, ca *adj.* Propio de las novelas.

novelista *s. m.* y *f.* Escritor de novelas.

novelístico, ca *adj.* De la novela o relacionado con ella.

novena *s. f.* Oraciones y devociones que se hacen durante nueve días.

noveno, na *num.* **1.** Que ocupa por orden el número nueve. || *num.* y *s. m.* **2.** Noventavo.

noventa *num.* **1.** Nueve veces diez. **2.** Que ocupa por orden este número.

noventavo, va *num.* y *s. m.* Se dice de cada una de las noventa partes iguales en que se divide una cosa.

noviazgo *s. m.* Relación que existe entre los novios.

noviciado *s. m.* **1.** Prueba y preparación de las personas que quieren entrar en una orden religiosa y que acaba cuando hacen los votos. **2.** Casa en que viven los novicios.

novicio, cia *s. m.* y *f.* Persona que se prepara para entrar en una orden religiosa.

noviembre *s. m.* El mes número once del año, de 30 días.

novillada *s. f.* **1.** Corrida de novillos. **2.** Conjunto de novillos.

novillero, ra *s. m.* y *f.* Persona que torea novillos.

novillo, lla *s. m.* y *f.* Toro o vaca de dos a tres años. **Expr. hacer novillos** Faltar un estudiante a clase.

novilunio *s. m.* Fase de Luna nueva. Ver **luna**.

novio, via *s. m.* y *f.* **1.** Persona que sale con otra porque la quiere y desea casarse con ella. **2.** Persona que va a casarse o acaba de hacerlo.

nubarrón *s. m.* Nube grande y oscura.

nube *s. f.* **1.** Gotitas de agua que forman en la atmósfera una masa de color blanco o gris. **2.** Humo, polvo u otra cosa de aspecto parecido a una nube. **3.** Manchita blanquecina que se forma en el ojo en la capa exterior de la córnea y que impide o estorba la visión. **Expr. estar en las nubes** Estar muy distraído. **poner por las nubes** a una persona Elogiarla, hablar muy bien de ella. **por las nubes** Muy caro.

núbil *adj.* Se dice de la edad en la que ya se puede tener hijos y de la persona que está en esa edad.

nublado, da 1. *p.* de **nublarse.** También *adj.* ǁ *s. m.* **2.** Nube que anuncia tormenta. **3.** Tormenta muy fuerte. **Sin. 1.** Nuboso. **2.** Nubarrón. **Ant. 1.** Despejado.

nublarse *v.* Cubrirse de nubes el cielo. **Expr. nublarse la vista** No ver bien, ver borroso. **Sin.** Encapotarse. **Ant.** Despejar.

nubosidad *s. f.* Hecho de estar nuboso.

nuboso, sa *adj.* Con muchas nubes. **Sin.** Nublado. **Ant.** Despejado.

nuca *s. f.* Parte del cuerpo donde se une la columna vertebral con la cabeza.

nuclear *adj.* Relacionado con el núcleo, sobre todo con el núcleo de los átomos y la energía que se produce cuando se modifican estos núcleos. **Sin.** Atómico.

núcleo *s. m.* **1.** Parte central o fundamental de algo. **2.** Parte principal de las células, donde están los cromosomas. **3.** Parte central del átomo, formada por protones y neutrones. **4.** Capa más profunda de la esfera terrestre. **5.** Palabra o palabras más importantes de un sintagma. ǁ **6. núcleo de población** Grupo de viviendas, lugar donde viven personas. **Sin. 1.** Centro; meollo.

nudillo *s. m.* Parte exterior de las articulaciones de los dedos de la mano.

nudismo *s. m.* Práctica que consiste en estar desnudo en contacto con la naturaleza.

nudista *adj.* y *s.* **1.** Que practica el nudismo. ǁ *adj.* **2.** Se dice de la playa o de otro lugar en que se practica el nudismo.

nudo *s. m.* **1.** Lazo que se aprieta al tirar de los extremos. **2.** Fuerte unión. **3.** Parte abultada del tronco o tallo de un árbol o planta, de donde salen las ramas o las hojas. **4.** Lugar donde se unen o cruzan varias carreteras, caminos, cordilleras. **5.** Momento en el que se desarrolla la acción en obras de teatro, películas, novelas. **6.** Unidad con que se mide la velocidad de los barcos. **Expr. tener un nudo en la garganta** No poder hablar por la emoción, el miedo, la impresión. **Sin. 1.** Lazada. **2.** Atadura, vínculo.

nudoso, sa *adj.* Que tiene nudos.

nuera *s. f.* Para una persona, la mujer de su hijo.

nuestro, tra *pos.* Que nos pertenece a nosotros, tiene relación con nosotros o es propio de nosotros: *nuestra casa, nuestros familiares, nuestras costumbres.*

nueva *s. f.* Noticia reciente.

nuevamente *adv.* De nuevo, otra vez.

nueve *num.* **1.** Ocho más uno. **2.** Noveno.

nuevo, va *adj.* **1.** Que acaba de hacerse, de aparecer o de comprarse. **2.** Otro, distinto del anterior. **3.** Que todavía está en buenas condiciones. **4.** Descansado: *quedarse como nuevo.* ǁ *adj.* y *s.* **5.** Que acaba de llegar a un lugar o de entrar en un grupo. **Expr. de nuevo** Otra vez. **Sin. 1.** Reciente, actual. **3.** Impecable. **5.** Novato. **Ant. 1** a **3** y **5.** Viejo. **1** y **5.** Antiguo.

nuez *s. f.* **1.** Fruto del nogal, que tiene una cáscara dura y una semilla comestible dentro. **2.** Bulto que forma la laringe en el cuello. ǁ **3. nuez moscada** Semilla de un árbol tropical, que se usa como condimento.

nulidad *s. f.* **1.** Característica de lo que es nulo y no vale. **2.** Persona muy torpe.

nulo, la *adj.* **1.** Que no vale. **2.** Que no es eficaz para aquello que se desea. **3.** Se dice de la persona muy torpe en una actividad. **Sin. 1.** Invalidado. **2.** Ineficaz. **2** y **3.** Inútil. **Ant. 1.** Válido. **3.** Apto.

numantino, na *adj.* y *s.* **1.** De Numancia, antigua ciudad de España que resistió durante años el ataque de los romanos. ǁ *adj.* **2.** Muy firme y valiente, como los habitantes de Numancia.

numen *s. m.* **1.** Cualquiera de los dioses y espíritus en los que creían los antiguos romanos. **2.** Inspiración de un artista.

numeración *s. f.* **1.** Acción de numerar. **2.** Símbolos y reglas para expresar cualquier cantidad. ‖ **3. numeración arábiga** La que utiliza los números que los árabes trajeron a Europa: 0, 1, 2, 3, 4, 5, 6, 7, 8, 9. **4. numeración romana** La que usa siete letras del alfabeto latino: I (uno), V (cinco), X (diez), L (cincuenta), C (cien), D (quinientos), M (mil).

numerador *s. m.* Número que indica las partes iguales de un todo que se van a dividir por otro, llamado *denominador*.

numeral *adj.* Se dice del adjetivo o del pronombre que expresa número. Puede ser de cantidad (*uno*), de orden (*tercero*) o de partición (*la quinta parte*).

numerar *v.* Poner un número a cada elemento de un conjunto para que quede ordenado.

numerario, ria *adj.* Se dice de la persona que pertenece de forma fija a un grupo, asociación, organización.

numérico, ca *adj.* Relacionado con los números o que está hecho con ellos.

número *s. m.* **1.** Símbolo que expresa la cantidad. **2.** Cierta cantidad de personas, animales o cosas. **3.** Revista o periódico publicado en una fecha concreta. **4.** Categoría gramatical que indica si una palabra está en singular o plural. **5.** Parte de un espectáculo variado. **6.** Billete de lotería o de otro juego de azar. **7.** *fam.* Acción que provoca asombro o escándalo: *montar el número*. **Sin. 1.** Cifra, guarismo.

numeroso, sa *adj.* Muchos o que está formado por gran cantidad de personas o cosas. **Sin.** Abundante, cuantioso. **Ant.** Escaso.

numismática *s. f.* Conocimientos sobre monedas y medallas, especialmente si son las antiguas, y afición a coleccionarlas.

numismático, ca *adj.* y *s.* De la numismática o que se dedica a ella.

nunca *adv.* En ningún momento. **Sin.** Jamás. **Ant.** Siempre.

nunciatura *s. f.* Cargo del nuncio y edificio o lugar donde reside y trabaja.

nuncio *s. m.* Embajador del papa en cada país.

nupcial *adj.* De las nupcias o bodas, o relacionado con ellas.

nupcias *s. f. pl.* Boda, matrimonio. **Sin.** Esponsales.

nurse (ingl.) *s. f.* Niñera.

nutria *s. f.* Animal mamífero de cola larga, patas cortas con los dedos unidos por una membrana y piel de pelo espeso pardo rojizo. Vive en las orillas de los ríos, es una gran nadadora y se alimenta de peces y crustáceos.

nutrición *s. f.* Acción de nutrir a los seres vivos o nutrirse ellos. **Sin.** Alimentación, sustento.

nutrido, da **1.** *p.* de **nutrir.** También *adj.* ‖ *adj.* **2.** Numeroso. **Sin. 2.** Abundante, cuantioso. **Ant. 2.** Escaso.

nutrir *v.* **1.** Dar a los seres vivos, o tomar ellos, los alimentos que les proporcionan las sustancias y energía necesarias para vivir. **2.** Dar a algo lo que necesita para mantenerse y que no se agote. **Sin. 1** y **2.** Alimentar, sustentar. **Ant. 2.** Debilitar.

nutritivo, va *adj.* Se dice de los alimentos y sustancias que nutren.

nylon (ingl.) *s. m.* Nailon.

ñ *s. f.* Letra número quince del abecedario.

ñame *s. m.* Planta trepadora de los países tropicales; su rizoma es un importante alimento para los habitantes de esa zona.

ñandú *s. m.* Ave parecida al avestruz, pero más pequeña y con tres dedos en cada pie. Vive en América del Sur.

ñoñería o **ñoñez** *s. f.* **1.** Característica de ñoño. **2.** Cosa o acción ñoña. **SIN.** 1 y 2. Remilgo, gazmoñería.

ñoño, ña *adj.* y *s.* Cursi o demasiado delicado. **SIN.** Remilgado, gazmoño.

ñu *s. m.* Mamífero herbívoro de color pardo, cabeza grande, cuernos curvos y una crin abundante. Vive en las llanuras de África.

o[1] *s. f.* Letra número dieciséis del abecedario.

o[2] *conj.* **1.** Sirve para presentar dos posibilidades de las cuales hay que elegir una: *¿Vienes o te quedas?* **2.** Une dos o más cosas haciéndolas equivalentes: *Esta cola pega madera o metal.* **3.** Se usa para expresar una cantidad aproximada: *Había 25 o 30 personas.*

oasis *s. m.* Lugar con agua y vegetación en medio del desierto.

obcecación *s. f.* Hecho de estar obcecado.

obcecado, da *p.* de obcecarse. También *adj.*

obcecarse *v.* Tener alguien una idea fija, aunque esté equivocado. **SIN.** Obstinarse, ofuscarse.

obedecer *v.* **1.** Hacer alguien lo que le mandan o lo que dicen las normas o leyes. **2.** Responder una cosa a la acción de algo. **3.** Ser consecuencia de algo. □ Es v. irreg. Se conjuga como *agradecer*. **SIN.** 1. Cumplir, observar, acatar. 2. Funcionar. 3. Provenir. **ANT.** 1. Desobedecer.

obediencia *s. f.* Acción de obedecer y característica del que es obediente. **SIN.** Cumplimiento, observancia, acatamiento. **ANT.** Desobediencia.

obediente *adj.* Que obedece a lo que se le manda. **SIN.** Sumiso, dócil. **ANT.** Desobediente.

obelisco *s. m.* Columna acabada en punta que se coloca en algún lugar en recuerdo de un hecho importante.

obenque *s. m.* Cuerda con que se sujetan los extremos de los mástiles de un barco o a los costados de éste o a la cofa.

obertura *s. f.* Comienzo de algunas obras musicales, sobre todo de las óperas, en que sólo intervienen instrumentos.

obesidad *s. f.* Gordura excesiva de una persona.

obeso, sa *adj.* y *s.* Persona muy gorda. **SIN.** Grueso, rollizo. **ANT.** Delgado.

óbice Se usa en la expresión **no ser óbice**, 'no ser obstáculo', 'no impedir': *Es muy travieso, pero esto no es óbice para que saque buenas notas.*

obispado *s. m.* **1.** Cargo del obispo. **2.** Territorio que depende de un obispo. **3.** Edificio donde el obispo realiza su trabajo. **SIN. 1** y **3.** Episcopado. **2.** Diócesis.

obispo *s. m.* Sacerdote que tiene el más alto grado dentro de la Iglesia.

óbito *s. m.* Muerte de una persona. **SIN.** Fallecimiento, defunción.

objeción *s. f.* **1.** Dificultad o problema que se plantea en contra de una idea, plan, propuesta. || **2. objeción de conciencia** El negarse alguien a cumplir una ley o una obligación contraria a sus ideas, como el servicio militar. **SIN. 1.** Reparo, inconveniente.

objetar *v.* Decir una cosa en contra de algo. **SIN.** Oponer. **ANT.** Aceptar.

objetividad *s. f.* Característica de las personas o cosas objetivas.

objetivo, va *adj.* **1.** Se dice de quien no se deja llevar por sus propios intereses o sentimientos y ve las cosas como son. || *s. m.* **2.** Finalidad, propósito. **3.** Punto al que va dirigida alguna cosa. **4.** Lente o lentes de las cámaras y de otros aparatos parecidos que se encuentran más cerca del objeto que se quiere fotografiar o mirar. **SIN. 1.** Imparcial. **2.** Fin, intención. **3.** Blanco, diana. **ANT. 1.** Subjetivo.

objeto *s. m.* **1.** Cosa, sobre todo si es material. **2.** Persona o cosa a la que se dirige una acción, un pensamiento, una ciencia. **3.** Finalidad, propósito. **4.** En gramática, complemento directo o indirecto. **SIN. 2.** Materia. **3.** Objetivo, fin.

objetor, ra *s. m.* y *f.* Persona que hace objeción de conciencia.

oblea *s. f.* Hoja muy fina de pan sin levadura, como la capa blanca que ponen en el turrón duro, o las hostias con las que se comulga.

oblicuo, cua *adj.* Inclinado, en una posición intermedia entre paralela y perpendicular. **SIN.** Transversal.

obligación *s. f.* Lo que alguien tiene que hacer o cumplir. **SIN.** Deber, compromiso.

obligado, da 1. *p.* de **obligar**. También *adj.* || *adj.* **2.** Necesario, conveniente.

obligar *v.* Hacer que una persona realice o cumpla algo sin que pueda negarse. **SIN.** Forzar, presionar.

obligatoriedad *s. f.* Característica de lo que es obligatorio.

obligatorio, ria *adj.* Que hay que hacerlo. **SIN.** Obligado, necesario.

oblongo, ga *adj.* Ovalado.

obnubilar *v.* **1.** Impedir algo a una persona pensar con claridad. **2.** Dejar fascinado. **SIN. 1.** Ofuscar. **2.** Embelesar.

oboe *s. m.* Instrumento musical de viento hecho de madera.

óbolo *s. m.* Donativo o limosna.

obra *s. f.* **1.** Lo que alguien ha hecho o es resultado de una actividad. **2.** Edificio o construcción que se está levantando. **3.** Arreglos o cambios en un edificio, calle, casa. **SIN. 1.** Creación, producto.

obrador *s. m.* Taller: *un obrador de modista.*

obrar *v.* **1.** Realizar una acción o comportarse de una manera. **2.** Hacer caca. **SIN. 1.** Actuar. **2.** Defecar.

obrero, ra *s. m.* y *f.* **1.** Trabajador de poca categoría profesional, sobre todo el que trabaja con las manos. || *adj.* **2.** Relacionado con estos trabajadores. || *adj.* y *s. f.* **3.** En los insectos que viven en colonias, como abejas y hormigas, se dice de las que se encargan de alimentar a la colonia y cuidar de ella. **SIN. 1.** Operario. **1** y **2.** Proletario.

obscenidad *s. f.* Característica de obsceno o cosa obscena. **SIN.** Indecencia, inmoralidad. **ANT.** Decencia.

obsceno, na *adj.* y *s.* En las cosas relacionadas con el sexo, inmoral, grosero. **SIN.** Indecente. **ANT.** Decente.

obsequiar *v.* Hacer o dar cosas a alguien para agradarle, sobre todo regalos. **SIN.** Regalar, agasajar.

obsequio *s. m.* Regalo.

obsequioso, sa *adj.* Que intenta agradar a los demás con atenciones y regalos, a veces excesivamente.

observación *s. f.* **1.** Acción de observar. **2.** Comentario o indicación. **SIN. 2.** Nota.

observador, ra *s. m.* y *f.* **1.** Que observa. || *adj.* **2.** Persona que se fija mucho en las cosas y se da cuenta de lo que pasa a su alrededor.

observancia *s. f.* El hecho de observar o cumplir normas, leyes, reglas.

observar *v.* **1.** Mirar o examinar atentamente. **2.** Darse cuenta de algo. **3.** Cum-

plir, obedecer: *observar las normas.*
Sin. 1 y 2. Fijarse. 2. Notar, advertir.

observatorio *s. m.* Sitio desde donde
se observa algo; sobre todo, lugar con
los aparatos necesarios para observar
el cielo y las estrellas.

obsesión *s. f.* Idea, deseo o preocupación que uno no puede quitarse de la
cabeza. Sin. Manía.

obsesionar *v.* Producir una obsesión.
Sin. Preocupar.

obsesivo, va *adj.* 1. Que obsesiona.
2. Que suele obsesionarse mucho.

obseso, sa *adj. y s.* Que sólo piensa en
una cosa, sobre todo en el sexo.

obsidiana *s. f.* Roca volcánica dura, de
poco peso y de color negro brillante o
verdoso.

obsoleto, ta *adj.* Anticuado, pasado
de moda.

obstaculizar *v.* Poner obstáculos. Sin.
Estorbar, dificultar. Ant. Facilitar.

obstáculo *s. m.* 1. Cosa que está en
medio y no deja pasar. 2. Lo que impide o estorba algo. Sin. 1 y 2. Estorbo. 2.
Impedimento, traba. Ant. 2. Facilidad.

obstante Se emplea en la expresión
no obstante, 'sin que lo dicho sea un
obstáculo': *No estaba de acuerdo, no
obstante nos apoyó.*

obstar *v.* Ser un obstáculo o inconveniente: *Estás muy ocupado, pero eso
no obsta para que llames alguna vez.*

obstetricia *s. f.* Parte de la medicina
que se ocupa del embarazo, el parto y
el tiempo que sigue inmediatamente a
éste.

obstinación *s. f.* Característica de obstinado. Sin. Terquedad, cabezonería.

obstinado, da *adj. y s.* Cabezota, terco. Sin. Tozudo, testarudo.

obstinarse *v.* Pensar alguien una cosa
o querer algo a toda costa, aun-
que no tenga razón.

obstrucción *s. f.* Acción de obstruir o
de obstruirse. Sin. Atasco.

obstruir *v.* 1. No dejar paso por un
conducto o camino. 2. Impedir o hacer
más difícil algo. □ Es v. irreg. Se conjuga como *huir.* Sin. 1. Atascar, taponar.
2. Obstaculizar, dificultar. Ant. 1. Desatascar. 2. Facilitar.

obtención *s. f.* Acción de obtener. Sin.
Consecución, logro.

obtener *v.* 1. Llegar a tener alguna cosa. 2. Sacar un material o producto de
otro. □ Es v. irreg. Se conjuga como *tener.* Sin. 1. Conseguir, lograr. 2. Extraer.

obturador *s. m.* Pieza de la máquina
fotográfica que se abre y se cierra para
regular la entrada de luz a través del
objetivo.

obturar *v.* Obstruir, cerrar, taponar.

obtusángulo *adj.* Se dice del triángulo que tiene un ángulo mayor de
90 grados.

obtuso, sa *adj.* 1. Se dice de los ángulos de más de 90 grados y menos de
180. 2. Torpe, que no comprende las
cosas. Sin. 2. Lerdo. Ant. 2. Inteligente.

obús *s. m.* 1. Tipo de cañón de alcance
medio. 2. El proyectil que dispara este
cañón.

obviar *v.* 1. Evitar obstáculos o inconvenientes. 2. No decir una cosa por
considerar que ya se sabe o que es
evidente. Sin. 1. Eludir. 2. Omitir.

obvio, via *adj.* Claro, evidente. Sin.
Manifiesto, patente. Ant. Confuso.

oca *s. f.* 1. Ave parecida al pato, pero
más grande. 2. Juego de mesa en el
que se hace avanzar una ficha sobre un
tablero con casillas, según los números
que salen en los dados.

ocapi *s. m.* Okapi.

ocarina *s. f.* Flauta de forma redondeada hecha de barro o metal.

ocasión *s. f.* 1. Momento en que se hace u ocurre algo. 2. Momento bueno
para algo. Expr. **con ocasión de** Con
motivo de. **de ocasión** Muy barato, sobre todo si ya está usado: *coches de
ocasión.* Sin. 2. Oportunidad.

ocasional *adj.* 1. Que ocurre por casualidad. 2. Que ocurre de vez en cuando,
que no es continuo. Sin. 1. Casual, fortuito. 2. Esporádico. Ant. 1. Provocado.
2. Constante.

ocasionar *v.* Causar, provocar. Sin.
Producir, originar. Ant. Impedir.

ocaso *s. m.* 1. Desaparición detrás del
horizonte del Sol u otro astro. 2. Decadencia. Sin. 1. Atardecer, anochecer.
1 y 2. Crepúsculo. 2. Caída, declive.
Ant. 1. Amanecer. 2. Auge.

occidental *adj.* 1. Que está en el occi-
dente u oeste. || *adj. y s.* 2. De los paí-
ses de Occidente. Ant. 1 y 2. Oriental.

occidente *s. m.* 1. Oeste, punto cardinal. 2. Escrito con mayúscula, los países del oeste de Europa, los Estados
Unidos y otras naciones con una forma
de vida parecida. Sin. 1. Poniente. Ant.
1. Este. 1 y 2. Oriente.

occipital *adj.* 1. De la nuca. || *adj. y s. m.*
2. Se dice del hueso que está por de-
trás en la parte de abajo del cráneo.

occipucio *s. m.* Nuca.

oceánico, ca *adj.* **1.** Del océano o relacionado con él. **2.** Tipo de clima en que la influencia del mar suaviza los inviernos y refresca los veranos.

océano *s. m.* Cada una de las cinco partes en que se divide la masa de agua que cubre la Tierra: el Atlántico, el Antártico, el Ártico, el Índico y el Pacífico.

oceanografía *s. f.* Ciencia que estudia los mares y sus animales y plantas.

oceanógrafo, fa *s. m. y f.* Persona que se dedica a la oceanografía.

ocelo *s. m.* **1.** Ojo simple de los artrópodos. **2.** Mancha redondeada y de dos colores que tienen algunos animales.

ocelote *s. m.* Mamífero felino de pelaje de color ocre claro con manchas oscuras y cola larga. Vive en las selvas de América Central y del Sur.

ochenta *num.* **1.** Ocho veces diez. **2.** Que sigue por orden al setenta y nueve.

ocho *num.* **1.** Siete más uno. **2.** Octavo.

ochocientos, tas *num.* **1.** Ocho veces cien. **2.** Que sigue por orden al setecientos noventa y nueve.

ocio *s. m.* Tiempo libre, cuando no hay que trabajar. SIN. Descanso.

ociosidad *s. f.* El hecho de estar ocioso, sin trabajar.

ocioso, sa *adj. y s.* **1.** Que está sin trabajar. || *adj.* **2.** Innecesario, inútil. SIN. **1.** Desocupado, libre. ANT. **1.** Ocupado. **2.** Necesario, útil.

ocluir *v.* Obstruir o cerrar un orificio o conducto del cuerpo, de forma que no se pueda abrir normalmente. ▢ Es v. irreg. Se conjuga como *huir*.

odontología *s. f.* Parte de la medicina que trata de las enfermedades y defectos de la dentadura.

odontólogo, ga *s. m. y f.* Dentista.

odorífero, ra u **odorífico, ca** *adj.* Que produce olor, sobre todo si es agradable. SIN. Oloroso, aromático. ANT. Inodoro.

odre *s. m.* Recipiente hecho con la piel de un animal, en que se echa aceite, vino u otro líquido.

oeste *s. m.* **1.** El punto cardinal por donde se pone el Sol. **2.** Zona de los Estados Unidos entre los montes Apalaches y el océano Pacífico, cuya colonización en el siglo XIX es el tema de muchas películas y novelas. SIN. **1.** Poniente, occidente. ANT. **1.** Este.

ofender *v.* Molestar mucho a alguien faltándole al respeto o haciendo que se sienta humillado o despreciado. SIN. Herir, insultar. ANT. Alabar.

ofensa *s. f.* Acción o palabras que ofenden. SIN. Insulto, injuria. ANT. Alabanza.

ofensiva *s. f.* Ataque. SIN. Agresión. ANT. Defensiva.

ofensivo, va *adj.* **1.** Que ofende. **2.** Que sirve para atacar: *armas ofensivas.* SIN. **1.** Insultante. ANT. **2.** Defensivo.

oferta *s. f.* **1.** Lo que se ofrece a una persona. **2.** Poner a la venta algo a un precio más bajo. **3.** Cantidad de cosas que se ponen a la venta. SIN. **1.** Proposición. **2.** Ocasión, ganga.

ofertar *v.* Ofrecer en venta, sobre todo a un precio más bajo.

ofertorio *s. m.* Parte de la misa en la que el sacerdote ofrece a Dios el pan y el vino, y oración que reza antes de este momento.

office (fr.) *s. m.* Lugar o cuarto al lado de la cocina que se usa sobre todo para comer en él.

offset *s. m.* **1.** Procedimiento para imprimir en el que el texto o la imagen se imprime sobre un rodillo de caucho y éste sobre el papel. **2.** Máquina que emplea este procedimiento.

oficial *adj.* **1.** Del Estado o de otra autoridad, hecho o aprobado por ellos: *organismo oficial, nombramiento oficial.* **2.** Se dice del alumno que tiene que asistir a clase para poder examinarse. || *s. m. y f.* **3.** Categoría militar formada por los grados de alférez, teniente y capitán. **4.** Funcionario con una categoría entre la de auxiliar y la de jefe: *oficial administrativo.* SIN. **1.** Público. ANT. **1.** Privado.

oficial, la *s. m. y f.* En algunos oficios, persona que todavía no tiene el grado de maestro.

oficialidad *s. f.* **1.** Característica de lo que es oficial. **2.** Conjunto de los oficiales de un ejército o parte de él.

oficiar *v.* Celebrar el sacerdote la misa.

oficina *s. f.* Lugar de trabajo donde se realizan tareas comerciales, económicas, jurídicas o de otro tipo.

oficinista *s. m. y f.* Persona que trabaja en una oficina.

oficio *s. m.* **1.** Trabajo que se hace con las manos y con herramientas, para el que no hacen falta estudios superiores. **2.** Cualquier profesión. **3.** Escrito que manda una autoridad o un organismo a otro. **4.** Misa u otra celebración religiosa.

oficioso, sa *adj.* Se dice de las informaciones que proceden de una autoridad, pero no son oficiales.

ofidio *adj.* y *s. m.* Nombre científico del grupo de reptiles al que pertenecen las serpientes.

ofimática *s. f.* Ordenadores y material informático para oficinas.

ofrecer *v.* **1.** Dar algo voluntariamente a una persona, ponerlo a su disposición. **2.** Dedicar o entregar algo. **3.** Decir la cantidad que se está dispuesto a pagar por algo. **4.** Mostrar algo que puede ser visto. **5.** Proporcionar algo oportunidades, facilidades, posibilidades. ‖ **ofrecerse 6.** Mostrarse dispuesto a hacer algo. □ Es v. irreg. Se conjuga como *agradecer*. **SIN. 1.** Ceder, proponer. **1** y **6.** Brindar(se). **2.** Ofrendar. **5.** Deparar. **ANT. 1.** Retirar. **1** y **6.** Negar(se).

ofrecimiento *s. m.* El hecho de ofrecer algo a una persona. **SIN.** Oferta. **ANT.** Negativa.

ofrenda *s. f.* Cosa que se ofrece a un dios o a otro ser divino.

ofrendar *v.* Ofrecer algo a un dios o a otro ser divino.

oftalmología *s. f.* Parte de la medicina que estudia las enfermedades de los ojos y los defectos de la vista.

oftalmólogo, ga *s. m.* y *f.* Oculista.

ofuscación *s. f.* El hecho de estar ofuscado. **SIN.** Aturdimiento.

ofuscar *v.* Impedir algo a una persona pensar con claridad. **SIN.** Aturdir.

ogro *s. m.* **1.** Gigante de los cuentos infantiles que se alimenta de carne humana. **2.** Persona gruñona, que tiene muy mal genio.

¡oh! *interj.* Exclamación de admiración, asombro, desilusión.

ohmio *s. m.* Unidad en que se mide la resistencia eléctrica.

oídas Se usa en la expresión **de oídas**, 'sólo por lo que otros cuentan': *conocer de oídas.*

oído *s. m.* **1.** Órgano del cuerpo que permite oír. En los vertebrados se divide en tres partes: oído externo, medio e interno. **2.** Uno de los cinco sentidos, mediante el cual se oye. **3.** Capacidad o aptitud para la música: *tener buen oído.* **EXPR. duro de oído** Que no oye bien. **regalar** a alguien **los oídos** Decirle cosas agradables, alabarle.

oír *v.* **1.** Percibir los sonidos. **2.** Poner atención a lo que otra persona dice.

□ Es v. irreg. **EXPR. como quien oye llover** Sin hacer caso. **SIN. 2.** Escuchar.

OÍR	
GERUNDIO	PARTICIPIO
oyendo	oído
INDICATIVO	
Presente	Pret. perf. simple
oigo	oí
oyes	oíste
oye	oyó
oímos	oímos
oís	oísteis
oyen	oyeron
SUBJUNTIVO	
Presente	Pretérito imperfecto
oiga	oyera, -ese
oigas	oyeras, -eses
oiga	oyera, -ese
oigamos	oyéramos, -ésemos
oigáis	oyerais, -eseis
oigan	oyeran, -esen
Futuro	
oyere	oyéremos
oyeres	oyereis
oyere	oyeren
IMPERATIVO	
oye	oíd

ojal *s. m.* Rajita por la que se pasan los botones para abrocharlos.

¡ojalá! *interj.* Expresa el deseo de que algo suceda.

ojeada *s. f.* Mirada rápida. **SIN.** Vistazo.

ojeador, ra *s. m.* y *f.* Persona que ojea o espanta a los animales para dirigirlos hacia los cazadores.

ojear[1] *v.* Pasar la vista rápidamente por algún sitio.

ojear[2] *v.* Hacer ruido para que los animales vayan a donde están los cazadores o las trampas.

ojén *s. m.* Aguardiente preparado con anís y azúcar.

ojeo *s. m.* Acción de ojear[2].

ojeras *s. f. pl.* Marcas que aparecen debajo de los ojos, por ejemplo cuando uno no ha dormido bien.

ojeriza *s. f.* Antipatía. **SIN.** Manía. **ANT.** Simpatía.

ojete *s. m.* Agujerito por el que se pasa una cinta, un cordón, etc.

ojiva *s. f.* **1.** Figura formada por dos arcos que se cortan y terminan en punta. **2.** Arco que tiene esta figura. **3.** Parte delantera de un misil, donde tiene la carga explosiva.

ojival *adj.* Con forma de ojiva o relacionado con la ojiva.

ojo *s. m.* **1.** Órgano con el que se ve. **2.** Iris, parte coloreada de ese órgano: *ojos verdes.* **3.** Vistazo: *echar un ojo.* **4.** Agujero de algunas cosas: *ojo de la cerradura.* **5.** Habilidad: *tener ojo para los negocios.* **6.** Cuidado, atención: *tener mucho ojo.* ‖ **7. ojo de buey** Ventana redonda, como las de los barcos. **8. ojo** u **ojito derecho** Persona preferida de alguien. **Expr. a ojo** Sin calcular exactamente. **en un abrir y cerrar de ojos** Con mucha rapidez. **ojo avizor** Alerta, en actitud vigilante. **no pegar ojo** No dormir. **un ojo de la cara** Muy caro. **Sin. 3.** Ojeada. **5.** Vista.

OK *expr. ingl.* Significa 'de acuerdo'.

okapi *s. m.* Mamífero rumiante africano del tamaño de un asno, con dos cuernecillos en la cabeza, como la jirafa. Tiene el pelo marrón oscuro con líneas claras en cuello y patas.

okupa *s. m.* y *f.* Persona que se instala ilegalmente en una vivienda vacía.

ola *s. f.* **1.** Onda que se produce en la superficie del agua, sobre todo del mar, a causa del viento o las corrientes. **2.** Bajada o subida brusca en la temperatura que dura algún tiempo: *ola de frío.* **3.** Muchas personas o cosas que llegan o suceden de golpe. **Sin. 3.** Avalancha, oleada.

¡olé! u **¡ole!** *interj.* Se usa para animar y aplaudir a alguien. También, expresa alegría.

oleada *s. f.* Muchas personas o cosas que aparecen de repente. **Sin.** Avalancha, ola.

oleaginoso, sa *adj.* Que tiene aceite o se parece al aceite.

oleaje *s. m.* Movimiento de las olas al ir una tras otra.

oleicultura *s. f.* Técnicas para el cultivo de plantas productoras de aceite y para la obtención de éste.

óleo *s. m.* **1.** Pintura realizada con colores muy pastosos, hechos con colorantes y aceites. **2.** Estos colores. **3.** Aceite consagrado que se usa en sacramentos como el bautismo y la extremaunción.

oleoducto *s. m.* Tubería por la que se conduce petróleo desde lugares muy lejanos.

oler *v.* **1.** Sentir o notar los olores. **2.** Producir olor una cosa. **3.** Sospechar. □ Es *v. irreg.* **Sin. 1.** Olfatear. **3.** Figurarse.

olfatear *v.* **1.** Oler algo haciendo entrar varias veces el aire por la nariz, como

hacen los animales. **2.** Seguir el rastro que deja un olor, como hacen los perros. **Sin. 1.** Olisquear, husmear.

olfativo, va *adj.* Relacionado con el olfato.

olfato *s. m.* **1.** Sentido por el que se perciben los olores. **2.** Capacidad que tiene una persona para darse cuenta en seguida de las cosas. **Sin. 2.** Intuición.

oligarca *s. m.* y *f.* Miembro de una oligarquía.

oligarquía *s. f.* Gobierno en el que mandan unas pocas personas poderosas.

oligisto *s. m.* Mineral de hierro, de color gris oscuro o rojizo, muy duro y pesado.

oligofrenia *s. f.* Deficiencia mental.

oligofrénico, ca *adj.* y *s.* Deficiente mental.

olimpiada *s. f.* **1.** Fiesta que los antiguos griegos celebraban cada cuatro años en la ciudad de Olimpia y en la que había competiciones deportivas y literarias. **2.** Juegos Olímpicos. Ver **juego.**

olímpicamente *adv.* Sin hacer caso de alguna cosa: *Se salta olímpicamente las normas.*

olímpico, ca *adj.* De la olimpiada o relacionado con ella.

olisquear *v.* Olfatear. **Sin.** Husmear.

oliva *s. f.* **1.** Aceituna. **2.** Olivo.

oliváceo, a *adj.* De color como el de la aceituna verde.

olivar *s. m.* Campo de olivos.

olivarero, ra *adj.* **1.** Relacionado con el cultivo de los olivos y las industrias que se derivan de él. ‖ *s. m.* y *f.* **2.** Persona que cultiva olivos.

olivicultura *s. f.* Técnicas para el cultivo del olivo.

olivino *s. m.* Mineral verde o amarillo, brillante y algo transparente, que se usa en joyas y adornos.

olivo *s. m.* Árbol no muy alto, de tronco retorcido y hojas perennes, verdes oscuras por el derecho y blancas por el revés. Su fruto es la aceituna.

OLER		
INDICATIVO	SUBJUNTIVO	IMPERATIVO
Presente	**Presente**	
huelo	*huela*	
hueles	*huelas*	*huele*
huele	*huela*	
olemos	*olamos*	
oléis	*oláis*	*oled*
huelen	*huelan*	

olla *s. f.* **1.** Recipiente de fondo redondo que se usa para guisar. **2.** Guiso de carne, legumbres y verduras. ‖ **3. olla a presión** u **olla exprés** Olla metálica con una tapa que queda totalmente cerrada y en la que se cocinan los alimentos más rápidamente.

olmeca *adj.* y *s.* De un pueblo que habitaba en México, en los actuales estados de Veracruz, Tabasco y Oaxaca.

olmedo u **olmeda** *s. m.* o *s. f.* Terreno en el que hay muchos olmos.

olmo *s. m.* Árbol grande, con muchas ramas, de hojas caducas ovaladas y terminadas en punta, flores pequeñas de color blanco rojizo y tronco grueso y derecho.

ológrafo *adj.* Se dice del testamento escrito por el propio testador de su puño y letra.

olor *s. m.* Propiedad de las cosas que se percibe a través del olfato. **Sin.** Aroma.

oloroso, sa *adj.* Que produce olor, sobre todo si es bueno. **Sin.** Aromático, perfumado. **Ant.** Inodoro.

olvidadizo, za *adj.* y *s.* Se dice de la persona a la que se le olvidan con frecuencia las cosas.

olvidar *v.* **1.** Dejar de tener algo en la memoria. **2.** No acordarse de coger algo de un sitio o de hacer alguna cosa. **Ant. 1.** Recordar.

olvido *s. m.* Hecho de olvidar alguna cosa. **Sin.** Descuido. **Ant.** Recuerdo.

ombligo *s. m.* Hoyito o botón redondeado que queda como cicatriz en la barriga de los mamíferos cuando se corta el cordón umbilical después del parto.

ombú *s. m.* Árbol de América del Sur, de tronco grueso, madera blanda y copa frondosa con hojas lanceoladas.

omega *s. f.* Última letra del alfabeto griego, que equivale a una *o*.

ominoso, sa *adj.* Que merece desprecio y rechazo. **Sin.** Abominable.

omisión *s. f.* El no decir o el no hacer una cosa.

omiso Se usa en la expresión **hacer caso omiso,** 'no hacer ningún caso'.

omitir *v.* Dejar de decir o hacer alguna cosa. **Sin.** Callar, ocultar. **Ant.** Indicar.

ómnibus *s. m.* Autobús muy grande, para muchos pasajeros.

omnímodo, da *adj.* Total, completo: *un poder omnímodo.*

omnipotente *adj.* Que todo lo puede o tiene muchísimo poder.

omnipresente *adj.* Que está o parece que está en todas partes.

omnisapiente *adj.* Omnisciente.

omnisciente *adj.* Que todo lo sabe o lo conoce.

omnívoro, ra *adj.* y *s. m.* Que come cualquier alimento, como el hombre y algunos animales, por ejemplo el cerdo.

omóplato u **omoplato** *s. m.* Cada uno de los dos huesos triangulares y planos que forman la parte de atrás del hombro.

onagro *s. m.* Asno salvaje de Asia.

once *num.* **1.** Diez más uno. **2.** Undécimo.

onceavo, va *num.* Se dice de cada una de las once partes iguales en que se divide una cosa. **Sin.** Onzavo.

onceno, na *num.* Undécimo.

oncología *s. f.* Parte de la medicina que se ocupa de los tumores.

oncológico, ca *adj.* Relacionado con la oncología.

onda *s. f.* **1.** Círculos que se forman en la superficie del agua cuando se mueve. **2.** Curva en forma de S que se forma en alguna cosa, por ejemplo en el pelo. **3.** Cada uno de los medios círculos que adornan el borde de algo. **4.** Forma en que se propagan algunas vibraciones, como por ejemplo el sonido a través del aire: *ondas sonoras.* **Expr. coger** o **pillar onda** o **la onda** Entender algo o enterarse de algo. **Sin. 1.** Ola. **1** y **2.** Ondulación.

ondear *v.* Formar ondas en una cosa al moverla o al moverse: *La bandera ondea al viento.*

ondina *s. f.* En mitología, ninfa que vivía en las aguas de los ríos, las fuentes y los lagos.

ondulación *s. f.* **1.** Acción de ondular o de ondularse. **2.** Parte redondeada que sobresale de una superficie. **Sin. 2.** Onda.

ondulado, da **1.** *p.* de **ondular.** ‖ *adj.* **2.** Que tiene ondas. **Sin. 1** y **2.** Rizado.

ondular *v.* Formar ondas en algo. **Sin.** Rizar, ondear. **Ant.** Alisar.

ondulatorio, ria *adj.* Que se mueve o se propaga en forma de ondas.

oneroso, sa *adj.* **1.** Pesado, muy difícil de soportar. **2.** Que cuesta mucho dinero. **Sin. 1** y **2.** Gravoso. **2.** Costoso. **Ant. 1.** Leve. **2.** Módico.

ónice *s. m.* Mineral de cuarzo con bandas de diversos tonos o colores, sobre todo blancas y negras, que se emplea como piedra de adorno o para hacer esculturas. **SIN.** Ónix.

onírico, ca *adj.* Que está relacionado con los sueños o que parece propio de los sueños.

ónix *s. m.* Ónice.

onomástica *s. f.* Día en que una persona celebra su santo.

onomástico, ca *adj.* De nombres propios, sobre todo de persona, o relacionado con ellos: *índice onomástico.*

onomatopeya *s. f.* Palabra onomatopéyica.

onomatopéyico, ca *adj.* Se dice de las palabras o los sonidos que imitan ruidos, voces de animales y cosas parecidas.

onubense *adj.* y *s.* De Huelva, ciudad y provincia españolas.

onza[1] *s. f.* **1.** Antigua medida de peso que equivalía a 28,70 gramos. **2.** Cada uno de los cuadrados en que se dividen las tabletas de chocolate.

onza[2] *s. f.* Guepardo.

onzavo, va *num.* Onceavo.

opaco, ca *adj.* **1.** Se dice de los objetos que no dejan pasar la luz a través de ellos. **2.** Sin brillo. **SIN. 2.** Apagado, mate. **ANT. 1.** Traslúcido. **2.** Brillante.

ópalo *s. m.* Mineral de brillo entre blanco y azulado, que se emplea para pulir y como piedra preciosa.

opción *s. f.* Posibilidad de elegir y cada una de las cosas entre las que se puede elegir. **SIN.** Elección, alternativa.

opcional *adj.* Que se puede hacer, elegir o utilizar si uno quiere, sin estar obligado a ello. **SIN.** Optativo. **ANT.** Obligatorio.

ópera *s. f.* **1.** Obra musical y teatral, hecha para ser a la vez cantada y representada. **2.** Género musical formado por estas obras. **3.** Teatro donde se representan.

opera prima *expr. lat.* Primera de las obras de un autor.

operación *s. f.* **1.** Acción o conjunto de acciones con que se realiza algo. **2.** Acción de operar el cirujano a un paciente. **3.** En matemáticas, cálculo que se realiza con números, como la suma, la resta, la multiplicación o la división. **SIN. 1.** Actuación. **2.** Intervención.

operador, ra *adj.* y *s.* Persona que maneja algunas máquinas o aparatos.

operar *v.* **1.** Actuar, realizar acciones con algún fin. **2.** Realizar cálculos con

números. **3.** Abrir el cuerpo de una persona o de un animal con instrumentos para curar o sacar partes dañadas o enfermas. **SIN. 1.** Trabajar, obrar. **2.** Calcular. **3.** Intervenir.

operario, ria *s. m.* y *f.* Obrero, trabajador manual.

operativo, va *adj.* **1.** Que funciona o está en activo. **2.** Que produce el resultado que se espera o se pretende. **SIN. 2.** Eficaz. **ANT.** Ineficaz.

opérculo *s. m.* Pieza en forma de tapa que cierra una abertura en algunos seres vivos, como la que cubre las agallas de los peces.

opereta *s. f.* Obra musical de teatro, breve y generalmente cómica.

opinar *v.* **1.** Tener una opinión sobre alguien o algo. **2.** Decir esa opinión. **SIN. 1** y **2.** Pensar, juzgar. **2.** Declarar.

opinión *s. f.* **1.** Lo que se piensa de alguien o de algo. ‖ **2. opinión pública** La que tiene la gente en general. **SIN. 1.** Idea, juicio.

opio *s. m.* Sustancia que se saca de la planta llamada *adormidera* y de la que se obtienen drogas como la morfina, la heroína y la codeína.

opíparo, ra *adj.* Se dice de las comidas muy buenas y abundantes. **SIN.** Copioso. **ANT.** Frugal.

oponente *adj.* y *s.* Que se opone o se enfrenta a otro u otros. **SIN.** Contrincante, enemigo, rival.

oponer *v.* **1.** Poner algo frente a una persona o cosa o contra ella. ‖ **oponerse 2.** No estar de acuerdo con algo, rechazarlo. **3.** Ser contrario. □ Es v. irreg. Se conjuga como *poner.* **SIN. 1** y **2.** Enfrentar(se). **1** y **3.** Contraponer(se). **ANT. 2.** Apoyar. **3.** Equivaler.

oporto *s. m.* Vino muy famoso originario de Oporto, en Portugal.

oportunidad *s. f.* **1.** Ocasión o posibilidad de hacer algo. ‖ *pl.* **2.** En los comercios, venta de productos a bajo precio. **SIN. 1.** Coyuntura. **2.** Saldo, rebaja. **ANT. 1.** Imposibilidad.

oportunista *adj.* y *s.* Que trata de sacar provecho de todo, sin importarle nada ni nadie. **SIN.** Aprovechado.

oportuno, na *adj.* Que se hace o sucede en el momento, en el lugar o de la manera que conviene. **SIN.** Apropiado, feliz. **ANT.** Inoportuno.

oposición *s. f.* **1.** Acción o hecho de oponer u oponerse. **2.** Pruebas que se hacen para ocupar un puesto o empleo. **3.** Grupo o grupos políticos de

ideas opuestas a las del gobierno. **Sin.**
1. Resistencia; enfrentamiento; rechazo. **2.** Concurso. **Ant. 1.** Acuerdo.

opositar *v.* Preparar unas oposiciones
para un empleo o cargo, o examinarse
de ellas.

opositor, ra *s. m.* y *f.* **1.** Persona que
se opone a alguien o algo. **2.** Persona
que oposita. **Sin. 1.** Contrario, enemigo. **Ant. 1.** Partidario.

opresión *s. f.* **1.** Acción de oprimir, dominar. **2.** Sensación de ahogo y angustia. **Sin. 1.** Tiranía. **2.** Asfixia, agobio.

opresivo, va *adj.* Que causa opresión.

opresor, ra *adj.* y *s.* Que oprime a una
persona o a un pueblo. **Sin.** Tirano.

oprimido, da 1. *p.* de **oprimir.** || *adj.*
y *s.* **2.** Que sufre opresión.

oprimir *v.* **1.** Apretar, hacer fuerza sobre algo. **2.** Dominar a una persona o
a un pueblo quitándole su libertad u
otros derechos. **Sin. 1.** Presionar, comprimir. **2.** Tiranizar. **Ant. 1.** Aflojar. **2.** Liberar.

oprobio *s. m.* Vergüenza, deshonra.

optar *v.* **1.** Escoger una posibilidad entre varias: *Optó por abandonar.* **2.** Intentar lograr algo, sobre todo un cargo
o un empleo: *optar a un puesto.* **Sin.**
1. Seleccionar. **2.** Pretender, aspirar.
Ant. 1. Rechazar. **2.** Renunciar.

optativo, va *adj.* Opcional.

óptica *s. f.* **1.** Técnica y conocimientos
para fabricar lentes, gafas y otros instrumentos que corrigen o mejoran la
visión. **2.** Tienda donde se venden estas lentes e instrumentos y, también,
donde miran la vista y hacen las gafas.
3. Parte de la física que estudia la luz y
sus fenómenos.

óptico, ca *adj.* **1.** Relacionado con la
visión, con los ojos o la óptica. || *s. m.*
y *f.* **2.** Persona que fabrica o vende lentes e instrumentos de óptica.

optimismo *s. m.* Forma de ser de los
optimistas. **Ant.** Pesimismo.

optimista *adj.* y *s.* Que ve siempre lo
bueno de las cosas y no se desanima.
Ant. Pesimista.

óptimo, ma *adj. sup.* de **bueno.** Que
es lo mejor. **Sin.** Perfecto. **Ant.** Pésimo.

opuesto, ta *adj.* **1.** Contrario o totalmente diferente. **2.** Que está enfrente o
lo más alejado posible de otra cosa.
Sin. 1. Contrapuesto, enfrentado; inverso; dispar. **Ant. 1.** Igual. **2.** Contiguo.

opulencia *s. f.* Gran riqueza o abundancia. **Sin.** Lujo. **Ant.** Miseria.

opulento, ta *adj.* Rico o abundante.
Sin. Lujoso, generoso. **Ant.** Pobre, escaso.

opúsculo *s. m.* Obra o ensayo de pocas páginas.

oquedad *s. f.* Hueco, cavidad.

oquedal *s. m.* Monte sin matas ni hierbas, sólo con árboles altos.

ora *conj.* Se utiliza, repetida, para relacionar oraciones o elementos que indican posibilidades distintas o que se
alternan: *Viajaba ora a pie, ora a caballo.*

oración *s. f.* **1.** Lo que se hace y se
dice al orar. **2.** En gramática, conjunto
de palabras que expresan un significa-
do completo. || **3. oración simple** La
que tiene un solo predicado. **4. oración
compuesta** La que tiene dos o más pre-
dicados. **Sin. 1.** Rezo, plegaria.

oráculo *s. m.* **1.** Entre los griegos, romanos y otros pueblos antiguos, respuesta que los dioses daban a las preguntas de los hombres, a través de
sacerdotes y adivinos. **2.** Lugar o templo donde se hacían estas preguntas.

orador, ra *s. m.* y *f.* Persona que da
conferencias, pronuncia discursos o
habla en público.

oral *adj.* **1.** Que se hace hablando, no
por escrito. **2.** De la boca o por la boca:
administrar por vía oral. **Sin. 1.** Verbal.
2. Bucal.

orangután *s. m.* Mono grande de cabeza alargada, brazos muy largos y pelo marrón o rojizo. Vive en las selvas
de Sumatra y Borneo, islas del sureste de Asia.

orante *adj.* Que está orando: *estatua
orante.*

orar *v.* Dirigirse a Dios o a otro ser divino para alabarlo, hacerle alguna petición o agradecerle algo. **Sin.** Rezar.

orate *s. m.* y *f.* Loco, chalado.

oratoria *s. f.* Arte de saber hablar para
convencer, agradar o emocionar. **Sin.**
Elocuencia.

oratorio *s. m.* Capilla de una casa particular o de un edificio público.

orbe *s. m.* El mundo o el universo.

órbita *s. f.* **1.** Recorrido que siguen los
planetas alrededor del Sol u otra estrella, y los satélites alrededor de los
planetas. **2.** Cada uno de los dos huecos en los que se encuentran los ojos.
Sin. 2. Cuenca.

orbital *adj.* Relacionado con la órbita
de los planetas.

organigrama

orca *s. f.* Animal mamífero marino de la misma familia que los delfines; mide hasta nueve metros de largo, es de color negro, con una mancha blanca en el vientre y otras dos detrás de los ojos. Es carnívoro.

órdago *s. m.* En el juego del mus, el apostarlo todo a una sola jugada. **Expr. de órdago** Muy grande, muy fuerte o muy bueno.

orden *s. m.* **1.** Colocación de las personas o cosas en su sitio o de una determinada manera. **2.** Situación normal, en que hay tranquilidad: *el orden público.* **3.** Clase, tipo. **4.** Sacramento por el que se consagra obispo, sacerdote o diácono a una persona. || *s. f.* **5.** Lo que se manda a alguien para que lo haga. **6.** Organización religiosa aprobada por el papa, en la que sus miembros viven según unas reglas. || **7. orden de caballería** Organización militar y religiosa que estaba formada por caballeros, los cuales seguían unas normas. **Sin.** **1.** Ordenación. **2.** Normalidad. **3.** Género. **5.** Mandato. **6.** Congregación, compañía. **Ant.** **1** y **2.** Desorden, caos.

ordenación *s. f.* **1.** Acción de ordenar. **2.** Manera de estar ordenadas las cosas. **3.** Ceremonia religiosa en la cual una persona recibe el sacramento del orden. **Sin.** **1** y **2.** Organización, disposición. **2.** Orden.

ordenada *s. f.* En matemáticas, coordenada segunda o línea vertical de un punto en un sistema de ejes de cartesianos.

ordenador *s. m.* Máquina electrónica que almacena datos e información, junto con programas de operaciones que sirven para manejar esa información. **Sin.** Computadora.

ordenamiento *s. m.* **1.** Acción de ordenar. **2.** Ordenanza, reglamento. **Sin.** **1.** Ordenación.

ordenanza *s. f.* **1.** Normas que dirigen el funcionamiento de un grupo de personas o de una institución. || *s. m.* **2.** Empleado de oficina que hace recados y tareas parecidas. **3.** Soldado que está al servicio de un oficial. **Sin.** **1.** Reglamento, estatuto. **2.** Bedel. **3.** Asistente.

ordenar *v.* **1.** Poner en orden. **2.** Dar una orden. **3.** Administrar o recibir el sacramento del orden. **Sin.** **1.** Organizar, arreglar. **1** y **2.** Disponer. **2.** Mandar. **Ant.** **1.** Desordenar.

ordeñar *v.* Sacar la leche de un animal hembra apretando sus ubres.

ordinal *adj.* y *s. m.* Se dice del número y del adjetivo numeral que indican el orden en el que van las cosas, como *primero, segundo, tercero.*

ordinariez *s. f.* Característica de ordinario, grosero, y cosa, acción o palabras ordinarias o groseras. **Sin.** Grosería, vulgaridad, chabacanería. **Ant.** Delicadeza.

ordinario, ria *adj.* **1.** Habitual, corriente. || *adj.* y *s.* **2.** Poco educado o delicado, grosero. **3.** Vulgar o de mal gusto. **Sin.** **1.** Normal, común. **2.** Maleducado, soez. **2** y **3.** Basto, chabacano. **Ant.** **1.** Excepcional. **2** y **3.** Fino.

orear *v.* Airear, ventilar.

orégano *s. m.* Hierba muy olorosa que se emplea en perfumería y como condimento.

oreja *s. f.* Parte externa del oído, que consiste en dos repliegues de la piel que se encuentran a los lados de la cabeza. **Expr. de oreja a oreja** Se dice de bocas o sonrisas muy grandes. **verle las orejas al lobo** Darse cuenta de un peligro o de una dificultad.

orejera *s. f.* Pieza con que se cubre o se protege las orejas.

orejón *s. m.* **1.** *aum.* de oreja. **2.** Trozo de melocotón o albaricoque secado al aire.

orejudo, da *adj.* Que tiene las orejas grandes.

orensano, na *adj.* y *s.* De Orense, ciudad y provincia españolas.

orfanato *s. m.* Casa para niños huérfanos. **Sin.** Orfelinato, hospicio.

orfandad *s. f.* Situación de un niño huérfano.

orfebre *s. m.* Persona que hace objetos de orfebrería.

orfebrería *s. f.* **1.** El arte y oficio de hacer objetos artísticos con metales preciosos, como el platino, el oro, la plata. **2.** Conjunto de estos objetos.

orfelinato *s. m.* Orfanato.

orfeón *s. m.* Coro, coral.

organdí *s. m.* Tela de algodón fina y transparente y un poco rígida.

orgánico, ca *adj.* **1.** Relacionado con los órganos o el organismo de los seres vivos. **2.** Se dice de la sustancia o materia que es o ha sido parte de un ser vivo, o que está formada por restos de seres vivos; estas sustancias contienen principalmente carbono.

organigrama *s. m.* Gráfico que representa el modo de estar organizada una empresa, un organismo, un sistema; también, esa misma organización.

organillero, ra *s. m.* y *f.* Persona que toca el organillo.

organillo *s. m.* Instrumento musical con forma de piano pequeño que tiene una manivela para hacer que suene la música.

organismo *s. m.* **1.** Ser vivo. **2.** Conjunto de órganos que forman un ser vivo. **3.** Conjunto organizado, público o privado, que tiene una función importante, por ejemplo el gobierno de un país o la Organización de las Naciones Unidas (ONU).

organista *s. m.* y *f.* Persona que toca el órgano.

organización *s. f.* **1.** Acción de organizar. **2.** Manera de estar organizado algo. **3.** Asociación o grupo de personas organizadas. **SIN. 1** y **2.** Ordenación, colocación. **2.** Estructura. **3.** Organismo, agrupación. **ANT. 1** y **2.** Desorganización.

organizado, da **1.** *p.* de **organizar.** || *adj.* **2.** Que tiene organización u orden.

organizador, ra *adj.* y *s.* Que organiza o sabe organizar.

organizar *v.* **1.** Ordenar personas o cosas para que funcionen bien. **2.** Preparar, hacer, producir: *organizar una fiesta, un follón.* **3.** Poner algo en orden. || **organizarse 4.** Ser ordenado en las cosas de uno, en lo que uno hace. **SIN. 1.** Estructurar. **2.** Montar, armar. **ANT. 1** y **3.** Desorganizar.

órgano *s. m.* **1.** Cada una de las partes del cuerpo de un ser vivo que realizan una función distinta, por ejemplo el corazón de personas y animales o las hojas de las plantas. Está formado por tejidos. **2.** Parte de un conjunto con una función o finalidad: *El consejo escolar es un órgano de gobierno del colegio.* **3.** Instrumento musical de viento que se toca con teclas. || **4. órgano electrónico** Instrumento electrónico que produce sonidos parecidos a los del órgano de viento.

orgasmo *s. m.* Momento de máximo placer sexual.

orgía *s. f.* Fiesta en la que se come y se bebe con exceso, o se hacen actos sexuales.

orgullo *s. m.* **1.** Satisfacción que una persona siente por algo bueno suyo. **2.** Sentimiento y actitud del que se cree que es más que otros. **SIN. 1.** Pundonor. **2.** Soberbia, engreimiento. **ANT. 1.** Vergüenza. **2.** Humildad.

orgulloso, sa *adj.* **1.** Satisfecho por algo bueno suyo. || *adj.* y *s.* **2.** Persona que se cree superior a otras. **SIN. 2.** Soberbio, engreído. **ANT. 2.** Humilde.

orientación *s. f.* **1.** Acción de orientar u orientarse. **2.** Posición de una cosa en dirección hacia alguno de los puntos cardinales. **3.** Capacidad para orientarse. **4.** Consejo, ayuda o información. **5.** Dirección que lleva la conducta de las personas. **SIN. 5.** Rumbo. **ANT. 1, 3** y **5.** Desorientación.

orientador, ra *adj.* y *s.* Que orienta.

oriental *adj.* **1.** Situado en el oriente o el este. || *adj.* y *s.* **2.** De Asia o de los países asiáticos. **ANT. 1.** Occidental.

orientar *v.* **1.** Colocar en dirección a un lugar, sobre todo hacia alguno de los puntos cardinales. **2.** Indicar a una persona dónde se encuentra o la dirección que debe tomar. **3.** Dar una información o consejo. **4.** Dirigir alguien su conducta. || **orientarse 5.** Saber una persona o animal en dónde se encuentra y qué dirección debe seguir. **SIN. 2** a **4.** Guiar, encaminar. **3.** Instruir. **4.** Encauzar. **ANT. 2** a **5.** Desorientar.

oriente *s. m.* **1.** Este, punto cardinal. **2.** Escrito con mayúscula, Asia y las partes de Europa y África que están más cerca de Asia. || **3. Extremo Oriente** Los países de Asia oriental. **4. Oriente Medio** Los países del nordeste de África y el sudoeste de Asia. **SIN. 1.** Levante. **ANT. 1.** Oeste. **1** y **2.** Occidente.

orífice *s. m.* Artesano o artista que trabaja el oro.

orificio *s. m.* Agujero.

origen *s. m.* **1.** Principio o comienzo de algo. **2.** Lo que produce una cosa. **3.** Familia de la que procede una persona: *Es de origen noble.* **4.** Lugar de donde procede una persona o cosa. **EXPR. dar origen** a algo Causarlo o provocarlo. **SIN. 1.** Inicio. **1** y **3.** Nacimiento. **2.** Motivo, causa. **3.** Ascendencia. **ANT. 1.** Fin. **3.** Descendencia.

original *adj.* **1.** Del origen o principio. **2.** Distinto de la mayoría, que se sale de lo corriente. **3.** Relacionado con obras o películas que están en el idioma en que se han hecho: *versión original.* || *adj.* y *s. m.* **4.** Aquello de lo que se hacen copias, reproducciones o versiones. **SIN. 1.** Originario, inicial. **ANT. 2.** Normal. **3.** Doblado.

originalidad *s. f.* Característica de original.

originar *v.* **1.** Producir, ser origen, motivo o causa de algo. || **originarse 2.** Tener una cosa su origen o principio en otra. **Sin. 1.** Causar, provocar.

originariamente *adv.* Al principio, en los orígenes.

originario, ria *adj.* **1.** Que tiene su origen en un sitio o procede de él. **2.** Como era al principio. **Sin. 1.** Natural, oriundo.

orilla *s. f.* **1.** Extremo o borde de algo. **2.** Límite entre la tierra y el agua de un río, del mar, de un lago, y parte de tierra o de agua próxima a ese límite. **Sin. 1.** Límite, lado, filo. **1** y **2.** Margen. **2.** Ribera, costa.

orillar *v.* **1.** Evitar cualquier obstáculo o dificultad. || **orillarse 2.** Arrimarse a la orilla. **Sin. 1.** Esquivar, sortear.

orín[1] *s. m.* Capa oxidada de color rojizo anaranjado que se forma en la superficie del hierro por la humedad.

orín[2] *s. m.* Orina.

orina *s. f.* Desecho líquido que se echa fuera del cuerpo, normalmente de color amarillento. Procede de los riñones, pasa a la vejiga y se expulsa por la uretra. **Sin.** Orín, pis.

orinal *s. m.* Recipiente pequeño en el que se echa la orina o los excrementos.

orinar *v.* Expulsar la orina. **Sin.** Mear.

oriundo, da *adj.* y *s.* Que procede de un lugar. **Sin.** Originario, natural.

órix *s. m.* Mamífero rumiante africano de pelo castaño y blanco, con franjas negras en la cabeza y los costados, cola larga con un mechón al final y largos cuernos rectos dirigidos hacia atrás.

orla *s. f.* **1.** Adorno que se pone al borde de telas, vestidos, hojas de papel, cuadros. **2.** Cuadro con las fotos de alumnos y profesores que se suele hacer al acabar los estudios.

orlar *v.* Poner o estar una orla alrededor de algo.

ornamentación *s. f.* Acción de adornar y aquello que adorna.

ornamental *adj.* Relacionado con el adorno o que sirve para adornar. **Sin.** Decorativo.

ornamento *s. m.* **1.** Adorno o conjunto de objetos que decoran algo. || *pl.* **2.** Ropas que se ponen los sacerdotes para celebrar una ceremonia religiosa y, también, adornos de los altares. **Sin. 1.** Decoración, ornamentación, ornato.

ornar *v.* Adornar.

ornato *s. m.* Adorno, ornamento.

ornitología *s. f.* Parte de la zoología que estudia las aves.

ornitorrinco *s. m.* Mamífero australiano de pelo oscuro por arriba y amarillento en el vientre, cola grande y plana, hocico en forma de pico de pato y patas cortas con membranas entre los dedos de los pies. Aunque es un mamífero, la hembra pone huevos.

oro *s. m.* **1.** Metal de color amarillo, resistente a la oxidación y corrosión, muy usado en joyería. Es elemento químico. **2.** Conjunto de joyas y objetos de este metal. **3.** Color de ese metal. || *pl.* **4.** Palo de la baraja española en el que figuran monedas de oro. || **5. oro negro** Petróleo. **Expr. a peso de oro** Muy caro, muy costoso. **de oro** Muy bueno, excelente: *un corazón de oro.* **el oro y el moro** Valor exagerado o irreal: *Le han ofrecido el oro y el moro.*

orogenia *s. f.* Periodo de formación de las montañas.

orogénico, ca *adj.* Relacionado con la formación de las montañas.

orografía *s. f.* **1.** Estudio del relieve y las montañas de la Tierra. **2.** Conjunto de montes de un continente, país, región.

orográfico, ca *adj.* Relacionado con la orografía.

orondo, da *adj.* **1.** Gordo, muy redondito. **2.** Satisfecho, contento: *quedarse tan orondo.* **Sin. 1.** Rollizo. **2.** Pancho. **Ant. 1.** Delgado. **2.** Avergonzado.

oropel *s. m.* **1.** Lámina de latón muy fina que imita al oro. **2.** Aquello que parece de gran valor o lujo, pero que en realidad no lo tiene.

oropéndola *s. f.* Pájaro del tamaño de un mirlo, de pico rojo y canto muy característico; el macho es amarillo con alas y cola negras, la hembra es verde por arriba y con el vientre blancuzco con franjas pardas. Vive en bosques y parques.

orquesta *s. f.* Grupo de músicos que tocan diversos instrumentos, como violines, flautas, trompetas y otros.

orquestal *adj.* De la orquesta o relacionado con ella.

orquestar *v.* **1.** Arreglar una pieza musical para que pueda ser tocada por una orquesta. **2.** Coordinar, organizar.

orquestina *s. f.* Orquesta de pocos instrumentos, que normalmente toca música para bailar.

orquídea *s. f.* Flor de diversas plantas que se llaman también *orquídeas*; tiene formas y colores vistosos, y uno de sus pétalos se desarrolla más que los otros.

orsay s. m. Fuera de juego. Ver **juego**.

ortega s. f. Ave del tamaño de una perdiz, con las alas largas y puntiagudas y vuelo muy rápido, en el vientre de color negro y el plumaje grisáceo y anaranjado en el macho y amarillento con manchas negras en la hembra. Vive en estepas.

ortiga s. f. Planta silvestre cubierta de pelillos que, al tocarlos, producen un picor muy molesto.

ortigal s. m. Terreno lleno de ortigas.

ortocentro s. m. Punto donde se cortan las alturas de un triángulo.

ortodoncia s. f. Parte de la odontología que trata de corregir los defectos de los dientes mal formados o mal colocados.

ortodoxia s. f. Característica de ortodoxo.

ortodoxo, xa adj. y s. **1.** Que sigue fielmente las creencias, enseñanzas o ideas de una religión, doctrina, ideología. **2.** De la religión cristiana de algunos países, como Rusia, Rumanía o Grecia, que se separó de la Iglesia católica en el siglo XI. **ANT. 1.** Heterodoxo.

ortografía s. f. **1.** Parte de la gramática de una lengua que da las normas para escribir las palabras y para puntuar. **2.** Manera correcta de escribir de acuerdo con esas normas.

ortográfico, ca adj. De ortografía.

ortopedia s. f. Parte de la medicina que trata de corregir defectos y deformaciones del cuerpo humano.

ortopédico, ca adj. De ortopedia.

oruga s. f. **1.** Larva de algunos insectos, como la mariposa, parecida a un gusano, con unas patitas con las que se ayuda a arrastrarse. **2.** Cadena que une las ruedas de algunos vehículos, como tanques o excavadoras, y les permite avanzar por terrenos difíciles.

orujo s. m. Aguardiente que se hace con los restos que quedan de prensar la uva.

orvallo s. m. Lluvia fina y continua.

orza s. f. Pieza triangular que se pone en la quilla de una embarcación para mejorar la estabilidad y la navegación.

orzuelo s. m. Granito en el borde del párpado.

os pron. pers. Indica la segunda persona del plural y funciona como complemento directo: Os quiero mucho; complemento indirecto: ¿Os regalaron el reloj?; se usa para formar los verbos pronominales: Os arrepentiréis; sirve para dar más expresividad: Os comisteis el bollo.

osadía s. f. **1.** Característica de las personas osadas, que se atreven a todo. **2.** Falta de respeto, descaro. **SIN. 1.** Temeridad. **1** y **2.** Atrevimiento. **2.** Desvergüenza, insolencia. **ANT. 1.** Prudencia. **2.** Consideración.

osado, da adj. Muy atrevido. **SIN.** Desvergonzado; temerario. **ANT.** Considerado; prudente.

osamenta s. f. Conjunto de huesos del esqueleto de una persona o un animal.

osar v. **1.** Atreverse a hacer algo, sobre todo si es peligroso. **2.** Atreverse a hablar con alguien, a contestarle o a hacer alguna cosa sin ningún respeto. **SIN. 1.** Arriesgarse. **ANT. 1.** Evitar.

osario s. m. Lugar donde hay enterrados huesos de personas.

oscense adj. y s. De Huesca, ciudad y provincia españolas.

oscilación s. f. Acción de oscilar. **SIN.** Balanceo; variación; titubeo. **ANT.** Estabilidad.

oscilar v. **1.** Moverse varias veces, primero hacia un lado y luego hacia otro, una cosa que está sujeta sólo por un punto. **2.** Variar algo entre unos límites, cantidades o valores. **3.** Dudar, no saber qué hacer. **SIN. 1.** Balancearse, mecerse. **2.** Fluctuar. **3.** Titubear. **ANT. 1** y **2.** Estabilizarse.

ósculo s. m. Beso.

oscurantismo s. m. Postura que defiende ideas y creencias irracionales o atrasadas y se opone a la difusión de la educación y la cultura.

oscurantista adj. y s. Del oscurantismo o relacionado con él.

oscurecer v. **1.** Poner más oscuro. **2.** Anochecer. □ Es v. irreg. Se conjuga como agradecer. **SIN. 1.** Apagar, sombrear. **ANT. 1.** Iluminar. **2.** Amanecer.

oscuridad s. f. Falta de luz o claridad para ver las cosas.

oscuro, ra adj. **1.** Que no tiene luz o claridad, o tiene muy poca. **2.** Se dice del color que está más cerca del negro en comparación con otros. **3.** Complicado, desconocido o difícil de entender. **EXPR. a oscuras** Sin luz. **SIN. 1.** Apagado, sombrío. **3.** Confuso, incomprensible. **ANT. 1.** Iluminado. **1** a **3.** Claro. **3.** Comprensible, sencillo.

óseo, a adj. De los huesos o parecido a ellos.

osera s. f. Cueva donde viven los osos.

osezno s. m. Cachorro del oso.

ósmosis u **osmosis** s. f. Paso de un líquido o de algunas sustancias a través de una membrana que separa dos soluciones.

oso, osa s. m. y f. 1. Animal mamífero plantígrado, de pelo largo y espeso, cabeza grande, ojos pequeños, hocico puntiagudo y las patas cortas y fuertes con uñas largas. 2. Persona muy fuerte o con mucho vello, como los osos. ‖ 3. **oso hormiguero** Mamífero sin dientes que se alimenta de hormigas. Tiene el hocico cilíndrico y alargado y la lengua larga y pegajosa. 4. **oso panda** Ver **panda.** Expr. **hacer el oso** Hacer o decir tonterías.

ostensible adj. Evidente, que se ve o se nota mucho. Sin. Perceptible, manifiesto. Ant. Imperceptible.

ostentación s. f. El hecho de mostrar algo con mucho orgullo para que todos lo vean. Sin. Exhibición, alarde. Ant. Modestia.

ostentar v. 1. Hacer ostentación de algo, mostrarlo con orgullo. 2. Tener un título, un cargo u otra cosa. Sin. 1. Exhibir, lucir. 2. Poseer, ocupar. Ant. 1. Esconder.

ostentoso, sa adj. 1. Se dice de las cosas que muestran mucho lujo o riqueza. 2. Que se hace o se muestra con ostentación. Sin. 1. Lujoso, suntuoso. 2. Ostensible, patente. Ant. 1. Mísero.

ostra s. f. Molusco marino con dos conchas rugosas, desiguales, y de color pardo por fuera y el interior de nácar. La ostra común es muy apreciada en alimentación. Expr. **aburrirse como una ostra** Aburrirse mucho.

ostracismo s. m. 1. En la antigua Grecia, pena de destierro. 2. Hecho de aislar o ignorar a una persona como forma de castigo o de rechazo.

ostricultura s. f. Conocimientos y técnicas para criar ostras.

ostrogodo, da adj. y s. De uno de los dos grupos principales en que se dividían los antiguos godos.

otalgia s. f. Dolor de oídos.

otear v. 1. Mirar desde un lugar alto. 2. Mirar con atención intentando descubrir algo. Sin. 2. Observar.

otero s. m. Monte pequeño en un terreno llano. Sin. Cerro, colina.

otitis s. f. Inflamación del oído.

otomán s. m. Tejido que forma pequeños cordones horizontales.

otomana s. f. Especie de sofá o diván para sentarse o tumbarse.

otomano, na adj. y s. Turco.

otoñal adj. 1. Del otoño o relacionado con él. 2. Que está cerca de la vejez.

otoño s. m. 1. Estación del año que va después del verano, en la que empieza a hacer peor tiempo. 2. Periodo de la vida próximo a la vejez.

otorgamiento s. m. Acción de otorgar.

otorgar v. Conceder una cosa, como un premio o un título. Sin. Dar. Ant. Negar.

otorrino s. m. y f. Forma abreviada de **otorrinolaringólogo.**

otorrinolaringología s. f. Parte de la medicina que trata las enfermedades de la nariz, la garganta y los oídos.

otorrinolaringólogo, ga s. m. y f. Médico especialista en otorrinolaringología.

otro, otra indef. 1. Distinto de la persona o cosa de quien se habla o que ya se conoce: En verano salgo con otros amigos. Ahora vive en otra casa. 2. Anterior, ya pasado: El otro día fui al cine.

ovación s. f. Aplauso ruidoso que un conjunto de personas dedica a alguien para mostrar satisfacción o admiración. Sin. Palmas. Ant. Abucheo.

ovacionar v. Dar una ovación a alguien. Sin. Aplaudir. Ant. Abuchear.

oval u **ovalado, da** adj. En forma de huevo.

óvalo s. m. Línea curva cerrada de forma parecida a la de un huevo o una elipse.

ovario s. m. Órgano de reproducción femenino de animales y plantas.

ovárico, ca adj. De los ovarios.

oveja s. f. 1. Animal mamífero rumiante que tiene el cuerpo cubierto de lana y vive en rebaños; se aprovecha su carne, su leche y su lana. El carnero es el macho de la oveja. ‖ 2. **oveja negra** Persona que, por su mala conducta, se diferencia del resto de los miembros de una familia o de un grupo.

ovejero, ra adj. y s. Que cuida de las ovejas.

overo, ra adj. Se dice del animal, especialmente del caballo, de pelo con mezcla de blanco y rojo.

ovetense adj. y s. De Oviedo, ciudad española.

ovillar v. 1. Hacer ovillos. ‖ **ovillarse** 2. Acurrucarse, enroscarse.

ovillo s. m. Bola que se forma enrollando un hilo de lana, una cuerda o algo parecido.

ovino, na _adj._ y s. m. Se dice del ganado formado por ovejas y animales de la misma familia. **SIN.** Lanar.

ovíparo, ra _adj._ y s. Se dice de los animales que ponen huevos, en los que la cría termina su desarrollo fuera del cuerpo de la madre. **ANT.** Vivíparo.

ovni s. m. Nombre formado con las iniciales de _Objeto Volante No Identificado_, que se da a algunos objetos voladores desconocidos; hay quien cree que son naves extraterrestres.

ovoide u **ovoideo, a** _adj._ Oval.

ovovivíparo, ra _adj._ y s. Que se reproduce mediante huevos, pero éstos permanecen dentro del cuerpo de la madre hasta después de romperse la cáscara, como ocurre con los tiburones y las víboras.

ovulación s. f. Hecho de ovular.

ovular v. Salir el óvulo del ovario.

óvulo s. m. Célula reproductora femenina, que se une a la masculina para formar un nuevo ser.

oxidación s. f. Acción de oxidarse.

oxidarse v. Formarse óxido sobre algunos metales.

óxido s. m. Compuesto químico formado por oxígeno y otro elemento; sobre todo, la capa rojiza o pardusca que se forma en la superficie de los metales por la acción del aire y la humedad. **SIN.** Orín, herrumbre.

oxigenación s. f. Acción de oxigenar.

oxigenado, da 1. _p._ de **oxigenar.** ‖ _adj._ **2.** Que contiene oxígeno. **3.** Aireado, lleno de aire puro. **SIN. 3.** Ventilado, oreado. **ANT. 3.** Cargado.

oxigenar v. **1.** Combinar un elemento con el oxígeno. **2.** Airear, ventilar. ‖ **oxigenarse 3.** Descansar al aire libre. **SIN. 2.** Orear. **ANT. 2.** Enrarecer.

oxígeno s. m. Elemento químico; gas que forma parte del aire y, con el hidrógeno, compone el agua. Es necesario para respirar y en la combustión.

oyente _adj._ y s. **1.** Se dice de la persona que está oyendo o escuchando. ‖ s. m. y f. **2.** Alumno que asiste a un curso sin estar matriculado en él. **SIN. 1.** Receptor. **ANT. 1.** Hablante, emisor.

ozono s. m. Gas de color azulado compuesto por tres átomos de oxígeno. Forma parte de la ozonosfera.

ozonosfera s. f. Capa de la atmósfera situada entre los 20 y los 25 kilómetros de altitud, formada principalmente por ozono, que protege a los seres vivos de la radiación del Sol.

p s. f. Letra número diecisiete del abecedario.

p. m. Siglas de **post meridiem.**

pabellón s. m. **1.** Edificio que es parte de un conjunto o que depende de otro. **2.** Bandera, sobre todo la que llevan los barcos. ‖ **3. pabellón auditivo** Parte exterior del oído, la oreja.

pabilo o **pábilo** s. m. Mecha de una vela, sobre todo la parte quemada.

pábulo Se usa en la expresión **dar pábulo** a algo, 'dar motivo', 'provocar'.

paca s. f. Paquete apretado y atado de cosas como lana, algodón o paja. **SIN.** Bala.

pacense _adj._ y s. De Badajoz, ciudad y provincia españolas.

pacer v. Pastar. □ Es v. irreg. Se conjuga como _agradecer._

pachá s. m. Antiguo funcionario turco equivalente al gobernador o al virrey.

pachanga s. f. Diversión, fiesta, baile.

pachanguero, ra _adj._ Se dice de la música pegadiza y alegre que se toca en fiestas y bailes.

pacharán s. m. Licor de endrinas típico de Navarra.

pachón, na _adj._ y s. **1.** Calmoso, tranquilo. **2.** Se dice de un perro parecido al perdiguero, pero con las patas más cortas y torcidas. **SIN. 1.** Cachazudo. **ANT. 1.** Rápido, inquieto.

pachorra s. f. Demasiada calma y lentitud para hacer las cosas. **SIN.** Tranquilidad, cachaza. **ANT.** Presteza.

pachucho, cha _adj._ **1.** Un poco enfermo. **2.** Mustio, marchito.

pachulí s. m. Planta muy olorosa que crece en Asia y Oceanía y de la que se saca un perfume.

paciencia *s. f.* Calma para esperar, aguantar o para hacer bien las cosas. **Sin.** Serenidad; aguante; esmero. **Ant.** Impaciencia.

paciente *adj.* **1.** Que tiene o muestra paciencia. **2.** Se dice del sujeto de la oración que tiene el verbo en voz pasiva. || *s. m.* y *f.* **3.** Persona a la que atiende el médico o que sigue un tratamiento. **Sin. 3.** Enfermo. **Ant. 1.** Impaciente.

pacificación *s. f.* Acción de pacificar.

pacificar *v.* Poner paz en un lugar o entre personas que discuten o pelean. **Sin.** Apaciguar, reconciliar. **Ant.** Enemistar.

pacífico, ca *adj.* y *s.* **1.** Que no provoca guerras, ni le gusta la violencia ni las discusiones. || *adj.* **2.** En paz, sin guerras ni enfrentamientos. **Sin. 1.** Sosegado, calmado. **Ant. 1.** Belicoso.

pacifismo *s. m.* Ideas y acciones en favor de la paz y en contra de la guerra.

pacifista *adj.* y *s.* Del pacifismo o partidario de él.

pacotilla Se usa en la expresión **de pacotilla**, 'de poca calidad'.

pactar *v.* Hacer un pacto. **Sin.** Acordar.

pacto *s. m.* Acuerdo entre personas o grupos, que todos ellos deben cumplir. **Sin.** Trato, convenio.

padecer *v.* **1.** Tener una cosa mala o que produce sufrimiento. **2.** Sentir dolor o sufrimiento. □ Es v. irreg. Se conjuga como *agradecer.* **Sin. 1.** Soportar, aguantar. **1** y **2.** Sufrir. **Ant. 1** y **2.** Disfrutar.

padecimiento *s. m.* Sufrimiento.

padrastro *s. m.* **1.** Nuevo marido de la madre para los hijos que ella ya tenía de otro matrimonio. **2.** Pellejito que se levanta alrededor de las uñas y duele.

padrazo *s. m.* Padre muy cariñoso.

padre *s. m.* **1.** Lo que es un hombre para sus hijos o un animal macho para sus crías. **2.** Persona que crea, inventa o difunde una cosa. **3.** Tratamiento que se da a los curas y a algunos religiosos. **4.** Primera persona de la Santísima Trinidad. || *pl.* **5.** El padre y la madre. || *adj.* **6.** *fam.* Muy grande o fuerte: *Se armó el lío padre.* || **7. padre de familia** Jefe de la familia, aunque no tenga hijos. **8. padre político** El suegro. **Expr. de padre y muy señor mío** Muy grande o fuerte. **Sin. 1.** Papá, progenitor. **2.** Creador, inventor.

padrenuestro *s. m.* Oración cristiana que empieza con las palabras *Padre nuestro.*

padrinazgo *s. m.* **1.** El ser padrino de alguien. **2.** Protección y apoyo que se da a una persona para que tenga éxito.

padrino *s. m.* **1.** Hombre que acompaña y ayuda a quien recibe algunos sacramentos, como el matrimonio y el bautismo. **2.** Persona que protege y ayuda a otra para que tenga éxito. || *pl.* **3.** El padrino y la madrina. **Sin. 2.** Protector, benefactor.

padrón *s. m.* Lista de habitantes de un pueblo o ciudad. **Sin.** Censo, catastro.

paella *s. f.* Plato valenciano de arroz guisado con azafrán y otras cosas.

paellera *s. f.* Especie de sartén grande para hacer paellas.

paga *s. f.* **1.** Acción de pagar. **2.** Dinero que recibe una persona por su trabajo. **Sin. 1.** Pago. **2.** Sueldo, salario, jornal.

pagado, da **1.** *p.* de **pagar.** También *adj.* || *adj.* **2.** Orgulloso, satisfecho.

pagaduría *s. f.* Oficina o despacho donde se hacen los pagos.

paganismo *s. m.* Religiones o creencias de los paganos.

pagano, na[1] *adj.* y *s.* **1.** Nombre que dieron los cristianos a las personas de religión distinta a la suya. || *adj.* **2.** Se dice de las fiestas y otras cosas que no son cristianas.

pagano, na[2] *adj.* y *s. fam.* Se dice del que paga lo que cuesta algo.

pagar *v.* **1.** Dar dinero a alguien porque se le debe o por otro motivo. **2.** Responder de algún modo a lo que otro hace por nosotros. **3.** Sufrir el castigo o las consecuencias de un delito, un error, una mala costumbre. **Expr. pagarla** o **pagarlas** Sufrir el castigo o las consecuencias de algo. **Sin. 1.** Abonar. **Ant. 1.** Deber; cobrar.

pagaré *s. m.* Escrito en el que alguien se compromete a pagar una cantidad de dinero en un plazo.

pagel *s. f.* Breca.

página *s. f.* Lado o cara de una hoja de un libro, una revista, un cuaderno.

paginación *s. f.* **1.** Acción de paginar. **2.** Serie de páginas numeradas.

paginar *v.* Numerar las páginas de un libro, de un cuaderno o de otra cosa parecida.

pago *s. m.* **1.** Acción de pagar. **2.** Dinero que se da al pagar.

pagoda *s. f.* Templo budista típico de algunos países orientales.

paipay *s. m.* Abanico de forma casi redonda, con un mango.

país *s. m.* **1.** Territorio independiente con gobierno propio y limitado por fronteras. **2.** Región diferenciada dentro de un territorio o Estado: *el País Vasco.* **SIN. 1.** Patria, nación, Estado.

paisaje *s. m.* **1.** Terreno que se ve desde un lugar. **2.** Pintura o dibujo que representa una extensión de terreno. **SIN. 1.** Panorama, vista.

paisajista *s. m.* y *f.* Pintor de paisajes.

paisajístico, ca *adj.* Relacionado con los dibujos o pinturas de paisajes.

paisano, na *adj.* y *s.* **1.** Se dice de las personas que son del mismo país, región o lugar. ‖ *s. m.* y *f.* **2.** Campesino. **3.** Persona que no es militar. **SIN. 3.** Civil.

paja *s. f.* **1.** Tallo de los cereales, seco y separado del resto. **2.** Tubito delgado que sirve para sorber un líquido. **3.** Cosa poco importante, de relleno.

pajar *s. m.* Sitio donde se guarda la paja.

pájara *s. f.* Desmayo que sufre un ciclista en la carrera tras un gran esfuerzo.

pajarera *s. f.* Jaula grande o sitio donde se tienen pájaros.

pajarería *s. f.* Tienda donde se venden pájaros y otros animales domésticos.

pajarero, ra *adj.* **1.** De los pájaros. ‖ *s. m.* y *f.* **2.** Criador o vendedor de pájaros.

pajarita *s. f.* **1.** Figura con forma de pájaro que se hace doblando muchas veces un papel. **2.** Lazo que se pone en el cuello de la camisa.

pájaro, ra *s. m.* y *f.* **1.** Ave, sobre todo la de pequeño tamaño. **2.** Persona aprovechada o de malas intenciones. ‖ **3. pájaro bobo** Ave no voladora, negra por detrás y blanca por delante, que vive en las regiones polares, está adaptada para nadar y tiene las alas en forma de aletas. Se la suele llamar *pingüino.* **4. pájaro carpintero** Ave de muchos colores y pico largo y muy fuerte, con el que pica los troncos de los árboles. **EXPR. tener la cabeza llena de pájaros** (o **a pájaros**) Tenerla llena de fantasías. **SIN. 2.** Granuja.

pajarraco *s. m.* Pájaro grande y feo.

paje *s. m.* Chico que antiguamente servía como criado a un amo.

pajizo, za *adj.* De color amarillento, parecido al de la paja.

pajolero, ra *adj.* y *s.* Molesto, irritante. **EXPR. no tener ni pajolera idea** No saber nada sobre una cosa.

pakistaní *adj.* y *s.* Paquistaní.

pala *s. f.* **1.** Herramienta que se usa sobre todo para cavar y está formada por una parte plana y un mango. **2.** Nombre de otros utensilios parecidos, pero más pequeños, como la pala para servir la tarta o el cuchillo para comer el pescado. **3.** Raqueta de madera de algunos juegos. **4.** Parte más ancha del remo y de otras cosas parecidas. **5.** Cada uno de los dos dientes del centro de la fila de arriba.

palabra *s. f.* **1.** Sonidos o letras que expresan una idea. **2.** Capacidad para hablar y expresarse: *facilidad de palabra.* **3.** Derecho o turno para hablar: *tener la palabra.* **4.** Promesa: *dar uno su palabra.* ‖ **5. palabra de honor** Promesa firme que alguien hace. **6. palabras mayores** Cosa muy importante o muy seria. **EXPR. de palabra** Hablando, no por escrito; también, se dice de la persona que cumple lo que promete. **en una palabra** Resumiendo, en conclusión. **SIN. 1.** Término, vocablo, voz.

palabrería *s. f.* El emplear muchas palabras, pero que dicen muy poco.

palabrota *s. f.* Palabra muy ordinaria y que suena muy mal. **SIN.** Taco.

palacete *s. m.* Casa grande y lujosa parecida a un palacio, pero más pequeña.

palaciego, ga *adj.* Del palacio y la corte de un rey. **SIN.** Palatino, cortesano.

palacio *s. m.* **1.** Casa grande y muy lujosa donde viven personas más importantes, sobre todo la del rey. **2.** Edificio muy grande donde se realizan algunas actividades o actos: *palacio de congresos.* **SIN. 1.** Mansión.

palada *s. f.* **1.** Cantidad de algo que se coge o echa con la pala cada vez. **2.** Cada movimiento o golpe con la pala del remo en el agua.

paladar *s. m.* **1.** Parte de arriba por dentro de la boca. **2.** Capacidad para apreciar el sabor de los alimentos.

paladear *v.* Tener un alimento un rato en la boca para apreciar mejor su sabor. **SIN.** Saborear.

paladeo *s. m.* Acción de paladear.

paladín *s. m.* **1.** Caballero que luchaba en la guerra y era muy famoso por sus hazañas. **2.** Defensor de una idea.

palafito *s. m.* Casa que se construye sobre estacas en un lago o un pantano.

palafrenero *s. m.* Criado encargado de los caballos.

palanca *s. f.* **1.** Barra o cosa parecida que sirve para levantar o mover un objeto, apoyándolo en uno de sus extremos y haciendo fuerza en el otro. **2.** Barra u otra cosa que sirve para hacer funcionar una máquina o un mecanismo.

palangana s. f. Recipiente que se utiliza para lavarse o para lavar algunas cosas. Sin. Jofaina.

palanganero s. m. Mueble o soporte en el que se pone la palangana.

palanqueta s. f. Palanca pequeña que se usa para hacer saltar cerraduras.

palanquín s. m. Silla o cama que se usa para llevar a las personas a hombros.

palatal adj. Relacionado con el paladar.

palatino, na adj. Del palacio. Sin. Palaciego.

palco s. m. **1.** En teatros, plazas de toros y lugares parecidos, balcón con varios asientos. **2.** Tarima que se pone levantada para ver un espectáculo.

palenque s. m. Valla de madera y terreno cercado con ella.

palentino, na adj. y s. De Palencia, ciudad y provincia españolas.

paleocristiano, na adj. De los primeros cristianos.

paleografía s. f. Ciencia que estudia la escritura de los textos antiguos.

paleolítico, ca adj. y s. m. Se dice del primer periodo de la edad de piedra y de lo relacionado con él.

paleontología s. f. Ciencia que se ocupa de los seres vivos de hace millones de años, estudiando los fósiles que quedan de ellos.

paleontólogo, ga s. m. y f. Especialista en paleontología.

palestino, na adj. y s De Palestina, región de Oriente Medio.

palestra s. f. Lugar donde antiguamente se celebraban combates y torneos.

paleta s. f. **1.** Pala pequeña. **2.** Herramienta que usan los albañiles para extender yeso y otras masas. **3.** Tabla que usan los pintores para poner los colores que van a utilizar. **4.** Raqueta de madera del pimpón y otros juegos.

paletada[1] s. f. Cantidad de algo que se coge de una vez con una paleta o pala.

paletada[2] s. f. Cosa o acción de paleto.

paletilla s. f. **1.** Cada uno de los dos huesos casi planos y triangulares situados en la parte alta de la espalda. **2.** Carne que está pegada a esos huesos en los animales. Sin. 1. Omóplato.

paleto, ta adj. y s. **1.** Ignorante de lo que no sabe comportarse, sobre todo si viene del campo. **2.** Poco fino o elegante. Sin. 1. Cateto, palurdo.

paletón s. f. Parte de la llave en la que están los dientes.

paliar v. Atenuar algo malo o perjudicial. Sin. Mitigar, moderar, suavizar. Ant. Agravar.

paliativo, va adj. y s. m. Que sirve para paliar o suavizar.

palidecer v. Ponerse uno pálido. □ Es v. irreg. Se conjuga como *agradecer*.

palidez s. f. Característica de pálido.

pálido, da adj. **1.** Que no tiene o ha perdido color, sobre todo el de la cara. **2.** Se dice de los colores suaves. Sin. 1. Demacrado. **2.** Descolorido. Ant. 1. Sonrosado. **2.** Vivo.

palillero s. m. Vasito u otra cosa donde se colocan los palillos de dientes.

palillo s. m. **1.** Palito de madera afilado para sacar la comida que queda entre los dientes. **2.** Varita para tocar el tambor. ‖ pl. **3.** Palitos que usan los chinos y otros pueblos orientales como cubiertos. Sin. 1. Mondadientes.

palíndromo s. m. Palabra o frase que se lee igual de izquierda a derecha que de derecha a izquierda, como: *dábale arroz a la zorra el abad.*

palio s. m. Toldo sujeto por unas varas largas con que se cubre al sacerdote que lleva la eucaristía, a una imagen, a una persona importante.

palique s. m. Conversación, charla. Sin. Cháchara.

palisandro s. m. Madera rojiza con vetas oscuras que procede de árboles tropicales, muy apreciada en ebanistería.

palitroque s. m. Palo pequeño.

paliza s. f. **1.** Golpes que se dan a una persona o animal. **2.** Trabajo o esfuerzo que cansa mucho. **3.** Derrota importante. ‖ adj. y s. **4.** fam. Persona muy pesada. Sin. 1. Tunda, zurra, azotes. **4.** Pelma, plasta.

palma s. f. **1.** Parte de la mano hacia la que se doblan los dedos. **2.** Palmera, árbol. **3.** Hoja de la palmera, con la que se hacen cestos, escobas y otras cosas. ‖ pl. **4.** Palmadas. Expr. **llevar** o **tener** a alguien **en palmas** o **palmitas** Tratarle demasiado bien. **llevarse la palma** Ser el mejor o el que más destaca en algo. Sin. 4. Ovación.

palmada s. f. **1.** Golpe que se da con la palma de la mano. **2.** Acción de chocar las palmas de las manos.

palmar[1] s. m. Palmeral.

palmar² *v. fam.* Morir.

palmarés *s. m.* **1.** Triunfos o éxitos de un artista, deportista, equipo. **2.** Lista de los ganadores de una competición.

palmario, ria *adj.* Claro, evidente.

palmatoria *s. f.* Platito con asa en que se coloca una vela.

palmeado, da 1. *p.* de **palmear.** ‖ *adj.* **2.** Con forma de mano abierta. **3.** Se dice de los dedos de algunos animales que están unidos por una membrana, como los de los patos.

palmear *v.* **1.** Dar palmadas. **2.** En baloncesto, impulsar hacia la cesta con la palma de la mano el balón lanzado por un compañero.

palmeo *s. m.* Acción de palmear.

palmera *s. f.* **1.** Árbol de tronco delgado con hojas muy grandes y tiesas en lo alto. Algunas variedades dan frutos comestibles, como el dátil. **2.** Dulce plano hecho con hojaldre. **SIN. 1.** Palma.

palmeral *s. m.* Lugar con palmeras. **SIN.** Palmar¹.

palmero, ra¹ *s. m.* y *f.* Persona que acompaña tocando las palmas un cante o baile flamencos.

palmero, ra² *adj.* y *s.* De La Palma, isla de las Canarias.

palmesano, na *adj.* y *s.* De Palma de Mallorca, capital de las Baleares.

palmípedo, da *adj.* y *s. f.* Se dice de las aves acuáticas que tienen una membrana entre los dedos de las patas, como patos, cisnes o gaviotas.

palmito¹ *s. m.* Palmera con el tronco debajo de la tierra o muy corto y hojas en forma de abanico que se usan para hacer esteras, escobas y otras cosas. Tiene un cogollo comestible.

palmito² *s. m.* Tipo bonito y airoso de una mujer.

palmo *s. m.* Medida de longitud que equivale a la mano muy abierta. **EXPR. quedarse** alguien o **dejar** a alguien **con un palmo de narices** Llevarse un chasco o dárselo. **SIN.** Cuarta.

palmotear *v.* **1.** Dar muchas palmadas. **2.** Dar palmadas a alguien o algo.

palo *s. m.* **1.** Trozo de madera alargado y generalmente cilíndrico. **2.** Golpe que se da con este trozo de madera. **3.** Madera: *cuchara de palo.* **4.** Cosa recta y larga, como por ejemplo los mástiles de los barcos. **5.** Cada uno de los cuatro grupos de cartas de la baraja. En la española son: bastos, copas, espadas y oros. ‖ **6. palo de ciego** Lo que se hace sin saber muy bien lo que se pretende. **7. palo santo** Árbol de madera oscura y muy dura que crece en América. **EXPR. a palo seco** Sin nada que lo acompañe. **SIN. 1.** Estaca.

paloduz *s. m.* Trozo del tallo subterráneo de la planta llamada *regaliz*, que se chupa o se mastica como golosina.

paloma *s. f.* Ave de tamaño mediano, cabeza pequeña, pico corto y cola amplia. Su color varía según la especie.

palomar *s. m.* Lugar donde se crían o se refugian las palomas.

palometa *s. f.* Pez marino de cuerpo ovalado y plano y de color gris. Se usa mucho como alimento.

palomilla *s. f.* **1.** Tuerca con dos aletas que se enrosca a mano. **2.** Pieza de metal doblada en ángulo recto que sirve para sostener estantes u otras cosas.

palomino *s. m.* **1.** Cría de las palomas silvestres. **2.** Mancha de caca en los calzoncillos o en las bragas. **SIN. 1.** Pichón.

palomita *s. f.* **1.** Grano de maíz que, cuando se pone al fuego, revienta y se pone blanco y esponjoso. Se come con sal o azúcar. **2.** Bebida de anís y agua.

palomo *s. m.* **1.** Macho de la paloma. **2.** Paloma torcaz.

palote *s. m.* Palito que trazan los niños cuando están aprendiendo a escribir.

palpable *adj.* **1.** Que se puede tocar. **2.** Claro, evidente. **SIN. 1.** Tangible. **2.** Patente. **ANT. 2.** Dudoso.

palpar *v.* **1.** Tocar una cosa con las manos o los dedos. **2.** Notar, apreciar. **SIN. 1.** Tentar, tantear. **2.** Percibir.

palpitación *s. f.* Acción de palpitar. **SIN.** Latido.

palpitante *adj.* **1.** Que palpita. **2.** Actual, de gran interés. **SIN. 2.** Candente.

palpitar *v.* Dar latidos el corazón. **SIN.** Latir.

pálpito *s. m.* Presentimiento.

palpo *s. m.* Apéndice que las arañas y otros animales tienen cerca de la boca; con él palpan y sujetan los alimentos.

palúdico, ca *adj.* y *s.* Del paludismo o que tiene esta enfermedad.

paludismo *s. m.* Enfermedad que da una fiebre intermitente muy alta. Está producida por un microorganismo frecuente en terrenos pantanosos y se transmite por la picadura de la hembra de un tipo de mosquito. **SIN.** Malaria.

palurdo, da *adj.* Paleto.

palustre *adj.* De las lagunas, los lagos o pantanos.

pamela *s. f.* Sombrero de mujer de ala muy ancha.

pamema *s. f.* Tontería, bobada.

pampa *s. f.* Llanura muy extensa y sin árboles, característica de algunas regiones de América del Sur, por ejemplo de Argentina.

pámpano *s. m.* Hoja de la vid, sobre todo la que está recién salida.

pamplina *s. f.* Tontería, bobada.

pamplonica o **pamplonés, sa** *adj.* y *s.* De Pamplona, capital de Navarra.

pan *s. m.* **1.** Alimento hecho con harina amasada con agua y levadura y cocida luego al horno. **2.** La comida y todo lo necesario para vivir: *ganarse el pan.* **3.** Lámina muy fina de oro o plata con la que se cubre un objeto o superficie. ‖ **4. pan de molde** El de forma cuadrada y cortado en rebanadas. **5. pan y quesillo** Flor de la falsa acacia, que tiene un sabor dulce. **Expr. ser pan comido** Ser muy fácil. **ser** alguien **un pedazo de pan** Ser muy bueno. **Sin. 2.** Sustento.

pana *s. f.* Tejido grueso que tiene como surcos y parece terciopelo.

panacea *s. f.* Solución o remedio para cualquier problema.

panaché *s. m.* Plato de verduras variadas, cocidas y rehogadas.

panadería *s. f.* Tienda que vende pan.

panadero, ra *s. m.* y *f.* Persona que hace o vende pan.

panal *s. m.* Conjunto de celdillas que hacen las abejas para almacenar la miel y para poner dentro los huevos. **Sin.** Colmena.

panamá *s. m.* Sombrero masculino de verano, hecho de pita.

panameño, ña *adj.* y *s.* De Panamá, país de América Central.

pancarta *s. f.* Cartel grande con algo escrito que se muestra, por ejemplo, en las manifestaciones.

panceta *s. f.* Tocino de cerdo con vetas de carne.

panchito *s. m.* Cacahuete pelado y frito.

pancho, cha *adj.* Tranquilo, satisfecho: *quedarse uno tan pancho.*

páncreas *s. m.* Glándula que está situada debajo del estómago y produce insulina y un líquido que interviene en la digestión.

pancreático, ca *adj.* Del páncreas

panda¹ *s. m.* Mamífero asiático parecido a un oso. Tiene el pelo de color blanco y negro y se alimenta casi sólo de vegetales, sobre todo de bambú.

panda² *s. f.* Pandilla.

pandemónium *s. m.* Griterío, jaleo.

pandereta *s. f.* Pandero pequeño.

panderete *s. m.* Pared delgada hecha con ladrillos puestos de canto.

pandero *s. m.* **1.** Instrumento musical formado por un aro con chapitas metálicas y cubierto por una piel muy estirada, que suena al golpear ésta. **2.** *fam.* Culo.

pandilla *s. f.* **1.** Los amigos que siempre van juntos. **2.** Grupo de personas. **Sin. 2.** Banda.

panegírico *s. m.* Discurso, poema, escrito en que se alaba a alguien o algo. **Sin.** Elogio, apología. **Ant.** Crítica.

panel *s. m.* **1.** Cada uno de los cuadrados o rectángulos en que se dividen algunas puertas. **2.** Plancha o tablero móvil, que se puede poner y quitar. **3.** Tablero o superficie donde se encuentran algunos mandos o aparatos.

panera *s. f.* Caja o cesta para el pan.

pánfilo, la *adj.* y *s.* Torpe, tonto. **Sin.** Bobo. **Ant.** Avispado.

panfletario, ria *adj.* De estilo semejante al de los panfletos.

panfleto *s. m.* **1.** Escrito en el que se ataca a alguien o algo de manera exagerada y falsa. **2.** Folleto de propaganda política. **Sin. 1.** Libelo.

pangolín *s. m.* Animal mamífero de cuerpo alargado, cubierto de escamas, y con una gran cola. Tiene la lengua larga para atrapar insectos y las uñas fuertes para excavar. Vive en África y Asia.

paniaguado, da *adj.* y *s.* Se dice de la persona protegida o favorecida por otra.

pánico *s. m.* Miedo muy grande. **Sin.** Terror, horror, pavor.

panícula *s. f.* Espiga o pirámide formada por pequeños racimos de flores.

panificadora *s. f.* Fábrica de pan.

panocha o **panoja** *s. f.* Espiga del maíz y otras plantas. Es como un cono formado por granos muy juntos. **Sin.** Mazorca.

panoli *adj.* y *s.* Tonto, bobo.

panoplia *s. f.* **1.** Armadura de guerrero. **2.** Colección de armas y tabla donde se pone. **3.** Conjunto de medios para un fin.

panorama *s. m.* **1.** Vista de una amplia extensión de terreno desde un lugar. **2.** Situación o estado general de algo. **Sin. 1.** Panorámica.

panorámica *s. f.* **1.** Panorama, vista. **2.** Visión general sobre un asunto.

panorámico, ca *adj.* **1.** Se dice de las vistas de una gran extensión de tierra. **2.** Se dice de un tipo de pantalla de cine muy alargada y curvada hacia atrás.

pantagruélico, ca *adj.* Se dice de las comidas con excesiva cantidad de manjares. **Sin.** Opíparo.

pantalán *s. m.* Pequeño embarcadero que se mete un poco en el mar.

pantalla *s. f.* **1.** Superficie en la que se ven imágenes, como la del cine o el televisor. **2.** Lámina que se coloca alrededor de una luz, como en las lámparas.

pantalón o **pantalones** *s. m.* o *s. m. pl.* Prenda de vestir que se abrocha a la cintura y cubre cada una de las piernas por separado. **Expr.** **llevar** alguien **los pantalones** Mandar en la familia.

pantano *s. m.* **1.** Terreno cubierto de agua con poca profundidad. **2.** Embalse. **Sin. 1.** Ciénaga, marisma.

pantanoso, sa *adj.* Se dice del terreno cubierto de aguas poco profundas.

panteísmo *s. m.* Doctrina que sostiene que todo lo que existe es parte de Dios.

panteísta *adj. y s.* Relacionado con el panteísmo o que lo defiende.

panteón *s. m.* Tumba grande para enterrar a varias personas.

pantera *s. f.* Leopardo.

panti o **pantis** *s. m.* o *s. m. pl.* Medias que cubren las piernas hasta la cintura.

pantocrátor *s. m.* Imagen de Cristo sentado en un trono y situada dentro de un óvalo.

pantógrafo *s. m.* Instrumento formado por cuatro varillas articuladas y graduadas que sirve para copiar, ampliar o reducir un dibujo.

pantomima *s. f.* **1.** Mimo, tipo de teatro. **2.** Acción con que se intenta hacer creer lo que no es verdad. **Sin. 2.** Farsa.

pantorrilla *s. f.* Parte carnosa de la pierna entre la rodilla y el tobillo.

pantufla *s. f.* Zapatilla para estar en casa, abierta por el talón. **Sin.** Chinela.

panty (ingl.) *s. m.* Panti o pantis.

panza *s. f.* **1.** Vientre, sobre todo si es grande. **2.** Parte abultada de algunas cosas. **3.** Una de las cuatro cavidades del estómago de los rumiantes. **Sin. 1.** Tripa, barriga. **2.** Abultamiento.

panzada *s. f.* **1.** Golpe que se da uno en la panza. **2.** Exceso en alguna actividad. **3.** Comilona. **Sin. 2** y **3.** Atracón.

panzudo, da *adj.* Con mucha panza.

pañal *s. m.* Braguita absorbente que se pone a los bebés y a los niños pequeños para que se quede ahí el pis y la caca. **Expr. en pañales** En sus comienzos.

paño *s. m.* **1.** Tejido fuerte de lana. **2.** Trapo. ‖ **3. paños calientes** Lo que se hace o se dice para hacer menos dura una noticia o una situación. **Expr. en paños menores** En ropa interior.

pañol *s. m.* Compartimento de un barco para guardar provisiones y otras cosas.

pañoleta *s. f.* Pañuelo grande que se pone en la cabeza o sobre los hombros.

pañuelo *s. m.* **1.** Pieza de tela fina para sonarse la nariz o para limpiarse. **2.** Pieza de tela más grande que se utiliza como adorno o para protegerse del frío. **Sin. 2.** Pañoleta.

papa[1] *s. m.* Hombre que ejerce la máxima autoridad en la Iglesia católica.

papa[2] *s. f.* Patata.

papa[3] Se usa en la expresión **ni papa**, 'nada': *no entender ni papa.*

papá o **papa** *s. m.* Nombre cariñoso que se da al padre.

papada *s. f.* Abultamiento que se forma debajo de la barbilla, sobre todo con la edad o cuando se está gordo.

papado *s. m.* Cargo o categoría que tiene el papa.

papagayo *s. m.* Ave de pico curvo y plumaje de vivos colores. Vive en África y en América del Sur y algunas de ellas son capaces de imitar el habla humana. **Sin.** Loro.

papal *adj.* Del papa[1].

papanatas *s. m. y f.* Bobo, tonto.

paparrucha o **paparruchada** *s. f.* Tontería, bobada.

papaya *s. f.* Fruta del papayo, parecida a un melón.

papayo *s. m.* Árbol tropical de tronco recto, hojas grandes lobuladas y fruto comestible, la papaya.

papear *v. fam.* Comer.

papel *s. m.* **1.** Lámina muy fina hecha con fibra de madera u otros materiales; se utiliza para escribir, dibujar, envolver. **2.** Personaje que tiene que representar un actor. **3.** Función o acción que realiza alguien. ‖ **4. papel cebolla** El fino y casi transparente, que se usa para calcar. **5. papel charol** El brillante, fino y casi siempre de color. **6. papel de calco** o **papel carbón** El que tiene tinta por una cara y se usa para sacar copias de lo que se escribe. **7. papel higiénico** El que se usa en el wáter para limpiarse. **8. papel pintado** El que se pone en las paredes. **9. papel vegetal** El transparente y duro, usado para calcar. **Sin. 3.** Tarea, labor.

papeleo *s. m.* Los trámites, documentos y escritos que se necesitan para resolver un asunto.

papelera *s. f.* **1.** Cubo o recipiente al que se tiran papeles usados y otras cosas que no valen. **2.** Fábrica de papel. **Sin. 1.** Cesto.

papelería *s. f.* Tienda en la que se vende material para escribir y de oficina.

papeleta *s. f.* **1.** Hoja pequeña de papel en la que hay algo escrito, por ejemplo, el número para un sorteo. **2.** Situación o asunto molesto o difícil. **Sin. 2.** Engorro, incordio.

papelina *s. f.* Cantidad de droga que se vende en un sobrecito de papel.

paperas *s. f. pl.* Enfermedad infecciosa que produce inflamación en la glándula parótida; ataca sobre todo a los niños.

papila *s. f.* Bultito de la piel y las membranas de los animales y vegetales; las que están en la lengua sirven para apreciar los sabores.

papilla *s. f.* Comida muy triturada que se da a los niños pequeños o los enfermos. **Expr. hacer papilla** Destrozar. **Sin.** Puré.

papiloma *s. m.* Pequeño tumor inofensivo que sale en la piel y las mucosas.

papión *s. m.* Mono africano de pelo gris o pardo claro, que tiene unas callosidades características en las nalgas.

papiro *s. m.* **1.** Planta de 2 o 3 metros de altura que crece en las orillas de los ríos. Su tallo es una caña, tiene flores pequeñas y verdosas y largas hojas. Antiguamente se utilizó para fabricar papel. **2.** Este papel.

papiroflexia *s. f.* Arte de hacer figuras doblando varias veces una hoja de papel.

papirotazo o **papirotada** *s. m.* o *s. f.* Toba, capirotazo.

papista *adj.* y *s.* Que obedece fielmente al papa. **Expr. ser más papista que el papa** Ser demasiado exagerado al defender alguna idea.

papo *s. m.* **1.** Cara dura. **2.** Pachorra.

papú o **papúa** *adj.* y *s.* **1.** De un pueblo de Oceanía que vive en Papúa Nueva Guinea y las islas Fiji. ‖ *s. m.* **2.** Idioma de este pueblo.

paquebote *s. m.* Barco que lleva el correo y pasajeros de un puerto a otro.

paquete *s. m.* **1.** Objeto u objetos envueltos o metidos en una caja o bolsa para protegerlos o para llevarlos mejor. **2.** Conjunto: *un paquete de medidas.* **3.** *fam.* Persona que va como acompañante en una moto o una bicicleta. **4.** *fam.* Castigo, sanción. **Sin. 1.** Bulto, envoltorio. **2.** Lote.

paquidermo *adj.* y *s. m.* Animal de un grupo de mamíferos que tienen la piel muy gruesa y fuerte, por ejemplo el elefante o el rinoceronte.

paquistaní *adj.* y *s.* De Pakistán, país de Asia.

par *adj.* y *s. m.* **1.** Se dice del número divisible por dos. ‖ *s. m.* **2.** Dos personas o cosas. **3.** Unos pocos: *Nos habremos visto un par de veces.* **Expr. a la par** A la vez. **a pares** En gran cantidad. **de par en par** Completamente abierto. **sin par** Incomparable: *una belleza sin par.* **Sin. 2.** Pareja. **Ant. 1.** Non, impar.

para *prep.* Expresa finalidad o utilidad: *Los ojos sirven para ver;* indica la persona que tiene o da una opinión: *Para mí, Lola es la más lista;* indica la persona o cosa que recibe algo: *El regalo es para Marga;* expresa duración: *Nos fuimos al campo para quince días;* dirección: *Vamos para Barcelona;* un momento futuro: *para mañana.*

parabién *s. m.* Felicitación.

parábola *s. f.* **1.** Historia que se cuenta como ejemplo para enseñar o explicar algo. **2.** Curva abierta formada por dos partes simétricas respecto a un eje, como la que hace un objeto lanzado con fuerza hacia delante y hacia arriba.

parabólico, ca *adj.* **1.** Con forma de parábola: *trayectoria parabólica.* ‖ *adj.* y *s. f.* **2.** Se dice de una antena de televisión que puede recibir imágenes que llegan desde muy lejos.

parabrisas *s. m.* Cristal delantero de algunos vehículos.

paracaídas *s. m.* Gran bolsa de tela que se utiliza para lanzarse desde gran altura, pues se llena de aire y disminuye la velocidad de la caída.

paracaidismo *s. m.* Actividad de los que se lanzan en paracaídas.

paracaidista *adj.* y *s.* Que se lanza en paracaídas.

parachoques *s. m.* Pieza que llevan delante y detrás algunos vehículos como protección contra los choques.

parada *s. f.* 1. Acción de parar. 2. Lugar donde se detiene un vehículo de transporte público para dejar o recoger pasajeros. 3. Desfile. Sin. 1. Detención.

paradero *s. m.* Lugar donde se encuentra alguien o algo. Sin. Localización, ubicación.

paradigma *s. m.* 1. Modelo, ejemplo. 2. Conjunto ordenado de las distintas formas en que pueden aparecer algunas palabras, por ejemplo los verbos. Sin. 1. Prototipo, canon.

paradisíaco, ca o **paradisíaco, ca** *adj.* Del paraíso o parecido a él, de gran belleza.

parado, da 1. *p.* de **parar**. También *adj.* || *adj.* 2. Quieto. || *adj.* y *s.* 3. Poco decidido. 4. Persona sin empleo. Expr. **salir bien** o **mal parado** Tener buen o mal resultado. Sin. 4. Desempleado. Ant. 3. Atrevido.

paradoja *s. f.* El decir o darse a la vez dos cosas totalmente contrarias. Sin. Contrasentido.

paradójico, ca *adj.* Contradictorio, que constituye una paradoja.

parador *s. m.* Hotel del Estado situado en un lugar turístico.

parafernalia *s. f.* Lujo, boato. Sin. Pompa. Ant. Sobriedad.

parafina *s. f.* Sustancia parecida a la cera, que se saca del petróleo.

parafrasear *v.* Decir con otras palabras lo mismo que otro ha dicho o escrito.

paráfrasis *s. f.* Palabras con que se parafrasea algo.

parágrafo *s. m.* Párrafo.

paraguas *s. m.* Utensilio para protegerse de la lluvia, formado por un bastón y una tela que puede abrirse y cerrarse mediante unas varillas.

paraguaya *s. f.* Fruta parecida al melocotón, pero más aplastada.

paraguayo, ya *adj.* y *s.* De Paraguay, país de América del Sur.

paragüero *s. m.* Recipiente para dejar en él los paraguas.

paraíso *s. m.* 1. Lugar muy hermoso del que habla la *Biblia*, donde vivían Adán y Eva. 2. Lugar muy bonito, muy agradable o muy bueno para algo. 3. El cielo, donde irán los buenos después de morir. Sin. 1. Edén. 3. Gloria.

paraje *s. m.* Lugar en el campo.

paralelepípedo *s. m.* Figura geométrica cuyas bases son paralelogramos y que tiene seis caras paralelas dos a dos.

paralelismo *s. m.* El ser paralelas dos cosas.

paralelo, la *adj.* y *s.* 1. Se dice de las líneas rectas, los planos u otras cosas que van siempre a la misma distancia sin juntarse nunca. 2. Parecido, comparable. 3. Simultáneo. || *s. m.* 4. Parecido, comparación, paralelismo. 5. Cada una de las líneas horizontales que se trazan en el globo terrestre. || *s. f. pl.* 6. Barras paralelas sobre las que se hacen ejercicios de gimnasia. Sin. 2. Similar.

paralelogramo *s. m.* Polígono de cuatro lados paralelos entre sí dos a dos.

paralís *s. m. fam.* Parálisis.

parálisis *s. f.* Pérdida de la capacidad de mover alguna parte del cuerpo.

paralítico, ca *adj.* y *s.* Que sufre una parálisis.

paralización *s. f.* Acción de paralizar.

paralizar *v.* 1. Hacer que alguien o algo no pueda moverse. 2. Parar lo que se estaba haciendo. Sin. 1. Inmovilizar. 2. Detener, frenar.

paramecio *s. m.* Ser microscópico unicelular que vive en aguas estancadas.

paramento *s. m.* Prenda o tela con que se cubre o adorna una cosa.

parámetro *s. m.* Dato o valor que se tiene en cuenta para medir, analizar o juzgar una cosa.

paramilitar *adj.* y *s.* Que imita los uniformes y la organización del ejército.

páramo *s. m.* Terreno llano y elevado con poca vegetación.

parangón *s. m.* Comparación.

paraninfo *s. m.* Salón de actos de las universidades, institutos y sitios parecidos.

paranoia *s. f.* Enfermedad mental en la que el enfermo está obsesionado con una idea, por ejemplo que alguien le persigue.

paranoico, ca *adj.* y *s.* De la paranoia o que tiene paranoia.

paranomasia *s. f.* Paronimia.

paranormal *adj.* Se dice de los fenómenos extraños que la ciencia aún no ha podido explicar, como la telepatía.

parapetarse *v.* Protegerse o refugiarse detrás de alguien o algo. Sin. Resguardarse.

parapeto *s. m.* Montón de sacos de arena, piedras y otras cosas que sirve para protegerse detrás de él. Sɪɴ. Barricada.

paraplejia o **paraplejía** *s. f.* Parálisis de cintura para abajo.

parapléjico, ca *adj.* y *s.* Paralítico de cintura para abajo.

parapsicología *s. f.* Estudio de los fenómenos paranormales.

parapsicólogo, ga *s. m.* y *f.* Experto en parapsicología.

parar *v.* 1. Dejar de moverse o de hacer algo. 2. Hacer que alguien o algo deje de moverse, actuar, funcionar. 3. Detener el balón el portero; detener un golpe o un ataque. Expr. **ir** o **venir a parar** Llegar a un lugar; también, pasar una cosa a ser de alguien. Sɪɴ. 2. Inmovilizar, frenar. Aɴᴛ. 2. Accionar.

pararrayos *s. m.* Aparato que se pone sobre un edificio para atraer los rayos y evitar que causen algún daño.

parasitismo *s. m.* Relación entre dos seres vivos en la que uno de ellos es parásito del otro.

parásito, ta *adj.* y *s.* 1. Ser vivo que se alimenta de otro diferente causándole perjuicio. 2. Gorrón. Sɪɴ. 2. Aprovechado.

parasol *s. m.* 1. Sombrilla. 2. Pieza que hay sobre el parabrisas de los automóviles, que se puede colocar de forma que quite el sol.

parcela *s. f.* 1. Cada una de las partes en que se divide un terreno. 2. Parte de una cosa.

parcelar *v.* Dividir en parcelas.

parcelario, ria *adj.* De las parcelas.

parche *s. m.* 1. Pieza que se cose o se pega para tapar un agujero o un roto. 2. Arreglo provisional. 3. Piel tensa de los tambores, panderetas y otros instrumentos parecidos, en la que se golpea. Sɪɴ. 1. Remiendo.

parchear *v.* Poner parches a algo.

parchís *s. m.* Juego que consiste en mover unas fichas sobre un tablero tantas casillas como indica un dado. Gana el primero que llega a la casilla final.

parcial *adj.* 1. Sólo de una parte. 2. Que favorece injustamente a unos y no a otros. || *adj.* y *s. m.* 3. Examen de parte de una asignatura. Sɪɴ. 2. Arbitrario. Aɴᴛ. 1. Total. 2. Imparcial.

parcialidad *s. f.* El hecho de ser parcial, de favorecer a unos y no a otros. Sɪɴ. Injusticia. Aɴᴛ. Imparcialidad.

parcialmente *adv.* En parte.

parco, ca *adj.* 1. Muy moderado, que no comete excesos. 2. Escaso, pequeño. Sɪɴ. 1. Sobrio. 2. Corto, exiguo. Aɴᴛ. 1. Exagerado. 2. Abundante.

pardal *s. m.* 1. Gorrión. 2. Pardillo, pájaro silvestre.

pardillo, lla *adj.* y *s.* 1. Paleto. 2. Persona a la que se engaña fácilmente. || *s. m.* 3. Pájaro del tamaño del canario, con el lomo pardo, la cabeza grisácea y el pecho rojizo. Vive en bosques, jardines y campos de cultivo. Sɪɴ. 2. Ingenuo, tonto. Aɴᴛ. 2. Avispado.

pardo, da *adj.* De color marrón parecido al de la tierra.

pardusco, ca *adj.* De color más o menos pardo.

pareado *s. m.* Estrofa de dos versos que riman entre sí.

parecer[1] *v.* 1. Tener un aspecto o producir una impresión. 2. Ser casi igual que otro. 3. Haber señales de algo: *Parece que va a llover.* 4. Creer, opinar: *¿Qué te parece?* □ Es v. irreg. Se conjuga como *agradecer*. Sɪɴ. 1. Semejar. 2. Asemejarse. Aɴᴛ. 2. Diferenciarse.

parecer[2] *s. m.* Opinión. Sɪɴ. Juicio.

parecido, da 1. *p.* de **parecer**. || *adj.* 2. Que se parece a otro. 3. Detrás de *bien* o *mal*, significa 'que tiene buen o mal aspecto físico'. || *s. m.* 4. Semejanza. Sɪɴ. 3. Similar, semejante. Aɴᴛ. 2. Distinto. 4. Diferencia.

pared *s. f.* 1. Obra de ladrillos, piedras u otro material, hecha en vertical para cerrar o separar un espacio. 2. Superficie o lado. Expr. **subirse por las paredes** Estar muy enfadado o nervioso. Sɪɴ. 1. Muro, tabique.

paredón *s. m.* 1. Pared que queda en pie en un edificio en ruinas. 2. Muro delante del cual se fusila a alguien.

pareja *s. f.* 1. Dos personas, animales o cosas; también, cada uno de ellos respecto al otro. Sɪɴ. Dúo, par; compañero.

parejo, ja *adj.* Igual o parecido. Sɪɴ. Semejante, similar. Aɴᴛ. Desigual.

parénquima *s. m.* 1. Tejido vegetal esponjoso que realiza funciones de fotosíntesis o de almacenamiento. 2. En los animales, tejido que forma las glándulas.

parentela *s. f.* Los parientes de alguien. Sɪɴ. Familia.

parentesco *s. m.* 1. Relación que hay entre los que son parientes. 2. Relación que existe entre cosas del mismo origen. Sɪɴ. 1. Consanguinidad. 2. Vínculo. Aɴᴛ. 2. Diferencia.

paréntesis *s. m.* **1.** Signos ortográficos, ( ), entre los que se coloca algo que aclara o amplía el contenido de una palabra o frase. También, lo que contienen estos signos. **2.** Interrupción, pausa.

pareo *s. m.* Pañuelo grande que se enrolla al cuerpo como un vestido o como una falda.

paria *s. m.* y *f.* **1.** En la India, persona de la casta o clase social más baja. **2.** Persona a la que se considera inferior.

parida *s. f.* Tontería, idiotez.

paridad *s. f.* Igualdad, semejanza.

pariente, ta *s. m.* y *f.* Persona de la misma familia que otra. **Sin.** Familiar.

parietal *s. m.* Cada uno de los dos huesos situados a los lados del cráneo.

parihuelas *s. f. pl.* **1.** Tablero sujeto con dos barras paralelas para transportar cosas. **2.** Camilla de madera. **Sin.** **1.** Angarillas, andas.

paripé *s. m.* Lo que se hace o se dice sólo para engañar a alguien o para quedar bien: *hacer el paripé.*

parir *v.* Tener un hijo la mujer o la hembra de los mamíferos. **Expr. poner** a alguien o algo **a parir** Hablar mal de él.

parisién o **parisiense** *adj.* y *s.* Parisino.

parisino, na *adj.* y *s.* De París, capital de Francia.

paritorio *s. m.* Sala de un hospital o de una clínica donde se atienden los partos.

parka *s. f.* Tipo de chaquetón con capucha, acolchado o forrado con piel.

parking (ingl.) *s. m.* Aparcamiento.

parkinson *s. m.* Enfermedad cerebral que produce temblores y dificultad de movimientos en los miembros.

parlamentar *v.* Hablar unos con otros para llegar a un acuerdo. **Sin.** Negociar.

parlamentario, ria *adj.* **1.** Relacionado con el parlamento. ‖ *s. m.* y *f.* **2.** Miembro de un parlamento. **3.** Persona que se envía a parlamentar.

parlamentarismo *s. m.* Sistema político en el que un parlamento hace y aprueba las leyes y vigila la actuación del gobierno.

parlamento *s. m.* Asamblea de personas elegidas por los ciudadanos de un país para hacer y aprobar las leyes.

parlanchín, na *adj.* y *s.* Que habla demasiado. **Sin.** Hablador, charlatán. **Ant.** Callado.

parlante *adj.* Que habla: *una muñeca parlante.*

parlotear *v.* Charlar, cotorrear.

parmesano, na *adj.* y *s.* **1.** De Parma, ciudad italiana. ‖ *adj.* y *s. m.* **2.** Se dice de un queso de leche de vaca, elaborado en la región italiana de Lombardía.

parnaso *s. m.* **1.** Conjunto de los poetas de un lugar o una época. **2.** Antología de varios poetas.

parné *s. m. fam.* Dinero.

paro *s. m.* **1.** Situación de las personas que están sin empleo. **2.** Interrupción del trabajo, sobre todo como forma de protesta. **3.** Acción de parar o pararse: *paro cardiaco.* **Sin.** **1.** Desempleo.

parodia *s. f.* Imitación humorística. **Sin.** Caricatura.

parodiar *v.* Hacer una parodia.

paronimia o **paronomasia** *s. f.* El ser parónimas dos o más palabras.

parónimo *adj.* y *s. m.* Se dice de las palabras que se parecen entre sí en la forma o por su sonido.

paroxismo *s. m.* **1.** Grado más alto de un enfado, una pasión, un sentimiento. **2.** Fase más grave de una enfermedad.

parpadear *v.* **1.** Abrir y cerrar los párpados varias veces y con rapidez. **2.** Apagarse y encenderse muy seguido una luz. **Sin.** **1.** Pestañear. **2.** Titilar.

parpadeo *s. m.* Acción de parpadear.

párpado *s. m.* Cada uno de los pliegues de piel que protegen los ojos.

parpar *v.* Emitir el pato su sonido.

parque *s. m.* **1.** Terreno con árboles, plantas y césped para la gente pasee, descanse, juegue. **2.** Armazón con una red como pared en que se coloca a los niños pequeños. **3.** Conjunto de vehículos y equipo para realizar un servicio público o militar, y lugar donde se guardan: *parque de bomberos, parque de artillería.* ‖ **4. parque de atracciones** Lugar con muchas atracciones y aparatos mecánicos para divertirse. **5. parque nacional** Terreno salvaje acotado por el Estado para proteger su vegetación, su fauna y su belleza natural. **6. parque natural** Terreno declarado valioso por el gobierno por su belleza natural. **7. parque zoológico** Ver **zoológico**. **Sin.** **1.** Jardín.

parqué o **parquet** *s. m.* Cubierta para el suelo hecha con pequeñas tablas de madera formando figuras geométricas.

parquedad *s. f.* Característica de parco.

parra *s. f.* Vid que crece sujeta a una pared o trepando sobre un armazón.

parrafada *s. f.* Charla o discurso largos. **Sin.** Sermón.

partida

párrafo *s. m.* Cada una de las partes de un escrito o discurso separadas por un punto y aparte o por otra pausa larga.

parral *s. m.* Parra o conjunto de parras sostenidas por un armazón.

parranda *s. f.* Juerga.

parricida *adj. y s.* Relacionado con el parricidio o que lo ha cometido.

parricidio *s. m.* Acto de matar alguien a alguno de sus ascendientes o descendientes o a su cónyuge.

parrilla *s. f.* **1.** Rejilla de hierro para poner al fuego lo que se quiere asar o tostar. **2.** Restaurante en que se sirve carne asada de esta manera. ‖ **3. parrilla de salida** Zona de un circuito automovilístico en la que se sitúan los coches para comenzar una carrera.

parrillada *s. f.* Alimentos asados a la parrilla.

párroco *adj. y s. m.* Sacerdote que dirige una parroquia: *cura párroco.*

parroquia *s. f.* **1.** Iglesia que atiende a las personas de un pueblo, un barrio o parte de él. **2.** Zona y conjunto de fieles que dependen de esa iglesia. **3.** Los clientes de un establecimiento.

parroquial *adj.* De la parroquia.

parroquiano, na *s. m. y f.* **1.** Miembro de una parroquia. **2.** Cliente habitual de un establecimiento. **SIN. 1.** Feligrés.

parsimonia *s. f.* Lentitud, calma. **SIN.** Flema, pachorra. **ANT.** Rapidez.

parsimonioso, sa *adj.* Lento, calmoso. **SIN.** Flemático. **ANT.** Rápido.

parte *s. f.* **1.** Lo que se separa de un conjunto o de una cosa. **2.** Lo que se da o se recibe al repartir. **3.** Cada una de las personas o grupos enfrentados. **4.** Lugar: *en todas partes.* ‖ *s. m.* **5.** Comunicación, aviso, noticia: *parte meteorológico.* ‖ *s. f. pl.* **6.** Órganos genitales. ‖ **7. parte de la oración** Cada una de las clases de palabras que existen en una lengua, como el adjetivo o el sustantivo. **EXPR. llevar** uno **la mejor** o **la peor parte** Tener ventaja o desventaja. **tener** o **tomar parte** Participar. **SIN. 1.** Pieza, porción, trozo. **2.** Lote. **3.** Oponente, contendiente. **4.** Lado. **ANT. 1. y 2.** Todo, totalidad.

parteluz *s. m.* Columna que divide en dos el hueco de una ventana o puerta.

partera *s. f.* Mujer que ayuda a otra que está teniendo un niño. **SIN.** Comadrona.

parterre (fr.) *s. m.* Cuadrado o rectángulo con flores y césped.

partición *s. f.* Acción de partir o repartir y cada una de las partes que se hacen. **SIN.** División, trozo.

participación *s. f.* **1.** El participar en algo. **2.** Aviso, comunicación: *participación de boda.* **3.** Cada una de las partes en que se divide o reparte algo, por ejemplo un décimo de lotería. **SIN. 1.** Intervención, contribución. **2.** Notificación. **ANT. 1.** Abstención.

participante *adj. y s.* Que participa.

participar *v.* **1.** Hacer algo junto con otros. **2.** Recibir parte de alguna cosa. **3.** Hacer saber, comunicar. **SIN. 1.** Colaborar, intervenir, contribuir. **3.** Informar, notificar. **ANT. 1.** Abstenerse.

partícipe *adj. y s.* Que participa en algo. **EXPR. hacer partícipe** a alguien de alguna cosa Comunicársela o compartirla con él.

participio *s. m.* Forma del verbo que termina en *-ado, -ido* y con la que se forman los tiempos compuestos: *ha venido.* También puede hacer la función del adjetivo e incluso del sustantivo: *la persona amada; su amada.*

partícula *s. f.* **1.** Parte muy pequeña de algo o cuerpo muy pequeño. **2.** El adverbio, la conjunción o la preposición. A veces también se llama *partícula* a los prefijos y los sufijos. **SIN. 1.** Porción.

particular *adj.* **1.** Propio de alguien o algo. **2.** Raro, especial. **3.** Concreto, que es ése y no otro. **4.** Que pertenece a alguien o que sólo lo utiliza esa persona. **SIN. 1.** Típico. **1 y 2.** Peculiar. **3.** Determinado, específico. **4.** Privado. **ANT. 1 a 4.** Común.

particularidad *s. f.* Característica que diferencia a una persona o cosa de otras. **SIN.** Singularidad, peculiaridad.

particularizar *v.* **1.** Señalar los detalles particulares de algo. **2.** Referirse a una persona o cosa concretas. **SIN. 1.** Concretar, precisar. **2.** Singularizar. **ANT. 1 y 2.** Generalizar.

particularmente *adv.* Especialmente.

partida *s. f.* **1.** Acción de partir o marcharse. **2.** Cantidad de una mercancía que se entrega, se envía o se recibe de una vez. **3.** Anotación en un registro del bautismo, del matrimonio o algún dato de una persona; también, copia de esa anotación. **4.** En un juego, serie de jugadas que terminan cuando alguien gana. **5.** Grupo, cuadrilla: *partida de caza.* **SIN. 1.** Marcha. **2.** Remesa. **3.** Inscripción; certificado. **5.** Banda. **ANT. 1.** Llegada.

partidario, ria *adj.* y *s.* Que apoya o defiende a una persona, idea o grupo. **Sin.** Seguidor, simpatizante. **Ant.** Enemigo.

partidismo *s. m.* Actitud o conducta partidista.

partidista *adj.* Que favorece sólo a un partido, idea, opinión, etc., frente a otros.

partido, da 1. *p.* de **partir**. También *adj.* || *s. m.* 2. Asociación de personas que defienden unas ideas políticas. 3. Competición deportiva en que se enfrentan dos jugadores o equipos. **Expr. sacar partido** Sacar un beneficio o provecho. **tomar partido** Mostrarse a favor de una de las partes enfrentadas. **Sin.** 2. Bando, facción. 3. Encuentro.

partir *v.* 1. Dividir en partes. 2. Cortar y separar una parte de algo. 3. Romper. 4. Marcharse. 5. Provenir, proceder. || **partirse** 6. *fam.* Reírse mucho: *partirse de risa.* **Expr. a partir de** Desde: *a partir de mañana.* También, tomando como base algo. **Sin.** 1. Trocear, fragmentar. 2. Desgajar. 3. Quebrar, cascar. 4. Irse. 5. Nacer, arrancar. 6. Troncharse, desternillarse, mondarse. **Ant.** 2. Unir. 4. Llegar; permanecer.

partisano, na *s. m.* y *f.* Miembro de un grupo armado clandestino que lucha contra los invasores de su país.

partitivo, va *adj.* y *s. m.* Se dice de los sustantivos y adjetivos que expresan una parte de algo, como *cuarto* o *medio*.

partitura *s. f.* Texto de una obra musical escrito con los signos que representan los sonidos.

parto *s. m.* Acción de parir.

parturienta *adj.* y *s. f.* Mujer que está pariendo o acaba de hacerlo.

parvulario *s. m.* Escuela de párvulos.

párvulo, la *adj.* y *s.* Niño que todavía es muy pequeño para ir al colegio y va a una escuela que se llama *parvulario.*

pasa *adj.* y *s. f.* Uva pasa. Ver **paso, sa.**

pasable *adj.* Aceptable.

pasacalle *s. m.* Música que tocan las bandas populares en algunas fiestas.

pasada *s. f.* 1. Acción que se realiza sobre una cosa o capa de una sustancia que se le da. 2. El pasar volando un avión sobre un lugar. 3. *fam.* Cosa o acción exagerada. || 4. **mala pasada** Mala acción hecha a otra persona. **Sin.** 1. Mano.

pasadizo *s. m.* Túnel o paso estrecho. **Sin.** Corredor, pasaje.

pasado, da 1. *p.* de **pasar**. || *adj.* 2. Se dice del tiempo anterior al presente. 3. Gastado o estropeado. || *s. m.* 4. Tiempo anterior al presente. 5. El tiempo pretérito de los verbos. || 6. **pasado mañana** El día después de mañana. **Sin.** 2. Antiguo. 3. Ajado, podrido. 4. Ayer. **Ant.** 2. Actual. 3. Nuevo.

pasador *s. m.* 1. Pieza que se pasa de un lado a otro de una cosa para sujetar algo, como en algunos broches o como en los cerrojos. 2. Colador. || *pl.* 3. Gemelos de la camisa.

pasaje *s. m.* 1. Precio que se paga por viajar en barco o en avión. 2. Personas que viajan en un barco o en un avión. 3. Calle estrecha y corta, o paso de una calle a otra por debajo de una casa. 4. Trozo de una obra literaria o musical. **Sin.** 3. Pasadizo, travesía. 4. Episodio.

pasajero, ra *adj.* y *s.* 1. Persona que viaja en un vehículo sin conducirlo. || *adj.* 2. Que pasa pronto. **Sin.** 1. Viajero. 2. Breve, fugaz. **Ant.** 2. Duradero.

pasamanería *s. f.* Tira de tela bordada o de hilos o cordones trenzados con que se adornan vestidos y otras cosas. **Sin.** Trencilla, galón.

pasamanos *s. m.* Barra o parte de encima de una barandilla.

pasamontañas *s. m.* Gorro de punto que cubre toda la cabeza hasta el cuello, menos los ojos y la nariz.

pasante *s. m.* y *f.* Persona que trabaja y hace prácticas ayudando a un abogado.

pasaporte *s. m.* Documento que identifica a una persona y es necesario para entrar en algunos países.

pasapuré o **pasapurés** *s. m.* Colador para hacer puré.

pasar *v.* 1. Ir a un lugar o entrar en él. 2. Llevar o mover de un lugar a otro. 3. Atravesar. 4. Superar, aprobar. 5. Sufrir, tener, padecer. 6. Permitir, aguantar: *no pasar una.* 7. Estar durante un tiempo en un lugar, en una situación o haciendo algo: *Pasó la tarde durmiendo.* 8. Dar, entregar. 9. Ocurrir. 10. No hacer alguien una cosa, no participar en algo o no interesarle. || **pasarse** 11. Pudrirse o estropearse los frutos, carnes, pescados, flores. 12. Excederse. 13. Olvidarse o no darse cuenta. **Sin.** 2. Transportar, cambiar. 3. Traspasar. 6. Tolerar. 10. Abstenerse, desentenderse. **Ant.** 1. Quedarse; salir. 2. Dejar. 4. Suspender. 10. Intervenir. 12. Contenerse. 13. Acordarse.

pasarela *s. f.* **1.** Puente pequeño, hecho de materiales ligeros. **2.** Pasillo en alto por el que pasan los modelos en un desfile de modas.

pasatiempo *s. m.* Entretenimiento para pasar el rato, como los crucigramas.

pasavolante *s. m.* Acción hecha con prisas y sin cuidado: *dar un pasavolante.*

pascua *s. f.* **1.** Fiesta con que los judíos recuerdan la huida de Egipto de sus antepasados. **2.** En la religión católica, fiesta que conmemora la resurrección de Jesucristo (Pascua de Resurrección); también se llama así a la Navidad, a la Epifanía y a Pentecostés. **Expr. como unas pascuas** Muy contento. **de Pascuas a Ramos** Muy pocas veces, de tarde en tarde. **hacer** a alguien **la pascua** Perjudicarle.

pascual *adj.* **1.** De la Pascua. **2.** Se dice del cordero de más de dos meses.

pase *s. m.* **1.** Acción de pasar. **2.** Cada una de las veces que el torero deja pasar al toro, que sigue la muleta. **3.** Proyección de una película en un cine o una sala. **4.** Desfile de modelos. **5.** Permiso por escrito con que se puede pasar por algunos sitios o hacer otras cosas. **Expr. tener un pase** Ser aceptable, no estar mal. **Sin. 5.** Autorización, salvoconducto.

paseante *adj.* y *s.* Que pasea.

pasear *v.* **1.** Ir andando, a caballo o en un vehículo para distraerse, tomar el aire, hacer ejercicio. **2.** Llevar de paseo. **Sin. 1.** Caminar, deambular, callejear.

paseíllo *s. m.* Desfile de los toreros y sus cuadrillas antes de la corrida.

paseo *s. m.* **1.** Acción de pasear. **2.** Avenida para pasear. **Expr. a paseo** Con verbos como *ir, mandar, enviar,* echar a alguien o rechazar algo.

pasillo *s. m.* Parte larga y estrecha de una casa o edificio, que comunica unas habitaciones con otras. **Sin.** Corredor.

pasión *s. f.* **1.** Sentimiento, amor o afición muy fuertes. **2.** Sufrimientos que padeció Jesucristo desde su entrada en Jerusalén hasta su muerte en la cruz. **Sin. 1.** Emoción, entusiasmo. **Ant. 1.** Frialdad.

pasional *adj.* De la pasión amorosa.

pasividad *s. f.* El estar o quedarse sin hacer nada. **Sin.** Inactividad. **Ant.** Actividad.

pasivo, va *adj.* **1.** Que se queda sin hacer nada. **2.** Se dice de las pensiones que paga el Estado. || *adj.* y *s. f.* **3.** Se dice de la voz del verbo que indica que el sujeto no realiza la acción del verbo, sino que recibe sus efectos, y de las oraciones que tienen el verbo en esa voz, por ejemplo: *El gol fue marcado por el delantero.* || *s. m.* **4.** Dinero que debe una persona, empresa, negocio. **Sin. 1.** Inactivo. **Ant. 1, 3** y **4.** Activo.

pasmado, da **1.** *p.* de pasmar. También *adj.* || *adj.* y *s.* **2.** Que se queda como atontado, como un pasmarote. **Sin. 1.** Maravillado, estupefacto. **2.** Alelado.

pasmar *v.* **1.** Dejar a alguien helado de frío. **2.** Asombrar mucho, maravillar.

pasmarote *s. m.* y *f.* Persona que se queda como atontada, que sabe nada, o como si no entendiera lo que le dicen. **Sin.** Pasmado, alelado. **Ant.** Espabilado.

pasmo *s. m.* Asombro muy grande.

paso *s. m.* **1.** Acción de pasar. **2.** Movimiento de adelantar una pierna cada vez al andar y espacio que se recorre al realizarlo. **3.** Cada uno de los movimientos distintos de una danza o un baile. **4.** Lugar por el que se pasa para ir de un sitio a otro. **5.** Cada una de las cosas que hay que hacer para conseguir algo. **6.** Hecho importante de la pasión de Jesucristo y grupo de esculturas que lo representa. **7.** Cada vez que avanza un número en un aparato contador. || **8. paso a nivel** Cruce de una vía de tren con un camino o carretera que está a su misma altura. **Expr. a cada paso** Con mucha frecuencia. **salir del paso** Librarse de una dificultad o superarla. **seguir los pasos** de alguien Imitarle. **Sin. 1.** Tránsito. **2.** Zancada. **4.** Camino.

paso, sa *adj.* Se dice de los frutos que se han dejado secar y toman un sabor muy dulce: *uva pasa, higo paso.*

pasodoble *s. m.* Música, canción y baile españoles de ritmo vivo.

pasota *adj.* y *s.* Persona a la que todo le da igual y no se interesa por casi nada.

paspartú *s. m.* Recuadro de cartón, tela u otro material que se coloca entre un dibujo, pintura o fotografía y su marco.

pasquín *s. m.* **1.** Escrito sin firma colocado en lugares públicos en el que se critica a alguien o algo. **2.** Cartel.

pasta *s. f.* **1.** Mezcla de una sustancia sólida y un líquido o materia blanda que se puede moldear o amasar y se endurece al secarse. **2.** Masa de harina de trigo y agua de la que se hacen por ejemplo los espaguetis. **3.** Dulce de pastelería, más bien duro y plano. **4.** Tapa de los libros. **5.** *fam.* Dinero. **SIN. 5.** Guita, parné.

pastar *v.* Comer la hierba el ganado. **SIN.** Pacer.

pastel *s. m.* **1.** Pieza hecha con masa de harina, huevo, manteca y otras cosas, cocida al horno y rellena o adornada con diversos ingredientes. **2.** Lápiz o barrita hecha con polvo de color, agua y otras sustancias, que se utiliza para pintar. **EXPR. descubrir el pastel** Enterarse de algo que se intentaba ocultar.

pastelería *s. f.* **1.** Tienda donde se hacen o venden pasteles, pastas y otros dulces. **2.** Arte de hacer esos dulces. **SIN. 1.** Confitería. **2.** Repostería.

pastelero, ra *s. m. y f.* **1.** Persona que vende o hace pasteles. ‖ *adj.* **2.** Usado para hacer pasteles: *crema pastelera.*

pasterización o **pasteurización** *s. f.* Proceso de pasterizar un alimento.

pasterizar o **pasteurizar** *v.* Esterilizar la leche u otros alimentos calentándolos.

pastiche *s. m.* Obra mal hecha que imita a otra o mezcla cosas diferentes. **SIN.** Plagio; refrito. **ANT.** Original.

pastilla *s. f.* **1.** Pieza de alguna pasta más o menos dura: *pastilla de jabón.* **2.** Medicamento en forma de pieza pequeña, dura y redondeada que se puede chupar o tragar con facilidad. **EXPR. a toda pastilla** Muy deprisa. **SIN. 1** y **2.** Tableta. **2.** Píldora, comprimido.

pastizal *s. m.* Terreno que tiene mucho pasto.

pasto *s. m.* **1.** Hierba que come el ganado en el campo. **2.** Lugar en que pasta el ganado. **3.** Lo que es consumido, destruido o devorado por algo: *La casa fue pasto de las llamas.* **SIN. 2.** Pastizal, prado.

pastor, ra *s. m. y f.* **1.** Persona que cuida el ganado. ‖ *s. m.* **2.** Sacerdote, sobre todo el que es protestante.

pastoral *adj.* **1.** Relacionado con los pastores o sacerdotes. ‖ *s. f.* **2.** Escrito que dirige un obispo a sus feligreses.

pastorear *v.* Cuidar y guiar el ganado mientras pasta.

pastoreo *s. m.* Actividad de pastorear.

pastoril *adj.* De un tipo de literatura que trata de forma idealizada sobre la vida del campo y los amores de los pastores. **SIN.** Bucólico.

pastoso, sa *adj.* **1.** Blando, espeso o pegajoso como una pasta. **2.** Se dice de

la voz agradable y suave. **SIN. 1.** Denso, apelmazado. **ANT. 1.** Líquido.

pata *s. f.* **1.** Pierna de los animales. **2.** *fam.* Pierna de una persona. **3.** Cada una de las piezas con las que un mueble se apoya en el suelo. **4.** *fam.* Suerte: *mala pata.* ‖ **5. patas de gallo** Arrugas que se forman en la piel al extremo del ojo. **EXPR. estirar la pata** Morir. **meter la pata** Equivocarse. **patas arriba** Al revés o desordenado.

patada *s. f.* Golpe dado con el pie o con la pata. **EXPR. a patadas** En gran cantidad; también, con verbos como *echar* o *tratar*, con violencia y sin consideración. **dar la patada** a alguien Echarle. **SIN.** Coz, puntapié.

patalear *v.* **1.** Mover mucho las piernas o las patas. **2.** Dar golpes con fuerza en el suelo con los pies o las patas. **SIN. 2.** Patear.

pataleo *s. m.* Acción de patalear.

pataleta *s. f.* Enfado muy grande.

patán *s. m.* Hombre inculto o bruto. **SIN.** Palurdo, paleto.

patata *s. f.* **1.** Planta de hojas compuestas con hojitas ovaladas, flores blancas y fruto pequeño y verde; tiene unos tubérculos redondeados, llamados también *patatas*, que son un importante alimento. **2.** *fam.* Cosa mala, mal hecha o aburrida. **EXPR. ni patata** o **ni una patata** Nada: *no entender ni una patata.*

patatín Se usa en la expresión **que si patatín que si patatán** o **que patatín que patatán**, con la que se describe una conversación poco importante o las excusas de alguien.

patatús *s. m.* **1.** *fam.* Desmayo o ataque de nervios. **2.** *fam.* Impresión muy fuerte. **SIN. 1** y **2.** Soponcio, síncope.

paté (fr.) *s. m.* Pasta hecha de carne o de hígado picados.

patear *v.* **1.** Golpear o pisotear con los pies. **2.** Recorrer, andar. **SIN. 1.** Patalear.

patena *s. f.* Platillo en que se pone la hostia en la misa.

patentar *v.* Registrar mediante una patente un invento o una marca.

patente *adj.* **1.** Que se ve o se nota claramente. ‖ *s. f.* **2.** Documento oficial que concede solamente a una persona o empresa el derecho a difundir y explotar un invento o una marca. **SIN. 1.** Manifiesto, claro, evidente. **ANT. 1.** Dudoso.

pateo *s. m.* Acción de patear.

patera *s. f.* Barca de fondo plano para aguas poco profundas. Se llama también así a las que pasan contrabando o inmigrantes ilegales entre el norte de África y la Península.

paternal *adj.* Propio de un padre.

paternalista *adj.* Que dirige y protege demasiado a una persona, sin dejar que ella tome sus propias decisiones.

paternidad *s. f.* El hecho de ser padre.

paterno, na *adj.* Del padre.

patetismo *s. m.* Característica de lo que resulta patético.

patético, ca *adj.* Que da mucha lástima. **SIN.** Trágico, dramático, conmovedor. **ANT.** Alegre.

patibulario, ria *adj.* **1.** Relacionado con el patíbulo. **2.** Que tiene cara o aspecto siniestro, como de criminal.

patíbulo *s. m.* Lugar o tablado donde se ejecutaba a los condenados a muerte. **SIN.** Cadalso.

patidifuso, sa *adj. fam.* Asombrado.

patilla *s. f.* **1.** Pelo que crece por delante de las orejas. **2.** Varillas que llevan las gafas para apoyarlas en las orejas. **3.** Saliente pequeño y delgado de algunas cosas, que se encaja en otras.

patín *s. m.* **1.** Bota o plancha que se ajusta al zapato, con cuatro ruedas o una especie de cuchilla, que sirve para patinar. **2.** Patinete. **3.** Embarcación pequeña sobre dos flotadores.

pátina *s. f.* **1.** Capa verdosa de óxido que se forma en el bronce y otros metales. **2.** Aspecto que toman las pinturas y otros objetos con el paso del tiempo.

patinador, ra *s. m. y f.* Persona que practica el patinaje.

patinaje *s. m.* **1.** Acción de patinar. **2.** Deporte que consiste en patinar sobre el hielo o sobre otra superficie.

patinar *v.* **1.** Deslizarse con los patines sobre el hielo o sobre otra superficie lisa. **2.** Resbalar. **3.** *fam.* Meter la pata. **SIN. 2.** Derrapar.

patinazo *s. m.* **1.** Acción de patinar o resbalar bruscamente. **2.** Equivocación. **SIN. 1.** Resbalón.

patinete *s. m.* Tabla con ruedas y una barra con manillar para dirigirla. **SIN.** Patín.

patio *s. m.* **1.** Espacio dentro de un edificio al que dan las ventanas de las habitaciones interiores. **2.** Planta baja de los teatros que está ocupada por las butacas.

patitieso, sa *adj.* **1.** *fam.* Muy asombrado. **2.** *fam.* Paralizado, sin movimiento. **SIN. 1.** Patidifuso, estupefacto. **2.** Inmóvil.

patizambo, ba *adj. y s.* Que anda con las piernas torcidas hacia fuera.

pato, ta *s. m. y f.* **1.** Ave palmípeda acuática de pico ancho, cuello corto y patas pequeñas. ‖ *adj. y s.* **2.** Patoso, torpe. **EXPR. pagar el pato** Sufrir uno las consecuencias de lo que otro hace.

patochada *s. f.* Disparate, tontería.

patógeno, na *adj.* Que causa enfermedades: *germen patógeno.*

patología *s. f.* Parte de la medicina que estudia las enfermedades.

patológico, ca *adj.* Relacionado con la patología o con la enfermedad.

patoso, sa *adj. y s.* **1.** Torpe, poco ágil. **2.** Que hace o dice lo que no debe y mete la pata. **SIN. 1.** Desgarbado. **2.** Metepatas. **ANT. 1.** Hábil.

patraña *s. f.* Mentira.

patria *s. f.* **1.** País de una persona. ‖ **2. patria chica** Pueblo, ciudad o región donde una persona ha nacido.

patriarca *s. m.* **1.** Nombre de algunos personajes del Antiguo Testamento que tuvieron muchos descendientes. **2.** Persona más respetada o con mayor autoridad en una familia o grupo. **3.** Título que se da a algunos obispos, por ejemplo a los de la Iglesia oriental.

patriarcado *s. m.* **1.** Título del patriarca. **2.** Organización social en la que manda el padre o el marido. **ANT. 2.** Matriarcado.

patriarcal *adj.* Del patriarcado.

patricio, cia *adj. y s.* En el antiguo imperio romano, miembro de alguna de las familias más antiguas de la nobleza. **ANT.** Plebeyo.

patrimonial *adj.* Del patrimonio.

patrimonio *s. m.* Bienes de una persona, institución, país, comunidad. **SIN.** Propiedad, fortuna, capital.

patrio, tria *adj.* De la patria.

patriota *adj. y s.* Que ama a su patria.

patriotero, ra *adj. y s.* Que presume exageradamente de patriotismo.

patriótico, ca *adj.* Relacionado con la patria o el patriotismo.

patriotismo *s. m.* Amor a la patria.

patrocinador, ra *adj. y s.* Que patrocina a alguien o algo.

patrocinar *v.* Apoyar, generalmente con dinero, a una persona, actividad, idea. **SIN.** Favorecer; sufragar.

patrocinio *s. m.* Acción de patrocinar.

patrón, na *s. m.* y *f.* **1.** Patrono. ‖ *s. m.* **2.** Persona al mando de un barco pequeño. **3.** Cosa que sirve de modelo o plantilla, como las piezas de papel que sirven para cortar la tela de los vestidos. Sin. **3.** Molde, plantilla.

patronal *adj.* **1.** Del patrono o relacionado con él. ‖ *s. f.* **2.** Asociación de patronos o empresarios.

patronato *s. m.* **1.** Fundación benéfica. **2.** Grupo de personas que dirige o supervisa las actividades de algunas instituciones o fundaciones.

patronazgo *s. m.* Derecho, poder o facultad que tiene el patrono.

patronímico *s. m.* Nombre o apellido que deriva del nombre propio del padre o de un antepasado, como *González de Gonzalo*.

patrono, na *s. m.* y *f.* **1.** Santo o Virgen a los que se dedica una iglesia o que son protectores de un lugar o asociación. **2.** Dueño de la casa en la que uno vive. **3.** Persona que contrata obreros o empleados para un trabajo. Sin. **1** a **3.** Patrón. **3.** Empresario.

patrulla *s. f.* Grupo de personas, aviones o barcos que patrullan un lugar.

patrullar *v.* Recorrer un lugar para vigilarlo o con alguna otra misión. Sin. Rondar.

patrullero, ra *adj.* y *s.* Que patrulla.

patuco *s. m.* Zapatito que se pone a los niños pequeños que todavía no andan.

paulatino, na *adj.* Que se produce o se realiza poco a poco, despacio. Sin. Lento, gradual. Ant. Rápido.

paupérrimo, ma *adj. sup.* de **pobre**.

pausa *s. f.* Interrupción breve.

pausado, da *adj.* Lento, tranquilo.

pauta *s. f.* **1.** Norma o guía que se tiene en cuenta para hacer algo: *marcar la pauta*. **2.** Rayas horizontales que se hacen en el papel para no torcerse al escribir. **3.** Rayas paralelas sobre las que se escriben los signos musicales. Sin. **1.** Regla, criterio.

pavesa *s. f.* Trocito que se desprende de un cuerpo encendido y que acaba por convertirse en ceniza.

pavimentar *v.* Cubrir el suelo con baldosas o con otros materiales para hacerlo más liso y resistente. Sin. Asfaltar, solar.

pavimento *s. m.* Suelo pavimentado y material con que se hace.

pavisoso, sa *adj.* y *s.* Pavo, soso.

pavo, va *s. m.* y *f.* **1.** Ave de gran tamaño, del mismo grupo que la gallina, que tiene la cabeza y el cuello sin plumas y unos colgantes carnosos de color rojo. Su carne es muy apreciada. ‖ *adj.* y *s.* **2.** Soso o bobo. ‖ *s. m.* **3.** *fam.* Moneda de cinco pesetas. ‖ **4. pavo real** Ave parecida al pavo con plumas de bonitos colores. El macho tiene una cola muy larga que despliega en forma de abanico y un penacho de plumas tiesas. Expr. **pelar la pava** Tener los novios conversaciones amorosas. **subírsele** a alguien **el pavo** Sonrojarse. Sin. **2.** Pavisoso.

pavonearse *v.* Presumir mucho.

pavor *s. m.* Miedo muy grande. Sin. Terror, pánico. Ant. Valor.

pavoroso, sa *adj.* Que causa pavor. Sin. Terrorífico.

payasada *s. f.* Tontería, bobada.

payaso, sa *s. m.* y *f.* **1.** Artista de circo que hace reír al público; suele ir vestido y maquillado de forma muy llamativa y graciosa. ‖ *adj.* y *s.* **2.** Persona poco formal o ridícula. **3.** Persona a la que le gusta hacer reír a los demás. Sin. **1.** Clown.

payés, sa *s. m.* y *f.* Campesino de Cataluña o de Baleares.

payo, ya *s. m.* y *f.* Nombre que dan los gitanos a los que no son de su raza.

paz *s. f.* **1.** Situación en la que no hay guerra, conflictos ni enfrentamientos. **2.** Acuerdo que pone fin a una guerra. **3.** Tranquilidad, silencio. Expr. **dejar en paz** a alguien No molestarle. **hacer las paces** Dejar de estar enfadadas o enfrentadas dos o más personas. Sin. **1.** Concordia, armonía. Ant. **1.** Enemistad. **3.** Bullicio.

pazguato, ta *adj.* y *s.* Simple, ingenuo. Sin. Papanatas; timorato.

pazo *s. m.* Casa grande que en Galicia tienen algunas familias importantes.

peaje *s. m.* **1.** Dinero que hay que pagar para pasar por determinados sitios, como algunas autopistas. **2.** Lugar donde se paga ese dinero.

peana *s. f.* Base sobre la que se coloca una estatua, jarrón u otra figura. Sin. Pedestal.

peatón, na *s. m.* y *f.* Persona que se desplaza a pie. Sin. Transeúnte, viandante.

peatonal *adj.* Sólo para peatones: *calle peatonal*.

peca *s. f.* Manchita marrón que sale en la piel, sobre todo en la cara.

pecado *s. m.* **1.** Acto, palabra o pensamiento contra la voluntad de Dios. ‖ **2. pecado mortal** Pecado grave. **3. pecado original** El que, según los cristianos, tienen todos los hombres al nacer por haber desobedecido a Dios Adán y Eva. **4. pecado venial** Pecado leve.

pecador, ra *adj.* y *s.* Se dice del que comete pecados.

pecaminoso, sa *adj.* Que es pecado o está relacionado con el pecado.

pecar *v.* **1.** Cometer pecados. **2.** Tener en exceso una cualidad: *pecar alguien de ingenuo.* **SIN. 2.** Excederse.

pecarí *s. m.* Mamífero americano parecido al jabalí; posee una glándula que produce una sustancia maloliente.

pecera *s. f.* Recipiente de cristal con agua para tener en él peces vivos. **SIN.** Acuario.

pechar *v.* Tener que cargar con el trabajo o las consecuencias malas de algo. **SIN.** Apechugar.

pechera *s. f.* Parte de la camisa o de otras prendas que cubre el pecho.

pecho *s. m.* **1.** Parte del cuerpo del hombre y los animales cuadrúpedos, rodeada por las costillas, en que se encuentran los pulmones y el corazón. **2.** Zona exterior y delantera de esa parte del cuerpo. **3.** Cada mama de la mujer o las dos juntas. **EXPR. dar el pecho** Dar de mamar a un niño. **tomar** algo **a pecho** Tomarlo muy en serio. **SIN. 1.** Tórax. **2.** Torso. **3.** Seno, teta.

pechuga *s. f.* **1.** Pecho del pollo y otras aves. **2.** *fam.* Pecho de una persona, sobre todo de una mujer.

pechugona *adj.* y *s. f.* Se dice de la mujer que tiene mucho pecho.

pecíolo o **peciolo** *s. m.* Prolongación de las hojas por la que se unen al tallo. **SIN.** Pedúnculo.

pécora *s. f.* **1.** Prostituta. **2.** Mujer mala. **SIN. 2.** Bicho, bruja.

pecoso, sa *adj.* Que tiene pecas.

pectoral *adj.* **1.** Del pecho. ‖ *adj.* y *s. m.* **2.** Se dice de los músculos del pecho. **SIN. 1** y **2.** Torácico.

pecuario, ria *adj.* Del ganado.

peculiar *adj.* Característico, propio. **SIN.** Distintivo, singular. **ANT.** General.

peculiaridad *s. f.* Lo que es propio de una cosa y la distingue de las demás. **SIN.** Particularidad, característica.

peculio *s. m.* Dinero o bienes de una persona.

pecuniario, ria *adj.* Del dinero.

pedagogía *s. f.* Ciencia que estudia los métodos de enseñanza.

pedagógico, ca *adj.* **1.** De la pedagogía. **2.** Que enseña las cosas de forma que se entiendan y aprendan fácilmente. **SIN. 2.** Didáctico.

pedagogo, ga *s. m.* y *f.* Persona que se dedica a la pedagogía.

pedal *s. m.* Palanca que se empuja con los pies, como la que tienen los coches o las bicicletas.

pedalada *s. f.* Cada movimiento del pedal con el pie al pedalear.

pedalear *v.* Mover los pedales, sobre todo de una bicicleta.

pedaleo *s. m.* Acción de pedalear.

pedante *adj.* y *s.* Que presume mucho de sus conocimientos ante los demás.

pedantería *s. f.* **1.** Característica de pedante. **2.** Cosa que dice un pedante.

pedantesco, ca *adj.* Propio de una persona pedante.

pedazo *s. m.* Parte o trozo. **EXPR. caerse a pedazos** Estar una cosa muy vieja; estar alguien muy cansado. **SIN.** Porción, fragmento.

pedernal *s. m.* Tipo de cuarzo de color amarillento, que al ser golpeado con un hierro produce chispas.

pedestal *s. m.* Base sobre la que se coloca una estatua, una columna u otras cosas. **EXPR. tener** o **poner** a alguien **en un pedestal** Tener muy buena opinión de él. **SIN.** Podio, peana.

pedestre *adj.* **1.** Vulgar. **2.** Se dice de la carrera deportiva que se realiza a pie.

pediatra *s. m.* y *f.* Médico especialista en pediatría.

pediatría *s. f.* Parte de la medicina que se ocupa de las enfermedades del niño. **SIN.** Puericultura.

pedicuro, ra *s. m.* y *f.* Persona que se dedica al cuidado de los pies. **SIN.** Callista.

pedida *s. f.* Acto de pedir la mano de una mujer para casarse con ella.

pedido, da **1.** *p.* de **pedir**. También *adj.* ‖ *s. m.* **2.** Productos que se encargan a un fabricante o vendedor.

pedigrí *s. m.* Los antepasados de un animal de raza.

pedigüeño, ña *adj.* y *s.* Que siempre está pidiendo y por eso resulta molesto.

pedir *v.* **1.** Decir a otro que nos haga o nos dé algo. **2.** Poner un precio a algo que se vende. **3.** Querer, necesitar, requerir. **EXPR. pedir la mano** Pedir permiso el novio a los padres o parientes de su novia para poder casarse con ella. □ Es v. irreg. **Sin.** 1. Solicitar, rogar. 3. Desear. **Ant.** 1. Dar.

PEDIR	
GERUNDIO	
pidiendo	
INDICATIVO	
Presente	**Pret. perf. simple**
pido	*pedí*
pides	*pediste*
pide	*pidió*
pedimos	*pedimos*
pedís	*pedisteis*
piden	*pidieron*
SUBJUNTIVO	
Presente	**Pretérito imperfecto**
pida	*pidiera, -ese*
pidas	*pidieras, -eses*
pida	*pidiera, -ese*
pidamos	*pidiéramos, -ésemos*
pidáis	*pidierais, -eseis*
pidan	*pidieran, -esen*
Futuro	
pidiere	*pidiéremos*
pidieres	*pidiereis*
pidiere	*pidieren*
IMPERATIVO	
pide	*pedid*

pedo *s. m.* 1. Aire que se expulsa por el ano. 2. *fam.* Estado del que está borracho o que ha tomado alguna droga. **Sin.** 1. Ventosidad.

pedorreta *s. f.* Ruido hecho con la boca imitando al de un pedo.

pedorro, rra *adj. y s.* 1. *fam.* Que se tira pedos. 2. *fam.* Se dice de la persona tonta, molesta o desagradable.

pedrada *s. f.* Golpe con una piedra.

pedrea *s. f.* 1. Premios de menor valor de la lotería nacional. 2. Pelea a pedradas. 3. Llover granizo o pedrisco.

pedregal *s. m.* Terreno pedregoso.

pedregoso, sa *adj.* Se dice del terreno que está lleno de piedras.

pedrería *s. f.* Conjunto de piedras preciosas: *una diadema de pedrería.*

pedrisco *s. m.* Granizo de gran tamaño.

pedrusco *s. m.* Piedra grande.

pedúnculo *s. m.* 1. Parte de las plantas que une las flores y los frutos al tallo. 2. Parte del cuerpo de algunos animales marinos, como por ejemplo los percebes, mediante la cual se pegan a las rocas. **Sin.** 1. Rabillo.

peerse *v.* Tirarse un pedo.

pega *s. f.* Obstáculo, inconveniente. **Expr. de pega** Falso o de imitación. **Sin.** Dificultad. **Ant.** Facilidad.

pegada *s. f.* Modo de pegar a la pelota en tenis o al contrincante en boxeo.

pegadizo, za *adj.* Se dice de la música y de las canciones que se nos quedan con facilidad en la memoria.

pegado, da 1. *p.* de **pegar**. También *adj.* || *s. m.* 2. Acción de pegar.

pegajoso, sa *adj.* 1. Que se queda pegado. 2. Demasiado cariñoso o amable. **Sin.** 1. Pringoso. 2. Empalagoso.

pegamento *s. m.* Sustancia que sirve para pegar un objeto a otro.

pegar *v.* 1. Dar golpes a una persona o animal. 2. Unir una cosa a otra con una sustancia como el pegamento. 3. Unir, acercar mucho. 4. Estar muy cerca. 5. Transmitirle a otro la misma enfermedad, costumbre o manía que uno tiene. 6. Dar, hacer: *pegar un susto; pegar un salto.* 7. Quedar bien una cosa con otra. 8. Dar en algo: *La pelota pegó en la pared.* || **pegarse** 9. Quemarse la comida y quedarse fija en el fondo del recipiente. 10. Quedarse una cosa en la memoria. **Expr. pegársela** Engañar a alguien. También, sufrir una caída o choque. **Sin.** 1. Golpear, atizar. 2. Encolar, adherir. 3. Arrimar. 5. Contagiar. 7. Armonizar. **Ant.** 2. Despegar. 2 y 3. Separar. 7. Desentonar.

pegatina *s. f.* Lámina impresa que se pega en cualquier superficie.

pego *s. m.* Se usa en la expresión **dar el pego**, 'engañar' o 'parecer lo que no es'.

pegón, na *adj. y s.* Que siempre está pegando a los demás.

pegote *s. m.* 1. Masa de una sustancia pegajosa. 2. Cosa añadida a otra que queda mal. 3. *fam.* Mentira. **Sin.** 3. Trola.

peinado, da 1. *p.* de **pegar**. También *adj.* || *s. m.* 2. Forma de peinarse el pelo. **Ant.** 1. Despeinado.

peinador *s. m.* Prenda que se pone alrededor del cuello para cubrir la ropa del que se peina o afeita.

peinar *v.* 1. Desenredar y colocar el pelo con un peine o cepillo. 2. Registrar una zona con mucho cuidado. **Ant.** 1. Despeinar.

peinazo *s. m.* Cada uno de los listones horizontales que dividen en cuadrados una puerta o ventana.

peine *s. m.* 1. Utensilio con púas o dientes para peinar el pelo. 2. Objeto con una forma y función parecida al

pellizcar

anterior. **3.** Cargador de algunas armas de fuego.

peineta *s. f.* Adorno femenino para sujetar el pelo, que tiene forma de peine curvo.

pejiguera *s. f.* Fastidio, pesadez.

pejiguero, ra *adj. y s.* Que se queja mucho y pone pegas a todo. Sin. Chinchorrero.

pela *s. f. fam.* Peseta.

peladilla *s. f.* Almendra recubierta de una capa blanca de azúcar.

pelado, da 1. *p. de* pelar. También *adj.* ‖ *adj.* **2.** Sin lo que normalmente tiene: *un monte pelado.* **3.** Se dice de un número o cantidad muy justa o escasa. ‖ *s. m.* **4.** Acción de cortar el pelo. Sin. **2.** Desnudo, mondo.

peladura *s. f.* **1.** Acción de pelar. **2.** Piel o corteza que se quita al pelar algo. Sin. Mondadura.

pelagatos *s. m. y f. fam.* Persona pobre o poco importante. Sin. Infeliz, pelanas.

pelagra *s. f.* Enfermedad causada por la falta de un tipo de vitamina, que provoca trastornos digestivos y nerviosos y manchas y erupciones en la piel.

pelaje *s. m.* **1.** Pelo o lana de un animal. **2.** Aspecto de una persona, sobre todo cuando es malo. Sin. **2.** Pinta, traza.

pelambre o **pelambrera** *s. f.* Gran cantidad de pelo, largo o muy revuelto. Sin. Melena.

pelanas *s. m. y f. fam.* Pelagatos.

pelandusca *s. f.* Prostituta.

pelar *v.* **1.** Cortar el pelo o arrancarlo. **2.** Quitar la piel o corteza de un vegetal o la piel o las plumas a un animal. **3.** *fam.* Dejar a alguien sin dinero. ‖ **pelarse 4.** Caerse la piel. Expr. **duro de pelar** Difícil de lograr o convencer. **que se las pela** Con rapidez: *corre que se las pela.* Sin. **1.** Rapar, trasquilar. **2.** Mondar. **3.** Desplumar. **4.** Despellejarse.

peldaño *s. m.* Cada parte de una escalera en que se apoya el pie. Sin. Escalón.

pelea *s. f.* Acción de pelear o pelearse. Sin. Lucha, disputa.

pelear *v.* **1.** Enfrentarse a otros con armas o con las propias fuerzas. **2.** Reñir, discutir. **3.** Trabajar o esforzarse mucho. Sin. **1.** Combatir, luchar. **3.** Bregar.

pelechar *v.* Cambiar el pelo o las plumas los animales.

pelele *s. m.* **1.** Muñeco con figura de hombre que en algunas fiestas populares es apaleado o manteado. **2.** Persona que se deja manejar por los demás. Sin. **1** y **2.** Monigote.

peleón, na *adj.* **1.** Se dice de la persona a la que le gusta pelear o discutir. **2.** Se dice del vino de mala calidad.

peletería *s. f.* **1.** Tienda de prendas de piel. **2.** Oficio de preparar y coser las pieles de algunos animales para hacer esas prendas.

peletero, ra *s. m. y f.* Persona que hace o vende prendas de piel.

peliagudo, da *adj.* Difícil de solucionar. Sin. Arduo, enrevesado. Ant. Fácil.

pelícano o **pelicano** *s. m.* Ave acuática del tamaño de un cisne, con el plumaje blanco, el pico muy largo y ancho y una bolsa debajo de la mandíbula inferior donde guarda los alimentos.

película *s. f.* **1.** Cinta de celuloide en la que quedan recogidas las imágenes tomadas con una máquina de fotos, de cine o de vídeo. **2.** Lo que se muestra mediante imágenes de cine o de vídeo. **3.** Capa muy fina que cubre algo. Expr. **de película** Muy bueno, estupendo. Sin. **1.** Rollo. **2.** Filme.

peliculero, ra *adj. y s. fam.* **1.** Que trabaja en el cine. **2.** Fantasioso.

peligrar *v.* Estar en peligro.

peligro *s. m.* Situación en la que puede ocurrir algo malo y lo que la produce. Sin. Riesgo.

peligrosidad *s. f.* Característica de lo que es peligroso. Sin. Riesgo.

peligroso, sa *adj.* Que tiene peligro. Sin. Arriesgado, amenazador.

pelillo *s. m. dim.* de pelo. Expr. **pelillos a la mar** Frase con que se propone hacer las paces y olvidar el motivo del enfado.

pelirrojo, ja *adj. y s.* Que tiene el pelo de color rojizo.

pella *s. f.* Masa redondeada de una materia. Expr. **hacer pellas** Faltar un alumno a clase sin causa justificada.

pellejo, ja *s. m. y f.* **1.** Piel de un animal, sobre todo cuando le ha sido arrancada. **2.** Piel de las personas. ‖ *s. m.* **3.** Piel de algunas frutas. **4.** Odre. ‖ *adj. y s.* **5.** *fam.* Mujer mala o de muy mal genio: *una vieja pelleja.* Expr. **jugarse el pellejo** Poner en peligro la vida. Sin. **4.** Bota.

pelliza *s. f.* Chaquetón hecho o forrado con piel de borrego. Sin. Zamarra.

pellizcar *v.* **1.** Apretar con dos dedos un trozo de piel, haciendo daño. **2.** Coger un trocito de algo. Sin. **2.** Picar.

pellizco *s. m.* **1.** Acción de pellizcar. **2.** Pequeña cantidad que se coge de algo.

pelma o **pelmazo, za** *adj.* y *s.* Persona muy pesada y aburrida o muy lenta.

pelo *s. m.* **1.** Filamentos que crecen en la piel del hombre, de muchos animales y de algunos vegetales. **2.** Los que tenemos en la cabeza. **3.** Hilos muy finos de algunos tejidos. **4.** *fam.* Muy poco o nada. **EXPR. caérsele** a alguien **el pelo** Recibir un castigo si se descubre que ha hecho algo malo. **con pelos y señales** Con todo detalle. **no tener pelos en la lengua** Decir uno todo lo que piensa, sin callarse nada. **tirarse de los pelos** Arrepentirse por perder una buena ocasión. **tomar el pelo** a alguien Burlarse de él. **SIN. 1.** Vello. **1** y **3.** Pelusa. **2.** Cabello.

pelón, na *adj.* y *s.* **1.** Calvo o con el pelo cortado al rape. **2.** *fam.* Persona pobre. **SIN. 1.** Rapado. **ANT. 1.** Peludo.

pelota *s. f.* **1.** Bola de goma u otro material flexible, con que se practican diversos juegos y deportes. **2.** Juego en que se usa esa bola. **3.** Bola de materia blanda. || *s. m.* y *f.* **4.** *fam.* Persona que hace la pelota. || **5. pelota vasca** Nombre de varios juegos vascos de frontón. **EXPR. en pelotas** Desnudo. **hacer la pelota** *fam.* Ser agradable con alguien para obtener un beneficio. **SIN. 1.** Balón, esférico.

pelotari (vasc.) *s. m.* y *f.* Jugador de pelota vasca.

pelotazo *s. m.* **1.** Golpe dado con una pelota. **2.** *fam.* Trago de una bebida alcohólica.

pelotear *v.* Jugar a la pelota sin hacer partido.

peloteo *s. m.* **1.** El hecho de pelotear. **2.** El hacer la pelota a alguien.

pelotera *s. f.* Pelea, discusión.

pelotero *adj.* Se dice de una variedad de escarabajo que hace pelotas con excrementos de otros animales, con las que alimenta a sus larvas.

pelotilla *s. f.* **1.** *dim.* de **pelota.** **2.** Bolita que se forma en algunos tejidos. **3.** *fam.* Pelotillero.

pelotilleo *s. m. fam.* El hacer la pelota.

pelotillero, ra *s. m.* y *f. fam.* Persona que hace la pelota. **SIN.** Cobista.

pelotón *s. m.* **1.** Grupo desordenado de muchas personas. **2.** Pequeña unidad militar a las órdenes de un sargento o de un cabo. **3.** Grupo de ciclistas que marchan todos juntos.

peluca *s. f.* Cabellera postiza.

peluche *s. m.* Tejido de pelo muy largo que se utiliza para hacer muñecos.

peludo, da *adj.* y *s.* Con mucho pelo. **SIN.** Velludo. **ANT.** Pelado.

peluquería *s. f.* Establecimiento donde se corta o arregla el pelo a las personas.

peluquero, ra *s. m.* y *f.* Persona que trabaja cortando y arreglando el pelo.

peluquín *s. m.* Peluca que sólo cubre una parte de la cabeza. **SIN.** Bisoñé.

pelusa *s. f.* **1.** Pelo muy fino. **2.** Pelo que se desprende de algunas telas con el uso. **3.** Polvo acumulado en sitios que se limpian pocas veces. **4.** Envidia o celos de los niños.

pelviano, na *adj.* De la pelvis.

pelvis *s. f.* Hueso situado entre el abdomen y las piernas; rodea la vejiga de la orina, la terminación del tubo digestivo y algunos órganos del aparato genital.

pena *s. f.* **1.** Castigo que impone la ley por un delito o falta. **2.** Tristeza. **3.** Penalidad. || **4. pena capital** La pena de muerte. **EXPR. a duras penas** Con mucho esfuerzo. **de pena** Muy mal o muy malo. **merecer** o **valer** una cosa **la pena** Estar bien empleado el dinero o esfuerzo que cuesta. **SIN. 1.** Condena, sanción. **2.** Lástima, pesar. **3.** Esfuerzo, fatiga. **ANT. 2.** Alegría.

penacho *s. m.* **1.** Las plumas que tienen algunas aves en la cabeza. **2.** Adorno de plumas que se pone en algunas cosas. **SIN. 2.** Plumero.

penado, da **1.** *p.* de **penar.** También *adj.* || *s. m.* y *f.* **2.** Persona condenada a cumplir una pena.

penal *adj.* **1.** De las penas con que son castigados los delitos. || *s. m.* **2.** Cárcel. **SIN. 1.** Criminal. **2.** Prisión, presidio.

penalidad *s. f.* Esfuerzo o trabajo que causa sufrimiento. **SIN.** Pena, fatiga.

penalización *s. f.* Acción de penalizar.

penalizar *v.* Poner una pena o castigo. **SIN.** Penar, castigar. **ANT.** Despenalizar.

penalty (ingl.) *s. m.* En fútbol y otros deportes, castigo por una falta que consiste en hacer un lanzamiento contra la portería contraria.

penar *v.* **1.** Sufrir de dolor o de tristeza. **2.** Poner una pena o castigo. **SIN. 1.** Padecer. **2.** Castigar, sancionar.

penca *s. f.* Parte carnosa y más gruesa de las hojas de algunas plantas, por ejemplo la acelga o la lechuga.

penco *s. m.* Caballo flaco y feo. **SIN.** Jamelgo.

pendencia s. f. Riña, pelea.

pendenciero, ra adj. y s. Que siempre va buscando pelea.

pender v. 1. Estar colgado. 2. Existir una amenaza sobre alguien. SIN. 2. Cerner, gravitar.

pendiente adj. 1. Atento a alguien o algo. 2. Que no está resuelto o terminado todavía. 3. Que cuelga. || s. m. 4. Adorno que alguien se pone en las orejas. || s. f. 5. Terreno inclinado. SIN. 2. Inacabado. 5. Cuesta, rampa. ANT. 1. Distraído.

pendón s. m. 1. Bandera más larga que ancha. 2. fam. Persona vaga o de vida poco decente. SIN. 1. Estandarte. 2. Golfo.

pendular adj. Del péndulo.

péndulo s. m. Objeto colgado de un punto fijo que se mueve varias veces por su propio peso a un lado y a otro.

pene s. m. Órgano del hombre y muchos animales que permite hacer el acto sexual y que contiene la uretra, por donde se expulsa la orina.

penetración s. f. 1. El hecho de penetrar. 2. Inteligencia, perspicacia. SIN. 1. Entrada. 2. Agudeza.

penetrante adj. Profundo, fuerte, que penetra mucho: un olor penetrante.

penetrar v. 1. Entrar o pasar a través de algo. 2. Hacerse sentir algo muy intensamente, como el frío o un grito. 3. Lograr alguien comprender una cosa. SIN. 1. Atravesar; meterse. 3. Entender. ANT. 1. Salir.

penicilina s. f. Antibiótico muy utilizado para curar enfermedades infecciosas.

península s. f. Superficie de tierra rodeada de agua por todas partes menos por una, por donde se une a otra de mayor extensión.

peninsular adj. y s. De una península, especialmente de la península Ibérica.

penique s. m. Moneda británica; cien peniques equivalen a una libra esterlina.

penitencia s. f. 1. Sacramento por el que el sacerdote perdona los pecados en nombre de Dios. 2. Oración u otra cosa que el sacerdote manda cumplir a la persona que se confiesa. 3. Sacrificio que se hace por razones religiosas. 4. Cosa mala que hay que soportar. SIN. 1. Confesión. 3. Mortificación. 4. Suplicio.

penitenciaría s. f. Cárcel, penal. SIN. Prisión.

penitenciario, ria adj. De las penitenciarías o cárceles. SIN. Carcelario.

penitente s. m. y f. 1. Persona que hace penitencia. 2. Persona que para hacer penitencia desfila en las procesiones de Semana Santa. SIN. 2. Nazareno.

penoso, sa adj. 1. Que cuesta mucho esfuerzo. 2. Lamentable, que da pena.

pensador, ra s. m. y f. Persona que se dedica a estudios muy profundos, sobre todo a la filosofía. SIN. Filósofo.

pensamiento s. m. 1. Capacidad de pensar. 2. Lo que una persona piensa. 3. Idea de un escrito, un discurso, una obra. 4. Flor de una planta de jardín llamada también pensamiento, que tiene cuatro pétalos superpuestos y manchas de varios colores. SIN. 1. Raciocinio, inteligencia.

pensar v. 1. Formar ideas, examinar atentamente algo. 2. Tener una opinión o sospecha. □ Es v. irreg. EXPR. ni pensarlo De ningún modo. SIN. 1. Razonar, discurrir, reflexionar. 2. Considerar, juzgar.

PENSAR		
INDICATIVO	SUBJUNTIVO	IMPERATIVO
Presente	Presente	
pienso	piense	
piensas	pienses	piensa
piensa	piense	
pensamos	pensemos	
pensáis	penséis	pensad
piensan	piensen	

pensativo, va adj. Que está pensando. SIN. Meditabundo.

pensión s. f. 1. Dinero que reciben al mes algunas personas, como los jubilados o algunos familiares de fallecidos. 2. Casa en la que se alquilan habitaciones a huéspedes. EXPR. media pensión En un hotel o casa de huéspedes, la habitación y una comida al día. Situación de los alumnos de algunos centros que reciben, además de la enseñanza, la comida del mediodía. pensión completa En un hotel o en una casa de huéspedes, la habitación y todas las comidas del día. SIN. 1. Jubilación. 2. Fonda.

pensionado, da adj. y s. 1. Que cobra pensión. || s. m. 2. Internado.

pensionista s. m. y f. 1. Persona que cobra una pensión. 2. Persona que recibe alojamiento y comida, por los que paga una cantidad. 3. Alumno de un pensionado o internado. SIN. 1. Pensionado, jubilado.

pentaedro s. m. Cuerpo geométrico de cinco caras.

pentagonal *adj.* Que tiene forma de pentágono.

pentágono *s. m.* Polígono de cinco ángulos y cinco lados.

pentagrama *s. m.* Cinco líneas horizontales y paralelas que en música se utilizan para escribir las notas.

pentasílabo *adj.* y *s. m.* Se dice del verso de cinco sílabas.

pentathlon o **pentatlón** *s. m.* Competición deportiva compuesta de cinco pruebas: equitación, natación, tiro, esgrima y carrera campo a través.

pentecostés *s. m.* Fiesta cristiana en la que se recuerda la venida del Espíritu Santo sobre los apóstoles.

penúltimo, ma *adj.* y *s.* Que va antes del último.

penumbra *s. f.* Sombra suave.

penuria *s. f.* Escasez, pobreza.

peña *s. f.* 1. Piedra grande. 2. Asociación con fines deportivos o recreativos: *peña taurina.* 3. *fam.* Grupo de amigos. **SIN.** 1. Roca, peñasco. 3. Pandilla.

peñasco *s. m.* Peña grande y elevada.

peñazo *s. m. fam.* Persona o cosa aburrida, muy pesada.

peñón *s. m.* 1. Peña o piedra muy grande. 2. Monte con muchos peñascos.

peón *s. m.* 1. Trabajador no especializado. 2. Cada una de las ocho piezas de ajedrez, negras o blancas, colocadas en la línea de delante al comenzar la partida. 3. Peonza con la punta de metal.

peonada *s. f.* Trabajo de un peón al día, sobre todo en labores agrícolas.

peonía *s. f.* Planta perenne con grandes flores rojas o rosáceas que crece en lugares húmedos y laderas de montaña.

peonza *s. f.* Juguete de madera en forma de cono con una cuerda enrollada alrededor, que se desenrolla de golpe para hacerlo girar. **SIN.** Trompo, peón.

peor *adj.* y *s.* 1. *comp.* de **malo.** Más malo que otro. Con el artículo se convierte en superlativo: *Sara es la peor de nuestro equipo.* || *adv.* 2. *comp.* de **mal.** Más mal o menos bien. **ANT.** 1 y 2. Mejor.

pepinillo *s. m.* Variedad de pepino pequeño que se conserva en vinagre.

pepino *s. m.* 1. Planta de tallo al ras del suelo y fruto, llamado también *pepino*, amarillo o verde por fuera y blanco y con muchas semillitas por dentro. 2. *fam.* Melón muy maduro. **EXPR. importar** una cosa a alguien **un pepino** Importarle muy poco o nada.

pepita *s. f.* 1. Semilla de algunas frutas. 2. Trozo pequeño de oro u otro metal.

pepito *s. m.* 1. Bocadillo de filete de carne. 2. Bollo alargado y normalmente relleno de crema.

pepitoria *s. f.* Guiso de ave que tiene en la salsa yema de huevo.

pepona *s. f.* Muñeca grande y casi siempre de cartón.

pequeñez *s. f.* 1. Característica de pequeño. 2. Cosa sin valor o importancia. **SIN.** 2. Menudencia. **ANT.** 1. Grandeza.

pequeño, ña *adj.* 1. De poco tamaño, extensión, cantidad o duración. 2. De pocos años. 3. De poca importancia: *un pequeño error.* || *s. m.* y *f.* 4. Niño. **SIN.** 1. Breve, corto. 1 y 3. Chico. 2 y 4. Crío. 4. Chiquillo. **ANT.** 1. Grande; alto; largo. 2 y 4. Mayor.

pequinés, sa *adj.* y *s.* 1. De Pekín, capital de China. 2. Perro pequeño, de cabeza ancha, hocico corto, orejas caídas, pelo largo y patas cortas.

per cápita *expr. lat.* Significa 'por cabeza', es decir, por persona. Se usa sobre todo en estadística: *renta per cápita.*

pera *s. f.* 1. Fruto del peral, carnoso, de piel fina y forma un poco cónica. 2. Objeto hueco de goma terminado en un tubito, que sirve para echar aire o líquidos. 3. Interruptor de luz o timbre con la forma de una pera. **EXPR. el año de la pera** Hace mucho tiempo. **pedir peras al olmo** Pedir algo imposible.

peral *s. m.* Árbol frutal que produce las peras; tiene ramas espinosas, hojas ovaladas y flores blancas.

peraltado, da *adj.* Que tiene peralte.

peralte *s. m.* Mayor elevación que tienen las curvas de las carreteras y otros caminos por la parte de fuera.

perborato *s. m.* Tipo de sal de boro. El *perborato sódico*, por ejemplo, se usa como desinfectante.

perca *s. f.* Pez de río de cuerpo más largo que ancho, escamas duras y ásperas y color verdoso por arriba, plateado por el vientre y dorado con listas oscuras en los lados.

percal *s. m.* Tela de algodón que se usa para hacer prendas baratas. **EXPR. conocer** alguien **el percal** Conocer bien a una persona, una cosa, un asunto.

percance *s. m.* Cosa que no se espera y que causa algún perjuicio. **SIN.** Contratiempo, incidente.

percatarse *v.* Darse cuenta de algo. **SIN.** Notar, captar, reparar.

percebe *s. m.* **1.** Crustáceo marino con forma de cilindro terminado en una especie de uña, que vive agarrado a las rocas. **2.** *fam.* Persona tonta.

percepción *s. f.* El hecho de percibir.

perceptible *adj.* Que se puede percibir. **SIN.** Visible, patente. **ANT.** Imperceptible.

perceptivo, va *adj.* De la percepción.

percha *s. f.* **1.** Objeto para colgar la ropa en los armarios; suele tener forma de triángulo con un gancho en la parte de arriba. **2.** Gancho para colgar ropa.

perchero *s. m.* Mueble u objeto con varios colgadores o ganchos para colgar prendas de vestir y otras cosas.

percherón, na *adj.* y *s.* Caballo de una raza francesa de gran fuerza y tamaño.

percibir *v.* **1.** Darse cuenta de algo por alguno de los sentidos. **2.** Recibir. **SIN.** **1.** Advertir, captar. **2.** Cobrar, obtener.

percusión *s. f.* Acción de golpear. **EXPR.** **de percusión** Se dice de los instrumentos musicales que se hacen sonar golpeándolos, como la batería.

percusionista *s. m.* y *f.* Músico que toca instrumentos de percusión.

percutor *s. m.* En una máquina, pieza que golpea, sobre todo, la que provoca la detonación en las armas de fuego.

perdedor, ra *adj.* y *s.* Que perdió.

perder *v.* **1.** Dejar de tener, quedarse sin alguien o algo. **2.** No saber dónde está una cosa. **3.** No aprovechar: *perder una oportunidad.* **4.** Resultar vencido. **5.** No alcanzar a tiempo: *perder el tren.* **6.** Tener una fuga: *El depósito pierde.* **7.** Causar o sufrir un perjuicio: *En el reparto salió perdiendo.* || **perderse 8.** No encontrar a alguien el camino, no saber dónde está. **9.** Distraerse, no seguir aquello de lo que se está tratando. □ Es v. irreg. Se conjuga como *tender.* **EXPR.** **echarse a perder** Estropearse. **SIN.** **2.** Extraviar. **3.** Desperdiciar, malgastar. **8** y **9.** Despistarse. **ANT.** **1** y **2.** Encontrar. **4.** Ganar. **9.** Centrarse.

perdición *s. f.* Aquello que causa a alguien una pérdida o daño grave. **SIN.** Ruina.

pérdida *s. f.* **1.** Acción de perder o perderse o lo que se ha perdido. **2.** Daño, perjuicio. **EXPR.** **no tener pérdida** un lugar Ser fácil de encontrar o llegar a él. **SIN.** **1.** Extravío; muerte. **ANT.** **1.** Hallazgo. **2.** Beneficio.

perdidamente *adv.* Totalmente, completamente: *perdidamente enamorado.*

perdido, da 1. *p.* de **perder.** También *adj.* || *adj.* **2.** Del todo, sin solución: *Es boba perdida. Es un caso perdido.* || *adj.* y *s.* **3.** Se dice de quien vive de manera poco decente. **EXPR.** **ponerse perdido** Ensuciarse mucho. **SIN.** **3.** Perdulario.

perdigón *s. m.* **1.** Cría de la perdiz. **2.** Granito de plomo que se usa como munición en las armas de caza.

perdigonada *s. f.* **1.** Tiro de perdigones. **2.** Herida que produce.

perdiguero *adj.* y *s. m.* Se dice de un perro de caza de muy buen olfato.

perdiz *s. f.* Ave de cuerpo grueso, cuello corto, cabeza pequeña, pico y pies rojos y plumaje pardo con franjas en los costados; vuela poco y es muy apreciada como pieza de caza.

perdón *s. m.* Acción de perdonar. **SIN.** Disculpa, absolución.

perdonar *v.* **1.** No guardar rencor contra el que nos ha hecho algo malo. **2.** Liberar a alguien de un castigo, de una deuda o de otra obligación. **3.** Disculpar: *Perdone las molestias.* **4.** Dejar pasar: *No perdona una buena comida.* **SIN.** **1** y **3.** Disculpar. **2.** Eximir, dispensar. **ANT.** **1** y **2.** Castigar.

perdonavidas *s. m.* Fanfarrón que presume de ser muy valiente y fuerte. **SIN.** Bravucón.

perdulario, ria *adj.* y *s.* Persona que lleva una vida de vicios. **SIN.** Perdido.

perdurable *adj.* Que dura para siempre o mucho tiempo. **SIN.** Duradero. **ANT.** Perecedero.

perdurar *v.* Continuar durando algo o durar mucho tiempo. **SIN.** Subsistir; permanecer. **ANT.** Morir, perderse.

perecedero, ra *adj.* Que dura poco, que morirá o acabará. **SIN.** Efímero. **ANT.** Perdurable.

perecer *v.* Morir. □ Es v. irreg. Se conjuga como *agradecer.* **SIN.** Fenecer, fallecer. **ANT.** Vivir.

peregrinación o **peregrinaje** *s. f.* o *s. m.* Viaje que por devoción se hace a un santuario o lugar sagrado.

peregrinar *v.* Ir en peregrinación a un santuario o lugar sagrado.

peregrino, na *adj.* y *s.* **1.** Que peregrina. || *adj.* **2.** Extraño: *una ocurrencia peregrina.* **SIN.** **1.** Romero. **2.** Raro.

perejil *s. m.* Planta con hojas de color verde oscuro que se emplean para dar sabor a muchas comidas.

perendengue *s. m.* **1.** Adorno de poco valor. || *pl.* **2.** Objeciones, pegas.

perengano, na s. m. y f. Una persona cualquiera. Se menciona siempre a continuación de *fulano* y *mengano*.

perenne adj. **1.** Que dura siempre. **2.** Se dice de las partes de una planta, sobre todo de las hojas, que permanecen vivas durante el invierno. **3.** Se dice de la planta que vive más de dos años. SIN. **1.** Permanente, perpetuo. ANT. **1.** Perecedero. **2** y **3.** Caduco.

perennifolio, lia adj. Se dice de la planta de hojas perennes.

perentorio, ria adj. Muy urgente. SIN. Apremiante, aciante.

pereza s. f. Falta de ganas de hacer algo, sobre todo, de trabajar. SIN. Vagancia. ANT. Diligencia.

perezoso, sa adj. y s. **1.** Que tiene pereza. || s. m. **2.** Mamífero de América del Sur, de cabeza pequeña, pelo pardo y extremidades largas; vive en los árboles y se mueve muy lentamente. SIN. **1.** Vago, holgazán, haragán. ANT. **1.** Trabajador, diligente.

perfección s. f. **1.** Característica de perfecto. **2.** Cosa perfecta. ANT. **1.** Imperfección.

perfeccionamiento s. m. Acción de perfeccionar.

perfeccionar v. Hacer que algo sea más perfecto o lo más perfecto posible.

perfeccionismo s. m. Deseo de hacer las cosas muy bien, perfectas.

perfeccionista adj. y s. Que quiere que todo quede perfecto.

perfectamente adv. **1.** De manera perfecta. **2.** Muy bien, de acuerdo.

perfecto, ta adj. **1.** Muy bueno, sin ningún fallo o defecto. **2.** Se dice de los tiempos de los verbos que expresan una acción terminada o acabada, como los pretéritos perfectos. SIN. **1.** Insuperable. ANT. **1** y **2.** Imperfecto.

perfidia s. f. Característica de pérfido. SIN. Perversidad. ANT. Bondad; lealtad.

pérfido, da adj. y s. **1.** Desleal, traidor. **2.** Malvado. SIN. **2.** Perverso. ANT. **1.** Leal.

perfil s. m. **1.** Postura de lado. **2.** Línea que marca el borde de algo. **3.** En geometría, figura que presenta un cuerpo cortado por un plano vertical. SIN. **2.** Contorno, silueta.

perfilado, da 1. p. de **perfilar.** || adj. **2.** Muy acabado, hecho con detalle.

perfilar v. **1.** Marcar el perfil de algo. **2.** Dar a una cosa los últimos detalles. || **perfilarse 3.** Empezar a destacarse: *Se perfila como ganador.* SIN. **2.** Retocar.

perforación s. f. Acción de perforar.

perforadora s. f. Máquina de perforar; especialmente la que se usa para sacar de la tierra petróleo o gas.

perforar v. Hacer agujeros. SIN. Horadar, taladrar.

perfumador s. m. Recipiente o aparato con perfume para esparcirlo.

perfumar v. Dar un olor agradable.

perfume s. m. **1.** Producto que sirve para dar un olor agradable. **2.** Olor agradable: *el perfume de las flores.* SIN. **2.** Fragancia, aroma.

perfumería s. f. **1.** Tienda de perfumes, colonias, jabones y otros productos. **2.** Arte de fabricar estos productos.

perfumero, ra s. m. y f. **1.** Perfumista. || s. m. **2.** Recipiente para perfume.

perfumista s. m. y f. Persona que hace o vende perfumes.

pergamino s. m. **1.** Piel de algunos animales que antiguamente se preparaba para escribir sobre ella. **2.** Escrito hecho sobre esa piel.

pérgola s. f. Columnas que sostienen un tejadillo o plantas trepadoras.

periantio s. m. Conjunto formado por el cáliz y la corola, que rodea los órganos sexuales de las flores.

pericardio s. m. Tejido formado por dos membranas que envuelve el corazón.

pericarpio s. m. Parte exterior de los frutos, que rodea a la semilla.

pericia s. f. Habilidad, maestría. SIN. Experiencia. ANT. Impericia.

pericial adj. Del perito: *un informe pericial.*

perico s. m. **1.** Loro. **2.** Orinal.

periferia s. f. Zona que rodea al centro.

periférico, ca adj. De la periferia. ANT. Central.

perifollo s. m. Adorno de mal gusto.

perífrasis s. f. El decir con varias palabras lo que podría decirse con una sola o de forma más sencilla; por ejemplo, la perífrasis *tengo que* equivale a *debo.*

perifrástico, ca adj. De la perífrasis o que tiene perífrasis.

perilla s. f. Barba que sólo cubre la barbilla. EXPR. **venir de perilla** o **de perillas** Venir bien, muy oportuno.

perímetro s. m. **1.** Línea del borde de una figura o una superficie: *el perímetro de una circunferencia.* **2.** Lo que mide esa línea.

perindola o **perinola** s. f. Peonza pequeña que se hace girar con los dedos.

periódicamente adv. Una y otra vez, después de pasar el mismo tiempo.

periodicidad s. f. Característica de un suceso o hecho periódico.

periódico, ca adj. 1. Que se hace o sucede siempre después de pasar el mismo tiempo. 2. Conjunto de hojas impresas que se venden todos los días con noticias y otras informaciones. SIN. 2. Diario.

periodismo s. m. Carrera y profesión de periodista.

periodista s. m. y f. Persona que recoge y escribe las noticias para informar al público.

periodístico, ca adj. Relacionado con los periódicos y con los periodistas.

periodo o **período** s. m. 1. Tiempo en que ocurre o se hace algo. 2. Tiempo en que una cosa vuelve al estado o posición que tenía al principio, como el que tarda un astro en dar la vuelta alrededor de otro. 3. Menstruación. SIN. 1. Etapa, fase. 3. Regla.

peripecia s. f. Suceso, incidente.

periplo s. m. 1. Viaje en barco navegando alrededor de un lugar. 2. Viaje por muchos sitios o países.

peripuesto, ta adj. Se dice de la persona que va muy arreglada. SIN. Acicalado, emperifollado, emperejilado. ANT. Desaliñado.

periquete s. m. fam. Tiempo muy corto. SIN. Santiamén, instante.

periquito s. m. Pájaro del tamaño de un gorrión, que tiene el plumaje de colores vistosos, sobre todo verde, azul o blanco.

periscopio s. m. Aparato óptico para ver por encima de la línea de visión del observador, como los que llevan los submarinos para ver sobre la superficie del mar cuando están sumergidos.

perista s. m. y f. Persona que compra y vende objetos robados.

peritaje s. m. 1. Estudio o informe que hace un perito. 2. Carrera de perito.

perito, ta adj. y s. 1. Especialista o experto. || s. m. y f. 2. Ingeniero técnico, grado medio en ingeniería. 3. Persona que ha realizado la carrera de comercio: perito mercantil. SIN. 1. Experimentado, competente. ANT. 1. Inexperto.

peritoneo s. m. Membrana que en los vertebrados y otros animales recubre los órganos del abdomen.

peritonitis s. f. Inflamación del peritoneo.

perjudicar v. Causar daño o perjuicio. SIN. Dañar, lastimar. ANT. Beneficiar.

perjudicial adj. Que perjudica. SIN. Dañino. ANT. Beneficioso.

perjuicio s. m. Cualquier cosa mala que se hace o sucede a alguien o algo. SIN. Daño. ANT. Beneficio.

perjurar v. 1. Jurar algo que es falso. 2. Jurar mucho.

perjurio s. m. 1. El jurar algo que es falso. 2. El no cumplir un juramento.

perjuro, ra adj. y s. Que comete un perjurio.

perla s. f. 1. Bolita de nácar, de color blanco grisáceo y reflejos brillantes, que se forma en el interior de las conchas de algunos moluscos. Se utiliza en joyería. 2. Bolita artificial que imita a la anterior. 3. Persona o cosa excelente. EXPR. de perlas Muy bien, estupendamente.

perlé (fr.) s. m. Hilo de algodón que se usa para bordar, hacer ganchillo, etc.

perlífero, ra adj. Que produce perlas.

permanecer v. 1. Quedarse. 2. Seguir de una manera: permanecer callado. □ Es v. irreg. Se conjuga como agradecer. SIN. 1 y 2. Mantenerse. 2. Continuar. ANT. 1. Marcharse.

permanencia s. f. El hecho de permanecer.

permanente adj. 1. Que permanece. || s. f. 2. Peinado de rizos que dura mucho tiempo. SIN. 1. Estable, duradero. ANT. 1. Inestable.

permeabilidad s. f. Característica de permeable.

permeable adj. Que deja pasar un líquido o un gas a través de él. ANT. Impermeable.

permisividad s. f. Tolerancia.

permisivo, va adj. Tolerante. SIN. Transigente. ANT. Inflexible.

permiso s. m. 1. Acción de permitir. 2. Autorización de dejar por un tiempo una obligación, por ejemplo el servicio militar o el trabajo. SIN. 1. Consentimiento. ANT. 1. Prohibición.

permitir v. 1. Dejar que otro haga alguna cosa. 2. Hacer posible, no impedir. || permitirse 3. Atreverse, osar. SIN. 1. Consentir, tolerar. 2. Posibilitar. ANT. 1. Prohibir.

permuta o **permutación** s. f. Acción de permutar, cambio.

permutar v. Cambiar una cosa por otra.

pernera s. f. Parte del pantalón que cubre la pierna.

pernicioso, sa adj. Muy perjudicial. **Sin.** Nocivo, dañino. **Ant.** Beneficioso.

pernil s. m. Parte superior de la pata de un animal.

pernio s. m. Bisagra grande en que las dos piezas se pueden separar.

perno s. m. Tornillo de cabeza redonda por un extremo y que por el otro se asegura con una tuerca u otra pieza.

pernoctar v. Pasar la noche en un lugar.

pero conj. **1.** Se usa delante de una frase que expresa algo contrario o distinto que la anterior: *Me marcho, pero vuelvo en seguida.* **2.** En principio de frase, da más fuerza a lo que se expresa: *Pero qué listo eres.* || s. m. **3.** Defecto, inconveniente: *poner peros.* **Sin.** **1.** Mas. **3.** Reparo.

perogrullada s. f. Cosa tan evidente o sabida que es una tontería decirla.

Perogrullo Se usa en la expresión **verdad de Perogrullo**, 'perogrullada'.

perol s. m. Vasija en forma de media esfera para cocinar alimentos.

perola s. f. Perol pequeño.

peroné s. m. Hueso largo y delgado de la pierna situado detrás de la tibia.

perorata s. f. Discurso largo y pesado.

perpendicular adj. **1.** Que forma ángulo recto con otra cosa. || s. f. **2.** Línea que forma ángulo recto con otra.

perpetrar v. Cometer un delito.

perpetuar v. Hacer que algo dure siempre o mucho tiempo. **Sin.** Perdurar.

perpetuidad s. f. Característica de perpetuo. **Expr.** **a perpetuidad** Para toda la vida.

perpetuo, tua adj. Que dura siempre.

perplejidad s. f. Estado de perplejo. **Sin.** Asombro, indecisión.

perplejo, ja adj. Asombrado, confuso, sin saber qué hacer. **Sin.** Atónito.

perra s. f. **1.** Rabieta. **2.** Manía, antojo. || pl. **3.** Dinero.

perrera s. f. **1.** Lugar donde se encierra a los perros callejeros. **2.** Furgoneta que recoge a estos animales. **3.** Espacio en algunos vehículos para llevar a los perros y otros animales.

perrería s. f. Faena, jugarreta.

perrero, ra s. m. y f. Empleado de la perrera.

perrito, ta s. m. y f. **1.** dim. de **perro**. || **2.** **perrito caliente** Salchicha asada o cocida y metida en un pan alargado.

perro, rra s. m. y f. **1.** Animal doméstico mamífero, muy fiel al hombre; tiene un fino olfato y un oído muy agudo. Hay una gran variedad de razas. || adj. y s. **2.** Persona muy mala, despreciable. || adj. **3.** Malo, desgraciado: *una vida perra.* || **4.** **perro viejo** Persona que sabe mucho de la vida por experiencia. **Expr.** **de perros** Muy malo: *un tiempo de perros.* **Sin.** **1.** Can, chucho. **3.** Desdichado.

persa adj. y s. **1.** De Persia, antiguo país de Asia que hoy se llama Irán. || s. m. **2.** Idioma de este país.

persecución s. f. Acción de perseguir.

persecutorio, ria adj. Relacionado con la persecución.

perseguir v. **1.** Ir detrás de una persona, animal o cosa para alcanzarlos. **2.** Buscar, pretender. ▢ Es v. irreg. Se conjuga como *seguir.* **Ant.** **1.** Huir.

perseverancia s. f. Característica de perseverante. **Sin.** Constancia, empeño. **Ant.** Inconstancia.

perseverante adj. Que persevera. **Sin.** Constante, tenaz. **Ant.** Inconstante.

perseverar v. Mantenerse firme en algo, no abandonar. **Sin.** Persistir, empeñarse. **Ant.** Desistir.

persiana s. f. Pantalla de tiras de madera u otro material que se colocan en las ventanas para que no entre mucha luz.

pérsico, ca adj. Persa.

persignarse v. Hacer la señal de la cruz, sobre todo una en la frente, otra en la boca y otra en el pecho.

persistencia s. f. Hecho de persistir.

persistente adj. Que persiste.

persistir v. **1.** Continuar. **2.** Perseverar. **Sin.** **1.** Perdurar. **2.** Empeñarse. **Ant.** **1** y **2.** Cesar. Desistir.

persona s. f. **1.** Cualquier ser humano. **2.** Distintas formas gramaticales que pueden tener el verbo y el pronombre; la *primera persona* (*yo, nosotros*) es la que habla, la *segunda persona* (*tú, vosotros*) es a quien se habla y la *tercera persona* (*él, ella, ello, ellos, ellas*) es aquel o aquello de que se habla. **Expr.** **en persona** Haciéndolo uno mismo. **Sin.** **1.** Individuo.

personaje s. m. **1.** Persona u otro ser que aparece en una obra artística, literaria o en una película. **2.** Persona importante. **Sin.** **2.** Personalidad.

personal adj. **1.** De la persona en general o de una sola persona. || s. m. **2.** To-

pesado

das las personas que trabajan en un lugar. **3.** Gente. ‖ **4. pronombre personal** Ver **pronombre**.

personalidad *s. f.* **1.** Forma de ser de cada persona. **2.** Persona importante. **Sin. 2.** Personaje.

personalizar *v.* Hablar de alguien en concreto y no de todos en general. **Sin.** Particularizar. **Ant.** Generalizar.

personalmente *adv.* **1.** En persona: *Acudió personalmente.* **2.** Según lo que piensa el que habla: *Personalmente creo que deberías disculparte.*

personarse *v.* Acudir en persona. **Sin.** Comparecer. **Ant.** Faltar.

personificación *s. f.* **1.** Acción de personificar; también, la persona o cosa que personifica algo. **2.** Figura literaria que consiste en poner en animales o cosas acciones y cualidades propias de las personas. **Sin. 1.** Encarnación. **2.** Prosopopeya.

personificar *v.* **1.** Representar una cualidad: *La diosa Venus personifica la belleza y el amor.* **2.** Poner en animales o cosas cualidades y acciones humanas. **Sin. 1.** Simbolizar, encarnar.

perspectiva *s. f.* **1.** Representación de los objetos en una superficie tal como aparecen a la vista. **2.** Vista, panorama. **3.** Punto de vista. **4.** Expectativa, futuro. **Sin. 3.** Visión. **4.** Esperanza.

perspicacia *s. f.* Característica de perspicaz. **Sin.** Sagacidad.

perspicaz *adj.* **1.** Que se da cuenta en seguida de las cosas y las comprende con facilidad. **2.** Se dice de la vista que percibe muy bien, incluso de lejos. **Sin. 1.** Sagaz, inteligente. **1** y **2.** Agudo, penetrante. **Ant. 1.** Torpe.

persuadir *v.* Convencer con razones. **Ant.** Disuadir.

persuasión *s. f.* Acción de persuadir. **Sin.** Convencimiento. **Ant.** Disuasión.

persuasivo, va *adj.* Que persuade o sabe persuadir. **Sin.** Convincente. **Ant.** Disuasorio.

pertenecer *v.* **1.** Ser una cosa propiedad de alguien. **2.** Ser una cosa parte de otra o estar incluida en ella. **3.** Corresponder. **Sin. 3.** Atañer, incumbir.

perteneciente *adj.* Que pertenece.

pertenencia *s. f.* **1.** Hecho de pertenecer a alguien o algo. **2.** Lo que pertenece a alguien o algo. **Sin. 2.** Propiedad, posesión.

pértiga *s. f.* Vara larga, sobre todo la que se utiliza en salto de altura.

pertinacia *s. f.* Característica de la persona o cosa pertinaz. **Sin.** Obcecación, terquedad, persistencia.

pertinaz *adj.* **1.** Obstinado, tenaz. **2.** Se dice de cosas perjudiciales que duran mucho: *una sequía pertinaz.* **Sin. 1.** Terco, obstinado, obcecado. **1** y **2.** Persistente. **2.** Prolongado.

pertinencia *s. f.* Característica de pertinente u oportuno.

pertinente *adj.* **1.** Que pertenece o se refiere a algo. **2.** Conveniente, oportuno. **Sin. 1.** Referente, relativo. **2.** Idóneo, adecuado.

pertrechar *v.* Proporcionar pertrechos. **Sin.** Proveer, aprovisionar.

pertrechos *s. m. pl.* **1.** Municiones, provisiones y otras cosas que necesita un ejército para la guerra. **2.** Cosas necesarias para cualquier otra actividad.

perturbación *s. f.* Acción de perturbar. **Sin.** Alteración, trastorno.

perturbado, da **1.** *p.* de **perturbar**. También *adj.* ‖ *adj.* y *s.* **2.** Loco. **Sin. 2.** Demente. **Ant. 2.** Cuerdo.

perturbador, ra *adj.* y *s.* Que perturba.

perturbar *v.* **1.** Acabar con el orden o con la tranquilidad. **2.** Volver loco a alguien. **Sin. 1.** Alterar. **1** y **2.** Trastornar. **Ant. 1.** Calmar.

peruano, na *adj.* y *s.* De Perú, país de América del Sur.

perversidad *s. f.* Maldad muy grande.

perversión *s. f.* **1.** Acción de pervertir. **2.** Cosa o conducta pervertida. **Sin. 1.** Corrupción. **2.** Maldad.

perverso, sa *adj.* y *s.* Malvado. **Sin.** Depravado.

pervertir *v.* Hacer muy malo o inmoral a alguien o algo. ▢ Es v. irreg. Se conjuga como *sentir*. **Sin.** Corromper.

pervivencia *s. f.* Hecho de pervivir.

pervivir *v.* Seguir existiendo. **Sin.** Perdurar, persistir. **Ant.** Desaparecer.

pesa *s. f.* **1.** Pieza con un peso determinado, como las que se ponen en las balanzas o las que se usan en los gimnasios. **2.** Pieza que cuelga en algunos relojes de pared y los hace funcionar con su movimiento.

pesadez *s. f.* **1.** Cosa pesada, aburrida. **2.** Sensación de cansancio o peso. **3.** Lentitud. **Sin. 1.** Aburrimiento, rollo, fastidio.

pesadilla *s. f.* Sueño desagradable.

pesado, da **1.** *p.* de **pesar**. También *adj.* ‖ *adj.* **2.** Que pesa mucho. **3.** Se dice del sueño del que cuesta mucho despertar. **4.** Que siente o produce sensación de pesadez. || *adj.* y *s.* **5.** Muy lento o calmoso. **6.** Que aburre mucho. **Sin. 4.** Cargado. **5** y **6.** Pelma. **Ant. 2** a **4.** Ligero. **6.** Divertido.

pesadumbre *s. f.* Tristeza, pesar. **Sin.** Pena, remordimiento. **Ant.** Satisfacción.

pésame *s. m.* Forma de expresarle a una persona la pena que sentimos cuando se le ha muerto un ser querido. **Sin.** Condolencia. **Ant.** Enhorabuena.

pesar¹ *v.* **1.** Tener un peso. **2.** Ver qué peso tiene una cosa. **3.** Causar pena.

pesar² *s. m.* Tristeza, pena. **Expr. a pesar de** Aunque otros se opongan o aunque haya dificultades. **Sin.** Pesadumbre. **Ant.** Satisfacción.

pesaroso, sa *adj.* Triste, apenado. **Ant.** Satisfecho.

pesca *s. f.* **1.** Acción de pescar. **2.** Peces que se pescan. || **3. pesca de altura** La que se hace en alta mar. **4. pesca de bajura** La realizada cerca de la costa.

pescadería *s. f.* Tienda donde venden pescado.

pescadero, ra *s. m.* y *f.* Persona que vende pescado.

pescadilla *s. f.* **1.** Pez parecido a la merluza, pero más pequeño. **2.** Cría de la merluza.

pescado *s. m.* Pez que se pesca para comerlo. **Expr. pescado azul** El que tiene mucha grasa, como la sardina. **pescado blanco** El que tiene poca grasa, como la merluza y el lenguado.

pescador, ra *s. m.* y *f.* Persona que pesca.

pescante *s. m.* Asiento del que guía un carruaje o coche de caballos.

pescar *v.* **1.** Capturar peces. **2.** Coger, pillar. **3.** Enterarse, darse cuenta. **Sin. 2.** Agarrar. **3.** Captar.

pescozón *s. m.* Golpe que se da con la mano en el pescuezo o la cabeza.

pescuezo *s. m.* Cuello.

pesebre *s. m.* Cajón o sitio donde se pone la comida para los animales en las cuadras.

peseta *s. f.* La moneda de España.

pesetero, ra *adj.* y *s.* Que se preocupa mucho de ganar y ahorrar dinero.

pesimismo *s. m.* Forma de ver las cosas de los pesimistas. **Ant.** Optimismo.

pesimista *adj.* y *s.* Que tiende a ver el lado malo de las cosas. **Ant.** Optimista.

pésimo, ma *adj. sup.* de **malo.** Que es lo peor. **Sin.** Malísimo. **Ant.** Óptimo.

peso *s. m.* **1.** Fuerza con que la Tierra atrae a las cosas. **2.** Cosa que pesa mucho. **3.** Utensilio para pesar. **4.** Preocupación, cansancio. **5.** Influencia o importancia que tiene una persona o cosa sobre otras. **6.** La moneda de algunos países americanos, de Filipinas y de Guinea-Bissau. **Sin. 4.** Carga.

pespunte *s. m.* Línea de puntadas.

pespuntear *v.* Coser con pespuntes.

pesquero, ra *adj.* **1.** De la pesca. || *s. m.* **2.** Barco de pesca.

pesquis *s. m. fam.* Inteligencia.

pesquisa *s. f.* Investigación, indagación. **Sin.** Averiguación.

pestaña *s. f.* **1.** Cada uno de los pelos que hay en los bordes de los párpados. **2.** Saliente estrecho en el borde de una cosa, que sirve para que encaje en otra.

pestañear *v.* Abrir y cerrar los párpados rápidamente.

peste *s. f.* **1.** Enfermedad contagiosa grave que produce muchas muertes. **2.** Mal olor. **3.** Cosa muy mala o perjudicial. **Expr. decir, contar** o **echar pestes** Hablar muy mal de alguien o algo. **Sin. 2.** Tufo, pestilencia.

pesticida *s. m.* Sustancia para matar animales o plantas perjudiciales para el hombre, la agricultura o la ganadería.

pestilencia *s. f.* Mal olor. **Sin.** Peste, tufo. **Ant.** Fragancia.

pestilente *adj.* Que huele muy mal. **Sin.** Apestoso. **Ant.** Fragante.

pestillo *s. m.* **1.** Cerrojo pequeño. **2.** Pieza de la cerradura de una puerta que entra y sale al mover la llave o el tirador y se encaja en el marco.

pestiño *s. m.* **1.** Dulce de masa de harina y huevo, frita y cubierta con miel. **2.** *fam.* Persona o cosa aburrida, pesada. **Sin. 2.** Petardo, plasta.

petaca *s. f.* **1.** Estuche para el tabaco. **2.** Botella pequeña y plana para llevar licor. **3.** Broma que se gasta a alguien doblando la sábana de arriba de su cama de modo que uno no se pueda meter. **Sin. 1.** Tabaquera.

pétalo *s. m.* Cada una de las hojas de colores que forman las flores.

petanca *s. f.* Juego en que cada jugador lanza unas bolas para acercarse lo más posible a una bolita más pequeña.

petardo *s. m.* **1.** Tubito con pólvora y una mecha que, cuando se prende, estalla con mucho ruido. || *adj.* y *s. m.* **2.** Persona o cosa pesada o aburrida.

picadero

petate *s. m.* Bolsa con ropa y otras cosas que se lleva al hombro. **SIN.** Hatillo.

petenera *s. f.* Un tipo de cante flamenco. **EXPR. salir por peteneras** Hacer o decir algo que no viene a cuento.

petición *s. f.* Acción de pedir algo y palabras o escrito con que se pide. **SIN.** Ruego, demanda, súplica.

peticionario, ria *adj. y s.* Persona que pide oficialmente algo.

petimetre *s. m.* Joven muy presumido. **SIN.** Lechuguino.

petirrojo *s. m.* Pájaro del tamaño de un gorrión que tiene la parte de arriba oscura, el cuello y el pecho rojos y el vientre de color blanquecino.

petitorio, ria *adj.* Que sirve para pedir algo: *una mesa petitoria de la Cruz Roja.*

peto *s. m.* **1.** La parte de algunos pantalones y faldas que cubre el pecho y se sujeta con tirantes; también se llaman *peto* esos pantalones y faldas. **2.** Armadura que cubría el pecho. **3.** Manta acolchada que se pone como protección a los caballos de los picadores.

petrel *s. m.* Ave marina de color negruzco que vive lejos de tierra, a la que sólo se acerca para criar.

pétreo, a *adj.* De piedra o que parece de piedra.

petrificado, da **1.** *p.* de **petrificar.** || *adj.* **2.** Convertido en piedra o tan duro que parece de piedra. **3.** Paralizado por el asombro o el miedo. **SIN. 3.** Helado.

petrificar *v.* Dejar petrificado.

petrodólar *s. m.* Unidad monetaria con la cual se expresan las cantidades de dólares que los países productores de petróleo obtienen con la venta del mismo.

petróleo *s. m.* Líquido aceitoso y oscuro que se encuentra dentro de la tierra. Arde con facilidad y con él se hace gasolina, plásticos y muchos productos.

petrolero, ra *adj.* **1.** Del petróleo. || *s. m.* **2.** Barco que transporta petróleo.

petrolífero, ra *adj.* Que tiene o produce petróleo.

petroquímico, ca *adj.* Relacionado con los productos químicos obtenidos del petróleo.

petulancia *s. f.* Característica de petulante, engreído. **SIN.** Presunción.

petulante *adj.* Presuntuoso, engreído. **SIN.** Creído, insolente.

petunia *s. f.* **1.** Planta de hojas alargadas o redondeadas y flores en forma de campanilla y de diferentes colores. **2.** Flor de esta planta.

peúco *s. m.* Patuco.

peyorativo, va *adj.* Se dice de las palabras, frases o gestos con que se expresa algo malo de alguien o algo. **SIN.** Despectivo, negativo.

pez¹ *s. m.* **1.** Animal vertebrado ovíparo, que vive en el agua, respira por branquias, tiene las extremidades en forma de aletas y su piel suele estar cubierta de escamas. || **2. pez espada** Pez marino de cuerpo robusto, cabeza alargada y un saliente largo y puntiagudo en la mándíbula superior, que parece una espada. Es muy apreciado como alimento. **3. pez gordo** Persona muy importante. **4. pez martillo** Pez parecido al tiburón, con la cabeza ensanchada por los lados. **5. pez sierra** Pez del mismo grupo de las rayas que tiene un saliente largo en la mandíbula superior, parecido a una sierra. **EXPR. como pez en el agua** Muy a gusto en el lugar o la situación en que está. **estar pez** No saber nada.

pez² *s. f.* Sustancia pegajosa de color amarillento que se emplea, por ejemplo, para hacer impermeables algunas superficies.

pezón *s. m.* Punta redondeada de los pechos de las hembras de los mamíferos y de la tetilla de los machos.

pezuña *s. f.* Uña grande y dura que tienen al final de la pata algunos animales como los caballos o las vacas.

piadoso, sa *adj.* Muy religioso, devoto. **SIN.** Pío, fervoroso. **ANT.** Impío.

piafar *v.* Golpear el caballo el suelo con las patas delanteras.

pianista *s. m. y f.* Músico que toca el piano.

piano *s. m.* **1.** Instrumento musical que tiene unas cuerdas metálicas dentro de una caja y unos macillos que las golpean al tocar un teclado. || *adv.* **2.** Bajito, sin que suene mucho: *Habla piano.*

pianola *s. f.* Piano que puede tocar de manera mecánica algunas canciones.

piar *v.* Hacer «pío, pío» algunas aves. **EXPR. piarlas** Quejarse, protestar.

piara *s. f.* Manada de cerdos.

pica *s. f.* **1.** Tipo de lanza antigua. **2.** Vara larga que el picador clava al toro en la corrida. **SIN. 2.** Garrocha.

picacho *s. m.* Pico agudo en que terminan algunos montes y riscos.

picadero *s. m.* Lugar donde se doma a los caballos y se aprende a montarlos.

picadillo *s. m.* **1.** Lomo de cerdo picado y adobado que se come frito o con el que se hacen chorizos. **2.** Alimento picado: *picadillo de cebolla.*

picado, da 1. *p.* de **picar.** También *adj.* ‖ *adj.* **2.** Enfadado, molesto. **3.** Se dice del mar cuando está revuelto. ‖ *s. m.* **4.** Bajada en picado de un avión o de un pájaro. **EXPR. en picado** Modo de bajar un avión o un pájaro, muy rápido y perpendicular al suelo. También, modo de disminuir algo muy rápidamente. **SIN. 1.** Triturado. **2.** Mosqueado.

picador, ra *s. m.* **1.** Hombre montado a caballo que pica al toro en las corridas. **2.** Minero que arranca el mineral con un pico.

picadora *s. f.* Máquina para picar.

picadura *s. f.* **1.** Mordedura o pinchazo de las aves, las serpientes, los mosquitos. **2.** Caries. **3.** Agujeritos o rayas, como los que salen en el hierro oxidado.

picajón, na o **picajoso, sa** *adj. y s. fam.* Que se pica o enfada en seguida. **SIN.** Quisquilloso.

picante *adj. y s. m.* Que tiene un sabor fuerte y quema o pica en la boca.

picapedrero *s. m.* Hombre que saca piedras picando en una cantera. **SIN.** Cantero.

picapica *s. m.* Polvos que dan picor.

picapleitos *s. m. y f. desp.* Abogado.

picaporte *s. m.* **1.** Manilla o palanca con que se abren o cierran ventanas y puertas. **2.** Aldaba.

picar *v.* **1.** Morder o pinchar algunos animales como las aves, las serpientes o los insectos. **2.** Producir picor. **3.** Clavar el picador la pica al toro. **4.** Morder el pez el anzuelo. **5.** Dejarse engañar. **6.** Cortar en trozos muy pequeños. **7.** Probar un poco de varios alimentos. **8.** Golpear con un pico u otro instrumento en una superficie para quitarle trozos. **9.** Estropear algunas cosas como el hierro, la goma, el vino, los dientes. **10.** Entrarle deseos a una persona de ganar o superar a otra. **11.** Hacer enfadar. **SIN. 2.** Escocer. **6.** Trocear. **7.** Picotear. **11.** Mosquear.

picardía *s. f.* **1.** Astucia y habilidad para disimular, engañar o sacar provecho. **2.** Acción o palabras un poco atrevidas o descaradas. ‖ **picardías** *s. m.* **3.** Camisón muy corto con braguitas a juego. **SIN. 1.** Malicia. **2.** Travesura. **ANT. 1.** Inocencia.

picaresca *s. f.* Comportamiento o forma de vida de los pícaros.

picaresco, ca *adj.* **1.** De los pícaros. **2.** Se dice de las obras literarias que tratan sobre la vida de un pícaro.

pícaro, ra *adj. y s.* **1.** Persona que vive de engañar a otras. **2.** Travieso. ‖ *adj.* **3.** Que se hace o se dice con picardía. **SIN. 1 y 2.** Pillo, tunante. **ANT. 1.** Ingenuo.

picarón, na *adj. y s.* Pícaro, travieso.

picatoste *s. m.* Trozo de pan frito.

picaza *s. f.* Urraca.

picazón *s. m.* **1.** Picor. **2.** Remordimiento. **SIN. 1.** Comezón.

pichi *s. m.* Vestido sin mangas que se pone con otra prenda debajo.

pichón *s. m.* Pollo de la paloma común.

Picio Nombre propio que se usa en la expresión **ser más feo que Picio**, 'ser muy feo'.

picnic (ingl.) *s. m.* Comida o merienda en el campo.

pico¹ *s. m.* **1.** La boca, saliente y dura, de las aves. **2.** *fam.* Boca: *Cierra el pico.* **EXPR. pico de oro** Labia; persona que habla bien.

pico² *s. m.* **1.** Punta, esquina, saliente. **2.** Montaña puntiaguda. **3.** Herramienta con una barra de hierro puntiaguda y un mango de madera, que se utiliza para hacer agujeros o romper una superficie. **4.** Un poco más de la cantidad que se dice: *doscientas y pico.* **EXPR. de picos pardos** De juerga.

picón *s. m.* Carbón en trozos pequeños que se quema en los braseros.

picor *s. m.* **1.** Sensación que se produce en alguna parte del cuerpo y da ganas de rascarse. **2.** Ardor o escozor que producen en la boca algunos alimentos.

picota *s. f.* **1.** Tipo de cereza más gorda y de carne más dura. **2.** *fam.* Nariz.

picotazo *s. m.* Acción de picar a alguien o algo algunos animales, como las aves o los insectos; también, la señal que dejan.

picotear *v.* **1.** Picar las aves muchas veces. **2.** Comer un poco de varias cosas.

picoteo *s. m.* Acción de picotear.

pictograma *s. m.* Figura o símbolo que se utiliza en lugar de letras para escribir, como los que usan los japoneses.

pictórico, ca *adj.* Del arte de la pintura o relacionado con él.

picudo, da *adj.* Con mucho pico.

pídola *s. f.* Juego en el que unos saltan por encima de otro que está agachado.

pie *s. m.* **1.** Cada una de las partes en que terminan las piernas o las patas y que apoyan en el suelo. **2.** Parte de algunas cosas sobre la que se apoyan: *el pie de una lámpara.* **3.** Parte inferior de algunas cosas: *al pie del escrito.* **4.** Medida de longitud que equivale a veintiocho centímetros. **Expr.** **dar pie** Dar motivo. **de pie** Levantado y apoyado sobre los pies. **en pie** De pie; también expresa que algo vale todavía: *La invitación sigue en pie.* **no dar pie con bola** No hacer nada bien. **pararle los pies** a alguien No dejar que se exceda.

piedad *s. f.* **1.** Compasión, lástima. **2.** Devoción religiosa.

piedra *s. f.* **1.** Materia natural dura que se encuentra en la tierra; trozo de esta materia. **2.** Sustancias sólidas que a veces forman como piedrecitas en algunos órganos del cuerpo, como en el riñón o la vesícula. **3.** Pieza de algunos mecheros que sirve para producir la chispa. ‖ **4.** **piedra pómez** Piedra grisácea muy porosa, formada de lava volcánica sólida. **5.** **piedra preciosa** La que se usa para hacer joyas, como los brillantes. **Expr.** **de piedra** Asombrado, perplejo; también, que no se conmueve. **Sin.** **1.** Roca. **2.** Cálculo.

piel *s. f.* **1.** Capa externa que cubre el cuerpo del hombre y de los animales. **2.** La de algunos animales tratada para fabricar bolsos, zapatos, abrigos. **3.** Capa que cubre la carne de algunas frutas. **Expr.** **dejarse la piel** Esforzarse. **ser de la piel del diablo** Ser muy travieso. **Sin.** **1** y **3.** Pellejo.

pienso *s. m.* Alimento para el ganado, hecho por ejemplo de cereales secos.

pierna *s. f.* **1.** Cada una de las extremidades del cuerpo humano que empiezan en la cadera y terminan en los pies. **2.** Parte de esas extremidades que va desde la rodilla al pie. **3.** Muslo de los animales de cuatro patas. **Expr.** **dormir a pierna suelta** Dormir muy bien. **estirar las piernas** Andar un poco después de haber estado sentado largo rato.

pierrot (fr.) *s. m.* Personaje del antiguo teatro italiano y francés, vestido con una blusa blanca con grandes botones.

pieza *s. f.* **1.** Cada una de las partes de una cosa o elemento de un conjunto. **2.** Cuarto, habitación. **3.** Animal de caza o pesca. **4.** Obra de teatro o de música. **5.** *fam.* Persona revoltosa o traviesa: *¡Menuda pieza está hecho!* **Expr.** **de una pieza** Perplejo, asombrado. **Sin.** **1.** Porción,

pífano *s. m.* Flautín que se usa en las bandas militares.

pifia *s. f.* Error o cosa mal hecha.

pifiar *v.* Estropear, hacer una pifia.

pigmentación *s. f.* Color que les dan a los seres vivos sus pigmentos.

pigmentar *v.* Dar color.

pigmento *s. m.* Sustancia que tienen las células de las personas, los animales o las plantas y les da su color.

pigmeo, a *adj. y s.* De unos pueblos de África y Asia, de estatura muy baja, piel oscura y cabello rizado.

pijada *s. f.* **1.** *fam.* Tontería. **2.** *fam.* Cosa que usan o llevan los pijos.

pijama *s. m.* Conjunto de pantalón y chaqueta que se usa para dormir.

pijo, ja *adj. y s. fam.* Se dice de algunos jóvenes que van vestidos a la última moda y suelen ser de familia acomodada.

pijota *s. f.* Pescadilla.

pijotada *s. f. fam.* Pijada.

pijotería *s. f. fam.* Pega, pejiguería.

pijotero, ra *adj. y s. fam.* Pejiguero.

pila¹ *s. f.* **1.** Montón de cosas unas encima de otras. **2.** Muchas cosas. **Sin.** **1** y **2.** Cúmulo.

pila² *s. f.* **1.** Recipiente de piedra u otro material parecido en el que se echa agua, por ejemplo para lavar. **2.** Batería pequeña con que se hace funcionar algunos aparatos eléctricos.

pilar *s. m.* Estructura de construcción parecida a una columna, pero más gruesa y generalmente de forma cuadrada.

pilastra *s. f.* Columna cuadrada.

píldora *s. f.* Medicamento en forma de bolitas o trocitos que se tragan o se mastican. **Expr.** **dorar la píldora** Suavizar una mala noticia o algo desagradable. **Sin.** Pastilla, comprimido.

pillaje *s. m.* Robos y saqueos.

pillar *v.* **1.** Coger. **2.** Encontrar de una manera: *Me pilló todavía en pijama.* **3.** Sorprender a alguien haciendo algo malo o que quería ocultar. **4.** Entender. **5.** Sujetar o dejar aprisionado: *pillarse un dedo.* **6.** Atropellar. **7.** Hallarse: *El parque pilla muy cerca.* **Sin.** **1.** Alcanzar. **2.** Hallar. **3** y **4.** Cazar, pescar.

pillastre *s. m.* Pillo.

pillería *s. f.* Lo que dice o hace un pillo.

pillo, lla *adj. y s.* **1.** Que se aprovecha de otros con astucia. **2.** Travieso. **Sin.** **1.** Pícaro, granuja. **2.** Zascandil.

pilón *s. m.* Pila grande de algunas fuentes, que sirve para que beban los animales o para lavar.

píloro *s. m.* Orificio que comunica el estómago con el intestino delgado.

piloso, sa *adj.* Con vello. **SIN.** Velludo.

pilotaje *s. m.* Acción de pilotar.

pilotar *v.* Conducir un barco, un avión, una nave espacial, un coche de carreras y otros vehículos.

pilote *s. m.* Madero que se clava en la tierra para asegurar los cimientos.

piloto *s. m.* **1.** Persona que pilota. **2.** Bombilla o lucecita que indica algo, por ejemplo que está funcionando un aparato. **3.** Que sirve como modelo o prueba: *piso piloto.* || **4. piloto automático** Mecanismo que hace que vaya solo un avión o un barco sin que lo guíe nadie.

piltra *s. f. fam.* Cama.

piltrafa *s. f.* **1.** Trozo pequeño de carne con mucho pellejo. **2.** Resto pequeño de alguna cosa. **3.** Persona o cosa muy estropeada o con mal aspecto. **SIN. 2.** Desperdicio, desecho.

pimentero *s. m.* **1.** Arbusto tropical que produce la pimienta. **2.** Botecito con pimienta molida para servirse en la mesa.

pimentón *s. m.* Polvo de pimientos rojos secos, que se utiliza como condimento.

pimienta *s. f.* Semilla del pimentero, una bolita oscura y de sabor picante que se usa como condimento.

pimiento *s. m.* **1.** Fruto comestible de una planta de huerta llamada también *pimiento.* Sale de color verde y después se pone rojo o amarillo; está hueco por dentro y tiene muchas semillas. **2.** *fam.* Nada: *Me importa un pimiento.* || **3. pimiento morrón** Tipo de pimiento más gordo y dulce que los normales. **EXPR. como un pimiento** Muy colorado. **SIN. 2.** Pepino, bledo, comino, pito.

pimpampum *s. m.* Juego de feria que consiste en derribar a pelotazos unos muñecos puestos en fila.

pimpante *adj.* **1.** Tranquilo, campante. **2.** Muy bien vestido y arreglado.

pimpinela *s. f.* Planta de hojas pequeñas y flores colocadas en forma de espiga o de cabezuela, generalmente de color púrpura o verdoso.

pimplar *v. fam.* Tomar mucho vino u otras bebidas alcohólicas.

pimpollo *s. m.* **1.** Árbol o planta joven, o rama o tallo nuevo que sale de una planta. **2.** Capullo de rosa todavía cerrado. **3.** Niño o joven muy guapo. **SIN. 1.** Brote, renuevo. **2.** Botón.

pimpón *s. m.* Deporte parecido al tenis que se juega sobre una mesa rectangular con una pelota pequeña y unas paletas.

pin (ingl.) *s. m.* Chapita con una insignia o un dibujo que se prende en la ropa.

pinacoteca *s. f.* Museo de pinturas.

pináculo *s. m.* Remate alargado, generalmente en forma de pirámide o de cono, en lo alto de algunos edificios.

pinar *s. m.* Terreno con muchos pinos.

pincel *s. m.* Instrumento para pintar que tiene un manojo de pelitos sujetos a un mango largo.

pincelada *s. f.* Toque de pintura o línea corta pintada con un pincel.

pinchadiscos *s. m.* y *f.* Persona que pone los discos en una discoteca, en la radio, en una fiesta.

pinchar *v.* **1.** Clavar un pincho o algo parecido. **2.** Poner inyecciones. **3.** Molestar a una persona, sobre todo para que haga o diga algo. **SIN. 3.** Picar.

pinchazo *s. m.* **1.** Agujero o rajita en una cosa hinchada, por donde se escapa el aire. **2.** Herida que hace algo que pincha. **3.** Dolor agudo.

pinche *s. m.* y *f.* Ayudante de cocinero.

pincho *s. m.* **1.** Palito, varilla u otra cosa fina y con punta afilada. **2.** Trozo de algunos alimentos que se toma sobre todo como aperitivo y suele estar pinchado con un palillo. || **3. pincho moruno** Trozos de carne a la plancha pinchados en una varilla metálica.

pindonga *s. f. fam.* Mujer que se pasa en día en la calle. **SIN.** Pingo.

pindonguear *v. fam.* Estar alguien todo el día fuera de casa divirtiéndose.

pineda *s. f.* Pinar.

pingajo *s. m.* **1.** Tela rota que cuelga. **2.** *fam.* Persona muy desmejorada. **SIN. 1.** Andrajo, harapo, pingo.

pingar *v.* **1.** Colgar: *Te pinga la falda.* **2.** Gotear algo que está muy mojado.

pingo *s. m.* **1.** Pingajo, harapo. **2.** *fam.* Mujer que está siempre fuera de casa. || *s. m. pl.* **3.** *fam.* Ropa de mujer, sobre todo la que es mala y barata. **SIN. 1.** Andrajo. **2.** Pindonga.

ping-pong (fr.) *s. m.* Pimpón.

pingüe *adj.* Abundante: *pingües beneficios.* **SIN.** Cuantioso. **ANT.** Escaso.

pingüino *s. m.* Nombre que se suele dar al *pájaro bobo.* Ver **pájaro**.

pinitos *s. m. pl.* **1.** Primeros pasos que da un niño que está aprendiendo a andar. **2.** Comienzos en una actividad.

pino *s. m.* Nombre de un tipo de árboles que tienen el tronco rugoso y hojas perennes en forma de aguja unidas en grupos. Los pinos dan las piñas y producen resina.

pino, na *adj.* Con mucha pendiente.

pinrel *s. m. fam.* Pie de las personas.

pinta[1] *s. f.* **1.** Mancha pequeña. **2.** Aspecto, apariencia.

pinta[2] *s. f.* Medida de capacidad para líquidos que varía según los países: *una pinta de cerveza*.

pintada[1] *s. f.* Ave de cuerpo rechoncho, color pardo, azulado o negruzco, con puntos o lunares blancos, y el cuello y la cabeza pelados. Es mala voladora y vive en las sabanas de África.

pintada[2] *s. f.* Dibujo o letrero pintado en paredes o tapias.

pintado, da *p.* de pintar. También *adj.* **EXPR. el más pintado** Cualquier persona o la mejor: *Este trabajito cansa al más pintado.* **venir** algo **que ni pintado** Venir muy bien.

pintalabios *s. m.* Barra o crema para pintarse los labios.

pintamonas *s. m.* y *f.* **1.** *desp.* Pintor malo. **2.** *desp.* Persona muy poco importante.

pintar *v.* **1.** Dibujar algo con líneas y colores. **2.** Cubrir con color. **3.** Contar o describir con mucho detalle. **4.** Funcionar un lápiz, un bolígrafo, una pluma. **5.** Tener importancia o servir para algo: *Aquí no pintamos nada.* **SIN. 2.** Colorear. **3.** Detallar.

pintarrajear o **pintarrajar** *v.* Pintar muy mal o hacer garabatos. **SIN.** Emborronar.

pintarrajo *s. m.* Dibujo muy mal realizado.

pintarroja *s. f.* Lija, un pez.

pintaúñas *s. m.* Producto para pintarse las uñas.

pintiparado, da *adj.* **1.** Muy adecuado: *Este terreno es que ni pintiparado para jugar al fútbol.* **2.** Muy parecido a otra persona o cosa.

pinto, ta *adj.* Se dice de los animales que tienen el pelaje con manchas de distinto color.

pintor, ra *s. m.* y *f.* **1.** Artista que se dedica a la pintura. **2.** Persona que tiene por oficio pintar paredes, puertas, ventanas y otras cosas.

pintoresco, ca *adj.* **1.** Se dice de los lugares muy bonitos o típicos: *un paisaje pintoresco.* **2.** Curioso, raro, llamativo. **SIN. 2.** Chocante, extraño. **ANT. 2.** Corriente.

pintura *s. f.* **1.** Arte y técnica de pintar cuadros, murales y otras cosas. **2.** Cuadro, mural u otra obra pintada. **3.** Sustancia para pintar. **EXPR. no poder ver** a alguien **ni en pintura** Tenerle mucha manía. **SIN. 2.** Lienzo.

pinturero, ra *adj.* Presumido, que se arregla mucho.

pinza *s. f.* **1.** Instrumento para coger o sujetar algunas cosas, como las pinzas de la ropa. **2.** Extremidad de animales como los cangrejos o de algunos insectos, transformada para coger o agarrar cosas. **3.** Pliegue en la ropa. ǁ *pl.* **4.** Instrumento que suele ser de metal y sirve para coger, arrancar o sujetar cosas pequeñas.

pinzón *s. m.* Pájaro pequeño con las alas puntiagudas y la cola larga, que vive en los árboles, en Europa y Asia. El macho tiene las plumas de colores muy vistosos.

piña *s. f.* **1.** Estructura en forma de cono que forman el pino y otros árboles parecidos; está compuesta por unos triangulitos que se asemejan a escamas y en cada uno de ellos suele haber dos semillas o piñones. **2.** Ananá, planta y fruto.

piñata *s. f.* Cacharro lleno de golosinas y regalos que se cuelga para que alguien con los ojos vendados lo rompa con un palo.

piño *s. m. fam.* Diente.

piñón[1] *s. m.* Semilla del pino. **EXPR. estar a partir un piñón** Ser muy amigas dos personas.

piñón[2] *s. m.* Rueda pequeña con dientes alrededor que encajan en otra más grande o en otra pieza, como por ejemplo los piñones de las bicicletas.

pío *s. m.* Palabra que imita el sonido que hacen los pollitos. **EXPR. no decir ni pío** No hablar nada.

pío, a *adj.* **1.** Muy religioso, muy devoto. **2.** Relacionado con la religión: *obras pías.* **SIN. 1.** Piadoso. **ANT. 1.** Impío.

piojo *s. m.* Insecto muy pequeño y sin alas, que vive como parásito en el pelo del hombre y de los animales y puede causar enfermedades por el tifus.

piojoso, sa *adj.* y *s.* **1.** Que tiene piojos. ǁ *adj.* **2.** Muy sucio o asqueroso. **SIN. 2.** Cochambroso.

piolet (fr.) *s. m.* Pico que los alpinistas clavan en la nieve o el hielo para sujetarse.

pionero, ra *s. m. y f.* **1.** Persona que va a un territorio por primera vez y lo explora. **2.** Persona que realiza los primeros descubrimientos o trabajos en una actividad o ciencia.

piorrea *s. f.* Enfermedad de la boca en la que las encías se llenan de pus y se caen los dientes.

pipa[1] *s. f.* **1.** Utensilio para fumar formado por un cacito, donde se pone tabaco picado, y un tubo unido a él, por donde se aspira el humo. ‖ *adv.* **2.** *fam.* Estupendamente: *pasarlo pipa.*

pipa[2] *s. f.* Pepita o semilla de las frutas, el girasol o la calabaza.

pipero, ra *s. m. y f.* Persona que vende pipas, caramelos y golosinas en la calle.

pipeta *s. f.* Tubo de cristal estrecho y alargado que se usa para pasar pequeñas cantidades de líquido de un recipiente a otro.

pipi *s. m. fam.* Piojo.

pipí *s. m. fam.* Pis, orina.

pipiolo, la *s. m. y f.* **1.** Persona muy joven. **2.** Novato, principiante. **ANT. 2.** Veterano.

pipo *s. m.* Pepita de un fruto.

pique *s. m.* **1.** Enfado. **2.** Competencia que alguien tiene con otro para demostrar quién es el mejor. **EXPR. irse a pique** Hundirse un barco; estropearse o fracasar una cosa. **SIN. 1.** Disgusto.

piqué (fr.) *s. m.* Tejido de algodón con dibujos en relieve.

piqueta *s. f.* Herramienta de albañilería para picar las paredes, parecida a un martillo, pero con uno de los extremos puntiagudo.

piquete *s. m.* **1.** En las huelgas, persona o grupo de personas que intentan convencer a otras para que tampoco vayan a trabajar. **2.** Pequeño grupo de soldados, sobre todo el formado para fusilar a alguien.

piquituerto *s. m.* Pájaro pequeño de cola en forma de horquilla y pico con las mandíbulas cruzadas; vive en los bosques europeos y se alimenta de piñones.

pira *s. f.* Hoguera grande, sobre todo la que se hacía antiguamente y se sigue haciendo en algunos países para quemar a los muertos.

pirado, da *adj. y s.* Loco, majareta.

piragua *s. f.* Barca larga y estrecha movida con remo o a vela, como la que usan los indios o la que se utiliza para hacer deporte.

piragüismo *s. m.* Deporte que se practica sobre piraguas o canoas.

piragüista *s. m y f.* Persona que practica el piragüismo.

piramidal *adj.* En forma de pirámide.

pirámide *s. f.* **1.** Figura geométrica que tiene un cuadrado u otro polígono como base y, como caras, triángulos que se juntan en un vértice. **2.** Construcción con esta forma, como las que hicieron los antiguos egipcios para enterrar en ellas a los faraones.

piraña *s. f.* Pez carnívoro con una gran mandíbula de dientes muy fuertes. Las pirañas viven en los grandes ríos de América del Sur, como el Amazonas y el Orinoco, y a veces atacan en bandadas a animales grandes.

pirarse *v. fam.* Marcharse, largarse.

pirata *adj. y s.* **1.** Se dice de las personas que se dedicaban a atacar y robar barcos en el mar o en las costas y de lo relacionado con ellas. ‖ *adj.* **2.** Que se hace sin permiso o autorización: *una copia pirata de vídeo.*

piratear *v.* Hacer copias piratas de cintas de casete, de vídeo, de programas de ordenador.

piratería *s. f.* Actividad de los piratas.

pirenaico, ca *adj. y s.* De la cordillera de los Pirineos.

piripi *adj. fam.* Un poco borracho.

pirita *s. f.* Mineral duro y pesado, de color amarillo brillante. De él se saca hierro y también azufre.

pirómano, na *adj. y s.* Persona que está loca y le da por quemar cosas y provocar incendios.

piropear *v.* Decir piropos a alguien.

piropo *s. m.* Cosa bonita o graciosa que se dice a alguien, sobre todo a una chica. **SIN.** Galantería, cumplido.

pirotecnia *s. f.* Técnica para usar fuego y explosivos como armas o como diversión y espectáculo, por ejemplo los fuegos artificiales.

pirotécnico, ca *adj.* De la pirotecnia o relacionado con ella.

pirrar *v.* Gustar muchísimo.

pirueta *s. f.* Movimiento difícil para el que se necesita mucha agilidad y equilibrio, como los que realizan los bailarines y los artistas de circo.

pirula *s. f. fam.* Jugarreta, faena.

piruleta *s. f.* Caramelo redondo y aplastado, con un palito como mango.

pirulí *s. m.* Caramelo largo y en forma de cono con un palito para agarrarlo.

pis *s. m.* Orina.

pisada *s. f.* **1.** Acto de pisar. **2.** Marca que deja el pie al pisar. **SIN. 1.** Paso. **2.** Huella.

pisapapeles *s. m.* Objeto que se pone sobre los papeles para sujetarlos.

pisar *v.* **1.** Poner el pie sobre algo. **2.** Estar una cosa sobre otra. **3.** Hacer o decir lo que pensaba otra persona, pero antes que ella: *pisarle una idea a otro.* **4.** Tratar mal a alguien o perjudicarle. **5.** Ir a algún sitio: *No pisa la calle.* **SIN. 2.** Montar. **4.** Atropellar, pisotear.

pisaverde *s. m.* Joven demasiado arreglado y presumido.

piscícola *adj.* De los peces.

piscicultura *s. f.* Técnicas para criar peces y mariscos.

piscifactoría *s. f.* Lugar donde se crían peces y mariscos.

piscina *s. f.* Estanque de agua para que naden y se bañen las personas.

piscis *s. m.* Signo número doce del zodiaco (del 19 de febrero al 20 de marzo).

piscívoro, ra *adj.* Que se alimenta de peces.

piscolabis *s. m.* Comida ligera, por ejemplo la que se toma a veces a media mañana. **SIN.** Tentempié.

piso *s. m.* **1.** Suelo liso o cubierto de pavimento. **2.** Cada una de las plantas de un edificio. **3.** Cada una de las viviendas que hay en una casa de varias plantas. **4.** Cada una de las capas que se distinguen en una cosa. **5.** Suela. **SIN. 4.** Nivel.

pisón *s. m.* Objeto pesado que se usa para apisonar o allanar el terreno.

pisotear *v.* **1.** Pisar varias veces. **2.** Maltratar o perjudicar. **SIN. 2.** Atropellar, humillar. **ANT. 2.** Respetar.

pisotón *s. m.* Pisada fuerte sobre el pie de otro o sobre otra cosa.

pispajo *s. m. fam.* Persona pequeña y vivaracha, sobre todo un niño.

pista *s. f.* **1.** Huella que deja una persona o animal por donde pasa. **2.** Lo que nos permite averiguar o adivinar una cosa. **3.** Superficie sobre la que se practican algunos deportes o se hacen otras cosas, como la que hay en las discotecas para bailar. **4.** Franja larga de terreno preparada para que despeguen y aterricen los aviones. **SIN. 1.** Rastro. **2.** Indicio. **3.** Cancha.

pistachero *s. m.* Árbol de hojas de color verde oscuro y flores pequeñas en racimo; su fruto es el pistacho.

pistacho *s. m.* Fruto del árbol llamado *pistachero*, que tiene la cáscara dura y es verde por dentro. Suele comerse como fruto seco.

pistilo *s. m.* Órgano sexual femenino de las plantas, que tiene forma de botella y está formado por ovario, estilo y estigma. **SIN.** Gineceo.

pisto *s. m.* **1.** Guiso que se hace friendo trozos revueltos de hortalizas. **2.** *fam.* Jaleo, lío. **EXPR. darse pisto** Darse importancia, presumir. **SIN. 2.** Follón.

pistola *s. f.* **1.** Arma de fuego pequeña que se puede utilizar con una sola mano. **2.** Utensilio que lanza a presión pintura u otro líquido.

pistolera *s. f.* Funda donde se lleva la pistola.

pistolero, ra *s. m. y f.* Persona que usa pistola para robar, matar o amenazar.

pistoletazo *s. m.* Disparo de pistola.

pistón *s. m.* **1.** Pieza que al apretarla o moverla empuja un líquido u otra cosa. **2.** Llave para pulsar en algunos instrumentos musicales, como la trompeta. **3.** Pequeña cantidad de pólvora que se pone a algunas pistolas de juguete. **SIN. 1.** Émbolo.

pita[1] *s. f.* Planta de gran tamaño y unas hojas muy grandes y largas, acabadas en punta; de ellas se sacan unos hilos con los que se hacen tejidos y cuerdas.

pita[2] *s. f.* Acción de pitar o silbar a alguien. **SIN.** Abucheo. **ANT.** Aplauso.

pitanza *s. f. fam.* Comida.

pitañoso, sa *adj.* Se dice de los ojos cuando tienen legañas.

pitar *v.* **1.** Tocar o sonar el pito. **2.** Dar una pita: *El público pitó a los actores.* **3.** Indicar algo el árbitro con el pito en algunos deportes. **4.** *fam.* Marchar o funcionar bien. **EXPR. pitando** Muy deprisa. **SIN. 2.** Silbar, abuchear. **ANT. 2.** Aplaudir.

pitido *s. m.* **1.** Sonido o toque de pito. **2.** Silbido de protesta. **SIN. 2.** Pita, abucheo.

pitillera *s. f.* Cajita, funda o estuche para guardar pitillos.

pitillo *s. m.* Cigarrillo.

pitiminí *s. m.* Ver **rosa**.

pito *s. m.* **1.** Silbato que produce un sonido muy fuerte y agudo. **2.** Sonido o voz muy fuertes y agudos. **3.** Bocina de los coches. **4.** Cigarrillo. **5.** *fam.* Pene. **Expr. importarle** a uno **un pito** No importarle nada. **Sin. 3.** Claxon. **4.** Pitillo.

pitón[1] *s. m.* **1.** Punta de los cuernos del toro. **2.** Cuerno que les empieza a salir a algunos animales.

pitón[2] *s. f.* Serpiente muy grande; algunas especies pueden medir hasta 10 metros. Se alimenta de otros animales que se traga enteros, después de asfixiarlos apretándolos con su cuerpo. Vive en zonas húmedas de África y Asia.

pitonisa *s. f.* Adivina.

pitorrearse *v.* Burlarse.

pitorreo *s. m.* Burla, guasa.

pitorro *s. m.* Tubito de los botijos, porrones y otras cosas, por donde sale el líquido.

pitote *s. m.* Jaleo, alboroto.

pituitaria *adj.* y *s. f.* **1.** Se dice de la membrana que cubre por dentro la nariz y es el órgano del olfato. || **2. glándula pituitaria** Hipófisis.

pívot *s. m.* Jugador de baloncesto que suele ser el más alto y fuerte y juega cerca de los tableros.

pivotar *v.* **1.** Girar apoyándose en un pivote. **2.** En baloncesto, girar sobre un pie.

pivote *s. m.* Soporte sobre el que se apoya una cosa para poder girar o moverse de un lado a otro.

pizarra *s. f.* **1.** Roca de color gris o negro azulado, formada por hojas o capas delgadas. Se usa mucho para hacer tejados. **2.** Tablero de color oscuro para escribir o dibujar en él con tiza. **Sin. 2.** Encerado.

pizarrín *s. m.* Barrita que se usa para escribir en las pizarras.

pizca *s. f.* Muy poquito de alguna cosa. **Expr. ni pizca** Nada. **Sin.** Brizna.

pizpireta *adj.* Se dice de la mujer muy viva, alegre y graciosa. **Sin.** Vivaracha.

pizza (ital.) *s. f.* Masa de harina, redonda y aplastada, con queso, tomate y otras cosas por encima, que se cuece en el horno.

pizzería *s. f.* Lugar donde se hacen, venden o se sirven pizzas.

placa *s. f.* **1.** Lámina o plancha delgada. **2.** Chapa o letrero que sirve para recordar un hecho, informar sobre algo o demostrar quién es una persona. **3.** Superficie de metal que produce calor para cocinar sobre ella y que funciona por electricidad. **4.** En fotografía, cristal donde se saca el negativo. || **5. placa dental** Capa que van formando sobre los dientes los restos de comida y suciedad.

placaje *s. m.* Acción de placar.

placar *v.* En rugby, agarrar a un jugador del equipo contrario para que no siga avanzando.

placenta *s. f.* Bolsa que rodea al feto de la mayoría de los mamíferos dentro del vientre de la madre.

placentario, ria *adj.* y *s. m.* Se dice de los animales cuya hembra tiene placenta.

placentero, ra *adj.* Que da placer. **Sin.** Agradable, grato. **Ant.** Desagradable.

placer[1] *v.* Gustar, agradar. □ Es *v.* irreg. Se conjuga como *agradecer*. **Sin.** Complacer, satisfacer. **Ant.** Desagradar.

placer[2] *s. m.* **1.** Sensación que tenemos cuando estamos a gusto y disfrutando. **2.** Diversión. **Sin. 1.** Agrado, satisfacción. **2.** Entretenimiento. **Ant. 1** y **2.** Sufrimiento, disgusto.

placidez *s. f.* Característica de plácido. **Sin.** Tranquilidad, serenidad.

plácido, da *adj.* Tranquilo y agradable. **Sin.** Apacible, sereno. **Ant.** Desapacible.

plafón *s. m.* Lámpara pegada al techo.

plaga *s. f.* **1.** Cosa muy perjudicial y que es muy abundante o se extiende rápidamente: *Una plaga de langostas arrasó la cosecha.* **2.** Demasiada cantidad de personas o cosas. **Sin. 1** y **2.** Peste. **2.** Montón.

plagado, da **1.** *p.* de **plagar.** || *adj.* **2.** Lleno, cubierto, sobre todo de cosas malas. **Sin. 2.** Infestado.

plagar *v.* Llenar o cubrir de algo malo o perjudicial.

plagiar *v.* Copiar una persona lo que ha hecho otra y presentarlo como si fuera suyo. **Sin.** Fusilar.

plagio *s. m.* Copia que se hace plagiando la obra de otra persona.

plaguicida *s. m.* Sustancia para acabar con las plagas de animales que atacan los cultivos.

plan *s. m.* **1.** Lo que se piensa hacer y la manera en que se quiere hacer. **2.** Ligue, relación amorosa poco seria. **Expr. en plan** o **en plan de** Con la intención de. **Sin. 1.** Idea, proyecto.

plana *s. f.* **1.** Cada una de las dos caras de una hoja de papel. **2.** Ejercicio que hacen los niños que están aprendiendo a escribir. **Expr. enmendar la plana** Corregir a alguien.

plancha *s. f.* **1.** Lámina delgada y plana. **2.** Aparato que se calienta y sirve para planchar la ropa. **3.** Placa de metal para tostar o cocinar algunos alimentos. **4.** Equivocación, metedura de pata. EXPR. **a la plancha** Modo de tostar o cocinar los alimentos sobre una plancha. SIN. **1.** Chapa, hoja.

planchado, da *1. p.* de planchar. También *adj.* ‖ *adj.* **2.** Muy sorprendido o impresionado, sin saber qué hacer o qué decir. ‖ *s. m.* **3.** Acción de planchar la ropa. SIN. **2.** Cortado, estupefacto.

planchador, ra *s. m.* y *f.* Persona que se gana la vida planchando ropa.

planchar *v.* Pasar la plancha caliente por encima de la ropa para quitarle las arrugas.

planchazo *s. m.* **1.** Plancha, equivocación. **2.** Golpe que se da alguien en la tripa al tirarse al agua.

plancton *s. m.* Millones de animalitos o vegetales muy pequeños, que están en el agua de los mares y lagos y sirven de alimento a otros seres vivos.

planeador *s. m.* Avión que vuela sin motor aprovechando las corrientes de aire.

planeadora *s. f.* Lancha con motor muy rápida.

planear[1] *v.* Sostenerse en el aire un ave sin mover las alas o un avión sin utilizar el motor, llevados por las corrientes de aire.

planear[2] *v.* Pensar hacer una cosa o cómo hacerla. SIN. Planificar, proyectar, organizar. ANT. Improvisar.

planeo *s. m.* Acción de planear un ave o un avión.

planeta *s. m.* Cuerpo que gira en el espacio alrededor del Sol o de otra estrella y que no tiene luz propia, como la Tierra.

planetario, ria *adj.* **1.** De los planetas o relacionado con ellos. ‖ *s. m.* **2.** Aparato que representa los planetas del Sistema Solar y cómo se mueven; edificio o sala donde está este aparato.

planicie *s. f.* Terreno liso y muy grande. SIN. Llanura.

planificación *s. f.* Acción de planificar.

planificar *v.* Planear, organizar. SIN. Proyectar. ANT. Improvisar.

planisferio *s. m.* Mapa en que está representada en un plano la esfera terrestre o celeste.

plano, na *adj.* **1.** Llano, liso. ‖ *s. m.* **2.** Dibujo que representa las partes de un edificio, las calles de una ciudad u otra cosa parecida. **3.** Superficie sobre la que se representan las rectas, las curvas, las figuras geométricas. **4.** En cine y televisión, conjunto de escenas que se filman de una vez. **5.** Modo de enfocar la cámara de cine o de fotos, desde más cerca o más lejos, desde arriba o abajo. **6.** Punto de vista. ‖ **7. primer plano** Plano en el que la cámara enfoca de cerca la cara de una persona o un objeto. EXPR. **de plano** Totalmente. SIN. **1.** Raso, uniforme.

planta *s. f.* **1.** Vegetal, ser vivo que está sujeto al suelo y se alimenta de las sustancias de la tierra; se llama así sobre todo a los que tienen tallo, hojas y a veces flores. **2.** Parte de abajo del pie. **3.** Cada una de las partes de un edificio a diferente altura. **4.** Aspecto, pinta. **5.** Plano de una cosa vista desde arriba. **6.** Fábrica o instalación industrial: *una planta petroquímica.* SIN. **3.** Piso, nivel. **6.** Central.

plantación *s. f.* Extensión donde se cultiva un solo tipo de plantas.

plantado, da *1. p.* de plantar. También *adj.* ‖ *adj.* **2.** Puesto en un sitio: *¿Qué haces ahí plantado?* EXPR. **bien plantado** Se dice de la persona que tiene muy buen aspecto.

plantar *v.* **1.** Meter en la tierra una planta, tallo o semilla para que crezca. **2.** Poner en un lugar. **3.** Dar fuerte y de repente una cosa, como golpes, besos. **4.** Dejar o abandonar a alguien o no acudir a una cita. ‖ **plantarse 5.** Llegar en seguida a un sitio. **6.** No continuar. EXPR. **plantar cara** Enfrentarse. SIN. **1.** Sembrar, cultivar. **2.** Colocar. **2.** y **3.** Plantificar. ANT. **1.** Arrancar.

plante *s. m.* Protesta de un grupo de personas que se niega a hacer su trabajo u otra cosa para pedir o rechazar algo.

planteamiento *s. m.* **1.** Forma en que se plantea una cosa. **2.** Principio de una novela, película u obra de teatro, donde ocurren las primeras cosas que se irán solucionando a lo largo de la historia.

plantear *v.* **1.** Presentar problemas, dificultades, dudas, preguntas o soluciones. ‖ **plantearse 2.** Empezar a pensar una cosa. SIN. **1.** Exponer, sugerir. **2.** Considerar.

plantel *s. m.* **1.** Conjunto de personas con algo en común, por ejemplo la misma profesión: *un plantel de artistas.* **2.** Lugar donde se cultivan plantas. SIN. **2.** Vivero.

plantificar *v.* 1. Plantar, dar de repente o bruscamente una beso, un golpe u otra cosa. 2. Colocar en un sitio. || **plantificarse** 3. Llegar a un lugar.

plantígrado, da *adj.* y *s. m.* Se dice de los animales de cuatro patas que apoyan la planta en el suelo al andar, como el oso.

plantilla *s. f.* 1. Pieza con que se cubre por dentro la planta del calzado. 2. Pieza que se usa como modelo para dibujar, cortar o hacer otra pieza igual. 3. Conjunto de los empleados que trabajan de forma fija en una empresa. 4. Conjunto de jugadores de un equipo. **Sin.** 2. Patrón.

plantío *s. m.* Lugar plantado con vegetales.

plantón *s. m.* 1. El no ir a una cita o el hacer esperar mucho a alguien. 2. Rama o arbolito para plantar.

plañidera *s. f.* Antiguamente, mujer a la que se pagaba para que llorara en los entierros.

plañidero, ra *adj.* Que llora o se queja mucho. **Sin.** Quejica, llorón.

plaqueta *s. f.* Célula que está en la sangre y hace que ésta se coagule.

plasma *s. m.* Parte líquida de la sangre.

plasmación *s. f.* Acción de plasmar.

plasmar *v.* Expresar alguien en lo que dice, escribe o hace lo que piensa y siente. **Sin.** Reflejar.

plasta *s. f.* 1. Cosa blanda o aplastada. 2. Caca que es así. || *adj.* y *s.* 3. *fam.* Persona muy pesada. **Sin.** 1. Pegote. 3. Pelmazo.

plasticidad *s. f.* 1. Característica de los materiales fáciles de modelar o dar forma. 2. Expresividad.

plástico, ca *adj.* y *s. m.* 1. Se dice de unos materiales sintéticos que se obtienen del petróleo, son fáciles de moldear y con ellos se fabrican muchos objetos. || *adj.* 2. Se dice del arte de hacer figuras y moldear materiales: *artes plásticas.* 3. Se dice de los materiales a los que es fácil moldear o dar forma. 4. Se dice de la cirugía que se ocupa de corregir algunos defectos físicos y de embellecer el cuerpo.

plastificar *v.* Cubrir con una capa de plástico muy pegada.

plastilina *s. f.* Pasta blanda que sirve para modelar y que se puede usar muchas veces, pues no se endurece.

plata *s. f.* 1. Metal de color blanco brillante, buen conductor del calor y la electricidad, muy usado en joyería. Es un elemento químico. 2. Color de este metal. 3. En Hispanoamérica, dinero.

plataforma *s. f.* 1. Tablado u otra cosa plana que se levanta sobre el suelo. 2. Cualquier cosa o superficie plana que levanta a otra. 3. Parte de delante y de atrás de autobuses, tranvías y otros vehículos parecidos, donde no hay asientos. 4. Grupo de personas con ideas o exigencias comunes, y estas ideas o exigencias

platanal o **platanar** *s. m.* Plantación de plátanos.

platanero, ra *adj.* 1. Del plátano. || *s. m.* y *f.* 2. Plátano, árbol que da el fruto de este mismo nombre.

plátano *s. m.* 1. Planta parecida a una palmera que produce un fruto también llamado *plátano.* Este fruto nace en racimos y es alargado, amarillo por fuera y blanco por dentro, y se toma como alimento. 2. Árbol grande y alto que se cultiva mucho en parques y paseos. Tiene las hojas en forma de mano abierta y a unos frutos como bolas cubiertas de pelos o pinchitos. Se llama también *plátano de sombra.* **Sin.** 1. Banano, banana, platanero.

platea *s. f.* Planta baja de los teatros y cines.

plateado, da 1. *p.* de **platear.** También *adj.* || *adj.* 2. Del color de la plata.

platear *v.* 1. Cubrir con plata. 2. Dar color de plata.

plateresco, ca *adj.* y *s. m.* Se dice del estilo de arquitectura que se desarrolló en España durante el siglo xv y principios del xvi, en el que se decoraba muchísimo, sobre todo las fachadas de los edificios.

platería *s. f.* Establecimiento donde se hacen o se venden objetos de plata.

platero, ra *s. m.* y *f.* Persona que hace o vende objetos de plata.

plática *s. f.* 1. Conversación. 2. Sermón corto. **Sin.** 1. Charla, diálogo.

platicar *v.* Hablar, conversar.

platija *s. f.* Pez marino comestible de piel rugosa y cuerpo aplanado, con los dos ojos situados en el lado derecho.

platillo *s. m.* 1. Pieza pequeña parecida a un plato. 2. Cada una de las bandejitas de la balanza donde se ponen los pesos y lo que se va a pesar. || *pl.* 3. Instrumento musical compuesto por dos chapas de metal en forma de plato que se golpean una contra otra. || 4. **platillo volador** o **platillo volante** Objeto desconocido que vuela por el espacio y del que algunas personas creen que está tripulado por extraterrestres.

platina s. f. **1.** Pletina de un casete o un equipo de música. **2.** Parte del microscopio donde se pone lo que se quiere observar.

platino s. m. Metal de color blanco brillante, muy duro y resistente, que es muy valioso y se emplea en joyería y para otros muchos usos. Es un elemento químico.

plato s. m. **1.** Recipiente redondo y poco profundo donde se ponen los alimentos para comerlos. **2.** Alimento cocinado o preparado. **3.** Platillo de la balanza. **4.** Parte de un equipo de música donde se ponen los discos. **5.** En las bicicletas, disco con dientes, junto a los pedales, donde va enganchada la cadena. **Expr. no haber roto** uno **un plato** Haberse portado siempre muy bien. **pagar** uno **los platos rotos** Ser castigado por lo que ha hecho otro.

plató s. m. Lugar de un estudio donde se ruedan películas o se hacen programas de televisión.

platónico, ca adj. **1.** Del filósofo griego Platón o relacionado con él. **2.** Se dice del amor que idealiza a la persona amada sin tener con ella una relación verdadera.

plausible adj. **1.** Que merece aplausos o alabanzas. **2.** Aceptable, admisible.

playa s. f. Orilla del mar, de un lago o de un río, llana y con arena.

play-back (ingl.) s. m. Técnica de cine, televisión y espectáculos en directo, en la que los artistas hacen como si estuvieran hablando o cantando cuando en realidad está sonando una grabación.

playboy (ingl.) s. m. Hombre atractivo y conquistador; sobre todo, el que suele estar con gente de la alta sociedad.

playera s. f. Zapatilla deportiva.

playero, ra adj. De playa.

plaza s. f. **1.** Lugar ancho y espacioso, rodeado de edificios, en el que suelen desembocar varias calles. **2.** Mercado. **3.** Sitio o puesto. **Expr. plaza de toros** Terreno redondo, rodeado de asientos para los espectadores, donde se celebran corridas de toros. **plaza fuerte** Ciudad fortificada. **Sin. 1.** Plazoleta, glorieta, rotonda.

plazo s. m. **1.** Tiempo que se da para hacer una cosa. **2.** Cada una de las cantidades de dinero que se dan para pagar algo en varias veces: comprar a plazos.

plazoleta o **plazuela** s. f. Plaza pequeña de un pueblo o ciudad.

pleamar s. f. Momento en el que la marea está más alta. **Ant.** Bajamar.

plebe s. f. **1.** Las personas de baja categoría y posición social. **2.** Los ciudadanos de la antigua Roma que no pertenecían a la clase noble de los patricios. **Sin. 1.** Vulgo, populacho.

plebeyo, ya adj. y s. **1.** Persona de baja categoría. **2.** Persona de la plebe romana. **Sin. 1.** Villano. **Ant. 1.** Aristócrata. **2.** Patricio.

plebiscito s. m. Votación que organiza el gobierno para que el pueblo diga sí o no a una pregunta sobre algo importante.

plegable adj. Que se puede plegar.

plegamiento s. m. Pliegue en la corteza de la Tierra producido por las fuerzas que actúan sobre ella.

plegar v. **1.** Doblar una cosa sobre sí misma de manera que quede más pequeña o más recogida. || **plegarse 2.** Someterse, hacer lo que otra persona quiere. □ Es v. irreg. Se conjuga como regar. **Sin. 2.** Ceder, doblegarse. **Ant. 1.** Desplegar. **2.** Rebelarse.

plegaria s. f. Petición que se hace a Dios, la Virgen o los santos. **Sin.** Súplica, ruego, oración.

pleitear v. Litigar.

pleitesía s. f. Muestra de cortesía y respeto hacia alguien importante: rendir pleitesía.

pleito s. m. Litigio.

plenamente adv. Totalmente, absolutamente.

plenario, ria adj. Se dice de la reunión a la que van todos los miembros de un grupo o una organización.

plenilunio s. m. Fase de Luna llena. Ver **luna.**

plenipotenciario, ria adj. Se dice del embajador o enviado al que un rey, gobierno o estado da plenos poderes para que le represente en el extranjero.

plenitud s. f. Máximo desarrollo o intensidad. **Sin.** Apogeo. **Ant.** Declive.

pleno, na adj. **1.** Completo, total: plenos poderes. **2.** Lleno. **3.** Que está en el momento de mayor desarrollo o intensidad. **4.** Justo en el lugar que se indica: Le pegó en plena cara. || s. m. **5.** Reunión de todos los miembros de un ayuntamiento, parlamento u otro organismo o grupo. **Expr. en pleno** En su totalidad. **Sin. 1.** Todo.

pleonasmo *s. m.* Uso innecesario de alguna palabra, por ejemplo *arriba* en la expresión *subir arriba*, porque siempre se sube arriba.

pletina *s. f.* **1.** Aparato de los equipos de música donde se ponen las casetes para que suenen o para grabar en ellas. **2.** Pieza metálica de poco grosor.

pletórico, ca *adj.* Lleno de algo bueno: *pletórico de alegría, de salud.* **SIN.** Rebosante.

pleura *s. f.* Capa de tejido que recubre los pulmones.

pleuresía o **pleuritis** *s. f.* Inflamación de la pleura.

pliego *s. m.* **1.** Hoja de papel doblada por la mitad. **2.** Hoja grande de papel.

pliegue *s. m.* **1.** Doblez en algo flexible, como la tela. **2.** Ondulación en la corteza terrestre.

plinto *s. m.* Aparato de gimnasia para realizar saltos y otros ejercicios.

plisado, da *adj.* Con pliegues pequeños e iguales: *falda plisada.*

plomada *s. f.* Cuerda con una pesa que usan los albañiles para saber si una pared está recta.

plomizo, za *adj.* **1.** Parecido al plomo, sobre todo por su color grisáceo. **2.** Que tiene plomo.

plomo *s. m.* **1.** Metal de color grisáceo, blando, pesado y que se puede fundir con facilidad. Es un elemento químico. **2.** *fam.* Persona pesada. || *pl.* **3.** Fusible de una instalación eléctrica. **EXPR. con pies de plomo** Con mucho cuidado. **SIN. 2.** Pelmazo, plasta.

pluma *s. f.* **1.** Cada una de las piezas que cubren el cuerpo de las aves. Tiene una parte central dura con unos pelillos a ambos lados. **2.** Utensilio para escribir que antiguamente era una pluma de ave que se mojaba en la tinta y, ahora, se llama *pluma estilográfica* y es como un bolígrafo con una punta especial y un depósito de tinta. **3.** Escritor y actividad de éste. || **plumas** *s. m.* **4.** Plumífero, prenda de vestir.

plumaje *s. m.* Conjunto de las plumas de un ave.

plumazo Se usa en la expresión **de un plumazo**, 'rápidamente', 'de una vez'.

plúmbeo, a *adj.* **1.** De plomo o parecido a él. **2.** Pesado, aburrido.

plum-cake (ingl.) *s. m.* Bizcocho con pasas y otras frutas.

plumero *s. m.* Palo con unas plumas sujetas en la punta, que se usa para quitar el polvo. **EXPR. vérsele** a uno **el plumero** Descubrírsele los pensamientos o intenciones.

plumier (fr.) *s. m.* Caja o estuche para guardar lápices, pinturas y otras cosas.

plumífero *s. m.* Cazadora o anorak relleno de plumas o acolchado.

plumilla *s. f.* Punta de metal que se pone en un mango alargado y que se moja en tinta para escribir o dibujar.

plumín *s. m.* Plumilla de la pluma de escribir.

plumón *s. m.* **1.** Pluma pequeña y suave que tienen las aves debajo del plumaje de fuera. **2.** Plumaje de los pollos.

plural *adj.* y *s. m.* Número que tienen las palabras que significan varias personas, animales o cosas.

pluralidad *s. f.* Variedad, diversidad.

pluralismo *s. m.* Hecho de haber varias ideas u opiniones diferentes.

pluralista *adj.* Relacionado con el pluralismo o que tiene pluralismo.

pluralizar *v.* Extender a muchas personas lo que se dice de una sola. **SIN.** Generalizar. **ANT.** Particularizar.

pluricelular *adj.* Se dice del organismo formado por más de una célula. **ANT.** Unicelular.

pluriempleo *s. m.* Situación de la persona que tiene más de un trabajo.

pluripartidismo *s. m.* Hecho de existir varios partidos diferentes en un país.

plus *s. m.* Cantidad de dinero que alguien recibe además del sueldo normal.

pluscuamperfecto *adj.* y *s. m.* Tiempo del verbo que indica una acción terminada, anterior a otra acción; por ejemplo, *había comido*: *Los niños ya habían comido cuando llegó su padre.*

plusmarca *s. f.* Récord deportivo.

plusmarquista *s. m.* y *f.* Deportista que ha conseguido un récord.

plutonio *s. m.* Elemento químico metálico que se obtiene artificialmente del uranio. Es muy radiactivo y se usa para producir energía atómica.

pluviómetro *s. m.* Aparato que sirve para medir la cantidad de lluvia que cae en un lugar.

poblacho *s. m. desp.* Pueblo pequeño o feo. **SIN.** Villorrio.

población *s. f.* **1.** Conjunto de personas, animales o plantas que viven en un lugar. **2.** Localidad, ciudad, pueblo.

poblado, da *adj.* **1.** Se dice del lugar en el que viven personas, animales o plantas. **2.** Con mucho pelo: *barba pobla-da.* ‖ *s. m.* **3.** Población, lugar habitado. **4.** Conjunto de chozas o de chabolas. **Sin. 1.** Habitado. **2.** Espeso. **3.** Localidad. **4.** Aldea. **Ant. 1.** Deshabitado.

poblador, ra *adj.* y *s.* Que puebla un lugar, que vive en él. **Sin.** Habitante.

poblar *v.* **1.** Haber en abundancia, llenar. **2.** Establecerse en un lugar para vivir en él. □ Es v. irreg. Se conjuga como *contar.* **Sin. 1.** Colmar. **2.** Repoblar. **Ant. 1.** Vaciar. **2.** Despoblar.

pobre *adj.* y *s.* **1.** Que no tiene dinero ni lo necesario para vivir. **2.** Persona o animal que nos da pena. ‖ *adj.* **3.** Que tiene muy poco de algo o que es de poco valor. **Sin. 1.** Necesitado, indigente. **3.** Escaso; modesto. **Ant. 1** y **3.** Rico. **3.** Abundante; valioso.

pobreza *s. f.* **1.** Falta de dinero y otras cosas necesarias para vivir. **2.** Escasez, falta. **Sin. 1.** Miseria, necesidad. **Ant. 1.** Opulencia. **1** y **2.** Riqueza.

pocero *s. m.* Persona que limpia las alcantarillas.

pocho, cha *adj.* **1.** Podrido. **2.** Un poco enfermo. **Sin. 1.** Pasado. **2.** Indispuesto.

pocilga *s. f.* **1.** Lugar donde se mete a los cerdos. **2.** Lugar muy sucio. **Sin. 1.** Cochiquera, porqueriza. **2.** Leonera.

pocillo *s. m.* Recipiente pequeño para echar líquidos.

pócima *s. f.* **1.** Poción. **2.** Bebida extraña o desagradable. **Sin. 2.** Brebaje.

poción *s. f.* Bebida medicinal o con poderes mágicos. **Sin.** Pócima.

poco, ca *indef.* **1.** Se dice de lo que existe en pequeña cantidad o intensidad. ‖ *s. m.* **2.** Cantidad pequeña de algo. ‖ *adv.* **3.** En pequeña cantidad o intensidad: *Ha llovido poco.* **4.** Indica un tiempo corto: *Vino hace poco.* **Expr. poco a poco** Despacio, en pequeñas cantidades. **Sin. 1.** Escaso. **Ant. 1.** Abundante. **1, 3** y **4.** Mucho.

poda *s. f.* Acción de podar.

podadera *s. f.* Utensilio para podar.

podar *v.* Cortar las ramas de los árboles y otras plantas para que crezcan luego con más fuerza.

podenco *s. m.* Perro de cuerpo fuerte, orejas tiesas y cola enroscada. Tiene una excelente vista y olfato, por lo que es muy bueno para la caza.

poder[1] *v.* **1.** Tener alguien capacidad, fuerzas o posibilidad para hacer algo. **2.** Tener permiso. **3.** Ser más fuerte, ser capaz de ganar a alguien. **4.** Ser posible: *Puede que llueva.* □ Es v. irreg.

Expr. a (o **hasta**) **más no poder** Mucho, tanto que ya no se puede más: *Se rieron a más no poder.* **Sin. 3.** Dominar.

PODER	
GERUNDIO	
pudiendo	
INDICATIVO	
Presente	**Pretér. perf. simple**
puedo	*pude*
puedes	*pudiste*
puede	*pudo*
podemos	*pudimos*
podéis	*pudisteis*
pueden	*pudieron*
Futuro	**Condicional**
podré	*podría*
podrás	*podrías*
podrá	*podría*
podremos	*podríamos*
podréis	*podríais*
podrán	*podrían*
SUBJUNTIVO	
Presente	**Pretérito imperfecto**
pueda	*pudiera, -ese*
puedas	*pudieras, -eses*
pueda	*pudiera, -ese*
podamos	*pudiéramos, -ésemos*
podáis	*pudierais, -eseis*
puedan	*pudieran, -esen*
Futuro	
pudiere	*pudiéremos*
pudieres	*pudiereis*
pudiere	*pudieren*
IMPERATIVO	
puede	*poded*

poder[2] *s. m.* **1.** Capacidad, fuerzas o posibilidad para hacer algo. **2.** Gobierno, mando, influencia. **3.** Hecho de poseer: *tener alguien algo en su poder.* **Sin. 1.** Potencia, facultad. **2.** Poderío, dominio. **3.** Posesión, propiedad. **Ant. 1.** Incapacidad, imposibilidad. **2.** Sumisión.

poderío *s. m.* **1.** Poder, dominio. **2.** Fortaleza, fuerza. **3.** Energía, potencia. **Ant. 2.** Debilidad.

poderoso, sa *adj.* y *s.* **1.** Que tiene mucho poder. ‖ *adj.* **2.** Eficaz: *una medicina muy poderosa.* **3.** Importante, serio: *Tiene poderosas razones para sospechar.* **Sin. 1.** Potente, influyente. **2.** Activo. **Ant. 1.** Débil. **2.** Ineficaz.

podio o **pódium** *s. m.* Plataforma en la que se colocan los vencedores de una prueba deportiva.

podología *s. f.* Parte de la medicina que se ocupa de las enfermedades y el cuidado de los pies.

podólogo, ga *s. m.* y *f.* Especialista en podología.

podómetro *s. m.* Instrumento que cuenta los pasos de la persona que lo lleva y mide la distancia que ésta recorre.

podredumbre *s. f.* Estado en que se encuentra algo podrido; también, lo que está podrido. **Sin.** Putrefacción.

podrido, da 1. *p.* de **podrir** y **pudrir**. || *adj.* 2. Que se pudrió. **Sin.** 2. Corrompido.

podrir *v.* Pudrir.

poema *s. m.* Obra en verso. **Sin.** Poesía.

poemario *s. m.* Colección de poemas.

poesía *s. f.* 1. Arte de expresar ideas o sentimientos de forma bella por medio de las palabras, normalmente en verso. 2. Poema. **Ant.** 1 y 2. Prosa.

poeta *s. m.* Escritor de poesía.

poético, ca *adj.* De la poesía o parecido a ella. **Sin.** Lírico.

poetisa *s. f.* Escritora de poesía.

póinter (ingl.) *s. m.* Perro de tamaño mediano, orejas colgantes y pelo corto. Se utiliza para la caza.

poiquilotermo, ma *adj.* y *s. m.* Se dice de los seres vivos cuya temperatura corporal depende del medio que los rodea, como peces, reptiles y anfibios.

póker (ingl.) *s. m.* Juego de cartas en el que se reparten cinco a cada jugador y gana el que consigue la mejor combinación.

polaco, ca *adj.* y *s.* 1. De Polonia, país de Europa. || *s. m.* 2. Lengua de este país.

polaina *s. f.* Prenda que cubre desde el tobillo a la rodilla y se abrocha o abotona por la parte de fuera.

polar *adj.* De los polos o como si fuera de ellos: *regiones polares; frío polar.*

polarizar *v.* Concentrar la atención o el interés. **Sin.** Centrar.

polca *s. f.* Antiguo baile por parejas, de carácter alegre y popular. **Expr. el año de la polca** Hace muchísimo tiempo.

pólder (neerlandés) *s. m.* Terreno que antes estaba cubierto por el mar y en el que se han hecho presas para que no entre el agua, como los que hay en Holanda.

polea *s. f.* Rueda por la que se hace pasar una cuerda y que se utiliza para levantar pesos.

polémica *s. f.* Discusión entre personas que tienen opiniones o ideas distintas. **Sin.** Controversia, disputa. **Ant.** Acuerdo.

polémico, ca *adj.* Que causa polémica.

polemizar *v.* Comenzar o mantener una polémica.

polen *s. m.* Granitos muy pequeños formados por la parte masculina de las flores; por medio de ellos se reproducen las plantas.

poleo *s. m.* Hierba de hojas ovales y flores color violeta, con la que se hace una infusión digestiva.

poli *s. m.* y *f. fam.* Policía.

poliamida *s. f.* Material obtenido artificialmente con el que se fabrican tejidos.

polibán *s. m.* Bañera pequeña, generalmente con un asiento en un lado.

polichinela *s. m.* Personaje del teatro italiano y del guiñol. Tiene joroba y es muy burlón.

policía *s. m.* y *f.* 1. Persona que se encarga de mantener el orden público y cuidar de la seguridad de los ciudadanos. || *s. f.* 2. Organización formada por estas personas.

policiaco, ca o **policíaco, ca** *adj.* 1. Policial. 2. Género de novelas y películas que tratan de las investigaciones de policías y detectives.

policial *adj.* De la policía o relacionado con ella. **Sin.** Policiaco.

policlínica *s. f.* Clínica en la que hay médicos de diferentes especialidades.

policromado, da *adj.* De varios colores. **Sin.** Multicolor.

polícromo, ma o **policromo, ma** *adj.* Policromado.

polideportivo, va *adj.* y *s. m.* Instalación en la que pueden practicarse varios deportes.

poliedro *s. m.* Figura geométrica formada por varias caras planas.

poliéster *s. m.* Fibra obtenida artificialmente que tiene muchos usos, por ejemplo, para fabricar tejidos.

polifacético, ca *adj.* Se dice de la persona que vale para muchas cosas o se dedica a varias actividades.

polifónico, ca *adj.* Se dice de la música que combina varias voces o instrumentos musicales.

poligamia *s. f.* El hecho de estar alguien casado con varias personas a la vez. **Ant.** Monogamia.

polígamo, ma *adj.* y *s.* Casado con varias personas. **Ant.** Monógamo.

políglota *adj.* **1.** Escrito en varias lenguas. ‖ *adj.* y *s.* **2.** Que habla varias lenguas. **ANT. 1.** Monolingüe.

poligloto, ta o **polígloto, ta** *adj.* y *s.* Políglota.

poligonal *adj.* En forma de polígono.

polígono *s. m.* **1.** Figura geométrica plana, limitada por una línea cerrada que forma varios ángulos, como el cuadrado y el pentágono. **2.** Terreno grande que suele estar en las afueras de las ciudades y se destina a una actividad: *polígono industrial.*

polilla *s. f.* Mariposa pequeña de color amarillento o grisáceo. Las larvas de algunas de ellas se comen la ropa.

polimorfo, fa *adj.* Que puede tener varias formas.

polinesio, sia *adj.* y *s.* **1.** De la Polinesia, archipiélago de Oceanía. ‖ *s. m.* **2.** Lengua de Polinesia.

polinización *s. f.* Transporte del polen de una parte a otra de la flor o de una flor a otra.

polinizar *v.* Realizar la polinización.

polinomio *s. m.* Expresión matemática formada por varios monomios, por ejemplo $3x + 2y + 5z$.

polio *s. f.* Poliomielitis.

poliomielítico, ca *adj.* Relacionado con la poliomielitis o que la padece.

poliomielitis *s. f.* Enfermedad causada por un virus que daña la médula espinal y deja paralíticos a los que la sufren. Suele producirse en la infancia.

pólipo *s. m.* **1.** Animal marino en forma de tubo que vive pegado a las rocas; los corales son un tipo de pólipos. **2.** Bultito que se forma en algunas partes internas del cuerpo, por ejemplo en la nariz o en las cuerdas vocales.

polis (gr.) *s. f.* La ciudad en la antigua Grecia.

polisemia *s. f.* El tener varios significados una palabra; por ejemplo, *sierra* es un conjunto de montañas y también una herramienta.

polisílabo, ba *adj.* Que tiene varias sílabas. **ANT.** Monosílabo.

polisíndeton *s. m.* Figura retórica que consiste en emplear muchas conjunciones para dar más fuerza a lo que se dice, como en 'y venga *y* dale *y* una vez *y* otra'.

polisón *s. m.* Armazón que antiguamente las mujeres llevaban atado a la cintura para abultar la falda por detrás.

politécnico, ca *adj.* Se dice del centro donde se enseñan oficios o algunas carreras, como la arquitectura o la electrónica.

politeísmo *s. m.* Doctrina religiosa politeísta. **ANT.** Monoteísmo.

politeísta *adj.* y *s.* Que cree en varios dioses. **ANT.** Monoteísta.

política *s. f.* **1.** Actividad que tiene como finalidad gobernar y organizar un país. **2.** Forma de actuar, estrategia.

político, ca *adj.* y *s.* **1.** Persona que se dedica a la política. ‖ *adj.* **2.** Relacionado con la política. **3.** Se dice de algunos familiares de la persona con que alguien se casa; por ejemplo los *hermanos políticos* son los cuñados y los *padres políticos*, los suegros.

politizar *v.* Dar un sentido político a algo que normalmente no lo tiene.

polivalente *adj.* Que sirve para varias cosas.

póliza *s. f.* **1.** Sello que hay que poner en algunos documentos o escritos. **2.** Documento en que está escrito un contrato, por ejemplo el de un seguro.

polizón *s. m.* Que viaja a escondidas y sin pagar en un barco o en un avión.

polizonte *s. m.* y *f. desp.* Policía.

polla *s. f.* **1.** Gallina joven. **2.** Chica, jovencita. ‖ **3. polla de agua** Ave que vive en las orillas de ríos y pantanos.

pollada *s. f.* Conjunto de pollos que nacen de una misma puesta.

pollera *s. f.* En Hispanoamérica, falda.

pollería *s. f.* Tienda en la que se venden pollos.

pollero, ra *s. m.* y *f.* Persona que cría o vende pollos.

pollino, na *s. m.* y *f.* Burro, asno.

pollo *s. m.* **1.** Cría de las aves. **2.** Gallo o gallina joven. **3.** Jovencito, chico. **4.** *fam.* Tío, individuo.

polo[1] *s. m.* **1.** Cada una de las dos regiones que están en la parte más al norte y más al sur de la Tierra, en las que hay un clima muy frío. **2.** Helado duro con un palito para sujetarlo. **3.** Cada uno de los puntos de una pila u otro generador a los que se conecta un conductor para que circule la corriente eléctrica; son el *polo positivo* y el *polo negativo*. ‖ **4. el polo opuesto** Alguien o algo que es muy diferente a otra persona o cosa.

polo[2] *s. m.* **1.** Deporte que se practica a caballo y que consiste en meter una pelota en la portería contraria golpeándola con un mazo. **2.** Camisa de punto con cuello.

pololos *s. m. pl.* Antigua prenda interior femenina que era como unos pantalones que llegaban hasta la rodilla.

polonesa *s. f.* Baile antiguo de origen polaco.

poltrona *s. f.* **1.** Sillón muy cómodo. **2.** *fam.* Cargo importante o muy bueno.

polución *s. f.* Contaminación.

polucionar *v.* Contaminar.

polvareda *s. f.* **1.** Gran cantidad de polvo que se levanta del suelo. **2.** Escándalo, revuelo.

polvera *s. f.* Caja o estuche con polvos para maquillarse.

polvo *s. m.* **1.** Trocitos pequeñísimos de arena y de otros materiales que están en el aire, el suelo o encima de los objetos. **2.** Cualquier cosa en trocitos muy pequeños. || *pl.* **3.** Producto que se pone en la cara para maquillarse. **EXPR. hacer polvo** Hacer daño, cansar mucho, destrozar.

pólvora *s. f.* Sustancia que arde muy fácilmente y se usa, por ejemplo, en municiones y explosivos.

polvoriento, ta *adj.* Que tiene mucho polvo.

polvorilla *s. m. y f. fam.* Persona que no se puede estar quieta.

polvorín *s. m.* Lugar donde se guardan los explosivos.

polvorón *s. m.* Dulce navideño de harina, manteca y azúcar, que se deshace fácilmente.

pomada *s. f.* Pasta para ponerse en la piel como medicamento.

pomelo *s. m.* Fruta de un árbol llamado también *pomelo*, parecida a la naranja, pero más grande y de color amarillo, y de sabor ácido y amargo a la vez.

pomo *s. m.* Agarrador en forma de bola de una puerta, ventana o cajón.

pompa *s. f.* **1.** Esfera de agua y jabón llena de aire. **2.** Mucho lujo o ceremonia muy solemne. || **3. pompas fúnebres** El entierro y las ceremonias que se hacen cuando alguien muere. **SIN. 1.** Burbuja. **2.** Boato, ostentación. **ANT. 2.** Sencillez.

pompeyano, na *adj. y s.* De Pompeya, ciudad de la antigua Roma sepultada por la lava del volcán Vesubio.

pompi o **pompis** *s. m.* Culo, trasero.

pompón *s. m.* Bola de lana o de otro material parecido que a veces se pone de adorno en la ropa o en un gorro.

pomposidad *s. f.* Característica de lo que es pomposo.

pomposo, sa *adj.* **1.** Con demasiado lujo o muy solemne. **2.** Se dice del lenguaje poco natural, demasiado culto o adornado. **SIN. 1 y 2.** Ostentoso. **2.** Grandilocuente, rimbombante. **ANT. 1 y 2.** Sencillo.

pómulo *s. m.* Parte saliente de la cara debajo de los ojos, a los lados de la nariz.

ponche *s. m.* **1.** Bebida caliente que se hace con leche, huevo y algún licor. **2.** Bebida refrescante que se prepara mezclando varios licores.

ponchera *s. f.* Recipiente grande donde se mezcla y se sirve el ponche.

poncho *s. m.* Prenda de abrigo que consiste en una manta que tiene en el centro un agujero para sacar la cabeza.

ponderación *s. f.* **1.** Moderación en lo que se dice o se hace. **2.** Alabanza, elogio. **SIN. 1.** Discreción.

ponderado, da **1.** *p.* de **ponderar.** También *adj.* || *adj.* **2.** Moderado, que no exagera en lo que hace o dice. **SIN. 2.** Equilibrado, discreto.

ponderar *v.* **1.** Examinar las ventajas e inconvenientes de algo. **2.** Alabar o elogiar mucho. **SIN. 1.** Sopesar. **2.** Ensalzar. **ANT. 2.** Criticar.

ponderativo, va *adj.* Que pondera o elogia. **SIN.** Elogioso.

ponedero *s. m.* Lugar donde las gallinas ponen los huevos.

ponedora *adj. y s. f.* Gallina que pone muchos huevos.

ponencia *s. f.* Lo que alguien dice sobre un tema en una conferencia, un congreso y otras reuniones. **SIN.** Intervención.

ponente *s. m. y f.* Persona que realiza una ponencia.

poner *v.* **1.** Hacer que alguien o algo esté en un lugar, una situación o de una manera: *poner en un sitio, poner en peligro, poner de mal humor.* **2.** Abrir, hacer que empiece a funcionar: *poner una tienda.* **3.** Encender, conectar: *poner la televisión.* **4.** Vestir o calzar. **5.** Soltar los huevos las aves. **6.** Dar un nombre o apodo. **7.** Marcar, fijar: *poner límites.* **8.** Echar, mostrar: *¿Qué ponen en la tele?* **9.** Dar: *poner dinero.* **10.** Decir: *¿Qué pone en ese letrero?* **11.** Preparar: *poner la mesa.* **12.** Dar una opinión, juzgar: *Ponen muy bien esa película.* **13.** Con algunos sustantivos, realizar lo que significan: *poner paz,* *poner orden.* **14.** Castigar con: *poner una multa.* || **ponerse 15.** Empezar: *ponerse a trabajar.* **16.** Ocultarse el Sol y otros astros. □ Es v. irreg. **SIN. 1.** Colocar, situar. **3.** Enchufar. **6.** Llamar, apodar. **7.** Establecer. **9.** Aportar, proporcionar. **ANT. 1, 2, 4, 9** y **11.** Quitar. **1** y **11.** Retirar. **2.** Cerrar. **3.** Desconectar, apagar.

PONER	
PARTICIPIO	
puesto	
INDICATIVO	
Presente	Pretér. perf. simple
pongo	puse
pones	pusiste
pone	puso
ponemos	pusimos
ponéis	pusisteis
ponen	pusieron
Futuro	Condicional
pondré	pondría
pondrás	pondrías
pondrá	pondría
pondremos	pondríamos
pondréis	pondríais
pondrán	pondrían
SUBJUNTIVO	
Presente	Pretérito imperfecto
ponga	pusiera, -ese
pongas	pusieras, -eses
ponga	pusiera, -ese
pongamos	pusiéramos, -ésemos
pongáis	pusierais, -eseis
pongan	pusieran, oooo
Futuro	
pusiere	pusiéremos
pusieres	pusiereis
pusiere	pusieren
IMPERATIVO	
pon	poned

poney o **poni** *s. m.* Raza de caballos de muy poca altura, ágiles y fuertes. *Poney* es una palabra inglesa.

poniente *s. m.* **1.** Oeste. **2.** Viento que sopla de la parte oeste. **SIN. 1.** Occidente. **ANT. 1.** Levante, oriente.

pontevedrés, sa *adj.* y *s.* De Pontevedra, ciudad y provincia españolas.

pontificado *s. m.* **1.** Cargo del pontífice. **2.** Tiempo que un pontífice tiene este cargo.

pontífice *s. m.* El papa. Se llama también *sumo pontífice* o *romano pontífice.*

pontificio, cia *adj.* Del papa, el sumo pontífice, o relacionado con él.

pontón *s. m.* **1.** Puente formado por maderos o por una sola tabla. **2.** Barco que se utiliza para pasar ríos, construir puentes o limpiar el fondo de los puertos.

ponzoña *s. f.* Veneno.

ponzoñoso, sa *adj.* Venenoso.

pop (ingl.) *adj.* y *s. m.* Un tipo de música juvenil que nació en los países de habla inglesa en los años cincuenta.

popa *s. f.* Parte de atrás de una embarcación. **ANT.** Proa.

pope *s. m.* Sacerdote de la Iglesia ortodoxa.

populachero, ra *adj. desp.* Propio del populacho. **SIN.** Vulgar, plebeyo.

populacho *s. m. desp.* La gente peor y de más baja categoría social. **SIN.** Gentuza, chusma, plebe.

popular *adj.* **1.** Del pueblo o relacionado con él. **2.** De las clases sociales menos ricas. **3.** Muy famoso. **4.** Que está muy extendido o gusta mucho a la gente. **SIN. 1.** Folclórico. **3.** Conocido.

popularidad *s. f.* El hecho de ser muy popular. **SIN.** Fama.

popularizar *v.* Hacer popular.

populista *adj.* Que pretende defender los intereses de las clases sociales humildes.

populoso, sa *adj.* Con mucha población. **SIN.** Poblado. **ANT.** Despoblado.

popurrí *s. m.* **1.** Conjunto de trozos de varias canciones. **2.** Mezcla de cosas diversas. **SIN. 2.** Miscelánea.

póquer *s. m.* Póker.

por *prop.* **1.** Expresa el lugar en el cual alguien o algo está o a través del que pasa: *El coche va por la carretera;* tiempo: *Se fue por octubre;* medio, instrumento: *Le llamó por teléfono;* multiplicación o porcentaje: *seis por dos, cinco por ciento;* significa 'a cambio de': *Te doy mi lápiz por tu sacapuntas;* equivale a 'hacia': *Tiene mucho interés por la música;* expresa una causa o finalidad: *Pararon por una avería. Dibuja por entretenerse;* una opinión: *Le tienen por un chico listo;* en busca de, a comprar o recoger algo: *Fue por leche a la tienda.* **2.** Va delante del complemento agente en las oraciones pasivas: *Este museo es visitado por muchos turistas.* **EXPR. por qué** *interr.* Se usa para preguntar la razón o motivo de algo.

porcelana *s. f.* **1.** Una cerámica de muy buena calidad, brillante y que suele ser de color blanco. **2.** Figura o recipiente hecho con este material.

porcentaje *s. m.* Una parte de cien unidades que vale lo mismo que otra parte de un total. Por ejemplo, un porcentaje del 50 por ciento equivale a 15 en un total de 30. Se expresa con el signo %.

porche *s. m.* Espacio abierto, con techo y columnas, que tienen algunos edificios en la entrada o en un lado.

porcino, na *adj.* De cerdo: *ganado porcino.*

porción *s. f.* Parte separada de una cosa que se puede dividir. SIN. Trozo, fracción.

pordiosero, ra *adj.* y *s.* Pobre que pide limosna. SIN. Mendigo.

porfía *s. f.* Acción de porfiar.

porfiado, da **1.** *p.* de **porfiar.** ‖ *adj.* **2.** Terco, obstinado, insistente.

porfiar *v.* **1.** Discutir con otra persona, queriendo llevar razón. **2.** Ponerse pesado para conseguir algo. SIN. **1.** Obstinarse, empecinarse. **2.** Insistir, empeñarse. ANT. **1.** Ceder. **2.** Cejar.

porífero *adj.* y *s. m.* Animal acuático invertebrado con poros por donde circula el agua. La esponja es un porífero.

pormenor *s. m.* Detalle, información concreta sobre algo.

pormenorizado, da **1.** *p.* de **pormenorizar.** ‖ *adj.* **2.** Con todos sus pormenores. SIN. **2.** Detallado.

pormenorizar *v.* Describir algo con todos los detalles.

porno *adj.* Forma abreviada de **pornográfico.**

pornografía *s. f.* Películas, revistas y otras obras que tienen como fin provocar la excitación sexual.

pornográfico, ca *adj.* De pornografía.

poro *s. m.* Hueco o agujerito tan pequeño que no se ve a simple vista, como los que tenemos en la piel.

porosidad *s. f.* Característica de lo que es poroso.

poroso, sa *adj.* Que tiene poros.

porque *conj.* Va delante de la oración que indica la causa o razón de algo: *Fue al zoo porque quería ver los osos panda.*

porqué *s. m.* Causa, motivo. SIN. Razón, móvil.

porquería *s. f.* **1.** Guarrería, suciedad. **2.** Cosa vieja, rota o de mala calidad. SIN. **1.** Inmundicia. **1** y **2.** Mierda, basura.

porqueriza *s. f.* Establo para los cerdos. SIN. Pocilga, chiquero.

porquerizo, za o **porquero, ra** *s. m.* y *f.* Persona que cuida cerdos.

porra *s. f.* **1.** Palo más grueso por un extremo que por otro. **2.** Objeto alargado de goma u otro material que llevan policías y guardias. **3.** Churro más grueso. **4.** Juego en que varias personas apuestan dinero a un número o resultado; el que acierta se lleva el dinero de todos. EXPR. **a la porra** Se usa para mandar lejos a alguien o algo de que se está harto: *¡Vete a la porra!* SIN. **1.** Cachiporra.

porrada *s. f. fam.* Gran cantidad.

porrazo *s. m.* **1.** Golpe dado con la porra o con otra cosa. **2.** Golpe que uno se da al caerse o chocar con algo duro. SIN. **2.** Trastazo, batacazo.

porrillo Se usa en la expresión **a porrillo,** 'en gran cantidad'.

porro *s. m.* Cigarrillo que tiene hachís o marihuana.

porrón *s. m.* **1.** Recipiente de cristal con un largo pitorro por el que se bebe a chorro. **2.** Pato pequeño de muy variados colores, frecuente en España.

portaaviones *s. m.* Barco de guerra muy grande para transportar aviones y para que éstos despeguen y aterricen en él.

portada *s. f.* **1.** Primera página de un libro, periódico o revista, con el título y otros datos. **2.** Tapa de un libro o revista. **3.** Fachada principal de algunas iglesias y otros edificios.

portador, ra *adj.* y *s.* **1.** Que lleva o trae algo: *portador de buenas noticias.* ‖ *s. m.* y *f.* **2.** Persona que lleva en su cuerpo el germen de una enfermedad y puede contagiarla a otras personas.

portaequipaje o **portaequipajes** *s. m.* Maletero o baca de un automóvil.

portaestandarte *s. m.* Militar que lleva la bandera o estandarte.

portafolios *s. m.* Carpeta o cartera para llevar papeles y libros.

portal *s. m.* Parte de la casa por donde se entra y donde está la puerta principal.

portalámpara o **portalámparas** *s. m.* Pieza metálica en la que se enrosca la bombilla.

portalón *s. m.* Puerta grande de algunos edificios que da a un patio descubierto.

portaminas *s. m.* Objeto que por fuera parece un bolígrafo y dentro lleva una mina de lápiz que se puede recambiar.

portar *v.* **1.** Traer o llevar. || **portarse** **2.** Tener una conducta: *portarse bien.* **Sin. 2.** Comportarse, conducirse.

portarretrato o **portarretratos** *s. m.* Marco para colocar un retrato.

portátil *adj.* Que se puede llevar con uno de un sitio a otro.

portavoz *s. m.* y *f.* **1.** Persona que habla en nombre de otras e informa de sus asuntos o decisiones. || *s. m.* **2.** Periódico o revista que expresa las opiniones de un partido político o de otra asociación. **Sin. 1.** Representante.

portazo *s. m.* Golpe que da la puerta al cerrarla o al cerrarse bruscamente.

porte *s. m.* **1.** Aspecto, apariencia. **2.** Acción de llevar una cosa de un sitio a otro por una cantidad de dinero; esta cantidad de dinero. **3.** Capacidad, tamaño: *un barco de gran porte.* **Sin. 1.** Presencia, facha.

porteador, ra *s. m.* y *f.* Persona a la que se contrata para transportar cosas.

portear *v.* Transportar una cosa de un sitio a otro por un precio.

portento *s. m.* **1.** Persona que tiene unas cualidades buenísimas para algo. **2.** Acción, suceso o cosa asombrosa o increíble. **Sin. 1.** Fenómeno. **1** y **2.** Prodigio. **2.** Milagro, maravilla.

portentoso, sa *adj.* Extraordinario, muy bueno. **Sin.** Prodigioso.

porteño, ña *adj.* y *s.* Bonaerense.

portería *s. f.* **1.** Habitación o lugar a la entrada de un edificio donde está el portero. **2.** En algunos deportes, como el fútbol, marco rectangular formado por un larguero y dos postes donde los jugadores tienen que meter el balón para marcar un tanto. **Sin. 2.** Meta, puerta.

portero, ra *s. m.* y *f.* **1.** Persona que en un edificio se encarga principalmente de vigilar la entrada y salida de personas. **2.** Jugador que defiende la portería de su equipo. || **3. portero automático** Aparato para abrir el portal de un edificio desde cada una de las viviendas. **Sin. 2.** Guardameta.

portezuela *s. f.* **1.** *dim.* de **puerta**. **2.** Puerta de un carruaje.

porticado, da *adj.* Con pórticos o soportales.

pórtico *s. m.* **1.** Espacio cubierto y con columnas que tienen algunos templos y otros edificios en la parte delantera. **2.** Galería con arcos o columnas de un patio o de la fachada de un edificio. **Sin. 1** y **2.** Atrio.

portorriqueño, na *adj.* Puertorriqueño.

portuario, ria *adj.* De un puerto de mar.

portugués, sa *adj.* y *s.* **1.** De Portugal. || *s. m.* **2.** Lengua hablada en Portugal, Brasil y otros países que pertenecieron a Portugal.

porvenir *s. m.* Lo que le espera a alguien. **Sin.** Futuro.

pos Se usa en la expresión **en pos de**, 'detrás de'.

posada *s. f.* Casa en que se hospedan personas. **Sin.** Mesón, hostería.

posaderas *s. f. pl.* Nalgas de una persona. **Sin.** Trasero.

posadero, ra *s. m.* y *f.* Dueño o encargado de una posada. **Sin.** Mesonero.

posar¹ *v.* **1.** Poner, colocar suavemente. **2.** Seguido de sustantivos como *vista, mirada* u *ojos*, significa 'mirar', 'observar'. || **posarse 3.** Pararse en un sitio algo que vuela, flota o estaba suspendido en el aire.

posar² *v.* Quedarse alguien en una postura para que le hagan una foto o un retrato.

posavasos *s. m.* Objeto que se pone debajo de los vasos y copas para que no se manche la mesa.

posdata *s. f.* Palabras o frases que se añaden a una carta cuando ya está terminada y que suelen escribirse debajo de la firma.

pose *s. f.* **1.** Postura en que se pone una persona, por ejemplo para hacerse un retrato o una foto. **2.** Actitud fingida o exagerada.

poseedor, ra *adj.* y *s.* Que posee algo.

poseer *v.* Tener o ser dueño de algo. □ Es v. irreg. Se conjuga como *leer*.

poseído, da *adj.* y *s.* **1.** Persona que está dominada por algo, como por ejemplo una idea o un vicio. **2.** Poseso.

posesión *s. f.* **1.** Cosa que se posee. **2.** El poseer algo. **Sin. 1.** Propiedad, bien.

posesivo, va *adj.* y *s. m.* **1.** En gramática, se dice del adjetivo o pronombre que expresa posesión: *mío, tuyo, suyo, nuestro, vuestro* y *mi, tu* y *su*. || *adj.* **2.** Se dice de la persona que quiere que otra sólo esté con ella y le haga caso únicamente a ella. **Sin. 2.** Dominante, absorbente.

poseso, sa *adj.* y *s.* Persona que se cree que tiene un espíritu dentro del cuerpo y que está dominada por él.

posguerra *s. f.* Periodo que sigue a una guerra, en el que todavía se sufren sus consecuencias.

posibilidad *s. f.* 1. El hecho de ser posible. 2. Lo que uno puede hacer o elegir. || *pl.* 3. Posibles, medios para hacer algo. **Sin.** 1. Probabilidad. **Ant.** 1. Imposibilidad.

posibilitar *v.* Hacer posible. **Sin.** Permitir. **Ant.** Impedir.

posible *adj.* 1. Que puede ser o suceder, que se puede realizar. || *s. m. pl.* 2. Dinero u otros medios para hacer algo. **Expr. hacer lo posible** o **todo lo posible** Hacer todo lo que se puede para lograr algo. **Sin.** 1. Verosímil, factible, viable. **Ant.** 1. Imposible.

posiblemente *adv.* Bastante posible: *Posiblemente tienes razón.*

posición *s. f.* 1. Manera de estar colocado. 2. Situación o puesto que se ocupa. 3. Ideas o actitud de una persona. 4. Categoría económica o social. 5. Lugar estratégico o fortificado que es muy importante en una acción de guerra. **Sin.** 1 y 3. Postura. 2. Ubicación.

positivo, va *adj.* 1. Beneficioso, bueno. 2. Optimista. 3. Que indica la existencia de algo: *La prueba de embarazo dio positiva.* 4. Se dice del número que es mayor que cero. 5. En física, se dice de la carga eléctrica en la que hay falta de electrones. || *s. m.* 6. Fotografía que se obtiene de un negativo. **Sin.** 1. Provechoso. **Ant.** 1. Malo.

positrón *s. m.* Partícula del átomo que es igual que el electrón, pero con carga eléctrica positiva.

poso *s. m.* 1. Partícula sólida de un líquido que se queda en el fondo del recipiente. 2. Huella que deja en alguien una experiencia desagradable. **Sin.** 1. Sedimento.

posología *s. f.* Parte de la farmacología que trata de las dosis de medicamentos que hay que administrar a un enfermo.

posparto *s. m.* Tiempo que sigue inmediatamente al parto.

posponer *v.* 1. Dejar para más tarde. 2. Poner o colocar a una persona o cosa después de otra, sobre todo porque se la aprecia menos. □ Es v. irreg. Se conjuga como *poner*. **Sin.** 1. Aplazar, retrasar. 2. Postergar. **Ant.** 1. Adelantar.

posposición *s. f.* El hecho de posponer algo. **Sin.** Aplazamiento.

post meridiem *expr. lat.* Después del mediodía.

posta *s. f.* Bala pequeña de plomo, más grande que el perdigón. **Expr. a posta** Aposta, queriendo.

postal *adj.* 1. Del servicio de correos. || *s. f.* 2. Tarjeta con un paisaje u otra cosa impresa, que se escribe por la otra cara y se envía sin sobre por correo.

poste *s. m.* Madero u otro objeto alargado que está en posición vertical.

póster (ingl.) *s. m.* Cartel con un dibujo o una foto que se pone en la pared.

postergar *v.* 1. Dejar a una persona o cosa olvidada o en peor situación de la que tenía. 2. Dejar para más tarde. **Sin.** 1 y 2. Posponer. 2. Aplazar, retrasar. **Ant.** 1 y 2. Adelantar.

posteridad *s. f.* 1. El futuro y las personas que vivirán en él. 2. La fama después de la muerte.

posterior *adj.* 1. Que sucede después. 2. Que está detrás o en la parte de atrás. **Sin.** 1. Ulterior, subsiguiente. 2. Trasero. **Ant.** 1 y 2. Anterior.

posterioridad *s. f.* Hecho de ser posterior. **Expr. con posterioridad** Después.

posteriormente *adv.* Después.

postigo *s. m.* 1. Puerta pequeña que se abre en otra mayor. 2. Puertecillas que cubren los cristales de algunas ventanas para que no entre luz. **Sin.** 2. Contraventana.

postilla *s. f.* Costra que se forma al secarse una herida o grano.

postín *s. m.* Importancia que se da una persona, sobre todo presumiendo de su riqueza. **Expr. de postín** De mucho lujo.

postizo, za *adj.* 1. Que no es natural ni propio, sino artificial o añadido: *dentadura postiza.* || *s. m.* 2. Pelo que se pone y se quita.

postoperatorio, ria *adj. y s. m.* Se dice del proceso que sigue un enfermo después de haber sido operado.

postor *s. m.* Cada persona que ofrece una cantidad de dinero en una subasta.

postración *s. f.* Falta de fuerzas o de ánimos producida por la tristeza o una enfermedad. **Sin.** Abatimiento.

postrar *v.* 1. Dejar a una persona sin fuerzas ni ánimos. || **postrarse** 2. Ponerse de rodillas a los pies de una persona en señal de respeto o para rogarle. **Sin.** 1. Abatir, consumir. 2. Arrodillarse. **Ant.** 1. Fortalecer, animar.

postre *s. m.* Fruta, dulce u otro plato que se toma al final de las comidas. **Expr. a la postre** En definitiva, al final.

postrer *adj.* Forma abreviada de **postrero.**

postrero, ra *adj.* Último.

postrimería s. f. Últimos años de alguien o algo: *las postrimerías de siglo*.

postulado s. m. **1.** Algo que se admite como cierto sin necesidad de ser demostrado. **2.** Idea que defiende una persona, una doctrina o un grupo. **Sin. 2.** Principio.

postulante adj. y s. Que pide dinero para una buena obra.

postular v. **1.** Pedir dinero por la calle para los pobres o para otras buenas causas. **2.** Afirmar, defender.

póstumo, ma adj. **1.** Que nace después de la muerte de su padre. **2.** Que aparece después de la muerte de su autor. **3.** Que ocurre o se hace a una persona después de su muerte: *homenaje póstumo*.

postura s. f. **1.** Manera de tener colocado el cuerpo. **2.** Forma de actuar o de pensar. **Sin. 1.** Colocación. **1** y **2.** Posición. **2.** Actitud.

potabilizar v. Hacer potable el agua que no lo es.

potable adj. Se dice del agua que se puede beber.

potaje s. m. Guiso preparado con legumbres, verduras y otros ingredientes: *potaje de garbanzos*.

potasa s. f. Nombre de varios compuestos químicos que contienen potasio, por ejemplo la *potasa cáustica*, que se usa para hacer jabón.

potasio s. m. Metal blando, brillante, que se oxida rápidamente en contacto con el aire. Es un elemento químico.

pote s. m. **1.** Nombre que se da a distintos cacharros de cocina, sobre todo uno redondo con tres pies o dos asas. **2.** Caldo típico de Galicia y Asturias que lleva patatas, judías blancas, verduras cocidas y otros ingredientes.

potencia s. f. **1.** Fuerza, poder, capacidad para algo. **2.** Nación muy poderosa. **3.** En física, cantidad de trabajo que realiza un motor u otra cosa dividido por el tiempo que tarda en hacerlo. **4.** Resultado de multiplicar un número por sí mismo varias veces; por ejemplo, 2 elevado a la tercera potencia (2^3) equivale a $2 \times 2 \times 2$. **Expr. en potencia** Que aún no es, pero puede ser o existir en el futuro. **Sin. 2.** Imperio. **Ant. 1.** Impotencia.

potencial adj. **1.** Relacionado con la potencia. **2.** Que todavía no es, pero puede serlo en el futuro: *enemigo potencial*. || s. m. **3.** Poder o fuerza: *potencial militar*. **4.** En física, fuerza que hace circular una corriente eléctrica entre dos puntos.

potencialmente adv. En potencia.

potenciar v. Impulsar, dar más fuerza a algo. **Sin.** Estimular.

potentado, da s. m. y f. Persona rica y poderosa.

potente adj. Que tiene mucha potencia, fuerza o poder. **Sin.** Fuerte, poderoso. **Ant.** Impotente.

potestad s. f. **1.** Poder para hacer algo o para mandar sobre una persona. || **2. patria potestad** Autoridad que tienen los padres sobre los hijos menores de edad que viven con ellos. **Sin. 1.** Dominio, jurisdicción.

potingue s. m. **1.** fam. Cremas y otros productos de belleza. **2.** fam. Bebida de sabor y aspecto desagradables. **Sin. 2.** Pócima, brebaje.

potito s. m. Tarrito que contiene comida preparada para los niños pequeños.

poto s. m. Planta trepadora que tiene las hojas en forma de corazón, verdes y con manchas blancas o amarillas.

potosí s. m. Riqueza grande: *valer algo un potosí*.

potra s. f. fam. Buena suerte.

potranco, ca s. m. y f. Caballo o yegua de menos de tres años.

potro, tra s. m. y f. **1.** Caballo o yegua que no pasa de los cuatro años y medio. || s. m. **2.** Aparato de gimnasia sobre el que se salta, formado por un prisma rectangular con cuatro patas. **3.** Antiguo aparato de tortura.

poyete s. m. Poyo pequeño o bajo.

poyo s. m. Banco de piedra, yeso u otro material que se construye arrimado a la pared.

poza s. f. **1.** Charca. **2.** Zona de un río que es más profunda. **Sin. 2.** Pozo.

pozo s. m. **1.** Hoyo profundo que se hace en el suelo para sacar agua o petróleo. **2.** Poza de un río. **3.** Persona que tiene mucho de lo que se dice: *un pozo de sabiduría*.

práctica s. f. **1.** El practicar mucho y experiencia o habilidad que se obtiene con ello. || pl. **2.** Ejercicios que deben hacer los estudiantes y otras personas para aplicar los conocimientos que han aprendido. **Expr. en la práctica** En la realidad.

practicable adj. **1.** Que se puede practicar. **2.** Se dice del camino o lugar sin obstáculos, por el que se puede pasar. **Sin. 2.** Expedito. **Ant. 2.** Impracticable.

prácticamente *adv.* **1.** De manera práctica. **2.** Casi: *El trabajo está prácticamente terminado.*

practicanta *s. f.* Mujer que tiene la profesión de practicante.

practicante *adj. y s.* **1.** Que practica. ‖ *s. m. y f.* **2.** Persona que tiene como profesión poner inyecciones y hacer pequeñas curas.

practicar *v.* **1.** Hacer algo que se ha aprendido para perfeccionarlo. **2.** Realizar de forma habitual una actividad. **3.** Cumplir las personas creyentes lo que les manda su religión. **Sin.** **1.** Ensayar. **2.** Ejercer.

práctico, ca *adj.* **1.** Útil, eficaz. **2.** Que realiza una actividad de la que ya se tienen conocimientos: *clases prácticas.* **3.** Se dice de la persona que ve las cosas como son y no se deja llevar por sueños ni fantasías. **Sin.** **1.** Conveniente. **3.** Pragmático. **Ant.** **1.** Inútil. **2.** Teórico.

pradera *s. f.* Prado grande.

prado *s. m.* Terreno húmedo con hierba, sobre todo el que se aprovecha para alimentar al ganado. **Sin.** Pradera, pastizal.

pragmático, ca *adj. y s.* Que busca la utilidad de las cosas. **Sin.** Práctico.

pragmatismo *s. m.* Forma pragmática de pensar o de actuar.

preámbulo *s. m.* **1.** Lo que se dice o escribe al comienzo, antes de lo principal. **2.** Rodeo que se da para no decir claramente algo. **Sin.** **1.** Introducción, prólogo, prefacio. **Ant.** **1.** Epílogo.

prebenda *s. f.* **1.** Renta o dinero que se recibe en algunos cargos de la Iglesia. **2.** Empleo en el que se trabaja poco y se gana mucho. **Sin.** **2.** Momio, chollo.

preboste *s. m.* **1.** Jefe de una asociación o comunidad. **2.** Persona importante o poderosa.

precalentamiento *s. m.* Ejercicios suaves que realiza un deportista para prepararse antes del esfuerzo principal.

precariedad *s. f.* Estado o característica de lo que es precario.

precario, ria *adj.* En situación apurada. **Sin.** Inestable, frágil. **Ant.** Seguro.

precaución *s. f.* Actitud o acción para evitar un mal, daño o peligro. **Sin.** Prudencia, cuidado. **Ant.** Imprudencia.

precaver *v.* Tratar de evitar un mal, daño o peligro teniendo mucho cuidado. **Sin.** Prevenir.

precavido, da **1.** *p.* de **precaver.** ‖ *adj.* **2.** Que tiene mucho cuidado para que no le ocurra nada malo. **Sin.** **2.** Cauto.

precedente *adj.* **1.** Que precede o va antes. ‖ *s. m.* **2.** Cosa que explica o da lugar a otras que ocurren después. **Sin.** **1.** Anterior, previo. **Ant.** **2.** Posterior.

preceder *v.* **1.** Ir delante u ocurrir antes. **2.** Ser más importante. **Ant.** **1** y **2.** Seguir, suceder.

preceptista *s. m. y f.* Persona que da preceptos o normas.

preceptiva *s. f.* Conjunto de preceptos o normas.

preceptivo, va *adj.* Obligatorio, que debe cumplirse por norma.

precepto *s. m.* **1.** Mandato, norma, cosa que hay que cumplir. ‖ **2. día** o **fiesta de precepto** Día en que los católicos tienen la obligación de oír misa porque lo manda la Iglesia. **Sin.** **1.** Regla; mandamiento.

preceptor, ra *s. m. y f.* Persona que se encarga de la educación de un niño en la casa de éste.

preceptuar *v.* Dar preceptos o normas.

preces *s. f. pl.* Oraciones y súplicas que los creyentes dirigen a Dios, la Virgen o los santos.

preciado, da **1.** *p.* de **preciarse.** ‖ *adj.* **2.** Valioso, que se estima mucho. **Sin.** **2.** Precioso. **Ant.** **2.** Despreciable.

preciarse *v.* Mostrarse muy orgulloso por alguna cosa, presumir de ella. **Sin.** Jactarse, vanagloriarse. **Ant.** Avergonzarse.

precintar *v.* Poner a una cosa un precinto para que no se pueda abrir.

precinto *s. m.* Sello u otra cosa que se pone en algo o en un sitio para que no lo puedan abrir.

precio *s. m.* **1.** Dinero que cuesta una cosa. **2.** Lo que es necesario hacer para conseguir algo. **Sin.** **1.** Importe, valor.

preciosidad *s. f.* **1.** Característica de precioso. **2.** Persona o cosa preciosa.

preciosismo *s. m.* Forma de hacer una cosa con mucho cuidado y perfección.

precioso, sa *adj.* **1.** Que tiene mucho valor. **2.** Muy bello, que gusta mucho. **Sin.** **1.** Preciado, valioso. **2.** Hermoso. **Ant.** **1.** Insignificante. **2.** Feo.

precipicio *s. m.* Corte profundo y vertical del terreno. **Sin.** Barranco.

precipitación *s. f.* **1.** Prisa excesiva. **2.** Caída de lluvia, granizo o nieve.

precipitado, da **1.** *p.* de **precipitar.** ‖ *adj.* **2.** Que hace las cosas con precipitación, muy deprisa y sin pensarlas. **3.** Muy rápido, hecho con demasiada prisa.

precipitar v. 1. Lanzar desde un lugar muy alto. 2. Hacer que ocurra una cosa mucho más deprisa de lo normal. || **precipitarse** 3. Hacer o decir algo demasiado deprisa, sin pararse a pensar. 4. Ir rápidamente hacia un sitio. **Sin.** 2. Despeñar, tirar. 2. Acelerar. 2 a 4. Apresurar. 4. Correr, abalanzarse. **Ant.** 2. Retardar.

precisamente adv. Se emplea para referirse a una persona, cosa o momento en particular: *Precisamente a ti te estaba buscando.*

precisar v. 1. Necesitar, hacer falta. 2. Decir algo de forma exacta y completa. **Sin.** 1. Requerir. 2. Especificar, detallar. **Ant.** 1. Prescindir.

precisión s. f. Exactitud al hacer o decir algo.

preciso, sa adj. 1. Necesario, que hace falta. 2. Justo, exacto, no aproximado. 3. Ese mismo: *Le vi en el preciso instante en que se iba.* **Sin.** 1. Indispensable, imprescindible. **Ant.** 2. Impreciso.

preclaro, ra adj. Muy brillante, que sobresale por sus méritos. **Sin.** Insigne, ilustre. **Ant.** Desconocido.

precocidad s. f. Característica de precoz. **Sin.** Adelanto.

precolombino, na adj. De América antes de ser descubierta por Colón.

preconcebido, da adj. 1. Que se ha pensado antes. 2. Se dice de lo que se piensa de alguien o algo sin haberlo comprobado antes con la realidad. **Sin.** 1. Premeditado.

preconizar v. Aconsejar o defender. **Sin.** Recomendar. **Ant.** Combatir.

precoz adj. 1. Que se produce antes de lo normal o previsto. 2. Se dice del niño que se desarrolla o aprende algo antes que otros de su edad. **Sin.** 1. Prematuro. 2. Aventajado. **Ant.** 1 y 2. Retrasado.

precursor, ra adj. y s. Que anuncia o comienza algo que se desarrollará más tarde. **Sin.** Pionero. **Ant.** Seguidor.

predador, ra adj. y s. m. Depredador.

predecesor, ra s. m. y f. Persona que ha estado en un puesto o situación antes que otra. **Sin.** Antecesor. **Ant.** Sucesor.

predecir v. Decir que va a suceder alguna cosa. □ Es v. irreg. Se conjuga como *decir*, excepto el futuro y el condicional de indicativo, que son regulares. El imperativo tiene una forma regular: *predecid*, y otra irregular: *predice*. **Sin.** Adivinar, pronosticar.

predestinación s. f. El hecho de estar predestinado.

predestinado, da 1. p. de **predestinar**. || adj. 2. Que se cree que va a ser o le va a ocurrir algo sin que se pueda cambiar.

predestinar v. Destinar o elegir a alguien o algo para una cosa que tiene que ocurrir.

prédica s. f. Sermón, predicación.

predicación s. f. Acción de predicar y lo que se predica.

predicado s. m. 1. En gramática, parte de la oración que expresa lo que se dice del sujeto; suele estar formado por un verbo y sus complementos. || 2. **predicado nominal** El formado por un verbo copulativo, como *ser*, *estar* o *parecer*, y un atributo: *Roberto es (o está o parece) serio*. 3. **predicado verbal** El formado por un verbo no copulativo y sus complementos: *Federico habla italiano*.

predicador, ra adj. 1. Que predica. || s. m. y f. 2. Sacerdote o sacerdotisa que predica.

predicamento s. m. Prestigio, fama, influencia.

predicar v. 1. Dar a conocer a otros una religión. 2. Pronunciar un sermón. 3. En gramática, decir el predicado algo del sujeto. **Sin.** Anunciar, difundir.

predicativo, va adj. 1. Se dice de las oraciones que tienen un predicado verbal y de los verbos que aparecen en ellas. || adj. y s. m. 2. Se dice del complemento que modifica a la voz al verbo y a un sustantivo en las oraciones de predicado verbal, como por ejemplo *cansados* en *Los jugadores corrían cansados*.

predicción s. f. Acción de predecir y lo que se predice. **Sin.** Pronóstico, profecía, vaticinio.

predilección s. f. Preferencia.

predilecto, ta adj. Se dice de la persona o cosa a la que se prefiere entre varias. **Sin.** Preferido.

predio s. m. Propiedad formada por terrenos, edificios, fincas.

predisponer v. Influir en alguien para algo. □ Es v. irreg. Se conjuga como *poner*. **Sin.** Inclinar.

predisposición s. f. 1. Acción de predisponer. 2. Tendencia a una cosa, facilidad de que a uno le ocurra algo. **Sin.** 2. Propensión.

predispuesto, ta 1. p. de **predisponer**. También adj. || adj. 2. Que tiene predisposición o tendencia a algo. **Sin.** 2. Propenso.

predominante *adj.* Que predomina.

predominar *v.* Ser más abundante o destacar. **Sin.** Prevalecer, sobresalir.

predominio *s. m.* El predominar sobre otros. **Sin.** Preeminencia, superioridad.

preeminencia *s. f.* Predominio, superioridad, preferencia.

preeminente *adj.* Superior, preferente.

preescolar *adj.* De la etapa de educación en que los niños no han comenzado la enseñanza primaria.

prefabricado, da *adj.* Se dice de las construcciones cuyas partes se envían ya fabricadas al lugar de la edificación para que allí se monten.

prefacio *s. m.* Introducción, prólogo. **Ant.** Epílogo.

prefecto *s. m.* Nombre de diferentes cargos civiles o militares de algunos países.

prefectura *s. f.* Cargo y oficina del prefecto y zona bajo su autoridad.

preferencia *s. f.* 1. Hecho de tener alguna ventaja, como ser elegido alguien antes que otro o realizarse una cosa antes que otra. 2. Hecho de preferir. **Sin.** 1. Prioridad, primacía. 2. Predilección. **Ant.** 2. Antipatía.

preferente *adj.* Superior, destacado o mejor. **Sin.** Preeminente.

preferible *adj.* Mejor, más conveniente o adecuado.

preferido, da 1. *p.* de **preferir.** ‖ *adj.* 2. Que se prefiere. **Sin.** 2. Predilecto.

preferir *v.* 1. Gustarle a alguien más una persona o cosa que otra. 2. Dar preferencia o ventaja: *Para este trabajo se prefiere a titulados universitarios.* □ Es v. irreg. Se conjuga como *sentir.* **Sin.** 1 y 2. Elegir.

prefijo *s. m.* 1. Partícula que va delante de la raíz de algunas palabras y les da un significado especial; por ejemplo *in-* en *incapaz,* 'que no es capaz'. 2. Cifras que, cuando se llama por teléfono a otra provincia o a otro país, hay que marcar antes del número.

pregón *s. m.* Anuncio en voz alta de una cosa para que se entere la gente; por ejemplo, en los pueblos y ciudades anuncia las fiestas.

pregonar *v.* 1. Anunciar algo con un pregón. 2. Decir en voz alta un vendedor lo que vende. 3. Decir algo para que lo sepan todos, por ejemplo una cosa que debería callarse.

pregonero, ra *adj. y s.* Persona que pregona.

pregunta *s. f.* Lo que alguien dice o escribe para obtener una respuesta. **Sin.** Interrogación, cuestión. **Ant.** Contestación.

preguntar *v.* Dirigirse una persona a otra para que le diga algo que quiere saber. **Sin.** Interrogar. **Ant.** Responder.

preguntón, na *adj. y s.* Que molesta haciendo muchas preguntas.

prehistoria *s. f.* 1. Periodo desde la aparición del hombre hasta los primeros escritos. 2. Parte de la historia que estudia este periodo.

prehistórico, ca *adj.* 1. De la prehistoria. 2. *fam.* Anticuado.

prejuicio *s. m.* Opinión, generalmente mala, que se tiene de una persona o cosa sin conocerla en realidad.

prejuzgar *v.* Juzgar las cosas antes de conocerlas.

prelado *s. m.* Algunas personas que tienen autoridad en la Iglesia, como el obispo o el arzobispo.

prelatura *s. f.* Oficio de prelado.

preliminar *adj. y s. m. pl.* Que se dice o hace para preparar algo: *ensayos preliminares.* **Sin.** Previo; preámbulo. **Ant.** Posterior.

preludiar *v.* Anunciar, preparar o iniciar algo.

preludio *s. m.* 1. Lo que sucede antes de una cosa y anuncia que va a empezar. 2. Breve pieza musical que sirve de comienzo o introducción a otra. **Sin.** 1. Anuncio, inicio.

prematrimonial *adj.* De antes del matrimonio.

prematuro, ra *adj.* 1. Antes de tiempo, antes de lo debido o de que esté maduro. ‖ *adj. y s.* 2. Se dice del niño que nace antes de tiempo, por ejemplo a los siete u ocho meses. **Sin.** 1. Adelantado, temprano. **Ant.** 1. Tardío.

premeditación *s. f.* El pensar y preparar mucho una cosa antes de hacerla; cuando se trata de un delito, lo agrava.

premeditado, da *adj.* Muy pensado y preparado. **Sin.** Preconcebido.

premiar *v.* Dar un premio. **Sin.** Galardonar, recompensar.

premio *s. m.* 1. Lo que se le da a una persona por algo bueno que ha hecho. 2. Lo que se gana en un sorteo o concurso. **Sin.** 1. Recompensa, galardón. **Ant.** 1. Castigo.

premiosidad s. f. Lentitud, calma.

premioso, sa adj. Lento, calmoso.

premisa s. f. Ideas o afirmaciones de las que se sacan otras.

premolar adj. y s. m. Se dice de los dientes situados entre los caninos y los molares.

premonición s. f. Presentimiento. SIN. Presagio, corazonada.

premonitorio, ria adj. Que anuncia algo como una premonición.

premura s. f. Rapidez, urgencia.

prenatal adj. De antes del nacimiento de un niño.

prenda s. f. **1.** Cualquiera de las cosas que utilizan las personas para vestirse. **2.** Cosa que se deja como garantía de algo. || pl. **3.** Juego en que el perdedor entrega un objeto que le pertenece o realiza aquello que los demás jugadores le ordenan. EXPR. **no soltar prenda** No decir algo, guardar un secreto.

prendar v. **1.** Gustar mucho. || **prendarse 2.** Quedarse enamorado o encantado.

prendedor s. m. **1.** Adorno para sujetarse el pelo. **2.** Alfiler, broche.

prender v. **1.** Sujetar: prender algo con alfileres. **2.** Apresar a una persona. **3.** Empezar a arder una materia. **4.** Hacer fuego y quemar algo. **5.** Echar raíces y vivir una planta en un sitio. **6.** Ser bien recibido algo, encontrar apoyo: Las palabras del político prendieron en el público. SIN. **2.** Capturar, detener. **4.** Encender. **5.** Arraigar. ANT. **2.** Liberar. **4.** Apagar.

prendimiento s. m. Acción de prender.

prensa s. f. **1.** Máquina para presionar sobre algo, como la que se utiliza para aplastar las uvas y sacarles el zumo. **2.** Máquina para imprimir sobre papel textos y dibujos. **3.** Los periódicos y las revistas; los periodistas y su actividad profesional. EXPR. **prensa amarilla** Los periódicos sensacionalistas. **prensa del corazón** La que trata de la vida de las personas famosas. **tener alguien buena** o **mala prensa** Tener buena o mala fama.

prensar v. Apretar algo en una prensa o de otra manera. SIN. Comprimir.

prensil adj. Que sirve para agarrar: La cola prensil de algunos monos.

prensor, ra adj. y s. Se dice de algunas aves, como el loro, que tienen el pico fuerte y encorvado y las patas con dos de los dedos hacia atrás.

preñada adj. Se dice de la mujer o de la hembra de algunos animales que va a tener un hijo. SIN. Embarazada.

preñez s. f. Estado de la mujer embarazada o de la hembra preñada. SIN. Embarazo, gravidez.

preocupación s. f. Algo que causa en una persona intranquilidad o temor y hace que piense mucho en ello. SIN. Inquietud.

preocupado, da 1. p. de preocupar. || adj. **2.** Que tiene una preocupación.

preocupante adj. Que causa preocupación. SIN. Inquietante.

preocupar v. **1.** Tener una preocupación. || **preocuparse 2.** Dedicar mucha atención a una persona o cosa, o estar inquieto por ella. **3.** Encargarse, cuidar. SIN. **1.** Intranquilizar, inquietar. ANT. **1.** Tranquilizar. **2** y **3.** Despreocuparse.

preparación s. f. **1.** Acción de preparar o prepararse. **2.** Conocimientos y práctica de una persona. SIN. **1.** Disposición, organización. **2.** Saber. ANT. **1.** Improvisación. **2.** Ignorancia.

preparado, da 1. p. de preparar. También adj. || s. m. **2.** Medicamento. SIN. **1.** Organizado; entendido.

preparador, ra s. m. y f. Persona que prepara o entrena, por ejemplo a deportistas. SIN. Entrenador.

preparar v. **1.** Hacer que alguien o algo sirva para lo que se quiere. **2.** Estudiar: preparar los exámenes. || **prepararse 3.** Haber señales de que va a suceder algo: prepararse una tormenta. SIN. **1.** Disponer; entrenar. **3.** Avecinarse.

preparativos s. m. pl. Todo aquello que se hace para que algo pueda realizarse.

preparatorio, ria adj. Que prepara para algo: curso preparatorio.

preponderancia s. f. Superioridad, predominio. ANT. Inferioridad.

preponderante adj. Que domina, tiene más importancia o es más abundante. SIN. Dominante, predominante. ANT. Inferior.

preposición s. f. Palabra que no varía de forma y tiene la función de relacionar otras palabras; por ejemplo, con, de, en, por.

preposicional adj. Se dice del sintagma o grupo de palabras que empieza por una preposición; por ejemplo, en casa; de Luis; para la oficina.

prepotente adj. y s. Que tiene mucho poder, sobre todo si presume y abusa de él. SIN. Dominante, autoritario.

prepucio *s. m.* Piel móvil que recubre el glande o extremo del pene.

prerrogativa *s. f.* Privilegio que una persona tiene sobre otras.

prerrománico, ca *adj.* y *s. m.* Se dice del estilo artístico de los primeros siglos de la Edad Media, caracterizado por su sencillez y por la ausencia de esculturas y pinturas.

perromano, na *adj.* Anterior al dominio de los antiguos romanos.

presa *s. f.* **1.** Persona, animal o cosa que puede ser atrapado, cazado. **2.** El que sufre aquello que se expresa: *La multitud fue presa del pánico.* **3.** Muro que se construye para detener una corriente de agua. **4.** Embalse, lago artificial. **SIN. 1** y **2.** Víctima. **4.** Estanque.

presagiar *v.* **1.** Anunciar, indicar que va a suceder una cosa. **2.** Adivinar, predecir. **SIN. 1** y **2.** Pronosticar, vaticinar.

presagio *s. m.* **1.** Señal que anuncia algo que va a suceder. **2.** Presentimiento. **SIN. 1.** Anuncio, indicio. **2.** Corazonada

presbicia *s. f.* Vista cansada. Ver **vista.**

presbiterio *s. m.* Parte de las iglesias donde está el altar mayor.

presbítero *s. m.* **1.** Sacerdote, eclesiástico autorizado para decir misa. **2.** Sacerdote de una religión cristiana no católica.

prescindir *v.* **1.** Dejar de tener algo o de utilizar a una persona o cosa. **2.** No decir algo. **SIN. 1.** Privarse, desprenderse. **1** y **2.** Suprimir. **2.** Omitir.

prescribir *v.* **1.** Mandar, ordenar: *El médico le prescribió un jarabe.* **2.** Acabar el tiempo en que se pueden hacer algunas cosas: *prescribir un plazo.* □ Su p. es irreg.: *prescrito.* **SIN. 1.** Disponer; recetar. **2.** Vencer, caducar.

prescripción *s. f.* Acción de prescribir. **SIN.** Orden, disposición; conclusión.

presencia *s. f.* **1.** El estar en un lugar. **2.** Aspecto externo de una persona: *buena presencia.* **EXPR. en presencia de** Estando delante de. **SIN. 1.** Asistencia, existencia. **2.** Pinta. **ANT. 1.** Ausencia.

presencial *adj.* Que presencia algo: *un testigo presencial.*

presenciar *v.* Estar presente, ver en persona algo. **SIN.** Mirar, contemplar.

presentable *adj.* Que tiene buen aspecto, que está bien para que otros lo vean. **ANT.** Impresentable.

presentación *s. f.* **1.** Acción de presentar o presentarse a otros. **2.** Aspecto,

manera en que se presenta algo. **SIN. 2.** Pinta.

presentador, ra *s. m.* y *f.* Persona que presenta, sobre todo un programa de televisión.

presentar *v.* **1.** Decir a una persona quién es otra. **2.** Mostrar o poner ante otro una cosa. **3.** Hablar una persona delante de otras sobre alguien o algo para que lo conozcan: *presentar un cantante al público.* **4.** Dar, ofrecer: *presentar excusas.* || **presentarse 5.** Participar alguien en algo para que le elijan, por ejemplo a unas elecciones: *presentarse como candidato.* **6.** Ir a hacer algo: *presentarse a un examen.* **7.** Ir a un sitio: *Se presentó sin ser invitado.* **8.** Aparecer, producirse: *presentarse una oportunidad.* **SIN. 2.** Enseñar. **7.** Acudir, surgir, salir. **ANT. 7.** Faltar.

presente *adj.* y *s.* **1.** Que está en un lugar. || *adj.* **2.** Actual, que pasa o se hace ahora: *el momento presente.* || *s. m.* **3.** El tiempo en que vivimos. **4.** Tiempo del verbo que expresa una acción que se realiza en el momento en que se habla o se escribe. **5.** Regalo. || *s. f.* **6.** Fórmula que se pone en cartas y escritos para referirse a éstos: *Por la presente contesto a su carta.* **EXPR. tener presente** a una persona o cosa Acordarse de ella. **SIN. 1.** Asistente. **5.** Obsequio. **ANT. 1.** Ausente. **2** a **4.** Pasado; futuro.

presentimiento *s. m.* Sensación que tiene alguien de que va a ocurrir una cosa. **SIN.** Corazonada, premonición,presagio.

presentir *v.* Tener un presentimiento. □ Es v. irreg. Se conjuga como *sentir.* **SIN.** Sospechar, barruntar.

preservación *s. f.* El hecho de preservar. **SIN.** Protección.

preservar *v.* Proteger de algún daño o molestia. **SIN.** Defender, resguardar. **ANT.** Estropear.

preservativo *s. m.* Funda de goma que se pone en el pene al realizar el acto sexual, para no tener hijos o evitar el contagio de una enfermedad. **SIN.** Profiláctico, condón.

presidencia *s. f.* **1.** Cargo de presidente y tiempo que dura. **2.** Oficina del presidente. **3.** Acción de presidir.

presidencial *adj.* De la presidencia o del presidente.

presidente, ta *s. m.* y *f.* Persona que preside algo.

presidiario, ria *s. m.* y *f.* Persona que cumple una condena en la cárcel. **SIN.** Preso, prisionero, recluso.

presidio *s. m.* Cárcel, penal.

presidir *v.* **1.** Ocupar el puesto más importante de una organización. **2.** Estar en un lugar destacado. **3.** Dominar, guiar. **SIN. 1.** Dirigir. **3.** Conducir.

presilla *s. f.* Tira en forma de anilla que se cose al borde de una prenda de vestir para pasar un botón u otra cosa por ella.

presión *s. f.* **1.** Acción de presionar. **2.** Fuerza que ejerce un gas, líquido o sólido sobre cada unidad de superficie de un cuerpo. **3.** Hecho de presionar alguien a otro para obligarle a hacer algo. || **4. presión arterial** Ver **tensión arterial. 5. presión atmosférica** Fuerza que ejerce la masa de aire de la atmósfera sobre una unidad de superficie de la Tierra.

presionar *v.* **1.** Apretar, hacer fuerza sobre algo. **2.** Intentar obligar a alguien a que haga algo o actúe de un modo. **SIN. 1.** Empujar, oprimir. **2.** Forzar. **ANT. 1.** Soltar.

preso, sa *adj.* **1.** Dominado por algo: *preso del miedo.* || *adj.* y *s.* **2.** Persona a la que se ha metido en la cárcel. **SIN. 2.** Presidiario, interno, recluso.

prestación *s. f.* **1.** Hecho de prestar un servicio, una ayuda. **2.** Característica de un coche, un motor, una máquina.

prestado, da *p.* de **prestar.** También *adj.* **EXPR. de prestado** Con cosas que a uno le prestan otros.

prestamista *s. m.* y *f.* Persona que presta dinero para que luego se lo devuelvan con un interés.

préstamo *s. m.* **1.** Dinero o cosa que se presta a alguien. **2.** Palabra o expresión que una lengua toma de otra.

prestancia *s. f.* Elegancia, distinción.

prestar *v.* **1.** Entregar una cosa a alguien con la condición de que lo devuelva. **2.** Dar, ofrecer: *prestar un servicio.* **3.** Con algunos sustantivos significa la acción que esos sustantivos expresan: *prestar atención* (atender), *prestar juramento* (jurar). || **prestarse 4.** Ofrecerse voluntariamente una persona para hacer algo. **5.** Dar motivo o ser causa: *prestarse a confusión.* **SIN. 1.** Dejar. **2.** Proporcionar. **4.** Brindarse. **5.** Ocasionar. **ANT. 2** y **4.** Negar(se).

presteza *s. f.* Rapidez. **SIN.** Prontitud, diligencia. **ANT.** Lentitud.

prestidigitación *s. f.* Espectáculo en el que el artista realiza con gran habilidad trucos de magia y juegos de manos.

prestidigitador, ra *s. m.* y *f.* Persona que hace prestidigitación. **SIN.** Mago.

prestigiar *v.* Dar prestigio. **SIN.** Acreditar. **ANT.** Desprestigiar.

prestigio *s. m.* Buena fama. **SIN.** Crédito, renombre. **ANT.** Desprestigio.

prestigioso, sa *adj.* Que tiene prestigio. **SIN.** Acreditado, reputado.

presto, ta *adj.* **1.** Preparado, dispuesto. || *adj.* y *adv.* **2.** Rápido. **SIN. 1.** Listo. **2.** Raudo, veloz. **ANT. 2.** Lento.

presumible *adj.* Que es probable que suceda. **SIN.** Posible. **ANT.** Imposible.

presumido, da *adj.* y *s.* Persona que presume. **SIN.** Vanidoso, creído, engreído. **ANT.** Sencillo.

presumir *v.* **1.** Mostrarse ante otros demasiado orgulloso de algo. **2.** Sospechar, creer. **SIN. 1.** Jactarse, alardear, vanagloriarse. **2.** Suponer.

presunción *s. f.* **1.** Característica de presumido. **2.** Lo que se supone que es verdadero mientras no exista nada en contra. **3.** Lo que alguien supone o cree. **SIN. 1.** Jactancia, alarde, vanagloria. **3.** Suposición, conjetura. **ANT. 1.** Sencillez.

presunto, ta *adj.* Supuesto, que no se sabe con seguridad: *Detuvieron al presunto criminal.*

presuntuoso, sa *adj.* Que presume mucho. **SIN.** Engreído. **ANT.** Humilde.

presuponer *v.* Suponer una cosa antes de saberla con seguridad. □ Es v. irreg. Se conjuga como **poner.**

presuposición *s. f.* Suposición.

presupuestar *v.* Calcular la cantidad de dinero que hay que gastar en algo.

presupuestario, ria *adj.* Del presupuesto o relacionado con él.

presupuesto *s. m.* Cálculo del dinero que hay que gastar en algo.

presuroso, sa *adj.* Que se hace o va con rapidez, con prisa. **SIN.** Rápido, veloz, ligero. **ANT.** Lento.

pretencioso, sa *adj.* Que pretende ser más de lo que es en realidad.

pretender *v.* **1.** Querer conseguir algo e intentarlo. **2.** Intentar conquistar a una mujer. **SIN. 1.** Procurar, desear. **2.** Cortejar. **ANT. 1.** Renunciar.

pretendido, da 1. *p.* de **pretender.** También *adj.* || *adj.* **2.** Que pretende ser lo que no es.

pretendiente, ta *adj.* y *s.* **1.** Que pretende conseguir algo. || *s. m.* **2.** Hombre que intenta conquistar a una mujer. || *s. m.* y *f.* **3.** Persona que intenta ser rey o reina de un país. **SIN. 1.** Candidato, aspirante.

pretensión *s. f.* **1.** Lo que se pretende conseguir. **2.** Derecho que uno cree tener sobre algo. **3.** Característica de pretencioso. **SIN. 1.** Propósito, intención.

pretérito, ta *adj.* **1.** Pasado, que sucedió hace mucho. || *adj. y s. m.* **2.** En gramática, forma de los verbos que se usa para hablar del pasado. **SIN. 1.** Remoto. **ANT. 1 y 2.** Futuro; presente.

pretexto *s. m.* Excusa o disculpa falsas. **SIN.** Justificación.

pretil *s. m.* Barandilla que se pone a los lados de un sitio alto para evitar que alguien se caiga, por ejemplo en un puente.

pretina *s. f.* Tira con una hebilla o un broche que sirve para sujetar o ajustar en la cintura una prenda de vestir.

pretor *s. m.* Magistrado de la antigua Roma.

prevalecer *v.* Quedar como primera o más importante una persona o cosa sobre otras. □ Es v. irreg. Se conjuga como *agradecer*. **SIN.** Predominar, dominar. **ANT.** Someterse.

prevaricación *s. f.* Delito que comete un juez, abogado o funcionario público cuando no cumple con su obligación.

prevención *s. f.* **1.** Lo que se hace para prevenir algo malo. **2.** Desconfianza. **SIN. 1.** Previsión, precaución. **2.** Temor, suspicacia. **ANT. 2.** Confianza.

prevenido, da **1.** *p.* de **prevenir**. || *adj.* **2.** Preparado, dispuesto. **3.** Prudente.

prevenir *v.* **1.** Tratar de evitar algo malo antes de que ocurra. **2.** Avisar a alguien de algo que puede ser malo para él. □ Es v. irreg. Se conjuga como *venir*. **SIN. 1.** Prever. **2.** Advertir.

preventivo, va *adj.* Que sirve para prevenir.

prever *v.* **1.** Imaginar lo que va a suceder o darse cuenta antes de que ocurra. **2.** Proyectar, programar. □ Es v. irreg. Se conjuga como *ver*. **SIN. 1.** Prevenir, predecir, pronosticar.

previo, via *adj.* Que tiene que suceder o hacerse antes que otra cosa. **SIN.** Anterior, precedente. **ANT.** Posterior.

previsible *adj.* Que se puede prever, probable. **ANT.** Imprevisible.

previsión *s. f.* **1.** El prever algo. **2.** Lo que se calcula o se prepara por adelantado, antes de que ocurra algo. **SIN. 1.** Predicción, pronóstico.

previsor, ra *adj. y s.* Que prepara las cosas por si surgen problemas. **SIN.** Prevenido.

previsto, ta *p.* de **prever**. También *adj.* **SIN.** Proyectado, programado.

prieto, ta *adj.* **1.** Apretado, duro. **2.** De color muy oscuro, casi negro: *un caballo prieto.* **SIN. 1.** Comprimido, compacto. **ANT. 1.** Flojo.

prima *s. f.* **1.** Dinero que se da a alguien además del sueldo como premio o recompensa. **2.** Dinero que hay que pagar por un seguro. **SIN. 1.** Gratificación, plus. **ANT. 1.** Descuento.

prima donna *expr. ital.* Cantante femenina que interpreta el papel principal en una ópera.

primacía *s. f.* **1.** Hecho de ser una persona o cosa mejor o más importante que las demás. **2.** El ir o tener que ir una cosa antes de otra. **SIN. 1.** Superioridad. **2.** Prioridad. **ANT. 1.** Inferioridad. **2.** Posterioridad.

primar¹ *v.* Dar o tener primacía o prioridad.

primar² *v.* Dar una prima o premio.

primario, ria *adj.* **1.** Fundamental, muy importante o necesario. || *adj. y s. f.* **2.** Se dice de la primera enseñanza que se da en la escuela, antes de la secundaria. || *adj. y s. m.* **3.** Se dice del primer periodo de la historia de la Tierra, que comenzó hace unos 600 millones de años y terminó hace unos 225 millones de años. || **4. colores primarios** Los que se combinan para conseguir todos los demás; son el rojo, el amarillo y el azul. **SIN. 1.** Básico, principal. **ANT. 1.** Secundario.

primate *adj. y s. m.* Mamífero que tiene manos y pies con cinco dedos y cerebro muy desarrollado. Primates son el hombre, el chimpancé, el gorila o el gibón.

primavera *s. f.* Estación del año que va después de invierno, en la que empieza a hacer mejor tiempo.

primaveral *adj.* De la primavera o relacionado con ella.

primer *adj.* Forma abreviada de **primero**.

primeramente *adv.* En primer lugar.

primerizo, za *adj. y s.* Se dice de la persona que hace algo por primera vez, sobre todo de la madre que va a tener su primer hijo. **SIN.** Principiante, novato. **ANT.** Veterano.

primero, ra *num.* **1.** Que ocupa por orden el número uno. || *adj. y s.* **2.** Se dice de la persona o cosa mejor o más importante que todas las demás: *Es la primera de la clase.* || *adv.* **3.** Antes que otra cosa. **4.** Expresa que se prefiere una cosa y equivale a *antes, mejor*: *¿Coger un taxi? Primero me voy andando.* **EXPR. a la primera** Al primer intento. **de buenas a primeras** De repente y sin que haya un motivo. **de primera** Muy bueno o muy bien. **SIN. 2.** Principal, superior. **ANT. 1.** Último. **2.** Secundario. **3.** Después.

primicia *s. f.* Primera noticia que se da sobre algo. **SIN.** Novedad.

primigenio, nia *adj.* Primitivo, originario.

primitivo, va *adj.* **1.** Se dice de lo más antiguo, de lo que pertenece a los comienzos o al estado original de algo. **2.** Poco avanzado o poco desarrollado: *tribus primitivas.* **SIN. 1.** Originario; prehistórico. **2.** Elemental, rudimentario. **ANT. 1.** Actual.

primo, ma *s. m. y f.* **1.** Para una persona, hijo de su tío o de su tía. || *adj. y s.* **2.** *fam.* Persona que se deja engañar con facilidad y no tiene malicia ni picardía. || **3. número primo** Número que sólo puede dividirse por sí mismo o por uno.

primogénito, ta *adj. y s.* Se dice del primer hijo que tiene una pareja. **SIN.** Mayor. **ANT.** Benjamín.

primogenitura *s. f.* El hecho de ser el primogénito y derechos que se tienen por serlo.

primor *s. m.* **1.** Mucho cuidado o cariño con que se hace algo. **2.** Persona, animal o cosa muy bonitos y agradables. **SIN. 1.** Esmero, celo. **2.** Encanto, preciosidad. **ANT. 1.** Descuido. **2.** Horror.

primordial *adj.* Muy importante o necesario. **SIN.** Fundamental, esencial, principal. **ANT.** Secundario.

primoroso, sa *adj.* **1.** Hecho con primor. **2.** Que hace las cosas con primor. **3.** Bello, delicado. **SIN. 1 y 2.** Cuidadoso, esmerado. **3.** Bonito, delicioso. **ANT. 1 y 2.** Descuidado. **3.** Feo.

princesa *s. f.* **1.** Mujer que reina en un principado. **2.** Hija del rey, sobre todo si algún día será reina. **3.** Esposa del príncipe.

principado *s. m.* **1.** Título de príncipe o princesa. **2.** Territorio gobernado por un príncipe o una princesa.

principal *adj.* **1.** Que es lo más importante, lo más grande o lo más abundante. **2.** En gramática, se dice de la oración o proposición de la que dependen una o más proposiciones subordinadas. **SIN. 1.** Fundamental, esencial, primordial. **ANT. 1.** Secundario.

principalmente *adv.* Sobre todo.

príncipe *s. m.* **1.** Hijo del rey, sobre todo si algún día él también será rey. **2.** Hombre que reina en un principado. || **3. príncipe azul** El que aparece en los cuentos de hadas; también en hombre ideal con que sueña una chica.

principesco, ca *adj.* De los príncipes.

principiante, ta *adj. y s.* Que es nuevo en una actividad. **SIN.** Aprendiz, novato. **ANT.** Veterano.

principiar *v.* Comenzar, iniciar.

principio *s. m.* **1.** Primer momento o primera parte. **2.** Teoría o idea fundamental de una ciencia: *el principio de Arquímedes.* **3.** Normas o ideas que tiene una persona y que hacen que se comporte de una manera. **4.** Componente. **EXPR. en principio** En un primer momento, de forma general o provisional. **SIN. 1.** Comienzo, inicio. **2.** Fundamento. **4.** Constituyente, elemento. **ANT. 1.** Fin.

pringado, da 1. *p. de* pringar. También *adj.* || *adj. y s.* **2.** Se dice de la persona a la que es fácil engañar, o que siempre se lleva la peor parte.

pringar *v.* **1.** Manchar con algo pegajoso. **2.** Mojar pan en la salsa de los alimentos. **3.** Llevarse alguien la peor parte de algo o las culpas de todo. **4.** Sacar beneficio en un negocio de forma indebida o ilegal.

pringoso, sa *adj.* Que pringa, que mancha. **SIN.** Pegajoso.

pringue *s. amb.* **1.** Grasa que sueltan algunos alimentos, como el tocino, al cocinarlos. **2.** Suciedad grasienta o pegajosa. **SIN. 2.** Mugre, porquería.

prior, ra *s. m. y f.* En las órdenes religiosas, superior o superiora de un convento, o religioso que está por debajo del abad.

prioridad *s. f.* Hecho de estar una persona o cosa antes que otra, por ser más importante o por otro motivo. **SIN.** Preferencia, primacía.

prioritario, ria *adj.* Que es lo más importante y tiene prioridad.

prisa *s. f.* **1.** Rapidez con que se hacen las cosas. **2.** Necesidad o ganas de hacer una cosa muy rápido o de que algo sea muy corto: *tener prisa.* **EXPR. a prisa o de prisa.** Con rapidez. **correr prisa** algo Ser urgente. **darse prisa** Hacer algo rápidamente. **meter prisa** Hacer que alguien vaya más rápido. **SIN. 1.** Apresuramiento, prontitud. **1 y 2.** Urgencia. **ANT. 1.** Lentitud.

prisión *s. f.* Cárcel.

prisionero, ra *s. m.* y *f.* Persona que está en la cárcel o en algún otro sitio del que no puede salir. **SIN.** Preso, cautivo.

prisma *s. m.* **1.** Cuerpo geométrico formado por dos polígonos iguales y paralelos entre sí, llamados *bases*, y por caras laterales son polígonos de cuatro lados. **2.** Objeto transparente con caras planas en forma de triángulo y que desvía y descompone la luz en diferentes colores.

prismático, ca *adj.* **1.** Con forma de prisma. ‖ *s. m. pl.* **2.** Instrumento formado por dos cilindros unidos y provistos de una lente, que permite ver objetos lejanos. **SIN. 2.** Gemelos.

prístino, na *adj.* Que permanece tal y como era al principio: *El lugar conservaba su prístina belleza.*

privación *s. f.* Falta de alguna cosa y sobre todo de lo necesario para vivir: *pasar privaciones.* **SIN.** Necesidad, carencia. **ANT.** Riqueza.

privado, da *adj.* **1.** Que es de una persona o un pequeño grupo y sólo ellos lo utilizan o lo disfrutan: *propiedad privada.* **2.** Que no es del Estado: *escuela privada.* **3.** Que es asunto de una persona y sólo a ella le interesa: *vida privada.* **4.** Que no tiene una cosa: *privado de libertad.* **EXPR. en privado** Sólo entre dos o más personas: *hablar en privado.* **SIN. 1** a **3.** Particular. **3.** Íntimo. **4.** Falto, carente. **ANT. 1** a **3.** Público. **2.** Estatal, oficial. **4.** Lleno.

privar *v.* **1.** Quitarle algo a alguien. **2.** *fam.* Gustar muchísimo: *Le privan los helados.* ‖ **privarse 3.** No hacer o tomar algo. **SIN. 1.** Despojar, arrebatar. **2.** Encantar, fascinar. **ANT. 1.** Dar; devolver. **2.** Disgustar.

privativo, va *adj.* Propio de una persona o cosa y sólo de ella. **SIN.** Exclusivo, particular. **ANT.** General.

privatización *s. f.* Acción de privatizar.

privatizar *v.* Hacer que algo deje de ser del Estado y pase a una persona o empresa particular. **ANT.** Nacionalizar.

privilegiado, da 1. *p.* de **privilegiar**. ‖ *adj.* y *s.* **2.** Que tiene algún privilegio. **3.** Muy bueno, estupendo, de lo mejor. **SIN. 2.** Favorecido. **3.** Extraordinario.

privilegiar *v.* Dar privilegios. **SIN.** Favorecer.

privilegio *s. m.* **1.** Derecho o ventaja que tiene alguien sobre los demás. **2.** Honor, satisfacción: *Es un privilegio para mí estar con ustedes.* **SIN. 2.** Placer. **ANT. 1.** Desventaja.

pro *prep.* En favor, para ayudar a alguien o algo: *una manifestación pro derechos humanos.* **EXPR. de pro** Bueno, honrado y útil para los demás: *hombre de pro.* **los pros y los contras** Ventajas y desventajas de una cosa.

proa *s. f.* Parte de delante de un barco, y también de otros vehículos como los aviones. **ANT.** Popa.

probabilidad *s. f.* Posibilidad.

probable *adj.* Que es fácil que suceda o que sea como se dice. **SIN.** Posible, previsible. **ANT.** Improbable.

probador *s. m.* En las tiendas, lugar para probarse la ropa.

probar *v.* **1.** Mostrar que algo es cierto o es de la manera que se dice. **2.** Utilizar una cosa o examinarla para ver si funciona o para saber cómo es. **3.** Ponernos una prenda de vestir para ver si nos sienta bien. **4.** Comer o beber un poco de algo, sobre todo para ver cómo sabe. **5.** Intentar. □ Es *v.* irreg. Se conjuga como *contar*. **SIN. 1.** Demostrar, comprobar. **4.** Catar. **5.** Tratar, procurar.

probeta *s. f.* Recipiente de cristal en forma de tubo que suele tener un pico en el borde y se usa en los laboratorios. Se utiliza para medir volúmenes de líquidos.

problema *s. m.* **1.** Cosa que hay que resolver o solucionar, y de la que sólo sabemos unos datos. **2.** Cosa mala o difícil que nos preocupa o no nos deja hacer algo. **SIN. 1.** Pregunta, incógnita. **2.** Dificultad, complicación. **ANT. 1.** Solución. **2.** Facilidad.

problemático, ca *adj.* Difícil, que causa problemas. **SIN.** Dificultoso, complicado. **ANT.** Fácil.

probo, ba *adj.* Honrado, de buena conducta. **SIN.** Honesto, intachable. **ANT.** Deshonesto.

procaz *adj.* Atrevido en lo relacionado con el sexo. **SIN.** Obsceno.

procedencia *s. f.* Origen de donde procede alguien o algo. **SIN.** Ascendencia. **ANT.** Descendencia.

procedente *adj.* Que procede de donde se dice. **SIN.** Originario.

proceder[1] *v.* **1.** Tener origen en el lugar, grupo, clase o cosa que se dice. **2.** Comportarse, actuar. **3.** Comenzar a hacer algo: *Ahora se procederá a la votación.* **4.** Ser apropiado, conveniente: *Lo que procede es actuar con calma.* **SIN. 1.** Provenir, derivarse. **2.** Portarse, conducirse. **3.** Iniciar. **4.** Corresponder. **ANT. 3.** Finalizar.

proceder[2] *s. m.* Comportamiento, actuación. **Sin.** Conducta.

procedimiento *s. m.* Modo de realizar o conseguir algo. **Sin.** Sistema, recurso.

proceloso, sa *adj.* Se dice del mar en el que hay muchas tormentas y tempestades. **Sin.** Tempestuoso, tormentoso.

prócer *adj.* y *s.* Persona ilustre y respetada por sus méritos.

procesado, da 1. *p.* de **procesar**. También *adj.* || *adj.* y *s.* 2. Persona contra la que se hace un proceso o juicio.

procesador *s. m.* 1. La parte más importante de un ordenador, que dirige todas las tareas que tiene que hacer. 2. Programa de un ordenador con el que se pueden hacer operaciones con datos o crear textos y trabajar con ellos.

procesal *adj.* Relacionado con un proceso o juicio.

procesamiento *s. m.* El hecho de procesar.

procesar *v.* 1. Hacer un proceso o juicio contra alguien. 2. Transformar una cosa haciéndola pasar por un proceso. **Sin.** 1. Juzgar.

procesión *s. f.* 1. Conjunto de personas que van por las calles, en algunas fiestas religiosas, llevando imágenes, velas y otras cosas. 2. Fila de personas, animales o vehículos, sobre todo si van muy despacio. **Sin.** 2. Hilera, desfile.

procesionaria *s. f.* Oruga cubierta de pelitos que vive en los pinos y otros árboles. Las procesionarias se desplazan en grupo formando una fila y, si se las toca, producen granitos y ronchas en la piel.

proceso *s. m.* 1. Serie de acciones o etapas por las que va pasando algo que se transforma. 2. En derecho, juicio. **Sin.** 1. Marcha, evolución. 2. Causa.

proclama *s. f.* 1. Discurso o escrito político o militar. 2. Aviso o anuncio que se hace a mucha gente. **Sin.** 1. Arenga. 1 y 2. Bando, pregón.

proclamación *s. f.* El hecho de proclamar.

proclamar *v.* 1. Decir una cosa a mucha gente: *proclamar una noticia*. 2. Anunciar que ha comenzado un periodo, forma de gobierno o algo parecido: *Proclamaron la república*. 3. Dar un título, cargo o privilegio: *La proclamaron reina de las fiestas*. **Sin.** 1. Publicar, divulgar. 3. Nombrar, elegir. **Ant.** 1. Callar. 3. Destituir.

proclive *adj.* Que tiene tendencia a alguna cosa. **Sin.** Propenso, dado. **Ant.** Reacio.

procreación *s. f.* Acción de procrear. **Sin.** Reproducción.

procrear *v.* Tener hijos las personas y los animales. **Sin.** Engendrar, reproducirse.

procurador, ra *s. m.* y *f.* Persona autorizada que, en algunos casos, se encarga de representar a otra en los juicios.

procurar *v.* 1. Tratar de hacer o conseguir algo. 2. Proporcionar, conseguirle alguna cosa a alguien. **Sin.** 1. Intentar, pretender. 2. Facilitar, suministrar. **Ant.** 2. Quitar.

prodigar *v.* 1. Dar mucho de algo: *prodigar cuidados a un enfermo*. || **prodigarse** 2. Aparecer por un sitio, dejarse ver o actuar en público. **Sin.** 1. Dispensar, otorgar. 2. Lucirse. **Ant.** 1. Negar. 2. Esconderse.

prodigio *s. m.* 1. Cosa fuera de lo corriente, que no puede explicarse por causas normales. 2. Persona, animal o cosa muy buena en su clase. **Sin.** 1. Milagro. 1 y 2. Portento, maravilla.

prodigioso, sa *adj.* Que es un prodigio.

pródigo, ga *adj.* y *s.* 1. Muy generoso. 2. Que gasta mucho dinero. || *adj.* 3. Que produce mucho. **Sin.** 1. Espléndido. 2. Manirroto. 3. Productivo, fértil. **Ant.** 1 y 2. Tacaño. 3. Estéril.

producción *s. f.* 1. Acción de producir. 2. Lo que ha sido producido. **Sin.** 1. Fabricación, elaboración, creación. 2. Producto.

producir *v.* 1. Dar algo la tierra, la naturaleza o los animales. 2. Fabricar o crear. 3. Causar. 4. Dar dinero o beneficios. 5. Proporcionar el dinero necesario para hacer una película, grabar un disco o realizar algo parecido. || **producirse** 6. Pasar, ocurrir. ◻ Es v. irreg. Se conjuga como *conducir*. **Sin.** 2. Elaborar. 3. Ocasionar, provocar. 6. Suceder.

productividad *s. f.* Lo que produce una fábrica, una empresa, un país.

productivo, va *adj.* 1. Que produce, sobre todo cuando es mucho. 2. Muy útil y provechoso. **Sin.** 1. Fértil. **Ant.** 1 y 2. Improductivo.

producto *s. m.* 1. Cosa producida, sobre todo por la tierra o la industria. 2. Resultado. 3. Beneficio, ganancia. 4. En matemáticas, resultado de una multiplicación. **Sin.** 1. Artículo. 1 y 2. Fruto. 2. Obra. 3. Provecho.

productor, ra *adj.* y *s.* **1.** Que produce. ‖ *s. m.* y *f.* **2.** Persona o empresa que produce películas, discos y cosas parecidas. Sin. **1.** Fabricante.

proemio *s. m.* Prólogo, introducción.

proeza *s. f.* Hazaña, heroicidad.

profanación *s. f.* Acción de profanar.

profanar *v.* Entrar en un templo sin respeto o tratar así las cosas sagradas. Sin. Violar.

profano, na *adj.* **1.** Que no es religioso: *una fiesta profana.* ‖ *adj.* y *s.* **2.** Que no es entendido o experto en alguna cosa. Sin. **1.** Laico, secular, seglar. **2.** Lego. Ant. **1.** Sagrado. **2.** Experimentado.

profecía *s. f.* Lo que dice un profeta que va a suceder. Sin. Predicción, vaticinio.

proferir *v.* Decir insultos, amenazas, etc., o dar gritos u otros sonidos parecidos. □ Es v. irreg. Se conjuga como *sentir*. Sin. Prorrumpir, lanzar.

profesar *v.* **1.** Seguir una religión o una creencia. **2.** Sentir: *Profesa un gran amor por los animales.* **3.** Entrar en una orden religiosa. Sin. **1.** Abrazar, practicar. **2.** Experimentar.

profesión *s. f.* **1.** Trabajo al que se dedica alguien. **2.** Acción de profesar una religión o creencia. Sin. **1.** Ocupación, empleo.

profesional *adj.* **1.** Relacionado con la profesión o trabajo. **2.** Se dice del trabajo muy bien hecho y de la persona que lo realiza. ‖ *adj.* y *s.* **3.** Que se dedica a una profesión, deporte u otra actividad para ganar dinero con que vivir: *futbolista profesional.* Sin. **1.** Laboral. Ant. **3.** Amateur, aficionado.

profesionalidad *s. f.* Característica del que es un buen profesional.

profesionalizar *v.* Hacer profesional.

profeso, sa *adj.* y *s.* Que ha ingresado en una orden religiosa.

profesor, ra *s. m.* y *f.* Persona que enseña, sobre todo si se dedica a la enseñanza. Sin. Maestro, educador.

profesorado *s. m.* Conjunto de profesores.

profeta, profetisa *s. m.* y *f.* **1.** Persona que habla en nombre de Dios y anuncia cosas futuras. **2.** Persona que dice cosas que van a pasar.

profético, ca *adj.* De los profetas o relacionado con ellos y con lo que dicen.

profetizar *v.* Decir lo que va a pasar. Sin. Adivinar, predecir, vaticinar.

profiláctico, ca *adj.* **1.** Relacionado con la profilaxis. ‖ *s. m.* **2.** Preservativo.

profilaxis *s. f.* Medidas para proteger de una enfermedad y para evitar que se extienda.

prófugo, ga *adj.* y *s.* **1.** Que huye de la justicia, de la policía o de otra autoridad. ‖ *s. m.* **2.** Joven que huye o se esconde para no hacer el servicio militar. Sin. **1.** Fugitivo.

profundidad *s. f.* **1.** Medida de una cosa desde la superficie hasta el fondo. **2.** Medida de una cosa desde el frente hacia dentro. **3.** Característica de las ideas, pensamientos o sentimientos profundos. ‖ *pl.* **4.** Lugar profundo. Expr. **en profundidad** Con mucho detalle, por completo. Sin. **1** y **3.** Hondura.

profundización *s. f.* Acción de profundizar.

profundizar *v.* **1.** Hacer profundo. **2.** Estudiar o pensar algo con mucho cuidado y detalle para conocerlo lo mejor posible. Sin. **1** y **2.** Ahondar.

profundo, da *adj.* **1.** Que tiene mucha profundidad. **2.** Muy fuerte, muy intenso o muy grande. **3.** Muy importante o serio: *temas profundos.* Sin. **1** y **2.** Hondo. **3.** Trascendente. Ant. **1** a **3.** Superficial.

profusión *s. f.* Abundancia. Sin. Multitud, riqueza. Ant. Escasez.

profuso, sa *adj.* Abundante. Sin. Copioso. Ant. Escaso.

progenie *s. f.* **1.** Hijos de una persona. **2.** Familia de la que desciende una persona. Sin. **1.** Descendencia, prole. **2.** Linaje, ascendencia.

progenitor, ra *s. m.* y *f.* El padre o la madre de una persona. Sin. Ascendiente, antecesor. Ant. Descendiente, hijo.

programa *s. m.* **1.** Plan de las cosas que se van a hacer, ver, llevar a cabo. **2.** Película, serie, concurso u otra cosa que vemos en la tele o escuchamos en la radio. **3.** Conjunto de instrucciones que se dan a una máquina, sobre todo a un ordenador, para que haga una cosa.

programación *s. f.* **1.** Acción de programar. **2.** Conjunto de programas de radio y televisión o de lo que se va a ver en un cine o teatro. **3.** El hacer programas de ordenador. Sin. **1.** Planificación.

programador, ra *adj.* y *s.* **1.** Que programa. ‖ *s. m.* y *f.* **2.** Persona que hace programas de ordenador. ‖ *s. m.* **3.** Aparato que sirve para ordenar a una máquina lo que tiene que hacer, como por ejemplo el programador de las lavadoras.

programar v. 1. Preparar y organizar todo lo que se va hacer. 2. Darle unas órdenes a una máquina por anticipado para que haga alguna cosa. 3. Hacer programas de ordenador. SIN. 1. Planear, planificar. ANT. 1. Improvisar.

progre adj. y s. fam. Progresista.

progresar v. Mejorar, avanzar. SIN. Prosperar. ANT. Empeorar.

progresión s. f. Acción de progresar. SIN. Progreso, avance; aumento. ANT. Empeoramiento; disminución.

progresismo s. m. Actitud o ideas de los progresistas.

progresista adj. y s. Partidario de que haya cambios y avances en la sociedad. ANT. Conservador.

progresivo, va adj. Que aumenta continuamente. SIN. Gradual.

progreso s. m. Avance, desarrollo que trae beneficios. SIN. Adelanto. ANT. Retroceso.

prohibición s. f. Acción de prohibir. SIN. Veto, multa. ANT. Permiso.

prohibir v. No dejar hacer alguna cosa. SIN. Impedir, vedar. ANT. Permitir.

prohibitivo, va adj. 1. Demasiado caro: unos precios prohibitivos. 2. Que prohíbe. SIN. 1. Exorbitante. ANT. 1. Asequible.

prohijar v. Adoptar un hijo.

prójimo s. m. Cualquier persona respecto a otra. SIN. Semejante.

prole s. f. 1. Hijos de un persona, sobre todo si son muchos. 2. fam. Gran cantidad de gente. SIN. 1. Descendencia.

prolegómenos s. m. pl. Lo que va antes de algo, sobre todo de una obra escrita, y sirve de preparación o introducción. SIN. Preámbulo, preliminares.

proletariado s. m. Clase social de los trabajadores.

proletario, ria adj. y s. Trabajador, obrero.

proliferación s. f. Aumento en la cantidad de algo. SIN. Incremento. ANT. Disminución.

proliferar v. Aumentar mucho la cantidad de algo. SIN. Incrementarse, multiplicarse. ANT. Disminuir.

prolífico, ca adj. 1. Que se reproduce mucho. 2. Se dice del artista o escritor que realiza muchas obras. SIN. 1 y 2. Fértil, fecundo. 2. Productivo. ANT. 1 y 2. Estéril.

prolijo, ja adj. Que se extiende demasiado en detalles y explicaciones al hablar o escribir.

prologar v. Escribir el prólogo de un libro.

prólogo s. m. Texto que se pone al principio de un libro para presentarlo o explicar algo sobre él. SIN. Prefacio, preámbulo, introducción. ANT. Epílogo.

prolongación s. f. 1. Acción de prolongar o prolongarse. 2. Lo que se añade a una cosa y que la hace más larga. SIN. 2. Ampliación, continuación.

prolongado, da 1. p. de prolongar. También adj. || adj. 2. Largo. SIN. 2. Dilatado. ANT. 2. Corto.

prolongar v. 1. Hacer más largo. || **prolongarse** 2. Durar. 3. Llegar hasta un lugar: El campo se prolonga hasta el horizonte. SIN. 1 y 2. Alargar(se), dilatar(se). 3. Extenderse. ANT. 1 y 2. Abreviar, acortar.

promedio s. m. Resultado de sumar varias cantidades y luego dividir lo que sale por el número de cantidades.

promesa s. f. 1. Acción de prometer y lo que se promete. 2. Persona de la que se espera que llegue a triunfar. SIN. 1. Compromiso, palabra.

prometedor, ra adj. Que parece que llegará a ser muy importante o bueno: un futuro prometedor. SIN. Halagüeño, esperanzador.

prometer v. 1. Asegurar una persona que va a hacer una cosa o que es verdad lo que dice. 2. Afirmar una persona que va a cumplir con su deber: El ministro prometió su cargo. 3. Parecer una persona o cosa que va a resultar como se expresa: El partido promete ser interesante. || **prometerse** 4. Convertirse en prometidos un hombre y una mujer. SIN. 1. Garantizar. 1 y 2. Jurar.

prometido, da 1. p. de prometer. También adj. || s. m. y f. 2. Novio o novia cuando tienen intención de casarse.

prominencia s. f. 1. Característica de prominente. 2. Cosa prominente. SIN. 2. Saliente, protuberancia.

prominente adj. Que sobresale o se levanta mucho. SIN. Saliente, abultado. ANT. Plano.

promiscuidad s. f. Característica de promiscuo.

promiscuo, cua adj. 1. Que tiene relaciones sexuales con muchas personas. 2. Con muchas personas o cosas diferentes mezcladas.

promoción *s. f.* **1.** Acción de promocionar o de promover. **2.** Grupo de personas que acaban los estudios o que consiguen un trabajo al mismo tiempo. **Sin. 1.** Impulso, fomento.

promocionar *v.* **1.** Promover, ascender. **2.** Dar a conocer a alguien o algo para que tenga éxito. **Sin. 2.** Lanzar. **Ant. 1.** Degradar.

promontorio *s. m.* Montículo, colina.

promotor, ra *adj. y s.* **1.** Que causa o impulsa algo. **2.** Persona que promociona a un artista, una obra, un producto.

promover *v.* **1.** Causar, favorecer o impulsar. **2.** Ascender a una persona. □ Es v. irreg. Se conjuga como *mover*. **Sin. 1.** Provocar, fomentar. **2.** Promocionar. **Ant. 1.** Entorpecer. **2.** Degradar.

promulgación *s. f.* El hecho de promulgar.

promulgar *v.* Publicar una ley para que empiece a cumplirse.

pronombre *s. m.* **1.** Palabra que tiene función de sustantivo y que indica cualquier persona, animal o cosa sin nombrarlos; hay de varios tipos: personales (*él, nosotros*), demostrativos (*éste, ése, aquél*), relativos (*que, quien*), interrogativos (*cuál, quién*). ‖ **2. pronombre personal** El que señala a un ser o cosa concretos y se distingue en primera (*yo, nosotros*), segunda (*tú, vosotros*) y tercera persona (*él, ella, ellos*). Tiene diversas formas según la función sintáctica que desempeñe: *yo, me, mi, nos, ...*

pronominal *adj.* **1.** Del pronombre o relacionado con él. ‖ *adj. y s. m.* **2.** Se dice de los verbos que siempre se conjugan con un pronombre, por ejemplo *atreverse: me atrevo, te atreves, ...*

pronosticar *v.* Decir que algo va a pasar o va a ocurrir de una manera, según los datos o indicios que se tienen. **Sin.** Predecir, augurar, vaticinar.

pronóstico *s. m.* **1.** Acción de pronosticar. **2.** Opinión que da el médico sobre el estado de un enfermo. **Sin. 1.** Predicción.

prontitud *s. f.* Rapidez. **Sin.** Presteza. **Ant.** Lentitud.

pronto, ta *adj.* **1.** Que ocurre sin pasar mucho tiempo. ‖ *s. m.* **2.** Reacción fuerte y repentina. ‖ *adv.* **3.** Sin que pase mucho tiempo. **4.** Temprano. **Expr. de pronto** De repente. **por de pronto** o **por lo pronto** De momento. **tan pronto como** En cuanto, inmediatamente después. **Sin. 1.** Rápido, veloz. **2.** Arranque, arrebato. **3.** Rápidamente. **Ant. 1.** Lento. **3 y 4.** Tarde.

pronunciación *s. f.* Acción o forma de pronunciar. **Sin.** Articulación.

pronunciado, da **1.** *p.* de **pronunciar.** También *adj.* ‖ *adj.* **2.** Muy marcado o fuerte, que se nota mucho. **Sin. 2.** Acentuado, acusado. **Ant. 2.** Leve.

pronunciamiento *s. m.* **1.** Acción de pronunciarse. **2.** Rebelión militar contra el gobierno. **Sin. 2.** Alzamiento.

pronunciar *v.* **1.** Emitir los sonidos de una lengua. **2.** Decir algo en voz alta y casi siempre en público: *pronunciar un discurso.* ‖ **pronunciarse 3.** Dar uno su opinión. **Sin. 1.** Articular, vocalizar. **3.** Declararse.

propagación *s. f.* Acción de propagar o propagarse. **Sin.** Transmisión, difusión.

propaganda *s. f.* Actividad y medios para dar a conocer algo a muchas personas y convencerlas de que hagan o compren algo. **Sin.** Publicidad.

propagandista *adj. y s.* Que hace propaganda, sobre todo política.

propagandístico, ca *adj.* De propaganda. **Sin.** Publicitario.

propagar *v.* Extender, transmitir. **Sin.** Difundir. **Ant.** Contener.

propalar *v.* Extender rumores, falsedades o secretos. **Sin.** Difundir.

propano *s. m.* Gas derivado del petróleo que contiene tres carbonos y ocho hidrógenos; se usa como combustible en la industria y para las cocinas y calentadores de las casas.

propasarse *v.* Pasarse, hacer algo que no se debe, sobre todo un hombre con una mujer. **Sin.** Excederse, extralimitarse. **Ant.** Contenerse.

propensión *s. f.* Hecho de ser propenso a algo. **Sin.** Tendencia, inclinación, predisposición.

propenso, sa *adj.* Se dice de alguien al que es fácil que le ocurran cosas malas, por ejemplo una enfermedad. **Sin.** Predispuesto, proclive.

propiciar *v.* Ayudar a que algo se produzca. **Sin.** Favorecer. **Ant.** Impedir.

propicio, cia *adj.* Favorable, oportuno, bueno para algo. **Sin.** Adecuado, conveniente. **Ant.** Desfavorable.

propiedad *s. f.* **1.** Cualidad o característica. **2.** Hecho de pertenecer una cosa a alguien. **3.** Cosa que es de alguien. **4.** El usar bien las palabras, dándoles el significado que realmente tienen: *ha-*

prosélito

blar con propiedad. Sin. 1. Atributo. 2 y 3. Posesión, pertenencia.

propietario, ria *adj.* y *s.* Dueño, que posee algo. Sin. Poseedor, amo.

propina *s. f.* Dinero que voluntariamente se paga de más para premiar el buen servicio en un restaurante, un hotel u otro lugar parecido.

propinar *v.* Dar, pegar: *propinar un puñetazo.* Sin. Atizar, sacudir.

propio, pia *adj.* 1. De la persona de quien se está hablando. 2. Se dice de los nombres que se escriben con mayúscula y que es como se llama una persona, una ciudad, un país; por ejemplo, *Ana, Cádiz, Grecia.* 3. Característico, peculiar. 4. Incluso, también él: *El propio director le felicitó.* Sin. 1. Particular. 3. Típico. Ant. 1. Ajeno. 2. Común. 3. Impropio.

proponer *v.* 1. Decir algo a alguien para ver si está de acuerdo. 2. Presentar a una persona para que sea elegida o para un cargo, empleo, premio. ‖ **proponerse** 3. Decidir hacer una cosa. □ Es v. irreg. Se conjuga como *poner.* Sin. 1. Sugerir, plantear. 3. Empeñarse, pretender. Ant. 3. Desistir.

proporción *s. f.* 1. Cantidad de algo en relación con el resto. 2. Relación adecuada entre las dimensiones de varias cosas. 3. Tamaño, dimensión. 4. Intensidad, importancia. 5. Expresión matemática en que aparecen dos cocientes separados por el signo igual, por ejemplo 3/5 = 6/10. Sin. 1. Porcentaje. 2. Equilibrio, armonía. 4. Fuerza, trascendencia. Ant. 2. Desproporción.

proporcionado, da 1. *p.* de **proporcionar.** También *adj.* ‖ *adj.* 2. De dimensiones correctas. 3. Justo, adecuado. Ant. 2 y 3. Desproporcionado.

proporcional *adj.* 1. Que se hace siguiendo la debida proporción, dando a cada uno lo que le corresponde: *un reparto proporcional.* 2. En matemáticas, se dice de las cantidades que tienen relación entre sí, de tal forma que, si una aumenta o disminuye, la otra también lo hace en la misma medida. Sin. 1. Proporcionado, equitativo.

proporcionar *v.* 1. Dar a una persona lo que necesita. 2. Producir, causar. Sin. 1. Facilitar, suministrar. 1 y 2. Procurar. 2. Ocasionar, deparar. Ant. 1. Negar.

proposición *s. f.* 1. Acción de proponer y lo que se propone. 2. En gramática, unidad formada por sujeto y predicado, que se une a otra para formar una oración compuesta. Sin. 1. Propuesta.

propósito *s. m.* 1. Lo que uno se propone o piensa hacer. 2. Objetivo, finalidad. Expr. **a propósito** De forma intencionada, queriendo. **a propósito de** Con relación a. Sin. 1. Determinación, proyecto. 1 y 2. Intención. 2. Objeto, fin.

propuesta *s. f.* Proposición, aquello que se propone. Sin. Oferta.

propugnar *v.* Defender una postura o idea. Sin. Apoyar. Ant. Rechazar.

propulsar *v.* Impulsar o mover hacia adelante. Sin. Lanzar. Ant. Frenar.

propulsión *s. f.* 1. Acción de propulsar. ‖ 2. **propulsión a chorro** Procedimiento para que un avión, cohete o proyectil avance en el espacio impulsado por un gas que sale por detrás a gran velocidad.

prórroga *s. f.* Tiempo de más con que se prolonga algo.

prorrogar *v.* Prolongar más tiempo alguna cosa.

prorrumpir *v.* Mostrar de repente y con fuerza lo que sentimos: *prorrumpir en aplausos.* Sin. Proferir, estallar.

prosa *s. f.* Manera de escribir que, a diferencia del verso, no tiene rima ni sigue unas normas sobre el número de sílabas.

prosaico, ca *adj.* Vulgar, que no es poético. Ant. Lírico.

prosapia *s. f.* Linaje, sobre todo cuando os ilustre o noble.

proscenio *s. m.* En un teatro, parte del escenario más cercana al público.

proscribir *v.* 1. Echar a una persona de su país, sobre todo por motivos políticos. 2. Prohibir. □ Su p. es irreg.: *proscrito.* Sin. 1. Desterrar.

proscripción *s. f.* Acción de proscribir.

proscrito, ta 1. *p.* de **proscribir.** ‖ *adj.* y *s.* 2. Expulsado, desterrado. ‖ *adj.* 3. Prohibido.

prosecución *s. f.* Acción de proseguir. Sin. Reanudación.

proseguir *v.* Continuar. □ Es v. irreg. Se conjuga como *seguir.* Sin. Reanudar; persistir. Ant. Cesar.

proselitismo *s. m.* Intento de ganar partidarios para una doctrina o religión.

prosélito *s. m.* Persona a la que se ha convencido para que siga una doctrina, religión, partido político. Sin. Partidario, adepto.

prosista *s. m.* y *f.* Autor de obras en prosa.

prosístico, ca *adj.* De la prosa.

prosodia *s. f.* Parte de la gramática que estudia los acentos y la entonación de las palabras.

prosódico, ca *adj.* De la prosodia.

prosopopeya *s. f.* En las obras de literatura, personificación.

prospección *s. f.* Exploración debajo de la tierra para descubrir si hay minerales, petróleo, agua.

prospecto *s. m.* 1. Papel que llevan algunos productos, en que se informa sobre su composición, sus efectos o su modo de empleo. 2. Impreso pequeño que se reparte entre el público para anunciar algo o hacer propaganda de ello. **Sin.** 1. Instrucciones. 1 y 2. Folleto. 2. Panfleto.

prosperar *v.* 1. Mejorar. 2. Tener éxito o aceptación. **Sin.** 1. Avanzar, medrar. 1 y 2. Progresar. **Ant.** 1. Decaer.

prosperidad *s. f.* Situación de una persona o país prósperos. **Sin.** Expansión, auge. **Ant.** Decadencia.

próspero, ra *adj.* Que marcha bien, sobre todo económicamente. **Sin.** Floreciente, pujante.

próstata *s. f.* Glándula masculina que está situada debajo de la vejiga. Su función es colaborar en la formación del semen.

prosternarse *v.* Postrarse.

prostíbulo *s. m.* Casa que se dedica a la prostitución. **Sin.** Burdel

prostitución *s. f.* Actividad de la persona que tiene relaciones sexuales con otras a cambio de dinero.

prostituir *v.* 1. Hacer que alguien se dedique a la prostitución. 2. Hacer malo o inmoral. **Sin.** 2. Corromper.

prostituta *s. f.* Mujer que se dedica a la prostitución. **Sin.** Ramera, puta.

protagonismo *s. m.* El hecho de ser protagonista.

protagonista *s. m.* y *f.* 1. Personaje principal de una película, obra de teatro, novela o cuento. 2. Persona o cosa más importante en un asunto o hecho. **Sin.** 1. Héroe, heroína. **Ant.** 1. Antagonista.

protagonizar *v.* Hacer de protagonista, por ejemplo en una película o en una obra de teatro.

protección *s. f.* 1. Acción de proteger. 2. Persona o cosa que protege.

protector, ra *adj.* y *s.* Que protege.

protectorado *s. m.* Territorio o país que está bajo el dominio de otro, pero tiene sus propias autoridades.

proteger *v.* 1. Evitar por algún medio un peligro o daño a una persona, animal o cosa. 2. Ayudar, apoyar. **Sin.** 1. Resguardar, guarecer. 2. Favorecer, socorrer. **Ant.** 1. Desproteger.

protegido, da 1. *p.* de **proteger**. También *adj.* || *adj.* y *s.* 2. Persona a la que otra protege o apoya. **Sin.** 2. Recomendado, pupilo.

proteína *s. f.* Una de las principales sustancias que forman las células.

protésico, ca *adj.* 1. Relacionado con la prótesis. || *s. m.* y *f.* 2. Profesional que prepara y ajusta prótesis dentales, como las dentaduras postizas.

prótesis *s. f.* Pieza artificial que sustituye a un órgano o parte del cuerpo humano que falta o está dañado.

protesta *s. f.* Acción de protestar. **Sin.** Queja, rechazo, disgusto. **Ant.** Aplauso.

protestante *adj.* y *s.* Relacionado con el protestantismo o seguidor de este movimiento.

protestantismo *s. m.* Movimiento religioso cristiano surgido de la Reforma de Lutero en el siglo XVI.

protestar *v.* Mostrar una persona que algo le parece mal. **Sin.** Quejarse, reclamar. **Ant.** Aprobar, aplaudir.

protestón, na *adj.* y *s.* Que protesta y se queja por todo. **Sin.** Quejica.

prótido *s. m.* Proteína.

protista *s. m.* Ser vivo unicelular o pluricelular que no tiene tejidos ni órganos diferenciados, como las algas y los protozoos.

protocolario, ria *adj.* Del protocolo. **Sin.** Ceremonial. **Ant.** Informal.

protocolo *s. m.* Conjunto de reglas o ceremonias que hay que cumplir en los actos oficiales o solemnes. **Sin.** Ceremonial, etiqueta.

protón *s. m.* Partícula del núcleo de un átomo con carga eléctrica positiva.

protoplasma *s. m.* Sustancia contenida dentro de la membrana de una célula.

prototipo *s. m.* 1. Primer ejemplar de una cosa que sirve de modelo para hacer otras iguales. 2. Persona o cosa que por sus características o cualidades es modelo o ejemplo de algo. **Sin.** 1 y 2. Tipo, patrón. 2. Paradigma.

protozoo *adj.* y *s. m.* Ser vivo formado por una sola célula, como la ameba y otros microorganismos. Algunos causan enfermedades.

protráctil *adj.* Que puede proyectarse o lanzarse hacia fuera, como la lengua del camaleón. **Ant.** Retráctil.

protuberancia *s. f.* Abultamiento, bulto.

provecho *s. m.* **1.** Beneficio, utilidad. **2.** Efecto que produce una comida o bebida que alimenta. **Expr. buen provecho** Expresión para desear a otro que le siente bien lo que está comiendo o bebiendo. **Sin. 1.** Valor, aprovechamiento.

provechoso, sa *adj.* Que da provecho. **Sin.** Útil, beneficioso, conveniente.

provecto, ta *adj.* Se dice de la persona muy anciana y de su edad.

proveedor, ra *adj.* y *s.* Que provee. **Sin.** Abastecedor, suministrador.

proveer *v.* Proporcionar a alguien lo que necesita, dándoselo o vendiéndoselo. □ Es v. irreg. Se conjuga como *leer*. El verbo *proveer* tiene dos participios: uno reg., *proveído*, y otro irreg., *provisto*. **Sin.** Suministrar, abastecer.

proveniente *adj.* Que proviene o tiene su origen. **Sin.** Procedente.

provenir *v.* Proceder, tener su origen. □ Es v. irreg. Se conjuga como *venir*.

provenzal *adj.* y *s.* De Provenza, región de Francia.

proverbial *adj.* **1.** Relacionado con los proverbios. **2.** Conocido desde siempre o por todos: *Es proverbial su generosidad.* **Sin. 2.** Célebre.

proverbio *s. m.* Frase popular que expresa una enseñanza, un consejo o un pensamiento y se dice siempre de la misma manera. **Sin.** Dicho, refrán.

providencia *s. f.* Cuidado que Dios tiene de todos los seres: *la Divina Providencia.*

providencial *adj.* **1.** De la Providencia de Dios. **2.** Se dice del suceso inesperado que evita un daño o mal.

provincia *s. f.* División de un territorio que varía según los países.

provincial *adj.* De una provincia.

provinciano, na *adj.* y *s.* De provincias, que no es de la capital.

provisión *s. f.* **1.** Conjunto de cosas que se reúnen por si hace falta utilizarlas. **2.** Acción de proveer. **Sin. 1.** Víveres. **1.** y **2.** Abastecimiento, avituallamiento.

provisional *adj.* Que no es para siempre, sino sólo para un tiempo. **Sin.** Temporal, transitorio. **Ant.** Definitivo.

provocación *s. f.* Acción de provocar. **Sin.** Desafío, excitación.

provocador, ra *adj.* y *s.* Que provoca.

provocar *v.* **1.** Hacer o decir una persona a otra algo para que ésta conteste, se enfade, discuta, pelee o haga cualquier otra cosa. **2.** Producir, causar. **3.** Excitar el deseo sexual. **Sin. 1.** Incitar, desafiar, enojar. **2.** Ocasionar, desencadenar. **Ant. 1.** Apaciguar.

provocativo, va *adj.* Que provoca, sobre todo sexualmente.

proxeneta *s. m.* Chulo, hombre que vive del dinero que ganan las prostitutas.

próximamente *adv.* Dentro de poco tiempo, pronto.

proximidad *s. f.* **1.** Característica de próximo. || *pl.* **2.** Lugar que está cerca de otro. **Sin. 1.** y **2.** Cercanía. **2.** Inmediaciones, alrededores. **Ant. 1.** y **2.** Lejanía.

próximo, ma *adj.* **1.** Cerca, a poca distancia. **2.** Que ha ocurrido hace poco o va a ocurrir pronto. **3.** Que tiene mucha relación con algo. **4.** Siguiente: *la próxima semana.* **Sin. 1.** Inmediato, contiguo. **1.** y **3.** Cercano. **Ant. 1** a **3.** Lejano. **4.** Anterior.

proyección *s. f.* Acción de proyectar.

proyectar *v.* **1.** Tener pensado hacer una cosa. **2.** Hacer que se vea la figura o la sombra de alguien o algo sobre una superficie. **3.** Hacer que se vean en la pantalla las imágenes ampliadas de una película, una diapositiva o algo parecido. **4.** Lanzar hacia adelante o a distancia con fuerza. **5.** Hacer un proyecto de arquitectura o de ingeniería. **Sin. 1.** Planear. **4.** Echar, despedir.

proyectil *s. m.* Cuerpo que se lanza con fuerza contra alguien o algo, por ejemplo el disparado con un arma de fuego.

proyecto *s. m.* **1.** Intención o pensamiento que se tiene de hacer alguna cosa. **2.** Conjunto de planos o de instrucciones donde se explica la forma de realizar o construir una cosa. **Sin. 1.** Plan.

proyector *s. m.* Máquina o aparato que sirve para proyectar imágenes.

prudencia *s. f.* Característica de prudente. **Sin.** Sensatez; moderación. **Ant.** Imprudencia.

prudencial *adj.* Sensato, moderado.

prudente *adj.* Que habla o hace las cosas con mucho cuidado, procurando evitar cualquier daño o peligro. **Sin.** Sensato, precavido. **Ant.** Imprudente.

prueba *s. f.* **1.** Acción de probar. **2.** Lo que sirve para demostrar algo. **3.** Examen o ejercicio que se hace para comprobar los conocimientos o capacidades de una persona. **4.** Lo que se hace para estudiar o descubrir algo, ver cómo resultará o para qué sirve, examinar su funcionamiento. **5.** Situación difícil. **6.** Competición: *prueba automovilística.* **7.** Operación de matemáticas para ver si está bien otra operación. EXPR. **a prueba** Comprobando la capacidad, las características o el buen funcionamiento de alguien o algo. **a prueba de** Que resiste y aguanta lo que se expresa: *una chupa a prueba de golpes.* SIN. **1.** Demostración. **2.** Testimonio. **3.** Test, control. **4.** Experimento, ensayo. **4** y **7.** Comprobación. **6.** Torneo, campeonato.

prurito *s. m.* **1.** Picor. **2.** Deseo excesivo de hacer algo lo mejor posible. SIN. **1.** Comezón.

prusiano, na *adj. y s.* De Prusia, región de Alemania que fue un Estado.

psicoanálisis *s. m.* Método para tratar algunas enfermedades psíquicas o problemas de la conducta en el que se intenta que el enfermo conozca y supere sus miedos, temores y complejos.

psicoanalista *adj. y s.* Especialista en psicoanálisis.

psicoanalizar *v.* Someter a alguien al psicoanálisis.

psicodelia *s. f.* Estado en el que se sufren alucinaciones o se perciben sensaciones y cosas extrañas, como el que producen algunas drogas.

psicodélico, ca *adj.* **1.** De la psicodelia o relacionado con ella. **2.** Raro, extravagante.

psicología *s. f.* **1.** Ciencia que estudia fundamentalmente el comportamiento de las personas. **2.** Forma de ser y de pensar propias de alguien.

psicológico, ca *adj.* Relacionado con la psicología o el espíritu.

psicólogo, ga *s. m. y f.* Especialista en psicología.

psicópata *s. m. y f.* Persona que tiene una enfermedad mental que se manifiesta sobre todo en un comportamiento agresivo y violento.

psicosis *s. f.* **1.** Nombre que se da a diversas enfermedades psíquicas bastante graves. **2.** Miedo u obsesión muy fuertes.

psicotécnico, ca *adj.* Se dice de un tipo de tests o pruebas para averiguar las cualidades o habilidades de una persona.

psicoterapeuta *s. m. y f.* Especialista en psicoterapia.

psicoterapia *s. f.* Tratamiento de algunas enfermedades por medio de procedimientos psicológicos.

psiquiatra *s. m. y f.* Médico especialista en psiquiatría.

psiquiatría *s. f.* Ciencia que se ocupa de las enfermedades mentales.

psiquiátrico, ca *adj.* **1.** De la psiquiatría o relacionado con ella. || *s. m.* **2.** Hospital para locos o enfermos mentales. SIN. **2.** Manicomio.

psíquico, ca *adj.* De la mente y los pensamientos o relacionado con ellos. SIN. Mental.

púa *s. f.* **1.** Pincho u otra cosa parecida. **2.** Chapita o lámina en forma de triángulo con la que se tocan algunos instrumentos de cuerdas, como la guitarra.

pub (ingl.) *s. m.* Bar muy bien decorado y con asientos cómodos, donde se pueden tomar bebidas y escuchar música.

púber *adj. y s.* Que está en la pubertad. SIN. Adolescente.

pubertad *s. f.* Etapa de la vida en que los niños comienzan a hacerse adultos. SIN. Adolescencia.

pubis *s. m.* **1.** Parte de abajo del vientre, situada entre las dos piernas. **2.** Uno de los tres huesos que forman la pelvis.

publicación *s. f.* **1.** Acción de publicar un libro u otro escrito. **2.** Cualquier libro o escrito publicado. SIN. **1** y **2.** Edición.

públicamente *adv.* Ante todo el mundo, en público.

publicar *v.* **1.** Imprimir un libro u otro escrito para que se venda y lo pueda leer la gente. **2.** Hacer que se conozca algo poniéndolo en un periódico o revista, o de otro modo. SIN. **1.** Editar. **2.** Divulgar, pregonar. ANT. **2.** Ocultar.

publicidad *s. f.* **1.** Característica de lo que es público o conocido por todo el mundo. **2.** Actividad con la que se intenta que la gente conozca y haga o compre algo, por ejemplo mediante anuncios. **3.** Anuncio, cartel u otra cosa parecida que se usa en esa actividad. SIN. **1.** Difusión, divulgación. **1** a **3.** Propaganda.

publicista *s. m. y f.* Persona que trabaja en publicidad. SIN. Publicitario.

publicitario, ria *adj.* **1.** De la publicidad. ‖ *s. m.* y *f.* **2.** Publicista.

público, ca *adj.* **1.** Que es de todos o puede ser usado por todos. **2.** Que todo el mundo lo sabe o lo conoce. **3.** Que es del Estado o lo dirige el Estado: *una empresa pública.* ‖ *s. m.* **4.** Conjunto de personas, como las que compran en un comercio o las que van a un espectáculo. **Expr. en público** Delante de todos. **Sin. 3.** Estatal. **4.** Clientela; espectadores. **Ant.** 1 a 3. Privado.

pucherazo *s. m.* Trampa en unas elecciones que consiste en cambiar el resultado del recuento de votos.

puchero *s. m.* **1.** Recipiente para guisar alto, abombado y con una o dos asas. **2.** Guiso de legumbres u hortalizas, con carne, tocino u otro alimento. **3.** Gesto de la cara cuando se va a empezar a llorar.

pudding (ingl.) *s. m.* Pudin.

pudibundo, da *adj.* Muy pudoroso.

púdico, ca *adj.* Que tiene o muestra pudor. **Sin.** Recatado, pudoroso. **Ant.** Indecente, desvergonzado.

pudiente *adj.* Que tiene mucho dinero. **Sin.** Rico, adinerado. **Ant.** Pobre.

pudin o **pudín** *s. m.* Dulce parecido al flan, hecho con pan o bollo reblandecidos en leche, y frutas.

pudor *s. m.* Sentimiento de vergüenza o decencia. **Sin.** Reparo, recato. **Ant.** Desvergüenza.

pudoroso, sa *adj.* Que tiene o muestra pudor. **Sin.** Recatado. **Ant.** Impúdico.

pudridero *s. m.* Cámara de los cementerios donde se colocan los cadáveres antes de enterrarlos.

pudrir *v.* Estropear o descomponer una planta o el cuerpo de un animal o de una persona muerta. □ Su p. es irreg.: *podrido.* **Sin.** Corromper.

pueblerino, na *adj.* y *s.* De pueblo. **Sin.** Aldeano, lugareño.

pueblo *s. m.* **1.** Población pequeña, sobre todo aquella en la que sus habitantes trabajan en el campo o en la pesca. **2.** Conjunto de personas de un mismo país, región, raza, cultura. **3.** Las personas más pobres o humildes. **Sin. 1.** Villa, aldea. **2.** Nación. **3.** Proletariado, vulgo. **Ant. 3.** Aristocracia.

puente *s. m.* **1.** Construcción para pasar de un lado a otro, por ejemplo sobre un río. **2.** En los barcos, plataforma con barandilla que está más alta que la cubierta. **3.** Nombre de algunas piezas que sirven para unir dos cosas. **4.** Unión de dos cables para que pase la corriente eléctrica. **5.** Tiempo de vacaciones de dos o más días festivos y otros no festivos que quedan en medio.

puerco, ca *adj.* y *s.* **1.** Sucio. **2.** Persona que se porta mal con otros. ‖ *s. m.* y *f.* **3.** Cerdo, animal. ‖ **4. puerco espín** o **puerco espino** Mamífero roedor africano de cuerpo rechoncho, patas cortas y uñas fuertes. Tiene el lomo y la cola cubiertos de pinchos que le sirven para defenderse.

puercoespín *s. m.* Puerco espín. Ver **puerco.**

puericultor, ra *s. m.* y *f.* Médico especialista en puericultura. **Sin.** Pediatra.

puericultura *s. f.* Parte de la medicina que se ocupa de los niños en sus primeros años para que se críen y crezcan sanos. **Sin.** Pediatría.

pueril *adj.* De niños o que parece de niños. **Sin.** Infantil, ingenuo. **Ant.** Maduro.

puerilidad *s. f.* **1.** Característica de pueril. **2.** Cosa pueril que se dice o se hace. **Sin. 1** y **2.** Ingenuidad.

puerro *s. m.* Bulbo comestible de una planta que también se llama *puerro;* tiene forma estrecha y alargada y es de color blanco por abajo y verde por arriba.

puerta *s. f.* **1.** Abertura hecha desde el suelo en una pared, un muro o algo parecido para pasar de un lado a otro. **2.** Plancha de madera, hierro u otro material sujeta de modo que puede moverse para dejar abierta o cerrada esa abertura. **3.** En fútbol y otros deportes, portería. **Expr. a las puertas** Muy cerca. **Sin. 3.** Meta.

puerto *s. m.* **1.** Lugar en la costa o en las orillas de un río donde pueden detenerse los barcos, por ejemplo para cargar y descargar mercancías o para que suban y bajen pasajeros. **2.** Carretera o camino entre montañas para pasar de un lado a otro de una cordillera. **Expr. llegar a buen puerto** Vencer alguna dificultad y conseguir lo que se quería.

puertorriqueño, ña *adj.* y *s.* De Puerto Rico, país de América Central, en una isla del mar Caribe.

pues *conj.* **1.** Expresa causa o motivo: *Abrígate bien, pues hace frío;* o conclusión o consecuencia: *¿Que no quiere venir? Pues que no venga.* Había llovido mucho: el camino, pues, estaba lleno de barro. **2.** Se emplea al principio de algunas frases para darles más fuerza o expresividad: *¡Pues sí que te has lucido!* **Sin. 1.** Porque.

puesta *s. f.* **1.** Acción de poner o ponerse. **2.** Acción de poner huevos las aves.

puesto, ta 1. *p.* de **poner.** También *adj.* || *adj.* **2.** Bien arreglado o bien vestido. || *s. m.* **3.** Caseta pequeña que se pone en la calle o en un edificio grande, y en la que se venden cosas, se vigila, se da información o se realizan otras actividades: *puesto de helados, puesto de la Cruz Roja.* **4.** Lugar donde está una persona o cosa, o sitio preparado para ella. **5.** Orden en que se está una persona o cosa. **6.** Trabajo, cargo. **Expr. estar muy puesto** en algo Saber mucho de algo. **lo puesto** Ropa y otras cosas que puede llevar una persona encima. **puesto que** Expresa causa o motivo: *Puesto que tú no lo sabes, le preguntaré a otro.* **Sin. 2.** Peripuesto. **3.** Quiosco. **6.** Empleo, ocupación. **Ant. 2.** Desaseado.

puf *s. m.* Asiento bajo y sin respaldo o especie de cojín grande para sentarse.

pufo *s. m.* Engaño, timo.

púgil *s. m.* Boxeador.

pugilístico, ca *adj.* Relacionado con el púgil o con el boxeo.

pugna *s. f.* Lucha, pelea, disputa. **Sin.** Enfrentamiento. **Ant.** Acuerdo.

pugnar *v.* Luchar o pelear por conseguir algo.

puja[1] *s. f.* Acción de pujar o esforzarse.

puja[2] *s. f.* El hecho de pujar en una subasta.

pujante *adj.* Que va mejorando o aumentando mucho o con rapidez: *un negocio pujante.* **Sin.** Floreciente.

pujanza *s. f.* Fuerza con que algo va creciendo o mejorando. **Sin.** Vigor, empuje, brío. **Ant.** Debilidad.

pujar[1] *v.* Esforzarse mucho por hacer algo difícil. **Sin.** Pugnar. **Ant.** Rendirse.

pujar[2] *v.* Ofrecer alguien una cantidad de dinero por una cosa en una subasta.

pulcritud *s. f.* Limpieza o cuidado muy grandes. **Sin.** Esmero. **Ant.** Suciedad.

pulcro, cra *adj.* **1.** Muy aseado, limpio o cuidado. **2.** Que hace las cosas con mucho cuidado. **Sin. 1.** Impecable. **2.** Cuidadoso, esmerado. **Ant. 1** y **2.** Sucio. **2.** Descuidado.

pulga *s. f.* Insecto muy pequeño que es parásito del hombre y algunos animales, a los que chupa la sangre y puede transmitirles enfermedades contagiosas. **Expr. malas pulgas** Mal humor o mal carácter.

pulgada *s. f.* Medida de longitud que equivale a 2,5 centímetros aproximadamente.

pulgar *s. m.* Dedo más gordo y corto de la mano.

pulgón *s. m.* Insecto muy pequeño que tiene cuatro alas. Los pulgones se alimentan de las plantas y pueden ser muy perjudiciales para ellas.

pulido, da 1. *p.* de **pulir.** || *adj.* **2.** Muy liso y suave. **3.** Muy cuidado, perfecto, sin falta: *un lenguaje pulido.* || *s. m.* **4.** Acción de pulir.

pulimentar *v.* Pulir una superficie. **Sin.** Bruñir, lustrar.

pulimento *s. m.* Sustancia para pulimentar.

pulir *v.* **1.** Dejar lisa, suave y brillante una superficie, por ejemplo frotándola. **2.** Corregir los defectos o errores de algo para que sea lo más perfecto posible. **3.** Gastarse alguien todo lo que tiene. **Sin. 1.** Pulimentar, lustrar. **2.** Mejorar. **Ant. 2.** Empeorar.

pulla *s. f.* Cosa que alguien dice para burlarse de otro, criticarle o regañarle.

pullover (ingl.) *s. m.* Jersey cerrado.

pulmón *s. m.* Cada uno de los dos órganos del aparato respiratorio del hombre y de algunos animales que se llenan de aire al respirar.

pulmonar *adj.* De los pulmones.

pulmonía *s. f.* Enfermedad producida por la inflamación de los pulmones. **Sin.** Neumonía.

pulpa *s. f.* Parte de dentro, blanda y comestible de la mayor parte de las frutas.

pulpejo *s. m.* Parte carnosa de algunos miembros del cuerpo, como la parte de la mano de la que sale el pulgar.

púlpito *s. m.* Balconcillo que hay a un lado del altar en algunas iglesias antiguas, desde donde predicaba el sacerdote.

pulpo *s. m.* Molusco marino de cuerpo en forma de saco, ocho brazos largos con ventosas y ojos muy grandes. Cambia de color según el lugar en que está.

pulsación *s. f.* **1.** Cada uno de los movimientos de la sangre por las arterias al ser impulsada por el corazón. **2.** Cada uno de los golpes que se dan al apretar las teclas de una máquina de escribir o de un ordenador. **Sin. 1.** Palpitación, latido.

pulsador *s. m.* Botón o interruptor de un aparato o mecanismo.

pulsar *v.* **1.** Apretar el botón de un aparato o mecanismo. **2.** Tocar o apretar con los dedos las cuerdas o teclas de algunos instrumentos musicales, o el teclado de una máquina de escribir o un ordenador. **SIN. 2.** Tañer; teclear.

pulsera *s. f.* **1.** Adorno que se pone alrededor de la muñeca o del brazo; suele tener forma de aro o cadena. **2.** Correa o cadena con que se sujeta el reloj a la muñeca. **SIN. 1.** Brazalete.

pulso *s. m.* **1.** Las pulsaciones que produce la sangre al circular por las arterias. **2.** Seguridad que se tiene en las manos para no moverlas al hacer una cosa en la que se necesita ser muy exacto. **EXPR. a pulso** Levantando o sosteniendo algo con los brazos sin apoyarlos en ningún sitio. **echar un pulso** Cogerse dos personas la mano y, apoyando los codos en algún sitio, hacer fuerza para ver quién tumba el brazo del contrario. **tomar el pulso** Tocar a alguien en la parte de dentro de la muñeca para ver cómo tiene las pulsaciones.

pulular *v.* Moverse de un lado a otro muchas personas, animales o cosas en un lugar. **SIN.** Bullir.

pulverizador *s. m.* Spray.

pulverizar *v.* **1.** Echar un líquido en gotitas muy pequeñas. **2.** Romper algo en trocitos muy pequeños o convertirlo en polvo. **SIN. 1.** Rociar. **2.** Desmenuzar.

puma *s. m.* Mamífero americano parecido al leopardo, de color pardo rojizo con manchas blancas en la cara y el morro. Vive en solitario y se alimenta de pájaros y otros animales.

punching-ball (ingl.) *s. m.* Especie de balón que está colgado del techo o sujeto al suelo por un resorte y le sirve al boxeador para entrenarse.

punción *s. f.* Operación médica que consiste en meter un instrumento afilado en alguna parte del cuerpo.

pundonor *s. m.* Respeto que una persona tiene hacia ella misma y que hace que trate de tener buena fama y quedar bien ante los demás. **SIN.** Orgullo, dignidad.

pundonoroso, sa *adj.* Que tiene mucho pundonor. **SIN.** Orgulloso.

punible *adj.* Que merece ser castigado con una pena o de otra manera.

punk o **punki** *adj.* y *s. m.* De un grupo juvenil surgido en Inglaterra, que puso

de moda una manera de vestir muy agresiva y peinados llamativos con los pelos de punta.

punta *s. f.* **1.** Parte que pincha de un instrumento afilado y cortante. **2.** Extremo de cualquier cosa. **3.** Saliente en pico de algo. **4.** Clavo pequeño. **5.** Trozo de terreno alargado que penetra un poco hacia el mar. || **6. tecnología punta** La más moderna. **7. velocidad punta** La mayor a la que puede ir un vehículo. **EXPR. a punta pala** Mucho. **de punta** Recto, tieso. **de punta en blanco** Muy bien vestido y arreglado. **sacar punta a** algo Ver siempre las cosas por el lado malo o encontrarle defectos a todo. **SIN. 2.** Extremidad, vértice. **3.** Ángulo, esquina. **5.** Cabo. **ANT. 3.** Entrante.

puntada *s. f.* Cada una de las veces que se pasa el hilo de un lado a otro al coser algo.

puntal *s. m.* **1.** Madero o barra de material resistente que se pone para sostener algo que se puede caer, por ejemplo la pared de un edificio viejo. **2.** Persona o cosa muy importante y que sirve de apoyo a otras. **SIN. 1.** Viga, poste. **2.** Soporte, sostén.

puntapié *s. m.* Patada que se da con la punta del pie.

puntazo *s. m.* Herida producida por un cuerno o por otro objeto con punta.

puntear *v.* **1.** Poner puntos o señalar con puntos. **2.** Tocar cuerda por cuerda de la guitarra u otro instrumento parecido.

puntera *s. f.* Punta de los zapatos, los calcetines o las medias.

puntería *s. f.* El saber acertar al tirar algo para dar o meterlo en el lugar exacto. **SIN.** Tino.

puntero, ra *adj.* **1.** Que es de los mejores. || *s. m.* **2.** Palo largo y fino que se usa para señalar. **SIN. 1.** Destacado, sobresaliente.

puntiagudo, da *adj.* Que tiene mucha punta o muy afilada.

puntilla *s. f.* **1.** Tira de tejido fino con agujeritos o bordados haciendo dibujos, que se pone como adorno en el borde de otras telas. **2.** Puñal pequeño que se emplea para matar a las reses clavándolo en la cerviz. **EXPR. de puntillas** Modo de andar pisando sólo con la punta de los pies.

puntillero *s. m.* Persona que remata al toro con la puntilla en las corridas.

puntillo *s. m.* Pundonor, amor propio. **SIN.** Orgullo.

puntilloso, sa *adj.* **1.** Que se enfada en seguida por cosas sin importancia. **2.** Que hace las cosas con mucho cuidado y con mucho detalle. **Sin. 1.** Quisquilloso, susceptible. **2.** Meticuloso, cuidadoso. **Ant. 2.** Descuidado.

punto *s. m.* **1.** Señal pequeñita, de forma redonda, como la que lleva la *i* o la *j*, o la que se usa como signo ortográfico (.) para indicar el final de la oración. **2.** Unidad con que se mide el resultado de un examen, juego, concurso u otra cosa. **3.** En geometría, lugar sin extensión: *las dos líneas se cruzan en un punto*. **4.** Sitio, lugar concreto. **5.** Aspecto, cuestión, asunto. **6.** Grado de perfección o intensidad de algo: *estar algo en su punto, punto de congelación*. **7.** Puntada para coser una herida. **8.** Cada una de las maneras de enlazar y pasar el hilo al coser, bordar o tejer: *punto de cruz*. **9.** Tejido que se hace enlazando y anudando un hilo de lana, algodón u otro material. ‖ **10. dos puntos** Signo ortográfico (:) que va delante de una enumeración o de las palabras que ha dicho exactamente una persona: *Juan me dijo: te espero a las ocho en el cine.* En matemáticas, es el signo de la división: *6 : 2 = 3.* **11. punto cardinal** Cada uno de los cuatro que dividen el horizonte y sirven para orientarse: *norte, sur, este* y *oeste.* **12. punto de vista** Opinión, manera de pensar o ver las cosas. **13. punto débil** o **flaco** El punto en que una persona o cosa puede ser atacada más fácilmente. **14. punto y coma** Signo ortográfico (;) que indica una pausa mayor que la coma. **15. puntos suspensivos** Signo ortográfico (...) con que se indica que una oración o párrafo queda incompleto. **Expr. a punto** Preparado; también, a tiempo: *Llegó a punto para ayudarle.* **a punto de** Que va a hacerse o va a ocurrir muy pronto: *a punto de acabar.* **con puntos y comas** Con todos los detalles. **en punto** Exactamente: *las tres en punto.* **poner los puntos sobre las íes** Dejar las cosas muy claras.

puntuable *adj.* Que puntúa o cuenta para algo: *un combate puntuable para el título mundial de boxeo.*

puntuación *s. f.* **1.** Acción de puntuar. **2.** Puntos, comas, interrogaciones y otros signos ortográficos de un escrito. **3.** Puntos conseguidos en un examen, competición o en otra cosa. **Sin. 3.** Nota, calificación.

puntual *adj.* Que llega a tiempo o hace las cosas en el tiempo prometido. **Ant.** Impuntual.

puntualidad *s. f.* Característica de puntual.

puntualización *s. f.* Acción de puntualizar. **Sin.** Precisión, matización.

puntualizar *v.* Decir algo con exactitud o con mucho detalle, sobre todo para corregir lo que nos parece incompleto o poco exacto. **Sin.** Precisar, matizar.

puntualmente *adv.* Con puntualidad.

puntuar *v.* **1.** Calificar con puntos un examen, una prueba deportiva o algo parecido. **2.** Poner los signos ortográficos necesarios en un escrito. **3.** Valer un ejercicio o prueba para el resultado final de una competición o de otra cosa. **Sin. 1.** Evaluar.

punzada *s. f.* Dolor fuerte parecido al que produce un pinchazo en alguna parte del cuerpo.

punzante *adj.* **1.** Que pincha. **2.** Se dice de las palabras o frases que se expresan con la intención de herir. **Sin. 2.** Incisivo, mordaz.

punzar *v.* Pinchar.

punzón *s. m.* Objeto largo y con punta que sirve para hacer agujeros, grabar metales y para otras cosas. **Sin.** Pincho, buril.

puñado *s. m.* **1.** Cantidad de una cosa que cabe en un puño. **2.** *fam.* Mucho, un montón. **Expr. a puñados** En gran cantidad.

puñal *s. m.* Arma corta, de acero, de punta afilada y con la que se hiere clavándola.

puñalada *s. f.* **1.** Acción de clavar un puñal o un arma parecida y la herida que produce. ‖ **2. puñalada trapera** Traición, o acción muy mala que se hace a otro. **Sin. 1.** Navajazo, cuchillada.

puñeta *s. f.* **1.** Bordado que se pone en el extremo de las mangas de algunas prendas de vestir. **2.** Cosa molesta. **Expr. a hacer puñetas** Expresión con que se manda a una persona a la porra. **hacer la puñeta** Fastidiar.

puñetazo *s. m.* Golpe que se da con el puño.

puñetero, ra *adj.* y *s.* **1.** Molesto, fastidioso. **2.** Que tiene mala intención. ‖ *adj.* **3.** Complicado, difícil.

puño *s. m.* **1.** La mano cerrada. **2.** Parte de la manga de las prendas de vestir que rodea la muñeca. **3.** Empuñadura, mango. **Expr. como puños** Muy grandes: *verdades como puños.*

pupa *s. f. fam.* Herida o daño en alguna parte del cuerpo.

puzle

pupila s. f. Punto negro que hay dentro del círculo de color que tenemos en el ojo. **Sin.** Niña.

pupilo, la s. m. y f. Alumno, discípulo.

pupitre s. m. Mesa que usan los alumnos en los colegios.

puramente adv. Solamente.

purasangre s. m. Caballo de raza muy utilizado en las carreras.

puré s. m. Comida de verduras, patatas, legumbres u otros alimentos cocidos y triturados. **Expr. hecho puré** Muy cansado, destrozado.

pureza s. f. Característica de lo que es puro. **Sin.** Transparencia; honestidad; castidad. **Ant.** Impureza.

purga s. f. 1. El hecho de purgar o purgarse. 2. Purgante, medicina para purgar. **Sin.** 2. Laxante.

purgante adj. 1. Que purga. ‖ adj. y s. m. 2. Medicina que sirve para purgar.

purgar v. 1. Limpiar el estómago de una persona o animal dándole una medicina o sustancia que le obligue a hacer caca. 2. Sufrir un castigo por algo malo que se ha hecho. **Sin.** 2. Expiar.

purgatorio s. m. Lugar adonde, según la religión católica, irán después de la muerte las personas que no han expiado todos sus pecados en la tierra, para purificar sus almas y luego ir al cielo.

purificación s. f. 1. Acción de purificar o purificarse. 2. Fiesta católica que recuerda el día en que la Virgen María fue al templo a purificarse y a presentar al Niño Jesús. **Sin.** 1. Limpieza, saneamiento. **Ant.** 1. Contaminación.

purificar v. Limpiar, quitar las impurezas. **Sin.** Depurar, sanear. **Ant.** Contaminar.

purista adj. y s. Que se preocupa mucho por usar bien el lenguaje y no acepta palabras nuevas o extranjeras que le parecen innecesarias.

puritanismo s. m. Característica de puritano. **Sin.** Mojigatería. **Ant.** Libertinaje.

puritano, na adj. y s. Se dice de la persona a la que todo le parece malo o indecente. **Sin.** Mojigato. **Ant.** Libertino.

puro, ra adj. 1. Que no tiene suciedad o mezcla de otra cosa. 2. Casto o sin malicia. 3. Sólo lo que se dice, ni más ni menos: *la pura verdad.* ‖ s. m. 4. Cigarro, rollo de hojas de tabaco que se enciende por un extremo y se fuma. 5. *fam.* Castigo, sanción: *meter un puro a alguien* **Sin.** 1. Limpio. 2. Honesto.

3. Mero. 4. Habano. **Ant.** 1. Impuro; contaminado. 2. Malicioso, corrompido.

púrpura s. m. Color rojo oscuro que resulta al mezclar el rojo con un poco de azul.

purpurina s. f. 1. Pintura dorada o plateada. 2. Polvo muy brillante que puede ser de diversos colores y se emplea para adornar alguna cosa pegándolo sobre ella.

purrela s. f. fam. Gente o cosas que no valen para nada.

purulento, ta adj. Que tiene pus.

pus s. m. Líquido espeso y amarillento que sale de heridas o granos infectados.

pusilánime adj. y s. Persona que no tiene valor ni ánimo para hacer las cosas. **Sin.** Corto, apocado. **Ant.** Atrevido.

pústula s. f. Ampolla llena de pus en la piel.

puta s. f. Prostituta.

putada s. f. vulg. Acción con que se perjudica a otro.

putativo, va adj. Se dice de la persona a la que se considera como padre, hermano, etc., sin serlo.

putear v. vulg. Fastidiar o perjudicar.

puto, ta adj. 1. vulg. Maldito. 2. vulg. Malo, molesto o difícil.

putrefacción s. f. Hecho de pudrirse alguna cosa. **Sin.** Corrupción, descomposición.

putrefacto, ta adj. Podrido.

pútrido, da adj. Podrido.

puya s. f. 1. Punta del palo con el que pican a los toros en las corridas. 2. Cualquier palo largo con una punta. 3. Algo que se dice con mala intención, para molestar o burlarse de alguien. **Sin.** 1. Pica, sarcasmo.

puyazo s. m. Golpe dado con la puya y herida que hace.

puzzle (ingl.) s. m. Juego en el que hay que formar un dibujo o una imagen juntando piezas que encajan unas en otras. **Sin.** Rompecabezas.

q *s. f.* Letra número dieciocho del abecedario. Se escribe con una *u* detrás.

que *rel.* **1.** Sirve para construir oraciones adjetivas: *Dice cosas que no pueden creerse (increíbles).* **2.** Con artículo puede formar a veces oraciones con función de sustantivo: *Los que estudian mucho sacan buenas notas.* ‖ *conj.* **3.** Se usa para formar oraciones que tienen la misma función de un sustantivo: *Espero que llegues.* **4.** Sirve para construir oraciones que indican la causa o consecuencia de algo, o una comparación: *Hacía tanto aire que se le voló el paraguas. La comida de hoy es mejor que la del otro día.*

qué *interr.* **1.** Se utiliza para hacer preguntas: *¿Qué vas a hacer?* ‖ *excl.* **2.** Expresa admiración o una impresión fuerte: *¡Qué caballos tan bonitos!* **EXPR.** *¿qué tal?* Se usa como saludo o para preguntar a alguien cómo está.

quebrada *s. f.* Paso estrecho entre montañas. **SIN.** Garganta, desfiladero.

quebradero Se emplea en la expresión **quebraderos de cabeza**, 'preocupaciones'.

quebradizo, za *adj.* **1.** Que se rompe con facilidad. **2.** Se dice de la salud cuando es débil. **SIN. 1** y **2.** Frágil, endeble. **ANT. 1** y **2.** Sólido. **2.** Robusto.

quebrado, da *adj.* **1.** Se dice de la línea formada por varias rectas que van en distinta dirección. ‖ *adj.* y *s.* **2.** Número formado por un numerador, que indica las partes que se cogen de un todo, y un denominador, que dice en cuántas partes se ha dividido ese todo.

quebrantahuesos *s. m.* Ave rapaz de gran tamaño y plumaje negro, con la cabeza de color blanco amarillento y el vientre naranja. Se alimenta de carroña.

quebrantamiento *s. m.* Acción de quebrantar. **SIN.** Deterioro; transgresión. **ANT.** Cumplimiento.

quebrantar *v.* **1.** Debilitar: *quebrantar la salud.* **2.** No cumplir: *quebrantar la ley.* **SIN. 1.** Deteriorar. **2.** Desobedecer, incumplir, transgredir. **ANT. 1.** Fortalecer. **2.** Acatar.

quebranto *s. m.* **1.** Acción de quebrantar. **2.** Pena muy grande.

quebrar *v.* **1.** Romper. **2.** Dejar de funcionar un negocio o empresa por haber perdido mucho dinero. □ Es v. irreg. Se conjuga como *pensar.* **SIN. 2.** Hundirse, arruinarse.

quechua *adj.* y *s.* **1.** De un pueblo indio del Perú. ‖ *s. m.* **2.** Lengua de este pueblo.

queda *s. f.* **1.** Hora de la noche o la tarde a partir de la cual la población de un lugar debe quedarse en sus casas por orden de las autoridades. **2.** El hecho de permanecer la población en sus casas por esta situación. ‖ **3. toque de queda** Orden del gobierno por la cual los ciudadanos no pueden estar en la calle a partir de la hora de queda.

quedar *v.* **1.** Seguir estando en un sitio o de alguna forma: *quedarse en casa, quedarse sentado.* **2.** Resultar: *El coche quedó destrozado.* **3.** No estar acabada alguna cosa. **4.** Citarse dos o más personas. **5.** Faltar: *¿Cuánto queda para llegar?* **6.** Estar: *El pueblo no queda lejos.* **7.** Dejar en los demás una impresión: *quedar bien, quedar mal.* ‖ **quedarse 8.** Recordar, memorizar. **9.** Apropiarse. **10.** *fam.* Engañar, tomar el pelo. **SIN. 1.** Mantenerse, continuar. **5.** Restar. **ANT. 1.** Irse.

quedo, da *adj.* Bajo: *en voz queda.*

quehacer *s. m.* El trabajo, las obligaciones. **SIN.** Tarea.

queimada *s. f.* Bebida gallega que se prepara quemando orujo y echando azúcar, granos de café y otros ingredientes.

queja *s. f.* **1.** Quejido. **2.** Acción de quejarse. **SIN. 1.** Lamento, gemido. **2.** Protesta. **ANT. 2.** Elogio.

quejarse *v.* **1.** Gritar, hacer algún sonido o decir algo por un dolor o por otra cosa que nos molesta. **2.** Decir que algo no nos gusta. **SIN. 1.** Lamentarse. **2.** Protestar. **ANT. 2.** Alegrarse.

quejica *adj.* y *s.* Que siempre se está quejando. **SIN.** Protestón, pejiguero.

quejido *s. m.* Grito o sonido con que nos quejamos por un dolor o una molestia. **SIN.** Queja, lamento, gemido.

quejigo s. m. Árbol de tronco grueso, copa pequeña y hojas de tamaño variable y duras, que da un fruto en forma de bellota.

quejoso, sa adj. Que tiene queja de alguien o de algo. **Sin.** Descontento, disgustado. **Ant.** Contento.

quejumbroso, sa adj. Se dice de la voz o el sonido que hace alguien que se está quejando. **Sin.** Lastimero.

quelonio adj. y s. m. Grupo de reptiles que tienen el cuerpo protegido por un caparazón, como la tortuga.

quema s. f. 1. Acción de quemar o quemarse. 2. Incendio. **Expr. huir de la quema** Apartarse de un peligro o de una situación molesta. **Sin.** 2. Fuego.

quemado, da 1. p. de **quemar**. También adj. ‖ adj. 2. fam. Harto, muy enfadado o molesto.

quemador s. m. Aparato que regula la salida del gas en las cocinas y otros utensilios.

quemadura s. f. Herida que produce el fuego u otra cosa que queme.

quemar v. 1. Hacer que una cosa se vaya consumiendo con el fuego. 2. Estropear la comida por calentarla demasiado. 3. Estar muy caliente. 4. Causar heridas o destrozos la acción de un producto químico, la electricidad u otras cosas. 5. Producir el sol quemaduras en la piel. 6. Hartar o enfadar a una persona. 7. Producir ardor en la boca una comida o bebida muy fuerte. **Sin.** 1. Abrasar, incendiar. 1 y 7. Arder. **Ant.** 1. Apagar.

quemarropa Se usa en la expresión **a quemarropa**, que se dice del disparo de arma de fuego que se ha hecho muy cerca de la víctima.

quemazón s. f. Ardor, escozor o calor excesivo que siente una persona.

quena s. f. Flauta india utilizada en algunos lugares de América del Sur.

quepis s. m. Gorra militar de copa cilíndrica y con visera. **Sin.** Ros.

queratina s. f. Proteína que hay en las uñas, el pelo, las plumas, los cuernos y las pezuñas de muchos animales.

querella s. f. Acusación que se hace ante un juez o un tribunal.

querellarse v. Presentar una querella.

querencia s. f. 1. Afecto, cariño. 2. Tendencia del hombre y de algunos animales a volver al lugar en el que se han criado o en el que les gustaba estar. **Sin.** 1. Inclinación.

querer[1] v. 1. Sentir amor o cariño. 2. Tener ganas o deseo de algo. 3. Pedir una cantidad por algo: *Quieren diez millones por la casa*. □ Es v. irreg. **Expr. querer decir** Significar. **sin querer** Sin intención de hacer algo. **Sin.** 1. Amar. 2. Desear, apetecer. **Ant.** 1 y 2. Odiar.

QUERER	
INDICATIVO	
Presente	**Pretér. perf. simple**
quiero	quise
quieres	quisiste
quiere	quiso
queremos	quisimos
queréis	quisisteis
quieren	quisieron
Futuro	**Condicional**
querré	querría
querrás	querrías
querrá	querría
querremos	querríamos
querréis	querríais
querrán	querrían
SUBJUNTIVO	
Presente	**Pretérito imperfecto**
quiera	quisiera, -ese
quieras	quisieras, -eses
quiera	quisiera, -ese
queramos	quisiéramos, -ésemos
queráis	quisierais, -eseis
quieran	quisieran, -esen
Futuro	
quisiere	quisiéremos
quisieres	quisiereis
quisiere	quisieren
IMPERATIVO	
quiere	quered

querer[2] s. m. Amor, cariño.

querido, da 1. p. de **querer**. También adj. ‖ s. m. y f. 2. Persona que mantiene relaciones sexuales con otra sin estar casada. **Sin.** 2. Amante.

queroseno s. m. Combustible líquido que se obtiene del petróleo.

querubín s. m. 1. Ángel de gran belleza y sabiduría. 2. Niño muy guapo.

quesada s. f. Pastel que se hace con queso.

quesera s. f. Recipiente que sirve para guardar queso.

quesero, ra adj. 1. Del queso o relacionado con él. ‖ s. m. y f. 2. Persona que hace o vende queso.

queso s. m. 1. Alimento que se hace con la leche de oveja, cabra o vaca. 2. fam. Pie de una persona. **Expr. dársela a uno con queso** Engañarle.

quetzal *s. m.* **1.** Ave americana de vivos colores que tiene un penacho en la cabeza y una cola larga y fuerte. **2.** Moneda de Guatemala.

quevedos *s. m. pl.* Anteojos.

quicio *s. m.* Parte de las puertas o ventanas donde están las bisagras. **EXPR. sacar de quicio** Poner muy nervioso a alguien; también, ver una cosa muy exagerada o con más problemas de los que tiene en realidad.

quid *s. m.* El punto más importante o la razón de algo. **SIN.** Clave, porqué.

quiebra *s. f.* Cierre de una empresa o un negocio que no puede pagar lo que debe.

quiebro *s. m.* **1.** Movimiento que se hace con el cuerpo hacia un lado doblando la cintura. **2.** Gorgorito hecho con la voz. **SIN. 1.** Finta.

quien *rel.* **1.** Sirve para construir oraciones adjetivas: *Me encontré con tu compañero, quien me contó lo sucedido.* **2.** También construye oraciones sustantivas: *Quien llegue el primero espera a los demás.*

quién *interr.* **1.** Sirve para preguntar sobre personas: *¿Con quién has hablado? ¿Quién viene?* ǁ *excl.* **2.** Forma parte de una oración que expresa asombro o admiración: *¡Quién se lo iba a imaginar!*

quienquiera *indef.* Una persona cualquiera. Su plural es *quienesquiera.*

quieto, ta *adj.* Sin moverse. **SIN.** Inmóvil. **ANT.** Inquieto.

quietud *s. f.* **1.** Falta de movimiento. **2.** Tranquilidad. **SIN. 2.** Paz, calma. **ANT. 2.** Inquietud.

quijada *s. f.* Cada una de las dos mandíbulas de los vertebrados que tienen dientes.

quijotada *s. f.* Lo que hace la persona que es un quijote.

quijote *s. m.* Persona muy idealista que lucha por lo que cree justo.

quijotesco, ca *adj.* Propio de un quijote.

quilate *s. m.* **1.** Cada una de las partes en peso de oro puro que hay en una aleación de este metal; el oro puro tiene veinticuatro quilates. **2.** Unidad de peso para perlas y piedras preciosas.

quilla *s. f.* **1.** Pieza que va por debajo del barco de proa a popa; también, saliente que forma esta pieza. **2.** Parte saliente y afilada del esternón de las aves y murciélagos. **3.** Parte saliente y afilada en la cola de algunos peces.

quilo¹ *s. m.* Kilo.

quilo² *s. m.* Líquido blanco y grasiento en que se convierten los alimentos en el intestino delgado después de la digestión.

quimbambas *s. f. pl.* Lugar muy lejano.

quimera *s. f.* Fantasía que parece posible o verdadera. **SIN.** Ilusión.

quimérico, ca *adj.* Irreal, fantástico, imaginario. **SIN.** Ilusorio. **ANT.** Real.

química *s. f.* Ciencia que estudia las propiedades y composición de las sustancias, sus transformaciones y las acciones de unas sobre otras.

químico, ca *adj.* **1.** Relacionado con la química. ǁ *s. m.* y *f.* **2.** Especialista en química.

quimioterapia *s. f.* Uso de productos químicos para tratar las enfermedades.

quimiotropismo *s. m.* Movimiento de las raíces de los vegetales hacia las zonas del suelo en las que hay agua y alimento.

quimo *s. m.* Líquido ácido en que se convierten los alimentos en el estómago por la digestión.

quimono *s. m.* Prenda de vestir japonesa.

quina *s. f.* Corteza de un árbol americano llamado *quino*; de ella se extrae la quinina. **EXPR. ser más malo que la quina** Ser muy malo.

quincalla *s. f.* Objetos metálicos de poco valor. **SIN.** Baratija.

quincallería *s. f.* **1.** Conjunto de quincalla. **2.** Lugar donde se vende o fabrica quincalla.

quincallero, ra *s. m.* y *f.* Persona que fabrica o vende quincalla.

quince *num.* **1.** Diez y cinco. **2.** Que ocupa por orden el lugar que hace ese número.

quinceavo, va *num.* Se dice de cada una de las quince partes iguales en que se divide una cosa.

quincena *s. f.* Periodo de quince días seguidos.

quincenal *adj.* **1.** Que sucede o se repite cada quince días. **2.** Que dura una quincena.

quincuagésimo, ma *num.* **1.** Que ocupa por orden el número cincuenta. ǁ *num.* y *s. m.* **2.** Se dice de cada una de las cincuenta partes en que se divide una cosa.

quiniela *s. f.* Juego de apuestas en el que gana el que acierta los resultados de los partidos de fútbol, carreras de caballos y otros deportes.

quinientos, tas *num.* **1.** Cinco veces cien. **2.** Que sigue por orden al cuatrocientos noventa y nueve.

quinina *s. f.* Sustancia que se saca de la quina y se usa contra la fiebre y algunas enfermedades infecciosas.

quinqué *s. m.* Pequeña lámpara de aceite o petróleo.

quinquenal *adj.* **1.** Que sucede o se repite cada cinco años. **2.** Que dura cinco años.

quinquenio *s. m.* Periodo de cinco años. SIN. Lustro.

quinqui *s. m.* y *f.* Persona de un grupo social marginado, que se suele dedicar a la delincuencia.

quinta *s. f.* **1.** Finca en el campo con una casa para sus propietarios. **2.** Conjunto de los jóvenes que hacen el servicio militar en el mismo año. **3.** Conjunto de personas de la misma edad.

quintaesencia *s. f.* Lo mejor y más importante de algo.

quintal *s. m.* Unidad de masa que equivale a 100 kilogramos.

quinteto *s. m.* **1.** Estrofa parecida a la quintilla, pero con versos de más de ocho sílabas. **2.** Composición o grupo musical formado por cinco personas o instrumentos.

quintilla *s. f.* Estrofa de cinco versos de ocho sílabas o menos, ordenados de forma que no rimen tres versos seguidos ni tampoco los dos últimos entre sí.

quintillizo, za *adj.* y *s.* Cada uno de los cinco hermanos nacidos en un mismo parto.

quinto, ta *num.* **1.** Que ocupa por orden el número cinco. **2.** Con algunos sustantivos, indica un lugar que está muy lejos: *el quinto infierno.* || *num.* y *s. m.* **3.** Se dice de cada una de las cinco partes iguales en que se divide algo. || *s. m.* **4.** Joven al que le toca ir al servicio militar.

quíntuple o **quíntuplo, pla** *adj.* y *s. m.* Que es cinco veces mayor que un número.

quintuplicar *v.* Multiplicar por cinco.

quiosco *s. m.* **1.** Puesto callejero en que se venden periódicos, flores u otras cosas. **2.** Construcción formada por un techo sujeto con columnas, que se instala en jardines y parques.

quiosquero, ra *s. m.* y *f.* Persona que trabaja en un quiosco.

quiquiriquí *s. m.* Sonido que hace el gallo.

quirófano *s. m.* Sala de un hospital en la que se hacen las operaciones quirúrgicas.

quiromancia *s. f.* Adivinación del futuro de una persona por las rayas de su mano.

quirúrgico, ca *adj.* De cirugía.

quisque Se emplea en las expresiones **cada quisque**, 'cada cual', y **todo quisque**, 'cualquiera': *Me gusta irme de vacaciones como a todo quisque.*

quisquilla *s. f.* Crustáceo marino parecido a la gamba, pero más pequeño.

quisquilloso, sa *adj.* y *s.* **1.** Que se enfada por cualquier cosa. **2.** Que es difícil de contentar. SIN. **1.** Susceptible.

quiste *s. m.* Cavidad que se forma en un órgano del cuerpo y se llena de líquido.

quitaesmalte *s. m.* Producto para quitar el esmalte, sobre todo el barniz para las uñas.

quitamanchas *s. m.* Producto que quita las manchas de una prenda de vestir u otra cosa sin tener que lavarla.

quitamiedos *s. m.* Barra o cuerda que se coloca por seguridad en algunos lugares peligrosos.

quitanieves *s. f.* Máquina para apartar la nieve que impide el paso.

quitar *v.* **1.** Separar, apartar. **2.** Dejar a una persona sin algo que tenía. **3.** Hacer desaparecer. **4.** Dejar de echar, dar o poner: *Iré al cine antes de que quiten esta película.* || **quitarse 5.** Dejar una costumbre o un vicio: *quitarse de fumar.* SIN. **1.** Retirar, arrancar. **2.** Robar, arrebatar. **3.** Eliminar. ANT. **1.** Poner. **2.** Devolver.

quitasol *s. m.* Sombrilla grande.

quite *s. m.* **1.** Acción de acudir un torero en ayuda de alguno de sus compañeros para que no le coja el toro. **2.** Movimiento de defensa con que se detiene un golpe.

quiteño, ña *adj.* y *s.* De Quito, capital de Ecuador.

quitina *s. f.* Sustancia química que forma la cubierta de los artrópodos.

quitinoso, sa *adj.* Que tiene quitina.

quizá o **quizás** *adv.* Indica que algo es posible, pero no seguro: *Quizá vayamos, ya veremos.* SIN. Acaso.

quórum (lat.) *s. m.* **1.** Número de personas que tienen que estar presentes para poder celebrar una asamblea o reunión. **2.** Número de votos afirmativos necesarios para aprobar algo o para llegar a un acuerdo.

R

r *s. f.* Letra número diecinueve del abecedario.

rabadán *s. m.* **1.** Pastor al mando de una cabaña entera de ganado. **2.** Pastor de uno o más rebaños, que está a las órdenes de un mayoral.

rabadilla *s. f.* Extremo de la columna vertebral por la parte de abajo.

rabanera *adj.* y *s. f.* Se dice de la mujer chillona y poco educada. **Sin.** Verdulera.

rábano *s. m.* Planta de hojas ásperas y bastante grandes, flores blancas, amarillas o de color rojo y raíz carnosa, que se emplea mucho como alimento. **Expr.** **coger** alguien **el rábano por las hojas** Entender mal algo o pensar que se ha hecho con mala intención. **importar** algo **un rábano** No importar nada o muy poco.

rabia *s. f.* **1.** Enfado o disgusto grande. **2.** Manía, antipatía. **3.** Enfermedad infecciosa que sufren a veces algunos animales, como el perro, y que pueden contagiar a las personas por su mordedura. **Sin.** **1.** Cólera, ira. **2.** Tirria. **3.** Hidrofobia. **Ant.** **2.** Simpatía.

rabiar *v.* **1.** Sentir rabia. **2.** Sentir un dolor muy fuerte. **Expr.** **a rabiar** Mucho. **Sin.** **1.** Irritarse, encolerizarse.

rabieta *s. f.* Enfado grande o llanto que suele deberse a motivos poco importantes. **Sin.** Berrinche, pataleta.

rabillo *s. m.* **1.** Rabo corto y pequeño. ‖ **2.** **rabillo del ojo** Ángulo externo del ojo.

rabino *s. m.* Jefe religioso de una comunidad judía.

rabioso, sa *adj.* **1.** Que está muy enfadado. **2.** Que tiene la enfermedad de la rabia. **Sin.** **1.** Furioso, airado. **Ant.** **1.** Tranquilo.

rabo *s. m.* **1.** Cola de algunos animales. **2.** Ramita de la que cuelgan las hojas o los frutos de las plantas. **3.** Cosa alargada que cuelga o sobresale. **Expr.** **con el rabo entre las piernas** Avergonzado y sin saber qué decir. **Sin.** **2.** Rabillo, pedúnculo, pecíolo.

racanear *v.* **1.** Ser tacaño, gastar lo mínimo. **2.** Trabajar lo menos posible. **Sin.** **1.** Ahorrar. **2.** Vaguear, holgazanear. **Ant.** **1.** Derrochar.

racanería *s. f.* Tacañería.

rácano, na *adj.* y *s.* Tacaño. **Sin.** Agarrado, roñoso. **Ant.** Generoso.

racha *s. f.* **1.** Ráfaga de viento. **2.** Tiempo en que se suceden cosas buenas o malas.

racheado, da *adj.* Se dice del viento que sopla a rachas.

racial *adj.* De las razas. **Sin.** Étnico.

racimo *s. m.* **1.** Conjunto de frutos que cuelgan todos del mismo tallo. **2.** Conjunto de otras cosas colocadas de forma parecida a las uvas.

raciocinio *s. m.* **1.** Capacidad de pensar. **2.** Lo que se piensa de manera razonada. **Sin.** **1.** Inteligencia, razón. **1** y **2.** Pensamiento. **2.** Razonamiento.

ración *s. f.* **1.** Cantidad de comida que corresponde a una persona o animal o que se sirve en un bar. **2.** Cantidad de algo que se ha dividido o repartido de alguna manera. **Sin.** **1.** Porción.

racional *adj.* **1.** De la razón o relacionado con la razón. **2.** Que está dotado de razón. **3.** Se dice de los números que son fracciones. **Sin.** **1.** Lógico, intelectual. **2.** Inteligente. **3.** Fraccionario. **Ant.** **1** y **2.** Irracional.

racionalismo *s. m.* Doctrina filosófica que considera la razón como el medio principal para conocer las cosas.

racionalista *adj.* y *s.* Relacionado con el racionalismo o que sigue esta doctrina.

racionalizar *v.* **1.** Pensar o expresar algo con conceptos racionales. **2.** Organizar algo para obtener los mejores resultados con el menor coste o esfuerzo.

racionamiento *s. m.* El hecho de racionar algo.

racionar *v.* Limitar la cantidad de alimentos o de otras cosas que se pueden comprar o consumir cuando escasean.

racismo *s. m.* Desprecio o rechazo a las personas de otra raza.

racista *adj.* y *s.* Del racismo o que piensa o actúa con racismo.

rada *s. f.* Parte del mar que entra en la tierra y donde pueden refugiarse del viento las embarcaciones. **Sin.** Bahía, ensenada.

radar *s. m.* Aparato que por medio de ondas detecta la presencia, la posición y otras características de un objeto alejado.

radiación *s. f.* Luz, calor u otro tipo de energía que sale de un cuerpo.

radiactividad *s. f.* Propiedad de emitir radiaciones que tienen algunas materias cuando se modifican los núcleos de sus átomos.

radiactivo, va *adj.* Que tiene radiactividad.

radiador *s. m.* **1.** Aparato para calentar una habitación, sobre todo el que tiene varios tubos por donde pasa agua caliente o vapor. **2.** Conjunto de tubos por donde circula agua para refrigerar algunos motores.

radial *adj.* **1.** Del radio o relacionado con esta línea. **2.** Se dice de cada una de las carreteras que enlazan el centro de un país con la periferia.

radiante *adj.* **1.** Que brilla mucho: *un sol radiante.* **2.** Que muestra una gran alegría. **Sin. 1** y **2.** Resplandeciente. **Ant. 1** y **2.** Apagado.

radiar *v.* Dar por la radio noticias, música u otro programa. **Sin.** Transmitir, retransmitir.

radical *adj.* **1.** Fundamental, muy importante. ‖ *adj.* y *s.* **2.** Muy exagerado, que no tiene término medio. ‖ *s. m.* **3.** Signo matemático de la raíz (√); también se llama así a este signo con el número que lleva debajo. **4.** Raíz de una palabra. **Sin. 1.** Básico, profundo. **2.** Extremista, intolerante. **4.** Lexema. **Ant. 2.** Moderado.

radicalismo *s. m.* Manera de pensar y de actuar muy radical o exagerada.

radicalizar *v.* Hacer que alguien o algo se vuelva radical.

radicando *s. m.* Número o expresión matemática que está bajo el signo de la raíz.

radicar *v.* **1.** Consistir, tener su origen en algo. **2.** Estar una persona o cosa en un lugar. **Sin. 1** y **2.** Residir. **2.** Situarse, localizarse.

radícula *s. f.* Parte del embrión de las plantas que dará lugar a la raíz.

radio[1] *s. m.* **1.** Recta que va desde el centro de una circunferencia hasta alguno de sus puntos o desde el centro de una esfera a la superficie exterior.

2. Espacio circular que hay alrededor de un sitio. **3.** Cada una de las varillas que tienen algunas ruedas. **4.** Hueso que va desde el codo a la muñeca y está unido a otro hueso que se llama *cúbito.* ‖ **5. radio de acción** Espacio u otra cosa sobre los que puede actuar algo.

radio[2] *s. m.* Elemento químico metálico de color blanco brillante y muy radiactivo.

radio[3] *s. f.* **1.** Forma abreviada de **radiodifusión. 2.** Emisora que transmite programas o mensajes por medio de ondas. **3.** Aparato que recibe esas ondas y las transforma en sonidos. **Sin. 3.** Transistor.

radioaficionado, da *s. m.* y *f.* Persona que, por afición, se comunica con otras mediante un aparato de radio.

radiocasete *s. m.* Aparato que es a la vez radio y casete.

radiodifusión *s. f.* Difusión de noticias, música y otros programas por medio de ondas para que puedan ser escuchados a través de los aparatos de radio.

radiofonía *s. f.* Sistema de comunicación por medio de ondas.

radiofónico, ca *adj.* De la radio.

radiografía *s. f.* Fotografía del interior de un cuerpo obtenida por medio de rayos X.

radiología *s. f.* Parte de la medicina que se ocupa del uso de las radiaciones para diagnosticar o curar enfermedades.

radiológico, ca *adj.* De la radiología.

radiólogo, ga *s. m.* y *f.* Médico especialista en radiología.

radionovela *s. f.* Novela de tema generalmente amoroso y final feliz que se emite por radio en episodios.

radiotaxi *s. m.* Taxi provisto de un aparato de radio que puede enviar mensajes a una centralita y también recibirlos.

radiotelecomunicación *s. f.* Actividad y conjunto de medios para comunicarse a larga distancia por medio de ondas.

radioteléfono *s. m.* Teléfono sin cable que recibe las ondas que envía otro aparato y las transforma en sonidos.

radiotelegrafía *s. f.* Comunicación telegráfica por medio de ondas.

radiotelegrafista *s. m.* y *f.* Persona encargada de los aparatos de radiotelegrafía.

radiotelégrafo *s. m.* Aparato para transmitir y recibir mensajes telegráficos por medio de ondas.

radiotelevisión *s. f.* **1.** Acción de enviar imágenes y sonidos a distancia por medio de ondas. **2.** Conjunto de medios para realizar las actividades de la radio y la televisión.

radioterapia *s. f.* Empleo de las radiaciones para tratar algunas enfermedades, como el cáncer.

raer *v.* Raspar una superficie. □ Es v. irreg. Se conjuga como *caer*, pero la primera persona del singular del presente de indicativo es *raigo* o *rayo*. **SIN.** Rayar, rasar.

ráfaga *s. f.* **1.** Golpe fuerte de viento. **2.** Luz fuerte que se enciende sólo durante un momento. **3.** Disparos que lanza una ametralladora de una vez. **SIN. 1.** Racha. **2.** Fogonazo.

rafia *s. f.* Material que se saca de una clase de palmera, con el que se hacen bolsos y otras cosas.

raglan o **raglán** *adj.* Ranglan o ranglán.

ragú *s. m.* Guiso de carne con patatas, zanahorias y guisantes.

raído, da *adj.* Se dice de las telas o los vestidos muy gastados por el uso. **SIN.** Desgastado.

raigambre *s. f.* Circunstancia de ser muy antiguo o de tener mucha importancia algo en un lugar. **SIN.** Arraigo.

raíl *s. m.* **1.** Cada una de las barras o carriles de hierro por donde van los trenes. **2.** Cualquier guía o carril sobre los que puede moverse alguna cosa. **SIN. 1** y **2.** Riel.

raíz *s. f.* **1.** Parte de las plantas que suele crecer bajo tierra y que absorbe los alimentos que éstas necesitan. **2.** Parte de algo que queda oculta y que le sirve de sujeción: *la raíz del pelo*. **3.** Origen o causa. **4.** Número que hay que multiplicar varias veces por sí mismo para obtener otro número. **5.** Parte de una palabra que tiene lo más importante de su significado y a la que se añaden las terminaciones, los prefijos y los sufijos. **EXPR. a raíz de** Como consecuencia de algo. **echar raíces** Quedarse en un lugar para mucho tiempo. **SIN. 3.** Motivo. **5.** Radical, lexema.

raja *s. f.* **1.** Abertura larga y fina en algo. **2.** Trozo plano y delgado de algunos alimentos. **SIN. 1.** Ranura, grieta. **2.** Rodaja, tajada.

rajá *s. m.* Rey de la India.

rajado, da **1.** *p.* de **rajar**. También *adj.* ‖ *adj.* y *s.* **2.** *fam.* Que se acobarda o se echa atrás en lo que iba a hacer.

rajar[1] *v.* **1.** Hacer una o varias rajas en algo. ‖ **rajarse** **2.** *fam.* Echarse atrás en lo que uno iba a hacer. **SIN. 1.** Cortar. **2.** Acobardarse. **ANT. 2.** Animarse.

rajar[2] *v. fam.* Hablar mucho.

rajatabla Se usa en la expresión **a rajatabla**, 'perfectamente' o 'exactamente'.

ralea *s. f.* Clase, especie, generalmente mala: *gente de mala ralea*. **SIN.** Condición, calaña.

ralentí *s. m.* Manera de funcionar el motor de un vehículo cuando éste está parado.

ralentizar *v.* Hacer más lento algo.

rallador *s. m.* Utensilio de cocina para rallar alimentos que está formado por una chapa de metal curvada y llena de agujeritos de borde cortante.

ralladura *s. f.* Trocitos pequeños que quedan de una cosa que se ha rallado.

rallar *v.* Deshacer en trocitos muy pequeños un alimento con el rallador.

rally (ingl.) *s. m.* Competición de coches que se hace por un terreno difícil.

ralo, la *adj.* Poco tupido o poco espeso. **SIN.** Claro, disperso. **ANT.** Poblado.

rama[1] *s. f.* **1.** Cada una de las partes de las plantas que salen del tronco o tallo, y en las que nacen las hojas, las flores y los frutos. **2.** Cada una de las partes en que se divide una ciencia o actividad. **3.** Conjunto de personas que tienen un antepasado común. **EXPR. andarse** o **irse por las ramas** Detenerse en lo menos importante de un asunto y no tratar lo principal. **SIN. 2.** Especialidad, sección. **3.** Linaje, familia.

rama[2] Se usa en la expresión **en rama**, 'en estado más natural': *la canela en rama*.

ramadán *s. m.* Mes en el que los musulmanes tienen que ayunar durante el día.

ramaje *s. m.* Conjunto de ramas de un árbol o de un arbusto.

ramal *s. m.* **1.** Carretera, canal u otra cosa semejante que sale de una principal. **2.** Tira de cuero que se sujeta a la cabeza de las caballerías. **3.** Cada una de las cuerdas finas que forman otra más gruesa. **SIN. 1.** Desviación.

ramalazo *s. m.* **1.** Idea alocada que alguien tiene de repente. **2.** *fam.* Característica del hombre afeminado. **SIN. 1.** Vena.

rambla *s. f.* **1.** Hondonada que forma el agua cuando llueve mucho. **2.** Calle ancha y con árboles de las ciudades y pueblos de Cataluña, Valencia y Baleares, que suele tener un paseo en el centro. **Sin. 2.** Bulevar.

ramera *s. f.* Prostituta.

ramificación *s. f.* **1.** Acción de ramificarse. **2.** Partes en que se ramifica algo. **Sin. 2.** Desviación, derivación.

ramificarse *v.* Dividirse una cosa en varias partes que se separan de ella. **Sin.** Bifurcarse, derivarse. **Ant.** Unirse.

ramillete *s. m.* Ramito de hierbas o flores. **Sin.** Manojo.

ramo *s. m.* **1.** Flores o ramas cortadas y unidas. **2.** Rama cortada de un árbol. **3.** Tipo de industria, ciencia o actividad. **Sin. 1.** Manojo, ramillete. **3.** Sección, sector, especialidad.

ramonear *v.* Comerse los animales las hojas o las puntas de las ramas de los árboles o arbustos.

ramoso, sa *adj.* Con muchas ramas o muy frondosas.

rampa *s. f.* Cuesta o plancha inclinada para subir o bajar de un sitio a otro.

ramplón, na *adj.* Vulgar, demasiado sencillo. **Sin.** Mediocre. **Ant.** Extraordinario.

ramplonería *s. f.* **1.** Característica de ramplón. **2.** Acción, cosa o palabras ramplonas. **Sin. 1** y **2.** Vulgaridad.

rana *s. f.* **1.** Animal anfibio de cuerpo rechoncho y de color pardo o verdoso, con las patas de atrás muy desarrolladas, que tiene los ojos muy salientes y una lengua larga con la que atrapa insectos. **2.** Juego que consiste en tirar monedas u otras cosas para meterlas en la boca de una rana de metal. **Expr. salir rana** Decepcionar, no resultar como se esperaba.

ranchera *s. f.* **1.** Canción popular mexicana. **2.** Coche con más espacio en la parte trasera para llevar pasajeros o carga.

ranchero, ra *s. m.* y *f.* Persona que trabaja o vive en un rancho.

rancho *s. m.* **1.** Granja americana donde se crían caballos, vacas y otros animales. **2.** Comida hecha para un grupo numeroso de personas.

rancio, cia *adj.* **1.** Se dice de algunos alimentos que con el tiempo toman un sabor y un olor muy fuertes. **2.** Muy antiguo. **3.** Antipático, seco. **Sin. 1.** Añejo; pasado. **2.** Anticuado. **Ant. 1.** Fresco. **3.** Simpático.

rand *s. m.* Moneda de la República Sudafricana.

randa *s. m. fam.* Granuja, pillo.

ranglan o **ranglán** *adj.* Se dice de un tipo de mangas que están cosidas al resto de la prenda desde el cuello y no desde los hombros.

rango *s. m.* Clase o categoría. **Sin.** Importancia, jerarquía.

ranking (ingl.) *s. m.* Clasificación de mayor a menor.

ranura *s. f.* Abertura muy estrecha de algunas cosas. **Sin.** Raja, grieta.

rapacidad *s. f.* Característica de las personas que se dedican a robar.

rapapolvo *s. m. fam.* Reprimenda. **Sin.** Regañina, bronca.

rapar *v.* Cortar mucho el pelo o la barba. **Sin.** Pelar; rasurar.

rapaz *adj.* y *s. f.* **1.** Ave carnívora, como el águila o el halcón, que tiene alas fuertes, pico curvo, corto y fuerte, y patas con garras afiladas y arqueadas. ‖ *s. m.* **2.** Muchacho. **Sin. 2.** Chico, mozo.

rapaza *s. f.* Muchacha.

rape[1] *s. m.* Acción de rapar. **Expr. al rape** Modo de cortar el pelo o la barba dejándolo muy corto.

rape[2] *s. m.* Pez marino bastante grande, que tiene el cuerpo plano y mucha cabeza, con los ojos y la boca en la parte de arriba. Es muy apreciado como alimento.

rapé *s. m.* Tabaco en polvo que antiguamente se aspiraba por la nariz.

rápol *s. m.* Rappel

rapidez *s. f.* Característica de rápido. **Sin.** Velocidad. **Ant.** Lentitud.

rápido, da *adj.* **1.** Que se mueve o sucede muy deprisa. **2.** Que tarda poco tiempo en hacer algo. **3.** Que dura poco tiempo. ‖ *adv.* **4.** Muy deprisa. ‖ *s. m.* **5.** Parte de un río por donde las aguas corren más deprisa. **Sin. 1** y **2.** Veloz. **2.** Ágil. **3.** Corto, breve. **Ant. 1** y **2.** Lento. **3.** Largo.

rapiña *s. f.* **1.** Robo. ‖ **2. ave de rapiña** Ave rapaz, como el águila o el buitre. **Sin. 1.** Pillaje.

rapiñar *v.* Robar, quitar.

raposo, sa *s. m.* y *f.* Zorro.

rappel (fr.) *s. m.* En alpinismo, descenso rápido por una pared vertical que consiste en ir resbalando por una cuerda colgante.

rapsoda *s. m.* **1.** Persona que recita o canta poemas. ‖ *s. m.* y *f.* **2.** Poeta.

rapsodia s. f. Obra musical hecha con partes de otras obras.

raptar v. Secuestrar.

rapto s. m. Secuestro.

raqueta s. f. **1.** Pala con cuerdas entrecruzadas para jugar al tenis y a otros juegos. **2.** Objeto parecido a esta pala que se pone en los zapatos para andar por la nieve. **3.** Desvío a un lado de la carretera en forma de media circunferencia, que sirve para dar la vuelta o cruzar al otro lado.

raquis s. m. **1.** Columna vertebral. **2.** Parte central dura de la pluma de un ave. **SIN. 2.** Cañón.

raquítico, ca adj. y s. **1.** Que tiene raquitismo. || adj. **2.** Que está demasiado delgado. **3.** Muy pequeño o escaso. **SIN. 2.** Escuálido, flaco; enclenque. **3.** Ridículo. **ANT. 2.** Robusto. **3.** Abundante.

raquitismo s. m. Enfermedad infantil, producida por la falta de vitamina D, que debilita los huesos.

raramente adv. Muy pocas veces.

rareza s. f. **1.** Característica de las personas o cosas raras. **2.** Comportamiento raro o maniático de una persona. **3.** Cosa extraña o muy curiosa. **SIN. 2.** Manía. **3.** Curiosidad.

raro, ra adj. **1.** Que extraña o sorprende porque es diferente de lo normal. **2.** Poco frecuente. **SIN. 1.** Extraño, insólito. **1** y **2.** Inusitado, inusual. **ANT. 1** y **2.** Corriente.

ras Se usa en algunas expresiones: **al ras**, 'muy corto', 'a muy poca altura'; **a ras de**, 'justo encima'.

rasante adj. **1.** Que va a poca altura del suelo: *vuelo rasante*. || s. f. **2.** Inclinación de una calle o carretera.

rasca s. f. fam. Frío.

rascacielos s. m. Edificio muy alto y con muchos pisos.

rascar v. **1.** Pasar por una cosa algo áspero o afilado, sobre todo las uñas por la piel. **2.** Sacar un beneficio de algo. **SIN. 1.** Raspar, raer.

rasero Se usa en la expresión **por el mismo rasero**, 'sin hacer diferencias', especialmente cuando se juzga a las personas.

rasgado, da **1.** p. de **rasgar**. También adj. || adj. **2.** Alargado: *ojos rasgados*.

rasgar v. Romper o romperse algo al tirar de ello o al engancharse con algo.

rasgo s. m. **1.** Línea que se hace al escribir. **2.** Línea de la cara de una persona. **3.** Característica de una persona o cosa. **EXPR. a grandes rasgos** En general, sin entrar en detalles. **SIN. 1.** Trazo. **2.** Facción. **3.** Cualidad, atributo.

rasguear v. Tocar un instrumento musical rozando varias cuerdas a la vez con la punta de los dedos.

rasguñar v. Hacer rasguños.

rasguño s. m. Arañazo, raspón, herida.

raso, sa adj. **1.** Llano y liso. **2.** Se dice del cielo sin nubes. **3.** A poca altura del suelo. **4.** Que está lleno justo hasta el borde. || s. m. **5.** Tejido liso, brillante y suave. **EXPR. al raso** Al aire libre. **SIN. 1.** Plano. **2.** Claro. **3.** Rasante. **ANT. 2.** Nublado. **3.** Alto.

raspa s. f. **1.** Espina del pescado. || adj. y s **2.** fam. Persona antipática.

raspado, da **1.** p. de **raspar**. También adj. || s. m. **2.** Acción de raspar. **SIN. 2.** Raspadura, raspón.

raspadura s. f. Señal o herida que queda al raspar o rasparse algo. **SIN.** Raspón, raspado.

raspar v. Pasar algo cortante o áspero por una cosa levantando parte de su superficie. **SIN.** Rascar, rayar.

raspón o **rasponazo** s. m. Señal o herida que se hace al raspar algo. **SIN.** Raspado, raspadura.

rasposo, sa adj. Que raspa. **SIN.** Áspero. **ANT.** Suave.

rasqueta s. f. Palita con el borde afilado que se usa para quitar algo que tiene pegado a una superficie.

rastral s. m. Pieza del pedal de la bicicleta que sirve para sujetar el pie.

rastras Se usa en la expresión **a rastras**, 'arrastrando' o 'a la fuerza'.

rastrear v. Buscar algo siguiendo su rastro. **SIN.** Escudriñar.

rastreo v. Acción de rastrear.

rastrero, ra adj. **1.** Despreciable, malo. **2.** Se dice del tallo que va creciendo a ras de tierra. **SIN. 1.** Miserable, infame. **ANT.** Noble.

rastrillar v. Recoger, amontonar o limpiar algo con el rastrillo.

rastrillo s. m. Instrumento en forma de T, con dientes o púas en la parte más corta, que sirve para recoger hierba, hojas, paja.

rastro s. m. **1.** Huellas u otras señales que deja una persona, animal o cosa. **2.** Mercadillo en la calle. **EXPR. ni rastro** Nada. **SIN. 1.** Pista, vestigio.

rastrojo s. m. Restos de mies que quedan en el campo después de haber segado.

razonamiento

rasurar v. Afeitar.

rata s. f. **1.** Nombre de algunos roedores; por ejemplo, la de alcantarilla, que es grande y tiene el pelaje oscuro, o la de laboratorio, más pequeña, blanca y con los ojillos rojos. **2.** fam. Persona despreciable. ‖ adj. y s. **3.** Persona muy tacaña. ‖ **4. rata almizclera** Desmán². **SIN. 2.** Bicho, sabandija.

ratear v. **1.** Robar, hurtar. **2.** fam. Comportarse con tacañería. **SIN. 1.** Birlar, choricear. **2.** Racanear.

ratero, ra s. m. y f. Ladrón de cosas de poco valor. **SIN.** Caco, chorizo.

raticida s. m. Producto para matar ratas y ratones. **SIN.** Matarratas.

ratificación s. f. Acción de ratificar. **SIN.** Confirmación.

ratificar v. Confirmar que lo que se ha dicho o escrito es válido. **SIN.** Corroborar. **ANT.** Negar.

rato s. m. Espacio corto de tiempo. **EXPR. a ratos perdidos** Cuando se está libre del trabajo o de las ocupaciones habituales. **pasar el rato** Entretenerse, distraerse. **un buen rato** Bastante tiempo. **un rato** fam. Mucho o muy: Es un rato feo.

ratón s. m. **1.** Pequeño animal roedor, de pelaje gris y cola larga. **2.** Mando separado del teclado de un ordenador que se maneja haciéndolo rodar sobre una superficie.

ratonera s. f. **1.** Trampa para cazar ratones. **2.** Madriguera de ratones. **3.** Agujero por donde entran y salen los ratones. **4.** fam. Casa o habitación muy pequeña. **SIN. 4.** Cuchitril.

ratonero, ra adj. **1.** De los ratones. **2.** Se dice de los animales que cazan ratones.

raudales Se usa en la expresión **a raudales**, 'en mucha cantidad'.

raudo, da adj. Rápido. **SIN.** Veloz. **ANT.** Lento.

raviolis s. m. pl. Trocitos cuadrados de pasta rellenos de carne, verdura o queso, que se cuecen y se sirven con una salsa.

raya¹ s. f. **1.** Señal larga y estrecha marcada o pintada en algún sitio. **2.** Línea que queda en la cabeza al separar el pelo a un lado y al otro. **3.** Doblez que se marca de arriba abajo en los pantalones al plancharlos. ‖ **4. tres en raya** Juego que consiste en poner tres fichas en línea en un tablero antes de que lo haga el contrario. **EXPR. pasarse de la raya** Pasarse de un límite, hacer algo que no se debe hacer. **tener a raya** Tener dominado o controlado.

raya² s. f. Pez marino y cartilaginoso, completamente plano y en forma de rombo con la boca en la parte de abajo y una cola larga y delgada.

rayado, da 1. p. de **rayar**. También adj. ‖ adj. **2.** Que tiene rayas.

rayano, na adj. Que raya o se acerca mucho a algo: Tiene una inteligencia prodigiosa, rayana en la genialidad.

rayar v. **1.** Hacer rayas. **2.** Estropear un disco haciendo una raya que corta los surcos. **3.** Estar muy cerca de algo: Su valentía raya en la imprudencia. **EXPR. al rayar** Al empezar: al rayar el día. **SIN. 3.** Rozar, asemejarse.

rayo s. m. **1.** Línea que siguen la luz y otras formas de energía cuando se transmiten de una parte a otra. **2.** Descarga eléctrica que se produce cuando hay tormenta. ‖ **3. rayos X** Rayos empleados en medicina para ver el cuerpo por dentro y hacer radiografías. **EXPR. a rayos** fam. Muy mal. **como un rayo** Muy rápido.

rayón s. m. Fibra artificial que imita la seda.

rayuela s. f. Juego que consiste en pasando una piedra u otra cosa de unas casillas a otras dibujadas en el suelo, yendo a la pata coja y sin pisar las rayas pintadas.

raza s. f. **1.** Cada uno de los grandes grupos en que se dividen los hombres por sus características físicas y el color de su piel. **2.** Cada uno de los grupos en que se dividen algunas especies de animales. **SIN. 1.** Etnia.

razia s. f. Ataque rápido en terreno enemigo. **SIN.** Incursión.

razón s. f. **1.** Lo que permite al hombre pensar. **2.** Acierto al decir o hacer algo. **3.** Causa, motivo. **4.** Idea o explicación con la que se intenta demostrar algo. **5.** Información sobre algo. **EXPR. a razón de** Sirve para decir lo que le toca a cada uno en un reparto. **entrar en razón** Convencerse de algo que es razonable. **perder la razón** Volverse loco. **SIN. 1.** Raciocinio. **3.** Móvil, porqué.

razonable adj. **1.** Que piensa bien o está bien pensado. **2.** Justo, suficiente: un precio razonable. **SIN. 1.** Sensato, lógico. **ANT. 1.** Insensato, ilógico.

razonamiento s. m. Conjunto de ideas que sirven para demostrar algo o para convencer a alguien. **SIN.** Reflexión, explicación.

razonar v. 1. Pensar. 2. Dar razones para explicar o demostrar algo. **Sin.** 1. Reflexionar, meditar.

razzia (fr.) s. f. Razia.

re s. m. Segunda nota de la escala musical.

reacción s. f. 1. Forma de comportarse como respuesta a algo. 2. Recuperación de la fuerza o la actividad que se tenía. 3. Proceso químico por el cual varias sustancias se mezclan se convierten en otra u otras diferentes. 4. Chorro de gases que sale con mucha fuerza hacia atrás y sirve para impulsar aviones y cohetes o naves espaciales.

reaccionar v. 1. Tener o experimentar una reacción. 2. Volver a tener actividad o fuerza. 3. Combinarse varias sustancias para formar otra u otras diferentes. **Sin.** 1. Responder. 2. Recobrarse, restablecerse.

reaccionario, ria adj. y s. Que es muy conservador y se opone a cualquier cambio o progreso. **Sin.** Retrógrado. **Ant.** Revolucionario.

reacio, cia adj. Contrario a algo, que se resiste a ello. **Sin.** Opuesto, reticente. **Ant.** Partidario.

reactivación s. f. Acción de reactivar.

reactivar v. Volver a dar actividad y fuerza a algo. **Sin.** Revitalizar; renacer. **Ant.** Decaer.

reactivo, va adj. y s. m. 1. Que produce reacción. || s. m. 2. En química, sustancia empleada para reconocer o detectar algún componente de una mezcla o algún átomo o grupo de átomos en un compuesto.

reactor s. m. 1. Motor que lanza hacia atrás un potente chorro de gases para impulsar a aviones y cohetes o naves espaciales. 2. Avión que funciona con motores de este tipo.

readmisión s. f. Acción de readmitir.

readmitir v. Volver a admitir.

reafirmar v. Volver a decir o pensar algo con más seguridad. **Sin.** Ratificar, confirmar. **Ant.** Invalidar.

reagrupar v. Agrupar de nuevo.

reajustar v. Hacer reajustes.

reajuste s. m. Cambio que se hace en algo para mejorarlo o para que funcione mejor.

real¹ adj. Que existe de verdad. **Sin.** Cierto, verdadero. **Ant.** Irreal.

real² adj. 1. Del rey. 2. Se utiliza para dar más fuerza a algunos sustantivos: *No me da la real gana*. || s. m. 3. Antigua moneda española que equivalía a 25 céntimos. 4. *fam.* Poco dinero. **Sin.** 1. Regio.

realce s. m. Acción de realzar algo.

realengo, ga adj Se dice de las tierras y lugares que en la Edad Media y Moderna pertenecían a la corona.

realeza s. f. 1. Dignidad del rey. 2. El rey y sus familiares. 3. Conjunto de las familias reales de un lugar o época.

realidad s. f. Lo que existe de verdad. **Expr. en realidad** Realmente, de verdad. **Ant.** Fantasía, ilusión.

realismo s. m. 1. Forma de ver las cosas como son en realidad. 2. Estilo artístico o literario que intenta reflejar las cosas como son en realidad.

realista¹ adj. y s. 1. Que piensa o actúa con realismo o que muestra realismo. 2. Que sigue el estilo artístico o literario del realismo. **Ant.** 1. Idealista.

realista² adj. y s. Partidario del rey.

realización s. f. Acción de realizar o realizarse.

realizador, ra s. m. y f. Persona que dirige una película o un programa de radio o televisión.

realizar v. 1. Hacer una cosa, llevarla a cabo. 2. Dirigir una película o un programa de radio o televisión. || **realizarse** 3. Sentirse satisfecho alguien por haber cumplido sus aspiraciones. **Sin.** 1. Efectuar, ejecutar.

realmente adv. De verdad.

realquilar v. Alquilar a otra persona el piso, habitación o local en que uno está alquilado.

realzar v. Destacar algo, hacer que se note más. **Sin.** Resaltar, acentuar. **Ant.** Disimular.

reanimación s. f. Acción de reanimar.

reanimar v. 1. Dar nuevas fuerzas o ánimos. 2. Hacer que recupere el conocimiento una persona que estaba inconsciente. **Sin.** 1. Fortalecer, animar. 2. Recobrarse. **Ant.** 1. Debilitar, desanimar. 2. Desvanecerse.

reanudación s. f. Acción de reanudar.

reanudar v. Continuar lo que se había dejado interrumpido. **Sin.** Reemprender, proseguir. **Ant.** Parar.

reaparecer v. Volver a aparecer. □ Es v. irreg. Se conjuga como *agradecer*. **Sin.** Regresar, resurgir.

reaparición s. f. Acción de reaparecer. **Sin.** Regreso, resurgimiento.

reapertura s. f. Acción de abrir de nuevo algo.

reata s. f. Fila de caballos, mulas o burros unidos por cuerdas o correas.

reavivar v. Volver a avivar algo, hacerlo más fuerte o intenso. **Sin.** Activar, estimular. **Ant.** Debilitar.

rebaba s. f. Parte de materia sobrante que sobresale de los bordes de algo.

rebaja s. f. Reducción en el precio de algo. **Sin.** Descuento, saldo.

rebajar v. 1. Bajar el precio de alguna cosa. 2. Hacer que algo quede menos fuerte o intenso. 3. Disminuir la altura, el volumen o la cantidad de algo. || **rebajarse** 4. Actuar una persona delante de otra como si fuera inferior a ella o hacer algo poco decente. **Sin.** 1. Descontar. 2. Suavizar, debilitar. 3. Reducir. 4. Humillarse, degradarse. **Ant.** 1 a 3. Aumentar. 2. Reavivar.

rebaje s. m. Parte del borde de algo que se ha reducido cortándolo o limándolo.

rebanada s. f. Trozo plano y delgado que se corta de algo, sobre todo del pan. **Sin.** Tajada.

rebanar v. 1. Hacer rebanadas una cosa. 2. Cortar totalmente una cosa.

rebañaduras s. f. pl. Restos que se rebañan de un plato o recipiente.

rebañar v. Aprovechar los últimos restos que quedan en un plato o en otro recipiente.

rebaño s. m. Grupo de ovejas, cabras u otro ganado. **Sin.** Hato.

rebasar v. 1. Pasar un límite. 2. Adelantar, dejar atrás. **Sin.** 1. Sobrepasar, traspasar.

rebatir v. Dar un argumento en contra de lo que ha dicho otro para demostrar que no tiene razón. **Sin.** Refutar, argumentar. **Ant.** Corroborar.

rebato Se usa en la expresión **tocar a rebato**, 'avisar de un peligro', sobre todo si se está tocando las campanas.

rebeca s. f. Chaqueta de punto.

rebeco s. m. Mamífero rumiante del tamaño de una cabra grande, con cuernos lisos y rectos que se doblan en la punta. En España, abunda en los Pirineos.

rebelarse v. 1. Enfrentarse, negarse a obedecer. 2. Oponerse totalmente a algo. **Sin.** 1. Sublevarse, alzarse. 2. Rechazar. **Ant.** 1. Subordinarse. 1 y 2. Someterse.

rebelde adj. y s. 1. Que se rebela contra alguien o algo. 2. Desobediente. || adj. 3. Difícil de manejar o dominar: *un pelo rebelde.* **Sin.** 1. Sublevado, levantisco. 2. Díscolo. **Ant.** 1 y 2. Sumiso. 2. Conformista. 2 y 3. Dócil.

rebeldía s. f. 1. Característica de las personas rebeldes. 2. El hecho de rebelarse o negarse a obedecer. **Sin.** 1 y 2. Desobediencia. **Ant.** 1 y 2. Sumisión.

rebelión s. f. Sublevación, acción de rebelarse. **Sin.** Revuelta, levantamiento, insurrección.

rebenque s. m. Látigo.

reblandecer v. Poner blando. □ Es v. irreg. Se conjuga como *agradecer.* **Sin.** Ablandar. **Ant.** Endurecer.

reblandecimiento s. m. Acción de reblandecer o reblandecerse.

rebobinar v. Enrollar hacia atrás una cinta o algo parecido: *rebobinar un carrete de fotos.*

rebollo s. m. 1. Nombre de varias especies de robles. 2. Brote de las raíces de los robles.

reborde s. m. Borde que sobresale de una cosa.

rebosadero s. m. Agujero de las pilas y lavabos por donde se va el agua cuando están muy llenos, para que no rebose.

rebosante adj. Lleno.

rebosar v. 1. Salirse un líquido por los bordes de un recipiente. 2. Tener un sentimiento muy fuerte. **Sin.** 1. Desbordarse, derramarse.

rebotar v. 1. Chocar una cosa con otra y cambiar de dirección. || **rebotarse** 2. fam. Enfadarse. **Sin.** 1. Rechazar.

rebote s. m. 1. Acción de rebotar. 2. En baloncesto, pelota que, al lanzarla a la canasta, rebota contra ésta o contra el tablero. 3. fam. Enfado. **Expr. de rebote** Indirectamente.

reboteador, ra adj. y s. Jugador de baloncesto que recoge los rebotes.

rebotica s. f. Habitación que hay en el interior de las farmacias y de otras tiendas. **Sin.** Trastienda.

rebozado, da 1. p. de rebozar. También adj. || s. m. 2. Capa de harina que cubre los alimentos que se rebozan.

rebozar v. 1. Cubrir un alimento con huevo batido, harina o pan rallado para freírlo luego. 2. Embadurnar, manchar mucho con algo. **Sin.** 1. Empanar. 2. Pringar.

rebrotar v. Volver a brotar.

rebrote s. m. Acción de rebrotar.

rebullir v. Moverse. □ Es v. irreg. Se conjuga como *mullir.* **Sin.** Agitarse.

rebuscado, da *adj.* Demasiado complicado o raro. **SIN.** Afectado. **ANT.** Sencillo.

rebuscamiento *s. m.* Característica de rebuscado. **SIN.** Complejidad. **ANT.** Sencillez.

rebuscar *v.* Revolver en algo para encontrar o coger una cosa.

rebuznar *v.* Dar rebuznos.

rebuzno *s. m.* Sonido que hacen el burro y otros animales semejantes.

recabar *v.* Pedir o intentar conseguir. **SIN.** Solicitar, buscar.

recadero, ra *s. m.* y *f.* Persona que se dedica a hacer recados, sobre todo en una tienda. **SIN.** Mensajero.

recado *s. m.* 1. Lo que se dice a alguien para que se lo cuente a otro. 2. Compra u otro encargo que tiene que hacer una persona. **SIN.** 1. Aviso, nota.

recaer *v.* 1. Empeorar un enfermo que estaba recuperándose. 2. Volver a caer en un vicio o error. 3. Tocar, corresponder. 4. Ir el acento en una sílaba de una palabra. □ Es v. irreg. Se conjuga como *caer*. **SIN.** 1. Agravarse. 2. Reincidir, incurrir. **ANT.** 1. Mejorar.

recaída *s. f.* Acción de recaer.

recalar *v.* Acercarse un barco a un puerto.

recalcar *v.* Destacar algo o repetirlo para que quede más claro. **SIN.** Acentuar, subrayar, resaltar.

recalcitrante *adj.* Que no quiere cambiar de comportamiento o de opinión aunque esté equivocado. **SIN.** Obstinado.

recalentar *v.* 1. Volver a calentar. 2. Calentar demasiado. □ Es v. irreg. Se conjuga como *pensar*. **ANT.** 2. Enfriar.

recámara *s. f.* 1. Habitación que está junto a otra principal. 2. En las armas de fuego, parte de atrás del cañón en la que se coloca la bala que se va a disparar.

recambiar *v.* Cambiar una cosa rota o vieja por otra nueva.

recambio *s. m.* Cosa nueva que sustituye a otra rota o vieja. **SIN.** Repuesto.

recapacitar *v.* Pensar detenidamente algo. **SIN.** Reflexionar, meditar.

recapitulación *s. f.* Acción de recapitular.

recapitular *v.* Decir de forma resumida lo que se había dicho antes por extenso. **SIN.** Resumir, sintetizar.

recargable *adj.* Que se puede volver a cargar.

recargamiento *s. m.* Abundancia excesiva de cosas en un sitio.

recargar *v.* 1. Volver a cargar. 2. Cargar con demasiado peso. 3. Poner demasiadas cosas en un sitio. 4. Hacer menos respirable el aire de un sitio cerrado.

recargo *s. m.* Dinero que hay que pagar de más por haberse retrasado en el pago de algo.

recatado, da 1. *p.* de **recatarse**. ‖ *adj.* 2. Muy decente, que muestra recato. **SIN.** 2. Pudoroso, decoroso. **ANT.** 2. Desvergonzado.

recatarse *v.* Comportarse con recato.

recato *s. m.* Decencia, pudor. **SIN.** Moderación. **ANT.** Desvergüenza.

recauchutado, da 1. *p.* de **recauchutar**. También *adj.* ‖ *s. m.* 2. Acción de recauchutar.

recauchutar *v.* Cubrir nuevamente de caucho una superficie que ya lo tenía pero que está desgastada o rota.

recaudación *s. f.* 1. Acción de recaudar. 2. Dinero que se ha recaudado. **SIN.** Colecta.

recaudador, ra *s. m.* y *f.* Persona que se dedica a recaudar dinero.

recaudar *v.* Reunir dinero. **SIN.** Recolectar.

recaudo Se usa en la expresión **a buen recaudo**, 'seguro', 'sin ningún peligro'.

rección *s. f.* Acción de regir una palabra a otra u otras.

recelar *v.* Sentir recelo. **SIN.** Desconfiar, sospechar. **ANT.** Confiar.

recelo *s. m.* Desconfianza o temor. **SIN.** Sospecha, miedo. **ANT.** Confianza.

receloso, sa *adj.* Que recela. **SIN.** Desconfiado. **ANT.** Confiado.

recensión *s. f.* Comentario que se hace de una obra literaria, científica o de otra clase. **SIN.** Reseña, crítica.

recental *adj.* y *s. m.* Cordero o ternero que se alimenta de leche y todavía no ha comido hierba. **SIN.** Lechal.

recepción *s. f.* 1. El hecho de recibir. 2. Fiesta o ceremonia que se celebra para recibir a alguna persona importante. 3. Lugar de atención al público en hoteles, oficinas y otros sitios. **SIN.** 1. Recibimiento.

recepcionista *s. m.* y *f.* Persona que atiende al público a la entrada de hoteles, oficinas, empresas.

receptáculo *s. m.* Cavidad que contiene o que puede contener algo. **SIN.** Recipiente.

receptividad *s. f.* Característica de receptivo.

receptivo, va *adj.* Que recibe con facilidad consejos, influencias u otras cosas y no las rechaza. Sɪɴ. Sensible.

receptor, ra *adj. y s.* **1.** Que recibe algo. || *s. m. y f.* **2.** Persona que escucha lo que le dice el emisor. || *adj. y s. m.* **3.** Aparato que recibe ondas u otras señales y las transforma en imágenes, sonidos, etc. Sɪɴ. **2.** Oyente. Aɴт. **1.** Emisor.

recesión *s. f.* Retroceso o disminución de algo: *recesión económica.* Aɴт. Desarrollo.

receso *s. m.* Pausa, descanso.

receta *s. f.* **1.** Hoja de papel en que el médico escribe los medicamentos que debe tomar el enfermo. **2.** Escrito con los ingredientes de un plato de cocina y la forma de hacerlo.

recetar *v.* Decir el médico al enfermo las medicinas que tiene que tomar. Sɪɴ. Prescribir.

recetario *s. m.* Conjunto de recetas.

rechazar *v.* **1.** No querer o no aceptar. **2.** Hacer que algo que golpea con fuerza en un sitio vaya hacia atrás. **3.** Despejar el balón en el fútbol y otros deportes. **4.** Resistir el ataque del enemigo y obligarle a retroceder. Sɪɴ. **1.** Denegar, oponerse. **2** y **4.** Repeler. Aɴт. **1.** Admitir. **4.** Claudicar.

rechazo *s. m.* Acción de rechazar. Sɪɴ. Oposición, negación. Aɴт. Aceptación.

rechinar *v.* Hacer un ruido el roce de una cosa con otra: *rechinar los dientes.*

rechistar *v.* Hacer un ruido como para empezar a hablar, sobre todo para protestar. Exᴘʀ. **sin rechistar** Sin protestar ni oponerse.

rechoncho, cha *adj.* Gordo y bajito. Sɪɴ. Retaco. Aɴт. Esbelto.

rechupete Se usa en la expresión **de rechupete,** 'muy bueno' o 'muy agradable'.

recibidor *s. m.* Parte de una casa u hotel que está a la entrada. Sɪɴ. Vestíbulo, hall.

recibimiento *s. m.* **1.** Acción de recibir. **2.** Recibidor. Sɪɴ. Recepción.

recibir *v.* **1.** Llegar algo que se envía o viene de otra parte. **2.** Sentir o sufrir algo. **3.** Ir a ver o esperar a alguien que llega. **4.** Permitir a una persona que alguien la visite. Sɪɴ. **2.** Padecer. **4.** Admitir. Aɴт. **1.** Mandar, remitir.

recibo *s. m.* Papel en el que pone que se ha recibido algo, por ejemplo dinero

o una cosa que se ha comprado. Sɪɴ. Factura.

reciclaje *s. m.* Acción de reciclar.

reciclar *v.* **1.** Hacer que algo que ya no servía vuelva a ser utilizable. **2.** Modernizar, poner al día.

reciedumbre *s. f.* Característica de las personas o cosas recias. Sɪɴ. Fortaleza, solidez. Aɴт. Debilidad.

recién *adv.* Acabado de hacer, sucedido poco antes.

reciente *adj.* Que se ha hecho o ha ocurrido hace muy poco tiempo. Sɪɴ. Fresco, nuevo. Aɴт. Atrasado, antiguo.

recientemente *adv.* Hace muy poco tiempo. Sɪɴ. Últimamente.

recinto *s. m.* Espacio limitado de algún modo.

recio, cia *adj.* **1.** Fuerte, musculoso, resistente. **2.** Duro, difícil de soportar. || *adv.* **3.** De modo fuerte o firme. Sɪɴ. **1.** Robusto, vigoroso. **2.** Crudo. Aɴт. **1.** Débil. **2.** Suave.

recipiente *s. m.* Cosa que contiene o puede contener algo en su interior. Sɪɴ. Receptáculo.

reciprocidad *s. f.* Característica de recíproco.

recíproco, ca *adj.* **1.** Se dice de aquello que se da o se dirige a otro y que a su vez se recibe de éste. **2.** En gramática, se dice de las oraciones que expresan ese tipo de acciones y también de los verbos y de los pronombres con que se construyen. Sɪɴ. **1.** Mutuo.

recital *s. m.* **1.** Concierto que da un solo cantante o músico. **2.** Lectura de poemas. Sɪɴ. **1** y **2.** Audición.

recitar *v.* Decir en voz alta y normalmente de memoria una poesía, un texto literario u otra cosa. Sɪɴ. Declamar.

reclamación *s. f.* **1.** Acción de reclamar. **2.** Queja para protestar por alguna cosa. Sɪɴ. **1.** Petición, solicitud, demanda. **2.** Protesta.

reclamar *v.* **1.** Pedir algo que se considera justo o necesario. **2.** Protestar por algo que está mal. **3.** Llamar a una persona para que vaya a un sitio. Sɪɴ. **1.** Solicitar, demandar. **2.** Quejarse.

reclamo *s. m.* **1.** Lo que usan los cazadores para atraer a las aves, por ejemplo otra ave enjaulada. **2.** Cualquier cosa que sirve para atraer a las personas y animales. Sɪɴ. **1** y **2.** Señuelo.

reclinar *v.* Inclinar una cosa, sobre todo para apoyarla sobre otra. Sɪɴ. Recostar. Aɴт. Levantar.

reclinatorio s. m. Mueble que hay en las iglesias para arrodillarse.

recluir v. Encerrar, encarcelar. □ Es v. irreg. Se conjuga como *huir*. SIN. Apresar. ANT. Liberar.

reclusión s. f. Acción de recluir.

recluso, sa s. m. y f. Preso.

recluta s. m. Joven que acaba de comenzar el servicio militar, hasta que se incorpore a su destino definitivo.

reclutar v. 1. Reunir personas para alguna cosa. 2. Llamar a un joven para que haga el servicio militar.

recobrar v. 1. Recuperar algo que se había perdido. || **recobrarse** 2. Recuperarse de una enfermedad, un susto o una mala situación. SIN. 2. Mejorar, restablecerse. ANT. 2. Empeorar.

recochineo s. m. Forma de decir o hacer algo con burla o ironía para molestar a alguien.

recodo s. m. Curva o esquina muy cerrada.

recogedor s. m. Cogedor para recoger basura, carbón u otra cosa.

recogepelotas s. m. y f. Persona que recoge las pelotas que se quedan en la pista durante un partido de tenis y se las da a los jugadores.

recoger v. 1. Coger algo que está en el suelo o se ha caído. 2. Coger y reunir cosas de diferentes sitios. 3. Ordenar algo, poner cada cosa en su sitio. 4. Ir a buscar a una persona o cosa al sitio donde está. 5. Acoger a una persona o animal para darle comida o un sitio donde dormir. 6. Poner una cosa de manera que sea más pequeña, quede enrollada o sujeta. || **recogerse** 7. Irse a dormir o descansar. SIN. 1. Levantar, alzar. 2. Recolectar, recaudar. 3. Guardar. 5. Albergar. 7. Retirarse. ANT. 1. Tirar. 2. Esparcir. 5. Abandonar.

recogida s. f. Acción de recoger. SIN. Recolección, recaudación; retirada.

recogido, da 1. p. de **recoger**. También adj. || adj. 2. Que ocupa poco espacio. SIN. 2. Resguardado, acogedor.

recogimiento s. m. Actitud de la persona que se aísla de lo que la rodea para meditar.

recolección s. f. Acción de recolectar. SIN. Cosecha.

recolectar v. 1. Recoger los frutos que dan la tierra, los árboles y las plantas. 2. Juntar personas o cosas que estaban separadas o venían de sitios distintos. SIN. 1. Cosechar. 2. Reunir, agrupar. ANT. 2. Dispersar.

recolector, ra adj. y s. Que recolecta, sobre todo los frutos de los campos.

recoleto, ta adj. Se dice del lugar apartado y tranquilo.

recomendable adj. Que es bueno, y por eso se recomienda.

recomendación s. f. 1. Consejo que se da a alguien. 2. Ventaja que tiene la persona que es favorecida por otra para conseguir un trabajo u otra cosa. SIN. 2. Influencia.

recomendar v. 1. Aconsejar, sugerir. 2. Hablar muy bien de una persona para que otra la ayude en algo, por ejemplo para darle trabajo. □ Es v. irreg. Se conjuga como *pensar*. SIN. 2. Mediar. ANT. 1. Desaconsejar.

recompensa s. f. Premio u otra cosa que recibe una persona por algo bueno que ha hecho. SIN. Gratificación.

recompensar v. Dar una recompensa a alguien. SIN. Premiar, gratificar.

recomponer v. Componer de nuevo algo. □ Es v. irreg. Se conjuga como *poner*. SIN. Rehacer, arreglar, reparar. ANT. Romper.

reconcentrado, da 1. p. de **reconcentrar**. || adj. 2. Muy fuerte o muy concentrado. ANT. 2. Suave, ligero.

reconcentrar v. Hacer más concentrado.

reconciliación s. f. Hecho de reconciliarse.

reconciliar v. Hacer que vuelvan a llevarse bien dos o más personas. ANT. Enemistar.

reconcomerse v. Sentirse muy inquieto por algo, por ejemplo por la envidia. SIN. Consumirse.

recóndito, ta adj. Muy escondido.

reconfortante adj. Que reconforta.

reconfortar v. Dar ánimos, fuerza o energía a alguien. SIN. Animar, confortar. ANT. Desanimar.

reconocer v. 1. Saber quién es una persona o qué es una cosa, por conocerla de antes. 2. Examinar con mucho cuidado a una persona o cosa. 3. Aceptar, admitir. 4. Estar agradecido por algo. □ Es v. irreg. Se conjuga como *agradecer*. SIN. 1. Identificar. 2. Explorar, inspeccionar.

reconocido, da 1. p. de **reconocer**. También adj. || adj. 2. Agradecido.

reconocimiento s. m. 1. Acción de reconocer. 2. Agradecimiento, gratitud. SIN. 1. Exploración, examen, inspección. ANT. 2. Ingratitud.

reconquista s. f. Acción de reconquistar, particularmente la que realizaron los cristianos en España para recuperar los territorios conquistados por los musulmanes.

reconquistar v. Volver a conquistar. **Sin.** Recobrar, recuperar.

reconsiderar v. Volver a considerar algo.

reconstituyente adj. Se dice de la medicina que sirve para fortalecer el organismo. **Sin.** Tónico.

reconstrucción s. f. Acción de reconstruir. **Sin.** Restauración.

reconstruir v. 1. Arreglar o volver a hacer algo que está viejo, roto o muy estropeado. 2. Contar cómo ha pasado algo a partir de recuerdos, declaraciones u otras cosas. □ Es v. irreg. Se conjuga como huir. **Sin.** 1. Restaurar, recomponer. **Ant.** 1. Destruir.

reconvención s. f. Acción de reconvenir. **Sin.** Reprimenda.

reconvenir v. Regañar a alguien, haciéndole comprender que se ha portado mal. □ Es v. irreg. Se conjuga como venir. **Sin.** Reprender, reñir. **Ant.** Alabar.

reconversión s. f. Cambios que se realizan en una empresa o en una industria para hacerla más moderna o productiva.

reconvertir v. Hacer una reconversión.

recopilación s. f. Acción de recopilar cosas, y las cosas así reunidas. **Sin.** Reunión. **Ant.** Dispersión.

recopilar v. Reunir cosas que estaban separadas o en sitios distintos. **Sin.** Compilar. **Ant.** Dispersar.

récord (ingl.) s. m. 1. Mejor resultado obtenido en una competición. 2. Cualquier cosa que supera a las anteriores. **Sin.** 1. Plusmarca.

recordar v. 1. Tener una cosa en la memoria. 2. Decirle una cosa a alguien para que no se le olvide. 3. Relacionar dos o más personas o cosas por tener algún parecido. □ Es v. irreg. Se conjuga como contar. **Sin.** 1. Acordarse, rememorar. **Ant.** 1. Olvidar.

recordatorio s. m. Tarjeta u otra cosa parecida con que se recuerda algún hecho, por ejemplo la primera comunión.

recordman o **recordwoman** (ingl.) s. m. o s. f. Hombre o mujer que ha conseguido un récord. **Sin.** Plusmarquista.

recorrer v. Ir o pasar por varias partes. **Sin.** Atravesar.

recorrido s. m. Acción de recorrer y espacio que se recorre. **Sin.** Trayecto, itinerario.

recortable s. m. Papel o cartulina con dibujos que se pueden recortar, como los que traen figuras de muñecas con vestidos para ponérselos encima.

recortado, da 1. p. de recortar. También adj. || adj. 2. Que tienen muchos entrantes y salientes: una costa recortada. **Sin.** 2. Abrupto, accidentado.

recortar v. 1. Cortar lo que sobra de algo. 2. Cortar una figura u otra cosa de un papel o tela. 3. Reducir, disminuir.

recorte s. m. 1. El hecho de recortar. 2. Figura, foto u otra cosa que se recorta. || pl. 3. Trozos que sobran de una cosa al recortarla.

recostar v. 1. Inclinar y apoyar la cabeza o la parte superior del cuerpo sobre algo. 2. Inclinar y apoyar una cosa sobre otra. □ Es v. irreg. Se conjuga como contar. **Sin.** 1 y 2. Reclinar. **Ant.** 1 y 2. Incorporar.

recoveco s. m. 1. Curva muy cerrada. 2. Rincón escondido. **Sin.** 1. Vuelta, recodo. 2. Apartado.

recrear v. 1. Reflejar un ambiente o una época en una película, novela o en otra obra. 2. Divertir, disfrutar. **Sin.** 2. Deleitar, complacer. **Ant.** 2. Disgustar.

recreativo, va adj. Que divierte o entretiene.

recreo s. m. 1. Tiempo de descanso que tienen los alumnos entre las clases. 2. Entretenimiento o descanso: una finca de recreo. **Sin.** 2. Distracción, ocio.

recriminación s. f. Acción de recriminar. **Sin.** Reproche, crítica. **Ant.** Aprobación.

recriminar v. Decirle a alguien que está mal algo que ha hecho y quejarse por ello. **Sin.** Reprochar, criticar. **Ant.** Aprobar.

recrudecer v. Empeorar algo perjudicial o desagradable. □ Es v. irreg. Se conjuga como agradecer. **Sin.** Agravar, arreciar. **Ant.** Suavizar.

recrudecimiento s. m. Acción de recrudecer. **Sin.** Agravamiento.

recta s. f. 1. Línea formada por una serie de puntos situados en una misma dirección. || 2. **recta final** Última parte de algo.

rectal adj. Del intestino recto o relacionado con él.

rectangular adj. Que tiene forma de rectángulo.

rectángulo, la *adj.* **1.** Que tiene uno o más ángulos rectos. || *s. m.* **2.** Polígono de cuatro lados que tiene los cuatro ángulos rectos y los lados iguales dos a dos.

rectificación *s. f.* Acción de rectificar.

rectificar *v.* **1.** Cambiar un dato, opinión u otra cosa porque estaban equivocados. **2.** Cambiar alguna persona su forma de comportarse por otra mejor. **SIN. 1.** Modificar. **1 y 2.** Enmendar. **2.** Enderezar. **ANT. 1.** Ratificar.

rectilíneo, a *adj.* Que tiene forma recta o está formado por rectas. **SIN.** Recto. **ANT.** Curvilíneo.

rectitud *s. f.* Característica de la persona recta y honrada. **SIN.** Integridad.

recto, ta *adj.* **1.** Que no está inclinado o torcido. **2.** Honrado y de conducta intachable. **3.** Se dice del ángulo que mide 90 grados. || *adj.* y *s. m.* **4.** Se dice de la última parte del intestino del hombre y de algunos animales. **SIN. 1.** Derecho, tieso. **2.** Honesto, íntegro. **ANT. 1.** Curvo. **2.** Deshonesto.

rector, ra *s. m.* y *f.* **1.** Persona que dirige una universidad o algunas organizaciones o comunidades. || *adj.* **2.** Que rige o gobierna.

rectorado *s. m.* Cargo y oficina del rector.

rectoral *adj.* Del rector.

rectoría *s. f.* **1.** Casa del párroco. **2.** Rectorado.

recua *s. f.* Conjunto de animales que se utilizan para transportar cosas.

recuadrar *v.* Rodear con un recuadro.

recuadro *s. m.* Cuadrado o rectángulo que se pone alrededor de algo.

recubrir *v.* Cubrir una cosa del todo. ◻ Su p. es irreg.: *recubierto.* **SIN.** Tapar.

recuento *s. m.* Acción de contar el número de personas o cosas que forman un conjunto. **SIN.** Cómputo, escrutinio.

recuerdo *s. m.* **1.** Acción de recordar y aquello que se recuerda. **2.** Cosa que sirve para recordar un lugar o a una persona querida. || *pl.* **3.** Saludo que mandamos a alguien que no está, a través de otra persona. **SIN. 1.** Evocación. **2.** Souvenir.

recular *v.* Andar o marchar hacia atrás. **SIN.** Retroceder. **ANT.** Avanzar.

recuperación *s. f.* Acción de recuperar o recuperarse.

recuperar */v.* **1.** Volver a tener lo que se había perdido. **2.** Hacer que valga una cosa vieja o usada. **3.** Aprobar un exa-

men o una asignatura que se había suspendido antes. || **recuperarse 4.** Ponerse bien después de una enfermedad o situación desfavorable. **SIN. 1** y **4.** Recobrar(se). **2.** Reciclar. **4.** Restablecerse. **ANT. 4.** Empeorar.

recurrente *adj.* Que se repite.

recurrir *v.* **1.** Acudir a una persona o cosa en caso de necesidad. **2.** En derecho, poner un recurso.

recurso *s. m.* **1.** Medio o procedimiento de que dispone una persona para hacer o conseguir algo. **2.** En derecho, reclamación contra algunas decisiones de una autoridad. || *pl.* **3.** Dinero, riqueza y otras cosas de que se disponen. **SIN. 1.** Solución. **3.** Bienes, fondos.

red *s. f.* **1.** Tejido hecho con cuerdas, hilos o alambres entrelazados de manera que queden agujeros entre ellos. **2.** Conjunto de tuberías, líneas de teléfono, cables eléctricos, canales o caminos que están comunicados entre sí. **3.** Conjunto de personas o de cosas organizadas para hacer algo. **SIN. 1.** Malla.

redacción *s. f.* **1.** El hecho de redactar. **2.** Composición escrita sobre un tema que suele hacerse como ejercicio escolar. **3.** Conjunto de redactores de una editorial, periódico o revista, y lugar donde trabajan.

redactar *v.* Expresar algo por escrito.

redactor, ra *s. m.* y *f.* Persona que redacta, especialmente la que lo hace en una editorial, periódico, revista.

redada *s. f.* Operación policial en la que se detiene a muchas personas a la vez.

redaño *s. m.* **1.** Pliegue del peritoneo que une el intestino con la pared posterior del abdomen. || *pl.* **2.** Valor, coraje. **SIN. 2.** Agallas, narices.

redecilla *s. f.* **1.** Red pequeña. **2.** Segunda parte del estómago de los animales rumiantes.

rededor Se usa en la expresión **al rededor**. Ver **alrededor**.

redención *s. f.* Acción de redimir. **SIN.** Salvación. **ANT.** Condenación.

redentor, ra *adj.* y *s.* Que redime; se dice sobre todo de Jesucristo. **SIN.** Salvador.

redicho, cha *adj.* y *s.* Se dice de la persona que quiere ser demasiado perfecta cuando habla. **SIN.** Pedante.

redil *s. m.* Lugar vallado en el que se guarda el ganado. **SIN.** Aprisco.

redimir *v.* **1.** Dar la libertad a alguien o sacarle de una mala situación. **2.** En la religión cristiana, salvar Jesucristo con su muerte y resurrección a todos los hombres. **Sin.** 1. Libertar. **Ant.** 1. Condenar.

redistribuir v. Distribuir algo de nuevo o hacerlo de manera diferente.

rédito s. m. Ganancia que produce algo, por ejemplo el dinero que se tiene en el banco. **Sin.** Renta, interés.

redoblar v. 1. Aumentar una cosa el doble o mucho. 2. Tocar redobles de tambor. 3. Tocar alguien las palmas, acompañando a otro, pero con ritmo diferente. **Sin.** 1. Doblar, duplicar. **Ant.** 1. Disminuir.

redoble s. m. Toque de tambor que se hace golpeando muy rápido los palillos.

redoma s. f. Vasija de vidrio ancha por abajo que se va estrechando hacia la boca.

redomado, da adj. Que tiene una característica negativa en grado extremo: un mentiroso redomado.

redonda s. f. Figura musical igual a cuatro negras.

redondear v. 1. Dar forma redonda a algo. 2. Dejar exacta o más sencilla una cifra añadiendo o restando una pequeña cantidad.

redondel s. m. 1. Círculo, circunferencia. 2. Ruedo de las plazas de toros.

redondez s. f. Característica de las cosas redondas.

redondilla s. f. Estrofa de cuatro versos de ocho sílabas o menos, que riman el primero con el cuarto y el segundo con el tercero.

redondo, da adj. 1. Que tiene forma de círculo o de esfera. 2. Muy bueno, perfecto. 3. Se dice de la cifra o del número que se considera más sencillo o exacto en comparación con otros que son un poco mayores o menores. ‖ adj. y s. f. 4. Se dice de la letra de imprenta normal, que no es inclinada ni más gruesa. ‖ s. m. 5. Pieza de carne que tiene forma de cilindro. **Expr. a la redonda** Alrededor, en la distancia que se expresa. **en redondo** Dando una vuelta completa. También, totalmente. **Sin.** 1. Circular.

reducción s. f. Acción de reducir. **Sin.** Disminución. **Ant.** Aumento.

reducido, da 1. p. de reducir. También adj. ‖ adj. 2. Poco o pequeño.

reducir v. 1. Hacer más pequeño, más corto o menos fuerte. 2. Consistir una cosa en otra que se dice, sobre todo

cuando se considera poco importante. 3. Dominar, someter. 4. En matemáticas, convertir una medida o unidad de una cantidad en otra. 5. Hacer más sencilla una expresión matemática. 6. En un vehículo, cambiar de una marcha más larga a otra más corta. ▫ Es v. irreg. Se conjuga como conducir. **Sin.** 1. Disminuir, acortar. **Ant.** 1. Aumentar, agrandar.

reducto s. m. 1. Lugar o grupo de personas donde se conservan costumbres e ideas ya pasadas o a punto de desaparecer. 2. Sitio muy bien protegido. **Sin.** 2. Fortaleza.

redundancia s. f. Repetición innecesaria de una palabra, expresión o idea; por ejemplo: bajar abajo.

redundante adj. Que sobra, que es una redundancia.

redundar v. Ser algo bueno o malo para alguien. **Sin.** Repercutir.

reduplicar v. Aumentar el doble o mucho. **Sin.** Duplicar, doblar.

reedición s. f. 1. El hecho de reeditar. 2. Nueva edición de un libro, revista u otra cosa.

reeditar v. Volver a editar algo.

reelección s. f. Acción de reelegir.

reelegir v. Volver a elegir. ▫ Es v. irreg. Se conjuga como regir.

reembolsar v. Devolver a una persona el dinero que había dado para algo. **Sin.** Reintegrar, pagar.

reembolso s. m. Acción de reembolsar. **Expr. contra reembolso** Forma de pagar algunas cosas que se piden por correo, al recibirlas.

reemplazar v. Sustituir a una persona o cosa por otra. **Sin.** Reponer, cambiar, suplir.

reemplazo s. m. 1. Sustitución de una persona o cosa por otra. 2. Conjunto de jóvenes que hacen el servicio militar en el mismo año. **Sin.** 1. Cambio.

reemprender v. Volver a emprender lo que se había interrumpido. **Sin.** Reanudar.

reencarnación s. f. Acción de reencarnarse.

reencarnarse v. Según algunas creencias, nacer el alma, después de la muerte, en el cuerpo de otra persona o en el de otro ser.

reencontrar v. Volver a encontrar. ▫ Es v. irreg. Se conjuga como contar.

reencuentro s. m. El volver a encontrar a una persona o cosa.

reengancharse v. Quedarse en el ejército una persona después de haber hecho el servicio militar.

reenganche s. m. Acción de reengancharse.

reestrenar v. Volver a estrenar, por ejemplo una película. Sɪɴ. Reponer.

reestreno s. m. **1.** Acción de reestrenar. **2.** Película, obra de teatro o espectáculo que se reestrena.

reestructuración s. f. Acción de reestructurar.

reestructurar v. Reorganizar algo.

refajo s. m. Falda corta que llevaban antes las mujeres debajo de la ropa para abrigarse.

refectorio s. m. Comedor de los conventos y otras casas de comunidades religiosas.

referencia s. f. **1.** Acción de referirse a algo. **2.** Información sobre algo. || pl. **3.** Informe sobre las cualidades de una persona o cosa. Sɪɴ. **1.** Alusión, mención, cita.

referéndum o **referendo** s. m. Pregunta que el gobierno hace a los ciudadanos para que den su opinión sobre algo importante para su país.

referente adj. Que se refiere a algo. Sɪɴ. Relativo, concerniente.

referir v, **1.** Contar algo. **2.** Poner en relación una cosa con otra. || **referirse** **3.** Indicar o mencionar algo directa o indirectamente. ◻ Es v. irreg. Se conjuga como sentir. Sɪɴ. **1.** Narrar, relatar. **2.** Atribuir, relacionar. **3.** Aludir.

refilón Se usa en la expresión **de refilón**, 'de lado' o 'de pasada'.

refinado, da adj. **1.** p. de **refinar**. También adj. || adj. **2.** Fino, elegante. || s. m. **3.** Acción de refinar. Sɪɴ. **2.** Selecto, distinguido. Aɴᴛ. **2.** Grosero.

refinamiento s. m. Distinción, elegancia. Sɪɴ. Finura. Aɴᴛ. Grosería.

refinar v. **1.** Hacer más fina o pura una cosa quitándole impurezas. **2.** Hacer más fino o elegante.

refinería s. f. Instalación industrial donde se refinan algunos productos, como el petróleo.

refino s. m. Acción de refinar el petróleo u otros productos.

reflectante adj. y s. m. Que refleja la luz u otra cosa. Sɪɴ. Reflector.

reflector, ra adj. y s. m. **1.** Que refleja. || s. m. **2.** Foco de luz con mucha intensidad, como los que hay en los campos de fútbol. Sɪɴ. **1.** Reflectante.

reflejar v. **1.** Rechazar una superficie la luz, el calor, el sonido u otra cosa que llega hasta ella. **2.** Mostrar, manifestar. Sɪɴ. **2.** Revelar, denotar, plasmar. Aɴᴛ. **2.** Ocultar.

reflejo, ja adj. **1.** Que ha sido reflejado: luz refleja. **2.** Que lo hacemos sin darnos cuenta como respuesta a algo. || s. m. **3.** Luz que se refleja. **4.** Imagen reflejada en una superficie. **5.** Aquello que muestra o manifiesta algo. || pl. **6.** Capacidad para reaccionar con rapidez. Sɪɴ. **2.** Espontáneo, inconsciente. **3.** Destello, brillo. Aɴᴛ. **2.** Voluntario.

reflexión s. f. **1.** El ponerse a pensar despacio en algo. **2.** Consejo, advertencia. **3.** Acción de reflejar o reflejarse la luz, el calor, el sonido u otra cosa. Sɪɴ. **1.** Meditación, cavilación.

reflexionar v. Pensar despacio sobre algo. Sɪɴ. Meditar, cavilar.

reflexivo, va adj. **1.** Que piensa bien las cosas antes de hacerlas. || adj. y s. m. **2.** Se dice del pronombre personal, como me, te, se, que indica la misma persona o personas que el sujeto y, también, de las oraciones en las que aparecen estos pronombres. Sɪɴ. **1.** Pensativo, prudente. Aɴᴛ. **1.** Irreflexivo.

reflotar v. **1.** Volver a poner a flote una embarcación hundida o encallada. **2.** Hacer que una empresa o negocio vuelva a dar beneficios.

reflujo s. m. Descenso de la marea. Aɴᴛ. Flujo.

refocilarse v. **1.** Divertirse con cosas groseras. **2.** Alegrarse de algo malo que le ocurre a otra persona. Sɪɴ. **2.** Regodearse.

reforestar v. Volver a plantar árboles o plantas en un terreno del que han desaparecido.

reforma s. f. Cambio que se hace en algo, sobre todo para mejorarlo. Sɪɴ. Transformación, renovación.

reformar v. **1.** Hacer una reforma en algo para mejorarlo. **2.** Corregir la conducta de una persona. Sɪɴ. **1.** Variar, transformar. **2.** Enmendar.

reformatorio s. m. Centro donde se lleva a los menores de edad que cometen un delito para corregir su conducta. Sɪɴ. Correccional.

reformista adj. y s. Partidario de las reformas políticas, sociales, etc.

reforzar v. **1.** Hacer que algo quede más fuerte. **2.** Aumentar. ◻ Es v. irreg. Se conjuga como forzar. Sɪɴ. **1.** Fortalecer, asegurar. **2.** Intensificar.

refracción *s. f.* Cambio de dirección y velocidad de los rayos de luz cuando pasan de un medio a otro.

refractar *v.* Producir refracción.

refractario, ria *adj.* y *s. m.* **1.** Se dice del material que resiste la acción del fuego sin cambiar ni estropearse. || *adj.* **2.** Que se opone a algo. **SIN. 2.** Opuesto, reacio. **ANT. 2.** Defensor.

refrán *s. m.* Dicho popular que expresa una enseñanza, un consejo o algo que suele ocurrir; por ejemplo, *«Quien mal anda, mal acaba».* **SIN.** Proverbio.

refranero *s. m.* Colección de refranes.

refrenar *v.* Controlar, dominar. **SIN.** Frenar, moderar. **ANT.** Liberar.

refrendar *v.* **1.** Dar validez una persona autorizada con su firma a un documento u otra cosa. **2.** Aceptar, decir que sí a algo. **SIN. 2.** Respaldar, ratificar.

refrendo *s. m.* El hecho de refrendar algo. **SIN.** Respaldo.

refrescante *adj.* Que refresca.

refrescar *v.* **1.** Poner fresco. **2.** Hacer que alguien recuerde cosas olvidadas. **3.** Hacer más frío. **ANT. 1.** Calentar.

refresco *s. m.* Bebida fresca, como una limonada o una naranjada.

refriega *s. f.* **1.** Combate poco importante. **2.** Riña o pelea violenta.

refrigeración *s. f.* **1.** Acción de refrigerar. **2.** Aparatos que sirven para refrigerar.

refrigerador, ra *adj.* **1.** Que refrigera o sirve para refrigerar. || *s. m.* **2.** Frigorífico.

refrigerar *v.* Enfriar algo, como la temperatura de un local o los alimentos.

refrigerio *s. m.* Comida ligera que se toma para reponer fuerzas. **SIN.** Tentempié.

refrito *s. m.* **1.** Ajo, cebolla y otros ingredientes fritos en aceite, que se añaden a algunos guisos. **2.** *fam.* Cosa de mala calidad que se hace copiando otras. **SIN.** Sofrito.

refuerzo *s. m.* **1.** El hecho de reforzar. **2.** Aquello que refuerza algo. **3.** Conjunto de personas o cosas que se unen a otras para ayudar a estas.

refugiado, da **1.** *p.* de **refugiarse**. También *adj.* || *s. m.* y *f.* **2.** Persona que busca refugio en otro país, generalmente por motivos políticos.

refugiarse *v.* Ir a un sitio para estar protegido. **SIN.** Cobijarse.

refugio *s. m.* **1.** Lugar que sirve para refugiarse. **2.** Protección, ayuda o consuelo. **SIN. 1.** Abrigo, albergue. **2.** Asilo, cobijo, amparo. **ANT. 2.** Desamparo.

refulgente *adj.* Que brilla o resplandece. **SIN.** Resplandeciente.

refundición *s. f.* Acción de refundir.

refundir *v.* **1.** Volver a fundir los metales. **2.** Mezclar, reunir varias cosas en una sola. **3.** Dar una nueva forma a un escrito o una literaria.

refunfuñar *v.* Gruñir en señal de protesta o enfado.

refunfuñón, na *adj.* y *s.* Persona que refunfuña mucho.

refutación *s. f.* Acción de refutar algo y argumento con que se refuta.

refutar *v.* Contradecir lo que dice otro con argumentos o razones. **SIN.** Rebatir. **ANT.** Ratificar.

regadera *s. f.* Recipiente para regar con un tubo que termina en una tapadera con agujeritos por donde sale el agua. **EXPR. estar como una regadera** Estar un poco loco.

regadío *s. m.* Terreno para cultivos que necesitan mucho riego. **ANT.** Secano.

regalado, da **1.** *p.* de **regalar.** También *adj.* || *adj.* **2.** Muy barato. **3.** Se dice de la vida llena de placeres y comodidades. **SIN. 2.** Tirado. **3.** Placentero. **ANT. 2.** Caro.

regalar *v.* **1.** Dar un regalo. **2.** *fam.* Vender muy barato. **3.** Agradar o divertir. **EXPR. regalar los oídos** Agradar a una persona diciéndole cosas bonitas. **SIN. 1.** Obsequiar. **3.** Agasajar, deleitar.

regalía *s. f.* Privilegio o derecho que sólo tienen ciertas personas, sobre todo un rey.

regaliz *s. m.* **1.** Planta de flores azuladas y un tallo subterráneo grueso que se usa para fabricar dulces. **2.** Pasta hecha con el jugo de ese tallo y que se toma como golosina en barritas o pastillas.

regalo *s. m.* **1.** Cosa que una persona da a otra como muestra de cariño, amistad o agradecimiento. **2.** *fam.* Cosa muy barata. **3.** Lo que gusta o agrada: *Aquel paisaje era un regalo para la vista.* **4.** Comodidad y bienestar. **SIN. 1.** Obsequio, presente, donación. **2.** Ganga. **3.** Deleite.

regañadientes Se usa en la expresión **a regañadientes**, 'quejándose, de mala gana'.

regañar *v.* **1.** Decirle una persona a otra que le parece mal su conducta. **2.** Discutir, pelear. **SIN. 1.** Reprender. **1** y **2.** Reñir. **ANT. 2.** Reconciliarse.

regañina *s. f.* Acción de regañar a alguien. **Sin.** Reprimenda.

regar *v.* **1.** Echar agua a una planta, a un terreno, a las calles o a otras cosas. **2.** Derramar o esparcir otra cosa. **3.** Atravesar un río un lugar. □ Es v. irreg. **Sin. 2.** Desparramar.

REGAR	
INDICATIVO	
Presente	**Pretér. perf. simple**
riego	regué
riegas	regaste
riega	regó
regamos	regamos
regáis	regasteis
riegan	regaron
SUBJUNTIVO	**IMPERATIVO**
Presente	
riegue	
riegues	riega
riegue	
reguemos	
reguéis	regad
rieguen	

regata *s. f.* Carrera entre embarcaciones.

regate *s. m.* Movimiento rápido que se hace con el cuerpo a un lado y a otro para evitar un golpe, choque o caída; en el fútbol y otros deportes lo hace un jugador para que no le quiten el balón.

regatear *v.* **1.** Discutir el comprador con el vendedor el precio de algo para conseguirlo más barato. **2.** Escatimar, ahorrar. **3.** Hacer un regate.

regateo *s. m.* Acción de regatear.

regato *s. m.* Arroyo pequeño.

regazo *s. m.* Parte del cuerpo de la mujer entre la cintura y las rodillas cuando está sentada.

regencia *s. f.* **1.** Acción de regir o gobernar. **2.** Gobierno de un Estado por parte de una persona o grupo que hace las funciones del rey cuando éste es menor de edad o por otro motivo.

regeneración *s. f.* El hecho de regenerar.

regenerar *v.* **1.** Volver a poner en buen estado una cosa gastada, estropeada o destruida. **2.** Volver a salirles a algunos animales una parte de su cuerpo que habían perdido. **3.** Hacer que una persona abandone su mala conducta. **Sin. 1.** Recuperar. **3.** Reformar.

regenta *s. f.* Mujer del regente.

regentar *v.* **1.** Dirigir un negocio. **2.** Estar en un cargo o empleo sólo por un tiempo.

regente *adj. y s.* **1.** Que rige o gobierna. ‖ *s. m. y f.* **2.** Persona que gobierna un Estado cuando el rey es menor de edad o por otro motivo.

reggae *s. m.* Estilo musical popular de Jamaica, de ritmo simple y repetitivo.

regicida *adj. y s.* Que comete regicidio.

regicidio *s. m.* Atentado contra la vida del rey, la reina, el príncipe heredero o el regente.

regidor, ra *s. m y f.* **1.** Concejal de un ayuntamiento. **2.** Persona que en el teatro, el cine o la televisión se encarga del orden y de la realización de los movimientos y efectos dispuestos por el director.

régimen *s. m.* **1.** Forma de gobierno de un país. **2.** Manera de hacerse una cosa o una actividad o modo en que suele producirse algo: *el régimen de lluvias de una región.* **3.** Indicaciones sobre lo que debe comer una persona cuando está enferma o quiere adelgazar. **4.** En gramática, hecho de exigir un verbo, un sustantivo u otra palabra un determinado complemento. **Sin. 2.** Normativa, programa. **3.** Dieta.

regimiento *s. m.* **1.** Unidad del ejército al mando de un coronel. **2.** Conjunto muy numeroso de personas.

regio, gia *adj.* Del rey. **Sin.** Real.

región *s. f.* **1.** Parte de un territorio o país que tiene unas características. **2.** Parte del cuerpo de una persona o animal. **Sin. 1 y 2.** Área.

regional *adj.* De una región.

regionalismo *s. m.* Movimiento político que defiende la autonomía o los intereses de una región.

regionalista *adj. y s.* Del regionalismo o partidario de él.

regir *v.* **1.** Dirigir, gobernar. **2.** Guiar, conducir. **3.** En gramática, exigir una palabra la presencia de otra u otras; por ejemplo, el verbo *sospechar* debe usarse con la preposición *de.* **4.** Estar vigente, ser válido. **5.** Tener bien una persona sus facultades mentales. □ Es v. irreg. **Sin. 1.** Administrar. **4.** Valer.

registrado, da *1. p.* de **registrar**. También *adj.* ‖ *adj.* **2.** Que se registró o apuntó en un registro.

registrador, ra *adj.* **1.** Que registra. ‖ *s. m. y f.* **2.** Funcionario encargado de un registro público, sobre todo el de la propiedad.

registrar *v.* **1.** Pasar las manos por el cuerpo de alguien para ver si esconde algo. **2.** Buscar con mucho cuidado en un sitio. **3.** Apuntar en un registro. **4.** Anotar, señalar. **5.** Grabar la imagen y el sonido. || **registrarse 6.** Producirse, ocurrir. **SIN. 1.** Cachear. **2.** Inspeccionar. **3.** Inscribir. **6.** Suceder, apreciarse.

registro s. m. **1.** Acción de registrar. **2.** Libro, cuaderno o lugar en el que se anotan hechos y datos para que quede constancia de ellos. **3.** Abertura cubierta con una tapa que sirve para examinar, reparar o conservar lo que está bajo tierra o metido en las paredes.

regla s. f. **1.** Utensilio para hacer líneas rectas o para medir la distancia entre dos puntos. **2.** Aquello que hay que cumplir o que indica cómo hacer algo o cómo comportarse. **3.** Manera de producirse normalmente algo. **4.** Conjunto de normas de una orden religiosa. **5.** Menstruación de la mujer. || **6. las cuatro reglas** La suma, la resta, la multiplicación y la división; también, los conocimientos básicos de una ciencia o actividad. **7. regla de tres** Procedimiento matemático para descubrir una cantidad desconocida cuando se conocen otras tres con las que tiene relación. **EXPR. en regla** o **en toda regla** Como es debido. **por regla general** Casi siempre o normalmente. **SIN. 2.** Reglamento; pauta; indicación. **5.** Periodo.

reglamentación s. f. **1.** Acción de reglamentar. **2.** Conjunto de reglas.

reglamentar v. Poner las normas o reglas con que tiene que hacerse algo.

reglamentario, ria adj. Que lo manda un reglamento o está relacionado con él.

REGIR	
INDICATIVO	
Presente	
rijo	regimos
riges	regís
rige	rigen
SUBJUNTIVO	
Presente	**Pretérito imperfecto**
rija	rigiera, -ese
rijas	rigieras, -eses
rija	rigiera, -ese
rijamos	rigiéramos, -ésemos
rijáis	rigierais, -eseis
rijan	rigieran, -esen
Futuro	
rigiere	rigiéremos
rigieres	rigiereis
rigiere	rigieren
IMPERATIVO	
rige	regid

reglamento s. m. Conjunto de normas o reglas que hay que cumplir en una actividad. **SIN.** Normativa.

regocijar v. Alegrar, divertir. **SIN.** Entusiasmar. **ANT.** Entristecer.

regocijo s. m. Alegría y contento que suele mostrarse exteriormente. **SIN.** Júbilo, entusiasmo. **ANT.** Tristeza.

regodearse v. **1.** Alegrarse alguien con mala intención de los males ajenos. **2.** Disfrutar mucho con algo. **SIN. 1.** Refocilarse.

regodeo s. m. Acción de regodearse.

regoldar v. Eructar.

regordete, ta adj. Pequeño y gordo. **SIN.** Rechoncho, rollizo. **ANT.** Flaco.

regresar v. Volver, retornar.

regresión s. f. Retroceso. **ANT.** Progresión.

regresivo, va adj. Que retrocede o va hacia atrás. **ANT.** Progresivo.

regreso s. m. Vuelta, retorno.

regüeldo s. m. Eructo.

reguero s. m. **1.** Chorro o arroyo pequeño. **2.** Línea o señal que deja algo que se va derramando. **3.** Pequeño canal para regar. **EXPR. como un reguero de pólvora** Con mucha rapidez. **SIN. 1.** Regato.

regulable adj. Que puede ser regulado: un ventilador regulable.

regulación s. f. Acción de regular.

regular[1] v. **1.** Poner en orden. **2.** Hacer que algo siga unas reglas. **3.** Hacer que algo funcione o esté bien. **4.** Graduar. **SIN. 2.** Reglamentar. **3.** Ajustar.

regular[2] adj. **1.** De acuerdo con una regla; se dice, por ejemplo, de los verbos que se conjugan siguiendo los modelos generales (cantar, temer y partir). **2.** Mediano. **3.** Ni bueno ni malo. **4.** Sin grandes cambios o que sucede a intervalos iguales: un vuelo regular. **5.** En geometría, se dice de la figura que tiene los lados, ángulos o caras iguales entre sí. || adv. **6.** No muy bien. **EXPR. por lo regular** Normalmente. **SIN. 2.** Intermedio. **ANT. 1** y **5.** Irregular. **2** y **3.** Excepcional.

regularidad s. f. **1.** Característica de regular. **2.** Hecho de suceder algo de manera regular. **ANT. 1** y **2.** Irregularidad.

regularización s. f. Acción de regularizar. **SIN.** Normalización.

regularizar v. Hacer que una cosa sea normal. **SIN.** Normalizar.

regularmente adv. Con regularidad, a intervalos regulares.

regurgitar *v.* Echar por la boca, sin vomitar, lo que se ha comido o bebido.

regusto *s. m.* **1.** Sabor que deja un alimento o bebida. **2.** Sensación o recuerdo que deja algo que ha pasado.

rehabilitación *s. f.* **1.** Acción de rehabilitar o rehabilitarse. **2.** Ejercicios para recuperar una capacidad perdida o disminuida por un accidente o enfermedad. **Sin. 1.** Restauración, restablecimiento.

rehabilitar *v.* Poner a una persona o cosa en el estado, puesto o situación en que antes se encontraba. **Sin.** Restaurar, restablecer.

rehacer *v.* **1.** Volver a hacer algo. ‖ **rehacerse 2.** Recuperar una persona las fuerzas o el ánimo que tenía antes. □ Es *v.* irreg. Se conjuga como *hacer.* **Sin. 1.** Reconstruir. **2.** Restablecerse. **Ant. 1.** Deshacer. **2.** Hundirse.

rehén *s. m.* Persona que es retenida a la fuerza por otra para obligar a un tercero a cumplir unas condiciones.

rehogar *v.* Freír ligeramente un alimento. **Sin.** Sofreír.

rehuir *v.* **1.** Evitar algo molesto o desagradable. **2.** Intentar no tener trato o no encontrarse con otro. □ Es *v.* irreg. Se conjuga como *huir.* **Sin. 1** y **2.** Eludir, esquivar.

rehusar *v.* Rechazar, no aceptar. **Sin.** Desdeñar. **Ant.** Admitir.

reimpresión *s. f.* **1.** Acción de reimprimir. **2.** Libro o escrito reimpreso.

reimprimir *v.* Volver a imprimir. □ Tiene dos participios: uno reg., *reimprimido,* y otro irreg., *reimpreso.*

reina *s. f.* **1.** Mujer que reina. **2.** Esposa del rey. **3.** Pieza del ajedrez que es la más importante después del rey. **4.** Mujer, animal o cosa del género femenino que sobresale entre las demás. **5.** Hembra de algunos grupos de insectos, como las abejas, que se ocupa sobre todo de tener crías. **Sin. 1.** Soberana.

reinado *s. m.* Actividad de reinar y tiempo que reina un rey o una reina.

reinante *adj.* Que está reinando.

reinar *v.* **1.** Hacer su función un rey o una reina. **2.** Dominar, prevalecer. **Sin. 2.** Imperar, predominar.

reincidencia *s. f.* Acción de reincidir. **Sin.** Recaída.

reincidente *adj.* Que reincide en un error, falta o delito.

reincidir *v.* Volver a cometer un error, falta o delito. **Sin.** Recaer. **Ant.** Corregirse.

reincorporación *s. f.* Acción de reincorporarse.

reincorporarse *v.* Volver a incorporarse.

reineta *adj.* y *s. f.* Se dice de una variedad de manzana de forma aplanada y sabor ácido.

reino *s. m.* **1.** Lugar donde reina un monarca. **2.** Espacio en que domina algo: *el reino de la fantasía.* **3.** Cada uno de los cinco grandes grupos en que se ha dividido a los seres vivos. **Sin. 2.** Mundo, campo.

reinserción *s. f.* Integración de nuevo en la sociedad de algunas personas, como los terroristas o los delincuentes, que vivían al margen de ella.

reintegrar *v.* **1.** Devolver completamente algo. ‖ **reintegrarse 2.** Volver a una actividad. **Sin. 1.** Restituir. **2.** Reincorporarse. **Ant. 2.** Cesar.

reintegro *s. m.* **1.** Pago del dinero que se debe a una persona. **2.** Premio de la lotería que equivale a la cantidad jugada. **3.** Vuelta a una actividad.

reír *v.* **1.** Mostrar alguien alegría o que algo le parece gracioso mediante la expresión de la cara y un sonido muy característico. **2.** Burlarse, no hacer caso. □ Es *v.* irreg. **Sin. 1** y **2.** Carcajearse. **2.** Mofarse. **Ant. 1.** Llorar.

REÍR	
GERUNDIO	
riendo	
INDICATIVO	
Presente	Pretér. perf. simple
río	*reí*
ríes	*reíste*
ríe	*rió*
reímos	*reímos*
reís	*reísteis*
ríen	*rieron*
SUBJUNTIVO	
Presente	Pretérito imperfecto
ría	*riera, -ese*
rías	*rieras, -eses*
ría	*riera, -ese*
riamos	*riéramos, -ésemos*
riáis	*rierais, -eseis*
rían	*rieran, -esen*
Futuro	
riere	*riéremos*
rieres	*riereis*
riere	*rieren*
IMPERATIVO	
ríe	*reíd*

reiteración *s. f.* Acción de reiterar.

reiterado, da *adj.* Que se dice o se hace más de una vez.

reiterar *v.* Repetir algo.

reiterativo, va *adj.* Repetitivo.

reivindicación *s. f.* Acción de reivindicar. SIN. Reclamación, exigencia.

reivindicar *v.* 1. Reclamar una persona algo que le parece justo. 2. Decir alguien que es el autor o el responsable de algo. SIN. 1. Exigir. 2. Atribuirse. ANT. 1. Renunciar. 2. Negar.

reivindicativo, va *adj.* Que reivindica algo.

reja[1] *s. f.* Pieza de hierro del arado que se introduce en la tierra para hacer los surcos.

reja[2] *s. f.* Conjunto de hierros en forma de barrotes o haciendo dibujos, que se ponen en las ventanas o en otros lugares para protegerlos o con otros fines. EXPR. **entre rejas** Preso, en la cárcel. SIN. Verja, cancela, enrejado.

rejilla *s. f.* Red de tela metálica u otro material que se pone en algunos sitios, por ejemplo para cubrir una abertura.

rejón *s. m.* 1. Barra de hierro que termina en punta. 2. Palo largo de madera con una cuchilla de acero en la punta, que sirve para rejonear.

rejoneador, ra *s. m.* y *f.* Persona que torea a caballo.

rejonear *v.* Torear a caballo.

rejoneo *s. m.* Toreo a caballo.

rejuvenecer *v.* Dar a alguien el aspecto o las fuerzas de una persona joven. □ Es v. irreg. Se conjuga como *agradecer.* ANT. Envejecer.

relación *s. f.* 1. Situación entre dos hechos, ideas o cosas que están unidos por algo. 2. Trato entre dos o más personas. 3. Persona con la que otra tiene amistad o trato. 4. Lista. 5. Narración de algo. || *pl.* 6. Trato amoroso o sexual entre dos personas. || **7. relaciones públicas** Trabajo basado fundamentalmente en el trato con la gente, que consiste en promocionar a alguien o algo. También, persona que realiza este trabajo. SIN. 1. Vínculo, conexión, correlación. 1 y 2. Contacto. 4. Enumeración. 5. Relato, exposición. ANT. 1. Desconexión.

relacionar *v.* 1. Poner en relación personas o cosas. || **relacionarse** 2. Tener relaciones de amistad, comerciales o de otro tipo. SIN. 1. Vincular, conectar. 2. Tratarse, alternar. ANT. 1. Separar.

relajación *s. f.* 1. Acción de relajar o relajarse. 2. El hecho de ser menos duras las normas, la disciplina o las costumbres. SIN. 1 y 2. Relajo.

relajado, da 1. *p.* de **relajar.** También *adj.* || *adj.* 2. Tranquilo.

relajante *adj.* Que relaja.

relajar *v.* 1. Hacer que desaparezca la tensión de un músculo o de otra parte del cuerpo. 2. Tranquilizar o distraer a una persona de sus preocupaciones. 3. Hacer menos severa una ley, una norma u otra cosa. SIN. 1. Aflojar. 2. Serenar, sosegar. 3. Suavizar. ANT. 1. Tensar. 3. Endurecer.

relajo *s. m.* 1. Descanso, tranquilidad. 2. Falta de orden o disciplina. SIN. 1. Relax. 1 y 2. Relajación.

relamer *v.* 1. Lamer otra vez. || **relamerse** 2. Pasar la lengua por los labios. 3. Encontrar mucho gusto o satisfacción pensando en algo. SIN. 3. Recrearse, deleitarse, regodearse.

relamido, da 1. *p.* de **relamer.** || *adj.* y *s.* 2. Que va excesivamente arreglado.

relámpago *s. m.* 1. Luz intensa y momentánea que se produce en las nubes por una descarga eléctrica. 2. Cosa muy rápida o breve: *un viaje relámpago.*

relatar *v.* Contar, narrar. SIN. Referir.

relatividad *s. f.* 1. Característica de relativo. || **2. teoría de la relatividad** Teoría física formulada por Einstein en 1905 y que aporta ideas muy importantes para la física moderna, por ejemplo, que el tiempo pasa de forma distinta según las cosas estén quietas o se muevan y que la longitud de un objeto varía dependiendo de la velocidad con que se desplaza.

relativo, va *adj.* 1. Que tiene relación con algo o trata de ello. 2. Que no es absoluto y depende de su relación o comparación con otras cosas. || *adj.* y *s. m.* 3. En gramática, se dice de algunos pronombres como *que* o *quien,* o adverbios como *cuando* o *donde,* que van delante de una oración subordinada y realizan además una función sintáctica dentro de ella. || *adj.* y *s. f.* 4. Se dice de la oración subordinada que va después de estos pronombres o adverbios. SIN. 1. Concerniente, referente.

relato *s. m.* 1. Acción de relatar o contar algo. 2. Narración breve. SIN. 1. Relación, exposición.

relax (ingl.) *s. m.* Relajación. SIN. Relajo. ANT. Estrés.

releer v. Volver a leer algo. ◻ Es v. irreg. Se conjuga como *leer*.

relegar v. Apartar, dejar de lado. Sin. Postergar, arrinconar. Ant. Atender.

relente s. m. Humedad fría que hay en la atmósfera en las noches despejadas.

relevancia s. f. Importancia, trascendencia.

relevante adj. 1. Importante, significativo. 2. Muy bueno. Sin. 2. Excelente, notable. Ant. 1 y 2. Irrelevante.

relevar v. 1. Sustituir una persona a otra en una actividad. 2. Liberar a alguien de una carga o de una obligación. 3. Echar a alguien de un trabajo o puesto. Sin. 1. Reemplazar, suplir. 2. Eximir, descargar. 3. Expulsar, destituir. Ant. 2. Cargar.

relevo s. m. 1. Acción de relevar. 2. Persona o grupo que releva a otro. ‖ pl. 3. Competición deportiva entre varios equipos en la que los miembros de cada uno de ellos se relevan después de recorrer una misma distancia. Sin. 1. Sustitución.

relicario s. m. 1. Caja o lugar en que se guardan las reliquias de un santo. 2. Estuche, casi siempre en forma de medallón, en que se guarda un recuerdo de una persona.

relieve s. m. 1. Cosa que sobresale en una superficie plana. 2. Conjunto de montañas, valles y otras cosas que hay en la superficie de la Tierra. 3. Importancia o valor. Expr. **poner de relieve** una cosa Destacarla. Sin. 3. Categoría, prestigio.

religión s. f. Conjunto de ideas y prácticas de las personas que creen en uno o varios dioses o seres superiores. Sin. Confesión.

religiosamente adv. Con mucha puntualidad o exactitud.

religiosidad s. f. Característica de religioso. Sin. Devoción.

religioso, sa adj. 1. De la religión o relacionado con la religión. 2. Que cumple lo que manda su religión. ‖ adj. y s. 3. Persona que consagra su vida a Dios y entra en una orden, como los frailes y las monjas. ‖ adj. 4. Que es muy puntual y exacto. Sin. 3. Devoto, creyente. 3. Monje, hermano. Ant. 1. Pagano. 2. Ateo. 3. Laico.

relinchar v. Dar relinchos el caballo.

relincho s. m. Sonido que hace el caballo.

reliquia s. f. 1. Parte del cuerpo de un santo o cosa que estuvo en contacto con su cuerpo. 2. Resto que queda de cosas que ocurrieron hace mucho tiempo. Sin. 2. Vestigio.

rellano s. m. Descansillo.

rellenar v. 1. Volver a llenar algo. 2. Escribir en un impreso los datos que se piden. 3. Meter dentro de un alimento otros. 4. Llenar un hueco con algo. Sin. 2. Cumplimentar. Ant. 1. Vaciar.

relleno, na adj. 1. Rellenado con algo. ‖ adj. 2. Que está un poco gordo. ‖ 3. Ingredientes con que se rellena un alimento. 4. Cualquier material con que se rellena algo. Sin. 2. Regordete. Ant. 2. Delgado.

reloj s. m. Utensilio o máquina para medir el tiempo. Expr. **contra reloj** Muy rápidamente. También, carrera ciclista en que los corredores, de uno en uno, intentan llegar a la meta en el menor tiempo posible.

relojería s. f. Tienda en que se venden o arreglan relojes.

relojero, ra s. m. y f. Persona que hace, arregla o vende relojes.

reluciente adj. Que reluce o brilla. Sin. Brillante, resplandeciente.

relucir v. Brillar. ◻ Es v. irreg. Se conjuga como *lucir*. Expr. **sacar** o **salir algo a relucir** Mencionar algo, generalmente de forma inoportuna. Sin. Resplandecer, relumbrar.

relumbrar v. Brillar un cuerpo. Sin. Resplandecer, relucir.

relumbrón s. m. fam. Aspecto de lujo y riqueza, sin que lo sea realmente.

remachadora s. f. Máquina para poner remaches.

remachar v. 1. Machacar un clavo o remache que ya ha sido clavado para que quede bien sujeto. 2. Insistir en algo, recalcarlo. Sin. 2. Subrayar.

remache s. m. Clavo o pieza de metal con una punta que se clava y después se machaca por el extremo opuesto.

remanente adj. y s. m. Parte que queda de una cosa. Sin. Sobrante, resto.

remangar v. Levantar hacia arriba las mangas o la ropa. Sin. Arremangar.

remansarse v. Pararse o ir más lenta una corriente de agua. Sin. Estancarse.

remanso s. m. 1. Lugar en que una corriente de agua se detiene o va más despacio. ‖ 2. **remanso de paz** Lugar tranquilo.

remar v. Mover los remos de una embarcación para hacerla avanzar por el agua. Sin. Bogar.

remarcar v. 1. Volver a marcar algo. 2. Destacar, insistir en algo. **Sin.** 2. Recalcar, remachar, señalar.

rematadamente adv. Por completo, sin remedio.

rematado, da 1. p. de **rematar**. También adj. ‖ adj. 2. Total, completo: un loco rematado.

rematar v. 1. Acabar de matar al que está herido. 2. Acabar de estropear o agravar algo. 3. Acabar, finalizar. 4. En el fútbol, lanzar el balón contra la portería contraria después de un pase u otras jugadas. 5. Ser algo el final o el extremo de otra cosa. 6. Dar varias puntadas al final de una costura para que no se deshaga. **Sin.** 3. Concluir. 3 y 5. Terminar. **Ant.** 3 y 5. Comenzar.

remate s. m. 1. El hecho de rematar. 2. Aquello que es el final o el extremo de algo. **Sin.** 1. Término, conclusión. **Ant.** 1. Comienzo.

rembolsar v. Reembolsar.

rembolso s. m. Reembolso.

remedar v. Imitar algo, sobre todo los gestos de una persona para burlarse de ella. **Sin.** Parodiar.

remediar v. Poner remedio. **Expr. no poder remediar** algo No poder evitarlo. **Sin.** Solucionar, subsanar.

remedio s. m. Lo que sirve para solucionar algo, curar una enfermedad o evitar algo malo. **Sin.** Solución, arreglo.

remedo s. m. Imitación, sobre todo cuando está mal hecha o resulta ridícula. **Sin.** Parodia.

rememorar v. Recordar. **Sin.** Evocar. **Ant.** Olvidar.

remendar v. Arreglar algo viejo o roto poniendo un parche o zurciéndolo. ◻ Es v. irreg. Se conjuga como pensar.

remendón, na adj. y s. Que se dedica a remendar zapatos o prendas usadas.

remero, ra s. m. y f. Persona que rema.

remesa s. f. Conjunto de cosas que se envían de una vez. **Sin.** Partida.

remeter v. Empujar una cosa para meterla en un sitio, por ejemplo los bordes de las sábanas y mantas.

remiendo s. m. 1. El hecho de remendar. 2. Pedazo de tela, cuero u otro material con que se remienda algo. **Sin.** 2. Parche.

remilgado, da adj. y s. Que es demasiado delicado o que hace muchos ascos a todo. **Sin.** Melindroso.

remilgo s. m. Gesto o acción que hace la persona remilgada. **Sin.** Melindre.

reminiscencia s. f. 1. Recuerdo de algo. 2. Aquello que en una obra artística recuerda a otro autor o muestra su influencia.

remisión s. f. 1. El hecho de remitir algo. 2. En una obra escrita, nota que manda al lector a otra parte de la misma o a otra diferente.

remiso, sa adj. Que se resiste a algo. **Sin.** Reacio. **Ant.** Dispuesto.

remite s. m. Nota escrita en las cartas, sobres y paquetes en que aparecen el nombre y el domicilio de la persona que lo envía.

remitente adj. y s. Que remite o envía algo.

remitir v. 1. Enviar. 2. Indicar al lector de una obra escrita que busque en otra parte. 3. Perder algo intensidad o fuerza. ‖ **remitirse** v. Indicar que vale lo ya dicho por uno mismo o por otro para no repetirlo. **Sin.** 1. Mandar, expedir. 3. Disminuir. **Ant.** 3. Aumentar, arreciar.

remo s. m. Pala larga y estrecha que se utiliza para mover algunas embarcaciones haciendo fuerza en el agua.

remodelar v. 1. Modificar una obra arquitectónica o de urbanismo. 2. Reorganizar.

remojar v. Mojar completamente una cosa, sobre todo metiéndola en agua. **Sin.** Empapar, bañar. **Ant.** Secar.

remojo s. m. Se usa sobre todo en la expresión **en remojo** o **a remojo**, 'dentro del agua u otro líquido'.

remojón s. m. El hecho de mojar o mojarse, por ejemplo dándose un baño o un chapuzón.

remolacha s. f. Planta con una raíz carnosa y comestible, de color rojo, de la que se saca azúcar y que también se llama remolacha.

remolcador, ra adj. y s. m. Que sirve para remolcar.

remolcar v. 1. Arrastrar una embarcación u otra cosa por el agua, tirando de ella. 2. Arrastrar un vehículo a otro.

remolino s. m. 1. Movimiento de una masa de aire, polvo o agua que gira muy deprisa. 2. Pelos que salen en distinta dirección que el resto y al peinarlos quedan de punta. 3. Aglomeración de gente que se mueve sin ningún orden. **Sin.** 1. Vorágine, torbellino. 3. Hormiguero.

remolón, na adj. y s. Que intenta no trabajar o no hacer algo. **Ant.** Diligente.

remolonear v. Intentar no trabajar o no hacer algo.

remolque *s. m.* **1.** Acción de remolcar o ser remolcado. **2.** Vehículo sin motor que es arrastrado por otro. **Expr. a remolque** Arrastrándolo. También, significa que una persona hace algo porque otra la ha obligado o ha insistido mucho. **Sin. 1.** Arrastre.

remonta *s. f.* Cría de caballos para el ejército y lugar donde se realiza.

remontar *v.* **1.** Subir por el sitio que se dice. **2.** Superar un obstáculo o dificultad. **3.** Avanzar puestos. ‖ **remontarse 4.** Subir o volar muy alto, por ejemplo las aves o los aviones. **5.** Situarse en una época pasada o pertenecer a ella. **Sin.** 1 y 3. Escalar. 1, 3 y 4. Ascender. 2. Vencer, salvar. **Ant.** 1, 3 y 4. Bajar. 3. Perder.

remonte *s. m.* **1.** Acción de remontar o remontarse. **2.** Aparato que sirve para remontar o subir una pista de esquí, como el telesilla. **Sin. 1.** Subida, ascenso. **Ant. 1.** Bajada.

rémora *s. f.* **1.** Pez marino que tiene una especie de ventosa en la cabeza con la que se fija a otros peces más grandes. **2.** Obstáculo que impide que algo se realice o progrese. **Sin. 2.** Lastre, freno.

remorder *v.* Tener alguien remordimientos. □ Es v. irreg. Se conjuga como *mover*. **Sin.** Pesar, atormentar.

remordimiento *s. m.* Preocupación o pena que siente una persona por algo malo que ha hecho. **Sin.** Pesar.

remotamente *adv.* De forma vaga, imprecisa: *Este lugar me resulta remotamente familiar.* **Expr. ni remotamente** En absoluto, de ningún modo.

remoto, ta *adj.* **1.** Muy alejado en el tiempo o en el espacio. **2.** Que es muy difícil que ocurra. **Expr. no tener ni la más remota idea** No saber nada de algo. **Sin.** 1 y 2. Lejano. **Ant. 1.** Cercano.

remover *v.* **1.** Mover algo agitándolo, dándole vueltas o cambiándolo de sitio o posición. **2.** Volver a pensar o tratar un asunto. **3.** Apartar un obstáculo o dificultad. □ Es v. irreg. Se conjuga como *mover*. **Sin.** 1 y 2. Revolver.

remozar *v.* Dar un aspecto más nuevo o moderno a algo, por ejemplo a la fachada de un edificio.

remplazar *v.* Reemplazar.

remplazo *s. m.* Reemplazo.

remuneración *s. f.* **1.** Acción de remunerar. **2.** Sueldo, salario.

remunerar *v.* Pagar dinero por un trabajo o servicio. **Sin.** Retribuir.

renacentista *adj.* y *s.* Del renacimiento o relacionado con él.

renacer *v.* **1.** Volver a nacer. **2.** Tomar nuevas fuerzas. □ Es v. irreg. Se conjuga como *agradecer*. **Sin.** 1 y 2. Revivir, resurgir. **Ant.** 1 y 2. Morir.

renacimiento *s. m.* **1.** Hecho de renacer. **2.** Movimiento cultural de los siglos XV y XVI en que se estudió a los antiguos escritores y artistas griegos y latinos, y se siguieron sus ideas y su estilo. **Sin. 1.** Resurgimiento. **Ant. 1.** Decadencia.

renacuajo *s. m.* Larva de la rana.

renal *adj.* De los riñones.

rencilla *s. f.* Riña, pelea. **Sin.** Desavenencia, disputa. **Ant.** Concordia.

renco, ca *adj.* Cojo.

rencor *s. m.* Odio o antipatía que alguien tiene a otro por algo que le hizo hace tiempo. **Sin.** Resentimiento.

rencoroso, sa *adj.* y *s.* Que guarda rencor a otra persona. **Sin.** Resentido.

rendición *s. f.* Acción de rendirse.

rendidamente *adv.* Mostrándose totalmente sometido a otra persona: *rendidamente enamorado.*

rendido, da *adj.* **1.** p. de **rendir.** También *adj.* ‖ *adj.* **2.** Muy cansado. **3.** Que hace todo lo que otra persona quiere, por ejemplo porque está muy enamorado. **Sin. 2.** Agotado, fatigado. **Ant. 2.** Descansado.

rendija *s. f.* Abertura larga y estrecha, por ejemplo la que hay entre dos cosas cuando está muy cerca una de otra. **Sin.** Hendidura, fisura, ranura.

rendimiento *s. m.* Beneficio o provecho del trabajo de una persona, de una máquina o de otra cosa. **Sin.** Rentabilidad, productividad.

rendir *v.* **1.** Vencer o someter a alguien. **2.** Producir un rendimiento o utilidad. **3.** Dar u ofrecer algunas cosas, por ejemplo homenajes, honores o tributos. **4.** Dejar muy cansado. ‖ **rendirse 5.** Dejar de luchar o de resistir. □ Es v. irreg. Se conjuga como *pedir*. **Sin.** 1. Doblegar. 2. Rentar. 4. Agotar, moler. 5. Ceder, claudicar.

renegado, da *s.* **1.** p. de **renegar.** ‖ *adj.* y *s.* **2.** Que rechaza su país, su raza o las creencias que tenía antes.

renegar *v.* **1.** Rechazar una persona la religión u otras ideas que tenía antes. **2.** Rechazar con desprecio una persona a otra o la relación que tenía con ella. **3.** Protestar en voz baja. □ Es v. irreg. Se conjuga como *regar*. **Sin.** 1. Abjurar, apostatar. **2.** Repudiar, abominar. **3.** Refunfuñar, gruñir. **ANT. 1.** Reafirmar. **2.** Aceptar.

renegón, na adj. y s. fam. Que reniega o protesta mucho. **SIN.** Gruñón.

renegrido, da adj. De color casi negro. **SIN.** Negruzco.

renglón s. m. **1.** Cada una de las líneas horizontales que tienen los cuadernos y otros papeles para escribir sin torcerse. **2.** Palabras o signos escritos en una línea recta. **EXPR. a renglón seguido** A continuación, inmediatamente.

reniego s. m. Cosa que se hace o se dice renegando o protestando.

reno s. m. Animal parecido al ciervo, que vive en zonas muy frías del hemisferio Norte y se usa para tirar de los trineos.

renombrado, da adj. Famoso, célebre. **SIN.** Notorio.

renombre s. m. Fama, prestigio.

renovación s. f. El hecho de renovar algo.

renovar v. **1.** Dar nueva fuerza, intensidad o vitalidad a algo. **2.** Cambiar una cosa por otra de la misma clase más nueva o moderna. **3.** Cambiar un documento que ya no vale por otro igual nuevo. **4.** Volver a hacer algo que se había interrumpido. **SIN. 1.** Revitalizar. **2** y **3.** Actualizar. **4.** Repetir, reiterar. **ANT. 1.** Debilitar.

renqueante adj. Que renquea.

renquear v. **1.** Cojear. **2.** Vivir una persona con dificultades. **3.** Marchar un asunto trabajosamente.

renta s. f. **1.** Dinero o ganancia que da una cosa, por ejemplo al mes o al año. **2.** Dinero que paga una persona a otra por el alquiler de algo. || **3. renta per cápita** Cálculo que se hace dividiendo el dinero que hay en un país entre el número de habitantes. **SIN. 1.** Rendimiento, rédito, provecho.

rentabilidad s. f. Característica de lo que es rentable.

rentable adj. Que produce beneficio.

rentar v. Producir algo una ganancia o beneficio. **SIN.** Rendir, remunerar.

rentista s. m. y f. Persona que tiene propiedades por las que recibe una renta o ganancia.

renuencia s. f. El hecho de resistirse o mostrarse renuente a algo.

renuente adj. Que se resiste a hacer alguna cosa. **SIN.** Reacio, reticente. **ANT.** Dispuesto.

renuevo s. m. Brote de una planta o árbol después de haber sido podados o cortados. **SIN.** Vástago, retoño, yema.

renuncia s. f. Acción de renunciar y escrito en que se renuncia a algo.

renunciar v. **1.** Dejar voluntariamente algo que se posee o a lo que se tiene derecho. **2.** Dejar de hacer algo por alguna razón. **3.** No aceptar una persona algo que se le ofrece. **SIN. 1.** Dimitir. **2.** Desistir; abstenerse. **3.** Rechazar, declinar. **ANT. 1** y **3.** Admitir. **2.** Persistir.

renuncio s. m. Mentira o contradicción en que se coge a una persona, por ejemplo en los juegos de cartas.

reñido, da **1.** p. de **reñir.** || adj. **2.** Que se ha enfadado con otro. **3.** Se dice de las competiciones y otras pruebas en que los participantes están muy igualados. **EXPR. estar reñida** una cosa con otra Ser incompatibles. **SIN. 2.** Peleado. **3.** Disputado.

reñir v. **1.** Regañar a alguien. **2.** Discutir, enfadarse. □ Es v. irreg. Se conjuga como ceñir. **SIN. 1.** Reprender, amonestar. **2.** Disputar, enojarse. **ANT. 1.** Aprobar. **2.** Reconciliarse.

reo, rea s. m. y f. Persona acusada de un delito.

reojo Se usa en la expresión **de reojo,** 'mirando con disimulo, sin mover la cabeza'.

reorganizar v. Volver a organizar algo. **SIN.** Reestructurar.

reostato o **reóstato** s. m. Aparato para variar la resistencia en un circuito eléctrico.

repanchigarse o **repanchingarse** v. Repantigarse o repanchingarse.

repanocha Se usa en la expresión **ser la repanocha,** 'ser una persona o cosa muy sorprendente por lo bueno o por lo malo'.

repantigarse o **repantingarse** v. Colocarse cómodamente en un asiento, estirando el cuerpo. **SIN.** Arrellanarse.

reparación s. f. **1.** Arreglo de algo roto o estropeado. **2.** Compensación u otra cosa que se da a una persona por un daño u ofensa que ha sufrido. **SIN. 1.** Restauración. **2.** Desagravio; indemnización.

reparador, ra adj. y s. **1.** Que repara o arregla algo. || adj. **2.** Que sirve para recuperar las fuerzas.

reparar v. **1.** Arreglar algo roto o estropeado. **2.** Poner remedio a un daño o una ofensa que se ha hecho a alguien. **3.** Fijarse, percatarse. **SIN. 1.** Recomponer, restaurar. **2.** Remediar, enmendar, subsanar. **3.** Percibir. **Ant. 1.** Romper. **2.** Ofender.

reparo *s. m.* **1.** Pega, objeción que se pone a algo. **2.** Vergüenza, apuro. **Sin. 1.** Traba. **2.** Bochorno, embarazo.

repartidor, ra *adj. y s.* Que reparte.

repartir *v.* **1.** Dar a cada persona una de las partes de algo. **2.** Entregar algo en distintos lugares o a personas diferentes. **3.** Dar a cada persona una función o colocación. **4.** Extender algo sobre una superficie. **Sin. 1.** Dividir, partir. **1** a **4.** Distribuir. **3.** Adjudicar, asignar. **4.** Esparcir.

reparto *s. m.* **1.** El hecho de repartir. **2.** Lista de los actores de una película o espectáculo teatral con los personajes que hace cada uno. **Sin. 1.** Partición.

repasar *v.* **1.** Mirar otra vez una cosa para comprobar si está bien y corregir sus faltas. **2.** Leer de nuevo lo que se ha estudiado para aprenderlo bien. **3.** Explicar otra vez el profesor una lección. **4.** Coser de nuevo algo que lo necesita. **Sin. 1.** Revisar.

repaso *s. m.* Acción de repasar algo.

repatear *v. fam.* Fastidiar, desagradar.

repatriación *s. f.* Acción de repatriar.

repatriar *v.* Hacer lo necesario para que una persona vuelva a su país.

repecho *s. m.* Cuesta empinada y corta. **Sin.** Pendiente, rampa. **Ant.** Bajada.

repeinado, da *adj.* Que va demasiado bien peinado.

repelar *v.* Pelar mucho una cosa. **Sin.** Rapar, trasquilar.

repelente *adj. y s. m.* **1.** Que repele o da asco. ‖ *adj. y s.* **2.** Redicho, sabihondo. **Sin. 1.** Asqueroso, repulsivo.

repeler *v.* **1.** Rechazar, hacer que una persona o cosa se separe o vaya hacia atrás. **2.** Causar repugnancia o asco. **Sin. 1.** Alejar. **2.** Desagradar, repugnar. **Ant. 1.** Atraer. **2.** Agradar.

repelús o **repeluzno** *s. m.* Escalofrío o sensación desagradable que produce algo que da miedo o repugna.

repente *s. m.* Reacción inesperada de una persona. **Expr. de repente** De forma no esperada. **Sin.** Pronto, arranque, arrebato.

repentino, na *adj.* Que se produce de forma inesperada. **Sin.** Imprevisto, súbito. **Ant.** Esperado.

repercusión *s. f.* **1.** Influencia de una cosa en otra que ocurre después. **2.** El llegar a ser algo muy conocido por la

importancia que tiene. **Sin. 2.** Resonancia, eco, trascendencia.

repercutir *v.* **1.** Influir una cosa en otra. **2.** Producir eco el sonido. **Sin. 2.** Resonar, retumbar.

repertorio *s. m.* **1.** Conjunto de espectáculos o números que un actor o compañía tienen preparados para realizarlos ante el público. **2.** Colección. **3.** Libro o catálogo que contiene de forma ordenada datos o informaciones. **Sin. 2.** Selección.

repesca *s. f.* **1.** Acción de repescar. **2.** Examen especial para los estudiantes que han suspendido una asignatura.

repescar *v.* Admitir de nuevo al que ha suspendido una asignatura o ha sido eliminado en un sorteo o competición. **Sin.** Readmitir.

repetición *s. f.* Acción de repetir y cosa que se repite. **Expr. de repetición** Se dice de las armas de fuego que, una vez puestas en funcionamiento, repiten su acción mecánicamente.

repetidamente *adv.* Varias veces. **Sin.** Frecuentemente. **Ant.** Raramente.

repetido, da **1.** *p. de* **repetir.** ‖ *adj.* **2.** Que se repite o que es igual.

repetidor, ra *adj. y s.* **1.** Que repite; se dice sobre todo del alumno que repite curso. ‖ *s. m.* **2.** Aparato electrónico usado en la televisión o en las comunicaciones que recibe una señal y la vuelve a transmitir aumentada.

repetir *v.* **1.** Volver a decir o hacer algo. **2.** Tomar más cantidad de una comida o bebida. **3.** Venir a la boca el sabor de lo que se había comido o bebido. **4.** Volver a ocurrir algo. ▫ Es *v.* irreg. Se conjuga como *pedir.* **Sin. 1.** Reiterar.

repetitivo, va *adj.* Que se repite mucho y por eso resulta aburrido.

repicar *v.* Tocar varias veces las campanas para anunciar un día de fiesta o para celebrar algo. **Sin.** Repiquetear.

repipi *adj. y s.* Redicho, cursi.

repique *s. m.* Toque repetido de campanas.

repiquetear *v.* Repicar con fuerza las campanas u otro instrumento. **Sin.** Resonar; golpetear.

repiqueteo *s. m.* Acción de repiquetear y sonido que produce.

repisa *s. f.* Estante o soporte colocado horizontalmente contra la pared para poner algo sobre él.

replantear *v.* Plantear de nuevo algo. **Sin.** Reconsiderar, revisar.

replay (ingl.) *s. m.* En la televisión, repetición de un fragmento de un programa.

replegar *v.* Retirar las tropas de manera ordenada. □ Es v. irreg. Se conjuga como *regar*. **SIN.** Retroceder. **ANT.** Desplegar.

repleto, ta *adj.* Muy lleno o completamente lleno. **SIN.** Rebosante, abarrotado. **ANT.** Vacío.

réplica *s. f.* **1.** Contestación en contra de lo que otro ha dicho. **2.** Copia exacta de una obra artística. **SIN. 1.** Protesta. **2.** Duplicado.

replicar *v.* **1.** Decir algo en contra de lo que otro ha dicho. **2.** Poner alguien disculpas o pegas a lo que le dicen o le mandan. **SIN. 1.** Alegar, protestar. **1** y **2.** Contestar, responder. **ANT. 1.** Asentir.

repliegue *s. m.* Retirada ordenada de las tropas. **SIN.** Retroceso.

repoblación *s. f.* **1.** Acción de repoblar un terreno con nuevos árboles o plantas. **2.** Acción de poblar o poblarse otra vez de gente un lugar. **SIN. 2.** Colonización.

repoblar *v.* **1.** Volver a plantar árboles y otras plantas en un lugar. **2.** Poblar otra vez de gente un lugar. □ Es v. irreg. Se conjuga como *contar*. **SIN. 2.** Colonizar. **ANT. 1.** Talar. **2.** Despoblar.

repollo *s. m.* Tipo de col con las hojas grandes y muy juntas.

repolludo, da *adj. fam.* Bajito y rechoncho. **SIN.** Retaco.

reponer *v.* **1.** Poner en un sitio una cosa igual a otra que falta. **2.** Poner a una persona o cosa en el mismo lugar o puesto que tuvo antes. **3.** Volver a poner una obra, película o programa de radio o televisión. **4.** Responder a lo que otro dice. ∥ **reponerse 5.** Recuperarse de una enfermedad o de otra cosa mala. □ Es v. irreg. Se conjuga como *poner*. **SIN. 1.** Devolver, reintegrar. **1** y **2.** Restituir. **4.** Replicar, contestar. **5.** Restablecerse, recobrarse, reanimarse. **ANT. 1** y **2.** Quitar. **2.** Apartar. **5.** Empeorar.

reportaje *s. m.* Imágenes y noticias de un periódico o de un programa de radio o televisión sobre un personaje o un tema interesante.

reportar *v.* **1.** Dar, proporcionar. ∥ **reportarse 2.** Contenerse, no dejarse llevar por un sentimiento o un deseo. **SIN. 1.** Producir, traer. **2.** Reprimirse, refrenarse. **ANT. 1.** Quitar. **2.** Liberarse.

reportero, ra *s. m.* y *f.* Periodista que hace reportajes.

reposabrazos *s. m.* En los coches, pieza saliente donde los ocupantes pueden apoyar el brazo.

reposacabezas *s. m.* Parte de arriba de un asiento o sillón donde se puede apoyar la cabeza.

reposado, da 1. *p.* de **reposar.** ∥ *adj.* **2.** Tranquilo, descansado. **SIN. 2.** Calmado, sereno. **ANT. 2.** Intranquilo.

reposapiés *s. m.* Cada una de las piezas de las motocicletas en las que se apoyan los pies.

reposar *v.* **1.** Descansar. **2.** Dejar quieta o quedarse quieta una cosa. **3.** Estar alguien enterrado en un lugar. **SIN. 1.** Relajarse, sosegarse. **ANT. 2.** Mover.

reposición *s. f.* **1.** Acción de reponer o reponerse. **2.** Película, obra de teatro o espectáculo que se vuelve a poner.

reposo *s. m.* **1.** El hecho de reposar. **2.** Tranquilidad, calma. **SIN. 1** y **2.** Descanso. **2.** Sosiego, paz. **ANT. 1.** Actividad. **2.** Intranquilidad.

repostar *v.* Coger más provisiones y, sobre todo, echar más combustible a un vehículo.

repostería *s. f.* **1.** Actividad de hacer tartas, pasteles y otros dulces. **2.** Tartas, pasteles y otros dulces. **SIN. 1** y **2.** Confitería, pastelería.

repostero, ra *s. m.* y *f.* Persona que se dedica a la repostería. **SIN.** Pastelero.

reprender *v.* Regañar. **SIN.** Reñir. **ANT.** Felicitar.

reprensión *s. f.* Lo que se le dice a alguien para reprenderle. **ANT.** Felicitación.

represa *s. f.* **1.** Dique o presa. **2.** Embalse, pantano.

represalia *s. f.* Daño que se hace a alguien como venganza o castigo por algo que ha hecho antes.

representación *s. f.* **1.** Acción de representar. **2.** Persona o personas que representan a otras. **3.** Dibujo o imagen de algo. **SIN. 1.** Exhibición, interpretación. **2.** Delegación, comisión.

representante *adj.* y *s.* **1.** Que representa a una persona o grupo de personas. ∥ *s. m.* y *f.* **2.** Persona que va por las casas, tiendas o empresas enseñando los productos de una casa comercial.

representar *v.* **1.** Hacer un papel en una obra de teatro o en otro espectáculo. **2.** Hacer una pintura, escultura, fotografía de alguien o algo, o imaginárselo de una manera. **3.** Ser una cosa imagen o símbolo de otra. **4.** Actuar o ir a un sitio en nombre de otra persona o grupo de personas. **5.** Tener la importancia o el significado que se dice. **6.** Aparentar una determinada edad. **Sin. 3.** Simbolizar; mostrar.

representativo, va *adj.* **1.** Que representa algo. **2.** Significativo, relevante, importante. **Sin. 2.** Trascendente. **Ant. 2.** Irrelevante.

represión *s. f.* Acción de reprimir la libertad de otras personas.

represivo, va *adj.* Que impide por la fuerza o poniendo castigos duros que se actúe con libertad.

reprimenda *s. f.* Regañina fuerte.

reprimir *v.* **1.** Contener un sentimiento o deseo. **2.** Impedir por la fuerza que alguien exprese sus ideas o actúe con libertad. **Sin. 1.** Refrenar, dominar. **Ant. 1.** Exteriorizar. **2.** Fomentar.

reprise (fr.) *s. m.* Rapidez con la que un coche aumenta su velocidad al pisar el acelerador.

reprobación *s. f.* Acción de reprobar y palabras con que se reprueba algo.

reprobar *v.* Decir una persona que algo le parece mal. ☐ Es v. irreg. Se conjuga como *contar*. **Sin. 1.** Criticar, desaprobar. **Ant. 1.** Alabar.

réprobo, ba *adj. y s.* Se dice de la persona a la que se condena o aparta de las demás.

reprochar *v.* Decirle a alguien que ha estado mal algo que ha hecho. **Sin.** Recriminar, censurar. **Ant.** Disculpar.

reproche *s. m.* Lo que se dice a alguien para reprocharle algo. **Sin.** Recriminación, censura. **Ant.** Disculpa.

reproducción *s. f.* Acción de reproducir o reproducirse. **Sin.** Generación, procreación; imitación, réplica.

reproducir *v.* **1.** Volver a producir. **2.** Repetir lo que alguien ha dicho. **3.** Copiar o imitar algo. **4.** Ser copia de un original. ‖ **reproducirse 5.** Hacer los seres vivos que nazcan otros de su misma especie. ☐ Es v. irreg. Se conjuga como *conducir*. **Sin.** Reaparecer. **3** y **4.** Calcar. **5.** Procrear.

reproductor, ra *adj.* Que sirve para la reproducción.

reptar *v.* Caminar rozando el suelo, como lo hacen los reptiles. **Sin.** Arrastrarse.

reptil *adj. y s. m.* Se dice de los animales vertebrados, como la tortuga, el cocodrilo o la serpiente, que tienen el cuerpo cubierto de escamas, la sangre fría y la respiración pulmonar; cambian periódicamente la piel, se reproducen por huevos y caminan rozando el suelo con el vientre al no tener patas o tenerlas muy cortas.

república *s. f.* **1.** Forma de gobierno en la que el jefe de Estado es un presidente elegido por el pueblo o sus representantes, que ejerce su cargo durante un periodo. **2.** Nación o Estado que tiene esta forma de gobierno.

republicano, na *adj.* **1.** De la república. ‖ *adj. y s.* **2.** Defensor de esta forma de gobierno.

repudiar *v.* **1.** Rechazar o condenar algo. **2.** Rechazar legalmente el marido a su mujer. **Sin. 1.** Censurar, desaprobar. **Ant. 1.** Aprobar.

repudio *s. m.* Acción de repudiar.

repuesto, ta *adj.* **1.** Que se ha recuperado de una enfermedad o de otra cosa mala. ‖ *s. m.* **2.** Pieza o parte de un mecanismo que sirve para sustituir a otra. **Sin. 1.** Restablecido. **2.** Recambio.

repugnancia *s. f.* **1.** Asco. **2.** Antipatía o rechazo. **Sin. 1** y **2.** Desagrado. **2.** Disgusto. **Ant. 1** y **2.** Agrado.

repugnante *adj.* Que causa repugnancia. **Sin.** Asqueroso, desagradable. **Ant.** Agradable.

repugnar *v.* Causar repugnancia. **Sin.** Asquear; disgustar. **Ant.** Gustar.

repujado, da 1. *p.* de **repujar**. También *adj.* ‖ *s. m.* **2.** Técnica de repujar y obra que se hace con esta técnica.

repujar *v.* Trabajar algunas materias, como láminas metálicas o cuero, para obtener figuras en relieve en una de sus caras.

repulsa *s. f.* Condena o rechazo fuerte. **Sin.** Repudio. **Ant.** Aprobación.

repulsión *s. f.* **1.** Repugnancia. **2.** Acción de repeler o rechazar.

repulsivo, va *adj.* Repugnante, muy desagradable. **Sin.** Repelente, asqueroso. **Ant.** Agradable.

reputación *s. f.* **1.** Opinión que tienen los demás sobre una persona o sobre alguna cosa. **2.** Prestigio en una profesión o actividad. **Sin. 1** y **2.** Fama. **2.** Renombre, celebridad.

reputado, da *adj.* Famoso por ser muy bueno. **Sin.** Prestigioso, renombrado. **Ant.** Desconocido.

requemar *v.* **1.** Quemar o tostar mucho algo. **2.** Causar ardor una comida o bebida.

requerimiento *s. m.* **1.** El hecho de requerir. **2.** Escrito o palabras con que se requiere a una persona para que haga algo.

requerir v. 1. Necesitar. 2. Mandar el juez u otra autoridad que una persona haga algo. 3. Pedir algo a una persona. □ Es v. irreg. Se conjuga como *sentir*. **Sin.** 1. Precisar. 2. Exigir.

requesón s. m. Masa blanda y blanca que se obtiene quitando el suero de la leche.

requiebro s. m. Piropo.

réquiem s. m. 1. Oración que se reza en la iglesia por los difuntos. 2. Composición musical con el texto de la misa de difuntos.

requisa s. f. Acción de requisar. **Sin.** Expropiación. **Ant.** Devolución.

requisar v. Quitarle a alguien el gobierno u otra autoridad algo que le pertenece, generalmente dándole una cantidad de dinero por ello. **Sin.** Expropiar. **Ant.** Devolver.

requisito s. m. Condición necesaria o exigida para algo. **Sin.** Exigencia.

res s. f. Animal de cuatro patas de algunas especies domésticas, como la vaca y la oveja, o que se cazan, como el jabalí y el venado. **Sin.** Cabeza.

resabiado, da adj. 1. Se dice del animal, como el caballo o el toro, que ha adquirido un vicio o costumbre difícil de quitar. 2. Se dice de la persona que se ha vuelto desconfiada o ha adquirido otros defectos o malas costumbres.

resabio s. m. 1. Sabor desagradable que deja algo. 2. Mala costumbre o vicio. **Sin.** 1. Regusto.

resaca s. f. 1. Movimiento de retroceso de las olas al llegar a la orilla. 2. Malestar que siente una persona por haber tomado el día anterior demasiadas bebidas alcohólicas.

resalado, da adj. Que tiene mucha gracia. **Sin.** Salado. **Ant.** Soso.

resaltar v. 1. Destacar. 2. Sobresalir algo en un edificio o superficie. **Sin.** 1. Descollar. **Ant.** 1 y 2. Igualarse.

resalte s. m. Parte que sobresale de una superficie. **Sin.** Saliente.

resarcir v. 1. Compensar a una persona por un daño o perjuicio que ha sufrido. ‖ **resarcirse** 2. Quedarse alguien satisfecho después de haber pasado un mal momento. **Sin.** 1. Reparar, indemnizar. 2. Desquitarse.

resbaladizo, za adj. 1. Que resbala o hace resbalar fácilmente. 2. Complicado y difícil de resolver o tratar. **Sin.** 2. Peliagudo.

resbalar v. 1. Desplazarse rápidamente sobre una superficie, a veces perdiendo el equilibrio. 2. Producir algo este mismo efecto: *El suelo resbala*. 3. Caer una cosa lentamente por una superficie. 4. Equivocarse, meter la pata. **Expr. resbalarle** a una persona algo *fam.* Dejarla indiferente, no importarle nada. **Sin.** 1 a 3. Deslizar, escurrir. 1, 2 y 4. Patinar. 4. Colarse.

resbalón s. m. 1. El hecho de resbalar. 2. Pieza de algunas cerraduras que entra y sale mediante un muelle que hace que la puerta quede cerrada. **Sin.** 1. Patinazo.

resbaloso, sa adj. Resbaladizo.

rescatar v. 1. Lograr liberar a una persona secuestrada o retenida. 2. Salvar de un peligro.

rescate s. m. 1. El hecho de rescatar. 2. Dinero para rescatar a alguien. 3. Juego infantil en el que unos niños persiguen a otros, y los atrapados pueden ser rescatados por sus compañeros.

rescindir v. Dejar sin validez algunas cosas, como un contrato. **Sin.** Anular, invalidar. **Ant.** Prorrogar.

rescisión s. f. Acción de rescindir. **Sin.** Anulación. **Ant.** Prórroga.

rescoldo s. m. Trozo muy caliente de madera o carbón que queda entre las cenizas al desaparecer las llamas.

resecar v. Secar mucho. **Sin.** Deshidratar. **Ant.** Humedecer.

reseco, ca adj. Muy seco. **Sin.** Deshidratado. **Ant.** Húmedo.

resentido, da 1. *p.* de **resentirse**. ‖ adj. y s. 2. Que todavía sigue sintiendo dolor, pena o rencor. **Sin.** 2. Molesto; rencoroso.

resentimiento s. m. Rencor.

resentirse v. 1. Debilitarse, decaer. 2. Seguir sintiendo algo de dolor o molestia. 3. Disgustarse o molestarse por algo. □ Es v. irreg. Se conjuga como *sentir*. **Sin.** 1. Desgastarse, flaquear. 3. Ofenderse. **Ant.** 1. Fortalecerse. 3. Alegrarse.

reseña s. f. Escrito o comentario breve sobre alguna cosa, como por ejemplo un libro. **Sin.** Recensión, crítica.

reseñar v. Hacer una reseña sobre alguna cosa.

reserva s. f. 1. Hecho de pedir con antelación una plaza en un hotel, medio de transporte u otros sitios. 2. Lo que se tiene guardado para utilizarlo en caso de necesidad. 3. Discreción al hablar o actuar. 4. Duda o desconfianza. **5.** Territorio donde viven y se conservan plantas y animales. **6.** En Estados Unidos y Canadá, territorio donde vive una comunidad de indios. **7.** Situación de algunos militares que, aunque siguen perteneciendo al ejército, por su edad o por otros motivos no tienen un puesto en él. ‖ *s. m.* y *f.* **8.** Persona que sustituye a otra en algunos deportes cuando es necesario. **SIN. 2.** Provisión. **4.** Reparo, inconveniente.

reservado, da **1.** *p.* de **reservar.** También *adj.* ‖ *adj.* **2.** Se dice de las personas a las que no les gusta contar sus cosas a las demás. **3.** Secreto, que no se debe conocer. ‖ *s. m.* **4.** Habitación o lugar donde sólo pueden entrar algunas personas. **SIN. 2.** Discreto, introvertido. **3.** Confidencial. **ANT. 2.** Indiscreto. **3.** Público.

reservar *v.* **1.** Hacer una reserva en un hotel, avión, etc. **2.** Dejar algo para otro momento o para alguna persona. **SIN. 1** y **2.** Apartar, guardar.

reservista *adj.* y *s. m.* Se dice del militar que está en la reserva.

resfriado, da **1.** *p.* de **resfriarse.** ‖ *adj.* **2.** Que tiene un resfriado. ‖ *s. m.* **3.** Catarro, constipado. **SIN. 2.** Acatarrado. **3.** Enfriamiento.

resfriarse *v.* Coger un resfriado. **SIN.** Acatarrarse, constiparse, enfriarse.

resguardar *v.* Proteger. **SIN.** Defender, preservar. **ANT.** Desproteger.

resguardo *s. m.* **1.** Acción de resguardar. **2.** Recibo, justificante. **SIN. 1.** Protección, refugio. **2.** Comprobante.

residencia *s. f.* **1.** Circunstancia de residir en un lugar. **2.** Lugar en que vive una persona. **3.** Casa grande y lujosa. **4.** Lugar donde viven personas que tienen características comunes, como la edad o la profesión. **5.** Establecimiento de menos categoría que un hotel y más que una pensión. **SIN. 1.** Estancia. **2.** Domicilio. **3.** Mansión.

residencial *adj.* Se dice de la parte de una población donde están las casas más lujosas.

residente *adj.* y *s.* Que reside en un lugar.

residir *v.* **1.** Vivir en el lugar donde se dice. **2.** Estar la causa o explicación de algo en lo que se dice. **SIN. 1.** Habitar, morar. **2.** Consistir, radicar.

residual *adj.* Que sobra o queda como residuo.

residuo *s. m.* Parte que queda o sobra de algo. **SIN.** Resto, desperdicios.

resignación *s. f.* Actitud de la persona que se resigna o se conforma con algo. **SIN.** Conformidad, paciencia. **ANT.** Rebeldía.

resignarse *v.* Conformarse, aceptar las situaciones malas. **ANT.** Rebelarse.

resina *s. f.* Sustancia pastosa que sale del tronco de algunos árboles, como el pino, o se fabrica artificialmente y se usa para hacer plásticos, pinturas y otras cosas.

resistencia *s. f.* **1.** Acción de resistir o resistirse. **2.** Capacidad para resistir pesos, trabajos, esfuerzos. **3.** Fuerza que se opone al movimiento de una persona o de una máquina. **4.** Mayor o menor dificultad que presenta un material conductor al paso de la corriente eléctrica. **5.** Parte de un aparato eléctrico o de un circuito por la que pasa con dificultad la corriente, por lo que a veces se transforma en calor, como en algunas estufas. **SIN. 1.** Oposición. **2.** Aguante, fortaleza. **ANT. 1.** Abandono. **2.** Debilidad.

resistente *adj.* Que resiste mucho. **SIN.** Fuerte; incansable. **ANT.** Débil.

resistir *v.* **1.** Soportar, aguantar. ‖ **resistirse** **2.** No querer hacer algo, negarse. **3.** Resultar difícil de resolver o realizar una cosa. **SIN. 1.** Tolerar, sufrir; dominar. **2.** Rehusar. **ANT. 1** Ceder; sucumbir.

resol *s. m.* Reflejo del sol y calor que produce.

resollar *v.* Respirar con dificultad por el cansancio u otra causa.

resolución *s. f.* **1.** Acción de resolver o solucionar algo. **2.** Decisión de una autoridad. **3.** Capacidad de decisión de una persona. **SIN. 1.** Solución, aclaración. **3.** Determinación. **ANT. 3.** Indecisión, duda.

resolutivo, va *adj.* Que resuelve las cosas rápido y bien. **SIN.** Eficaz, eficiente. **ANT.** Ineficaz.

resolver *v.* **1.** Encontrar una solución. **2.** Tomar una decisión. ◻ Es *v.* irreg. Se conjuga como *volver.* **SIN. 1.** Solucionar, averiguar. **2.** Decidir, determinar. **ANT. 1.** Complicar. **2.** Dudar.

resonancia *s. f.* **1.** Sonido o eco que se produce cuando resuena algo. **2.** Fama, difusión, publicidad.

resonar *v.* **1.** Sonar muy fuerte y claro. **2.** Rebotar un sonido en un sitio. ◻ Es *v.* irreg. Se conjuga como *contar.* **SIN. 2.** Retumbar.

resoplar *v.* Dar resoplidos. **SIN.** Bufar.

resoplido *s. m.* Sonido que se hace al echar con fuerza el aire por la nariz o la boca. **Sin.** Resuello.

resorte *s. m.* Muelle de algunos aparatos, máquinas y mecanismos.

respaldar *v.* Apoyar, proteger. **Sin.** Ayudar, amparar. **Ant.** Desaprobar.

respaldo *s. m.* **1.** Parte de un asiento en que se apoya la espalda. **2.** Acción de respaldar. **Sin. 2.** Apoyo, ayuda.

respectar *v.* Se usa en la expresión **por lo que respecta a** o **en lo que respecta a**, que sirve para señalar a la persona o cosa de la que se habla.

respectivamente *adv.* Sirve para relacionar cada una de las personas o cosas de las que hablamos con otra persona o cosa.

respectivo, va *adj.* Se dice de lo que corresponde a cada persona o cosa. **Sin.** Correspondiente.

respecto Se usa en las expresiones **al respecto** 'sobre una cosa' y **con respecto a** o **respecto a** o **respecto de** 'hablando de alguien o algo'.

respetable *adj.* **1.** Que merece respeto. **2.** Decente, honesto. **3.** Bastante grande. || *s. m.* **4.** Público que asiste a un espectáculo. **Sin. 1.** Digno. **3.** Considerable. **Ant. 1** y **3.** Ridículo. **2.** Deshonesto. **3.** Insignificante.

respetar *v.* **1.** Tener respeto. **2.** Obedecer una orden, cumplir una norma. **3.** Conservar una cosa, no destruirla. **Sin. 1.** Honrar. **2.** Acatar. **3.** Cuidar, preservar. **Ant. 1.** Insultar. **2.** Desobedecer. **3.** Maltratar.

respeto *s. m.* **1.** El hecho de tratar bien y con educación a una persona o cosa. **2.** Miedo, temor. || *pl.* **3.** Saludos o muestras de cortesía. **Expr. campar** alguien **por sus respetos** Hacer lo que quiere. **Sin. 1.** Consideración. **2.** Aprensión, recelo. **Ant. 1.** Desconsideración.

respetuoso, sa *adj.* Que tiene respeto. **Sin.** Considerado, cortés. **Ant.** Irrespetuoso.

respingo *s. m.* Sacudida o movimiento brusco del cuerpo. **Sin.** Salto.

respingón, na *adj.* **1.** Se dice de la nariz con la punta hacia arriba. **2.** Que se levanta por el borde.

respiración *s. f.* **1.** Acción de respirar. || **2. respiración artificial** Técnica empleada para hacer que respire una persona que no puede hacerlo por sí sola.

respiradero *s. m.* Abertura de algunos conductos y lugares cerrados por donde entra o sale el aire.

respirar *v.* **1.** Tomar del aire o del agua los seres vivos el oxígeno necesario para vivir. **2.** Sentirse aliviado o tranquilo después de una situación difícil. **3.** Descansar, tomarse un respiro. **Sin. 2** y **3.** Relajarse. **Ant. 2** y **3.** Agobiarse.

respiratorio, ria *adj.* **1.** De la respiración o relacionado con ella. || **2. aparato respiratorio** Conjunto de órganos que permiten respirar a un ser vivo.

respiro *s. m.* Momento de descanso o de tranquilidad. **Sin.** Pausa; reposo.

resplandecer *v.* Brillar mucho. □ Es *v.* irreg. Se conjuga como *agradecer*. **Sin.** Relucir.

resplandeciente *adj.* Que resplandece. **Sin.** Brillante, reluciente.

resplandor *s. m.* Luz o brillo muy intensos. **Sin.** Luminosidad, fulgor. **Ant.** Oscuridad.

responder *v.* **1.** Contestar a una pregunta, a una llamada, a lo que otro dice. **2.** Hacer algo para corresponder a una acción realizada por otro: *El público respondió a su actuación con aplausos.* **3.** Experimentar el resultado o el efecto de algo: *El enfermo responde al tratamiento.* **4.** Sufrir un castigo por algo que se ha cometido. **5.** Hacerse responsable de alguien o algo. **Sin. 1.** Replicar. **4.** Expiar, purgar. **5.** Garantizar, avalar.

respondón, na *adj.* y *s.* Que responde de malos modos a lo que se le dice. **Sin.** Contestón.

responsabilidad *s. f.* **1.** Hecho de ser responsable. **2.** Deber, obligación. **Sin. 1.** Seriedad; culpabilidad.

responsabilizar *v.* Hacer o hacerse responsable de algo. **Sin.** Culpar; responder, garantizar. **Ant.** Exculpar; desentenderse.

responsable *adj.* **1.** Que se esfuerza por cumplir con su obligación y pone cuidado en lo que hace. || *adj.* y *s.* **2.** Persona que debe dar cuenta de lo que otros hacen, o del funcionamiento o desarrollo de algo. **3.** Autor, causante. **Sin. 1.** Sensato, serio. **2.** Encargado. **3.** Culpable. **Ant. 1** y **2.** Irresponsable. **3.** Inocente.

responso *s. m.* Oración que se hace por los muertos.

respuesta *s. f.* Acción de responder y lo que se responde. **Sin.** Contestación.

resquebrajadura *s. f.* Grieta, raja.

resquebrajar *v.* Agrietar, rajar.

resquemor *s. m.* Resentimiento o remordimiento.

resquicio *s. m.* **1.** Abertura estrecha entre el quicio y la puerta. **2.** Cualquier abertura pequeña o estrecha. **Sin.** 1 y 2. Ranura. 2. Grieta, hendidura.

resta *s. f.* Operación matemática que consiste en quitar una cantidad a otra. **Sin.** Sustracción.

restablecer *v.* **1.** Volver a establecer algo o hacer que esté como antes. ‖ **restablecerse** 2. Volver a encontrarse bien. □ Es v. irreg. Se conjuga como *agradecer*. **Sin.** 1. Restaurar. 1 y 2. Recuperar(se), recobrar(se). **Ant.** 2. Recaer; empeorar.

restablecimiento *s. m.* Acción de restablecer.

restallar *v.* **1.** Producir un látigo, una correa o algo parecido un ruido seco al sacudirlos con fuerza en el aire. **2.** Hacer que estos objetos produzcan ese sonido. **Sin.** 1 y 2. Chasquear.

restallido *s. m.* Acción de restallar el látigo y sonido que produce.

restante *adj.* Se dice de lo que falta o queda de algo. **Sin.** Sobrante.

restañar *v.* Detener la salida de un líquido, sobre todo la sangre por una herida.

restar *v.* **1.** Quitar o disminuir. **2.** En matemáticas, hacer una resta. **3.** Faltar, quedar. **4.** En el tenis y en otros juegos de pelota, devolver el saque del contrario. **Sin.** 1. Rebajar. 2. Sustraer. **Ant.** 1. Aumentar. 2. Sumar.

restauración *s. f.* Acción de restaurar. **Sin.** Reparación; reposición. **Ant.** Destrucción.

restaurador, ra *adj. y s.* **1.** Que restaura. ‖ *s. m. y f.* **2.** Persona que tiene el oficio de restaurar objetos artísticos y valiosos. **3.** Persona que tiene o dirige un restaurante.

restaurante *s. m.* Establecimiento donde se sirven comidas.

restaurar *v.* **1.** Reparar una obra de arte. **2.** Hacer que una cosa vuelva a estar como antes. **3.** Volver a establecer el régimen político que existía en un país. **Sin.** 1. Recomponer, reconstruir. 2 y 3. Restablecer. **Ant.** 1. Destruir.

restitución *s. f.* Acción de restituir. **Sin.** Devolución.

restituir *v.* **1.** Devolver una cosa a su dueño o al que la tenía antes. **2.** Volver a dar a una cosa algo que tenía. □ Es v. irreg. Se conjuga como *huir*. **Sin.** 1. Reintegrar, reponer. **Ant.** 1. Quitar.

resto *s. m.* **1.** Parte que queda de un todo. **2.** Resultado de una resta. **3.** En el tenis y otros juegos de pelota, acción de restar y jugador que resta. ‖ *pl.* **4.** Lo que queda o sobra de algo. **5.** Cuerpo o parte del cuerpo de una persona o animal muertos. ‖ **6. restos mortales** Cadáver de una persona. **Expr. echar el resto** Esforzarse todo lo posible para conseguir algo. **Sin.** 4. Residuos, sobras, desperdicios.

restregar *v.* Frotar mucho o muy fuerte algunas cosas. □ Es v. irreg. Se conjuga como *regar*.

restregón *s. m.* Acción de restregar.

restricción *s. f.* Reducción, limitación. **Sin.** Disminución. **Ant.** Ampliación.

restrictivo, va *adj.* Que restringe alguna cosa.

restringir *v.* Reducir, limitar. **Sin.** Disminuir, acotar. **Ant.** Ampliar.

resucitar *v.* Hacer que un muerto vuelva a vivir. **Sin.** Revivir.

resuello *s. m.* **1.** Respiración fuerte y ruidosa. **2.** Fuerza, energía.

resuelto, ta *v.* p. de **resolver**. También *adj.* ‖ *adj.* **2.** Decidido, valiente. **Sin.** 2. Audaz, intrépido.

resulta *s. f.* Resultado, efecto. Se usa en la expresión **de resultas de**, 'a consecuencia de'.

resultado *s. m.* **1.** Lo que alguien consigue, el efecto o la manera de acabar algo. **2.** Funcionamiento o utilidad. **Expr. dar resultado** Salir bien, tener éxito. **Sin.** 1. Consecuencia, fruto. 2. Servicio, rendimiento.

resultante *adj. y s. f.* Que resulta de algo.

resultar *v.* **1.** Producirse una cosa como consecuencia o como efecto de otra. **2.** Ser o quedar de la forma que se dice. Si no se indica nada, quiere decir que ha quedado o salido bien: *Era un plan arriesgado, pero resultó.* **3.** Ser atractiva una persona. **4.** Suceder o descubrirse algo que no se esperaba. **Sin.** 1. Surgir, derivar. 4. Ocurrir.

resultón, na *adj. fam.* Atractivo.

resumen *s. m.* **1.** El hecho de resumir. **2.** Lo que se ha resumido. **Sin.** 1 y 2. Síntesis. **Ant.** 1 y 2. Ampliación.

resumir *v.* Exponer algo de forma breve, considerando sólo lo más importante. **Sin.** Sintetizar, condensar. **Ant.** Ampliar.

resurgimiento *s. m.* El hecho de resurgir.

resurgir *v.* Volver a surgir o marchar bien. **Sin.** Reaparecer, recuperarse. **Ant.** Cesar.

resurrección *s. f.* Acción de resucitar.

retablo *s. m.* Conjunto de figuras o escenas talladas o pintadas que hay encima de algunos altares en las iglesias.

retaco, ca *adj.* y *s.* Persona baja y algo gorda. **SIN.** Enano. **ANT.** Espigado.

retaguardia *s. f.* **1.** Parte de un ejército que está o avanza en último lugar. **2.** Parte más alejada del frente de batalla. **ANT.** 1 y 2. Vanguardia.

retahíla *s. f.* Muchas cosas seguidas que se dicen. **SIN.** Sarta, ristra.

retal *s. m.* Pedazo que sobra de una tela, piel, chapa. **SIN.** Recorte, retazo.

retama *s. f.* Arbusto que crece en praderas y pastizales y tiene muchas ramitas delgadas, flores pequeñas amarillas o blancas y un fruto redondeado y de color amarillento.

retamal o **retamar** *s. m.* Lugar donde crecen retamas.

retar *v.* Decirle una persona a otra si quiere luchar o competir con ella para ver si puede ganarla. **SIN.** Desafiar.

retardado, da **1.** *p.* de **retardar.** ‖ *adj.* **2.** Que actúa lentamente o después de un tiempo.

retardar *v.* **1.** Hacer que algo vaya o suceda más lento. **2.** Retrasar. **SIN.** 1. Frenar, detener. 1 y 2. Demorar. 2. Atrasar, aplazar. **ANT.** 2. Acelerar. 2. Adelantar.

retazo *s. m.* **1.** Retal, pedazo de una tela. **2.** Parte o trozo de una cosa. **SIN.** Recorte, jirón. 2. Fragmento, porción.

retejar *v.* Arreglar los tejados poniendo las tejas que faltan o que se han descolocado.

retel *s. m.* Aro con mango y una red en forma de bolsa que se usa para pescar.

retén *s. m.* Grupo de personas preparadas para actuar en caso de necesidad.

retención *s. f.* **1.** El hecho de retener. **2.** Atasco de vehículos. **SIN.** 1. Sujeción, parada.

retener *v.* **1.** Conservar, guardar. **2.** Mantener algo en la memoria. **3.** Detener, no dejar ir o continuar. ▢ Es v. irreg. Se conjuga como *tener.* **SIN.** 2. Recordar. 3. Parar, frenar, sujetar. **ANT.** 1 y 3. Soltar. 2. Olvidar.

retentiva *s. f.* Capacidad para retener cosas en la memoria durante mucho tiempo.

reticencia *s. f.* **1.** Desconfianza, duda. **2.** El decir una cosa a medias, o dar a entender que uno se calla algo que debía o podría decir. **SIN.** 1. Recelo, reserva. 2. Indirecta. **ANT.** 1. Confianza.

reticente *adj.* Que tiene reticencia. **SIN.** Desconfiado, receloso. **ANT.** Confiado.

reticular *adj.* En forma de red.

retina *s. f.* Capa interior del ojo en la cual se reciben las impresiones de la luz.

retintín *s. m.* **1.** Tonillo con que se dice una cosa para molestar a alguien. **2.** Sonido que deja en los oídos una campana u otro objeto parecido.

retirada *s. f.* **1.** El hecho de retirarse. **2.** Acción de retroceder los soldados alejándose del enemigo. **SIN.** 1. Jubilación. 2. Repliegue. **ANT.** 2. Avance.

retirado, da **1.** *p.* de **retirar.** También *adj.* ‖ *adj.* **2.** Lejano o apartado. ‖ *adj.* y *s.* **3.** Que se retiró. **SIN.** 2. Alejado, distante. 3. Jubilado. **ANT.** 2. Cercano.

retirar *v.* **1.** Quitar o separar a una persona o cosa de otra o de un sitio. **2.** Hacer que alguien abandone una competición, actividad o juego. **3.** Decir que alguien no mantiene lo que había dicho. ‖ **retirarse 4.** Dejar definitivamente de trabajar por la edad u otro motivo. **5.** Retroceder un ejército abandonando el lugar de la lucha. **6.** Irse a casa o a dormir. **SIN.** 1. Alejar. 1 y 2. Apartar. 3. Desdecirse, retractarse. 4. Jubilarse. 5. Replegarse. 6. Acostarse. **ANT.** 1. Acercar. 3. Confirmar. 5. Avanzar.

retiro *s. m.* **1.** Hecho de retirarse una persona de su trabajo y situación de esta persona. **2.** Pensión que reciben las personas retiradas. **3.** Lugar tranquilo y apartado al que se va a descansar. **SIN.** 1 y 2. Jubilación.

reto *s. m.* **1.** Acción de retar. **2.** Tarea difícil que alguien debe o desea realizar. **SIN.** 1. Provocación. 1 y 2. Desafío.

retocar *v.* Hacer correcciones o añadidos en una cosa ya acabada para arreglarla o mejorarla.

retomar *v.* Continuar lo que se había interrumpido. **SIN.** Reanudar.

retoñar *v.* Volver a echar tallos o brotes una planta. **SIN.** Renacer.

retoño *s. m.* **1.** Tallo o brote que echa de nuevo una planta o un árbol. **2.** Hijo de poca edad de una persona. **SIN.** 1. Renuevo. 1 y 2. Vástago.

retoque *s. m.* Corrección o añadido con que se retoca una cosa.

retorcer *v.* **1.** Torcer mucho una cosa dándole vueltas alrededor de sí misma. ‖ **retorcerse 2.** Hacer gestos o movimientos bruscos por un dolor fuerte, por la risa o por otra causa. ▢ Es v. irreg. Se conjuga como *mover.*

retorcido, da 1. *p.* de **retorcer**. También *adj.* || *adj.* y *s.* 2. Que es falso y tiene malas intenciones. 3. Malpensado, desconfiado. || *adj.* 4. Confuso y difícil de entender. Sɪɴ. 2. Tortuoso. 4. Rebuscado. Aɴᴛ. 2. Franco. 4. Sencillo.

retorcimiento *s. m.* 1. El hecho de retorcer o retorcerse. 2. Característica de retorcido. Sɪɴ. 1. Contorsión, convulsión. 2. Malicia; desconfianza. Aɴᴛ. 2. Nobleza; sencillez.

retórica *s. f.* 1. Arte de saber hablar y escribir bien y con elegancia. 2. Modo de hablar o de escribir demasiado culto y poco natural.

retórico, ca *adj.* De la retórica o que tiene retórica.

retornar *v.* 1. Volver, regresar. 2. Volver a estar algo en manos de quien lo tenía. Sɪɴ. 1. Tornar.

retorno *s. m.* Vuelta, regreso.

retorta *s. f.* Recipiente con cuello largo y curvado hacia abajo que se usa en los laboratorios.

retortero Se usa en la expresión **al retortero**, 'en desorden'. También, 'muy ocupado', 'sin parar'.

retortijón *s. m.* Dolor fuerte e intermitente en el estómago o en el vientre.

retozar *v.* 1. Jugar saltando y corriendo. 2. Acariciarse una pareja. Sɪɴ. 1. Juguetear.

retozón, na *adj.* Juguetón, que retoza.

retractación *s. f.* Hecho de retractarse y palabras con que uno se retracta.

retractarse *v.* Decir alguien que no mantiene lo que había dicho. Sɪɴ. Desdecir. Aɴᴛ. Ratificarse.

retráctil *adj.* Que puede retraerse, ocultarse: *las uñas retráctiles de los gatos*. Aɴᴛ. Protráctil.

retraer *v.* 1. Ocultar o retirar una cosa doblándola o encogiéndola. || **retraerse** 2. Retirarse, retroceder. □ Es v. irreg. Se conjuga como *traer*.

retraído, da 1. *p.* de **retraer**. También *adj.* || *adj.* 2. Tímido, reservado. Sɪɴ. 2. Introvertido. Aɴᴛ. 2. Extrovertido.

retraimiento *s. m.* 1. Acción de retraerse. 2. Timidez.

retranca *s. f.* 1. Correa ancha que rodea las ancas de las caballerías de tiro. 2. Mala intención que se disimula.

retransmisión *s. f.* Acción de retransmitir. Sɪɴ. Emisión.

retransmitir *v.* Dar una emisora de radio o televisión programas o espectáculos desde otra emisora o desde

el lugar donde están ocurriendo. Sɪɴ. Emitir, televisar, radiar.

retrasado, da 1. *p.* de **retrasar**. También *adj.* || *adj.* y *s.* 2. Persona que tiene menos inteligencia de lo normal para su edad. Sɪɴ. 1. Atrasado. 2. Deficiente, subnormal.

retrasar *v.* 1. Mover hacia atrás. 2. Hacer que algo suceda o se realice más tarde. 3. Poner un reloj en una hora anterior a la que marca. || **retrasarse** 4. Llegar tarde. 5. Quedarse atrás. Sɪɴ. 1 a 4. Atrasar. 2. Aplazar, retardar. 2 y 4. Demorar. Aɴᴛ. 1 a 4. Adelantar.

retraso *s. m.* Acción de retrasar o retrasarse. Sɪɴ. Atraso, aplazamiento, demora. Aɴᴛ. Adelanto.

retratar *v.* 1. Hacer un dibujo, una pintura, una escultura o una fotografía de alguien. 2. Describir con detalles. Sɪɴ. 2. Reflejar, plasmar, reproducir.

retratista *s. m.* y *f.* Persona que hace retratos.

retrato *s. m.* 1. Dibujo, pintura, escultura o fotografía en que se retrata a alguien. 2. Arte y técnica de retratar. 3. Descripción. Exᴘʀ. **ser** uno **el vivo retrato** de otro Parecerse mucho.

retreparse *v.* Apoyarse en el respaldo de un asiento y echarse hacia atrás, haciendo que éste se incline.

retreta *s. f.* Toque militar para ordenar a las tropas retirada o que regresen por la noche al cuartel.

retrete *s. m.* Wáter.

retribución *s. f.* 1. Acción de retribuir algo. 2. Dinero o cosa con que se paga o recompensa a alguien. Sɪɴ. 1 y 2. Remuneración. 2. Salario; premio.

retribuir *v.* Dar a alguien dinero u otra cosa para pagarle o recompensarle por un trabajo, un servicio o un favor. □ Es v. irreg. Se conjuga como *huir*. Sɪɴ. Remunerar, recompensar.

retributivo, va *adj.* Relacionado con la retribución o que sirve para retribuir.

retroceder *v.* Volver o ir hacia atrás. Sɪɴ. Retornar, regresar. Aɴᴛ. Avanzar.

retroceso *s. m.* 1. Acción de retroceder. 2. Movimiento brusco hacia atrás que hacen las armas de fuego al dispararlas. Sɪɴ. 1. Regresión, retorno. Aɴᴛ. 1. Avance.

retrógrado, da *adj.* y *s.* Que prefiere las ideas y cosas del pasado y es contrario a los cambios. Sɪɴ. Carca. Aɴᴛ. Progresista.

retrospectivo, va *adj.* Que se refiere a un tiempo pasado o que lo recuerda.

retrovisor *s. m.* Espejo de un coche situado frente al conductor o a los dos lados de él, con el que puede ver lo que está detrás.

retumbar *v.* Resonar o hacer mucho ruido una cosa.

reúma *s. m.* Reumatismo.

reumático, ca *adj.* y *s.* Del reúma o que tiene reúma.

reumatismo *s. m.* Enfermedad que produce dolores en las articulaciones.

reunificación *s. f.* Acción de reunificar o reunificarse.

reunificar *v.* Volver a unir personas, cosas o ideas.

reunión *s. f.* **1.** Hecho de reunir o reunirse. **2.** Conjunto de personas, animales o cosas reunidas. **SIN.** 1 y 2. Junta, asamblea.

reunir *v.* **1.** Juntar, agrupar. **2.** Tener: *Esta casa no reúne condiciones para ser habitada.* **SIN.** 1. Convocar, congregar. **ANT.** 1. Dispersar.

revalidar *v.* Confirmar, hacer que algo valga de nuevo. **SIN.** Reafirmar, ratificar, convalidar.

revalorizar *v.* Hacer que algo valga más o vuelva a tener valor. **SIN.** Revaluar. **ANT.** Devaluar.

revaluar *v.* Subir el valor de algo, sobre todo el de una moneda en comparación con las de otros países. **SIN.** Revalorizar. **ANT.** Devaluar.

revancha *s. f.* El derrotar o causar alguien un daño a quien antes le había vencido o perjudicado. **SIN.** Venganza.

revanchismo *s. m.* Actitud de la persona que sólo busca la revancha.

revelación *s. f.* **1.** Acción de revelar o revelarse. **2.** Persona, animal o cosa que empieza a conocerse y destacar por sus méritos: *el equipo revelación de la temporada.* **SIN.** 1 y 2. Descubrimiento.

revelado, da **1.** *p.* de revelar. También *adj.* || *s. m.* **2.** Operación de revelar fotografías.

revelador, ra *adj.* Que revela o sirve para revelar algo.

revelar *v.* **1.** Descubrir algo que no se conocía o era secreto. **2.** Dar a conocer Dios a los hombres verdades y hechos muy importantes. **3.** Hacer visible la imagen tomada en un carrete o placa fotográfica. || **revelarse 4.** Resultar de una manera. **SIN.** 1. Manifestar. **ANT.** 1. Ocultar.

revender *v.* Volver a vender más caro algo que se ha comprado hace poco.

revenido, da *p.* de **revenirse**. También *adj.*: *un pan revenido.*

revenirse *v.* **1.** Ponerse algunos alimentos, como el pan o las patatas fritas, blandos y correosos con la humedad o el calor. **2.** Ponerse agrio. □ Es v. irreg. Se conjuga como *venir.* **SIN.** 2. Agriarse, avinagrarse.

reventa *s. f.* Acción de revender.

reventado, da **1.** *p.* de reventar. También *adj.* || *adj.* **2.** Rendido, muy cansado. **SIN.** 2. Roto, molido. **ANT.** 2. Fresco.

reventar *v.* **1.** Estallar o romperse una cosa de golpe, sobre todo la que está muy tirante o muy llena. **2.** Cansar mucho, agotar. **3.** Estallar una persona, no poder contenerse. **4.** Molestar, fastidiar. **5.** Estar una cosa muy llena o cubierta de algo. **6.** Haber comido mucho una persona. **7.** *fam.* Morir. □ Es v. irreg. Se conjuga como *pensar.* **SIN.** 1 y 3. Explotar. **3.** Fatigar. **4.** Jorobar. **5.** Rebosar. **ANT.** 4. Agradar.

reventón, na *adj.* **1.** Se dice de algunas cosas que están muy llenas o gordas y parece que van a reventar: *clavel reventón.* || *s. m.* **2.** Acción de reventar o reventarse.

reverdecer *v.* **1.** Volver a ponerse verdes los campos y las plantas que estaban mustios y secos. **2.** Tomar nueva fuerza o vigor.

reverencia *s. f.* **1.** Respeto muy grande a una persona o cosa. **2.** Inclinación del cuerpo que se hace para mostrar respeto o cortesía.

reverenciar *v.* Sentir o mostrar reverencia hacia alguien o algo.

reverendo, da *adj.* **1.** Que merece reverencia o respeto. || *adj.* y *s.* **2.** Forma de llamar a los sacerdotes y religiosos.

reverente *adj.* Que muestra reverencia, respeto. **SIN.** Respetuoso. **ANT.** Irreverente.

reversible *adj.* **1.** Que puede arreglarse o cambiarse para que vuelva a ser como antes. **2.** Se dice de la prenda de vestir o la tela que se puede usar por el derecho y por el revés. **ANT.** 1. Irreversible.

reverso *s. m.* Revés, parte contraria de la principal. **SIN.** Envés, dorso, cruz. **ANT.** Cara.

revertir *v.* **1.** Volver algo a la situación en que estuvo antes o a la persona que lo tenía. **2.** Acabar siendo algunas cosas buenas o malas para alguien. □ Es v. irreg. Se conjuga como *sentir.* **SIN.** 2. Redundar, repercutir.

revés *s. m.* **1.** Lado que está detrás o parte contraria de la principal. **2.** Bofetada que se da con el dorso de la mano. **3.** En el tenis y otros juegos parecidos, golpe que se da a la pelota cuando ésta viene por el lado contrario a la mano con que se agarra la raqueta. **4.** Desgracia o dificultad. **Expr. al revés** Del revés. También, al contrario. **del revés** De manera opuesta a la normal o correcta, o en posición o dirección contraria. **Sin. 1.** Reverso, dorso, envés, cruz. **4.** Percance, contratiempo. **Ant. 1.** Derecho, cara, anverso.

revestimiento *s. m.* **1.** Acción de revestir. **2.** Capa de un material con que se reviste una superficie. **Sin. 2.** Cobertura.

revestir *v.* **1.** Cubrir con una capa protectora o de adorno. **2.** Presentar una cosa un aspecto o una cualidad. □ Es v. irreg. Se conjuga como *pedir*. **Sin. 1.** Recubrir. **2.** Mostrar, tener.

revisar *v.* **1.** Examinar con atención y cuidado. **2.** Mirar con atención una cosa para ver si está bien o para corregir lo que está mal. **Sin. 2.** Repasar.

revisión *s. f.* **1.** El hecho de revisar. **2.** Examen o reconocimiento médico.

revisor, ra *s. m.* y *f.* Persona que trabaja revisando algo, como la que en los medios de transporte comprueba si los viajeros llevan billete. **Sin.** Inspector.

revista *s. f.* **1.** Publicación que aparece cada cierto tiempo y que contiene informaciones sobre varias materias. **2.** Espectáculo de teatro que consiste en una serie de números de canciones, baile y humor, a veces unidos por un argumento. **3.** Formación de las tropas para que un superior las inspeccione. **4.** Inspección, examen o revisión.

revistero *s. m.* Mueble para colocar revistas y periódicos.

revitalizar *v.* Dar más fuerza o vitalidad. **Sin.** Fortalecer, robustecer. **Ant.** Debilitar.

revivir *v.* **1.** Resucitar. **2.** Volver a moverse y dar señales de vida un ser vivo que parecía muerto. **3.** Volver a existir algo con fuerza o intensidad. **4.** Recordar. **Sin. 2.** Reanimarse. **3.** Reavivarse, resurgir. **4.** Evocar, rememorar.

revocación *v.* Acción de revocar una orden, norma o decisión.

revocar *v.* **1.** Hacer que deje de valer una orden, una norma o una decisión. **2.** Pintar de nuevo o volver a dar cal a las paredes. **Sin. 1.** Invalidar, anular. **2.** Remozar, blanquear.

revolcar *v.* **1.** Tirar a alguien al suelo y pisotearle o hacerle dar vueltas. ‖ **revolcarse 2.** Echarse sobre una cosa y dar vueltas o frotarse sobre ella. □ Es v. irreg. Se conjuga como *trocar*.

revolcón *s. m.* Acción de revolcar o revolcarse.

revolotear *v.* Moverse por el aire dando pequeñas vueltas.

revoloteo *s. m.* Acción de revolotear.

revoltijo *s. m.* Conjunto de cosas revueltas. **Sin.** Mezcolanza, lío.

revoltoso, sa *adj.* y *s.* **1.** Que hace travesuras y no se está quieto. **2.** Persona que provoca desórdenes y revueltas. **Sin. 1.** Inquieto. **2.** Provocador. **Ant. 1.** Tranquilo.

revolución *s. f.* **1.** Luchas violentas que se producen en un país para que cambie la situación política y social. **2.** Cambio o renovación profunda. **3.** Vuelta completa o giro de una pieza sobre su eje, por ejemplo en un motor. **Sin. 2.** Transformación, conmoción. **Ant. 1.** Estabilidad.

revolucionar *v.* **1.** Alterar, alborotar. **2.** Producir un gran cambio o renovación. **3.** Dar más o menos revoluciones a un motor. **Sin. 1.** Agitar. **2.** Transformar.

revolucionario, ria *adj.* **1.** De la revolución. **2.** Que produce un gran cambio o renovación. ‖ *adj.* y *s.* **3.** Persona que apoya una revolución o participa en ella. **Sin. 3.** Rebelde, agitador.

revolver *v.* **1.** Mover mucho algo dándole vueltas. **2.** Desordenar. **3.** Producir malestar en el estómago. **4.** Hacer travesuras, no estarse quietos los niños. ‖ **revolverse 5.** Darse la vuelta o moverse en un sitio. **6.** Ensuciarse el agua u otro líquido porque se ha movido lo que hay en el fondo. □ Es v. irreg. Se conjuga como *volver*. **Sin. 1.** Remover.

revólver *s. m.* Pistola con un cilindro que va girando al disparar las balas que lleva dentro.

revoque *s. m.* Acción de revocar las paredes y capa de cal con que se revoca.

revuelo *s. m.* Jaleo, alboroto. **Sin.** Agitación, confusión. **Ant.** Tranquilidad.

revuelta *s. f.* **1.** Alboroto en la calle, sobre todo para protestar o pedir algo. **2.** Curva fuerte. **Sin. 1.** Disturbio. **2.** Vuelta.

revuelto, ta 1. *p.* de **revolver**. También *adj.* ‖ *adj.* **2.** Intranquilo, agitado. **3.** Se dice del tiempo inestable. **4.** Que siente malestar en el estómago. ‖ *adj.* y *s. m.* **5.** Plato que se hace revolviendo hue-

rigidez

vos solos o con otro ingrediente. **Sin.** 2. Alterado, inquieto. **Ant.** 1. Ordenado. 2. Tranquilo. 3. Estable.

revulsivo *s. m.* Estímulo para hacer algo. **Sin.** Acicate.

rey *s. m.* 1. Jefe de Estado de un país donde hay monarquía. 2. Pieza principal del ajedrez. 3. Carta de la baraja que tiene pintada la figura de un rey. 4. El más importante o el mejor en alguna actividad. || 5. **reyes magos** Personajes del Oriente que fueron a adorar al Niño Jesús. **Sin.** 1. Monarca, soberano. 4. As.

reyerta *s. f.* Riña, pelea. **Sin.** Altercado, disputa.

reyezuelo, la *s. m.* y *f. dim.* de **rey**. Jefe de una tribu.

rezagado, da *p.* de **rezagarse**. También *adj.*

rezagarse *v.* Quedarse atrás. **Sin.** Atrasarse. **Ant.** Adelantarse.

rezar *v.* 1. Decir oraciones. 2. Poner en un escrito una cosa. **Sin.** 1. Orar.

rezo *s. m.* Oración. **Sin.** Plegaria.

rezongar *v.* Protestar en voz baja. **Sin.** Gruñir, refunfuñar.

rezongón, na *adj.* y *s.* Que suele rezongar.

rezumar *v.* Salir un líquido poco a poco, en forma de gotitas, a través de un cuerpo. **Sin.** Transpirar; filtrar.

ría *s. f.* 1. Entrada del mar por donde desemboca un río. 2. Hoyo lleno de agua que, detrás de una valla, se pone como obstáculo en algunas competiciones deportivas, por ejemplo en la hípica.

riachuelo *s. m.* Río muy pequeño. **Sin.** Arroyo, regato.

riada *s. f.* Gran aumento del agua de un río que puede provocar inundaciones. **Sin.** Avenida.

ribazo *s. m.* Terreno en cuesta a los lados de un camino o de un río. **Sin.** Talud, terraplén.

ribeiro *s. m.* Vino que se elabora en la comarca gallega de Ribeiro.

ribera *s. f.* 1. Orilla del mar o de un río. 2. Terreno que está cerca de un río. **Sin.** 1. Borde. 2. Vega, margen.

ribereño, ña *adj.* y *s.* De la ribera del mar o de un río.

ribete *s. m.* Adorno o remate que se pone en el borde de una cosa.

ribetear *v.* Poner ribetes en una cosa.

ricachón, na o **ricacho, cha** *s. m.* y *f.* Persona rica. **Sin.** Adinerado, acaudalado. **Ant.** Pobretón.

ricamente *adv.* 1. Con lujo o riqueza: *adornar ricamente.* 2. A gusto, cómodamente: *tan ricamente.*

ricino *s. m.* Planta de cuyas semillas se saca un aceite que se utiliza como purgante.

rico, ca *adj.* y *s.* 1. Que tiene mucho dinero. || *adj.* 2. Abundante en algo. 3. Se dice de la tierra muy productiva. 4. Que tiene buen sabor. 5. Cariñoso, agradable. 6. Bonito, guapo. **Sin.** 1. Adinerado, acaudalado. 2. Próspero, copioso. 4. Sabroso, exquisito. 5. Encantador. 6. Precioso. **Ant.** 1 a 3. Pobre. 2. Escaso. 3. Estéril. 4. Malo. 5. Odioso. 6. Feo.

rictus *s. m.* Gesto en el que se ven ligeramente los dientes, normalmente de dolor o de otra sensación desagradable. **Sin.** Mueca.

ricura *s. f.* Niño o cría de animal bonito y simpático.

ridiculez *s. f.* 1. Cosa ridícula. 2. Cantidad demasiado pequeña. **Sin.** 1. Tontería, estupidez. 2. Miseria.

ridiculizar *v.* Hacer que parezca ridículo alguien o algo. **Sin.** Caricaturizar.

ridículo, la *adj.* y *s. m.* 1. Que provoca la burla o la risa de los demás. || *adj.* 2. Absurdo, estúpido. 3. Muy pequeño o escaso. **Sin.** 1. Estrafalario, grotesco. 1 y 3. Irrisorio. 3. Mísero, insignificante. **Ant.** 2. Lógico. 3. Grande.

riego *s. m.* Acción de regar.

riel *s. m.* 1. Pieza alargada por la que corre o se desliza algo. 2. Carril de las vías del tren. **Sin.** 1 y 2. Raíl.

rielar *v.* Reflejarse temblorosamente la luz sobre una superficie, sobre todo en el agua.

rienda *s. f.* 1. Correa con la que se guía a un caballo, mula o burro. || *pl.* 2. Dirección o control de algo. **Expr. a rienda suelta** Con toda libertad, sin ningún freno. **dar rienda suelta** Dejar en libertad. **Sin.** 2. Mando.

riesgo *s. m.* Peligro. **Expr. a todo riesgo** Se dice del seguro que cubre cualquier daño que pueda sufrir la cosa asegurada. **Sin.** Amenaza, emergencia.

rifa *s. f.* Sorteo de una cosa vendiendo papeletas numeradas.

rifar *v.* 1. Sortear algo en una rifa. || **rifarse** 2. Querer muchas personas lo mismo.

rifle *s. m.* Tipo de fusil.

rigidez *s. f.* Característica de las personas o cosas rígidas. **Sin.** Dureza; rectitud, severidad. **Ant.** Flexibilidad.

rígido, da _adj._ **1.** Duro, que no se puede doblar o torcer. **2.** Severo, que exige mucho: _Tiene unos padres muy rígidos._ **3.** Que hay que cumplirlo tal y como es: _un horario muy rígido._ **4.** Que no admite cambios. **Sin. 2.** Inflexible, recto, riguroso. **Ant. 1** y **2.** Flexible.

rigodón _s. m._ Baile antiguo de origen francés.

rigor _s. m._ **1.** Severidad. **2.** Dureza de algo difícil de aguantar. **3.** Precisión, exactitud con que se realiza algo. **Ant.** Clemencia.

riguroso, sa _adj._ **1.** Que se cumple necesariamente: _La lista sigue un riguroso orden alfabético._ **2.** Duro, severo. **3.** Hecho con cuidado, teniendo en cuenta todos los detalles. **Sin. 1** y **2.** Estricto. **2.** Rígido, inflexible. **3.** Serio, minucioso. **Ant. 2.** Clemente. **3.** Impreciso.

rilarse _v. fam._ Echarse atrás en lo que se iba a hacer. **Sin.** Rajarse.

rima _s. f._ **1.** Igualdad entre los sonidos de dos o más palabras desde la última vocal acentuada. **2.** Poema.

rimar _v._ Haber rima entre dos o más palabras.

rimbombante _adj._ Llamativo, aparatoso, que resulta poco natural. **Sin.** Ostentoso, grandilocuente. **Ant.** Sencillo.

rímel _s. m._ Líquido espeso que se echa en las pestañas para darles color y hacerlas más consistentes.

rimero _s. m._ Montón de cosas. **Sin.** Pila.

rincón _s. m._ **1.** Espacio entre dos superficies que forman ángulo. **2.** Lugar oculto o difícil de encontrar. **Sin. 1.** Esquina. **2.** Escondrijo.

rinconada _s. f._ Espacio entre dos casas o dos calles que se juntan formando ángulo.

rinconera _s. f._ Mueble en forma de triángulo que se coloca en un rincón.

ring (ingl.) _s. m._ Cuadrilátero de lona rodeado de cuerdas donde se disputa un combate de boxeo o de lucha.

ringlera _s. f._ Fila de cosas puestas en orden.

ringorrango _s. m. fam._ Adorno llamativo y feo.

rinitis _s. f._ Inflamación de la mucosa de la nariz.

rinoceronte _s. m._ Mamífero de gran tamaño que tiene la piel dura, el hocico puntiagudo, las patas cortas y uno o dos cuernos sobre la nariz. Vive en África y Asia.

riña _s. f._ Pelea, discusión.

riñón _s. m._ **1.** Cada uno de los dos órganos que filtran la sangre para eliminar de ella las sustancias perjudiciales, produciendo la orina. ‖ _pl._ **2.** Parte del cuerpo situada debajo de la espalda. **Expr. costar** algo **un riñón** Costar muy caro.

riñonada _s. f._ **1.** Tejido graso que rodea los riñones. **2.** Lugar del cuerpo en que están los riñones.

riñonera _s. f._ **1.** Faja para proteger los riñones. **2.** Pequeña bolsa unida a un cinturón que se lleva sujeta a la cintura.

río _s. m._ Corriente natural de agua que desemboca en otra, en un lago o en el mar.

rioja _s. m._ Vino español de gran calidad que se elabora en la comarca de La Rioja.

riojano, na _adj._ y _s._ De La Rioja, comunidad autónoma de España.

ripio _s. m._ **1.** Palabra o frase que se pone en una poesía sólo para que rime o para completar un verso. **2.** Verso de poca calidad con rima. **Expr. no perder ripio** No perder detalle de lo que otro dice o hace.

riqueza _s. f._ Abundancia de dinero o de otras cosas. **Sin.** Fortuna, opulencia. **Ant.** Miseria; pobreza.

risa _s. f._ **1.** Movimiento de la boca y sonido que se hace al reír. **2.** Aquello que hace reír. **Expr. muerto de risa** Riéndose mucho. También, olvidado, abandonado, como si no existiera. **tomar a risa** Burlarse de una persona o cosa, no hacer caso de ella.

risco _s. m._ Roca alta y con mucha pendiente.

risotada _s. f._ Carcajada.

ristra _s. f._ **1.** Tira formada con ajos, cebollas u otros alimentos unidos. **2.** Serie de cosas que van una detrás de otra: _una ristra de insultos._ **Sin. 2.** Retahíla, sarta.

ristre _s. m._ Hierro del peto de las armaduras antiguas en el que se llevaba apoyada la lanza. **Expr. en ristre** Indica que un objeto se lleva bien sujeto para hacer algo con él: _Bolígrafo en ristre, empezó a tomar nota._

risueño, ña _adj._ **1.** Sonriente o que se ríe con facilidad. **2.** Favorable, muy bueno. **Sin. 1.** Alegre. **Ant. 1.** Serio.

rítmico, ca _adj._ Que tiene ritmo o está relacionado con el ritmo. **Sin.** Acompasado.

ritmo _s. m._ **1.** Distribución de las notas musicales de acuerdo con un compás.

2. Combinación de los acentos en un verso. **3.** Movimiento repetido de algunas cosas, por ejemplo los latidos del corazón. **4.** Velocidad con que se hace o se produce algo. **SIN. 4.** Marcha.

rito *s. m.* **1.** Acto religioso que se repite siempre de la misma manera. **2.** Acto que una persona repite siempre de la misma forma y que se convierte en una costumbre.

ritual *adj.* **1.** De los ritos o relacionado con ellos. || *s. m.* **2.** Conjunto de normas que se siguen en una ceremonia o acto religioso. **SIN. 2.** Liturgia.

rival *adj.* y *s.* Competidor, adversario. **SIN.** Enemigo, contrincante, contrario. **ANT.** Aliado.

rivalidad *s. f.* Hecho de ser alguien rival de otro. **SIN.** Competencia.

rivalizar *v.* Competir con otro. **SIN.** Pugnar, luchar. **ANT.** Aliarse.

rizado, da **1.** *p.* de **rizar**. || *adj.* **2.** Que tiene rizos. **SIN. 2.** Ondulado. **ANT. 2.** Lacio, liso.

rizar *v.* Hacer rizos en el pelo. **SIN.** Ondular. **ANT.** Alisar.

rizo *s. m.* Mechón de pelo ondulado. **EXPR. rizar el rizo** Complicar excesivamente algo. **SIN.** Bucle.

rizoide *adj.* y *s. m.* Se dice de los pelos o filamentos que hacen las veces de raíces en algunas plantas que, como los musgos, carecen de ellas.

rizoma *s. m.* Tallo grueso que crece bajo la tierra y en el que se acumulan sustancias que sirven de alimento a la planta.

roano, na *adj.* Se dice del caballo de pelo con mezcla de blanco, gris y bayo.

róbalo *s. m.* Lubina.

robar *v.* **1.** Quitar a alguien algo que le pertenece. **2.** Quitar algunas cosas: *¿Puedo robarte unos minutos?* **3.** En algunos juegos, coger un jugador cartas del montón de la baraja cuando le llega su turno. **SIN. 1.** Hurtar, sustraer.

roble *s. m.* **1.** Árbol de hoja caduca y lobulada que tiene una copa ancha y como fruto una bellota. Su madera es dura y se utiliza para fabricar muebles. **2.** Persona fuerte y sana.

robledal o **robledo** *s. m.* Terreno con muchos robles.

robo *s. m.* **1.** Acción de robar y cosa robada. **2.** Hecho de costar algo demasiado dinero. **SIN. 1.** Hurto, sustracción.

robot (ingl.) *s. m.* Máquina electrónica que puede hacer automáticamente operaciones o movimientos para los que ha sido programada.

robótica *s. f.* Parte de la ingeniería que se ocupa de la fabricación y la utilización de los robots.

robustecer *v.* Hacer más robusto o fuerte. □ Es v. irreg. Se conjuga como *agradecer*. **SIN.** Fortalecer, reforzar. **ANT.** Debilitar.

robustecimiento *s. m.* Fortalecimiento. **SIN.** Refuerzo. **ANT.** Debilitamiento.

robusto, ta *adj.* Fuerte, resistente. **SIN.** Sólido; fornido. **ANT.** Débil; enfermizo.

roca *s. f.* **1.** Bloque formado por la unión de varios minerales. **2.** Masa grande de piedra.

rocambolesco, ca *adj.* Extraordinario, increíble.

roce *s. m.* **1.** Acción de rozar o rozarse. **2.** Trato o relación entre personas. **3.** Pequeña discusión. **SIN. 1.** Rozamiento, raspadura. **2.** Contacto, comunicación.

rociada *s. f.* Acción de rociar y el líquido que se rocía.

rociar *v.* **1.** Caer el rocío. **2.** Echar o esparcir un líquido en gotas muy finas.

rocín *s. m.* Caballo de mal aspecto.

rocío *s. m.* Gotitas de agua que aparecen encima de las plantas o la tierra cuando ha hecho frío por la noche.

rock and roll o **rock** (ingl.) *s. m.* Música nacida en Estados Unidos, con mucho ritmo, en la que se tocan instrumentos como la batería, el bajo y la guitarra eléctrica.

rocker (ingl.) *s. m.* Persona aficionada al rock and roll que se viste y se peina como los jóvenes norteamericanos de los años cincuenta.

rococó *adj.* y *s. m.* Estilo artístico europeo del siglo XVII, que se usó sobre todo en la decoración.

rocoso, sa *adj.* Que tiene muchas rocas. **SIN.** Pedregoso, abrupto.

rodaballo *s. m.* Pez muy plano y redondeado, bastante grande y con los dos ojos en el mismo lado del cuerpo. Vive en el fondo del mar. Es comestible.

rodada *s. f.* Señal que deja en el suelo la rueda de un vehículo.

rodado, da **1.** *p.* de **rodar**. También *adj.* || *adj.* **2.** Se dice del tráfico o transporte en vehículos con ruedas. || **3. canto rodado** Piedra que es lisa y redondeada por haber sido arrastrada por el agua. **EXPR. venir** algo **rodado** Ocurrir algo bueno para alguien con gran facilidad.

rodaja *s. f.* Trozo de algo que tiene forma circular.

rodaje *s. m.* **1.** Acción de rodar una película. **2.** Acción de andar con un coche nuevo sin forzarlo mucho. **3.** Experiencia o práctica.

rodal *s. m.* Marca o mancha redondeada.

rodamiento *s. m.* Pieza para facilitar que algo gire; algunos tienen bolas dentro, como por ejemplo en las ruedas de los patines.

rodapié *s. m.* Banda estrecha que se pone en la pared junto al suelo como adorno y protección. **SIN.** Zócalo.

rodar *v.* **1.** Ir de un lugar a otro dando vueltas. **2.** Moverse por medio de ruedas. **3.** Dar vueltas alrededor de un eje. **4.** Ir de un sitio a otro. **5.** Tomar imágenes con la cámara de cine. □ Es v. irreg. Se conjuga como *contar*. **EXPR. echar** algo **a rodar** Estropearlo, hacerlo fracasar. **SIN. 3.** Girar. **5.** Filmar.

rodear *v.* **1.** Poner o estar algo alrededor de una persona o cosa. **2.** Ir a un sitio por un camino que no es el más corto. ‖ **rodearse 3.** Estar una persona con determinadas personas o cosas a su alrededor: *Se rodeó de ayudantes eficientes.* **SIN. 1.** Abrazar, ceñir. **1** y **2.** Cercar, bordear.

rodela *s. f.* Escudo redondo.

rodeo *s. m.* **1.** El ir por un camino que no es el más corto. **2.** Hecho de no decir una cosa de manera clara y directa. **3.** En algunos países de América, espectáculo que consiste en montar los vaqueros en caballos o toros salvajes y hacer otros ejercicios, como tirar el lazo. **SIN. 1.** Circunvalación. **2.** Circunloquio.

rodera *s. f.* Surco o marca que dejan en un camino las ruedas de un vehículo.

rodete *s. m.* Objeto que tiene forma de rueda o rosca, por ejemplo el que se coloca sobre la cabeza para llevar algo encima.

rodilla *s. f.* Parte de la pierna por donde ésta se dobla.

rodillera *s. f.* **1.** Cosa que se pone en la rodilla para protegerla. **2.** Pieza o remiendo que se pone en los pantalones en la parte de la rodilla. **3.** Bolsa que se forma por el uso en la rodilla de un pantalón.

rodillo *s. m.* Utensilio o pieza que tiene forma de cilindro, como el que se utiliza en la cocina para extender las masas o el que se usa para pintar.

rododendro *s. m.* Arbusto de hojas perennes y alargadas, de color verde intenso, y flores grandes en forma de tubo o campana. Se utiliza como planta de adorno.

rodrigón *s. m.* Palo que se clava en la tierra junto a una planta para sostener los tallos y ramas.

rodríguez *s. m. fam.* Marido que se queda trabajando y solo en casa mientras su familia está de vacaciones.

roedor, ra *adj.* y *s.* Se dice de los animales mamíferos con un único par de dientes incisivos, fuertes y largos que les sirven para roer, como el ratón y la ardilla.

roer *v.* **1.** Cortar o desgastar con los dientes partes pequeñas de una cosa dura. **2.** Quitar con los dientes la carne de un hueso. □ Es v. irreg.

ROER	
GERUNDIO	
royendo	
INDICATIVO	
Presente	**Pret. perf. simple**
roo (o *roigo* o *royo*)[1]	*roí*
roes	*roíste*
roe	*royó*
roemos	*roímos*
roéis	*roísteis*
roen	*royeron*
SUBJUNTIVO	
Presente	
roa (o *roiga* o *roya*)[1]	
roas (o *roigas* o *royas*)[1]	
roa (o *roiga* o *roya*)[1]	
roamos (o *roigamos* o *royamos*)[1]	
roáis (o *roigáis* o *royáis*)[1]	
roan (o *roigan* o *royan*)[1]	
Pretérito imperf.	**Futuro**
royera, -ese	*royere*
royeras, -eses	*royeres*
royera, -ese	*royere*
royéramos, -ésemos	*royéremos*
royerais, -eseis	*royereis*
royeran, -esen	*royeren*
(1) Formas poco usuales.	

rogar *v.* Pedir algo a alguien como favor o con humildad. □ Es v. irreg. Se conjuga como *colgar*. **SIN.** Suplicar, implorar.

rogativa *s. f.* Rezo y procesión en que la gente pide a Dios, la Virgen o los santos que pongan remedio a una grave necesidad.

rojizo, za *adj.* De un color que tira a rojo.

rojo, ja adj. y s. m. **1.** Del color de la sangre o las amapolas. ‖ adj. **2.** Se dice del pelo de un color rubio muy intenso, casi colorado. **EXPR. al rojo** o **al rojo vivo** Se dice de la materia que toma un color rojizo por la acción del calor. También se dice de las situaciones en que hay mucha tensión. **ponerse rojo** Ponerse la cara de alguien de este color a causa de la vergüenza. **SIN. 1.** Encarnado, colorado. **2.** Pelirrojo.

rol s. m. **1.** Papel o función que realiza alguien. **2.** Lista de nombres.

rollizo, za adj. Gordo y fuerte. **ANT.** Delgado.

rollo s. m. **1.** Cosa enrollada en forma de cilindro, por ejemplo un rollo de película fotográfica. **2.** fam. Charla o explicación larga y aburrida. **3.** fam. Persona o cosa muy aburrida. **4.** fam. Ambiente que hay en un lugar. **5.** fam. Asunto: *Le va el rollo de ir a la discoteca.* **SIN. 2.** Perorata.

romana s. f. Instrumento para pesar que consiste en una balanza de dos brazos desiguales.

romance adj. y s. m. **1.** Se dice de las lenguas que proceden del latín, como el español y el italiano. ‖ s. m. **2.** Poema generalmente formado por versos de ocho sílabas, de los que los pares riman en asonante y quedan sin rimar los impares. **3.** Relación amorosa. **SIN. 1.** Románico. **3.** Idilio.

romancero s. m. Colección de romances, poemas.

románico, ca adj. **1.** Se dice del estilo artístico que existió en Europa entre los siglos XI, XII y XIII, caracterizado principalmente por edificios macizos, iglesias con planta en forma de cruz y con pinturas y esculturas que dan una sensación de rigidez. **2.** De las lenguas romances y de lo relacionado con ellas.

romanización s. f. El hecho de romanizar.

romanizar v. Llevar los antiguos romanos su civilización, cultura y lengua a otros lugares.

romano, na adj. y s. **1.** De Roma. **2.** Se dice de la Iglesia católica. **EXPR. a la romana** Modo de preparar algunos alimentos rebozándolos con huevo y harina y luego friéndolos.

romanticismo s. m. **1.** Movimiento artístico de la primera mitad del siglo XIX que da mucha importancia a los sentimientos y a la pasión. **2.** Característica de la persona o cosa románticas. **SIN. 2.** Sentimentalismo.

romántico, ca adj. y s. **1.** Del romanticismo o relacionado con él. **2.** Muy sentimental, propio de los enamorados. **3.** Que tiene muchos ideales. **SIN. 2.** Apasionado. **3.** Soñador.

romanza s. f. Canción, normalmente de tema amoroso, interpretada por un cantante de zarzuela.

rómbico, ca adj. Con forma de rombo.

rombo s. m. Paralelogramo que tiene los cuatro lados iguales y en el que cada ángulo sólo es igual al opuesto.

romboide s. m. Paralelogramo en el que sólo son iguales los lados y ángulos opuestos.

romería s. f. **1.** Marcha que por devoción hace un grupo de personas a una iglesia. **2.** Fiesta que se hace junto a una iglesia el día de la festividad religiosa del lugar. **SIN. 1.** Peregrinación.

romero s. m. Arbusto que tiene hojas largas y muy finas, verdes por un lado y blancas por el otro, y flores pequeñas de color entre azul y violeta; su olor es muy agradable.

romero, ra adj. y s. Persona que va o participa en una romería.

romo, ma adj. **1.** Que no tiene filo o punta. **2.** Que tiene la nariz pequeña y aplastada. **3.** Torpe, poco inteligente. **SIN. 2.** Chato. **3.** Lerdo. **ANT. 1.** Afilado. **2.** Narigón. **3.** Agudo.

rompecabezas s. m. **1.** Juego en el que hay que hacer un dibujo juntando unos cubos o piezas. **2.** Asunto o problema difícil de entender o de resolver. **SIN. 1.** Puzzle.

rompehielos s. m. Barco preparado para abrirse paso en los mares helados.

rompeolas s. m. Muro que se mete un poco en el mar y en el que chocan las olas; sirve para proteger un puerto o una bahía.

romper v. **1.** Hacer trozos alguna cosa. **2.** Hacer un agujero o una raja en algo. **3.** Estropear o averiar algo. **4.** Hacer que algo deje de estar como estaba: *romper el silencio.* **5.** No cumplir un compromiso, una obligación u otra cosa. **6.** Poner fin a unas relaciones. **7.** Deshacerse las olas en espuma. **8.** Comenzar o iniciarse algo: *romper a llorar, romper a llover.* □ Su p. es irreg.: *roto.* **EXPR. romper filas** Dejar los soldados de estar en formación, en filas. **SIN. 1.** Partir, fracturar. **1** y **2.** Destrozar. **3.** Rasgar, rajar. **4.** Interrumpir. **5.** Incumplir. **8.** Empezar. **ANT. 1.** Unir. **3.** Arreglar. **4** y **6.** Continuar.

rompiente *s. m.* Costa, roca u otra cosa donde chocan con fuerza el agua de un río o las olas del mar.

ron *s. m.* Bebida alcohólica que se saca de la caña de azúcar.

roncar *v.* Hacer con la garganta un ruido fuerte cuando se duerme.

roncha¹ *s. f.* **1.** Bultito rojo que sale en la piel, por ejemplo por la picadura de un insecto. **2.** Cardenal, moradura.

roncha² *s. f.* Loncha, rodaja.

ronchón *s. m.* Roncha grande que sale en la piel.

ronco, ca *adj.* **1.** Que habla con voz baja y áspera porque tiene mal la garganta. **2.** Se dice de la voz o sonido áspero. **SIN. 1.** Afónico.

ronda *s. f.* **1.** Acción de rondar. **2.** Rondalla. **3.** Cada conjunto de consumiciones que hace un grupo de personas. **4.** Carrera ciclista por etapas. **5.** Paseo, calle o carretera que rodea una ciudad o parte de ella. **6.** Cada partida de cartas que se juega.

rondalla *s. f.* Grupo de jóvenes vestidos de manera especial que van por diversos sitios cantando y tocando sus instrumentos. **SIN.** Tuna.

rondar *v.* **1.** Recorrer de noche un lugar vigilando para impedir desórdenes. **2.** Salir los jóvenes a la calle cantando y tocando instrumentos musicales para conquistar a las jóvenes. **3.** Intentar conquistar un chico a una chica. **4.** Dar vueltas por algún lugar. **5.** Estar pensando en algo. **6.** Ir detrás de alguien para conseguir algo de él. **7.** Estar a punto de tener algo, como una enfermedad. **SIN. 1.** Patrullar. **4.** Merodear; pasar.

rondón Se usa en la expresión **de rondón**, 'sin llamar', 'sin que nadie le haya invitado': *colarse de rondón.*

ronquera *s. f.* Hecho de hablar con voz muy ronca.

ronquido *s. m.* Ruido que se hace al roncar.

ronronear *v.* Hacer los gatos una especie de ronquido cuando están satisfechos.

ronroneo *s. m.* Acción de ronronear.

ronzal *s. m.* Cuerda que se ata al cuello o a la cabeza de las caballerías.

roña *s. f.* **1.** Suciedad pegada fuertemente. **2.** Sarna del ganado lanar. **3.** Capa oxidada que se forma en los metales. ‖ *adj.* y *s.* **4.** *fam.* Tacaño. **SIN. 1.** Mugre. **ANT. 1.** Limpieza.

roñica *adj.* y *s. fam.* Tacaño.

roñosería *s. f. fam.* Tacañería.

roñoso, sa *adj.* **1.** Sucio, que tiene roña. **2.** Que está oxidado. ‖ *adj.* y *s.* **3.** *fam.* Tacaño. **SIN. 1.** Mugriento. **3.** Avaro. **ANT. 1.** Limpio. **3.** Generoso.

ropa *s. f.* **1.** Prendas de vestir y otras cosas hechas con tela, como sábanas y manteles. ‖ **2. ropa vieja** Guisado que se hace aprovechando la carne que ha sobrado de otros guisos. **SIN. 1.** Vestido, vestimenta.

ropaje *s. m.* Vestidura, sobre todo si es lujosa. **SIN.** Indumentaria, vestimenta.

ropavejero, ra *s. m* y *f.* Persona que compra y vende ropa vieja.

ropero *s. m.* **1.** Armario o cuarto donde se guarda ropa. **2.** Conjunto de vestidos de una persona. **3.** Asociación que proporciona ropa a los necesitados.

roque¹ *s. m.* Torre del ajedrez.

roque² *adj. fam.* Dormido.

roqueda o **roquedal** *s. f.* o *s. m.* Lugar lleno de rocas. **SIN.** Pedregal.

roquefort (fr.) *s. m.* Queso francés de leche de oveja, muy fuerte y con vetas verdosas.

roquero, ra *adj.* y *s.* **1.** Cantante o músico de rock. **2.** Persona a la que le gusta el rock.

rorcual *s. m.* Mamífero marino parecido a la ballena que mide entre diez y treinta metros de longitud y tiene una pequeña aleta dorsal.

rorro *s. m. fam.* Bebé.

ros *s. m.* Gorro militar con visera, duro y más alto por delante que por detrás.

rosa *s. f.* **1.** Flor del rosal, de variados colores y olor muy agradable. ‖ *adj.* y *s.* **2.** De un color que resulta de mezclar el rojo y el blanco. ‖ **3. rosa de pitiminí** Rosa muy pequeña que crece en rosales de tallos trepadores. **4. rosa de los vientos** Círculo que tiene marcados los treinta y dos rumbos del horizonte o los nombres de los diferentes vientos. **EXPR. como una rosa** Con muy buen aspecto. **de color de rosa** De forma muy optimista.

rosáceo, a *adj.* **1.** De color parecido al rosa. ‖ *adj.* y *s. f.* **2.** Se dice de unos árboles, arbustos y hierbas que tienen el borde de sus hojas en forma de dientes de sierra y las flores con cinco pétalos, como el peral, el almendro y el rosal.

rosado, da *adj.* **1.** De color rosa. ‖ *adj.* y *s. m.* **2.** Vino de color más claro que el tinto. **SIN. 2.** Clarete.

rozar

rosal *s. m.* Arbusto de tallos con espinas y unas flores llamadas *rosas*.

rosaleda *s. f.* Lugar donde hay muchos rosales.

rosario *s. m.* **1.** Rezo de los católicos a la Virgen en el que se recuerdan quince o cinco misterios o hechos de su vida. **2.** Cuentas o piedrecillas metidas en un hilo que se utilizan para hacer ese rezo. **3.** Objeto parecido que se usa en otras religiones, como la musulmana o la budista, para llevar la cuenta de las oraciones. **4.** Conjunto de cosas que van una detrás de otra. **EXPR. acabar** una cosa **como el rosario de la aurora** Acabar mal. **SIN. 4.** Retahíla, ristra, sarta.

rosbif *s. m.* Carne de vaca asada que se deja poco hecha.

rosca *s. f.* **1.** Surco que tienen los tornillos alrededor y las tuercas por dentro, por el que se enroscan. **2.** Cosa redondeada con un agujero en el centro, por ejemplo una rosca de pan. **EXPR. hacer la rosca** a alguien Alabarle para conseguir algo. **no comerse una rosca** No ser capaz de ligar, de conquistar a alguien. **pasarse de rosca** No agarrar la tuerca en el tornillo; también, pasarse una persona de lo debido en lo que hace o dice; a veces, volverse alguien un poco loco.

rosco *s. m.* **1.** Roscón o rosca de pan o de bollo. **2.** En el lenguaje de los estudiantes, la peor nota, un cero.

roscón *s. m.* Bollo grande en forma de rosca, sobre todo el que se come en el día de Reyes.

roseta *s. f.* Mancha rosada en las mejillas. **SIN.** Chapeta.

rosetón *s. m.* **1.** Ventana circular con adornos que es característica de las iglesias góticas. **2.** Adorno en forma de círculo, sobre todo el que se coloca en los techos.

rosicler *s. m.* El color rosado del amanecer.

rosquilla *s. f.* Masa dulce y frita de forma redondeada con un agujero en el centro.

rostro *s. m.* **1.** Cara de las personas. **2.** Descaro, poca vergüenza. **SIN. 1.** Semblante.

rotación *s. f.* **1.** Acción de rotar, por ejemplo varias personas en un puesto. **2.** Giro de los cuerpos celestes sobre su eje. **SIN. 1.** Alternancia.

rotar *v.* **1.** Rodar, girar. **2.** Hacer una cosa primero unos y luego otros. **SIN. 2.** Alternarse, turnarse.

rotativo, va *adj.* **1.** Que rota. || *adj.* y *s. f.* **2.** Máquina que imprime con movimiento seguido y a gran velocidad periódicos, revistas, libros, etc. || *s. m.* **3.** Periódico impreso en estas máquinas. **SIN. 1.** Giratorio, cíclico.

rotatorio, ria *adj.* Que rota o gira. **SIN.** Giratorio.

roto, ta 1. *p.* de **romper.** También *adj.* || *adj.* **2.** Muy cansado. || *s. m.* **3.** Agujero, raja. **SIN. 2.** Molido, reventado.

rotonda *s. f.* **1.** Plaza redonda. **2.** Edificio o sala en forma de círculo.

rotor *s. m.* Parte que gira de algunas máquinas, por ejemplo del motor del helicóptero.

rótula *s. f.* Hueso de la rodilla, que está entre el fémur y la tibia.

rotulación *s. f.* **1.** El hecho de rotular. **2.** Conjunto de rótulos.

rotulador, ra *adj.* y *s.* **1.** Que rotula o sirve para rotular. || *s. m.* **2.** Utensilio con una carga de tinta dentro que permite escribir o dibujar con un trazo grueso.

rotular *v.* Poner un rótulo o letrero.

rótulo *s. m.* Letrero, cartel.

rotundidad *s. f.* Característica de rotundo. **SIN.** Contundencia. **ANT.** Duda.

rotundo, da *adj.* Que no admite duda o discusión. **SIN.** Terminante, contundente. **ANT.** Dudoso.

rotura *s. f.* **1.** Acción de romper o romperse algo. **2.** Raja o agujero de algo que se ha roto.

roturación *s. f.* Acción de roturar.

roturar *v.* Arar por primera vez las tierras para dedicarlas a algún cultivo.

roulotte (fr.) *s. f.* Remolque que por dentro es una vivienda.

round (ingl.) *s. m.* En boxeo, asalto.

roza *s. f.* Surco que se hace en una pared para meter cables o tuberías.

rozadura *s. f.* **1.** Herida que se produce en la piel por haberse rozado con algo. **2.** Señal que queda en una cosa que se ha rozado con algo. **SIN. 1** y **2.** Roce.

rozagante *adj.* Orgulloso y satisfecho.

rozamiento *s. m.* **1.** Acción de rozar o rozarse. **2.** En física, resistencia entre dos superficies cuando están en contacto, que se opone al movimiento de una sobre otra. **SIN. 1.** Roce.

rozar *v.* **1.** Tocar ligeramente una persona o cosa a otra. **2.** Producir una herida o un desgaste el contacto de una cosa con otra. **3.** Estar muy cerca una cosa de otra: *Su forma de hablar roza el insulto.* ‖ **rozarse 4.** Tener trato con una persona. Sin. **2.** Raspar; raer. **3.** Rayar.

ruano, na *adj.* Roano.

rubeola o **rubéola** *s. f.* Enfermedad contagiosa, causada por un virus, que es parecida al sarampión.

rubí *s. m.* Mineral de color rojo, brillante y de gran dureza, muy apreciado en joyería.

rubiales *adj. y s. fam.* Rubio.

rubicundo, da *adj.* **1.** Rubio rojizo. **2.** Se dice de la persona de buen color, de aspecto saludable.

rubio, bia *adj. y s.* **1.** Se dice del pelo de color entre amarillo y dorado; también se dice de la persona que lo tiene. ‖ *adj.* **2.** Se dice de un tipo de tabaco de color más claro y sabor más suave que el negro. ‖ **3. rubio platino** Rubio muy claro. Ant. **1.** Moreno.

rublo *s. m.* Moneda de Rusia y también de otras repúblicas de la antigua Unión Soviética.

rubor *s. m.* **1.** Color rojo que aparece en la cara a causa de la vergüenza. **2.** Sentimiento de vergüenza. Sin. **2.** Bochorno, apuro.

ruborizarse *v.* **1.** Ponerse colorada una persona por vergüenza. **2.** Sentir vergüenza. Sin. **1 y 2.** Sonrojarse, abochornarse.

rúbrica *s. f.* Raya o garabato que una persona añade a su nombre y apellidos cuando firma.

rubricar *v.* **1.** Poner la rúbrica. **2.** Confirmar, estar totalmente de acuerdo con algo. Sin. **1.** Firmar. **2.** Apoyar, suscribir.

rucio, cia *adj.* **1.** Se dice de los animales de color pardo claro o blanquecino. ‖ *s. m.* **2.** Asno.

rudeza *s. f.* Característica de rudo. Sin. Tosquedad, ordinariez, brusquedad. Ant. Delicadeza.

rudimentario, ria *adj.* Muy sencillo y elemental. Sin. Tosco. Ant. Sofisticado.

rudimentos *s. m. pl.* Conocimientos muy elementales sobre algo. Sin. Fundamentos, principios.

rudo, da *adj.* **1.** Basto, poco delicado. **2.** Duro, fuerte. Sin. **1.** Tosco, brusco. Ant. **1.** Refinado. **1 y 2.** Fino. **2.** Suave.

rueca *s. f.* Máquina sencilla que se usaba antiguamente para hilar.

rueda *s. f.* **1.** Objeto en forma de círculo que puede girar sobre un eje. **2.** Círculo formado por personas o cosas: *una rueda de canapés.* **3.** Rodaja de algún alimento. ‖ **4. rueda de prensa** Reunión de una persona importante con los periodistas para hablar sobre algo y contestar a sus preguntas.

ruedo *s. m.* **1.** Terreno circular, cubierto de arena, donde se torea en las plazas de toros. **2.** Borde de una cosa redonda, por ejemplo de una falda. **3.** Cosa que se pone alrededor del borde de otra para adornarla. **4.** Círculo formado por un grupo de personas. Sin. **2.** Contorno. **4.** Corro, corrillo.

ruego *s. m.* Petición que se hace a otra persona como favor, con humildad. Sin. Súplica, demanda.

rufián *s. m.* **1.** Sinvergüenza, granuja. **2.** Hombre que vive a costa de las prostitutas. Sin. **1.** Bribón. **2.** Chulo.

rugby (ingl.) *s. m.* Deporte que se juega entre dos equipos de quince jugadores cada uno, con un balón ovalado que se puede coger y golpear con las manos y los pies.

rugido *s. m.* Sonido que se hace al rugir. Sin. Bramido.

rugir *v.* **1.** Lanzar el león y otros animales salvajes su sonido característico. **2.** Producir el mar o la tempestad un sonido fuerte y ronco. **3.** Gritar una persona que está muy enfadada o tiene mucho dolor. Sin. **2 y 3.** Bramar. **3.** Chillar.

rugosidad *s. f.* **1.** Característica de lo que es rugoso. **2.** Arruga.

rugoso, sa *adj.* Que tiene arrugas o asperezas. Sin. Arrugado. Ant. Liso.

ruibarbo *s. m.* Planta de hojas grandes de borde dentado y flores amarillas o verdosas en racimos. Tiene un rizoma grueso que se usa como purgante.

ruido *s. m.* Sonido desagradable. Sin. Alboroto, estrépito. Ant. Silencio.

ruidoso, sa *adj.* Que produce mucho ruido.

ruin *adj.* **1.** Despreciable, canalla. **2.** Tacaño. Sin. **1.** Vil. **1 y 2.** Mezquino, miserable. **2.** Roñoso, agarrado. Ant. **1.** Noble. **2.** Generoso.

ruina *s. f.* **1.** El hecho de quedarse sin dinero u otros bienes. **2.** Destrucción de un edificio, de la salud o de otra cosa. **3.** Persona o cosa en muy mal estado. ‖ *pl.* **4.** Restos de edificios destruidos. Sin. **1.** Quiebra, bancarrota. **2.** Derrumbamiento, hundimiento. Ant. **1.** Riqueza.

ruindad *s. f.* **1.** Característica de ruin. **2.** Acción ruin, despreciable.

rutinario

ruinoso, sa *adj.* **1.** Que está en ruinas, medio destruido. **2.** Que produce ruina o unas pérdidas muy grandes: *un negocio ruinoso.*

ruiseñor *s. m.* Pájaro de canto agradable que tiene el vientre de color claro, la cola rojiza y el resto del cuerpo pardo. Vive en los bosques frondosos.

rular *v.* Rodar o funcionar algo.

ruleta *s. f.* Juego de azar en que se emplea una rueda dividida en casillas numeradas que gira y que consiste en apostar al número en que se parará la rueda.

rulo *s. m.* Cilindro hueco en que se enrolla un mechón de pelo para rizarlo.

rumano, na *adj.* y *s.* **1.** De Rumania, país de Europa. ‖ *s. m.* **2.** Lengua de este país.

rumba *s. f.* **1.** Baile popular de origen cubano y música que lo acompaña. **2.** Música y baile flamenco, muy popular y con mucho ritmo.

rumbero, ra *adj.* y *s.* Persona que baila la rumba.

rumbo *s. m.* **1.** Dirección que se sigue al caminar o navegar. **2.** Forma en la que van ocurriendo los acontecimientos. **3.** Camino que sigue una persona para conseguir alguna cosa. **Sin. 1.** Ruta. **1** y **3.** Derrotero.

rumboso, sa *adj.* Muy generoso con el dinero. **Sin.** Espléndido, desprendido. **Ant.** Tacaño.

rumiante *adj.* y *s. m.* Mamífero que se alimenta de hierba y tiene el estómago dividido en tres o cuatro partes, como la vaca, la cabra o el ciervo.

rumiar *v.* **1.** Masticar los rumiantes por segunda vez los alimentos. **2.** Pensar en algo muy despacio. **Sin. 2.** Meditar, cavilar.

rumor *s. m.* **1.** Noticia que circula entre la gente sin que se sepa si es verdad. **2.** Ruido continuo, como el que hace el mar o el viento. **Sin. 2.** Runrún, zumbido.

rumorearse *v.* Circular un rumor entre la gente.

rumoroso, sa *adj.* Que produce rumor o ruido continuo.

runrún *s. m.* Ruido continuo. **Sin.** Rumor, zumbido.

rupestre *adj.* Se dice de las pinturas o dibujos prehistóricos que fueron realizados en rocas y cuevas.

rupia *s. f.* Moneda de la India, Pakistán, Nepal y otros países.

ruptura *s. f.* Acción de romper o romperse las relaciones entre personas o países.

rural *adj.* Del campo o relacionado con el campo. **Sin.** Campestre, campesino. **Ant.** Urbano.

ruso, sa *adj.* y *s.* **1.** De Rusia, país de Europa y Asia. ‖ *s. m.* **2.** Lengua que se habla en Rusia y en otras repúblicas que pertenecieron a la Unión Soviética.

rústico, ca *adj.* **1.** Que es propio del campo o está en el campo. **2.** Poco educado en la forma de hablar o comportarse. **3.** Hecho sin cuidado o con materiales de poco valor. ‖ *s. m.* y *f.* **4.** Persona del campo. **Expr. en rústica** Se dice de la encuadernación de los libros con cubierta de papel o cartulina. **Sin. 1.** Rural. **1** y **4.** Campesino. **2.** Rudo. **2** y **3.** Tosco. **Ant. 1.** Urbano. **2** y **3.** Refinado, elegante.

ruta *s. f.* Camino o lugares que se recorren en un viaje o trayecto. **Sin.** Itinerario, recorrido, trayecto.

rutilante *adj.* Muy brillante, resplandeciente.

rutilar *v.* Brillar mucho. **Sin.** Resplandecer, relumbrar.

rutina *s. f.* Costumbre de hacer las cosas del mismo modo, sin pararse a pensar. **Sin.** Hábito.

rutinario, ria *adj.* Que se hace por rutina o actúa por rutina.

s *s. f.* Letra número veinte del abecedario.

sábado *s. m.* Sexto día de la semana.

sabana *s. f.* Llanura grande con pocos árboles que existe en algunas zonas de África, América del Sur y Australia.

sábana *s. f.* Cada una de las dos piezas de tela que se utilizan como ropa de cama y entre las que se coloca la persona que se acuesta. **Expr. pegársele** a alguien **las sábanas** Levantarse más tarde o costarle mucho salir de la cama.

sabandija *s. f.* **1.** Animal pequeño y que da asco. **2.** Persona despreciable. **Sin. 1.** Bicho. **2.** Alimaña.

sabañón *s. m.* Bultito rojo que sale por el frío y que pica mucho.

sabático, ca *adj.* **1.** Relacionado con el sábado. **2.** Se dice del año en que algunos profesionales interrumpen su trabajo habitual para dedicarse a otras actividades.

sábbat o **sabbat** (hebr.) *s. m.* El día de la fiesta religiosa de los judíos, que es el sábado.

sabedor, ra *adj.* Enterado, conocedor.

sabelotodo *adj. y s. fam.* Persona que presume de saber mucho. **Sin.** Sabihondo.

saber[1] *v.* **1.** Estar informado de algo. **2.** Tener conocimientos sobre algo. **3.** Haber aprendido a hacer algo. **4.** Tener sabor. □ Es v. irreg. **Sin. 1.** Enterarse. **2.** Entender. **Ant. 1** y **2.** Desconocer.

saber[2] *s. m.* Conocimiento, sabiduría. **Sin.** Cultura, ciencia. **Ant.** Incultura.

sabido, da **1.** *p.* de **saber.** También *adj.* ‖ *adj.* **2.** Conocido, habitual.

sabiduría *s. f.* **1.** Conjunto de conocimientos que se aprenden. **2.** Sensatez, prudencia. **Sin. 1.** Saber, cultura. **2.** Inteligencia. **Ant. 1.** Ignorancia. **2.** Estupidez.

sabiendas Se usa en la expresión **a sabiendas,** 'con intención', 'a propósito'.

sabihondo, da *adj. y s.* Sabelotodo.

sabina *s. f.* Árbol perenne conífero de hojas pequeñas, escamosas y superpuestas y fruto en forma de bayas negras o rojizas. Crece en las regiones mediterráneas.

sabio, bia *adj. y s.* **1.** Culto, que sabe mucho. ‖ *adj.* **2.** Inteligente, sensato. **3.** Se dice de los animales amaestrados para hacer cosas difíciles. **Sin. 1.** Erudito. **2.** Prudente. **Ant. 1.** Ignorante. **2.** Estúpido.

sablazo *s. m.* **1.** Golpe de sable y herida que hace. **2.** El pedir dinero a alguien y devolvérselo tarde o no devolvérselo. **Sin. 1.** Tajo.

sable *s. m.* Espada un poco curvada y de un solo filo.

sablear *v.* Dar sablazos, sacarle dinero a alguien.

sablista *s. m. y f.* Persona que sablea.

saboneta *s. f.* Reloj de bolsillo con una tapa metálica para cubrir la esfera.

sabor *s. m.* **1.** Sensación que produce en la lengua y el paladar una sustancia. **2.** Impresión, sentimiento o recuerdo que deja alguna cosa. **Sin. 1** y **2.** Gusto, regusto.

SABER	
INDICATIVO	
Presente	**Pret. perfecto simple**
sé	supe
sabes	supiste
sabe	supo
sabemos	supimos
sabéis	supisteis
saben	supieron
Futuro	**Condicional**
sabré	sabría
sabrás	sabrías
sabrá	sabría
sabremos	sabríamos
sabréis	sabríais
sabrán	sabrían
SUBJUNTIVO	
Presente	**Pretérito imperfecto**
sepa	supiera, -ese
sepas	supieras, -eses
sepa	supiera, -ese
sepamos	supiéramos, -ésemos
sepáis	supierais, -eseis
sepan	supieran, -esen
Futuro	
supiera	supiéremos
supieres	supiereis
supiere	supieren

saborear v. 1. Comer o beber algo despacio para notar mejor su sabor. 2. Disfrutar de algo con tranquilidad y a gusto. **Sin.** 1 y 2. Paladear.

sabotaje s. m. Acto de sabotear.

sabotear v. 1. Causar daños en fábricas, medios de transporte y otras cosas para luchar contra alguien o para lograr algo. 2. Boicotear.

sabroso, sa adj. 1. Que tiene mucho sabor y está rico. 2. Ligeramente salado. 3. Importante o interesante. **Sin.** Gustoso, suculento. **Ant.** 1. Insípido. 1 a 3. Soso.

sabueso adj. y s. m. 1. Tipo de perro podenco que tiene un oído y olfato muy finos, por lo que se usa para cazar. || s. m. 2. fam. Persona hábil para investigar y descubrir cosas.

saca s. f. Saco grande de tela fuerte. **Sin.** Costal.

sacabocados o **sacabocado** s. m. Punzón o tenazas con una o más bocas huecas, que sirve para hacer agujeros.

sacacorchos s. m. Instrumento para quitar los tapones de corcho de las botellas. **Expr.** sacar algo a alguien **con sacacorchos** Conseguir con mucho esfuerzo que lo diga.

sacacuartos s. m. 1. Cosa en la que la gente malgasta su dinero. || s. m. y f. 2. Persona que sabe sacarle dinero a otro.

sacamuelas s. m. y f. desp. Dentista.

sacapuntas s. m. Objeto para sacar punta a los lápices.

sacar v. 1. Poner una cosa fuera de donde está. 2. Conseguir, obtener. 3. Hacer que algo aparezca o se descubra: Sacar faltas. 4. Retratar o fotografiar: Te ha sacado muy favorecida. 5. En algunos deportes, lanzar la pelota al comienzo del juego o después de haber estado éste detenido. 6. Quitar: sacar una mancha. 7. Ensanchar o alargar algo, especialmente una prenda de vestir. 8. Aventajar a otro en alguna cosa. **Expr.** sacar adelante Mantener a una persona, dándole lo necesario para vivir; también, hacer que algo marche bien. **Sin.** 1. Retirar, extraer. 2. Lograr. **Ant.** 1 y 7. Guardar. 1 y 7. Meter.

sacarina s. f. Sustancia blanca y muy dulce que se emplea en lugar del azúcar para endulzar.

sacerdocio s. m. El estado de los sacerdotes.

sacerdotal adj. De los sacerdotes.

sacerdote s. m. 1. Persona que dirige la vida religiosa de una comunidad,

2. Hombre que ha recibido el sacramento del orden y puede decir misa, administrar sacramentos, predicar.

sacerdotisa s. f. 1. En algunas religiones, mujer que hace los sacrificios a los dioses y cuida el templo. 2. Mujer sacerdote.

saciar v. Satisfacer una necesidad o deseo. **Sin.** Hartar; colmar.

saciedad s. f. Estado del que está saciado o lleno. **Sin.** Hartura, empacho.

saco s. m. 1. Bolsa grande y abierta por uno de sus extremos que sirve para meter cosas dentro. 2. Saqueo: entrar a saco. 3. En Hispanoamérica, chaqueta. || 4. **saco de dormir** Bolsa grande e impermeable donde se mete una persona para dormir al aire libre o en tiendas de campaña. **Expr.** no echar algo **en saco roto** No olvidarlo, tenerlo en cuenta. **Sin.** 1. Costal, talego. 2. Pillaje. 3. Americana.

sacramental adj. De los sacramentos o relacionado con ellos.

sacramento s. m. 1. En la religión cristiana, signos sagrados que se realizan en algunos actos y por los que Jesucristo da a los hombres su salvación. || 2. **Santísimo Sacramento** Jesucristo en la eucaristía. 3. **últimos sacramentos** Los de la penitencia, eucaristía y extremaunción que recibe el cristiano que está en peligro de muerte.

sacrificar v. 1. Ofrecer una víctima a los dioses para pedirles algo, para alabarles o para darles las gracias. 2. Matar a un animal, sobre todo para comerlo. 3. Dejar de hacer algo agradable, o también hacer cosas molestas, para ayudar a otro o para conseguir algo. **Sin.** 1. Inmolar. 3. Renunciar.

sacrificio s. m. Hecho de sacrificar o sacrificarse. **Sin.** Inmolación; renuncia, privación.

sacrilegio s. m. Lo que se dice o hace contra algo sagrado o es una grave falta de respeto hacia ello. **Sin.** Profanación.

sacrílego, ga adj. y s. Del sacrilegio o que comete sacrilegio.

sacristán s. m. Hombre que ayuda al sacerdote en el altar y se encarga del cuidado de la iglesia.

sacristía s. f. Lugar en las iglesias donde se guardan las ropas y objetos que se usan en el culto.

sacro, cra adj. 1. Sagrado. || adj. y s. m. 2. Hueso que está al final de la columna vertebral compuesto por vértebras soldadas entre sí

sacrosanto, ta adj. Sagrado y santo.

sacudida s. f. Movimiento brusco. Sin. Meneo, bandazo.

sacudir v. 1. Mover bruscamente de un lado a otro. 2. Pegar, zurrar. 3. Librarse de algo malo, molesto o pesado: *sacudirse la pereza.* Sin. 1. Menear, zarandear. 3. Liberarse, desembarazarse. Ant. 3. Atraer.

sádico, ca adj. y s. Que disfruta haciendo sufrir. Sin. Despiadado, inhumano. Ant. Clemente.

sadismo s. m. El disfrutar haciendo sufrir a otros. Ant. Piedad.

saeta s. f. 1. Flecha. 2. Manecilla del reloj. 3. Canción religiosa flamenca que se canta sobre todo en las procesiones de Semana Santa.

safari s. m. 1. Cacería de animales grandes en África. 2. Excursión por lugares naturales con otros fines: *safari fotográfico.*

safena adj. y s. f. Cada una de las dos venas que llevan la sangre, a lo largo de la pierna, desde el pie a la femoral.

saga s. f. 1. Leyenda poética, sobre todo las de pueblos escandinavos. 2. Relato de la historia de varias generaciones de una familia.

sagacidad s. f. Astucia, inteligencia. Sin. Perspicacia, agudeza. Ant. Torpeza.

sagaz adj. Astuto, inteligente. Sin. Perspicaz, agudo, listo. Ant. Torpe.

sagitario s. m. Noveno signo del zodiaco (del 22 de noviembre al 21 de diciembre).

sagrado, da adj. 1. Se dice de lo relacionado con Dios o con los dioses y su culto. 2. Que merece mucho respeto. Sin. 1. Santo, sacro. Ant. 1. Profano.

sagrario s. m. Especie de armario o construcción en forma de pequeño templo donde se guardan el copón y las sagradas formas.

saharaui adj. y s. Del Sáhara, desierto del norte de África.

sahariana s. f. Chaqueta de tejido ligero con grandes bolsillos y que se ajusta con un cinturón.

sahariano, na adj. y s. Saharaui.

sahumerio s. m. Sustancia aromática que se quema para dar olor.

sainete s. m. Obra de teatro breve y divertida, en la que se representan escenas y personajes populares.

sajadura s. f. Corte hecho al sajar.

sajar v. Hacer un corte en la carne para curar. Sin. Abrir, cortar, seccionar.

sajón, na adj. y s. 1. De uno de los pueblos germánicos que invadieron Gran Bretaña a mediados del siglo v. 2. De Sajonia, región de Alemania.

sake o **saki** (jap.) s. m. Bebida alcohólica japonesa que se obtiene del arroz.

sal s. f. 1. Sustancia en forma de cristalitos muy pequeños, de color blanco, compuesta por cloro y sodio, que se usa principalmente para poner salados los alimentos o para conservarlos. Se llama también *sal común.* 2. Nombre de algunos compuestos químicos que se forman al hacer reaccionar un ácido con una base. 3. Gracia, ingenio. || pl. 4. Sustancia en pequeños cristales que suele contener amoniaco y se da a oler a una persona desmayada para reanimarla. || **5. sales de baño** Sustancia perfumada, en forma de pequeños cristales, que se disuelve en el agua del baño. 6. **sal gorda** Sal común de cristales gruesos; también, sentido del humor vulgar o grosero. Sin. 3. Salero, chispa.

sala s. f. 1. Habitación de una casa donde se come, se ve la tele y se hace la vida. Se llama también *sala de estar.* 2. Habitación o espacio grande de un edificio, un barco u otro lugar. 3. Local destinado a espectáculos o actos a los que asiste mucha gente: *sala de cine.* || 4. **sala de fiestas** Local público donde se baila, se toman bebidas y a veces se dan cenas y espectáculos. Sin. 2. Salón.

salacot s. m. Sombrero rígido y de material ligero, para protegerse del sol.

salado, da 1. p. de salar. || adj. 2. Que tiene sal o demasiada sal. 3. Que tiene salero, gracia. Sin. 3. Gracioso. Ant. 2. Insípido. 2 y 3. Soso.

salamandra s. f. Animal anfibio parecido a un lagarto, de cuerpo alargado y cola redondeada. La salamandra común es de color negro con grandes manchas amarillas o amarilla con franjas negras.

salamanquesa s. f. Reptil parecido a una lagartija de cuerpo aplastado y de color gris, amarillo, marrón o blanquecino. Trepa por las paredes y se alimenta de insectos.

salami s. m. Embutido parecido al salchichón, pero más grande.

salar v. Poner sal en los alimentos para conservarlos o para que sepan mejor. Sin. Curar; sazonar.

salarial adj. Del salario.

salario s. m. Sueldo que se paga a alguien por su trabajo.

salmón

salazón s. f. **1.** Operación de salar la carne y el pescado para conservarlos. **2.** La carne y el pescado ya salados.

salchicha s. f. **1.** Embutido alargado hecho con carne preparada con sal y otras especias. **2.** Nombre que se da a los perros *teckel*, que tienen el cuerpo largo y las patas cortas.

salchichón s. m. Embutido hecho de jamón, tocino y pimienta, prensados y curados.

saldar v. **1.** Pagar completamente lo que se debe. **2.** Dar por terminado un asunto. **3.** Vender una mercancía a muy bajo precio para terminarla. **SIN.** 1 y 3. Liquidar. 2 y 3. Rematar.

saldo s. m. **1.** En una cuenta, el resultado de restar de la cantidad que uno tiene la que debe o ha gastado. **2.** Resultado final, balance. **3.** Venta de mercancías a precios más baratos, normalmente para terminar con ellas. ‖ pl. **4.** Estas mercancías. **SIN.** 3. Liquidación. 4. Restos.

saledizo s. m. Parte que sobresale de la fachada de un edificio.

salero s. m. **1.** Frasco o bote con agujeros para servir la sal. **2.** Gracia o alegría. **SIN.** 2. Garbo, donaire.

saleroso, sa adj. y s. Que tiene salero o gracia. **SIN.** Garboso. **ANT.** Soso.

salesiano, na adj. y s. De la orden religiosa de San Francisco de Sales, fundada por San Juan Bosco.

salida s. f. **1.** Hecho de salir o salirse. **2.** Lugar por donde se sale o desde el que se sale. **3.** Solución, remedio; pretexto, disculpa. **4.** Cosa divertida e ingeniosa que alguien dice o hace. **5.** Buenas posibilidades que tiene una cosa. ‖ **6.** salida de tono Cosa inoportuna o poco educada que alguien dice o hace. **SIN.** 1. Partida, marcha. 2. Puerta. 3. Arreglo. 4. Ocurrencia. 5. Expectativa, futuro. **ANT.** 1 y 2. Entrada. 2. Meta.

saliente adj. y s. m. Que sobresale. **ANT.** Entrante.

salina s. f. Estanque de agua salada poco profundo, del que se saca la sal cuando se evapora el agua.

salinidad s. f. **1.** Característica de salino. **2.** Cantidad de sal disuelta en un líquido.

salino, na adj. Salado, salobre.

salir v. **1.** Pasar de dentro a fuera. **2.** Soltarse una cosa del lugar en que está puesta o encajada. **3.** Partir o irse. **4.** Ir a la calle o a otro lugar a pasear o a divertirse. **5.** Ser novio o novia de alguien. **6.** Dejar de estar en una situación, sobre todo si es mala. **7.** Quitarse las manchas. **8.** Sobresalir. **9.** Aparecer, surgir, brotar. **10.** Dar el resultado que se dice: *La fiesta salió bien*. **11.** Parecerse una persona a un familiar: *Ha salido a su abuelo*. **12.** Decir o hacer algo que sorprende: *Ahora me sale con que no quiere ir*. ‖ **salirse 13.** Dejar escapar un recipiente el líquido o gas que contiene. □ Es v. irreg. **EXPR. salir adelante** Dejar de estar en una situación mala o en dificultades. **salirse** alguien **con la suya** Conseguir lo que quería. **SIN.** 3. Marchar, largarse. 6. Sortear. 10. Resultar. **ANT.** 1 y 2. Entrar. 3. Llegar. 9. Ponerse; desaparecer.

SALIR		
INDICATIVO		
Presente	Futuro	Condicional
salgo	saldré	saldría
sales	saldrás	saldrías
sale	saldrá	saldría
salimos	saldremos	saldríamos
salís	saldréis	saldríais
salen	saldrán	saldrían
SUBJUNTIVO		
Presente		
salga	salgamos	
salgas	salgáis	
salga	salgan	

salitre s. m. Sustancia que se encuentra en forma de agujas o de polvo en terrenos húmedos o salinos y, especialmente, las sales que tienen nitrógeno, oxígeno y metales como sodio o potasio, que se emplean como abono o para hacer explosivos.

saliva s. f. Líquido que tenemos en la boca producido por las glándulas salivales, y que sirve para ablandar la comida y hacerla fácil de tragar y digerir. **SIN.** Baba.

salival adj. De la saliva o relacionado con ella.

salivazo s. m. Escupitajo.

salmantino, na adj. y s. De Salamanca, ciudad y provincia españolas.

salmo s. m. Canto o poema de la Biblia en que se alaba a Dios o se le pide algo.

salmón s. m. **1.** Pez grande de color gris azulado, con puntos negros en los costados. Pasa la primera parte de su vida en los ríos y, cuando es adulto, emigra al mar; más tarde vuelve a los ríos a poner sus huevos. Su carne es muy apreciada como alimento. **2.** Color entre rosa y anaranjado, parecido al de la carne de este pez.

salmonella *s. f.* Bacteria que causa la salmonelosis.

salmonelosis *s. f.* Infección muy grave del intestino producida por la salmonella.

salmonete *s. m.* Pez pequeño de color rosado y con dos barbillas largas en la mandíbula. Vive en el Atlántico y el Mediterráneo y es comestible.

salmuera *s. f.* Agua o líquido con mucha sal en el que se conservan carnes y pescados.

salobre *adj.* Que contiene sal o sabe a sal. **Sin.** Salino; salado. **Ant.** Dulce.

salomónico, ca *adj.* **1.** Del rey Salomón. **2.** Se dice del juicio o la decisión que quiere contentar a todos por igual. **3.** Se dice de un tipo de columna en forma de espiral.

salón *s. m.* **1.** Habitación grande de una casa en la que se recibe a las visitas y se tienen reuniones o comidas. **2.** Local grande donde se celebran reuniones, actos públicos, fiestas. **3.** Nombre de algunos establecimientos: *salón de peluquería.*

salpicadero *s. m.* En los coches, tablero en el que están los mandos y otros aparatos.

salpicadura *s. f.* Acción de salpicar y mancha que deja.

salpicar *v.* **1.** Hacer que salten gotas de un líquido. **2.** Mojar o manchar con esas gotas. **3.** Esparcir. **Sin. 1.** Rociar. **3.** Espolvorear, diseminar.

salpicón *s. m.* Comida compuesta de trozos de pescado o marisco con cebolla, sal y otros ingredientes.

salpimentar *v.* Condimentar con sal y pimienta.

salpullido *s. m.* Sarpullido.

salsa *s. f.* **1.** Líquido o pasta que se hace con varios ingredientes y se echa a las comidas para que sepan mejor. **2.** Jugo de un guiso o de un alimento cocinado. **3.** Una música del Caribe que es mezcla de ritmos africanos y latinos. **Expr. en su salsa** o **en su propia salsa** En su propio ambiente, a gusto.

salsera *s. f.* Recipiente para servir la salsa.

saltador, ra *adj.* **1.** Que salta. ‖ *s. m.* y *f.* **2.** Persona que practica algún deporte de salto. ‖ *s. m.* **3.** Cuerda que se utiliza para jugar a saltar. **Sin. 1.** Saltarín. **3.** Comba.

saltamontes *s. m.* Insecto de color amarillo, pardo o verde que tiene las patas de atrás muy largas, con las que da grandes saltos.

saltar *v.* **1.** Darse un impulso para separarse del lugar en que uno está o pasar por encima de algo. **2.** Lanzarse desde donde uno está para caer fuera o más abajo. **3.** Abalanzarse sobre otro para atacarlo. **4.** Salpicar, soltarse, desprenderse o dispararse: *saltar aceite, saltar la pintura, saltar la alarma.* **5.** Explotar, estallar. **6.** Salir: *saltar al terreno de juego.* **7.** Mostrar de repente enfado o desacuerdo. ‖ **saltarse 8.** Pasar de una cosa a otra sin detenerse en algo que está entre las dos. **9.** No cumplir: *saltarse las normas.* **Expr. saltar a la vista** Destacar o sobresalir, verse mucho. **Sin. 1.** Brincar, botar. **2.** Arrojarse, tirarse. **4.** Caerse; activarse. **8.** Comerse; omitir. **9.** Incumplir.

saltarín, na *adj.* y *s.* Que salta o se mueve mucho.

salteado, da 1. *p.* de **saltear.** También *adj.* ‖ *adj.* **2.** No seguido, unos sí y otros no. **Sin. 2.** Alterno.

salteador, ra *s. m.* y *f.* Persona que robaba a la gente por los caminos. **Sin.** Bandido, bandolero.

saltear *v.* **1.** Hacer algo a ratos o a trozos, no seguido. **2.** Freír un poco. **Sin. 2.** Dorar, sofreír.

saltimbanqui *s. m.* y *f.* Persona que realiza saltos y otros ejercicios como espectáculo. **Sin.** Titiritero, acróbata.

salto *s. m.* **1.** Acción de saltar. **2.** Paso de una cosa a otra que no va seguida o que es muy diferente. **3.** Avance o progreso muy grande. ‖ **4. salto de agua** Cascada. **5. salto de cama** Bata que las mujeres se ponen al levantarse de la cama. **6. salto mortal** El que hacen los acróbatas, gimnastas o saltadores de trampolín tirándose de cabeza y dando una vuelta en el aire. **Expr. a salto de mata** De una manera desorganizada, improvisando. **Sin. 1.** Brinco. **Ant. 3.** Retroceso.

saltón, na *adj.* Que sobresale mucho. **Sin.** Saliente, prominente, abultado. **Ant.** Hundido.

salud *s. f.* **1.** Estado en que se encuentra un ser vivo por el buen o mal funcionamiento de su cuerpo. **2.** Estado de otra cosa. ‖ *interj.* **3.** Se dice a veces para brindar.

saludable *adj.* **1.** Bueno para la salud. **2.** Que refleja buena salud. **3.** Provechoso, beneficioso. **Sin. 1** y **2.** Sano.

ANT. 1 y **2.** Insalubre, insano. **2.** Enfermizo. **3.** Perjudicial.

saludar v. **1.** Decir palabras de cortesía o hacer algún gesto amistoso cuando nos encontramos con alguien. **2.** Gesto de respeto ante un superior que se hace en el ejército y la policía.

saludo s. m. Acción de saludar.

salutación s. m. Saludo.

salva s. f. Disparo o serie de disparos en honor a alguien o para celebrar algo.

salvación s. f. **1.** Acción de salvar o salvarse. **2.** En religión, acción de librar Jesucristo a los hombres del pecado. **SIN. 1.** Rescate. **2.** Redención.

salvado, da 1. p. de **salvar.** También adj. ‖ s. m. **2.** Cáscara molida de los granos de trigo y otros cereales, que se quita para hacer el pan de miga blanca.

salvador, ra adj. y s. **1.** Que salva. ‖ s. m. **2.** Jesucristo: el Salvador. **SIN. 1** y **2.** Redentor.

salvadoreño, ña adj. y s. De El Salvador, país de América Central.

salvaguardar v. Defender, proteger. **SIN.** Amparar, garantizar. **ANT.** Desamparar.

salvaguardia o **salvaguarda** s. f. Defensa, protección. **SIN.** Garantía, amparo. **ANT.** Desamparo.

salvajada s. f. Acción brutal y destructiva. **SIN.** Barbaridad, brutalidad.

salvaje adj. y s. **1.** En estado primitivo, no civilizado. **2.** Que se comporta de manera brutal o sin ninguna educación. ‖ adj. **3.** Que vive libremente en la naturaleza. **4.** Se dice del terreno sin cultivar o sin casas. **SIN. 2.** Bárbaro, animal. **3.** Silvestre, montaraz. **4.** Agreste. **ANT. 3.** Doméstico. **3** y **4.** Cultivado. **4.** Edificado.

salvajismo s. m. Forma de ser o de actuar de la persona salvaje, brutal.

salvamanteles s. m. Cosa que se pone debajo de ollas o fuentes con comida muy caliente, para que no quemen el mantel a la mesa.

salvamento s. m. Acción de salvar o rescatar. **SIN.** Rescate.

salvar v. **1.** Librar a una persona o cosa de algo malo. **2.** Superar un obstáculo, por ejemplo saltándolo. **3.** Distinguir de los demás: Todos son unos antipáticos, Manuel es el único que se salva. **SIN. 1.** Auxiliar, rescatar. **2.** Pasar.

salvavidas adj. y s. m. Se dice de los chalecos, flotadores y otras cosas que se utilizan para que floten en el agua las personas en caso de necesidad.

salve s. f. Oración a la Virgen María.

salvedad s. f. Excepción, el dejar aparte algo. **SIN.** Reserva, exclusión. **ANT.** Inclusión.

salvia s. f. Hierba aromática de flores amarillas, violáceas o blancas. Sus hojas se usan como condimento y como digestivo

salvo, va adj. **1.** Que no ha sufrido daño: sano y salvo. ‖ adv. **2.** Menos, ése no: Están todos salvo Luisa. **EXPR. a salvo** Seguro, fuera de peligro. **SIN. 1.** Ileso. **2.** Excepto. **ANT. 1.** Dañado. **2.** Incluso.

salvoconducto s. m. Escrito en el que se autoriza a alguien para ir libremente por un sitio.

samaritano, na adj. y s. **1.** De Samaria, antigua ciudad y región de Palestina. **2.** Persona que ayuda a otra.

samba s. f. Música y baile brasileños con mucho ritmo.

sambenito s. m. Cosa mala que siempre se está diciendo de alguien, aunque no sea verdad.

samoyedo adj. y s. m. Perro siberiano, muy fuerte y de pelo espeso y blanco, que se usa para tirar de los trineos.

samurai o **samuray** (jap.) s. m. Antiguo guerrero del Japón.

san adj. Forma abreviada de **santo:** San Juan.

san bernardo s. m. Perro de gran tamaño y fuerza, de pelo rojizo con el hocico, pecho y patas blancos. Antes se utilizaba para ayudar a los viajeros perdidos en la nieve.

sanar v. Curar o curarse. **SIN.** Restablecer, reponerse. **ANT.** Enfermar.

sanatorio s. m. Hospital, clínica.

sanción s. f. **1.** Pena o castigo por algo mal hecho o por no cumplir una norma. **2.** Hecho de sancionar o aprobar. **SIN. 1.** Multa, correctivo. **2.** Ratificación. **ANT. 1.** Recompensa. **2.** Derogación.

sancionar v. **1.** Poner una sanción o una multa. **2.** Aprobar o confirmar algo, sobre todo una ley. **SIN. 1.** Multar. **2.** Ratificar. **ANT. 2.** Derogar

sanctasantórum s. m. La parte más reservada, respetada o sagrada de un lugar.

sandalia s. f. **1.** Calzado en el que la suela se sujeta al pie con correas o cintas. **2.** Zapato muy abierto, que se usa en verano.

sándalo s. m. Árbol de gran tamaño que crece en Asia y Oceanía. Su madera tiene muy buen olor y por eso se usa para perfumar, quemándola o sacando de ella perfume.

sandez *s. f.* Tontería, estupidez. **SIN.** Necedad. **ANT.** Inteligencia.

sandía *s. f.* Fruta grande y redonda, roja y muy jugosa por dentro y con la cáscara verde o verde y amarillas; nace a ras de suelo de una planta que también se llama *sandía*.

sandio, dia *adj.* y *s.* Tonto, estúpido.

sandunga *s. f.* Gracia, salero.

sandunguero, ra *adj.* Que tiene sandunga. **SIN.** Gracioso, saleroso.

sandwich (ingl.) *s. m.* Bocadillo hecho con dos rebanadas de pan de molde. **SIN.** Emparedado.

saneamiento *s. m.* **1.** Acción de sanear. **2.** Pieza o instalación con agua corriente que se pone en el cuarto de baño, como el retrete o el lavabo.

sanear *v.* **1.** Limpiar bien, desinfectar. **2.** Hacer que algo funcione bien eliminando lo que lo impide: *sanear un negocio*. **SIN. 2.** Reparar remediar. **ANT. 1.** Ensuciar. **2.** Arruinar.

sanfermines *s. m. pl.* Fiestas que se celebran en Pamplona por la festividad de San Fermín (7 de julio), en las que los jóvenes corren delante de los toros.

sangrado, da **1.** *p.* de **sangrar.** También *adj.* || *s. m.* **2.** Margen izquierdo mayor que se deja en una línea o trozo de texto para que destaque.

sangrante *adj.* **1.** Que sangra. **2.** Muy grave, muy injusto.

sangrar *v.* **1.** Echar sangre. **2.** Sacar sangre a un enfermo para curarle, como se hacía antiguamente. **3.** Sacar provecho de una persona, abusar de ella. **SIN. 3.** Exprimir. **ANT. 1.** Cicatrizar.

sangre *s. f.* **1.** Líquido rojo que corre por las venas y arterias llevando oxígeno y alimento a las distintas partes del cuerpo. **2.** Origen de una persona: *Tiene sangre andaluza.* **3.** Heridos o muertos, por ejemplo en una lucha. || **4. sangre azul** Familia o linaje noble. **5. sangre fría** Serenidad, mucha calma. **no llegar la sangre al río** No tener algo consecuencias graves. **SIN. 3.** Mortandad.

sangría *s. f.* **1.** Bebida hecha con vino, zumo de limón, trozos de fruta, azúcar, canela y otros ingredientes. **2.** Acción de sangrar a un enfermo. **3.** Gasto o pérdida excesiva de dinero.

sangriento, ta *adj.* **1.** Que tiene sangre o está manchado de sangre. **2.** Se dice del hecho en el que hay mucha

violencia y muertos o heridos. **SIN. 1.** Ensangrentado. **2.** Cruento. **ANT. 2.** Incruento.

sanguijuela *s. f.* Gusano de boca chupadora que se alimenta de sangre.

sanguina *s. f.* Lápiz o barra de color rojizo y dibujo que se hace con ella.

sanguinario, ria *adj.* Cruel, que no le importa nada herir o matar. **SIN.** Feroz. **ANT.** Clemente.

sanguíneo, a *adj.* De la sangre: *la circulación sanguínea.*

sanguinolento, ta *adj.* Con sangre o manchado de sangre. **SIN.** Sangriento.

sanidad *s. f.* Personas y medios que se dedican a cuidar de la salud de las personas.

sanitario, ria *adj.* **1.** De la sanidad o relacionado con ella. || *s. m. pl.* **2.** Saneamientos, como el lavabo, el retrete y la bañera. || *s. m.* y *f.* **3.** Persona dedicada a atender o cuidar enfermos.

sanmartín *s. m.* Época del año en que se hace la matanza del cerdo; tiene lugar alrededor del 11 de noviembre, día de la festividad de San Martín. **EXPR. llegarle** a uno **su sanmartín** Tocarle sufrir al que vive satisfecho y despreocupado.

sano, na *adj.* **1.** Que tiene buena salud. **2.** Bueno para la salud. **3.** Que no está roto, estropeado o podrido. **4.** Que es buena persona y no tiene malas costumbres. **SIN. 1** y **2.** Saludable. **3.** Entero, perfecto. **4.** Virtuoso. **ANT. 1.** Enfermo. **2.** Insano, nocivo. **3.** Destrozado. **4.** Vicioso.

sánscrito, ta *adj.* y *s. m.* Se dice de la lengua culta y sagrada de la India y de lo relacionado con ella.

sanseacabó *fam.* Expresión que se usa para dar por terminado un asunto.

santabárbara *s. f.* Compartimento de los barcos de guerra donde se guardan las municiones.

santacruceño, ña o **santacrucero, ra** *adj.* y *s.* De Santa Cruz de Tenerife, ciudad de la isla de Tenerife (España).

santanderino, na *adj.* y *s.* De Santander, ciudad española.

santateresa *s. f.* Mantis.

santiagués, sa *adj.* y *s.* De Santiago de Compostela, ciudad española. **SIN.** Compostelano.

santiaguino, na *adj.* y *s.* De Santiago de Chile, capital de ese país.

santiamén *fam.* Se usa en la expresión **en un santiamén**, 'en seguida'.

sarna

santidad *s. f.* **1.** El ser santo. **2.** Forma de llamar al papa: *Su Santidad.*

santificación *s. f.* Hecho de santificar.

santificar *v.* **1.** Hacer santo o sagrado. **2.** Celebrar las fiestas religiosas. **3.** Rendir culto a los santos y las cosas divinas o santas. **Sin.** Consagrar.

santiguarse *v.* Hacerse la señal de la cruz. **Sin.** Persignarse.

santísimo, ma *adj.* **1.** *sup.* de santo. ‖ *s. m.* **2.** Jesucristo en la eucaristía: *el Santísimo.*

santo, ta *adj.* **1.** Dedicado a Dios o relacionado con la religión. ‖ *adj.* y *s.* **2.** Se dice de las personas que han sido muy buenas y a las que la Iglesia católica les da el título de santos, se les reza y tienen imágenes en las iglesias. **3.** Se dice de alguien muy bueno. ‖ *s. m.* **4.** Día del año que se dedica a un santo y que celebran las personas que se llaman igual. **5.** *fam.* Dibujos o fotografías de los libros. ‖ **6. santo y seña** Contraseña que dice alguien para pasar por un puesto de guardia o de control. **Expr. írsele a** uno **el santo al cielo** Olvidarse de algo o distraerse de pronto. **llegar y besar el santo** Conseguir algo nada más intentarlo. **Sin. 1.** Sagrado. **3.** Bendito. **Ant. 1.** Profano. **2.** Pecador. **3.** Canalla.

santón *s. m.* **1.** Santurrón. **2.** Persona que ejerce una gran influencia sobre un grupo o comunidad.

santoral *s. m.* **1.** Lista de los santos que se celebran cada día del año. **2.** Libro con las vidas de los santos.

santuario *s. m.* Templo dedicado a Jesucristo, a la Virgen o a un santo; también lugar sagrado de otras religiones.

santurrón, na *adj.* y *s.* Persona que es religiosa de una manera exagerada o falsa. **Sin.** Beato, meapilas.

saña *s. f.* **1.** Crueldad excesiva. **2.** Rabia, furia. **Sin. 1.** Ensañamiento.

sañudo, da *adj.* Que muestra saña.

sapiencia *s. f.* Sabiduría.

sapo *s. m.* Anfibio parecido a la rana, pero más grande y gordo, y con la piel rugosa.

saprofito o **saprófito, ta** *adj.* y *s.* Se dice de los microorganismos que viven sobre materia orgánica en descomposición.

saque *s. m.* **1.** Acción de sacar en algunos deportes. **2.** *fam.* Capacidad para comer mucho.

saquear *v.* Entrar en un lugar soldados u otro grupo de gente, llevándose por la fuerza todo lo que encuentran. **Sin.** Expoliar, desvalijar.

saqueo *s. m.* Acción de saquear. **Sin.** Saco, expolio.

sarampión *s. m.* Enfermedad muy contagiosa en que aparecen muchas manchitas o granitos rojos en la piel; la suelen tener los niños.

sarao *s. m.* **1.** Fiesta con baile y música que se hace por la noche. **2.** *fam.* Jaleo, follón.

sarcasmo *s. m.* Burla o ironía con que se dice algo.

sarcástico, ca *adj.* y *s.* Que emplea sarcasmos. **Sin.** Mordaz.

sarcófago *s. m.* Tumba o caja, casi siempre de piedra, que contiene el cadáver de una persona.

sardana *s. f.* Música y danza popular de Cataluña, que bailan varias personas cogidas de las manos y formando un corro.

sardina *s. f.* Pez marino de cuerpo alargado y estrecho, con el lomo azulado y los lados color plata. Vive en el Atlántico y en el Mediterráneo y se usa mucho como alimento.

sardinero, ra *adj.* **1.** De la sardina o relacionado con ella. ‖ *s. m.* y *f.* **2.** Persona que vende sardinas.

sardo, da *adj.* y *s.* **1.** De Cerdeña, isla de Italia. ‖ *s. m.* **2.** Lengua hablada en Cerdeña.

sardónico, ca *adj.* Sarcástico, irónico; se dice especialmente de la risa.

sargazo *s. m.* Nombre de diversas algas marinas. Una de sus especies forma grandes colonias en el Mar de los Sargazos, en el Atlántico.

sargento *s. m.* y *f.* **1.** Grado militar entre cabo y brigada. ‖ *s. m. 2. fam.* Persona muy mandona. **Sin. 2.** Dominante.

sargentona *s. f. fam.* Mujer muy mandona. **Sin.** Marimandona.

sargo *s. m.* Pez marino con aletas largas, el lomo a bandas y una mancha negra en la cola. Puede medir hasta 50 centímetros de longitud.

sari *s. m.* Traje de mujer típico de la India, hecho con una pieza de tela, que se enrolla al cuerpo.

sarmentoso, sa *adj.* Lleno de sarmientos o parecido a los sarmientos.

sarmiento *s. m.* Tallo de la vid, largo, delgado y con nudos.

sarna *s. f.* Enfermedad de la piel que produce vejigas y llagas que pican mucho y está causada por un parásito llamado *arador de la sarna.*

sarnoso, sa *adj.* y *s.* Que tiene sarna.

sarpullido *s. m.* Granitos o ronchas que salen en la piel.

sarraceno, na *adj.* y *s.* Moro, musulmán.

sarracina *s. f.* **1.** Pelea en la que intervienen muchas personas. **2.** Lucha en la que hay muchos muertos y heridos. **3.** Castigo o suspenso a muchas personas. **Sin. 1.** Tumulto. **2.** Carnicería.

sarro *s. m.* Sustancia amarillenta que se va formando sobre los dientes, producida por restos de comida y suciedad.

sarta *s. f.* **1.** Conjunto de cosas unidas por un hilo, una cadena, una cuerda. **2.** Serie, sucesión, retahíla: *una sarta de mentiras.* **Sin. 1.** Ristra, hilera. **2.** Rosario.

sartén *s. f.* Cacharro para freír, redondo y de poco fondo, con un mango largo. **Expr. tener** alguien **la sartén por el mango** Ser el que manda o dirige.

sartorio *adj.* y *s. m.* Se dice del músculo alargado y plano que se extiende a lo largo de las caras anterior e interna del muslo.

sastre, tra *s. m.* y *f.* **1.** Persona que hace trajes, sobre todo de hombre. **2.** Nombre que se da a algunas prendas de mujer parecidas a las de los hombres: *chaqueta sastre.*

sastrería *s. f.* Taller o tienda donde se hacen o se venden trajes.

satanás o **satán** *s. m.* El diablo.

satánico, ca *adj.* Relacionado con Satanás, el diablo. **Sin.** Diabólico.

satélite *s. m.* **1.** Astro que gira alrededor de un planeta, como la Luna alrededor de la Tierra. **2.** Vehículo o aparato espacial que se sitúa girando alrededor de la Tierra o de otro astro, para estudiar la atmósfera, mandar ondas de radio y televisión o para otras cosas. **3.** País independiente que en algunas cosas depende de otro más poderoso.

satén *s. m.* Tela brillante de seda o algodón; se usa mucho para hacer forros.

satinado, da **1.** *p.* de **satinar.** ‖ *adj.* **2.** Se dice de la superficie con brillo y lisa.

satinar *v.* Dar brillo al papel o a la tela mediante ciertas técnicas.

sátira *s. f.* Crítica a alguien o algo para dejarlo en ridículo, en un libro, en una película, en un discurso. **Ant.** Apología.

satírico, ca *adj.* Relacionado con la sátira o que la hace.

satirizar *v.* Criticar o ridiculizar, especialmente por escrito.

sátiro *s. m.* Personaje de la mitología griega que vivía en el bosque y era mitad hombre y mitad macho cabrío.

satisfacción *s. f.* **1.** Gusto o placer que se siente por una cosa. **2.** El hecho de satisfacer. **Sin. 1.** Alegría, contento. **Ant. 1.** Disgusto.

satisfacer *v.* **1.** Resultar alguna cosa buena, agradable o suficiente para alguien. **2.** Terminar con una necesidad, dar solución a una duda o problema: *satisfacer la curiosidad.* **3.** Realizar algo que se deseaba mucho. **4.** Pagar lo que se debe: *satisfacer una deuda.* **5.** Compensar, dar o hacer a una persona algo bueno por un daño o una ofensa que se le ha hecho. □ Es v. irreg. **Sin. 1.** Gustar, agradar. **2.** Resolver, solucionar. **3.** Cumplir. **4.** Abonar. **5.** Indemnizar, reparar. **Ant. 1.** Disgustar. **2.** Avivar. **4.** Deber.

SATISFACER	
INDICATIVO	
Presente	**Pret. perf. simple**
satisfago	satisfice
satisfaces	satisficiste
satisface	satisfizo
satisfacemos	satisficimos
satisfacéis	satisficisteis
satisfacen	satisficieron
Futuro	**Condicional**
satisfaré	satisfaría
satisfarás	satisfarías
satisfará	satisfaría
satisfaremos	satisfaríamos
satisfaréis	satisfaríais
satisfarán	satisfarían
SUBJUNTIVO	
Presente	**Pretérito imperfecto**
satisfaga	satisficiera, -ese
satisfagas	satisficieras, -eses
satisfaga	satisficiera, -ese
satisfagamos	satisficiéramos,-ésemos
satisfagáis	satisficierais, -eseis
satisfagan	satisficieran, -esen
Futuro	
satisficiere	satisficiéremos
satisficieres	satisficiereis
satisficiere	satisficieren
PARTICIPIO	
satisfecho	

satisfactorio, ria *adj.* Bueno, conveniente, adecuado. **Sin.** Favorable. **Ant.** Desfavorable.

satisfecho, cha **1.** *p.* de **satisfacer.** ‖ *adj.* **2.** Contento, a gusto, conforme. **3.** Que ya no tiene más hambre, sed u otra necesidad. **Sin. 3.** Harto, saciado. **Ant. 2** y **3.** Insatisfecho.

saturación *s. f.* **1.** El hecho de saturar. **2.** En química, estado de una disolución que no admite más soluto.

saturado, da **1.** *p.* de **saturar**. También *adj.* ‖ *adj.* **2.** Lleno, colmado.

saturar *v.* **1.** Llenar, ocupar o usar al máximo. **2.** Empapar o disolver una sustancia en otra hasta que ésta no admita más cantidad. **Sin. 1.** Abarrotar, colmar. **Ant. 1.** Vaciar.

sauce *s. m.* Nombre de algunos árboles y arbustos de hoja perenne que crecen en las orillas de los ríos y en sitios húmedos. El más conocido es el **sauce llorón**, que tiene unas ramas largas, que cuelgan mucho.

saúco *s. m.* Arbusto con flores blancas o amarillentas y frutos de color negruzco. Crece en zonas montañosas del norte y centro de Europa.

saudí o **saudita** *adj.* y *s.* De Arabia Saudí, país de Asia.

sauna *s. f.* **1.** Baño de vapor que se toma para sudar, dentro de un lugar cerrado en el que la temperatura es muy alta. **2.** Lugar en el que hace mucho calor. **Sin. 2.** Horno.

saurio *adj.* y *s. m.* Grupo de reptiles que tienen cuatro patas, cola larga y cuerpo cubierto de escamas, como los lagartos.

savia *s. f.* **1.** Líquido que circula por los vasos de las plantas y que lleva las sustancias que éstas necesitan para su alimentación. **2.** Lo que da vida o energía a algo.

saxo *s. m.* Forma abreviada de **saxofón**.

saxofón o **saxófono** *s. m.* Instrumento musical de viento en forma de jota, que está formado por un tubo metálico, una boquilla y varias palanquitas; se utiliza en las orquestas y en la música de jazz.

saxofonista *s. m.* y *f.* Músico que toca el saxofón.

saya *s. f.* Falda o enagua.

sazón *s. f.* **1.** Madurez o perfección de algo, por ejemplo de la fruta. **2.** Sabor que se da a las comidas añadiéndoles diversos ingredientes. **Expr. a la sazón** En aquel momento, entonces. **Sin. 1.** Plenitud, punto.

sazonado, da **1.** *p.* de **sazonar**. ‖ *adj.* **2.** Condimentado, aderezado.

sazonar *v.* Condimentar, dar gusto y sabor a la comida, por ejemplo añadiendo sal. **Sin.** Aderezar.

scanner (ingl.) *s. m.* Ver **escáner**.

scout (ingl.) *s. m.* Joven que pertenece a un grupo que se dedica a hacer excursiones y acampadas al aire libre. Se llama también *boy scout*.

se *pron. pers.* Se usa en la tercera persona del singular y del plural. Tiene la función de complemento directo o indirecto cuando es reflexivo: *Javier se peina a raya*. Se usa también para formar los verbos pronominales: *arrepentirse*; para dar mayor expresividad: *Se tomó el batido de un trago*; o en construcciones impersonales o de significado pasivo: *A las ocho se cierran las tiendas*. Cuando aparece con los pronombres *lo, la, los, las*, tiene función de complemento indirecto: *Se lo di (a mi amigo)*.

sebáceo, a *adj.* **1.** Se dice de la glándula que produce la grasa del pelo y la piel. **2.** De sebo o parecido al sebo. **Sin. 2.** Graso, grasiento, seboso.

sebo *s. m.* Grasa sólida que se saca de los animales.

seborrea *s. f.* Exceso anormal de grasa en la piel o en el cuero cabelludo.

seboso, sa *adj.* Lleno de sebo o grasa. **Sin.** Grasiento.

secado, da **1.** *p.* de **secar**. ‖ *s. m.* **2.** Acción de secar.

secador, ra *adj.* y *s.* Que seca.

secano *s. m.* Terreno para cultivos que sólo recibe el agua de la lluvia y no se riega. **Ant.** Regadío.

secante[1] *adj.* y *s. m.* Que seca o sirve para secar; se dice sobre todo de un tipo de papel poroso que se utiliza para secar la tinta fresca.

secante[2] *adj.* y *s. f.* Se dice de la línea o superficie que corta a otra línea o superficie.

secar *v.* Hacer que alguien o algo quede seco. **Sin.** Resecar, marchitar. **Ant.** Humedecer.

sección *s. f.* **1.** Cada una de las partes o zonas en que se divide algo. **2.** Dibujo de lo que se vería de una cosa si estuviera cortada por un plano. Sirve para mostrar su interior. **3.** Corte hecho con un instrumento afilado. **Sin. 1.** Sector.

seccionar *v.* Cortar o dividir en secciones algo. **Sin.** Amputar; segmentar. **Ant.** Unir.

secesión *s. f.* El separarse un territorio del país al que pertenece. **Sin.** Independencia. **Ant.** Anexión.

seco, ca *adj.* **1.** Que no está húmedo o mojado o que ya no tiene o lleva agua. **2.** Caracterizado por la falta de lluvias o de humedad: *un clima seco*. **3.** Se dice de la planta o de una de sus partes que está muerta. **4.** Se dice de los frutos de cáscara dura, como las nueces o las avellanas, o de aquellos a los que se les ha quitado la humedad para que se conserven, como las pasas o los higos. **5.** Se dice de la piel o del pelo con poca grasa. **6.** Poco amable o afectuoso. **7.** Se dice de los vinos y otras bebidas alcohólicas poco dulces. **8.** Se dice del golpe fuerte y rápido. **9.** Muy delgado. **Expr. a secas** Sólo, sin más cosas. **dejar** a alguien **seco** Matarle en el acto. **en seco** Se dice cuando se interrumpe una acción bruscamente. **Sin. 1.** Reseco. **2.** Árido. **5.** Marchito, mustio. **6.** Áspero, adusto. **9.** Flaco. **Ant. 1.** Empapado. **2.** Lluvioso. **3.** Verde. **5.** Graso. **6.** Cordial. **9.** Gordo.

secoya *s. f.* Secuoya.

secreción *s. f.* **1.** El hecho de secretar. **2.** Sustancia que produce una glándula u órgano del cuerpo.

secretar *v.* Segregar una glándula cierta sustancia.

secretaría *s. f.* **1.** Cargo de secretario y oficina donde trabaja. **2.** Parte de una empresa, colegio o de otras organizaciones que se ocupa de tareas administrativas. **Sin. 1.** Secretariado.

secretariado *s. m.* **1.** Estudios que hace una persona para ser secretario. **2.** Cargo y oficina de secretario. **Sin. 2.** Secretaría.

secretario, ria *s. m. y f.* **1.** Persona que trabaja a las órdenes de otra, ayudándola y organizando su trabajo. **2.** Nombre de algunos cargos importantes, como el secretario general de un partido político.

secretear *v. fam.* Cuchichear, murmurar dos o más personas entre sí.

secreteo *s. m. fam.* Cuchicheo, murmuración.

secreter *s. m.* Mueble que tiene un tablero para escribir y cajones para guardar papeles y otras cosas. **Sin.** Escritorio, bufete.

secreto, ta *adj. y s. m.* **1.** Que sólo es conocido por unos pocos y no se muestra ni se comunica a los demás. ‖ *s. m.* **2.** Enigma, misterio. **3.** El no decir algo a los demás: *llevar algo en secreto*. **Expr. secreto a voces** *fam.* El que ya no es secreto porque lo conoce mucha gente. **Sin. 1.** Confidencial; confidencia. **3.** Sigilo, discreción. **Ant. 1.** Manifiesto.

secretor, ra *adj.* Que segrega o secreta una sustancia.

secta *s. f.* **1.** Comunidad religiosa que se aparta de otra dentro de la que estaba. **2.** Seguidores de una doctrina, filosofía o religión que a otras personas les parece falsa o peligrosa.

sectario, ria *adj. y s.* **1.** Seguidor de una secta. **2.** Fanático, intransigente.

sectarismo *s. m.* Característica o actitud de la persona sectaria, intransigente. **Sin.** Fanatismo.

sector *s. m.* **1.** Cada una de las partes en que se puede dividir la sociedad, un grupo de personas, un lugar. **2.** En geometría, porción de círculo comprendida entre un arco y dos radios. ‖ **3. sector primario** Actividad económica que incluye agricultura, ganadería, pesca, minería y explotación de los bosques. **4. sector secundario** La industria y la construcción. **5. sector terciario** Las actividades de servicios: el comercio, la sanidad, la educación, la cultura y el transporte. **Sin. 1.** División.

sectorial *adj.* **1.** De un sector o relacionado con él. **2.** Organizado o dividido en sectores.

secuaz *s. m. y f. desp.* Persona que está a las órdenes de otra y la sigue en todo. **Sin.** Esbirro, acólito. **Ant.** Enemigo.

secuela *s. f.* Consecuencia, casi siempre mala, que queda de una enfermedad, un accidente u otro hecho.

secuencia *s. f.* Sucesión de cosas ordenadas o que tienen relación entre sí, por ejemplo la serie de planos o escenas de una película que forman una unidad.

secuestrador, ra *s. m. y f.* Persona que secuestra a otra.

secuestrar *v.* **1.** Coger y retener a una persona por la fuerza, para cambiarla por dinero u otras cosas. **2.** Retirar de la circulación por orden del juez una publicación o una película. **Sin. 1.** Raptar. **Ant. 1.** Liberar.

secuestro *s. m.* Acción de secuestrar. **Sin.** Rapto.

secular *adj.* **1.** No eclesiástico ni religioso. **2.** Que existe desde hace siglos o dura un siglo. **Sin. 1.** Seglar, laico. **2.** Centenario. **Ant. 2.** Reciente.

secularizar *v.* Hacer que algo que antes era eclesiástico o religioso deje de serlo.

secundar *v.* Seguir o apoyar a otro. **Sin.** Respaldar. **Ant.** Oponerse.

secundario, ria *adj.* **1.** Que ocupa el segundo lugar: *enseñanza secundaria*.

2. Que tiene menos importancia o no es principal. ‖ *adj.* y *s. m.* **3.** Se dice del segundo periodo de la historia de la Tierra, que comenzó hace 225 millones de años y terminó hace 65 millones de años aproximadamente. Durante él surgieron los grandes reptiles y las plantas con flores. Sɪɴ. **2.** Accidental, accesorio. Aɴᴛ. **2.** Esencial.

secuoya *s. f.* Árbol conífero de tamaño y altura muy grandes, copa estrecha y hojas muy duraderas. Vive muchos años.

sed *s. f.* **1.** Necesidad o ganas de beber. **2.** Deseo muy grande de algo: *sed de justicia.* Sɪɴ. **2.** Ansia.

seda *s. f.* **1.** Hebras que producen las larvas de algunos insectos o la oruga de algunas mariposas, para hacer sus capullos. **2.** Hilo suave y brillante que se saca de estas hebras y tejido fabricado con estos hilos. Exᴘʀ. **como una seda** o **como la seda** Que marcha o funciona bien; también, muy dócil.

sedal *s. m.* Hilo de la caña de pescar.

sedante *adj.* y *s. m.* Que calma o tranquiliza; se dice sobre todo de los medicamentos que sirven para esto. Sɪɴ. Calmante. Aɴᴛ. Estimulante.

sedar *v.* Calmar, tranquilizar, sobre todo con medicamentos. Sɪɴ. Relajar, serenar. Aɴᴛ. Excitar.

sede *s. f.* **1.** Lugar donde tiene su domicilio una empresa, organización u otra cosa. **2.** Territorio que depende de un obispo y su capital: *sede episcopal.* ‖ **3. Santa Sede** El Vaticano. Sɪɴ. **2.** Diócesis.

sedente *adj.* Que está sentado: *estatua sedente.*

sedentario, ria *adj.* **1.** Se dice de los grupos de personas o animales que están en un lugar y viven siempre en él. **2.** Se dice de la persona, de la actividad o del tipo de vida de poco movimiento. Aɴᴛ. **1.** Nómada. **2.** Activo.

sedería *s. f.* **1.** Tienda o fábrica de tejidos de seda. **2.** Conjunto de géneros de seda.

sedero, ra *adj.* **1.** De la seda. ‖ *s. m.* y *f.* **2.** Fabricante o comerciante de seda.

sedición *s. f.* Levantamiento, sublevación.

sedicioso, sa *adj.* y *s.* De la sedición o que toma parte en una sedición. Sɪɴ. Rebelde, sublevado. Aɴᴛ. Leal.

sediento, ta *adj.* y *s.* Que tiene sed.

sedimentación *s. f.* El hecho de sedimentar o sedimentarse algo.

sedimentario, ria *adj.* **1.** Del sedimento o relacionado con él. **2.** Se dice de las rocas que se han formado a partir de otras rocas erosionadas, transportadas y depositadas en un lugar distinto del que proceden.

sedimentarse *v.* Quedarse en el fondo las partículas sólidas que flotan en un líquido. Sɪɴ. Posarse.

sedimento *s. m.* Partículas sólidas de un líquido que se han posado en el fondo. Sɪɴ. Poso.

sedoso, sa *adj.* Suave como la seda. Aɴᴛ. Áspero.

seducción *s. f.* Acción de seducir a alguien.

seducir *v.* **1.** Atraer mucho algo a una persona. **2.** Conseguir una persona, valiéndose de su atractivo o con engaños, que otra haga algo, sobre todo que tenga relaciones sexuales con ella. ◻ Es v. irreg. Se conjuga como *conducir.* Sɪɴ. **1.** Fascinar, cautivar. Aɴᴛ. **1.** Repeler.

seductor, ra *adj.* y *s.* Que seduce o atrae. Sɪɴ. Cautivador, atractivo.

sefardí o **sefardita** *adj.* y *s.* De los judíos que proceden de España. También se dice del dialecto español que hablan.

segador, ra *s. m.* y *f.* Persona que siega.

segadora *s. f.* Máquina que sirve para segar las mieses o la hierba.

segar *v.* **1.** Cortar la hierba o la mies de los campos. **2.** Cortar lo que sobresale o está más alto. **3.** Acabar con algo de forma violenta y brusca. ◻ Es v. irreg. Se conjuga como *regar.* Sɪɴ. **3.** Truncar.

seglar *adj.* y *s.* Que no es sacerdote ni pertenece a ninguna orden religiosa. Sɪɴ. Laico, secular. Aɴᴛ. Eclesiástico, clérigo.

segmentar *v.* Cortar o dividir algo en trozos. Sɪɴ. Partir, seccionar. Aɴᴛ. Unir.

segmento *s. m.* **1.** Porción o parte cortada o separada de una cosa. **2.** En geometría, parte de una recta situada entre dos puntos. **3.** Parte de un círculo entre un arco y su cuerda. Se llama *segmento circular.* **4.** Cada una de las partes que forman el cuerpo de los insectos o de los crustáceos o las vértebras de la columna vertebral. Sɪɴ. **1.** Trozo, tramo.

segoviano, na *adj.* y *s.* De Segovia, ciudad y provincia españolas.

segregación *s. f.* Acción de segregar o segregarse.

segregar v. 1. Producir y expulsar un órgano o glándula del cuerpo alguna sustancia, por ejemplo el sudor, la saliva o la bilis. 2. Separar una cosa de otra a la que pertenece. 3. Discriminar a un grupo social a causa de su religión, su raza, su cultura o por otros motivos. SIN. 1. Excretar, secretar. 2. Independizar. ANT. 2. Unir. 2 y 3. Integrar.

segueta s. f. Sierra pequeña de hoja muy fina que se utiliza para hacer dibujos y calados cortando la madera.

seguida Se usa en la expresión **en seguida**, ver **enseguida**.

seguidamente adv. A continuación.

seguidilla s. f. 1. Canción y baile popular español de movimiento rápido. 2. Estrofa de cuatro o siete versos de siete y cinco sílabas, usada en canciones populares.

seguido, da 1. p. de **seguir**. ‖ adj. 2. Se dice de las cosas que van una detrás de otra. ‖ adj. y adv. 3. En línea recta, sin cambiar de dirección. SIN. 2. Continuo. 3. Derecho. ANT. 2. Discontinuo.

seguidor, ra adj. y s. Que sigue a alguien o es partidario de una persona, una organización u otra cosa. SIN. Adepto, incondicional. ANT. Enemigo.

seguimiento s. m. Acción de seguir a alguien o algo.

seguir v. 1. Ir una persona, animal o cosa detrás o después de otra. 2. Fijar la vista sobre algo que se mueve, sin apartarla: seguir con la mirada. 3. Tomar un camino o dirección. 4. Estudiar, cursar: Sigue un curso de informática. 5. Continuar en una misma situación o haciendo algo. 6. Actuar de acuerdo con un consejo, orden u otra cosa: seguir las instrucciones. 7. Estar atento a algo que sucede, a un programa de radio o televisión. 8. Ser partidario de una persona, doctrina o de otra cosa, tomarlos como modelo. 9. Adaptar alguien sus movimientos a algo: seguir el ritmo. □ Es v. irreg. SIN. 1. Perseguir. 5. Proseguir, persistir. 8. Secundar, respaldar. ANT. 1. Preceder. 3 y 8. Abandonar. 8. Rechazar.

seguiriya s. f. Un cante flamenco.

según prep. 1. De acuerdo con algo: Se hizo según sus órdenes. 2. En opinión de: Según Bernardo, mañana va a llover. ‖ prep. y adv. 3. Depende de: Irán al campo según el tiempo que haga. ‖ adv. 4. A la vez que o inmediatamente después que: Según llegaban, iban sacando las entradas. 5. Como: Todo está según lo dejaste.

segundero s. m. Manecilla del reloj que señala los segundos.

segundo, da num. 1. Que sigue en orden al primero. ‖ s. m. 2. Persona más importante después del jefe. 3. Cada una de las sesenta partes iguales en que se divide un minuto. ‖ 4. **primo segundo** Hijo de los tíos segundos de una persona. 5. **tío segundo** Primo de los padres de alguien. EXPR. **con segundas** Significa que detrás de lo que se dice o hace hay otra intención. SIN. 2. Lugarteniente.

segundón, na s. m. y f. desp. El que sólo ocupa el puesto siguiente al más importante o de mayor categoría.

seguramente adv. Con bastante seguridad, pero no total. SIN. Probablemente.

seguridad s. f. 1. Característica de seguro. ‖ 2. **Seguridad Social** Organización del Estado que atiende las necesidades de los ciudadanos en caso de enfermedad, jubilación o paro. SIN. 1. Protección; certeza. ANT. 1. Inseguridad.

seguro, ra adj. 1. Protegido o libre de daño, peligro o riesgo. 2. Que no tiene o admite ninguna duda, que no falla. ‖ s. m. 3. Contrato por el que alguien paga un dinero cada año a una empresa aseguradora para que, si sufre un acci-

SEGUIR	
GERUNDIO	
siguiendo	
INDICATIVO	
Presente	**Pret. perf. simple**
sigo	seguí
sigues	seguiste
sigue	siguió
seguimos	seguimos
seguís	seguisteis
siguen	siguieron
SUBJUNTIVO	
Presente	**Pretérito imperfecto**
siga	siguiera, -ese
sigas	siguieras, -eses
siga	siguiera, -ese
sigamos	siguiéramos, -ésemos
sigáis	siguierais, -eseis
sigan	siguieran, -esen
Futuro	
siguiere	siguiéremos
siguieres	siguiereis
siguiere	siguieren
IMPERATIVO	
sigue	seguid

dente, enfermedad u otra cosa, aquélla pague los gastos. **4.** Dispositivo para que algo esté mejor cerrado y no se abra o empiece a funcionar. ‖ adv. **5.** Sin duda: *Seguro que llegamos tarde.* **EXPR. a buen seguro** Seguramente. **SIN. 1.** Resguardado. **2.** Cierto, indudable. **ANT. 1.** Peligroso. **1** y **2.** Inseguro. **2.** Dudoso.

seis num. **1.** Cinco más uno. **2.** Que ocupa por orden este número. **SIN. 2.** Sexto.

seisavo, va num. y s. m. Se dice de cada una de las seis partes iguales en que se divide algo. **SIN.** Sexto.

seiscientos, tas num. **1.** Seis veces cien. **2.** Que sigue en orden al quinientos noventa y nueve.

seísmo s. m. Terremoto.

selección s. f. **1.** Acción de seleccionar. **2.** Las personas o cosas que se han seleccionado. **SIN. 1.** Clasificación.

seleccionador, ra adj. y s. Que selecciona; por ejemplo, la persona que escoge y prepara a los deportistas que van a participar en un partido o competición internacional.

seleccionar v. Escoger los mejores o más apropiados. **SIN.** Apartar.

selectividad s. f. **1.** Característica de selectivo. **2.** Conjunto de pruebas o exámenes que se hacen en España para poder entrar en la universidad.

selectivo, va adj. Que selecciona o sirve para seleccionar.

selecto, ta adj. Mejor que otros de su misma clase. **SIN.** Escogido. **ANT.** Corriente.

selector, ra adj. y s. m. Que selecciona.

self-service (ingl.) s. m. Autoservicio.

sellar v. **1.** Marcar con un sello. **2.** Poner a algo lacre u otra cosa para que no se pueda abrir. **3.** Terminar, poner fin. **SIN. 2.** Lacrar, precintar. **3.** Concluir.

sello s. m. **1.** Trocito de papel, con algún dibujo impreso, que se pega en cartas y paquetes para enviarlos por correo. **2.** Objeto que sirve para marcar lo que él tiene grabado sobre una superficie y señal que deja este objeto. **3.** Característica de una persona o cosa que la hace diferente de las demás. **SIN. 1.** Timbre.

seltz (al.) s. m. Agua con gas que se obtiene de forma artificial. También se llama *agua de Seltz.*

selva s. f. Bosque ecuatorial y tropical, con muchos árboles y muy distintos. **SIN.** Jungla.

selvático, ca adj. De la selva.

semáforo s. m. Aparato con distintas luces que indican si pueden pasar los vehículos o los peatones.

semana s. f. **1.** Siete días seguidos de lunes a domingo. **2.** Siete días seguidos desde un día cualquiera. ‖ **3. Semana Santa** Semana en la que se recuerdan la pasión y muerte de Jesucristo y su resurrección. **EXPR. entre semana** Cualquier día de la semana excepto sábado o domingo.

semanal adj. **1.** Que ocurre o se repite cada semana. **2.** Que dura una semana.

semanalmente adv. Cada semana.

semanario s. m. Publicación que aparece cada semana.

semántica s. f. Estudio del significado de las palabras.

semántico, ca adj. De la semántica o del significado de las palabras.

semblante s. m. **1.** Cara, rostro. **2.** Aspecto que muestra algo. **SIN. 2.** Cariz.

semblanza s. f. Descripción de una persona y de los hechos importantes de su vida.

sembrado, da 1. p. de **sembrar.** También adj. ‖ s. m. **2.** Terreno donde se siembra.

sembrador, ra adj. y s. Que siembra.

sembradora s. f. Máquina que sirve para sembrar.

sembrar v. **1.** Echar semillas en una tierra preparada para ello. **2.** Desparramar, esparcir. **3.** Causar: *sembrar el desconcierto.* **4.** Preparar algo para que luego dé un beneficio. ◻ Es v. irreg. Se conjuga como *pensar.* **SIN. 2.** Diseminar. **3.** Provocar.

semejante adj. **1.** Casi igual, pero no lo mismo. **2.** Sirve para destacar algo de entre otras cosas: *Nunca vi un espectáculo semejante.* **3.** Tal, ese: *Semejante observación le pareció ridícula.* **4.** En geometría, se dice de las figuras que son diferentes sólo en el tamaño y cuyas partes guardan respectivamente la misma proporción. ‖ s. m. **5.** Prójimo, cualquier persona para otra. **SIN. 1.** Parecido, similar. **ANT. 1.** Diferente.

semejanza s. f. El ser semejante. **SIN.** Similitud, parecido. **ANT.** Diferencia.

semejar v. Ser semejante. **SIN.** Asemejarse, parecer. **ANT.** Diferenciarse.

semen s. m. Líquido de color blanquecino producido por los órganos sexuales masculinos, que contiene los espermatozoides. **SIN.** Esperma.

semental *adj.* y *s. m.* Animal macho que se destina a la reproducción.

sementera *s. f.* **1.** Siembra. **2.** Tierra sembrada.

semestral *adj.* **1.** Que ocurre o se repite cada semestre. **2.** Que dura un semestre.

semestre *s. m.* Periodo de seis meses.

semicircular *adj.* En forma de semicírculo.

semicírculo *s. m.* Mitad de un círculo.

semicircunferencia *s. f.* Mitad de una circunferencia.

semiconductor, ra *adj.* y *s. m.* Se dice de los materiales con capacidad para conducir electricidad intermedia entre los conductores y los aislantes.

semicorchea *s. f.* Figura musical que equivale a la mitad de una corchea.

semiesfera *s. f.* Mitad de una esfera.

semiesférico, ca *adj.* En forma de semiesfera.

semifinal *s. f.* Etapa o encuentro anterior a la final en un concurso o competición.

semifinalista *adj.* y *s.* Que ha llegado a la semifinal.

semifusa *s. f.* Figura musical que equivale a la mitad de una fusa.

semilla *s. f.* **1.** Parte del fruto de la que nace una nueva planta. **2.** Origen o causa. ‖ *pl.* **3.** Granos que se siembran. **SIN. 1.** Simiente. **2.** Germen.

semillero *s. m.* **1.** Lugar donde se siembran y crían plantas para plantarlas después en otro sitio. **2.** Lugar donde se conservan semillas. **3.** Origen o causa de algo, generalmente malo. **SIN. 3.** Semilla, fuente.

seminal *adj.* **1.** Del semen. **2.** De la semilla.

seminario *s. m.* **1.** Centro donde se forman los que quieren ser sacerdotes. **2.** Conjunto de actividades o investigaciones en las que trabajan juntos profesores y alumnos; clase o lugar en que se realizan.

seminarista *s. m.* Hombre que estudia en un seminario preparándose para ser sacerdote.

semiótica *s. f.* Ciencia que estudia los distintos tipos de signos.

semiplano *s. m.* Cada una de las dos partes en que una recta divide a un plano.

semirrecta *s. f.* Cada una de las partes en que un punto divide a una recta.

semisótano *s. m.* Piso o local situado un poco por debajo del nivel de la calle.

semita *adj.* y *s.* **1.** De algunos pueblos del Próximo Oriente, como los hebreos y los árabes. **2.** Judío, hebreo.

semítico, ca *adj.* De los semitas.

semitono *s. m.* En música, medio tono.

sémola *s. f.* Trigo u otro cereal reducido a granos muy pequeños que se utiliza como pasta para sopa y otros guisos.

sempiterno, na *adj.* Eterno, perpetuo.

senado *s. m.* **1.** Asamblea de políticos que deben aprobar, modificar o rechazar las leyes hechas por el Congreso de los diputados. **2.** Principal organismo político de la antigua Roma.

senador, ra *s. m.* y *f.* Miembro del Senado.

senatorial *adj.* Del senado o los senadores, especialmente los de la antigua Roma.

sencillamente *adv.* **1.** Con sencillez. **2.** Refuerza una aclaración, una idea u opinión: *Sencillamente, creo que estás equivocado.*

sencillez *s. f.* Característica de las personas y las cosas sencillas.

sencillo, lla *adj.* **1.** No complicado, fácil. **2.** Sin muchos adornos ni lujos. **3.** Simple, que no está compuesto de varias partes. **4.** Para una sola persona o un solo uso: *un billete sencillo.* **5.** Que no presume de sus cualidades y actúa de forma natural. ‖ *s. m.* **6.** Disco pequeño de poca duración. **SIN. 1.** Asequible. **5.** Llano; campechano. **6.** Single. **ANT. 1.** Difícil. **2.** Artificioso; lujoso. **5.** Presuntuoso.

senda o **sendero** *s. f.* o *s. m.* **1.** Camino, sobre todo el que es estrecho. **2.** Lo que alguien sigue como comportamiento, como forma de vida. **SIN. 1.** Vereda.

sendos, das *distrib.* Uno o una para cada una de las personas o cosas: *El rey y la reina llevaban sendas coronas.*

senectud *s. f.* Vejez.

senegalés, sa *adj.* y *s.* De Senegal, país de África.

senil *adj.* Propio de la vejez o de los viejos. **ANT.** Infantil, juvenil.

senilidad *s. f.* Decadencia física y mental que provoca la vejez.

sénior *adj.* y *s.* Categoría de los deportistas que están por encima de los júniors; suelen tener más de veinte años.

seno *s. m.* **1.** Pecho o mama de la mujer. **2.** Matriz, útero. **3.** Espacio hueco, como el de algunos huesos: *seno maxilar*. **4.** Interior. **SIN. 1.** Teta. **2.** Vientre.

sensación *s. f.* **1.** Lo que percibimos o notamos por medio de los sentidos. **2.** El sentir o presentir algo. **EXPR. causar sensación** Impresionar o despertar un gran interés en la gente. **SIN. 2.** Impresión, percepción.

sensacional *adj.* **1.** Impresionante, que produce una sensación muy fuerte. **2.** Estupendo, maravilloso. **SIN. 2.** Magnífico. **ANT. 1.** Indiferente. **2.** Horrible.

sensacionalismo *s. m.* Tendencia a ser sensacionalista.

sensacionalista *adj.* Que busca que las noticias tengan mucho efecto entre la gente destacando lo que llama mucho la atención.

sensatez *s. f.* Característica de las personas sensatas. **SIN.** Cordura, prudencia. **ANT.** Insensatez.

sensato, ta *adj.* Se dice de la persona que piensa mucho las cosas y pone mucho cuidado en lo que hace o habla y, también, de sus acciones y comportamiento. **SIN.** Prudente, juicioso. **ANT.** Insensato.

sensibilidad *s. f.* **1.** Característica de las personas o cosas sensibles. **2.** Capacidad para percibir, sentir y disfrutar el arte, la belleza. **3.** Capacidad de los seres vivos para percibir sensaciones. **4.** Capacidad de un aparato u objeto para apreciar, medir o registrar fenómenos como la temperatura, la luz, el sonido.

sensibilizar *v.* **1.** Hacer sensible o más sensible. **2.** Hacer que la gente se dé cuenta de la importancia de algo para que colabore. **SIN. 2.** Concienciar.

sensible *adj.* **1.** Capaz de sentir o de experimentar sensaciones. **2.** Que puede ser conocido por medio de los sentidos. **3.** Que se deja llevar por los sentimientos y se impresiona o emociona fácilmente. **4.** Que tiene una capacidad especial para percibir y sentir la música, el arte, la belleza. **5.** Evidente, claro. **6.** Que capta o nota fácilmente la acción de la luz, el sonido u otra cosa. **SIN. 3.** Susceptible. **5.** Perceptible, apreciable. **ANT.1, 3** y **5.** Insensible. **5.** Imperceptible.

sensiblemente *adv.* De manera que se nota mucho.

sensiblería *s. f.* Característica de las personas o cosas demasiado sentimentales.

sensiblero, ra *adj.* Que muestra sensiblería.

sensitivo, va *adj.* **1.** Relacionado con las sensaciones y los sentidos. **2.** Capaz de tener o producir sensaciones.

sensor *s. m.* Aparato muy sensible que se utiliza para captar fenómenos o alteraciones que se producen en su entorno.

sensorial *adj.* De los sentidos o relacionado con ellos.

sensual *adj.* Que produce placer en los sentidos. **SIN.** Voluptuoso.

sensualidad *s. f.* Característica de sensual. **SIN.** Voluptuosidad.

sentada *s. f.* El sentarse un grupo de personas durante bastante tiempo para pedir algo o para protestar. **EXPR. de una sentada** De una vez, sin dejarlo a medias.

sentado, da *p. de* **sentar**. También *adj.* **EXPR. dar** algo **por sentado** Darlo por supuesto.

sentar *v.* **1.** Apoyar las nalgas y los muslos encima de un asiento o en otro sitio. **2.** Causar un beneficio o un daño. **3.** Quedar bien o mal a una persona algo que se pone o lleva. **4.** Agradar o disgustar. **5.** Fijar, establecer: *sentar las bases de un acuerdo.* □ Es v. irreg. Se conjuga como *pensar*. **sentar la cabeza** Volverse serio y responsable. **SIN. 2** a **4.** Caer. **ANT. 1.** Levantar.

sentencia *s. f.* **1.** Decisión de un juez con la que termina un juicio o un proceso. **2.** Frase corta que contiene una enseñanza o un consejo.

sentenciar *v.* **1.** Dictar sentencia el juez. **2.** Condenar, culpar.

sentencioso, sa *adj.* **1.** Que contiene sentencia. **2.** Se dice de la persona y del tono en que habla cuando lo hace de forma grave, dando mucha importancia a lo que dice.

sentido, da 1. *p. de* **sentir**. ‖ *adj.* **2.** Que expresa o muestra un sentimiento muy sincero. **3.** Que se molesta o se siente herido fácilmente. ‖ *s. m.* **4.** Cada una de las funciones que permiten a las personas y a los animales darse cuenta de lo que sucede a su alrededor por medio de ciertos órganos. Son: vista, oído, olfato, gusto y tacto. **5.** Razón, motivo, finalidad. **6.** Capacidad o aptitud: *sentido del ritmo.* **7.** Significado. **8.** Orientación de algo según vaya hacia arriba o hacia abajo, hacia un lado o hacia otro: *una calle de un solo sentido.* ‖ **9. doble sentido** El tener una pala-

bra o frase dos formas de entenderse.
10. sentido común Sensatez, lógica.
EXPR. perder el sentido o **quedarse sin
sentido** Encontrarse una persona en un
estado en el que no se da cuenta de lo
que pasa alrededor, por ejemplo al desmayarse. **recobrar el sentido** o **recuperar el sentido** Volver a conocer y darse
cuenta de las cosas después de haber
perdido el sentido. SIN. 3. Sensible,
susceptible. 5. Explicación. 7. Significación.

sentimental *adj.* y *s.* Que tiene o muestra sentimientos de amor, ternura y pena. SIN. Romántico.

sentimentalismo *s. m.* Característica
de sentimental. SIN. Romanticismo.

sentimiento *s. m.* La tristeza, la alegría, la ternura, la amistad, el amor, el
odio, el miedo y otras cosas que las
personas experimentan. **EXPR. acompañar a alguien en el sentimiento** Frase
con la que se le muestra dolor por su
desgracia. SIN. Emoción

sentina *s. f.* Parte más baja de la bodega de un barco.

sentir[1] *v.* **1.** Tener sensaciones, como
frío, calor, hambre, dolor, sueño. **2.** Experimentar sentimientos. **3.** Oír. **4.** Notar una parte del cuerpo. **5.** Lamentar,
estar apenado o disgustado por algo.
6. Creer, opinar, estimar. || **sentirse 7.**
Encontrarse en el estado que se expre-
sa: *Se siente mareada.* **8.** Considerarse, creerse. □ Es v. irreg. SIN. **1.** Percibir.
6. Pensar. **7.** Hallarse.

sentir[2] *s. m.* **1.** Opinión. **2.** Sentimiento.
SIN. **1.** Parecer.

seña *s. f.* **1.** Indicación que se da sobre
alguien o algo para que otro lo conoz-
ca. **2.** Gesto que una persona hace a
otra para comunicarle algo. || *pl.* **3.** La
calle, número y otros datos de una dirección.

señal *s. f.* **1.** Aquello que tiene o se pone en una persona o cosa para recono-
cerlo o distinguirlo. **2.** Lo que demuestra algo. **3.** Lo que deja en la piel una
herida, golpe o enfermedad, como cicatrices o manchas. **4.** Gestos, luces,
sonidos u otras cosas que se utilizan
para comunicar algo o avisar de alguna
cosa. **5.** Cantidad de dinero que se paga a alguien como adelanto del precio
de algo. || **6. señal de la cruz** Signo que
hacen los cristianos con la mano repre-
sentando la cruz en que murió Jesucristo. **7. señal de tráfico** Las indicaciones
que se utilizan en calles y carreteras
para dar una información a los peatones y conductores. **EXPR. en señal de**

Como muestra de. SIN. **1.** Distintivo.
1, 2 y **4.** Signo. **2.** Prueba, muestra.
3. Marca.

señalado, da 1. *p.* de **señalar.** Tam-
bién *adj.* || *adj.* **2.** Importante, desta-
cado. SIN. **2.** Marcado. ANT. **2.** Insignificante.

señalar *v.* **1.** Hacer o poner señales en
algo para que se distinga de otras cosas o pueda reconocerse. **2.** Apuntar
con el dedo o de otra forma a alguien o
a algo. **3.** Indicar, decir, mostrar. **4.** Fijar, decidir. **5.** Dejar cicatrices o heridas
en alguna parte del cuerpo. || **señalarse
6.** Distinguirse, destacar. SIN. **1.** Rotular. **1** y **5.** Marcar. **3.** Enseñar, advertir.
6. Sobresalir, descollar.

señalización *s. f.* **1.** El hecho de señalizar. **2.** Conjunto de señales que se utilizan en caminos, carreteras, vías de
tren y en otros sitios.

señalizar *v.* Poner señales en calles,
carreteras o cualquier otro sitio.

señero, ra *adj.* Destacado, señalado.

señor, ra *s. m.* y *f.* **1.** Se usa para dirigirse respetuosamente a los mayores
o a alguien con autoridad. **2.** Persona
adulta. **3.** Dueño, propietario. **4.** Nombre que dan las personas que trabajan
en una casa a los dueños de ésta. **5.**
Persona elegante, con buenos modales.

SENTIR	
GERUNDIO	
sintiendo	
INDICATIVO	
Presente	**Pretérito perf. simple**
siento	*sentí*
sientes	*sentiste*
siente	*sintió*
sentimos	*sentimos*
sentís	*sentisteis*
sienten	*sintieron*
SUBJUNTIVO	
Presente	**Pretérito imperfecto**
sienta	*sintiera, -ese*
sientas	*sintieras, -eses*
sienta	*sintiera, -ese*
sintamos	*sintiéramos, -ésemos*
sintáis	*sintierais, -eseis*
sientan	*sintieran, -esen*
Futuro	
sintiere	*sintiéremos*
sintieres	*sintiereis*
sintiere	*sintieren*
IMPERATIVO	
siente	*sentid*

6. Va delante de un apellido, de un cargo y de don: *Señor García. Señora ministra. Señor don Antonio Pérez.* || *s. m.* **7.** Dios: *el Señor.* || *adj.* **8.** *fam.* Da más fuerza a la palabra con la que va: *Luis se ha comprado un señor coche.* SIN. 3 y 4. Amo. 5. Caballero; dama.

señora *s. f.* **1.** Esposa. **2.** Mujer casada o viuda. || **3. Nuestra Señora** La Virgen María. SIN. 1. Mujer.

señoría *s. f.* Tratamiento que se da a las personas que ocupan algunos cargos, como a jueces y parlamentarios.

señorial *adj.* De nobles o de gente de alta posición social.

señorío *s. m.* **1.** Mando o dominio sobre alguna cosa. **2.** Tierras de un señor. **3.** Distinción, elegancia.

señorita *s. f.* **1.** Mujer soltera. **2.** Maestra, profesora. **3.** Forma de llamar a las mujeres que realizan algunos trabajos, como secretarias o dependientes de comercios.

señoritingo, ga *s. m.* y *f. desp.* Señorito.

señorito, ta *s. m.* y *f.* **1.** Forma de llamar las personas que trabajan en una casa a los hijos de los dueños. || *adj.* y *s.* **2.** *desp.* Persona demasiado fina, muy delicada.

señorón, na *adj.* y *s. fam.* Se dice de la persona rica o muy importante.

señuelo *s. m.* **1.** Ave o cosa que se usa para atraer a otras aves. **2.** Engaño u otra cosa con que se atrae a alguien. SIN. 1 y 2. Reclamo.

seo *s. f.* Catedral.

sépalo *s. m.* Cada una de las hojas que forman el cáliz de la flor.

separación *s. f.* **1.** Acción de separar. **2.** Espacio entre cosas separadas.

separado, da **1.** *p. de* **separar.** También *adj.* || *adj.* y *s.* **2.** Se dice del hombre o mujer que ha dejado de vivir con su esposa o su marido.

separador, ra *adj.* y *s. m.* Que sirve para separar.

separar *v.* **1.** Hacer que dos o más personas, animales o cosas dejen de estar juntos o cerca. **2.** Dividir, distinguir. **3.** Poner aparte del resto. **4.** Apartar, quitar. || **separarse 5.** Dejar de estar junto o cerca. **6.** Dejar de vivir juntas dos personas casadas. SIN. 1 y 5. Alejar(se). 2. Diferenciar. 4. Destituir, retirar. ANT. 1. Acercar. 1, 2 y 6. Unir(se). 2. Mezclar.

separata *s. f.* Publicación separada de un texto, artículo, etc., que ya había aparecido incluido en un libro o revista.

separatismo *s. m.* Idea o postura que defienden los separatistas.

separatista *adj.* y *s.* Partidario de que un territorio se separe de otro y se haga independiente.

sepelio *s. m.* Entierro de una persona con las ceremonias que lo acompañan.

sepia *s. f.* **1.** Molusco parecido al calamar, pero menos alargado y con un fuerte hueso calcáreo en su interior. || *s. m.* **2.** Color parecido al rosa anaranjado.

septentrión *s. m.* Norte. ANT. Sur, mediodía.

septentrional *adj.* Del septentrión o norte. SIN. Nórdico, ártico, boreal. ANT. Meridional.

septeto *s. m.* **1.** Conjunto musical formado por siete instrumentos o siete cantantes. **2.** Composición musical hecha para siete instrumentos o voces.

septicemia *s. f.* Infección de la sangre.

septiembre *s. m.* Noveno mes del año, de 30 días.

séptimo, ma *num.* **1.** Que ocupa por orden el número siete. || *num.* y *s. m.* **2.** Se dice de cada una de las siete partes iguales en que se divide una cosa. || **3. séptimo arte** El cine.

septuagenario, ria *adj.* y *s.* Que tiene entre setenta y ochenta años.

septuagésimo, ma *num.* **1.** Que ocupa por orden el número setenta. || *num.* y *s. m.* **2.** Se dice de cada una de las setenta partes iguales en que se divide una cosa.

séptuplo, pla *adj.* y *s. m.* Se dice de la cantidad que incluye siete veces otra.

sepulcral *adj.* Relacionado con los sepulcros: *un silencio sepulcral.*

sepulcro *s. m.* Construcción levantada del suelo para enterrar a uno o más cadáveres; suele ser de piedra.

sepultar *v.* **1.** Enterrar a un cadáver. **2.** Cubrir totalmente. SIN. 1. Inhumar. ANT. 1. Exhumar. 1 y 2. Desenterrar.

sepultura *s. f.* **1.** Acción de sepultar o enterrar: *dar sepultura.* **2.** Hoyo que se hace en la tierra para enterrar un cadáver. SIN. 1. Entierro. 2. Fosa.

sepulturero, ra *s. m.* y *f.* Persona que tiene como oficio enterrar a los muertos.

sequedad *s. f.* **1.** Falta de agua o de humedad. **2.** Poca amabilidad. SIN. 2. Frialdad. ANT. 2. Cordialidad.

sequía *s. f.* Falta de lluvias en un territorio durante bastante tiempo.

séquito *s. m.* Las personas que acompañan a un personaje importante. **Sin.** Cortejo, comitiva.

ser¹ *v.* **1.** Sirve para decir algo del sujeto, por ejemplo una cualidad, qué profesión tiene, dónde ha nacido, a qué grupo o a quién pertenece: *Lorenzo es simpático.* **2.** Indica la hora: *Son las ocho.* **3.** Expresa el resultado de una operación o cuenta: *Cinco y diez son quince.* **4.** Forma construcciones impersonales: *Es de noche.* **5.** Valer, costar: *¿A cuánto es el kilo de tomates?* **6.** Suceder, ocurrir: *Dime cómo fue.* **7.** Producirse algo en un momento o lugar: *Mañana es su cumpleaños.* **8.** Haber, existir. **9.** Forma la voz pasiva con el participio de los verbos: *Fue admirado por todos.* □ Es v. irreg. **Expr.** **ser de lo que no hay** Ser fuera de lo corriente, único por sus cualidades o por sus defectos. **Sin.** **6.** Acontecer, acaecer.

SER	
GERUNDIO	PARTICIPIO
siendo	sido
INDICATIVO	

Presente	Pret. imp.	Pret. perf. simple
soy	era	fui
eres	eras	fuiste
es	era	fue
somos	éramos	fuimos
sois	erais	fuisteis
son	eran	fueron

SUBJUNTIVO	

Pretérito imperfecto	Futuro
fuera, -ese	fuere
fueras, -eses	fueres
fuera, -ese	fuere
fuéramos, -ésemos	fuéremos
fuerais, -eseis	fuereis
fueran, -esen	fueren

IMPERATIVO	
sé	sed

ser² *s. m.* **1.** Lo que existe de verdad o en la imaginación: *Las hadas son seres imaginarios.* **2.** Persona: *Es un ser adorable.* **3.** Vida, existencia: *Nuestros padres nos dieron el ser.* **4.** Esencia, naturaleza. || **5. Ser Supremo** Dios. **6. ser vivo** Ser que tiene vida; se nutre, tiene relación con el mundo que lo rodea y puede reproducirse. **Sin.** **1** y **2.** Ente.

serafín *s. m.* Ángel de una categoría muy elevada.

serbio, a *adj. y s.* De Serbia, región y república de Europa.

serbocroata *adj.* **1.** Relacionado con Serbia y Croacia. || *s. m.* **2.** Lengua que se habla en Serbia, Croacia y otros lugares de la antigua Yugoslavia.

serenar *v.* Tranquilizar, calmar. **Sin.** Sosegar; aquietar. **Ant.** Inquietar.

serenata (ital.) *s. f.* **1.** Música que se toca en honor de alguien por la noche y al aire libre. **2.** Composición poética o musical que tiene este mismo fin.

serenidad *s. f.* Tranquilidad, calma.

sereno, na *adj.* **1.** Tranquilo, calmado. **2.** Sin nubes o niebla. **3.** Se dice de la persona que no se encuentra bajo los efectos de las bebidas alcohólicas. || *s. m.* **4.** Persona encargada de vigilar las calles durante la noche. **5.** Humedad que hay durante la noche. **Expr.** **al sereno** Al aire libre durante la noche. **Sin.** **1.** Sosegado. **2.** Despejado. **3.** Sobrio. **Ant.** **1.** Intranquilo; agitado. **2.** Nublado. **3.** Borracho, ebrio.

serial *s. m.* Obra de televisión o de radio de muchos episodios y, generalmente, con un argumento sentimental.

serie *s. f.* **1.** Conjunto de personas o cosas relacionadas entre sí, sobre todo las que ocurren o van unas detrás de otras. **2.** Obra de radio o de televisión de la que cada vez se transmite un episodio o capítulo. **Sin.** **1.** Sucesión, progresión.

seriedad *s. f.* Característica de serio. **Sin.** Formalidad, responsabilidad, gravedad. **Ant.** Alegría, ligereza.

serio, ria *adj.* **1.** Que no es o no está alegre. **2.** Responsable, digno de confianza, que cumple sus compromisos. **3.** Se dice de la ropa y de los colores que son elegantes y no llamativos. **4.** Grave, importante. **Expr.** **en serio** Sin tomarlo a broma; también, duramente. **Sin.** **1.** Seco, circunspecto. **2.** Reflexivo, cumplidor. **2.** Formal. **Ant.** **1.** Risueño. **2.** Irresponsable. **2.** y **3.** Informal. **4.** Insignificante.

sermón *s. m.* **1.** Discurso religioso que dice el sacerdote ante los fieles para enseñarles algo. **2.** *fam.* Monserga, rollo. **Sin.** **1.** Homilía.

sermonear *v.* Echar un sermón a alguien.

serón *s. m.* Cesta grande que se pone sobre los burros, mulas u otros animales parecidos para llevar la carga.

serosidad *s. f.* Líquido del que están llenas las ampollas que se forman en la piel.

seroso, sa *adj.* De suero o serosidad.

serpenteante *adj.* Que serpentea.

serpentear v. Moverse o extenderse formando vueltas y ondulaciones como lo hacen las serpientes.

serpentín s. m. Tubo largo en forma de espiral que tienen algunos aparatos y sirve para enfriar o calentar el líquido que pasa por él.

serpentina s. f. Tira de papel enrollada que se lanzan unas personas a otras en algunas fiestas sujetándola por un extremo y desenrollándola.

serpiente s. f. **1.** Animal del grupo de los reptiles, de cuerpo muy alargado y sin patas. ‖ **2. serpiente de cascabel** Especie muy venenosa y que tiene al final de la cola unos anillos que hacen ruido cuando los agita. Sin. **1.** Sierpe.

serrallo s. m. Harén.

serranía s. f. Terreno montañoso.

serrano, na adj. y s. **1.** De la sierra. **2.** fam. Hermoso, sano: cuerpo serrano.

serrar v. Cortar con la sierra madera u otro material. □ Es v. irreg. Se conjuga como pensar.

serrería s. f. Taller donde se corta la madera. Sin. Aserradero.

serrín s. m. Trocitos muy pequeños de madera o corcho que van cayendo al serrar.

serrucho s. m. Sierra de hoja ancha con un mango en uno de los extremos.

serventesio s. m. Estrofa de cuatro versos de más de ocho sílabas que riman el primero con el tercero y el segundo con el cuarto.

servicial adj. Dispuesto a ayudar o a hacer algo para otros. Sin. Solícito.

servicio s. m. **1.** Ayuda, beneficio o utilidad. **2.** Las personas del servicio doméstico. **3.** Actividad en la que se dan o se hacen algunas cosas que se necesita la gente; también las personas y medios que intervienen en ella: servicio de bomberos. **4.** Conjunto de objetos que se utilizan para algo, sobre todo en la mesa para comer. **5.** Retrete, cuarto de baño. **6.** El saque en algunos deportes, como el tenis. ‖ **7. servicio doméstico** Trabajo que se realiza en las casas a cambio de un sueldo, como limpiar, lavar y cocinar, y personas que hacen esos trabajos. **8. servicio militar** Permanencia de un joven en el ejército durante un tiempo aprendiendo a ser soldado. Expr. **al servicio de** alguien o algo A sus órdenes, o para alguien o algo. **de servicio** Trabajando o haciendo alguna labor de su oficio. Sin. **5.** Excusado, wáter.

servidor, ra s. m. y f. Persona que sirve como criado. Sin. Sirviente.

servidumbre s. f. **1.** Conjunto de criados de una casa. **2.** El ser siervo de alguien. **3.** Situación de una persona que está obligada a algo, sin poder hacer lo que quiere. Sin. **1.** Servicio. **3.** Esclavitud.

servil adj. **1.** Se dice de la persona que hace todo lo que le mandan y actúa como si fuera inferior. **2.** De los siervos o relacionado con ellos. **3.** Muy humilde, de la más baja categoría. Sin. **1.** Sumiso. **3.** Rastrero.

servilismo s. m. Forma de actuar de las personas serviles. Sin. Sumisión.

servilleta s. f. Pieza de tela o papel que usamos en la mesa para limpiarnos.

servilletero s. m. Aro u otra cosa que sirve para dejar la servilleta recogida.

servio, via adj. y s. Serbio.

servir v. **1.** Ser útil o valer para algo. **2.** Poner comida o bebida. **3.** Atender a un cliente o traerle lo que ha pedido. **4.** Ser criado o dedicarse al servicio doméstico. **5.** Hacer el servicio militar, estar en el ejército o trabajar en un organismo oficial: Sirvió en la marina. **6.** Trabajar o hacer algo para una persona o cosa. **7.** En tenis, realizar el saque. ‖ **servirse 8.** Utilizar, emplear. □ Es v. irreg. Se conjuga como pedir. Sin. **4.** Asistir. **7.** Sacar. **8.** Usar.

servocroata adj. y s. m. Serbocroata.

servodirección s. f. Mecanismo que hace que la dirección de un vehículo vaya más suave y funcione mejor.

servofreno s. m. Mecanismo que aumenta la acción del freno de un vehículo, haciendo que funcione mejor.

sesada s. f. Sesos de un animal que se toman como alimento.

sésamo s. m. Planta de tallo recto, flores en forma de campanilla y fruto con muchas semillas, que se echan a algunos dulces para darles sabor.

sesear v. Pronunciar como una s la z y la c delante de e o i; es común en Andalucía, Canarias e Hispanoamérica.

sesenta num. **1.** Seis veces diez. **2.** Que ocupa por orden este número.

seseo s. m. Hecho de sesear.

sesera s. f. fam. Cabeza.

sesgado, da 1. p. de **sesgar**. También adj. ‖ adj. **2.** Subjetivo, muy parcial. Sin. **1.** Oblicuo, atravesado. Ant. **1.** Recto.

sesgar v. Colocar o cortar en diagonal, formando una línea inclinada.

sesgo s. m. Dirección o rumbo que sigue un asunto. **Sin.** Cariz.

sesión s. f. 1. Reunión, junta. 2. Cada vez que ponen un espectáculo, sobre todo las películas en el cine. 3. Cada vez que se realiza una actividad: *una sesión de radioterapia*. **Sin.** 2. Función.

seso s. m. 1. Cerebro del hombre o de los animales. Se usa también en plural con el significado de singular. 2. Sensatez, sentido común. **Expr. devanarse los sesos** *fam.* Pensar mucho en algo. **perder el seso** *fam.* Volverse loco. **tener** a alguien **sorbido el seso** o **sorberle el seso** *fam.* Tenerle muy enamorado hasta llegar a dominarle. **Sin.** 2. Prudencia, cordura.

sestear v. Dormir una siesta.

sesudo, da adj. Sensato. **Sin.** Prudente, cuerdo. **Ant.** Alocado.

set (ingl.) s. m. 1. Cada una de las partes en que se divide un partido de tenis, voleibol, pimpón y otros deportes. 2. Conjunto de cosas que sirven para lo mismo. **Sin.** 2. Kit.

seta s. f. Hongo que tiene como un sombrero sostenido por un pie o parte alargada. Algunas se pueden comer, pero otras son muy venenosas.

setecientos, tas num. 1. Siete veces cien. 2. Que ocupa por orden este número.

setenta num. 1. Siete veces diez. 2. Que sigue en orden al sesenta y nueve.

setiembre s. m. Septiembre.

seto s. m. Valla formada por palos, ramas o plantas muy juntas.

setter (ingl.) s. m. y f. Perro bastante grande, de pelo largo y suave y orejas caídas.

seudónimo s. m. Nombre inventado que alguien usa en lugar del verdadero.

severidad s. f. Dureza, característica de las personas severas. **Sin.** Rigidez, intransigencia. **Ant.** Blandura.

severo, ra adj. 1. Duro, que no deja pasar nada que esté mal. 2. Serio. **Sin.** 1. Rígido, inflexible. 2. Grave. **Ant.** 1. Blando. 2. Alegre.

sevillano, na adj. y s. 1. De Sevilla, ciudad y provincia españolas. || s. f. pl. 2. Canción y baile muy alegres típicos de Sevilla.

sexagenario, ria adj. y s. Que tiene entre sesenta y setenta años.

sexagesimal adj. Se dice del sistema de numeración que tiene como base el número sesenta; se utiliza sobre todo para medir ángulos.

sexagésimo, ma num. 1. Que ocupa por orden el número sesenta. || num. y s. m. 2. Se dice de cada una de las sesenta partes iguales en que se divide una cosa.

sexenio s. m. Periodo de seis años.

sexi adj. Sexy.

sexismo s. m. Discriminación hacia algunas personas a causa de su sexo.

sexista adj. y s. Del sexismo o que practica el sexismo.

sexo s. m. 1. Características que distinguen a los machos de las hembras de los seres vivos. 2. Órgano sexual, como por ejemplo el pene en el hombre. 3. Sexualidad. || 4. **sexo débil** o **sexo bello** Las mujeres. 5. **sexo fuerte** Los hombres.

sexología s. f. Ciencia que estudia la conducta sexual de las personas.

sexólogo, ga s. m. y f. Persona que tiene como profesión la sexología.

sextante s. m. Instrumento que mide la distancia entre el horizonte y un astro; sirve para orientarse en el mar.

sexteto s. m. 1. Conjunto musical de seis instrumentos o seis voces. 2. Composición musical hecha para este conjunto. 3. Estrofa formada por seis versos de más de ocho sílabas.

sextilla s. f. Estrofa formada por seis versos de ocho sílabas o menos.

sexto, ta num. 1. Que sigue en orden al quinto. || num. y s. m. 2. Se dice de cada una de las seis partes iguales en que se divide una cosa. **Sin.** 2. Seisavo.

séxtuplo, pla adj. y s. m. Se dice de la cantidad que incluye seis veces otra.

sexuado, da adj. Se dice de los seres vivos que tienen órganos sexuales desarrollados y con capacidad de funcionamiento. **Ant.** Asexuado.

sexual adj. 1. Del sexo o relacionado con él. || 2. **acto sexual** Unión sexual entre el hombre y la mujer. 3. **reproducción sexual** La que necesita de la unión de células reproductoras masculinas y femeninas para formar un nuevo ser, como en el hombre y en los animales.

sexualidad s. f. 1. Características relacionadas con las diferencias entre los sexos. 2. Actos que se realizan a causa de la atracción entre los sexos y para la reproducción.

sexy (ingl.) adj. Que tiene mucho atractivo sexual.

sha *s. m.* Título de los reyes de Persia.

shequel *s. m.* Moneda de Israel.

sheriff (ingl.) *s. m.* En Estados Unidos, persona encargada de mantener el orden y hacer cumplir la ley.

sherpa *adj. y s.* De un pueblo de Nepal, país de Asia junto a las montañas del Himalaya.

shock (ingl.) *s. m.* Reacción nerviosa muy fuerte, generalmente producida por una impresión muy grande.

short (ingl.) *s. m.* Pantalón corto que llega como mucho a la mitad del muslo.

show (ingl.) *s. m.* Espectáculo.

si[1] *s. m.* Séptima nota de la escala musical.

si[2] *conj.* Sirve para formar frases que indican una condición: *Si aprueba el curso, le regalarán una bici*; expresa un deseo: *¡Si me compraran la bici!*; forma construcciones con la función de un sustantivo: *No sé si iré*; da más fuerza a lo que se dice: *¡Si será tonto!* EXPR. **como si** Se usa para decir lo que parece alguien o algo: *Chilla como si estuviera loco*. **si no** En caso contrario.

sí[1] *pron. pers.* Indica tercera persona, se usa siempre con una preposición delante y sirve para formar complementos que hablan de la misma persona o cosa que realiza la acción: *Andrés tira de la cuerda hacia sí*. EXPR. **de por sí** Sin tener en cuenta otras cosas. **fuera de sí** Muy nervioso, medio loco. **por sí mismo** o **por sí solo** Sin la ayuda o intervención de nadie.

sí[2] *adv.* **1.** Se emplea para responder afirmativamente. **2.** Sirve para dar más fuerza a lo que se dice: *¡Esto sí que es vida!* || *s. m.* **3.** Permiso, consentimiento. EXPR. **porque sí** Sin ningún motivo, porque apetece. SIN. **1** y **3.** No.

siamés, sa *adj. y s.* **1.** De Siam, país de Asia que actualmente se llama Tailandia. **2.** Se dice de los hermanos que nacen unidos por alguna parte del cuerpo. || *adj. y s. m.* **3.** Raza de gatos de color beige o marrón muy claro, con la cabeza, la cola y las patas más oscuras. || *s. m.* **4.** Lengua hablada en Tailandia.

sibarita *adj. y s.* Persona a la que le gustan mucho los placeres y las cosas buenas y refinadas.

siberiano, na *adj. y s.* De Siberia, región de Rusia en el norte de Asia.

sibila *s. f.* Mujer que, según los antiguos griegos y romanos, podía predecir el futuro.

sibilino, na *adj.* **1.** De la sibila. **2.** Misterioso, ambiguo. SIN. **2.** Oscuro.

sicario *s. m.* Asesino a sueldo. SIN. Matón.

siciliano, na *adj. y s.* De Sicilia, isla italiana.

sicomoro o **sicómoro** *s. m.* Árbol que procede de Egipto y tiene el tronco de color amarillento y las hojas ásperas; su fruto es pequeño, blanquecino, parecido a un higo, y la madera muy resistente.

sida *s. m.* Palabra formada con las primeras letras de *Síndrome de Inmuno-Deficiencia Adquirida*. Es una enfermedad muy grave que deja al que la tiene sin defensas contra otras enfermedades; se contagia por la sangre o por las relaciones sexuales.

sidecar (ingl.) *s. m.* Cochecito que tienen a un lado algunas motos y en el que puede llevarse a una persona.

sideral *adj.* De las estrellas y los astros o relacionado con ellos. SIN. Estelar, astral.

siderita *s. f.* Mineral de color grisáceo o amarillento y con brillo, del que se extrae el hierro.

siderurgia *s. f.* Industria que se dedica a la producción de hierro y a su transformación, sobre todo en acero.

siderúrgico, ca *adj.* De la siderurgia.

sidra *s. f.* Bebida alcohólica elaborada con zumo de manzanas.

siega *s. f.* Acción de segar.

siembra *s. f.* Acción de sembrar y época en que se hace. SIN. Sementera.

siempre *adv.* **1.** Todo el tiempo: *Siempre lo recordaré*. **2.** Todas las veces que se produce una situación: *Cuando viene, siempre nos trae un regalo*. **3.** De todas formas, a pesar de todo: *Quizá no lo consiga, pero siempre es mejor intentarlo*. EXPR. **siempre que** Todas las veces que; también indica una condición: *Irán siempre que terminen sus tareas*. **siempre y cuando**. Siempre que, a condición de que. ANT. **1** y **2.** Nunca.

siempreviva *s. f.* Planta de hojas gruesas y carnosas, que están colocadas todas juntas como si fuera una alcachofa, que da unas flores en forma de estrella, casi siempre de color rosa.

sien *s. f.* Parte de la cabeza entre los ojos y las orejas.

siena *s. m.* Color marrón amarillento.

sierpe *s. f.* Serpiente.

sierra *s. f.* **1.** Herramienta para cortar que tiene un filo con dientecillos afilados y un mango o algo para agarrarla bien. **2.** Grupo de montañas unas junto a otras; también, lugar donde hay montañas. Sɪɴ. **2.** Serranía, cordillera.

siervo, va *s. m.* y *f.* **1.** Esclavo, sobre todo el que antiguamente pertenecía al señor de la tierra que trabajaba. **2.** Persona que sirve u obedece en todo a otra.

siesta *s. f.* Sueño que se echa a cualquier hora del día que no sea por la noche, sobre todo después de comer.

siete *num.* **1.** Seis más uno. **2.** Séptimo.

sietemesino, na *adj.* y *s.* Se dice del niño que nace a los siete meses, en vez de a los nueve.

sifilítico, ca *adj.* **1.** De la sífilis. || *adj.* y *s.* **2.** Que padece esta enfermedad.

sífilis *s. f.* Enfermedad muy grave que se contagia con las relaciones sexuales.

sifón *s. m.* **1.** Botella que contiene agua con gas, que sale a presión cuando se aprieta una palanquita; también, esa agua que está dentro. **2.** Tubo doblado en curva que sirve para pasar un líquido de un sitio a otro, haciéndolo pasar por un punto más alto respecto al nivel en que se encuentra.

sigilo *s. m.* Silencio y cuidado.

sigiloso, sa *adj.* Que hace algo con sigilo. Sɪɴ. Silencioso.

siglas *s. f. pl.* Primeras letras de varias palabras que sirven para formar otra palabra; por ejemplo, *OVNI* son las siglas de *Objeto Volador No Identificado*.

siglo *s. m.* **1.** Cada uno de los periodos de cien años en que se divide la historia. **2.** Cien años seguidos. **3.** Mucho tiempo: *Hace un siglo que no le veo.* || **4. siglo de oro** Nombre que se da a los siglos XVI y XVII en España, en el que hubo escritores y obras literarias muy importantes. Exᴘʀ. **del siglo** Más importante que otros de su misma época: *el robo del siglo.* **por los siglos de los siglos** Para siempre. Sɪɴ. **1.** Centuria.

signatario, ria *adj.* y *s.* Firmante.

signatura *s. f.* Señal de números y letras que se pone en un libro o documento para indicar su colocación en una biblioteca o archivo.

significación *s. f.* **1.** Significado. **2.** Valor, importancia. Sɪɴ. **1.** Sentido. **2.** Interés, trascendencia.

significado *s. m.* Lo que significa una palabra, frase u otra cosa. Sɪɴ. Sentido, significación.

significante *s. m.* Sonido o sonidos que pronunciamos al decir una palabra.

significar *v.* **1.** Expresar una palabra, imagen u otro signo alguna cosa o idea. **2.** Tener una cosa la consecuencia que se dice. **3.** Tener valor o importancia. Sɪɴ. **1.** Indicar. 1 y **3.** Representar. **2.** Implicar, suponer. **3.** Importar.

significativo, va *adj.* **1.** Que significa o da a entender algo. **2.** Importante y destacado. Sɪɴ. 1 y **2.** Representativo. **2.** Relevante. Aɴᴛ. **2.** Insignificante.

signo *s. m.* **1.** Cosa que representa a otra. **2.** Cosa por la que se adivina, se supone o se entiende otra. **3.** Cada una de las letras, puntos y figuras que se usan en la escritura, en imprenta, en matemáticas, en música. **4.** Cada una de las doce partes en que se divide el zodiaco; también, la figura que las representa. Sɪɴ. 1 y **2.** Señal. **2.** Símbolo, indicio.

siguiente *adj.* y *s.* Que va detrás o a continuación. Sɪɴ. Próximo, sucesivo, ulterior. Aɴᴛ. Anterior.

sílaba *s. f.* Letra, sonido o conjunto de ellos que se pronuncian juntos, en un solo golpe de voz; por ejemplo, *pastelería* tiene cinco sílabas: *pas-te-le-rí-a*.

silabear *v.* Pronunciar palabras separándolas en sílabas.

silábico, ca *adj.* Relacionado con las sílabas o que forma sílaba: *grupo silábico.*

silbante *adj.* Que silba o suena como un silbido.

silbar *v.* **1.** Dar silbidos o hacer una música con silbidos. **2.** Hacer un ruido parecido a un silbido. **3.** Protestar contra alguien con silbidos. Sɪɴ. **2.** Pitar. **3.** Abuchear. Aɴᴛ. **3.** Aplaudir.

silbato *s. m.* Instrumento pequeño y hueco con que se produce un silbido al soplar por él. Sɪɴ. Pito.

silbido o **silbo** *s. m.* **1.** Sonido fino y fuerte que se produce al hacer pasar con fuerza el aire ente los labios, juntos y apretados, o colocando la lengua y los dedos de una manera especial. **2.** Sonido parecido de otras cosas, como el de un silbato. Sɪɴ. **2.** Pitido.

silenciador *s. m.* Aparato que se coloca en algunas máquinas o mecanismos para que hagan menos ruido.

silenciar *v.* **1.** No decir algo. **2.** Hacer callar. Sɪɴ. **1.** Ocultar. Aɴᴛ. **1.** Revelar.

silencio *s. m.* **1.** El no oírse voces ni ruidos. **2.** El no decir nada: *guardar silencio.* **3.** En música, pausa. || *interj.* **4.** Se usa para hacer callar a alguien. Exᴘʀ. **en silencio** Sin hablar; también,

similitud

sin quejarse ni protestar. **Sin. 1** y **2**. Sigilo. **Ant. 1**. Alboroto, escándalo.

silencioso, sa *adj.* **1**. Sin ruido. **2**. Callado, sin hablar. **Sin. 1** y **2**. Sigiloso. **Ant. 1**. Ruidoso. **2**. Hablador.

sílex *s. m.* Piedra muy dura formada sobre todo por sílice, con la que se construyeron muchos utensilios prehistóricos.

sílfide *s. f.* Mujer muy delgada, pero con buen tipo.

sílice *s. f.* Mineral que forma muchas rocas y está compuesto por silicio y oxígeno.

silíceo, a *adj.* De sílice o que contiene este mineral.

silicio *s. m.* Elemento químico muy abundante en la Tierra; es muy duro y entra en la composición de la mayoría de las rocas.

silicona *s. f.* Material artificial, compuesto sobre todo por silicio y oxígeno, que se usa, por ejemplo, para pegar o para tapar huecos.

silicosis *s. f.* Enfermedad respiratoria muy grave, que afecta, sobre todo, a los mineros y picapedreros.

silla *s. f.* **1**. Asiento para una sola persona, con respaldo y casi siempre cuatro patas. **2**. Cochecito para los niños pequeños, en el que van sentados. **3**. Asiento de cuero que se pone al caballo para montar sobre él. || **4. silla de la reina** Asiento que forman dos personas con sus brazos, agarrándose una a otra. **5. silla de manos** Vehículo para una persona, con un asiento cubierto y sostenido por unas varas que llevan dos hombres. **6. silla de ruedas** La que tiene ruedas y utilizan las personas que no pueden andar. **7. silla de tijera** La que tiene las patas cruzadas de manera que puede plegarse.

sillar *s. m.* Cada una de las piedras que forman una construcción.

sillería *s. f.* **1**. Conjunto de sillas o asientos, sobre todo el del coro de las iglesias. **2**. Construcción de sillares.

sillín *s. m.* Asiento de las bicicletas y otros vehículos parecidos.

sillón *s. m.* Asiento con brazos más grande que una silla y más cómodo.

silo *s. m.* Construcción alta, parecida a una torre, para guardar los granos de trigo y otros cereales.

silueta *s. f.* **1**. Línea que forma el borde de una persona o de una cosa. **2**. Tipo o figura de una persona. **Sin. 1**. Perfil, contorno.

silva *s. f.* **1**. Estrofa en que se mezclan versos de once y siete sílabas. **2**. Colección formada por varios escritos diferentes.

silvestre *adj.* Que nace y crece sin cultivar en el campo. **Sin.** Salvaje, natural. **Ant.** Cultivado.

silvicultor, ra *s. m* y *f.* Persona que se dedica a la silvicultura.

silvicultura *s. f.* Conjunto de técnicas encaminadas al cuidado y la explotación de los bosques y montes.

sima *s. f.* Agujero muy grande y hondo en la tierra.

simbiosis *s. f.* Relación entre seres vivos de especies distintas en el que ninguno hace daño al otro, sino que los dos salen beneficiados.

simbólico, ca *adj.* **1**. Se dice de lo que es un símbolo o está representado por un símbolo. **2**. Que tiene valor, no por lo que es en realidad, sino por lo que significa.

simbolismo *s. m.* **1**. Característica de lo que es simbólico. **2**. Conjunto o sistema de símbolos.

simbolizar *v.* Ser una cosa símbolo de otra.

símbolo *s. m.* **1**. Dibujo, figura u otra cosa que representa algo por tener relación o parecido con ello. **2**. En química, letra o letras que representan un elemento simple. **Sin. 1**. Signo, emblema

simbología *s. f.* **1**. Conjunto de símbolos. **2**. Estudio de los símbolos.

simetría *s. f.* El estar colocadas cosas de la misma forma y medida a la misma altura y en la misma posición a uno y otro lado de un eje, un punto o un plano.

simétrico, ca *adj.* **1**. Se dice de las cosas entre las que hay simetría. || **2. propiedad simétrica** En matemáticas, la propiedad que tienen algunas relaciones mediante la cual, si un elemento de un conjunto está relacionado con otro, el segundo lo está también con el primero.

simiente *s. f.* Semilla.

simiesco, ca *adj.* Propio de los simios.

símil *s. m.* Comparación de dos cosas entre las que hay alguna semejanza o relación: *negro como el carbón.*

similar *adj.* Parecido, casi igual. **Sin.** Semejante, análogo. **Ant.** Diferente.

similitud *s. f.* El ser similares dos o más cosas. **Sin.** Parecido, semejanza, analogía. **Ant.** Diferencia.

simio, mia *s. m.* y *f.* Mono, animal.

simonía *s. f.* El negociar con las cosas de la religión, por ejemplo con los cargos eclesiásticos.

simpatía *s. f.* **1.** Sentimiento de cariño o agrado hacia las personas o las cosas. **2.** Modo de ser de las personas que son agradables con las demás. **Sin. 1.** Atracción, apego. **2.** Encanto, gancho. **Ant. 1** y **2.** Antipatía.

simpático, ca *adj.* **1.** Que tiene simpatía. **2.** Gracioso, divertido. **Sin. 1.** Agradable, encantador. **Ant. 1.** Antipático.

simpatizante *adj.* y *s.* Persona que simpatiza con unas ideas o un partido, sin pertenecer a él. **Sin.** Seguidor, adepto. **Ant.** Contrario.

simpatizar *v.* Sentir simpatía. **Sin.** Congeniar, entenderse. **Ant.** Odiarse.

simple *adj.* **1.** Fácil, sin complicaciones. **2.** Formado por una sola cosa o por muy pocas. **3.** Sin importancia: *Fue una simple caída.* || *adj.* y *s.* **4.** Un poco tonto, sin picardía. **Sin. 1** y **2.** Sencillo. **4.** Bobo, ingenuo. **Ant. 1.** Difícil. **2.** Compuesto. **4.** Pícaro.

simplemente *adv.* **1.** De manera simple, sencillamente. **2.** Solamente, únicamente.

simpleza *s. f.* **1.** Característica de simple, de bobo. **2.** Bobada, tontería. **Sin. 1** y **2.** Necedad, ingenuidad. **Ant. 1.** Picardía.

simplicidad *s. f.* Característica de simple. **Sin.** Sencillez; ingenuidad. **Ant.** Complicación; picardía.

simplificación *s. f.* El simplificar algo. **Ant.** Complicación.

simplificar *v.* Hacer más simple, sencilla o fácil una cosa. **Sin.** Facilitar. **Ant.** Complicar.

simplista *adj.* y *s.* Demasiado simple, que no tiene en cuenta que las cosas son más complicadas.

simposio *s. m.* Reunión de científicos o de otros profesionales o especialistas. **Sin.** Congreso.

simulación *s. f.* Acción de simular. **Sin.** Fingimiento.

simulacro *s. m.* Aquello que se hace como si fuera de verdad, pero que no lo es. **Sin.** Ensayo; farsa.

simulador, ra *adj.* y *s.* **1.** Que simula algo. || *s. m.* **2.** Aparato que reproduce el funcionamiento de otro de verdad, como un simulador de vuelo, que reproduce la cabina de un avión.

simular *v.* Fingir, aparentar.

simultanear *v.* Hacer simultáneo. **Sin.** Compaginar.

simultaneidad *s. f.* El hecho de ser simultáneas dos o más cosas.

simultáneo, a *adj.* Se dice de una cosa que ocurre o se realiza al mismo tiempo que otra.

simún *s. m.* Viento muy caliente de los desiertos de Arabia y África.

sin *prep.* Que no tiene algo: *Estamos sin luz*; no incluido, aparte de: *El traje, sin los arreglos, le ha costado treinta mil pesetas*; delante de un infinitivo, es como una negación: *Llevo todo el día sin comer.* **Ant.** Con.

sinagoga *s. f.* Templo judío.

sinalefa *s. f.* En un verso, unión de dos sílabas de palabras distintas cuando una de ellas termina en vocal y la siguiente empieza por vocal o *h*. Estas dos sílabas se cuentan como una sola.

sincerarse *v.* Contar una persona a otra sus secretos, sus sentimientos. **Sin.** Desahogarse, confiar, explayarse. **Ant.** Cerrarse.

sinceridad *s. f.* Característica de sincero. **Sin.** Franqueza. **Ant.** Hipocresía.

sincero, ra *adj.* Que no finge, que actúa de acuerdo con lo que piensa o siente. **Sin.** Franco, verdadero. **Ant.** Hipócrita.

sinclinal *adj.* Se dice del pliegue de la corteza terrestre de forma cóncava.

síncopa *s. f.* **1.** Eliminación de una o de más letras en medio de una palabra. **2.** En música, alteración en la acentuación normal de un compás.

sincopado, da *adj.* Se dice de la nota que forma una síncopa o de la música o ritmo que tiene estas notas.

síncope *s. m.* Desmayo producido por una bajada de la tensión arterial.

sincronía *s. f.* El hecho de que sucedan varias cosas a la vez.

sincrónico, ca *adj.* Se dice de los hechos o cosas que suceden al mismo tiempo.

sincronizar *v.* Hacer que se produzcan a la vez dos o más cosas, hechos o movimientos. **Sin.** Coordinar, simultanear.

sindical *adj.* De los sindicatos.

sindicalismo *s. m.* Modo de organización de los trabajadores a través de sindicatos, para defender sus intereses y derechos.

sindicalista *adj.* **1.** Relacionado con los sindicatos. || *adj.* y *s.* **2.** Que pertenece a un sindicato.

sindicato *s. m.* Asociación de trabajadores para defender sus intereses y derechos.

síndico, ca *s. m.* y *f.* Persona elegida por una corporación para que defienda sus intereses y la represente: *el síndico de la Bolsa.*

síndrome *s. m.* Conjunto de síntomas con que aparece una enfermedad.

sine die *expr. lat.* Significa 'sin fecha o sin plazo fijo': *Aplazaron la inauguración sine die.*

sine qua non *expr. lat.* Significa 'sin la cual no' y se refiere a una condición que es totalmente necesaria para algo.

sinécdoque *s. f.* Figura retórica que consiste en usar una palabra en lugar de otra, tomando la totalidad por una parte, el género por la especie, la materia por el objeto, etc., o al revés. Por ejemplo: *un pueblo de mil almas* (por *mil personas*), *tañer el bronce* (por *las campanas*).

sinecura *s. f.* Chollo, ganga.

sinestesia *s. f.* Recurso literario que consiste en dar a una cosa una cualidad que en realidad no puede tener, porque se perciben por sentidos distintos; por ejemplo: *voces blancas.*

sinfín *s. m.* Gran abundancia de algo. **SIN.** Infinidad, sinnúmero.

sinfonía *s. f.* Composición musical de bastante extensión, hecha para una orquesta.

sinfónico, ca *adj.* **1.** De una sinfonía. **2.** Se dice de algunas orquestas y asociaciones musicales.

singladura *s. f.* **1.** Distancia recorrida por un barco en veinticuatro horas. **2.** Rumbo.

single (ingl.) *s. m.* Disco de poca duración con una sola canción en cada cara. **SIN.** Sencillo.

singular *adj.* **1.** Especial, raro: *un hecho singular.* **2.** Solo, que no hay otro igual. ‖ *adj.* y *s. m.* **3.** En gramática, número de las palabras que significan una sola persona o cosa, como por ejemplo, *el niño* o *la casa.* **SIN. 1.** Excepcional, peculiar. **ANT. 1.** Vulgar. **3.** Plural.

singularidad *s. f.* Característica que distingue a una persona, animal o cosa y lo hace diferente de los demás. **SIN.** Particularidad, peculiaridad.

singularizar *v.* **1.** Hacer distinta a una persona o cosa entre otras. **2.** Hablar de alguien o algo en particular, y no de otros. **SIN. 1** y **2.** Particularizar.

sinhueso *s. f. fam.* El órgano llamado lengua.

siniestra *s. f.* Mano izquierda. **SIN.** Zurda. **ANT.** Diestra.

siniestrado, da *adj.* y *s.* Que ha sufrido un siniestro. **SIN.** Accidentado.

siniestro, tra *adj.* **1.** Malvado, que produce miedo. **2.** Funesto, desgraciado. **3.** Izquierdo. ‖ *s. m.* **4.** Accidente, pérdida o daño graves. **SIN. 1.** Perverso, maligno. **2.** Aciago, nefasto. **ANT. 1.** Bueno. **2.** Afortunado. **3.** Diestro, derecho.

sinnúmero *s. m.* Gran cantidad de algo. **SIN.** Infinidad, sinfín.

sino¹ *s. m.* El destino, lo que hace que las cosas sucedan de una manera y no podamos hacer nada para cambiarlas. **SIN.** Hado.

sino² *conj.* Afirma una cosa en oposición a otra que se niega: *Hoy no hace frío, sino calor;* equivale a *excepto, a no ser*: *¿Quién sino Lorenzo sería capaz de hacer tal cosa?;* tan sólo, solamente: *No quiero sino que me deje tranquilo.* **EXPR. no sólo... sino** o **no sólo... sino también** Se emplea para añadir algo a lo que ya se ha dicho: *No sólo vino Ricardo, sino también Enrique.* **SIN.** Salvo.

sínodo *s. m.* Reunión de obispos o de otros eclesiásticos para tratar algún asunto. **SIN.** Concilio.

sinonimia *s. f.* Hecho de ser sinónimas palabras o expresiones.

sinónimo, ma *adj.* y *s. m.* Se dice de las palabras o expresiones que tienen el mismo significado; como *lindo* y *bonito.* **ANT.** Antónimo.

sinopsis *s. f.* Resumen, esquema.

sinóptico, ca *adj.* Hecho en forma de sinopsis.

sinovia *s. f.* Líquido transparente y viscoso que actúa como lubricante de las articulaciones de los huesos.

sinovial *adj.* De la sinovia o relacionado con ella: *líquido sinovial.*

sinrazón *s. f.* Acción injusta o que no es razonable.

sinsabor *s. m.* Disgusto, pena. **SIN.** Desgracia. **ANT.** Satisfacción.

sinsentido *s. m.* Cosa absurda, que no tiene sentido.

sintáctico, ca *adj.* De la sintaxis o relacionado con ella.

sintagma *s. m.* En gramática, palabra o grupo de palabras que dentro de una oración forman una unidad.

sintaxis *s. f.* Parte de la gramática que estudia cómo se forman las oraciones y qué función tienen las palabras dentro de ellas.

síntesis *s. f.* **1.** Unión de varias cosas para formar algo. **2.** Resumen. **3.** En química y biología, formación de un compuesto a partir de elementos más simples. **EXPR. en síntesis** En resumen. **SIN. 2.** Compendio.

sintético, ca *adj.* **1.** De la síntesis o relacionado con ella. **2.** Se dice de los productos industriales elaborados a partir de elementos más simples y que imitan a los naturales: *piel sintética.* **SIN. 2.** Artificial.

sintetizador, ra *adj.* **1.** Que hace una síntesis de algo. ‖ *s. m.* **2.** Aparato electrónico que puede reproducir los sonidos de cualquier instrumento musical y es capaz de crear sonidos nuevos.

sintetizar *v.* **1.** Hacer una síntesis para obtener un compuesto químico u otra cosa. **2.** Resumir. **SIN. 1.** Unir, concentrar. **2.** Condensar. **ANT. 1.** Disgregar. **2.** Desarrollar.

sintoísmo *s. m.* Religión tradicional de Japón.

sintoísta *adj. y s.* Del sintoísmo o que practica esta religión.

síntoma *s. m.* **1.** Cada una de las señales o molestias que tiene una persona cuando empieza a estar enferma. **2.** Señal de que algo está sucediendo o va a suceder. **SIN. 2.** Indicio, signo.

sintomático, ca *adj.* Del síntoma o que constituye un síntoma de algo.

sintomatología *s. f.* Conjunto de síntomas de una enfermedad.

sintonía *s. f.* **1.** Música con que empieza o termina un programa de radio o televisión. **2.** El sintonizar un aparato de radio o televisión con una emisora. **3.** Buena relación entre personas que sintonizan o se entienden bien. **SIN. 3.** Entendimiento, compenetración.

sintonizador, ra *adj.* **1.** Que sintoniza. ‖ *s. m.* **2.** Aparato receptor que permite sintonizar con otro u otros aparatos o sistemas emisores.

sintonizar *v.* **1.** Hacer que un aparato de radio o de televisión reciba las ondas de la emisora para que pueda verse la imagen y escucharse el sonido. **2.** Entenderse bien una persona con otra porque tienen el mismo carácter, los mismos gustos o aficiones. **SIN. 2.** Compenetrarse, armonizar.

sinuoso, sa *adj.* Se dice de los recorridos con muchas ondulaciones y curvas muy cerradas. **SIN.** Ondulado, tortuoso. **ANT.** Recto.

sinusitis *s. f.* Inflamación de la mucosa de unas cavidades de la cara, llamadas *senos*, que comunican con la nariz.

sinvergonzonería *s. f.* Característica de sinvergüenza o acción de un sinvergüenza.

sinvergüenza *adj. y s.* **1.** Se dice del que comete actos ilegales, engaña a otros para sacar algún provecho o se comporta de forma indecente. **2.** En tono cariñoso, pillo, granuja. **3.** Descarado, fresco. **SIN. 1** y **3.** Caradura. **3.** Desvergonzado.

sionismo *s. m.* Movimiento político nacionalista que defendía la creación de un estado judío israelí en Palestina.

sionista *adj. y s.* Partidario del sionismo.

sioux *adj. y s.* De un pueblo de los Estados Unidos.

siquiera *conj.* **1.** Equivale a *aunque*: *Dáselo, siquiera sea para que se calle.* ‖ *adv.* **2.** Por lo menos, tan sólo: *Ayúdale siquiera a colocar los libros.* En oraciones negativas sirve para reforzar la negación y puede llevar delante el adverbio *ni*: *No tiene (ni) siquiera para comer.*

sir (ingl.) *s. m.* Tratamiento que se da a los hombres que tienen el título de caballero en el Reino Unido.

sirena *s. f.* **1.** Ser fantástico mitad mujer y mitad pez. **2.** Aparato que produce un sonido muy fuerte para dar aviso de algo o como señal de alarma.

sirga *s. f.* Cuerda gruesa para arrastrar un barco, tirar de las redes y otros usos.

sirimiri *s. m.* Llovizna.

sirio, ria *adj. y s.* De Siria, país de Asia.

siroco *s. m.* Viento cálido y seco que procede del desierto del Sáhara.

sirope *s. m.* Líquido espeso muy dulce, que se utiliza para endulzar algunos postres o hacer refrescos.

sirviente, ta *s. m. y f.* Persona que sirve a otra, sobre todo haciendo las tareas de la casa. **SIN.** Criado, servidor.

sisa *s. f.* **1.** Dinero que una persona sisa a otra. **2.** Corte que se hace en las prendas de vestir, y sobre todo el corte curvado en que va encajada la manga.

sisar *v.* **1.** Quedarse con un poco de dinero de otra persona al hacerle la compra. **2.** Hacer las sisas en una prenda de vestir.

sísmico, ca *adj.* De los terremotos: *movimiento sísmico.*

sismo s. m. Seísmo.

sismógrafo s. m. Aparato que señala la intensidad, duración y otros datos de un seísmo.

sismología s. f. Parte de la geología que se ocupa del estudio de seísmos.

sismológico, ca adj. De la sismología o relacionado con ella.

sistema s. m. **1**. Conjunto organizado de cosas que realizan una función: *sistema nervioso, sistema educativo*. **2**. Procedimiento o medio. || **3. sistema internacional** Conjunto de unidades utilizadas internacionalmente para medir distintas magnitudes físicas. **4. sistema métrico** El de pesas y medidas basado en el metro. **5. sistema montañoso** Conjunto de montañas. **6. sistema periódico** Conjunto organizado de todos los elementos químicos. **7. Sistema Solar** El formado por el Sol y sus planetas, satélites y cometas. EXPR. **por sistema** Haciendo siempre lo mismo, con motivo o sin él. SIN. **1**. Organización, estructura. **2**. Método.

sistemático, ca adj. Que sigue un sistema. SIN. Organizado, metódico.

sistematizar v. Organizar siguiendo un sistema.

sístole s. f. Movimiento por el que los ventrículos y aurículas del corazón se contraen y expulsan la sangre hacia las arterias. ANT. Diástole.

sitial s. m. Asiento de ceremonia.

sitiar v. Rodear una ciudad o una fortaleza para atacarla y apoderarse de ella. SIN. Asediar, cercar.

sitio[1] s. m. **1**. Espacio que está o puede ser ocupado. **2**. Lugar, zona, parte. EXPR. **dejar a uno en el sitio** Dejarlo muerto en el acto. **quedarse uno en el sitio** Morirse en el acto. SIN. **2**. Rincón.

sitio[2] s. m. Acción de sitiar un lugar. SIN. Asedio, cerco.

sito, ta adj. Situado, localizado. SIN. Ubicado.

situación s. f. **1**. El hecho de estar en un lugar. **2**. Circunstancia, condición, estado. SIN. **1**. Ubicación, localización.

situado, da **1**. p. de **situar**. || adj. **2**. Que está en un sitio. **3**. Que tiene una buena situación económica. SIN. **2**. Sito, localizado. **3**. Acomodado.

situar v. **1**. Poner en un lugar o situación. || **situarse 2**. Conseguir una buena posición económica o social. SIN. **1**. Colocar, instalar. **2**. Prosperar. ANT. **2**. Fracasar.

siux adj. y s. Sioux.

skateboard (ingl.) s. m. Monopatín.

skay (ingl.) s. m. Material artificial que imita al cuero.

sketch (ingl.) s. m. Escena breve y divertida que aparece dentro de un espectáculo más amplio.

ski (noruego) s. m. Esquí.

slalom s. m. Eslalon.

slip (ingl.) s. m. Eslip.

slogan (ingl.) s. m. Eslogan.

smoking (ingl.) s. m. Esmoquin.

snack-bar (ingl.) s. m. Bar en el que se sirven también comidas rápidas.

snob (ingl.) adj. Esnob.

so[1] s. m. fam. Se pone delante de un insulto para darle más fuerza: *¡So animal!*

so[2] prep. Bajo, debajo de. Hoy día se usa sólo en las expresiones **so pretexto de**, 'con la excusa de', y **so pena de**, 'bajo la pena de' o 'a no ser que'.

¡so! interj. Palabra que se dice a una caballería para que se pare.

soba s. f. **1**. Acción de sobar. **2**. fam. Paliza, derrota.

sobaco s. m. Axila.

sobado, da **1**. p. de **sobar**. También adj. || adj. **2**. Muy usado. || s. m. **3**. Bollo o torta hechos con aceite o manteca. SIN. **2**. Ajado.

sobaquera s. f. **1**. Pieza con que se refuerza o se hace impermeable una prenda de vestir por la parte del sobaco. **2**. Abertura que se deja en algunas prendas en la parte del sobaco.

sobar v. **1**. Tocar o apretar mucho una cosa ablandándola o ensuciándola. **2**. Tocar o acariciar mucho a una persona. **3**. Golpear a alguien. **4**. fam. Dormir. SIN. **1** y **2**. Manosear, toquetear. **3**. Sacudir.

sobe s. m. fam. Soba, acto de sobar.

soberanía s. f. **1**. Poder para gobernar un territorio. **2**. El ser independiente de otros países. SIN. **1**. Independencia. ANT. **2**. Dependencia.

soberano, na adj. **1**. Que tiene la máxima autoridad o poder en un país. **2**. Se dice del país que no está sometido a otro. **3**. Grande, enorme. || s. m. y f. **4**. Rey o reina. SIN. **1**. Independiente. **2**. Dependiente. **3**. Soberbio. **4**. Monarca. ANT. **1**. Súbdito. **2**. Dependiente. **3**. Mediocre.

soberbia s. f. Orgullo excesivo. SIN. Arrogancia, altivez, engreimiento. ANT. Humildad.

soberbio, bia adj. y s. **1**. Que se cree mejor que los demás. || adj. **2**. Muy grande, enorme. **3.** Grandioso, magnífico. **Sin. 1.** Orgulloso, arrogante, altivo. **3.** Soberano. **Ant. 1.** Humilde. **2.** Ridículo. **3.** Insignificante.

sobo *s. m.* Soba.

sobón, na *adj.* y *s. fam.* Que soba o manosea mucho.

sobornar *v.* Dar a alguien dinero u otra cosa para que cometa algo injusto o ilegal.

soborno *s. m.* Acto de sobornar y dinero u otra cosa con que se soborna.

sobra *s. f.* Lo que queda después de utilizar o consumir algo, sobre todo alimentos. **Expr. de sobra** Mucho, más de lo necesario. **Sin.** Desperdicio, desecho.

sobradamente *adj.* De sobra.

sobrado, da **1.** *p.* de **sobrar.** ‖ *adj.* **2.** Más de lo necesario. **3.** Que tiene mucho dinero o muchos bienes. ‖ *s. m.* **4.** Desván, buhardilla. **Sin. 2.** Suficiente. **3.** Desahogado. **4.** Altillo. **Ant 2** y **3.** Escaso.

sobrante *adj.* Que sobra.

sobrar *v.* **1.** Quedar algo después de usar o consumir lo necesario. **2.** Haber o tener de una cosa más de lo necesario. **3.** No ser necesario o estar donde no debe. **Sin. 2.** Abundar. **Ant 1** a **3.** Faltar.

sobrasada *s. f.* Embutido típico de las islas Baleares, hecho con carne de cerdo muy triturada, sal, pimienta y pimentón.

sobre¹ *s. m.* **1.** Papel doblado y pegado formando una bolsa plana y rectangular, en la que se meten cartas, tarjetas y otros papeles para enviarlos por correo o para guardarlos. **2.** Envoltorio parecido para meter otras cosas: *un sobre de azúcar.*

sobre² *prep.* Significa 'encima de' o 'por encima de': *El gato está sobre la silla.* Tiene a varios jefes *sobre él*; 'control' o 'vigilancia': *Hay que estar sobre ella para que estudie*; 'acerca de': *Hablaron sobre la antigua Roma*; 'más o menos', 'aproximadamente': *Vendrá sobre las nueve*; 'hacia', 'contra': *El enemigo marchó sobre la ciudad*; 'después de': *Llegó con diez minutos de retraso sobre la hora prevista*; indica que una cosa actúa o produce un efecto en otra: *El medicamento actúa directamente sobre el virus.*

sobrealimentación *s. f.* El hecho de alimentar en exceso.

sobrealimentar *v.* Alimentar en exceso.

sobrecarga *s. f.* **1.** Demasiada carga. **2.** Acción de sobrecargar.

sobrecargar *v.* **1.** Cargar demasiado. **2.** Saturar, ocupar o usar tanto que ya no se puede más. **Sin. 2.** Recargar. **Ant. 1.** Aligerar.

sobrecargo *s. m.* En algunos barcos y aviones, miembro de la tripulación que se ocupa de las mercancías o de atender a los pasajeros.

sobrecogedor, ra *adj.* Que sobrecoge.

sobrecoger *v.* Asustar, impresionar. **Sin.** Amedrentar. **Ant.** Tranquilizar.

sobrecubierta *s. f.* Segunda cubierta que se pone sobre una cosa para protegerla, especialmente la que se pone sobre las tapas de los libros.

sobredosis *s. f.* Dosis muy fuerte de un medicamento o de una droga, que puede llegar a producir la muerte.

sobreentender *v.* Sobrentender.

sobreestimar *v.* Sobrestimar.

sobrehilar *v.* Dar puntadas en los bordes de una tela para que no se deshilache.

sobrehumano, na *adj.* Que es más de lo que un hombre puede hacer; se dice sobre todo de un esfuerzo enorme.

sobrellevar *v.* Soportar, aguantar. **Sin.** Tolerar.

sobremanera *adv.* Muchísimo.

sobremesa *s. f.* Tiempo después de la comida, en el que se suele estar aún en la mesa charlando, tomando café.

sobrenadar *v.* Flotar sobre la superficie de un líquido. **Sin.** Nadar. **Ant.** Sumergirse.

sobrenatural *adj.* **1.** Que no se puede explicar según las leyes de la naturaleza: *fenómenos sobrenaturales.* **2.** Relacionado con los dioses, las religiones y con la vida después de la muerte: *el mundo sobrenatural.* **Sin. 2.** Divino, celestial. **Ant. 1.** Natural. **2.** Terrenal.

sobrenombre *s. m.* Apodo.

sobrentender *v.* Entender algo que no está expresado con claridad, pero que puede deducirse de lo dicho. □ Es v. irreg. Se conjuga como *tender.* **Sin.** Intuir, adivinar, suponer.

sobrepasar *v.* **1.** Pasar de un límite, una cantidad o una medida. **2.** Aventajar.

sobreponerse *v.* Dejar de estar dominado por una fuerte impresión, un sentimiento, una desgracia, una mala situación. □ Es v. irreg. Se conjuga como *poner.* **Sin.** Recuperarse, superar. **Ant.** Abandonarse.

sobrero adj. y s. m. Toro que se tiene guardado para torearlo por si no sirve alguno de los destinados a una corrida.

sobresaliente adj. 1. Que destaca mucho. ‖ s. m. 2. En los exámenes, la mejor calificación después de la matrícula de honor. Sin. 1. Destacado. Ant. 1. Mediocre.

sobresalir v. 1. Ser más alto o estar más hacia afuera. 2. Distinguirse por ser mejor. □ Es v. irreg. Se conjuga como *salir*. Sin. 1 y 2. Destacar, resaltar, descollar. Ant. 1. Entrar.

sobresaltar v. Asustar. Sin. Alarmar, impresionar. Ant. Calmar.

sobresalto s. m. Susto o sorpresa por algo que sucede de repente. Sin. Impresión, alarma.

sobresdrújulo, la adj. Se dice de la palabra acentuada en la sílaba anterior a la antepenúltima, por ejemplo *resuélvemelo*.

sobreseer v. Suspender un tribunal un proceso legal, por falta de pruebas o por no haber motivo para continuarlo. □ Es v. irreg. Se conjuga como *leer*.

sobreseimiento s. m. Acción de sobreseer.

sobrestimar v. Pensar que alguien o algo es mejor de lo que es en realidad. Ant. Subestimar.

sobresueldo s. m. Dinero que se gana además del sueldo normal. Sin. Plus, extra.

sobretodo s. m. Prenda amplia y larga que se lleva sobre el traje para protegerlo o para abrigarse.

sobrevenir v. Suceder, sobre todo si es de repente. □ Es v. irreg. Se conjuga como *venir*. Sin. Ocurrir, acontecer.

sobrevivir v. 1. Seguir viviendo después de la muerte de otro. 2. Conseguir salir vivo de un peligro. Ant. 1 y 2. Fallecer.

sobrevolar v. Volar por encima. □ Es v. irreg. Se conjuga como *contar*.

sobriedad s. f. Característica de sobrio.

sobrino, na s. m. y f. Hijo o hija del hermano o la hermana de uno.

sobrio, bria adj. 1. Que come y bebe poco o se comporta sin excesos. 2. Que no es excesivo, llamativo o complicado. 3. Que no está borracho. Sin. 1. Frugal. 1 y 2. Austero. 3. Sereno. Ant. 1 y 2. Desmedido. 2. Recargado; chillón. 3. Ebrio.

socarrón, na adj. y s. Que se burla de algo haciendo que parezca que habla en serio. Sin. Burlón.

socarronería s. f. Característica de socarrón. Sin. Burla.

socavar v. 1. Cavar por debajo alguna cosa, dejándola sin apoyo y en peligro de hundirse. 2. Debilitar, minar. Ant. 1 y 2. Consolidar. 2. Fortalecer.

socavón s. m. Hoyo grande que se hace al hundirse el suelo.

sociable adj. Se dice de la persona a la que le gusta tratar con la gente y hacer amigos. Sin. Comunicativo, abierto. Ant. Insociable.

social adj. 1. De la sociedad o relacionado con ella. 2. Se dice de los animales que forman grupos organizados, como las hormigas y las abejas.

socialdemocracia s. f. Doctrinas y partidos políticos socialistas que consideran que la transformación de la sociedad tiene que realizarse progresivamente en una democracia parlamentaria.

socialdemócrata adj. y s. De la socialdemocracia o partidario de ella.

socialismo s. m. Teorías y movimientos políticos y económicos que surgieron para defender a los trabajadores y que sostienen que el Estado debe dirigir la economía para conseguir una mayor igualdad entre los ciudadanos.

socialista adj. y s. Del socialismo o partidario de él.

socializar v. Hacer que una propiedad particular pase a pertenecer al Estado.

sociedad s. f. 1. Conjunto de personas que viven en un lugar o en una época y forman una comunidad. 2. Conjunto de personas que se unen para colaborar en la misma actividad y tratar de conseguir los mismos fines. 3. Empresa, compañía. 4. Conjunto de animales que viven en un grupo en el que cada uno cumple una función. ‖ 5. **alta sociedad** Grupo formado por las personas ricas y elegantes, sobre todo las que son nobles o famosas. Sin. 1. Colectividad. 2. Asociación.

socio, cia s. m. y f. 1. Persona que pertenece a una sociedad o asociación. 2. Persona que se une a otras para algún fin, sobre todo para formar un negocio o una empresa. 3. *fam.* Amigo, compañero. Sin. 1. Asociado, miembro. 3. Colega, camarada.

sociocultural adj. De los aspectos sociales y culturales de una comunidad.

socioeconómico, ca adj. De los aspectos sociales y económicos de una comunidad.

sociología *s. f.* Ciencia que estudia las sociedades humanas.

sociológico, ca *adj.* De la sociología.

sociólogo, ga *s. m.* y *f.* Persona que se dedica a la sociología.

socorrer *v.* Ayudar a alguien que está en peligro o en una mala situación. Sin. Auxiliar, salvar. Ant. Desamparar.

socorrido, da **1.** *p.* de **socorrer**. También *adj.* ‖ *adj.* **2.** Que sirve para solucionar fácilmente un problema o una dificultad.

socorrismo *s. m.* Actividades y conocimientos para prestar ayuda a personas accidentadas o en peligro.

socorrista *s. m.* y *f.* Persona que practica el socorrismo.

socorro *s. m.* **1.** El hecho de socorrer. **2.** Aquello con que se socorre, como medicinas, alimentos o dinero. ‖ *interj.* **3.** Se emplea para pedir ayuda. Sin. 1 a 3. Auxilio.

soda *s. f.* Bebida compuesta de agua con gas. Sin. Sifón.

sodio *s. m.* Elemento químico metálico, blando y de color plateado que, junto con el cloro, forma la sal común.

soez *adj.* Grosero, vulgar, de mal gusto. Sin. Chabacano. Ant. Refinado.

sofá *s. m.* **1.** Asiento blando y cómodo, con respaldo y brazos, para dos o más personas. ‖ **2. sofá-cama** o **sofá cama** Sofá que puede convertirse en una cama.

sofisticado, da *adj.* **1.** Muy arreglado o preparado para que resulte elegante: *un peinado sofisticado* **2.** Muy complicado y perfecto: *un sofisticado mecanismo.* Sin. 1. Refinado, exquisito. Ant. 1. Vulgar. 1 y 2. Sencillo.

soflama *s. f.* Discurso muy apasionado con que se intenta arrastrar a la gente para que haga algo.

sofocante *adj.* Asfixiante, agobiante.

sofocar *v.* **1.** Causar o sentir ahogo. **2.** Extinguir: *sofocar un incendio.* **3.** Poner o ponerse rojo de vergüenza. ‖ **sofocarse 4.** Enfadarse o disgustarse mucho. Sin. 1. Asfixiar; agobiar. 2. Apagar; aplastar. 3. Abochornar, sonrojar. Ant. 2. Avivar.

sofoco *s. m.* **1.** Asfixia, sensación de ahogo. **2.** El ponerse uno rojo y parecer que le arde la piel, por ejemplo por la vergüenza o por el calor. **3.** Disgusto grande. Sin. 2. Bochorno. 3. Sofocón, enojo. Ant. 1. Alivio. 3. Alegría.

sofocón o **sofoquina** *s. m.* o *s. f. fam.* Disgusto muy grande. Sin. Sofoco.

sofreír *v.* Freír un poco. □ Es v. irreg. Se conjuga como *reír*.

sofrito *s. m.* Condimento hecho de varios ingredientes, sobre todo tomate y cebolla, que se sofríen en aceite.

software (ingl.) *s. m.* Los programas que se introducen en un ordenador.

soga *s. f.* Cuerda gruesa de esparto. Expr. **con la soga al cuello** En muy mala situación, con muchos apuros. Sin. Maroma.

soja *s. f.* Planta procedente de Asia que tiene un fruto parecido a la judía con unas semillas de las que se saca un aceite.

sojuzgar *v.* Someter, dominar por la fuerza. Sin. Oprimir. Ant. Liberar.

sol¹ *s. m.* **1.** La estrella que se ve en el cielo durante el día y que nos da luz y calor. Alrededor de ella giran la Tierra y los otros planetas y satélites del Sistema Solar. **2.** Cualquier otra estrella parecida, con planetas que giran a su alrededor. **3.** Luz y calor que llega del Sol: *hacer sol.* **4.** Lugar en el que da la luz del Sol. **5.** Moneda de Perú. Expr. **de sol a sol** Todo el día, desde el amanecer hasta la noche. **no dejar** a alguien **ni a sol ni a sombra** Acompañarle o perseguirle continuamente.

sol² *s. m.* Quinta nota de la escala musical.

solador *s. m.* Albañil que trabaja colocando ladrillos, baldosas o losetas en el suelo.

solamente *adv.* Se usa para referirse a una persona, cosa o acción y nada más que a ésa. Sin. Únicamente, sólo.

solana o **solanera** *s. f.* **1.** Mucho sol. **2.** Sitio donde da mucho el sol.

solano *s. m.* Viento muy cálido que sopla generalmente del este.

solapa *s. f.* **1.** Pieza doblada que algunas chaquetas, abrigos u otras prendas tienen en la parte del pecho. **2.** Parte del sobre que se dobla y se pega para cerrarlo. **3.** Parte de los lados de la cubierta o la sobrecubierta de algunos libros que se dobla hacia dentro.

solapado, da **1.** *p.* de **solapar**. También *adj.* ‖ *adj.* **2.** Que oculta sus pensamientos o propósitos con la intención de engañar. Sin. 2. Disimulado. Ant. 2. Franco.

solapar *v.* Tapar una cosa a otra del todo o sólo en parte, como las tejas de los tejados. Sin. Montar, superponer.

solar¹ *v.* Cubrir el suelo con ladrillos, baldosas, losetas. □ Es v. irreg. Se conjuga como *contar*.

solar² *s. m.* **1.** Terreno vacío sobre el que se puede construir. **2.** Casa más antigua y noble de una familia.

solar³ *adj.* Del Sol o relacionado con él: *Sistema Solar.*

solariego, ga *adj.* **1.** Se dice de una casa noble o de lo relacionado con ella. **2.** Noble y antiguo.

solárium o **solario** *s. m.* Lugar destinado a tomar el sol.

solaz *s. m.* Placer, diversión. **Sin.** Agrado, distracción. **Ant.** Aburrimiento.

solazar *v.* Agradar, divertir. **Sin.** Distraer, entretener. **Ant.** Aburrir.

soldadesco, ca *adj.* Relacionado con los soldados.

soldado *s. m.* **1.** Persona que sirve con el grado más bajo en el ejército. **2.** Cualquier militar.

soldador, ra *s. m.* y *f.* **1.** Operario que trabaja soldando. ‖ *s. m.* **2.** Instrumento que sirve para soldar.

soldadura *s. f.* **1.** Acción de soldar y parte en que se unen las dos cosas soldadas. **2.** Material que se usa para unir las cosas que se sueldan, como por ejemplo el estaño.

soldar *v.* Unir muy fuerte dos o más cosas fundiendo sus bordes o fundiendo sobre éstos otro material igual o parecido. ◻ Es v. irreg. Se conjuga como *contar.*

soleá *s. f.* Cante y baile flamencos.

soleado, da *adj.* Que tiene o le da el sol.

solecismo *s. m.* Falta que se comete cuando se emplea una frase mal construida o una palabra o expresión incorrecta.

soledad *s. f.* **1.** El hecho de estar solo. **2.** El estar vacío o no habitado un lugar. **Sin. 1.** Aislamiento. **Ant. 1.** Compañía.

solemne *adj.* **1.** Se dice de los actos celebrados públicamente con gran seriedad o muchas ceremonias. **2.** Serio, firme. **3.** Majestuoso, impresionante. **Sin. 1.** Ceremonioso. **1** y **2.** Grave, digno. **3.** Imponente. **Ant. 1** y **2.** Informal. **3.** Insignificante.

solemnidad *s. f.* **1.** Característica de solemne. **2.** Acto solemne. **3.** Festividad religiosa.

soler *v.* Hacer con frecuencia o ser frecuente lo que se indica. ◻ Es v. irreg. y defect. Se conjuga como *mover,* pero sólo se usan los tiempos presente, pretérito imperfecto, los pretéritos perfectos simple y compuesto de indicativo y el presente de subjuntivo, además del infinitivo, el gerundio y el participio. **Sin.** Acostumbrar.

solera *s. f.* **1.** Cualidad que el paso del tiempo va dando a alguien o algo. **2.** Vejez o antigüedad del vino.

soletilla *s. f.* Bizcocho estrecho y largo.

solfa *s. f.* **1.** Solfeo. **2.** *fam.* Paliza, soba. **Expr. poner en solfa** una cosa *fam.* Ridiculizarla o ponerla en duda.

solfear *v.* Cantar marcando el compás y pronunciando los nombres de las notas.

solfeo *s. m.* Conocimientos para leer un texto musical y estudios de música para aprenderlos.

solicitante *adj.* y *s.* Que solicita.

solicitar *v.* **1.** Pedir alguna cosa con respeto o siguiendo los trámites necesarios. **2.** Intentar conseguir la presencia, la atención o los servicios de alguien. **Sin. 1.** Demandar, rogar. **1.** Requerir. **Ant. 1** y **2.** Rechazar, rehusar.

solícito, ta *adj.* Amable, que se esfuerza por atender bien a alguien. **Sin.** Servicial, atento. **Ant.** Descortés.

solicitud *s. f.* **1.** Amabilidad, entrega. **2.** Acción de solicitar o pedir. **3.** Escrito en que se pide algo. **Sin. 1.** Cortesía, atención. **2.** Petición, demanda. **3.** Instancia. **Ant. 1.** Frialdad.

solidaridad *s. f.* El ayudar a otro o apoyarle en sus problemas, actividades o ideas. **Sin.** Compañerismo, apoyo. **Ant.** Egoísmo.

solidario, ria *adj.* Que actúa con solidaridad o la demuestra. **Sin.** Fraternal, amistoso. **Ant.** Insolidario.

solidarizarse *v.* Comprender los problemas, actividades o ideas de alguien y apoyarle. **Sin.** Unirse, respaldar. **Ant.** Rechazar.

solideo *s. m.* Casquete de tela que llevan algunos eclesiásticos.

solidez *s. f.* Dureza, firmeza. **Sin.** Resistencia. **Ant.** Debilidad.

solidificación *s. f.* Acción de solidificar o solidificarse.

solidificar *v.* Hacer que algo líquido se vuelva sólido. **Ant.** Licuar.

sólido, da *adj.* y *s. m.* **1.** Se dice del estado de la materia que está dura, y también de lo que está en ese estado. ‖ *adj.* **2.** Firme, seguro, resistente. ‖ *s. m.* **3.** Cuerpo geométrico. **Sin. 2.** Fuerte; estable; consolidado. **Ant. 1.** Líquido; gaseoso. **2.** Frágil.

soliloquio *s. m.* Monólogo.

solio *s. m.* Trono con un dosel o techo donde se sientan el papa y los reyes.

solista s. m. y f. **1.** Persona que interpreta un solo de una pieza musical. **2.** Cantante de un grupo musical.

solitaria s. f. Tenia.

solitario, ria adj. **1.** Desierto, deshabitado, poco transitado. ‖ adj. y s. **2.** Se dice del que vive solo y de su forma de vivir. **3.** No acompañado. ‖ s. m. **4.** Un único brillante montado en una joya. **5.** Juego de cartas para una sola persona. **SIN. 1.** Despoblado. **2.** Huraño. **ANT. 1.** Poblado, frecuentado. **2.** Sociable.

soliviantar v. **1.** Animar a la rebelión. **2.** Poner muy nervioso o enfadado. **SIN. 1.** Amotinar. **1** y **2.** Sublevar. **2.** Alterar, exasperar. **ANT. 1** y **2.** Calmar.

sollado s. m. Cubierta del interior de un barco, donde están los alojamientos, camarotes y almacenes.

sollozar v. Llorar con sollozos. **SIN.** Gemir.

sollozo s. m. Respiración corta con temblor o sacudidas del cuerpo que se hace a veces al llorar. **SIN.** Gemido.

solo, la adj. **1.** Sin otras personas o cosas. **2.** Que no tiene familia ni amigos o que no tiene nadie que le ayude. **3.** Sin gente, vacío. **4.** Único: una sola vez. ‖ adj. y s. m. **5.** Café servido sin leche. ‖ s. m. **6.** Pieza musical interpretada solamente por una voz o un instrumento. **EXPR. a solas** Sin compañía. **SIN. 1** y **3.** Solitario. **3.** Desierto. **ANT. 1.** Acompañado. **3.** Lleno.

sólo adv. Solamente.

solomillo s. m. Carne de vaca, de cerdo o de otros animales que está entre las costillas y el lomo.

solsticio s. m. Nombre de dos momentos del año. El solsticio de verano, que en el hemisferio norte tiene lugar el 21 o 22 de junio, señala el comienzo del verano y tiene el día más largo del año; en cambio, el solsticio de invierno, que ocurre el 21 o 22 de diciembre, tiene la noche más larga del año y marca el principio del invierno. En el hemisferio sur las fechas son justo al revés.

soltar v. **1.** Hacer que lo que estaba atado, sujeto o unido deje de estarlo o quede más flojo. **2.** Dejar libre. **3.** Echar fuera, despedir: ¡Qué mal olor suelta este pescado! **4.** Dar: soltar una puñetazo. **5.** Contar o decir: soltar un discurso. **6.** Hablando del vientre, provocar diarrea. ‖ **soltarse 7.** Comenzar a hacer algunas cosas, como por ejemplo hablar o andar. **8.** Perder alguien la timidez. □ Es v. irreg. Se conjuga como contar.

SIN. 1. Desatar; aflojar. **2.** Liberar. **3.** Expulsar. **4.** Pegar, asestar, propinar. **5.** Largar. **7.** Romper, empezar. **ANT. 1.** Fijar; apretar. **2.** Encarcelar.

soltería s. f. Estado de las personas solteras.

soltero, ra adj. y s. Que no se ha casado.

solterón, na adj. y s. desp. Persona bastante mayor que continúa soltera.

soltura s. f. Desenvoltura, habilidad que se consigue con la práctica. **SIN.** Destreza, facilidad. **ANT.** Torpeza.

solubilidad s. f. **1.** Característica de soluble. **2.** Cantidad de soluto que puede disolverse en una cantidad de disolvente para formar una disolución saturada.

soluble adj. **1.** Que se puede disolver. **2.** Que se puede solucionar o resolver. **ANT. 1** y **2.** Insoluble.

solución s. f. **1.** Acción de solucionar algo y modo de hacerlo. **2.** Resultado de una operación o un problema de matemáticas. **3.** Mezcla que se obtiene al disolver una o más sustancias, llamadas solutos, en el disolvente, que suele ser un líquido. **SIN. 1.** Remedio. **3.** Disolución.

solucionar v. Conseguir terminar con una duda, un problema o una dificultad. **SIN.** Resolver, remediar. **ANT.** Empeorar.

soluto s. m. El componente de una disolución que está en menor proporción.

solvencia s. f. Característica de solvente. **ANT.** Insolvencia.

solventar v. Solucionar, resolver. **SIN.** Arreglar, remediar. **ANT.** Empeorar.

solvente adj. Que puede pagar sus deudas. **ANT.** Insolvente.

somalí adj. y s. **1.** De Somalia, país de África. ‖ s. m. **2.** Lengua que se habla en este país.

somanta s. f. fam. Paliza, tunda.

somático, ca adj. Del cuerpo, el organismo, o relacionado con ellos.

sombra s. f. **1.** Falta de luz producida al ponerse algo delante de lo que da esta luz. **2.** Lugar donde hay esta falta de luz. **3.** Figura oscura que forma un cuerpo en una superficie al estar colocado entre la luz y esta superficie. **4.** Producto para dar color a los párpados de los ojos. Se llama también sombra de ojos. **5.** Señal o muestra muy pequeña de algo: Ya no es ni sombra de lo que era. ‖ **6. mala sombra** Mala suerte; también, mala idea. **7. sombras chi-**

sondear

nescas Espectáculo que consiste en hacer sobre una pantalla sombras de figuras, animales y otras cosas con las manos y con otras partes del cuerpo. **Expr. hacer sombra** a alguien No dejarle destacar otra persona que le supera. **Sin. 3.** Silueta. **5.** Indicio; pizca. **Ant. 2.** Sol.

sombrajo s. m. Cubierta hecha con ramas, mimbres y otras cosas para que dé sombra.

sombreado, da 1. p. de **sombrear.** También adj. ‖ **2.** adj. Qué tiene sombra o está a la sombra. **Sin. 2.** Sombrío. **Ant. 2.** Soleado.

sombrear v. Dar color más oscuro a algunas partes de un dibujo para imitar las partes que están en sombra.

sombrerera s. f. Caja para guardar o llevar sombreros.

sombrerería s. f. Tienda donde se hacen o se venden sombreros.

sombrero s. m. **1.** Prenda de vestir que se pone en la cabeza para abrigarla o como adorno. **2.** Parte de arriba de las setas. ‖ **3. sombrero cordobés** El típico del traje andaluz, de ala ancha y plana y la copa baja, casi cilíndrica. **4. sombrero de copa** El de ala estrecha y la copa alta, que se usa en algunas ceremonias y reuniones elegantes. **5. sombrero hongo** Bombín.

sombrilla s. f. Especie de paraguas para protegerse del sol. **Sin.** Quitasol, parasol.

sombrío, a adj. **1.** Oscuro, qué tiene muy poca luz. **2.** Triste, melancólico. **Sin. 1.** Sombreado. **1** y **2.** Lúgubre. **2.** Taciturno. **Ant. 1.** Soleado. **2.** Alegre.

somero, ra adj. Breve y sin demasiados detalles. **Sin.** Superficial, ligero. **Ant.** Detallado.

someter v. **1.** Lograr por la fuerza que alguien obedezca y haga lo que se le dice. **2.** Dejar una cosa a alguien para que la vea, opine sobre ella o haga lo que tenga que hacer. **3.** Poner a una persona o cosa de forma que pueda recibir la acción de algo. **Sin. 1.** Dominar, rendir. **Exponer. Ant. 1.** Liberar; rebelar.

sometimiento s. m. Acción de someter. **Sin.** Dominación; rendición. **Ant.** Rebeldía.

somier s. m. Soporte con muelles u otro sistema sobre el que se pone el colchón.

somnífero, ra adj. y s. m. Se dice de la sustancia que produce sueño. **Sin.** Narcótico.

somnolencia s. f. Sensación de sueño. **Sin.** Soñolencia, modorra.

somnoliento, ta adj. Que tiene sueño. **Sin.** Soñoliento.

somormujo s. m. Ave acuática de cuello alargado, pico puntiagudo y dedos lobulados. Anida en las plataformas flotantes de lagos, pantanos y embalses de todos los continentes.

son s. m. Sonido agradable: *el son de la flauta*. **Expr. en son de** Con intención de: *en son de paz*. **sin ton ni son** Ver **ton.**

sonado, da 1. p. de **sonar.** ‖ adj. **2.** Célebre, famoso. **3.** fam. Tonto o loco. **Sin. 2.** Renombrado. **3.** Pirado.

sonaja s. f. **1.** Par de chapas atravesadas por un alambre y sujetas a un soporte que al agitarlo hacen que se muevan y suenen. **2.** Instrumento musical formado por un aro con varias chapas como las anteriores.

sonajero s. m. Juguete para los bebés que tiene cascabeles y otras cosas que suenan.

sonambulismo s. m. Lo que les pasa a algunas personas que andan, hablan o hacen otras cosas mientras están durmiendo.

sonámbulo, la adj. y s. Que padece sonambulismo.

sonar v. **1.** Hacer sonido o ruido. **2.** fam. Resultar conocido: *Su cara me suena*. **3.** fam. Parecer, oler: *Esa excusa me suena a mentira*. **4.** Echar con fuerza el aire por la nariz para limpiarla de mocos. ▫ Es v. irreg. Se conjuga como *contar*. **Sin. 1.** Resonar, retumbar.

sónar o **sonar** s. m. Aparato parecido al radar, que se usa en navegación para saber si hay algún objeto o nave debajo del agua.

sonata s. f. Tipo de composición de música clásica.

sonda s. f. **1.** Cuerda muy larga con un peso en un extremo que se utiliza para medir la profundidad de las aguas. **2.** Instrumento para explorar algunas cosas por dentro. **3.** Tubito muy delgado que se introduce en el cuerpo para meter un líquido o para sacarlo. **4.** Globo, cohete u otra cosa que se envía al espacio para explorar la atmósfera.

sondar v. **1.** Meter una sonda en el cuerpo. **2.** Medir la profundidad del agua usando una sonda.

sondear v. **1.** Examinar una cosa por dentro. **2.** Hacer preguntas a la gente o investigar para enterarse de algo. **Sin. 2.** Sonsacar, indagar, encuestar.

sondeo *s. m.* Acción de sondear. **Sin.** Encuesta.

soneto *s. m.* Poema de catorce versos, formado por dos cuartetos y dos tercetos.

sonido *s. m.* **1.** Sensación que producen en el oído las vibraciones un cuerpo que se transmiten en el aire en forma de ondas. **2.** Forma de pronunciarse cada letra. **3.** Técnicas y aparatos para grabar y producir voces, música, ruidos.

soniquete *s. m.* Sonido que se repite mucho y resulta molesto. **Sin.** Sonsonete.

sonoridad *s. f.* **1.** Sonido de una cosa. **2.** Fuerza con que se oyen los sonidos.

sonoro, ra *adj.* **1.** Que suena o tiene sonido. **2.** Que suena fuerte o de forma agradable. || *s. m.* **3.** Sistema para producir el sonido en una película de cine. **Sin. 2.** Resonante.

sonotone *s. m.* Audífono.

sonreír *v.* **1.** Hacer el gesto de reírse, pero sin producir ningún sonido. **2.** Ser bueno y favorable: *La vida le sonríe.* □ Es v. irreg. Se conjuga como *reír.*

sonriente *adj.* Que está sonriendo.

sonrisa *s. f.* El acto y el gesto de sonreír.

sonrojar *v.* Poner rojo de vergüenza. **Sin.** Ruborizar, avergonzar, abochornar.

sonrojo *s. m.* El hecho de sonrojarse.

sonrosado, da *adj.* De color rosado. **Ant.** Pálido.

sonsacar *v.* Conseguir con habilidad o insistencia que alguien nos dé o nos diga algo.

sonsonete *s. m.* Soniquete.

soñador, ra *adj. y s.* Se dice de la persona a la que le gusta imaginar las cosas más bonitas o mejores de lo que son en realidad. **Sin.** Idealista. **Ant.** Realista.

soñar *v.* **1.** Imaginar acciones y escenas mientras dormimos. **2.** Imaginar las cosas que nos gustaría tener o cómo nos gustaría que fueran. □ Es v. irreg. Se conjuga como *contar.* **Expr. ni soñarlo** *fam.* Ni hablar, de ninguna manera. **Sin. 2.** Idealizar, fantasear.

soñarrera o **soñera** *s. f.* Muchas ganas de dormir.

soñolencia *s. f.* Somnolencia.

soñoliento, ta *adj.* Somnoliento.

sopa *s. f.* **1.** Caldo con fideos, verduras u otros alimentos. **2.** Trocito de pan que se moja en un caldo o en una salsa. || *adj.* **3.** *fam.* Dormido. **Expr. a la sopa boba** *fam.* Sin pagar ni dar nada. **como una sopa** o **hecho una sopa** *fam.* Muy mojado. **dar sopas con honda** *fam.* Ser mucho mejor que otro en alguna cosa.

sopapo *s. m. fam.* Bofetada, torta.

sopera *s. f.* Recipiente hondo para llevar la sopa a la mesa.

sopero, ra *adj.* Para tomar o servir sopa: *plato sopero, cuchara sopera.*

sopesar *v.* **1.** Calcular más o menos el peso de una cosa cogiéndola o levantándola. **2.** Comparar lo bueno y lo malo de algo.

sopetón Se usa en la expresión **de sopetón,** 'de repente'.

soplado, da 1. *p. de* soplar. También *adj.* || *s. m.* **2.** Acción de soplar el vidrio.

soplamocos *s. m. fam.* Bofetada, torta.

soplar *v.* **1.** Echar aire por la boca poniendo los labios como para pronunciar la *u.* **2.** Echar aire con un instrumento. **3.** Correr el viento. **4.** *fam.* Decirle a alguien alguna cosa con disimulo. **5.** *fam.* Robar, quitar. **6.** Inyectar aire al vidrio fundido para que se hinche y así poder darle forma de recipiente. **Sin. 1.** Espirar, bufar. **4.** Apuntar. **Ant. 1 y 2.** Aspirar.

soplete *s. m.* Instrumento que produce una llama muy fuerte y se usa para soldar metal.

soplido *s. m.* El soplar por la boca. **Sin.** Soplo.

soplillo *s. m.* **1.** Instrumento para avivar el fuego. || **2. orejas de soplillo** Las que están bastante separadas de la cabeza.

soplo *s. m.* **1.** Acción de soplar. **2.** Muy poco tiempo. **3.** Chivatazo. **Sin. 1.** Soplido. **2.** Instante, segundo, momento. **Ant. 2.** Eternidad.

soplón, na *adj. y s. fam.* Chivato. **Sin.** Confidente.

soponcio *s. m.* **1.** *fam.* Desmayo. **2.** *fam.* Ataque de nervios, susto o impresión muy fuerte. **Sin. 1 y 2.** Patatús, síncope.

sopor *s. m.* Sensación de sueño. **Sin.** Somnolencia, modorra.

soporífero, ra *adj.* **1.** Que da sueño. **2.** Muy aburrido. **Sin. 1.** Somnífero.

soportal *s. m.* Sitio alrededor de algunas plazas, delante o junto a algunos edificios, que está cubierto y tiene arcos y columnas.

soportar *v.* **1.** Aguantar un peso o carga. **2.** Aguantar algo malo. **Sin. 2.** Sufrir.

soporte s. m. **1.** Lo que sirve para que otra cosa se apoye sobre ella. **2.** Persona o cosa muy importante para otras y de gran ayuda para ellas. **3.** Material sobre el que se hace alguna cosa. **Sin.** 1 y 2. Base, apoyo, sostén.

soprano s. m. Mujer o niño cantantes de música clásica que tienen la voz más aguda.

sor s. f. Se usa delante del nombre de algunas monjas para dirigirse a ellas: sor María.

sorber v. **1.** Beber un líquido aspirándolo, por ejemplo con una pajita. **2.** Aspirar por la nariz para que no se caigan los mocos. **Sin.** 1. Chupar, absorber.

sorbete s. m. Dulce parecido a un helado, pero más líquido.

sorbo s. m. **1.** Acción de sorber. **2.** Trago, buche.

sordera s. f. Pérdida o falta del sentido del oído.

sórdido, da adj. Muy pobre, sucio y feo. **Sin.** Miserable, mísero. **Ant.** Rico.

sordina s. f. Pieza que se coloca en un instrumento musical para disminuir la intensidad del sonido o variar su timbre.

sordo, da adj. y s. **1.** Que no oye o que oye muy poco. **2.** Que casi no se oye. **Sin.** 2. Callado. **Ant.** 2. Ruidoso.

sordomudo, da adj. y s. Se dice de la persona que es sorda y muda.

soriano, na adj. y s. De Soria, ciudad y provincia españolas.

sorna s. f. Tonillo de burla con que se dice algo. **Sin.** Ironía, socarronería.

sorprendente adj. **1.** Que sorprende o causa admiración. **2.** Raro, extraño. **Sin.** 1. Asombroso, admirable.

sorprender v. **1.** Producir sorpresa a alguien. **2.** Pillar a alguien de repente. **Sin.** 1. Asombrar, admirar. 2. Pescar.

sorpresa s. f. **1.** Impresión que produce a una persona algo que no esperaba. **2.** Regalito que tienen dentro algunas cosas, como los roscones de Reyes. **Sin.** 1. Admiración, asombro.

sortear v. **1.** Decidir la suerte a quién le va a tocar un premio, qué es lo que va a hacer, dónde va a ir, etc. **2.** Apartarse o ir por otro sitio para no encontrarse con algo. **3.** Evitar peligros o problemas. **Sin.** 1. Rifar. 2. Rodear, salvar. 3. Eludir, rehuir. **Ant.** 3. Enfrentarse.

sorteo s. m. El hecho de sortear alguna cosa, por ejemplo los premios de la lotería. **Sin.** Rifa.

sortija s. f. Anillo que se lleva en los dedos, sobre todo el que tiene adornos.

sortilegio s. m. Hechizo, embrujo, encantamiento.

SOS s. m. Señal internacional que se emplea para pedir socorro.

sosa s. f. Nombre de compuestos químicos que contienen sodio, sobre todo el formado por sodio, oxígeno e hidrógeno, que se emplea para fabricar algunos jabones y detergentes.

sosaina adj. y s. Persona que tiene muy poca gracia. **Sin.** Soso. **Ant.** Saleroso.

sosegado, da **1.** p. de sosegar. ‖ adj. **2.** Tranquilo, calmado. **Sin.** 2. Reposado, apacible. **Ant.** 2. Nervioso.

sosegar v. Calmar, tranquilizar. ▭ Es v. irreg. Se conjuga como regar. **Sin.** Relajar, serenar. **Ant.** Intranquilizar.

sosera o **sosería** s. f. **1.** Falta de gracia. **2.** Cosa sin gracia.

soseras adj. y s. fam. Sosaina.

sosiego s. m. Tranquilidad, descanso. **Sin.** Calma, paz. **Ant.** Intranquilidad.

soslayar v. Esquivar, evitar, eludir. **Sin.** Sortear, rehuir. **Ant.** Enfrentarse.

soslayo Se usa en la expresión **de soslayo**, 'de lado', 'oblicuamente'.

soso, sa adj. **1.** Que tiene poca sal o poco sabor. ‖ adj. y s. **2.** Que tiene poca gracia o salero. **3.** Aburrido, poco alegre. **Sin.** 1 y 2. Insulso. 3. Apagado, triste. **Ant.** 1. Sabroso. 1 a 3. Salado.

sospecha s. f. El sospechar una cosa o sospechar de alguien. **Sin.** Presentimiento, suposición; desconfianza. **Ant.** Confianza.

sospechar v. **1.** Creer una cosa por algunas señales o por lo que parece. **2.** Pensar que una persona ha hecho algo malo. **Sin.** 1. Suponer, presumir. 2. Desconfiar, recelar. **Ant.** 2. Confiar.

sospechoso, sa adj. y s. **1.** Se dice de la persona de la que se sospecha. **2.** Que resulta muy extraño y hace sospechar. **Sin.** 2. Raro. **Ant.** 2. Claro.

sostén s. m. **1.** Sujetador, prenda interior. **2.** Acción de sostener. **3.** Persona o cosa que mantiene o que protege a otras. **Sin.** 1. Mantenimiento, respaldo. 2 y 3. Soporte.

sostener v. **1.** Sujetar algo para que no se caiga. **2.** Defender una idea, decir algo para que los demás lo crean. **3.** Darle a alguien lo que necesita para vivir. ‖ **sostenerse 4.** Andar o estar de pie sin perder el equilibrio. ▭ Es v. irreg. Se conjuga como *tener*. **Sin. 1.** Aguantar, agarrar. **1** a **3.** Mantener. **2.** Afirmar. **Ant. 1.** Tirar. **2.** Negar.

sostenido, da 1. *p.* de **sostener**. También *adj.* ‖ *adj.* **2.** Se dice de la nota musical que es medio tono más alta que su sonido natural: *do sostenido.*

sostenimiento *s. m.* El hecho de sostener.

sota *s. f.* **1.** Décima carta de cada palo de la baraja española, que representa a un paje sosteniendo el símbolo de su palo. **2.** *fam.* Persona, sobre todo una mujer, antipática y de mal carácter.

sotabarba *s. f.* **1.** Papada. **2.** Barba que se deja crecer por debajo de la barbilla.

sotana *s. f.* Traje negro y largo parecido a una túnica, que llevan algunos curas y religiosos.

sótano *s. m.* Piso de un edificio que está situado por debajo del nivel de la calle.

sotavento *s. m.* En el lenguaje marinero, lado contrario a la parte desde donde viene el viento. **Ant.** Barlovento.

soterrado, da *adj.* Oculto, que no se ve. **Sin.** Latente, velado. **Ant.** Patente.

soto *s. m.* Lugar con árboles, matas y arbustos, sobre todo al lado de un río.

sotobosque *s. m.* Vegetación formada por las matas y arbustos que crecen bajo los árboles en un bosque.

soufflé (fr.) *s. m.* Plato que se prepara con claras de huevo a punto de nieve y se hace en el horno.

soul (ingl.) *s. m.* Música que surgió en Estados Unidos y que se originó a partir del jazz y otras formas de música negra.

souvenir (fr.) *s. m.* Objeto de recuerdo que se trae de un viaje.

soviético, ca *adj.* y *s.* De la Unión Soviética, antiguo país de Europa y Asia.

spaghetti (ital.) *s. m. pl.* Espagueti.

spaniel (ingl.) *adj.* y *s.* Perro inglés de caza, con las orejas caídas y el pelo largo.

sparring (ingl.) *s. m.* Boxeador que pelea con otro para que éste se entrene.

sponsor (ingl.) *s. m.* Persona o entidad que da ayuda económica a otra para que realice una actividad.

sport (ingl.) *s. m.* Tipo de prendas de vestir más cómodas o informales.

spot (ingl.) *s. m.* Anuncio de radio o televisión.

spray (ingl.) *s. m.* Bote que echa con fuerza y en gotas muy finas un líquido con gas a presión que lleva dentro. **Sin.** Pulverizador.

sprint (ingl.) *s. m.* Mayor esfuerzo que hace un deportista en una carrera para conseguir la máxima velocidad.

sprinter (ingl.) *s. m.* y *f.* Corredor que hace muy bien los sprints.

squash (ingl.) *s. m.* Deporte muy parecido al frontón, pero que se juega en un campo más pequeño y cerrado por todas partes.

stand (ingl.) *s. m.* Lugar donde se colocan los productos en una feria o exposición.

standard (ingl.) *adj.* Estándar.

standing (ingl.) *s. m.* Posición económica y social de una persona; se usa especialmente para referirse a las clases altas: *una urbanización de alto standing.*

starter (ingl.) *s. m.* En vehículos que tienen motor de explosión, dispositivo que regula la entrada de aire en el carburador.

status (lat.) *s. m.* Posición social que ocupa una persona dentro de un grupo o comunidad.

stick (ingl.) *s. m.* Palo con el que se juega al hockey.

stock (ingl.) *s. m.* Productos que almacena una empresa o comercio para venderlos después.

stop (ingl.) *s. m.* **1.** Señal de tráfico que indica que hay que parar el vehículo y ceder el paso. **2.** En los telegramas se usa como pausa.

stress (ingl.) *s. m.* Estrés.

strip-tease o **striptease** (ingl.) *s. m.* Espectáculo en el que una persona se va quitando la ropa poco a poco.

su *pos.* Forma abreviada de **suyo**, **suya**.

suave *adj.* **1.** Muy liso, sin nada que pinche o raspe. **2.** Que no es fuerte, brusco o violento. **3.** Amable y tranquilo. **4.** Obediente, dócil. **Sin. 1.** Terso. Blando, flojo. **3.** Dulce, plácido. **4.** Sumiso. **Ant. 1.** Áspero. **2.** Duro. **3.** Irritable. **4.** Rebelde.

suavidad *s. f.* Característica de suave.

suavizante *adj.* **1.** Que suaviza. ‖ *s. m.* **2.** Producto que se echa a la ropa para que quede suave y blanda. **3.** Producto que se aplica sobre el pelo recién lavado para que esté más suave y se peine mejor.

suavizar *v.* **1.** Hacer suave. **2.** Hacer menos duro o fuerte. **Sin. 1.** Afinar, alisar, pulir. **Ant. 2.** Endurecer.

sublimar

subacuático, ca *adj.* Que está o que tiene lugar debajo del agua: *plantas subacuáticas.*

subalterno, na *adj.* y *s.* **1.** Persona a las órdenes de otra. || *s. m.* **2.** El banderillero y otros toreros de menor categoría que ayudan al diestro. **Sin. 1.** Subordinado, inferior. **Ant. 1.** Superior.

subarrendar *v.* Realquilar. ▫ Es v. irreg. Se conjuga como *pensar.*

subarriendo *s. m.* **1.** El hecho de subarrendar. **2.** Contrato y precio por el que se subarrienda una cosa.

subasta *s. f.* Forma de venta en la que se vende una cosa al que ofrece más por ella.

subastador, ra *s. m.* y *f.* Persona que dirige una subasta.

subastar *v.* Vender en una subasta.

subatómico, ca *adj.* De las partículas que componen el átomo y de los fenómenos relacionados con ellas.

subcampeón, na *s. m.* y *f.* El que ha quedado el segundo, después del campeón.

subconjunto *s. m.* En matemáticas, conjunto que está dentro de otro conjunto.

subconsciente *adj.* y *s. m.* Ideas o sentimientos que alguien tiene sin que se dé cuenta de ellos.

subcutáneo, a *adj.* Situado inmediatamente debajo de la piel.

subdelegado, da *adj.* y *s.* Persona que sustituye al delegado o que trabaja bajo sus órdenes inmediatas.

subdesarrollado, da *adj.* Que no está bastante desarrollado; se dice sobre todo de los países y regiones más pobres y atrasados.

subdesarrollo *s. m.* Poco desarrollo; se llama así sobre todo a la situación de los países y regiones subdesarrollados.

subdirector, ra *s. m.* y *f.* El que tiene el puesto inmediatamente por debajo del director.

súbdito, ta *adj.* y *s.* **1.** El que está bajo la autoridad de un rey o soberano. || *s. m.* y *f.* **2.** Ciudadano de un país.

subdividir *v.* Hacer una división en algo que ya está dividido. **Ant.** Unir.

subdivisión *s. f.* **1.** Acción de subdividir. **2.** Cada una de las partes que quedan al subdividir. **3.** Pared, tabla u otra cosa con la que se subdivide algo. **Sin. 2.** División. **Ant. 1.** Unión.

subestimar *v.* Dar a alguien o algo menos valor o importancia de la que tiene en realidad. **Sin.** Menospreciar. **Ant.** Sobrestimar.

subgrupo *s. m.* Cada una de las divisiones que se hacen en un grupo.

subida *s. f.* **1.** Acción de subir o subirse. **2.** Camino o terreno que está hacia arriba. **Sin. 1.** Ascenso; elevación. **2.** Cuesta, rampa. **Ant. 1** y **2.** Bajada.

subido, da **1.** *p.* de **subir.** También *adj.* || *adj.* **2.** Se dice del color, olor o sabor cuando es fuerte. **3.** Algo fuerte o atrevido, sobre todo en cosas relacionadas con el sexo; se dice mucho *subido de tono.* **Sin. 2.** Vivo, chillón. **Ant. 2.** Débil.

subíndice *s. m.* Letra o número que se coloca en la parte inferior, generalmente derecha, de una palabra o expresión matemática.

subir *v.* **1.** Ir o llevar a un sitio más alto. **2.** Ir a un puesto más alto. **3.** Aumentar. **4.** Montar en un vehículo. || **subirse 5.** *fam.* Emborrachar una bebida alcohólica. **Expr. subírsele** algo a alguien **a la cabeza** *fam.* Emborrachar. También, hacer creer a alguien que es muy importante. **Sin. 1.** Escalar. **1** y **2.** Ascender. **2.** Progresar, prosperar. **3.** Crecer, incrementar. **Ant. 1** a **4.** Bajar. **1, 3** y **4.** Descender. **3.** Disminuir.

súbitamente *adv.* Rápidamente, de repente.

súbito, ta *adj.* Muy rápido, que ocurre de repente. **Sin.** Repentino, imprevisto.

subjetividad *s. f.* Característica de subjetivo.

subjetivo, va *adj.* **1.** Se dice de los pensamientos y sentimientos de una persona. **2.** Que se deja llevar por sus propias ideas, intereses o sentimientos y no ve las cosas como son. **Sin. 1.** Personal. **2.** Parcial. **Ant. 2.** Objetivo.

subjuntivo, va *adj.* y *s. m.* Modo del verbo que expresa principalmente una duda: *No creo que venga;* un deseo: *Espero que sigamos siendo amigos;* o que algo es posible: *Quizá llueva.*

sublevación *s. f.* Acción de sublevarse. **Sin.** Rebelión, motín.

sublevar *v.* **1.** Hacer que alguien luche o se enfrente contra el que manda. **2.** Enfadar, enfurecer. **Sin. 1.** Rebelarse, amotinarse. **2.** Indignar, encolerizar. **Ant. 1.** Someter. **2.** Agradar.

sublimar *v.* **1.** Alabar mucho a alguien o algo. **2.** Hacer que un cuerpo sólido se convierta directamente en gas o, al revés, un gas en sólido. **Sin. 1.** Exaltar, elogiar. **Ant. 1.** Criticar.

sublime *adj.* Excelente, extraordinario. **Sin.** Espléndido. **Ant.** Pésimo.

submarinismo *s. m.* Actividad que consiste en bucear con trajes especiales y botellas de oxígeno.

submarinista *s. m. y f.* Persona que practica el submarinismo.

submarino, na *adj.* **1.** Que está o se hace debajo del mar. || *s. m.* **2.** Barco que puede navegar debajo del agua.

submúltiplo, pla *adj. y s. m.* Número que está varias veces dentro de otro; por ejemplo, el 2 es submúltiplo de 6 porque está tres veces en él.

subnormal *adj. y s.* Se dice de la persona que tiene menos inteligencia de la normal a su edad. **Sin.** Retrasado.

subnormalidad *s. f.* Característica de las personas subnormales.

suboficial *s. m. y f.* Categoría militar inferior a la de oficial; está formada por sargento, brigada y subteniente.

subordinación *s. f.* **1.** Acción de subordinar. **2.** En gramática, el depender sintácticamente una palabra o grupo de palabras de otra palabra o grupo de palabras. **Sin. 1.** Sometimiento.

subordinado, da **1.** *p.* de **subordinar.** También *adj.* || *adj. y s. f.* **2.** En gramática, se dice de las palabras o proposiciones que dependen de otra principal. || *adj. y s.* **3.** Persona a las órdenes de otra. **Sin. 3.** Subalterno.

subordinante *adj. y s. m.* Se dice de la conjunción que subordina una proposición a otra, como *aunque* o *porque.*

subordinar *v.* **1.** Hacer que algo quede por debajo o dependa de otra cosa. **2.** Dar menos importancia a una cosa que a otra. **3.** En gramática, hacer depender sintácticamente una palabra o grupo de palabras de otras. **Sin. 1.** Someter. **1 y 2.** Supeditar. **Ant. 1 y 2.** Anteponer.

subproducto *s. m.* Producto secundario obtenido a partir de la fabricación o elaboración de otro principal.

subrayado, da **1.** *p.* de **subrayar.** También *adj.* || *s. m.* **2.** Acción de subrayar y letra, palabra o frase subrayada.

subrayar *v.* **1.** Hacer una raya debajo de una letra, palabra o frase para resaltarla. **2.** Destacar, recalcar. **Sin. 2.** Acentuar. **Ant. 2.** Atenuar.

subrepticio, cia *adj.* Que se hace a escondidas. **Sin.** Clandestino, furtivo.

subsanable *adj.* Que se puede subsanar.

subsanar *v.* Arreglar, solucionar, corregir. **Sin.** Remediar, enmendar. **Ant.** Estropear.

subsecretaría *s. f.* Cargo de subsecretario y oficina donde trabaja.

subsecretario, ria *s. m. y f.* **1.** Persona que ayuda o sustituye al secretario. **2.** Secretario general de un ministerio, cargo máximo después del ministro.

subsidiario, ria *adj.* **1.** Que se da como subsidio. **2.** Se dice de la acción que sirve para reforzar o sustituir a otra principal.

subsidio *s. m.* Dinero que el Estado da como ayuda, por ejemplo a los que no tienen trabajo. **Sin.** Subvención.

subsiguiente *adj.* Que sigue inmediatamente a algo.

subsistencia *s. f.* **1.** El hecho de subsistir. || *pl.* **2.** Los alimentos y todas las cosas necesarias para vivir. **Sin. 1.** Mantenimiento, vida. **2.** Sustento, manutención. **Ant. 1.** Desaparición.

subsistir *v.* **1.** Vivir. **2.** Perdurar, seguir habiendo o existiendo algo. **Sin. 1.** Sobrevivir. **1 y 2.** Mantenerse. **2.** Quedar, continuar. **Ant. 1.** Morir. **2.** Desaparecer.

subsuelo *s. m.* Capas del terreno que están por debajo de la superficie.

subteniente *s. m. y f.* Grado militar más alto dentro de los suboficiales.

subterfugio *s. m.* Pretexto, disculpa.

subterráneo, a *adj.* **1.** Que está debajo del suelo. || *s. m.* **2.** Pasillo o túnel que está bajo tierra. **Ant. 1.** Superficial.

subtitulado, da *adj.* **1.** Que tiene un subtítulo. **2.** Se dice de la película que está en idioma extranjero y en pantalla va apareciendo la traducción de los diálogos.

subtítulo *s. m.* **1.** Título que se pone después del título principal. **2.** En las películas subtituladas, traducción de los diálogos que va apareciendo en la pantalla.

suburbano, na *adj.* **1.** Cerca de una ciudad o en las afueras de ella. || *adj. y s. m.* **2.** Tren que comunica el centro de las grandes ciudades con los barrios de las afueras.

suburbio *s. m.* Barrio o zona en las afueras de una ciudad. **Sin.** Periferia, arrabal.

subvención *s. f.* Dinero que da el Estado para ayudar a realizar algo.

subvencionar *v.* Dar una subvención.

subversión *s. f.* Oposición o lucha contra los que tienen el poder en un país.

suelo

subversivo, va *adj.* Que se opone o lucha contra los que tienen el poder en un país.

subyacente *adj.* Que subyace.

subyacer *v.* Estar debajo u oculto tras otra cosa, por lo que a veces cuesta trabajo apreciarlo. ◻ Es v. irreg. Se conjuga como *yacer.*

subyugar *v.* **1.** Someter, dominar a una o más personas. **2.** Atraer muchísimo, fascinar. **SIN. 1.** Sojuzgar. **2.** Cautivar. **ANT. 1.** Liberar.

succión *s. f.* Acción de succionar.

succionar *v.* **1.** Chupar, sorber. **2.** Absorber, aspirar. **ANT. 1** y **2.** Expulsar.

sucedáneo, a *adj. y s. m.* Se dice de la sustancia que puede usarse en lugar de otra porque tiene características parecidas a ésta.

suceder *v.* **1.** Ocurrir, pasar. **2.** Seguir, venir después. **3.** Ocupar el puesto que tenía otro. **SIN. 1.** Acontecer. **ANT. 2.** Preceder.

sucedido, da 1. *p.* de **suceder.** También *adj.* || *s. m.* **2.** Suceso, hecho.

sucesión *s. f.* **1.** El hecho de suceder. **2.** Conjunto de personas o cosas que van una detrás de otra. **SIN. 2.** Serie, relación.

sucesivo, va *adj.* Que va uno después de otro. **EXPR. en lo sucesivo** De ahora en adelante. **SIN.** Siguiente.

suceso *s. m.* **1.** Algo que sucede, sobre todo si tiene importancia. **2.** Delito, accidente o algún otro hecho desgraciado. **SIN. 1.** Acontecimiento.

sucesor, ra *adj. y s.* Que sucede a otro en un trabajo, cargo, etc. **ANT.** Predecesor.

suciedad *s. f.* Porquería, basura, manchas. **ANT.** Limpieza.

sucinto, ta *adj.* Breve, corto. **SIN.** Conciso. **ANT.** Extenso.

sucio, cia *adj.* **1.** Que tiene manchas, polvo, basura. **2.** Que se ensucia con facilidad. **3.** Se dice de la persona que no se lava ni se arregla, o que no limpia ni cuida sus cosas. **4.** Que no está permitido por la ley o es poco honrado. || *adj. y adv.* **5.** Que hace trampas. **EXPR. en sucio** Se dice de aquello que se escribe sin mucho cuidado antes de pasarlo a limpio en otro papel. **SIN. 1.** Manchado, asqueroso. **1** y **3.** Cochino. **1** y **4.** Turbio. **3.** Desaseado. **4.** Ilegal. **5.** Tramposo. **ANT. 1.** Reluciente. **1** a **3** y **5.** Limpio. **3.** Aseado. **4.** Legal.

sucre *s. m.* Moneda de Ecuador.

suculento, ta *adj.* Se dice de comidas que tienen buen sabor y alimentan mucho. **SIN.** Sabroso, rico. **ANT.** Insípido.

sucumbir *v.* **1.** Rendirse, especialmente un ejército. **2.** No ser capaz de vencer una tentación, un sentimiento, un deseo. **3.** Morir. **SIN. 1.** Someterse, entregarse. **3.** Perecer, fenecer. **ANT. 1** y **2.** Resistir.

sucursal *s. f.* Cada una de las oficinas o tiendas que tiene una misma empresa, por ejemplo un banco.

sudadera *s. f.* Prenda parecida a un jersey que se usa para hacer deporte.

sudafricano, na *adj. y s.* Del Sur de África o de la República Sudafricana.

sudamericano, na *adj. y s.* De América del Sur.

sudanés, sa *adj. y s.* De Sudán, país de África.

sudar *v.* **1.** Salir sudor a través de los poros de la piel. **2.** Mojar de sudor alguna cosa. **3.** *fam.* Esforzarse mucho. **SIN. 1.** Transpirar. **3.** Afanarse, bregar.

sudario *s. m.* Tela con que se envuelve a los cadáveres o con la que se les cubre la cara. **SIN.** Mortaja.

sudeste *s. m.* Punto del horizonte entre el sur y el este, a igual distancia de los dos. **ANT.** Nordeste.

sudoeste *s. m.* Punto del horizonte entre el sur y el oeste, a igual distancia de los dos. **ANT.** Noroeste.

sudor *s. m.* **1.** Líquido de desecho, de composición parecida a la orina, que sale a través de los poros de la piel. **2.** *fam.* Gran esfuerzo. **SIN. 1.** Transpiración.

sudorípara *adj.* Se dice de la glándula que produce sudor.

sudoroso, sa *adj.* Lleno de sudor.

sueco, ca[1] *adj. y s.* **1.** De Suecia, país de Europa. || *s. m.* **2.** Idioma de Suecia.

sueco, ca[2] Se usa en la expresión **hacerse el sueco**, 'hacer uno como que no se entera de algo'.

suegro, gra *s. m. y f.* El padre y la madre de la persona con la que alguien se ha casado.

suela *s. f.* Parte del zapato que toca el suelo, y cuero con que está hecha.

sueldo *s. m.* Dinero que se paga a una persona por su trabajo. **SIN.** Salario.

suelo *s. m.* **1.** Superficie de la Tierra. **2.** Parte de algún lugar por la que se anda. **3.** Terreno sobre el que se cultivan plantas. **4.** Terreno para construir. **EXPR. por el suelo** o **por los suelos** Muy barato; también, muy desanimado o triste. SIN. 2. Piso, pavimento. 4. Solar.

suelto, ta 1. *p.* de **soltar.** || *adj.* 2. Que no está sujeto. 3. Separado, no unido, ni pegado a otros. 4. No envasado o no empaquetado. 5. Amplio, sin ajustarse. 6. Que tiene diarrea. || *adj.* y *s. m.* 7. Se dice del dinero en monedas o billetes pequeños. SIN. 2. Desprendido. 5. Holgado. 6. Descompuesto. 7. Cambio. ANT. 3. Junto. 5. Ceñido. 6. Estreñido.

sueño *s. m.* 1. Ganas de dormir. 2. Estado del que está durmiendo. 3. Lo que alguien sueña mientras duerme. 4. Deseo o cosa que se quiere lograr y que a veces resulta muy difícil de realizar. || 5. **sueño ligero** Sueño poco profundo, del que uno en seguida se despierta. 6. **sueño pesado** Sueño profundo del que cuesta despertarse. EXPR. **quitar el sueño** Preocupar mucho. SIN. 4. Ilusión, ideal. ANT. 2. Vigilia.

suero *s. m.* 1. Parte líquida que queda después de haberse coagulado algunas cosas, como la sangre o la leche. 2. Líquido con diversas sustancias que se inyecta a una persona cuando está deshidratada o no puede tomar alimentos. 3. Sustancia que se prepara con suero de la sangre de personas o animales y se utiliza para evitar y curar enfermedades.

suerte *s. f.* 1. Lo que hace que algo ocurra por casualidad. 2. Hecho de irle bien o mal las cosas a alguien; la palabra *suerte* sola suele significar *buena suerte.* 3. Destino, porvenir. 4. Clase, tipo: *Venden toda suerte de muebles.* 5. Cada una de las partes de una corrida de toros y también cada una de las acciones que realiza el torero en esas partes. EXPR. **a suerte** o **a suertes** Haciendo que decida la suerte, por ejemplo utilizando los dados o una moneda: *echar a suertes.* **por suerte** Afortunadamente. SIN. 1. Azar, fortuna. 3. Sino. ANT. 2. Desgracia.

suertudo, da *adj.* y *s.* Que tiene buena suerte.

suéter *s. m.* Jersey.

suevo, va *adj.* y *s.* De un pueblo germánico que se estableció en el siglo V en el noroeste de la península Ibérica.

suficiencia *s. f.* 1. Soberbia. || 2. **examen de suficiencia** El que se hace para recuperar una asignatura suspendida. SIN. 1. Altivez. ANT. 1. Modestia.

suficiente *adj.* 1. Bastante, que no es escaso. 2. Soberbio, altivo. 3. Calificación de aprobado. ANT. 1 y 3. Insuficiente. 2. Modesto. 3. Suspenso.

sufijo *s. m.* Letras que van detrás de la raíz de algunas palabras y les dan algunos significados; por ejemplo, *-ito* en *pastelito* significa 'que es pequeño', *-ón* en *zapatón* expresa 'que es más grande'.

sufragar *v.* Pagar los gastos de algo. SIN. Costear.

sufragio *s. m.* 1. Forma de elegir a los políticos y gobernantes por medio del voto en unas elecciones. 2. Voto. 3. Oración o acto religioso que se hace por las almas de los difuntos. || 4. **sufragio universal** Aquel en el que todos los ciudadanos mayores de edad tienen derecho a votar, con independencia de su sexo, situación, etc.

sufrido, da 1. *p.* de **sufrir.** También *adj.* || *adj.* 2. Que soporta las cosas con mucha paciencia, sin protestar. 3. Se dice de los colores, telas y otras cosas en que se nota poco la suciedad. SIN. 2. Paciente, resignado. ANT. 2. Protestón. 3. Sucio.

sufrimiento *s. m.* Lo que sentimos cuando sufrimos. SIN. Dolor, padecimiento.

sufrir *v.* 1. Tener un dolor, una enfermedad, un accidente, daño u otra cosa mala. 2. Sentir una persona mucha pena y tristeza. 3. Soportar, aguantar. 4. Experimentar, notar. SIN. 1 y 2. Padecer. ANT. 2. Disfrutar.

sugerencia *s. f.* Lo que una persona sugiere a otra. SIN. Recomendación.

sugerente *adj.* 1. Que sugiere. 2. Interesante, atractivo. SIN. 1 y 2. Sugestivo.

sugerir *v.* 1. Decir a una persona algo para que lo piense y lo haga si le parece bien. 2. Traer a la memoria o al pensamiento. □ Es v. irreg. Se conjuga como *sentir.* SIN. 1. Proponer, recomendar. 2. Evocar, recordar.

sugestión *s. f.* 1. Hecho de sugestionar o sugestionarse. 2. Sugerencia.

sugestionar *v.* 1. Influir por hipnotismo o de otro modo en una persona para que piense o haga algo. || **sugestionarse** 2. Obsesionarse, no poder dejar de pensar alguna cosa.

sugestivo, va *adj.* Sugerente.

sui generis *loc. lat.* Significa 'de su género', 'de su clase', y sirve para decir que una persona o cosa es muy peculiar, muy diferente.

suicida *s. m.* y *f.* 1. Persona que se ha suicidado o que lo ha intentado. || *adj.* 2. Relacionado con el suicidio. || *adj.* y

s. 3. Muy peligroso, muy imprudente. **Sin. 3.** Insensato. **Ant. 3.** Prudente.

suicidarse v. Matarse uno mismo.

suicidio s. m. Acción de suicidarse.

suite (fr.) s. f. **1.** En un hotel, conjunto de dos o más habitaciones comunicadas entre sí. **2.** Composición musical formada por varias partes diferentes.

suizo, za adj. y s. **1.** De Suiza, país de Europa. || s. m. **2.** Bollo redondo hecho con harina, huevo y azúcar.

sujeción s. f. **1.** Hecho de sujetar o sujetarse. **2.** Cosa que sujeta.

sujetador, ra adj. y s. **1.** Que sujeta. || s. m. **2.** Prenda interior que llevan las mujeres para sujetar y levantar el pecho. **Sin. 2.** Sostén, corpiño.

sujetalibros s. m. Objeto que se apoya contra los libros para mantenerlos derechos.

sujetapapeles s. m. Pinza u objeto que se utiliza para sujetar papeles.

sujetar v. **1.** Agarrar a alguien o algo para que no se caiga o no se suelte. || **sujetarse 2.** Cumplir, obedecer: *sujetarse a las normas.* **Sin. 1.** Sostener, asir. **2.** Someterse. **Ant. 1.** Soltar.

sujeto, ta adj. **1.** Que puede experimentar lo que se indica: *El programa está sujeto a cambios.* || s. m. **2.** Individuo, persona. **3.** Palabra o conjunto de palabras de las que el predicado dice algo y que tienen el mismo número y persona que el verbo; en la oracion *Paloma estudia,* el sujeto es *Paloma* y el predicado *estudia.*

sulfamida s. f. Nombre de unas sustancias químicas que se emplean en el tratamiento de diversas infecciones.

sulfatar v. **1.** Echar sulfato a algo, especialmente a la vides para evitar que contraigan ciertas enfermedades. || **sulfatarse 2.** Ser atacada la cubierta de una pila, cuando está gastada, por el ácido sulfúrico que tiene en su interior.

sulfato s. m. Compuesto químico que tiene un azufre, cuatro oxigenos y otro elemento químico, como por ejemplo el cobre.

sulfurar v. Enfadar mucho. **Sin.** Enfurecer, irritar. **Ant.** Calmar.

sulfúrico adj. Se dice de un ácido muy potente, sin color ni olor, compuesto de un azufre, dos hidrógenos y cuatro oxigenos, que se emplea en la industria.

sulfuro s. m. Compuesto químico que tiene azufre y otro elemento químico, generalmente un metal.

sultán s. m. **1.** Emperador de los turcos. **2.** Príncipe o gobernador de otros países islámicos.

sultana s. f. Mujer del sultán.

sultanato s. m. Dignidad de sultán y territorio que está bajo su autoridad.

suma s. f. **1.** Operación matemática que consiste en añadir una cantidad a otra u otras de manera que dé un resultado; se indica con el signo +. **2.** El resultado de esta operación. **3.** Conjunto o cantidad, sobre todo de dinero. **Sin. 1.** Adición. **Ant. 1.** Resta, sustracción.

sumamente adv. Muy.

sumando s. m. Cada una de las cantidades que se suman.

sumar v. **1.** Añadir a una cantidad otra u otras y dar un resultado. || **sumarse 2.** Unirse, incorporarse. **Sin. 2.** Adherirse. **Ant. 1.** Restar.

sumarial adj. Del sumario de un juicio.

sumario, ria adj. **1.** Breve, resumido. || s. m. **2.** Conjunto de pruebas, informaciones y otras cosas con las que se prepara un juicio. **3.** Lista de los diferentes apartados de un periódico, revista o programa de televisión.

sumarísimo, ma adj. Se dice de los juicios que se realizan con más rapidez que los demás, por ser muy urgentes, graves o importantes.

sumergible adj. **1.** Que pueden funcionar debajo del agua sin estropearse: *un reloj sumergible.* || s. m. **2.** Submarino.

sumergir v. Meter por completo en el agua o en otro líquido. **Sin.** Hundir, zambullir. **Ant.** Emerger.

sumidero s. m. Conducto o canal por donde se van las aguas sucias o las de la lluvia. **Sin.** Cloaca.

suministrar v. Dar a alguien o algo lo que necesita. **Sin.** Proporcionar, abastecer.

suministro s. m. El hecho de suministrar y cosa que se suministra. **Sin.** Abastecimiento, aprovisionamiento.

sumir v. **1.** Hundir algo bajo el agua o la tierra. **2.** Hacer caer en un estado malo, por ejemplo en la tristeza o en la pobreza. **Sin. 1.** Enterrar, sumergir. **2.** Arrastrar. **Ant. 1.** Sacar.

sumisión s. f. **1.** El hecho de someter o someterse a otras personas. **2.** Actitud de la persona sumisa. **Sin. 1.** Sometimiento. **2.** Docilidad, mansedumbre. **Ant. 1.** Rebelión. **2.** Rebeldía.

sumiso, sa adj. Que se muestra obediente a otra persona y no se enfrenta a ella. **Sin.** Dócil. **Ant.** Rebelde.

súmmum (lat.) *s. m.* El colmo o punto máximo a que llega una cosa.

sumo, ma *adj.* **1.** Superior a todos, que no tiene a nadie por encima: *el sumo pontífice.* **2.** Muy grande, enorme. **EXPR. a lo sumo** Indica el grado o cantidad mayor a que puede llegar alguna cosa. **SIN. 1.** Supremo. **2.** Tremendo. **ANT. 1.** Inferior. **1** y **2.** Mínimo.

suntuario, ria *adj.* Relacionado con el lujo o la riqueza.

suntuosidad *s. f.* Lujo, riqueza.

suntuoso, sa *adj.* Muy lujoso. **SIN.** Fastuoso, majestuoso. **ANT.** Modesto.

supeditación *s. f.* El hecho de supeditar o supeditarse.

supeditar *v.* **1.** Hacer depender una cosa de otra. || **supeditarse 2.** Seguir, cumplir, atenerse. **ANT. 1.** Anteponer. **2.** Incumplir.

súper *adj.* y *adv.* **1.** *fam.* Muy bueno, estupendo. Con este significado, se usa a veces unido a otras palabras: *supercómodo.* || *adj.* y *s. f.* **2.** Se dice de un tipo de gasolina. || *s. m.* **3.** Forma abreviada de **supermercado.**

superación *s. f.* Acción de superar o superarse.

superar *v.* **1.** Ser superior en algo. **2.** Dejar atrás, sobrepasar. **3.** Pasar con éxito: *superar un examen.* || **superarse 4.** Conseguir una persona ser mejor de lo que ya era. **SIN. 1.** Aventajar, adelantar. **3.** Vencer, salvar.

superávit *s. m.* **1.** Situación en la que se gana o se recibe más dinero del que se gasta. **2.** Exceso, abundancia. **ANT. 1.** Déficit. **2.** Escasez.

superchería *s. f.* **1.** Engaño. **2.** Superstición.

superdotado, da *adj.* y *s.* Que tiene unas cualidades superiores a lo normal, sobre todo la inteligencia.

superficial *adj.* **1.** De la superficie o que está en la superficie. **2.** Poco profundo. **3.** Poco serio, que no se preocupa por cosas importantes. **SIN. 1.** Exterior, externo. **2.** Trivial, frívolo. **ANT. 1.** Interior, interno.

superficialidad *s. f.* Característica de superficial.

superficie *s. f.* **1.** Parte que está más hacia afuera de algo. **2.** Extensión de tierra. **3.** La extensión que ocupa la parte plana de algo. **4.** Espacio que ocupa una figura geométrica plana. **SIN. 4.** Área.

superfluo, flua *adj.* Innecesario, inútil. **ANT.** Imprescindible.

superíndice *s. m.* Letra o número que se coloca en la parte superior, generalmente derecha, de una palabra o expresión matemática.

superintendente *s. m.* y *f.* Persona que tiene la dirección de algunas cosas, siendo su máximo responsable.

superior *adj.* **1.** Que está en un lugar o puesto más alto. **2.** Mayor en tamaño, altura, importancia u otra cualidad. Se dice de los estudios que se hacen después del bachillerato. || *adj.* y *s. m.* **4.** Persona que tiene a alguien bajo sus órdenes. || *adj.* y *adv.* **5.** Muy bueno, estupendo. **SIN. 2.** Mejor. **3.** Universitario. **4.** Jefe. **ANT. 1, 2** y **4.** Inferior. **2.** Peor. **4.** Subordinado.

superior, ra *adj.* y *s.* Que dirige una comunidad religiosa.

superioridad *s. f.* **1.** El ser superior en algo. **2.** La persona o personas que mandan. **SIN. 1.** Supremacía. **2.** Autoridad. **ANT. 1.** Inferioridad.

superlativo, va *adj.* **1.** Muy grande. || *adj.* y *s. m.* **2.** Grado del adjetivo y del adverbio que expresa una mayor intensidad en su significado. Puede ser *superlativo absoluto,* cuando no hace ninguna comparación: *Paco es altísimo;* o *superlativo relativo,* cuando sí la hace: *María es la más alta de la clase.* **SIN. 1.** Enorme. **ANT. 1.** Pequeño.

supermercado *s. m.* Tienda muy grande donde hay mucha variedad de productos.

supernova *s. f.* Estrella que explota, produciendo una cantidad inmensa de energía y luz.

superpetrolero *s. m.* Barco petrolero de enorme tamaño y capacidad.

superpoblado, da *adj.* Se dice del lugar en el que viven demasiadas personas. **ANT.** Despoblado.

superponer *v.* Poner una cosa encima de otra. ◻ Es v. irreg. Se conjuga como *poner.*

superposición *s. f.* El hecho de superponer o superponerse.

superproducción *s. f.* **1.** Exceso en la producción de algo. **2.** Película que ha costado mucho dinero hacerla y que suele ser muy espectacular.

superpuesto, ta 1. *p.* de **superponer.** || *adj.* **2.** Que está puesto encima.

supersónico, ca *adj.* Que va o puede ir a más velocidad que la del sonido: *un avión supersónico.*

superstición *s. f.* Cosas no verdaderas que algunas personas creen; por ejemplo, pensar que dan mala suerte los gatos negros. **Sin.** Superchería.

supersticioso, sa _adj._ **1.** Relacionado con la superstición. || _adj._ y _s._ **2.** Que cree en supersticiones.

supervisar _v._ Mirar una cosa en su conjunto para ver si está bien. **Sin.** Revisar, controlar.

supervisión _s. f._ Acción de supervisar. **Sin.** Revisión, control.

supervisor, ra _adj._ y _s._ Que supervisa. **Sin.** Revisor, controlador.

supervivencia _s. f._ El hecho de sobrevivir, de seguir viviendo.

superviviente _adj._ y _s._ El que ha conseguido seguir viviendo después de algo muy peligroso o en lo que otros han muerto.

supino, na _adj._ **1.** Tumbado sobre la espalda. **2.** Muy grande: _una ignorancia supina._

suplantación _s. f._ El hecho de suplantar a alguien.

suplantar _v._ Sustituir a una persona sin tener derecho a hacerlo.

suplementario, ria _adj._ **1.** Que se utiliza para completar o agrandar otra cosa, o para emplearla en su lugar cuando hace falta. **2.** Se dice de los ángulos que sumados entre sí dan 180 grados. **Ant. 1** y **2.** Complementario.

suplemento _s. m._ **1.** Lo que se añade a otra cosa para completarla. **2.** Cuadernillo o revista que se vende junto con otra publicación. **Sin. 1.** Complemento, supletorio.

suplencia _s. f._ El hecho de sustituir una persona a otra. **Sin.** Sustitución.

suplente _adj._ y _s._ Que hace la función de otra persona cuando ella no está. **Sin.** Sustituto. **Ant.** Titular.

supletorio, ria _adj._ y _s. m._ **1.** Que sirve para ampliar algo o para sustituir una cosa que falta. **2.** Teléfono que hay en una casa además del principal. **Sin. 1.** Suplementario, complementario.

súplica _s. f._ Acción de suplicar o palabras con que se suplica o se pide algo. **Sin.** Petición, ruego, solicitud.

suplicante _adj._ Que suplica o sirve para suplicar.

suplicar _v._ Rogar, implorar. **Sin.** Pedir. **Ant.** Exigir.

suplicio _s. m._ **1.** Sufrimiento grande y que dura bastante tiempo. **2.** Cosa muy molesta, insoportable. **Sin. 1.** Padecimiento, calvario. **1** y **2.** Tortura, martirio. **Ant. 1** y **2.** Delicia.

suplir _v._ **1.** Remediar la falta de algo. **2.** Hacer una persona o cosa la función de otra. **Sin. 1** y **2.** Reemplazar.

suponer[1] _v._ **1.** Pensar algo como si fuera verdad pero sin estar seguro de todo. **2.** Tener la consecuencia, importancia o significado que se dice: _Aprobar el supuso un gran esfuerzo._ ◻ Es v. irreg. Se conjuga como _poner_. **Sin. 1.** Creer, presuponer, presumir. **2.** Entrañar, comportar.

suponer[2] _s. m._ Suposición.

suposición _s. f._ El hecho de suponer o aquello que se supone. **Sin.** Presunción, conjetura, hipótesis.

supositorio _s. m._ Medicamento hecho de una pasta resbaladiza con forma alargada, terminado en punta, que se mete por el ano.

suprarrenal _adj._ Situado encima de los riñones.

supremacía _s. f._ **1.** El ser una persona o cosa más o mejor que las demás. **2.** La mayor importancia, el puesto más alto. **Sin. 1** y **2.** Primacía. **Ant. 1.** Inferioridad.

supremo, ma _adj._ **1.** Que es el más importante o el mejor. **2.** Muy grande, sumo. **Sin. 1.** Superior; culminante. **2.** Sobresaliente, superlativo, extraordinario. **Ant. 1** y **2.** Mínimo.

supresión _s. f._ Acción de suprimir. **Sin.** Eliminación, anulación.

suprimir _v._ Quitar algo, hacer que desaparezca o que no se realice. **Sin.** Eliminar, anular. **Ant.** Poner.

supuesto, ta **1.** _p._ de _suponer._ También _adj._ || _adj._ **2.** Falso, fingido. || _s. m._ **3.** Cosa que se supone. **Expr. dar por supuesto** Pensar que es verdadero o seguro. **por supuesto** Sí, claro, sin ninguna duda. **Sin. 1.** Presumible, presunto. **3.** Hipótesis. **Ant. 2.** Verdadero.

supuración _s. f._ Acción de supurar.

supurar _v._ Salir pus de una herida o de un grano.

sur _s. m._ Punto cardinal que está en la dirección del polo antártico, en el lado opuesto al norte. **Sin.** Mediodía. **Ant.** Septentrión.

surafricano, na _adj._ y _s._ Sudafricano.

suramericano, na _adj._ y _s._ Sudamericano.

surcar _v._ **1.** Navegar una embarcación por el agua. **2.** Cruzar volando por el aire. **3.** Hacer o tener rayas, estrías, arrugas o algo parecido.

surco _s. m._ **1.** Línea hundida que se hace con el arado al labrar la tierra,

2. Marca parecida en otras cosas. SIN. 1. Zanja, hendidura. 2. Estría.

sureño, ña adj. y s. Del sur. SIN. Meridional. ANT. Norteño.

sureste s. m. Sudeste.

surf o **surfing** (ingl.) s. m. Deporte que se realiza dejándose empujar por las olas sobre una tabla especial.

surfista s. m. y f. Persona que practica el surf.

surgir v. 1. Aparecer o producirse. 2. Salir alguna cosa del interior de algo. SIN. 1. Presentarse, suceder. 2. Manar. ANT. 1. Desaparecer. 2. Entrar.

suroeste s. m. Sudoeste.

surrealismo s. m. Movimiento artístico europeo que se caracterizaba por representar cosas de los sueños o de situaciones parecidas.

surrealista adj. y s. Del surrealismo o relacionado con este movimiento artístico, o que le sigue.

surtido, da 1. p. de **surtir**. También adj. || s. m. 2. Conjunto de cosas distintas, pero de una misma clase.

surtidor s. m. 1. Chorro de algún líquido, sobre todo el que sale hacia arriba. 2. Aparato para sacar líquido de un depósito, como el que hay en las gasolineras para echar gasolina a los vehículos.

surtir v. Proveer, suministrar. EXPR. **surtir efecto** Producir el efecto esperado. SIN. Abastecer.

susceptibilidad s. f. 1. Los sentimientos o la sensibilidad de una persona. 2. Sensibilidad exagerada que tiene la persona susceptible.

susceptible adj. 1. Que puede hacerse con él lo que se dice: *Es una obra susceptible de ser mejorada*. 2. Que es demasiado sensible y se molesta por cualquier cosa.

suscitar v. Provocar, motivar, causar. SIN. Producir. ANT. Evitar.

suscribir v. 1. Apuntar a alguien para que reciba un periódico o una revista pagando por ello. 2. Estar de acuerdo con las ideas o propuestas de otra persona. 3. Firmar al final de un escrito. □ Su p. es irreg.: *suscrito*. SIN. 1. Abonar. 2. Apoyar, adherirse. ANT. 1. Borrar. 2. Rechazar.

suscripción s. f. Acción de apuntar a alguien para que reciba una revista o periódico. SIN. Abono.

suscriptor, ra s. m. y f. Persona que suscribe o se suscribe a una publicación periódica.

suscrito, ta 1. p. de suscribir. || adj. 2. Que alguien lo suscribió o que se suscribió.

susodicho, cha adj. y s. Que ya se ha dicho antes.

suspender v. 1. Parar, dejar de hacer algo que estaba previsto: *suspender un partido*. 2. Colgar algo de un lugar alto. 3. No obtener la nota necesaria para aprobar un examen. SIN. 1. Aplazar, detener, interrumpir. ANT. 1. Seguir. 2. Descolgar.

suspense (ingl.) s. m. Misterio, emoción, intriga.

suspensión s. f. 1. El hecho de suspender. 2. Conjunto de piezas de un vehículo que están entre la carrocería y el eje de las ruedas y hacen que se noten menos los baches y sacudidas. 3. El flotar polvo o pequeñas partículas en el aire o en un líquido. SIN. 1. Detención, aplazamiento; anulación. 2. Amortiguación. ANT. 1. Continuación.

suspensivo Se usa en la expresión **puntos suspensivos** Ver **punto**.

suspenso, sa adj. 1. Que ha sido suspendido, que no ha aprobado || s. m. 2. Nota que indica que no se ha aprobado un examen. EXPR. **en suspenso** Que se ha interrumpido o dejado para más adelante.

suspicacia s. f. Característica de suspicaz o desconfiado. SIN. Desconfianza, recelo. ANT. Confianza.

suspicaz adj. Que suele desconfiar o pensar mal de lo que dicen o hacen los demás. SIN. Desconfiado, receloso. ANT. Confiado.

suspirar v. 1. Dar suspiros. 2. Desear mucho algo, estar enamorado de una persona o sentirse muy atraído por ella. SIN. 2. Desvivirse, morir.

suspiro s. m. 1. El hecho de tomar y luego echar el aire lentamente, a veces con un gemido, cuando se siente pena, cansancio, deseo, alivio. 2. fam. Persona muy delgada. 3. fam. Tiempo muy corto. SIN. 3. Santiamén.

sustancia s. f. 1. Materia. 2. Parte que más alimenta de las cosas que se comen o jugo que tienen. 3. La esencia o parte más importante de algo. || 4. **sustancia gris** Parte del sistema nervioso central situada en la corteza cerebral, en la que se realizan las funciones más importantes del cerebro. SIN. 3. Meollo, fondo. ANT. 3. Palabrería.

sustancial adj. Muy importante, fundamental. SIN. Trascendental, capital. ANT. Insustancial.

sustancioso, sa _adj._ **1.** Muy abundante, importante o valioso. **2.** Alimenticio, nutritivo. **Sin. 1.** Cuantioso, notable. **Ant. 1.** Insignificante.

sustantivación _s. f._ El hecho de sustantivar una palabra o una frase.

sustantivar _v._ Hacer que una palabra o grupo de palabras que no son sustantivos realicen la función de éste, por ejemplo poniéndoles el artículo delante: _lo nuevo; el más pequeño._

sustantivo, va _adj._ **1.** Relacionado con la sustancia de una cosa. **2.** Que se refiere al nombre o tiene sus características: _oración subordinada sustantiva._ ‖ _s. m._ **3.** En gramática, clase de palabra que sirve para nombrar a los seres y las cosas y realiza principalmente las funciones de núcleo del sujeto o del complemento.

sustentación _s. f._ **1.** Acción de sustentar. **2.** Cosa que sustenta.

sustentar _v._ **1.** Sostener, sujetar, soportar. **2.** Alimentar y mantener a alguien. **3.** Apoyar algo en una base o fundamento. **Sin. 1.** Aguantar. **3.** Fundamentarse, basar. **Ant. 1.** Tirar.

sustento _s. m._ La comida y otras cosas necesarias para vivir. **Sin.** Mantenimiento, manutención.

sustitución _s. f._ El hecho de sustituir. **Sin.** Cambio, reemplazo.

sustituir _v._ Poner en el lugar de otro. ◻ Es v. irreg. Se conjuga como _huir._ **Sin.** Cambiar, reemplazar.

sustitutivo, va _adj. y s. m._ Se dice de la sustancia que puede sustituir a otra porque tiene características parecidas a ella. **Sin.** Sucedáneo.

sustituto, ta _adj. y s._ Persona que sustituye a otra en un trabajo. **Sin.** Suplente. **Ant.** Titular.

susto _s. m._ Sensación de miedo producida por algo que ocurre de repente.

sustracción _s. f._ **1.** Robo, hurto. **2.** En matemáticas, resta. **Ant. 2.** Adición, suma.

sustraendo _s. m._ En matemáticas, cantidad que se resta de otra llamada _minuendo._

sustraer _v._ **1.** Robar. **2.** Hacer una resta. ‖ **sustraerse 3.** No hacer algo que resulta molesto, por ejemplo una obligación. ◻ Es v. irreg. Se conjuga como _traer._ **Sin. 1.** Hurtar. **2.** Restar. **3.** Escabullirse. **Ant. 2.** Sumar.

sustrato _s. m._ Capa, nivel u otra cosa que está debajo de otra.

susurrante _adj._ Que susurra.

susurrar _v._ **1.** Hablar muy bajo. **2.** Hacer un ruido muy suave el viento o el agua. **Sin. 1.** Musitar. **1** y **2.** Murmurar. **Ant. 1.** Gritar.

susurro _s. m._ El hecho de susurrar y sonido o palabras con que se susurra. **Sin.** Murmullo.

sutil _adj._ **1.** Muy delgado y fino. **2.** Suave o poco intenso. **3.** Agudo, inteligente. **Sin. 1.** Leve, liviano, tenue. **3.** Perspicaz, ingenioso. **Ant. 1.** Grueso, tosco. **2.** Fuerte. **3.** Simple.

sutileza _s. f._ **1.** Característica de lo que es sutil. **2.** Idea o frase muy sutil, inteligente, a veces difícil de entender. **Sin. 1.** Levedad, suavidad. **1** y **2.** Agudeza. **Ant. 1.** Tosquedad.

sutura _s. f._ Operación de coser el médico una herida para cerrarla.

suturar _v._ Coser una herida.

suyo, ya _pos._ **1.** Que pertenece a otro u otros o tiene relación con ellos; es de tercera persona: _Estos libros son suyos._ **2.** Con _lo_, expresa lo que hace mejor una persona o lo que más le gusta: _Lo suyo es el baloncesto._ **Expr. hacer uno de las suyas** Actuar una persona o animal según su costumbre, sobre todo para hacer algo malo. **lo suyo** Con verbos como _costar_ o _llevar_, significa 'mucho trabajo o esfuerzo'; también, indica lo mejor para algo: _Lo suyo sería ayudarle._

swahili _s. m._ Lengua que se habla en las zonas central y oriental de África.

t *s. f.* Letra número veintiuno del abecedario.

taba *s. f.* **1.** Astrágalo, hueso del tobillo. **2.** Juego que consiste en tirar al aire este hueso o una cosa parecida y, según del lado que caiga, se gana o se pierde.

tabacalero, ra *adj.* **1.** Del cultivo, fabricación y venta de tabaco. ‖ *s. m.* y *f.* **2.** Persona que cultiva, fabrica o vende tabaco. **SIN.** 1 y 2. Tabaquero.

tabaco *s. m.* **1.** Planta de muchas ramas, flores en forma de trompeta y hojas grandes que se usan para fabricar cigarros y cigarrillos. **2.** Cigarros o cigarrillos. **3.** Color parecido al de la hoja de tabaco seca.

tábano *s. m.* Insecto parecido a una mosca, pero más grande, que se alimenta de la sangre que chupa a los animales.

tabaquera *s. f.* Caja o bote para guardar tabaco. **SIN.** Petaca.

tabaquero, ra *adj.* y *s.* Tabacalero.

tabaquismo *s. m.* Intoxicación grave o crónica producida por el abuso del tabaco.

tabarra *s. f.* Molestia, pesadez. Se usa sobre todo en la expresión **dar la tabarra**, 'molestar'.

tabasco *s. m.* Salsa mexicana muy picante.

taberna *s. f.* Lugar en que se sirven bebidas y a veces también comidas. **SIN.** Tasca.

tabernáculo *s. m.* **1.** Tienda donde los antiguos hebreos colocaban el arca de la Alianza. **2.** Sagrario.

tabernero, ra *s. m.* y *f.* Dueño o encargado de una taberna.

tabicar *v.* Cerrar un hueco con un tabique.

tabique *s. m.* **1.** Pared delgada que separa las distintas habitaciones de una casa. **2.** Cosa plana y delgada que separa dos huecos o espacios, como la membrana que separa dos cavidades de un órgano: *el tabique de la nariz.*

tabla *s. f.* **1.** Trozo de madera, o de otro material rígido, plano, más largo que ancho y poco grueso. **2.** Plancha larga sobre la que se practican algunos deportes de agua, como el *surf.* **3.** Tapa con un hueco en el centro para sentarse sobre ella en los retretes. **4.** Pliegue ancho y plano de una prenda. **5.** Lista de términos, nombres, números según un orden o una clasificación: *la tabla de multiplicar.* ‖ *pl.* **6.** Resultado del juego del ajedrez o de las damas cuando ninguno de los dos jugadores ha conseguido ganar la partida. **EXPR. tener tablas** Tener un actor o cualquier persona mucha experiencia en su profesión. **SIN.** 1. Listón.

tablado *s. m.* **1.** Suelo plano formado por tablas unidas, casi siempre construido en alto. **2.** Tablao. **SIN.** 1. Tarima.

tablao *s. m.* Escenario para espectáculos de cante y baile flamencos; también, el lugar donde se hacen estos espectáculos. **SIN.** Tablado.

tablazón *s. f.* **1.** Conjunto de tablas unidas. **2.** Conjunto de tablas que forman la cubierta de los barcos o sus costados.

tableado, da *adj.* Se dice de la prenda de vestir que tiene tablas o pliegues rectos.

tablero *s. m.* **1.** Plancha de madera o de otro material rígido. **2.** Superficie cuadrada con recuadros o figuras para jugar a algunos juegos de mesa: *tablero de ajedrez.* **SIN.** 1. Tablón.

tableta *s. f.* **1.** Pastilla de chocolate o de turrón. **2.** Pastilla de medicina redonda y plana.

tabletear *v.* Producir algo un ruido semejante al de chocar tablas o maderas.

tablón *s. m.* **1.** Tabla grande y gruesa. **2.** Tablero donde se ponen noticias, avisos, listas y otras informaciones.

tabú *s. m.* Palabra que no se debe decir o cosa de la que no se puede hablar.

tabulador *s. m.* En las máquinas de escribir y los ordenadores, tecla para colocar los márgenes o espacios de un escrito en los lugares deseados.

tabular *adj.* Que tiene forma de tabla.

taburete *s. m.* Silla sin brazos ni respaldo. **SIN.** Banqueta.

tacada *s. f.* En billar, golpe que se da a la bola con el taco y, también, serie de carambolas seguidas que hace un jugador. **EXPR. de una tacada** De golpe, de una vez.

tacañería *s. f.* Comportamiento o forma de ser del tacaño.

tacaño, ña *adj. y s.* Persona que gasta o da lo menos que puede. **SIN.** Agarrado. **ANT.** Generoso.

tacatá o **tacataca** *s. m.* Especie de carrito para que los niños aprendan a andar sin caerse.

tacha *s. f.* Defecto o falta.

tachadura *s. f.* Raya o rayas con que se tacha algo. **SIN.** Tachadura, borrón.

tachar *v.* **1.** Hacer rayas encima de algo escrito para taparlo o indicar que no vale. **2.** Señalar un defecto o una cualidad mala de una persona o cosa: *Le tacharon de mentiroso.* **SIN. 2.** Tildar.

tachón[1] *s. m.* Tachadura, borrón.

tachón[2] *s. m.* Tachuela grande con cabeza dorada o plateada.

tachonado, da *adj.* **1.** Adornado con tachones, tachuelas grandes. **2.** Totalmente cubierto: *un cielo tachonado de estrellas.*

tachuela *s. f.* Clavo corto y de cabeza ancha.

tácito, ta *adj.* Que se sabe sin necesidad de decirlo.

taciturno, na *adj.* Callado, que habla poco. **SIN.** Reservado, retraído. **ANT.** Abierto.

taco *s. m.* **1.** Pedazo corto de madera u otro material que se encaja en un hueco. **2.** Trozo pequeño y grueso de un alimento, sobre todo el jamón o el queso. **3.** Palo con que se golpea la bola en el juego del billar. **4.** Montón de hojas, papeles o cosas parecidas, sobre todo si están bien colocados. **5.** Palabrota. **6.** *fam.* Lío, jaleo: *armarse un taco.* || *pl.* **7.** *fam.* Años que tiene una persona.

tacón *s. m.* Pieza del zapato que se coloca en la suela, bajo el talón, para levantar el pie.

taconazo *s. m.* Golpe de tacón.

taconear *v.* Golpear el suelo con el tacón varias veces seguidas al andar o al bailar. **SIN.** Zapatear.

táctica *s. f.* **1.** Estrategia o manera de hacer alguna cosa. **2.** Conocimientos para realizar las operaciones militares. **SIN. 1.** Sistema, procedimiento.

táctico, ca *adj.* **1.** De la táctica o relacionado con ella. || *s. m.* **2.** Persona que sabe de táctica o que la practica.

táctil *adj.* Del sentido del tacto.

tacto *s. m.* **1.** Sentido corporal con que se perciben los objetos, su forma, su tamaño y otras características tocándolos o sintiéndolos con alguna parte del cuerpo. **2.** Modo en que se perciben las cosas a través de este sentido: *una toalla de tacto muy suave.* **3.** Acción de tocar. **4.** Cuidado que hay que tener a veces al tratar con las personas o para hacer algo sin que le siente mal a otro. **SIN. 1.** Sensibilidad. **4.** Delicadeza, diplomacia.

taekwondo (coreano) *s. m.* Tipo de lucha coreana que se parece al karate.

tafetán *s. m.* Tela delgada y fuerte de seda o de un tejido parecido.

tafilete *s. m.* Piel curtida, suave y poco gruesa.

tagalo, la *adj. y s.* **1.** De un pueblo de Filipinas que vive principalmente en la isla de Luzón. || *s. m.* **2.** Lengua de este pueblo.

tahitiano, na *adj. y s.* De Tahití, isla francesa de Oceanía.

tahona *s. f.* Lugar donde se hace y se vende pan. **SIN.** Horno.

tahúr *s. m. y f.* **1.** Persona que juega mucho a las cartas, los dados y otros juegos y lo hace por dinero. **2.** Jugador tramposo. **SIN. 2.** Fullero.

taifa *s. f.* Cada uno de los pequeños reinos en que se dividió, en el siglo XI, el reino musulmán que existía en la península Ibérica.

taiga (ruso) *s. f.* Gran extensión de bosques que hay en algunas zonas frías del norte de Europa, Asia y América.

tailandés, sa *adj. y s.* De Tailandia, país de Asia.

taimado, da *adj.* Astuto, que tiene facilidad para engañar. **SIN.** Ladino. **ANT.** Ingenuo.

tajada *s. f.* **1.** Trozo cortado o separado de una cosa, sobre todo de un alimento. **2.** Corte, raja. **3.** *fam.* Borrachera. **EXPR. sacar tajada** de algo Sacar provecho.

tajamar *s. m.* Construcción que se añade a los pilares de un puente para que corte el agua de la corriente.

tajante *adj.* **1.** Que no se puede discutir o dudar. **2.** Total, brusco o sin término medio. **SIN. 1. y 2.** Rotundo.

tajar *v.* **1.** Dividir una cosa con un instrumento cortante. || **tajarse 2.** *fam.* Emborracharse. **SIN. 1.** Cortar, sajar.

tajo *s. m.* **1.** Corte profundo hecho con un objeto afilado. **2.** Barranco hondo y estrecho. **3.** *fam.* Trabajo, tarea. **Sin. 1.** Cortadura.

tal *dem.* **1.** Indica una persona o cosa que ya se conoce o se ha dicho antes: *Él nunca haría tal barbaridad.* Se usa también para poner ejemplos: *Pinta algunos frutos, tales como la naranja o la pera.* || *indef.* **2.** Tanto, tan grande: *Había tal cantidad de gente, que no se cabía.* **3.** Señala a una persona o cosa cualquiera o que no es muy conocida: *Escribió a los Reyes Magos pidiendo tal y tal juguete. Un tal Pérez.* || *adv.* **4.** Con *como* o *cual*, significa 'igual', 'de la misma manera': *Tu hermano es tal como me dijiste. Dejaron la habitación tal cual estaba.* **Expr. con tal de** Con la condición de que: *Te diré un secreto con tal de que no se lo cuentes a nadie.* **tal para cual** Significa que dos personas son muy parecidas, sobre todo por algo malo. **tal vez** Posiblemente.

tala *s. f.* Acción de talar árboles.

talabartero, ra *s. m.* y *f.* Persona que trabaja el cuero.

taladrador, ra *adj.* y *s.* Instrumento o máquina para taladrar. **Sin.** Taladro.

taladrar *v.* Hacer agujeros con un instrumento.

taladro *s. m.* **1.** Instrumento o máquina para taladrar. **2.** Agujero que se hace al taladrar. **Sin. 1.** Taladrador.

tálamo *s. m.* Cama de los recién casados.

talante *s. m.* Modo de ser de una persona o humor que tiene en algún momento. **Sin.** Carácter; ánimo.

talar[1] *v.* Cortar árboles.

talar[2] *adj.* Vestidura que llega hasta los talones, sobre todo la eclesiástica.

talayot o **talayote** (cat.) *s. m.* Monumento megalítico de las Baleares, parecido a una torre de poca altura.

talco *s. m.* Mineral blanco y blando que, en forma de polvo muy fino, se usa como cosmético.

talega *s. f.* Bolsa ancha y corta de tela.

talego *s. m.* Saco de tela.

taleguilla *s. f.* Pantalón de los toreros.

talento *s. m.* **1.** Capacidad para hacer muy bien una cosa. **2.** Persona que tiene esa capacidad. **Sin. 1.** Aptitud. **Ant. 1.** Incapacidad.

talgo *s. m.* Tren articulado de gran estabilidad y muy rápido.

talión *s. m.* **1.** Pena en la que alguien sufre el mismo daño que ha causado. || **2. ley de talión** La que castiga con esa pena.

talismán *s. m.* Objeto que según algunos tiene poderes mágicos.

talla *s. f.* **1.** Acción de tallar. **2.** Escultura, sobre todo la de madera. **3.** Medida de una prenda de vestir y de la persona que la usa. **4.** Estatura de una persona. **5.** Importancia o valor. **Sin. 5.** Categoría.

tallar *v.* **1.** Dar forma a un material duro cortando o quitando trozos. **2.** Grabar un dibujo u otra cosa sobre una superficie dura. **3.** Medir la altura de una persona o de un animal. **Sin. 1.** Esculpir.

tallarín *s. m.* Tira fina y delgada de pasta de harina de trigo, que se come cocida. Es una comida típica italiana.

talle *s. m.* **1.** Cintura. **2.** Parte de una prenda de vestir que cubre la cintura. **3.** Medida de una prenda de vestir que se toma desde el cuello hasta la cintura.

taller *s. m.* **1.** Lugar donde se trabaja en algunos oficios o donde los artistas realizan sus obras. **2.** Lugar donde se arreglan máquinas, aparatos y piezas mecánicas.

tallista *s. m.* y *f.* Persona que hace obras de talla.

tallo *s. m.* Parte de las plantas que crece hacia arriba y sostiene las hojas, las flores y los frutos.

talludo, da o **talludito, ta** *adj.* Que ya no es un niño o ya no es joven.

talo *s. m.* En botánica, cuerpo de las plantas talofitas, que equivale a la raíz, el tallo y las hojas de las plantas metafitas.

talofito, ta *adj.* y *s.* Se dice de las plantas que tienen talo y carecen de tejidos vasculares.

talón[1] *s. m.* **1.** Parte de detrás del pie, que tiene forma redondeada. **2.** Parte del zapato, la media o el calcetín que cubre esa parte del pie. **Expr. pisarle** a alguien **los talones** Seguirle muy de cerca. **Sin. 1.** Calcañar.

talón[2] *s. m.* Hoja que se separa de un cuadernillo, como los cheques y algunos recibos.

talonario *s. m.* Cuadernillo de talones.

talud *s. m.* Inclinación o pendiente en un terreno.

tamaño *s. m.* Lo que mide o lo que ocupa una persona o una cosa, y por lo que es más grande o más pequeña que otras.

tamaño, ña *adj.* Semejante, tal, tan grande: *Jamás he oído tamaña tontería.*

tamarindo *s. m.* Árbol africano de tronco grueso y copa ancha, que da un fruto llamado también *tamarindo* que se come en confitura.

tambalearse *v.* Moverse una persona, animal o cosa de un lado a otro cuando le falta el equilibrio. **Sin.** Bambolearse.

también *adv.* **1.** Sirve para afirmar que una persona o cosa es como otra ya nombrada, que hace igual que ella o que tiene lo mismo: *Jorge es mi amigo y Rafa también. Si vais al cine, nosotros también. En mi pueblo también hay una iglesia.* **2.** Además: *Es buen estudiante y también un gran deportista.*

tambor *s. m.* **1.** Instrumento musical que consiste en una caja redonda cerrada por una o dos pieles muy tirantes o por otra superficie; se toca golpeando estas superficies con unos palillos. **2.** Nombre de algunos objetos con forma de cilindro: *un tambor de detergente.*

tamboril *s. m.* Tambor pequeño y estrecho que se lleva colgado y se toca con un solo palillo.

tamborilear *v.* **1.** Tocar el tamboril. **2.** Dar muchos golpecitos sobre algo, haciendo un ruido parecido al del tambor.

tamborilero, ra *s. m. y f.* Persona que toca el tambor o el tamboril.

tamiz *s. m.* Aro con una redecilla o tela por la que se hace pasar algo para separar las partes más finas de las gruesas. **Sin.** Criba, cedazo.

tamizar *v.* **1.** Pasar una cosa por el tamiz. **2.** Suavizar la luz o cambiar su color haciéndola pasar a través de un filtro, una pantalla o algo parecido. **3.** Seleccionar con mucho cuidado. **Sin. 1.** Cribar.

tampoco *adv.* Se usa para decir que no después de haber dicho que no antes: *Ayer no hubo clase y hoy tampoco.*

tampón *s. m.* **1.** Almohadilla empapada en tinta que se utiliza para mojar en ella los sellos de caucho; también, estos sellos. **2.** Cilindro de algodón que se ponen las mujeres cuando tienen la regla.

tam-tam *s. m.* Instrumento musical parecido a un tambor grande que usan algunos indígenas.

tamujo *s. m.* Arbusto de ramas delgadas, flexibles y espinosas, que se utilizan para hacer escobas.

tan *adv.* Forma abreviada de **tanto**. Se usa delante de adjetivos y adverbios para dar más fuerza a su significado: *Es tan bueno... No vayas tan deprisa.* Con las conjunciones *cuan* o *como*, expresa una comparación de igualdad: *El chico*

es tan listo como su padre. Con la conjunción *que* forma oraciones subordinadas consecutivas: *Habla tan alto que todo el mundo se entera.*

tanatorio *s. m.* Lugar donde familiares y amigos acompañan a los muertos antes de enterrarlos o incinerarlos.

tanda *s. f.* **1.** Cada uno de los grupos en que se divide un conjunto de personas, animales o cosas. **2.** Varias cosas de la misma clase que se hacen o se dan seguidas. **Sin. 1.** Partida.

tándem *s. m.* **1.** Bicicleta con dos o más asientos y el mismo número de pares de pedales. **2.** Equipo de dos personas.

tanga *s. m.* Biquini de mujer o bañador de hombre muy pequeños.

tangencial *adj.* **1.** Relacionado con la tangente. **2.** Que se refiere a algo de manera parcial o superficial.

tangente *adj. y s. f.* En geometría, se dice de las líneas o las superficies que se tocan sin llegar a cortarse. **Expr. irse o salirse por la tangente** Dar rodeos o excusas para evitar contestar a alguna pregunta o dar explicaciones.

tangible *adj.* **1.** Que se puede tocar con las manos. **2.** Que se nota claramente. **Sin. 1** y **2.** Palpable. **2.** Evidente.

tango *s. m.* **1.** Baile argentino que bailan agarrados un hombre y una mujer. **2.** Música y canción de este baile.

tanguista *s. m. y f.* Cantante de tangos.

tanino *s. m.* Sustancia que hay en la corteza de algunos árboles, como los robles y castaños, que se usa para curtir pieles y, en farmacia, para cortar la diarrea.

tanque *s. m.* **1.** Vehículo grande de guerra provisto de una carrocería muy fuerte, que suele moverse sobre unas cadenas con las que puede ir por sitios desiguales. **2.** Depósito para líquidos. **Sin. 2.** Cisterna.

tanqueta *s. f.* Vehículo parecido a un tanque, pero más pequeño.

tanteador *s. m.* Marcador de tantos.

tantear *v.* **1.** Ir por un sitio tocando las cosas con las manos cuando no se ve o no hay luz. **2.** Calcular más o menos. **3.** Intentar saber cómo es una persona, qué quiere o qué piensa sobre algo. **4.** Llevar la cuenta de los tantos en un juego. **Sin. 1.** Palpar. **2.** Sopesar.

tanteo *s. m.* **1.** Acción de tantear. **2.** Número de tantos o puntos que se consiguen en un juego o en un deporte. **Sin. 2.** Puntuación, resultado.

tanto, ta *indef.* **1.** Significa mucho, gran cantidad de algo: *Había tantos pasteles que no sabía cuál elegir.* **2.** Expresa una cantidad o un número, pero sin decir cuál: *Debe de tener treinta y tantos años.* || *adv.* **3.** En gran cantidad o intensidad: *No chilles tanto.* || *s. m.* **4.** Una cantidad de dinero, sin decir cuánto: *Él le ayuda a repartir la mercancía y se lleva un tanto.* **5.** Punto que se consigue en un juego. || **6. tanto por ciento** Ver **porcentaje**. **EXPR. las tantas** Hora que nos parece que es muy tarde. **no ser para tanto** No ser tan bueno o bonito como se había dicho. **por tanto** o **por lo tanto** Se usa para expresar la consecuencia de algo.

tañer *v.* **1.** Tocar un instrumento musical, sobre todo si es de cuerda. **2.** Tocar las campanas. ◻ Es v. irreg. **SIN. 1.** Pulsar.

TAÑER
GERUNDIO
tañendo
INDICATIVO
Pretérito perfecto simple

tañí	tañimos
tañiste	tañisteis
tañó	tañeron

SUBJUNTIVO	
Pretérito imperf.	**Futuro**
tañera, -ese	tañere
tañeras, -eses	tañeres
tañera, -ese	tañere
tañéramos, -ésemos	tañéremos
tañerais, -eseis	tañereis
tañeran, -esen	tañeren

tañido *s. m.* Acción de tañer un instrumento o una campana y sonido que produce.

taoísmo *s. m.* Sistema filosófico y religión chinos.

taoísta *adj.* y *s.* Del taoísmo o que sigue el taoísmo.

tapa *s. f.* **1.** Pieza para cerrar o cubrir una caja, un frasco y otras cosas. **2.** Las dos láminas de cartón, papel u otro material que tienen los libros por fuera. **3.** Trozo de cuero, goma u otro material que se pone a los tacones por la parte que toca el suelo. **4.** Pequeña ración de comida que se toma como aperitivo. **SIN. 1.** Tapadera.

tapacubos *s. m.* Tapa redonda que se pone por fuera en las ruedas de los coches para que no se vean las tuercas.

tapadera *s. f.* **1.** Tapa ancha que se pone en la boca de algunos recipientes. **2.** Persona o cosa que sirve para ocultar a otra y que no se sepa lo que es: *El bar lo utiliza de tapadera para sus negocios ilegales.*

tapadillo Se usa en la expresión **de tapadillo**, 'a escondidas'.

tapajuntas *s. m.* Listón moldeado que se utiliza para cubrir la juntura del cerco de una puerta o ventana con la pared.

tapar *v.* **1.** Cubrir o cerrar algo poniendo una cosa encima o delante. **2.** Abrigar con ropa. **3.** Ocultar o disimular una falta, un error o algo parecido. **SIN. 2.** Arropar. **ANT.** 1 y 2. Destapar.

taparrabo o **taparrabos** *s. m.* Trozo muy pequeño de piel o tela que se ponen las personas de algunos pueblos primitivos para cubrirse como si fuera un calzón.

tapete *s. m.* Trozo de tela o plástico que se pone encima de una mesa o de un mueble.

tapia *s. f.* Pared que se pone alrededor de una casa o una finca para protegerla o para separarla de otras. **EXPR. como una tapia** Muy sordo.

tapiar *v.* **1.** Rodear una casa o una finca con una tapia. **2.** Cerrar algo con ladrillos.

tapicería *s. f.* **1.** Telas que se usan para hacer cojines, cortinas, o forrar muebles. **2.** Taller donde trabaja el tapicero. **3.** Oficio del tapicero.

tapicero, ra *s. m.* y *f.* **1.** Persona que se dedica a tapizar muebles y hacer cortinas y cojines. **2.** Persona que hace tapices.

tapioca *s. f.* Alimento que se saca de la raíz de una planta americana llamada *mandioca.*

tapir *s. m.* Animal mamífero, algo más grande que un jabalí, que tiene la cabeza acabada en una corta trompa. Se alimenta de hierbas y sobre todo de raíces que encuentra escarbando. Vive en América del Sur y en Asia.

tapiz *s. m.* Trozo de tela tejido con lana, lino u otros hilos que forman dibujos y escenas. Se usa para cubrir y adornar paredes.

tapizado, da **1.** *p.* de **tapizar**. También *adj.* || *s. m.* **2.** Acción de tapizar y material con que se hace.

tapizar *v.* Forrar con tela muebles, paredes y otras cosas.

tapón *s. m.* **1.** Pieza que sirve para tapar botellas, tubos y otras cosas: *un ta-*

pón de corcho. **2.** Cualquier cosa que obstruye o tapona algo. **3.** Muchos coches parados o que van muy despacio y no dejan que pasen otros. **4.** En baloncesto, acción de parar un jugador el balón que otro ha lanzado, cuando va subiendo derecho a la canasta. **5.** *fam.* Persona bajita y gordita. **SIN. 3.** Atasco.

taponamiento *s. m.* Acción de taponar.

taponar *v.* **1.** Cerrar algo con un tapón. ‖ **taponarse 2.** Quedarse tapado un agujero o un conducto. **SIN. 1** y **2.** Obturar(se), obstruir(se). **ANT. 1** y **2.** Destaponar(se).

taponazo *s. m.* Estallido que se produce al saltar el tapón de una botella y el golpe que este tapón da.

tapujo *s. m.* Disimulo con que se quiere ocultar la verdad. Se usa sobre todo en la expresión **sin tapujos:** *Estuvieron hablando sin tapujos.*

taquicardia *s. f.* Hecho de ir mucho más deprisa de lo normal los latidos del corazón, por una enfermedad o por un esfuerzo muy grande.

taquigrafía *s. f.* Tipo de escritura con unos signos especiales que permiten escribir a gran velocidad.

taquigrafiar *v.* Escribir con taquigrafía.

taquígrafo, fa *s. m.* y *f.* Persona que escribe utilizando la taquigrafía.

taquilla *s. f.* **1.** Ventanilla, mostrador o lugar donde se venden billetes para un transporte o entradas para un espectáculo. **2.** Armarito para guardar objetos personales en un lugar público.

taquillero, ra *s. m.* y *f.* **1.** Persona que vende billetes o entradas en una taquilla. ‖ *adj.* **2.** Se dice del artista o del espectáculo que consiguen mucho dinero porque mucha gente va a verlos.

taquillón *s. m.* Mueble de madera, no muy alto, con puertas y cajones, que suele colocarse en el recibidor.

tara *s. f.* **1.** Defecto grave. **2.** Peso de un vehículo sin la carga que puede transportar.

taracea *s. f.* Técnica que consiste en meter en una madera trocitos de madera de otro color, o de otros materiales, formando dibujos o adornos.

tarado, da *adj.* **1.** Que tiene alguna tara o defecto. ‖ *s. m.* y *f.* **2.** Tonto, poco inteligente. **SIN. 2.** Estúpido, torpe.

tarambana o **tarambanas** *adj.* y *s. fam.* Alocado, poco sensato.

tarántula *s. f.* Araña grande de color oscuro con rayas blancas y patas peludas, que vive en zonas tropicales.

tararear *v.* Cantar en voz baja y sin pronunciar palabras. **SIN.** Canturrear.

tarareo *s. m.* Acción de tararear.

tarascada *s. f.* Mordedura o arañazo muy rápido. **SIN.** Bocado, dentellada.

tardanza *s. f.* El hecho de tardar.

tardar *v.* **1.** Necesitar un tiempo para hacer algo. **2.** Emplear mucho tiempo en hacer algo. **SIN. 2.** Retrasarse, demorarse.

tarde *s. f.* **1.** Tiempo que va desde el mediodía hasta que empieza a hacerse de noche. ‖ *adv.* **2.** A últimas horas del día o de la noche: *Ayer se acostó tarde.* **3.** Después del momento oportuno o que se había decidido: *llegar tarde.* **ANT. 1.** Mañana. **2.** Temprano. **3.** Pronto.

tardío, a *adj.* **1.** Se dice de aquellos frutos que maduran más tarde del tiempo en que sería normal. **2.** Que se produce más tarde de lo normal. **SIN. 2.** Retrasado. **ANT. 1** y **2.** Temprano.

tardo, da *adj.* **1.** Lento para moverse o hacer las cosas. **2.** Que le cuesta entender las cosas. **SIN. 1.** Pausado. **2.** Lerdo. **ANT. 1.** Vivaracho. **2.** Despierto.

tardón, na *adj.* y *s.* Se dice de la persona que tarda mucho.

tarea *s. f.* Actividad o trabajo, sobre todo el que debe hacerse en un tiempo determinado. **SIN.** Labor, faena. **ANT.** Ocio.

tarifa *s. f.* Dinero que hay que pagar por una cosa o por un impuesto.

tarifar *v.* Discutir o pelearse con alguien.

tarima *s. f.* Plataforma de madera a poca altura del suelo.

tarjeta *s. f.* **1.** Cartulina rectangular en la que aparece el nombre y otros datos. ‖ **2. tarjeta de crédito** La que da un banco o unos grandes almacenes y sirve para pagar.

tarjetero *s. m.* Cartera para guardar tarjetas.

tarot (fr.) *s. m.* Adivinación del futuro de una persona usando unas cartas especiales; también se llama así a estas cartas.

tarraconense *adj.* y *s.* De Tarragona, ciudad y provincia españolas.

tarrina *s. f.* Recipiente en que se venden o se conservan algunos alimentos.

tarro *s. m.* **1.** Bote de cristal, barro o porcelana para guardar alimentos y otras cosas. **2.** *fam.* Cabeza. **SIN.** Coco.

tarso *s. m.* Conjunto de huesos del pie situados entre el metatarso y la pierna.

tarta s. f. Pastel grande con crema, nata, guindas, almendras y otras cosas.

tartaja adj. y s. Tartamudo.

tartajear v. Tartamudear.

tartamudear v. Atascarse una persona al hablar, repitiendo varias veces una sílaba. Sin. Tartajear.

tartamudeo s. m. El hecho de tartamudear.

tartamudez s. f. Defecto que tienen las personas que tartamudean.

tartamudo, da adj. y s. Que tartamudea. Sin. Tartaja.

tartán s. m. Material artificial con que se hacen las superficies de las pistas deportivas.

tartana s. f. 1. Carreta con toldo, que suele tener dos ruedas. 2. fam. Coche viejo y estropeado.

tártaro, ra adj. y s. De un conjunto de pueblos de origen turco y mongol.

tartera s. f. Recipiente que queda herméticamente cerrado y se usa para llevar comida.

tartesio, sia adj. y s. De un antiguo pueblo de la península Ibérica que habitaba en la vera baja del Guadalquivir.

tarugo s. m. 1. Trozo de madera corto y gordo. 2. Trozo grande de pan. 3. fam. Persona bruta o poco lista.

tarumba adj. fam. Que está loco.

tasa s. f. 1. Medida de algunas cosas: la tasa de nacimientos. 2. Lo que se paga por usar una cosa o por comprarla.

tasación s. f. Acción de tasar.

tasador, ra s. m. y f. Persona que tasa.

tasajo s. m. Cecina.

tasar v. Decir una persona experta o una autoridad lo que vale alguna cosa.

tasca s. f. Bar, taberna.

tata s. f. En el lenguaje de los niños, niñera.

tatarabuelo, la s. m. y f. El abuelo o la abuela de nuestros abuelos.

tataranieto, ta s. m. y f. El nieto o la nieta de los nietos de alguien.

tatuaje s. m. Dibujo o palabra que se graba en una parte del cuerpo, normalmente metiendo con una aguja sustancias de color bajo la piel.

tatuar v. Hacer un tatuaje.

taula (cat.) s. f. Monumento megalítico de las islas Baleares, que consiste en una gran piedra horizontal que se apoya sobre otra u otras verticales.

taurino, na adj. De los toros o de las corridas de toros. Sin. Torero.

tauro s. m. Segundo signo del zodiaco (del 20 de abril al 20 de mayo).

tauromaquia s. f. La técnica o el arte de torear.

tautología s. f. Repetición de la misma idea, pero con distintas palabras, por ejemplo: reemprender de nuevo, subir arriba.

taxativo, va adj. Exacto, muy riguroso: cumplimiento taxativo de las normas. Sin. Estricto, preciso. Ant. Relativo.

taxi s. m. Coche con un conductor que lleva a las personas adonde quieren ir y les cobra según el tiempo que han tardado o los kilómetros recorridos.

taxidermia s. f. Técnica de disecar animales.

taxidermista s. m. y f. Persona que se dedica a disecar animales.

taxímetro s. m. Aparato que en los taxis marca el dinero que tienen que pagar los pasajeros.

taxista s. m. y f. Conductor de un taxi.

taxonomía s. f. Sistema para clasificar, por ejemplo los animales y las plantas en familias, especies y otros grupos.

taxonómico, ca adj. De la taxonomía.

taza s. f. 1. Recipiente pequeño de boca ancha y con asa, que sirve para tomar bebidas y caldos. 2. Parte del retrete sobre la que nos sentamos y donde caen los excrementos.

tazón s. m. Especie de taza, pero más grande y sin asa.

te pron. pers. Expresa la segunda persona del singular y funciona como complemento directo o indirecto: Te vi ayer. ¿Te dio Andrés el recado?; se utiliza para formar los verbos pronominales: te acuerdas, te cansas; y a veces sirve para dar mayor expresividad: Te comiste todo el chocolate.

té s. m. Bebida que se prepara echando en agua hirviendo las hojas secas y tostadas de un árbol chino que también se llama té.

tea s. f. Trozo de madera que se unta con resina y se enciende para alumbrar o prender fuego. Sin. Hacha.

teatral adj. 1. Del teatro o relacionado con él. 2. Que es muy exagerado y quiere llamar la atención o impresionar a los demás. Sin. 1 y 2. Dramático. Ant. 2. Natural.

teatro s. m. 1. Tipo de obras que se escriben para que unos actores las representen delante del público. 2. Edificio o lugar donde se representan estas obras y otros espectáculos. **3.** El fingir o simular una cosa.

tebano, na *adj.* y *s.* De Tebas, antigua ciudad griega.

tebeo *s. m.* Revista de historietas para niños. **Sin.** Cómic.

teca *s. f.* Árbol perenne de gran altura, originario de Asia tropical y muy apreciado por su madera.

techado, da 1. *p.* de **techar.** También *adj.* ‖ *adj.* **2.** Que tiene techo. ‖ *s. m.* **3.** Techo, cubierta.

techar *v.* Cubrir una construcción con techo.

techo *s. m.* **1.** Parte de arriba de un edificio, de una habitación o de algo parecido, que sirve para cubrirlo. **2.** Lugar donde vivir o donde refugiarse. **3.** El límite de algo, lo máximo. **Sin. 1.** Techumbre, tejado, cubierta. **2.** Cobijo, refugio. **3.** Tope.

techumbre *s. f.* Techo de un edificio o de una habitación. **Sin.** Tejado, cubierta.

teckel *adj.* y *s. m.* Perro de cuerpo alargado y patas cortas. Se le llama familiarmente *perro salchicha.*

tecla *s. f.* Cada una de las piezas que se aprietan al manejar una máquina de escribir, el teclado de un ordenador, algunos instrumentos musicales.

teclado *s. m.* Parte de un instrumento musical, de un ordenador o de otra cosa, donde están las teclas.

teclear *v.* Apretar las teclas de un instrumento musical, de una máquina o de otra cosa.

teclista *s. m.* y *f.* Persona que maneja un teclado, sobre todo el músico que toca un instrumento con teclado.

técnica *s. f.* **1.** Conjunto de conocimientos, métodos y aparatos que hacen posible fabricar cosas. **2.** Forma de hacer una cosa o de utilizarla. **Sin. 2.** Procedimiento.

técnicamente *adv.* De manera técnica o según la técnica que se ha utilizado.

tecnicismo *s. m.* Palabra que se utiliza en una ciencia, arte o profesión.

técnico, ca *adj.* **1.** De la técnica. **2.** Se dice de algunas carreras que se estudian en la universidad y duran de tres a cuatro años; se dice también de la persona que tiene estos estudios. ‖ *s. m.* y *f.* **3.** Experto en una ciencia, un oficio u otra cosa, sobre todo el que entiende de aparatos electrónicos. **Sin. 1.** Tecnológico.

tecnicolor *s. m.* Técnica de color para el cine, inventada en Estados Unidos en 1914.

tecno *s. m.* Variedad de música pop que se desarrolló en los años setenta y ochenta y que utiliza instrumentos electrónicos.

tecnocracia *s. f.* Sistema político que propone que los puestos dirigentes del gobierno de un país lo ocupen técnicos.

tecnócrata *adj.* y *s.* **1.** Partidario de la tecnocracia. ‖ *s. m.* y *f.* **2.** Técnico que desempeña un cargo público.

tecnología *s. f.* **1.** Ciencia y actividad que se ocupa de fabricar y mejorar las máquinas, los aparatos, etc., para utilizarlos luego en la industria o en otras actividades. ‖ **2. tecnología punta** Ver **punta. Sin. 1.** Técnica.

tecnológico, ca *adj.* De la tecnología o relacionado con ella. **Sin.** Técnico.

tectónica *s. f.* **1.** Parte de la geología que estudia cómo está formada la corteza terrestre y los movimientos que se producen en ella. ‖ **2. tectónica de placas** Teoría que explica la formación y los movimientos de las placas, grandes trozos en que se divide la corteza terrestre.

tectónico, ca *adj.* De la corteza terrestre o relacionado con ella.

tedéum *s. m.* En la religión católica, cántico para dar gracias a Dios.

tedio *s. m.* Aburrimiento o desgana. **Sin.** Monotonía, hastío; desinterés **Ant.** Animación.

tedioso, sa *adj.* Que causa tedio. **Sin.** Aburrido. **Ant.** Divertido.

teflón *s. m.* Material plástico muy resistente con el que se recubren algunas cosas.

tegumento *s. m.* Tejido o telilla que cubre y protege algunas partes de los seres vivos.

teína *s. f.* Sustancia excitante que se encuentra en el té.

teja *s. f.* **1.** Pieza, generalmente de forma curva y de barro cocido, que sirve, junto con otras muchas, para cubrir los tejados de las casas y dejar escurrir el agua de lluvia. **2.** Color marrón rojizo parecido al de las tejas de barro. **Expr. a toca teja** A tocateja. Ver **tocateja.**

tejadillo *s. m.* Pequeño tejado unido a una pared y de una sola vertiente.

tejado *s. m.* Parte de arriba de una casa o de otro edificio, que suele estar cubierta de tejas. **Sin.** Cubierta.

tejano, na *adj.* y *s.* **1.** De Texas o Tejas, estado de los Estados Unidos de América. ‖ *s. m. pl.* **2.** Pantalones vaqueros.

tejar¹ *v.* Poner tejas en la cubierta de un edificio.

tejar² *s. m.* Lugar donde se fabrican tejas y ladrillos.

tejedor, ra *adj.* y *s.* Persona que teje.

tejedora *s. f.* Máquina para tejer.

tejemaneje *s. m.* **1.** Chanchullo, trampa. **2.** Mucho trabajo, mucho lío. **Sin.** **2.** Ajetreo.

tejer *v.* **1.** Hacer telas o tejidos de punto entrelazando hilos o lana. **2.** Hacer, algunos animales como las arañas o los gusanos, sus telas o capullos. **3.** Pensar o planear algo. **Sin.** **3.** Tramar, urdir.

tejido *s. m.* **1.** Cualquier material que resulta al entrelazar hilos o fibras. **2.** Conjunto de células de una misma clase y con la misma función que forman los órganos y otras partes de los seres vivos: *tejido muscular.*

tejo¹ *s. m.* Trozo de teja, metal o de otra cosa dura que se usa para lanzarlo en algunos juegos. **Expr.** **tirar los tejos** a alguien Darle a entender un chico o una chica que le gusta.

tejo² *s. m.* Árbol conífero de tronco recto, hojas planas y de color verde oscuro que se usa como planta decorativa y por su madera.

tejón *s. m.* Animal mamífero de tamaño pequeño, cuerpo alargado y color gris. Tiene el hocico largo y la cabeza con franjas blancas y negras. Es carnívoro y vive en túneles que hace con sus fuertes patas.

tejonera *s. f.* Madriguera del tejón.

tela *s. f.* **1.** Tejido para hacer vestidos u otras cosas. **2.** *fam.* Dinero. **3.** *fam.* Tarea, asunto. **Expr.** **poner** algo **en tela de juicio** Ponerlo en duda. **Sin.** **1.** Paño. **2.** Guita.

telar *s. m.* **1.** Máquina para tejer hilos y formar una tela. **2.** Parte del escenario, que no ve el público, de donde bajan los telones y las bambalinas. ‖ *pl.* **3.** Fábrica de tejidos.

telaraña *s. f.* Tela que hace la araña con el hilo que produce.

tele *s. f.* Forma abreviada de **televisión** o de **televisor**.

telecomunicación *s. f.* **1.** Transmisión a distancia de sonidos, imágenes o señales. ‖ *pl.* **2.** Todos los medios de comunicación a distancia, como el teléfono, la televisión o el telégrafo.

telediario *s. m.* Programa de televisión que informa de las noticias de cada día.

teledirigido, da *p.* de **teledirigir.** También *adj.*

teledirigir *v.* Dirigir aparatos a distancia por medio de ondas electromagnéticas.

telefax (ingl.) *s. m.* Fax.

teleférico *s. m.* Medio de transporte formado por unos cables que unen dos lugares a distinta altura y por los que se mueven unas cabinas de pasajeros.

telefilme o **telefilm** *s. m.* Película realizada para la televisión.

telefonazo *s. m. fam.* Llamada telefónica.

telefonear *v.* Llamar a una persona por teléfono.

telefonía *s. f.* Transmisión del sonido, sobre todo de la voz de las personas, a través del teléfono.

telefónico, ca *adj.* Del teléfono.

telefonillo *s. m.* Aparato que sirve para hablar con la persona que llama desde la puerta y abrírsela.

telefonista *s. m.* y *f.* Persona que en una empresa o en otro lugar se encarga de coger el teléfono. **Sin.** Operador.

teléfono *s. m.* **1.** Aparato que permite hablar a distancia con otra persona. **2.** Número particular de cada aparato.

telegrafía *s. f.* Transmisión de un mensaje de un lugar a otro a través del telégrafo.

telegrafiar *v.* Mandar un mensaje por medio del telégrafo.

telegráfico, ca *adj.* **1.** Del telégrafo. **2.** Se dice de la forma de hablar o escribir típica de los telegramas, con frases muy cortas o con palabras sueltas.

telegrafista *s. m.* y *f.* Persona que transmite y recibe los telegramas.

telégrafo *s. m.* Aparato para enviar y recibir mensajes mediante unas señales especiales.

telegrama *s. m.* **1.** Mensaje que se transmite por medio del telégrafo. **2.** Papel escrito con este mensaje que se entrega a la persona a la que va dirigido.

telele *s. m. fam.* Patatús, ataque de nervios.

telemando *s. m.* Mecanismo que hace funcionar a distancia un aparato o un vehículo.

telemática *s. f.* Técnicas y servicios que combinan los medios de telecomunicación y la informática.

telemetría *s. f.* Técnica que permite medir distancias entre objetos lejanos.

telémetro *s. m.* Aparato que sirve para medir la distancia a la que está un objeto lejano.

telenovela *s. f.* Novela que se emite por televisión en capítulos.

teleobjetivo *s. m.* Objetivo con que se pueden fotografiar o filmar personas y objetos que están muy lejos.

telepatía *s. f.* El saber una persona a distancia lo que otra piensa, sin que ésta le diga nada.

telequinesia *s. f.* En parapsicología, movimiento de objetos sólo con el poder de la mente.

telescópico, ca *adj.* 1. Del telescopio o relacionado con él. 2. Que sólo puede verse con el telescopio.

telescopio *s. m.* Instrumento óptico con que se pueden ver cosas muy lejanas, especialmente cuerpos celestes.

telesilla *s. m.* Asiento que se traslada por un cable desde un lugar más bajo a otro más alto.

telespectador, ra *s. m.* y *f.* Persona que está viendo la televisión. SIN. Televidente.

telesquí *s. m.* Aparato que transporta a los esquiadores hasta lo más alto de la pista de esquí, tirando de ellos por medio de un cable.

teletexto *s. m.* Servicio informativo realizado por medio de canales de televisión en que la información aparece en pantalla en forma de texto.

teletipo *s. m.* Aparato telegráfico, con un teclado, que envía y recibe mensajes y los imprime.

televidente *s. m.* y *f.* Telespectador.

televisar *v.* Transmitir algo por televisión.

televisión *s. f.* 1. Sistema que transmite imágenes y sonidos a distancia por medio de un tipo de ondas llamadas *hertzianas*. 2. Televisor.

televisivo, va *adj.* De televisión.

televisor *s. m.* Aparato que recibe las imágenes y sonidos transmitidos por una emisora de televisión.

télex *s. m.* 1. Sistema para enviar mensajes a distancia de un teletipo a otro. 2. Mensaje enviado por este sistema.

telón *s. m.* Cortina grande que cubre el escenario de un teatro y que se puede subir y bajar.

telonero, ra *adj.* y *s.* Se dice de la persona o grupo menos importante que actúa en un espectáculo antes de la figura principal.

telúrico, ca *adj.* De la Tierra.

tema *s. m.* 1. Asunto de que trata algo. 2. Lección que hay que estudiar. 3. Me-

lodía que sirve de base a una composición musical más larga. 4. Canción. SIN. 1. Motivo; argumento, trama.

temario *s. m.* Conjunto de temas.

temática *s. f.* Tema o conjunto de temas de un autor, de un movimiento artístico o de otra cosa.

temático, ca *adj.* Relacionado con el tema u organizado por temas.

temblar *v.* 1. Moverse seguida y rápidamente, y de forma involuntaria, el cuerpo o una parte de él. 2. Moverse una cosa de forma parecida: *La tierra tembló a causa del terremoto.* 3. Sentir miedo, estar asustado. □ Es v. irreg. Se conjuga como *pensar.* SIN. 1 y 3. Estremecerse. 2. Vibrar.

tembleque *s. m. fam.* Temblor que tiene una persona.

temblor *s. m.* Movimiento que hace alguien o algo cuando tiembla. SIN. Escalofrío.

tembloroso, sa *adj.* Que tiembla.

temer *v.* 1. Tener miedo de alguien o algo. 2. Pensar que algo ha sucedido o va a suceder, sobre todo si es malo: *Me temo que voy a llegar tarde.* SIN. 2. Sospechar.

temerario, ria *adj.* 1. Arriesgado e imprudente. 2. Que se dice sin ninguna razón. SIN. 1. Insensato. 2. Infundado. ANT. 1. Prudente. 2. Fundado.

temeridad *s. f.* 1. Característica de la persona o cosa temeraria. 2. Cosa temeraria que alguien dice o hace. SIN. 1 y 2. Imprudencia, insensatez, locura ANT. 1. Prudencia.

temeroso, sa *adj.* 1. Que siente temor. 2. Que causa temor. SIN. 1. Miedoso. 2. Temible. ANT. 1. Valiente.

temible *adj.* Que causa temor. SIN. Terrorífico.

temor *s. m.* Sensación de miedo que tenemos por algo que nos asusta o creemos que puede ser malo. SIN. Espanto; recelo.

témpano *s. m.* Plancha de hielo de gran tamaño.

témpera (ital.) *s. f.* Tipo de pintura que se disuelve en agua.

temperamental *adj.* Se dice de la persona que tiene un temperamento o carácter fuerte.

temperamento *s. m.* 1. Forma de ser de una persona. 2. Carácter de las personas con mucho genio.

temperatura *s. f.* Grado de calor de un cuerpo o de la atmósfera.

tempestad s. f. Mal tiempo, con mucho viento, lluvia, truenos y relámpagos. Sin. Temporal, tormenta, borrasca. Ant. Bonanza.

tempestuoso, sa adj. Con tempestad o que amenaza tempestad. Sin. Borrascoso, tormentoso.

templado, da adj. **1.** Ni muy caliente ni muy frío. **2.** Tranquilo, que no se pone nervioso en una situación difícil.

templanza s. f. **1.** Virtud de la persona que no hace excesos cuando come, bebe o disfruta de otros placeres. **2.** Suavidad y placidez del tiempo atmosférico. Sin. **1.** Moderación. **2.** Bonanza. Ant. **1.** Desenfreno. **2.** Tempestad.

templar v. **1.** Quitar el frío a algo calentándolo un poco. **2.** Calmar los nervios. **3.** Hacer más suaves o menos intensas algunas cosas. **4.** Calentar el metal, el vidrio u otro material y luego enfriarlo rápidamente para mejorar sus propiedades: *templar el acero.* Sin. **1.** Caldear. **2.** Apaciguar. **3.** Moderar. Ant. **1.** Enfriar. **2.** Exaltar. **3.** Avivar.

templario, ria adj. y s. m. Del Temple, orden religiosa y militar de la Edad Media.

temple s. m. **1.** Estado de ánimo o carácter de una persona. **2.** Característica de la persona que no se pone nerviosa en situaciones difíciles. **3.** Manera de mejorar el acero, el vidrio u otro material templándolos. **4.** Pintura que se hace mezclando los colores con cola y agua. Sin. **2.** Entereza.

templete s. m. Quiosco que suele haber en los parques para que toquen las bandas de música.

templo s. m. Edificio al que van los creyentes a rezar y manifestar su respeto y amor a su dios o dioses.

tempo (ital.) s. m. **1.** En música, velocidad con la que se ejecuta una pieza. **2.** Ritmo con el que se desarrolla una acción: *el tempo de una película.*

temporada s. f. Espacio de tiempo, que suele ser de varios meses. Expr. **de temporada** De un periodo de tiempo, que no dura siempre: *la fruta de temporada.*

temporal[1] adj. **1.** Que sólo dura un tiempo. || s. m. **2.** Mal tiempo, con tormentas. Sin. **1.** Eventual, provisional, pasajero. **2.** Borrasca. Ant. **1.** Permanente. **2.** Bonanza.

temporal[2] s. m. Hueso del cráneo en la zona de la sien y de la oreja.

temporero, ra adj. y s. Se dice del trabajador al que se contrata por un periodo de tiempo o para un trabajo determinado.

temporizador s. m. Dispositivo electrónico que enciende o apaga automáticamente un aparato, de forma momentánea o por un determinado espacio de tiempo.

tempranero, ra adj. **1.** Que madruga. **2.** Que aparece más pronto de lo habitual: *fruta tempranera.* Ant. **2.** Tardío.

temprano, na adj. **1.** Que se adelanta y tiene lugar antes de tiempo. || adv. **2.** En las primeras horas del día o de la noche. Ant. **2.** Tarde.

tenacidad s. f. Característica de la persona tenaz. Sin. Obstinación.

tenacillas s. f. pl. Cualquier utensilio con forma de tenazas, por ejemplo el que se usa para coger los terrones de azúcar.

tenaz adj. **1.** Que pone mucho interés en lo que hace y no se desanima. **2.** Difícil de quitar: *un constipado tenaz, una mancha tenaz.* **3.** Se dice del material resistente y duro. Sin. **1.** Perseverante, constante. **1** y **2.** Pertinaz. **2.** Persistente. Ant. **1.** Inconstante.

tenazas s. f. pl. Herramienta que sirve para arrancar clavos, cortar alambres o para otros usos, y que está formada por dos piezas cruzadas que se pueden abrir y cerrar.

tendedero o **tendedor** s. m. Lugar o utensilio con cuerdas para tender la ropa mojada.

tendencia s. f. **1.** Facilidad que tiene una persona o cosa para que le suceda algo. **2.** Ideas, pensamientos o forma de hacer las cosas de un grupo de personas: *las últimas tendencias musicales.* Sin. **1.** Inclinación, propensión, predisposición. **2.** Corriente.

tendencioso, sa adj. Que no ve las cosas como son, sino que se deja llevar por sus propias ideas u opiniones. Sin. Subjetivo, arbitrario. Ant. Objetivo.

tender v. **1.** Extender lo que está doblado o arrugado. **2.** Tumbar sobre algo. **3.** Colgar la ropa mojada para que se seque. **4.** Tener tendencia a algo. **5.** Colocar o construir algo entre dos puntos, por ejemplo una vía de tren o los cables de la electricidad. □ Es v. irreg. Sin. **2.** Acostar. Ant. **2.** Incorporar.

ténder s. m. Remolque que llevaban las locomotoras de vapor con el carbón y el agua necesarios para el viaje.

tenderete *s. m.* Puesto pequeño al aire libre en que se venden cosas diversas.

tendero, ra *s. m.* y *f.* Dueño o dependiente de una tienda, sobre todo de comestibles.

tendido, da 1. *p. de* **tender**. También *adj.* || *s. m.* 2. Aquello que se tiende, sobre todo los cables de la electricidad: *tendido eléctrico.* 3. Todos los asientos que están al descubierto en las plazas de toros.

tendinitis *s. f.* Inflamación de algún tendón.

tendón *s. m.* 1. Tejido que une los músculos a los huesos. || 2. **tendón de Aquiles** El que une el talón con la pantorrilla.

tenebrismo *s. m.* Tendencia de pintura del estilo barroco que se caracteriza por los fuertes contrastes entre luces y sombras.

tenebrista *adj.* y *s.* Del tenebrismo o que lo sigue.

tenebroso, sa *adj.* 1. Lleno de oscuridad o de misterio, que produce miedo. 2. Malo o perverso. **Sin.** 1. Lúgubre, tétrico. 1 y 2. Siniestro. **Ant.** 1. Luminoso.

tenedor *s. m.* Cubierto para pinchar los alimentos y llevarlos a la boca; tiene un mango y una parte ancha con dientes.

tenencia *s. f.* 1. El hecho de tener algo. 2. Cargo de teniente y lugar donde trabaja.

tener *v.* 1. Se usa para decir algo del sujeto, por ejemplo si una cosa le pertenece, es una parte de él o una característica suya: *Isabel tiene un bolígrafo. Este coche tiene dos puertas. Marta tiene mal genio.* 2. Indica los amigos o parientes de alguien: *Tienen dos niños.* 3. Se emplea para decir la edad o los años de una persona, animal o cosa: *El cachorro tiene ocho meses. Este edificio tiene veinte años.* 4. También indica cómo se encuentra alguien, lo que siente o le ocurre, su estado de ánimo: *tener dolor de cabeza, tener frío. Le tienen cariño.* 5. Expresa una actividad o una obligación: *Hoy*

tengo clase. Todos los días tiene que trabajar. 6. Sostener, sujetar: *Tenme los libros para que pueda anudarme el zapato.* □ Es v. irreg. **Sin.** 1. Poseer.

TENER	
INDICATIVO	
Presente	**Pret. perfecto simple**
tengo	tuve
tienes	tuviste
tiene	tuvo
tenemos	tuvimos
tenéis	tuvisteis
tienen	tuvieron
Futuro	**Condicional**
tendré	tendría
tendrás	tendrías
tendrá	tendría
tendremos	tendríamos
tendréis	tendríais
tendrán	tendrían
SUBJUNTIVO	
Presente	**Pretérito imperfecto**
tenga	tuviera, -ese
tengas	tuvieras, -eses
tenga	tuviera, -ese
tengamos	tuviéramos, -ésemos
tengáis	tuvierais, -eseis
tengan	tuvieran, -esen
Futuro	
tuviere	tuviéremos
tuvieres	tuviereis
tuviere	tuvieren
IMPERATIVO	
ten	tened

tenería *s. f.* Establecimiento donde se curten pieles.

tenia *s. f.* Gusano plano que llega a alcanzar varios metros y suele vivir como parásito en el intestino de las personas y de algunos animales. **Sin.** Solitaria.

teniente *s. m.* y *f.* 1. Grado militar inmediatamente inferior al de capitán. || *adj.* 2. Un poco sordo. || 3. **teniente coronel** Grado del ejército inmediatamente inferior al de coronel. 4. **teniente de alcalde** Concejal del ayuntamiento que sustituye a veces al alcalde. 5. **teniente de navío** Grado de la marina de guerra equivalente al de capitán. 6. **teniente general** Grado del ejército inmediatamente inferior al de capitán general.

tenis *s. m.* Deporte que se practica en una pista rectangular dividida por una red y en el que dos jugadores o dos parejas se lanzan una pelota pequeña con ayuda de una raqueta. **Expr.** **tenis de mesa** Pimpón

TENDER		
INDICATIVO	**SUBJUNTIVO**	**IMPERATIVO**
Presente	**Presente**	
tiendo	tienda	
tiendes	tiendas	tiende
tiende	tienda	
tendemos	tendamos	
tendéis	tendáis	tended
tienden	tiendan	

tenista s. m. y f. Jugador de tenis.

tenor[1] s. m. Cantante, sobre todo de óperas y zarzuelas, que tiene la voz más aguda.

tenor[2] Se usa en la expresión **a tenor de**, 'teniendo en cuenta'.

tenora s. f. Instrumento de viento más grande que el oboe y con la campana de metal. Se utiliza para acompañar la sardana.

tenorio s. m. Donjuán.

tensar v. Poner muy estirada o tirante una cosa, por ejemplo una cuerda o un cable. **Ant.** Destensar, aflojar.

tensión s. f. **1.** Estado de un cuerpo muy estirado, como las cuerdas de la guitarra. **2.** Fuerzas que hacen que un cuerpo esté estirado. **3.** Tensión arterial. **4.** Situación entre personas o países cuando está a punto de haber un enfrentamiento. **5.** Estado de mucho nerviosismo o impaciencia. **6.** Voltaje. || **7. tensión arterial** Presión que hace la sangre al pasar por las arterias. **Sin.** 1. Tirantez. **Ant.** 1 y 5. Relajación.

tenso, sa adj. **1.** Se dice de las personas que están en tensión o de las situaciones en hay tensión. **2.** Muy estirado. **Sin.** 1 y 2. Tirante.

tensor, ra adj. y s. m. Que sirve para tensar.

tentación s. f. **1.** Impulso que lleva a hacer una cosa, sobre todo algo que no se debe. **2.** Persona o cosa que provoca este impulso.

tentáculo s. m. **1.** Especie de brazos o patas que tienen algunos animales, como el pulpo, para moverse y agarrar sus presas. **2.** Prolongación a modo de cuerno que algunos animales, como los caracoles, utilizan para reconocer el terreno.

tentadero s. m. Corral o lugar cerrado donde se prueba la bravura de los becerros.

tentado, da **1.** p. de **tentar**. También adj. || adj. **2.** Que tiene la tentación de hacer algo.

tentador, ra adj. Que produce tentación porque es muy apetecible.

tentar v. **1.** Provocar a una persona para que haga algo malo o perjudicial. **2.** Apetecer mucho una cosa. **3.** Tocar una cosa para reconocerla, sobre todo cuando no se ve o no hay luz. □ Es v. irreg. Se conjuga como *pensar*. **Sin.** 1. Inducir, incitar. 3. Palpar, tantear. **Ant.** 1. Disuadir. 2. Repeler.

tentativa s. f. Intento de hacer algo.

tentempié s. m. **1.** Cosa ligera que se toma para reponer fuerzas hasta que llegue la hora de comer. **2.** Tentetieso.

tentetieso s. m. Muñeco con un peso que le hace volver a su posición vertical cuando se le tumba. **Sin.** Tentempié.

tenue adj. **1.** Débil, poco intenso. **2.** De poco grosor. **Sin.** 2. Fino. **Ant.** 1. Fuerte.

teñido, da **1.** p. de **teñir**. También adj. || s. m. **2.** Acción de teñir.

teñir v. Cambiar una cosa de color utilizando una sustancia. □ Es v. irreg. Se conjuga como *ceñir*.

teocracia s. f. Forma de gobierno que está sometida a los sacerdotes y a las leyes religiosas.

teocrático, ca adj. De la teocracia.

teodolito s. m. Instrumento óptico de precisión que sirve para medir ángulos de distintos planos.

teogonía s. f. Relato que cuenta el nacimiento o el origen de los dioses de algunas religiones.

teologal adj. Se dice de tres virtudes cristianas: la fe, la esperanza y la caridad.

teología s. f. Ciencia que trata sobre Dios.

teológico, ca adj. De la teología.

teólogo, ga s. m. y f. Persona que se dedica a la teología.

teorema s. m. Afirmación científica que se puede demostrar.

teoría s. f. **1.** Los conocimientos que se tienen sobre algo. **2.** Ideas o explicaciones sobre algo. **Expr. en teoría** Sin estar comprobado en la práctica. **Sin.** 2. Hipótesis. **Ant.** 1. Experimentación.

teóricamente adv. En teoría. **Ant.** Prácticamente.

teórico, ca adj. **1.** De la teoría o en teoría. || s. m. y f. **2.** Experto en una teoría. **Sin.** 1. Hipotético. **Ant.** 1. Práctico.

teorizar v. Formular de manera teórica o abstracta un asunto.

tequila s. amb. Bebida alcohólica mexicana muy fuerte.

terapeuta s. m. y f. Especialista en terapéutica.

terapéutica s. f. Parte de la medicina, la veterinaria y la botánica que estudia el tratamiento de las enfermedades.

terapéutico, ca adj. Que se emplea como tratamiento de una enfermedad.

terapia s. f. Tratamiento para curar una enfermedad o para mejorar el estado de un enfermo.

tercer *num.* Forma abreviada de **tercero.**

tercerilla *s. f.* Composición de tres versos de arte menor con rima consonante, dos de los cuales riman entre sí.

tercermundista *adj.* **1.** Del Tercer Mundo, es decir de los países más pobres. **2.** Se dice de lo que en un país funciona mal o indica pobreza, aunque no sea del Tercer Mundo.

tercero, ra *num.* **1.** Que ocupa por orden el número tres. **2.** Se dice de cada una de las tres partes iguales en que se divide una cosa: *Le corresponde la tercera parte del total.* ‖ *adj.* y *s. m.* **3.** Otra persona distinta de la que se habla al principio: *Como no se ponían de acuerdo, pidieron la opinión de un tercero.*

terceto *s. m.* Estrofa de tres versos de más de ocho sílabas.

terciado, da *adj.* **1.** De tamaño mediano. **2.** Se dice de aquello a lo que le queda sólo la tercera parte.

tercianas *s. f. pl.* Fiebres intermitentes que se repiten cada tres días.

terciar *v.* **1.** Intervenir en una lucha o discusión que tienen otros. ‖ **terciarse 2.** Tener la oportunidad de hacer algo: *Si se tercia, iremos al campo este sábado.* **Sin. 1.** Mediar.

terciario, ria *adj.* **1.** Que ocupa el tercer lugar en orden o importancia. ‖ *adj.* y *s. m.* **2.** Tercer periodo de la historia de la Tierra que comenzó hace unos 65 millones de años. En él aparecieron muchos animales mamíferos y se formaron grandes cordilleras.

tercio *num.* y *s. m.* **1.** Cada una de las tres partes iguales en que se divide algo. ‖ *s. m.* **2.** Regimiento de infantería española de los siglos XVI y XVII. **3.** Cuerpo o batallón de la Legión española o la Guardia Civil.

terciopelo *s. m.* Tela muy suave y con pelo, fabricada con hilos de seda o con otros materiales parecidos.

terco, ca *adj.* y *s.* **1.** Se dice de la persona a quien es difícil hacer cambiar de opinión. ‖ *adj.* **2.** Se aplica al animal que no obedece. **Sin. 1.** Obstinado, cabezota. **Ant. 2.** Dócil.

teresiano, na *adj.* y *s. f.* Se dice de unas religiosas que tienen como patrona a Santa Teresa y se dedican sobre todo a la enseñanza.

tergal *s. m.* Fibra artificial muy resistente, que se utiliza para fabricar tejidos.

tergiversación *s. f.* El hecho de tergiversar.

tergiversar *v.* Dar a algo un sentido o una intención que no es la que tiene en realidad. **Sin.** Falsear.

termal *adj.* Se dice del agua que sale caliente del manantial.

termas *s. f. pl.* Baños públicos de los antiguos romanos.

termes *s. m.* Termita.

térmico, ca *adj.* Del calor o relacionado con él.

terminación *s. f.* **1.** Final de una cosa. **2.** Parte de la palabra que va detrás de la raíz, donde están los sufijos, el género, el número y otras indicaciones gramaticales. **Sin. 1.** Fin, término. **Ant. 1.** Principio.

terminal *adj.* **1.** Que está al final de algo. **2.** Se dice del enfermo que no puede curarse y que va a morir dentro de poco. ‖ *s. f.* **3.** Primera o última parada de un autobús, de un tren o de otro medio de transporte. **4.** Lugar donde esperan los viajeros y se entregan los equipajes en puertos, aeropuertos y líneas de autobuses.

terminante *adj.* Se dice de aquello que no se puede discutir. **Sin.** Concluyente. **Ant.** Vacilante.

terminantemente *adj.* Completamente.

terminar *v.* Acabar. **Sin.** Concluir, finalizar. **Ant.** Empezar.

término *s. m.* **1.** Final. **2.** Palabra. **3.** Elemento, miembro: *una oración con dos términos: sujeto y predicado.* **4.** Lugar: *En la foto estaban en primer término los abuelos.* ‖ *pl.* **5.** Punto de vista o manera de hablar sobre algo. **Expr. término medio** El punto medio de algo, entre los dos extremos. **Sin. 1.** Fin. **2.** Vocablo, voz. **Ant. 1.** Principio.

terminología *s. f.* Palabras que se utilizan en una ciencia, profesión, materia. **Sin.** Vocabulario, léxico.

terminológico, ca *adj.* Relacionado con la terminología.

termita *s. f.* Insecto parecido a una pequeña hormiga de color blanquecino, que vive en grupos muy numerosos y se alimenta de madera.

termitero *s. m.* Nido de termitas.

termo *s. m.* Recipiente para conservar la temperatura de la bebida o comida que contiene.

termodinámica *s. f.* Parte de la física que estudia los fenómenos en los que interviene el calor.

termodinámico, ca *adj.* De la termodinámica o relacionado con ella.

termómetro *s. m.* Instrumento que mide la temperatura.

termonuclear *adj.* Se aplica a la reacción nuclear que necesita temperaturas muy elevadas para producirse.

termostato *s. m.* Dispositivo de las estufas, hornos y otros aparatos que mantiene una determinada temperatura, haciendo que se enciendan y apaguen solos cuando sea necesario.

terna *s. f.* Tres personas o cosas propuestas para elegir a una de ellas.

ternario, ria *adj.* De tres partes o elementos.

ternasco *s. m.* Cordero lechal.

ternero, ra *s. m. y f.* Cría de la vaca.

ternilla *s. f.* Cartílago.

terno *s. m.* Conjunto de tres cosas de la misma clase.

ternura *s. f.* Cariño, delicadeza. **Sin.** Dulzura. **Ant.** Dureza.

terquedad *s. f.* Característica de terco.

terracota *s. f.* **1.** Arcilla modelada y endurecida al horno. **2.** Escultura pequeña hecha con esta arcilla.

terrado *s. m.* Azotea, terraza.

terral *adj. y s. m.* Viento que sopla desde tierra en la costa.

terranova *adj. y s. m.* Raza de perros muy grandes, de pelo negro, largo y espeso, cabeza ancha y hocico corto.

terraplén *s. m.* **1.** Hondonada muy grande. **2.** Montón de tierra con que se rellena un hueco, se protege algo, o para otro fin.

terráqueo, a *adj.* **1.** Del planeta Tierra. ‖ **2. globo terráqueo** Esfera que forma la Tierra. **Sin. 1.** Terrestre.

terrario o **terrarium** *s. m.* Recipiente o instalación para tener algunos animales vivos, sobre todo reptiles.

terrateniente *adj. y s.* El que tiene muchas tierras. **Sin.** Hacendado.

terraza *s. f.* **1.** Azotea. **2.** Balcón grande. **3.** Trozo de terreno llano que va formando con otros como una escalera en la ladera de una montaña y que suele aprovecharse para cultivar. **4.** Espacio al aire libre con sillas y mesas de un bar, cafetería o restaurante.

terrazo *s. m.* Material muy duro con que se fabrican baldosas para el suelo, hecho de piedrecillas y trozos de mármol.

terremoto *s. m.* Movimiento o temblor en la superficie de la tierra.

terrenal *adj.* De la Tierra, en oposición al cielo. **Sin.** Terreno. **Ant.** Celestial.

terreno, na *adj.* **1.** Terrenal. ‖ *s. m.* **2.** Trozo de tierra. **3.** Todo lo que tiene que ver con una actividad, situación o con otra cosa. **4.** Campo de fútbol y de otros deportes. **Expr. sobre el terreno** En el lugar o en el momento en que está o se hace algo. **Sin. 1.** Temporal.

térreo, a *adj.* De tierra o parecido a ella.

terrero, ra *adj.* **1.** Se dice del cesto o saco para llevar tierra. ‖ *s. m.* **2.** Montón de tierra o broza.

terrestre *adj. y s.* Del planeta Tierra o que vive en él. **Sin.** Terráqueo, terrícola.

terrible *adj.* **1.** Muy malo. **2.** Muy grande, muy fuerte. **Sin. 1 y 2.** Horrible.

terrícola *adj. y f.* Persona que vive en el planeta Tierra. **Sin.** Terrestre.

terrier *adj. y s. m.* Perro de origen británico, como el *fox terrier*, de pelo duro o liso, y el *bull terrier*, muy musculoso.

territorial *adj.* De un territorio.

territorio *s. m.* Extensión de tierra con unos límites geográficos, políticos o administrativos. **Sin.** Zona, región.

terrón *s. m.* **1.** Pequeña masa compacta de tierra. **2.** Trocito cuadrado de azúcar. **Sin. 2.** Azucarillo.

terror *s. m.* Miedo muy grande y lo que lo produce. **Sin.** Pavor, pánico.

terrorífico, ca *adj.* Que produce terror. **Sin.** Espantoso, espeluznante.

terrorismo *s. m.* Actividad de quienes realizan atentados y actos violentos para conseguir sus fines.

terrorista *adj. y s.* Que realiza actos de terrorismo.

terroso, sa *adj.* Que tiene las propiedades de la tierra o está mezclado con ella.

terruño *s. m.* Pueblo o región donde uno ha nacido o donde vive.

terso, sa *adj.* Liso, sin arrugas. **Sin.** Tenso, estirado. **Ant.** Arrugado.

tersura *s. f.* Característica de lo que es terso. **Ant.** Rugosidad.

tertulia *s. f.* Reunión para conversar.

tertuliano, na *adj. y s.* Cada una de las personas que van a una misma tertulia. **Sin.** Contertulio

tesela *s. f.* Cada una de las piezas que componen un mosaico.

tesina *s. f.* Trabajo de menor extensión e importancia que la tesis doctoral.

tesis *s. f.* **1.** Idea que se tiene sobre algo y que habrá que demostrar. ‖ **2. tesis doctoral** Trabajo que se hace después de acabar una carrera para conseguir el título de doctor. **Sin. 1.** Teoría, hipótesis.

tesitura *s. f.* Situación, circunstancias. **Sin.** Coyuntura.

tesón *s. m.* Esfuerzo e interés grandes que se ponen para conseguir algo. **Sin.** Perseverancia, empeño.

tesorería *s. f.* **1.** Cargo u oficio de tesorero. **2.** Oficina o despacho del tesorero. **3.** Dinero en metálico que tiene una empresa u organismo.

tesorero, ra *s. m. y f.* Persona encargada de guardar y administrar el dinero de alguien.

tesoro *s. m.* **1.** Gran cantidad de dinero, joyas u otras cosas de mucho valor que están guardadas. **2.** Persona o cosa de gran valor o muy apreciada.

test (ingl.) *s. m.* **1.** Prueba que se hace para saber o comprobar algunas cosas. **2.** Examen o cuestionario en el que hay que contestar con respuestas muy cortas, o sí o no.

testa *s. f.* Cabeza o frente.

testador, ra *s. m. y f.* Persona que hace testamento.

testaferro *s. m.* Persona que aparece en un documento, contrato o negocio que en realidad corresponde a otra.

testamentaría *s. f.* Cumplimiento de lo que se dice en un testamento.

testamentario, ria *adj.* **1.** Del testamento. ‖ *s. m. y f.* **2.** Albacea.

testamento *s. m.* Escrito o declaración de palabra en que alguien dice lo que quiere que se haga después de su muerte con su dinero y bienes.

testar[1] *v.* Hacer alguien su testamento.

testar[2] *v.* **1.** Comprobar algo sometiéndolo a pruebas. **2.** Someter a alguien a un test.

testarazo *s. m.* Golpe dado con la cabeza.

testarudez *s. f.* Característica de testarudo. **Sin.** Terquedad, tozudez.

testarudo, da *adj. y s.* Terco, tozudo.

testículo *s. m.* Cada uno de los dos órganos sexuales ovalados que están debajo del pene en los hombres y en los animales macho. En ellos se producen los espermatozoides.

testificar *v.* Contestar el testigo a lo que le preguntan en un juicio. **Sin.** Testimoniar.

testigo *s. m. y f.* **1.** Persona que debe contestar a las preguntas que se le hacen en un juicio porque tiene relación

con el caso o puede saber algo sobre él. **2.** Persona que presencia o experimenta un suceso. **3.** Persona que tiene que estar en algunos actos para que sean válidos, por ejemplo en una boda. ‖ *s. m.* **4.** En las carreras de relevos, pequeño bastón que un corredor da al que le sustituye en la carrera.

testimonial *adj.* Que da testimonio de algo.

testimoniar *v.* Dar testimonio. **Sin.** Testificar.

testimonio *s. m.* **1.** Lo que dice el testigo sobre algo que ha visto o conoce. **2.** Aquello que demuestra alguna cosa. **Sin. 2.** Huella, vestigio.

testuz *s. amb.* **1.** La frente de algunos animales, como el caballo. **2.** La nuca del toro, del buey o de la vaca.

teta *s. f.* Pecho o mama de las hembras de los mamíferos. **Sin.** Seno; ubre.

tétanos *s. m.* Enfermedad producida por una bacteria que puede causar la muerte y suele producirse a causa de heridas infectadas.

tetera *s. f.* Recipiente para preparar o servir el té.

tetilla *s. f.* Pecho de los machos de los mamíferos, que está menos desarrollado que en las hembras.

tetina *s. f.* Punta de goma que se pone en el biberón para que el niño chupe por ella.

tetraedro *s. m.* Cuerpo geométrico con cuatro caras que son triángulos.

tetragonal *adj.* En forma de tetrágono.

tetrágono *adj. y s. m.* Polígono de cuatro lados y cuatro ángulos.

tetraplejia o **tetraplejía** *s. f.* Parálisis de los cuatro miembros del cuerpo.

tetrapléjico, ca *adj. y s.* Paralítico de los cuatro miembros a la vez.

tetrasílabo, ba *adj. y s. m.* Se dice del verso de cuatro sílabas.

tetrástrofo, fa *adj.* **1.** Se dice de la composición que consta de cuatro estrofas. ‖ *adj. y s. m.* **2.** Estrofa de cuatro versos. ‖ **3. tetrástrofo monorrimo** Cuaderna vía. Ver **cuaderna.**

tétrico, ca *adj.* Oscuro, triste. **Sin.** Tenebroso, lúgubre. **Ant.** Alegre.

teutón, na *adj. y s.* **1.** Antiguo pueblo germano que vivía en las costas del mar Báltico. **2.** Alemán.

textil *adj.* **1.** De las telas y los tejidos. **2.** Que sirve para hacer tejidos: *fibra textil.*

texto *s. m.* **1.** Conjunto de palabras escritas. ‖ **2. libro de texto** El que se utiliza para estudiar una asignatura o una materia.

textual *adj.* **1.** Del texto. **2.** Literal.

textura *s. f.* Manera de estar formada alguna cosa. **Sin.** Contextura.

tez *s. f.* Piel de la cara.

ti *pron. pers.* Indica la segunda persona del singular y se utiliza detrás de una preposición: *a ti*.

tiara *s. f.* Mitra alta usada por el papa.

tiberio *s. m.* Jaleo, follón.

tibetano, na *adj.* y *s.* **1.** Del Tíbet, país de Asia que actualmente pertenece a China. ǁ *s. m.* **2.** Lengua de este país.

tibia *s. f.* Hueso de la pierna que va desde la rodilla hasta el pie por la parte de delante.

tibieza *s. f.* Característica de tibio.

tibio, bia *adj.* Templado. **Expr. poner tibio** a alguien Insultarle o hablar muy mal de él. **ponerse** uno **tibio** Hartarse a comer; también, ensuciarse o mojarse mucho.

tibor *s. m.* Vasija grande de barro cocido o porcelana, decorada, que es típica de China y Japón.

tiburón *s. m.* **1.** Pez de cuerpo alargado y morro puntiagudo, con la boca en la parte de abajo de la cabeza. Tiene la aleta del lomo triangular y la piel áspera. Es carnívoro y algunos son muy grandes y peligrosos. ǁ **2. tiburón ballena** Tiburón que mide 18 metros y es inofensivo, ya que se alimenta de plancton.

tic *s. m.* Movimiento rápido en alguna parte del cuerpo que uno hace a menudo y sin darse cuenta; por ejemplo, parpadear muy deprisa.

ticket (ingl.) *s. m.* Tique o tiquet.

tictac o **tic-tac** *s. m.* El ruido del reloj.

tiempo *s. m.* **1.** Lo que mide el reloj, que sirve para saber lo que se tarda en hacer algo o lo que dura una cosa. **2.** Época, momento. **3.** Edad de los niños pequeños o de las crías de animales. **4.** Cada una de las partes en que se divide una acción o la duración de algo, por ejemplo un partido de fútbol. **5.** En gramática, cada uno de los grupos en que se dividen las formas del verbo para expresar el presente (*canto*), el pasado (*cantaba*) o el futuro (*cantaré*). **6.** La temperatura, la lluvia, el viento y otros elementos del clima que hay en un lugar o en un momento. **Expr. a tiempo** Antes de que sea tarde. **con tiempo** Un poco antes: *llegar con tiempo*. **hacer tiempo** Entretenerse con alguna cosa mientras se espera.

tienda *s. f.* **1.** Establecimiento donde se vende algo. ǁ **2. tienda de campaña** Armazón de tubos cubierto con una lona y que sirve para acampar. **Sin. 1.** Comercio.

tienta *s. f.* Prueba que se hace a los becerros para ver si son bravos y valen para torearlos. **Expr. a tientas** Tocando las cosas para guiarse cuando no se ve.

tiento *s. m.* Cuidado: *Ándate con tiento*.

tierno, na *adj.* **1.** Blando y fácil de cortar. **2.** Joven. **3.** Cariñoso, dulce. **Ant. 1.** Duro. **2.** Viejo, antiguo. **3.** Seco.

tierra *s. f.* **1.** Planeta en el que habitamos. **2.** Parte de la superficie de este planeta no ocupada por el agua. **3.** Materia de que está compuesta esa superficie. **4.** Terreno que se cultiva o se puede cultivar. **5.** Suelo. **6.** País o región. **7.** El mundo de los vivos, a diferencia del cielo. **Expr. echar por tierra** Estropear o hacer que algo salga mal. **quedarse** uno **en tierra** Perder el vehículo en el que tenía que ir.

tieso, sa *adj.* **1.** Recto. **2.** Poco o nada flexible. **3.** Muy serio. **Expr. dejar tieso** Dejar a alguien muy asombrado; también, matar. **quedarse tieso** Quedarse helado de frío; quedarse muy impresionado; también, morirse o quedarse dormido. **Sin. 1.** Derecho, erguido. **2.** Rígido. **3.** Seco. **Ant. 1.** Torcido. **3.** Simpático.

tiesto *s. m.* Recipiente con tierra donde se ponen plantas para que crezcan.

tifoidea Se usa en la expresión **fiebre tifoidea**, 'tifus'.

tifón *s. m.* **1.** Tromba marina. **2.** Ciclón tropical que se produce en el mar de China.

tifus *s. m.* Enfermedad infecciosa del intestino delgado que produce mucha fiebre.

tigre, tigresa *s. m.* y *f.* Mamífero felino carnívoro de Asia que tiene la piel con pelo corto de color amarillento y rayas negras. Es fuerte, ágil y rápido.

tijera o **tijeras** *s. f.* o *s. f. pl.* Objeto para cortar formado por dos piezas afiladas por uno de los lados y unidas en aspa de manera que pueden abrirse y cerrarse.

tijereta *s. f.* **1.** Insecto nocturno con alas, aunque no vuela, y dos prolongaciones al final del cuerpo en forma de tijera. **2.** Salto que se hace levantando las piernas rectas en el aire, primero una y después la otra.

tijeretazo *s. m.* Corte que se hace con las tijeras rápidamente y sin dudar.

tintura

tila *s. f.* Flor del tilo; con ella, una vez seca, se hace una infusión tranquilizante.

tildar *v.* Decir de alguien que tiene algún defecto o falta: *Le tildaron de mentiroso.* **SIN.** Tachar, motejar.

tilde *s. f.* Rayita que se pone encima de algunas letras, como la que se usa para marcar el acento o la que lleva la ñ.

tilín Se usa en la expresión **hacer tilín** alguien o algo a una persona, 'gustarle'.

tilo *s. m.* Árbol con hojas caducas suaves en forma de corazón y flores amarillentas de buen olor. Su madera se usa en ebanistería y sus flores se emplean secas para hacer tila.

timador, ra *adj.* y *s.* Estafador.

timar *v.* Estafar.

timba *s. f.* Partida de algunos juegos, sobre todo de cartas.

timbal *s. m.* Tambor de caja metálica en forma de media esfera.

timbrado, da **1.** *p.* de **timbrar.** También *adj.* ‖ *adj.* **2.** Se dice del papel con membrete.

timbrar *v.* **1.** Dar a la voz el timbre adecuado, generalmente aumentando su volumen. **2.** Poner un sello en un documento.

timbrazo *s. m.* Toque fuerte de timbre.

timbre *s. m.* **1.** Aparato eléctrico que produce un sonido y sirve para llamar o avisar. **2.** Característica que sirve para diferenciar el sonido de las voces o el de los distintos instrumentos musicales. **3.** Sello que se pone en algunos documentos y que indica que debe pagarse al Estado una cantidad por ellos.

tímidamente *adv.* Muy flojito.

timidez *s. f.* Modo de ser de la persona tímida. **SIN.** Vergüenza.

tímido, da *adj.* y *s.* **1.** Se dice de la persona a la que le dan vergüenza muchas cosas. ‖ *adj.* **2.** Muy flojito: *unos tímidos aplausos.* **SIN. 1.** Vergonzoso, cortado. **2.** Leve, ligero. **ANT. 1.** Atrevido. **2.** Fuerte.

timo *s. m.* Acción de timar. **SIN.** Estafa.

timón *s. m.* Pieza plana que tienen las embarcaciones y los aviones y sirve para cambiar de dirección.

timonel *s. m.* Persona que maneja el timón de una embarcación.

timorato, ta *adj.* y *s.* **1.** Tímido, miedoso. **2.** Que se escandaliza mucho por cosas que le parecen indecentes. **SIN. 1.** Indeciso. **2.** Puritano. **ANT. 1.** Atrevido,

tímpano *s. m.* Membrana que separa el oído externo del medio; al vibrar, debido al paso del sonido, transmite las vibraciones al caracol a través de una cadena de huesecillos.

tina *s. f.* **1.** Recipiente grande de madera en forma de cubo. **2.** Tinaja. **3.** Bañera.

tinaja *s. f.* Vasija grande de barro, más ancha por la parte del medio, que se emplea para guardar líquidos. **SIN.** Tina.

tinerfeño, ña *adj.* y *s.* De Tenerife, una de las islas Canarias (España).

tinglado *s. m.* **1.** Construcción con techo, de materiales poco resistentes, que se hace normalmente para resguardarse. **2.** Armazón colocado a bastante altura. **3.** Lío, jaleo, enredo. **SIN. 1.** Chamizo.

tiniebla *s. f.* Falta de luz. **SIN.** Oscuridad. **ANT.** Claridad.

tino *s. m.* **1.** Habilidad de alguien para acertar. **2.** Facilidad para calcular algo a ojo. **3.** Prudencia, sentido común. **SIN. 1.** Puntería.

tinta *s. f.* **1.** Sustancia líquida de color que se utiliza para escribir, dibujar, imprimir o reproducir algo en un papel. **2.** Líquido oscuro que lanzan algunos animales, como los pulpos o los calamares, para defenderse. ‖ **3. medias tintas** Cosas que se dicen o se hacen y no están muy claras. **4. tinta china** La que se usa para hacer algunos dibujos, por ejemplo los planos de las casas.

tintar *v.* **1.** Manchar o empapar en tinta. **2.** Teñir.

tinte *s. m.* **1.** Sustancia de color que sirve para teñir. **2.** Tintorería.

tintero *s. m.* Frasco pequeño con tinta para escribir.

tintinear *v.* Hacer la campanilla u otros objetos un sonido parecido a «tintín».

tintineo *s. m.* Acción de tintinear y sonido que produce.

tinto *adj.* y *s. m.* Se dice del vino de color rojo oscuro.

tintorera *s. f.* Tiburón de tres o cuatro metros de longitud, de color azul oscuro por arriba y gris claro por el vientre; es frecuente en las costas del sur de España.

tintorería *s. f.* Lugar al que se lleva la ropa y otros tejidos para que los limpien y planchen, o para que los tiñan.

tintorro *s. m. fam.* Vino tinto.

tintura *s. f.* **1.** Tinte. ‖ **2. tintura de yodo** Yodo disuelto en alcohol que se emplea para desinfectar.

tiña *s. f.* Enfermedad contagiosa de la piel, sobre todo de la zona del cráneo, que produce costras, escamas y ulceraciones, y hace que el pelo se caiga.

tiñoso, sa *adj. y s.* Que tiene la tiña.

tío, tía *s. m. y f.* **1.** Hermano o hermana de nuestro padre o de nuestra madre. **2.** *fam.* Cualquier persona. ‖ **3. tío abuelo** o **tía abuela** Hermano o hermana de nuestros abuelos. **SIN. 2.** Tipo.

tiovivo *s. m.* Diversión de ferias y parques de atracciones; es una plataforma redonda que da vueltas y sobre la que hay caballitos, coches y otras cosas para montar los niños. **SIN.** Carrusel.

tipa *s. f. fam. desp.* Mujer o chica.

tiparraco, ca *s. m. y f. desp.* Persona ridícula o que no nos agrada.

tipejo, ja *s. m. y f. desp.* Persona ridícula y poco importante.

tipi *s. m.* Tienda cónica de piel, propia de los indios de América del Norte.

típico, ca *adj.* Característico de alguien o de algo. **SIN.** Peculiar, propio, tradicional.

tipificar *v.* Adaptar varias cosas semejantes a un modelo o norma común.

tipismo *s. m.* Conjunto de caracteres o rasgos típicos.

tiple *s. m. y f.* Persona, sobre todo mujer, que canta con una voz muy aguda.

tipo *s. m.* **1.** Modelo que tiene las características principales del grupo o clase a que pertenece. **2.** Grupo de personas, animales o cosas que tienen unas mismas características. **3.** Forma del cuerpo de una persona: *Lola tiene muy buen tipo.* **4.** *fam.* Persona, individuo. **SIN. 1.** Ejemplo, prototipo.

tipografía *s. f.* Técnica de imprimir o reproducir en papel u otro material textos, dibujos, fotos.

tipográfico, ca *adj.* De tipografía.

tipógrafo, fa *s. m. y f.* Persona que compone los textos que se van a imprimir en tipografía.

tipología *s. f.* Estudio y clasificación de los tipos que se realiza en diversas ciencias.

tique o **tíquet** *s. m.* Papel que sirve como comprobante de que hemos pagado algo. **SIN.** Billete.

tiquismiquis *adj. y s.* **1.** Persona que pone pegas y fallos a todo. ‖ *s. m. pl.* **2.** Tonterías, cosas sin importancia. **SIN. 1.** Pejiguero.

tira *s. f.* Trozo largo y estrecho de tela, papel u otro material. **EXPR. la tira** Mucho: *Lleva la tira de tiempo sin venir.* **SIN.** Franja, banda.

tirabuzón *s. m.* Rizo de pelo largo que tiene forma de espiral.

tirachinas *s. m.* Objeto para tirar o lanzar piedras u otras cosas pequeñas.

tirada *s. f.* **1.** Acción de tirar. **2.** Distancia larga. **3.** Conjunto de cosas, sobre todo si es largo. **4.** Número de ejemplares que tiene una edición de un libro, una revista u otra cosa. **EXPR. de una tirada** De una sola vez, sin detenerse. **SIN. 1.** Lanzamiento.

tirado, da **1.** *p. de* **tirar.** También *adj.* ‖ *adj.* **2.** Caído o en el suelo. **3.** Muy barato. **4.** Muy fácil. **SIN. 3.** Regalado. **4.** Chupado. **ANT. 3.** Caro. **4.** Crudo.

tirador, ra *s. m. y f.* **1.** Persona que tira o dispara. ‖ *s. m.* **2.** Aquello de lo que se tira, como el agarrador de un cajón. **3.** Tirachinas.

tiragomas *s. m.* Tirachinas.

tiralevitas *adj. y s.* Adulador.

tiralíneas *s. m.* Instrumento que sirve para trazar líneas con tinta.

tiranía *s. f.* Gobierno o comportamiento de un tirano. **SIN.** Dictadura, despotismo. **ANT.** Democracia.

tiránico, ca *adj.* Propio de la tiranía.

tiranizar *v.* **1.** Gobernar un territorio un tirano. **2.** Comportarse con alguien como un tirano.

tirano, na *adj. y s.* **1.** Persona que gobierna sin tener derecho, imponiendo lo que ella quiere. **2.** Persona que pretende mandar sobre las demás y que todas hagan lo que ella quiere. **SIN. 1.** Dictador. **2.** Déspota. **ANT. 2.** Tolerante.

tiranosaurio *s. m.* Dinosaurio carnívoro que se sostenía sobre las patas traseras y llegaba a alcanzar 16 metros de longitud y 6 de altura.

tirante *adj.* **1.** Que está muy estirado y tenso. **2.** Incómodo y molesto por haber algún enfrentamiento o roce entre las personas. ‖ *s. m.* **3.** Tira de tela u otro material que, pasando por los hombros, sujeta los pantalones, el delantal u otras prendas. **4.** Pieza que sujeta una cosa o tira de ella. **5.** Cada una de las correas con las que los caballos tiran de un carruaje. **SIN. 2.** Violento, embarazoso. **ANT. 1.** Flojo.

tirantez *s. f.* **1.** Característica de tirante. **2.** Situación de enfrentamiento o roces. **SIN. 1** y **2.** Tensión.

tirar *v.* **1.** Lanzar, echar. **2.** Disparar. **3.** Derribar, hacer caer. **4.** Hacer fuerza para arrastrar o para atraer hacia sí. **5.**

hacia un lugar o en una dirección: *Tira a la izquierda.* **6.** Parecerse: *azul tirando a verde.* **7.** Quedar estrecho: *Me tira de la manga de la blusa.* **8.** Funcionar: *Este coche ya no tira.* **9.** Producir una horno, una chimenea u otra cosa una corriente de aire que hace que el fuego esté más fuerte. **10.** Imprimir. **11.** Emplear mal: *tirar el dinero.* **12.** Suspender: *Le tiraron en el examen.* **13.** Gustar mucho: *Le tira el arte.* || **tirarse 14.** Lanzarse. **15.** Echarse: *tirarse al suelo.* **16.** Pasar: *Se tiró todo el día en la cama con fiebre.* **EXPR. tirando** Continuar igual, sin grandes cambios ni para bien ni para mal: *ir tirando.* **tirarse un farol** Decir una mentira para presumir de algo. **SIN. 1.** Arrojar. **3.** Derrumbar. **8.** Marchar. **11.** Derrochar, malgastar. **ANT. 1.** Recoger. **3.** Levantar. **11.** Ahorrar.

tirilla *s. f.* **1.** Tira de tela que une el cuello al escote de una camisa o que remata ésta si no tiene cuello. || **tirillas** *s. m.* **2.** *fam.* Persona débil. **SIN. 2.** Enclenque.

tirita *s. f.* Tira pequeña que se pega sobre una herida.

tiritar *v.* Temblar por causa del frío o de la fiebre. **SIN.** Estremecerse.

tiritera o **tiritona** *s. f.* Temblor producido por frío o fiebre.

tiro *s. m.* **1.** Disparo. **2.** Actividad o deporte que consiste en tirar con un arma a un punto u objeto situado a una distancia. **3.** Acción de lanzar un balón. **4.** Conjunto de animales que tiran de un carruaje. **5.** Distancia que en un pantalón va desde la parte en que se unen las piernas hasta la cintura. **6.** Corriente de aire que se produce en un horno, chimenea u otra cosa y que hace que el fuego arda más fuerte. **EXPR. sentar como un tiro** o **caer como un tiro** Sentar o caer muy mal.

tiroides *adj.* y *s. m.* Se dice de una glándula en forma de H situada en el cuello y que es muy importante porque produce una hormona que regula el crecimiento y el funcionamiento de los órganos.

tirolés, sa *adj.* y *s.* Del Tirol, región de Austria.

tirón *s. m.* **1.** Acción de tirar violentamente. **2.** Movimiento brusco de un vehículo. **3.** En algunos deportes, sobre todo en el ciclismo, el hecho de acelerar un corredor para ponerse el primero. **4.** Dolor muy fuerte en un músculo cuando se ha estirado demasiado o de repente. **EXPR. de un tirón** De una vez.

tirotear *v.* Disparar muchos tiros.

tiroteo *s. m.* Acción de tirotear.

tirria *s. f.* Manía, antipatía. **SIN.** Ojeriza. **ANT.** Simpatía.

tisana *s. f.* Bebida medicinal que se hace cociendo en agua algunas hierbas.

tísico, ca *adj.* Que tiene tisis.

tisis *s. f.* Tuberculosis pulmonar.

tisú *s. m.* Tela de seda en la que se van metiendo y tejiendo hilos de oro o de plata.

titán *s. m.* Persona que tiene mucha fuerza o sobresale por ser extraordinario en algo.

titánico, ca *adj.* Se dice de un esfuerzo muy grande.

titanio *s. m.* Metal de gran dureza y resistencia, más ligero que el acero. Es un elemento químico.

títere *s. m.* **1.** Muñeco que una persona mueve por medio de unos hilos o metiendo la mano debajo de sus vestidos. **2.** Persona que hace lo que otras quieren. || *pl.* **3.** Espectáculo que se realiza con esos muñecos. **SIN. 1** y **2.** Marioneta.

tití *s. m.* Mono pequeño de pelo largo y sedoso, que vive en América del Sur.

titilar *v.* Brillar como temblando la luz de una estrella o de otra cosa. **SIN.** Rutilar, temblar.

titiritero, ra *s. m.* y *f.* **1.** Persona que maneja los títeres. **2.** Persona que anda y salta sobre una cuerda o alambre o hace otros ejercicios de circo. **SIN. 2.** Acróbata, saltimbanqui, volatinero.

tito *s. m.* Hueso o pepita de la fruta.

tito, tita *s. m.* y *f.* Forma cariñosa de llamar al tío y a la tía.

titubear *v.* No saber qué hacer o qué decir. **SIN.** Vacilar, dudar.

titubeo *s. m.* Acción de titubear. **SIN.** Vacilación. **ANT.** Seguridad.

titulación *s. f.* Título que una persona tiene por los estudios que ha hecho.

titulado, da 1. *p.* de titular. También *adj.* || *adj.* y *s.* **2.** Persona que posee un título.

titular[1] *v.* **1.** Poner título. || **titularse 2.** Tener un escrito, película, cuadro u otra cosa un título. **3.** Obtener una persona un título. **SIN. 1** y **2.** Llamar(se).

titular[2] *adj.* y *s.* **1.** Se dice de la persona que realiza un trabajo u ocupa un cargo porque tiene ese puesto o ha sido nombrado para él. **2.** Se dice de la persona o empresa que tiene un documento a su nombre que indica que al-

go le pertenece o puede disfrutarlo. ||
s. m. **3.** Palabras o frases escritas con
letras grandes que se ponen al comienzo de los artículos de los periódicos o
revistas.

título *s. m.* **1.** Nombre de un libro,
película, obra de teatro, canción, etc.
2. Tratamiento que tienen los nobles,
como conde, duque, marqués. **3.** Preparación o grado que uno tiene por haber realizado unos estudios, y documento en el que consta: *título de bachiller.*
4. Honor o distinción que se consigue
o merece: *título de campeón de liga.*

tiza *s. f.* Barrita blanca o de colores que
se usa para escribir en la pizarra.

tiznajo *s. m.* Mancha de tizne u otra cosa semejante.

tiznar *v.* Manchar con tizne, hollín u
otra cosa parecida.

tizne *s. amb.* Humo que se pega a las
sartenes, cacerolas y otras cosas que
han estado al fuego.

tizón *s. m.* **1.** Palo o trozo de leña a medio quemar. **2.** Hongo parásito del trigo
y otros cereales.

toalla *s. f.* Pieza rectangular de tela o
de papel que sirve para secarse.

toallero *s. m.* Mueble, barrita u otra cosa para colgar las toallas.

toba *s. f.* Golpe que se da haciendo resbalar rápidamente la uña de un dedo
sobre la yema del pulgar.

tobera *s. f.* **1.** Tubo por donde se introduce aire en un horno para que arda
mejor. **2.** Dispositivo parecido a un tubo por el que salen los gases en algunos motores.

tobillera *s. f.* Venda con que se sujeta
el tobillo cuando está lesionado o para
protegerlo.

tobillo *s. m.* Parte en la que se unen el
pie y la pierna.

tobogán *s. m.* Rampa inclinada por la
que los niños se dejan resbalar.

toca *s. f.* **1.** Tela blanca que cubre la cabeza y parte de la cara de las monjas.
2. Antigua prenda de mujer parecida a
la anterior.

tocadiscos *s. m.* Aparato que reproduce el sonido grabado en un disco.

tocado *s. m.* Adorno que se ponen las
mujeres en el pelo y el peinado que se
hacen.

tocado, da 1. *p.* de **tocar.** También *adj.*
|| *adj.* **2.** Un poco loco, aturdido o atontado. **3.** En deporte, se dice del jugador
que no se encuentra totalmente bien o

tiene una lesión leve. **Sin. 2.** Chiflado;
sonado.

tocador *s. m.* **1.** Mueble que consiste
en una mesa y un espejo; se usa para
peinarse o pintarse. **2.** Habitación para
el arreglo y aseo personal.

tocamiento *s. m.* Acción de tocar.

tocante Se usa en la expresión **en lo
tocante a,** 'referido a algo'.

tocar *v.* **1.** Entrar en contacto con algo
por medio de la mano, otra parte del
cuerpo o mediante un objeto. **2.** Chocar, rozar. **3.** Hacer sonar: *tocar la trompeta.* **4.** Tener que hacer algo: *Te toca
repartir las cartas.* **5.** Caer en suerte: *tocarle a alguien un premio.* **6.** Tratar algo, sobre todo si no se hace con profundidad. **7.** Cambiar, modificar: *No toques más el dibujo, que te ha quedado
muy bien.* **8.** Importar, interesar. || **tocarse 9.** Ponerse un sombrero o gorro.
Sin. 1. Palpar. **2.** Dar. **3.** Tañer. **7.** Alterar, retocar.

tocata[1] *s. f.* Composición musical para
instrumento de teclado.

tocata[2] *s. m. fam.* Tocadiscos.

tocateja Se usa en la expresión **a tocateja,** 'dando todo el dinero de una vez
al pagar'.

tocayo, ya *s. m. y f.* Persona que tiene
el mismo nombre que otra.

tocho *s. m. fam.* Cosa muy gorda, por
ejemplo un libro de muchas páginas.

tocino *s. m.* Capa de grasa que tienen
algunos mamíferos, sobre todo el cerdo. **Expr. tocino de cielo** Dulce hecho
con yema de huevo y almíbar.

tocología *s. f.* Obstetricia.

tocólogo, ga *s. m. y f.* Médico que se
dedica a la obstetricia o tocología.

tocón *s. m.* Parte del tronco de un árbol
que queda unida a la raíz cuando lo
cortan por abajo.

tocón, na *adj. y s. fam.* Se dice de la
persona que toca o manosea mucho a
otra. **Sin.** Sobón.

todavía *adv.* **1.** Expresa que algo continúa: *Todavía está estudiando.* **2.** Sin
embargo, encima: *Le pagan todos los
gastos y todavía se queja.* **3.** Sirve de
refuerzo y equivale a 'en ese caso': *Si
tuvieras razón, todavía podrías enfadarte.* **4.** Da más fuerza a algunos adverbios, como *más, menos, mayor,
peor: Luisa es alta, pero su hermano lo
es todavía más.* **Sin. 1** a **3.** Aún.

todo, da *indef.* **1.** En su totalidad, por
entero o por completo: *Se ha leído todo
el libro. Todos los alumnos felicita-*

ron a la profesora. **2.** En singular y seguido de un sustantivo, cualquiera, todos o todas: *Toda persona quiere ser feliz.* **3.** En plural equivale a veces a 'cada': *Todos los días da un paseo.* **4.** Da más fuerza al significado de un sustantivo o de un adjetivo: *Es toda una mujer. Está todo enfadado.* ‖ *s. m.* **5.** Aquello que está entero o lo vemos así: *dividir un todo en partes.* ‖ *adv.* **6.** Da más fuerza a lo que se dice en una frase: *Esa chica es todo ojos. A ver, cuéntame: soy todo oídos.* EXPR. **ante todo** Sobre todo. **del todo** Por completo. **después de todo** Disminuye la importancia o el valor de algo: *Después de todo, no es para tanto.* **sobre todo** Antes que cualquier otra cosa. ANT. **1.** Ninguno, nadie, nada.

todopoderoso, sa *adj.* y *s. m.* Que lo puede todo; se dice sobre todo de Dios: *el Todopoderoso.*

todoterreno *adj.* y *s. m.* Vehículo preparado para circular por terrenos muy desiguales o incómodos.

tofe *s. m.* Caramelo blando de café con leche.

toga *s. f.* **1.** Manto que llevaban los romanos. **2.** Vestidura amplia y larga que usan jueces, abogados, catedráticos.

toilette (fr.) *s. f.* **1.** Aseo o arreglo personal. **2.** Cuarto de baño.

toldilla *s. f.* Cubierta que cubre la parte trasera de algunas embarcaciones.

toldo *s. m.* Tela que se usa para dar sombra en algún lugar.

toledano, na *adj.* y *s.* De Toledo, ciudad y provincia españolas.

tolerable *adj.* Que se puede tolerar. SIN. Aceptable, pasable, admisible. ANT. Intolerable.

tolerancia *s. f.* **1.** Aceptación y respeto por lo que piensan y hacen los demás. **2.** Hecho de tolerar el cuerpo algunas cosas, como los medicamentos. SIN. **1.** Comprensión. ANT. **1** y **2.** Intolerancia.

tolerante *adj.* Que tolera lo que los demás opinan o hacen. SIN. Transigente. ANT. Intolerante.

tolerar *v.* **1.** Soportar, aguantar: *Tolero bien el calor.* **2.** Aceptar y respetar lo que piensan y hacen los demás. **3.** Permitir, consentir. **4.** No hacerle mal al cuerpo alimentos, medicinas u otras cosas. SIN. **2.** Comprender. **2** y **3.** Transigir. **3** y **4.** Admitir. ANT. **3.** Prohibir.

tolondrón *s. m.* Chichón.

tolteca *adj.* y *s.* De un pueblo que habitaba en el altiplano central de México,

tolueno *s. m.* Compuesto químico formado por carbono e hidrógeno que se obtiene del petróleo y se emplea como disolvente, materia prima de colorantes y para la fabricación de explosivos.

tolva *s. f.* Objeto parecido a un embudo, en el que se echan diferentes sustancias o productos para que vayan cayendo poco a poco.

tolvanera *s. f.* Remolino de polvo que se forma con el viento.

toma *s. f.* **1.** El hecho de tomar. **2.** Cantidad de un alimento o medicamento que se toma de una vez y cada una de las veces que se toma. **3.** Lugar por donde se desvía un líquido o la corriente eléctrica. **4.** Acción de fotografiar o filmar algo y también trozo que se ha rodado de una película. ‖ **5. toma de corriente** Dispositivo unido a una red eléctrica, al que se pueden conectar varios aparatos. SIN. **1.** Asalto. **2.** Dosis.

tomado, da **1.** *p.* de **tomar.** También *adj.* ‖ *adj.* **2.** Se dice de la voz que está un poco ronca.

tomadura Se usa en la expresión **tomadura de pelo**, 'burla, engaño'.

tomar *v.* **1.** Coger. **2.** Comer o beber algo. **3.** Ponerse en un lugar para sentir algo: *tomar el fresco.* **4.** Ocupar o conquistar. **5.** Poner una persona lo que se dice: *tomarse alguien mucho interés.* **6.** Con algunos sustantivos, realizar la acción que estos expresan: *tomar asiento (sentarse).* **7.** Entender o considerar algo de una manera: *tomarse algo a broma.* EXPR. **tomar tierra** Aterrizar **tomarla con** alguien o algo Ir en su contra. SIN. **1.** Asir. **4.** Dominar, invadir. ANT. **1.** Soltar. **4.** Liberar.

tomate *s. m.* **1.** Fruto de color rojo, carnoso y jugoso, que tiene la piel fina, lisa y brillante, y muchas semillas dentro. **2.** Tomatera. **3.** Salsa hecha con ese fruto triturado y a veces también frito. **4.** Agujero, por ejemplo en una media o en un calcetín. **5.** Lío, jaleo. EXPR. **ponerse como un tomate** Ponerse muy colorado.

tomatera *s. f.* Planta que da como fruto el tomate y tiene flores amarillas en forma de estrella.

tomatero, ra *adj.* **1.** *fam.* Se dice de los alimentos adecuados para ser guisados con tomate: *un pollo tomatero.* ‖ *s. m.* y *f.* **2.** Persona que vende o cultiva tomates.

tomavistas *s. m.* Cámara para hacer películas parecida a la de cine, pero más pequeña y fácil de manejar,

tómbola *s. f.* Caseta donde se rifan regalos entre la gente que ha comprado papeletas.

tómbolo *s. m.* Cordón de arena que une un islote con la costa.

tomillo *s. m.* Planta pequeña que tiene muy buen olor; sus hojas se usan para cocinar y en perfumería.

tomo *s. m.* Cada una de las partes en que se dividen algunas obras escritas muy extensas y que están encuadernadas por separado. **SIN.** Volumen.

ton Se usa en la expresión **sin ton ni son**, 'sin motivo' o 'sin razón'.

tonada *s. f.* **1.** Poesía escrita para ser cantada y música con la que se canta. **2.** Melodía o canción.

tonadilla *s. f.* Canción popular española.

tonadillero, ra *s. m. y f.* Cantante o compositor de tonadillas.

tonal *adj.* Del tono o la tonalidad.

tonalidad *s. f.* **1.** Sistema de ordenación musical en el que los sonidos están organizados en relación a uno principal. **2.** Distinta intensidad de colores.

tonel *s. m.* Barril muy abombado que se utiliza para contener líquidos, sobre todo vino.

tonelada *s. f.* Medida de masa que equivale a mil kilogramos. También se llama *tonelada métrica*.

tonelaje *s. m.* Lo que cabe en un vehículo de transporte, sobre todo un barco mercante, medido en toneladas.

tonelería *s. f.* **1.** Técnica de construir toneles. **2.** Taller donde se construyen. **3.** Conjunto de toneles.

tonelero, ra *s. m. y f.* Persona que construye toneles.

tongo *s. m.* Trampa que se hace en una competición deportiva y que consiste en que uno de los participantes se deja ganar a cambio de dinero.

tónica *s. f.* Bebida refrescante hecha de agua con gas a la que se añade quinina y aroma de limón. Se llama también *agua tónica*.

tónico, ca *adj.* **1.** Se dice de la vocal, sílaba o palabra que se pronuncia con acento, como la sílaba *pa* en la palabra *campana*. || *s. m.* **2.** Medicina que sienta bien al organismo, abre el apetito y da fuerzas. **3.** Loción para limpiar y refrescar la piel de la cara o para fortalecer el pelo. **SIN. 2.** Reconstituyente. **ANT. 1.** Átona. **2.** Sedante.

tonificante *adj.* Que tonifica.

tonificar *v.* Fortalecer y poner bien el organismo. **SIN.** Vigorizar, reconfortar. **ANT.** Debilitar.

tonillo *s. m.* Tono muy igual que tienen algunas personas al hablar. **SIN.** Sonsonete.

tono *s. m.* **1.** Mayor o menor elevación de los sonidos, que permite distinguirlos en agudos o graves. **2.** Manera de decir las cosas una persona según su intención, su estado de ánimo, sus sentimientos. **3.** Estilo o carácter: *una novela escrita en tono de humor*. **4.** Color o tonalidad. **5.** En música, intervalo entre dos notas musicales seguidas, excepto entre *mi* y *fa*, y *si* y *do*. **EXPR. fuera de tono** Inoportuno: *un comentario fuera de tono*. **SIN. 2.** Entonación. **3.** Cariz.

tonsura *s. f.* Coronilla afeitada de algunos sacerdotes y religiosos.

tontada *s. f.* Tontería.

tontaina *adj. y s.* Persona tonta y sosa. **SIN.** Sosaina, bobo. **ANT.** Listo.

tontear *v.* **1.** Hacer o decir tonterías. **2.** Coquetear.

tontería *s. f.* **1.** Característica de la persona tonta. **2.** Cosa tonta que se dice o se hace. **3.** Cosa de poco valor o importancia. **SIN. 1.** y **2.** Estupidez, simpleza.

tonto, ta *adj. y s.* **1.** Poco inteligente. || *adj.* **2.** Absurdo, innecesario. **EXPR. a tontas y a locas** Sin orden o sin pensar. **SIN. 1.** Idiota, imbécil, bobo. **ANT. 1.** Listo. **2.** Necesario.

tontorrón, na *s. m. y f. aum. de* **tonto**. Suele decirse en tono cariñoso.

tontuna *s. f.* Tontería, cosa tonta.

toña *s. f.* **1.** Puñetazo, golpe. **2.** Borrachera.

top (ingl.) *s. m.* Prenda femenina ajustada al cuerpo, que cubre desde arriba del pecho hasta la cintura o por encima de ella.

top secret *expr. ingl.* Significa 'muy secreto'.

topacio *s. m.* Piedra preciosa que se usa en joyería. Es muy dura y resistente, transparente y brillante; las hay de varios colores.

topar *v.* **1.** Chocar. **2.** Encontrar por casualidad. **3.** Embestir un animal con cuernos contra algo. **SIN. 1.** Tocar. **1** y **2.** Dar. **2.** Hallar, descubrir.

tope *s. m.* **1.** Pieza que detiene una cosa y no deja que pase de un punto. **2.** Pieza que sirve para parar o disminuir los golpes, como las que tienen delante y detrás los vagones de tren. **3.** Lo más a lo que se puede llegar. **Expr. a tope** Todo lo que se puede: *trabajar a tope.* También, demasiado cargado o lleno: *El autobús iba a tope.* **Sin. 3.** Límite.

topera *s. f.* Madriguera del topo.

topetazo o **topetón** *s. m.* **1.** Cabezazo. **2.** Golpe fuerte al chocar una cosa con otra. **Sin. 1.** Testarazo. **2.** Encontronazo.

tópico, ca *adj.* y *s. m.* **1.** Que se ha repetido mucho y ya no es nuevo ni original. **2.** Se dice del medicamento que se pone por fuera en una parte del cuerpo, como las pomadas; también se dice de su uso. **Sin. 1.** Manido, trillado.

topless (ingl.) *s. m.* **1.** El hecho de estar una mujer desnuda de cintura para arriba. **2.** Bar donde trabajan mujeres desnudas de cintura para arriba.

topo¹ *s. m.* Animal pequeño de pelo oscuro, hocico puntiagudo y patas anchas con uñas largas y fuertes, que utiliza para excavar túneles bajo la tierra. Se alimenta de lombrices e insectos.

topo² *s. m.* Dibujo en forma de manchita redonda. **Sin.** Lunar.

topografía *s. f.* Técnica de representar con detalle en un plano la superficie de un terreno.

topógrafo, fa *s. m.* y *f.* Persona que se dedica a la topografía.

toponimia *s. f.* Estudio del origen y significado de los topónimos.

topónimo *s. m.* Nombre propio de un lugar, como una ciudad o un país.

toque *s. m.* **1.** Acción de tocar una cosa un momento, sobre todo si es con poca fuerza. **2.** Sonido producido por las campanas, trompetas o tambores que sirve de señal o aviso de algo. **3.** Detalle o aspecto. **4.** Aviso, llamada. ‖ **5. toque de queda** Ver **queda**. **Sin.** Roce. **3.** Nota, rasgo.

toquetear *v.* Tocar mucho a alguien o algo. **Sin.** Manosear, sobar.

toqueteo *s. m.* Acción de toquetear.

toquilla *s. f.* Prenda de abrigo en forma de capa corta o de triángulo con que se tapa a los niños pequeños o se cubren los hombros las mujeres. **Sin.** Chal.

torácico, ca *adj.* Del tórax.

tórax *s. m.* **1.** Cavidad del pecho. **2.** El pecho mismo: *un tórax musculoso.* **3.** Parte central de las tres en que se divide el cuerpo de los insectos, las arañas y los crustáceos.

torbellino *s. m.* Remolino de aire o de polvo. **Sin.** Ciclón, turbulencia.

torcedura *s. f.* **1.** Acción de torcer o torcerse. **2.** Daño que se produce en una articulación cuando se ha torcido bruscamente. **Sin. 1.** Torsión. **2.** Esguince, luxación.

torcer *v.* **1.** Retorcer. **2.** Doblar una cosa recta, o inclinar o desviar algo de la posición o dirección normal. **3.** Seguido de *gesto*, *semblante* y palabras parecidas, poner cara de desagrado o enfado. **4.** Cambiar de dirección. ‖ **torcerse 5.** Estropearse, salir mal. ◻ Es v. irreg. Se conjuga como *cocer.* **Sin. 2.** Curvar. **4.** Girar. **Ant. 1** y **2.** Enderezar.

torcida *s. f.* Mecha de algodón o trapo retorcido que se pone, por ejemplo, en las velas y los candiles.

torcido, da 1. *p.* de **torcer**. También *adj.* ‖ *adj.* **2.** Inclinado o doblado.

tordo, da *adj.* y *s.* **1.** Se dice de la caballería de pelo con mezcla de negro y blanco. ‖ *s. m.* **2.** Pájaro que canta muy bien y suele tener color gris o marrón; es un ave migratoria que pasa el invierno en la península Ibérica. Se llama también *zorzal.*

torear *v.* **1.** Atraer a un toro y dejarlo pasar cuando embiste, engañándolo con el capote o la muleta. **2.** Evitar a alguien o algo. **3.** Burlarse de una persona. **Sin. 1.** Lidiar.

toreo *s. m.* **1.** Acción de torear. **2.** Arte de torear toros. **Sin. 1.** Lidia. **2.** Tauromaquia.

torera *s. f.* Chaquetilla corta parecida a la del traje de los toreros. **Sin.** Bolero.

torero, ra *adj.* **1.** Del toreo o de los toreros. ‖ *s. m.* y *f.* **2.** Persona que torea en las corridas. **Expr. saltarse** algo **a la torera** No hacer ningún caso de ello. **Sin. 2.** Diestro, espada, matador.

toril *s. m.* Lugar en las plazas donde se encierra a los toros que se van a torear.

tormenta *s. f.* Mal tiempo con mucha lluvia o granizo, rayos y relámpagos. **Sin.** Tempestad, borrasca. **Ant.** Calma.

tormento *s. m.* **1.** Sufrimiento o preocupación muy grandes; persona o cosa que los produce. **2.** Martirio. **Sin. 1** y **2.** Tortura, suplicio. **Ant. 1.** Placer, alivio.

tormentoso, sa *adj.* Se dice del tiempo en que hay tormenta. **Sin.** Borrascoso, tempestuoso. **Ant.** Apacible.

torna Se emplea en la expresión **volverse las tornas**, 'cambiar a una situación totalmente opuesta'.

tornadizo, za *adj.* y *s.* Que cambia fácilmente de ideas, opiniones o creencias. **Sin.** Voluble. **Ant.** Consecuente.

tornado *s. m.* Tormenta con vientos muy fuertes que se mueven en forma de espiral.

tornar *v.* **1.** Cambiar, mudar. **2.** Regresar. **3.** Volver a hacer. **SIN. 1.** Transformar. **2.** Retornar. **ANT. 2.** Marcharse.

tornasol *s. m.* Reflejo o cambio de color que produce la luz en algunas telas o superficies lisas y brillantes. **SIN.** Viso.

tornasolado, da *adj.* Que hace tornasoles.

torneado, da **1.** *p.* de **tornear**. También *adj.* ‖ *adj.* **2.** De curvas suaves y bonitas: *unas piernas largas y torneadas.* ‖ *s. m.* **3.** Acción de tornear. **SIN. 3.** Moldeado.

tornear *v.* Dar forma a algo que gira en el torno. **SIN.** Moldear.

torneo *s. m.* **1.** Combate a caballo que se celebraba en la Edad Media. **2.** Competición deportiva. **SIN. 1.** Contienda, lid. **2.** Campeonato.

tornero, ra *s. m.* y *f.* **1.** Persona que trabaja con el torno. ‖ *s. f.* **2.** En los conventos de clausura, monja encargada de atender el torno.

tornillería *s. f.* **1.** Conjunto de tornillos y piezas parecidas. **2.** Fabricación y fábrica de tornillos.

tornillo *s. m.* **1.** Clavo o cilindro estrecho con rosca que se introduce, dándole vueltas, en una tuerca o en otro sitio. **2.** Instrumento formado por una pieza fija y otra que se mueve y que sirve para sujetar con fuerza entre las dos una cosa. **EXPR. faltarle** a alguien **un tornillo** Estar loco.

torniquete *s. m.* **1.** Lo que sirve para apretar una vena o una arteria abierta y evitar que salga la sangre. **2.** Aparato en forma de cruz que gira sobre un eje y se coloca en las entradas de los recintos para que las personas pasen de una en una.

torno *s. m.* **1.** Máquina formada por un cilindro que se hace girar de modo que va enrollando una cuerda que tira de una cosa o la levanta. **2.** Nombre de distintas máquinas que hacen girar un objeto sobre sí mismo para trabajar sobre él y darle forma. **3.** Máquina que es como un brazo con una pieza giratoria en la punta y que utilizan los dentistas para limpiar o limar los dientes. **4.** En los conventos y otros lugares, pieza que tapa un hueco de una pared y que se hace girar para pasar cosas de un lado a otro. **EXPR. en torno a** Alrededor de; también, aproximadamente, más o menos.

toro *s. m.* **1.** Animal mamífero rumiante de cuerpo y cabeza grandes, con dos cuernos curvados y puntiagudos, pelo corto y cola larga. Se cría como animal de tiro, por su carne y su piel y, en España e Hispanoamérica, también para torearlo. La hembra del toro es la vaca. ‖ *pl.* **2.** Corrida en que se torea a estos animales. **EXPR. pillar el toro** a alguien Acabársele el tiempo antes de conseguir hacer o terminar algo.

toronja *s. f.* Pomelo, fruto del toronjo.

toronjil *s. m.* Melisa.

toronjo *s. m.* Pomelo, árbol.

torpe *adj.* **1.** Que se mueve con dificultad o lentitud. **2.** Poco hábil. **3.** Que es poco inteligente o le cuesta comprender. **SIN. 1.** Lento, pesado. **2.** Inútil, desmañado. **3.** Corto, bruto. **ANT. 1.** Ágil. **2.** Diestro. **3.** Listo.

torpedear *v.* **1.** Atacar a un barco con torpedos. **2.** Hacer fracasar algo.

torpedeo *s. m.* Acción de torpedear.

torpedero, ra *adj.* y *s.* Se dice de la embarcación de guerra que va armada con torpedos.

torpedo *s. m.* **1.** Proyectil de forma alargada o de cilindro que se lanza bajo el agua y explota al chocar contra algo. **2.** Pez en forma de disco aplanado que tiene dos pequeñas aletas en la espalda y la cola corta. Produce descargas eléctricas para paralizar a sus presas y para defenderse. Se llama también *raya eléctrica.*

torpeza *s. f.* **1.** Lentitud o poca agilidad. **2.** Estupidez, error o cosa que se hace mal. **SIN. 2.** Tontería. **ANT. 2.** Acierto.

torrado, da **1.** *p.* de **torrar**. También *adj.* ‖ *s. m.* **2.** Garbanzo tostado y recubierto de una capa blanca salada. **3.** *fam.* Cabeza.

torrar *v.* Tostar al fuego.

torre *s. f.* **1.** Construcción más alta que ancha, que hay en los castillos, las iglesias o en algunas casas. **2.** Nombre de muchas construcciones altas y que tienen distintos usos, como las metálicas que sostienen los cables de la electricidad. **3.** En Cataluña y otras partes de España, chalé o casa de campo. **4.** Pieza del juego de ajedrez con forma de torre de castillo. ‖ **5. torre de control** La que hay en un aeropuerto, para observar lo que ocurre en las pistas y dirigir los aviones. **6. torre del homenaje** La más importante de una fortaleza o de un castillo. **SIN. 1.** Torreón, atalaya, baluarte; campanario.

torrefacto, ta *adj.* Tostado al fuego; se dice sobre todo del café que se tuesta con un poco de azúcar. **Sin.** Torrado.

torrencial *adj.* Se dice de las lluvias muy fuertes.

torrente *s. m.* **1.** Corriente de agua muy abundante, rápida y fuerte que se forma cuando llueve mucho o con el deshielo de las nieves. **2.** Gran cantidad de personas o cosas juntas. **Sin.** **1.** Torrentera. **1** y **2.** Riada.

torrentera *s. f.* Cauce de un torrente y, también, el mismo torrente.

torreón *s. m.* Torre grande de una fortaleza o de un castillo. **Sin.** Baluarte.

torreta *s. f.* En algunos aviones, barcos de guerra y tanques, estructura metálica giratoria con ametralladoras o cañones.

torrezno *s. m.* Trozo de tocino frito.

tórrido, da *adj.* Muy caluroso. **Sin.** Bochornoso. **Ant.** Helado.

torrija *s. f.* Dulce hecho con una rebanada de pan empapada en leche o vino, rebozada en huevo y luego frita; suele cubrirse con azúcar o miel.

torsión *s. f.* Acción de torcer o torcerse una cosa.

torso *s. m.* **1.** Tórax, pecho. **2.** Escultura sin cabeza, brazos y piernas.

torta *s. f.* **1.** Masa aplastada y redonda, generalmente de harina, que se fríe o se cuece al horno. **2.** Tortazo. **Sin.** **2.** Bofetada, trompazo.

tortazo *s. m.* **1.** Golpe dado con la mano en la cara. **2.** Golpe o choque violento. **Sin.** **1.** Bofetada, bofetón. **1** y **2.** Torta. **2.** Trompazo.

tortel *s. m.* Rosco de hojaldre.

tortícolis *s. f.* Dolor del cuello que no deja mover la cabeza.

tortilla *s. f.* **1.** Huevos batidos y fritos en la sartén con un poco de aceite. **2.** En Hispanoamérica, torta de harina, sobre todo la de maíz. **3. tortilla española** La que se hace añadiendo al huevo trozos de patata ya fritas. **4. tortilla francesa** La que se hace solamente con huevo.

tórtola *s. f.* Ave parecida a una paloma aunque más pequeña; tiene la cola larga y estrecha de color negro con los bordes blancos. Vive en bosques y cultivos.

tórtolo *s. m.* **1.** Macho de la tórtola. || *pl.* **2.** *fam.* Pareja de enamorados.

tortuga *s. f.* **1.** Reptil protegido por un caparazón que le cubre el cuerpo por arriba y por abajo y en el que puede meter la cabeza, las patas y la cola. Algunas tortugas son marinas y otras viven en tierra. **2.** *fam.* Persona, vehículo o cosa muy lentos.

tortuoso, sa *adj.* **1.** Que tiene muchas curvas, vueltas y rodeos. **2.** Que actúa con astucia y disimulo, sin mostrar sus intenciones. **Ant.** **1.** Recto. **2.** Franco.

tortura *s. f.* **1.** Daño muy fuerte que se hace a una persona, casi siempre como castigo o para obligarle a confesar algo. **2.** Sufrimiento. **Sin.** **1** y **2.** Martirio, tormento. **2.** Calvario. **Ant.** **2.** Alivio.

torturar *v.* **1.** Pegar o dañar a alguien como castigo o para que confiese algo. **2.** Hacer sufrir. **Sin.** **1** y **2.** Martirizar, atormentar. **Ant.** **2.** Aliviar.

torvo, va *adj.* Siniestro, que da miedo: *una mirada torva.* **Sin.** Avieso.

tos *s. f.* **1.** Acción de echar el aire de los pulmones de forma ruidosa y violenta, como cuando se está acatarrado o nos ha entrado polvo en la garganta. || **tos ferina** Enfermedad muy contagiosa producida por una bacteria, que ataca sobre todo a los niños y provoca una tos muy fuerte y hace difícil respirar.

tosco, ca *adj.* **1.** Hecho con poco cuidado y con materiales poco valiosos. **2.** De poca cultura o poco refinado. **Sin.** **1** y **2.** Basto, burdo. **Ant.** **1** y **2.** Fino, elegante. **2.** Delicado.

toser *v.* Tener tos.

tosquedad *s. f.* Característica de tosco. **Sin.** Rudeza. **Ant.** Finura, elegancia.

tostada *s. f.* Rebanada de pan tostado.

tostadero *s. m.* **1.** Lugar en el que se tuesta algo. **2.** Lugar en el que pega mucho el sol y hace demasiado calor. **Sin.** **2.** Horno, sauna. **Ant.** **2.** Nevera.

tostado, da 1. *p. de* **tostar.** También *adj.* || *adj.* **2.** Se dice del color marrón clarito o el que tiene la piel cuando se pone morena. **Sin.** **2.** Dorado, bronceado.

tostador, ra *s. m.* y *f.* Aparato para tostar pan.

tostar *v.* **1.** Poner una cosa al fuego para que se ponga dorada sin quemarse. **2.** Broncear. **3.** Calentar demasiado, quemar. □ Es v. irreg. Se conjuga como *contar.* **Sin.** **1** y **3.** Asar.

tostón *s. m.* **1.** Cochinillo asado. **2.** *fam.* Persona o cosa aburrida o pesada. **Sin.** **2.** Rollo, lata.

total *adj.* **1.** Completo, del todo: *El precio total de ese coche es de dos millones.* || *s. m.* **2.** Todo o todos: *El total de* *la clase ha aprobado.* **3.** Resultado de algunas operaciones matemáticas con varias cantidades. ‖ *adv.* **4.** Se emplea para decir algo como conclusión: *Total, que no te enterastes de nada.* **5.** Expresa que algo da igual o que ya no tiene arreglo: *Llueve, pero no importa; total, no iba a salir.* **SIN. 1.** Entero, íntegro. **ANT. 1.** Incompleto, parcial.

totalidad *s. f.* **1.** Todas las personas o cosas de un grupo. **2.** Todo, la cosa entera. **SIN. 1.** Total. **ANT. 1.** Nadie. **1** y **2.** Parte, nada.

totalitario, ria *adj.* Del totalitarismo. **SIN.** Autoritario. **ANT.** Democrático.

totalitarismo *s. m.* Forma de gobierno en que tiene todos los poderes una persona o grupo y no permite que los demás actúen libremente.

totalizar *v.* Calcular la cantidad total de la suma de varias cantidades.

tótem (ingl.) *s. m.* Ser u objeto que algunas tribus creen que las protege de los males. **SIN.** Fetiche, amuleto.

tour (fr.) *s. m.* **1.** Excursión o viaje en el que se va a varios sitios. **2.** Nombre de algunas carreras ciclistas. ‖ **3. tour operador** Persona o empresa que se dedica a la organización de viajes colectivos. **SIN. 1.** Tournée.

tournée (fr.) *s. f.* Tour, sobre todo el que hace un artista actuando en varios sitios.

tour-operator (ingl.) *s. m.* Tour operador. Ver **tour**.

toxicidad *s. f.* Característica de lo que es tóxico.

tóxico, ca *adj.* y *s. m.* Que puede producir intoxicación al tomarlo, tocarlo o respirarlo. **SIN.** Venenoso.

toxicología *s. f.* Parte de la medicina que estudia las sustancias tóxicas y su efecto sobre los seres vivos.

toxicomanía *s. f.* Hábito de consumir drogas.

toxicómano, na *s. m.* y *f.* Drogadicto.

toxina *s. f.* Sustancia que se produce en el organismo y resulta perjudicial para él.

tozudez *s. f.* Característica de tozudo.

tozudo, da *adj.* y *s.* Cabezota, terco. **SIN.** Testarudo, obstinado.

traba *s. f.* Obstáculo, impedimento.

trabajado, da **1.** *p.* de **trabajar.** También *adj.* ‖ *adj.* **2.** Que muestra aspecto de haber trabajado o sufrido mucho. **3.** Que se ha realizado con mucho cuidado y esmero.

trabajador, ra *adj.* **1.** Que trabaja mucho. ‖ *adj.* y *s.* **2.** Persona que trabaja para ganarse la vida. **SIN. 1.** Aplicado. **2.** Obrero. **ANT. 1.** Vago.

trabajar *v.* **1.** Realizar un trabajo. **2.** Funcionar. **3.** Practicar un movimiento o hacer ejercicios para desarrollar alguna parte del cuerpo. **SIN. 1.** Trajinar. **ANT. 1.** Vaguear. **2.** Parar.

trabajo *s. m.* **1.** Actividad que necesita un esfuerzo físico o intelectual, normalmente a cambio de un sueldo. **2.** Obra artística o científica. **3.** En física, resultado de multiplicar la fuerza que se emplea en mover algo por la distancia que recorre. **EXPR. costar trabajo** una cosa Ser difícil de conseguir o de hacer. **SIN. 1.** Faena, tarea, empleo.

trabajoso, sa *adj.* Que da mucho trabajo. **SIN.** Laborioso, pesado. **ANT.** Llevadero.

trabalenguas *s. m.* Palabra o serie de palabras difíciles de pronunciar rápidamente; sirve como juego para hacer que uno se equivoque.

trabar *v.* **1.** Unir. **2.** Sujetar una cosa con algo para que no se mueva. **3.** Iniciar una conversación o relación. ‖ **trabarse 4.** Enredarse, atascarse: *trabarse la lengua.* **SIN. 1.** Juntar. **3.** Entablar. **ANT. 1.** Soltar.

trabazón *s. f.* Unión o relación entre varias cosas. **SIN.** Ligazón.

trabilla *s. f.* Pequeña tira de tela para pasar por ella una correa, una cinta, un cinturón.

trabucar *v.* Cambiar el orden que deben tener varias cosas, sobre todo las letras o las palabras al hablar. **SIN.** Confundir.

trabuco *s. m.* Arma de fuego antigua, más corta y gruesa que una escopeta y con el cañón muy ancho por la boca.

traca *s. f.* Muchos petardos o cohetes que estallan a la vez o muy seguidos.

tracción *s. f.* Fuerza o motor que mueve o arrastra algo.

tractor, ra *adj.* **1.** Que produce la tracción. ‖ *s. m.* **2.** Vehículo de motor de mucha potencia que suele usarse en las faenas del campo.

tradición *s. f.* Las costumbres, ideas o maneras de hacer algo que existen desde hace mucho tiempo.

tradicional *adj.* **1.** Que existe o es así desde hace mucho tiempo. **2.** Partidario de la tradición. **SIN. 1.** Tradicionalista, conservador. **ANT. 1.** Actual. **2.** Progresista.

tradicionalismo *s. m.* Actitud de apego a las tradiciones.

tradicionalista *adj.* Que defiende la tradición y es enemigo de los cambios. **SIN.** Conservador. **ANT.** Progresista.

tradicionalmente *adv.* Desde hace mucho tiempo.

traducción *s. f.* **1.** Acción de traducir. **2.** Texto o palabras habladas que resultan al traducir algo.

traducir *v.* Pasar de una lengua a otra algo que se dice o está escrito. ◻ Es v. irreg. Se conjuga como *conducir*.

traductor, ra *s. m.* y *f.* Persona que se dedica a traducir.

traductora *s. f.* Máquina que sirve para traducir.

traer *v.* **1.** Llevar hasta donde estamos o al lugar que se dice. **2.** Contener un libro, revista o periódico alguna cosa. **3.** Causar, producir: *traer consecuencias.* **4.** Poner o estar de la manera que se dice: *Este dibujo me trae loco. Traía un enfado que no veas.* **5.** Llevar puesto. ‖ **traerse 6.** Estar haciendo algo entre varios: *Menuda juerga se traen.* ◻ Es v. irreg. **EXPR. traer** a uno **a mal traer** Hacerle sufrir o molestarle mucho. **traérselas** Ser malo o difícil: *El examen de mañana se las trae.* **SIN. 1.** Acercar. **2.** Incluir. **3.** Ocasionar. **ANT. 3.** Evitar.

TRAER	
GERUNDIO	**PARTICIPIO**
trayendo	traído
INDICATIVO	
Presente	**Pretér. perf. simple**
traigo	traje
traes	trajiste
trae	trajo
traemos	trajimos
traéis	trajisteis
traen	trajeron
SUBJUNTIVO	
Presente	**Pretérito imperfecto**
traiga	trajera, -ese
traigas	trajeras, -eses
traiga	trajera, -ese
traigamos	trajéramos, -ésemos
traigáis	trajerais, -eseis
traigan	trajeran, -esen
Futuro	
trajere	trajéremos
trajeres	trajereis
trajere	trajeren

traficante *s. m.* y *f.* Persona que trafica.

traficar *v.* Comerciar, sobre todo con cosas ilegales o con algo con lo que no se debería comerciar: *traficar con esclavos, con droga.*

tráfico *s. m.* **1.** Circulación de vehículos. **2.** Acción de traficar. **SIN. 1.** Tránsito. **2.** Comercio, especulación.

tragabolas *s. m.* Muñeco con una boca muy grande en la que hay que meter unas bolas que se tiran a distancia.

tragaderas *s. f.* **1.** *fam.* Garganta, sitio por donde se traga. **2.** *fam.* Paciencia, aguante.

tragadero *s. m.* Agujero o conducto que traga agua u otra cosa.

tragaldabas *adj.* y *s. fam.* Comilón, tragón.

tragaluz *s. m.* Ventana pequeña en el techo o en la parte de arriba de la pared. **SIN.** Claraboya.

tragaperras *s. f.* Máquina que funciona echando monedas y que da dinero si salen algunas combinaciones.

tragar *v.* **1.** Hacer que algo pase de la boca hacia dentro. **2.** Comer mucho o con ansiedad. **3.** Hacer que una cosa pase adentro de algo. **4.** Tener que aceptar algo. ‖ **tragarse 5.** *fam.* Creerse una mentira. **6.** Soportar cosas desagradables, pesadas o aburridas. **SIN. 1.** Ingerir. **1** y **2.** Engullir. **ANT. 1.** Vomitar. **3.** Expulsar. **5.** Desconfiar.

tragasables *s. m. fam.* Artista de circo que realiza ejercicios parecidos a las prácticas de los faquires.

tragedia *s. f.* **1.** Obra de teatro con un tema serio y que acaba en un final dramático. **2.** Suceso real muy triste o desgraciado. **SIN. 2.** Catástrofe, desgracia.

trágico, ca *adj.* **1.** De la tragedia. **2.** Muy triste o desgraciado. ‖ *adj.* y *s.* **3.** Escritor de tragedias. **SIN. 2.** Dramático, desdichado. **ANT. 1** a **3.** Cómico.

tragicomedia *s. f.* Obra y género de teatro que tiene elementos de la tragedia y de la comedia.

tragicómico, ca *adj.* De tragicomedia.

trago *s. m.* **1.** Cantidad de líquido que se traga de una vez. **2.** Bebida alcohólica. **3.** Situación difícil o triste por la que se pasa. **SIN. 1.** Sorbo. **2.** Copa.

tragón, na *adj.* y *s. fam.* Comilón. **SIN.** Glotón, tragaldabas. **ANT.** Desganado.

traición *s. f.* Acción de traicionar. **SIN.** Deslealtad, infidelidad. **ANT.** Lealtad, fidelidad.

traicionar *v.* **1.** Hacer una persona algo malo a alguien que confiaba en ella.

2. Tener una cosa la culpa de que algo salga mal: *Los nervios le traicionaron en el examen.* **Ant**. 1 y 2. Ayudar.

traicionero, ra *adj.* y *s.* 1. Traidor. ‖ *adj.* 2. Hecho a traición.

traidor, ra *adj.* y *s.* Que traiciona a alguien. **Sin**. Desleal, infiel. **Ant**. Leal.

trailer (ingl.) *s. m.* 1. Escenas de una película que se ponen para anunciarla. 2. Remolque muy grande que llevan los camiones de gran potencia.

traílla *s. f.* 1. Cuerda con que se sujeta a los perros en una cacería. 2. Conjunto de perros atado con esta cuerda.

traína *s. f.* Red de pesca marina que tiene forma de bolsa.

trainera *s. f.* 1. Embarcación de pesca, alargada y de poco fondo. 2. Embarcación de remos deportiva parecida a la anterior.

traje *s. m.* 1. Ropa exterior de una persona. 2. Conjunto de chaqueta y pantalón o falda. 3. Ropa especial para una actividad: *traje de buzo*. ‖ 4. **traje de baño** Bañador. 5. **traje de etiqueta** El de hombre que se usa en actos importantes. 6. **traje de luces** El de los toreros. 7. **traje de noche** Vestido femenino para fiestas y ceremonias. **Sin**. 1. Indumentaria, atuendo.

trajeado, da *adj.* Muy bien vestido, sobre todo si lleva un buen traje.

trajín *s. m.* Mucho trabajo, mucha actividad. **Sin**. Ajetreo. **Ant**. Descanso.

trajinar *v.* Trabajar, tener mucha actividad. **Ant**. Descansar.

trallazo *s. m.* 1. Latigazo, sacudida. 2. Chut muy fuerte. **Sin**. 2. Cañonazo.

trama *s. f.* 1. Conjunto de hilos colocados a lo ancho que, cruzados y enlazados con los de la urdimbre, forman un tejido. 2. Combinación de puntos de diferentes tonos y colores que forman una imagen. 3. Argumento. **Sin**. 3. Intriga.

tramar *v.* Preparar o planear algo en secreto. **Sin**. Maquinar, urdir.

tramitación *s. f.* 1. Acción de tramitar. 2. Trámites que hay que hacer para resolver un asunto.

tramitar *v.* Hacer los trámites necesarios para algo. **Sin**. Gestionar.

trámite *s. m.* Cada cosa que hay que hacer para resolver un asunto o para conseguir algo. **Sin**. Gestión, diligencia.

tramo *s. m.* 1. Cada una de las partes de un camino y de otras cosas largas. 2. Parte de una escalera comprendida entre dos descansillos.

tramontana *s. f.* Viento del norte, frío y seco, que sopla en el Mediterráneo.

tramoya *s. f.* Máquinas y aparatos que se usan en el teatro para cambiar los decorados.

tramoyista *s. m.* y *f.* Persona que maneja las tramoyas de un teatro.

trampa *s. f.* 1. Medio para cazar animales engañándolos. 2. Plan, acción o sistema para engañar a alguien. 3. Acción dirigida a saltarse una norma o regla. 4. Deuda. **Sin**. 2. Artimaña, estratagema.

trampear *v. fam.* Vivir pidiendo prestado y con engaños para salir de apuros.

trampero, ra *s. m.* y *f.* Persona que caza con trampas.

trampilla *s. f.* Tapa, rejilla o puerta pequeña.

trampolín *s. m.* 1. Construcción elevada para tirarse al agua desde ella. 2. Tabla que se usa en gimnasia para darse impulso al saltar. 3. Lo que sirve a alguien para mejorar su situación.

tramposo, sa *adj.* y *s.* Que hace trampas o engaños. **Sin**. Fullero.

tranca *s. f.* 1. Palo grueso que se pone atravesado detrás de una puerta o ventana cerradas para que estén más seguras. 2. *fam.* Borrachera. **Expr**. **a trancas y barrancas** Con dificultades.

trancazo *s. m.* 1. Estacazo, golpe. 2. *fam.* Gripe o catarro fuerte.

trance *s. m.* 1. Momento importante o difícil. 2. Estado de una persona que habla con los espíritus o con Dios, la Virgen o los santos.

tranco *s. m.* Paso largo al andar. **Sin**. Zancada.

tranquilidad *s. f.* Estado en que se encuentra la persona o cosa tranquila. **Sin**. Reposo, sosiego. **Ant**. Inquietud.

tranquilizante *adj.* y *s. m.* Que sirve para tranquilizar.

tranquilizar *v.* Hacer que alguien esté más tranquilo. **Sin**. Calmar, sosegar. **Ant**. Intranquilizar.

tranquillo Se usa en la expresión **coger el tranquillo**, 'lograr aprender a hacer algo'.

tranquilo, la *adj.* 1. Que no es nervioso o no está nervioso. 2. Que no tiene cosas que pueden molestar o poner nervioso: *un barrio tranquilo.* 3. Quieto, en reposo. **Sin**. 1. Reposado, calmado. 1 a 3. Apacible. **Ant**. 1. Intranquilo.

transacción *s. f.* Compra o venta.

transatlántico, ca *adj.* 1. Que está al otro lado del océano Atlántico. 2. Que se hace a través del océano Atlántico. ‖ *s. m.* **3.** Barco muy grande de pasajeros.

transbordador *s. m.* **1.** Barco que lleva personas o mercancías entre dos orillas cercanas. ‖ **2. transbordador espacial** Nave espacial que despega en vertical y aterriza como un avión. **Sin. 1.** Ferry.

transbordar *v.* Pasar de un vehículo a otro.

transbordo *s. m.* El hecho de transbordar.

transcontinental *adj.* Que atraviesa un continente.

transcribir *v.* Poner por escrito algo que se ha dicho de palabra. □ Su p. es irreg.: *transcrito*.

transcripción *s. f.* El hecho de transcribir.

transcurrir *v.* Pasar el tiempo. **Sin.** Discurrir.

transcurso *s. m.* Paso del tiempo.

transeúnte *s. m.* y *f.* Peatón.

transexual *adj.* y *s.* Se dice de la persona que transforma su cuerpo para cambiar de sexo.

transferencia *s. f.* **1.** El hecho de transferir. ‖ **2. transferencia bancaria** Cambio de dinero de una cuenta a otra.

transferir *v.* Hacer que algo pase de un lugar a otro o de una persona a otra. □ Es v. irreg. Se conjuga como *sentir*.

transfiguración *s. f.* Acción de transfigurar o transfigurarse.

transfigurar *v.* Cambiar de aspecto.

transformación *s. f.* Acción de transformar o transformarse.

transformador, ra *adj.* **1.** Que transforma. ‖ *s. m.* **2.** Aparato eléctrico que sirve para cambiar el voltaje.

transformar *v.* Cambiar el aspecto o la forma de ser de alguien o algo, convertir una cosa en otra.

transformismo *s. m.* Oficio del transformista.

transformista *s. m.* y *f.* Artista que, cambiándose muy rápidamente de ropa, peinado y maquillaje, imita a distintos personajes.

tránsfuga *s. m.* y *f.* Persona que abandona un partido político para irse a otro.

transfusión *s. f.* Acción de introducir a una persona sangre de otra.

transgredir *v.* Desobedecer una ley o norma. □ Es v. defect. Sólo se conjugan las formas que tienen una *i*, como *transgredió*. **Sin.** Infringir, quebrantar. **Ant.** Acatar.

transgresión *s. f.* Acción de transgredir. **Sin.** Infracción, violación.

transgresor, ra *adj.* y *s.* Que desobedece una ley o norma.

transiberiano, na *adj.* Que atraviesa Siberia, región de Rusia.

transición *s. f.* Paso de un estado o situación a otro.

transido, da *adj.* Muy afectado por una pena o sufrimiento muy grandes.

transigente *adj.* Que permite a otros hacer lo que quieren. **Sin.** Condescendiente. **Ant.** Intransigente.

transigir *v.* Permitir. **Sin.** Tolerar.

transistor *s. m.* **1.** Pequeña pieza electrónica que hay en muchos aparatos. **2.** Radio pequeña.

transitar *v.* Ir por calles, carreteras o caminos. **Sin.** Andar, circular.

transitivo, va *adj.* **1.** Se dice del verbo que puede llevar complemento directo. ‖ *adj.* y *s. f.* **2.** Se dice de la oración que tiene un verbo transitivo y lleva complemento directo. **Ant. 1** y **2.** Intransitivo.

tránsito *s. m.* Paso de vehículos y personas por una calle, carretera, vía o camino.

transitorio, ria *adj.* Temporal, provisional. **Sin.** Pasajero. **Ant.** Definitivo.

transmisión *s. f.* **1.** Acción de transmitir. **2.** Mecanismo de una máquina que transmite el movimiento de una pieza a otra. **Sin. 1.** Emisión; contagio. **Ant. 1.** Recepción.

transmisor, ra *adj.* y *s.* **1.** Que transmite. ‖ *s. m.* **2.** En radio, telégrafos y otros medios de comunicación, aparato para transmitir.

transmitir *v.* **1.** Comunicar hacer llegar a alguien una noticia, un mensaje o un aviso. **2.** Dar una emisora de radio o televisión noticias, programas o espectáculos. **3.** Contagiar una enfermedad. **Sin. 2.** Retransmitir, radiar, televisar.

transmutación *s. f.* Transformación.

transmutar *v.* Cambiar, transformar.

transoceánico, ca *adj.* **1.** Que está al otro lado del océano. **2.** Que atraviesa un océano.

transparencia *s. f.* Característica de las cosas transparentes.

transparentar *v.* Ser transparente un cuerpo; dejar que se vea a través de él lo que hay detrás. **Sin.** Traslucir.

transparente *adj.* Se dice de las cosas que dejan ver a través de ellas la luz o lo que hay detrás. **Ant.** Opaco.

transpiración *s. f.* **1.** El hecho de transpirar. **2.** Sudor.

transpirar *v.* Sudar.

transportador, ra *adj. y s.* **1.** Que transporta. ‖ *s. m.* **2.** Regla con forma de medio círculo, que sirve para trazar ángulos.

transportar *v.* Llevar personas o cosas de un lugar a otro. **Sin.** Portear, acarrear.

transporte *s. m.* **1.** Acción de transportar. **2.** Vehículo o medio que sirve para transportar personas o cosas. **Sin.** **1.** Porte, acarreo.

transportista *s. m. y f.* Persona que se dedica a transportar personas o cosas.

transversal *adj.* **1.** Que cruza una cosa o la atraviesa de una lado a otro. **2.** Oblicuo, diagonal.

tranvía *s. m.* Vehículo para transportar viajeros en las ciudades y cercanías, que circula sobre raíles y funciona con electricidad.

tranviario, ria *adj.* **1.** Del tranvía. ‖ *s. m. y f.* **2.** Empleado del servicio público de tranvías.

trapacear *v.* Engañar.

trapacería *s. f.* Engaño, fraude, trampa.

trapecio *s. m.* **1.** Especie de columpio situado a mucha altura del suelo para que los artistas hagan acrobacias y piruetas en el circo. **2.** Cuadrilátero irregular que solamente tiene paralelos dos de sus lados. **3.** Uno de los huesos de la mano que forman parte del carpo. **4.** Cada uno de los dos músculos que están en la nuca y en la parte alta de la espalda.

trapecista *s. m. y f.* Artista de circo que hace piruetas en el trapecio.

trapense *adj. y s. m.* De la orden religiosa de la Trapa.

trapero, ra *s. m. y f.* Persona que recoge, compra y vende ropa usada y cosas viejas.

trapezoidal *adj.* Con forma de trapezoide o trapecio.

trapezoide *s. m.* **1.** Cuadrilátero irregular que no tiene ningún lado paralelo a otro. **2.** Uno de los huesos de la mano que forman parte del carpo.

trapichear *v.* Hacer trapicheos.

trapicheo *s. m.* Chanchullo, trampa, lío.

trapío *s. m.* Buen aspecto y bravura de un toro de lidia.

trapisonda *s. m. y f.* **1.** Trapisondista. ‖ *s. f.* **2.** *fam.* Riña, alboroto. **3.** *fam.* Mentira, lío, enredo.

trapisondista *s. m. y f.* Persona que siempre anda metida en líos.

trapo *s. m.* **1.** Trozo de tela viejo o roto. **2.** Trozo de tela que se usa para limpiar el polvo y otras cosas. ‖ *pl.* **3.** *fam.* Ropa, sobre todo la de la mujer. **Sin.** **1.** Harapo. **2.** Paño, bayeta.

tráquea *s. f.* **1.** Tubo que une la laringe con los bronquios y lleva el aire hasta los pulmones. **2.** Órgano que les sirve para respirar a algunos insectos y otros animales.

traqueal *adj.* **1.** De la tráquea. **2.** Se aplica a la respiración que se hace fundamentalmente a través de tráqueas.

traqueofita *adj. y s. f.* Se dice de las plantas que, al contrario que las briofitas, tienen hojas, raíces y tallos.

traqueotomía *s. f.* Operación que consiste en abrir la tráquea para facilitar la respiración.

traquetear *v.* Moverse algunas cosas de manera repetida y continua, haciendo ruido, por ejemplo un tren.

traqueteo *s. m.* Ruido de lo que traquetea.

tras *prep.* **1.** Después o detrás: *El sol lució tras la tormenta. Se escondió tras la puerta.* **2.** Buscando algo, intentando conseguirlo: *Lleva años tras ese puesto.*

trascendencia *s. f.* Importancia, valor. **Sin.** Relevancia, repercusión.

trascendental *adj.* Muy importante, interesante o valioso. **Sin.** Fundamental, esencial. **Ant.** Insignificante.

trascendente *adj.* Trascendental.

trascender *v.* **1.** Empezar a saberse o a notarse una cosa. **2.** Superar, estar por encima. □ Es v. irreg. Se conjuga como *tender.* **Sin.** **1.** Difundirse, propagarse.

trascoro *s. m.* En las iglesias, lugar que está detrás del coro; también, estructura decorada generalmente con esculturas, que separa el coro de las naves.

trasegar *v.* **1.** Desordenar. **2.** Trasvasar. □ Es v. irreg. Se conjuga como *regar.* **Sin.** **1.** Revolver.

trasera *s. f.* Parte de atrás.

trasero, ra *adj.* **1.** Que está detrás. ‖ *s. m.* **2.** El culo. **Sin.** **2.** Posaderas.

trasfondo *s. m.* Lo que no se ve a primera vista, pero está detrás de alguna cosa.

trasgo *s. m.* Duende, espíritu.

trashumancia *s. f.* El llevar al ganado de una región a otra, buscando pastos en invierno y en verano.

trashumante *adj.* Que va de una región a otra buscando pastos en invierno y en verano: *ganadería trashumante.*

trasiego *s. m.* Mucho trabajo, movimiento o lío. **SIN.** Trajín, ajetreo.

traslación *s. f.* Movimiento de un astro alrededor de otro, sobre todo el de la Tierra alrededor del Sol.

trasladar *v.* **1.** Llevar a una persona o cosa de un lugar o de un puesto a otro. **2.** Cambiar la fecha o la hora de alguna cosa. **SIN.** 1. Desplazar, mover.

traslado *s. m.* Acción de trasladar. **SIN.** Transporte, desplazamiento.

traslaticio, cia *adj.* Figurado.

traslúcido, da *adj.* Se dice del cuerpo que deja pasar la luz, pero que no deja ver claramente a través de él lo que está detrás. **ANT.** Opaco.

traslucir *v.* **1.** Transparentar. **2.** Mostrar, reflejar. □ Es v. irreg. Se conjuga como *lucir.* **SIN.** 2. Reflejar.

trasluz Se usa en la expresión **al trasluz,** que indica la forma de mirar una cosa poniéndola entre la luz y los ojos.

trasmano Se usa en la expresión **a trasmano,** 'en lugar apartado o mal comunicado'.

trasnochado, da *adj.* Anticuado.

trasnochador, ra *adj.* y *s.* Que trasnocha.

trasnochar *v.* Acostarse muy tarde o pasar la noche sin dormir.

traspapelar *v.* Perder entre otras cosas un papel o algo parecido, por no haberlo colocado en su sitio.

traspasar *v.* **1.** Atravesar. **2.** Pasar una barrera o un límite. **3.** Vender a alguien una tienda o un negocio que ya está funcionando. **4.** Causar a alguien una sensación o una impresión muy fuerte. **SIN.** 2. Cruzar.

traspaso *s. m.* Acción de traspasar, sobre todo una tienda o un negocio.

traspié *s. m.* **1.** Tropezón, resbalón. **2.** Error, descuido o dificultad. **SIN.** 1 y 2. Tropiezo.

trasplantar *v.* **1.** Volver a plantar un vegetal en otro sitio. **2.** Operar a una persona para cambiarle un órgano enfermo por otro sano sacado de otro cuerpo o del suyo. **3.** Llevar a un lugar algo que viene de otro. **SIN.** 3. Implantar.

trasplante *s. m.* Acción de trasplantar.

trasponer *v.* **1.** Poner en un sitio distinto. **2.** Pasar al otro lado de una puerta, de un obstáculo o de otra cosa. ‖ **trasponerse 3.** Adormilarse. □ Es v. irreg.

Se conjuga como *poner.* **SIN.** 1. Trasladar, mover. **2.** Traspasar, atravesar. **ANT.** 3. Espabilarse.

trasportín *s. m.* Lo que tienen detrás algunas bicicletas para llevar cargas pequeñas.

traspuesto, ta **1.** *p.* de **trasponer.** También *adj.* ‖ *adj.* **2.** Adormilado.

trasquilar *v.* Cortarles el pelo o la lana a algunos animales.

trasquilón *s. m.* Corte desigual que se hace en el pelo.

trastabillar *v.* Tropezar.

trastada *s. f.* **1.** Travesura. **2.** Faena, mala pasada. **SIN.** 2. Jugarreta.

trastazo *s. m.* Golpe, porrazo.

traste *s. m.* Cada uno de los salientes horizontales a lo largo del mástil de la guitarra y de otros instrumentos de cuerda. Se ponen los dedos entre un traste y otro para dar las diferentes notas. **EXPR. dar al traste con** una cosa Estropearla, echarla a perder. **irse** algo **al traste** Fracasar, salir mal.

trastear *v.* **1.** Revolver trastos o cambiarlos de sitio. **2.** Hacer travesuras. **SIN.** 2. Enredar.

trastero *adj.* y *s. m.* Se dice del cuarto de una casa donde se guardan trastos.

trastienda *s. f.* Cuarto que en algunas tiendas y bares está detrás del lugar donde se atiende a los clientes y que suele servir de almacén.

trasto *s. m.* **1.** Mueble, máquina u otra cosa, sobre todo si son viejos, están estropeados, estorban. **2.** Niño muy travieso. **EXPR. tirarse los trastos a la cabeza** Discutir o pelearse. **SIN.** 1. Cachivache, armatoste.

trastocar *v.* Cambiar, desordenar las cosas. **ANT.** Ordenar.

trastornar *v.* **1.** Estropear, fastidiar, descolocar. **2.** Poner nervioso. **SIN.** 1 y 2. Alterar, perturbar. **ANT.** 2. Tranquilizar.

trastorno *s. m.* **1.** Molestia, problema, dificultad. **2.** Enfermedad o fallo en un órgano o en la salud. **SIN.** 2. Alteración.

trasunto *s. m.* **1.** Copia de un escrito original. **2.** Aquello que representa otra cosa o da una idea muy aproximada.

trasvasar *v.* Pasar una cosa de un lugar a otro, sobre todo un líquido.

trasvase *s. m.* Acción de trasvasar, por ejemplo agua de un río a otro.

trata *s. f.* **1.** El vender y comprar personas: *trata de esclavos.* ‖ **2. trata de blancas** La realizada con mujeres para dedicarlas a la prostitución.

tratable

tratable *adj.* **1.** Que se puede tratar. **2.** Se dice de la persona amable, con la que es fácil tratar. **SIN. 2.** Abierto, cortés. **ANT. 1** y **2.** Intratable.

tratadista *s. m.* Autor de tratados sobre alguna materia.

tratado *s. m.* **1.** Libro que trata sobre un tema. **2.** Acuerdo importante entre países. **SIN. 1.** Estudio. **2.** Pacto.

tratamiento *s. m.* **1.** Acción de tratar o tratarse. **2.** Forma de llamar a una persona, según su categoría, profesión, edad. **3.** Lo que manda el médico que tome o haga alguien para curarse. **SIN. 1.** Trato.

tratante *s. m.* y *f.* Persona que se dedica a comprar productos y revenderlos.

tratar *v.* **1.** Portarse con alguien o cuidar una cosa de la manera que se dice: *Me trataron muy bien.* **2.** Hablar a una persona utilizando un tratamiento, por ejemplo llamándola de usted. **3.** Discutir una cosa con alguien. **4.** Ser amigo de una persona, salir o hablar con ella. **5.** Hablar o escribir sobre algo. **6.** Hacer lo necesario con una cosa para cambiarla, mejorarla, fabricar otra. **7.** Atender y cuidar un médico a una persona. **8.** Intentar. **9.** Vender y comprar cosas. **SIN. 4.** Relacionarse. **5.** Versar.

trato *s. m.* **1.** Acción de tratar o tratarse. **2.** Acuerdo entre dos o más personas. **3.** Forma de tratar o hablar a una persona. **SIN. 2.** Pacto, convenio.

trauma *s. m.* Impresión muy fuerte y duradera que una mala experiencia produce en alguien y que puede influir mucho en su personalidad.

traumático, ca *adj.* **1.** Que causa un trauma. **2.** Que provoca traumatismo.

traumatismo *s. m.* Daño que se produce en una parte del cuerpo, por ejemplo a causa de un golpe fuerte.

traumatizar *v.* Causar un trauma.

traumatología *s. f.* Parte de la medicina que se ocupa de los daños producidos en los huesos, articulaciones y músculos.

traumatólogo, ga *s. m.* y *f.* Médico especialista en traumatología.

travelling (ingl.) *s. m.* Técnica cinematográfica que consiste en desplazar la cámara sobre un soporte móvil. También, el plano rodado con esta técnica.

través Se usa en estas expresiones: **a través de**, 'de un lado a otro', 'por en medio de una cosa': *La luz entra a través de la ventana*, y también 'por alguien o algo, gracias a ellos': *Me ente-*ré *a través de tu hermano*; **de través**, 'en dirección oblicua o transversal'.

travesaño *s. m.* Pieza que va de una parte a otra de algo, como los peldaños de algunas escaleras.

travesero, ra *adj.* Que se pone de través.

travesía *s. f.* **1.** Viaje, sobre todo el que se hace por mar o por aire. **2.** Calle o camino que une otros más importantes.

travesti o **travestí** *s. m.* y *f.* Persona, sobre todo un hombre, que se viste y se comporta como si fuera del otro sexo.

travestido, da *adj.* **1.** Disfrazado. ‖ *s. m.* y *f.* **2.** Travesti.

travesura *s. f.* Acción que causa un pequeño daño y que hace alguien para divertirse, aunque sin mala intención.

traviesa *s. f.* Pieza que se pone atravesada entre los rieles en las vías del tren.

travieso, sa *adj.* y *s.* Que hace travesuras. **SIN.** Revoltoso.

trayecto *s. m.* Recorrido.

trayectoria *s. f.* **1.** Camino o recorrido que sigue alguien o algo al moverse. **2.** Desarrollo de una cosa, de una actividad. **SIN. 1.** Ruta.

traza *s. f.* **1.** Plano o diseño, por ejemplo de un edificio. **2.** Aspecto, apariencia. **SIN. 1.** Trazado. **2.** Pinta, facha.

trazado *s. m.* **1.** Acción de trazar. **2.** Plano o diseño de un edificio o de otra construcción. **3.** Recorrido de un camino, de un canal o de otra cosa parecida.

trazar *v.* **1.** Dibujar líneas, por ejemplo para hacer un dibujo o un plano. **2.** Planear. **3.** Describir. **SIN. 2.** Idear.

trazo *s. m.* **1.** Línea que se hace al escribir o dibujar. **SIN.** Rasgo.

trébol *s. m.* Hierba que tiene unas hojitas casi redondas y agrupadas de tres en tres, con flores pequeñas y de color rojizo.

trece *num.* **1.** Diez y tres. **2.** Que ocupa por orden este número.

treceavo, va *num.* y *s. m.* Se dice de cada una de las trece partes iguales en que se divide algo.

trecho *s. m.* Distancia que hay entre dos lugares. **SIN.** Tramo, trayecto.

tregua *s. f.* En una guerra, interrupción de los combates durante un tiempo por haberlo decidido así los dos ejércitos.

treinta *num.* **1.** Tres veces diez. **2.** Que ocupa por orden este número.

treintavo, va num. y s. m. Se dice de cada una de las treinta partes iguales en que se divide algo.

treintena s. f. Conjunto de treinta personas o cosas.

tremebundo, da adj. Tremendo.

tremendista adj. y s. Que tiende a difundir o a creerse noticias alarmantes.

tremendo, da adj. 1. Muy grande, muy fuerte. 2. Que sorprende o llama la atención. Sin. 1. Enorme. 2. Impresionante. Ant. 1. Insignificante.

trementina s. f. Resina de los pinos, abetos y otros árboles, de color amarillento y olor muy fuerte.

tremolar v. Ondear.

tremolina s. f. 1. Movimiento ruidoso del aire. 2. Ruido, jaleo, confusión.

trémulo, la adj. Que tiembla.

tren s. m. 1. Conjunto de vagones que van enganchados unos a otros y se mueven sobre railes, tirados por una locomotora. ‖ 2. **tren de aterrizaje** Ruedas que tienen los aviones. Expr. **a todo tren** Muy deprisa; también, con muchos lujos: *Celebraron la boda a todo tren.* **estar como un tren** Ser muy guapo. Sin. 1. Ferrocarril.

trenca s. f. Chaquetón con capucha.

trencilla s. f. Adorno en forma de trenza que se pone en la ropa y en otras cosas.

trenza s. f. 1. Peinado que se hace uniendo y mezclando tres o más mechones de pelo. 2. Cualquier otra cosa hecha así o que tiene esta forma.

trenzado, da 1. p. de **trenzar**. También adj. ‖ s. m. 2. Trenza. 3. En danza, salto ligero que se hace cruzando y descruzando rápidamente los pies.

trenzar v. Hacer trenzas con algo.

trepa adj. y s. Persona capaz de hacer cualquier cosa para ascender en su trabajo.

trepador, ra adj. Que trepa: *planta trepadora.*

trepanación s. f. Operación quirúrgica que consiste en hacer un agujero en el cráneo u otro hueso.

trepanar v. Hacer una trepanación.

trépano s. m. 1. Instrumento para trepanar. 2. Máquina para perforar el subsuelo.

trepar v. 1. Subir a un sitio alto agarrándose con las extremidades. 2. Crecer las plantas agarrándose a los árboles, a los muros o a otra cosa. Sin. 1. Escalar.

trepidación s. f. Vibración.

trepidante adj. 1. Que vibra mucho. 2. Muy interesante o emocionante; se dice sobre todo cuando pasan muchas cosas.

trepidar v. Vibrar mucho. Sin. Temblar.

tres num. 1. Dos y uno. 2. Tercero. Expr. **ni a la de tres** Indica que es imposible o muy difícil hacer algo.

trescientos, tas num. 1. Tres veces cien. 2. Que ocupa por orden este número.

tresillo s. m. 1. Sofá para tres personas; también, conjunto de sofá y dos sillones. 2. Juego de cartas para tres jugadores.

treta s. f. Engaño o acción astuta. Sin. Artimaña, estratagema, ardid.

tríada s. f. Conjunto de tres seres o elementos que guardan relación.

trial s. m. Prueba de motociclismo que se practica por un terreno con muchos obstáculos.

triangular adj. En forma de triángulo.

triángulo s. m. 1. Polígono que tiene tres lados y tres ángulos. 2. Instrumento musical con la forma de este polígono, que se hace sonar golpeándolo con una varilla.

tribal adj. De la tribu.

tribu s. f. Grupo de personas con el mismo origen y la misma lengua, que están dirigidas por un jefe.

tribulación s. f. 1. Preocupación, pena. 2. Desgracia, calamidad. Sin. 1. Sufrimiento, aflicción. 2. Desventura. Ant. 1 y 2. Alegría.

tribuna s. f. 1. Lugar elevado desde el que una persona habla para un público. 2. Lugar elevado en que se colocan las personas que presencian un acto o espectáculo. 3. Parte de algunos campos de deporte donde están los asientos desde los que mejor se ve.

tribunal s. m. 1. Conjunto de jueces que deciden juntos algo. 2. Edificio y lugar donde juzgan los jueces. 3. Grupo de personas que puntúan a las que se presentan a un concurso, examen, etc. ‖ pl. 4. La justicia.

tribuno s. m. Magistrado del antiguo imperio romano.

tributación s. f. Acción de tributar.

tributar v. 1. Pagar un impuesto. 2. Tener respeto, cariño u otro sentimiento hacia alguien. Sin. 1. Contribuir. 2. Profesar.

tributario, ria adj. De los tributos o que paga un tributo.

tributo *s. m.* **1.** Dinero que los ciudadanos deben pagar al Estado. **2.** Dinero u otras cosas que antiguamente tenía que entregar un vasallo a su señor, a la Iglesia o a un rey. **3.** Lo malo que una persona debe soportar a cambio de disfrutar de algo. **4.** Sentimiento bueno que se muestra hacia alguien. **Sin. 1.** Impuesto.

tríceps *s. m.* Músculo situado en la parte de atrás de los brazos y de las piernas.

triceratops *s. m.* Dinosaurio herbívoro de gran tamaño que tenía tres cuernos en la cabeza.

triciclo *s. m.* Vehículo con tres ruedas que se mueve mediante unos pedales.

triclinio *s. m.* Diván en el que se reclinaban para comer los antiguos griegos o romanos; también, sala donde comían.

tricolor *adj.* De tres colores.

tricornio *s. m.* Sombrero con tres picos como el que usaba la guardia civil.

tricotadora *s. f.* Tricotosa.

tricotar *v.* Tejer un jersey o alguna otra prenda de punto.

tricotosa *s. f.* Máquina de tricotar.

tricúspide *adj.* **1.** Que tiene tres puntas. || **2. válvula tricúspide** Válvula del corazón que comunica la aurícula y el ventrículo derecho.

tridente *s. m.* Lanza con tres puntas.

tridimensional *adj.* Que tiene tres dimensiones.

triedro *adj.* Se dice del ángulo formado por tres planos que se juntan en un punto llamado *vértice*.

trienal *adj.* **1.** Que sucede o se repite cada tres años. **2.** Que dura tres años.

trienio *s. m.* **1.** Periodo de tres años. **2.** Subida de sueldo que tiene una persona por cada tres años de trabajo.

trifulca *s. f.* Pelea, discusión.

trigal *s. m.* Terreno sembrado de trigo.

trigésimo, ma *num.* **1.** Que ocupa por orden el número treinta. || *num.* y *s. m.* **2.** Se dice de cada una de las treinta partes iguales en que se divide algo.

trigo *s. m.* **1.** Planta con espigas llenas de granos de los que se saca harina. **2.** Grano de esta planta.

trigonometría *s. f.* En matemáticas, estudio de las relaciones que existen entre los lados y los ángulos de un triángulo.

trigonométrico, ca *adj.* De la trigonometría.

trigueño, ña *adj.* De un color parecido al del trigo, como rubio.

triguero, ra *adj.* **1.** Del trigo o que crece o está entre el trigo. **2.** Pájaro del tamaño de un gorrión, de colores pardos y vientre claro. Vive en cultivos de trigo y otros cereales, de los que se alimenta.

trilita *s. f.* Trinitrotolueno.

trilla *s. f.* **1.** Acción de trillar. **2.** Temporada del año en que se trilla.

trillado, da **1.** *p.* de trillar. También *adj.* || *adj.* **2.** Se dice de un tema o asunto del que se ha hablado mucho y por eso no es novedad. **Sin. 2.** Manido.

trilladora *s. f.* Máquina agrícola que sirve para trillar los cereales.

trillar *v.* Machacar los cereales esparcidos en la era con una máquina o instrumento para separar el grano de la paja.

trillizo, za *adj.* y *s.* Se dice de cada uno de los tres hermanos nacidos en un mismo parto.

trillo *s. m.* Instrumento para trillar; es una tabla ancha con trozos de piedra o de acero incrustados.

trillón *s. m.* Un millón de billones.

trilobite *s. m.* Cangrejo marino fósil de la era primaria.

trilogía *s. f.* Tres libros u obras de un autor que tienen relación entre sí.

trimestral *adj.* **1.** Que sucede o se repite cada tres meses. **2.** Que dura tres meses.

trimestre *s. m.* Periodo de tres meses.

trimotor *s. m.* Avión con tres motores.

trinar *v.* Cantar los pajarillos. **Expr. estar** uno **que trina** Estar muy enfadado.

trincar *v.* Coger, atrapar.

trincha *s. f.* Conjunto de hebillas o botones que cierran por detrás chalecos, pantalones u otras prendas.

trinchar *v.* Cortar la comida en trozos para servirla, sobre todo la carne.

trinchera *s. f.* **1.** Zanja donde se colocan los soldados para protegerse del fuego enemigo. **2.** Tipo de gabardina.

trineo *s. m.* Vehículo para deslizarse sobre la nieve o el hielo, que en lugar de ruedas lleva patines o esquís.

trinidad *s. f.* Para los cristianos, tres personas en un solo Dios: Padre, Hijo y Espíritu Santo.

trinitario, ria *adj.* y *s.* **1.** De la orden religiosa de la Trinidad. **2.** De Trinidad, isla de las Antillas.

trinitrotolueno s. m. Compuesto químico que se forma al reaccionar el tolueno con un ácido de nitrógeno. Es un potente explosivo.

trino s. m. Canto de los pájaros. **Sin.** Gorjeo.

trino, na adj. Que contiene en sí tres cosas o participa de ellas.

trinomio s. m. En matemáticas, polinomio con tres términos.

trinquete¹ s. m. **1.** Palo del barco más cercano a la proa. **2.** Palo horizontal más largo que se cruza sobre el anterior. **3.** Vela que se sujeta en este palo.

trinquete² s. m. Frontón cerrado para jugar a la pelota.

trío s. m. Tres personas, animales o cosas.

tripa s. f. **1.** Los intestinos o una parte de ellos. **2.** Barriga. || pl. fam. **3.** Lo que tiene una máquina u otro objeto por dentro. **Expr. hacer de tripas corazón** Esforzarse para hacer algo que da asco o mucha rabia. **Sin. 2.** Panza, vientre.

tripartito, ta adj. **1.** Dividido en tres partes o clases. **2.** Se dice de la conferencia o tratado en el que intervienen tres personas o partes.

tripazo s. m. Golpe dado en la tripa.

tripear v. fam. Comer con glotonería.

tripero, ra adj. y s. fam. Tragón, glotón, comilón.

triple adj. y s. m. **1.** Se dice de la cantidad tres veces mayor que otra. || adj. **2.** Compuesto por tres partes o cosas.

triplicar v. Multiplicar algo por tres o tener el triple.

trípode s. m. Soporte con tres patas.

tripón, na adj. y s. **1.** Que tiene mucha tripa. || s. m. **2.** aum. de **tripa**. Barriga muy abultada. **Sin. 1.** Tripudo.

tríptico s. m. Pintura hecha sobre tres tablillas unidas, de las cuales las dos exteriores se pueden cerrar sobre la central.

triptongo s. m. Unión de tres vocales en la misma sílaba.

tripudo, da adj. y s. Que tiene mucha tripa. **Sin.** Tripón, barrigudo.

tripulación s. f. Personas que tripulan un barco, un avión o una nave espacial, y que atienden a los pasajeros.

tripulante s. m. y f. Miembro de una tripulación.

tripular v. Conducir un avión, un barco o una nave espacial. **Sin.** Gobernar, pilotar.

triquina s. f. Gusano parásito que tiene a veces el cerdo u otros mamíferos en sus intestinos o en los músculos.

triquinosis s. f. Enfermedad causada por comer carne contagiada con triquina, que produce fiebre alta, dolores musculares y diarreas. •

triquiñuela s. f. Engaño, treta. **Sin.** Trampa, ardid.

trirreme adj. y s. m. Embarcación antigua que tenía tres líneas de remos superpuestas.

tris s. m. Se usa en las expresiones **estar en un tris**, 'estar a punto de ocurrir algo', y **por un tris**, 'por poco'.

triscar v. Saltar de un lugar a otro como hacen las cabras.

trisílabo, ba adj. De tres sílabas.

triste adj. **1.** Que no está alegre o contento. **2.** Que muestra o produce estos sentimientos. **3.** Expresa falta o escasez: No tiene un triste mendrugo que llevarse a la boca. **Sin. 1.** Apenado, afligido. **3.** Mísero.

tristeza s. f. **1.** Lo que se siente cuando se está triste. **2.** Característica de triste. **Sin. 1.** Aflicción, pena. **Ant. 1.** Alegría.

tristón, na adj. fam. Un poco triste.

tritón s. m. Anfibio parecido a la salamandra, de colores pardos o verdosos y cola larga y aplastada. Vive en arroyos, charcas y estanques

trituración s. f. Acción de triturar.

trituradora s. f. Máquina para triturar.

triturar v. Convertir una cosa sólida en trocitos pequeños. **Sin.** Majar, picar.

triunfador, ra adj. y s. Que triunfa.

triunfal adj. Relacionado con el triunfo.

triunfalismo s. m. Actitud triunfalista.

triunfalista adj. Que está muy seguro de que va a triunfar o que las cosas saldrán bien.

triunfante adj. Que triunfa.

triunfar v. **1.** Vencer, ganar. **2.** Tener éxito. **Ant. 1.** Perder. **2.** Fracasar.

triunfo s. m. **1.** El hecho de triunfar. **2.** Trofeo. **3.** Carta de la baraja que se considera de más valor por ser del palo que pinta. **Sin. 1.** Victoria, éxito. **Ant. 1.** Derrota.

triunvirato s. m. Gobierno formado por tres personas, sobre todo en la antigua Roma.

triunviro s. m. Miembro de un triunvirato.

trivalente adj. **1.** Que tiene triple valor o sirve para tres cosas: vacuna trivalente. **2.** Se dice del elemento químico de tres valencias.

trivial *adj.* Sin importancia ni interés. **Sin.** Banal, intranscendente. **Ant.** Trascendental.

trivialidad *s. f.* **1.** Característica de trivial. **2.** Frase o comentario trivial.

trivializar *v.* Quitar importancia a un asunto o situación.

triza *s. f.* Trocito de algo. Se usa sobre todo en la expresión **hacer** o **hacerse trizas**, 'destrozar o destrozarse algo'.

trocar *v.* Cambiar. ◻ Es v. irreg. **Sin.** Variar, mudar, transformar.

TROCAR	
INDICATIVO	
Presente	**Pretérito perfecto simple**
trueco	troqué
truecas	trocaste
trueca	trocó
trocamos	trocamos
trocáis	trocasteis
truecan	trocaron

SUBJUNTIVO	**IMPERATIVO**
Presente	
trueque	
trueques	trueca
trueque	
troquemos	
troquéis	trocad
truequen	

trocear *v.* Partir o dividir en trozos.

trocha *s. f.* Camino estrecho abierto entre la maleza.

troche Se usa en la expresión **a troche y moche**, 'en abundancia y para todos': *Se puso a repartir a troche y moche.*

trofeo *s. m.* **1.** Objeto que se da como premio o recuerdo al que gana o a los primeros clasificados de una competición. **2.** Objeto del enemigo que se lleva el vencedor en una batalla. **3.** Cabeza, cuernos u otra parte de un animal que alguien conserva como recuerdo de haberlo cazado.

trófico, ca *adj.* **1.** Relacionado con la nutrición. ‖ **2. cadena trófica** Sucesión de seres que se alimentan unos de otros en la naturaleza.

troglodita *adj. y s.* Cavernícola.

troje *s. f.* Lugar que hay en algunas casas de los pueblos para guardar principalmente frutos y cereales.

trola *s. f. fam.* Mentira, embuste.

trole *s. m.* Barra metálica que transmite a los tranvías y otros vehículos eléctri-

cos la corriente del cable que hay por encima.

trolebús *s. m.* Autobús eléctrico que se mueve gracias a la corriente que toma de un cable.

trolero, ra *adj. y s.* Embustero.

tromba *s. f.* **1.** Chaparrón muy fuerte que se produce de repente. **2.** Masa de agua que se eleva en el mar en forma de columna a causa de un torbellino.

trombo *s. m.* Sangre coagulada que tapona un vaso sanguíneo.

trombocito *s. m.* Plaqueta de la sangre.

tromboflebitis *s. f.* Inflamación de las venas acompañada de formación de trombos.

trombón *s. m.* Instrumento musical parecido a una trompeta grande.

trombosis *s. f.* Formación de un trombo en un vaso sanguíneo o en el corazón.

trompa *s. f.* **1.** Instrumento musical formado por un tubo de metal que se enrosca en círculos ensanchándose. **2.** Prolongación de la nariz de algunos animales, como el elefante. **3.** Aparato chupador de algunos insectos. **4.** Nombre de algunos conductos que hay en el cuerpo, por ejemplo las *trompas de Falopio*, que van desde la matriz a los ovarios. **5.** *fam.* Borrachera. ‖ *adj.* **6.** *fam.* Borracho. **Sin.** 5. Curda.

trompazo *s. m. fam.* Golpe fuerte, sobre todo el que uno se da al caerse o al chocar. **Sin.** Castañazo, galleta.

trompeta *s. f.* Instrumento musical formado por un tubo de metal que va ensanchándose; tiene unos pistones para dar las notas.

trompetilla *s. f.* Instrumento en forma de trompeta que se ponían los sordos en la oreja para oír mejor.

trompetista *s. m. y f.* Persona que toca la trompeta.

trompicar *v.* Tropezar o andar tambaleándose.

trompicón *s. m.* Tropezón. **Expr. a trompicones** Tropezando; también, con dificultades: *Este coche anda a trompicones.* **Sin.** Traspié.

trompo *s. m.* Peonza.

tronado, da *adj.* Loco. **Sin.** Ido, tocado.

tronar *v.* **1.** Haber truenos. **2.** Producir un sonido parecido al de los truenos. ◻ Es v. irreg. Se conjuga como *contar*.

tronchado, da **1.** *p.* de **tronchar**. También *adj.* ‖ *adj.* **2.** Agotado, muy fatigado. **Sin.** 1 y 2. Roto.

tronchante *adj.* Que hace reír.

tronchar *v.* **1.** Romper el tronco, tallo o ramas de una planta o cosas parecidas. ‖ **troncharse 2.** Reírse mucho. **Sin. 1.** Truncar. **2.** Partirse, desternillarse.

tronco *s. m.* **1.** Tallo leñoso, fuerte y macizo de una planta, sobre todo de un árbol. **2.** Parte del cuerpo de una persona o animal sin la cabeza y las extremidades. **3.** Antepasados comunes a dos o más personas, familias o ramas. **4.** Grupo de animales que tiran de un carruaje o de un trineo. **Expr. dormir como un tronco** Dormir profundamente.

tronco, ca *s. m. y f. fam.* Amigo, colega.

tronera *s. f.* **1.** Abertura por la que asoman los cañones y otras armas para disparar. **2.** Ventana pequeña y estrecha. **3.** Agujero que hay en algunas mesas de billar y otras mesas de juegos para que entren las bolas.

tronío *s. m. fam.* El presumir de lujo y de gastar mucho dinero. **Sin.** Boato.

trono *s. m.* Asiento de los reyes y soberanos usado en actos importantes.

tronzadera *s. f.* Sierra con un asa en cada extremo que se utiliza para cortar árboles entre dos personas.

tronzar *v.* Cortar en trozos un tronco, una barra metálica u otras cosas.

tropa *s. f.* **1.** Categoría del ejército formada por los soldados y los cabos. **2.** Muchas personas. ‖ *pl.* **3.** Un ejército. **Sin. 2.** Tropel.

tropel *s. m.* **1.** Grupo numeroso de gente que avanza en desorden y haciendo ruido. **2.** Montón de cosas en desorden. **Sin. 1** Caterva.

tropelía *s. f.* Atropello, abuso. **Sin.** Desmán, injusticia.

tropezar *v.* **1.** Dar con los pies en un obstáculo o pisar mal, de forma que uno se puede caer. **2.** Encontrar un obstáculo. **3.** Encontrar a alguien por casualidad y de repente. ◻ Es v. irreg. Se conjuga como *comenzar*. **Sin. 2** y **3.** Topar.

tropezón *s. m.* **1.** El hecho de tropezar. **2.** Trozo pequeño de jamón, pan u otro alimento que se añade a algunas comidas. **Sin. 1.** Traspié, tropiezo.

tropical *adj.* De los trópicos.

trópico *s. m.* **1.** Nombre de dos paralelos terrestres, el *trópico de Cáncer*, situado en el hemisferio Norte, y el *trópico de Capricornio*, situado en el hemisferio Sur. **2.** Región situada entre esos dos paralelos.

tropiezo *s. m.* **1.** Acción de tropezar. **2.** Dificultad o problema. **3.** Fallo o error. **Sin. 1.** Tropezón, traspié. **2.** Obstáculo.

tropismo *s. m.* Movimiento realizado por las plantas, como el de sus tallos y hojas buscando la luz del sol.

tropo *s. m.* Figura retórica que consiste en dar a las palabras un sentido distinto al que le corresponde, pero relacionado con éste, como por ejemplo la metáfora.

troposfera *s. f.* Capa de la atmósfera más cercana a la superficie de la Tierra, en la que tienen lugar los fenómenos meteorológicos.

troquel *s. m.* **1.** Molde con que se hacen monedas, medallas y otras cosas. **2.** Molde de mayor tamaño que se emplea para dar forma a piezas metálicas. **3.** Instrumento o máquina con bordes cortantes que se emplea para recortar cartones, cuero y otras cosas.

troquelar *v.* **1.** Acuñar sellos, medallas u otras cosas parecidas con un troquel. **2.** Recortar con un troquel piezas de cuero o cartón.

trotamundos *s. m. y f.* Persona a la que gusta recorrer muchos países.

trotar *v.* **1.** Andar al trote un caballo u otro animal parecido. **2.** Cabalgar una persona en un caballo que va al trote. **3.** Andar una persona mucho y rápido.

trote *s. m.* **1.** Modo de andar de los caballos y otros cuadrúpedos cuando van a paso ligero y dando pequeños saltos. **2.** Mucho trabajo o actividad. **3.** Mucho uso. **Sin. 2.** Paliza, trajín.

trotón, na *adj.* Se dice de la caballería cuyo paso normal es el trote.

troupe (fr.) *s. f.* Conjunto de personas que forman una compañía de espectáculos, sobre todo de circo.

trova *s. f.* **1.** Composición poética de tono amoroso compuesta o cantada por trovadores. **2.** Poema.

trovador *s. m.* Poeta de la Edad Media.

trovadoresco, ca *adj.* De los trovadores o relacionado con ellos.

trovar *v.* Componer trovas.

troyano, na *adj. y s.* De Troya, antigua ciudad de Asia Menor.

trozo *s. m.* Parte de algo. **Sin.** Cacho, fragmento, pedazo.

trucaje *s. m.* **1.** El hecho de trucar. **2.** Técnica utilizada en el cine para dar aspecto de realidad a las escenas.

trucar *v.* Preparar o manipular algo para que produzca un efecto.

trucha s. f. Pez que vive en ríos o lagos de montaña y es comestible; abunda en España.

truchero, ra adj. Relacionado con la trucha o que tiene muchas truchas.

truco s. m. **1.** Lo que se hace en el cine, el teatro y en otros espectáculos, como los números de los magos, para lograr con habilidad que algo parezca real. **2.** Manera hábil o astuta de conseguir algo. **3.** Habilidad o conocimiento que se aprende en una actividad o con la práctica. **SIN. 2.** Treta, artimaña.

truculencia s. f. Característica de truculento.

truculento, ta adj. Que asusta, produce horror o espanto. **SIN.** Atroz, terrible.

trueno s. m. Ruido fuerte que sigue al rayo en las tormentas.

trueque s. m. Acción de cambiar una cosa por otra. **SIN.** Intercambio.

trufa s. f. **1.** Un tipo de hongo muy aromático que crece bajo tierra. **2.** Crema de chocolate, mantequilla y otras cosas con la que se preparan dulces y postres. **3.** Dulce en forma de bolita hecho con esa crema.

trufar v. Rellenar carne o embutidos con trufas.

truhán, na adj. y s. Bribón, granuja.

trullo s. m. **1.** Lagar con un recipiente debajo que recoge el mosto cuando se pisa la uva. **2.** fam. Cárcel.

truncar v. **1.** Cortar, tronchar. **2.** Quitar a alguien sus ilusiones y esperanzas o impedir que pueda realizar algo. **SIN. 2.** Frustrar. **ANT. 2.** Impulsar.

trust (ingl.) s. m. Unión de varias empresas sometidas a una dirección única.

tu pos. Forma abreviada de **tuyo, tuya.**

tú pron. pers. Forma de segunda persona del singular para el masculino y para el femenino. Hace principalmente la función de sujeto: Tú estudias; también se usa para dirigirse a alguien: ¡Eh, tú! La forma tú se utiliza para hablar con personas con las que uno tiene confianza o entre gente joven.

tuareg adj. y s. De un pueblo beréber nómada del norte de África.

tuba s. f. Instrumento musical de viento, de gran tamaño; tiene un sonido grave.

tuberculina s. f. Sustancia que se utiliza para diagnosticar la tuberculosis.

tubérculo s. m. Parte de un tallo subterráneo o de una raíz, que se desarrolla y engorda al acumular sustancias, como en el caso de la patata.

tuberculosis s. f. Enfermedad infecciosa que puede atacar a cualquier órgano del cuerpo y sobre todo a los pulmones.

tuberculoso, sa adj. y s. Enfermo de tuberculosis. **SIN.** Tísico.

tubería s. f. Conjunto de tubos unidos unos con otros que sirve para conducir un líquido o un gas. **SIN.** Conducción.

tuberosidad s. f. **1.** Tumor. **2.** En botánica, engrosamiento en forma de tubérculo en tallos y raíces.

tuberoso, sa adj. **1.** Que tiene tuberosidades. **2.** En forma de tubérculo.

tubo s. m. **1.** Pieza hueca, rígida y alargada, casi siempre en forma de cilindro. **2.** Recipiente cilíndrico, como el que contiene pasta dentífrica. **3.** Nombre de algunos conductos que hay en las personas, animales o plantas. ‖ **4. tubo de escape** El que tienen los coches y otros vehículos para que salgan los gases. **EXPR. por un tubo** Mucho.

tubular adj. **1.** Formado por tubos. **2.** En forma de tubo. **3.** Se dice del neumático sin cámara de aire.

tucán s. m. Ave trepadora americana que tiene un pico grueso, casi tan largo como el cuerpo; su plumaje es negro con manchas de diversos colores.

tuerca s. f. Pieza con un hueco redondo que tiene unas ranuras por dentro en las que ajusta la rosca del tornillo.

tuerto, ta adj. y s. Se dice de aquel al que le falta un ojo o que no ve por un ojo; también se dice de este ojo.

tueste s. m. Acción de tostar.

tuétano s. m. **1.** Médula o sustancia blanquecina que está dentro de los huesos. **2.** Parte interior del tallo o de la raíz de una planta.

tufo s. m. Olor muy malo. **SIN.** Pestilencia, hedor. **ANT.** Fragancia.

tugurio s. m. Casa, habitación o lugar de mal aspecto o mala fama. **SIN.** Antro.

tul s. m. Tela fina y transparente, de seda, algodón o hilo.

tulipa s. f. Pantalla de algunas lámparas que se parece en la forma a un tulipán.

tulipán s. m. Planta que tiene una flor grande, con seis pétalos de bello colorido, que se llama también tulipán.

tullido, da 1. p. de **tullir.** ‖ adj. y s. **2.** Inválido. **SIN. 2.** Impedido, lisiado.

tullir v. **1.** Dejar inválido a alguien. ‖ **tullirse 2.** Quedar inválido. □ Es v. irreg. Se conjuga como mullir. **SIN. 1.** Lisiar.

tumba *s. f.* Lugar para enterrar un cadáver. **Sin.** Sepulcro, fosa.

tumbar *v.* **1.** Hacer caer. **2.** Poner o ponerse en posición horizontal. **3.** Suspender, no aprobar a alguien. ‖ **tumbarse 4.** Echarse, sobre todo para dormir. **Sin. 2.** Tender. **4.** Acostarse. **Ant. 1** y **2.** Alzar. **1, 2** y **4.** Levantar(se).

tumbo *s. m.* Caída, vuelta o movimiento brusco y violento. **Expr. dando tumbos** Tambaleándose; también, con tropiezos o dificultades. **Sin.** Vaivén, trompicón.

tumbona *s. f.* Asiento largo que sirve para estar tumbado o recostado. **Sin.** Hamaca.

tumefacción *s. f.* Hinchazón, inflamación.

tumefacto, ta *adj.* Hinchado, inflamado.

tumor *s. m.* Bulto que se puede formar en un órgano del cuerpo, sobre todo el que se produce al multiplicarse las células.

tumoración *s. f.* Tumor.

tumoral *adj.* Relacionado con el tumor.

túmulo *s. m.* **1.** Construcción levantada sobre el suelo en la que se entierra a los muertos. **2.** Montículo de arena o de piedras con que algunos pueblos antiguos cubrían una sepultura. **3.** Armazón de madera con paños negros que se utiliza en algunos funerales poniendo el ataúd sobre él. **Sin. 1.** Sepulcro, sepultura. **3.** Catafalco.

tumulto *s. m.* Desorden o alboroto producido por una gran multitud de personas. **Sin.** Disturbio.

tumultuoso, sa *adj.* Que provoca tumultos o se hace con tumulto.

tuna *s. f.* Grupo de estudiantes que van por diversos sitios cantando y tocando instrumentos; llevan trajes antiguos con capa. **Sin.** Estudiantina.

tunante, ta *adj.* y *s.* Granuja, pillo.

tunda *s. f.* Paliza, zurra.

tundidora *s. f.* Máquina para tundir los tejidos.

tundidor, ra *s. m.* y *f.* Persona que tunde los tejidos.

tundir[1] *v.* Cortar o igualar el pelo de los tejidos o de las pieles.

tundir[2] *v.* Dar a alguien golpes, palos o azotes.

tundra *s. f.* Terreno con vegetación formada principalmente por musgos y líquenes; se da en lugares muy fríos.

tunecino, na *adj.* y *s.* De Tunicia, país del norte de África, o de Túnez, su capital.

túnel *s. m.* Paso subterráneo hecho por el hombre.

tungsteno *s. m.* Volframio.

túnica *s. f.* Vestidura larga y ancha.

tuno, na *adj.* **1.** Tunante. ‖ *s. m.* **2.** Miembro de una tuna universitaria.

tuntún Se usa en la expresión **al tuntún** o **al buen tuntún**, 'sin pensar', 'a lo loco'.

tupé *s. m.* Parte de pelo que se lleva muy peinado y levantado sobre la frente.

tupido, da 1. *p.* de **tupir**. ‖ *adj.* **2.** Espeso, apretado. **Ant. 2.** Abierto, ralo.

tupí-guaraní *adj.* y *s.* **1.** De un pueblo indígena de América del Sur. ‖ *s. m.* **2.** Familia de lenguas indígenas sudamericanas.

tupir *v.* Hacer algo espeso o apretado, cerrando sus poros, huecos o separaciones.

turba[1] *s. f.* Tipo de carbón natural que se forma al pudrirse restos vegetales en las zonas pantanosas frías.

turba[2] *s. f.* Muchas personas que se mueven en desorden. **Sin.** Masa, horda.

turbación *s. f.* Acción de turbar.

turbador, ra *adj.* Que turba.

turbamulta *s. f.* Multitud de personas confusa y desordenada. **Sin.** Turba[2].

turbante *s. m.* **1.** Tela larga que se lleva enrollada en la cabeza, como la que usan algunos hombres de países orientales. **2.** Gorro de forma parecida que se ponen algunas mujeres.

turbar *v.* **1.** Cambiar la forma normal y tranquila de estar o ser alguna cosa. **2.** Dejar a una persona asombrada y sin saber qué hacer o qué decir, o quedarse alguien así. **Sin. 2.** Conmocionar, anonadar. **Ant. 1** y **2.** Calmar.

turbera *s. f.* Zona pantanosa rica en carbón de turba.

turbina *s. f.* Máquina con unas aspas o hélices que giran al pasar por ella un líquido o un gas; sirve generalmente para producir energía.

turbio, bia *adj.* **1.** Que no está transparente o limpio porque tiene algo mezclado. **2.** Poco claro, que no se entiende o no se ve bien. **3.** Que parece poco honrado o ilegal. **Sin. 2.** Impreciso, difuso. **2** y **3.** Oscuro. **3.** Sospechoso. **Ant. 1** y **2.** Nítido.

turbión *s. m.* **1.** Chaparrón con viento fuerte. **2.** Gran cantidad de cosas que se producen juntas o bruscamente.

turbo *s. m.* Tipo de motor con un mecanismo que aumenta su potencia o su velocidad.

turborreactor *s. m.* Motor a reacción de una aeronave que funciona mediante una turbina.

turbulencia *s. f.* **1.** Remolino. **2.** Alboroto, desorden, agitación.

turbulento, ta *adj.* **1.** Que tiene turbulencias. **2.** Con desórdenes o alborotos. **Sin.** 1 y 2. Revuelto. **Ant.** 1 y 2. Tranquilo.

turco, ca *adj. y s.* **1.** De Turquía, país de Europa y Asia. **2.** De un grupo de pueblos procedentes del centro de Asia que se establecieron en el este de Europa y crearon un gran imperio. ‖ *s. m.* **3.** Lengua hablada en Turquía y en algunas zonas de Asia central. ‖ **4. baño turco** Baño de vapor que se toma en una habitación preparada para producir este vapor. **Sin.** 1 y 2. Otomano.

turgencia *s. f.* Característica de lo que es turgente.

turgente *adj.* Abultado, firme, tirante.

turismo *s. m.* **1.** El hecho de viajar a lugares para conocerlos o pasar las vacaciones. **2.** Personas, hoteles y otros servicios que se dedican a atender a los que viajan de ese modo. **3.** Coche particular de una persona.

turista *s. m. y f.* Persona que hace turismo.

turístico, ca *adj.* Relacionado con el turismo.

túrmix *s. f.* Batidora eléctrica.

turnarse *v.* Hacer algo por turnos. **Sin.** Alternar.

turnedó *s. m.* Pieza de carne que se saca de los extremos del solomillo; también, el plato hecho con esta carne.

turno *s. m.* Manera ordenada de hacer varias personas una cosa, primero una y después otra, y el momento en que le toca a cada una.

turolense *adj. y s.* De Teruel, ciudad y provincia españolas.

turón *s. m.* Mamífero carnívoro de pequeño tamaño, forma alargada y patas cortas, que vive en bosques y campos; su piel es de color oscuro con manchas blancas en la cara como si fuera un antifaz. Cuando se siente en peligro echa un líquido de muy mal olor.

turquesa *s. f.* **1.** Piedra de color azul verdoso, que se usa mucho en joyería.

2. Color azul verdoso como el de esta piedra.

turrón *s. m.* Dulce de navidad hecho en forma de tableta con una masa de almendras tostadas, miel y azúcar. También se elabora con chocolate, frutas y otras cosas.

turulato, ta *adj. fam.* Pasmado, tonto.

tururú *interj.* Sirve para decir que no: ¡*Tururú, que te has creído tú eso!*

turuta *adj.* **1.** *fam.* Loco, chiflado. ‖ *s. m.* **2.** *fam.* Soldado que toca la corneta en el servicio militar.

tute *s. m.* **1.** Un juego de cartas. **2.** Esfuerzo o trabajo muy grande. **3.** Mucho uso de alguna cosa.

tutear *v.* Hablar a una persona de tú y no de usted.

tutela *s. f.* **1.** Cuidado que, según la ley, tiene que tener una persona o personas de un niño menor de edad y de sus cosas, o de alguien que no es capaz de cuidarse solo. **2.** Cuidado, ayuda, protección. **Sin.** 2. Amparo, dirección.

tutelar¹ *v.* **1.** Encargarse una persona o personas de la tutela de alguien según lo manda la ley. **2.** Ayudar, dirigir o proteger a alguien o algo. **Sin.** 1 y 2. Cuidar. 2. Apadrinar, supervisar.

tutelar² *adj.* De la tutela.

tuteo *s. m.* Acción de tutear o tutearse.

tutifruti (ital.) *s. m.* Helado de frutas variadas.

tutiplén Se emplea en la expresión **a tutiplén,** 'mucho', 'en gran cantidad'.

tutor, ra *s. m. y f.* **1.** Profesor encargado de los alumnos de una clase o de un curso para ayudarles y hacer algunas tareas. **2.** Persona encargada por la ley de la tutela de alguien.

tutoría *s. f.* **1.** Función o actividad de tutor. **2.** Tiempo que el profesor tutor dedica a sus alumnos.

tutú (fr.) *s. m.* Falda de las bailarinas de ballet, de tela fina y transparente muy fruncida, que se queda muy tiesa.

tuya *s. f.* Árbol conífero de América del Norte que tiene las hojas y las ramas aplastadas, da mucho olor a resina y se usa como árbol de adorno.

tuyo, ya *pos.* Que te pertenece a ti, tiene relación contigo o es propio de ti: ¿*Es tuyo este libro?* Esta camiseta es la tuya. Lo tuyo es la música.

twist (ingl.) *s. m.* Baile suelto, muy movido, que se hace balanceándose y torciendo las piernas y la cadera hacia un lado y hacia otro.

U

u¹ *s. f.* Letra número veintidós del abecedario.

u² *conj.* Se emplea en lugar de *o* delante de palabras que empiezan por esta letra o por *ho*: *uno u otro, día u hora.*

ubérrimo, ma *adj.* Muy fértil y abundante.

ubicación *s. f.* Situación, localización.

ubicar *v.* **1.** En Hispanoamérica, situar, localizar. ‖ **ubicarse 2.** Estar situado en un lugar. **SIN. 2.** Encontrarse, hallarse.

ubicuidad *s. f.* Capacidad de estar en varios sitios al mismo tiempo.

ubicuo, cua *adj.* **1.** Que está o puede estar en varios sitios al mismo tiempo. **2.** Se dice de la persona que quiere participar en todo o estar en todas partes.

ubre *s. f.* Cada uno de los órganos de las hembras de los mamíferos donde se produce la leche para alimentar a sus crías. **SIN.** Teta.

UCI (siglas de *Unidad de Cuidados Intensivos*) *s. f.* UVI.

ucraniano, na o **ucranio, nia** *adj. y s.* **1.** De Ucrania, país de Europa. ‖ *s. m.* **2.** Lengua que se habla en Ucrania.

¡uf! *interj.* Expresa cansancio, fastidio, asco, generalmente provocado por el exceso de algo.

ufanarse *v.* Presumir, alardear.

ufano, na *adj.* **1.** Orgulloso, soberbio. **2.** Contento y satisfecho. **SIN. 1.** Presuntuoso, presumido. **2.** Orondo. **ANT. 1.** Humilde. **2.** Triste.

ufología *s. f.* Estudio de todo lo relacionado con los ovnis.

ugandés, sa *adj. y s.* De Uganda, país de África.

ujier *s. m.* Conserje de un palacio, de un ministerio o de un tribunal.

ukelele (hawaiano) *s. m.* Instrumento parecido a una guitarra, pero mucho más pequeño y con sólo cuatro cuerdas.

úlcera *s. f.* Llaga que sale en la piel o en otras partes y órganos del cuerpo.

ulceración *s. f.* **1.** Acción de ulcerar o ulcerarse. **2.** Úlcera.

ulcerante *adj.* Que ulcera.

ulcerar *v.* Producir úlceras.

ulterior *adj.* Posterior, que va detrás. **SIN.** Siguiente, sucesivo. **ANT.** Anterior.

ultimación *s. f.* Acción de ultimar.

últimamente *adv.* **1.** Hace poco tiempo, en los días o semanas que acaban de pasar. **2.** Por último, finalmente.

ultimar *v.* Terminar. **SIN.** Acabar, rematar. **ANT.** Empezar.

ultimátum *s. m.* Última oportunidad que se da a alguien, a un país, etc., para que acepte lo que se le dice si no quiere que hagan algo contra él.

último, ma *adj. y s.* **1.** Que está o va detrás de todos. ‖ *adj.* **2.** Que es lo más nuevo o reciente. **3.** Que es lo único que queda o lo único que se puede hacer. **EXPR. a la última** A la moda que se lleva. **SIN. 1.** Postrero. **2.** Actual. **ANT. 1** y **3.** Primero. **2.** Antiguo.

ultra *s. m.* Se dice de algunas personas, ideologías o grupos políticos que tienen opiniones extremistas y comportamientos violentos.

ultracorrección *s. f.* Corrección errónea de una palabra pensando que está equivocada, como cuando se dice *bacalado* por *bacalao.*

ultrajante *adj.* Que ultraja.

ultrajar *v.* Ofender o insultar gravemente. **SIN.** Agraviar. **ANT.** Alabar.

ultraje *s. m.* Ofensa o insulto muy grave. **SIN.** Agravio, injuria. **ANT.** Alabanza.

ultraligero, ra *adj.* **1.** Muy ligero. ‖ *s. m.* **2.** Avión hecho con tubos metálicos y tela, que pesa muy poco y tiene un pequeño motor.

ultramar *s. m.* Territorios que están al otro lado del mar, sobre todo los que son colonias de un país.

ultramarino, na *adj.* **1.** Que está al otro lado del mar o viene de allí. ‖ **ultramarinos** *s. m.* **2.** Tienda de comestibles.

ultranza Se usa en la expresión **a ultranza**, 'firme, por completo': *Es una defensora a ultranza de los animales.*

ultrasonido *s. m.* Sonido que es tan agudo que las personas no pueden oír lo, aunque sí algunos animales.

ultratumba *s. f.* Lo que se cree que hay después de la muerte.

ultravioleta *adj.* Se dice de unos rayos de luz que no se ven y que se utilizan, entre otras cosas, para curar algunas enfermedades de la piel, aunque pueden llegar a ser perjudiciales.

ulular *v.* **1.** Aullar. **2.** Hacer algo un sonido parecido, sobre todo el viento S**IN**. 1 y 2. Bramar.

umbela *s. f.* Grupo de flores o frutos que nacen de un mismo punto del tallo y se elevan a igual altura.

umbilical *adj.* **1.** Del ombligo. ‖ **2. cordón umbilical** Ver **cordón**.

umbral *s. m.* **1.** Parte de abajo del hueco de una puerta, en el suelo. **2.** Puerta, entrada.

umbrela *s. f.* Masa gelatinosa y transparente que forma la parte redondeada de arriba del cuerpo de las medusas.

umbrío, a *adj.* Que está en sombra. S**IN**. Sombrío, umbroso.

umbroso, sa *adj.* **1.** Umbrío. **2.** Que da sombra. S**IN**. 1. Sombreado, sombrío. A**NT**. 2. Soleado.

un *indef.* y *num.* Forma abreviada de **uno**.

unánime *adj.* **1.** Se dice de un grupo de personas en el que todas piensan o hacen lo mismo. **2.** Se dice de lo que piensan o hacen todos los miembros de un grupo. S**IN**. 1. Conforme. A**NT**. 1. Dividido.

unanimidad *s. f.* El estar de acuerdo varias personas en algo, o el hacer o pensar todas lo mismo. S**IN**. Conformidad. A**NT**. División.

unción *s. f.* **1.** Acción de ungir. ‖ **2. unción de enfermos** Sacramento de la Iglesia católica que se da a las personas enfermas para que reciban la gracia y la ayuda de Dios.

uncir *v.* Atar los bueyes o las caballerías a algo de lo que tienen que tirar.

undécimo, ma *num.* **1.** Que está en el lugar número once. ‖ *num.* y *s. m.* **2.** Se dice de cada una de las once partes iguales en las que se divide algo. S**IN**. 2. Onceavo.

ungir *v.* Untar con aceite, con perfume o con otros líquidos grasientos.

ungüento *s. m.* Crema que se unta en el cuerpo, sobre todo la que se usa para curar. S**IN**. Bálsamo.

ungulado, da *adj.* y *s. m.* Se dice de los animales que tienen un casco o pezuña, como el caballo, el ciervo o el jabalí.

únicamente *adv.* Solamente.

unicelular *adj.* Que tiene una sola célula. S**IN**. Pluricelular.

único, ca *adj.* y *s.* **1.** Que no hay otro de la misma clase o de las mismas características. **2.** Que destaca por algo. S**IN**. 1. Solo. 2. Excepcional, singular. A**NT**. 2. Normal.

unicornio *s. m.* Animal imaginario parecido a un caballo, con un cuerno largo en medio de la frente.

unidad *s. f.* **1.** Cosa o grupo que está dentro de un conjunto. **2.** Armonía, unión. **3.** Magnitud que se usa para medir otras del mismo tipo comparándolas con ella, por ejemplo el metro es la unidad de longitud. **4.** El número uno. S**IN**. 1. Elemento. A**NT**. 2. Desunión.

unidireccional *adj.* Que va en una sola dirección.

unifamiliar *adj.* Para una sola familia.

unificación *s. f.* Acción de unificar. S**IN**. Unión, reunión, suma. A**NT**. División.

unificar *v.* **1.** Unir, reunir. **2.** Hacer iguales. S**IN**. 1. Agregar. 2. Equiparar. A**NT**. 1. Dividir. 2. Diversificar.

uniformar *v.* **1.** Hacer iguales o semejantes a dos o más personas o cosas. **2.** Vestir con uniforme a una persona. S**IN**. 1. Igualar, unificar. A**NT**. 1. Diversificar.

uniforme *s. m.* **1.** Ropa que llevan igual todas las personas de un grupo. ‖ *adj.* **2.** Se dice de las personas o cosas que son iguales o muy parecidas. **3.** Que es todo igual, que no cambia. S**IN**. 2. Similar, homogéneo. A**NT**. 2. Diferente.

uniformidad *s. f.* Característica de lo que es uniforme o igual. S**IN**. Igualdad; regularidad. A**NT**. Diferencia.

uniformizar *v.* Uniformar, igualar.

unigénito, ta *adj.* y *s.* Hijo único.

unilateral *adj.* Que sólo lo hace una de las personas o grupos que participan en algo: *decisión unilateral*.

unión *s. f.* **1.** El unir o estar unidas dos o más personas o cosas. **2.** Conjunto de personas o cosas unidas. **3.** Lugar en que se unen dos o más cosas. S**IN**. 1. Unificación; relación; armonía. 2. Alianza, confederación. 3. Junta, juntura. A**NT**. 1. Desunión.

unipersonal *adj.* Se dice de algunos verbos que se conjugan sólo en tercera persona del singular, como *llover*.

unir v. **1.** Juntar, agrupar, mezclar. **2.** Hacer que estén de acuerdo o sean amigas dos o más personas. **Sin. 1.** Reunir. **Ant. 1** y **2.** Separar, dividir. **2.** Enemistar.

unisex adj. Que sirve lo mismo para hombre que para mujer.

unísono Se emplea en la expresión **al unísono**, 'que suenan a la vez' o 'que sucede o se hace a la vez'.

unitario, ria adj. Que es uno solo o tiende a la unidad. **Sin.** Conjunto. **Ant.** Múltiple.

unitivo, va adj. Que une o sirve para unir.

universal adj. **1.** Del universo. **2.** De todas las personas, países o épocas. **Sin. 1.** Cósmico. **2.** General; mundial. **Ant. 2.** Particular; local.

universalidad s. f. Característica de universal.

universidad s. f. Centro de enseñanza donde se estudian las carreras y donde se hacen trabajos de investigación.

universitario, ria adj. **1.** De la universidad. || adj. y s. **2.** Que ha obtenido un título en la universidad o estudia en ella.

universo s. m. **1.** Conjunto de todos los astros y planetas. **2.** Todo lo que existe. **Sin. 1.** Firmamento. **1** y **2.** Cosmos.

univitelino, na adj. Se dice de los gemelos que provienen de un mismo óvulo.

unívoco, ca adj. **1.** Que tiene un único significado, por lo que sólo puede entenderse de una manera. || **2. correspondencia unívoca** En matemáticas, la que hay cuando a cada elemento de un conjunto le corresponde uno y sólo uno de otro conjunto. **Ant. 1.** Ambiguo.

uno, una num. **1.** Indica que una persona o cosa es o está sólo ella, sin ninguna otra más. **2.** Primero. || indef. **3.** Señala a alguien o algo que no conocemos o que no hemos nombrado antes: *Vino un señor preguntando por ti.* **4.** Indica una cantidad poco exacta, que es más o menos la que se dice: *Tendrá unos veinte años.* **Expr. no dar una** Hacerlo todo mal, equivocarse en todo.

untar v. **1.** Echar una cosa pastosa o grasienta sobre algo y extenderla bien. **2.** fam. Sobornar. **Sin. 1.** Embadurnar.

unto s. m. Manteca.

untuoso, sa adj. Pringoso, grasiento.

uña s. f. **1.** Placa dura que cubre la punta de los dedos del hombre y de muchos animales. **2.** Casco o pezuña de al-

gunos animales. **Expr. ser** dos personas **uña y carne** Ser muy amigas o estar muy unidas.

uñero s. m. **1.** Inflamación en la raíz de la uña. **2.** Herida que produce la uña cuando, al crecer demasiado y doblarse, se clava en la carne.

uperizar v. Esterilizar la leche con vapor a una temperatura altísima durante menos de un segundo.

uralita s. f. Material hecho con cemento y amianto que se usa sobre todo para fabricar algunos tejados.

uranio s. m. Metal parecido al acero, pero que es radiactivo, por lo que se usa para producir energía nuclear y en las bombas atómicas. Es un elemento químico.

urbanidad s. f. Buena educación. **Sin.** Cortesía, modales. **Ant.** Grosería.

urbanismo s. m. Actividad relacionada con el diseño de las ciudades.

urbanista adj. **1.** Urbanístico. || s. m. y f. **2.** Persona que se dedica al urbanismo.

urbanístico, ca adj. Del urbanismo.

urbanización s. f. **1.** Acción de urbanizar. **2.** Conjunto de casas y edificios de viviendas que suelen ser parecidos y tienen sus propias tiendas, parques, instalaciones. **Sin. 2.** Colonia.

urbanizador, ra adj. y s. Se dice de la persona o empresa que urbaniza terrenos.

urbanizar v. Hacer en un terreno todo lo necesario para que las personas puedan vivir en él, como poner electricidad y alcantarillas o hacer las calles.

urbano, na adj. **1.** De la ciudad. || adj. y s. Miembro de la policía municipal.

urbe s. f. Ciudad importante y grande. **Sin.** Metrópoli, capital.

urdimbre s. f. **1.** Conjunto de hilos por los que se pasa la trama para formar la base de un tejido. **2.** Esos mismos hilos en la tela ya confeccionada.

urdir v. **1.** Preparar una cosa en secreto, por ejemplo un plan contra alguien. **2.** Preparar los hilos para tejer en el telar. **Sin. 1.** Maquinar, tramar.

urea s. f. Sustancia que se produce en el organismo y que echamos fuera con la orina.

uréter s. m. Cada uno de los dos tubitos por los que baja la orina desde los riñones a la vejiga.

uretra s. f. Tubo por donde sale fuera la orina que hay en la vejiga.

urgencia *s. f.* **1.** Mucha prisa o necesidad que hay de alguna cosa. **2.** Lo que corre mucha prisa hacer, por ejemplo atender a un herido. **Sin. 1** y **2.** Emergencia.

urgente *adj.* Se dice de las cosas que corren mucha prisa. **Sin.** Apremiante, acuciante.

urgir *v.* Ser muy necesario y urgente. **Sin.** Apremiar, acuciar.

úrico, ca *adj.* **1.** De la orina. || **2. ácido úrico** Sustancia que se encuentra en la sangre y se elimina a través de la orina.

urinario, ria *adj.* **1.** De la orina o de los órganos por los que pasa. || *s. m.* **2.** Retretes que hay en los lugares públicos. **3.** Retrete que está fijo a la pared y en el que orinan los hombres.

urna *s. f.* Caja o recipiente que sirve para muchas cosas, por ejemplo para echar en ella las papeletas de unas votaciones o para proteger del polvo figuritas o imágenes. **Sin.** Cofre.

uro *s. m.* Animal salvaje parecido al toro, que desapareció en el siglo XVII.

urodelo *adj.* y *s. m.* Se dice de un género de anfibios de cola larga y fuerte, como la salamandra.

urogallo *s. m.* Ave del tamaño de un pavo, con las plumas de varios colores y la cola, en los machos, con forma de abanico. Vive en los bosques de Europa y del norte de Asia.

urología *s. f.* Parte de la medicina que estudia los órganos que conducen y expulsan la orina.

urólogo, ga *s. m.* y *f.* Médico especialista en urología.

urraca *s. f.* Pájaro del tamaño de una paloma, de plumas negras y blancas y cola larga. A las urracas les gusta recoger y guardar en su nido cosas metálicas y brillantes.

urticante *adj.* Que produce picor o escozor.

urticaria *s. f.* Enfermedad de la piel en la que salen granos o manchas rojizas que pican y escuecen mucho.

uruguayo, ya *adj.* y *s.* De Uruguay, país de América del Sur.

usado, da **1.** *p. de* **usar.** También *adj.* || *adj.* **2.** Desgastado, estropeado. **Ant. 2.** Nuevo.

usanza *s. f.* Manera de ser o hacer una cosa. **Sin.** Costumbre.

usar *v.* **1.** Coger una cosa para hacer algo con ella. **2.** Tener costumbre de ponerse o llevar algo. **Sin. 1.** Utilizar, servirse.

usía Tratamiento de respeto para dirigirse a personas de una cierta dignidad o cargo. Ha quedado anticuado.

uso *s. m.* **1.** Acción de usar. **2.** Utilidad. **3.** Costumbre, forma de vivir o hacer las cosas. **Sin. 1.** Utilización, empleo. **2.** Función, fin. **3.** Hábito, usanza.

usted *pron. pers.* **1.** Sirve para dirigirse con respeto y educación a una persona con la que no tenemos mucha confianza. || *pl.* **2.** En algunas zonas de Andalucía y América, se utiliza en vez de *vosotros*.

usual *adj.* Corriente, frecuente. **Sin.** Normal, acostumbrado. **Ant.** Inusual.

usuario, ria *adj.* y *s.* El que usa alguna cosa.

usufructo *s. m.* **1.** Derecho por el que una persona puede usar un bien ajeno y obtener los beneficios que éste produzca. **2.** Utilidad, fruto o provecho que se obtiene de una cosa.

usura *s. f.* El prestar dinero a alguien obligándole a devolver mucho más de lo que se le prestó.

usurero, ra *s. m.* y *f.* Persona que presta dinero con usura. **Sin.** Prestamista.

usurpación *s. f.* Acción de usurpar.

usurpador, ra *adj.* y *s.* Que usurpa.

usurpar *v.* Apoderarse de algo sin tener derecho a ello. **Sin.** Arrebatar, despojar. **Ant.** Devolver.

utensilio *s. m.* Herramienta o cualquier otro objeto que se utiliza en una actividad o trabajo. **Sin.** Útil, instrumento.

uterino, na *adj.* Del útero.

útero *s. m.* Órgano de las mujeres y de las hembras de otros animales donde se desarrolla el hijo o la cría antes de nacer. **Sin.** Matriz.

útil[1] *adj.* Que sirve para algo. **Sin.** Beneficioso, eficaz, práctico. **Ant.** Inútil.

útil[2] *s. m.* Utensilio, herramienta.

utilería *s. f.* **1.** Utillaje. **2.** Conjunto de elementos que se emplean en la escenografía del teatro o del cine.

utilidad *s. f.* Característica de las cosas útiles. **Sin.** Eficacia. **Ant.** Inutilidad.

utilitario *s. m.* Coche pequeño, sin lujo y no demasiado caro.

utilización *s. f.* Uso, empleo.

utilizar *v.* Usar.

utillaje *s. m.* Las herramientas y otras cosas que se necesitan para un trabajo o actividad. **Sin.** Equipo, utilería.

utopía *s. f.* Algo que es bueno y que deseamos, pero que es imposible o muy difícil de realizar. **Sin.** Quimera.

utópico, ca *adj.* Que constituye una utopía. SIN. Quimérico.

uva *s. f.* 1. Fruto de la vid, pequeño y de forma redondeada, de carne dulce y jugosa, que está agrupado con otros en racimos. ‖ 2. **mala uva** Mal humor o mala intención.

UVI (siglas de *Unidad de Vigilancia Intensiva*) *s. f.* Parte de los hospitales en la que se atiende a enfermos muy graves que necesitan muchos cuidados.

úvula *s. f.* Pequeña masa carnosa que cuelga al final del velo del paladar, a la entrada de la garganta. SIN. Campanilla.

uxoricidio *s. m.* Acción de matar un hombre a su esposa.

¡uy! *interj.* Expresa generalmente dolor o sorpresa.

uzbeko, ka *adj.* y *s.* De Uzbekistán, país de Asia.

v *s. f.* Letra número veintitrés del abecedario.

vaca *s. f.* 1. Hembra del toro. ‖ 2. **vacas flacas** Época de escasez. 3. **vacas gordas** Época de abundancia.

vacaciones *s. f. pl.* Periodo de descanso en el trabajo o en los estudios.

vacada *s. f.* Manada de vacas.

vacante *adj.* y *s. f.* 1. Se dice del cargo o del puesto de trabajo que no está ocupado por nadie. ‖ *adj.* 2. Se dice de otras cosas que no están ocupadas. SIN. 1. Plaza. 1 y 2. Desocupado, libre.

vaciado *s. m.* Acción de vaciar.

vaciar *v.* 1. Dejar vacío. 2. Hacer una escultura echando en un molde un material blando que luego se endurece. 3. Afilar un instrumento cortante. SIN. 1. Desocupar, evacuar. ANT. 1. Llenar.

vaciedad *s. f.* Estupidez, necedad.

vacilación *s. f.* Duda, indecisión. SIN. Titubeo. ANT. Seguridad.

vacilante *adj.* 1. Que vacila o duda. 2. Que se tambalea. SIN. 1. Indeciso. 1 y 2. Inseguro. ANT. 1 y 2. Seguro.

vacilar *v.* 1. Dudar. 2. Tambalearse. 3. *fam.* Tomar el pelo a una persona.

vacilón, na *adj.* y *s. fam.* Guasón, bromista.

vacío, a *adj.* 1. Se dice del lugar o recipiente en que no hay ninguna persona o cosa. 2. Se dice del lugar en que hay poca gente. 3. Se dice de las personas o cosas a las que les falta algo: *una vida vacía, sin ilusiones.* ‖ *s. m.* 4. Espacio que hay desde una gran altura. 5. Tristeza por la falta de un ser querido. 6. En física, espacio en que no hay materia. SIN. 1. Desocupado. 1 y 2. Desierto. ANT. 1 y 2. Lleno.

vacuna *s. f.* Líquido con microorganismos debilitados que se inyecta o se da a una persona o animal para que cree defensas contra una enfermedad.

vacunar *v.* Inyectar o dar una vacuna.

vacuno, na *adj.* y *s. m.* De las vacas, bueyes y toros.

vacuo, cua *adj.* Superficial, sin profundidad o interés: *una conversación vacua.* **Sin.** Intrascendente, trivial.

vacuola *s. f.* Cada una de las cavidades del citoplasma de las células en las que se almacenan distintas sustancias.

vadear *v.* Cruzar un río u otra corriente de agua por donde se hace pie.

vado *s. m.* **1.** Parte poco profunda y llana de un río por donde se puede pasar a pie, a caballo o con algún vehículo. **2.** Parte de la acera o del bordillo de una calle que se ha allanado para facilitar la entrada y salida de los vehículos de un local.

vagabundear *v.* **1.** Llevar la vida de un vagabundo. **2.** Caminar de un lugar a otro sin ir a un sitio fijo. **Sin. 2.** Vaguear.

vagabundo, da *adj.* y *s.* Que va de un lugar a otro y no tiene un sitio fijo donde vivir.

vagamente *adv.* De forma vaga e imprecisa.

vagancia *s. f.* Característica de la persona vaga. **Sin.** Vaguería, holgazanería.

vagar *v.* Caminar de un lugar a otro sin ir a un sitio fijo. **Sin.** Deambular, vaguear.

vagido *s. m.* Llanto de un recién nacido.

vagina *s. f.* Órgano del aparato reproductor de las mujeres y las hembras de los mamíferos, que tiene forma alargada y va desde el exterior a la matriz.

vaginal *adj.* De la vagina.

vago, ga[1] *adj.* y *s.* **1.** Se dice de la persona a la que no le gusta trabajar ni esforzarse. || *adj.* **2.** Se dice del ojo que no realiza totalmente su función de ver. **Sin. 1.** Perezoso, holgazán, gandul.

vago, ga[2] *adj.* Poco claro o preciso. **Sin.** Indefinido, confuso.

vagón *s. m.* Cada vehículo de un tren o metro que transporta personas o mercancías.

vagoneta *s. f.* Vagón pequeño y descubierto que transporta mercancías.

vaguada *s. f.* Camino más bajo entre montañas por donde corren las aguas.

vaguear *v.* Hacer el vago. **Sin.** Holgar.

vaguedad *s. f.* **1.** Falta de claridad o exactitud al decir algo. **2.** Frase que no es clara y precisa. **Sin. 1.** Ambigüedad. **Ant. 1.** Precisión.

vaguería *s. f.* Vagancia, holgazanería.

vahído *s. m.* Mareo o desmayo que dura poco. **Sin.** Desfallecimiento.

vaho *s. m.* Vapor que despiden los cuerpos en algunas situaciones.

vaina *s. f.* **1.** Funda de una espada, un puñal u otra cosa. **2.** Cáscara larga y tierna que lleva dentro las semillas de algunas plantas. **3.** *fam.* Fastidio, molestia. || *adj.* y *s. m.* **4.** *fam.* Persona poco formal. **Sin. 3.** Incordio. **4.** Informal.

vainica *s. f.* Labor de costura que se hace sacando varios hilos de una tela, por ejemplo la que hay en los dobladillos de algunas servilletas.

vainilla *s. f.* Planta trepadora originaria de México cuyo fruto, también llamado *vainilla*, se usa para hacer pasteles, licores, helados.

vaivén *s. m.* **1.** Movimiento repetido de un cuerpo hacia un lado y hacia el contrario. **2.** Cambio repentino de las situaciones. **Sin. 1.** Oscilación. **2.** Altibajo, fluctuación.

vajilla *s. f.* Platos, tazas y otros utensilios en que se sirve la comida o bebida.

valdepeñas *s. m.* Vino español que se hace en Valdepeñas, Ciudad Real.

vale[1] *s. m.* **1.** Papel que se puede cambiar por el objeto o la cantidad que figura en él. **2.** Entrada gratuita para un espectáculo. **Sin. 1.** Bono.

vale[2] Forma del verbo **valer** que significa 'de acuerdo': *–¿Vienes? –Vale.*

valedero, ra *adj.* **1.** Que vale o tiene validez. **2.** Que se puede cambiar por lo que se indica en él: *un cupón valedero por un regalo.* **Sin. 1.** Válido.

valedor, ra *s. m.* y *f.* Persona que protege a otra y la ayuda a conseguir lo que quiere. **Sin.** Protector, benefactor.

valencia *s. f.* Número que indica la capacidad que tiene un elemento químico para unirse con otros y formar moléculas.

valenciano, na *adj.* y *s.* **1.** De Valencia, ciudad y provincia españolas, o de la Comunidad Valenciana. || *s. m.* **2.** Lengua hablada en esta comunidad autónoma.

valentía *s. f.* Característica de valiente. **Sin.** Valor, coraje. **Ant.** Cobardía.

valer[1] *v.* **1.** Tener un precio o valor. **2.** Tener una persona buenas cualidades para hacer algo. **3.** Ser útil o apropiado para alguien o algo. **4.** Ser válida una cosa. **5.** Proteger o ayudar: *Que Dios les valga.* || **valerse 6.** Utilizar a alguien o algo para conseguir lo que se quiere.

7. Ser capaz una persona de moverse y hacer sus cosas sin ayuda de otra. ◻ Es v. irreg. SIN. 1. Importar; equivaler. 2 y 3. Servir. 6. Recurrir. 7. Manejarse.

VALER	
INDICATIVO	
Presente	**Pretérito imperfecto**
valgo	valía
vales	valías
vale	valía
valemos	valíamos
valéis	valíais
valen	valían
Futuro	**Condicional**
valdré	valdría
valdrás	valdrías
valdrá	valdría
valdremos	valdríamos
valdréis	valdríais
valdrán	valdrían
SUBJUNTIVO	
Presente	
valga	valgamos
valgas	valgáis
valga	valgan

valer² *s. m.* Valía.

valeriana *s. f.* Planta que tiene una raíz que se usa como tranquilizante.

valeroso, sa *adj.* Valiente. SIN. Bravo, animoso. ANT. Cobarde.

valía *s. f.* **1.** Valor de una persona por sus cualidades o méritos. **2.** Lo que vale una cosa. SIN. 1 y 2. Valer².

validez *s. f.* Característica de valido.

valido *s. m.* Persona de confianza del rey, que tenía mucha influencia en el gobierno del Estado. SIN. Favorito.

válido, da *adj.* Que es legal, correcto o apropiado.

valiente *adj.* y *s.* **1.** Que se enfrenta sin miedo a un peligro o situación difícil. ‖ *adj.* **2.** Sirve para destacar lo que se dice: *¡En valiente lío se ha metido!* SIN. 1. Valeroso, atrevido. 2. Menudo. ANT. 1. Cobarde.

valija *s. f.* **1.** Maleta. **2.** Saco para llevar las cartas y las cartas que van en él.

valimiento *s. m.* Apoyo y ayuda que una persona recibe de otra. SIN. Favor.

valioso, sa *adj.* Que tiene mucho valor. SIN. Caro; apreciado. ANT. Insignificante.

valla *s. f.* **1.** Lo que se coloca alrededor de un lugar para protegerlo o impedir la entrada en él. **2.** Soporte para poner carteles publicitarios en la calle. **3.** Ca-

da obstáculo que hay que saltar en algunas carreras de atletismo. SIN. 1. Cerca, cercado, vallado.

vallado *s. m.* Valla o muro de tierra que rodea o cierra un lugar. SIN. Cercado.

vallar *v.* Rodear con una valla.

valle *s. m.* **1.** Terreno llano entre montañas. **2.** Territorio por el que corren las aguas de un río y de sus afluentes. ‖ **3.** **valle de lágrimas** Este mundo o esta vida, por los sufrimientos que se pasan. SIN. 2. Cuenca, vega.

vallisoletano, na *adj.* y *s.* De Valladolid, ciudad y provincia españolas.

valor *s. m.* **1.** Buenas cualidades por las que algo es apreciado. **2.** Dinero que vale una cosa. **3.** Importancia o interés. **4.** Valentía. **5.** Falta de vergüenza o de consideración. **6.** Persona que posee buenas cualidades para algo. **7.** Cantidad que vale una expresión matemática. ‖ *pl.* **8.** Principios morales o de otro tipo por los que se guía el comportamiento de una persona o un grupo. SIN. 1 y 2. Valía. 2. Precio, importe. 3. Trascendencia. 4. Coraje, arrojo. ANT. 3. Desinterés. 4. Cobardía.

valoración *s. f.* Acción de valorar algo. SIN. Evaluación.

valorar *v.* **1.** Decir la cantidad de dinero que vale algo. **2.** Juzgar o reconocer el valor o el mérito de alguien o algo. SIN. 1. Tasar, evaluar. ANT. 2. Menospreciar.

valorativo, va *adj.* Que valora.

valquiria *s. f.* Cada una de las diosas de la mitología escandinava que decidían qué guerreros debían morir en combate.

vals *s. m.* **1.** Baile de origen austriaco que se baila en pareja dando vueltas. **2.** Música de este baile.

valva *s. f.* Cada pieza dura que forma la concha de los moluscos.

válvula *s. f.* **1.** Pieza que cierra o abre el paso de un líquido o gas en algunas máquinas o instrumentos. **2.** Pliegue que hay en las venas y en el corazón para que la sangre circule en una dirección y no vuelva hacia atrás. ‖ **3.** **válvula mitral** La que comunica la aurícula izquierda del corazón con el ventrículo izquierdo. **4.** **válvula tricúspide** La que comunica la aurícula derecha del corazón con el ventrículo derecho.

¡vamos! *interj.* Forma del verbo *ir*; se usa para animar a alguien o meterle prisa.

vampiresa *s. f.* Mujer atractiva y seductora, que conquista a los hombres para aprovecharse de ellos.

vampiro *s. m.* **1.** Personaje fantástico que es un muerto viviente que se alimenta de sangre humana. **2.** Murciélago americano que chupa la sangre a otros animales.

vanadio *s. m.* Metal grisáceo, resistente a la corrosión del agua, que se hace láminas con facilidad y se usa para fabricar aceros especiales. Es elemento químico.

vanagloria *s. f.* Actitud de la persona que presume mucho de algo. **Sin.** Presunción. **Ant.** Humildad.

vanagloriarse *v.* Presumir mucho alguien de sus cualidades o acciones. **Sin.** Jactarse, alardear. **Ant.** Humillarse.

vanamente *adv.* En vano, sin resultado.

vandálico, ca *adj.* De vandalismo.

vandalismo *s. m.* Gamberrismo.

vándalo, la *adj.* y *s.* **1.** De un pueblo bárbaro que invadió algunas zonas del antiguo imperio romano, por ejemplo la península Ibérica. **2.** Gamberro.

vanguardia *s. f.* **1.** Parte más adelantada del ejército, que es la que se enfrenta directamente al enemigo. **2.** Movimiento artístico, cultural o de otro tipo, más moderno y renovador que los de su época. **Sin.** **1.** Frente. **Ant.** **1.** Retaguardia.

vanguardismo *s. m.* Ideas y movimientos artísticos de vanguardia.

vanguardista *adj.* y *s.* Del vanguardismo o que lo sigue y defiende.

vanidad *s. f.* Actitud vanidosa. **Sin.** Jactancia, presunción. **Ant.** Modestia.

vanidoso, sa *adj.* y *s.* Que presume mucho de sus cualidades o méritos. **Sin.** Presumido, jactancioso. **Ant.** Modesto.

vano, na *adj.* **1.** Inútil, que no tiene el resultado que se quería. **2.** Sin fundamento: *vanas ilusiones*. **3.** Que muestra vanidad. **4.** Se dice de los frutos con cáscara que están vacíos, secos o podridos por dentro. || *s. m.* **5.** Hueco de una puerta o una ventana. **Expr.** **en vano** Inútilmente, sin resultado. **Sin.** **1.** Estéril, ineficaz. **2.** Infundado. **Ant.** **1.** Eficaz. **2.** Real.

vapor *s. m.* **1.** Gas en que se convierte una sustancia, sobre todo un líquido, generalmente cuando se calienta. **2.** Barco que navega gracias al impulso de una máquina de vapor. **Sin.** **1.** Vaho.

vaporizador *s. m.* **1.** Aparato que convierte un líquido en vapor. **2.** Pulverizador, spray.

vaporizar *v.* **1.** Convertir un líquido en vapor por la acción del calor. **2.** Echar un líquido en gotas finas. **Sin.** **1.** Evaporar. **2.** Pulverizar.

vaporoso, sa *adj.* Se dice de una tela o vestido muy fino y ligero.

vapulear *v.* **1.** Mover a una persona o cosa de un lado a otro de forma brusca. **2.** Golpear, dar una paliza. **3.** Criticar o tratar mal a una persona. **Sin.** **1.** Zarandear. **2.** Apalear.

vapuleo *s. m.* Acción de vapulear.

vaquería *s. f.* Lugar donde se crían y tienen las vacas o se vende su leche. **Sin.** Lechería.

vaquerizo, za *s. m.* y *f.* Pastor de vacas. **Sin.** Vaquero.

vaquero, ra *s. m.* y *f.* **1.** Pastor de ganado vacuno. || *s. m.* **2.** Jinete que en el oeste americano conduce y cuida el ganado vacuno. || *adj.* **3.** Se dice de una tela de algodón, fuerte y resistente, y de las cosas que se hacen con ella. || *s. m. pl.* **4.** Pantalones hechos con esta tela. **Sin.** **4.** Tejanos, blue-jeans.

vaquilla *s. f.* Vaca joven que es toreada en fiestas populares.

vara *s. f.* **1.** Palo o rama larga y delgada. **2.** Cada uno de los dos palos del carro en los que se enganchan las caballerías.

varadero *s. m.* Lugar donde se dejan los barcos para protegerlos o repararlos.

varano *s. m.* Nombre de varias especies de lagartos de gran tamaño que habitan en Asia, África y Australia.

varapalo *s. m.* Castigo o reprimenda.

varar *v.* **1.** Encallar una embarcación. **2.** Sacar una embarcación a la playa y ponerla en un lugar seco para protegerla o arreglarla.

varear *v.* Golpear con una vara, por ejemplo para hacer caer los frutos de algunos árboles.

variable *adj.* Que varía o puede variar. **Sin.** Cambiante. **Ant.** Invariable.

variación *s. f.* Modificación, cambio.

variado, da *adj.* Que tiene partes o elementos diferentes. **Sin.** Vario, surtido.

variante *s. f.* **1.** Cada una de las formas distintas que presenta una misma cosa. **2.** Diferencia, variación. **3.** Desviación de un tramo de carretera o camino.

variar *v.* **1.** Cambiar, hacer que algo sea diferente de como era. **2.** Dar variedad. **Sin.** **1.** Modificar, alterar. **2.** Diversificar. **Ant.** **1.** Mantener.

varicela *s. f.* Enfermedad contagiosa que suele atacar a los niños y se caracteriza por la fiebre y la aparición de granos en la cara y el cuerpo.

variedad s. f. **1.** Característica de variado. **2.** Conjunto de personas, animales o cosas diferentes. **3.** Cada una de las clases o tipos diferentes de algo. ‖ pl. **4.** Espectáculo en el que alternan números de diferentes tipos. **SIN. 1** y **2.** Diversidad. **ANT. 1.** Uniformidad.

varilarguero s. m. Picador de toros.

varilla s. f. Tira o pieza delgada, como las que hay en los paraguas o en los abanicos.

vario, ria adj. Variado.

variopinto, ta adj. Que es muy variado. **SIN.** Diverso, heterogéneo. **ANT.** Homogéneo.

varios, rias indef. Más de uno.

varita s. f. **1.** Vara pequeña. ‖ **2. varita mágica** La que usan las hadas en los cuentos para hacer prodigios.

variz s. f. Vena que se dilata por la acumulación de sangre en ella.

varón s. m. **1.** Persona de sexo masculino. ‖ **2. santo varón** Hombre de gran bondad.

varonil adj. Del varón o propio de él. **SIN.** Viril, masculino. **ANT.** Femenino.

varsoviano, na adj. y s. De Varsovia, capital de Polonia.

vasallaje s. m. **1.** En la Edad Media, dependencia y fidelidad del vasallo hacia su señor. **2.** Tributo que el vasallo pagaba a su señor.

vasallo, lla adj. y s. **1.** Persona que en el feudalismo servía a un señor. ‖ s. m. y f. **2.** Persona que está bajo la autoridad de un soberano. **3.** Cualquiera que reconoce a otro por superior y le obedece. **SIN. 2.** Súbdito.

vasco, ca adj. y s. **1.** Del País Vasco, comunidad autónoma de España. ‖ s. m. **2.** Lengua hablada en el País Vasco, Navarra y el territorio vasco francés. **SIN. 2.** Euskera, vascuence.

vascongado, da adj. y s. Vasco.

vascuence adj. y s. m. Se dice de la lengua vasca. **SIN.** Euskera.

vascular adj. Relacionado con los vasos circulatorios de los seres vivos.

vasectomía s. f. Operación quirúrgica para esterilizar al varón cortando los conductos que llevan el semen.

vaselina s. f. Sustancia grasa que se obtiene del petróleo y que se utiliza en farmacia y perfumería.

vasija s. f. Recipiente hondo que se usa sobre todo para líquidos o alimentos.

vaso s. m. **1.** Recipiente para contener algo, sobre todo el que tiene forma de cilindro y se usa para beber. **2.** Cantidad de líquido que contiene ese recipiente. **3.** Cada uno de los conductos de los seres vivos por los que circulan algunos líquidos: vasos sanguíneos.

vástago s. m. **1.** Renuevo o rama tierna de un árbol o planta. **2.** Hijo, descendiente. **3.** Pieza alargada que sirve para unir otras metiéndola en un agujero. **SIN. 1.** Brote, yema. **1** y **2.** Retoño.

vasto, ta adj. Muy grande o extenso. **SIN.** Inmenso, amplio. **ANT.** Pequeño.

vate s. m. **1.** Poeta. **2.** Adivino.

váter s. m. Wáter.

vaticano, na adj. Del Vaticano, pequeño Estado europeo donde vive el papa.

vaticinar v. Anunciar algo que va a suceder. **SIN.** Predecir.

vaticinio s. m. Acción de vaticinar y lo que se vaticina. **SIN.** Predicción.

vatio s. m. Unidad de potencia eléctrica.

¡vaya! interj. Expresa asombro, sorpresa, fastidio o protesta.

vecinal adj. De los vecinos.

vecindad s. f. **1.** Hecho de ser vecino uno de otro. **2.** Vecindario. **3.** Cercanías de un sitio. **SIN. 3.** Inmediaciones.

vecindario s. m. Conjunto de los vecinos de un edificio, barrio o población. **SIN.** Vecindad.

vecino, na adj. y s. **1.** Que vive en el mismo edificio, barrio o población que otro. ‖ adj. **2.** Cercano, próximo.

veda s. f. **1.** Acción de vedar. **2.** Tiempo durante el que está prohibido cazar o pescar.

vedado, da 1. p. de vedar. También adj. ‖ s. m. **2.** Lugar acotado o cerrado por una ley o mandato: vedado de caza.

vedar v. Prohibir. **SIN.** Impedir. **ANT.** Permitir.

vedette (fr.) s. f. Protagonista femenina de revistas y otros espectáculos musicales.

vega s. f. Terreno bajo, llano y fértil, por el que normalmente pasa un río.

vegetación s. f. **1.** Conjunto de vegetales de un lugar, región o clima. ‖ pl. **2.** Crecimiento anormal de unas glándulas de la faringe que se da, sobre todo, en los niños. **SIN. 1.** Flora.

vegetal adj. **1.** De las plantas. ‖ s. m. **2.** Ser vivo que crece y vive fijo en el suelo y se alimenta de las sustancias de la tierra.

vegetar v. 1. Nacer, alimentarse y crecer las plantas. 2. Llevar una vida parecida a la de las plantas realizando sólo lo necesario para vivir, como respirar o alimentarse.

vegetariano, na adj. y s. Se dice de la persona que toma casi exclusivamente alimentos vegetales.

vegetativo, va adj. 1. Se dice de las funciones vitales relacionadas con la alimentación y el desarrollo. ‖ 2. **crecimiento vegetativo** Lo que crece en la población, que se calcula restando el número de muertes al número de nacimientos.

vehemencia s. f. Característica de vehemente. **Sin.** Pasión, entusiasmo.

vehemente adj. 1. Que pone mucha pasión y sentimiento en lo que hace o dice. 2. Con mucha fuerza y pasión: un discurso vehemente. **Sin.** 1 y 2. Apasionado. Encendido. **Ant.** 1 y 2. Frío.

vehículo s. m. 1. Cualquier medio de transporte. 2. Lo que sirve para conducir o transmitir fácilmente una cosa, como la electricidad, el sonido o una enfermedad.

veinte num. 1. Dos veces diez. 2. Que ocupa por orden este número.

veinteavo, va num. Se dice de cada una de las veinte partes iguales en que se divide algo.

veintena s. f. Veinte unidades.

veinticinco num. 1. Veinte y cinco. 2. Que ocupa por orden este número.

veinticuatro num. 1. Veinte y cuatro. 2. Que ocupa por orden este número.

veintidós num. 1. Veinte y dos. 2. Que ocupa por orden este número.

veintinueve num. 1. Veinte y nueve. 2. Que ocupa por orden este número.

veintiocho num. 1. Veinte y ocho. 2. Que ocupa por orden este número.

veintiséis num. 1. Veinte y seis. 2. Que ocupa por orden este número.

veintisiete num. 1. Veinte y siete. 2. Que ocupa por orden este número.

veintitrés num. 1. Veinte y tres. 2. Que ocupa por orden este número.

veintiún num. Forma abreviada de veintiuno.

veintiuno, na num. 1. Veinte y uno. 2. Que ocupa por orden este número.

vejación s. f. Humillación.

vejar v. Humillar. **Sin.** Escarnecer.

vejatorio, ria adj. Muy humillante.

vejestorio s. m. desp. Persona muy vieja. **Sin.** Carcamal. **Ant.** Joven.

vejez s. f. Último periodo de la vida humana. **Sin.** Ancianidad. **Ant.** Juventud.

vejiga s. f. 1. Bolsa que contiene la orina producida por los riñones. 2. Ampolla que sale en la piel. ‖ 3. **vejiga natatoria** Saco lleno de aire que tienen muchos peces cerca del tubo digestivo, y que hinchan o vacían para subir y bajar dentro del agua.

vela¹ s. f. 1. Cilindro de cera con un cordón en el centro que se prende para dar luz. 2. Hecho de velar o estar sin dormir. ‖ pl. 3. fam. Mocos que cuelgan de la nariz. **Expr. a dos velas** Sin dinero. También, sin comprender nada. **Sin.** 1. Cirio. 2. Vigilia.

vela² s. f. 1. Pieza de tela que se sujeta a los palos de un barco para que, al empujarla el viento, haga navegar la embarcación. 2. Deporte que consiste en navegar en barcos de vela.

velada s. f. 1. Reunión nocturna de varias personas para charlar y distraerse. 2. Sesión musical, literaria o de otro tipo, hecha al final de la tarde o por la noche.

velador s. m. Mesita, normalmente redonda, con un solo pie.

velamen s. m. Conjunto de velas de una embarcación.

velar¹ v. 1. Estar sin dormir por la noche, por ejemplo cuidando a un enfermo o acompañando a un muerto. 2. Cuidar, preocuparse. **Sin.** 2. Vigilar.

velar² v. 1. Tapar, ocultar. 2. Borrar la imagen de una película fotográfica por efecto de la luz.

velatorio s. m. Acto y lugar en que se vela a un difunto.

velcro s. m. Tira de tela con ganchitos que se prende en otra tira con pelillos y sirve como cierre o para pegar cosas.

veleidad s. f. Capricho, antojo.

veleidoso, sa adj. y s. Caprichoso. **Sin.** Voluble, antojadizo, veleta.

velero s. m. 1. Barco de vela. 2. Planeador, avión que vuela sin motor.

veleta s. f. 1. Pieza metálica con forma de flecha o de otra figura, que gira con el viento y señala la dirección en que sopla. ‖ s. m. y f. 2. Persona caprichosa, que cambia constantemente de idea u opinión. **Sin.** 2. Inconstante, veleidoso.

vello s. m. 1. Pelo de algunas partes del cuerpo, más corto y fino que el de la cabeza y la barba. 2. Pelusilla que cubre algunas frutas o plantas.

vellón s. m. Lana de un carnero u oveja después de esquilarlos.

vellosidad s. f. Vello, sobre todo si hay mucho.

velloso, sa adj. Con vello.

velludo, da adj. Que tiene mucho vello. **SIN.** Peludo.

velo s. m. **1.** Tela transparente que cubre una cosa, como la que a veces usan las mujeres para cubrirse la cabeza y la cara. **2.** Manto con que algunas monjas se cubren la cabeza y los hombros. || **3. velo del paladar** Especie de membrana que separa la cavidad de la boca de la faringe.

velocidad s. f. **1.** En física, relación entre el espacio que se recorre y el tiempo que se tarda en recorrerlo. **2.** Rapidez. **3.** Cada una de las marchas de los coches y otros vehículos. || **4. velocidad punta** Ver **punta. SIN. 2.** Prisa, celeridad. **ANT. 2.** Lentitud.

velocímetro s. m. Instrumento que mide la velocidad de un vehículo.

velocípedo s. m. Bicicleta de dos o tres ruedas, la de delante más grande.

velocista s. m. y f. Deportista que participa en carreras de velocidad, sobre todo en atletismo y ciclismo.

velódromo s. m. Pista para carreras en bicicleta.

velomotor s. m. **1.** Bicicleta que tiene un pequeño motor. **2.** Ciclomotor.

velón s. m. Lámpara de metal que funciona con aceite y está formada por un vaso que termina en uno o varios picos con mechas.

veloz adj. Que se mueve o hace algo con velocidad. **SIN.** Rápido, raudo. **ANT.** Lento

vena s. f. **1.** Cada uno de los conductos que llevan la sangre al corazón o a otra vena mayor. **2.** Cada uno de los nervios que sobresalen en el revés de las hojas de las plantas. **3.** Filón de un mineral. **4.** Veta o franja que tiene una cosa y que por su material o color destaca del resto. **5.** Habilidad o talento: *vena artística.* **SIN. 5.** Capacidad, disposición.

venablo s. m. Lanza corta para arrojarla.

venada s. f. Manía o impulso que le da a uno de repente.

venado s. m. Ciervo o animal parecido.

venado, da adj. fam. Chalado, loco.

venal adj. Que se deja sobornar.

venalidad s. f. Característica de venal.

vencedor, ra adj. y s. Que ha vencido. **SIN.** Ganador, victorioso, triunfador. **ANT.** Perdedor.

vencejo s. m. Pájaro de color casi siempre negro o pardo, pico corto y ancho, alas largas y cola en forma de horquilla; vuela muy rápido. Es un ave migratoria y se alimenta de insectos.

vencer v. **1.** Ganar al enemigo o al adversario. **2.** Ser una cosa tan fuerte que no se puede resistir. **3.** Dominar alguien sus pasiones, sentimientos o deseos. **4.** Superar dificultades u obstáculos. **5.** Terminar el tiempo que se da o se señala para algo. || **vencerse 6.** Hundirse, doblarse o inclinarse una cosa. **SIN. 1.** Derrotar. **1** y **2.** Rendir. **3.** Controlar. **ANT. 1.** Perder.

vencimiento s. m. **1.** El vencer o ser vencido. **2.** Término de un plazo. **SIN. 1.** Victoria; derrota.

venda s. f. Tira de tela que se coloca sobre una parte del cuerpo, como la que se pone sobre una herida para protegerla y curarla.

vendaje s. m. Venda o vendas que se ponen alrededor de una parte del cuerpo o sobre ella.

vendar v. Cubrir con una venda.

vendaval s. m. Viento fuerte.

vendedor, ra s. m. y f. Persona que vende. **ANT.** Comprador.

vender v. **1.** Dar u ofrecer una cosa a cambio de dinero. **2.** Traicionar a alguien por dinero o por otra cosa. || **venderse 3.** Aceptar dinero u otra cosa por hacer algo que está mal. **ANT. 1.** Comprar.

vendetta (ital.) s. f. Venganza entre familias, clanes, grupos.

vendimia s. f. Actividad de recoger la uva y tiempo en que se hace.

vendimiar v. Recoger la uva.

veneciano, na adj. y s. De Venecia, ciudad de Italia.

veneno s. m. **1.** Sustancia que causa la muerte o daños muy graves en los seres vivos. **2.** Cualquier cosa muy mala para la salud. **SIN. 1.** Tóxico.

venenoso, sa adj. Que es veneno o tiene veneno. **SIN.** Tóxico.

venera s. f. Concha de un molusco llamado *vieira,* que es el símbolo de los peregrinos que van a Santiago de Compostela.

venerable adj. Que merece que lo veneren: *un venerable anciano.* **SIN.** Respetable. **ANT.** Despreciable.

venerar v. Tener devoción y respeto a alguien o algo. **SIN.** Respetar, adorar. **ANT.** Despreciar.

venéreo, a *adj.* Se dice de las enfermedades de transmisión sexual.

venezolano, na *adj.* y *s.* De Venezuela, país de América del Sur.

¡venga! *interj.* Forma del verbo **venir**; se usa para animar o meter prisa a alguien.

venganza *s. f.* Acción de vengar o vengarse. **Sin.** Desquite. **Ant.** Perdón.

vengar *v.* Causar un mal o un daño a alguien que antes nos había ofendido o perjudicado, para quedarnos satisfechos. **Sin.** Desquitarse. **Ant.** Perdonar.

vengativo, va *adj.* y *s.* Persona que se venga de cualquier daño o insulto. **Sin.** Rencoroso.

venia *s. f.* Permiso para hacer algo que concede alguien que tiene autoridad. **Sin.** Autorización, licencia.

venial *adj.* Se dice de las faltas poco graves y sobre todo del pecado que no es mortal. **Sin.** Leve.

venida *s. f.* **1.** Acción de venir. **2.** Regreso. **Sin. 1.** Llegada. **2.** Vuelta, retorno. **Ant. 1.** Partida. **1** y **2.** Ida.

venidero, ra *adj.* Que está por venir o suceder. **Sin.** Futuro, próximo. **Ant.** Pasado.

venir *v.* **1.** Moverse o ir alguien o algo hasta donde estamos. **2.** Ocurrir, suceder. **3.** Tener su origen o su causa en algo. **4.** Tener de pronto o empezar a tener una idea, sentimiento o sensación. **5.** Quedarle algo a una persona o cosa de la manera que se dice: *El jersey le viene ancho.* **6.** Estar una cosa incluida en otra. **7.** Ir a decirle a alguien chismes, excusas u otras cosas que molestan. ◻ Es v. irreg. **Expr. venirse abajo** Caerse, derrumbarse. **Sin. 1.** Acudir, acercarse. **5.** Sobrevenir. **5.** Sentar. **Ant. 1.** Irse.

venoso, sa *adj.* De las venas.

venta *s. f.* **1.** Acción de vender. **2.** Posada o mesón. **Ant. 1.** Compra.

ventaja *s. f.* **1.** Cosa buena que tiene una persona o cosa respecto a otras. **2.** Distancia en puntuación o en tiempo que un deportista o un equipo acumula por encima de sus contrarios. **3.** Ganancia que un jugador concede por adelantado a otro que es peor que él para compensar la diferencia. **4.** Provecho, beneficio. **Sin. 1** y **2.** Delantera. **Ant. 1** y **3.** Desventaja. **4.** Perjuicio.

ventajoso, sa *adj.* Que tiene o da ventaja o beneficio. **Sin.** Beneficioso.

ventana *s. f.* **1.** Hueco en el muro de un edificio que da luz y ventilación al interior. **2.** Marco de madera o metal, con una o más hojas y casi siempre cristales, para tapar ese hueco. **3.** Agujero de la nariz. **Expr. arrojar** o **tirar** algo **por la ventana** Malgastarlo.

ventanal *s. m.* Ventana grande.

ventanilla *s. f.* **1.** Ventana pequeña de los coches, trenes, aviones. **2.** Abertura pequeña en una pared a través de la cual los empleados de un centro de trabajo atienden al público.

ventanuco *s. m.* Ventana pequeña.

ventarrón *s. m.* Viento muy fuerte. **Sin.** Ventisca, ventolera.

ventear *v.* Olfatear el aire los animales.

ventero, ra *s. m.* y *f.* Propietario o encargado de una venta o posada.

ventilación *s. f.* **1.** Acción de ventilar. **2.** Abertura o instalación para ventilar un lugar cerrado.

ventilador *s. m.* Aparato que ventila o enfría un lugar produciendo una corriente de aire mediante unas aspas que giran.

VENIR	
GERUNDIO	
viniendo	
INDICATIVO	
Presente	**Pretér. perf. simple**
vengo	*vine*
vienes	*viniste*
viene	*vino*
venimos	*vinimos*
venís	*vinísteis*
vienen	*vinieron*
Futuro	**Condicional**
vendré	*vendría*
vendrás	*vendrías*
vendrá	*vendría*
vendremos	*vendríamos*
vendréis	*vendriais*
vendrán	*vendrian*
SUBJUNTIVO	
Presente	**Pretérito imperfecto**
venga	*viniera, -ese*
vengas	*vinieras, -eses*
venga	*viniera, -ese*
vengamos	*viniéramos, -ésemos*
vengáis	*vinierais, -eseis*
vengan	*vinieran, -esen*
Futuro	
viniere	*viniéremos*
vinieres	*viniereis*
viniere	*vinieren*
IMPERATIVO	
ven	*venid*

ventilar *v.* **1.** Hacer que circule o se renueve el aire en un lugar cerrado. **2.** Sacar o agitar algo al aire libre para que se le vaya el olor, la humedad, el polvo. **3.** Tratar, resolver o terminar algo, sobre todo con rapidez. **Sin. 1** y **2.** Orear, airear. **3.** Despachar.

ventisca *s. f.* **1.** Tormenta de viento y nieve. **2.** Viento fuerte. **Sin. 2.** Ventolera.

ventolera *s. f.* **1.** Ráfaga de viento fuerte. **2.** Idea rara o sorprendente que uno tiene de pronto. **Sin. 2.** Venada.

ventosa *s. f.* **1.** Objeto de goma que se pega a una superficie lisa al apretarlo contra ella. **2.** Disco que algunos animales tienen en la boca o las extremidades para sujetarse a una superficie.

ventosear *v.* Tirarse ventosidades.

ventosidad *s. f.* Pedo, gases que se echan por el ano.

ventoso, sa *adj.* Se dice del día, tiempo o lugar en que hace mucho viento.

ventrículo *s. m.* **1.** Cada una de las dos cavidades inferiores del corazón, desde las cuales sale la sangre. **2.** Cada una de las cuatro cavidades del encéfalo.

ventrílocuo, cua *adj.* y *s.* Que sabe hablar sin mover los labios, de modo que parece que es otro el que habla.

ventriloquia *s. f.* Arte del ventrílocuo.

ventura *s. f.* **1.** Felicidad, dicha. **2.** Suerte, fortuna.

venturoso, sa *adj.* Afortunado o feliz. **Sin.** Dichoso. **Ant.** Desgraciado.

ver¹ *v.* **1.** Percibir las cosas por la vista. **2.** Observar o examinar con atención. **3.** Comprender, entender. **4.** Averiguar, comprobar o enterarse. **5.** Juzgar. **6.** Visitar a alguien o encontrarse con él. || **verse 7.** Encontrarse o imaginarse alguien en una situación. □ Es v. irreg. **Expr. a ver** Se usa para llamar la atención de alguien o para decirle o mandarle algo. También, se usa como *claro*, para confirmar algo. **estar** algo **por ver** Estar todavía por demostrar o confirmar. **no poder ver** o **no poder ni ver** uno a alguien o algo Odiarlo. **vérselas con** uno Enfrentarse o pelear con él. **Sin. 1, 2** y **4.** Mirar. **2.** Analizar. **5.** Considerar, estimar. **7.** Hallarse.

ver² *s. m.* Aspecto, apariencia: *una chica de buen ver.*

vera *s. f.* Orilla. **Expr. a la vera de** Junto a, al lado de. **Sin.** Margen.

veracidad *s. f.* Característica de veraz. **Sin.** Sinceridad, verdad. **Ant.** Falsedad.

veraneante *s. m.* y *f.* Persona que veranea en un lugar.

veranear *v.* Pasar las vacaciones de verano en un sitio distinto de aquel en que se vive.

veraneo *s. m.* El veranear en un sitio.

veraniego, ga *adj.* Del verano. **Sin.** Estival.

veranillo *s. m.* Tiempo corto durante el otoño en que hace un calor de verano.

verano *s. m.* Estación más calurosa del año. **Sin.** Estío.

veras Se usa en la expresión **de veras**, 'de verdad', 'realmente'. También, significa 'mucho', 'muy': *Es bueno de veras.*

veraz *adj.* Verdadero o que dice siempre la verdad. **Sin.** Sincero, verídico. **Ant.** Falso.

verbal *adj.* **1.** Del verbo. **2.** Que se hace con palabras o está relacionado con ellas. **3.** Hecho sólo de palabra y no por escrito: *acuerdo verbal.* **Sin. 2** y **3.** Oral.

verbalmente *adv.* De palabra, no por escrito. **Sin.** Oralmente.

verbena *s. f.* **1.** Fiesta que se celebra al aire libre la noche antes de algunas fiestas. **2.** Planta que tiene flores de color lila rosado formando espigas y que se usaba como remedio contra la fiebre.

verbenero, ra *adj.* De la verbena.

verbigracia *adv.* Por ejemplo.

VER	
GERUNDIO	**PARTICIPIO**
viendo	*visto*
INDICATIVO	
Presente	**Pretérito imperfecto**
veo	*veía*
ves	*veías*
ve	*veía*
vemos	*veíamos*
veis	*veíais*
ven	*veían*
SUBJUNTIVO	
Presente	**Pretérito imperfecto**
vea	*viera, -ese*
veas	*vieras, -eses*
vea	*viera, -ese*
veamos	*viéramos, -ésemos*
veáis	*vierais, -eseis*
vean	*vieran, -esen*
Futuro	
viere	*viéremos*
vieres	*viereis*
viere	*vieren*
IMPERATIVO	
ve	*ved*

verbo s. m. Clase de palabra que expresa las acciones que hace el sujeto, como *cantar* o *correr*, o un estado o proceso, como *ser*, *estar* o *parecer*.

verborrea s. f. El hablar demasiado, con muchas palabras. **Ant.** Concisión.

verdad s. f. **1.** Lo que es o lo que pasa en realidad. **2.** Lo que decimos como lo pensamos o sentimos. **3.** Cosa que se dice con razón o con motivo. **4.** Lo que se dice sin miramientos a una persona para corregirla o regañarla: *Le dijo cuatro verdades.* **5.** En forma de pregunta, se usa a veces para pedir a alguien que nos dé la razón. **Expr. a decir verdad** Expresión con la que alguien dice lo que realmente piensa o siente. También, se usa para corregir algo o quitarle importancia. **Sin. 1** y **2.** Autenticidad. **Ant. 1** y **2.** Mentira, falsedad.

verdaderamente adv. Sirve para asegurar que lo que se dice o verdad o para dar más fuerza al adjetivo o adverbio al que acompaña. **Sin.** Francamente, realmente.

verdadero, ra adj. **1.** Que es verdad o de verdad. **2.** Que es realmente lo que indica el sustantivo: *Carlos es un verdadero caballero.* **Sin. 1.** Sincero, cierto. **1** y **2.** Auténtico. **Ant. 1.** Falso.

verde adj. y s. m. **1.** Del color de la hierba fresca. ‖ adj. **2.** Se dice de las plantas y árboles que no están secos. **3.** Se dice de la legumbre que se come fresca. **4.** Se dice del fruto o la mies que no está maduro. **5.** Se dice de la persona con poca experiencia y de lo que está todavía en sus comienzos. **6.** *fam.* Se dice de los chistes y de otras cosas que tratan sobre el sexo. ‖ s. m. **7.** Hierba, césped. **Expr. poner** a alguien **verde** *fam.* Criticarle o insultarle mucho. **Sin. 2.** Lozano. **5.** Principiante, novato, bisoño. **6.** Obsceno, pornográfico. **7.** Pasto. **Ant. 2.** Mustio. **5.** Experimentado.

verdecillo s. m. Pájaro del tamaño de un canario, de color verde con listas pardas y que vive en parques y jardines.

verdemar adj. y s. m. De color verde parecido al del mar.

verderol o **verderón** s. m. Pájaro del tamaño de un gorrión, que tiene las plumas de color verde oliva y un poco de amarillo en las alas y la cola.

verdín s. m. Capa verde que se forma sobre algunas cosas, como la que hay en algunos lugares húmedos o en la superficie de los estanques.

verdor s. m. Color verde intenso de las plantas.

verdoso, sa adj. De color parecido al verde.

verdugo s. m. **1.** Persona encargada de matar a los condenados a muerte. **2.** Capucha de punto que cubre la cabeza y el cuello y deja fuera ojos, nariz y boca.

verdugón s. m. Señal muy hinchada y roja que deja en la piel un latigazo o algo parecido.

verduguillo s. m. Estoque delgado que se usa para el descabello en las corridas de toros.

verdulería s. f. Tienda o puesto en que se vende verdura.

verdulero, ra s. m. y f. **1.** Persona que vende verduras. ‖ s. f. **2.** Mujer chillona y maleducada. **Sin. 2.** Rabanera.

verdura s. f. Hortaliza, sobre todo la que se come cocida.

vereda s. f. Camino estrecho. **Expr. meter** o **hacer entrar** a alguien **en vereda** Hacer que se vuelva serio y responsable. **Sin.** Senda, sendero.

veredicto s. m. Decisión de un jurado sobre la persona o hecho que juzga. **Sin.** Fallo.

verga s. f. **1.** Palo colocado horizontalmente en un mástil y que sirve para sostener una vela. **2.** *vulg.* Pene.

vergel s. m. Huerto o jardín con muchas flores y árboles frutales.

vergonzoso, sa adj. **1.** Que hace sentir vergüenza. ‖ adj. y s. **2.** Que siente vergüenza con facilidad. **Sin. 2.** Tímido, cortado. **Ant. 2.** Atrevido.

vergüenza s. f. **1.** Sentimiento de incomodidad que se tiene por temor a hacer el ridículo. **2.** Respeto que una persona se tiene a sí misma y que hace que actúe de la forma más correcta. **3.** Acción que provoca indignación, escándalo, rechazo. ‖ pl. **4.** *fam.* Órganos sexuales externos de las personas. ‖ **5. vergüenza ajena** La que siente uno por algo que otro hace o dice. **Sin. 1.** Bochorno, apuro. **2.** Pundonor. **Ant. 1.** Atrevimiento. **2.** Desvergüenza.

vericueto s. m. Camino estrecho y lleno de curvas. **Sin.** Vereda.

verídico, ca adj. Que dice la verdad o es verdad. **Sin.** Veraz; auténtico; verosímil. **Ant.** Falso; inventado.

verificación s. f. Acción de verificar.

verificar v. **1.** Comprobar o demostrar que algo es verdad o está bien. ‖ **verificarse 2.** Hacerse, realizarse. **Sin. 1.** Probar, confirmar. **2.** Cumplirse.

CONJUGACIÓN DE LOS VERBOS REGULARES

primera conjugación: CANTAR			
INDICATIVO		**SUBJUNTIVO**	
TIEMPOS SIMPLES	TIEMPOS COMPUESTOS	TIEMPOS SIMPLES	TIEMPOS COMPUESTOS
Presente	**Pretérito perfecto**	**Presente**	**Pretérito perfecto**
canto	he cantado	cante	haya cantado
cantas	has cantado	cantes	hayas cantado
canta	ha cantado	cante	haya cantado
cantamos	hemos cantado	cantemos	hayamos cantado
cantáis	habéis cantado	cantéis	hayáis cantado
cantan	han cantado	canten	hayan cantado
Pretérito imperfecto	**Pretérito pluscuamperfecto**	**Pretérito imperfecto**	**Pretérito pluscuamperfecto**
cantaba	había cantado	cantara, -ase	hubiera, -ese cantado
cantabas	habías cantado	cantaras, -ases	hubieras, -eses cantado
cantaba	había cantado	cantara, -ase	hubiera, -ese cantado
cantábamos	habíamos cantado	cantáramos, -ásemos	hubiéramos, -ésemos cantado
cantabais	habíais cantado	cantarais, -aseis	hubierais, -eseis cantado
cantaban	habían cantado	cantaran, -asen	hubieran, -esen cantado
Pretérito perfecto simple	**Pretérito anterior**	**Futuro**	**Futuro perfecto**
canté	hube cantado	cantare	hubiere cantado
cantaste	hubiste cantado	cantares	hubieres cantado
cantó	hubo cantado	cantare	hubiere cantado
cantamos	hubimos cantado	cantáremos	hubiéremos cantado
cantasteis	hubisteis cantado	cantareis	hubiereis cantado
cantaron	hubieron cantado	cantaren	hubieren cantado
Futuro	**Futuro perfecto**	**IMPERATIVO**	
cantaré	habré cantado		
cantarás	habrás cantado	canta, cantad	
cantará	habrá cantado		
cantaremos	habremos cantado	**INFINITIVO**	
cantaréis	habréis cantado		
cantarán	habrán cantado	cantar	haber cantado
Condicional	**Condicional perfecto**	**GERUNDIO**	
cantaría	habría cantado		
cantarías	habrías cantado	cantando	habiendo cantado
cantaría	habría cantado		
cantaríamos	habríamos cantado	**PARTICIPIO**	
cantaríais	habríais cantado		
cantarían	habrían cantado	cantado	

segunda conjugación: TEMER			
INDICATIVO		**SUBJUNTIVO**	
TIEMPOS SIMPLES	TIEMPOS COMPUESTOS	TIEMPOS SIMPLES	TIEMPOS COMPUESTOS
Presente	**Pretérito perfecto**	**Presente**	**Pretérito perfecto**
temo	he temido	tema	haya temido
temes	has temido	temas	hayas temido
teme	ha temido	tema	haya temido
tememos	hemos temido	temamos	hayamos temido
teméis	habéis temido	temáis	hayáis temido
temen	han temido	teman	hayan temido
Pretérito imperfecto	**Pretérito pluscuamperfecto**	**Pretérito imperfecto**	**Pretérito pluscuamperfecto**
temía	había temido	temiera, -ese	hubiera, -ese temido
temías	habías temido	temieras, -eses	hubieras, -eses temido
temía	había temido	temiera, -ese	hubiera, -ese temido
temíamos	habíamos temido	temiéramos, -ésemos	hubiéramos, -ésemos temido
temíais	habíais temido	temierais, -eseis	hubierais, -eseis temido
temían	habían temido	temieran, -esen	hubieran, -esen temido
Pretérito perfecto simple	**Pretérito anterior**	**Futuro**	**Futuro perfecto**
temí	hube temido	temiere	hubiere temido
temiste	hubiste temido	temieres	hubieres temido
temió	hubo temido	temiere	hubiere temido
temimos	hubimos temido	temiéremos	hubiéremos temido
temisteis	hubisteis temido	temiereis	hubiereis temido
temieron	hubieron temido	temieren	hubieren temido
Futuro	**Futuro perfecto**	**IMPERATIVO**	
temeré	habré temido		
temerás	habrás temido	teme, temed	
temerá	habrá temido	**INFINITIVO**	
temeremos	habremos temido		
temeréis	habréis temido	temer	haber temido
temerán	habrán temido		
Condicional	**Condicional perfecto**	**GERUNDIO**	
temería	habría temido		
temerías	habrías temido	temiendo	habiendo temido
temería	habría temido	**PARTICIPIO**	
temeríamos	habríamos temido		
temeríais	habríais temido	temido	
temerían	habrían temido		

tercera conjugación: PARTIR

INDICATIVO		SUBJUNTIVO	
TIEMPOS SIMPLES	**TIEMPOS COMPUESTOS**	**TIEMPOS SIMPLES**	**TIEMPOS COMPUESTOS**
Presente	**Pretérito perfecto**	**Presente**	**Pretérito perfecto**
parto	he partido	parta	haya partido
partes	has partido	partas	hayas partido
parte	ha partido	parta	haya partido
partimos	hemos partido	partamos	hayamos partido
partís	habéis partido	partáis	hayáis partido
parten	han partido	partan	hayan partido
Pretérito imperfecto	**Pretérito pluscuamperfecto**	**Pretérito imperfecto**	**Pretérito pluscuamperfecto**
partía	había partido	partiera, -ese	hubiera, -ese partido
partías	habías partido	partieras, -eses	hubieras, -eses partido
partía	había partido	partiera, -ese	hubiera, -ese partido
partíamos	habíamos partido	partiéramos, -ésemos	hubiéramos, -ésemos partido
partíais	habíais partido	partierais, -eseis	hubierais, -eseis partido
partían	habían partido	partieran, -esen	hubieran, -esen partido
Pretérito perfecto simple	**Pretérito anterior**	**Futuro**	**Futuro perfecto**
partí	hube partido	partiere	hubiere partido
partiste	hubiste partido	partieres	hubieres partido
partió	hubo partido	partiere	hubiere partido
partimos	hubimos partido	partiéremos	hubiéremos partido
partisteis	hubisteis partido	partiereis	hubiereis partido
partieron	hubieron partido	partieren	hubieren partido
Futuro	**Futuro perfecto**	**IMPERATIVO**	
partiré	habré partido	parte, partid	
partirás	habrás partido		
partirá	habrá partido		
partiremos	habremos partido	**INFINITIVO**	
partiréis	habréis partido		
partirán	habrán partido	partir	haber partido
Condicional	**Condicional perfecto**	**GERUNDIO**	
partiría	habría partido		
partirías	habrías partido	partiendo	habiendo partido
partiría	habría partido		
partiríamos	habríamos partido	**PARTICIPIO**	
partiríais	habríais partido		
partirían	habrían partido	partido	

verja *s. f.* Reja que cubre el hueco de una ventana, cierra una puerta o rodea un lugar.

vermicida o **vermífugo, ga** *adj.* y *s. m.* Sustancia que se utiliza para matar o expulsar las lombrices del intestino.

vermut o **vermú** *s. m.* Bebida alcohólica compuesta de vino blanco o rosado, ajenjo y otras sustancias.

vernáculo, la *adj.* Que es propio de un país o lugar: *lengua vernácula.*

veronés, sa *adj.* y *s.* De Verona, ciudad de Italia.

verosímil *adj.* Que parece verdadero. **SIN.** Posible, creíble. **ANT.** Inverosímil.

verosimilitud *s. f.* Característica de lo que es verosímil.

verraco *s. m.* Cerdo macho que se usa para la reproducción.

verruga *s. f.* Bultito redondo, parecido a un grano, que sale en la piel.

versado, da *adj.* Que sabe mucho de algo. **SIN.** Experto, docto. **ANT.** Ignorante.

versal *adj.* y *s. f.* Letra mayúscula.

versalita *adj.* y *s. f.* Letra versal del mismo tamaño que la minúscula.

versar *v.* Tratar sobre un tema.

versátil *adj.* **1.** Que se adapta con facilidad o vale para muchas cosas. **2.** Que cambia fácilmente de ideas o sentimientos. **SIN. 1.** Adaptable. **2.** Variable, voluble. **ANT. 2.** Estable.

versatilidad *s. f.* Característica de las cosas o personas versátiles.

versículo *s. m.* División de una o varias frases que se hace en algunos libros, como la *Biblia.*

versificar *v.* Hacer versos o poner en verso.

versión *s. f.* Manera diferente de contar un mismo suceso o historia, de interpretar una canción o de tratar un mismo tema.

verso *s. m.* **1.** Cada una de la líneas que forman un poema. **2.** Poema. ‖ **3. verso de arte mayor** El que tiene más de ocho sílabas. **4. verso de arte menor** El que tiene ocho sílabas o menos.

vértebra *s. f.* Cada uno de los huesos que forman la columna vertebral.

vertebrado, da *adj.* y *s. m.* Se dice de los animales que tienen columna vertebral.

vertebral *adj.* Ver **columna.**

vertebrar *v.* Organizar, estructurar.

vertedera *s. f.* Pieza del arado en forma de placa que sirve para remover y extender la tierra levantada por la reja.

vertedero *s. m.* Lugar donde se tiran escombros o basura. **SIN.** Basurero.

verter *v.* **1.** Echar un líquido, arena o algo parecido en algún sitio, o salirse de donde está. **2.** Dar la vuelta a un recipiente para vaciar su contenido. **3.** Desembocar un río en otro, en un lago o en el mar. ◻ Es v. irreg. Se conjuga como *tender.* **SIN. 1.** Derramar, esparcir. **3.** Desaguar.

vertical *adj.* y *s. f.* Se dice de lo que está colocado de arriba abajo y recto. **SIN.** Derecho, erguido. **ANT.** Horizontal.

verticalidad *s. f.* Posición vertical.

vértice *s. m.* **1.** Punto de unión de dos o más líneas o de tres o más planos. **2.** Punta de la pirámide o del cono.

vertido, da **1.** *p.* de **verter.** También *adj.* ‖ *s. m.* **2.** Acción de verter o tirar algo. **3.** Residuos que se tiran.

vertiente *s. f.* **1.** Superficie inclinada de algo, por ejemplo de un tejado o de una montaña. **2.** Parte o aspecto de una persona o de una cosa. **SIN. 1.** Pendiente. **2.** Perspectiva.

vertiginoso, sa *adj.* Rapidísimo. **ANT.** Lento.

vértigo *s. m.* **1.** Sensación de mareo y de que las cosas giran a nuestro alrededor. **2.** Miedo e inseguridad que tiene una persona cuando mira al suelo desde un sitio elevado.

vesícula *s. f.* **1.** Órgano en forma de bolsita alargada. ‖ **2. vesícula biliar** La que está situada junto al hígado y en la que se almacena la bilis. **3. vesícula seminal** La que está situada junto a los testículos y sirve para almacenar parte del semen.

vespertino, na *adj.* De la tarde. **SIN.** Matutino, matinal.

vestíbulo *s. m.* **1.** Parte de una casa que está a la entrada. **2.** En los hoteles, aeropuertos, estaciones de tren y otros edificios, salón grande que está a la entrada. **3.** Una de las cavidades del oído interno. **SIN. 1.** Recibidor. **1** y **2.** Hall.

vestido *s. m.* **1.** La ropa que usamos para vestirnos. **2.** Prenda de vestir femenina de una sola pieza. **SIN. 1.** Vestidura, vestimenta.

vestidor *s. m.* Habitación para vestirse.

vestidura *s. f.* La ropa, el vestido. **EXPR. rasgarse** alguien **las vestiduras** Escandalizarse o indignarse por algo, generalmente de forma hipócrita.

vestigio *s. m.* Señal o recuerdo que queda de algo. **Sin.** Pista; huella.

vestimenta *s. f.* La ropa, el vestido.

vestir *v.* **1.** Poner o ponerse ropa. **2.** Cubrir o adornar una cosa. **3.** Dar una cosa importancia o elegancia al que la hace o la tiene. □ Es v. irreg. Se conjuga como *pedir.* **Ant. 1.** Desvestir.

vestuario *s. m.* **1.** Toda la ropa que tiene una persona para vestirse. **2.** Los trajes que se usan en el teatro, en el cine o en otros espectáculos. **3.** Lugar que hay en algunos sitios para cambiarse de ropa. **Sin. 1.** Indumentaria. **1** y **2.** Guardarropa.

veta *s. f.* **1.** Raya o franja que hay en una cosa y que se distingue por su color o forma. **2.** Filón alargado de mineral.

vetar *v.* Poner veto, rechazar o impedir algo. **Sin.** Prohibir. **Ant.** Permitir, autorizar.

veteado, da *adj.* **1.** Que tiene vetas: *una madera veteada.* ‖ *s. m.* **2.** Dibujo con vetas que tienen algunas cosas.

veteranía *s. f.* El hecho de ser veterano. **Sin.** Experiencia.

veterano, na *adj.* y *s.* **1.** Que lleva muchos años en un trabajo o profesión. **2.** Militar que estuvo en una guerra ya pasada. **Sin. 1.** Antiguo. **Ant. 1.** Novato.

veterinaria *s. f.* Ciencia y actividad dedicada a estudiar y curar las enfermedades de los animales.

veterinario, ria *adj.* **1.** Relacionado con la veterinaria. ‖ *s. m.* y *f.* **2.** Persona que se dedica a la veterinaria.

veto *s. m.* **1.** Prohibición, negativa. **2.** Poder que tiene alguien para impedir que se lleve a cabo lo que se ha decidido en una votación. **Sin. 1.** Oposición. **Ant. 1.** Autorización.

vetusto, ta *adj.* Viejo, antiguo.

vez *s. f.* **1.** Cada una de las acciones que se realizan o cada hecho que ocurre. **2.** Momento u ocasión en que se hace o pasa una cosa. **3.** Puesto que se tiene en una cola. **Expr. a la vez** Al mismo tiempo. **a su vez** Por su parte. **a veces** En ocasiones. **de una vez** Con una sola acción; también equivale a *ya*: ¡Decídete de una vez! **de vez en cuando** Algunas veces. **en vez de** En lugar de. **hacer las veces de** Sustituir, suplir. **tal vez** A lo mejor, quizá. **una vez que** Después que, cuando. **Sin. 2.** Oportunidad.

vía *s. f.* **1.** Carriles por donde va el tren. **2.** Ruta o camino. **3.** Conducto del cuerpo del hombre o de los animales: *vías*

respiratorias. **4.** Medio que se utiliza para llevar una cosa a un sitio: *correo por vía aérea.* **5.** Modo, método. ‖ **6. vía férrea** Vía del tren. **Expr. en vías de** En camino de realizarse. **Sin. 1.** Riel. **5.** Procedimiento.

vía crucis *expr. lat.* **1.** Recorrido que se hace parando y rezando delante de una serie de cruces, altares o imágenes en recuerdo de la pasión y muerte de Jesucristo. **2.** Sufrimiento prolongado. **Sin. 2.** Calvario.

viabilidad *s. f.* Característica de viable.

viable *adj.* Posible, que se puede hacer. **Sin.** Factible. **Ant.** Inviable.

viaducto *s. m.* Puente para poder pasar por encima de una carretera, de la vía del tren o sobre una hondonada grande.

viajante *adj.* y *s.* **1.** Persona que viaja. ‖ *s. m.* y *f.* **2.** Persona que se dedica a enseñar y vender productos viajando de un lugar a otro. **Sin. 2.** Representante.

viajar *v.* **1.** Ir de un lugar a otro lejano. **2.** Ir en un vehículo.

viaje[1] *s. m.* **1.** Acción de viajar. **2.** Recorrido que hay que hacer para llevar algo a un sitio. **Sin. 2.** Desplazamiento.

viaje[2] *s. m. fam.* Cuchillada profunda, ataque o golpe fuerte.

viajero, ra *adj.* y *s.* Que viaja. **Sin.** Viajante.

vial *adj.* Del tráfico o la circulación.

vianda *s. f.* Comida, alimento.

viandante *s. m.* y *f.* Persona que va a pie. **Sin.** Peatón, transeúnte.

viario, ria *adj.* De las carreteras.

viático *s. m.* Comunión que se da a los enfermos en peligro de muerte.

víbora *s. f.* **1.** Serpiente venenosa. **2.** Persona muy mala. **Sin. 2.** Bicho.

vibración *s. f.* El hecho de vibrar. **Sin.** Temblor.

vibrante *adj.* Vibratorio.

vibrar *v.* **1.** Moverse una cosa de un lado a otro con movimientos muy pequeños y rápidos. **2.** Emocionarse, entusiasmarse. **Sin. 2.** Agitarse, temblar.

vibrátil *adj.* Que es capaz de vibrar.

vibratorio, ria *adj.* Que vibra. **Sin.** Vibrante.

vibrisa *s. f.* **1.** Cada uno de los pelos táctiles que tienen en el hocico algunos mamíferos, como los gatos o las ratas. **2.** Cada una de las plumas con función sensorial que protegen los orificios nasales de las aves.

vicaría s. f. Lugar donde el vicario hace su trabajo.

vicario s. m. **1.** Sacerdote que ayuda al obispo. **2.** Persona que hace las veces de otra en algunos asuntos; se llama así, por ejemplo, al papa, que es el *vicario de Cristo* en la tierra.

vicealmirante s. m. Grado de la armada que equivale al de general de división.

vicecónsul s. m. y f. Persona que tiene el puesto inmediatamente inferior al de cónsul.

vicepresidencia s. f. Cargo de vicepresidente y oficina donde trabaja.

vicepresidente, ta s. m. y f. Persona que está en el puesto inmediatamente por debajo del presidente.

vicerrector, ra s. m. y f. Persona que está en el puesto inmediatamente por debajo del rector.

vicesecretario, ria s. m. y f. Persona que en algunas ocasiones sustituye al secretario.

vicetiple s. f. Cantante con la voz algo más grave que la tiple.

viceversa adv. Al revés de como se ha dicho antes.

viciado, da **1.** p. de **viciar**. También adj. ‖ adj. **2.** Se dice del aire de las habitaciones que no están bien ventiladas.

viciar v. **1.** Corromper. **2.** Hacer que una cosa coja una forma que no debería tener. **Sin. 1.** Pervertir. **2.** Deformar.

vicio s. m. **1.** Hábito que no es bueno y que es difícil dejarlo. **2.** Forma de ser o actuar mala. **Expr. de vicio** Muy bueno o muy bien. **Ant. 2.** Virtud.

vicioso, sa adj. y s. Que tiene vicios.

vicisitudes s. f. pl. Cosas o dificultades que se pasan al hacer algo. **Sin.** Contrariedad; avatares.

víctima s. f. **1.** El que sufre algún daño. **2.** Persona muerta accidentalmente o por causa de otras.

victoria s. f. Acción de vencer o ganar. **Sin.** Triunfo. **Ant.** Derrota.

victorioso, sa adj. Que ha vencido. **Sin.** Vencedor, ganador, triunfador. **Ant.** Perdedor.

vicuña s. f. Mamífero rumiante con el cuello largo y el cuerpo cubierto por una lana larga y suave, que se utiliza para hacer tejidos. Vive en los Andes.

vid s. f. Planta de hojas en forma de palma que da las uvas. Puede ser baja, casi a ras de suelo, o crecer mucho hacia arriba trepando por algún sitio.

vida s. f. **1.** Estado del hombre, los animales y las plantas en el que tienen actividad, crecen, producen otros seres y se relacionan con lo que los rodea. **2.** Tiempo que vive una persona y todo lo que hace en ese tiempo. **3.** Lo que dura una cosa. **4.** Actividad: *vida cultural*. **5.** Energía, fuerza. **6.** Animación, alegría. ‖ **7. la otra vida** Lo que vendrá después de la muerte. **8. nivel** o **calidad de vida** Situación de alguien según el dinero y las cosas que tiene. **9. vida y milagros** Todas la cosas que ha hecho alguien. **Expr. buscarse la vida** Ganar dinero y conseguir lo necesario para vivir. **de por vida** Para siempre. **de toda la vida** Desde hace mucho tiempo. **en la vida** Jamás. **ganarse la vida** Trabajar para vivir. **hacer** a alguien **la vida imposible** Molestarle o hacerle sufrir. **Sin. 2.** Existencia. **5.** Dinamismo, vigor.

vidente s. m. y f. Persona que dice que puede conocer el futuro o saber cosas sin haberlas visto.

vídeo s. m. **1.** Sistema para grabar y reproducir imágenes y sonido en una cinta y que permite verlas en una pantalla. **2.** Aparato para gravar y reproducir imágenes mediante este sistema. **3.** Videocasete con algo grabado.

videoaficionado, da s. m. y f. Persona aficionada a hacer películas de vídeo.

videocámara s. f. Cámara con la que se graban imágenes y sonidos en vídeo.

videocasete s. f. Cajita de plástico que tiene dentro una cinta enrollada en la que pueden grabarse imágenes y sonido en vídeo.

videoclip s. m. Grabación de vídeo en que se canta una canción acompañada con imágenes.

videoclub s. m. Tienda donde se alquilan o compran películas de vídeo.

videojuego s. m. Juego que se hace en una pantalla. Los hay para ordenador, para la televisión y otros que son pequeñas máquinas.

videoteca s. f. Conjunto de grabaciones de vídeo y lugar donde se encuentran.

vidorra s. f. fam. Buena vida.

vidriar v. **1.** Dar a una cosa el aspecto del vidrio. **2.** Recubrir objetos de cerámica con un barniz que tiene el brillo y la transparencia del vidrio.

vidriera s. f. Dibujo o combinación formada por trozos de vidrio unidos, que se ponen en puertas o ventanas de algunas iglesias y otros edificios.

vidrio *s. m.* **1.** Material duro y transparente que se rompe con gran facilidad; se forma al enfriarse rápidamente un mineral fundido. **2.** Placa de este material, como la que se ponen en las ventanas.

vidrioso, sa *adj.* Se dice de los ojos cuando están brillantes y parece que no miran a ningún sitio.

vieira (gall.) *s. f.* Molusco con dos valvas, una hueca y la otra plana, que es muy apreciado como alimento.

viejales *s. m.* y *f. fam.* Persona vieja.

viejo, ja *adj.* y *s.* **1.** Persona o animal de muchos años. || *adj.* **2.** Muy gastado o usado. **3.** De hace mucho tiempo. EXPR. **de viejo** Se dice de las tiendas de cosas usadas: *una librería de viejo.* SIN. **1.** Anciano. **3.** Antiguo. ANT. **1.** Joven. **2** y **3.** Nuevo.

vienés, sa *adj.* y *s.* De Viena, capital de Austria.

viento *s. m.* **1.** Aire que se mueve. **2.** Cada una de las cuerdas tirantes con las que se aseguran y mantienen derechas las tiendas de campaña, carpas, toldos. EXPR. **con viento fresco** *fam.* Se usa en expresiones que indican que a alguien le echan o se va de un sitio. **contra viento y marea** Aunque haya muchos problemas o dificultades. **de viento** Se dice de los instrumentos que suenan al pasar por ellos una corriente de aire, por ejemplo la flauta. **viento en popa** Muy bien. SIN. **1.** Brisa, ventisca.

vientre *s. m.* La barriga, sobre todo por la parte de abajo. EXPR. **hacer de vientre** Defecar, hacer caca. SIN. Estómago, panza.

viernes *s. m.* Quinto día de la semana.

vierteaguas *s. m.* Reborde en la parte baja de puertas y ventanas para que escurra por él el agua de la lluvia.

vietnamita *adj.* y *s.* **1.** De Vietnam, país de Asia. || *s. m.* **2.** Lengua de este país.

viga *s. f.* Cada uno de los maderos o hierros largos que sostienen el techo de una casa. SIN. Travesaño.

vigencia *s. f.* Actualidad, validez.

vigente *adj.* Que todavía vale o se usa. SIN. Actual, válido. ANT. Desusado.

vigesimal *adj.* Se dice del sistema de numeración que tiene como base el número veinte.

vigésimo, ma *num.* **1.** Que está en el lugar número veinte. || *adj.* y *s. m.* **2.** Se dice de cada una de las veinte partes iguales en que se divide algo.

vigía *s. m.* y *f.* **1.** Persona que vigila desde un lugar alto. || *s. f.* **2.** Torre alta desde la que se puede vigilar. SIN. **1.** Centinela, observador. **2.** Atalaya.

vigilancia *s. f.* **1.** El hecho de vigilar. **2.** Conjunto de personas y medios para vigilar. SIN. **1.** Atención, custodia. **1** y **2.** Guardia, control. ANT. **1.** Descuido.

vigilante *adj.* y *s.* **1.** Que vigila. || **2. vigilante jurado** El que trabaja en una empresa privada de seguridad. SIN. **1.** Atento; centinela, celador.

vigilar *v.* Observar a una persona o cosa o estar atento a lo que pasa en un lugar. SIN. Cuidar, guardar, controlar. ANT. Descuidar.

vigilia *s. f.* **1.** El estar despierto cuando se debería estar durmiendo. **2.** Celebración que se hace como preparación a una fiesta religiosa importante la noche antes. **3.** Mandamiento de la Iglesia católica que prohíbe comer carne los viernes y otros días del año. SIN. **1.** Insomnio, vela. **3.** Abstinencia.

vigor *s. m.* **1.** Fuerza, vitalidad, energía. **2.** Situación de lo que todavía vale o se usa: *estar en vigor.* SIN. **1.** Fortaleza, brío. **2.** Vigencia. ANT. **1.** Debilidad.

vigorizar *v.* Fortalecer, dar vigor o fuerza. SIN. Robustecer. ANT. Debilitar.

vigoroso, sa *adj.* Que tiene vigor o fuerza. SIN. Enérgico, vital. ANT. Débil.

vigués, sa *adj.* y *s.* De Vigo, ciudad española.

vigueta *s. f.* Barra de hierro que se utiliza en la construcción de edificios.

vihuela *s. f.* Antiguo instrumento musical de cuerda parecido a la guitarra.

vikingo, ga *adj.* y *s.* De unos pueblos de guerreros y navegantes escandinavos que atacaron muchas zonas del oeste de Europa en los siglos VIII al XI.

vil *adj.* Muy malo, despreciable. SIN. Ruin, bajo. ANT. Noble.

vilano *s. m.* Bolitas de pelitos finos que se forman en el cáliz de las flores y salen volando con el viento, diseminando así las semillas.

vileza *s. f.* **1.** Acción vil. **2.** Característica de lo que es vil. SIN. **1.** Canallada. **1** y **2.** Bajeza. ANT. **2.** Nobleza.

vilipendiar *v.* Ofender o hacer daño a alguien con palabras o acciones. SIN. Difamar, calumniar. ANT. Honrar.

vilipendio *s. m.* El hecho de vilipendiar. SIN. Deshonra.

villa *s. f.* **1.** Nombre que se da a algunos pueblos o ciudades que antiguamente, tuvieron mucha importancia. 2. Chalé o casa de campo. ‖ 3. **casa de la villa** Ayuntamiento.

villancico s. m. 1. Canción popular que se canta en Navidad y que trata del nacimiento de Jesús o de esas fiestas. 2. Nombre de algunas poesías medievales, de versos de ocho sílabas o menos.

villanía s. f. 1. Acción vil o mala. 2. Característica de villano, de malvado. **Sin.** 1 y 2. Vileza, bajeza. **Ant.** 2. Nobleza.

villano, na adj. y s. 1. Antiguamente, habitante de una villa o pueblo que pertenecía a la clase más baja. 2. Que realiza acciones viles o muy malas. **Sin.** 1. Plebeyo. 2. Ruin. **Ant.** Noble.

villorrio s. m. desp. Poblacho.

vilo Se usa en la expresión **en vilo**, 'sin apoyarse en nada'; también 'intranquilo'.

vinacha s. f. desp. Vino o licor malo.

vinagre s. m. Líquido de sabor ácido que se produce al fermentar vino o algunos otros líquidos alcohólicos; se usa como condimento o para conservar alimentos.

vinagrera s. f. 1. Frasco o jarrita donde se echa el vinagre. ‖ pl. 2. Las dos jarritas, una con aceite y otra con vinagre, que se ponen en la mesa.

vinagreta s. f. Salsa fría hecha principalmente con aceite, vinagre y cebolla.

vinajera s. f. Cada una de las dos jarritas, una para el agua y otra para el vino, que se emplean en la misa.

vinatero, ra adj. 1. Del vino. ‖ s. m. y f. 2. Persona que trabaja en la industria del vino o se dedica a su venta.

vinculación s. f. Relación, unión.

vinculante adj. Que vincula.

vincular v. 1. Poner en relación, unir. 2. Hacer que una persona o cosa dependa de otra. 3. Ser obligatoria para alguien una ley o norma. **Sin.** 1. Relacionar. 2. Ligar, supeditar. 3. Obligar. **Ant.** 1. Separar.

vínculo s. m. Unión muy fuerte. **Sin.** Lazo, atadura.

vindicar v. 1. Vengar. 2. Defender a una persona que ha sido tratada injustamente. 3. Reivindicar. **Sin.** 2. Rehabilitar.

vindicativo, va adj. Que vindica o sirve para vindicar.

vinícola adj. Relacionado con la producción del vino.

vinicultor, ra s. m. y f. Persona que se dedica a la vinicultura.

vinicultura s. f. Actividad dedicada a la producción del vino y al cuidado de las vides que se destinan para hacer vino.

vino s. m. Bebida alcohólica que se hace al fermentar el zumo de uvas.

viña s. f. Terreno plantado de vides.

viñador, ra s. m. y f. Persona que se dedica al cuidado de las vides.

viñedo s. m. Viña grande.

viñeta s. f. 1. Cada uno de los recuadros con dibujos que forman la historieta de un tebeo o cómic. 2. Pequeño dibujo impreso en un libro, periódico o revista.

viola s. f. Instrumento musical parecido al violín, pero más grande y de sonido más grave.

violáceo, a adj. 1. Que se parece al color violeta. ‖ adj. y s. m. 2. Se dice del color violeta. **Sin.** 2. Violado.

violación s. f. El hecho de violar. **Sin.** Vulneración, transgresión. **Ant.** Respeto, cumplimiento.

violado, da 1. p. de **violar**. También adj. ‖ adj. y s. m. 2. Color violeta.

violador, ra s. m. y f. Que viola a otra persona.

violar v. 1. Desobedecer una ley o una norma. 2. Obligar una persona a otra a tener relaciones sexuales con ella por la fuerza o engañándola. **Sin.** 1. Infringir, transgredir. 2. Forzar. **Ant.** 1. Obedecer.

violencia s. f. 1. Uso de la fuerza para conseguir o hacer algo. 2. Característica de lo que es violento, brusco o muy fuerte. **Sin.** 1 y 2. Brutalidad. 2. Furia, furor. **Ant.** 1 y 2. Delicadeza.

violentar v. 1. Obligar por la fuerza. 2. Hacer algo en una cosa empleando la fuerza. 3. Incomodar o molestar a una persona. **Sin.** 1. Forzar.

violento, ta adj. 1. Que utiliza o suele utilizar la fuerza, la violencia. 2. Muy fuerte o intenso: un choque violento. 3. Brusco, inesperado: un movimiento violento. 4. Forzado, no natural: una postura violenta. 5. Incómodo, molesto, sin saber qué hacer. **Sin.** 1. Bárbaro; bruto. **Ant.** 1. Pacífico. 2. Suave.

violeta s. f. 1. Planta de jardín con unas flores de color morado claro que tienen los pétalos desiguales. ‖ adj. y s. m. 2. Del color de esas flores. **Sin.** 2. Malva.

violetera s. f. Mujer que vendía ramitos de violetas por la calle.

visera

violín s. m. Instrumento musical de cuerda que se toca sujetándolo entre el hombro y la barbilla y frotando las cuerdas con un arco.

violinista s. m. y f. Músico que toca el violín.

violón s. m. Contrabajo, instrumento musical.

violonchelista s. m. y f. Músico que toca el violonchelo.

violonchelo s. m. Instrumento musical de cuerda parecido al violín, pero más grande; se toca apoyado en el suelo.

viperino, na adj. 1. De la víbora. || 2. **lengua viperina** Conducta del que habla mal de la gente para hacer daño.

viraje s. m. Acción de virar. Sin. Giro.

virar v. Girar para cambiar de dirección. Sin. Torcer, doblar.

virgen adj. y s. 1. Se dice de la persona, sobre todo de la mujer, que no ha realizado nunca el acto sexual. || adj. 2. Se dice de las cosas que están tal como eran y nadie ha hecho nada en ellas: una cinta virgen. || s. f. 3. María, la madre de Jesucristo. Sin. 2. Intacto.

virginal adj. 1. De las personas vírgenes. 2. De la Virgen María. 3. Puro, sin mancha, sin que nadie lo haya tocado. Sin. 3. Intacto.

virginidad s. f. Característica de virgen. Sin. Castidad; pureza.

virgo s. m. Sexto signo del zodiaco (del 22 de agosto al 21 de septiembre).

virguería s. f. 1. fam. Cosa o acción hecha muy bien o con mucho detalle. 2. fam. Florituras.

virguero, ra adj. 1. fam. Muy bonito o muy bien hecho. || adj. y s. 2. fam. Muy hábil haciendo algo. Sin. 1. Chulo.

vírgula s. f. Rayita corta y muy fina, como algunas que se usan al escribir, por ejemplo la que lleva la letra ñ.

vírico, ca adj. De los virus o producido por ellos. Sin. Virulento.

viril adj. Varonil.

virilidad s. f. Característica de viril.

virreina s. f. 1. Mujer que gobierna un territorio en nombre del rey y con sus mismos poderes. 2. Esposa del virrey.

virreinato s. m. Cargo de virrey o virreina y territorio que gobierna.

virrey s. m. Hombre que gobierna un territorio en nombre del rey y con sus mismos poderes.

virtual adj. Posible, probable: Le consideran el virtual ganador. Sin. Potencial. Ant. Real.

virtud s. f. 1. La bondad, la honradez, la generosidad o cualquier otra cualidad buena. 2. Capacidad para producir un efecto, sobre todo si es algo bueno. Sin. 2. Poder, facultad. Ant. 1. Vicio; defecto.

virtuosismo s. m. El saber hacer muy bien una cosa.

virtuoso, sa adj. y s. 1. Muy bueno, con muchas virtudes. 2. Se dice de la persona que sabe hacer algo muy bien, sobre todo tocar un instrumento musical. Sin. 1. Honesto, íntegro. 2. Hábil, diestro. Ant. 1. Vicioso. 2. Torpe.

viruela s. f. Enfermedad infecciosa causada por un virus, que produce fiebre alta y ampollas con pus, también llamadas viruelas.

virulé Se usa en la expresión **a la virulé**, 'estropeado' o 'en mal estado'; se dice sobre todo del ojo cuando se pone morado por un golpe.

virulencia s. f. Violencia, fuerza.

virulento, ta adj. 1. Producido por un virus. 2. Muy fuerte, muy violento. Sin. 1. Vírico. 2. Intenso; cruel.

virus s. m. 1. Microbio que transmite enfermedades. 2. En informática, programa que estropea parte de la memoria de un ordenador y puede pasar de unos ordenadores a otros.

viruta s. f. Tirita fina enroscada que se saca de la madera, del metal o de otros materiales con algunas herramientas.

vis a vis expr. fr. Cara a cara, frente a frente.

visado s. m. Nota y sello que se pone en un papel para autorizar algo, por ejemplo en un pasaporte para permitir que alguien entre en un país.

visaje s. m. Gesto que se hace con la cara, sobre todo cuando es exagerado.

víscera s. f. Órgano del cuerpo, como el corazón, el hígado o los riñones.

visceral adj. 1. De las vísceras. 2. Se dice de los sentimientos que son muy fuertes y no se pueden evitar y de las personas que los tienen.

viscosa s. f. Tela fina y blanda que se utiliza para hacer ropas ligeras.

viscosidad s. f. 1. Característica de lo que es viscoso. 2. Sustancia viscosa.

viscoso, sa adj. Se dice de los líquidos muy espesos y pegajosos.

visera s. f. 1. Pieza saliente de las gorras que sirve para quitar el sol de los ojos. A veces esta pieza se lleva sola y sujeta con una goma o con una cinta.

2. Pieza que protege la cara, como la que tienen algunos cascos.

visibilidad *s. f.* Característica de visible, de poderse ver las cosas.

visible *adj.* 1. Que se puede ver. 2. Muy claro, que es evidente. **SIN.** 2. Patente. **ANT.** 1. Invisible. 2. Dudoso.

visigodo, da *adj. y s.* Se dice de un grupo del pueblo godo que creó un reino en España.

visigótico, ca *adj.* De los visigodos.

visillo *s. m.* Cortina muy fina, casi transparente.

visión *s. f.* 1. Capacidad de ver. 2. Cosa que alguien cree ver o se imagina y que le parece real. 3. Opinión o punto de vista. **SIN.** 1. Vista. 2. Alucinación. 3. Vertiente.

visionar *v.* Ver imágenes de cine o de televisión, sobre todo cuando se está trabajando con ellas.

visionario, ria *adj. y s.* Que se imagina o cree cosas imposibles. **SIN.** Iluso.

visir *s. m.* Ministro más importante de los soberanos musulmanes.

visita *s. f.* 1. Hecho de visitar. 2. Persona que visita a alguien. **SIN.** 2. Visitante.

visitador, ra *s. m. y f.* 1. Persona que visita varios lugares para inspeccionarlos. 2. Persona que trabaja visitando a los médicos para enseñarles y venderles productos.

visitante *adj. y s.* 1. Que visita. 2. En deporte, se dice del equipo que juega en un campo que no es el suyo.

visitar *v.* 1. Ir a ver a una persona al lugar donde está. 2. Ir a un sitio para conocerlo o para examinarlo.

vislumbrar *v.* 1. Ver una cosa no muy bien por estar muy lejos o haber poca luz. 2. Empezar a ver o comprender una cosa. **SIN.** 1 y 2. Atisbar.

vislumbre *s. f.* 1. Reflejo, débil resplandor de luz. 2. Indicio, sospecha.

viso *s. m.* 1. Brillo o reflejo que tienen algunas cosas, según les da la luz. 2. Aspecto. **SIN.** 1. Destello, resplandor. 2. Pinta, traza.

visón *s. m.* Animal mamífero de cuerpo alargado y de pequeño tamaño y patas muy cortas. Tiene la piel muy suave, de color marrón oscuro, que se usa en peletería, y vive en las orillas de ríos y lagos.

visor *s. m.* 1. Parte de las cámaras y otros aparatos por donde se mira para enfocar la imagen. 2. Aparato que se usa para ver diapositivas o fotogramas.

víspera *s. f.* 1. El día anterior a otro. || *pl.* 2. Tiempo antes de un hecho o de un suceso.

vista *s. f.* 1. Sentido por el que se perciben las formas y los colores de los objetos, por medio de los ojos. 2. La mirada. 3. El hecho de ver. 4. Paisaje, panorama. 5. Instinto, olfato, facilidad para darse cuenta de las cosas. || **6. corto de vista** Miope. **7. vista cansada** Defecto de la vista por el que las cosas que están cerca se ven borrosas y en cambio las que están lejos se ven más claramente. También se llama *presbicia*. **EXPR. a la vista** Muy claro o evidente; de manera que pueda ser visto; en un futuro que está cerca. **a la vista de** o **en vista de** una cosa Teniéndolo en cuenta. **hacer la vista gorda** Hacer como si no se hubiera visto una cosa que no está bien. **perder de vista** Dejar de ver a alguien o algo. **SIN.** 3. Visión.

vistazo *s. m.* Mirada, repaso o examen rápido de algo. **SIN.** Ojeada, ojo.

visto, ta 1. *p. de* ver. También *adj.* || *adj.* 2. Se dice de aquello que todo el mundo conoce y que es poco original. || 3. **visto bueno** Aprobación, permiso. **EXPR. bien visto** o **mal visto** Se dice de lo que a la gente le parece bien o mal. **por lo visto** Según se cree, según parece. **visto y no visto** Que sucede o se acaba muy deprisa. **SIN.** 2. Pasado. **ANT.** 2. Nuevo.

vistosidad *s. f.* Característica de las cosas vistosas.

vistoso, sa *adj.* Que llama mucho la atención por su aspecto o sus colores. **SIN.** Llamativo, atractivo, colorista. **ANT.** Discreto.

visual *adj.* De la vista.

visualizar *v.* 1. Imaginar como si se viera una cosa que no se tiene ante la vista. 2. Hacer que se vea algo que no es visible a simple vista utilizando medios artificiales, por ejemplo el microscopio.

vital *adj.* 1. De la vida. 2. Fundamental, muy importante. 3. Se dice de la persona con mucha vitalidad. **SIN.** 2. Esencial, básico. 3. Animoso, dinámico.

vitalicio, cia *adj.* Para toda la vida: *pensión vitalicia*.

vitalidad *s. f.* Ánimo, energía y ganas de hacer cosas. **SIN.** Dinamismo, vigor.

vitamina *s. f.* Nombre de muchas sustancias que se encuentran en la mayoría de los alimentos y son necesarias para el crecimiento y para el desarrollo de las funciones de los seres vivos.

vitaminado, da *adj.* Se dice del alimento o la medicina a los que se les han añadido vitaminas.

vitamínico, ca *adj.* **1.** De las vitaminas. **2.** Que tiene vitaminas.

vitícola *adj.* De la viticultura.

viticultor, ra *s. m.* y *f.* Persona que se dedica a la viticultura.

viticultura *s. f.* El cultivo de la vid y las técnicas que se utilizan para cultivarla.

vitivinícola *adj.* De la vitivinicultura.

vitivinicultor, ra *s. m.* y *f.* Persona que se dedica a la vitivinicultura.

vitivinicultura *s. f.* Técnica de cultivar las vides y elaborar el vino.

vitola *s. f.* Banda estrecha de papel que llevan los puros alrededor, donde pone de qué marca son.

vítor *s. m.* Expresión con que se alaba a alguien y se muestra entusiasmo y satisfacción, como *hurra* o *viva*. **SIN.** Aclamación. **ANT.** Abucheo.

vitorear *v.* Gritarle a alguien vítores. **SIN.** Aclamar. **ANT.** Abuchear.

vitoriano, na *adj.* y *s.* De Vitoria, ciudad española.

vitral *s. m.* Vidriera de colores, especialmente la que está en una iglesia.

vítreo, a *adj.* De vidrio o parecido a él.

vitrina *s. f.* Mueble, caja o escaparate con puertas o tapas de cristal para que puedan verse las cosas que hay dentro.

vituallas *s. f. pl.* Víveres.

vituperar *v.* Hablar muy mal de una persona. **SIN.** Criticar, insultar. **ANT.** Elogiar.

vituperio *s. m.* Lo que se dice para vituperar. **SIN.** Insulto, crítica. **ANT.** Elogio.

viudedad o **viudez** *s. f.* El ser viudo.

viudo, da *adj.* y *s.* Persona a la que se le ha muerto su marido o su mujer y que no ha vuelto a casarse.

¡viva! *interj.* Expresa alegría o se dice en honor de alguien: *¡Viva el rey!*

vivac *s. m.* **1.** Campamento provisional que se instala para pasar la noche a la intemperie. **2.** El pasar la noche en el campo o la montaña, al aire libre.

vivacidad *s. f.* Característica de vivaz.

vivalavirgen *s. m.* y *f. fam.* Persona que no se preocupa por nada, a la que todo le da igual. **SIN.** Irresponsable.

vivales *s. m.* y *f. fam.* Persona muy lista que saca provecho de todo. **SIN.** Caradura, vivo. **ANT.** Pardillo.

vivamente *adv.* Con viveza, energía o intensidad.

vivaquear *v.* Pasar la noche en el campo al aire libre.

vivaracho, cha *adj.* y *s. fam.* Alegre, animoso y muy espabilado. **SIN.** Vivaz, despierto.

vivaz *adj.* y *s. m.* y *f.* Listo, espabilado y muy activo. **SIN.** Vivaracho, dinámico. **ANT.** Parado.

vivencia *s. f.* Experiencia, lo que le ha pasado a alguien.

víveres *s. m. pl.* Cosas necesarias para comer. **SIN.** Vituallas.

vivero *s. m.* **1.** Lugar donde se crían árboles y plantas para luego trasplantarlos a su sitio definitivo. **2.** Lugar en que se crían dentro del agua peces y otros animales, como cangrejos, mejillones y ostras. **SIN. 1** y **2.** Criadero. **2.** Piscifactoría.

viveza *s. f.* **1.** Capacidad para hacer cosas o pensar con rapidez. **2.** Entusiasmo, energía. **3.** Brillo, luz, alegría. **SIN. 1.** Dinamismo, presteza. **2.** Pasión, ardor. **ANT. 1.** Lentitud.

vívido, da *adj.* Que hace que uno se imagine lo que se cuenta o se dice.

vividor, ra *s. m.* y *f.* **1.** Persona que vive bien sin trabajar mucho y aprovechándose de los demás. **2.** Persona que sabe disfrutar de la vida.

vivienda *s. f.* Casa o construcción para que vivan en ella personas. **SIN.** Residencia, domicilio.

viviente *adj.* y *s.* Que vive. **SIN.** Vivo. **ANT.** Muerto.

vivificar *v.* Dar fuerzas, ánimos o energía. **SIN.** Fortalecer, vigorizar. **ANT.** Debilitar.

vivíparo, ra *adj.* y *s.* Se dice de los animales que se desarrollan dentro del vientre de sus madres antes de nacer, como los mamíferos. **ANT.** Ovíparo.

vivir *v.* **1.** Tener vida. **2.** Alimentarse una persona y tener las cosas que necesita, como casa o ropa. **3.** Residir, tener la casa en un lugar. **4.** Llevar un tipo de vida. **5.** Sentir o experimentar algo. **SIN. 1.** Existir. **2.** Subsistir. **3.** Morar. **ANT. 1.** Morir.

vivisección *s. f.* Disección de un animal vivo.

vivo, va *adj.* **1.** Que tiene vida. **2.** Actual, vigente. **3.** Muy fuerte, muy intenso. **4.** Alegre, brillante: *colores vivos.* **5.** Rápido o ágil. || *adj.* y *s.* **6.** Despierto, listo, espabilado. || *s. m.* **7.** Borde de alguna cosa, sobre todo el que se pone de adorno en la ropa. **SIN. 1.** Viviente, existente. **3.** Agudo, **6.** Vivaz, vivaracho. ANT. 1 y 2. Muerto. 2. Anticuado. 3. Suave. 4. Triste.

vizcaíno, na adj. y s. 1. De Vizcaya, provincia española en el País Vasco. ‖ s. m. 2. Dialecto de la lengua vasca que se habla en gran parte de Vizcaya.

vizconde, vizcondesa s. m. y f. 1. Noble de rango inferior al de conde. ‖ s. f. 2. Mujer del vizconde.

vocablo s. m. Palabra de una lengua.

vocabulario s. m. 1. Conjunto de las palabras de una lengua, de una profesión o de una persona. 2. Libro o lista con estas palabras y sus significados. SIN. 1. Léxico, terminología. 2. Diccionario, glosario.

vocación s. f. Atracción que siente una persona por una profesión, actividad o forma de vida.

vocacional adj. Relacionado con la vocación.

vocal adj. 1. De la voz. ‖ s. f. 2. Cada una de las cinco letras (a, e, i, o, u) que junto con las consonantes forman el alfabeto. ‖ adj. y s. 3. Persona que tiene derecho a hablar en una reunión, en una junta o en algo parecido.

vocálico, ca adj. De las letras vocales.

vocalista s. m. y f. Cantante de un grupo musical.

vocalización s. f. 1. Acción de vocalizar. 2. Ejercicio que hacen los cantantes que consiste en modular la voz utilizando una o varias vocales.

vocalizar v. Pronunciar las palabras de forma que se entiendan muy bien. SIN. Articular.

vocear v. 1. Dar voces, gritos. 2. Decir algo que se debería callar, como un secreto. SIN. 1. Gritar, vociferar. 2. Pregonar, divulgar. ANT. 1. Susurrar.

voceras s. m. y f. Boceras, bocazas.

vocerío s. m. Muchas voces fuertes que se oyen a la vez. SIN. Griterío.

vociferante adj. Que vocifera.

vociferar v. Dar voces, gritar. SIN. Vocear, chillar. ANT. Susurrar.

vocinglero, ra adj. y s. Que habla mucho o demasiado alto.

vodevil s. m. Comedia de tema algo atrevido, con espectáculos de música y baile.

vodka o **vodca** (ruso) s. m. Aguardiente muy fuerte típico de los países del este de Europa.

voladizo, za adj. Se dice de la parte de un edificio, por ejemplo una cornisa, que sobresale del muro o de la pared.

volado, da 1. p. de **volar**. ‖ adj. 2. Se dice de la parte de un edificio que sobresale del muro o pared y no tiene otro elemento que lo soporte. 3. fam. Intranquilo, impaciente.

volador, ra adj. 1. Que vuela. ‖ s. m. 2. Tipo de calamar. SIN. 1. Volante.

voladura s. f. Acción de volar o hacer explotar una cosa. SIN. Explosión.

volandas Se usa en la expresión **en volandas**, 'por el aire, levantando a una persona o cosa sin que toque el suelo': llevar en volandas.

volantazo s. m. Giro muy rápido y brusco que se da al volante de un automóvil.

volante adj. 1. Que vuela: un platillo volante. ‖ s. m. 2. Pieza del automóvil y de otros vehículos que sirve para dirigirlo. 3. Tira de tela fruncida que se pone de adorno en la ropa, en las cortinas y otras cosas parecidas. 4. Hoja de papel que se arranca de un cuadernillo y sirve para probar o justificar algo. 5. Media pelotita con plumas que se lanza con la raqueta en el juego del bádminton. SIN. 1. Volador.

volar v. 1. Ir por el aire. 2. fam. Desaparecer de repente alguien o algo. 3. Ir muy deprisa. 4. Hacer explotar algo con explosivos. □ Es v. irreg. Se conjuga como contar. SIN. 4. Explosionar.

volátil adj. Se dice de la sustancia que se evapora en seguida, como por ejemplo la gasolina.

volatilizar v. Transformar una sustancia líquida o sólida en vapor o gas.

volatinero, ra s. m. y f. Acróbata.

volcán s. m. Monte con una abertura o cráter que por ella salen gases, llamas y lava del interior de la Tierra; también se llama así a ese monte aunque esté apagado.

volcánico, ca adj. De los volcanes.

volcanismo s. m. Vulcanismo.

volcar v. 1. Inclinar alguna cosa haciendo que caiga sobre un lado distinto del que estaba. 2. Dar la vuelta a una cosa haciendo que se salga lo que contiene. ‖ **volcarse** 3. Hacer una persona todo lo que puede por otra. □ Es v. irreg. Se conjuga como trocar. SIN. 1. Derribar, tumbar. 2. Voltear, verter. ANT. 1. Levantar, recoger.

volea s. f. Golpe dado a una pelota en el aire antes de que toque el suelo.

voleibol s. m. Deporte que se juega entre dos equipos y que consiste en lanzar el balón, golpeándolo con las

vorágine

manos, de un campo a otro por encima de una red.

voleo Se usa en la expresión **a voleo**, 'de cualquier manera', 'sin pararse a pensar'.

volframio *s. m.* Elemento químico. Es un metal de color blanco plateado que se utiliza para fabricar hilos de bombillas y de algunos aparatos eléctricos y también, con otros metales, para hacer herramientas.

volitivo, va *adj.* De la voluntad.

volován *s. m.* Pastel de hojaldre hueco y redondo que se rellena con un alimento.

volquete *s. m.* Camión que puede volcar la caja para vaciar lo que lleva.

voltaico, ca *adj.* Se dice de la electricidad producida por pilas.

voltaje *s. m.* **1.** Cantidad de voltios que hace falta para que funcione un aparato eléctrico. **2.** Diferencia de potencial que hay entre dos puntos de un conductor de corriente eléctrica, siendo la diferencia de potencial la fuerza que hace circular esta corriente.

voltear *v.* Dar la vuelta o dar varias vueltas. **SIN.** Volcar, volver.

voltereta *s. f.* Vuelta que da una persona sobre el suelo o en el aire con el cuerpo enroscado y la cabeza doblada hacia las piernas.

voltímetro *s. m.* Aparato para medir la cantidad de voltios.

voltio[1] *s. m.* Unidad de voltaje o diferencia de potencial.

voltio[2] *s. m. fam.* Paseo, vuelta.

voluble *adj.* Que cambia continuamente de idea, de opinión, de gustos. **SIN.** Caprichoso. **ANT.** Constante.

volumen *s. m.* **1.** Espacio que ocupa alguna cosa. **2.** Cada uno de los tomos de una obra escrita. **3.** Fuerza de la voz o de otro sonido. **4.** Cantidad, importancia. **SIN. 1.** Bulto. **4.** Magnitud.

voluminoso, sa *adj.* Que ocupa mucho espacio. **SIN.** Grande, abultado.

voluntad *s. f.* **1.** Capacidad de las personas para decidir lo que quieren hacer. **2.** Fuerza que tiene una persona para hacer un gran esfuerzo o sacrificio. **3.** Intención, deseo. ‖ **4. buena voluntad** Deseo o intención de hacer bien algo o hacer una cosa buena. **SIN. 2.** Ánimo, empeño. **2** y **3.** Determinación. **3.** Propósito; consentimiento.

voluntariado *s. m.* Conjunto de personas que se ofrecen voluntariamente

para hacer una cosa o para prestar un servicio.

voluntariedad *s. f.* Característica de ser voluntario. **ANT.** Obligatoriedad.

voluntario, ria *adj.* **1.** Que alguien lo hace porque quiere. ‖ *adj. y s.* **2.** Que se ofrece para hacer algo porque quiere, sin obligación. **SIN. 1.** Facultativo, opcional. **ANT. 1.** Obligatorio.

voluntarioso, sa *adj.* Que se esfuerza todo lo que puede por hacer o conseguir algo. **SIN.** Perseverante, tenaz. **ANT.** Inconstante.

voluptuosidad *s. f.* Característica de voluptuoso. **SIN.** Sensualidad.

voluptuoso, sa *adj.* Que produce placer o busca el placer. **SIN.** Sensual.

voluta *s. f.* Adorno en forma de espiral, propio de los capiteles jónicos y corintios.

volver *v.* **1.** Ir otra vez a un lugar donde se había estado antes. **2.** Suceder o hacer algo otra vez. **3.** Dar la vuelta. **4.** Hacer que una persona o cosa sea de otra manera: *Se ha vuelto muy estudiosa.* □ Es v. irreg. **EXPR. volver en sí** Despertar o recuperarse una persona que había perdido el conocimiento. **volverse alguien atrás** No hacer lo que había dicho o lo que pensaba hacer. **SIN. 1.** Regresar, retornar. **3.** Voltear, invertir; torcer. **4.** Convertir, transformar.

VOLVER		
INDICATIVO	SUBJUNTIVO	IMPERATIVO
Presente	Presente	
vuelvo	vuelva	
vuelves	vuelvas	vuelve
vuelve	vuelva	
volvemos	volvamos	
volvéis	volváis	volved
vuelven	vuelvan	

vomitar *v.* Echar por la boca lo que se tenía en el estómago. **SIN.** Devolver.

vomitivo, va *adj. y s.* **1.** Que hace vomitar. **2.** Muy malo, asqueroso.

vómito *s. m.* Acción de vomitar y lo que se vomita. **SIN.** Vomitona.

vomitona *s. f.* Vómito grande.

vomitorio *s. m.* Puerta grande de los estadios, plazas de toros y edificios parecidos por donde se entra a las gradas desde el exterior.

voracidad *s. f.* Característica de voraz.

vorágine *s. f.* **1.** Remolino fuerte de agua que se forma en el mar o en otros sitios. **2.** Jaleo, confusión. **SIN. 1.** Torbellino. **2.** Tumulto, lío, barahúnda.

voraz *adj.* **1.** Que come mucho o con muchas ganas. **2.** Que destruye o consume muy rápidamente: *un fuego voraz.* **Sin. 1.** Tragón, comilón, glotón. **Ant. 1.** Desganado.

vórtice *s. m.* **1.** Remolino, vorágine, torbellino. **2.** Centro de un huracán.

vos *pron. pers.* **1.** Antigua forma de segunda persona del singular para el masculino y el femenino, que se empleaba para hablar a alguien con mucho respeto. **2.** Forma que se emplea en algunos lugares de Hispanoamérica en lugar de *tú.*

voseo *s. m.* Empleo de la forma *vos* en lugar de *tú.*

vosotros, tras *pron. pers.* Forma de segunda persona del plural. Se utiliza para hablar con un grupo de personas con las que se tiene confianza.

votación *s. f.* Forma de expresar cada una de las personas de un grupo su opinión sobre algo. **Sin.** Sufragio.

votante *s. m. y f.* Persona que vota. **Sin.** Elector.

votar *v.* Dar su opinión cada una de las personas de un grupo diciendo lo que prefieren. **Sin.** Elegir. **Ant.** Abstenerse.

votivo, va *adj.* Que se ofrece en señal de un voto o promesa.

voto *s. m.* **1.** Opinión que da cada persona en una votación. **2.** Derecho a votar. **3.** Promesa hecha a Dios, a la Virgen o a un santo; se llaman así sobre todo las que hacen las monjas, sacerdotes y religiosos en la Iglesia católica.

vox pópuli *expr. lat.* Significa 'voz del pueblo' y se utiliza para expresar que algo es sabido por todo el mundo.

voz *s. f.* **1.** Sonido que se produce al pasar el aire de los pulmones por la laringe, haciendo vibrar las cuerdas vocales. **2.** Grito, chillido. **3.** Cantante, vocalista. **4.** Palabra, término. **5.** En gramática, forma en que está un verbo para indicar si el sujeto realiza la acción o si la recibe. En la voz activa el sujeto la realiza (*Rosa hace un dibujo*) y en la voz pasiva el sujeto recibe los efectos de la acción (*Un dibujo es hecho por Rosa*). **Expr. a viva voz** o **de viva voz** Hablando. **correr la voz** Hacer que se extienda un rumor o noticia. **llevar la voz cantante** Ser una persona la que manda en un grupo y suele hablar por los otros. **Sin. 4.** Vocablo.

vozarrón o **vozarrona** *s. m.* o *s. f.* Voz muy potente.

vudú *s. m.* Religión de los negros de las Antillas y del sur de Estados Unidos, en la que se mezclan elementos del cristianismo y de la brujería africana.

vuelapluma Se usa en la expresión **a vuelapluma**, que se refiere a la forma de escribir muy rápida, en la que el autor casi no se detiene a pensar.

vuelco *s. m.* Acción de volcar. **Expr. darle** a alguien **un vuelco el corazón** Sobresaltarse o asustarse.

vuelo *s. m.* **1.** El hecho de volar. **2.** Viaje en un medio de transporte aéreo, como el avión. **3.** Forma de algunas faldas y vestidos que son muy anchos por abajo. **Expr. al vuelo** Con rapidez. **Sin. 1.** Revoloteo.

vuelta *s. f.* **1.** Regreso, retorno. **2.** Movimiento de una persona, animal o cosa alrededor de un punto o sobre su propio eje hasta volver a la posición que antes tenía. **3.** El colocar o colocarse en la posición opuesta. **4.** Parte de una cosa opuesta a la que se ve. **5.** Paseo. **6.** Dinero que se devuelve al que paga algo cuando no entrega la cantidad exacta. **7.** En deportes como el ciclismo, carrera en que se recorren distintos lugares. **8.** Curva. **Expr. a la vuelta de la esquina** Justo después de doblar la esquina; también, muy cerca. **darle** a una persona **cien** o **cuarenta, mil,** etc., **vueltas** Ser mucho mejor que ella. **poner** a alguien **de vuelta y media** Hablar muy mal de él, insultarle. **Sin. 2.** Giro, rotación. **6.** Cambio. **Ant. 1.** Ida.

vuelto, ta *p.* de **volver.** ‖ *adj.* **2.** Que no está de frente. **3.** Del lado opuesto.

vuestro, tra *pos.* **1.** Que os pertenece a vosotros, tiene relación con vosotros o es propio de vosotros: *vuestro libro.* **2.** Se utiliza en algunos casos como forma de respeto para dirigirse a una sola persona: *Majestad, vuestra presencia nos honra.*

vulcanismo *s. m.* Conjunto de fenómenos y procesos que tienen relación con los volcanes.

vulcanología *s. f.* Parte de la geología que estudia los fenómenos volcánicos.

vulcanólogo, ga *s. m. y f.* Especialista en vulcanología.

vulgar *adj.* **1.** Que no destaca o no es original. **2.** Grosero, de mala educación o de mal gusto. **3.** Del vulgo o del pueblo. **4.** Se dice de las palabras corrientes que se emplean para nombrar cosas, en vez del término científico, técnico o culto: *Oculista es el nombre vulgar de oftalmólogo.* **Sin. 1** y **2.** Ordinario. **2.** Chabacano. **Ant. 1** y **2.** Refinado. **2.** Educado.

vulgaridad *s. f.* El ser vulgar y aquello que es vulgar. **SIN.** Ordinariez. **ANT.** Refinamiento.

vulgarismo *s. m.* Palabra o frase incorrecta o grosera; por ejemplo, decir *cocreta* en vez de *croqueta*.

vulgarizar *v.* **1.** Hacer vulgar. **2.** Hacer que personas no especializadas entiendan una materia científica o técnica. **SIN.** **2.** Divulgar.

vulgarmente *adv.* **1.** De manera vulgar. **2.** Entre la gente corriente.

vulgo *s. m.* Conjunto de personas del pueblo, sin cultura, educación, ni una posición social destacada. **SIN.** Chusma, masa.

vulnerable *adj.* Que puede ser herido o sufrir algún daño. **ANT.** Invulnerable.

vulneración *s. f.* Acción de vulnerar.

vulnerar *v.* **1.** No cumplir una ley, norma o mandato. **2.** Dañar o perjudicar. **SIN.** **1.** Violar, transgredir. **2.** Herir.

vulpeja *s. f.* Zorro, animal mamífero.

vulva *s. f.* Parte exterior del aparato genital de las mujeres y de las hembras de los mamíferos.

w *s. f.* Letra número veinticuatro del abecedario.

walkie-talkie (ingl.) *s. m.* Aparato de radio portátil que sirve para hablar a corta distancia con otra persona.

walkman (ingl.) *s. m.* Casete o radiocasete pequeño que se escucha con unos auriculares.

washingtoniano, na *adj.* y *s.* De Washington, capital de Estados Unidos.

wáter (ingl.) *s. m.* **1.** Cuarto donde las personas pueden lavarse, orinar y hacer de vientre. **2.** Recipiente con una cisterna de agua para orinar y hacer de vientre. **SIN.** **1.** Baño, servicio. **1** y **2.** Retrete. **2.** Inodoro.

waterpolo (Ingl.) *s. m.* Deporte que practican en una piscina dos equipos que intentan meter un balón en la portería del contrario.

western (ingl.) *s. m.* Película del oeste americano.

whisky (ingl.) *s. m.* Licor que se hace fermentando la cebada o algunos otros cereales.

windsurf o **windsurfing** (ingl.) *s. m.* Deporte que consiste en navegar sobre una tabla con una vela.

windsurfista *s. m.* y *f.* Persona que practica el windsurf.

wolframio *s. m.* Volframio.

x *s. f.* **1.** Letra número veinticinco del abecedario. **2.** Se emplea para hablar de alguien o algo que no se conoce o no se quiere nombrar. **3.** En matemáticas, representa lo que hay que calcular en una ecuación.

xenofobia *s. f.* Odio o antipatía hacia los extranjeros.

xenófobo, ba *adj.* y *s.* Que muestra xenofobia.

xerocopia *s. f.* Fotocopia que se obtiene por medio de la xerografía.

xerófilo, la *adj.* Se dice de las plantas, como los cactus, que pueden vivir en lugares muy secos.

xerografía *s. f.* **1.** Un procedimiento de fotocopia para reproducir textos e imágenes. **2.** Xerocopia.

xilófago, ga *adj.* y *s.* Se dice de los insectos que comen madera.

xilofón o **xilófono** *s. m.* Instrumento musical formado por unas láminas de madera o metal de distinto tamaño que se golpean con unos macillos.

xilografía *s. f.* Procedimiento de hacer grabados sobre madera, dejando vacías las partes que deben quedar blancas en el dibujo.

y¹ *s. f.* Letra número veintiséis del abecedario.

y² *conj.* **1.** Sirve para unir palabras o frases: *Comimos sopa y filete; comimos y nos marchamos;* y para dar más fuerza a algo que se dice o para hacer una pregunta: *¡Y pensar que casi lo consigue! ¿Y mi libro, dónde está?*

ya *adv.* **1.** Que ahora está acabado: *Ya está pintada la casa;* ahora mismo, en este momento: *Ya no viven aquí;* en seguida: *Ya voy.* **2.** *fam.* Se usa para decir al que habla que le entendemos o que nos hemos dado cuenta de algo: *¡Ah ya!,* ahora lo comprendo; también indica que no creemos lo que alguien dice: *¡Venga ya!* ‖ *conj.* **3.** Sirve para expresar dos cosas diferentes que pueden ocurrir: *Ya con éxitos, ya con fracasos, sigue adelante.* **EXPR.** **ya que** Puesto que. **SIN. 3.** Bien.

yac *s. m.* Yak.

yacaré *s. m.* Cocodrilo que tiene el hocico tan largo como ancho y es de color negruzco o verde oscuro con manchas negras. Vive en ríos y pantanos de América del Sur.

yacente *adj.* Que yace: *una escultura yacente.*

yacer *v.* **1.** Estar tumbado o acostado. **2.** Estar una persona muerta enterrada en un sitio. ◻ Es v. irreg. **SIN. 2.** Reposar, descansar. **ANT. 1.** Levantarse.

yacimiento *s. m.* **1.** Mina, filón. **2.** Sitio en el que hay restos prehistóricos o de civilizaciones antiguas.

yak *s. m.* Mamífero de gran tamaño parecido a un toro, pero con el cuerpo cubierto de un abundante pelo que lo protege del frío. Vive en el Tíbet.

yanqui *adj.* y *s. fam.* Estadounidense.

yantar *v.* Antiguamente, comer.

yarda *s. f.* Medida de longitud que se usa en algunos países, como el Reino Unido, y que equivale a 91,4 centímetros.

yate *s. m.* Barco de motor o de vela que tienen algunas personas para estar en el mar o hacer viajes por diversión.

yayo, ya *s. m.* y *f.* *fam.* Abuelo, abuela.

yedra *s. f.* Hiedra.

yegua *s. f.* Hembra del caballo.

yeguada *s. f.* Manada o rebaño de caballos, especialmente el que está dedicado a la cría.

yeísmo *s. m.* El pronunciar la *ll* igual que la *y*; por ejemplo en las palabras *rallar* y *rayar*.

yeísta *adj.* y *s.* Que pronuncia la *ll* igual que la *y*.

yelmo *s. m.* Parte de la armadura antigua que protegía la cabeza y la cara.

yema *s. f.* **1.** Parte amarilla del huevo. **2.** Dulce que se hace con yema de huevo y azúcar. **3.** Parte de abajo de la punta de los dedos. **4.** Bultito de las ramas de las plantas de donde salen otras ramas, las hojas o las flores.

yemení *adj.* y *s.* Del Yemen, país de Asia.

yen *s. m.* Moneda de Japón.

yerba *s. f.* Hierba.

yerbabuena *s. f.* Hierbabuena.

yermo, ma *adj.* y *s. m.* **1.** Se dice del terreno no cultivado. **2.** Deshabitado, desierto. **SIN. 1.** Baldío, inculto.

yerno *s. m.* El marido de la hija de una persona.

yero *s. m.* Planta de la misma familia que la judía y el garbanzo; sus semillas se usan para dar de comer al ganado.

YACER	
INDICATIVO	
Presente	
yazco, yazgo o yago	yacemos
yaces	yacéis
yace	yacen
SUBJUNTIVO	
Presente	
yazca, yazga o yaga	
yazcas, yazgas o yagas	
yazca, yazga o yaga	
yazcamos, yazgamos o yagamos	
yazcáis, yazgáis o yagáis	
yazcan, yazgan o yagan	
IMPERATIVO	
yace o yaz	yaced

yerro *s. m.* Error, equivocación. **SIN.** Desacierto. **ANT.** Acierto.

yerto, ta *adj.* Rígido y sin moverse. **SIN.** Inmóvil, inerte.

yesca *s. f.* Material muy seco que se usaba para encender fuego.

yesería *s. f.* **1.** Sitio en el que se fabrica o vende yeso. **2.** Obra hecha de yeso.

yeso *s. m.* Mineral muy blando, incoloro, blanco o castaño. En polvo y mezclado con agua forma una pasta que usan albañiles y escultores.

yeti *s. m.* Según cuentan algunas leyendas, ser gigantesco y peludo que habita en las montañas del Himalaya.

ye-yé *adj.* y *s.* *fam.* Se dice de la música pop de los años sesenta y de sus intérpretes y seguidores.

yeyuno *s. m.* Parte central del intestino delgado.

yiddish (ingl.) *s. m.* Lengua hablada por algunos judíos de origen europeo.

yo *pron. pers.* Expresa la primera persona del singular, la persona que habla, y se usa con la función de sujeto: *Yo iré a verle.*

yodado, da *adj.* Que contiene yodo: *sal yodada.*

yodo *s. m.* Elemento químico de color oscuro que se encuentra en el suelo en forma de sales y en las algas y otros seres vivos marinos. Se usa como desinfectante y es muy importante para el organismo.

yoga *s. m.* Método de origen hindú que, mediante unos ejercicios físicos y mentales, sirve para controlar el cuerpo y la mente y perfeccionar el espíritu.

yogui *s. m.* y *f.* Persona que practica el yoga.

yogur o **yoghourt** *s. m.* Alimento que se hace fermentando la leche; es blanco y tiene un sabor un poco agrio. A veces se le añade azúcar y sabores de frutas.

yogurtera *s. f.* Aparato que sirve para hacer yogur.

yonqui *s. m.* y *f.* Persona que se inyecta heroína.

yoyó *s. m.* Juguete formado por dos discos redondos unidos por un eje, que se hace subir y bajar mediante un cordel que se enrolla y desenrolla.

yuan *s. m.* Moneda de China.

yuca *s. f.* **1.** Planta americana que tiene el tallo cilíndrico terminado en unas hojas largas, gruesas y tiesas que forman un abanico; de ellas salen unas

flores blancas que parecen globos.
2. Mandioca.

yudo *s. m.* Judo.

yudoca *s. m.* y *f.* Judoka.

yugo *s. m.* Objeto de madera que sirve para unir dos animales de tiro y al que se sujeta el carro o el arado.

yugoeslavo, va o **yugoslavo, va** *adj.* y *s.* De Yugoslavia, país de Europa.

yugular *adj.* y *s. f.* Se dice de las venas que recogen la sangre del cerebro y la llevan al corazón.

yunque *s. m.* **1.** Objeto de hierro que sirve para trabajar sobre él los metales golpeándolos con un martillo. **2.** Uno de los cuatro huesecillos que hay en el oído medio.

yunta *s. f.* Pareja de bueyes, mulas o de otros animales de tiro o de trabajo.

yuppie (ingl.) *s. m.* y *f.* Joven profesional que trabaja en una ciudad, tiene estudios universitarios y buena posición económica.

yute *s. m.* Planta que viene de Asia; de su corteza se saca una fibra con la que se hacen tejidos de arpillera y esteras.

yuxtaponer *v.* Poner una cosa junto a otra. □ Es v. irreg. Se conjuga como *poner*.

yuxtaposición *s. f.* En gramática, unión de dos o más palabras u oraciones sin utilizar un enlace o una conjunción, por ejemplo mediante comas.

yuxtapuesto, ta **1.** *p.* de **yuxtaponer**. También *adj.* ‖ *adj.* **2.** Unido por yuxtaposición.

z *s. f.* Última letra del abecedario, que hace la número veintisiete.

zafarrancho *s. m.* **1.** El preparar un barco para un trabajo o una actividad. **2.** En el ejército, limpieza general en un cuartel. **3.** Destrozo, lío o pelea. ‖ **4. zafarrancho de combate** Acción de prepararse para entrar en combate inmediatamente.

zafarse *v.* **1.** Escaparse, escabullirse. **2.** Desatarse o soltarse.

zafiedad *s. f.* Característica de zafio.

zafio, fia *adj.* y *s.* Rudo, torpe. **SIN.** Grosero. **ANT.** Educado.

zafiro *s. m.* Piedra preciosa de color azul y muy dura, que se utiliza en joyería.

zafra¹ *s. f.* Vasija grande de metal en que se guarda el aceite.

zafra² *s. f.* **1.** Cosecha de la caña de azúcar. **2.** Fabricación del azúcar de caña y de la remolacha.

zaga *s. f.* **1.** La parte de atrás o el último lugar. **2.** En algunos deportes, la defensa del equipo. **SIN. 1.** Trasera, final. **ANT. 1** y **2.** Delantera.

zagal, la *s. m.* y *f.* **1.** Muchacho o muchacha. **2.** Pastor o pastora joven que está a las órdenes de otro pastor.

zaguán *s. m.* Espacio a la entrada de una casa, junto a la puerta de la calle. **SIN.** Vestíbulo, recibidor.

zaguero, ra *adj.* y *s.* **1.** Que va o se queda el último. ‖ *s. m.* **2.** En algunos deportes, sobre todo en rugby, defensor de un equipo. **3.** En los juegos de pelota por parejas, jugador que se coloca en la parte de atrás de la cancha. **SIN. 1.** Rezagado. **2.** Defensa. **ANT. 1.** Primero. **2.** Delantera.

zaherir *v.* Ofender, humillar. □ Es v. irreg. Se conjuga como *sentir*. **SIN.** Escarnecer, vilipendiar. **ANT.** Alabar.

zahones *s. m. pl.* Especie de pantalones de cuero o paño fuerte que usan los cazadores y las personas que trabajan con ganado.

zahorí *s. m.* Persona que tiene el poder de descubrir lo que está oculto, sobre todo lo que se encuentra bajo tierra, como los manantiales.

zahúrda *s. f.* Pocilga.

zaíno, na o **zaino, na** *adj.* Se dice de las caballerías con el pelo castaño oscuro, y de los toros y vacas de pelo completamente negro.

zaireño, ña *adj.* y *s.* De Zaire, país de África.

zalamería *s. f.* Caricia o cualquier otra demostración de cariño para adular a alguien o conseguir algo de él. SIN. Halago, lisonja, zalema.

zalamero, ra *adj.* y *s.* Que hace zalamerías.

zalema *s. f.* **1.** Reverencia que se hace a alguien como muestra de respeto. **2.** Zalamería.

zamarra *s. f.* Pelliza.

zambo, ba *adj.* y *s.* **1.** Patizambo. **2.** Hijo de un negro y una india, o al revés. **3.** En algunos lugares de Hispanoamérica, mulato.

zambomba *s. f.* Instrumento musical parecido a un tambor, con una varilla que se frota con la mano humedecida y produce un sonido ronco.

zambombazo *s. m.* **1.** Explosión, estampido. **2.** Golpe fuerte. SIN. **1.** Estallido, cañonazo. **2.** Porrazo.

zambullida *s. f.* Acción de zambullirse.

zambullir *v.* Meter o meterse de golpe debajo del agua. □ Es v. irreg. Se conjuga como *mullir*.

zamorano, na *adj.* y *s.* De Zamora, ciudad y provincia españolas.

zampabollos *s. m.* y *f.* Persona que come mucho. SIN. Tragón.

zampar *v.* Comer mucho, rápido y con ansia. SIN. Tragar, devorar.

zampoña *s. f.* Instrumento parecido a una flauta o formado por varias flautas unidas.

zanahoria *s. f.* **1.** Planta que tiene una raíz comestible, gruesa y alargada, de color anaranjado. **2.** Esta raíz.

zanca *s. f.* **1.** Pata larga de algunas aves. **2.** *fam.* Pierna larga y delgada.

zancada *s. f.* Paso largo. SIN. Tranco.

zancadilla *s. f.* El cruzar alguien su pierna delante de otro que anda o corre para que tropiece y se caiga.

zancadillear *v.* Poner la zancadilla a alguien.

zancajo *s. m.* Talón y hueso que lo forma.

zanco *s. m.* **1.** Cada uno de los dos palos largos con unos soportes para los pies, en los que se sube una persona y anda con ellos manteniendo el equilibrio. **2.** Zueco, chanclo.

zancudo, da *adj.* Que tiene zancas o patas largas.

zanganear *v.* Hacer el zángano. SIN. Holgazanear, vaguear.

zángano, na *adj.* y *s.* **1.** Perezoso, vago. || *s. m.* **2.** Macho de la abeja reina. SIN. **1.** Holgazán. ANT. **1.** Trabajador.

zangolotino, na *adj.* y *s. fam.* Se dice del muchacho ya crecido que se viste o se comporta como un niño de menos edad.

zanja *s. f.* Hoyo largo y estrecho que se cava en el suelo. SIN. Fosa, foso.

zanjar *v.* Terminar o resolver algo del todo. SIN. Solventar, liquidar.

zanquilargo, ga *adj.* y *s. fam.* Que tiene las piernas muy largas.

zapa *s. f.* **1.** Excavación de una galería subterránea o una zanja al descubierto. **2.** Especie de pala que usan los zapadores.

zapador *s. m.* Soldado que en la guerra se encarga de cavar zanjas, hacer trincheras, puentes y tareas parecidas.

zapapico *s. m.* Herramienta con mango de madera, terminada por un lado en punta y por el otro en una hoja estrecha.

zapata *s. f.* Pieza de algunos vehículos que roza con las ruedas para hacerlos frenar.

zapatazo *s. m.* **1.** Golpe que se da con el zapato. **2.** Golpe o ruido fuerte.

zapateado *s. m.* Baile español en que se dan golpes con los zapatos en el suelo.

zapatear *v.* Dar golpes en el suelo con los zapatos, como se hace en algunos bailes flamencos. SIN. Taconear.

zapatería *s. f.* Tienda donde se venden zapatos y otros tipos de calzado.

zapatero, ra *adj.* **1.** De los zapatos o relacionado con ellos. **2.** Se dice de alimentos como las patatas o las legumbres que resultan duros porque hace tiempo que se cocinaron o no son de buena calidad. || *s. m.* y *f.* **3.** Persona que hace, arregla o vende zapatos. || *s. m.* **4.** Mueble para guardar zapatos.

5. Insecto de cuerpo estrecho y patas muy largas que se mueve por encima del agua.

zapatiesta *s. f. fam.* Jaleo, lío, pelea.

zapatilla *s. f.* Zapato muy cómodo, como los que se usan para hacer deporte o para estar en casa.

zapato *s. m.* Lo que nos ponemos en los pies para andar por la calle.

zar *s. m.* Nombre que se daba al emperador de Rusia y al rey de Bulgaria.

zaragozano, na *adj.* y *s.* De Zaragoza, ciudad y provincia españolas.

zarandajas *s. f. pl.* Cosas poco importantes o sin valor.

zarandear *v.* Mover a una persona o cosa de un lado a otro varias veces y de manera brusca. **SIN.** Agitar, sacudir.

zarandeo *s. m.* Acción de zarandear. **SIN.** Sacudida.

zarcillo *s. m.* **1.** Pendiente, sobre todo el de forma de aro. **2.** Rama larga y delgada de algunas plantas, como la vid, que se retuerce para trepar por un lugar y sujetarse.

zarco, ca *adj.* Azul claro.

zarigüeya *s. f.* Animal mamífero americano parecido a una rata, que transporta a sus crías sobre el lomo y hace su vida por la noche. La zarigüeya tiene una bolsa en el vientre, como los canguros, pero más pequeña.

zarina *s. f.* **1.** Emperatriz de la antigua Rusia. **2.** Esposa del zar.

zarismo *s. m.* Forma de gobierno propia de los zares.

zarista *adj.* **1.** Del zarismo. || *adj.* y *s.* **2.** Partidario del zarismo.

zarpa *s. f.* Garra.

zarpar *v.* Salir un barco del lugar donde estaba parado, comenzar a navegar.

zarpazo *s. m.* Arañazo o golpe que se da con la zarpa.

zarrapastroso, sa *adj.* y *s.* Sucio y con la ropa vieja o rota. **SIN.** Desaseado, desaliñado. **ANT.** Elegante.

zarza *s. f.* Nombre de varios arbustos con muchas espinas, por ejemplo la planta que da las moras, también llamada *zarzamora*.

zarzal *s. m.* Lugar donde hay muchas zarzas.

zarzamora *s. f.* Planta de tallos fuertes con muchas espinas, flores, blancas o rosas, y frutos dulces y de color oscuro, que también se llaman *zarzamoras* o *moras*.

zarzaparrilla *s. f.* Bebida refrescante, de color oscuro y sabor dulce, preparada con la raíz de una planta americana del mismo nombre.

zarzuela *s. f.* **1.** Obra de teatro musical en la que se canta y a veces se habla, y es típica española. **2.** Guiso hecho con mariscos y pescados en salsa.

zarzuelista *s. m.* y *f.* Compositor de letras o música para zarzuelas.

zascandil *adj.* y *s.* Inquieto, revoltoso.

zascandilear *v.* Estar continuamente de un lado para otro, haciendo cosas que no sirven para nada o enredando. **SIN.** Trastear.

zéjel *s. m.* Composición poética de origen árabe.

zenit *s. m.* Cenit.

zepelín *s. m.* Dirigible.

zigoto *s. m.* Cigoto.

zigurat *s. m.* Edificación religiosa de ladrillo, con forma de pirámide escalonada, propia del arte mesopotámico.

zigzag *s. m.* Línea que va primero hacia un lado y luego hacia el otro.

zigzaguear *v.* Moverse o estar colocado en zigzag.

zinc *s. m.* Cinc.

zipizape *s. m. fam.* Riña, jaleo.

zócalo *s. m.* **1.** Rodapié. **2.** En arquitectura, parte inferior del exterior de un edificio sobre la que se colocan los basamentos. **3.** Parte inferior de un pedestal. **SIN. 1.** Friso.

zocato, ta *adj.* y *s. fam.* Zurdo.

zoco *s. m.* Mercado típico de Marruecos y otros países del norte de África.

zodiacal *adj.* Del zodiaco.

zodiaco o **zodíaco** *s. m.* Zona del cielo que se divide en doce partes, que corresponden a doce constelaciones o signos: aries, tauro, géminis, cáncer, leo, virgo, libra, escorpión, sagitario, capricornio, acuario y piscis. Según la astrología, estos signos influyen en el carácter y la vida de las personas.

zombi *s. m.* **1.** Según algunas creencias, muerto viviente resucitado por arte de brujería. || *adj.* y *s.* **2.** Persona atontada, que se mueve de forma mecánica y sin pensar lo que hace. **SIN. 2.** Alelado, embobado. **ANT. 2.** Despierto.

zona *s. f.* Espacio más o menos extenso que hay dentro de un lugar o de una cosa. **SIN.** Región, franja, sector.

zonzo *adj.* y *s.* Se dice de la persona que es tonta y sosa. **SIN.** Sosaina.

zoo *s. m.* Zoológico.

zoología *s. f.* Parte de la biología que estudia los animales.

zoológico, ca *adj.* **1.** Relacionado con la zoología. ‖ *s. m.* **2.** Parque en el que se guardan animales de muchos lugares del mundo y que puede ser visitado por el público.

zoólogo, ga *s. m.* y *f.* Persona especializada en zoología.

zoom (ingl.) *s. m.* Objetivo de una cámara de fotos, de vídeo o televisión que permite enfocar la imagen más cerca o más lejos.

zoomorfo, fa *adj.* Que tiene forma de animal.

zooplancton *s. m.* Parte del plancton marino formado por animales.

zootecnia *s. f.* Conjunto de conocimientos y técnicas sobre la cría de animales domésticos.

zootécnico, ca *adj.* De la zootecnia.

zopenco, ca *adj.* y *s.* Tonto, torpe.

zopilote *s. m.* Ave rapaz americana parecida al buitre, pero más pequeña, con las plumas negras y la cabeza pelada. Se alimenta sobre todo de carroña.

zoquete *adj.* y *s. m.* Torpe, tonto.

zorra *s. f.* **1.** Zorro. **2.** Hembra del zorro. ‖ *adj.* y *s. f.* **3.** Prostituta. **4.** Mujer astuta. **SIN. 4.** Pícara, espabilada. **ANT. 4.** Ingenua.

zorrería *s. f. fam.* Astucia.

zorrillo *s. m.* En América, mofeta.

zorro *s. m.* **1.** Mamífero carnívoro que tiene el hocico puntiagudo, las orejas grandes y una cola muy larga y muy peluda. Es un animal que tiene fama de ser astuto. ‖ *adj.* y *s. m.* **2.** Hombre astuto. ‖ *pl.* **3.** Tiras de una tela gruesa unidas a un mango de madera que se usan para limpiar el polvo. **EXPR. hecho unos zorros** Muy cansado o agotado; también, destrozado. **SIN. 2.** Ladino.

zorzal *s. m.* Tordo, pájaro.

zote *adj.* y *s.* Tonto, torpe.

zozobra *s. f.* **1.** Sensación de temor o intranquilidad. **2.** Acción de zozobrar una embarcación. **SIN. 1.** Inquietud, desasosiego. **ANT. 1.** Serenidad.

zozobrar *v.* **1.** Naufragar una embarcación. **2.** Fracasar.

zueco *s. m.* **1.** Calzado de madera que usan los campesinos en algunos lugares para andar por el barro o por sitios mojados. **2.** Zapato de cuero sin la parte de atrás y con la suela de corcho o madera. **SIN. 1.** Chanclo, zanco.

zulo (vasc.) *s. m.* **1.** Agujero, hoyo. **2.** Escondite, guarida.

zulú *adj.* y *s.* De un pueblo de raza negra que habita en el sur de África.

zumba *s. f.* Broma, burla.

zumbado, da **1.** *p.* de **zumbar.** ‖ *adj.* y *s.* **2.** Loco. **SIN. 2.** Chiflado, sonado.

zumbador, ra *adj.* **1.** Que zumba. ‖ *s. m.* **2.** Timbre eléctrico que produce un zumbido sordo.

zumbar *v.* **1.** Producir un zumbido. **2.** Tener un zumbido en los oídos. **3.** Pegar, sacudir. **EXPR. salir zumbando** Irse muy deprisa.

zumbido *s. m.* **1.** Ruido continuo como el que hacen las abejas al volar, algunos motores y otras cosas. **2.** Sensación parecida a este ruido que a veces se tiene en el oído.

zumbón, na *adj.* **1.** Que zumba. **2.** Burlón, bromista.

zumo *s. m.* Líquido que se saca exprimiendo o triturando frutas y algunas hortalizas. **SIN.** Jugo, néctar.

zurcido, da **1.** *p.* de **zurcir.** También *adj.* ‖ *s. m.* **2.** Remiendo.

zurcir *v.* Coser alguna tela para tapar un agujero que se ha hecho. **SIN.** Remendar.

zurdo, da *adj.* y *s.* **1.** Que maneja mejor la mano o el pie izquierdo que el derecho. ‖ *adj.* y *s. f.* **2.** Mano o pierna izquierda. **SIN. 1.** Zocato. **ANT. 1** y **2.** Diestro. **2.** Derecha.

zurear *v.* Hacer arrullos las palomas.

zurra *s. f.* Paliza.

zurrar *v.* Pegar, golpear. **SIN.** Atizar.

zurraspa *s. f.* Mancha de caca que queda en el retrete o en la ropa interior.

zurriagazo *s. m.* **1.** Latigazo o golpe con una cosa flexible. **2.** Sacudida, golpazo.

zurriago *s. m.* Látigo.

zurrón *s. m.* Bolsa que se lleva colgada. **SIN.** Morral, macuto.

zutano, na *s. m.* y *f.* Se usa con las palabras *fulano* o *mengano* para hablar de una persona cualquiera.